METHODEN DER
ORGANISCHEN CHEMIE

METHODEN DER ORGANISCHEN CHEMIE

(HOUBEN-WEYL)

VIERTE, VÖLLIG NEU GESTALTETE AUFLAGE

HERAUSGEGEBEN VON

EUGEN MÜLLER

UNTER BESONDERER MITWIRKUNG VON

OTTO BAYER
LEVERKUSEN

H. MEERWEIN † · K. ZIEGLER †

BAND VII/2b

KETONE

TEIL II

19 GTV 76

GEORG THIEME VERLAG STUTTGART

KETONE

TEIL II

BEARBEITET VON

O. BAYER · K. BURGER · B. EISTERT
LEVERKUSEN   MÜNCHEN   SAARBRÜCKEN

H. GOLD · H. HENECKA · D. MARQUARDING
LEVERKUSEN WUPPERTAL-ELBERFELD   MÜNCHEN

M. REGITZ · H. STETTER · H. G. THOMAS
KAISERSLAUTERN   AACHEN   AACHEN

I. UGI · H. WOLLWEBER
MÜNCHEN   WUPPERTAL-ELBERFELD

MIT 1 ABBILDUNG

MIT 89 TABELLEN

1976

GEORG THIEME VERLAG STUTTGART

In diesem Handbuch sind zahlreiche Gebrauchs- und Handelsnamen, Warenzeichen u. dgl. (auch ohne besondere Kennzeichnung), Patente, Herstellungs- und Anwendungsverfahren aufgeführt. Herausgeber und Verlag machen ausdrücklich darauf aufmerksam, daß vor deren gewerblicher Nutzung in jedem Falle die Rechtslage sorgfältige geprüft werden muß. Industriell hergestellte Apparaturen und Geräte sind nur in Auswahl angeführt. Ein Werturteil über Fabrikate, die in diesem Band nicht erwähnt sind, ist damit nicht verbunden.

CIP-Kurztitelaufnahme der Deutschen Bibliothek

Methoden der organischen Chemie / (Houben-Weyl).
Hrsg. von Eugen Müller unter bes. Mitw. von
    Otto Bayer . . . — Stuttgart : Thieme.

NE: Müller , Eugen [Hrsg.]; Houben , Josef
    [Begr.]; Houben-Weyl, . . .
Bd. 7.
2b. → Ketone

Ketone. — Stuttgart : Thieme.

Teil 2. Bearb. von O. Bayer . . . — 4., völlig
    neu gestaltete Aufl. — 1976.
    (Methoden der organischen Chemie ; Bd. 7.2b)
    ISBN 3-13-206104-2

NE: Bayer , Otto [Mitarb.]

Erscheinungstermin 16. 9. 1976

ISBN 3-13-206104-2

Vorwort

Die von TH. WEYL begründeten und von J. HOUBEN fortgeführten Methoden der organischen Chemie sind zu einem wichtigen Standardwerk von internationaler Bedeutung für das gesamte chemische Schrifttum geworden. Seit dem Erscheinen der letzten vierbändigen dritten Auflage sind zum Teil schon über 20 Jahre vergangen, so daß eine Neubearbeitung bereits seit Jahren dringend geboten schien. Verständlicherweise hat sich die Verwirklichung dieser Absicht, durch die Kriegs- und Nachkriegsverhältnisse bedingt, lange hinausgezögert.

Vor allem der Initiative von Herrn Prof. Dr. Dres. h.c. Dres. E.h. OTTO BAYER, Leverkusen, ist es zu verdanken, daß das Werk heute in einer völlig neuen und weitaus umfassenderen Form wieder erscheint.

Dieses neue Form wird in einer großen Gemeinschaftsarbeit von Hochschul- und Industrieforschern gestaltet. Ursprünglich planten wir, das neue Werk mit etwa 16 Bänden im Laufe von 4 Jahren abzuschließen. Inzwischen hat sich gezeigt, daß infolge der stark anwachsenden Literatur die einzelnen Bände z. T. mehrfach unterteilt werden mußten. Besonders durch die Mitwirkung von Fachkollegen aus der chemischen Industrie wird es zum ersten Male möglich sein, die große Fülle von Erfahrungen, die in der Patentliteratur und in den Archiven der Fabriken niedergelegt ist, nunmehr kritisch gewürdigt der internationalen Chemieforschung bekanntzugeben.

Der Unterzeichnete hat es als eine besondere Auszeichnung und Ehre empfunden, von maßgebenden Persönlichkeiten der deutschen Chemie und dem Georg Thieme Verlag mit der Herausgabe des Gesamtwerkes betraut worden zu sein.

Mein Dank gilt dem engeren Herausgeber-Kollegium, den Herren

Prof. Dr. Dres. h. c. Dres. E. h. OTTO BAYER, Leverkusen,
Prof. Dr. Dres. h. c. Dr. E. h. HANS MEERWEIN, Marburg,
Prof. Dr. Dres. h. c. Dr. E. h. KARL ZIEGLER, Mülheim-Ruhr,

die durch ihre intensive Mitarbeit und ihre reichen Erfahrungen die Gewähr bieten, daß für das neue Werk ein möglichst hohes Niveau erreicht wird.

Ganz besonderer Dank aber gebührt unseren Autoren, die in unermüdlicher Arbeit neben ihren beruflichen Belastungen der Fachwelt ihre großen Erfahrungen bekanntgeben. Im Namen der Herren Mitherausgeber und in meinem eigenen darf ich unserer besonderen Freude Ausdruck geben, daß gerade die Herren, die als hervorragende Sachkenner ihres Faches bekannt sind, uns ihre Mitarbeit zugesagt haben.

Das Erscheinen der Neuauflage wurde nur dadurch ermöglicht, daß der Inhaber des Georg Thieme Verlags, Stuttgart, Herr Dr. med. h.c. Dr. med. h.c. BRUNO HAUFF, durchdrungen von der Bedeutung der organischen Chemie, das neue Projekt bewußt in den Vordergrund seines Unternehmens stellte und seine Tatkraft und seine großen Erfahrungen diesem Werk widmete. Es stellt ein verlegerisches Wagnis dar, das Werk in dieser Ausstattung mit der großen Zahl von übersichtlichen Formeln, Abbildungen und Tabellen zu einem verhältnismäßig niedrigen Preis dem Chemiker in die Hand zu geben.

In den nun zur Herausgabe gelangenden „Methoden der organischen Chemie" wird ebensowenig eine Vollständigkeit angestrebt wie in den älteren Auflagen. Die Autoren sind vielmehr bemüht, auf Grund ihrer eigenen Erfahrungen die wirklich brauchbaren Methoden in den Vordergrund der Behandlung zu stellen und überholte Arbeitsvorschriften oder sogenannte Bildungsweisen nur knapp abzuhandeln.

Es ist unmöglich, eine Gewähr für jede der angegebenen Vorschriften zu übernehmen. Wir glauben aber, dadurch das Möglichste getan zu haben, daß alle Manuskripte von mehreren Fachkollegen überprüft wurden und die Literatur bis zum Stande von etwa einem bis einem halben Jahr vor Erscheinen jedes Bandes berücksichtigt ist.

An dieser Stelle sei noch einiges zur Anlage des Gesamtwerkes gesagt. Wir haben uns bemüht, beim Aufbau des Werkes und bei der Darstellung des Stoffes noch strenger nach methodischen Gesichtspunkten vorzugehen, als dies in den früheren Auflagen der Fall war.

Der erste Band wird allgemeine Hinweise zur Laboratoriumspraxis enthalten und die gebräuchlichen Arbeitsmethoden in einem organisch-chemischen Laboratorium, wie beispielsweise Anreichern, Trennen, Reinigen, Arbeiten unter Überdruck und Unterdruck, beschreiben.

In Band II fassen wir die Analytik der organischen Chemie zusammen, die früher verstreut in den einzelnen Kapiteln behandelt wurde. Wir hoffen, dadurch eine wesentliche Erleichterung für den Benutzer des Handbuchs geschaffen zu haben.

Hieran schließt sich die Darstellung der physikalischen Forschungsmethoden in der organischen Chemie. Dort sollen die Grundlagen der Methodik, das erforderliche apparative Rüstzeug, der Anwendungsbereich auf dem Gebiet der organischen Chemie und die Grenzen der betreffenden Methoden kurz wiedergegeben werden. In vielen Fällen wird es hier nicht möglich sein, eine ausführliche Darstellung zu geben, die das Nachschlagen der Originalliteratur unnötig macht, wie bei den Bänden präparativen Inhalts. Unser Ziel ist es, dem präparativ arbeitenden Organiker die Anwendbarkeit der betreffenden physikalischen Methode auf Probleme der organischen Chemie und ihre Grenzen zu zeigen.

Der Hauptteil des Werkes befaßt sich mit den chemisch-präparativen Methoden. In einem gesonderten Band werden allgemeine Methoden behandelt, die Geltung haben für die in den weiteren Bänden behandelten speziellen Methoden, wie etwa Oxidation, Reduktion, Katalyse, photochemische Reaktionen, Herstellung isotopenhaltiger Verbindungen und ähnliches mehr.

Der spezielle Teil befaßt sich mit den Methoden zur Herstellung und Umwandlung organischer Stoffklassen. Auf die Methoden zur Herstellung und Umwandlung von Kohlenwasserstoffen folgen – in der Anordnung des langen Periodensystems von rechts nach links betrachtet – die entsprechenden Verbindungen des Kohlenstoffs mit den Halogenen, den Chalkogenen, den Elementen der Stickstoffgruppe, mit Silicium, Bor, und mit den Metallen. Abschließend behandeln wir die Methoden zur Herstellung und Umwandlung hochmolekularer Stoffe sowie die besonderen organisch-präparativen und analytischen Methoden der Chemie der Naturstoffe.

Im Vordergrund der Darstellung der speziellen chemischen Methoden, die den Hauptteil des Handbuches bilden, wird nicht die Beschreibung der einzelnen Stoffe selbst stehen – dies ist Aufgabe des „Beilstein" –, sondern die Methoden zur Herstellung und Umwandlung bestimmter Verbindungsklassen, erläutert an ausgewählten Beispielen. Dabei wird besonderer Wert auf die Vollständigkeit und kritische Darstellung der Methoden zur Herstellung bestimmter Verbindungsklassen gelegt, die als Schwerpunkt des betreffenden Kapitels angesehen werden können. Die darauf folgende Umwandlung ist so kurz wie möglich behandelt, da sie mit ihren Umwandlungsstoffen in die Kapitel übergreift, die sich mit der Herstellung eben dieser Verbindungstypen befassen. Die Besprechung der Umwandlung der verschiedenen Stoffklassen ist daher nur unter dem Gesichtspunkt aufgenommen worden, jeweils selbständige Kapitel inhaltlich abzurunden und Hinweise zu geben auf die Stellen des Handbuches, an denen der Benutzer die durch Umwandlung entstehenden neuen Stofftypen in ihrer Herstellung auffinden kann.

Es ist selbstverständlich, daß kein Werk der chemischen Sammelliteratur so dem Wandel unterworfen ist wie gerade die „Methoden der organischen Chemie"; beruht doch der Fortschritt der chemischen Wissenschaft darin, stets neue synthetische Wege zu erschließen. Ich darf daher alle Fachkollegen um rege und stete Mitarbeit bitten, sei es in Form von sachlichen Kritiken oder wertvollen Hinweisen.

Nicht zuletzt danke ich der deutschen chemischen Industrie, die unter beträchtlichen Opfern ihre besten Fachkollegen für die Mitarbeit an diesem Werk freigestellt hat und mit Literaturbeschaffung und Auskünften in reichem Maße stets behilflich war.

Auch der Druckerei möchte ich meine Anerkennung für die rasche und gewissenhafte Ausführung der oft schwierigen Arbeit aussprechen.

EUGEN MÜLLER

Vorwort zu Band VII/2b

Die große Zahl der laufend neu hergestellten Ketone und die Auffindung verbesserter bzw. neuer Synthesewege für bekannte Ketone machte trotz einer sehr kritischen Sichtung der Literatur drei Teilbände für die Beschreibung der Herstellung und Umwandlung der Ketone erforderlich.

In dem vorliegenden Teilband VII/2b sind — in Fortsetzung des Bandes VII/2a — zunächst weitere allgemeine Herstellungsverfahren beschrieben; dann folgen die Umwandlung der Ketone unter Verlust der Carbonyl-Funktion sowie Analytik und Trennverfahren.

Außerdem findet sich hier ein Abschnitt mit Hinweisen auf solche Synthesen und Umwandlungen von Ketonen, die zweckmäßig mittels Hilfs- bzw. Schutzgruppen durchgeführt werden und ein mehr theoretischer Abschnitt über die Reaktivität der Ketone.

Im 3. Ketonband, der in Bälde erscheint, werden Herstellung und Umwandlung spezieller Ketonklassen abgehandelt. Dieser enthält auch die Autoren- und Sachregister für alle drei Teilbände. Die drei Teilbände sind fortlaufend paginiert.

Der Dank der Herausgeber gilt vor allem den Autoren für ihre sachkundig verfaßten Referate und ihre mühevolle Arbeit. Darüber hinaus danken wir Frau Dr. HANNA SÖLL, Leverkusen, für ihre Mitarbeit bei der kritischen Durchsicht der Manuskripte und der Koordinierung der Beiträge. Dem Vorstand der BAYER-AG, Leverkusen, danken wir für die großzügige Förderung auch dieses Bandes. Frau Dr. ILSE MÜLLER-RODLOFF hat auch das Sachregister dieses Bandes mit großer Sorgfält angefertigt.

OTTO BAYER
EUGEN MÜLLER

Ketone

Teil I (Bd. VII/2 a)

Zeitschriftenliste

Die Abkürzungen entsprechen der Sigelliste des „Beilstein", nur die mit * bezeichneten Abkürzungen sind der 2. Auflage der Periodica Chimica entnommen, die mit ° bezeichneten den Chemical Abstracts

A.	LIEBIGS Annalen der Chemie
Abh. dtsch. Akad. Wiss. Berlin, Kl. Chem., Geol. Biol.	Abhandlungen der Deutschen Akademie der Wissenschaften zu Berlin. Klasse für Chemie, Geologie und Biologie. Berlin
Abh. dtsch. Akad. Wiss. Berlin, Kl. Math. allg. Naturwiss.	Abhandlungen der Deutschen Akademie der Wissenschaften zu Berlin. Klasse für Mathematik und Allgemeine Naturwissenschaften (seit 1950)
Abstr. Kagaku-Kenkyū-Jo Hōkoku	Abstracts from Kagaku-Kenkyū-Jo Hōkoku (Reports of the Scientific Research Institute, seit 1950)
Abstr. Rom. Tech. Lit.	Abstracts of Roumanian Technical Literature, Bukarest
Accounts Chem. Res.	Accounts of Chemical Research, Washington
A.ch.	Annales de Chimie, Paris
Acta Acad. Åbo	Acta Academiae Aboensis, Finnland Turku
Acta Biochim. Pol.	Acta Biochimica Polonica, Warszawa
Acta chem. scand.	Acta Chemica Scandinavica, Kopenhagen, Dänemark
Acta chim. Acad. Sci. hung.	Acta Chimica Akademiae Scientiarum Hungaricae, Budapest
Acta Chim. Sinica	Acta Chimica Sinica (Ha Hsüeh Hsüeh Pao; seit 1957), Peking
Acta Cient. Venez.	Acta Cientifica Venezolana, Caracas
Acta crystallogr.	Acta Crystallographica [Copenhagen] (bis 1951: [London])
Acta crystallogr., Sect. A	Acta Crystallographica, Section A, London
Acta crystallogr., Sect. B	Acta Crystallographica, Section B, London
Acta Histochem.	Acta Histochemica, Jena
Acta Histochem., Suppl.	Acta Histochemica (Jena), Supplementum
Acta Hydrochimica et Hydrobiologica	Acta Hydrochemica et Hydrobiologica, Berlin
Acta latviens. Chem.	Acta Universitatis Latviensis, Chemicorum Ordinis Series. Riga
Acta pharmc. int. [Copenhagen]	Acta Pharmaceutica Internationalia [Copenhagen]
Acta pharmacol. toxicol.	Acta Pharmacologica et Toxicologica, Kopenhagen
Acta Pharm. Hung.	Acta Pharmaceutica Hungarica, Budapest (seit 1949)
Acta Pharm. Suecica	Acta Pharmaceutica Suecica, Stockholm
Acta Pharm. Yugoslav.	Acta Pharmaceutica Yugoslavica, Zagreb
Acta physicoch. URSS	Acta Physicochimica URSS
Acta physiol. scand.	Acta Physiologica Scandinavica
Acta physiol. scand. Suppl.	Acta Physiologica Scandinavica. Supplementum
Acta phytoch.	Acta Phytochimica, Tokyo
Acta polon. pharmac.	Acta Poloniae Pharmaceutica (bis 1939 und seit 1947)
Advan. Alicyclic Chem.	Advances in Alicyclic Chemistry, New York
Advan. Appl. Microbiol.	Advances in Applied Microbiological, New York
Advan. Biochem. Engng.	Advances in Biochemical Engineering, Berlin
Advan. Carbohydr. Chem. and Biochem.	Advances in Carbohydrate Chemistry and Biochemistry, New York
Advan. Catal.	Advances in Catalysis and Related Subjects, New York
Advan. Chem. Ser.	Advances in Chemistry Series, Washington
Advan. Food Res.	Advances in Food Research, New York
Adv. Biol. Med. Phys.	Advances in Biological and Medical Physics, New York
Adv. Carbohydrate Chem.	Advances in Carbohydrate Chemistry
Adv. Chromatogr.	Advances in Chromatography, New York
Adv. Colloid Int. Sci.	Advance in Colloid and Interface Science, Amsterdam
Adv. Drug Res.	Advance in Drug Research, New York
Adv. Enzymol.	Advances in Enzymology and Related Subjects of Biochemistry, New York
Adv. Fluorine Chem.	Advances in Fluoroine Chemistry, London
Adv. Free Radical Chem.	Advances in Free Radical Chemistry, London

Adv. Heterocyclic Chem.	Advances in Heterocyclic Chemistry, New York
Adv. Macromol. Chem.	Advances in Macromolecular Chemistry, New York
Adv. Magn. Res.	Advances in Magnetic Resonance, England
Adv. Microbiol. Phys.	Advances in Microbiological Physiology, New York
Adv. Organometallic Chem.	Advances in Organometallic Chemistry, New York
Adv. Org. Chem.	Advances in Organic Chemistry: Methods and Results, New York
Adv. Photochem.	Advances in Photochemistry, New York, London
Adv. Protein Chem.	Advances in Protein Chemistry, New York
Adv. Ser.	Advances in Chemistry Series, Washington
Adv. Steroid Biochem. Pharm.	Advances in Steroid Biochemistry and Pharmacology, London/New York
Adv. Urethane Sci. Techn.	Advances in Urethane Science and Technology, Westport, Conn.
Afinidad	Afinidad [Barcelona]
Agents in Actions	Agents in Actions, Basel
Agr. and Food Chem.	Journal of Agricultural and Food Chemistry, Washington
Agr. Biol.-Chem. (Tokyo)	Agricultural and Biological Chemistry, Tokyo
Agr. Chem.	Agricultural Chemicals Baltimore
Agrochimica	Agrochimica, Pisa
Agrokem. Talajtan	Agrokémia és Talajtan (Agrochemie und Bodenkunde), Budapest
Agrokhimiya	Agrokhimiya i Gruntoznavslvo (Agricultural Chemistry and Soil Science), Kiew
Agron. J.	Agronomy Journal, United States (seit 1949)
Aiche J. (A. I. Ch. E.)	American Institute of Chemical Engineers Journal, New York
Allg. Öl- u. Fett-Ztg.	Allgemeine Öl- und Fett-Zeitung, Berlin (1943 vereinigt mit Seifensieder-Ztg., Abkürzung nach Periodica Chimica)
Am.	American Chemical Journal, Washington
A. M. A. Arch. Ind. Health	A. M. A. Archives of Industrial Health (seit 1955)
Am. Dyest. Rep.	American Dyestuff Reporter, New York
Amer. ind. Hyg. Assoc. Quart.	American Industrial Hygiene Association Quarterly, Chicago
Amer. J. Physics	American Journal of Physics, New York
Amer. Petroleum Inst. Quart.	American Petroleum Institute Quarterly, New York
Amer. Soc. Testing Mater.	American Society for Testing Materials, Philadelphia, Pa.
Amino-acid, Peptide Prot. Abstr.	Amino-acid, Peptide and Protein Abstratcs, London
Am. Inst. Chem. Engrs.	American Institute of Chemical Engineers, New York
Am. J. Pharm.	American Journal of Pharmacy (bis 1936) Philadelphia
Am. J. Physiol.	American Journal of Physiology, Washington
Am. J. Sci.	American Journal of Science, New Haven, Conn.
Am. Perfumer	Americ. Perfumer and Essential Oil Reviews (1936–1939: American Perfumer, Cosmetics, Toilet Preparations)
Am. Soc.	Journal of the American Chemical Society, Washington
Anal. Abstr.	Analytical Abstracts, Cambridge (seit 1954)
Anal. Biochem.	Analytical Biochemistry, New York
Anal. Chem.	Analytical Chemistry (seit 1947), Washington
Anal. chim. Acta	Analytica Chimica Acta, Amsterdam
Anales Real Soc. Espan. Fis. Quim (Madrid)	Anales de la Real Sociedad Española de Fisica y Química, Madrid (seit 1936)
Analyst	The Analyst, Cambridge
An. Asoc. quím. arg.	Anales de la Asociación Química Argentina, Buenos Aires
An. Farm. Bioquím. Buenos Aires	Anales de Farmacia y Bioquímica, Buenos Aires
An. Fis.	Anales de la Real Sociedad Española de Fisica y Química, Series A, Madrid
Ang. Ch.	Angewandte Chemie (bis 1931: Zeitschrift für angewandte Chemie); engl.: Angew. Chem. Intern. Ed. Engl. Angewandte Chemie Internationale Edition in Englisch (seit 1962), Weinheim, New York, London
Angew. Makromol. Chem.	Angewandte Makromolekulare Chemie, Basel
Anilinfarben-Ind.	Анилинокрасочная Промышленность (Anilinfarben-Industrie), Moskau
Ann. Acad. Sci. fenn.	Annales Academiae Sicientiarum Fennicae, Helsinki
Ann. Chim. anal.	Annales de Chimie Analytique (1942–1946), Paris
Ann. Chim. anal. appl.	Annales de Chimie Analytique et de Chimie Appliquée (bis 1941), Paris
Ann. Chim. applic.	Annali di Chimica Applicata (bis 1950), Rom
Ann. chim. et phys.	Annales de chimie et de physique (bis 1941), Paris
Ann. chim. farm.	Annali di chimica farmaceutica (1938–1940), Rom
Ann. Chimica	Annali di Chimica (seit 1950), Rom

Ann. Fermentat.	Annales des Fermentations, Paris
Ann. Inst. Pasteur	Annales de l'Institut Pasteur, Paris
Ann. Med. Exp. Biol. Fennicae (Helsinki)	Annales Medicinae Experimentalis et Biologiae Fennicae, Helsinki (seit 1947)
Ann. N. Y. Acad. Sci.	Annals of the New York Academy of Sciences, New York
Ann. pharm. Franç.	Annales Pharmaceutiques Françaises (seit 1943), Paris
Ann. Phys. (New York)	Annals of Physics, New York
Ann. Physik	Annalen der Physik (bis 1943 und seit 1947), Leipzig
Ann. Physique	Annales des Physique, Paris
Ann. Rep. Med. Chem.	Annual Reports on Medicinal Chemistry, New York
Ann. Rep. NMR Spectr.	Annual Reports of NMR Spectroscopy, London
Ann. Rep. Org. Synth.	Annual Reports on Organic Synthesis, New York
Ann. Rep. Progr. Chem.	Annual Reports on the Progress of Chemistry, London
Ann. Rev. Biochem.	Annual Review of Biochemistry, Stanford, Calif.
Ann. Rev. Inf. Sci. Techn.	Annual Review of Information Science and Technology, Chicago
Ann. Rev. phys. Chem.	Annual Review of Physical Chemistry, Palo Alto, Calif.
Ann. Soc. scient. Bruxelles	Annales des la Société Scientifique des Bruxelles, Brüssel
Annu. Rep. Progr. Rubber	Annual Report on the Progress of Rubber Technology, London
Annu. Rep. Shionogi Res. Lab. [Osaka]	Annual Reports of Shionogi Research Laboratory [Osaka]
An. Quím.	Anales de la Real Española de Física y Química, Serie B, Madrid
An. Soc. españ. [A] bzw. [B]	Anales des la Real Española de Fisica y Química (1940–1947 Anales d, Física y Química). Seit 1948 geteilt in: Serie A-Física. Serie B-Químicae Madrid
An. Soc. cient. arg.	Anales de la Sociedad Cientifica Argentina, Santa Fé (Argentinien)
Antibiot. Chemother.	Antibiotics and Chemotherapy, New York
Antibiotiki (Moscow)	Антибиотики, Antibiotiki (Antibiotika), Moskau
Antimicrob. Agents Chemoth.	Antimicrobial Agents and Chemotherapy, Bethesda, Md.
Appl. Microbiol.	Applied Microbiology, Baltimore, Md.
Appl. Physics	Applied Physics, Berlin
Appl. Polymer Symp.	Applied Polymer Symposia, New York
Appl. scient. Res.	Applied Scientific Research, Den Haag
Appl. Sci. Res. Sect. A u. B	Applied Scientific Research, Den Haag A. Mechanics, Heat, Chemical Engineering, Mathematical Methods B. Electrophysics, Acoustics, Optics, Mathematical Methods
Appl. Spectrosc.	Applied Spectroscopy, Chestnut Hill, Mass.
Ar.	Archiv der Pharmazie (und Berichte der Deutschen Pharmazeutischen Gesellschaft), Weinheim/Bergstr.
Arch. Biochem.	Archives of Biochemistry and Biophysics (bis 1951: Archives of Biochemistry), New York
Arch. des Sci.	Archives des Sciences (seit 1948), Genf
Arch. Environ. Health	Archives of Environmental Health, Chicago (seit 1960)
Arch. Intern. Physiol. Biochim.	Archives Internationales de Physiologie et de Biochimie (seit 1955), Liège
Arch. Math. Naturvid.	Archiv for Mathematik og Naturvidenskab, Oslo
Arch. Mikrobiol.	Archiv für Mikrobiologie (bis 1943 und seit 1948), Berlin
Arch. Pharm. Chemi	Archiv for Pharmaci og Chemi, Kopenhagen
Arch. Phytopath. Pflanzensch.	Archiv für Phytopathologie und Pflanzenschutz, Berlin
Arch. Sci. phys. nat.	Archives des Sciences Physiques et Naturelles. Genf (bis 1947)
Arch. techn. Messen	Archiv für Technisches Messen (bis 1943 und seit 1947), München
Arch. Toxicol.	Archiv für Toxikologie, Berlin, Göttingen, Heidelberg (seit 1954)
Arh. Kemiju	Arhiv za Kemiju, Zagreb (Archives de Chimie) (seit 1946)
Ark. Kemi	Arkiv för Kemi, Mineralogie och Geologi, seit 1949 Arkiv för Kemi (Stockholm)
Arm. Khim. Zh.	Армянский Химический журнал, Armyanskii Khimicheskii Zhurnal (Armenian Chemical Journal) ErewanUdSSR
Ar. Pth.	(NUUNYN-SCHMIEDEBERGS) Archiv für Experimentelle Pathologie und Pharmakologie, Berlin-W.
Arzneimittel-Forsch.	Arzneimittel-Forsch, Aulendorf/Württ.
ASTM Bull.	ASTM (American Society for Testing Materials) Bulletin, Philadelphia
ASTM Spec. Techn. Publ.	ASTM (American Society for Testing Materials). Technical Publications New York

Atti Accad. naz. Lincei, Mem., Cl. Sci. fisiche, mat. natur., Sez. I, II bzw. III — Atti della Accademia Nazionale dei Lincei. Memorie. Classe di Scienze Fisiche, Matematiche e Naturali. Sezione I (Matematica, Meccanica, Astronomia, Geodesia e Geofisica). Sezione II (Fisica, Chimica, Geologia, Paleontologia e Mineralogia). Sezione III (Scienze Biologiche) (seit 1946), Turin

Atti Accad. naz. Lincei, Rend., Cl. Sci. fisiche, mat. natur. — Atti della Accademia Nazionale dei Lincei. Rendiconti. Classe di Scienze Fisiche, Matematiche e Naturali (seit 1946), Rom

Aust. J. Biol. Sci. — Australian Journal of Biological Sciences (seit 1953), Melbourne

Austral. J. Chem. — Australian Journal of Chemistry (seit 1952), Melbourne

Austral. J. Sci. — Australian Journal of Science, Sydney

Austral. J. scient. Res., [A] bzw. [B] — Australien Journal of Scientific Research. Series A. Physical Sciences. Series B. Biological Sciences, Melbourne

Austral. P. — Australisches Patent, Canberra

Azerb. Khim. Zh. — Азербайджанский Химический Журнал   Azerbaidschanisches Chemisches Journal

B. — Berichte der Deutschen Chemischen Gesellschaft; seit 1947; Chemische Berichte, Weinheim/Bergstr.

Belg. P. — Belgisches Patent, Brüssel

Ber. Bunsenges. Phys. Chem. — Berichte der Bunsengesellschaft, Physikalische Chemie, Heidelberg (bis 1952)

Ber. chem. Ges. Belgrad — Berichte der Chemischen Gesellschaft Belgrad (Glassnik Chemisskog Druschtwa Beograd, seit 1940), Belgrad

Ber. Ges. Kohlentechn. — Berichte der Gesellschaft für Kohlentechnik (Dortmund-Eving)

Biochem. — Biochemistry, Washington

Biochem. biophys. Acta — Biochimica et biophysica Acta, Amsterdam

Biochem. Biophys. Research Commun. — Biochemical and Biophysical Research Communications, New York

Biochem. J. (London) — The Biochemical Journal, London

Biochem. J. (Kiew) — Biochemical Journal, Kiew, Ukraine

Biochem. Med. — Biochemical Medicine, New York

Biochem. Pharmacol. — Biochemical Pharmacology, London

Biochem. Prepar. — Biochemical Preparations, New York

Biochem. Soc. Trans. — Biochemical Society Transactions, London

Biochimiya — Биохимия (Biochimia)

Biodynamica — Biodynamica, Normandy, Mo., USA

Biofizika — Биофизика (Biophysik), Moskau

Biopolymers — Biopolymers, New York

BIOS Final Rep. — British Intelligence Objectives Subcommittee, Final Report

Bio. Z. — Biochemische Zeitschrift (bis 1944 und seit 1947)

Bitumen, Teere, Asphalte, Peche — Bitumen, Teere, Asphalte, Peche und verwandte Stoffe, Heidelberg

Bl. — Bulletin de la Société Chimique de France, Paris

Bl. Acad. Belgique — Académie Royale de Belgique: Bulletins de la Classe des Sciences, Brüssel

Bl. Acad. Polon. — Bulletin International de l'Académie Polonaise des Sciences et des Lettres, Classe des Sciences Mathématiques et Naturelles, Krakau

Bl. agric. chem. Soc. Japan — Bulletin of the Agricultural Chemical Society of Japan, Tokio

Bl. am. phys. Soc. — Bulletin of the American Physical Society, Lancaster, Pa.

Bl. chem. Soc. Japan — Bulletin óf the Chemical Society of Japan, Tokio

Bl. Soc. chim. Belg. — Bulletin de la Société Chimique des Belgique (bis 1944), Brüssel

Bl. Soc. Chim. biol. — Bulletin des la Société de Chimie Biologique, Paris

Bl. Soc. Chim. ind. — Bulletin de la Société de Chimie Industrielle (bis 1934), Paris

Bl. Trav. Pharm. Bordeaux — Bulletin des Travaux de la Société de Pharmacie de Bordeaux

Bol. inst. quím. univ. nal. auton. Mé. — Boletin del instituto de química de la universidad nacional autonoma de México

Boll. chim. farm. — Bolletino chimico farmaceutico, Mailand

Boll. Lab. Chim. Prov. Bologna — Bolletino dei Laboratori Chimici, Provinciali, Bologna

Bol. Soc. quím. Perú — Boletin de la Sociedad Química del Perú, Lima (Peru)

Botyu Kagaku — Bulletin of the Institute of Insect Control (Kyoto), (Scientific Insect Control)

B. Ph. P. — Beiträge zur Chemischen Physiologie und Pathologie

Brennstoffch. — Brennstoff-Chemie (bis 1943 und seit 1949), Essen

Brit. Chem. Eng. — British Chemical Engineering, London

Brit. J. appl. Physics	British Journal of Applied Physics, London
Brit. J. Cancer	British Journal of Cancer, London
Brit. J. Industr. Med.	British Journal of Industrial Medicine, London
Brit. J. Pharmacol.	British Journal of Pharmacology and Chemotherapy, London
Brit. P.	British Patent, London
Brit· Plastics	British Plastics (seit 1945), London
Brit. Polym. J.	British Polymer Journal, London
Bull. inst. politeh. Jasi	Buletinul institutuluí politehnic din Jasi (ab 1955 mit Zusatz [NF])
Bull. Laboratorarelor	Buletinul Laboratorarelor, Bukarest
Bull. Acad. Polon. Sic., Ser. Sci. Chim. Geol. Geograph. bzw. Ser. Sci. Chim.	Bulletin de l'Académie Polonaise des Sciences, Serie des Sciences, Chimiques, Geologiques et Géographiques (seit 1960 geteilt in ... Serie des Sciences Chimiques und ... Serie des Sciences Geologiques et Géographiques), Warschau
Bull. Acad. Sci. URSS, Div. Chem. Sci.	Izwestija Akademii Nauk. SSSR (Bulletin de l'Académie des Sciences de URSS), Moskau, Leningrad (bis 1936)
Bull. Environ. Contamin. Toxicol.	Bulletin of Environmental Contamination and Toxicology, Berlin/New York
Bull. Inst. Chem. Research, Kyoto Univ.	Bulletin of the Institute for Chemical Research, Kyoto University (Kyoto Daigaku Kagaku Kenkyûsho Hôkoku), Takatsoki, Osaka
Bull. Research Council Israel	Bulletin of the Research Council of Israel, Jerusalem
Bull. Research Inst. Food Sci., Kyoto Univ.	Bulletin of the Research Institute for Food Science, Kyoto University (Kyoto Daigaku Shokuryô-Kagaku Kenkyujo Hôkoku), Fukuoka, Japan
Bull. Soc. roy. Sci. Liège	Bulletin de la Société Royale des Sciences de Liège, Brüssel
C.	Chemisches Zentralblatt, Weinheim/Bergstr.
C. A.	Chemical Abstracts, Washington
Canad. chem. Processing	Canadian Chemical Processing, Toronto, Canada
Canad. J. Chem.	Canadian Journal of Chemistry, Ottawa, Canada
Canad. J. Physics	Canadian Journal of Physics, Ottawa, Canada
Canad. J. Res.	Canadian Journal of Research (bis 1950), Ottawa, Canada
Canad. J. Technol.	Canadian Journal of Technology, Ottawa, Canada
Canad. P.	Canadisches Patent
Cancer (Philadelphia)	Cancer (Philadelphia), Philadelphia
Cancer Res.	Cancer Research, Chicago
Can. Chem. Process.	Canadian Chemical Processing, Toronto (seit 1951)
Can. J. Biochem.	Canadian Journal of Biochemistry, Ottawa
Can. J. Biochem. Physiol.	Canadian Journal of Biochemistry and Physiology, Ottawa (seit 1954)
Can. J. Chem. Eng.	Canadian Journal of Chemical Engineering, Ottawa (seit 1957)
Can. J. Microbiol.	Canadian Journal of Microbiology, Ottawa
Can. J. Pharm. Sci.	Canadian Journal of Pharmaceutical Sciences, Toronto
Can. J. Plant, Sci.	Canadian Journal of Plant Science, Ottawa (seit 1957)
Can. J. Soil Sci.	Canadian Journal of Soil Science, Ottawa (seit 1957)
Carbohyd. Chem.	Carbohydrate Chemistry, London
Carbohyd. Chem. Metab. Abstr.	Carbohydrate Chemistry and Metabolism Abstracts, London
Carbohyd. Res.	Carbohydrate Research, Amsterdam
Catalysis Rev.	Catalysis Review, New York
Cereal Chem.	Cereal Chemistry, St. Paul, Minnesota
Česk. Farm.	Češhoslovenska Farmacie, Prag
Ch. Apparatur	Chemische Apparatur (bis 1943), Berlin
Chem. Age India	Chemical Age of India
Chem. Age London	Chemical Age, London
Chem. Age N. Y.	Chemical Age, New York
Chem. Anal.	Organ Komisjii Analitycznej Komitetu Nauk Chemicznych PAN, Warschau
Chem. Brit.	Chemistry in Britain, London
Chem. Commun.	Chemical Communications, London
Chem. Econ. & Eng. Rev.	Chemical Economy and Engineering Review, Tokyo
Chem. Eng.	Chemical Engineering with Chemical and Metallurgical Engineering (seit 1946), New York
Chem. Eng. (London)	Chemical Engineering Journal, London
Chem. eng. News	Chemical and Engineering News (seit 1943), Washington

Chem. Eng. Progr.	Chemical Engineering Progress, Philadelphia, Pa.
Chem. Eng. Progr., Monograph Ser.	Chemical Engineering Progress. Monograph Series, New York
Chem. Eng., Progr., Symposium Ser.	Chemical Engineering Progress. Symposium Series, New York
Chem. eng. Sci.	Chemical Engineering Science, London
Chem. High Polymers (Tokyo)	Chemistry of High Polymers (Tokyo) (Kobunshi Kagaku), Tokio
Chemical Ind. (China)	Chemical Industry [China], Peking
Chemie-Ing.-Techn.	Chemie-Ingenieur-Technik (seit 1949), Weinheim/Bergstr.
Chemie in unserer Zeit	Chemie in unserer Zeit, Weinheim/Bergstr.
Chemie Lab. Betr.	Chemie für Labor und Betrieb, Frankfurt/Main
Chemie Prag	Chemie (Praha), Prag
Chemie und Fortschritt	Chemie und Fortschritt, Frankfurt/Main
Chem. & Ind.	Chemistry & Industry, London
Chem. Industrie	Chemische Industrie, Düsseldorf
Chem. Industries	Chemical Industries, New York
Chem. Inform.	Chemischer Informationsdienst, Leverkusen
Chemist-Analyst	Chemist-Analyst, Philipsburg, New York, New Jersey
Chem. Letters	Chemistry Letters, Tokyo
Chem. Listy	Chemické Listy pro Vĕdu a Průmysl. Prag (Chemische Blätter für Wissenschaft und Industrie); seit 1951 Chemické Listy, Prag
Chem. met. Eng.	Chemical and Metallurgical Engineering (bis 1946), New York
Chem. N.	Chemical News and Journal of Industrial Science (1921–1932), London
Chemorec. Abstr.	Chemoreception Abstracts, London
Chemosphere	Chemosphere, London
Chem. pharmac. Techniek	Chemische en Pharmaceutische Techniek, Dordrecht
Chem. Pharm. Bull. (Tokyo)	Chemical & Pharmaceutical Bulletin (Tokyo)
Chem. Process Engng.	Chemical and Process Engineering, London
Chem. Processing	Chemical Processing, London
Chem. Products chem. News	Chemical Products and the Chemical News, London
Chem. Průmysl	Chemický Průmysl, Prag (Chemische Industrie, seit 1951), Prag
Chem. Rdsch. [Solothurn]	Chemische Rundschau [Solothurn]
Chem. Reviews	Chemical Reviews, Baltimore
Chem. Scripta	Chemical Scripta, Stockholm
Chem. Senses & Flavor	Chemical Senses and Flavor, Dordrecht/Boston
Chem. Soc. Rev.	Chemical Society Reviews, London (formerly Quarterly Reviews)
Chem. Tech. (Leipzig)	Chemische Technik, Leipzig (seit 1949)
Chem. Techn.	Chemische Technik, Berlin
Chem. Technol.	Chemical Technology, Easton/Pa.
Chem. Trade J.	Chemical Trade Journal and Chemical Engineer, London
Chem. Umschau, Gebiete, Fette, Öle, Wachse, Harze (ab 1933: Fettchemische Umschau)	Chemische Umschau auf dem Gebiete der Fette, Öle, Wachse und Harze (bis 1933)
Chem. Week	Chemical Week, New York
Chem. Weekb.	Chemisch Weekblad, Amsterdam
Chem. Zvesti	Chemické Zvesti (tschech.). Chemische Nachrichten, Bratislawa
Chim. anal.	Chimie analytique (seit 1947), Paris
Chim. Anal. (Bukarest)	Chimie Analitica, Bukarest
Chim. Chronika	Chimika Chronika, Athen
Chim. et Ind.	Chimie et Industrie, Paris
Chim. farm. Ž.	Chimiko-farmazevtičeskij Žurnal, Moskau
Chim. geterocikl. Soed.	Химия гетеродиклиьнских соединий (Die Chemie der heterocyclischen Verbindungen), Riga
Chimia	Chimia, Zürich
Chimicae Ind.	Chimica e L'Industria, Mailand (seit 1935)
Chim. Therap.	Chimica Therapeutica, Arcueil
Ch. Z.	Chemiker-Zeitung, Heidelberg
CIOS Rep.	Combinde Intelligence Objectives Sub-Committee Report
Clin. Chem.	Clinical Chemistry, New York
Clin. Chim. Acta	Clinica Chimica Acta, Amsterdam
Clin. Sci.	Clinical Science, London
Collect. czech. chem. Commun.	Collection of Czechoslovak Chemikal Communications (seit 1951), Prag

Collect. Pap. Fac. Sci., Osaka Univ. [C]	Collect Papers from the Faculty of Science, Osaka University, Osaka, Series C, Chemistry (seit 1943)
Collect. pharmac. suecica	Collectanea Pharmaceutica, Suecica, Stockholm
Collect. Trav. chim. Tchécosl.	Collection des Travaux Chimiques de Tchécoslovaquie (bis 1939 und 1947–1951; 1939: ... Tschèques), Prag
Colloid Chem.	Colloid Chemistry, New York
Comp. Biochem. Physiol.	Comparative Biochemistry and Physiology, London
Coord. Chem. Rev.	Coordination Chemistry Reviews, Amsterdam
C. r.	Comptes Rendus Hebdomadaires des Séances de l'Académie des Sciences, Paris
C. r. Acad. Bulg. Sci.	Доклады Болгарской Академии Наук (Comptes rendus de l'académie bulgare des sciences)
Crit. Rev. Tox.	Critical Reviews in Toxicology, Cleveland/Ohio
Croat. Chem. Acta	Croatica Chemica Acta, Zagreb
Curr. Sci.	Current Science, Bangalore
Dän. P.	Dänisches Patent
Dansk Tidsskr. Farm.	Dansk Tidsskrift for Farmaci, Kopenhagen
DAS.	Deutsche Auslegeschrift = noch nicht erteiltes DBP. (seit 1. 1. 1957). Die Nummer der DAS. und des später darauf erteilten DBP. sind identisch
DBP.	Deutsches Bundespatent (München, nach 1945, ab Nr. 800000)
DDRP.	Patent der Deutschen Demokratischen Republik (vom Ostberliner Patentamt erteilt)
Dechema Monogr.	Dechema Monographien, Weinheim/Bergstr.
Delft Progr. Rep.	Delft Progress Report (A: Chemistry and Physics, Chemical and Physical Engineering), Groningen
Die Nahrung	Die Nahrung (Chemie, Physiologie, Technologie), Berlin
Discuss. Faraday Soc.	Discussions of the Faraday Society, London
Dissertation Abstr.	Dissertation Abstracts Ann Arbor, Michigan
Doklady Akad. SSSR	Доклады Академии Наук СССР (Comptes Rendus de l'Académie des Sciences de l'URSS), Moskau
Dokl. Akad. Nauk Arm. SSR	Доклады Академии Наук Армянской ССР Doklady Akademii Nauk Armjanskoi SSR (Berichte der Akademie der Wissenschaften der Armenischen SSR), Erewan
Dokl. Akad. Nauk Azerb. SSR	Доклады Академии Наук Азербайджанской ССР Doklady Akademii Nauk Azerbaidshanskoi SSR (Berichte der Akademie der Wissenschaften der Azerbaidschanischen SSR), Baku
Dokl. Akad. Nauk Beloruss. SSR	Д. А. Н. Белорусской ССР Doklady Akademii Nauk Belorusskoi SSR (Berichte der Akademie der Wissenschaften der Belorussischen SSR), Minsk
Dokl. Akad. Nauk SSSR	Д. А. Н. Советской ССР Doklady Akademii Nauk Sowjetskoi SSR (Berichte der Akademie der Wissenschaften der Vereinigten SSR), Moskau
Dokl. Akad. Nauk Tadzh. SSR	Д. А. Н. Таджикской ССР Doklady Akademii Nauk Tadshikskoi SSR (Berichte der Akademie der Wissenschaften der Tadshikischen SSR)
Dokl. Akad. Nauk Uzb. SSR	Д. А. Н. Узбекской ССР Doklady Akademii Nauk Uzbekskoi SSR (Berichte der Akademie der Wissenschaften der Uzbekischen SSR), Taschkent
Dokl. Bolg. Akad. Nauk	Доклады Болгарской Академии Наук Doklady Bolgarskoi Akademii Nauk (Berichte der Bulgarischen Akademie der Wissenschaften), Sofia
Dopov. Akad. Nauk Ukr. RSR, Ser. A u. B	Доповиди Академии Наук Украинськой РСР Dopowidi Akademii Nauk Ukrainskoi RSR (Berichte der Akademie der Wissenschaften der Ukrainischen RSR), Kiew Serie A und B
DOS	Deutsche Offenlegungsschrift (ungeprüft)
DRP.	Deutsches Reichspatent (bis 1945)
Drug Cosmet. Ind.	Drug and Cosmetic Industry, New York
Dtsch. Apoth. Ztg.	Deutsche Apotheker-Zeitung (1934–1945), seit 1950: vereinigt mit Süddeutsche Apotheker-Zeitung, Stuttgart
Dtsch. Farben-Z.	Deutsche Farben-Zeitschrift (seit 1951), Stuttgart
Dtsch. Lebensmittel-Rdsch.	Deutsche Lebensmittel-Rundschau, Stuttgart
Dyer Textile Printer	Dyer, Textile Printer, Bleacher, and Finisher (seit 1934; bis 1934: Dyer and Calico Printer, Bleacher, Finisher and Textile Review), London

Electroanal. Chemistry	Electroanalytical Chemistry, New York
Endeavour	Endeavour, London
Endocrinology	Endocrinology, Boston, Mass.
Endokrinologie	Endokrinologie, Leipzig (1943–1949 unterbrochen)
Environ. Sci. Technol.	Environmental Science and Technology, England
Enzymol.	Enzymologia (Holland), Den Haag
Erdöl Kohle	Erdöl und Kohle (seit 1948), Hamburg
Erdöl, Kohle, Erdgas, Petrochem.	Erdöl und Kohle – Erdgas – Petrochemie, Hamburg, (seit 1960)
Ergebn. Enzymf.	Ergebnisse der Enzymforschung, Leipzig
Ergebn. exakt. Naturwiss.	Ergebnisse der exakten Naturwissenschaften, Berlin
Ergebn. Physiol.	Ergebnisse der Physiologie, Biologischen Chemie und Experimentellen Pharmakologie, Berlin
Europ. J. Biochem.	European Journal of Biochemistry, Berlin, New York
Eur. Polym. J.	European Polymer Journal, Amsterdam
Experientia	Experientia (Basel)
Experientia, Suppl.	Experientia, Supplementum, Basel
Farbe Lack	Farbe und Lack (bis 1943 und seit 1947) Hannover
Farmac. Glasnik	Farmaceutski Glasnik, Zagreb (Pharmazeutische Berichte)
Farmacia (Bucharest)	Farmacia (Bucuresti), Bukarest
Farmaco. Ed. Prat.	Farmaco Edizione Pratica, Pavia
Farmaco (Pavia), Ed. sci.	Il Farmaco (Pavia), Edizione scientifica
Farmac. Revy	Farmacevtisk Revy, Stockholm
Farmakol. Toksikol. (Moscow)	Фармакология и Токсикология (Farmakologija i Tokssikologija) Pharmakologie und Toxikologie, Moskau
Farmatsiya (Moscow)	(фармация), Farmatsiya, Moskau
Farm. sci. e tec. (Pavia)	Il Farmaco, scienza e tecnica (bis 1952), Pavia
Farm. Zh. (Kiev)	Фармацевтичний Журнал (Київ) Farmaziewtischni Zurnal (Kiew), (Pharmazeutisches Journal, Kiew)
Faserforsch. u. Textiltechn.	Faserforschung und Textiltechnik, Berlin
FEBS Letters	Federation of European Biochemical Societies, Amsterdam
Federation Proc.	Federation Proceedings, Washington, D. C.
Fette, Seifen, Anstrichmittel	Fette, Seifen, Anstrichmittel (verbunden mit „Die Ernährungsindustrie") (früher häufige Änderung des Titels), Hamburg
FIAT Final Rep.	Field Information Agency, Technical, United States, Group Control Council for Germany, Final Report
Fibre Chem.	Fibre Chemistry, London
Fibre Sci. Techn.	Fibre Science and Technology, Barking/Essex
Finn. P.	Finnisches Patent
Finska Kemistsamf. Medd.	Finska Kemistsamfundets Meddelanden (Suomen Kemistiseuran Tiedonantoja), Helsingfors
Fiziol. Zh. (Kiev)	Физиологичний Журнал (Київ) Fisiologitschnii Zurnal (Kiew) (Physiologisches Journal (Kiew)
Fiziol. Zh. SSSR im. I. M. Sechenova	Физиологический Журнал СССР имени И. М. Сеченова (Fisiologitschesskii Žurnal SSSR imeni I. M. Setschenowa) Setschenow Journal für Physiologie der UdSSR, Moskau
Fluorine Chem. Rev.	Fluorine Chemistry Reviews, New York
Food	Food, London
Food Engng.	Food Engineering (seit 1951), New York
Food Manuf.	Food Manufacture (seit 1939 Food Manufacture, Incorporating Food Industries Weekly), London
Food Packer	Food Packer (seit 1944), Chicago
Food Res.	Food Research, Champaign. Ill.
Formosan Sci.	Formosan Science, Taipeh
Fortschr. chem. Forsch.	Fortschritte der Chemischen Forschung, New York, Berlin
Fortschr. Ch. org. Naturst.	Fortschritte der Chemie Organischer Naturstoffe, Wien
Fortschr. Hochpolymeren-Forsch.	Fortschritte der Hochpolymeren-Forschung, Berlin
Frdl.	Fortschritte der Teerfarbenfabrikation und verwandter Industriezweige, Begonnen von P. FRIEDLÄNDER, fortgeführt von H. E. FIERZ-DAVID. Berlin
Fres.	Zeitschrift für Analytische Chemie (von C. R. FRESENIUS), Berlin
Fr. P.	Französisches Patent

Fr. Pharm.	France-Pharmacie, Paris
Fuel	Fuel in Science and Practice; ab 1948: Fuel, London

G.	Gazzetta Chimica Italiana, Rom
Gas Chromat.-Mass.-Spectr. Abstr.	Gas Chromatography - Mass-Spectrometry Abstracts, London
Gazow. Prom.	Газовая Промышленность Gasowaja Promychlenost (Gas-Industrie), Moskau
Génie chim.	Génie chimique, Paris
Gidroliz. Lesokhim. Prom.	Гидролизная и Лесохимическая Промышленность Gidrolisnaja i Lessochimitscheskaja Promyschlennost (Hydrolysen- und Holzchemische Industrie), Moskau
Gmelin	GMELIN Handbuch der anorganischen Chemie, Verlag Chemie, Weinheim

Helv.	Helvetica Chimica Acta, Basel
Helv. phys. Acta	Helvetica Physica Acta, Basel
Helv. Phys. Acta Suppl.	Helvetica Physica Acta, Supplementum, Basel
Helv. physiol. pharmacol. Acta	Helvetica Physiologica et Pharmacologica Acta, Basel
Henkel-Ref.	Henkel-Referate, Düsseldorf
Heteroc. Sendai	Heterocycles Sendai
Histochemie	Histochemie, Berlin, Göttingen, Heidelberg
Holl. P.	Holländisches Patent
Hoppe-Seyler	HOPPE-SEYLERS Zeitschrift für Physiologische Chemie, Berlin
Hormone Metabolic Res.	Hormone and Metabolic Research, Stuttgart
Hua Hsueh	Hua Hsueh, Peking
Hung. P.	Ungarisches Patent
Hydrocarbon, Proc.	Hydrocarbon Processing, England

Immunochemistry	Immunochemistry, London
Ind. Chemist	Industrial Chemist and Chemical Manufactorer, London
Ind. chim. belge	Industrie Chimique Belge, Brüssel
Ind. chimique	L'Industrie Chimique, Paris
Ind. Corps gras	Industries des Corps Gras, Paris
Ind. eng. Chem.	Industrial and Engineering Chemistry, Industrial Edition, seit 1948; Industrial and Engineering Chemistry, Washington
Ind. eng. Chem. Anal.	Industrial and Engineering Chemistry, Analytical Edition (bis 1946). Washington
Ind. eng. Chem. News	Industrial and Engineering Chemistry. News Edition (bis 1939), Washington
Indian Forest Rec., Chem.	Indian Forest Records. Chemistry, Delhi
Indian J. Appl. Chem.	Indian Journal of Applied Chemistry (seit 1958), Calcutta
Indian J. Biochem.	Indian Journal of Biochemistry, Neu Delhi
Indian J. Chem.	Indian Journal of Chemistry
Indian J. Physics	Indian Journal of Physics and Proceedings of the Indian Association for the Cultivation of Science, Calcutta
Ind. P.	Indisches Patent
Ind. Plast. mod.	Industrie des Plastiques Modernes (seit 1949; bis 1948: Industrie des Plastiques), Paris
Inform. Quim. Anal.	Informacion de Quimica Analitica, Madrid
Inorg. Chem.	Inorganic Chemistry
Inorg. Synth.	Inorganic Syntheses, New York
Insect Biochem.	Insect Biochemistry, Bristol
Interchem. Rev.	Interchemical Reviews, New York
Intern. J. Appl. Radiation Isotopes	International Journal of Applied Radiation and Isotopes, New York
Int. J. Cancer	International Journal of Cancer, Helsinki
Int. J. Chem. Kinetics	International Journal of Chemical Kinetics, New York
Int. J. Peptide, Prot. Res.	International Journal of Peptide and Protein Research, Copenhagen
Int. J. Polymeric Mat.	International Journal of Polymeric Materials, New York/London
Int. J. Sulfur Chem.	International Journal of Sulfur Chemistry, London/New York
Int. Petr. Abstr.	International Petroleum Abstracts, London
Int. Pharm. Abstr.	International Pharmaceutical Abstracts, Washington

Int. Polymer Sci. & Techn.	International Polymer Science and Technology, Boston Spa, Wetherby, Yorks.
Intra-Sci. Chem. Rep.	Intra-Science Chemistry Reports, Santa Monica/Calif.
Int. Sugar J.	International Sugar Journal, London
Int. Z. Vitaminforsch.	Internationale Zeitschrift für Vitaminforschung, Bern
Inzyn. Chem.	Inzynioria Chemiczina, Warschau
Ion	Ion (Madrid)
Iowa Coll. J.	Iowa State College Journal of Science, Ames, Iowa
Iowa State J. Sci.	Iowa State Journal of Science, Ames, Iowa (seit 1959)
Israel J. Chem.	Israel Journal of Chemistry, Tel Aviv
Ital. P.	Italienisches Patent
Izv. Akad. Azerb. SSR, Ser. Fiz.-Tekh. Mat. Nauk	Известия Академии Наук Азербайджанской ССР, Серияі Физико-Технических и Химических Наук Izvestija Akademii Nauk Azerbaidschanskoi SSR, Sserija Fisiko-Technitscheskich Chimitscheskich Nauk (Nachrichten der Akademie der Wissenschaften der Azerbaidschanischen SSR, Serie Physikalisch-Technische und Chemische Wissenschaften), Baku
Izv. Akad. SSR	Известия Академии Наук Армянской ССР, Химические Науки (Bulletin of the Academy of Science of the Armenian SSR), Erevan
Izv. Akad. SSSR	Известия Академии Наук СССР, Серия Химическая (Bulletin de l'Académie des Sciences de l'URSS, Classe des Sciences Chemiques), Moskau, Leningrad
Izv. Sibirsk. Otd. Akad. Nauk. SSSR	Известия Сибирского Отделения Академии Наук СССР, Серия химических Наук Izvesstija Ssibirskowo Otdelenija Akademii Nauk SSSR, Sserija Chimetscheskich Nauk (Bulletin of the Sibirian Branch of the Academy of Sciences of the USSR), Nowo sibirsk
Izv. Vyssh. Ucheb, Zaved., Neft. Gaz	Известия Высших Учебных Заведений (Баку), Нефть и Газ Izvestija Wysschych Utschebnych Sawedjeni (Baku), Neft i Gas, (Hochschulnachrichten (Baku), Erdöl und Gas, Baku
Izv. Vyss. Uch. Zav., Chim. i chim. Techn.	Известия высших Учебных заведений [Иваново], Химия и химическая технология (Bulletin of the Institution of Higher Education, Chemistry and Chemical Technology), Swerdlowsk
J. Agr. Food Chem.	Journal of Agricultural and Food Chemistry, Washington
J. agric. chem. Soc. Japan	Journal of the agricultural Chemical Society of Japan. Abstracts (seit 1935) (Nippon Nogeikagaku Kaishi), Tokyo
J. agric. Sci.	Journal of Agricultural Science, Cambridge
J. Am. Leather Chemist's Assoc.	Journal of the American Leather Chemist's Association, Cincinnati (Ohio)
J. Am. Oil Chemist's Soc.	Journal of the American Oil Chemist's Society, Chicago
J. Am. Pharm. Assoc.	Journal of the American Pharmaceutical Association, seit 1940 Practical Edition und Scientific Edition; Practical Edition seit 1961 J. Am. Pharm. Assoc.; Scientific Edition seit 1961 J. Pharm. Sci., Easton, Pa.
J. Anal. Chem. USSR	Журнал Аналитической Химии Shurnal Analititscheskoi Chimii (Journal für Analytische Chemie), Moskau
J. Antibiotics (Japan)	Journal of Antibiotics (Japan)
Japan Analyst	Japan Analyst (Bunseki Kagaku)
Jap. A. S.	Japanische Patent-Auslegeschrift
Jap. Chem. Quart.	Japan Chemical Quarterly, Tokyo
Jap. J. Appl. Phys.	Japanese Journal of Applied Physics, Tokyo
Jap. P.	Japanisches Patent
Jap. Pest. Inform.	Japan Pesticide Information, Tokyo
Jap. Plast. Age	Japan Plastic Age, Tokyo
J. appl. Chem.	Journal of Applied Chemistry, London
J. appl. Elektroch.	Journal of Applied Elektrochemistry, London
J. appl. Physics.	Journal of Applied Physics, New York
J. Appl. Physiol.	Journal of Applied Physiology, Washington, D. C.
J. Appl. Polymer Sci.	Journal of Applied Polymer Science, New York

Jap. Text. News	Japan Textile News. Osaka
J. Assoc. Agric. Chemists	Journal of the Association of Official Agricultural Chemists, Washington, D. C.
J. Bacteriol.	Journal of Bacteriology, Baltimore, Md.
J. Biochem. (Tokyo)	Journal of Biochemistry, Japan, Tokyo
J. Biol. Chem.	Journal of Biological Chemistry, Baltimore
J. Catalysis	Journal of Catalysis, London, New York
J. Cellular compar. Physiol.	Journal of Cellular and Comparative Physiology, Philadelphia, Pa.
J. Chem. Educ.	Journal of Chemical Education, Easton, Pa.
J. chem. Eng. China	Journal of Chemical Engineering, China, Omei/Szechuan
J. Chem. Eng. Data	Journal of Chemical and Engineering Data, Washington
J. Chem. Eng. Japan	Journal of Chemical Engineering of Japan, Tokyo
J. Chem. Physics	Journal of Chemical Physics, New York
J. chem. Soc. Japan	Journal of the Chemical Society of Japan (bis 1948; Nippon Kwagaku Kwaishi), Tokyo
J. chem. Soc. Japan, ind.	Journal of the Chemical Society of Japan, Industrial Chemistry Section (seit 1948; Kogyo Kagaku Zasshi), Tokyo
J. chem. Soc. Japan, pure Chem. Sect.	Journal of the Chemical Society of Japan, Pure Chemistry Section (seit 1948; Nippon Kagaku Zasshi)
J. Chem. U.A.R.	Journal of Chemistry of the U.A.R., Kairo
J. Chim. physique Physico-Chim. biol.	Journal de Chimie Physique et de Physico-Chimie Biologique (seit 1939)
J. chin. chem. Soc.	Journal of the Chinese Chemical Society
J. Chromatog.	Journal of Chromatography, Amsterdam
J. Clin. Endocrinol. Metab.	Journal of Clinical Endocrinology and Metabolism, Springfield, Ill. (seit 1952)
J. Colloid Sci.	Journal of Colloid Science, New York
J. Colloid Interface Sci.	Journal of Colloid and Interface Science
J. Color Appear.	Journal of Color and Appearance, New York
J. Dairy Sci.	Journal of Dairy Science, Columbus, Ohio
J. Elast. & Plast.	Journal of Elastomers and Plastics, Westport, Conn.
J. electroch. Assoc. Japan	Journal of the Electrochemical Association of Japan (Denkikwagaku Kyookwai-shi), Tokio
J. Elektrochem. Soc.	Journal of the Electrochemical Society (seit 1948), New York
J. Endocrinol.	Journal of Endocrinology, London
J. Fac. Sci. Univ. Tokyo	Journal of the Faculty of Science, Imperial University of Tokyo
J. Fluorine Chem.	Journal of Fluroine Chemistry, Lausanne
J. Food Sci.	Journal of Food Science, Champaign, Ill.
J. Gen. Appl. Microbiol.	Journal of General and Applied Microbiology, Tokio
J. Gen. Appl. Microbiol., Suppl.	Journal of General and Applied Microbiology, Supplement, Tokio
J. Gen. Microbiol.	Journal of General Microbiology, London
J. Gen. Physiol.	Journal of General Physiology, Baltimore, Md.
J. Heterocyclic Chem.	Journal of Heterocyclic Chemistry, Albuquerque (New Mexico)
J. Histochem. Cytochem.	Journal of Histochemistry and Cytochemistry, Baltimore, Md.
J. Imp. Coll. Chem. Eng. Soc.	Journal of the Imperial Chemical College, Engineering Society
J. Ind. Eng. Chem.	The Journal of Industrial and Engineering Chemistry (bis 1923)
J. Ind. Hyg.	Journal of Industrial Hygiene and Toxicology (1936–1949), Baltimore, Md.
J. indian chem. Soc.	Journal of the Indian Chemical Society (seit 1928), Calcutta
J. indian chem. Soc. News	Journal of the Indian Chemical Society; Industrial and News Edition (1940–1947), Calcutta
J. indian Inst. Sci.	Journal of the Indian Institute of Science, bis 1951 Section A und Section B, Bangalore
J. Inorg. & Nuclear Chem.	Journal of Inorganic & Nuclear Chemistry, Oxford
J. Inst. Fuel	Journal of the Institute of Fuel, London
J. Inst. Petr.	Journal of the Institute of Petroleum, London
J. Inst. Polytech. Osaka City Univ.	Journal of the Institute of Polytechnics, Osaka City University

J. Jap. Chem.	Journal of Japanese Chemistry (Kagaku-no Ryoihi), Tokio
J. Label. Compounds	Journal of Labelled Compounds, Brüssel
J. Lipid Res.	Journal of Lipid Research, Memphis, Tenn.
J. Macromol. Sci.	Journal of Macromolecular Science, New York
J. makromol. Ch.	Journal für makromolekulare Chemie (1943–1945)
J. Math. Physics	Journal of Mathematics and Physics
J. Med. Chem.	Journal of Medicinal Chemistry, New York
J. Med. Pharm. Chem.	Journal of Medicinal and Pharmaceutical Chemistry, New York
J. Mol. Biol.	Journal of Molecular Biology, New York
J. Mol. Spectr.	Journal of Molecular Spectroscopy, New York
J. Mol. Structure	Journal of Molecular Structure, Amsterdam
J. Nat. Cancer Inst.	Journal of the National Cancer Institute, Washington, C. D.
J. New Zealand Inst. Chem.	Journal of the New Zealand Institute of Chemistry, Wellington
J. Nippon Oil Technologists Soc.	Journal of the Nippon Oil Technologists Society (Nippon Yushi Gijitsu Kyo Laishi), Tokio
J. Oil Colour Chemist's Assoc.	Journal of the Oil and Colour Chemist's Association, London
J. Org. Chem.	Journal of Organic Chemistry, Baltimore, Md.
J. Organometal. Chem.	Journal of Organometallic Chemistry, Amsterdam
J. Petr. Technol.	Journal of Petroleum Technology (seit 1949), New York
J. Pharmacok. & Biopharmac.	Journal of Pharmacokinetics and Biopharmaceutics, New York
J. Pharmacol.	Journal of Pharmacologie, Paris
J. Pharmacol. exp. Therap.	Journal of Pharmacology and Experimental Therapeutics, Baltimore, Md.
J. Pharm. Belg.	Journal de Pharmacie de Belgique, Brüssel
J. Pharm. Chim.	Journal de Pharmacie et de Chemie, Paris (bis 1943)
J. Pharm. Pharmacol.	Journal of Pharmacy and Pharmacology, London
J. Pharm. Sci.	Journal of Pharmaceutical Sciences, Washington
J. pharm. Soc. Japan	Journal of the Pharmaceutical Society of Japan (Yakugakuzasshi), Tokio
J. phys. Chem.	Journal of Physical Chemistry, Baltimore
J. Phys. Chem. Data	Journal of Physical and Chemical Data, Washington
J. Phys. Colloid Chem.	Journal of Physical and Colloid Chemistry, Baltimore, Md.
J. Phys. (Paris), Colloq.	Journal de Physique (Paris), Colloque, Paris
J. Physiol. (London)	Journal of Physiology, London
J. phys. Soc. Japan	Journal of the Physical Society of Japan, Tokio
J. Phys. Soc. Japan, Suppl.	Journal of the Physical Society of Japan, Supplement, Tokio
J. Polymer Sci.	Journal of Polymer Science, New York
J. pr.	Journal für Praktische Chemie, Leipzig
J. Pr. Inst. Chemists India	Journal and Proceedings of the Institution of Chemists, India, Calcutta
J. Pr. Roy. Soc. N. S. Wales	Journal and Proceedings of the Royal Society of New South Wales, Sidney
J. Radioakt. Elektronik	Jahrbuch der Radioaktivität und Elektronik, 1924–1945 vereinigt mit Physikalische Zeitschrift
J. Rech. Centre nat. Rech. sci.	Journal des Recherches du Centre de la Recherche Scientifique, Paris
J. Res. Bur. Stand.	Journal of Research of the National Bureau of Standards, Washington, D. C.
J. S. African Chem. Inst.	Journal of the South African Chemical Institute, Johannesburg
J. Scient. Instruments	Journal of Scientific Instruments (bis 1947 und seit 1950), London
J. scient. Res. Inst. Tokyo	Journal of the Scientific Research Institute, Tokyo
J. Sci. Food Agric.	Journal of the Science of Food and Agriculture, London
J. sci. Ind. Research (India)	Journal of Scientific and Industrial Research (India), New Delhi
J. Soc. chem. Ind.	Journal of the Society of Chemical Industry (bis 1922 und seit 1947), London
J. Soc. chem. Ind., Chem. and Ind.	Journal of the Society of Chemical Industry, Chemistry and Industry (1923–1936), London
J. Soc. chem. Ind. Japan Spl.	Journal of the Society of Chemical Industry, Japan. Supplemental Binding (Kogyo Kwagaku Zasshi, bis 1943), Tokio
J. Soc. Cosmetic Chemists	Journal of the Society of Cosmetic Chemists, London
J. Soc. Dyers Col.	Journal of the Society of Dyers and Colourists, Bradford/Yorkshire, England
J. Soc. Leather Trades' Chemists	Journal of the Society of Leather Trades' Chemists, Croydon, Surrey, England
J. Soc. West. Australia	Journal of the Royal Society of Western Australia, Perth

J. Soil Sci.	Journal of Soil Science, London
J. Taiwan Pharm. Assoc.	Journal of the Taiwan Pharmaceutical Association, Taiwan
J. Univ. Bombay	Journal of the University of Bombay, Bombay
J. Virol.	Journal of Virology (Kyoto), Kyoto
J. Vitaminol.	Journal of Vitaminology (Kyoto)
J. Washington Acad.	Journal of the Washington Academy of Sciences, Washington
Kauch. Rezina	Каучук и Резина Kautschuk i Rezina (Kautschuk und Gummi), Moskau
Kaut. Gummi, Kunstst.	Kautschuk, Gummi und Kunststoffe, Berlin
Kautschuk u. Gummi	Kautschuk und Gummi, Berlin (Zusatz WT für den Teil: Wissenschaft und Technik)
Kgl. norske Vidensk Selsk., Skr.	Kgl. Norske Videnskabers Selskab. Skrifter
Khim. Ind. (Sofia)	Химия и Индустрия (София), Chimija i Industrija (Sofia) (Chemie und Industrie (Sofia))
Khim. Nauka i Prom.	Химическая Наука и Промышленность Chimitscheskaja Nauka i Promyschlennost (Chemical Science and Industry)
Khim. Prom. (Moscow)	Химическая Промышленность Chimitscheskaja Promyschlennost (Chemische Industrie), Moskau (seit 1944)
Khim. Volokna	Химические Волокна Chimitscheskije Wolokna (Chemiefasern), Moskau
Kinetika i Kataliz	Кинетика и Катализ (Kinetik und Katalyse), Moskau
Kirk-Othmer	Kirk-Othmer, Encyclopedia of Chemical Technology, Interscience Publ. Co., New York, London, Sidney.
Klin. Wochenschr.	Klinische Wochenschrift, Berlin, Göttingen, Heidelberg
Koks. Khim.	Кокс и Химия Koks i Chimija (Koks und Chemie), Moskau
Koll. Beih.	Kolloid-Beihefte (Ergänzungshefte zur Kolloid-Zeitschrift, 1931–1943), Dresden, Leipzig
Kolloidchem. Beih.	Kolloidchemische Beihefte (bis 1931), Dresden u. Leipzig
Kolloid-Z.	Kolloid-Zeitschrift, seit 1943 vereinigt mit Kolloid-Beiheften
Koll. Žurnal	Коллоидный Журнал Kolloidnyi Žurnal (Colloid-Journal), Moscow,
Koninkl. Nederl. Akad Wetensch.	Koninklijke Nederlandse Akademie van Wetenschappen
Kontakte	Kontakte, Firmenschrift Merck AG, Darmstadt
Kungl. svenska Vetenskapsakad. Handl.	Kungliga Svenska Vetenskasakademiens Handlingar, Stockholm
Kunststoffe	Kunststoffe, München
Kunststoffe, Plastics	Kunststoffe, Plastics, Solothurn
Labo	Labo, Darmstadt
Labor. Delo	Лабораторное Дело Laboratornoje Djelo (Laboratoriumswesen), Moskau
Lab. Invest.	Laboratory Investigation, New York
Lab. Practice	Laboratory Practice
Lack- u. Farben-Chem.	Lack- und Farben-Chemie (Däniken)/Schweiz
Lancet	Lancet, London
Landolt-Börnst.	LANDOLT-BÖRNSTEIN-ROTH-SCHEEL: Physikalisch-Chemische Tabellen, 6. Auflage
Lebensm.-Wiss. Techn.	Lebensmittel-Wissenschaften und Technologie, Zürich
Life Sci.	Life Sciences, Oxford
Lipids	Lipids, Chicago
Listy Cukrov.	Listy Cukrovarnické (Blätter für Zuckerraffinerie), Prag
M.	Monatshefte für Chemie, Wien
Macromolecules	Macromolecules, Easton
Macromol. Rev.	Macromolecular Reviews, Amsterdam
Magyar chem. Folyóirat	Magyar Chemiai Folyóirat, seit 1949: Magyar Kemiai Folyóirat (Ungarische Zeitschrift für Chemie), Budapest
Magyar kem. Lapja	Magyar kemikusok Lapja (Zeitschrift des Vereins Ungarischer Chemiker), Budapest
Makromol. Ch.	Makromolekulare Chemie, Heidelberg
Manuf. Chemist	Manufacturing Chemist and Pharmaceutical and Fine Chemical Trade Journal, London

Materie plast.	Materie Plastiche, Milano
Mat. grasses	Les Matières Grasses.-Le Pétrole et ses Dérivés, Paris
Med. Ch. I. G.	Medizin und Chemie. Abhandlungen aus den Medizinisch-chemischen Forschungsstätten der I. G. Farbenindustrie AG. (bis 1942), Leverkusen
Meded. vlaamse chem. Veren.	Mededelingen van de Vlaamse Chemische Vereniging, Antwerpen
Melliand Textilber.	Melliand Textilberichte, Heidelberg
Mém. Acad. Inst. France	Mémoires de l'Académie des Sciences de France, Paris
Mem. Coll. Sci. Kyoto	Memoirs of the College of Science, Kyoto Imperial University, Tokio
Mem. Inst. Sci. and Ind. Research, Osaka Univ.	Memoirs of the Institute of Scientific and Industrial Research, Osaka University, Osaka
Mém. Poudre	Mémorial des Poudres (bis 1939 und seit 1948), Paris
Mém. Services chim.	Mémorial des Services Chimiques de l'État, Paris
Mercks Jber.	E. MERCKS Jahresbericht über Neuerungen auf den Gebieten der Pharmakotherapie und Pharmazie, Weinheim
Metab., Clin. Exp.	Metabolism. Clinical and Experimental, New York
Methods Biochem. Anal.	Methods of Biochemical Analysis, New York
Microchem. J.	Microchemical Journal, New York
Microfilm Abst.	Microfilm Abstracts, Ann Arbor (Michigan)
Mikrobiol. Ž. (Kiev)	Микробиологичний Журнал (Києв) Mikrobiologitschnii Shurnal (Kiew) (Mikrobiologisches Journal), Kiew
Mikrobiologiya	Микробиология (Mikrobiologija (Mikrobiologie), Moskau
Mikrochemie	Mikrochemie, Wien (bis 1938)
Mikrochem. verein. Mikrochim. Acta	Mikrochemie vereinigt mit Mikrochimica Acta (seit 1938), Wien
Mikrochim. Acta (bis 1938)	Mikrochimica Acta (Wien)
Mikrochim. Acta, Suppl.	Mikrochimica Acta, Supplement, Wien
Mitt. Gebiete, Lebensm. Hyg.	Mitteilungen aus dem Gebiete der Lebensmitteluntersuchung und Hygiene, Bern
Mod. Plastics	Modern Plastics (seit 1934), New York
Mod. Trends Toxic.	Modern Trends in Toxicology, London
Mol. Biol.	Молекуляраня Биология Molekulyarnaja Biologija (Molekular-Biologie), Moskau
Mol. Cryst.	Molecular Crystals, England
Mol. Pharmacol.	Molecular Pharmacology, New York, London
Mol. Photochem.	Molecular Photochemistry, New York
Mol. Phys.	Molecular Physics, London
Monatsh. Chem.	Monatshefte Chemie und verwandte Teile anderer Wissenschaften, Leipzig
Nahrung	Nahrung (Chemie, Physiologie, Technologie), Berlin
Nat. Bur. Standards, (U. S.), Ann. Rept. Circ.	National Bureau of Standards (U. S.), Annual Report, Circular, Washington
Nat. Bur. Standards (U. S.), Techn. News Bull.	National Bureau of Standards (U. S.), Technical News Bulletin, Washington
Nation. Petr. News	National Petroleum News, Cleveland/Ohio
Natl. Nuclear Energy Ser., Div. I–IX	National Nuclear Energy Series, Division I–IX, New York
Nature	Nature, London
Naturf. Med. Dtschl. 1939–1946	Naturforschung und Medizin in Deutschland 1939–1946 (für Deutschland bestimmte des FIAT-Review of German Science), Wiesbaden
Naturwiss.	Naturwissenschaften, Berlin, Göttingen
Natuurw. Tijdschr.	Natuurwetenschappelijk Tijdschrift, Vennoofschap
Neftechimiya	Нефтехимия (Petroleum Chemistry)
Neftepererab. Neftekhim. (Moscow)	Нефтепереработка и Нефтехимия (Москва) Neftepererabotka i Neftechimija, Moskau (Erdölverarbeitung und Erdölchemie)
New Zealand J. Agr. Res.	New Zealand Journal of Agricultural Research, Wellington, N. Z.
Niederl. P.	Niederländisches Patent
Nippon Gomu Kyokaishi	Journal of the Society of Rubber Industry of Japan, Tokio
Nippon Nogei Kagaku Kaishi	Journal of the Agricultural Chemical Society of Japan, Tokio
Nitrocell.	Nitrocellulose (bis 1943 und seit 1952), Berlin
Norske Vid. Selsk. Forh.	Kongelige Norske Videnskabers Selskab. Forhandlinger, Trondheim
Norw. P.	Norwegisches Patent
Nuclear Magn. Res. Spectr. Abstr.	Nuclear Magnetic Resonance Spectroscopy Abstracts, London

Nuclear Sci. Abstr. Oak Ridge	U. S. Atomic Energy Commission, Nuclear Science Abstracts, Oak Ridge
Nucleic Acids Abstr.	Nucleic Acids Abstracts, London
Nuovo Cimento	Nuovo Cimento, Bologna
Öl, Kohle	Öl und Kohle (bis 1934 und 1941–1945): in Gemeinschaft mit Brennstoff-Chemie von 1943–1945, Hamburg
Öst. Chemiker-Ztg.	Österreichische Chemiker-Zeitung (bis 1942 und seit 1947), Wien
Österr. Kunst. Z.	Österreichische Kunststoff-Zeitschrift, Wien
Österr. P.	Österreichisches Patent (Wien)
Offic. Gaz., U. S. Pat. Office	Official Gazette, United States Patent Office
Ohio J. Sci.	Ohio Journal of Science, Columbus/Ohio
Oil Gas J.	Oil and Gas Journal, Tulsa/Oklahoma
Organic Mass Spectr.	Organic Mass Spectrometry, London
Organometal. Chem.	Organometallic Chemistry
Organometal. Chem. Rev.	Organometallic Chemistry Reviews, Amsterdam
Organometal. i. Chem. Synth.	Organometallics in Chemical Synthesis, Lausanne
Organometal. Reactions	Organometallic Reactions, New York
Org. Chem. Bull.	Organic Chemical Bulletin (Eastman Kodak), Rochester
Org. Prep. & Proceed.	Organic Preparations and Procedures, New York
Org. Reactions	Organic Reactions, New York
Org. Synth.	Organic Syntheses, New York
Org. Synth., Coll. Vol.	Organic Syntheses, Collective Volume, New York
Paint Manuf.	Paint incorporating Paint Manufacture (seit 1939), London
Paint Oil chem. Rev.	Paint, Oil and Chemical Review, Chicago
Paint, Oil Colour J.	Paint, Oil and Colour Journal (seit 1950), London
Paint Varnish Product.	Paint and Varnish Production (seit 1949; bis 1949: Paint and Varnish Production Manager), Washington
Pak. J. Sci. Ind. Res.	Pakistan Journal of Science and Industrial Research, Karachi
Paper Ind.	Paper Industry (1938–1949: ... and Paper World), Chicago
Papier (Darmstadt)	Das Papier, Darmstadt
Pap. Puu	Paperi ja Puu – Papper och Trä (Paper and Timbre), Helsinki
P. C. H.	Pharmazeutische Zentralhalle für Deutschland, Dresden
Perfum. essent. Oil Rec.	Perfumery and Essential Oil Record, London
Periodica Polytechn.	Periodica Polytechnica, Budapest
Pest. Abstr.	Pesticides Abstracts, Washington
Pest. Biochem. Phys.	Pesticide Biochemistry and Physiology, New York
Pest. Monit. J.	Pesticides Monitoring Journal, Atlanta
Petr. Eng.	Petroleum Engineer, Dallas/Texas
Petr. Hydrocarbons	Petroleum and Hydrocarbons, Bombay
Petr. Processing	Petroleum Processing, New York
Petr. Refiner	Petroleum Refiner, Houston/Texas
Pharma. Acta Helv.	Pharmaceutica Acta Helvetica, Zürich
Pharmacol.	Pharmacology, Basel
Pharmacol. Rev.	Pharmacological Reviews, Baltimore
Pharmazie	Pharmazie, Berlin
Pharmaz. Ztg.-Nachr.	Pharmazeutische Zeitung - Nachrichten, Hamburg
Pharm. Bull (Tokyo)	Pharmaceutical Bulletin (Tokyo) (bis 1958)
Pharm. Ind.	Die Pharmazeutische Industrie, Berlin
Pharm. J.	Pharmaceutical Journal, London
Pharm. Weekb.	Pharmaceutisch Weekblad, Amsterdam
Philips Res. Rep.	Philips Research Reports, Eindhoven/Holland
Phil. Trans.	Philosophical Transactions of the Royal Society of London
Photochem. and Photobiol.	Photochemistry and Photobiology, New York
Phosphorus	Phosphorus
Physica	Physica. Nederlandsch Tijdschrift voor Natuurkunde, Utrecht
Physik. Bl.	Physikalische Blätter, Mosbach/Baden
Phys. Rev.	Physical Reviews, Nsw York
Phys. Rev. Letters	Physical Reviews Letters, New York
Phys. Z.	Physikalische Zeitschrift (Leipzig)
Plant Physiol.	Plant Physiology, Lancaster, Pa.
Plaste u. Kautschuk	Plaste und Kautschuk (seit 1957), Leipzig

Plasticheskie Massy	Пластический масы (Soviet Plastics), Moskau
Plastics	Plastics (London)
Plastics Inst., Trans. and J.	The (London) Plastics Institute, Transactions Journal
Plastics Technol.	Plastics Technology
Poln. P.	Polnisches Patent
Polymer Age	Polymer Age, Tenderden/Kent
Polymer Ind. News	Polymer Industry News, New York
Polymer J.	Polymer Journal, Tokyo
Polytechn. Tijdschr. (A)	Polytechnisch Tijdschrift, Uitgave A (seit 1946), Haarlem
Postepy Biochem.	Postepy Biochemii (Fortschrifft der Biochemíe), Warschau
Pr. Acad. Tokyo	Proceedings of the Imperial Academy, Tokyo
Pr. Akad. Amsterdam	Proceedings, Koninklijke Nederlandsche Akademie von Wetenschappen (1938–1940 und seit 1943), Amsterdam
Pr. chem. Soc.	Proceedings of the Chemical Society, London
Prep. Biochem.	Preparative Biochemistry, New York
Pr. Indiana Acad.	Proceedings of the Indiana Academy of Science, Indianapolis/Indiana
Pr. indian Acad.	Proceedings of the Indian Academy of Sciences, Bangalore/Indien
Pr. Iowa Acad.	Proceedings of the Iowa Academy of Sciences, Des Moines/Iowa (USA)
Pr. irish Acad.	Proceedings of the Royal Irish Academy, Dublin
Pr. Nation. Acad. India	Proceedings of the National Academy of Sciences, India (seit 1936), Allahabad/Indien
Pr. Nation. Acad. USA	Proceedings of the National Academy of Sciences of the United States of America, Washington
Proc. Amer. Soc. Testing Mater.	Proceedings of the American Society for Testing Materials Philadelphia, Pa.
Proc. Analyt. Chem.	Proceeding of the Society for Analytical Chemistry, London
Proc. Biochem.	Process Biochemistry, London
Proc. Egypt. Acad. Sci.	Proceedings of the Egyptian Academy of Sciences, Kairo
Proc. Indian Acad. Sci., Sect. A	Proceedings of the Indian Academy of Science, Section A, Bangalore
Proc. Japan Acad.	Proceedings of the Japan Academy (seit 1945), Tokio
Proc. Kon. Ned. Acad. Wetensh.	Proceedings, Koninklijke Nederlandse Akademie van Wetenschappen, Amsterdam
Proc. Roy. Austral. chem. Inst.	Proceedings of the Royal Australian Chemical Institute, Melbourne
Produits pharmac.	Produits Pharmaceutiques, Paris
Progress Biochem. Pharm.	Progress Biochemical Pharmacology, Basel
Progr. Boron Chem.	Progress in Boron Chemistry, Oxford
Progr. Org. Chem.	Progress in Organic Chemistry, London
Progr. Physical Org. Chem.	Progress in Physical Organic Chemistry, New York, London
Progr. Solid State Chem.	Progress in Solid State Chemistry, New York
Promysl. org. Chim.	Промышленность Органической Химии Promyschlennost Organitscheskoi Chimii (bis 1941: Shurnal Chimitscheskoi Promyschlennosti), (Industrie der Organischen Chemie, Organic Chemical Industry, bis 1940), Moskau
Prostaglandines	Prostaglandines, Los Altos/Calif.
Pr. phys. Soc. London	Proceedings of the Physical Society, London
Pr. roy. Soc.	Proceedings of the Royal Society, London
Pr. roy. Soc. Edinburgh	Proceedings of the Royal Society of Edinburgh, Edinburgh
Przem. chem.	Przemysl Chemiczny (Chemische Industrie), Warschau
Psychopharmacologia	Psychopharmacologia (Berlin), Berlin, Göttingen, Heidelberg
Publ. Am. Assoc. Advan. Sci.	Publication of the American Association for the Advancement of Science
Pure Appl. Chem.	Pure and Applied Chemistry (The Official Journal of the International Union of Pure and Applied Chemistry), London
Quart. J. indian Inst. Sci.	Quarterly Journal of the Indian Institute of Science. Bangalore
Quart. J. Pharm. Pharmacol.	Quarterly Journal of Pharmacy and Pharmacology (bis 1948), London
Quart. J. Studies Alc.	Quarterly Journal of Studies on Alcohol, New Haven, Conn.
Quart. Rev.	Quarterly Reviews, London (seit 1970 Chemical Society Reviews)
Quím. e Ind.	Química e Industria, Sao Paulo (bis 1938 Chimica e Industria)
R.	Recueil des Travaux Chimiques des Pays-Bas. Amsterdam
Radiokhimiya	Радиохимия Radiochimija (Radiochemie), Leningrad
R. A. L.	Atti della Reale Academia Nazionale dei Lincei, Classe di Scienze Fisiche, Mathematiche a Naturali: Rendiconti (bis 1940)

Rasayanam	Journal for the Progress of Chemical Science, Poona, India
Rend. Ist. lomb.	Rendiconti dell'Istituto Lombardo di Scienze e Lettere. Classe di Scienze Mathematiche e Naturali (seit 1944), Mailand
Rep. Government chem. ind. Res. Inst., Tokyo	Reports of the Government Chemical Industrial Research Institute, Tokyo
Rep. Progr. appl. Chem.	Reports on the Progress of Applied Chemistry (seit 1949), London
Rep. sci. Res. Inst.	Reports of Scientific Research Institute (Japan), Kagaku-Kenkyujo-Hokoku, Tokio
Research	Research, London
Rev. Asoc. bioquím, arg.	Reviste de la Asociación Bioquímica Argentina, Buenos Aires
Rev. Chim. (Bucarest)	Revista de Chimie (Bucuresti), Bukarest
Rev. Fac. Cienc. quím.	Revista de la Facultad de Ciencias Químicas, Universidad Nacional de La Plata, La Plata
Rev. Fac. Sci. Istanbul	Revue de la Faculté des Sciences de l'Université d'Istanbul, Istanbul
Rev. Franc. Études Clin. Biol.	Revue Française d'Études Cliniques et Biologiques, Paris
Rev. gén. Matières plast.	Revue Générale des Matières Plastiques, Paris
Rev. gén. Sci.	Revue Générale des Sciences pures et appliquées, Paris
Rev. Ist. franç. Pétr.	Revue de l' Institut Français du Pétrole et Annales des Combustibles Liquides, Paris
Rev. Macromol. Chem.	Reviews in Macromolecular Chemistry, New York
Rev. Mod. Physics	Reviews of Modern Physics
Rev. Phys. Chem. Jap.	Review of Physical Chemistry of Japan, Tokyo
Rev. Plant. Prot. Res.	Review of Plant Protection Research, Tokyo
Rev. Prod. chim.	Revue des Produits Chimiques, Paris
Rev. Pure Appl. Chem.	Reviews of Pure and Applied Chemistry, Melbourne
Rev. Quím. Farm.	Revista de Química e Farmácia, Rio de Janeiro
Rev. Roumaine-Biochim.	Revue Roumaine de Biochimie, Bukarest
Rev. Roumaine Chim.	Revue Roumaine de Chimie (bis 1963: Revue de Chimie, Académie de la République Populaire Roumaine), Bukarest
Rev. Roumaine-Phys.	Revue Roumaine de Physique, Bukarest
Rev. sci.	Revue Scientifique, Paris
Rev. scient. Instruments	Review of Scientific Instruments, New York
Ricerca sci.	Ricerca Scientifica, Rom
Roczniki Chem.	Roczniki Chemii (Annales Societatis Chimicae Polonorum), Warschau
Rodd	Rodd's Chemistry of Carbon Compounds, Elsevier Publ. Co., Amsterdam
Rubber Age N. Y.	The Rubber Age, New York
Rubber Chem. Technol.	Rubber Chemistry and Technology, Easton, Pa.
Rubber J.	Rubber Journal (seit 1955), London
Rubber & Plastics Age	The Rubber & Plastics Age, London
Rubber World	Rubber World (seit 1945), New York
Russian. Chem. Reviews	Chemical Reviews (UdSSR)
Sbornik Statei obšč. Chim.	Сборник Статей по Общей Химии
	Sbornik Statei po Obschtschei Chimii (Sammlung von Aufsätzen über die allgemeine Chemie), Moskau u. Leningrad
Schwed. P.	Schwedisches Patent
Schweiz. P.	Schweizerisches Patent
Sci.	Science, New York, seit 1951, Washington
Sci. American	Scientific American, New York
Sci. Culture	Science and Culture, Calcutta
Scientia Pharm.	Scientia Pharmaceutica, Wien
Scient. Pap. Bur. Stand.	Scientific Papers of the Bureau of Standards (Washington)
Scient. Pr. roy. Dublin Soc.	Scientific Proceedings of the Royal Dublin Society, Dublin
Sci. Ind.	Science et Industrie, Paris (bis 1934)
Sci. Ind. phot.	Science et Industries photographiques, Paris
Sci. Pap. Inst. Phys. Chem. Res. Tokyo	Scientific Papers of the Institute of Physical and Chemical Research, Tokio (bis 1948)
Sci. Publ., Eastman Kodak	Scientific Publications, Eastman Kodak Co., Rochester/N. Y.
Sci. Progr.	Science Progress, London
Sci. Rep. Tohoku Univ.	Science Reports of the Tohoku Imperial University, Tokio
Sci. Repts. Research Insts. Tohoku Univ., (A), (B), (C) bzw. (D)	The Science Reports of the Research Institutes, Tohoku University, Series A, B., C bzw. D, Sendai/Japan

Seifen-Oele-Fette-Wachse	Seifen-Oele-Fette-Wachse. Neue Folge der Seifensieder-Zeitung, Ausburg
Seikagaku	Seikagaku (Biochemie), Tokio
Sen-i Gakkaishi	Journal of the Society of Textile and Cellulose Industry, Japan (seit 1945)
Separation Sci.	Separation Science, New York
Soc.	Journal of the Chemical Society, London
Soil Biol. Biochem.	Soil Biology and Biochemistry, Oxford
Soil Sci.	Soil Science, Baltimore
Soobshch. Akad. Nauk Gruz. SSR	Сообщения Академии Наук Грузинской ССР / Soobschtschenija Akademii Nauk Grusinskoi SSR (Mitteilungen der Akademie der Wissenschaften der Grusinischen SSR) Tbilissi
South African Ind. Chemist	South African Industrial Chemist, Johannesburg
Spectrochim. Acta	Spectrochimica Acta, Berlin, ab 1947 Rom
Spectrochim. Acta (London)	Spectrochimica Acta, London (seit 1950)
Staerke	Stärke, Stuttgart
Steroids	Steroids an International Journal, San Francisco
Steroids, Suppl.	Steroids an International Journal, Supplements, San Francisco
Stud. Cercetari Biochim.	Studii si Cercetari de Biochemie, (Bucuresti)
Stud. Cercetari Chim.	Studii si Cercetari de Chimie (Bucuresti)
Suomen Kem.	Suomen Kemistilehti (Acta Chemica Fennica), Helsinki
Suomen Kemistilehti B	Suomen Kemistilehti B (Finnische Chemiker-Zeitung)
Suppl. nuovo Cimento	Supplemento del Nuovo Cimento (seit 1949), Bologna
Svensk farm. Tidskr.	Svensk Farmaceutisk Tidskrift, Stockholm
Svensk kem. Tidskr.	Svensk Kemisk Tidskrift, Stockholm
Synthesis	Synthesis, International Journal of Methods in Synthetic Organic Chemistry, Stuttgart, New York
Synth. React. Inorg. Metal.-org. Chem.	Synthesis and Reactivity in Inorganic and Metal-organic Chemistry, New York
Talanta	Talanta, International Journal of Analytical Chemistry, London
Tappi	Tappi (Technical Association of the Pulp and Paper Industry), New York
Techn. & Meth. Org., Organometal. Chem.	Techniques and Methods of Organic and Organometallic Chemistry, New York
Tekst. Prom. (Moscow)	Текстил Промышленност Tekstil Promyschlennost (Textil Industrie)
Tenside	Tenside Detergents, München
Teor. Khim. Techn.	Theoretitscheskie Osnovy Chimitscheskoj, Technologie, Moskau
Terpenoids and Steroids	Terpenoids and Steroids, London
Tetrahedron	Tetrahedron, Oxford
Tetrahedron Letters	Tetrahedron Letters, Oxford
Tetrahedron, Suppl.	Tetrahedron, Supplements, London
Textile Chem. Color.	Textile Chemist and Colorist, New York
Textile Prog.	Textile Progress, Manchester
Textile Res. J.	Textile Research Journal (seit 1945), New York
Theor. Chim. Acta	Theoretica Chimica Acta (Zürich)
Tiba	Revue Générale de Teinture, Impression, Blanchiment, Apprêt et de Chimie Textile et Tinctoriale (bis 1940 und seit 1948), Paris
Tidskr. Kjemi, Bergv. Met.	Tidskrift för Kjemi, Bergvesen og Metallurgi (seit 1941), Oslo
Topics Med. Chem.	Topics in Medicinal Chemistry, New York
Topics Pharm. Sci.	Topics in Pharmaceutical Science, New York
Topics Phosph. Chem.	Topics in Phosphorous Chemistry, New York
Topics Stereochem.	Topics in Stereochemistry, New York
Toxicol.	Toxicologie, Amsterdam
Toxicol. Appl. Pharmacol.	Toxicology and Applied Pharmacology, New York
Toxicol. Appl. Pharmacol., Suppl.	Toxicology and Applied Pharmacology, Supplements, New York
Toxicol. Env. Chem. Rev.	Toxicological and Environmental Chemistry Reviews, New York
Trans. Amer. Inst. Chem. Eng.	Transactions of the American Institute of Chemical Engineers, New York
Trans. electroch. Soc.	Transactions of the Electrochemical Society, New York (bis 1949)
Trans. Faraday Soc.	Transactions of the Faraday Society, Aberdeen
Trans. Inst. chem. Eng.	Transactions of the Institution of Chemical Engineers, London
Trans. Inst. Rubber Ind.	Transactions of the Institution of the Rubber Industry, London
Trans. Kirov's Inst. chem. Technol. Kazan	Труды Казанского Химико-Технологического Института им. Кирова Trudy Kasanskovo Chimiko-Technologitscheskovo Instituta im. Kirova (Transactions of the Kirov's Institute for Chemical Technology of Kazan), Moskau

Trans. Pr. roy. Soc. New Zealand	Transactions and Proceedings of the Royal Society of New Zealand (seit 1952 Transactions of the Royal Society of New Zealand), Wellington
Trans. roy. Soc. Canada	Transactions of the Royal Society of Canada, Ottawa
Trans. Roy. Soc. Edinburgh	Transactions of the Royal Society of Edinburgh, Edinburgh
Trav. Soc. Pharm. Montpellier	Travaux de la Société de Pharmacie de Montpellier, Montpellier (seit 1942)
Trudy Mosk. Chim. Techn. Inst.	Труды Московского Химико-Технологического Института им. Д-И. Менделеева Trudy Moskowskowo Chimiko-Teknologitscheskowo Instituta im. D. I. Mendelejewa (Transactions of the Moscow Chemical-Technological Institute named for D. I. Mendeleev), Moskau
Tschechosl. P.	Tschechoslowakisches Patent
Uchenye Zapiski Kazan.	Ученые Записки Казанского Государственного Университета Utschenye Sapiski Kasanskowo Gossudarstwennowo Universiteta (Wis-senschaftliche Berichte der Kasaner staatlichen Universität), Kasan
Ukr. Biokhim. Ž.	Украинський Биохимичний Журнал Ukrainski Biochimitschni Shurnal (Ukrainisches Biochemisches Journal), Kiew
Ukr. chim. Ž.	Украинский Химический Журнал (bis 1938: Украінськъий, Charkau bis 1938, Хемічний Журнал) Ukrainisches Chemisches Journal), Kiew
Ukr. Fit. Ž. (Ukr. Ed.)	Украинський физичний Журнал Ukrainski Fisitschni Shurnal (Ukrainisches Physikalisches Journal), Kiew
Ullmann	Ullmann's Enzyklopädie der technischen Chemie, Verlag Urban und Schwarzenberg, München, seit 1971 Verlag Chemie, Weinheim
Umschau Wiss. Techn.	Umschau in Wissenschaft und Technik, Frankfurt
U. S. Govt. Res. Rept.	U. S. Government Research Reports
US. P.	Patent der USA
Uspechi Chim.	Успехи химии Uspetschi Chimii (Fortschritte der Chemie), Moskau, Leningrad
USSR. P.	Sowjetisches Patent
Uzb. Khim. Zh.	Узбекский Химический Журнал / Usbekski Chimitscheski Shurnal (Usbekisches Chemisches Journal), Taschkent
Vakuum-Tech.	Vakuum-Technik (seit 1954), Berlin
Vestn. Akad. Nauk Kaz. SSR	Вестник Академии Наук Казахской ССР / Westnik Akademii Nauk Kasachskoi SSR (Nachrichten der Akademie der Wissenschaften der Kasadischen SSR), Alma Ata
Vestn. Akad. Nauk SSSR	Вестник Академии Наук СССР Westnik Akademii Nauk SSSR (Mitteilungen der Akademie der Wissenschaften der UdSSR), Moskau
Vestn. Leningrad. Univ., Fiz., Khim.	Вестник Ленинградского Университета Серия Физики и Химии / Westnik Leningradskowo Universsiteta, Serija Fisiki i Chimii (Nachrichten der Leningrader Universität, Serie Physik und Chemie), Leningrad
Vestn. Mosk. Univ., Ser. II Chim.	Вестник Московского Университета, Серия, II Химия Westnik Moskowckowo Universsiteta, Serija II Chimija (Nachrichten der Moskauer Universität, Serie II Chemie), Moskau
Virology	Virology, New York
Vitamins. Hormones	Vitamins and Hormones, New York
Vysokomolek. Soed.	Высокомолекулярные Соединония Wyssokomolekuljarnye Sojedinenija (High Molecular Weight Compounds)
Werkstoffe u. Korrosion	Werkstoffe und Korrosion (seit 1950), Weinheim/Bergstr.
Yuki Gosei Kagaku Kyokai Shi	Journal of the Society of Organic Synthetic Chemistry, Japan, Tokio
Z.	Zeitschrift für Chemie, Leipzig
Ž. anal. Chim.	Журнал Аналитической Химии/Shurnal Analititscheskoi Chimii (Journal of Analytical Chemistry), Moskau
Z. ang. Physik	Zeitschrift für angewandte Physik
Z. anorg. Ch.	Zeitschrift für Anorganische und Allgemeine Chemie (1943–1950 Zeitschrift für Anorganische Chemie), Berlin

Zavod. Labor.	Заводская Лаборатория/Sawodskaja Laboratorija (Industrial Laboratory), Moskau
Zbl. Arbeitsmed. Arbeitsschutz	Zentralblatt für Arbeitsmedizin und Arbeitsschutz (seit 1951), Darmstadt
Ž. eksp. teor. Fiz.	Журнал экспериментальной и теоретической физики, Shurnal Experimentalnoi i Theoretitscheskoi Fisiki (Physikalisches Journal, Serie A Journal für experimentelle und theoretische Physik), Moskau, Leningrad
Z. El. Ch.	Zeitschrift für Elektrochemie und Angewandte Physikalische Chemie (seit 1952 Zeitschrift für Elektrochemie, Berichte der Bunsengesellschaft für Physikalische Chemie), Weinheim/Bergstr.
Z. Elektrochemie	Zeitschrift für Elektrochemie
Ž. fiz. Chim.	Журнал физической Химии/Shurnal Fisitscheskoi Chimii (engl. Ausgabe: Journal of Physical Chemistry)
Z. Kristallogr.	Zeitschrift für Kristallographie
Z. Lebensm.-Unters.	Zeitschrift für Lebensmittel-Untersuchung und -Forschung (seit 1943), München, Berlin
Z. Naturf.	Zeitschrift für Naturforschung, Tübingen
Ž. neorg. Chim.	Журнал Неорганической Химии/Shurnal Neorganitscheskoi Chimii (engl. Ausgabe: Journal of Inorganic Chemistry)
Ž. obšč. Chim.	Журнал Общей Химии/Shurnal Obschtschei Chimii (engl. Ausgabe: Journal of General Chemistry, London)
Ž. org. Chim.	Журнал Органической Химии/Shurnal Organitscheskoi Chimii (engl. Ausgabe: Journal of Organic Chemistry), Baltimore
Z. Pflanzenernähr. Düng., Bodenkunde	Zeitschrift für Pflanzenernährung, Düngung, Bodenkunde (bis 1936 und seit 1946), Weinheim/Bergstr., Berlin
Z. Phys.	Zeitschrift für Physik, Berlin, Göttingen
Z. physik. Chem.	Zeitschrift für Physikalische Chemie, Frankfurt (seit 1945 mit Zusatz N. F.)
Z. physik. Chem. (Leipzig)	Zeitschrift für Physikalische Chemie, Leipzig
Ž. prikl. Chim.	Журнал Прикладной Химии/Shurnal Prikladnoi Chimii (Journal of Applied Chemistry)
Ž. prikl. Spektr.	Журнал Прикладной Спектроскопии/Shurnal Prikladnoi Spektroskopii (Journal of Applied Spectroscopy), Moskau, Leningrad
Ž. strukt. Chim.	Журнал Структурной Химии /Shurnal Strukturnoi Chimii (Journal of Structural Chemistry), Moskau
Ž. tech. Fiz.	Журнал Технической Физики/Shurnal Technitscheskoi Fisiki (Physikalisches Journal, Serie B, Journal für technische Physik), Moskau, Leningrad
Z. Vitamin-, Hormon- u. Fermentforsch. [Wien]	Zeitschrift für Vitamin-, Hormon- und Fermentforschung [Wien] (seit 1947)
Ž. vses. Chim. obšč.	Журнал Всесоюзного Химического Общества им. Д. И. Менделева Shurnal Wsjesojusnowo Chimitscheskowo Obschtschestwa im. D. I. Mendelejewa (Journal of the All-Union Chemical Society named for D. I. Mendeleev), Moskau
Z. wiss. Phot.	Zeitschrift für Wissenschaftliche Photographie, Photophysik und Photochemie, Leipzig
Z. Zuckerind.	Zeitschrift für die Zuckerindustrie, Berlin
Ж.	Журнал Русского Физико-Химического Общества Shurnal Russkowo Fisikowo-Chimitscheskowo Obschtschestwa (Journal der Russischen Physikalisch-Chemischen Gesellschaft, Chemischer Teil; bis 1930)

Abkürzungen für den Text der präparativen Vorschriften und der Fußnoten[1]

Abb. . . . . Abbildung
abs. . . . . absolut
Amp. . . . . Ampere
äthanol. . . . . äthanolisch
äther. . . . . ätherische
Anm. . . . . Anmerkung
Anm. . . . . Anmeldung (nur in Verbindung mit der Patentzugehörigkeit)
API . . . . American Petroleum Institute
ASTM . . . . American Society for Testing Materials
asymm. . . . . asymmetrisch
at . . . . technische Atmosphäre
At.-Gew. . . . . Atomgewicht
atm . . . . physikalische Atmosphäre
BASF . . . . Badische Anilin- & Sodafabrik AG, Ludwigshafen/Rhein (bis 1925 und wieder ab 1953), BASF AG (seit 1974)
Bataafsche (Shell) } . . . . N. V. Bataafsche Petroleum Mij., s'Gravenhage (Holland)
Shell Develop. } . . . . Shell Development Co., San Francisco, Corporation of Delaware
ber. . . . . berechnet
bez. . . . . bezogen
bzw. . . . . beziehungsweise
cal . . . . Calorien
CIBA . . . . Chemische Industrie Basel, AG (bis 1973)
Ciba-Geigy . . . . Fusionierte Firmen ab 1973
cycl. . . . . cyclisch
D, bzw. D^{20} . . . . Dichte, bzw. Dichte bei 20° bezogen auf Wasser von 4°
DAB . . . . Deutsches Arznei-Buch
Degussa . . . . Deutsche Gold- und Silberscheideanstalt, Frankfurt a.M.
d. h. . . . . das heißt
Diglyme . . . . 2-(2-Methoxy-äthoxy)-äthanol
DIN . . . . Norm
DK . . . . Dielektrizitäts-Konstante
DMF. . . . . Dimethylformamid
DMSO . . . . Dimethylsulfoxid
d. Th. . . . . der Theorie
DuPont . . . . E. I. DuPont de Nemours & Co., Wilmington 98 (USA)
E . . . . Erstarrungspunkt
EMK . . . . Elektromotorische Kraft
F . . . . Schmelzpunkt
Farbf. Bayer . . . . Farbenfabriken Bayer AG, vormals Friedrich Bayer & Co., Leverkusen-Elberfeld (bis 1925), Farbenfabriken Bayer AG, Leverkusen, Elberfeld, Dormagen und Uerdingen (1953–1973)
Bayer AG . . . . Bayer AG, Leverkusen (seit 1973)
Farbw. Hoechst . . . . Farbwerke Hoechst AG, vormals Meister Lucius & Brüning, Frankfurt/M.-Höchst (bis 1925 und wieder ab 1953 bis 1974)
Hoechst AG . . . . ab 1974
g . . . . Gramm
gem. . . . . geminal
ges. . . . . gesättigt
Gew., Gew.-%, Gew.-Tl. . . . Gewicht, Gewichtsprozent, Gewichtsteil
Hoechst AG . . . . Hoechst AG, Frankfurt/M.-Höchst (seit 1974)
I.C.I. . . . . Imperial Chemicals Industries Ltd., Manchester
I.G. Farb. . . . . I.G. Farbenindustrie AG, Frankfurt a.M. (1925–1945)
IUPAC . . . . International Union of Pure and Applied Chemistry
i. Vak. . . . . im Vakuum
k (k_s, k_b) . . . . elektrolytische Dissoziationskonstanten, bei Ampholyten, Dissoziationskonstanten nach der klassischen Theorie

---

[1] Alle Temperaturangaben beziehen sich auf Grad Celsius, falls nicht anders vermerkt.

K (K$_s$, K$_b$) . . . . elektrolytische Dissoziationskonstanten von Ampholyten nach der Zwitterionentheorie

kcal . . . . Kilocalorie

kg . . . . Kilogramm

konz. . . . . konzentriert

korr. . . . . korrigiert

Kp, bzw. Kp$_{750}$ . . . . . . Siedepunkt, bzw. Siedepunkt unter 750 Torr Druck

kW, kWh . . . . Kilowatt, Kilowattstunde

l . . . . Liter

m (als Konzentrationsangabe) . molar

M . . . . Metall (in Formeln)

$[M]_\lambda^t$ . . . . molekulares Drehungsvermögen oder Molekularrotation

mg . . . . Milligramm

Min. . . . . Minute

mm . . . . Millimeter

ml . . . . Milliliter

Mol.-Gew., Mol.-%, Mol.-Refr. . Molekulargewicht, Molprozent, Molekularrefraktion

n_λ^t . . . . Brechungsindex

n (als Konzentrationsangabe) . normal

nm . . . . Nanometer

pd · sq. · inch . . . . 0,070307 at = 0,068046 Atm

p$_H$ . . . . negativer, dekadischer Logarithmus der Wasserstoffionen-Aktivität

prim. . . . . primär

Py . . . . Pyridin

quart. . . . . quartär

racem. . . . . racemisch

S. . . . . Seite

s. a. . . . . siehe auch

sek. . . . . sekundär

Sek. . . . . Sekunde

s. o. . . . . siehe oben

spez. . . . . spezifisch

sq. · inch . . . . 6,451589 · 10^{-4} m^2

Stde., Stdn., stdg. . . . . . . Stunde, Stunden, stündig

s. u. . . . . siehe unten

Subl.p. . . . . Sublimationspunkt

symm. . . . . symmetrisch

Tab. . . . . Tabelle

techn. . . . . technisch

Temp. . . . . Temperatur

tert. . . . . tertiär

theor. . . . . theoretisch

THF . . . . Tetrahydrofuran

Tl., Tle., Tln. . . . . Teil, Teile, Teilen

u. a. . . . . und andere

u. U. . . . . unter Umständen

V . . . . Volt

VDE . . . . Verein Deutscher Elektroingenieure

VDI . . . . Verein Deutscher Ingenieure

verd. . . . . verdünnt

vgl. . . . . vergleiche

vic. . . . . vicinal

Vol., Vol.-%, Vol.-Tl. . . . . Volumen, Volumenprozent, Volumenanteil

W . . . . Watt

Zers. . . . . Zersetzung

∇ . . . . Erhitzung

$[\alpha]_\lambda^t$ . . . . spezifische Drehung

∅ . . . . Durchmesser

~ . . . . etwa, ungefähr

μ . . . . Mikron

Methoden
zur Herstellung und Umwandlung
von Ketonen
TEIL 2

bearbeitet von

Prof. Dr. Drs. h. c. Otto Bayer
Bayer AG, Leverkusen

Priv.-Doz. Dr. Klaus Burger
Institut für Organische Chemie
der Technischen Universität München

Prof. Dr. Bernd Eistert
Institut für Organische Chemie
der Universität Saarbrücken

Dr. Heinrich Gold
Bayer AG, Leverkusen

Prof. Dr. Hans Henecka
Bayer AG, Wuppertal-Elberfeld

Priv.-Doz. Dr. Dieter Marquarding
Institut für Organische Chemie
der Technischen Universität München

Prof. Dr. Manfred Regitz
Fachbereich Chemie
der Universität Kaiserslautern

Prof. Dr. Hermann Stetter
und
Prof. Dr. Hans Günter Thomas
Institut für Organische Chemie
der Technischen Hochschule Aachen

Prof. Dr. Ivar Ugi
Institut für Organische Chemie
der Technischen Universität München

Dr. Hartmund Wollweber
Bayer AG, Wuppertal-Elberfeld

Mit 1 Abbildung
und 89 Tabellen

Literatur berücksichtigt bis 1974, teilweise bis 1975/76.
III   Houben-Weyl, Bd. VII/2b

Inhalt

A. Herstellung

I.–VI. (s. Teilband VII/2a sowie Übersicht s. S. XI)

B. Umwandlungen der Ketone (unter Verlust der Carbonyl-Funktion) . . . 1912

VII. Herstellung von Ketonen durch Abbaureaktionen

a) durch oxidative Spaltung

Bearbeitet von

Prof. Dr. Hermann Stetter

Institut für Organische Chemie der Technischen Hochschule Aachen

1. von Paraffinen

α) mit Chromsäure und ihren Derivaten

Verzweigte Paraffine erleiden bei geeigneter Oxidation eine oxidative Spaltung der Kohlenstoffkette, wobei als Oxidationsprodukte Ketone auftreten können:

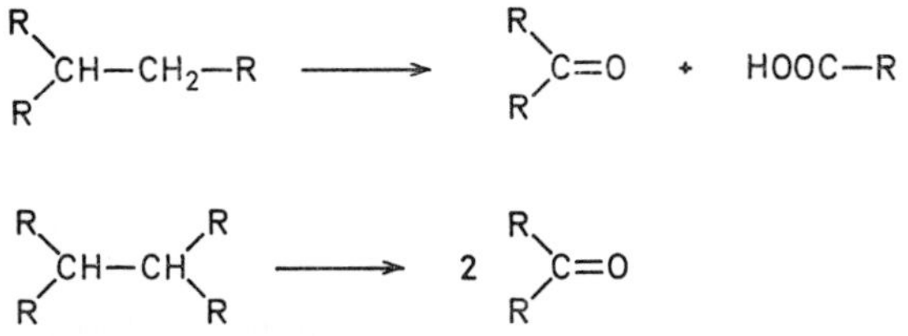

$$
\underset{R}{\overset{R}{>}}CH-CH_2-R \longrightarrow \underset{R}{\overset{R}{>}}C=O \ + \ HOOC-R
$$

$$
\underset{R}{\overset{R}{>}}CH-CH\underset{R}{\overset{R}{<}} \longrightarrow 2 \ \underset{R}{\overset{R}{>}}C=O
$$

Als Oxidationsmittel für diese Spaltung eignen sich in erster Linie Chromsäure, Chrom(VI)-oxid/Eisessig und Chromylchlorid. Der primäre Angriff dieser Oxidationsmittel auf verzweigte Kohlenwasserstoffe richtet sich in erster Linie auf die tertiären Wasserstoffe. Vergleichende Untersuchungen haben ergeben, daß die relativen Reaktionsgeschwindigkeiten bei dieser Oxidation von primären, sekundären und tertiären Wasserstoffatomen[1] sich verhalten wie 1:110:7000. Die Reaktion führt beim Angriff auf ein tertiäres Wasserstoffatom primär zu tertiären Alkoholen, die durch anschließende Dehydratisierung und oxidative Spaltung der olefinischen Doppelbindung Ketone liefern. Der Reaktionsverlauf wurde am Beispiel des 3-Äthyl-pentans näher untersucht[2]. Als Reaktionsprodukte werden 3-Hydroxy-3-äthyl-pentan in der ersten Phase der Reaktion und als Endprodukte *Pentanon-(3)*, Propionsäure und Essigsäure isoliert. Das Formelschema gibt den Reaktionsverlauf wieder:

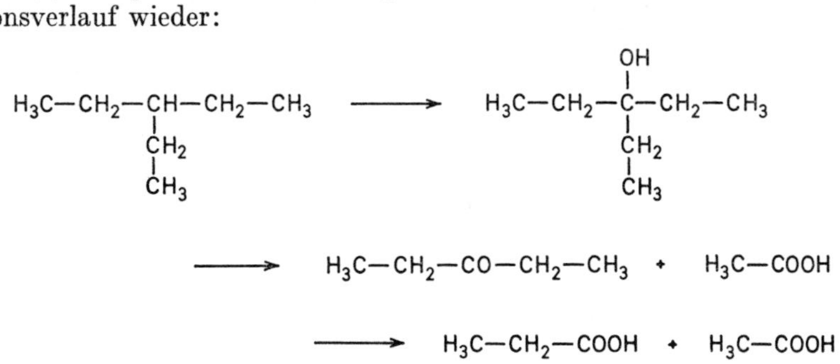

$$
H_3C-CH_2-\underset{\underset{CH_3}{\overset{|}{CH_2}}}{\overset{|}{CH}}-CH_2-CH_3 \longrightarrow H_3C-CH_2-\underset{\underset{CH_3}{\overset{|}{CH_2}}}{\overset{\overset{OH}{|}}{C}}-CH_2-CH_3
$$

$$
\longrightarrow H_3C-CH_2-CO-CH_2-CH_3 \ + \ H_3C-COOH
$$

$$
\longrightarrow H_3C-CH_2-COOH \ + \ H_3C-COOH
$$

---

[1] F. Mares u. J. Roček, Collect. czech. chem. Commun. **24**, 2741 (1959); **26**, 2370 (1961).
[2] W. F. Sager u. A. Bradley, Am. Soc. **78**, 1187, 4970 (1956).
  W. F. Sager, Am. Soc. **78**, 4970 (1956).

Bei der analogen Oxidation von Methyl-cyclohexan erhält man als Hauptprodukt die unter oxidativer Ringspaltung gebildete *6-Oxo-heptansäure*[1].

Besser als Chromsäure eignet sich im allgemeinen Chrom(VI)-oxid/Eisessig für die oxidative Spaltung. Beispiele hierfür sind die Bildung von *3-Oxo-2-methyl-butan* aus 2,3-Dimethyl-butan[2] und *4-Oxo-2,2-dimethyl-pentan* aus 2,2,4-Trimethyl-pentan[3]. Chromylchlorid läßt sich ebenfalls für diese Oxidation heranziehen, doch sind bei Anwendung dieses Reagenzes keine wesentlichen Vorteile zu beobachten[4].

Von präparativem Wert sind solche Oxidationen vor allem in der Sterin-Reihe zum Abbau von Seitenketten unter Bildung von Sterin-ketonen. Befinden sich im Molekül alkoholische Hydroxy-Gruppen, so können diese durch Veresterung gegen die Einwirkung des Oxidationsmittels geschützt werden.

Aus Cholestanol erhält man so nach vorheriger Veresterung der Hydroxy-Gruppe mit Acetanhydrid und Oxidation mit Chrom(VI)-oxid/Eisessig unter Abbau der Seitenkette *epi-Androsteron*[5]:

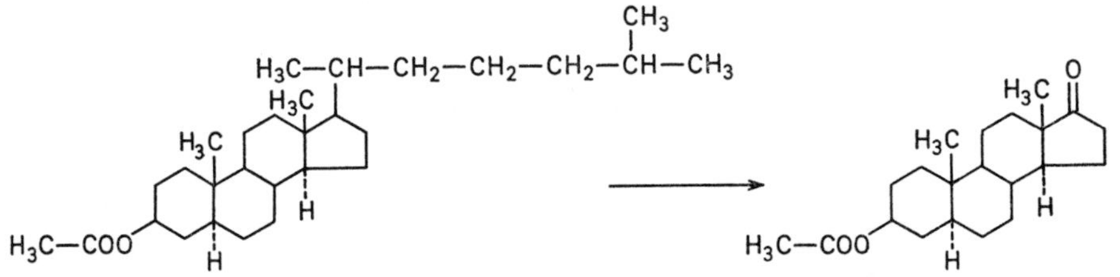

In der gleichen Weise erhält man aus epi-Cholestanol *Androsteron*[6] und aus Lithocholsäure *5-iso-Androsteron*[6]. An Stelle der Essigsäureester können auch die Ester der 2,4-Dinitro-benzoesäure verwendet werden[7].

Im Molekül vorhandene C=C-Doppelbindungen können gegen den Angriff des Oxidationsmittels dadurch geschützt werden, daß man Brom addiert. Nach vollzogener Oxidation kann die Doppelbindung dann wieder durch Behandlung mit Zink zurückgebildet werden.

Auf diese Weise läßt sich Cholesterol nach Veresterung der Hydroxy-Gruppe und Addition von Brom mit Chrom(VI)-oxid in Eisessig in *Dehydro-epi-androsteron* überführen:

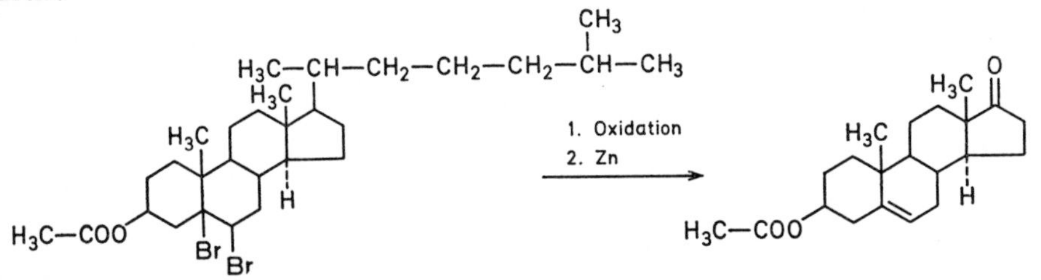

[1] J. Roček, Collect. czech. chem. Commun. **23**, 833 (1958).
   P. Kourim u. R. Tykve, Collect. czech. chem. Commun. **26**, 2511 (1961).
[2] G. Foster u. W. J. Hickinbottom, Soc. **1960**, 215.
[3] D. P. Archer u. W. J. Hickinbottom, Soc. **1954**, 4197.
[4] C. C. Hobbs u. B. Houston, Am. Soc. **76**, 1254 (1954).
   J. R. Celeste, M. S. Thesis, University of Delaware, Newark, Delaware, 1956.
   S. J. Cristol u. K. R. Eilar, Am. Soc. **72**, 4353 (1950).
[5] L. Ruzicka et al., Helv. **17**, 1395, 1407 (1934).
[6] L. Ruzicka u. M. W. Goldberg, Helv. **18**, 668 (1935).
   F. Reindel u. K. Niederländer, A. **522**, 218 (1936).
[7] H. H. Inhoffen et al., B. **91**, 781 (1958).

Dehydro-epi-androsteron[1]: 100 g 5,6-Dibrom-3β-acetoxy-cholestan[2] werden unter Rühren in 3,7 l Eisessig auf 45° erwärmt. Im Laufe von 4 Stdn. läßt man eine Lösung von 115 g Chrom (VI)-oxid in 350 ml 90%ige Essigsäure zufließen, wobei schon nach kurzer Zeit völlige Lösung eintritt. Man erhitzt das Gemisch noch weitere 8 Stdn., zerstört dann die überschüssige Chromsäure durch Zugabe von Methanol und engt die Lösung i. Vak. bei einer Badtemp. von höchstens 50° stark ein. Den Rückstand verdünnt man mit 450 ml Wasser und unterwirft ihn während 1 Stde. einer Wasserdampfdestillation im Vakuum. Dann wird erschöpfend mit Äther extrahiert und die Äther-Lösung wiederholt mit 10%iger Schwefelsäure, ges. Natriumhydrogencarbonat-Lösung und Wasser gewaschen. Nach dem Abdestillieren des Äthers erhitzt man den Rückstand zur Abspaltung des Broms mit Zinkstaub und Eisessig 1 Stde. unter Schütteln auf dem siedenden Wasserbad, saugt ab und gibt zur Eisessig-Lösung $\sim$ 5% Wasser zu. Beim Stehen bei $\sim$ 5° scheidet sich die Hauptmenge des aus unverändert gebliebenen Ausgangsmaterial durch Entbromung gebildeten 3β-Acetoxy-cholesten-(5) ab.

Die Eisessig-Mutterlauge wird mit viel Wasser verdünnt, mit Äther extrahiert und die Äther-Lösung mit Wasser und n Natronlauge gewaschen, wobei das schwer lösliche Natriumsalz der 3β-Acetoxy-cholen-(5)-säure ausfällt.

Die Äther-Lösung wird eingedampft und der Rückstand in äthanolischer Lösung mit $\sim$ $^1/_3$ seines Gewichtes Semicarbazid-acetat durch 30 Min. Kochen umgesetzt. Das entstehende Semicarbazon wird mit Äthanol und Äther gewaschen und aus Chloroform/Äthanol oder Methanol umkristallisiert; F: 273–275° (Zers.). Das freie Hydroxy-keton erhält man aus dem Semicarbazon durch 1 stdgs. Erwärmen mit einem Gemisch von 70%ige Schwefelsäure und Äthanol (1:2); F: 140–141°.

Aromatische Kohlenwasserstoffe mit Seitenketten werden bekanntlich durch Chromsäure unter Abbau der Seitenketten in aromatische Carbonsäuren überführt. Die Vorstufen dieses oxidativen Abbaus sind aromatische Ketone, die unter geeigneten Bedingungen isoliert werden können. Findet sich am Benzolkern ein verzweigter Alkyl-Rest mit tertiärem Wasserstoffatom, so erfolgt hier der primäre Angriff unter Bildung eines aromatischen Ketons, das unter geeigneten Bedingungen isoliert werden kann. Der oxidative Abbau von 2-Phenyl-propan[3], 2-Phenyl-butan[4] und 2-Phenyl-heptan[5] ergibt in allen Fällen *Acetophenon* neben Benzoesäure, wenn die Oxidation mit Chromsäure oder Chrom(VI)-oxid/Eisessig durchgeführt wird:

Aus 1,2-Diphenyl-cyclopentan erhält man bei der Oxidation mit Chrom(VI)-oxid/ Eisessig unter Ringöffnung *1,5-Dioxo-1,5-diphenyl-pentan*[6]:

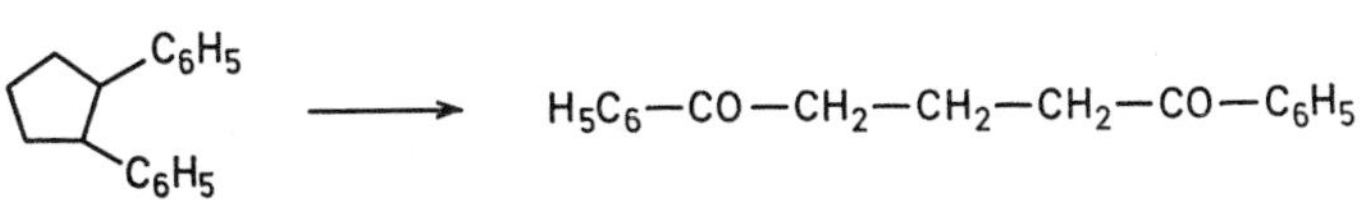

Entsprechend erhält man aus 1,1-Diphenyl-alkanen *Benzophenon*[7].

[1] L. Ruzicka u. A. Wettstein, Helv. **18**, 986 (1935).
   A. Butenandt, Dtsch. med. Wschr. **761**, 823 (1935).
   S. a. S. P. J. Maas u. J. G. de Heus, R. **77**, 531 (1958).
[2] Herstellung: F. Reinitzer, M. **9**, 428 (1888).
[3] E. Boedtker, Bl. [3] **25**, 843 (1901).
   H. Meyer u. K. Bernhauer, M. **53/54**, 721 (1929).
[4] J. Schramm, M. **9**, 613 (1888).
[5] A. Dobrjanski u. A. Aliew, Neft. Chozjajstvo, **9**, 229 (1925); C. A. **21**, 3736 (1927).
[6] F. R. Japp u. C. I. Burton, Soc. **51**, 423 (1887).
[7] H. H. Szmant u. J. F. Deffner, Am. Soc. **81**, 958 (1959).

Triphenylmethan läßt sich unter ähnlichen Bedingungen zu *Benzophenon* neben Triphenylcarbinol oxidieren[1]. Präparative Bedeutung dürfte diese Möglichkeit zur Herstellung aromatischer Ketone durch oxidativen Abbau nur in speziellen Fällen haben.

β) Oxidative Spaltung auf dem Wege über Peroxide

Eine allgemeinere Bedeutung als der einfachen und unspezifischen Chromsäure-Oxidation von Paraffin-Kohlenwasserstoffen kommt der Spaltung von Hydroperoxiden verzweigter Kohlenwasserstoffe zu, die ihrerseits direkt aus den Kohlenwasserstoffen durch Einwirkung von Sauerstoff zugänglich sind. Nähere Einzelheiten über die Herstellung von Hydroperoxiden s. ds. Handb., Bd. VIII, S. 10 und Bd. VII/2a, S. 712.

Solche Hydroperoxide verzweigter Kohlenwasserstoffe können auf zwei verschiedenen Wegen eine Spaltung unter Bildung von Ketonen erleiden.

Die erste Möglichkeit besteht in dem thermischen Zerfall, der nach einem radikalischen Mechanismus verläuft:

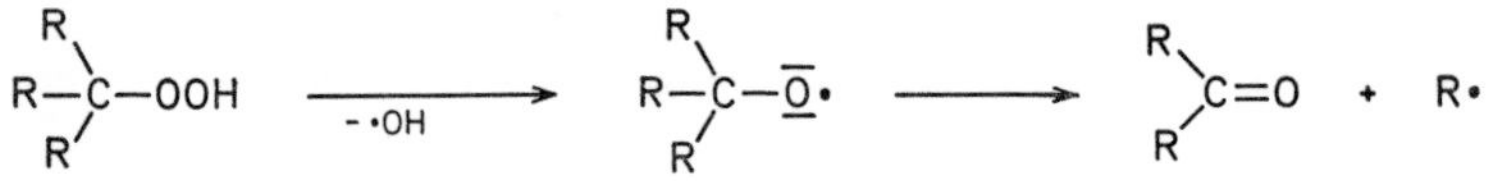

Dieser Zerfall verläuft im allgemeinen nicht einheitlich, sondern liefert durch Abreaktion der entstehenden freien Radikale mehr oder weniger große Mengen an Nebenprodukten[2]. Für die präparative Gewinnung einheitlicher Ketone besitzt dieser Weg deshalb nur geringe Bedeutung.

Für den Fall, daß die drei Alkyl-Reste R verschieden sind, bestimmt die relative Stabilität der Radikale den Reaktionsablauf. So konnte bei der bei 250° durchgeführten Spaltung des 2-Hydroperoxy-2-methyl-butan festgestellt werden, daß vorzugsweise der Äthyl-Rest abgespalten wird. Es bildet sich zu 80% d. Th. *Aceton*[3].

Auch die bei 250° durchgeführte Spaltung von [2,3,3-Trimethyl-butyl-(2)]-tert.-butyl-peroxid verläuft unter Abspaltung der tert.-Butyl-Reste aus dem 2,3,3-Trimethyl-butyl-(2)-Rest[4].

9-Hydroperoxy-dekalin ergibt bei 120° in der Hauptsache *6-Oxo-decansäure* neben geringen Mengen Decandisäure[5]:

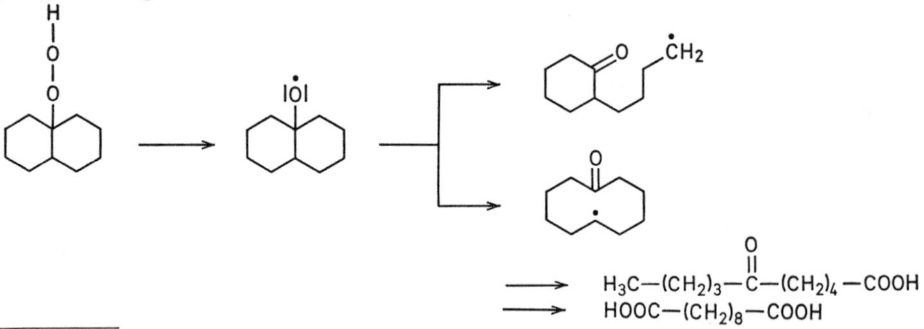

[1] W. HEMILAIN, B. **7**, 1206 (1874).
   M. HAUROIT u. O. SAINT-PIERRE, Bl. [3] **1**, 773 (1889).
   A. BISTRZYCKI u. J. GYR, B. **37**, 1252, 3698 (1904).
   E. FISCHER u. O. FISCHER, B. **37**, 3360 (1904).
   R. SLACK u. W. A. WATERS, Soc. **1948**, 1666, 1670.
[2] A. D. WALSH, Trans. Faraday Soc. **42**, 197–317 (1946).
[3] N. A. MILAS u. D. M. SURGENOR, Am. Soc. **68**, 643 (1946).
[4] N. A. MILAS u. L. H. PERRY, Am. Soc. **68**, 1938 (1946).
[5] H. E. HOLINQUIST et al., Am. Soc. **78**, 5339 (1956).

Die tert.-Cycloalkyl-hydroperoxide mit nur einem carbocyclischen Ringsystem ergeben unter Ringöffnung einen Reaktionsverlauf, der durch das folgende Formelschema wiedergegeben werden kann[1]:

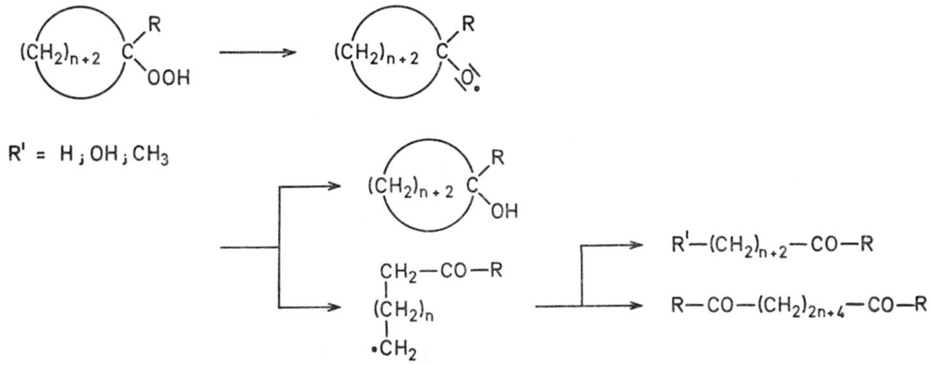

$$(CH_2)_{n+2}\ C \underset{OOH}{\overset{R}{<}} \longrightarrow (CH_2)_{n+2}\ C \underset{O\cdot}{\overset{R}{<}}$$

$$R' = H\ ;\ OH\ ;\ CH_3$$

$$(CH_2)_{n+2}\ C \underset{OH}{\overset{R}{<}}$$

$$\begin{array}{c} CH_2-CO-R \\ | \\ (CH_2)_n \\ | \\ \cdot CH_2 \end{array}$$

$$R'-(CH_2)_{n+2}-CO-R$$

$$R-CO-(CH_2)_{2n+4}-CO-R$$

Einheitlicher verläuft der radikalische Zerfall der Hydroperoxide in Gegenwart von Eisen(II)-salzen. Cumolhydroperoxid (2-Hydroperoxy-2-phenyl-propan) zerfällt so in Gegenwart von Eisen(II)-sulfat unter Bildung von *Acetophenon*[2] und entsprechend 2-Hydroperoxy-2-methyl-1-phenyl-propan ebenfalls unter Bildung von *Acetophenon*[3]. Die hier auftretenden Radikale können in bestimmten Fällen unter Dimerisierung und Ausbildung von Diketonen reagieren (s. S. 1876).

Auch die aus den Hydroperoxiden erhältlichen Dialkylperoxide können durch thermischen Zerfall über Radikalbildung zu Ketonen abreagieren. Der Reaktionsverlauf ist aber auch in diesem Falle wenig einheitlich[4].

Wesentlich größere Bedeutung als der radikalische Zerfall der Hydroperoxide hat die Hydroperoxid-Spaltung mit Hilfe von Mineralsäuren, die einem polaren Mechanismus gehorcht:

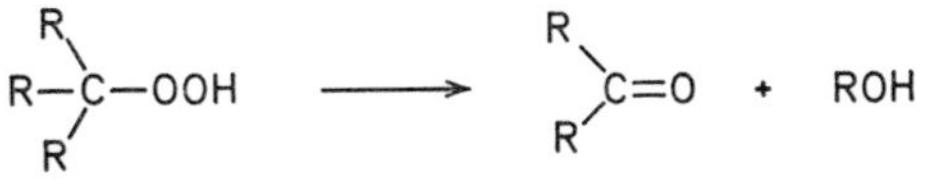

$$R-\underset{R}{\overset{R}{C}}-OOH \longrightarrow \underset{R}{\overset{R}{>}}C=O\ +\ ROH$$

Ausführliches über Mechanismus und Durchführung dieser Spaltung s. ds. Handb. Bd. IV/2, S. 17 und Bd. VIII, S. 66 sowie Bd. VII/2a, S. 712.

Eine wichtige Variante dieses Verfahrens stellt die Umlagerung der Hydroperoxidester unter Bildung von Carbonsäure-1-alkoxy-alkylester dar, die zu den

[1] G. S. FISHER, J. H. STINSON u. L. A. GOLDBLATT, Am. Soc. **75**, 3675 (1953).
E. G. E. HAWKINS, Soc. **1950**, 2801.
G. S. SCHMIDT u. G. S. FISHER, Am. Soc. **76**, 5426 (1954).
[2] H. HOCK u. S. LANG, B. **77**, 257 (1944).
E. G. E. HAWKINS, Soc. **1950**, 2169.
[3] E. G. E. HAWKINS, Soc. **1949**, 2076.
[4] N. A. MILAS u. L. H. PERRY, Am. Soc. **68**, 1938 (1946).
N. A. MILAS u. D. M. SURGENOR, Am. Soc. **68**, 205, 643 (1946).

Ketonen verseift werden können:

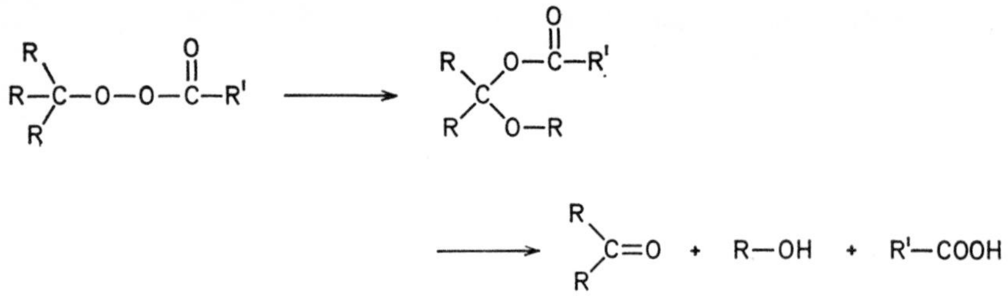

$$R-\underset{\underset{R}{|}}{\overset{\overset{R}{|}}{C}}-O-O-\overset{\overset{O}{\|}}{C}-R' \longrightarrow \underset{R}{\overset{R}{C}} \underset{O-R}{\overset{O-\overset{\overset{O}{\|}}{C}-R'}{}}$$

$$\longrightarrow \underset{R}{\overset{R}{C}}=O \ + \ R-OH \ + \ R'-COOH$$

Näheres über diese Umlagerung s. ds. Handb., Bd. VIII, S. 64.

Über die Oxidation von tert.-Kohlenwasserstoffen der allgemeinen Formel

$$H_5C_6-\underset{}{\overset{\overset{CH_3}{|}}{C}}H-R$$

zu Ketonen und Phenol durch die direkte Einwirkung von Sauerstoff s. Lit.[1].

2. Oxidative Spaltung von olefinischen Doppelbindungen

Durch oxidative Spaltung von Olefinen mit Verzweigung an der C=C-Doppelbindung gelangt man nach folgendem Schema zu Ketonen:

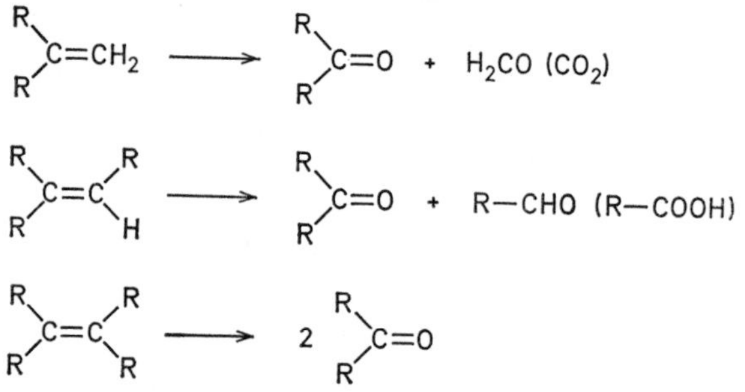

$$\underset{R}{\overset{R}{C}}=CH_2 \longrightarrow \underset{R}{\overset{R}{C}}=O \ + \ H_2CO \ (CO_2)$$

$$\underset{R}{\overset{R}{C}}=\underset{H}{\overset{R}{C}} \longrightarrow \underset{R}{\overset{R}{C}}=O \ + \ R-CHO \ (R-COOH)$$

$$\underset{R}{\overset{R}{C}}=\underset{R}{\overset{R}{C}} \longrightarrow 2 \ \underset{R}{\overset{R}{C}}=O$$

Diese Herstellungsmöglichkeit von Ketonen ist in vielen Fällen von präparativer Bedeutung. Als Oxidationsmittel kommen neben Ozon auch eine Reihe weiterer Oxidationsmittel in Betracht.

a) durch Ozonolyse

Wenn auch die Ozonspaltung von Olefinen in erster Linie der Konstitutionsermittlung dient, so gibt es doch zahlreiche Beispiele der präparativ vorteilhaften Gewinnung von Ketonen mit Hilfe der Ozonolyse.

Hinsichtlich der experimentellen Einzelheiten der Durchführung der Ozonolyse sei auf die entsprechenden Kapitel d. Handb. verwiesen[2]. Da die entstehenden Ketone weniger empfindlich sind als die Aldehyde, kann im Gegensatz zur Aldehyd-Herstellung neben der hydrolytischen und hydrierenden Spaltung der Ozonide auch die oxidative Spaltung mit Erfolg angewandt werden. Im allgemeinen wird man aber auch bei der Keton-Herstellung die hydrierende Spaltung unter Verwendung von katalytisch angeregtem Wasserstoff[3] vorziehen. Diese Arbeitsweise bietet ein Höchstmaß an Sicherheit und gibt befriedigende Ausbeuten.

---

[1] H. N. Stephens u. F. L. Roduta, Am. Soc. **57**, 2380 (1935).

[2] S. ds. Handb., Bd. VII/1, Kap. Herstellung von Aldehyden durch Abbaureaktionen, S. 333.
    S. ds. Handb., Bd. VIII, Kap. Herstellung von Peroxiden, S. 27.

[3] A. L. Henne u. W. L. Perilstein, Am. Soc. **65**, 2183 (1943).

Die Ozonolyse endständiger C=C-Doppelbindungen gelingt besonders glatt. Da die Ozonide solcher Olefine besonders leicht gespalten werden, kann hier auch die hydrolytische Spaltung mit bestem Erfolg angewendet werden. In diesen Fällen zieht man die Verwendung von Eisessig oder Ameisensäure als Lösungsmittel vor. Die hydrolytische Spaltung kann entweder so erfolgen, daß man dem Lösungsmittel von vornherein Wasser zusetzt, oder daß man nachträglich Wasser hinzugibt oder Wasserdampf einleitet.

Beispiele hierfür sind die Herstellung von *4-Oxo-2,2-bis-[chlormethyl]-pentan* (95% d.Th.) aus 2-Methyl-4,4-bis-[chlormethyl]-penten-(1)[1] sowie die Ozonolyse des 5,8-Dihydroxy-8-methyl-5-isopropyl-3-methylen-dekalin zu *1,4-Dihydroxy-7-oxo-4-methyl-1-isopropyl-dekalin*[2]:

$$\underset{\underset{CH_2Cl}{|}}{ClCH_2-\overset{\overset{CH_3}{|}}{C}-CH_2-\overset{\overset{CH_3}{|}}{C}=CH_2} \longrightarrow \underset{\underset{CH_2Cl}{|}}{ClCH_2-\overset{\overset{CH_3}{|}}{C}-CH_2-\overset{\overset{CH_3}{|}}{C}=O}$$

4-Oxo-2,2-bis-[chlormethyl]-pentan[1]: Eine Suspension von 9,05 g (0,05 Mol) 2-Methyl-4,4-bis-[chlormethyl]-penten-(1) in 100 *ml* 90%iger Ameisensäure werden in einer mit Fritte versehenen Gaswaschflasche auf 0° gekühlt. Man leitet nun einen Sauerstoffstrom mit 6% Ozongehalt mit einer Geschwindigkeit von 125 *ml* /Min. solange durch das Reaktionsgemisch, bis das austretende Gas in einer angesäuerten Kaliumjodid-Lösung eine Jod-Ausscheidung ergibt. Nach Zugabe von 50 *ml* Wasser wird die Lösung mit 10 m Natronlauge bei 25° neutralisiert und mit Äther extrahiert. Nach dem Trocknen mit Natriumsulfat und Abdestillieren des Äthers unterwirft man den Rückstand der fraktionierten Vakuumdestillation; Ausbeute: 8,6 g (95% d.Th.); Kp₃: 74–75°.

Über die Beeinflussung der Ozonolyse durch den Zusatz von Erdalkalimetallhydroxiden vgl. Lit.[3].

Auch das Ozonid des 2,4-Bis-[2,3-dioxo-4-methyl-phenyl]-pentans (Diosphenols, Buccocampher) kann durch hydrolytische Spaltung unter Ringöffnung in *5-Oxo-2-isopropyl-hexansäure* überführt werden[4].

Ein interessanter Fall der Ringöffnung durch Ozonolyse unter Bildung eines höhergliedrigen Diketons stellt die Ozonolyse des Bicyclo[4.4.0]decens-(1⁶)(Δ⁹-Octalin) unter Bildung von *Cyclodecandion-(1,6)* (80% d.Th.) dar, die durch Ozonbehandlung in 40-50%iger Essigsäure direkt unter Hydrolyse des Ozonides verläuft[5]:

---

[1] K. E. WILZBACH, F. R. MAYO u. R. VAN METER, Am. Soc. **70**, 4069 (1948).

[2] W. TREIBS, B. **82**, 530 (1949).

[3] V. V. FEDOROVA et al., Izv. Vyss. Uch. Zav. Chim. i. chim. Techn. **49**, 4 (1972); C.A. **77**, 87765 (1972).

[4] F. W. SEMMLER u. McKENZIE, B. **39**, 1160 (1960).

[5] W. HÜCKEL et al., A **474**, 128 (1929).

P. A. PLATTNER u. J. HULSTKAMP, Helv. **27**, 211 (1944).

A. G. ANDERSON u. J. A. NELSON, Am. Soc. **73**, 232 (1951).

W. J. BAILEY u. H. R. GOLDEN, Am. Soc. **79**, 6516 (1957).

E. T. NILES u. H. R. SNYDER, J. Org. Chem. **26**, 330 (1961).

S. a. R. A. KRETCHMER u. W. M. SCHAFER, J. Org. Chem. **38**, 96 (1973).

G. L. LANGE u. T. W. HALL, J. Org. Chem. **39**, 3819 (1974).

S. ds. Handb. Bd. IV/2, Kap.: Methoden zur Herstellung und Umwandlung **großer Ringsysteme**, S. 808.

Es sei hier auf die analoge Ozonolyse des Indeno-[2,1-a]-indens zu *5,11-Dioxo-5,6,11,12-tetrahydro-⟨dibenzo-[a;e]-cyclooctatetraen⟩* hingewiesen[1].

Beispiele für die reduzierende Spaltung der Ozonide mit Hilfe von Zink und Essigsäure sind die Herstellung von *Hexanon-(2)* (60% d. Th.) aus 2-Methyl-hexen-(1), *2-Oxo-4-methyl-octan* (69% d. Th.) aus 2,4-Dimethyl-octen-(1)[2] und die Ozonolyse des Phytols[3] zu *14-Oxo-2,6,10-trimethyl-pentadecan*.

Hexanon-(2)[2]:

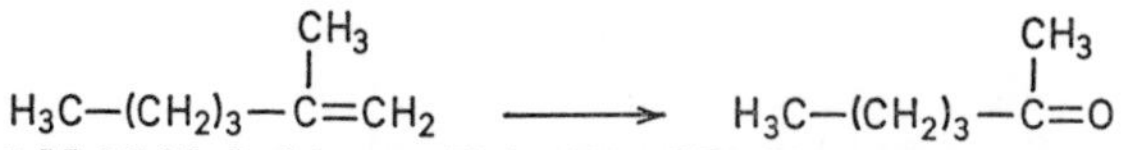

$$H_3C-(CH_2)_3-\underset{\underset{CH_3}{|}}{C}=CH_2 \longrightarrow H_3C-(CH_2)_3-\underset{\underset{CH_3}{|}}{C}=O$$

Eine Lösung von 0,5 Mol 2-Methyl-hexen-(1) in 200 *ml* Dichlormethan wird bei −78° 12 Stdn. mit einem 6% Ozon enthaltenden Sauerstoffstrom (20 *l*/Stde.) behandelt. Man gibt die Reaktionslösung unter Rühren innerhalb 30 Min. zu einer Suspension von 32,5 g Zinkstaub in 300 *ml* 50%ige Essigsäure. Dabei läßt man das Dichlormethan unter dem Einfluß der Reaktionswärme abdestillieren. Das Reduktionsgemisch kocht man 1 Stde. unter Rückfluß und extrahiert nach dem Erkalten mit 200 *ml* Äther. Die Äther-Schicht wäscht man solange mit einer Kaliumjodid-Lösung, bis alle Peroxide verschwunden sind. Dieses Waschen ist sehr wichtig, um spätere **Explosionen** zu vermeiden. Darauf wäscht man mit verd. Natronlauge, verd. Salzsäure und schließlich mit ges. Natriumchlorid-Lösung, trocknet und destilliert; Ausbeute: 60% d. Th.; Kp: 124,0–124,5°.

Durch hydrierende Spaltung der Ozonide mit katalytisch erregtem Wasserstoff wurden *Hexanon-(2)* (61% d. Th.) aus 2,3-Dimethyl-hepten-(2) und *Heptanon-(2)* (44% d. Th.) aus 2-Methyl-hepten-(1) erhalten[4]. Aus 7-Oxo-3-methylen-bicyclo[3.3.1]nonan erhält man *3,7-Dioxo-bicyclo[3.3.1]nonan* (82% d. Th.)[5].

Die unter Ringspaltung verlaufende Ozonolyse des 1,2-Dimethyl-cyclopentens-(1) ergibt mit der gleichen Methode *2,6-Dioxo-heptan* (∼80% d. Th.)[6].

Auch Verbindungen mit mehreren C=C-Doppelbindungen können auf diese Weise glatt in mehrwertige Ketone überführt werden. 4-Hydroxy-2,6-dimethyl-4-(2-methyl-allyl)-heptadien-(1,6) erleidet so z. B. eine glatte Ozonolyse zu einem Triketon, das spontan eine intramolekulare Trimerisierung nach Art der Paraldehyd-Bildung zu *7-Hydroxy-1,3,5-trimethyl-2,4,9-trioxa-adamantan* erleidet[7]:

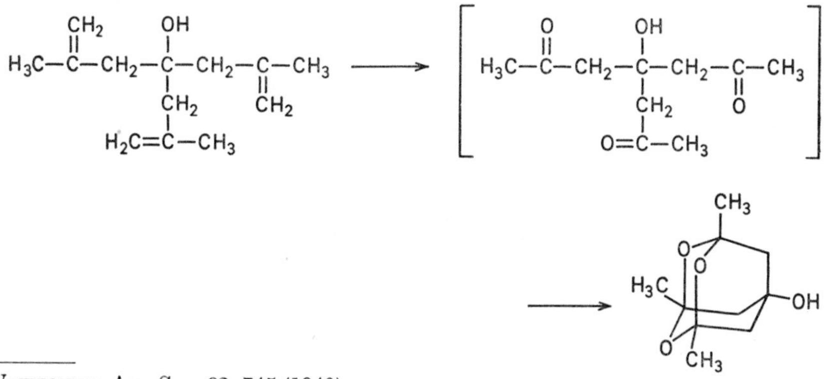

[1] S. WAWZONEK, Am. Soc. **62**, 745 (1940).
   s. a. J. NAKANO u. H. UNO, Chem. Pharm. Bull. **20**, 4, 857 (1972).
[2] A. HENNE u. P. HILL, Am. Soc. **65**, 752 (1943).
[3] F. G. FISCHER, A. **464**, 69 (1928).
   s. a. J. W. CORNFORTH, G. D. HUNTER u. G. POPJÁK, Biochem. J. **54**, 590 (1953).
[4] A. L. HENNE u. W. L. PERILSTEIN, Am. Soc. **65**, 2183 (1943).
[5] H. STETTER u. P. TACKE, B. **96**. 694 (1963).
[6] R. CRIEGEE u. G. LOHAUS, B. **86**, 1 (1953).
   S. a. R. GRIEGEE u. H. G. REINHARDT. B. **101**, 102 (1968).
[7] H. STETTER u. M. DOHR, B. **86**, 589 (1953).
   S. a. R. CRIEGEE, A. BANCIU u. H. KEUL, B. **108**, 1642 (1975).

7-Hydroxy-1,3,5-trimethyl-2,4,9-trioxa-adamantan[1]: 5 g 4-Hydroxy-2,6-dimethyl-4-(2-methyl-allyl)-heptadien-(2,6) löst man in 75 *ml* absol. Äthanol und leitet bei −70° bis zur Sättigung Ozon ein (1 *l*/Min., 2,3% Ozongehalt). Die Lösung des Triozonids in Äthanol wird mit 1 g Palladium auf Bariumsulfat-Katalysator in der Schüttelbirne hydriert. Nach ∼ 1 Stde. ist die Hydrierung beendet. Die Wasserstoffaufnahme beträgt ∼ 1750 *ml*. Nach dem Abfiltrieren des Katalysators wird das Lösungsmittel i. Vak. bei Zimmertemp. abdestilliert. Der zurückbleibende ölige Rückstand erstarrt nach kurzer Zeit kristallin. Nach dem Abpressen des Kristallbreis auf Ton kristallisiert man aus Tetrachlormethan oder Benzol um; Ausbeute: 2,5 g (60,5% d.Th.); F: 164° (im zugeschmolzenen Röhrchen).

Als weitere Reduktionsmittel können angewandt werden: Natrium- oder Kaliumjodid[2], Schwefeldioxid oder Natriumhydrogensulfit[3], Zinn(II)-chlorid[4] und Formaldehyd[5]. Auch Pyridin-Zusatz zum Lösungsmittel kann unter Bildung von Pyridin-N-oxid als Reduktionsmittel wirken. Da der sich hierbei bildende Pyridin-Ozon-Komplex oft einen besonders spezifischen Verlauf der Ozonolyse ermöglicht, kann die Anwendung von Pyridin in speziellen Fällen von besonderer Bedeutung sein[4,6]. Die Vorteile dieser Arbeitsweise werden am Beispiel der Ozonolyse von 2-Oxo-1,7,7-trimethyl-3-hydroxymethylen-bicyclo[2.2.1]heptan deutlich. Während man in Eisessig 1,2,2-Trimethyl-cyclopentan-1,3-dicarbonsäure-anhydrid erhält, gibt die Ozonolyse in Pyridin/Dichlormethan *2,3-Dioxo-1,7,7-trimethyl-bicyclo[2.2.1]heptan* (96% d.Th.)[7]:

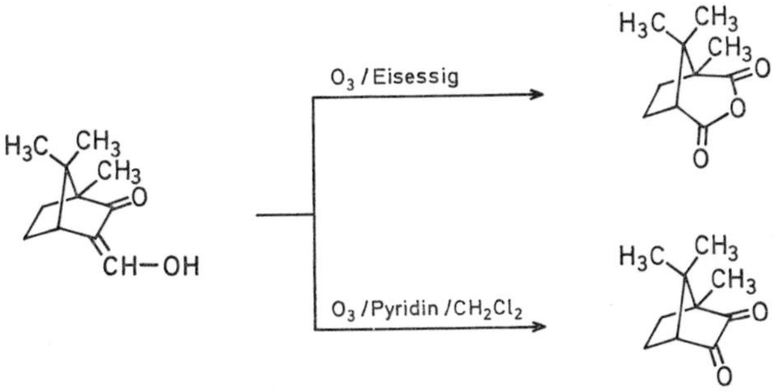

Auf die Verwendung von Reduktionsmitteln kann aber auch bei dieser Arbeitsweise nicht verzichtet werden. Diese sind notwendig zur Reduktion des Pyridin-Ozon-Komplexes und des Pyridin-N-oxids.

Über die Anwendung von Triphenylphosphin s. Lit.[8].

Ein besonders selektives Reduktionsmittel für die bei der Ozoneinwirkung in Gegenwart von Methanol entstehenden Methoxy-hydroperoxide ist Dimethylsulfid,

---

[1] H. STETTER u. M. DOHR, B. **86**, 589 (1953).

[2] P. S. BAILEY, B. **88**, 795 (1955); Am. Soc. **78**, 3811 (1956).
   R. CRIEGEE u. G. LOHAUS, A. **583**, 12 (1953).

[3] E. BRINER u. A. MÜNZHUBER, Helv. **38**, 1994 (1955).
   E. BRINER u. S. NEMITZ, Helv. **21**, 748 (1938).
   B. WITKOP u. S. GOODWIN, Am. Soc. **75**, 3371 (1953).

[4] G. SLOMP, J. Org. Chem. **22**, 1277 (1957).

[5] G. SLOMP u. J. L. JOHNSON, Am. Soc. **80**, 915 (1958).
   US. P. 2891988 (1957), American Cyanamid Co., Erf.: J. A. BROCKMAN u. P. F. FABIO; C. A. **53**, 19888 (1959).

[6] G. SLOMP u. J. L. JOHNSON, Am. Soc. **80**, 916 (1958).
   J. M. CONIA, P. LERIVEREND u. J. L. RIPOLL, Bl. **1961**, 1803.
   H. LETTRÉ et al., A. **703**, 147, 152 (1967).

[7] D. YANG u. S. W. PELLETIER, Chem. Commun. **1968**, 1055.

[8] R. CRIEGEE, A. BANCIU u. H. KEUL, B. **108**, 1642 (1975).

das hierbei in Dimethylsulfoxid übergeht[1]. Der Vorteil dieses Reduktionsmittels beruht darauf, daß andere reduzierbare Gruppen im Molekül, wie z. B. Carbonyl- und Nitro-Gruppen, nicht reduziert werden und daß ein Überschuß an Dimethylsulfid aufgrund des niederen Siedepunktes (37°) leicht entfernt werden kann.

Als Beispiel für diese Arbeitsweise sei die Ozonolyse von 4-Methyl-hexadien-(2,4)-säure-methylester erwähnt. Bei Einwirkung von 1 Mol Ozon auf eine Lösung des Esters in Dichlormethan/Methanol und anschließende Zugabe eines Überschusses von Dimethylsulfid entsteht *4-Oxo-penten-(2)-säure-methylester* (86% d. Th.)[2] (andere Reduktionsmittel ergeben in diesem Falle nur sehr unbefriedigende Ausbeuten):

$$H_3C-CH=\overset{\overset{\displaystyle CH_3}{|}}{C}-CH=CH-COOCH_3 \longrightarrow H_3C-CO-CH=CH-COOCH_3$$

Eine wichtige Variante der Ozonspaltung wurde beschrieben[3]. Diese Methode erübrigt die Spaltung der Ozonide und führt direkt zu den Carbonyl-Verbindungen. Sie beruht darauf, daß man das zu spaltende Olefin in Gegenwart von Tetracyan-äthylen mit Ozon behandelt. Man erhält neben den Carbonyl-Verbindungen Tetracyan-äthylenoxid. Als charakteristisches Beispiel für die Arbeitsweise sei die Spaltung von Camphen (3,3-Dimethyl-2-methylen-bicyclo[2.2.1]heptan) zu *3-Oxo-2,2-dimethyl-bicyclo[2.2.1]heptan* wiedergegeben:

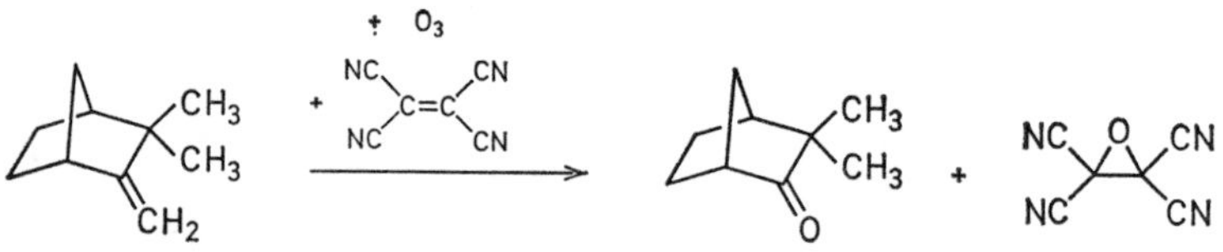

3-Oxo-2,2-dimethyl-bicyclo[2.2.1]heptan[3]: In die leuchtend gelbe Lösung von 6,60 g Camphen (3,3-Dimethyl-2-methylen-bicyclo[2.2.1]heptan) und 6,20 g Tetracyan-äthylen in 100 *ml* Essigsäure-äthylester leitet man bei —70° Ozon bis zur schwachen Blaufärbung ein. Nach dem Vertreiben des überschüssigen Ozons mit Stickstoff wird die blaßgelbe Lösung mit 400 *ml* Pentan verdünnt und mit 200 g Silicagel verrührt. Man gibt die dunkel gewordene Masse mit der nun farblosen Lösung in eine Chromatographiersäule, die mit weiteren 300 g Silicagel gefüllt ist und eluiert das Keton mit 4000 *ml* einer Pentan/Äther-Mischung (4:1). Im Eluat wird das Lösungsmittel bei Raumtemp. über eine 50-cm-Füllkörperkolonne abdestilliert. Der Rückstand wird im Säbelkolben destilliert; Ausbeute: 5,30 g (80% d. Th.; fast rein); Kp$_{15}$: 78–81°; F: 32–34°.

Mit Hilfe dieser Arbeitsweise konnten auch β-Diketone aus Derivaten des Cyclopropens erhalten werden[4].

Zur oxidativen Spaltung von Ozoniden können die verschiedensten Oxidationsmittel wie Wasserstoffperoxid, Silberoxid, Chromsäure u. a. verwendet werden.

Ein Beispiel für die Anwendung von Wasserstoffperoxid/Eisessig ist die Ozonolyse des Progesterons, die unter Ringspaltung zum Diketon I (79% d. Th.)

---

[1] J. J. PAPPAS, W. P. KEAVENEY, E. GANCHER u. M. BERGER, Tetrahedron Letters **1966**, 4273.
　　Brit.P. 1 092 615 (1967), Interchemical Corp.; C.A. **69**, 2516 (1968).
[2] P. L. STOTTER u. J. B. EPPNER, Tetrahedron Letters **1973**, 2417.
[3] R. CRIEGEE u. P. GÜNTHER, B. **96**, 1564 (1963).
　　S. a. H. KEUL, B. **108**, 1198, 1207 (1975).
[4] G. WITTIG u. J. J. HUTCHINSON, A. **741**, 79 (1970).

führt[1]. Die reduktive Spaltung des Ozonids mit Zink und Essigsäure gibt hier nur 28% d.Th. Spaltprodukt[2]:

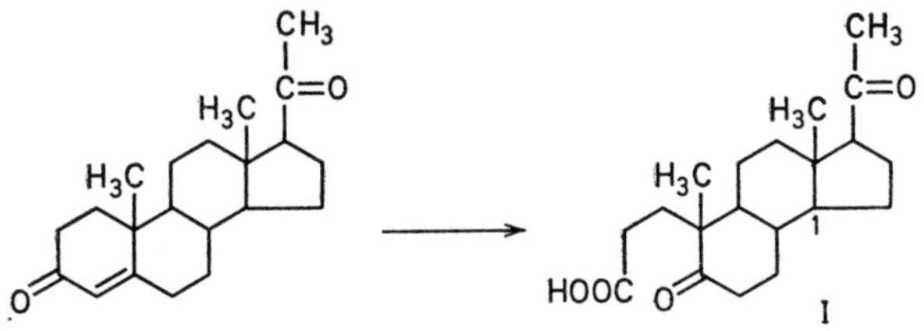

5,20-Dioxo-3,5-seco-A-4-nor-pregnan-3-säure {5-Oxo-6,10-dimethyl-11-acetyl-6-(2-carboxy-äthyl)-tricyclo[8.3.0.0²,⁷]tridecan}[1]: Durch eine Lösung von 1,6 g Progesteron in 75 ml Essig-säure-äthylester/Eisessig (Volumenverhältnis 5:4) leitet man 3 Mol Ozon mit einer Geschwindig-keit von 150 ml/Min. Darauf gibt man 2 ml 30%iges Wasserstoffperoxid hinzu und läßt die Lösung über Nacht im Kühlschrank. Die Lösungsmittel entfernt man i. Vak. bei Raumtemp.; der ölige Rückstand wird in Äther gelöst und mit verd. Natriumcarbonat-Lösung extrahiert. Aus der ätherischen Lösung läßt sich etwas Ausgangsmaterial zurückgewinnen. Der natriumcarbonat-alkalische Extrakt wird mit verd. Schwefelsäure angesäuert; Ausbeute: 1,35 g (79% d.Th.); F: 170–175°; aus Aceton F: 174–178°.

Vergleiche auch die analoge Spaltung für 3-Oxo-cholesten-(4) und Testosteron[3] zu den entsprechenden Oxo-carbonsäuren (*5-Oxo-3,5-seco-A-4-nor-cholan-3-säure* bzw. *17β-Hydroxy-5-oxo-3,5-seco-A-4-nor-androstan-3-säure*).

Eine systematische Untersuchung solcher Ozonolysen bei 3-Oxo-Δ^4-steroiden in Abhängigkeit von den Lösungsmitteln lieferte die besten Ergebnisse bei Verwendung von Alkoholen oder Carbonsäuren[4].

Bei Verwendung von Silberoxid tropft man die Lösung des Ozonids in eine 90–95° heiße, alkalische Suspension von Silberoxid ein[5]. Man erhält so z.B. unter Ringöffnung aus 1,2-Diamino-3-äthoxy-1-cyclohexen-(1)-yl-propan *7,8-Bis-[diacetyl-amino]-9-äthoxy-6-oxo-nonansäure* (70% d.Th.)[6].

Durch Ozon-Einwirkung in Eisessig und anschließende Oxidation mit Chrom (VI)-oxid erhält man aus 1-Methyl-4-isopropenyl-cyclohexen-(1) *6-Oxo-3-acetyl-heptansäure*[7]:

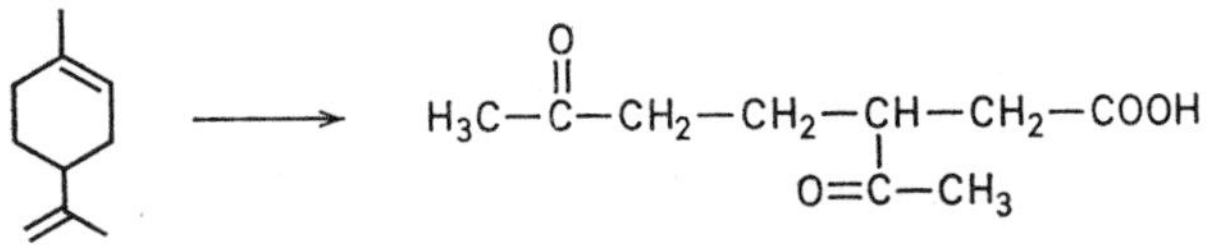

$$H_3C-\overset{\overset{O}{\|}}{C}-CH_2-CH_2-\underset{\underset{O=C-CH_3}{|}}{CH}-CH_2-COOH$$

Die Ozonolyse mit anschließender oxidativer Spaltung der Ozonide läßt sich ganz allgemein zur Herstellung von δ-, ε- und ζ-Oxo-carbonsäuren aus den ent-sprechenden 1-Alkyl-cycloalkenen anwenden[8].

---

[1] G. I. FUJIMOTO u. J. PRAGER, Am. Soc. **75**, 3259 (1953).
  M. GUT, Helv. **36**, 906 (1953).
  F. L. WEISENBORN, D. C. REMY u. T. L. JACOBS, Am. Soc. **76**, 552 (1954).
[2] T. REICHSTEIN u. H. G. FUCHS, Helv. **23**, 682 (1940).
[3] R. B. TURNER, Am. Soc. **72**, 579 (1950).
  s. a. US. P. 2752375 (1953), DuPont, Erf.: D. S. ACKER; C. A. **51**, 2025 (1957).
[4] G. LEFEBVRE, P. GERMAIN u. R. GAY, Bl. **1974**, 173.
[5] F. ASINGER, B. **75**, 656 (1942).
[6] C. A. GROB u. F. REBER, Helv. **33**, 1776 (1950).
[7] C. HARRIES u. H. ADAM, B. **49**, 1034 (1916).
[8] D. G. M. DIAPER, Canad. J. Chem. **44**, 2819 (1966).

Besonders günstige Ergebnisse gibt hier die Ozonolyse von den aus cyclischen Ketonen leicht zugänglichen O-Trimethylsilyl-enolen. So ergibt z. B. das aus 2-Oxo-1-methyl-cyclohexan leicht erhältliche 2-Trimethylsilyloxy-1-methyl-cyclohexen bei der Ozonolyse in Methanol und anschließendem Zusatz von Dimethylsulfid *6-Oxo-heptansäure*[1]:

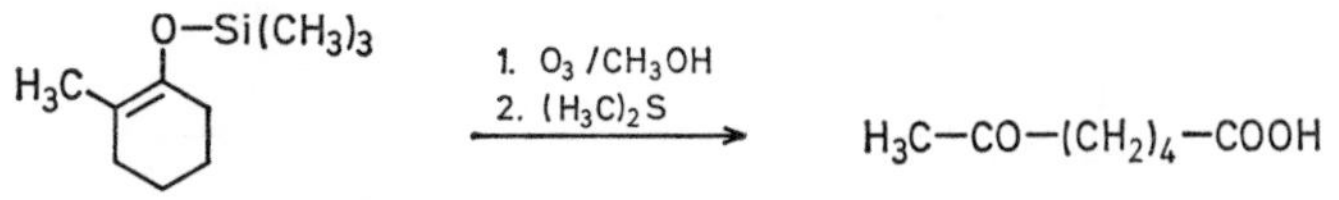

Hier sei auch auf einige Abbaureaktionen mit Hilfe von Ozonolyse hingewiesen, die in der Sterin-Reihe für die Herstellung von Sterin-Ketonen Bedeutung erlangt haben.

Eine weitere Abbaumethode, die in der Sterin-Reihe ebenfalls präparative Bedeutung besitzt, ist der Abbau von verzweigten Aldehyden zu den um ein C-Atom ärmeren Ketonen. Dieser Abbau erfolgt durch Überführung der Aldehyde mit Acetanhydrid und Natriumacetat in den Essigsäure-enolester, der dann durch Ozonolyse zum Keton abgebaut wird[2]:

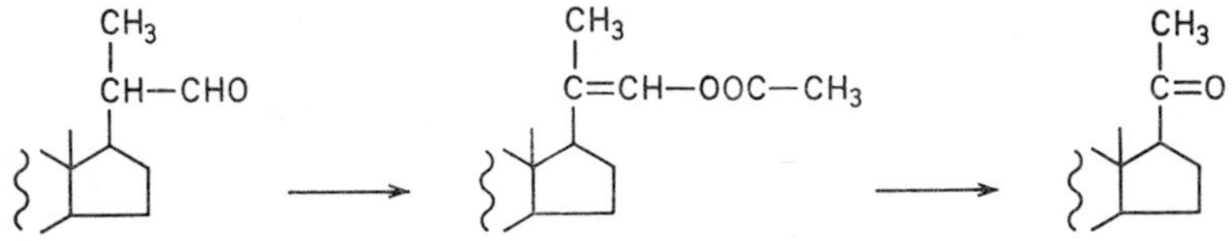

Auch der auf S. 1302 erwähnte, grundsätzlich gleiche Abbau der Enamine kann durch Ozonolyse bewirkt werden[3].

Über die Möglichkeit des vorübergehenden Schutzes einer C=C-Doppelbindung durch Brom-Addition gegenüber der Ozon-Einwirkung s. das Beispiel der partiellen Ozonolyse von 3β-Acetoxy-22-cyan-bis-nor-choladien-(5,20^{22}) zum *3β-Acetoxy-20-oxo-pregnen-(5)*[4].

Methylketone können zu den um 2 Kohlenstoffatome ärmeren Ringketonen abgebaut werden. Eine Möglichkeit hierzu besteht darin, daß man das Methylketon in den Essigsäure-enolester überführt und dieses der Ozon-Spaltung unterwirft[5]. Eine weitere Möglichkeit ergibt sich aus einer Reaktionsfolge, bei der man zuerst in Eisessig zum α,α′-Dibrom-keton bromiert, das bei der Behandlung mit methanolischer Kalilauge unter Faworski-Umlagerung in die α,β-ungesättigte Carbonsäure übergeht, die nach der Veresterung mit Diazomethan der Ozon-Spaltung unterworfen wird[6]. Das Formelschema erläutert die beiden Abbaumethoden:

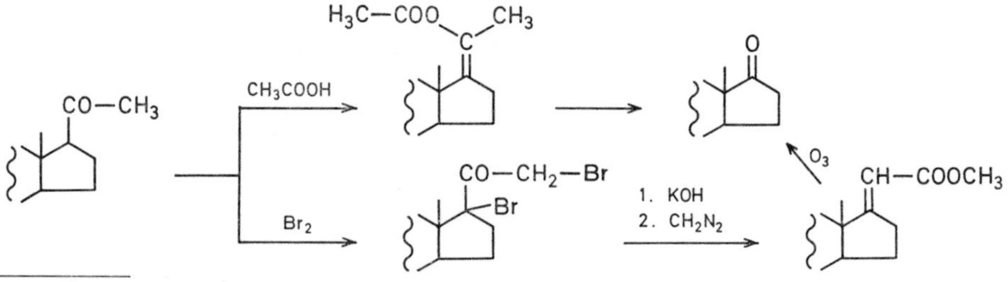

[1] R. D. Clark u. C. H. Heathcock, Tetrahedron Letters **1974**, 2027.

[2] F. W. Heyl u. M. E. Herr, Am. Soc. **72**, 2617 (1950).

[3] D. A. Shepherd et al., Am. Soc. **77**, 1212 (1955).

[4] M. E. Herr u. F. W. Heyl, Am. Soc. **72**, 1753 (1950).

[5] T. F. Gallagher et al., Am. Soc. **70**, 1837 (1948).

    L. F. Fieser u. Huang-Minlon, Am. Soc. **71**, 1840 (1949).

[6] B. Koechlin u. T. Reichstein, Helv. **27**, 549 (1944).

Eine interessante Möglichkeit zur Keton-Herstellung durch ozonolytischen Abbau eines Phenol-Ringes wurde bei der Podocarpsäure gefunden[1]. Das bei der Ozoneinwirkung primär erhaltene Hydroperoxid-lacton ergab bei der Behandlung mit Natronlauge *6-Oxo-1α,10β-dimethyl-1β-methoxycarbonyl-dekalin* (70% d. Th.):

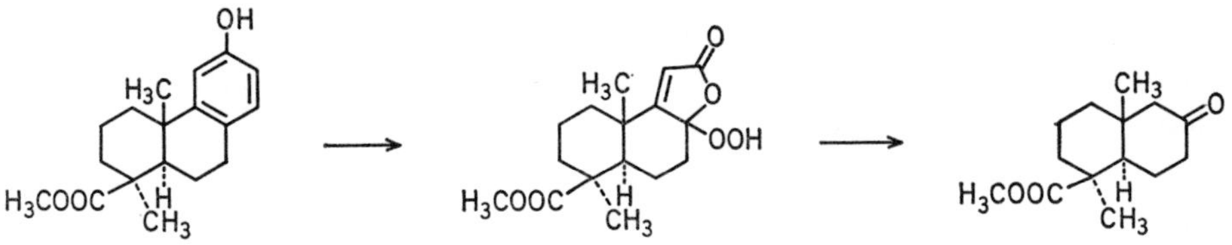

Ein Verfahren zur Herstellung von 1,2,3-Triketonen, das vor allem in Verbindung mit der Synthese von Catenanen von Bedeutung ist, beruht auf der Ozonolyse von 2,6-Dialkyl-1,4-benzochinonen oder entsprechender Mono- und Dihydroxy-Derivaten[2]. Unter Verwendung von Dimethylsulfid als Reduktionsmittel für die Spaltung der Ozonide wurde *Heptacosantrion-(13,14,15)* aus 2,6-Dihydroxy-3,5-didodecyl-1,4-benzochinon, 2-Hydroxy-3,5-didodecyl-1,4-benzochinon und 2,6-Didodecyl-1,4-benzochinon erhalten:

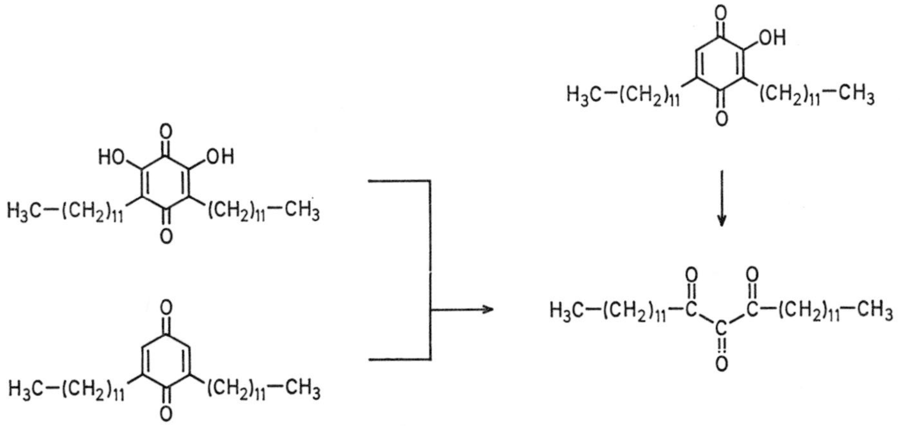

Weitere Möglichkeiten zur Herstellung von Di- und Polyketonen durch Ozonolyse bietet die Ringöffnung von Derivaten cyclischer Olefine. 5,5-Dimethyl-1,4-diphenyl-cyclopentadien-(1,3) konnte so durch Ozonolyse in *1,3-Dioxo-2,2-dimethyl-1,3-diphenyl-propan* überführt werden[3]:

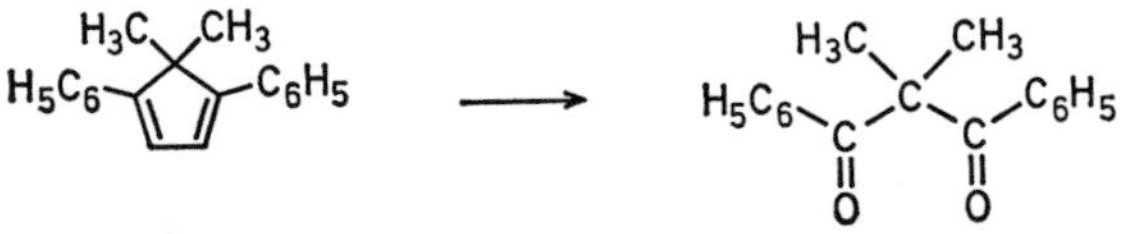

---

[1] R. A. BELL u. M. B. GRAVESTOCK, Canad. J. Chem. **48**, 1105 (1970).
[2] G. SCHILL, E. LOGEMANN u. C. ZÜRCHER, Ang. Ch. **84**, 1144 (1972).
  G. SCHILL, E. LOGEMANN u. W. VETTER, Ang. Ch. **84**, 1144 (1972).
[3] L. A. PAQUETTE u. L. M. LEICHTER, J. Org. Chem. **39**, 461 (1974).

Pentadecantetraon-(2,6,10,14) konnte durch Ozonolyse von 1,3-Bis-[2-methyl-cyclopenten-(1)-yl]-propan (82% d. Th.) erhalten werden[1]:

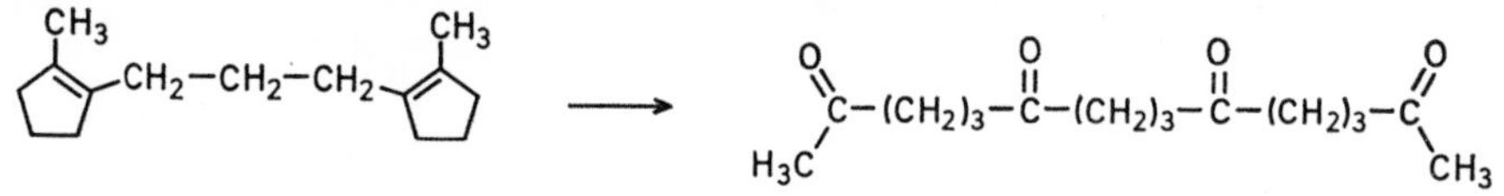

Einen anomalen Verlauf der Ozonolyse beobachtet man bei Essigsäure-3-acetoxy-allylestern der allgemeinen Formel:

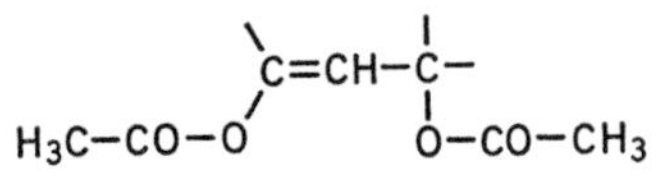

So erhält man z. B. aus 1,3-Diacetoxy-5,5-dimethyl-bicyclo[2.2.2]octen-(2) bei der Ozonolyse *4-Oxo-2,2-dimethyl-1-carboxy-cyclohexan*[2]:

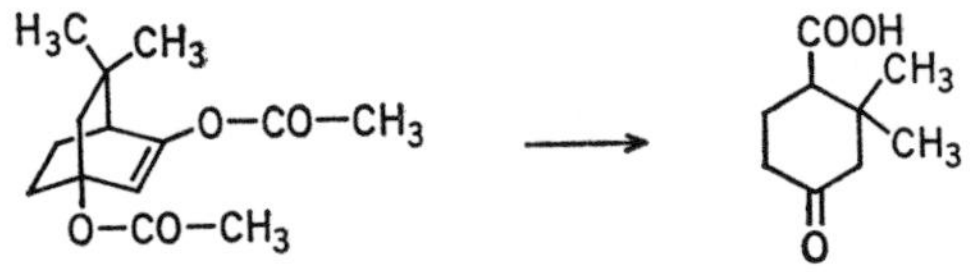

Über die Einwirkung von Ozon auf 3,4-Bis-[4-äthoxy-phenyl]-hexen-(3) Diäthyl-stilböstrol) in kristallinem Zustand vgl. Lit.[3].

β) durch Oxidation mit Chromsäure und anderen Oxidationsmitteln

Da die Ketone gegenüber Oxidationsmitteln verhältnismäßig beständig sind, können für die Herstellung von Ketonen aus Olefinen im Gegensatz zur Aldehyd-Herstellung, bei der praktisch nur die Ozonolyse in Betracht kommt, auch andere Oxidationsmittel mit Erfolg verwendet werden.

Im Falle des Bi-fluorenyliden genügt bereits der Luftsauerstoff um in ätherischer oder alkoholischer Lösung eine oxidative Spaltung zu *Fluorenon* zu bewirken[4]:

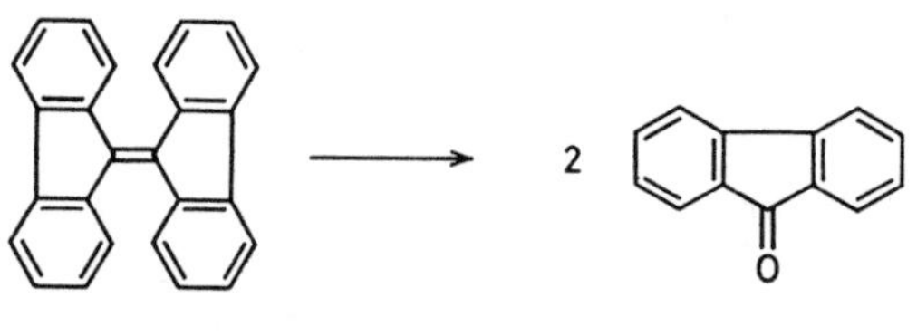

In ähnlicher Weise erhält man bei der Sauerstoff-Einwirkung unter gleichzeitiger Belichtung aus 6-Isopropyl-3-methylen-cyclohexen *6-Oxo-3-isopropyl-cyclohexen*[5].

Erwähnt sei auch die unter Belichtung erfolgende Luftoxidation von Acecyclon zu *1,2-Dibenzoyl-acenaphthylen*. Diese Oxidation ist spezifisch. Wird die Oxidation an

[1] B. Franck, V. Scharf u. M. Schrameyer, Ang. Ch. **86**, 160 (1974).
[2] K. Aoki et al., Chem. Commun. **1973**, 618.
[3] J. P. Desvergne, H. Bouas-Laurent, E. V. Blackburn u. R. Lapouyade, Tetrahedron Letters **1974**, 947.
[4] A. Hantzsch u. W. H. Glover, B. **39**, 4156 (1906).
[5] O. Wallach, A. **343**, 29 (1905).

Stelle von Sauerstoff mit Wasserstoffperoxid vorgenommen, so erhält man als Oxidationsprodukt ein α-Pyron[1]:

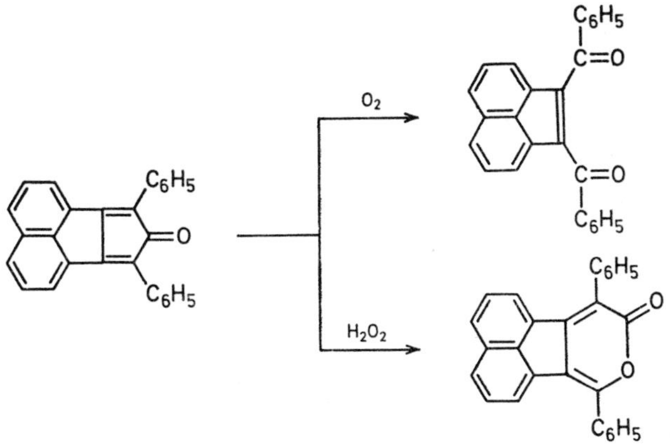

Für die Spaltung von Enaminen zu Ketonen hat sich die Einwirkung von Sauerstoff in Gegenwart katalytischer Mengen Kupfer(I)-chlorid bewährt, wie das Beispiel der Überführung von 1-Dimethylamino-2,5-dimethyl-cyclopenten in *5-Oxo-2-methyl-hexansäure-dimethylamid*[2] zeigt.

Am häufigsten wird für derartige Oxidationen Chrom(VI)-oxid in Eisessig oder Bichromat/Schwefelsäure als Oxidationsmittel angewandt.

Aus 2,4,4-Trimethyl-penten-(1) erhält man auf diese Weise *4-Oxo-2,2-dimethyl-pentan*[3], aus 2,3,3-Trimethyl-buten-(1) entsprechend *3-Oxo-2,2-dimethyl-butan*[4] und aus 2,2,4,6,6-Pentamethyl-hepten-(3) *4-Oxo 2,2-dimethyl-pentan*[5].

Solche Oxidationen sind vor allem in der Sterin-Reihe von präparativer Bedeutung. 3-Oxo-24,24-diphenyl-cholatrien-(4,20,23) läßt sich mit Chrom(VI)-oxid in Eisessig in *Progesteron* (80% d.Th.) überführen[6]:

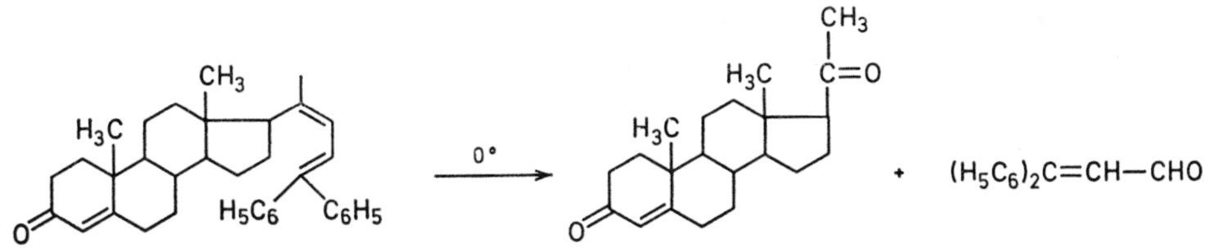

In ähnlicher Weise erhält man *3,11,20-Trioxo-pregnan* aus 3,11-Dioxo-24,24-diphenyl-choladien-(20,23)[7].

3,11,20-Trioxo-pregnan[7]: 100 mg 3,11-Dioxo-24,24-diphenyl-choladien-(20,23) werden in 5 *ml* 1,2-Dichlor-äthan und 5 *ml* 30%iger Essigsäure gelöst, die Lösung bei 0° mit einer solchen von 40 mg Chrom(VI)-oxid in 5 *ml* 90%ige Essigsäure versetzt und 20 Stdn. bei 0° stehen ge-

[1] W. DILTHEY, S. HENKELS u. M. LEONHARD, J. pr. [2] **151**, 97 (1938).
   S. a. F. H. ALLEN u. J. A. VAN ALLAN, J. Org. Chem. **18**, 882 (1953).
[2] V. VAN RHEENEN, Chem. Commun. **1969**, 314.
[3] G. W. MOERSCH u. F. C. WHITMORE, Am. Soc. **71**, 819 (1949).
[4] G. CHAVANNE u. B. LEJEUNE, Bl. Soc. chim. Belg. **31**, 100 (1921).
[5] M. A. DAVIS u. W. J. HICKINBOTTOM, Soc. **1958**, 2205.
[6] J. R. BILLETER u. K. MIESCHER. Helv. **30**, 1405 (1947).
[7] A. WETTSTEIN u. C. MEYSTRE, Helv. **30**, 1262 (1947).

lassen. Das überschüssige Chrom(VI)-oxid zersetzt man mit etwas Natriumhydrogensulfit-Lösung, engt die Reaktions-Lösung unter nochmaliger Zugabe von Wasser i. Vak. ein und zieht die erhaltene wäßrige Suspension mit einem Äther-Chloroform-Gemisch 4 : 1 aus. Der Extrakt wird mit Wasser-, verd. Natriumcarbonat-Lösung und Wasser gewaschen, getrocknet, eingedampft und aus wenig Aceton und Äther umkristallisiert; Ausbeute: 42 mg; F: 160–163°.

Auch der für die Sterin-Reihe wichtige Abbau nach Barbier-Wieland[1] bedient sich in der letzten Stufe der Chrom(VI)-Oxidation:

$$R{-}CH_2{-}COOCH_3 \;+\; 2\;H_5C_6{-}Mg{-}Br \;\longrightarrow\; R{-}CH_2{-}\underset{}{\overset{OH}{\overset{|}{C}}}(C_6H_5)_2 \;\longrightarrow$$

$$R{-}CH{=}C(C_6H_5)_2 \;\xrightarrow{CrO_3\,/\,CH_3COOH}\; R{-}COOH \;+\; (H_5C_6)_2C{=}O$$

Bei verzweigten Carbonsäuren entstehen anstelle der Carbonsäuren Ketone. Desoxycholsäure-methylester ergibt so nach zweimaligem Barbier-Wieland-Abbau *3α,12α-Dihydroxy-20-oxo-pregnan*[2]:

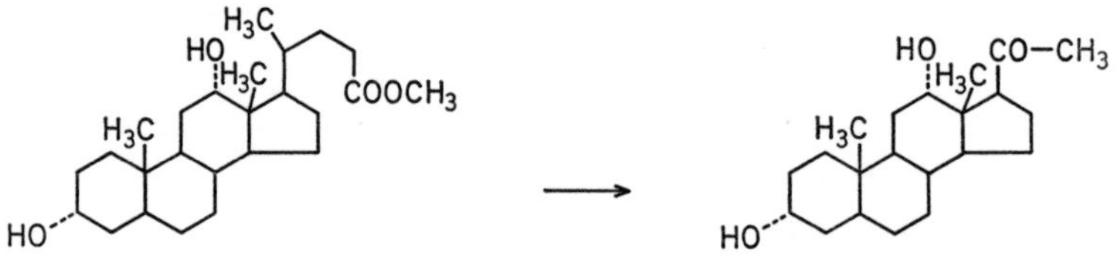

Von präparativer Bedeutung ist auch die Chrom(VI)-oxid-Oxidation von Enaminen, die ihrerseits aus Aldehyden zugänglich sind[3]. Damit ist ein Weg gegeben, um aus Aldehyden durch Abbau die um ein C-Atom ärmeren Ketone herzustellen. Ein Beispiel hierfür ist die Herstellung von *Progesteron* aus 3-Oxo-bis-nor-cholen-(4)-aldehyd[4]:

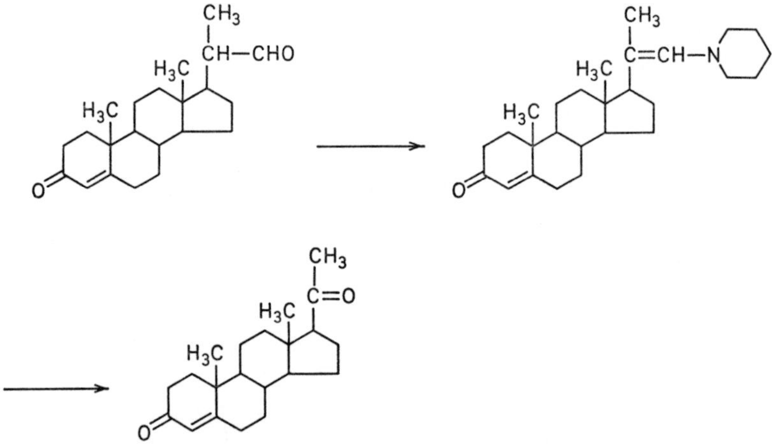

An Stelle von Chrom(VI)-oxid läßt sich auch Chromsäure-di-tert.-butylester als Oxidationsmittel verwenden. So erhält man bei der Oxidation von 1-Methyl-4-isopropyl-cyclohexen *6-Oxo-3-isopropyl-heptansäure*[5].

[1] P. BARBIER u. R. LOCQUIN, C. r. **156**, 1443 (1913).
H. WIELAND, O. SCHLICHTING u. R. JACOBI, Hoppe Seyler **161**, 80 (1926).
[2] W. M. HOEHN u. H. L. MASON, Am. Soc. **60**, 1493 (1938).
[3] M. E. HERR u. F. W. HEYL, Am. Soc. **74**, 3627 (1952).
[4] D. A. SHEPHERD et al., Am. Soc. **77**, 1212 (1955).
[5] K. FUSITA u. T. MATSUURA, Journal of Sciences of Hiroshima University [A] **18**, 455 (1955).

Das Primärprodukt der Chromsäure-Oxidation ist das entsprechende Epoxid, das auch in vielen Fällen neben dem Keton erhalten wird[1]. Das Auftreten der Epoxide bedingt im sauren Milieu auch eine Pinakolin-Umlagerung. Aus 2,3-Dimethyl-buten-(2) entsteht so neben *Aceton* auch 2,3-Dihydroxy-2,3-dimethyl-butan[2]. Ein weiteres Beispiel für eine bei der Chromsäure-Oxidation auftretende Carbonium-Umlagerung ist die Bildung von *Campher (2-Oxo-1,7,7-trimethyl-bicyclo[2.2.1]heptan)* bei der Oxidation von Camphen (3,3-Dimethyl-2-methylen-bicyclo[2.2.1]heptan)[3].

Zur oxidativen Spaltung von α,β-ungesättigten Ketonen eignet sich 30%-iges Wasserstoffperoxid in 1 n Natronlauge. Aus 3-Oxo-1,5,5-trimethyl-cyclohexen (Iso-phoron) erhält man so *5-Oxo-3,3-dimethyl-hexansäure*[4]:

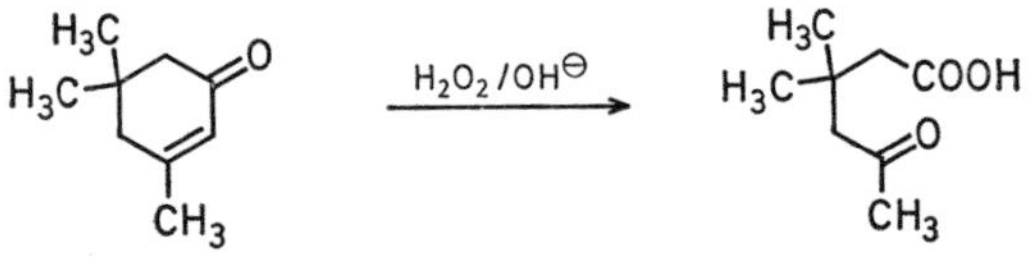

Tert.-Butylhydroperoxid unter Zusatz von Molybdän-hexacarbonyl eignet sich für die oxidative Spaltung von C=C-Doppelbindungen in Enoläthern. Mit diesem Reagenz konnte aus 2-Oxa-bicyclo[4.4.0]decen-(1⁶) *6-Oxo-nonan-1,9-olid* (50% d.Th.) erhalten werden[5]:

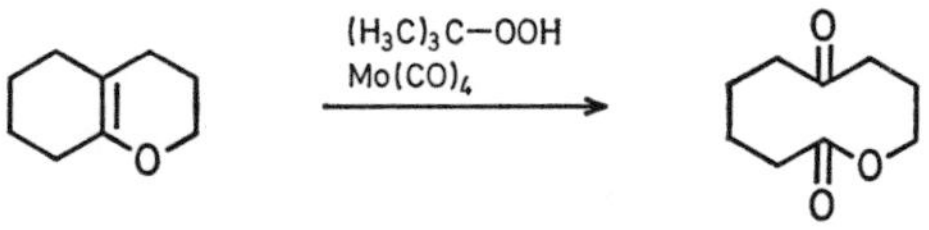

Gelegentlich läßt sich auch Permanganat für diese Oxidation heranziehen. Durch Permanganat-Oxidation erhält man auch 2,6,6-Trimethyl-bicyclo[3.1.1]hepten-(2) *2,2-Dimethyl-3-carboxymethyl-1-acetyl-cyclobutan* (10% d.Th.)[6]:

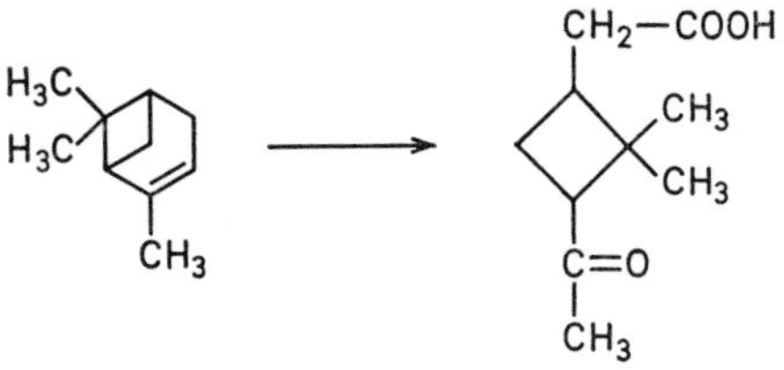

[1] A. BEHR, B. **5**, 277 (1872).
  H. BLITZ, A. **296**, 219 (1897).
  W. BOCKEMÜLLER u. R. JANSSEN, A. **542**, 166 (1939).
  W. J. HICKINBOTTOM u. G. E. M. MUOSSA, Soc. **1957**, 4195.
  W. J. HICKINBOTTOM, D. PETERS u. D. G. M. WOOD, Soc. **1955**, 1360.
  W. A. MOSHER, F. W. STEFFGEN u. P. T. LANSBURY, J. Org. Chem. **26**, 670 (1961).
[2] W. J. HICKINBOTTOM u. D. G. M. WOOD, Soc. **1951**, 1600.
[3] P. BARBIER u. R. LOCQUIN, C. r. **156**, 1443 (1913).
  H. WIELAND, O. SCHLICHTING u. R. JACOBI, H. **161**, 80 (1926).
  Vgl. hierzu auch die Untersuchungen über die Chrom(VI)-oxid-Oxidation von 7,7-Dimethyl-2-methylen-bicyclo[2.2.1]heptan: H. H. ZEIS u. F. R. ZWANZIG, Am. Soc. **79**, 1733 (1957).
[4] R. D. TEMPLE, J. Org. Chem. **35**, 1275 (1970).
[5] R. D. RAPP u. I. J. BOROWITZ, Chem. Commun. **1969**, 1202.
[6] A. v. BAEYER, B. **29**, 22 (1896).

Vergleiche hierzu auch die Permanganat-Oxidation der 3-Methyl-3-[4-methyl-6,6-dicarboxy-hexen-(3)-yl]-2-methylen-bicyclo[2.2.1]heptan (β-Santalyl-malonsäure)[1] und des Pentafluor-2-trifluormethyl-propen zu *Hexafluor-2,2-dihydroxy-propan*[2].

Von Interesse ist hier die Verwendung eines Kronenätherkomplexes der Formel

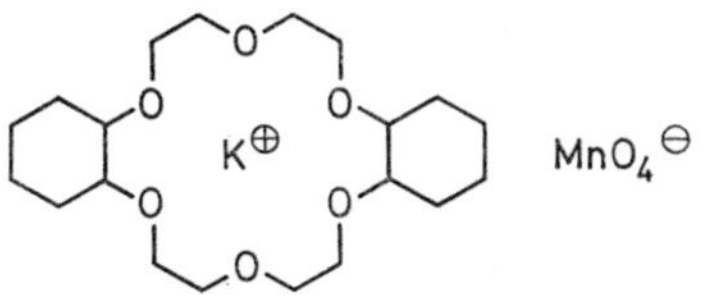

als Oxidationsmittel. Das Manganat-Ion ist hier auf Grund der fehlenden Solvatation besonders wirksam. Man erhält in Benzol purpurfarbene Lösungen, mit denen z. B. Pinen in 90%-iger Ausbeute zu *3,3-Dimethyl-cis-2-(2-oxo-propyl)-1-carboxy-cyclobutan* oxidiert werden kann[3]:

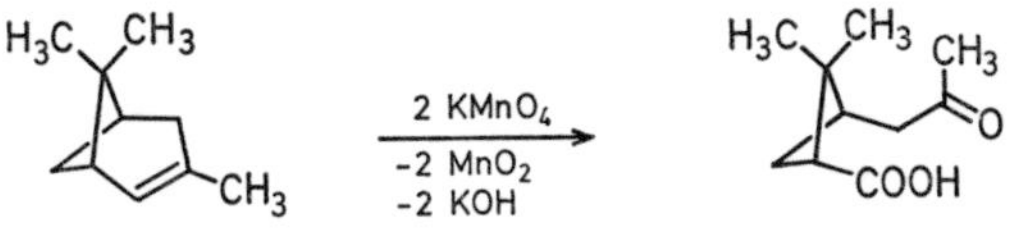

Eine interessante Möglichkeit zur Spaltung der olefinischen Doppelbindung ergibt die Kombination eines Hydroxylierungsreagenzes mit einem Reagenz der Glykol-Spaltung. Als ein solches Reagenz wurde eine Kombination von Natriumperjodat und Kaliumpermanganat vorgeschlagen[4]. Bei dieser katalytischen Methode wird eine wäßrige Lösung, die in Hinblick auf Natriumperjodat und Kaliumpermanganat 0,019 m bzw. 0,0034 m ist, bei 25° und $p_H = 7$–8 einwirken gelassen. Permanganat wird hierbei bis zur Manganat-Stufe reduziert. Das Perjodat regeneriert das Permanganat und spaltet das gebildete Glykol. 5,5-Dimethyl-2-methylen-bicyclo[2.1.1]hexan läßt sich mit diesem Reagenz in *2-Oxo-5,5-dimethyl-bicyclo[2.1.1] hexan* (59% d. Th.) spalten[5]:

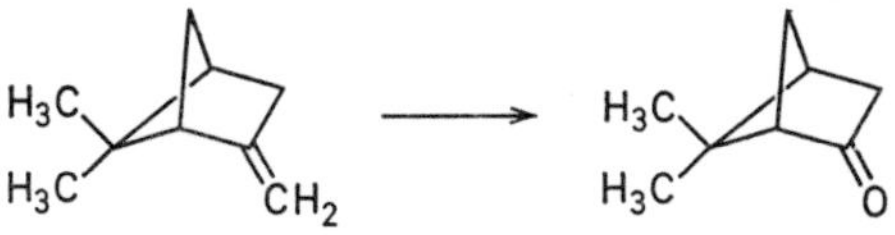

Zur Erhöhung der Löslichkeit empfiehlt es sich oft der wäßrigen Lösung tert. Butanol[6], Pyridin[6] oder 1,4-Dioxan[7] zuzusetzen.

[1] A. E. Bradfield, A. R. Penfold u. J. L. Simonsen, Soc. **1935**, 311.
[2] A. T. Morse, P. B. Ayscough u. L. C. Leitch, Canad. J. Chem. **33**, 453 (1955).
[3] D. J. Sam u. H. E. Simmons, Am. Soc. **94**, 4024 (1972).
[4] R. U. Lemieux u. E. von Rudloff, Canad. J. Chem. **33**, 1701 (1955).
  E. von Rudloff, Canad. J. Chem. **33**, 1714 (1955).
  L. T. T. Edward, D. Holder, W. H. Lynn u. I. Puskas, Canad. J. Chem. **39**, 599 (1961).
  H. Ogiso u. S. W. Pelletier, Chem. Commun. **1967**, 94.
[5] J. Meinwald u. P. G. Gassman, Am. Soc. **82**, 2857 (1960).
[6] E. von Rudloff, Canad. J. Chem. **34**, 1413 (1956).
[7] M. E. Wall u. S. Serota, J. Org. Chem. **24**, 741 (1959).

Ein ähnliches kombiniertes Reagenz ist die Mischung von *Natriumperjodat* mit *Osmium(VIII)-oxid*, das ebenfalls olefinische Doppelbindungen zu spalten vermag. Osmium(VIII)-oxid wird hierbei in katalytischen Mengen zugesetzt. Es dient zur Hydroxylierung der Doppelbindung und wird durch Perjodat regeneriert, das gleichzeitig die Glykol-Spaltung bewirkt[1].

Diese Methode wurde in einigen Fällen zur Keton-Herstellung in der Alkaloid-Reihe[2] angewandt. Als Lösungsmittelzusätze zu der wäßrigen Reaktionslösung wurde 1,4-Dioxan, Äther oder Essigsäure verwendet. Von Interesse erscheint der Befund, daß tertiäre Alkohole mit allylständiger Doppelbindung bei dieser Methode ebenfalls Ketone ergeben, wie das Beispiel der Spaltung des 8*a*,20-Epoxy-manools(I) zum Methylketon II; {*Oxiran-⟨spiro-3⟩-1,7,7-trimethyl-2-(3-oxo-butyl)-bicyclo[4.4.0]-decan*} nach dem folgenden Formelschema zeigt[3]:

I

II

Ein weiteres Beispiel s. Org. Synth. **55**, 67 (1976).

An Stelle von Osmium(VIII)-oxid kann auch Ruthenium(VIII)-oxid mit Natriumperjodat kombiniert werden[4].

Mit dieser Arbeitsweise konnte *17β-Hydroxy-5-oxo-3,5-seco-4-nor-androstansäure-(3)* in 80%-iger Ausbeute aus 17β-Acetoxy-3-oxo-androsten-(4) erhalten werden[5].

5-Oxo-3,5-seco-4-nor-steroid-3-säure; allgemeine Arbeitsvorschrift[5]: Eine Lösung des konjugierten Steroids in Aceton (50–70 *ml*/g Steroid) wird tropfenweise zu der gelben Ruthenium(VIII)-oxid-Lösung zugegeben, die durch Rühren von 100–200 mg Ruthenium(IV)-oxid pro g Steroid suspendiert in 50–70 *ml* Aceton mit 400–800 mg Natriumperjodat pro 100 mg Ruthenium(IV)-oxid in Wasser hergestellt wurde. Zur Regenerierung des Ruthenium(VIII)-oxids gibt man eine Lösung von Natriummetaperjodat (3–7 g/g Steroid) in Wasser (15–21 *ml*/g Steroid) und gleiches Volumen Aceton hinzu. Im gleichen Maße in dem bei Zugabe des Steroids die Farbe der Mischung von gelb nach nach Schwarz umschlägt, gibt man kleine Mengen der Perjodat-Lösung hinzu. Nach 4–5 Stdn. Rühren bei Raumtemp. beendet man die Reaktion durch Zugabe einiger *ml* Isopropanol. Man filtriert den festen Rückstand ab und dampft das Aceton im Filtrat i. Vak. ab. Die Steroide werden in einem Äther/Essigsäure-äthylester-Gemisch gelöst und mit Alkali in eine neutrale und säurehaltige Fraktion getrennt. Die säurehaltige Fraktion wird durch Ansäuern und Extraktion mit Äther isoliert.

[1] R. Pappo et al., J. Org. Chem. **21**, 478 (1956).
[2] D. Dvornik u. O. E. Edwards, Canad. J. Chem. **35**, 860 (1957).
   H. Vorbrueggen u. C. Djerassi, Tetrahedron Letters **1961**, 199; Am. Soc. **84**, 2990 (1962).
[3] U. Scheidegger, K. Schaffner u. O. Jeger, Helv. **45**, 400 (1962).
[4] R. Pappo u. A. Becker, Bull. Res. Council Israel, [A], 300 (1956).
   T. Adams u. R. M. Moriarty, Am. Soc. **95**, 4071 (1973).
[5] D. M. Piatak, H. B. Bhat u. E. Caspi, J. Org. Chem. **34**, 112 (1969).

Ruthenium(VIII)-oxid/Natriumperjodat wurde auch an Stelle von Chrom(VI)-oxid beim Abbau nach Barbier-Wieland (s. S. 1302) angewandt. Dabei sollen im allgemeinen bessere Ausbeuten erhalten werden[1].

In manchen Fällen kann auch Ruthenium(VIII)-oxid allein für solche oxidativen Spaltungen benutzt werden, wobei häufig bessere Resultate als bei der Ozonolyse erhalten werden. Ein Beispiel hierfür ist die oxidative Spaltung von Cyclohexan-⟨spiro-2⟩-3-alkyliden-2,3-dihydro-⟨benzo-[b]-furan⟩ zu *Cyclohexan-⟨spiro-2⟩-3-oxo-2,3-dihydro-⟨benzo-[b]-furan⟩* (*3-Oxo-grisen*). Hier versagte sowohl die Ozonolyse als auch die Spaltung mit Chrom(VI)-oxid[2].

In der Steroid- und Triterpen-Reihe wurde Ruthenium(VIII)-oxid zur Lokalisierung isolierter C=C-Doppelbindungen angewandt, die zu den entsprechenden Dicarbonyl-Verbindungen aufgespalten werden (die IR-Absorption der Dicarbonyl-Verbindungen erlaubt Rückschlüsse auf die Lage der C=C-Doppelbindungen[3]). Die Methode kann auch zur präparativen Gewinnung solcher Ketone verwendet werden.

Mit katalytischen Mengen verschiedener Ruthenium-Verbindungen in Gegenwart von Natriumhypochlorid konnte eine große Zahl von oxidativen Spaltungen bei Olefinen zu Ketonen durchgeführt werden[4]. Mit dieser Arbeitsweise erhält man aus 2-Butyl-octen-(1) in 83%-iger Ausbeute *5-Oxo-undecan*.

Bei dem Versuch, die Azido-Gruppe substituierend mit dem System Blei(IV)-acetat-Trimethylsilylazid in die axiale 7-Position von Δ^5-Steroiden einzuführen, wurden bei tiefen Temperaturen (−15°) an Stelle der Substitution eine Ringspaltung zu 5-Oxo-5,6-seco-steroid-6-säure-nitrilen entsprechend dem allgemeinen Formelschema

beobachtet. Der Mechanismus dieser Spaltung wird im Sinne einer Fragmentierungsreaktion eines primär entstehenden Azido-epoxids gedeutet[5]:

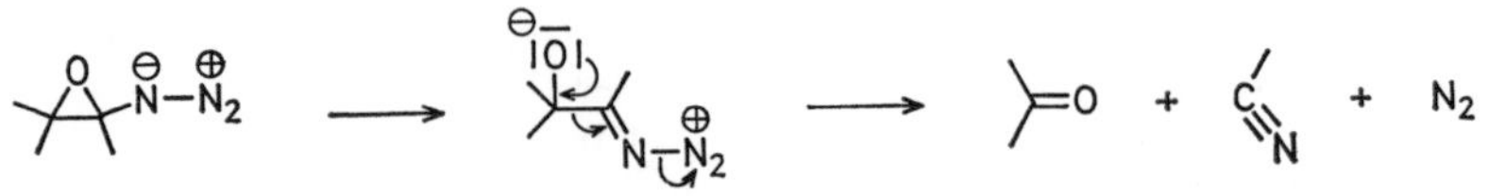

Als günstiger für die gleiche Spaltungsreaktion erwies sich an Stelle von Blei(IV)-acetat-Trimethylsilylazid das System Phenyljodosoacetat-Trimethylsilylazid, das allgemein dreifach verzweigte Olefine zu spalten vermag[6]. Aus Δ^6-Steroiden werden

[1] F. SONDHEIMER, R. MECHOULAM u. M. SPRECHER, Tetrahedron **20**, 2473 (1964).
E. CASPI u. D. M. PIATAK, Experientia **19**, 465 (1963).
G. STORK, A. MEISELS u. J. E. DAVIES, Am. Soc. **85**, 3419 (1963).
[2] F. M. DEAN u. J. C. KNIGHT, Soc. **1962**, 4745.
[3] G. SNATZKE u. H. W. FEHLHABER, A. **663**, 123 (1963).
[4] US. P. 3409649 (1968), Ethyl Corp., Erf.: K. A. KEBLYS u. M. DUBECK; C.A. **70**, 114575 (1969).
[5] E. ZBIRAL, G. NESTLER u. K. KISCHA, Tetrahedron **26**, 1427 (1970).
[6] E. ZBIRAL u. G. NESTLER, Tetrahedron **26**, 2945 (1970).

5-Oxo-5,6-seco-steroid-6-säure-nitrile gebildet. Allgemein konnten auch 1-Alkyl- bzw. 1-Aryl-cycloalkene in die entsprechenden Oxo-carbonsäure-nitrile überführt werden:

Oxo-carbonsäure-nitrile; allgemeine Herstellungsvorschrift[1]: Die Reaktionen werden in abs. Dichlormethan unter Feuchtigkeitsausschluß durchgeführt. Das molare Verhältnis Olefin:Phenyl-jodosodiacetat:Trimethylsilylazid beträgt 1:2:4. Eine Lösung von 0,8–1,0 g Olefin und der entsprechenden Menge Phenyljodosodiacetat in 300 *ml* absol. Dichlormethan wird, wenn nicht anders vermerkt, auf –15° gekühlt. Innerhalb von 1–2 Stdn. läßt man dann unter Rühren die berechnete Menge Trimethylsilylazid in 50 *ml* Dichlormethan gelöst zutropfen. Nach Beendigung der Zugabe wird die Kühlung unterbrochen und weitere 15 Stdn. gerührt, wobei sich die Lösung langsam auf ∼ 20° erwärmt. Dann wird mit Wasser und ges. Natriumhydrogencarbonat-Lösung behandelt. Nach dem Trocknen über Natriumsulfat und Einengen des Lösungsmittels i. Vak. entfernt man das bei der Reaktion gebildete Jodbenzol i. Vak. Die Aufarbeitung erfolgt am besten durch chromatographische Trennung.

Mittels Caro'scher Säure ($K_2S_2O_8$ in 96%-iger Schwefelsäure) oder 96%-iger Schwefelsäure mit einem Gehalt von 30% Wasserstoffperoxid läßt sich 1-Methyl-cyclopenten in *6-Hydroxy-2-oxo-hexan* aufspalten, wobei als Zwischenstufe ein Carboxoniumion auftritt[2]:

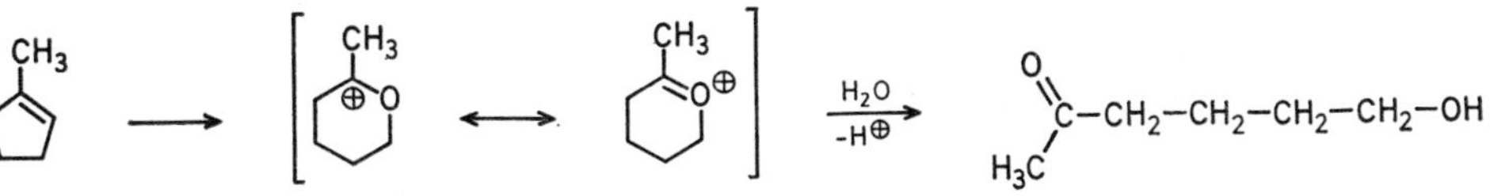

3. Oxidative Spaltung von Alkoholen

Stark verzweigte Alkohole können unter oxidativer Spaltung der Kohlenstoff-Bindungen in Ketone überführt werden. Die hier vorhandenen Möglichkeiten lassen sich durch folgende Formelschemata wiedergeben:

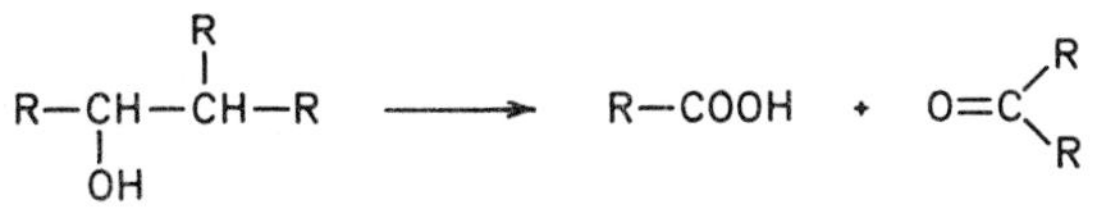

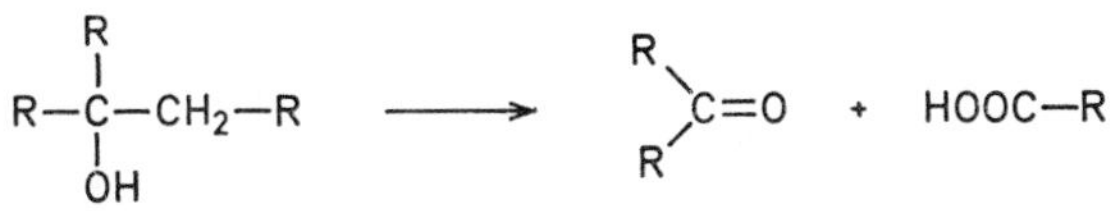

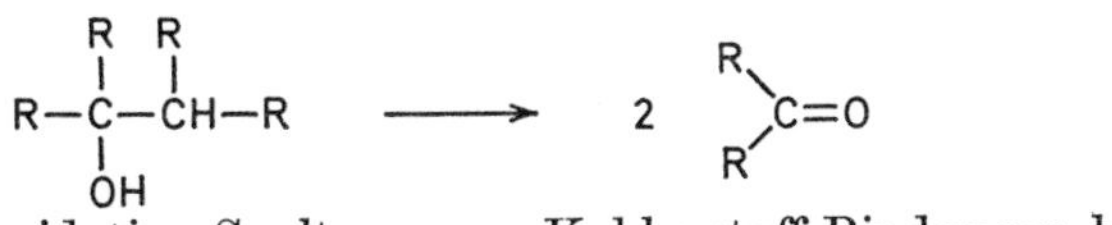

Für diese oxidative Spaltung von Kohlenstoff-Bindungen benötigt man starke Oxidationsmittel. Vorzugsweise werden Chrom(VI)-oxid in Eisessig oder Chromschwefelsäure mit Erfolg angewendet.

[1] E. ZBIRAL u. G. NESTLER, Tetrahedron 26, 2945 (1970).
[2] R. D. BUSHICK, Tetrahedron Letters 1971, 579.
   R. D. BUSHNICK u. R. W. WARREN, Tetrahedron Letters 1973, 4779.

Von präparativem Interesse sind solche oxidative Spaltungen vor allem bei der oxidativen Ringöffnung von verzweigten Cycloalkanolen, die zu Oxo-carbonsäuren führt.

Gleichung ① (S. 1307) entsprechend erhält man z.B. aus 2-Methyl-cyclohexanol durch Oxidation mit Chromschwefelsäure *6-Oxo-heptansäure* (45–55% d.Th.)[1]:

$$\text{(Cyclohexane ring with CH}_3\text{, H, H, OH)} \longrightarrow H_3C-CO-(CH_2)_4-COOH$$

Von allgemeiner Bedeutung ist die oxidative Spaltung von 1-Alkyl-cycloalkanolen, die Gleichung ② (S. 1307) entsprechend ebenfalls zu Oxo-carbonsäuren führt. Da solche 1-Alkyl-cycloalkanole aus den entsprechenden cyclischen Ketonen durch Umsetzung mit Grignard-Verbindungen leicht zugänglich sind, ist auf diese Weise eine einfache und allgemein anwendbare Methode für die Synthese von Oxo-carbonsäuren gegeben. Die oxidative Spaltung erfolgt durch Chrom(VI)-oxid/Eisessig. Man erhält aus 1-Alkyl-cyclopentanolen δ-Oxo-carbonsäuren, aus 1-Alkyl-cyclohexanolen ε-Oxo-carbonsäuren und aus 1-Alkyl-cyclooctanolen η-Oxo-carbonsäure[2]. Auch durch Aryl- und heterocyclische Reste substituierte Oxocarbonsäuren sind auf diesem Wege erhältlich. Die Ausbeuten betragen 60–90% d.Th.:

$$(H_2C)_n \; C \langle {R \atop OH} \longrightarrow R-CO-CH_2-(CH_2)_{n-2}-COOH$$

Oxo-carbonsäuren, allgemeine Herstellungsvorschrift[2]: 4 g des zu oxidierenden Cyclanols werden in 150 *ml* Eisessig gelöst und unter kräftigem Rühren mit 1 g Chrom(VI)-oxid versetzt. Nach einer Induktionsperiode von 5 Sek. bis zu einigen Min. beginnt sich das Chrom(VI)-oxid unter Dunkelfärbung der Lösung zu lösen, wobei die Temp. ansteigt. Durch Eiskühlung hält man die Temp. auf 30°, während man 11 g Chrom(VI)-oxid in kleinen Anteilen zugibt. Nach 1 Stde. (Gesamtdauer der Oxidation) verdünnt man mit der gleichen Menge Wasser und extrahiert 4mal mit insgesamt 500 *ml* Äther. Diese Äther-Extrakte wäscht man 4mal mit Wasser und extrahiert mit 300 *ml* 5%iger Natronlauge (in einigen Fällen wird eine größere Menge benötigt). Der alkalische Extrakt wird auf dem Dampfbad erhitzt, um den Äther zu beseitigen. Nach dem Erkalten gießt man in 100 *ml* 36%ige Salzsäure. Nach dem Abfiltrieren der ausgefallenen Säure extrahiert man das Filtrat mit Äther, um auch die gelösten Anteile der Säure zu gewinnen.

Analog lassen sich Oxo-carbonsäuren der aromatischen Reihe gewinnen. Aus 1-Hydroxy-1-methyl-indan erhält man mit Chromschwefelsäure (*2-Acetyl-phenyl*)-*essigsäure* (58% d.Th.)[3]:

$$\text{(Indane ring with HO, CH}_3\text{)} \longrightarrow \text{(Benzene ring with CO-CH}_3\text{, CH}_2-COOH\text{)}$$

Ein ähnliches Beispiel unter Verwendung von Ammonium-Cernitrat findet sich in Org. Synth. **54**, Anhang Nr. 1910 (1974).

In der Sterin-Reihe konnten analoge Spaltungen auch mit Perbenzoesäure/Chloroform erreicht werden[4].

---

[1] J. R. SCHAEFFER u. A. O. SNODDY, Org. Synth. **31**, 3 (1951).
[2] L. F. FIESER u. J. SZMUSZKOVICZ, Am. Soc. **70**, 3352 (1948).
   H. KESKIN, Istanbul University Fen Fak. Mecmusi Seri C **28**, 31 (1963); C. A. **59**, 15173 (1963).
   E. D. BERGMANN u. M. ISH-SHALOM, Bull. Res. Council Israel, Sect. [A] **5**, 65 (1955).
[3] J. O. HALFORD u. B. WEISSMANN, J. Org. Chem. **18**, 30 (1953).
[4] L. KNOF, A. **656**, 183 (1962).

Einen interessanten Reaktionsverlauf nimmt die oxidative Spaltung von 1,4a-Dimethyl-7-isopropyl-1-(hydroxy-diphenyl-methyl)-1,2,3,4,4a,9,10,10a-octahydrophenanthren mit Chromsäure in Eisessig, die in 70%iger Ausbeute unter Eliminierung einer Methyl-Gruppe zu *1-Oxo-4a-methyl-7-isopropyl-1,2,3,4,4a,9,10,10a-octahydrophenanthren* und *Benzophenon* gespalten wird[1]:

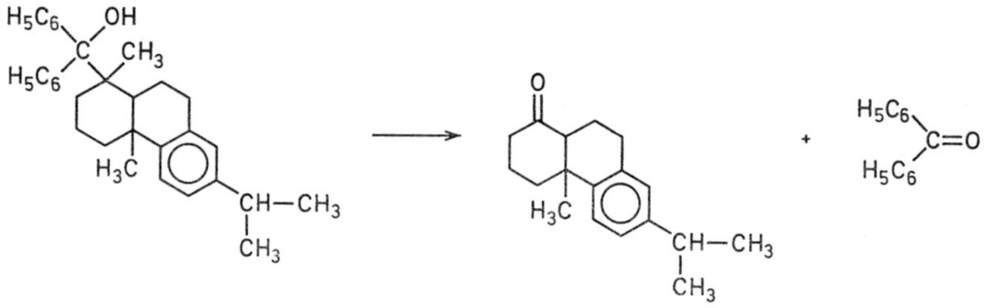

Ein völlig analoges Beispiel ist die oxidative Spaltung von 9-Hydroxy-10,10-dimethyl-9-phenyl-9,10-dihydro-phenanthren zu *2-Acetyl-2′-benzoyl-biphenyl*[2]. Über den Mechanismus dieser Spaltung s. Lit.[1].

Eine weitere Möglichkeit zur Spaltung von tertiären Alkoholen unter Bildung von Ketonen beruht darauf, daß man diese zuerst mit unterchloriger Säure in **Hypochlorite** überführt. Diese erleiden bei gelindem Erwärmen oder **Belichten** einen Zerfall unter Bildung von 1 Mol Keton und 1 Mol Alkylhalogenid[3]:

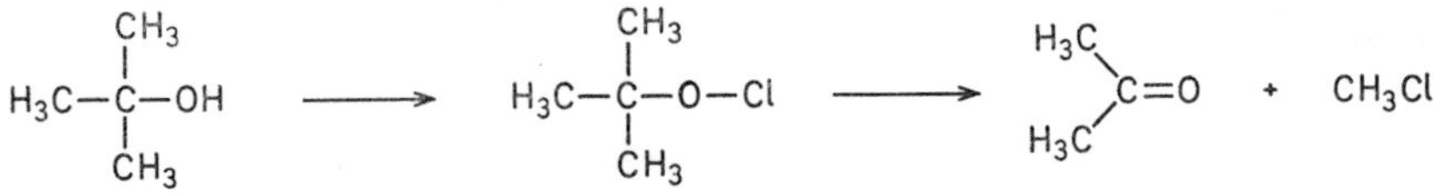

Präparative Bedeutung kommt dieser Spaltung in erster Linie für die Herstellung von ω-**Halogen-ketonen** ausgehend von 1-Alkyl-cycloalkanolen zu.

Ein Beispiel hierfür ist die praktisch quantitativ beim Erwärmen auf 40° verlaufende Spaltung des 1-Methyl-cyclopentyl-hypochlorits zu *6-Chlor-2-oxo-hexan*[4]:

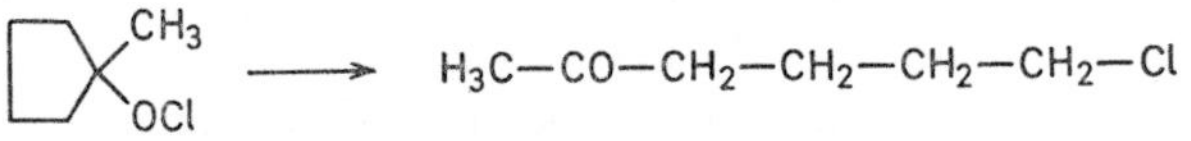

Weitere Beispiele für diese Spaltungsreaktion sind die Herstellung von *5-Brom-2-oxo-pentan* aus 1-Methyl-cyclobutylhypobromit und von *1,11-Dichlor-5,7-dioxo-undecan* aus Bis-[1-chloroxy-cyclopentyl]-methan[5].

Auch die durch Acetylen-Addition an Ketone erhältlichen Carbinole können mit der gleichen Methode unter Erhaltung der C≡C-Dreifachbindung in Halogen-ketone

[1] H. H. ZEISS, Am. Soc. **70**, 858 (1948).

[2] R. L. SHRINER u. L. GEIPEL, Am. Soc. **79**, 227 (1957).

[3] F. D. CHATTAWAY u. O. G. BACKEBERG, Soc. **123**, 2999 (1923).

[4] T. L. CAIRNS u. B. E. ENGLUND, J. Org. Chem. **21**, 140 (1956).
   US. P. 2691682 (1951), DuPont, Erf.: B. E. ENGLUND; C. A. **49**, 11697 (1955).
   S. a. J. W. WILT u. J. W. HILL, J. Org. Chem. **26**, 3523 (1961).
   F. D. GREENE et al., Am. Soc. **83**, 2196 (1961).

[5] US. P. 2675402 (1951), DuPont, Erf.: B. E. ENGLUND; C. A. **49**, 1789 (1955),
   s. a. Fr.P. 1282057 (1962), Societé des Usines Chimiques Rhone-Poulenc, Erf.: P. LAFONT u. Y. BONNET; C. A. **57**, 16405 (1962).

überführt werden. Aus 1-Äthinyl-cyclohexanol erhält man auf diese Weise *8-Chlor-3-oxo-octin-(1)*[1].

Ohne Isolierung der Hypochlorite gelingt die gleiche Spaltung auch mit Blei(IV)-acetat in Gegenwart von Kupfer(II)-chlorid. Durch Einwirkung der beiden Reagenzien in benzolischer Lösung auf 1-Methyl-cyclohexanol wurde *7-Chlor-2-oxo-heptan* erhalten[2].

Erwähnt werden soll hier noch die Möglichkeit der Spaltung tertiärer Alkohole durch Wasserstoffperoxid bzw. Di-tert.-butyl-peroxid[3] und durch anodische Oxidation[4]. Diese Verfahren haben nur geringe präparative Bedeutung.

Zu diesem Spaltungstyp gehört auch die Oxidation von 1-Hydroxy-adamantan zu *7-Oxo-3-jodmethyl-bicyclo[3.3.1]nonan* (35% d.Th.) mittels Blei(IV)-acetat/Jod[5]:

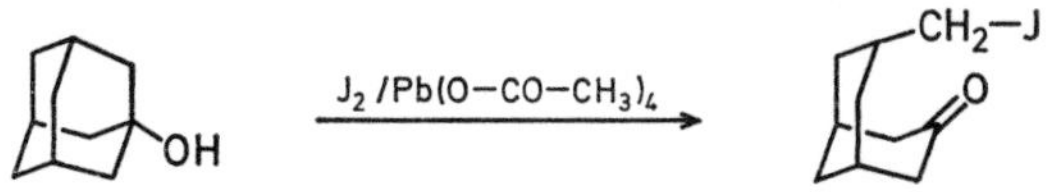

4. Oxidative Spaltung von Aldehyden und Ketonen zu Ketonen

α) durch Oxidation mit verschiedenen Oxidationsmitteln

Da die im vorstehenden Abschnitt beschriebene Herstellung von Ketonen durch oxidative Spaltung von sekundären Alkoholen nach Gleichung ① (S. 1307) in jedem Falle über die Stufe der Ketone verläuft, müssen ganz allgemein die entsprechenden verzweigten Ketone durch oxidative Spaltung zu niederen Ketonen abgebaut werden können:

$$R{-}CO{-}\underset{}{\overset{R}{\overset{|}{C}}}H{-}R \longrightarrow R{-}COOH + O{=}C\begin{matrix}R\\R\end{matrix}$$

In manchen Fällen kann diese Spaltung bereits mit Luftsauerstoff bewirkt werden. Man erhält bei der Sauerstoff-Einwirkung primär α-Hydroperoxy-ketone, die beim Erwärmen einen Zerfall in Keton und Carbonsäure gemäß dem obigen Formelschema erleiden.

Das aus 2-Oxo-1-methyl-cyclohexan erhaltene Hydroperoxid zerfällt beim Erwärmen auf 80° in *6-Oxo-heptansäure* und das aus 3-Oxo-2-methyl-1,1,3-triphenyl-propan erhältliche Hydroperoxid zerfällt beim Erhitzen auf 80° in Cyclohexan-Lösung zu *2-Oxo-1,1-diphenyl-propan* und Benzoesäure[6]:

$$(C_6H_5)_2CH{-}\overset{CH_3}{\overset{|}{C}}H{-}CO{-}C_6H_5 \longrightarrow (C_6H_5)_2CH{-}\underset{OOH}{\underset{|}{\overset{CH_3}{\overset{|}{C}}}}{-}CO{-}C_6H_5$$

$$\longrightarrow (C_6H_5)_2CH{-}CO{-}CH_3 + HOOC{-}C_6H_5$$

[1] Fr.P. 1324312 (1963), Societé des Usines Chimiques Rhone-Poulenc, Erf.: Y. BONNET; C.A. **59**, 11261 (1963).
[2] G. CAINELLI u. F. MINISCI, Chimica e Ind. **47**, 1214 (1965).
[3] M. S. KHARASCH et al., J. Org. Chem. **15**, 775 (1950).
[4] K. MARUYAMA u. K. MURAKAMI, Bl. chem. Soc. Japan **41**, 1401 (1968).
[5] R. DURAND u. P. GENESTE, C. r. **277**, 1051 (1973).
[6] W. PRITZKOW, B. **88**, 572 (1955).
Vgl. dazu auch den oxidativen Keton-Abbau S. 1978.

Diese Oxidation durch Luftsauerstoff kann durch Kobalt(II)-salze katalysiert werden. Aus 1-Oxo-dekalin erhält man auf diese Weise *6-Oxo-decandisäure*[1]:

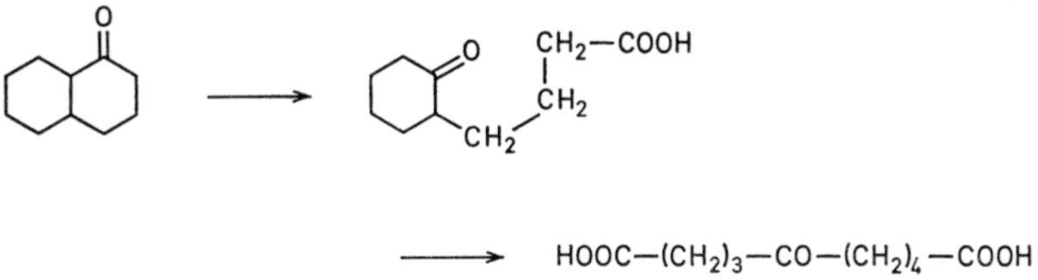

Die hierbei als Zwischenstufe auftretende *4-(2-Oxo-cyclohexyl)-butansäure* kann ebenfalls isoliert werden.

Die Spaltung von Ketonen mit Sauerstoff in Gegenwart von **Kalium-tert.-butanolat** in tert. Butanol konnte in einer Reihe von Fällen auf die Herstellung von Ketonen angewandt werden[2].

Praktisch quantitativ verläuft diese Spaltung beim 2-Oxo-1,1,3,3-tetraphenyl-propan, das als Spaltprodukte *Benzophenon* und Diphenylessigsäure liefert[3]:

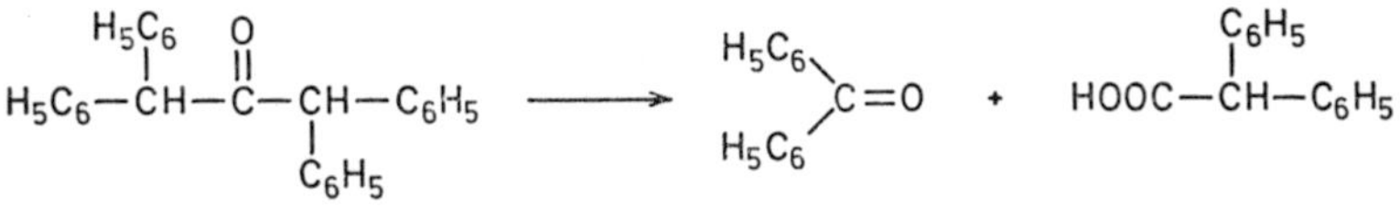

9,9-Äthylendioxy-3-oxo-bicyclo[3.3.1]nonan[4]:

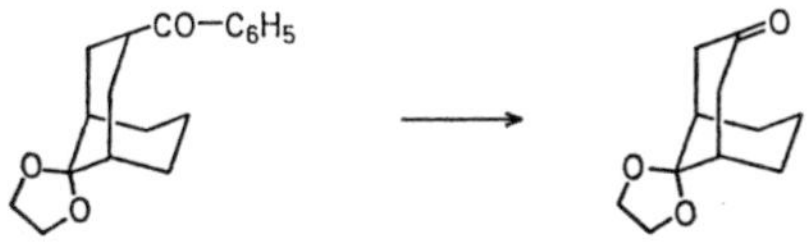

95,3 g (0,33 Mol) 9,9-Äthylendioxy-3-benzoyl-bicyclo[3.3.1]nonan werden in einer Hydrierflasche (1 *l*) mit 70 g (0,366 Mol) der 1:1)-Additionsverbindung von Kalium-tert.-butanolat und tert.-Butanol überschichtet. Dazu gibt man 400 *ml* Phosphorsäure-tris-[dimethylamid](über Calcium-hydrid getrocknet) und 73 *ml* tert.-Butanol und verschließt die Flasche sofort. Anschließend wird die Mischung auf der Schüttelmaschine langsam bewegt und portionsweise trockener Sauerstoff bis zur Sättigung eingeleitet. Es werden etwa 7,5–8 *l* Sauerstoff verbraucht. Die Reaktionstemp. soll dabei 45° nicht übersteigen. Zur Aufarbeitung wird in 2 *l* Wasser gegossen, 5mal mit je 200 *ml* Benzol extrahiert und der Extrakt mit Wasser butanolfrei gewaschen. Nach Verdampfen des Benzols wird der Rückstand fraktionierend destilliert; Ausbeute: 48 g (75% d.Th.); Kp$_2$: 115–120; F: 50–53°.

---

[1] G. P. Chiusoli, F. Minisci u. A. Quilico, G. **87**, 90 (1957).
[2] W. v. E. Doering u. J. D. Chanley, Am. Soc. **68**, 586 (1946).
   W. v. E. Doering u. R. M. Haines, Am. Soc. **76**, 482 (1954).
[3] D. O. Dean et al., Am. Soc. **76**, 4988 (1954).
[4] H. Stetter, K. D. Rämsch u. K. Elfert, A. **1974**, 1322.

Präparative Bedeutung besitzt diese Spaltung auch in der Sterin-Reihe. Man erhält hier z. B. aus 3β-Hydroxy-20-oxo-pregnen-(5) über das Hydroperoxid *3β-Hydroxy-17-oxo-androsten-(5)*[1]:

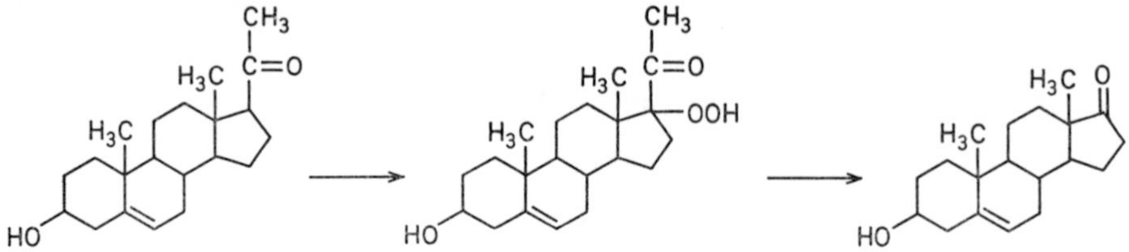

Auch Aldehyde vermögen in dieser Reihe zu Ketonen abgebaut zu werden. Als Beispiel sei die Herstellung von *Progesteron* aus 3-Oxo-bis-nor-cholen-(4)-aldehyd beschrieben:

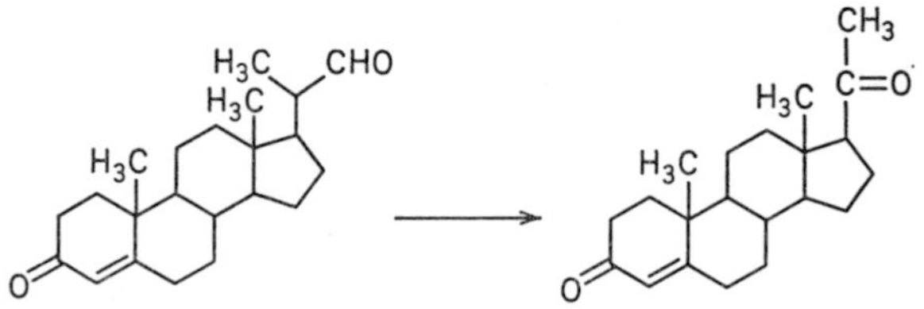

Progesteron[2]: Man vereinigt die Lösungen von 100 mg 3-Oxo-bis-nor-cholen-(4)-aldehyd und 40 mg Kalium-tert.-butanolat in je 7,5 *ml* tert. Butanol und rührt 18 Min. unter Sauerstoff. Nach der üblichen Aufarbeitung und Chromatographie an 10 g Aluminiumoxid mit Petroläther (Kp: 30–50°)/10% Äther erhält man 71 mg (74% d. Th.); F: 127–129°; $[a]_D^{22} = +197°$ (c = 1,10).

Die gleiche Spaltung konnte auch mit Luftsauerstoff unter Zusatz von 1,4-Diaza-bicyclo[2.2.2]octan als Base und des Kupfer(II)-acetat-2,2′-Bipyridyl-Komplexes als Katalysator erreicht werden[3].

Neben diesen über Hydroperoxide verlaufenden Spaltungen besitzen die mit starken Oxidationsmitteln durchgeführten Spaltungen präparative Bedeutung. Als Oxidationsmittel werden hierbei vorzugsweise Chromsäure und Permanganat angewendet.

Beispiele hierfür sind die durch Chromsäure-Oxidation bewirkte Herstellung von *6-Oxo-heptansäure* aus 2-Oxo-1-methyl-cyclohexan[4] sowie die Herstellung von *2-(Carboxymethyl)-2-isopropyl-1-acetyl-cyclopropan* aus 3-Oxo-4-methyl-1-isopropyl-bicyclo[3.1.0]hexan (Thujon) durch Oxidation mit 5%iger Kaliumpermanganat-Lösung (∼ 80% d. Th.)[5]:

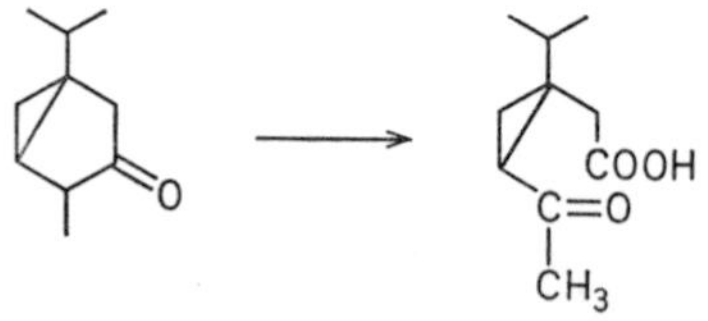

[1] E. J. Bailey, J. Elks u. D. H. R. Barton, Proc. chem. Soc. **1960**, 214.
   E. J. Bailey et al., Soc. **1962**, 1578.
   J. B. Siddall, G. V. Baddeley u. J. A. Edwards, Chem. & Ind. **1966**, 25.
[2] W. Sucrow, B. **100**, 259 (1967).
[3] V. van Rheenen, Tetrahedron Letters, **1969**, 985.
   US.P. 3496197 (1967), Upjohn Co., Erf.: V. H. van Rheenen.
   S. a. L. H. Briggs, J. P. Bartley u. P. S. Rutledge, Tetrahedron Letters **1970**, 1237.
[4] O. Wallach, A. **359**, 300 (1908); s. a. **339**, 113 (1905).
[5] D. Thomson, Soc. **97**, 1510 (1910).
   S. a. E. R. Clark u. J. G. B. Howes, Soc. **1956**, 1152.

Auch die oben erwähnte Oxidation des 1-Oxo-dekalins zu *5-Oxo-decandisäure* kann mit Hilfe von Kaliumpermanganat durchgeführt werden[1].

Ein Sonderfall stellt die Anwendung der Baeyer-Villiger-Oxidation auf cyclische ungesättigte Ketone mit exocyclischer Doppelbildung dar. Bei der Einwirkung von Peressigsäure in Eisessig/Natriumacetat erhält man entsprechend dem folgenden Formelschema Oxo-carbonsäuren (s. a. S. 1984)[2]:

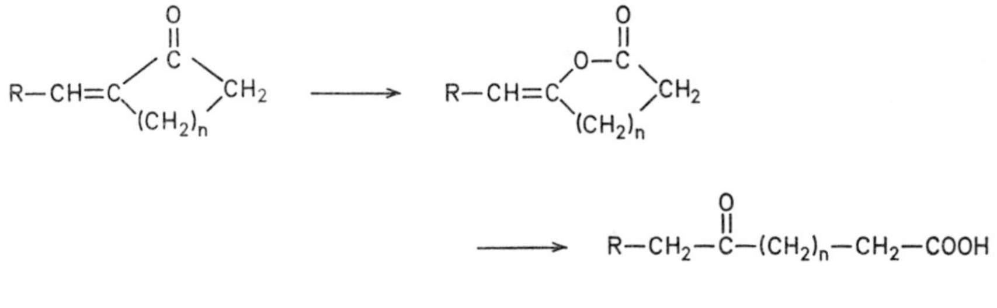

$$n = 2\,;\,3$$

In einem analogen Reaktionsverlauf konnten aus 2-Oxo-1-alkyliden-cyclopentanen mit Wasserstoffperoxid, Natriumhydroxid und Äthanol ein Gemisch aus 5-Oxo-carbonsäuren (25% d. Th.) und den entsprechenden Estern (60% d. Th.) erhalten werden[3].

β) durch Nitrosierung

Die Nitrosierung von Ketonen zu den entsprechenden Nitroso-ketonen erfolgt mit zunehmender Leichtigkeit, wenn in Nachbarstellung zur Carbonyl-Gruppe primäre, sekundäre oder tertiäre Kohlenstoffatome vorhanden sind. Im allgemeinen ist deshalb ein in Nachbarstellung vorhandenes tertiäres Kohlenstoffatom der primäre Angriffspunkt[4]. Die in diesem Falle entstehenden tertiären Nitroso-ketone sind instabil und erleiden leicht eine hydrolytische Spaltung unter Bildung von Ketoximen und Carbonsäuren (vgl. Bd. X/4, S. 17)[5]:

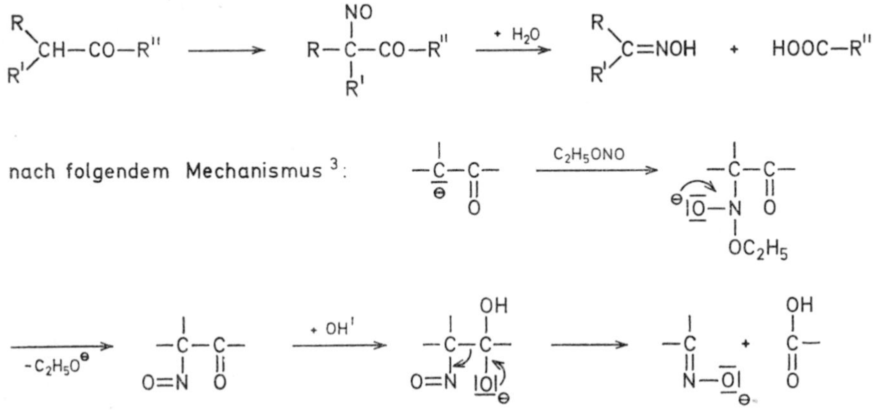

---

[1] W. Hückel, A. **441**, 1 (1924).

[2] H. M. Walton, J. Org. Chem. **22**, 1161 (1957).

[3] G. Le Guillanton, Bl. **1969**, 2871.

[4] J. G. Aston u. M. G. Mayberry, Am. Soc. **57**, 1888 (1935).

[5] O. Touster, Organic Reactions **VII**, 327 (1953).

Da die entstehenden Ketoxime leicht in die Ketone verwandelt werden können ergibt sich auf diesem Wege die Möglichkeit, niedere Ketone durch Spaltung der C—C-Bindung von höheren Ketonen zu erhalten. Diese Methode führt bei einfachen Monoketonen grundsätzlich zu den gleichen Endprodukten wie die im vorigen Kapitel beschriebene oxidative Spaltung. Da sie aber unter milderen Bedingungen verläuft, ist sie vielfach der direkten Oxidation vorzuziehen.[1]

Präparative Bedeutung besitzt diese Art der Spaltung vor allem bei Cyclanonen, bei denen die nitrosierende Spaltung zu den Oximen von ringoffenen Oxo-carbonsäuren führt.

Menthon (2-Oxo-4-methyl-1-isopropyl-cyclohexan) läßt sich mit Äthylnitrit und Chlorwasserstoff in *6-Hydroximino-3,7-dimethyl-octansäure* (60% d.Th.) überführen[2]. Besser bewährt sich im allgemeinen eine Arbeitsweise, die mit Äthylnitrit oder Amylnitrit in Gegenwart von Natrium-äthanolat arbeitet. Die vorstehende Spaltung läßt sich auf diese Weise in 68%iger Ausbeute erreichen[3]:

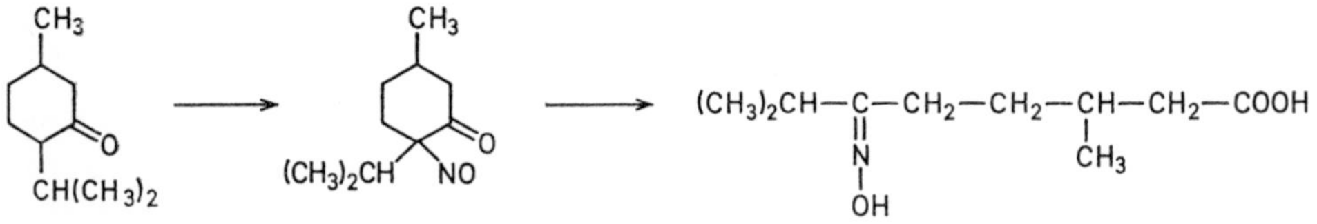

Bei ungesättigten Ketonen kann zugleich Isomerisierung eintreten, wie das Beispiel des 2-Oxo-4-methyl-1-isopropyliden-cyclohexans (Pulegons) zeigt, das unter dem Einfluß der Base eine Isomerisierung zu *2-Oxo-4-methyl-1-isopropenyl-cyclohexan (Isopulegon)* erleidet[4]:

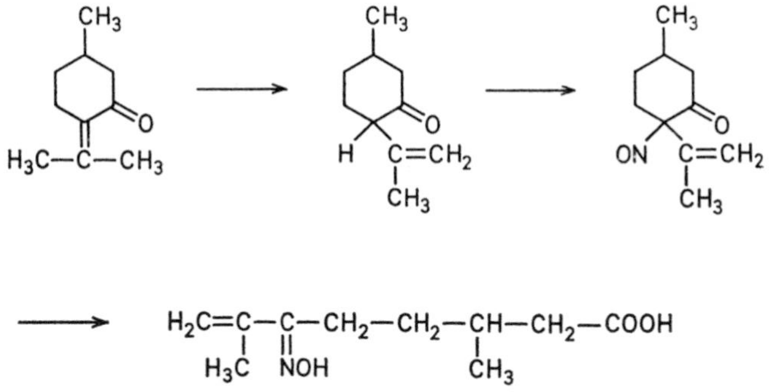

6-Hydroximino-3,7-dimethyl-octen-(7)-säure

Die präparativ günstigste Arbeitsweise, die direkt zu den Estern der Hydroximino-carbonsäure führt, besteht in der Einwirkung von Äthylnitrit in absolut alkoholischer Lösung in Gegenwart von Natrium-äthanolat. Die Spaltung verläuft in diesem Falle in Form einer Alkoholyse.

Ein Beispiel für diese Arbeitsweise ist die Herstellung von *3-(1-Hydroximino-äthyl)-4-(2-äthoxycarbonyl-äthyl)-1-acetyl-piperidin* aus *cis-9-Oxo-10-methyl-3-acetyl-3-aza-*

[1] R. B. Woodward u. W. v. E. Doering, Am. Soc. **67**, 860 (1945).
A. v. Baeyer u. O. Manasse, B. **27**, 1912 (1894); **28**, 1586 (1895).
R. Clarke, A. Lapworth u. E. Wechsler, Soc. **93**, 30 (1908).
O. Wallach, A. **365**, 240 (1909).

bicyclo[4.4.0]decan[1]:

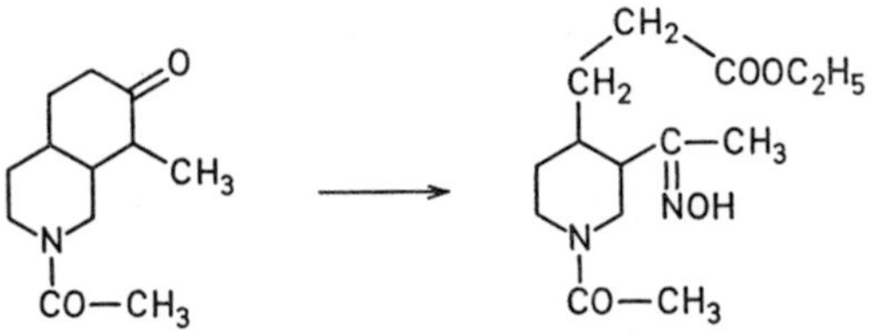

3-(1-Hydroximino-äthyl)-4-(2-äthoxycarbonyl-äthyl)-1-acetyl-piperidin[1]: 19 g reines *cis*-9-Oxo-10-methyl-3-acetyl-bicyclo[4.4.0]decan werden mit Benzol versetzt, das anschließend zur Entfernung von ev. vorhandenem Wasser abdestilliert wird. Das zurückbleibende ölige Keton wird dann in 100 *ml* abs. Äthanol gelöst und der mit einem Chlorcalcium-Trockenröhrchen versehene Kolben in einem Eisbad auf 0° gekühlt. Nach Zugabe einer kalten Lösung von 1,94 g Natrium in absol. Äthanol bringt man das Vol. der Lösung durch Zugabe von weiterem absol. Äthanol auf 300 *ml* und gibt 7,25 *ml* wasserfreies Äthylnitrit hinzu. Letzteres wird frisch hergestellt, über Kaliumhydroxid getrocknet und unmittelbar vor dem Gebrauch über Kaliumhydroxid destilliert. Das Reaktionsgemisch läßt man dann 18 Stdn. 3–5° stehen. Darauf leitet man 3-4 Stdn. Kohlendioxid durch die gelborange Lösung. Nach Zugabe von Kohle erhitzt man die Lösung zum Sieden, filtriert und dampft auf dem Wasserbad zur Trockne ein. Der ölige Rückstand wird in 200 *ml* Äther aufgenommen, mit Norit entfärbt und filtriert. Nach dem Einengen der Lösung auf etwa 50 *ml*, Reiben mit einem Glasstab und Stehenlassen über Nacht in der Kälte scheidet sich der größte Teil des Reaktionsproduktes in schönen Kristallen ab. Aus der Mutterlauge erhält man noch eine weitere Fraktion; Ausbeute: 18 g (78% d. Th.); F: 107,5–108,5°. Zum Umkristallisieren nimmt man die Ester in 5 *ml* Methanol auf und gibt 50 *ml* siedenden Äther hinzu; F: 108,5–109°.

Diese Reaktion wurde auch in der Sterin-Reihe zum Abbau von seitenständigen Oxo-Gruppen unter Bildung von Cyclanonen angewendet[2].

In allen diesen Fällen ist es notwendig, die entstandenen Ketoxime in die Ketone zu überführen (vgl. hierzu Bd. VII/2 a, S. 799).

Da Ketoxime auch durch salpetrige Säure in Ketone überführt werden können, ergibt sich die Möglichkeit, durch Einwirkung von überschüssiger salpetriger Säure oder ihrer Ester in einem Arbeitsgang die Spaltung und die Keton-Bildung zu erreichen. Zu diesem Zweck läßt man überschüssiges Äthylnitrit auf das zu spaltende Keton einwirken und gibt nach beendeter Reaktion wäßrige Säure hinzu. Man gelangt auf diese Weise bei cyclischen Ketonen direkt zu den Estern der Oxo-carbonsäuren.

Mit dieser Methode erhält man aus 2-Oxo-1-pentyl-cyclopentan *5-Oxo-decansäure-äthylester* (80% d. Th.)[3]. Eine Reihe von Oxo-dicarbonsäure-diestern II wurden durch nitrosierende Spaltung von cyclischen Oxo-carbonsäureestern der allgemeinen Formel I erhalten[4]:

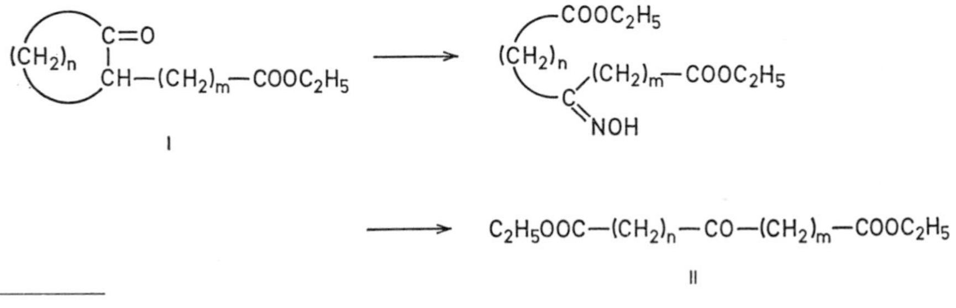

$$C_2H_5OOC-(CH_2)_n-CO-(CH_2)_m-COOC_2H_5$$

II

[1] R. B. Woodward u. W. v. E. Doering, Am. Soc. **67**, 860 (1945).
[2] M. G. Ettlinger u. L. F. Fieser, J. Biol. Chem. **164**, 451 (1946).
[3] R. Lukes u. J. Plesek, Chem. Listy **49**, 1095 (1955).
[4] R. Huisgen u. D. Pawellek, A. **641**, 71 (1961).

Aus endständig durch den Tetralon-Rest substituierten Carbonsäuren lassen sich auf diesem Wege langkettige (2-Carboxy-phenyl)-carbonsäuren erhalten[1]. Als Beispiel hierfür mag die Herstellung von *5-Oxo-7-(2-äthoxycarbonyl-phenyl)-heptansäure-äthylester* durch nitrosierende Spaltung von 1-Oxo-2-(3-äthoxycarbonyl-propyl)-tetralin dienen, die in 80%iger Ausbeute verläuft:

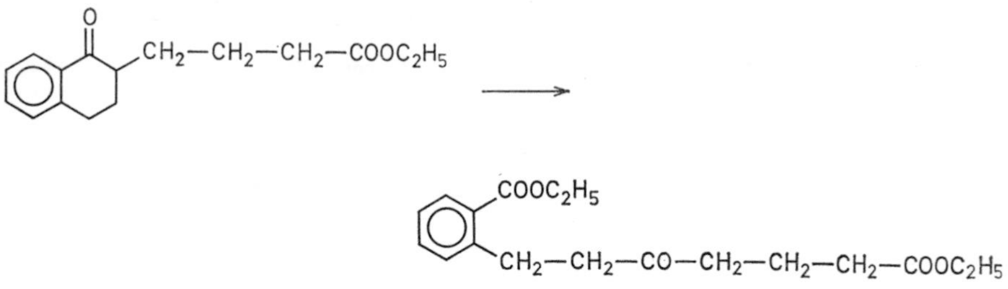

5-Oxo-7-(2-äthoxycarbonyl-phenyl)-heptansäure-äthylester[2]: In einem 2-*l*-Dreihalskolben, der mit Rührer und Tropftrichter versehen ist und als Vorlage einer Destillationsbrücke dient, werden 23 g Natrium in 600 *ml* abs. Äthanol gelöst. Unter Einhaltung einer Innentemp. von —12 bis —15° läßt man unter Rühren 246 g (1,00 Mol) 1-Oxo-2-(3-äthoxycarbonyl-propyl)-tetralin einfließen und destilliert dann langsam ∼ 170 g (2,25 Mol) Äthylnitrit, mit Kaliumhydroxid im Destillierkolben getrocknet, in die Reaktionsmischung ein; der zunächst entstandene Kristallbrei liefert dabei eine blauviolette Lösung. Nach weiteren 30 Min. bei —15° bewahrt man unter Feuchtigkeitsausschluß 12 Stdn. im Kühlschrank auf. Beim langsamen Einrühren von 135 *ml* konz. Salzsäure unter sorgfältiger Kühlung setzt im Anschluß an die Neutralisation die Redoxreaktion ein; diese wird nach 15—20 Min. bei 0° abgeschlossen, wie die Verfolgung der Distickstoffmonoxid-Entwicklung zeigt. Unverzüglich wird die Reaktionslösung in das doppelte Vol. Wasser eingegossen und mit Benzol ausgeschüttelt. Der Benzolextrakt wird mit eiskalter Natronlauge ausgezogen, bis die alkalische Phase farblos bleibt. Aus dem Rückstand der gewaschenen Benzol-Lösung geht bei 170—180°/0,01 Torr das Reaktionsprodukt als blaßgelbes Öl über; Ausbeute: 260 g (81% d. Th.).

5. Oxidative Spaltung von Glykolen und Acyloinen

Die oxidative Spaltung von Kohlenstoff-Bindungen bei Glykolen gelingt besonders glatt. Bei Verwendung von verzweigten Glykolen führt diese Spaltung zu Ketonen, die in vielen Fällen auf diesem Wege in präparativ günstiger Weise zugänglich sind. Folgende Möglichkeiten sind hier gegeben:

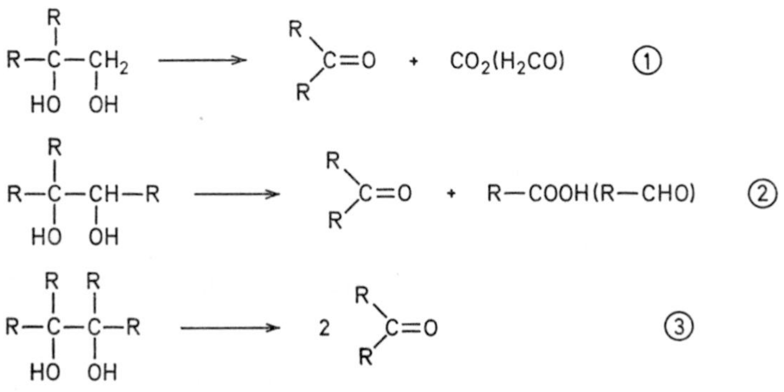

---

[1] I. Ugi, R. Huisgen u. D. Pawellek, A. **641**, 63 (1961).
[2] I. Ugi, R. Huisgen u. D. Pawellek, A. **641**, 67 (1961).

Als Oxidationsmittel für die Durchführung dieser Spaltung kommen die verschiedensten Oxidationsmittel wie Chrom(VI)-oxid, Permanganat, Mangan(IV)-oxid, Blei(IV)-acetat, Perjodsäure, Cer(IV)-Salze und Natriumwismutat in Betracht. Auch Jodoso-benzol-diacetat läßt sich für diese Spaltung heranziehen, doch ist die Geschwindigkeitskonstante nur 1/100-tel der mit Blei(IV)-acetat[1].

Die besten Ausbeuten erhält man bei der sehr spezifischen Blei(IV)-acetat-Spaltung (Criegee-Spaltung), die auch bei empfindlichen Molekülen anwendbar ist[2]. Ähnlich günstig liegen die Verhältnisse bei der Verwendung von Perjodsäure[3] und Natriumwismutat. Bei Anwendung dieser Oxidationsmittel gelten die gleichen Bedingungen in Hinblick auf die experimentelle Durchführung wie sie Bd. VII, 1, S. 352 für die Aldehyd-Herstellung beschrieben sind.

Genauere Untersuchungen[4] haben ergeben, daß *cis*-Diole wesentlich leichter gespalten werden als die zugehörigen *trans*-Isomere. Am Beispiel der Spaltung von *trans*-1,6-Dihydroxy-bicyclo[4.4.0]decadien-(3,8) konnte gezeigt werden[5], daß mit Blei(IV)-acetat in Methanol unter Zusatz von Trichloressigsäure die Spaltung, die unter den üblichen Bedingungen nicht gelingt, unter Bildung von *4,4,9,9-Tetra-methoxy-cyclodecadien-(1,6)* (75% d.Th.) gelingt:

4,9-Dioxo-cyclodecadien-(1,8)

Dieser Zusatz von Trichloressigsäure hat sich auch in anderen Fällen bei der Spaltung von *trans*-Diolen bewährt[6].

An Stelle von Trichloressigsäure kann auch Schwefelsäure oder Methansulfonsäure mit gleichem Erfolg zugesetzt werden[7]. Untersuchungen bei *trans*-Diolen in der Campher-Reihe ergaben eine glatte Möglichkeit der Spaltung mit Blei(IV)-acetat in Pyridin[8].

In neuester Zeit wurde für die Glykol-Spaltung Mangan(IV)-oxid in Dichlormethan mit gutem Erfolg angewandt (60–90% d.Th.)[9].

---

[1] R. Criegee u. H. Beucker, A. **541**, 218 (1939).
    S. J. Angyal u. R. J. Young, Am. Soc. **81**, 5251 (1959).
[2] R. Criegee in: *Neuere Methoden der präparativen organischen Chemie*, S. 21, Verlag Chemie, Berlin 1943.
[3] E. L. Jackson, Org. Reactions, **II**, 341.
[4] R. Criegee et al., A. **599**, 81 (1956).
    S. J. Angyal u. R. J. Young, Am. Soc. **81**, 5251, 5467 (1959).
[5] C. A. Grob u. P. W. Schiess, Helv. **43**, 1546 (1960).
[6] K. G. Untch, Am. Soc. **85**, 345 (1963).
[7] R. P. Bell, V. G. Rivlin u. W. A. Waters, Soc. **1958**, 1696.
[8] R. C. Hockett u. D. F. Mowery, Am. Soc. **65**, 403 (1943).
    H. R. Goldschmid u. A. S. Perlin, Canad. J. Chem. **38**, 2280 (1960).
[9] G. Ohloff u. W. Giersch, Ang. Ch. **85**, 401 (1973).

Im Gegensatz zu diesen spezifischen Oxidationsmitteln sind Chromsäure und Permanganat nur in solchen Fällen mit Erfolg anwendbar, in denen die entstehenden Ketone gegenüber weiteren Oxidationen beständig sind.

Auch die durch Silbersalze katalysierte Persulfat-Oxidation von Glykolen, die im Falle des 2,3-Dihydroxy-2,3-dimethyl-butans fast quantitativ *Aceton* ergibt, dürfte ebenfalls nur begrenzte Anwendungsmöglichkeit besitzen[1]. Das gleiche gilt auch für die Anwendung von Cer(IV)-salzen[2].

Im allgemeinen ist auch die auf S. 1292 beschriebene Herstellung von Ketonen durch oxidative Spaltung von Olefinen auf dem Umweg über die Glykole durchführbar[3].

Die Überführung in die Glykole kann mit Osmium(VIII)-oxid, Permanganat oder Persäure erfolgen.

In der gleichen Weise wie die verzweigten Glykole lassen sich auch verzweigte Acyloine durch oxidative Spaltung in Ketone überführen:

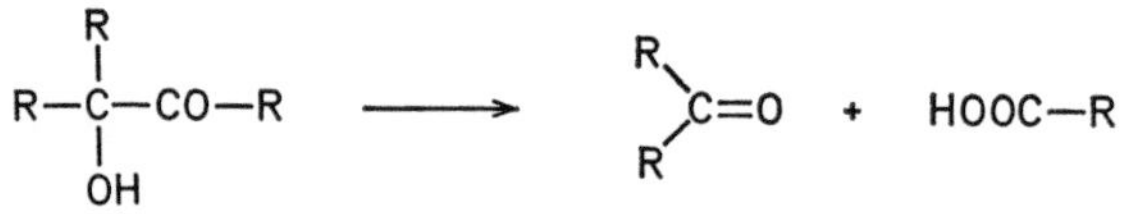

$$\underset{\underset{OH}{|}}{\overset{\overset{R}{|}}{R-C}}-CO-R \longrightarrow \overset{R}{\underset{R}{>}}C=O \; + \; HOOC-R$$

Für die Spaltung eignen sich die gleichen Oxidationsmittel.

In speziellen Fällen kann hier auch Luftsauerstoff und Kupfer(I)-chlorid in Pyridin zum Erfolg führen, wie das Beispiel der Spaltung von 2-Hydroxy-1-oxo-1,2-diphenyl-propan zu *Acetophenon* und Benzoesäure zeigt[4].

Zum gleichen Erfolg gelangt man auch bei der Anwendung der Baeyer-Villiger-Oxidation auf Acyloine. Als Beispiel mag die Einwirkung von Perbenzoesäure in Chloroform auf 5-Hydroxy-3β-acetoxy-6-oxo-cholestan dienen, die *3β-Acetoxy-5-oxo-5,6-seco-cholestansäure* ergibt[5]:

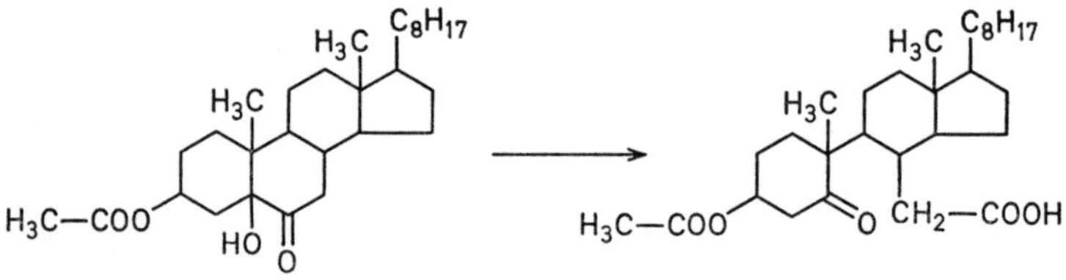

Die Tab. 164 (S. 1319) gibt einige Beispiele für die Keton-Herstellung aus Glykolen und Acyloinen.

5-Oxo-hexansäure[6]:

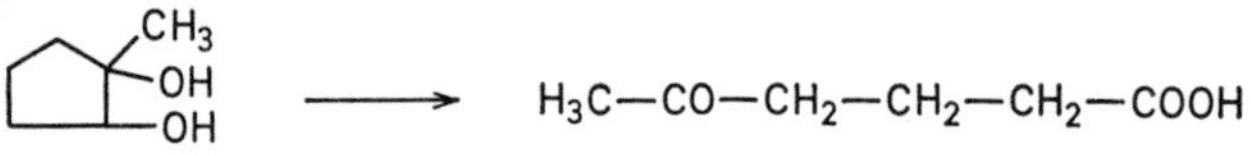

11,6 g 1,2-Dihydroxy-1-methyl-cyclopentan werden in 200 *ml* Aceton gelöst und etwas unterhalb 0° mit 23 g Kaliumpermanganat oxidiert, indem man unter starkem Rühren das Oxidationsmittel in Portionen von 1–2 g zugibt und jedesmal die Entfärbung abwartet. Nach Beendigung der Oxidation filtriert man die festen Anteile ab und wäscht mit 100 *ml* Aceton. Den festen

[1] F. P. GREENSPAN u. H. M. WOODBURN, Am. Soc. **76**, 6345 (1954).

[2] W. S. TRAHANOVSKY, L. H. YOUNG u. M. H. BIERMAN, J. Org. Chem. **34**, 869 (1969). S. a. T. L. Ho, Synthesis **1973**, 347.

[3] H. ADKINS u. A. K. ROEBUCK, Am. Soc. **70**, 4041 (1948).

[4] K. KINOSHITA, Bull. chem. Soc. Japan **32**, 783 (1959).

[5] L. KNOF, A. **647**, 53 (1961); **656**, 183 (1962).

[6] H. ADKINS u. A. K. ROEBUCK, Am. Soc. **70**, 4041 (1948).

Tab. 164. Ketone aus Glykolen durch oxidative Spaltung

Glykol	Oxidationsmittel/Lösungsmittel		Keton	Ausbeute [% d.Th.]	Literatur
2,3,8,9-Tetrahydroxy-2,3,8,9-tetramethyl-decan	HJO$_4$	Wasser/Methanol	*Octandion-(2,7)*		1
3,4-Dihydroxy-3,4-dimethyl-pentin-(1)	HJO$_4$	Wasser/Methanol	*Butin-(3)-on-(2)*		2
2,3-Dihydroxy-3,4,6,6-tetramethyl-hepten-(1)	HJO$_4$	Wasser/Methanol	*4-Oxo-2,2-dimethyl-pentan*		2
1,2-Dihydroxy-2-(4-methyl-cyclohexyl)-propan	Chromsäure	Wasser	*4-Methyl-1-acetyl-cyclohexan*		3
1,2-Dihydroxy-1,2-dimethyl-acenaphthen	Pb(OCOCH$_3$)$_4$	Eisessig od. Benzol	*1,8-Diacetyl-naphthalin*	100	4
9,10-Dihydroxy-9,10-diphenyl-9,10-dihydro-phenanthren	Pb(OCOCH$_3$)$_4$	Eisessig	*2,2′-Dibenzoyl-biphenyl*	100	4
1,2-Dihydroxy-1,2-dipentyl-acenaphthen	Pb(OCOCH$_3$)$_4$	Benzol	*1,8-Dihexanoyl-naphthalin*	80	5
1,2-Dihydroxy-1-methyl-cyclohexan	KMnO$_4$	Aceton	*6-Oxo-heptansäure*	84	6
2,3-Dihydroxy-1,2-dimethyl-cyclopentan	KMnO$_4$	Aceton	*5-Oxo-4-methyl-hexansäure*	43	6
β-Hydroxy-carotin	Pb(OCOCH$_3$)$_4$	Benzol/Eisessig	*Semi-β-carotinon*	∼ 35	7
2-Hydroxy-2-hydroxymethyl-cholestan	Pb(OCOCH$_3$)$_4$	Eisessig	*2-Oxo-cholestan*	70	8
3,17α,20-Trihydroxy-allopregnan	HJO$_4$	Methanol	*3β-Hydroxy-17-oxo-androstan*	65	9
3,11,17,20,21-Pentahydroxy-allopregnan	HJO$_4$	Methanol/Wasser	*3α,11-Dihydroxy-17-oxo-androstan*	64	10
3,17,20,21-Tetrahydroxy-allopregnan	HJO$_4$	Methanol/Wasser	*trans-3α-Hydroxy-17-oxo-androstan*	60	11
17α,21-Dihydroxy-3,11,20-trioxo-pregnadien	NaBiO$_3$	Eisessig/Wasser	*3,11,17-Trioxo-androstadien-(1,4)*	40	12
11β,17α,21-Trihydroxy-3,20-dioxo-pregnadien-(1,4)	NaBiO$_3$	Eisessig/Wasser	*11β-Hydroxy-3,17-dioxo-androstadien-(1,4)*	45	12
7,8-Dihydroxy-bicyclo[4.2.0]octan	HJO$_4$	Wasser	*1,4-Dioxo-cyclooctan*		13

[1] M. F. ANSELL, W. J. HICKIN BOTTOM u. A. A. HYATT, Soc. 1955, 1781.
[2] M. F. ANSELL, W. J. HICKIN BOTTOM u. A. A. HYATT, Soc. 1955, 1592.
[3] F. W. SEMMLER u. C. RIMPEL, B. 39, 2584 (1906).
[4] R. CRIEGEE, L. KRAFT u. B. RANK, A. 507, 159 (1933).
[5] B. BANNISTER u. B. B. ELSNER, Soc. 1951, 1061.
[6] H. ADKINS u. A. K. ROEBUCK, Am. Soc. 70, 4071 (1948).
[7] R. KUHN u. H. BROCKMANN, A. 516, 95 (1935).
[8] G. LARDELLI u. O. JEGER, Helv. 32, 1817 (1949).
[9] H. E. STAVELY, Am. Soc. 63, 3127 (1941).
[10] T. REICHSTEIN, Helv. 19, 402, 979 (1936).
[11] M. STEIGER u. T. REICHSTEIN, Helv. 21, 546 (1938).
[12] H. L. HERZOG et al., Am. Soc. 77, 4781 (1955).
[13] H. M. FISCHLER, H. G. HEINE u. W. HARTMANN, Tetrahedron Letters 1972, 1701.

Rückstand suspendiert man in 200 *ml* Wasser und gibt unter Kühlung langsam eine Lösung von 40 *ml* Schwefelsäure in 100 *ml* Wasser hinzu. Dann fügt man bei 30–40° in kleinen Anteilen etwa 20 g Natriumsulfit hinzu bis das Reaktionsgemisch homogen geworden ist. Man extrahiert die Lösung dann mit Essigsäure-äthlyester (600 *ml* in 3 Portionen). Nach dem Abdestillieren des Lösungsmittels unterwirft man den Rückstand der fraktionierten Vakuumdestillation. Aus der Aceton-Lösung können noch 2,5 g des Diols zurückgewonnen werden; Ausbeute: 85% d.Th. (bez. auf umgesetztes Diol); Kp_2: 141–149°.

1,8-Dibenzoyl-naphthalin:

$$ H_5C_6 \overset{OH}{-} \overset{OH}{-} C_6H_5 \longrightarrow H_5C_6-\overset{O}{C} \quad \overset{O}{C}-C_6H_5 $$

Methode a[1]: 4,2 g *cis*- oder *trans*-1,2-Dihydroxy-1,2-diphenyl-acenaphthen werden in 100 *ml* Eisessig gelöst. Man fügt die ber. Menge Blei(IV)-acetat hinzu und schüttelt bis zur Lösung. Beim Stehenlassen über Nacht scheiden sich schöne Tafeln aus; Ausbeute: 100% d.Th.; F: 188–190°.

Methode b[2]: 97 g 1,2-Dihydroxy-1,2-diphenyl-acenaphthen werden zu einer Lösung von 320 g Natriumdichromat in 2000 *ml* Eisessig unter Sieden am Rückflußkühler gegeben. Nach 5 Stdn. kühlt man das Reaktionsgemisch auf Raumtemp. und gießt in 2000 *ml* Eiswasser. Der sich abscheidende Niederschlag wird abfiltriert, mit 10%-iger Natriumcarbonat-Lösung und anschließend mit Wasser gewaschen. Aus Chloroform/Hexan erhält man 82 g (86% d.Th.) 1,8-Dibenzoyl-naphthalin (F: 176–178°; beim nochmaligen Umkristallisieren, F: 186–188°).

1,6-Dioxo-cyclodecan[3]:

1 g *cis*-9,10-Dihydroxy-dekalin in 50 *ml* Dichlormethan werden in Gegenwart von 20 g aktiviertem Mangan(IV)-oxid bei Raumtemp. gerührt. Nach der dünnschichtchromatographischen Analyse ist das Diol nach 1 Stde. vollständig umgesetzt. Man filtriert das Mangan(IV)-oxid über Celite ab, entfernt das Lösungsmittel im Rotationsverdampfer i. Vak. und destilliert den Rückstand; Ausbeute: 0,9 g (90% d.Th.); F: 92–95° (aus Aceton).

11-Hydroxy-3,17-dioxo-androsten-(4)[4]:

Zu einer Lösung von 25 mg 11,17,20,21-Tetrahydroxy-3-oxo-pregnen-(4) in 1,5 *ml* Methanol gibt man eine Lösung von 40 mg Perjodsäure in 0,3 *ml* Wasser. Nach 20 Stdn. verdünnt man mit Wasser und saugt das Methanol i. Vak. ab. Die Lösung extrahiert man dann mit Essigsäure-äthylester und Äther. Nachdem man die Extrakte mit Wasser und Natriumcarbonat-Lösung gewaschen hat, trocknet man mit Natriumsulfat. Den nach dem Abdestillieren des Lösungsmittels erhaltenen Rückstand kristallisiert man aus Äther um, sublimiert dann i. Hochvak. bei 160° und 0,01 Torr und kristallisiert schließlich aus einem Gemisch von Äther und Pentan um; Ausbeute: 12 mg (60% d.Th.); F: 189–191°.

[1] R. CRIEGEE, L. KRAFT u. B. RANK, A. **507**, 159 (1933).
[2] C. D. DEBOER et al., Am. Soc. **95**, 3968 (1973).
[3] G. PHLOFF u. W. GIERSCH, Ang. Ch. **85**, 401 (1973).
[4] T. REICHSTEIN, Helv. **20**, 978 (1937).

11β-Hydroxy-3,17-dioxo-androstadien-(1,4)[1]:

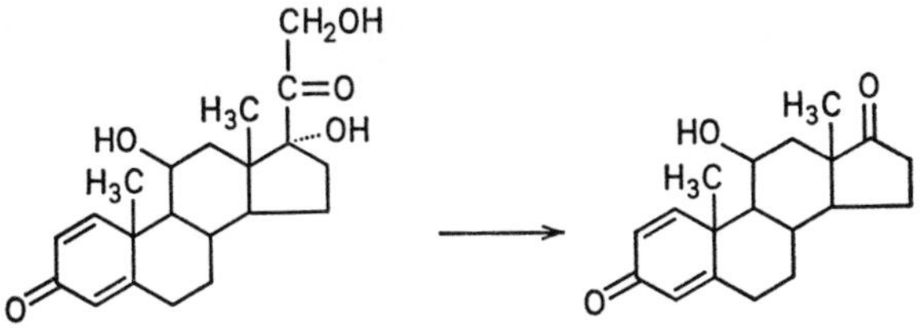

Zu einer Lösung von 1,0 g 11β,17α,21-Trihydroxy-3,20-dioxo-pregnadien-(1,4), in 150 *ml* Eisessig gibt man eine Lösung von 18 g Natriumwismutat und rührt das Gemisch über Nacht bei Raumtemperatur. Den Rückstand filtriert man ab und extrahiert sowohl den Rückstand als auch das Filtrat mit Dichlormethan. Die vereinigten Filtrate werden mit Wasser säurefrei gewaschen, getrocknet und auf ein geringes Vol. eingeengt. Durch Chromatographie an Florisil und Elution mit Äther erhält man kristalline Fraktionen (F: 176–180°), die aus Dichlormethan-Hexan umkristallisiert werden; Ausbeute: 0,5 g (55% d.Th.); F: 181–182°.

6. Oxidative Spaltung von α-Hydroxy-carbonsäuren[2]

α-Hydroxy-carbonsäuren vom Typ I können durch oxidativen Abbau sehr glatt in Ketone überführt werden:

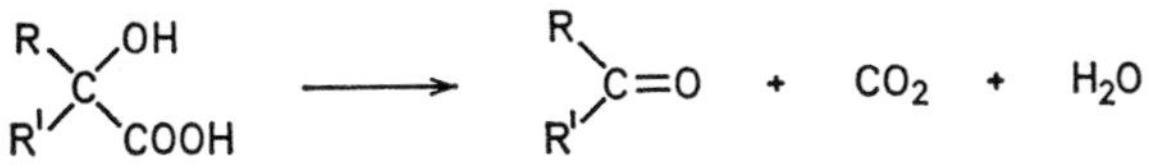

Für diesen Abbau können die verschiedensten Oxidationsmittel mit Erfolg angewendet werden. Die allgemeinste Bedeutung hat hier die Verwendung von Blei(IV)-acetat[3] als Oxidationsmittel, da auch empfindliche Moleküle ohne Schwierigkeiten oxidiert werden können. Man erhält so z.B. *3-Oxo-2,2,4,4-tetramethyl-oxetan* aus 3-Hydroxy-2,2,4,4-tetramethyl-oxetan-3-carbonsäure (57% d.Th.)[4]:

Auch α-Acetoxy-carbonsäuren lassen sich mit Blei(IV)-acetat zu Ketonen spalten[5].

Bei weniger oxidationsempfindlichen Verbindungen können auch starke Oxidationsmittel, wie Kaliumpermanganat und Chromsäure mit Erfolg angewendet werden. Unter Verwendung einer Lösung von Permanganat in verd. Schwefelsäure

---

[1] H. L. Herzog et al., Am. Soc. **77**, 4781 (1955).

[2] Vgl. a. S. 1375.

[3] R. Criegee in: *Neuere Methoden der präparativen organischen Chemie*, S. 21, Verlag Chemie, Berlin 1943.
Zum Mechanismus s. Y. Pocker u. B. C. Davis, Am. Soc. **95**, 6216 (1973).

[4] B. L. Murr, G. B. Hoey u. C. T. Lester, Am. Soc. **77**, 4430 (1955).

[5] M. Tanabe u. D. F. Crowe, J. Org. Chem. **30**, 2776 (1965).

und Eisessig als Lösungsmittel kann 1-Hydroxy-2,2-diphenyl-cyclohexan-1-carbonsäure in *2-Oxo-1,1-diphenyl-cyclohexan* (85% d. Th.) überführt werden[1].

Als Beispiel für eine Oxidation mit Chromsäure in Eisessig sei auf die Herstellung von *1-Oxo-1,2-diphenyl-äthan-1-^{14}C* aus 2-Hydroxy-2,3-diphenyl-propansäure-2-^{14}C hingewiesen[2].

3-Oxo-glutarsäure-diester (Aceton-dicarbonsäure-diester) können aus den symmetrischen Diestern der Citronensäure durch oxidative Spaltung mit Chromsäure oder Kaliumpermanganat erhalten werden[3].

Auch N-Brom-succinimid kann nach folgender Gleichung α-Hydroxy-carbonsäuren vom Benzilsäure-Typ in die entsprechenden Benzophenone überführen (85–90% d. Th.)[4]. Die Umsetzung erfolgt durch 30 min. Erhitzen in wäßriger Lösung:

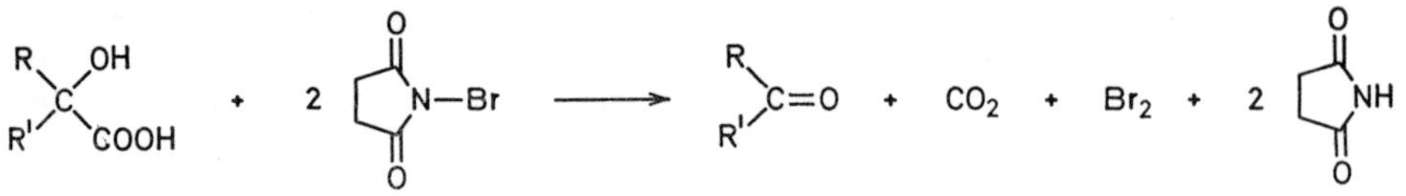

Die Herstellung von Benzophenonen aus den entsprechenden Benzilsäuren ist auf dem Wege über die Benzile eine wichtige Möglichkeit, um solche Benzophenone zu gewinnen, die durch Friedel-Crafts-Synthese nicht zugänglich sind:

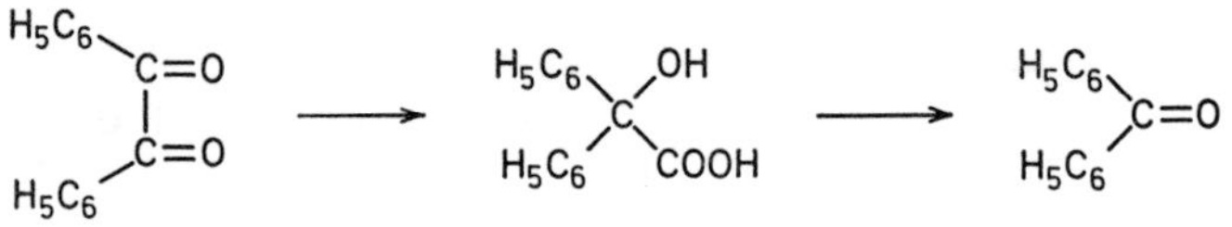

So sind z. B. *3,3′,4,4′-Tetramethoxy-benzophenon*, *5,5′-Dibrom-2,2′-dimethoxy-benzophenon*, *3,3′-Dichlor-benzophenon* und *2,2′-Dimethoxy-benzophenon* in guten Ausbeuten erhalten worden. Als Oxidationsmittel für die entsprechenden Benzilsäuren diente eine Lösung von Chrom(VI)-oxid in Eisessig[5].

2,2′-Dimethoxy-benzophenon[5]: 21,5 g 2,2′-Dimethoxy-benzilsäure werden in 100 *ml* siedendem Eisessig gelöst und durch allmähliche Zugabe von 5,5 g Chrom(VI)-oxid oxidiert. Die Reaktion wird ohne weiteres Erhitzen zu Ende geführt. Nach 10 Min. gießt man in Wasser. Das schnell erstarrende Keton wird abfiltriert und nacheinander mit Wasser, verd. Natriumcarbonat-Lösung und Wasser gewaschen. Man kristallisiert aus Methanol um; Ausbeute: 15 g (82% d.Th.); F: 103°.

Für diese Spaltung kann auch Cer(IV)-sulfat mit gutem Erfolg eingesetzt werden[6].

Ein Verfahren der direkten Umwandlung von Benzilen in Benzophenone, bei dem möglicherweise auch Benzilsäuren als nichtisolierte Zwischenstufen auftreten, beruht darauf, daß man Benzile über erhitztes Blei(IV)-oxid destilliert[7]. Mit dieser Methode konnten aus Pyridoinen, allerdings nur in bescheidenen Ausbeuten, *Dipyridyl-(2)-keton* und *Bis-[6-methyl-pyridyl-(2)]-keton* erhalten werden[8].

---

[1] R. E. Lyle u. G. G. Lyle, Am. Soc. **74**, 4059 (1952).
[2] C. J. Collins u. O. K. Neville, Am. Soc. **73**, 2471 (1951).
[3] US. P. 2848480 (1953), Smith-New York Co., Inc., Erf.: W. J. Smith.
[4] M. Z. Barakat u. M. F. Abd El-Wahab, Am. Soc. **75**, 5731 (1953).
[5] A. H. Ford-Moore, Soc. **1947**, 952.
[6] T.-L. Ho, Synthesis **1973**, 350.
[7] M. Wittenberg u. V. Meyer, B. **16**, 501 (1883).
[8] W. Mathes u. W. Sauermilch, B. **86**, 109 (1953).

Hier ist auch ein interessantes Verfahren zur Herstellung von Ketonen vom Typ des Desoxybenzoins (1-Oxo-1,2-diphenyl-äthans) zu erwähnen, das von den leicht zugänglichen α,β-ungesättigten Ketonen vom Chalkon-Typ ausgeht. Diese Chalkone werden durch Behandlung mit alkalischer Wasserstoffperoxid-Lösung in Epoxichalkone (Phenyl-benzoyl-oxirane) überführt, die beim Erhitzen mit Natronlauge in die entsprechenden α-Hydroxy-carbonsäuren umgelagert werden. Die Blei(IV)-acetat-Spaltung dieser Säuren führt zu den 1-Oxo-1,2-diphenyl-äthanen (Desoxybenzoinen). Die „Über-alles-Ausbeute" bei dieser Reaktionsfolge beträgt 50–70% der Theorie. Der Versuch, Blei(IV)-acetat durch Bichromat zu ersetzen führte zu wesentlich geringeren Ausbeuten[1].

1-Oxo-1,2-bis-[4-methoxy-phenyl]-äthan[1]:

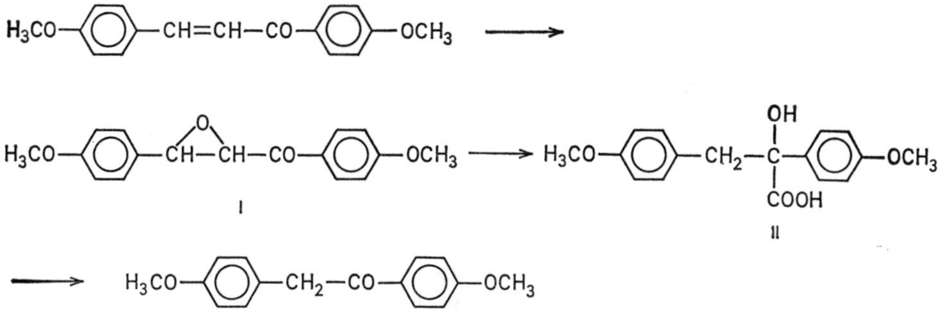

(4-Methoxy-phenyl)-(4-methoxy-benzoyl)-oxiran(I): Zu einer Lösung von 20 g 3-Oxo-1,3-bis-[4-methoxy-phenyl]-propen in 150 ml Äthanol und 50 ml Aceton gibt man bei 40° 15 ml 4 n Natronlauge und 23 ml 28%iges Wasserstoffperoxid. Man hält die Temp. 40 Min. auf 40°. Dann kühlt man das Gemisch, trennt die ausgeschiedenen Kristalle ab und wäscht mit einem Äthanol/Wasser-Gemisch und kristallisiert aus Äthanol um; Ausbeute: 19,5 g (92% d.Th.); F: 123–124°.

2-Hydroxy-1,3-bis-[4-methoxy-phenyl]-propansäuren(II): Eine Mischung von 11,5 g I, 50 ml 95%iges Äthanol und 13 ml 30%ige Natronlauge kocht man 90 Min. unter Rückfluß. Darauf kühlt man die klare, rote Lösung, verdünnt mit 500 ml Wasser, filtriert und säuert an; Ausbeute: 11,2 g (90% d. Th.); F: 173–174°.

1-Oxo-1,2-bis-[4-methoxy-phenyl]-äthan: Ein Brei von 30,2 g (0,1 Mol) II und 90 ml Eisessig wird unter Rühren mit 69 g (0,1 Mol) Mennige (Pb₃O₄) in kleinen Portionen versetzt. Die Reaktion erfolgt unter Gasentwicklung, wobei man die Temp. bis auf 65–70° steigen läßt. Gegen Ende der Reaktion scheiden sich Kristalle ab. Man gibt nun einige Tropfen Glycerin in 10 ml Wasser und fügt diese Lösung zum Reaktionsgemisch, um überschüssiges Blei(IV)-acetat zu zerstören. Das Gemisch wird in 1 l Wasser eingegossen, der ausgefallene Niederschlag abgetrennt und mit verd. Laugen sowie Wasser gewaschen; Ausbeute: 25 g (98% d. Th.); F: 108–110°; nach dem Umkristallisieren aus 80%igem Äthanol, F: 110–112°.

Analog erhält man *1-Oxo-1,2-bis-[4-butyloxy-phenyl]-äthan* (80% d.Th.; F: 121–122°) aus 3-Oxo-1,3-bis-[4-butyloxy-phenyl]-propen[2].

Über die oxidative Decarboxylierung von 4-Oxo-carbonsäuren durch Blei(IV)-acetat zu α,β-ungesättigten Ketonen s. Lit.[3].

7. Oxidative Spaltung von disubstituierten Malonsäuren

Da disubstituierte offenkettige und cyclische Malonsäuren durch die Alkylierungsreaktion von Malonsäure-diester leicht zugänglich sind, ist die Herstellung von Ketonen durch oxidative Decarboxylierung solcher Carbonsäuren von präparativem

---

[1] E. Rohrmann, R. G. Jones u. H. A. Shonle, Am. Soc. **66**, 1856 (1944).
[2] E. R. Bockstahler u. D. L. Wright, Am. Soc. **71**, 3760 (1949).
    S.a. E. J. Collins u. O. K. Neville, Am. Soc. **73**, 2471 (1951).
[3] R. A. Sheldon u. J. K. Kochi, Org. Reactions **19**, 325 (1972).

Wert. Die Reaktion läßt sich mit Blei(IV)-acetat in benzolischer Lösung unter Zusatz von Pyridin durchführen, wobei Ausbeuten bis zu 70% d. Th. erhalten werden. Die Reaktion verläuft über die primäre Bildung von Diacetoxy-Derivaten, die in einigen Fällen isoliert werden konnten, die aber infolge ihrer leichten hydrolytischen Spaltung im allgemeinen bei der Aufarbeitung gespalten werden[1]:

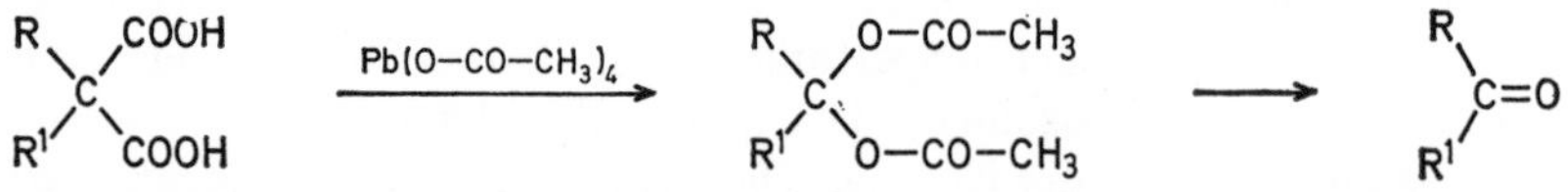

Tab. 165 gibt einen Überblick über solche Reaktionen. Dabei fällt auf, daß diese Reaktion durch sterische Gegebenheiten stark beeinflußt wird, wie die Beispiele aus der bicyclischen Reihe zeigen.

5-Oxo-nonan[2]: 6,31 g (0,0292 Mol) Dibutyl-malonsäure wird in 40 ml Benzol gelöst. Nach Zugabe von 6 ml Pyridin und 29,8 g (0,0642 Mol) Blei(IV)-acetat erwärmt man leicht, bis die Kohlendioxid-Entwicklung beginnt. Bei Beginn der Gasentwicklung nimmt man die Wärmequelle weg. Nach Beendigung der Gasentwicklung erhitzt man das Reaktionsgemisch noch 3 Stdn. unter Rückfluß. Zu der erkalteten Mischung gibt man 100 ml Äther, filtriert die Blei(II)-Salze ab und wäscht mit weiterem Äther. Die vereinigten Äther-Extrakte werden zuerst mit 2 n Salzsäure, dann mit Natriumhydrogencarbonat-Lösung und schließlich mit Kochsalz-Lösung gewaschen. Nach dem Trocknen über Magnesiumsulfat entfernt man den Äther durch Destillation. Das im Rückstand vorhandene 5,5-Diacetoxy-nonan wird mit einer Lösung von 7 g Kaliumhydroxid in 15 ml Wasser und 15 ml Methanol 30 Min. auf dem Wasserbad erhitzt. Durch Äther-Extraktion der Hydrolysemischung erhält man 2,97 g (70% d. Th.) 5-Oxo-nonan.

Tab. 165. Ketone durch Decarboxylierung disubstituierter Malonsäuren

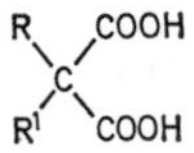 R R¹		Keton	Ausbeute [% d. Th.]	Literatur
CH(CH₃)₂	C₂H₅	3-Oxo-2-methyl-pentan	70	2
C₆H₅	C₂H₅	Propanoyl-benzol	62	2
C₄H₉	C₂H₅	3-Oxo-heptan	60	2
—(CH₂)₄—		Cyclopentanon	45	2
—(CH₂)₅—		Cyclohexanon	50	2
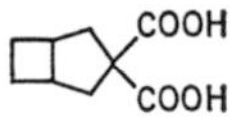		3-Oxo-bicyclo[3.2.0]heptan	wenig	3
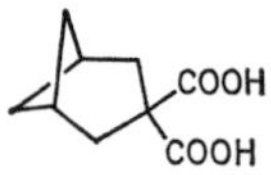		3-Oxo-bicyclo[3.1.1]heptan	16	4
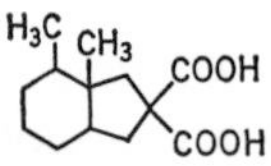		8-Oxo-1,2-dimethyl-bicyclo[4.3.0]nonan	60	5

[1] R. A. Sheldon u. J. K. Kochi, Organic Reactions, Vol. 19, 348 (1972).
[2] J. J. Tufariello u. W. J. Kissel, Tetrahedron Letters 1966, 6145.
[3] J. Meinwald, J. J. Tufariello u. J. J. Hurst, J. Org. Chem. 29, 2914 (1964).
[4] H. Musso u. K. Naumann, Ang. Ch. 78, 116 (1966).
   H. Musso, K. Naumann u. K. Grychtol, B. 100, 3614 (1967).
[5] K. Shirahata, T. Kato, Y. Kitahara u. N. Abe, Tetrahedron 25, 3179 (1969).

b) Ketone durch Spaltung von β-Diketonen und β-Oxo-aldehyden

Bearbeitet von

Prof. Dr. HERMANN STETTER

Institut für Organische Chemie der Technischen Hochschule Aachen

1. durch Hydrolyse

β-Dicarbonyl-Verbindungen können ganz allgemein unter dem Einfluß von Alkali oder Mineralsäuren eine hydrolytische Spaltung in ein Mol Keton und ein Mol Carbonsäure gemäß dem folgenden Formelschema erleiden:

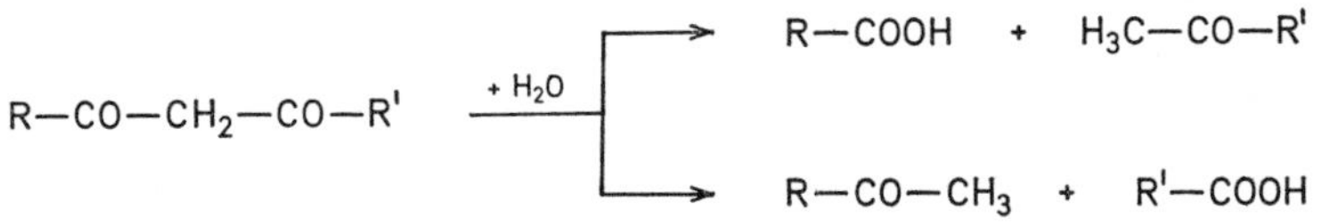

$$R-CO-CH_2-CO-R' \quad \xrightarrow{+\ H_2O} \quad \begin{array}{l} \longrightarrow \quad R-COOH \quad + \quad H_3C-CO-R' \\ \\ \longrightarrow \quad R-CO-CH_3 \quad + \quad R'-COOH \end{array}$$

Über den Reaktionsmechanismus dieser Spaltung s. Lit.[1,2]

Diese Spaltung verläuft bei symmetrisch gebauten β-Diketonen in eindeutiger Weise. Weniger eindeutig ist dagegen der Verlauf der Spaltung bei unsymmetrischen β-Diketonen. Hier entstehen im allgemeinen beide möglichen Ketone. Bevorzugt verläuft in diesem Falle die Spaltung in der Weise, daß der am niedrigsten molekulare Rest als Carbonsäure austritt[2]. Bei unsymmetrischen 1,3-Dioxo-1,3-diphenyl-alkanen entsteht bei der hydrolytischen Spaltung mit wäßrigem Alkali vorzugsweise die stärkere der beiden Spaltsäuren[3]. An dieser Gesetzmäßigkeit ändert sich auch nichts, wenn man unsymmetrische 1,3-Dioxo-2-methyl-1,3-diphenyl-alkane der alkalischen Spaltung unterwirft[4].

Im allgemeinen kommt dieser Spaltung von offenkettigen β-Diketonen nur geringe Bedeutung bei der präparativen Keton-Gewinnung zu. Wesentlich größere Bedeutung hat dagegen die hydrolytische Spaltung von cyclischen β-Diketonen, die in glatter Weise unter Ringöffnung zu Oxo-carbonsäuren führt, die auf diese Weise in einfacher Weise erhalten werden können.

Am besten untersucht ist hier die Säure-Spaltung von Cyclohexandionen-(1,3) und von 1,3-Dioxo-2-alkyl-cyclohexanen, die zu δ-Oxo-carbonsäuren führt[5]. Cyclohexandion-(1,3) gibt bei der Säure-Spaltung mit Bariumhydroxid-Lösung 5-Oxo-hexansäure[6]. Entsprechend erhält man durch Säure-Spaltung von 1,3-Dioxo-2-alkyl-cyclohexanen, die aus Cyclohexandion-(1,3) durch Alkylierung zugänglich sind, eine

[1] L. J. BECKHAM u. H. ADKINS, Am. Soc. 56, 1119 (1934).
[2] H. HENECKA, Chemie der β-Dicarbonyl-Verbindungen, S. 129f. Springer Verlag, Berlin · Göttingen · Heidelberg 1950.
[3] W. BREADLEY u. R. ROBINSON, Soc. 1926, 2356.
[4] C. L. BICKEL, Am. Soc. 67, 2204 (1945).
[5] H. STETTER, Ang. Ch. 67, 776 (1955).
[6] D. VORLÄNDER, A. 294, 253 (1897).

große Anzahl von δ-Oxo-carbonsäuren[1]:

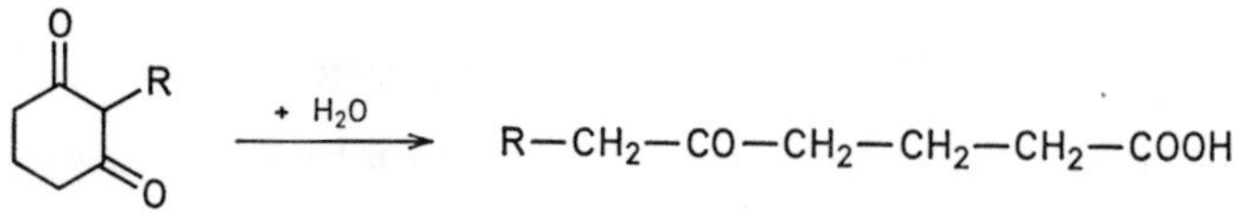

Die Ausbeuten bei dieser Spaltung betragen 70–80% d. Th.

5-Oxo-heptansäure[2]: 189 g (0,6 Mol) krist. Bariumhydroxid werden mit 440 *ml* dest. Wasser kurze Zeit aufgekocht und heiß filtriert. In dieser Lösung werden 19 g (0,15 Mol) 1,3-Dioxo-2-methyl-cyclohexan gelöst und 30 Stdn. unter Rückfluß gekocht. Der Kühler wird mit einem Natronkalk-Röhrchen verschlossen. Die farblose Lösung verfärbt sich allmählich gelblich. Nach 30 Stdn. wird unter fortdauerndem Erhitzen solange Kohlendioxid eingeleitet, bis die Lösung gegen Lackmus neutral reagiert. Es ist zweckmäßig, erst einen Teil des Bariums auszufällen, abzufiltrieren und im Filtrat erneut Kohlendioxid einzuleiten. Das ausgefallene Bariumcarbonat wird heiß abfiltriert, 2mal mit je 100 *ml* dest. Wasser ausgekocht, erneut abfiltriert und trocken gesaugt. Das klare Filtrat wird auf dem Wasserbad i. Vak. auf ~ 80 *ml* eingeengt. Durch vorsichtiges Zutropfen einer 1 : 10 verd. Schwefelsäure wird die Oxo-carbonsäure in Freiheit gesetzt. Etwaiger Überschuß an Schwefelsäure wird mit Bariumcarbonat neutralisiert. Die Lösung wird nun i. Vak. eingedampft. Es bleibt ein farbloses Öl, das beim Erkalten erstarrt. Die Säure kann aus einem Äther-Ligroin-Gemisch umkristallisiert werden; Ausbeute: 17 g (78,2% d.Th.); F: 50°.

Diese Spaltung führt dagegen nicht zu den erwarteten Oxo-carbonsäuren, wenn bei der Säure-Spaltung primär Dioxo-carbonsäuren gebildet werden, bei denen sich die beiden Oxo-Gruppen in 1,4- oder 1,5-Stellung befinden. Bei solchen Dioxo-carbonsäuren tritt unter der Wirkung des Alkalis eine cyclisierende Aldolkondensation unter Bildung von Carbonsäuren der Cyclopenten-(1)-on-(3)- und Cyclohexen-(1)-on-(3)-Reihe ein. Beispiele hierfür sind die Säure-Spaltung von 1,3-Dioxo-2-(2-oxo-2-phenyl-äthyl)-cyclohexan und Bis-[2,5-dioxo-cyclohexyl]-methan. Im ersten Falle erhält man an Stelle der zu erwartenden 5,8-Dioxo-8-phenyl-octansäure als Folgeprodukt der cyclisierenden Aldolkondensation *3-Oxo-2-(2-carboxy-äthyl)-1-phenyl-cyclopenten*[3]:

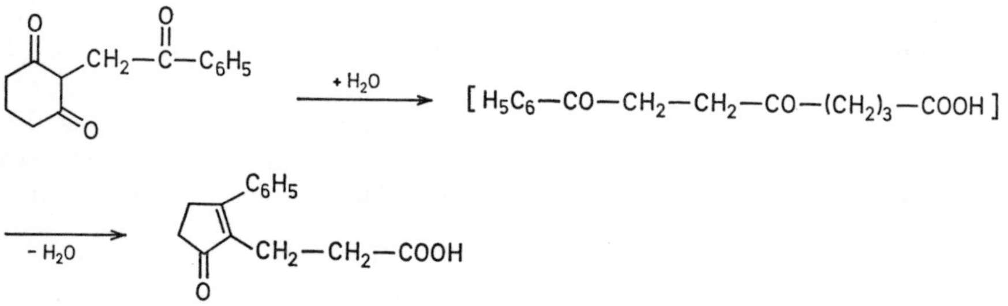

[1] H. STETTER u. W. DIERICHS, B. **85**, 61, 1061 (1952); **86**, 693 (1953). DBP. 915 085 (1952), H. STETTER u. W. DIERICHS; C. A. **52**, 14 689 (1958). S.a. H. LETTRÉ u. A. JAHN, B. **85**, 346 (1952).

[2] H. STETTER u. W. DIERICHS, B. **85**, 69 (1952).

[3] H. STETTER u. E. SIEHNHOLD, B. **88**, 271 (1955).

Im zweiten Falle erhält man an Stelle der erwarteten 5,9-Dioxo-tridecandisäure *3-Oxo-2-(2-carboxy-äthyl)-1-(3-carboxy-propyl)-cyclohexen*[1]:

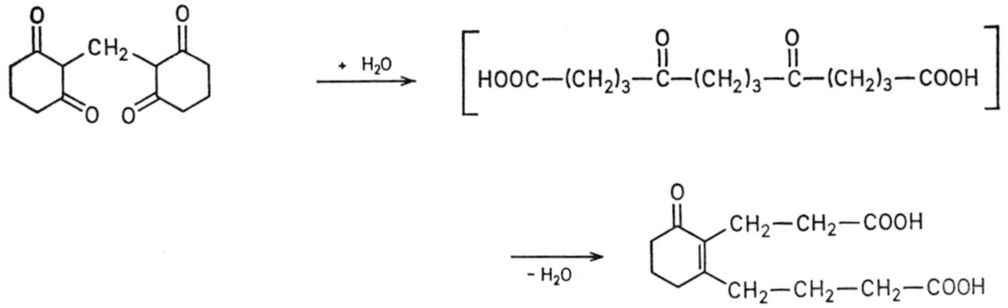

Besonders glatt verläuft die Spaltung bei den 1,3-Dioxo-2,2-dialkyl-cyclohexanen, die zu in 6-Stellung verzweigten δ-Oxo-carbonsäuren führt[2]:

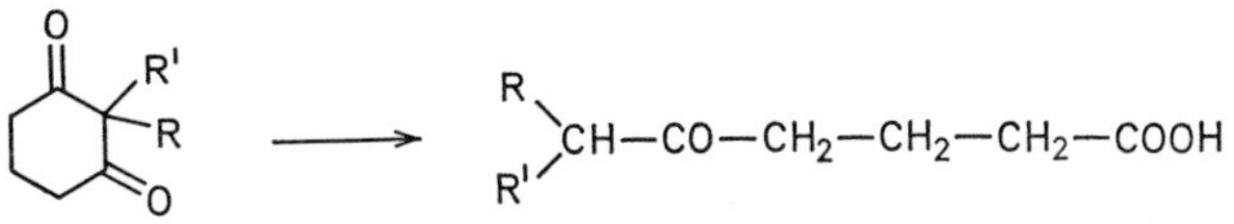

Während für die vollständige Spaltung der 1,3-Dioxo-2-alkyl-cyclohexane 30stdgs. Erhitzen mit starken wäßrigen Laugen notwendig ist, gelingt diese bei den 1,3-Dioxo-2,2-dialkyl-cyclohexanen unter den gleichen Bedingungen in wenigen Minuten. Die Ausbeute liegt in diesem Falle meist über 90%d. Th., da infolge der kurzen Einwirkungszeit des Alkalis sekundäre Veränderungen der gebildeten Oxo-carbonsäuren sich nicht mehr nachteilig auf die Ausbeute auswirken.

An Stelle von Alkali lassen sich für diese Spaltungen in vielen Fällen auch wäßrige Mineralsäuren mit Erfolg verwenden. Die Ausbeuten liegen bei dieser Spaltung sogar meist höher. Am besten verwendet man konz. Salzsäure, mit welcher man das Diketon unter Rückfluß erhitzt. Die Isolierung der gebildeten Oxo-carbonsäure kann dann in einfacher Weise durch Einengen der salzsauren Lösung oder durch Extraktion mit Äther oder Chloroform erfolgen. *4-Oxo-octandisäure* läßt sich auf diese einfache Weise aus 1,3-Dioxo-2-(äthoxycarbonylmethyl)-cylohexan erhalten[3]:

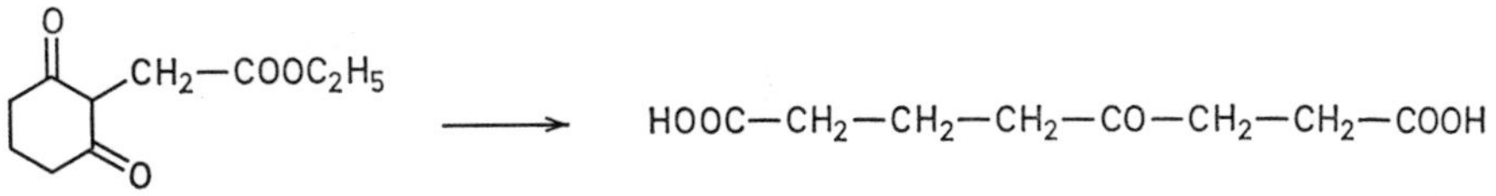

4-Oxo-octandisäure[3]: 65 g 1,3-Dioxo-2-(äthoxycarbonylmethyl)-cyclohexan[4] werden in 500 *ml* konz. Salzsäure gelöst und 8 Stdn. unter Rückfluß erhitzt. Beim Stehenlassen über Nacht hat sich der größte Teil der Säure in farblosen Kristallen abgeschieden. Diese Kristallisation wird

---

[1] D. VORLÄNDER u. F. KALKOW, A. **309**, 348 (1899).

[2] H. STETTER u. E. KLAUKE, B. **86**, 513 (1953).

　　S.a.: I. N. NASAROW, S. I. SAWJALOW u. M. S. BURMISTROWA, Izv. Akad. SSSR **1956**, 205.

[3] H. STETTER u. H. RAUHUT, B. **91**, 2543 (1958).

[4] H. STETTER u. W. DIERICHS, B. **85**, 61 (1952).

durch Kühlung im Eisschrank vervollständigt. Aus der Mutterlauge erhält man beim Einengen noch eine kleine zusätzliche Menge; Ausbeute: 55 g (89% d. Th.); F: 133,5–135°.

Auch vinyloge cyclische β-Diketone lassen sich in analoger Weise mit Alkali in ungesättigte Oxo-carbonsäuren aufspalten. Aus 3,7-Dioxo-6-methyl-bicyclo[4.4.0] decen-(1) konnte bei Behandlung mit 10%-iger Kalilauge in 75%-iger Ausbeute *4-[3-Oxo-6-methyl-cyclohexen-(1)-yl]-butansäure* erhalten werden[1]:

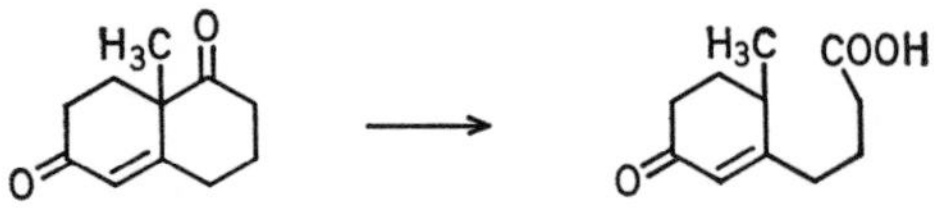

Überraschend ist auch das Verhalten von 2-Oxo-1-acyl-cyclopentanen und -cyclohexanen bei der hydrolytischen Spaltung. Obwohl hier grundsätzlich die Möglichkeit zur Abspaltung des Acyl-Restes unter Rückbildung des cyclischen Ketons besteht, erfolgt die Spaltung ganz überwiegend im Sinne der Ringöffnung. Aus 2-Oxo-1-acyl-cyclopentanen erhält man bei der alkalischen Spaltung ε-Oxo-carbonsäure und entsprechend aus 2-Oxo-1-acyl-cyclohexanen ζ-Oxo-carbonsäuren[2]:

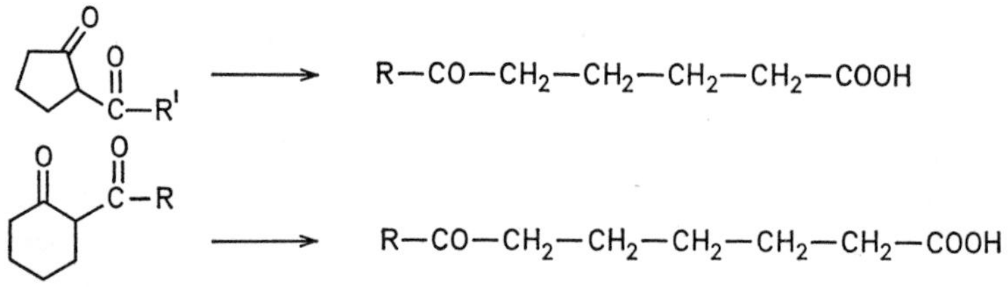

Daß bei Diketonen dieses Typs in bestimmten Fällen auch eine Abspaltung des Acyl-Restes unter Erhaltung des Ringketones möglich ist, zeigt das folgende Beispiel aus der Sterin-Reihe. Mit Kaliumcarbonat in 50%igem Methanol gelingt hier die Abspaltung des Acetyl-Restes in 76%iger Ausbeute[3]:

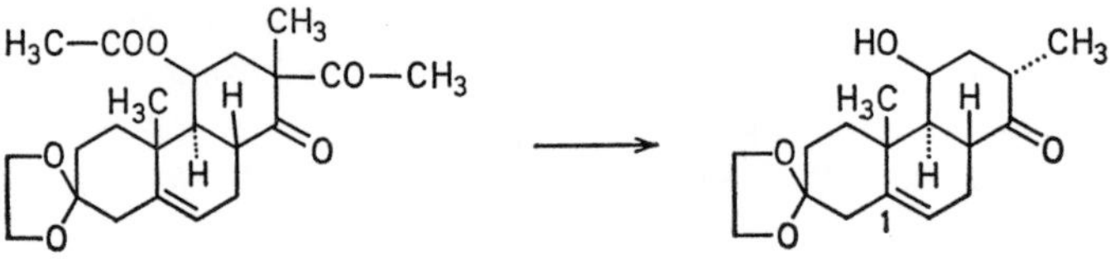

4-Hydroxy-7,7-äthylendioxy-1-oxo-2,4b-dimethyl-1,2,3,4,4a,4b,5,6,7,8,10,10a-dodecahydro-phenan-thren

[1] S. Swaminathan u. M. S. Newman, Tetrahedron 2, 88 (1958).
[2] C. R. Hauser, F. W. Swamer u. B I. Ringler, Am. Soc. 70, 4023 (1948).
  J. Plešek, Chem. Listy 49, 1840 (1955).
  C. R. Hauser u. B. O. Linn, Am. Soc. 79, 731 (1957).
  S. Hünig, E. Lücke u. E. Benzing, B. 91, 129 (1958).
  P. J. Hamrick, C. F. Hauser u. C. R. Hauser, J. Org. Chem. 24, 583 (1959).
  S. Hünig u. E. Lücke, B. 92, 652 (1959)
  S. Hünig u. W. Lendle, B. 93, 913 (1960).
  Über die Spaltung von Cyclotetradecandionen siehe S. Hünig u. H. J. Buysch, B. 100, 4010, 4017 (1967).
[3] R. M. Lukes et al., Am. Soc. 75, 1707 (1953).

Den gleichen Verlauf der Spaltung beobachtet man auch bei dem folgenden Oxo-aldehyd. Die Formyl-Gruppe läßt sich hier durch Erhitzen mit alkoholisch-wäßriger Salzsäure in 88%iger Ausbeute abspalten[1]:

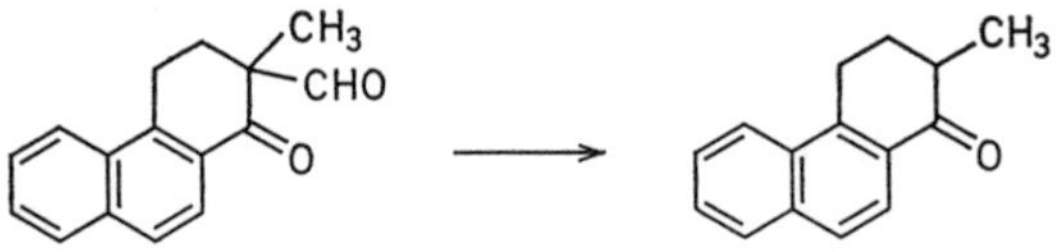

1-Oxo-2-methyl-1,2,3,4-tetrahydro-phenanthren

Da bei den zuletzt angeführten Beispielen die β-Dicarbonyl-Verbindungen über keinen aciden Wasserstoff mehr verfügen und demnach auch nicht mehr enolisierbar sind, scheint das Vorhandensein von freiem acidem Wasserstoff für die Ringspaltung von Bedeutung zu sein.

Aus β-Triketonen erhält man bei vorsichtiger Spaltung β-Diketone. Hier sei auf eine Möglichkeit zur Herstellung von 1,3-Dioxo-1-aryl-butanen hingewiesen, die über die primäre Bildung eines Triketons verläuft. In der ersten Reaktionsstufe setzt man Kupfer-acetylacetonat mit Benzoylchlorid oder einem substituierten Benzoylchlorid um. Das hierbei primär entstehende Triketon wird ohne Isolierung mit Ammoniak unter Abspaltung eines Acetyl-Restes in 1,3-Dioxo-1-aryl-butan überführt[2]. Als Beispiel sei die Herstellung von *1,3-Dioxo-1-(3-nitro-phenyl)-butan* (92% d.Th.) aus Kupfer-acetylacetonat mit 3-Nitro-benzoylchlorid wiedergegeben:

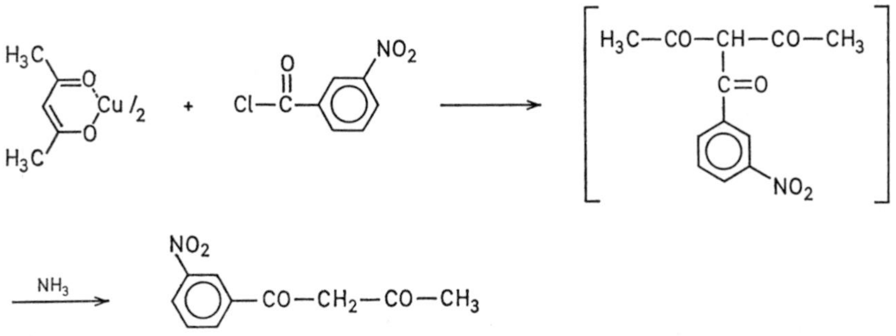

β-Triketone vom Typ der 2,6-Dioxo-1-acyl-cyclohexane ergeben bei der Spaltung die 1,3-Dioxo-cyclohexane, wie das Beispiel der Bildung von *2,6-Dioxo-1-methyl-cyclohexan* durch Hydrolyse mit Salzsäure/1,4-Dioxan von 2,6-Dioxo-1-methyl-1-acetyl-cyclohexan[3] zeigt.

2. Spaltung durch Alkoholyse

Die Spaltung von β-Diketonen kann auch mittels Alkoholyse erfolgen, wobei als Katalysatoren sowohl Alkalimetallalkanolate als auch Mineralsäuren in Betracht kommen:

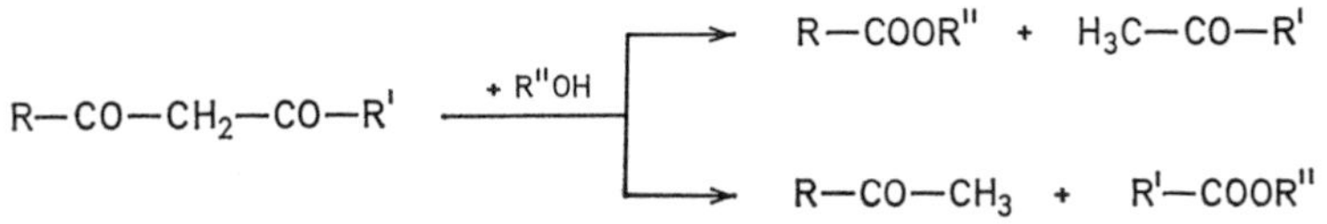

[1] A. L. WILDS u. C. DJERASSI, Am. Soc. **68**, 1715 (1946).
[2] W. J. BARRY, Soc. **1960**, 670.
[3] A. A. AKHREM et al., Izv. Akad. SSSR, Ser. Khim. **1971**, 371.

Am häufigsten bedient man sich der Katalyse durch Natrium-methanolat in wasserfreiem Methanol[1].

Von besonderer Bedeutung ist die Alkoholyse von β-Dicarbonyl-Verbindungen in Verbindung mit der Alkylierung. Eine große Anzahl von Methylketonen konnten durch Alkylierung von Pentandion-(2,4) mit Kaliumcarbonat in Äthanol in guten Ausbeuten erhalten werden[2]. Unter diesen Bedingungen verläuft die Alkylierung und Spaltung durch Alkoholyse gemäß dem folgenden Formelschema in einer Operation:

$$H_3C-CO-CH_2-CO-CH_3 \quad \xrightarrow[\text{K}_2\text{CO}_3,\ \text{C}_2\text{H}_5\text{OH}]{\text{R-Hal}} \quad \left[H_3C-CO-\overset{\displaystyle R}{\underset{\displaystyle |}{C}}H-CO-CH_3 \right]$$

$$\longrightarrow \quad H_3C-COOC_2H_5 \quad + \quad H_3C-CO-CH_2-R$$

2-Oxo-alkane; allgemeine Herstellungsvorschrift: Eine Mischung von 0,11 Mol Pentandion-(2,4), 0,10 Mol Halogenalkan und 0,11 Mol wasserfreiem Kaliumcarbonat werden in 100 *ml* absol. Äthanol 16 Stdn. unter Rückfluß erhitzt. Nachdem man das Äthanol und geringe, bei der Reaktion gebildete Mengen von Essigsäure-äthylester abdestilliert hat, wird der Rückstand mit 150 *ml* Wasser zur Lösung der Salze geschüttelt. Das Gemisch wird dann 3 mal mit je 150 *ml* Äther extrahiert. Nach dem Trocknen des Ätherextraktes über Magnesiumsulfat und dem Abdestillieren des Äthers wird der Rückstand i. Vak. destilliert oder umkristallisiert, wenn es sich um ein festes Keton handelt.

Tab. 166 gibt einen Überblick über die durchgeführten Reaktionen dieses Typs.

Tab. 166. 2-Oxo-alkane aus Pentandion-(2,4) und einem Halogenalkan[3]

Halogenalkan	Keton	Ausbeute [% d.Th.]
1-Jod-butan	*Heptanon-(2)*	60
3-Chlor-2-methyl-propen	*5-Oxo-2-methyl-hexen-(1)*	47–52
2-Chlor-1-oxo-1-phenyl-äthan	*1,4-Dioxo-1-phenyl-pentan*	55
Benzylchlorid	*3-Oxo-1-phenyl-butan*	73
2-Brom-benzylbromid	*3-Oxo-1-(2-brom-phenyl)-butan*	75
3-Brom-benzylbromid	*3-Oxo-1-(3-brom-phenyl)-butan*	78
2-Chlor-benzylchlorid	*3-Oxo-1-(2-chlor-phenyl)-butan*	78
3-Chlor-benzylbromid	*3-Oxo-1-(3-chlor-phenyl)-butan*	65
4-Chlor-benzylbromid	*3-Oxo-1-(4-chlor-phenyl)-butan*	62
3-Fluor-benzylchlorid	*3-Oxo-1-(3-fluor-phenyl)-butan*	60
3-Nitro-benzylchlorid	*3-Oxo-1-(3-nitro-phenyl)-butan*	65
1-Chlormethyl-naphthalin	*3-Oxo-1-naphthyl-(1)-butan*	61

Zu diesem Reaktionstyp gehört auch die unter gleichzeitiger Alkoholyse verlaufende Michael-Addition von α,β-ungesättigten Carbonyl-Verbindungen und Nitrilen an 1,3-Dioxo-2-alkyl-cyclohexane.

---

[1] H. Adkins u. W. Kutz, Am. Soc. **52**, 4036 (1930).
  W. Kutz u. H. Adkins, Am. Soc. **52**, 4391 (1930).
[2] S. Boatman, T. M. Harris u. C. R. Hauser, J. Org. Chem. **30**, 3321 (1965).
[3] Vgl. a. S. Boatman u. C. R. Hauser, Org. Synth. **47**, 87 (1967).

Präparative Bedeutung besitzt auch die Alkoholyse von Diacyl-essigsäure-estern mit Alkalimetallalkanolaten in wasserfreien Alkoholen zur Herstellung von *β-Oxo-carbonsäure-estern.* Es gilt hier die Regel, daß vorzugsweise der kleinere Acyl-Rest abgespalten wird. Aus 2-Acetyl-3-oxo-octansäure-äthylester erhält man so zum Beispiel beim Stehenlassen mit Natrium-methanolat in wasserfreiem Methanol *3-Oxo-octansäure-methylester*[1] (88% d. Th.):

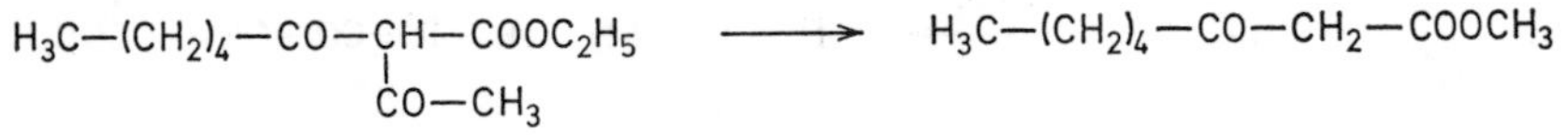

$$H_3C-(CH_2)_4-CO-CH-COOC_2H_5 \longrightarrow H_3C-(CH_2)_4-CO-CH_2-COOCH_3$$
$$\overset{|}{CO}-CH_3$$

Weitere Einzelheiten über diese Methode s. ds. Handb., Bd. VIII, S. 615.

Da auch auf Triketone die gleiche Methode anwendbar ist, kann man ausgehend von Pentandion-(2,4) schrittweise *1,3-Dioxo-1-phenyl-butan* und *1,3-Dioxo-1,3-diphenyl-propan* herstellen[2]:

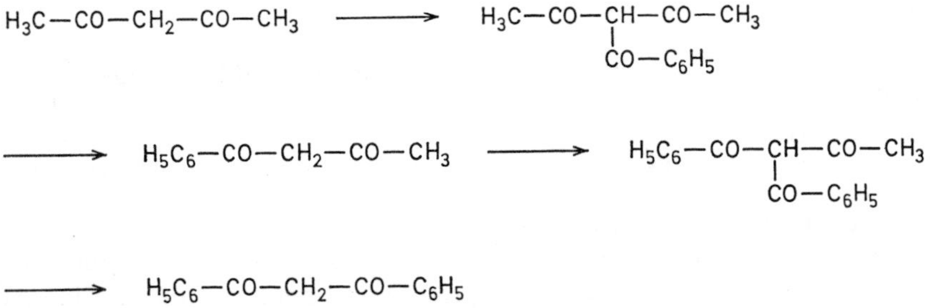

$$H_3C-CO-CH_2-CO-CH_3 \longrightarrow H_3C-CO-CH-CO-CH_3$$
$$\overset{|}{CO}-C_6H_5$$

$$\longrightarrow H_5C_6-CO-CH_2-CO-CH_3 \longrightarrow H_5C_6-CO-CH-CO-CH_3$$
$$\overset{|}{CO}-C_6H_5$$

$$\longrightarrow H_5C_6-CO-CH_2-CO-C_6H_5$$

Eine große Anzahl von Estern der *3-Oxo-2,2,4-trimethyl-pentansäure* wurden bei der durch Alkali katalysierten Alkoholyse von 2,4-Dioxo-1,1,3,3-tetramethyl-cyclobutan (dimeres Dimethylketen) erhalten[3]:

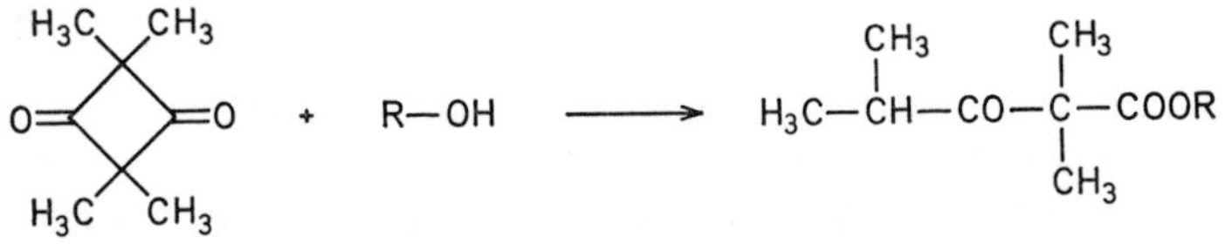

$$\underset{H_3C\ \ \ CH_3}{\overset{H_3C\ \ \ CH_3}{O=\square=O}} + R-OH \longrightarrow H_3C-\underset{CH_3}{\overset{CH_3}{CH}}-CO-\underset{CH_3}{\overset{CH_3}{\underset{|}{\overset{|}{C}}}}-COOR$$

Die Alkoholyse von *β*-Diketonen kann auch durch Einwirkung von Chlorwasserstoff in wasserfreiem Alkohol bei 60° erreicht werden[4].

3. Spaltung durch Ammonolyse oder Aminolyse

Die Spaltung von *β*-Diketonen kann auch durch Einwirkung von Ammoniak oder Aminen erfolgen. Hierbei erhält man neben den Ketonen die entsprechenden Carbonsäure-amide:

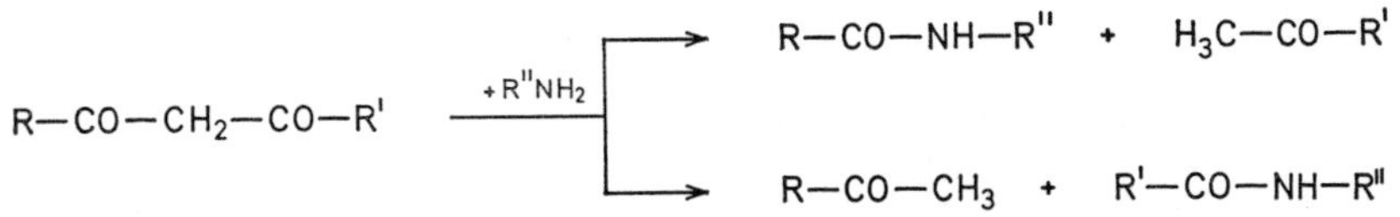

$$R-CO-CH_2-CO-R' \xrightarrow{+R''NH_2} \begin{array}{l} R-CO-NH-R'' + H_3C-CO-R' \\ R-CO-CH_3 + R'-CO-NH-R'' \end{array}$$

[1] S. B. Soloway u. F. B. La Forge, Am. Soc. **69**, 2677 (1947).
[2] H. Henecka, *Chemie der β-Dicarbonyl-Verbindungen*, S. 136, Springer Verlag, Berlin · Göttingen · Heidelberg 1950.
[3] US.P. 3197500 (1960), The Givaudan Corp., Erf.: G. C. Kitchens u. T. F. Wood; C. A. **63**, 13087 (1965).
[4] H. Adkins, W. Kutz u. D. D. Coffmann, Am. Soc. **52**, 3212 (1930).

Aus 1,3-Dioxo-1,3-diphenyl-propan erhält man z.B. beim Erhitzen mit Anilin neben *Acetophenon* Benzanilid[1].

Präparative Bedeutung besitzt die Ammonolyse von Diacyl-essigsäureestern, die unter Bildung von β-Oxo-carbonsäureestern und Abspaltung des kleineren Acyl-Restes in Form von Carbonsäure-amid verläuft[2]:

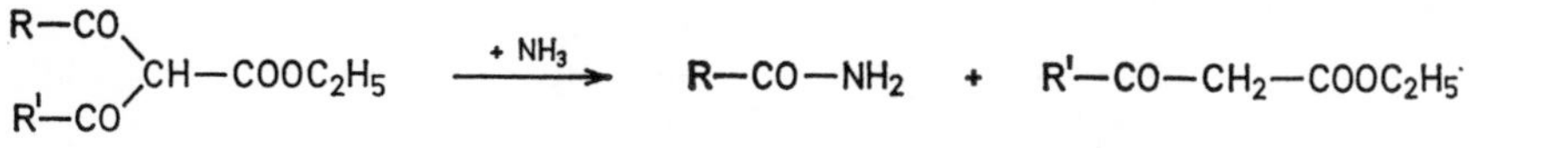

$$\begin{array}{c} R-CO \\ \diagdown \\ CH-COOC_2H_5 \\ \diagup \\ R'-CO \end{array} \xrightarrow{+\ NH_3} R-CO-NH_2 \ + \ R'-CO-CH_2-COOC_2H_5$$

Näheres über diese Methode s. ds. Handb., Bd. VIII, S. 615.

Bei der Einwirkung von primären oder sekundären Aminen auf 2,4-Dioxo-1,1,3,3-tetraalkyl-cyclobutane erhält man die Amide der zugehörigen verzweigten β-Oxo-carbonsäuren[3]; z. B.:

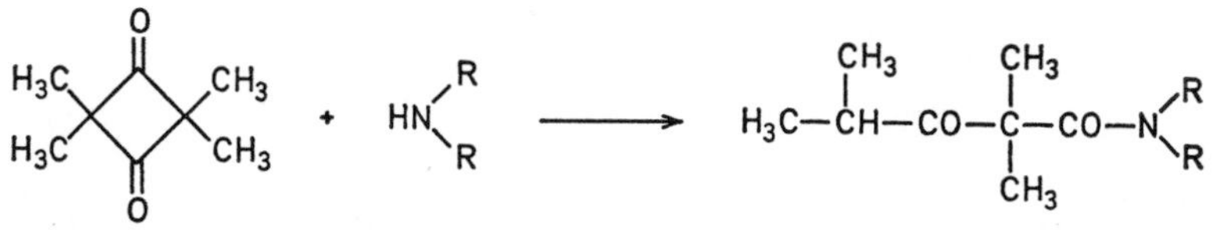

3-Oxo-2,2,4-trimethyl-pentansäure-amide

Das durch Dimerisierung von Phenylketen entstehende 2,4-Dioxo-1,3-diphenyl-cyclobutan gibt auf Grund seines stark sauren Charakters primär mit Ammoniak und Aminen Salze, die beim Erhitzen in inerten Lösungsmitteln unter Ringspaltung 3-Oxo-2,4-diphenyl-butansäure-amide geben:

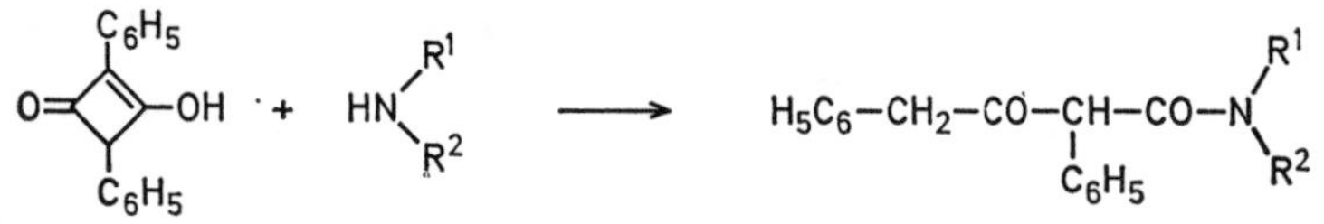

Mit Ammoniak, Butylamin, tert. Butylamin, Dimethylamin, Pyrrolidin, Morpholin und Anilin konnten die entsprechenden Amide in Ausbeuten von 30–91% d.Th. erhalten werden[4].

Läßt man 2,4-Dioxo-1,1,3,3-tetramethyl-cyclobutan mit 1,2-Diamino-benzol reagieren, so erhält man 2-[3-Oxo-2,4-dimethyl-pentyl-(2)]-benzimidazol[5,6]:

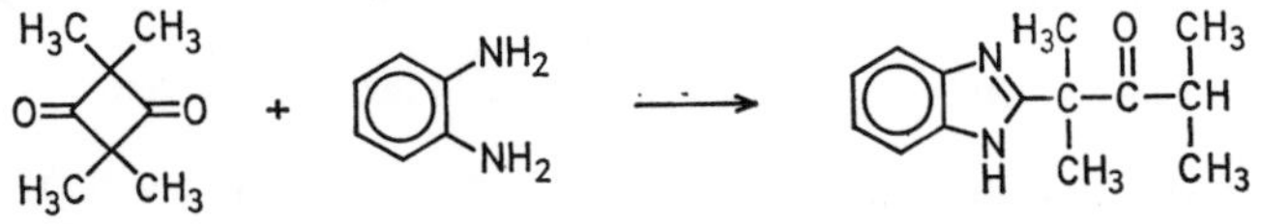

Entsprechend lassen sich analoge Imidazoline[5], 4,5-Dihydro-pyrimidine[5] und Pyrimidine[6] erhalten.

[1] E. Roberts u. E. E. Turner, Soc. 1927, 1857.
[2] R. L. Shriner u. A. G. Schmidt, Am. Soc. 51, 3636 (1929).
    L. Claisen, A. 291, 71 (1896).
    R. L. Shriner, A. G. Schmidt u. L. J. Roll, Org. Synth., Coll. Vol. II, 266 (1943).
[3] US.P. 3072724 (1960), Eastman Kodak Co., Erf.: E. U. Elam u. R. H. Hasek; C. A. 58, 13925 (1963).
    G. R. Hansen u. T. E. Burg, J. heterocycl. Chem. 4, 653 (1967).
[4] S. Linke, J. Kurz u. C. Wünsche, A. 1973, 936.
[5] G. R. Hansen u. R. A. DeMarco, J. heterocycl. Chem. 6, 291 (1969).
[6] S. Linke u. C. Wünsche, J. heterocycl. Chem. 10, 333 (1973).

Mit 2-Amino-phenolen reagiert 2,4-Dioxo-1,1,3,3-tetramethyl-cyclobutan unter Bildung von *2-[3-Oxo-2,4-dimethyl-pentyl-(2)]-⟨benzo-1,3-oxazol⟩*[1]:

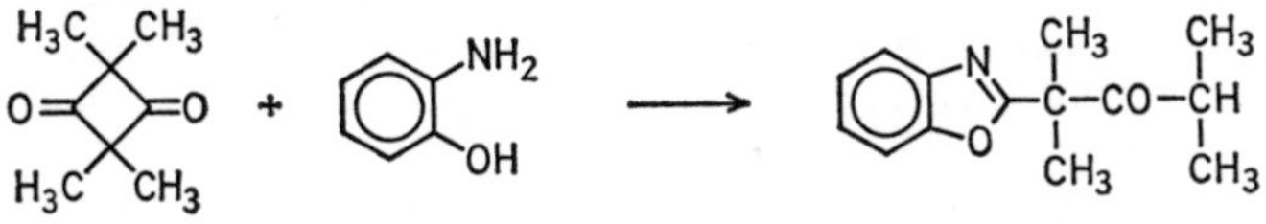

In gleicher Weise erhält man mit 2-Amino-thiophenolen Ketone der Benzo-1,3-thiazol-Reihe. Aliphatische 2- und 3-Hydroxy- sowie 2- und 3-Mercapto-amine geben 2-substituierte 1,3-Oxazoline, 5,6-Dihydro-4H-1,3-oxazine, 1,3-Thiazoline und 5,6-Dihydro-4H-1,3-thiazine[1].

4. Spaltung durch Nitrosierung

Während β-Dicarbonyl-Verbindungen mit freier CH$_2$-Gruppe durch salpetrige Säure oder deren Ester unter Bildung von Oximen reagieren, die ihrerseits stabil sind, ergeben monoalkylierte β-Dicarbonyl-Verbindungen Nitroso-Verbindungen, die sehr leicht hydrolytisch oder alkoholytisch gespalten werden[2]:

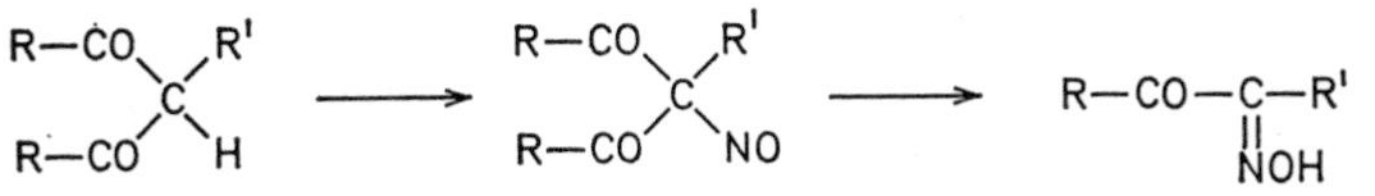

R = Alkyl , Aryl , OH , OR

β-Diketone und β-Oxo-carbonsäuren bilden hierbei die Monoxime von α-Diketonen, die ihrerseits in α-Diketone überführt werden können (S. 800). Alkylierte β-Oxo-carbonsäureester und alkylierte Malonsäuren oder deren Diester ergeben die Oxime der α-Oxo-carbonsäuren, aus denen die zugehörigen α-Oxo-carbonsäuren erhalten werden können (S. 806).

Präparative Bedeutung besitzt die nitrosierende Spaltung bei alkylierten cyclischen β-Diketonen vom Typ der 1,3-Dioxo-1-alkyl-cyclohexane, die zu Oxo-hydroximino-carbonsäuren führt[3], aus denen δ,ε-Dioxo-carbonsäuren erhalten werden können (S. 806):

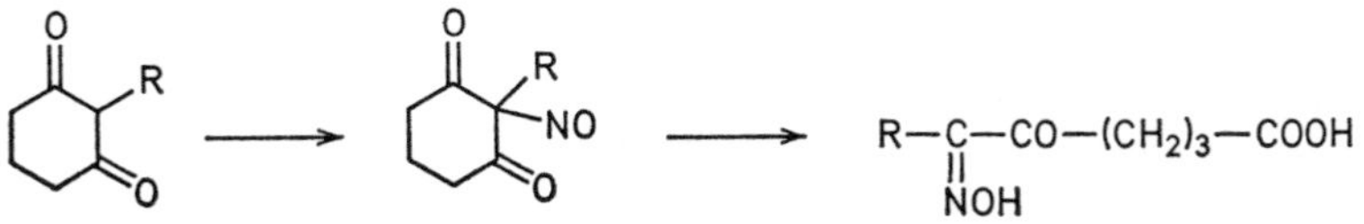

Die Spaltung kann sowohl in wäßriger Lösung mit salpetriger Säure als auch in absol. alkoholischer Lösung mit Alkylnitriten und Mineralsäure als Katalysator durchgeführt werden. Im letzten Falle gelangt man zu den Estern der ringoffenen Oxo-hydroximino-carbonsäuren[3].

[1] S. Linke, J. heterocycl. Chem. **10**, 721 (1973).
[2] O. Touster, Organic Reactions VII, S. 327 (1953).
[3] H. Stetter, R. Engl u. R. Rauhut, B. **91**, 2882 (1958).

5-Oxo-6-hydroximino-heptansäure: 6,3 g (0,05 Mol) 1,3-Dioxo-2-methyl-cyclohexan werden in einem Dreihalskolben, der ein Gemisch von 100 *ml* Tetrahydrofuran und 10 *ml* konz. Salzsäure enthält, bis zur völligen Lösung gerührt. Darauf tropft man innerhalb 1 Stde. eine Lösung von 3,5 g Natriumnitrit in 20 *ml* Wasser hinzu. Man rührt dann noch weitere 6 Stdn., wobei sich das Gemisch gelb färbt und eine Trennung in 2 Schichten eintritt. Die wäßrige Schicht wird abgetrennt. Die organische Phase engt man i. Vak. bei 30–40° ein, wobei man die Destillation unterbricht, wenn die Siedetemp. 40° erreicht hat. Der Rückstand wird mit Äther extrahiert, die Äther-Schicht mit Wasser gewaschen und mit Natriumsulfat getrocknet. Nach dem Abdestillieren des Äthers erhält man das rohe Oxim, das aus Benzol oder Chloroform umkristallisiert werden kann; Ausbeute: 6,8 g (80% d.Th.); F: 104–105°.

Einen überraschenden Verlauf nimmt die nitrosierende Spaltung von 2-Acyl-amino-1,3-dioxo-cyclohexanen. Man erhält hierbei 5-Alkyl-3-(4-carboxy-butanoyl)-1,2,4-oxadiazole entsprechend folgendem Reaktionsschema[1]:

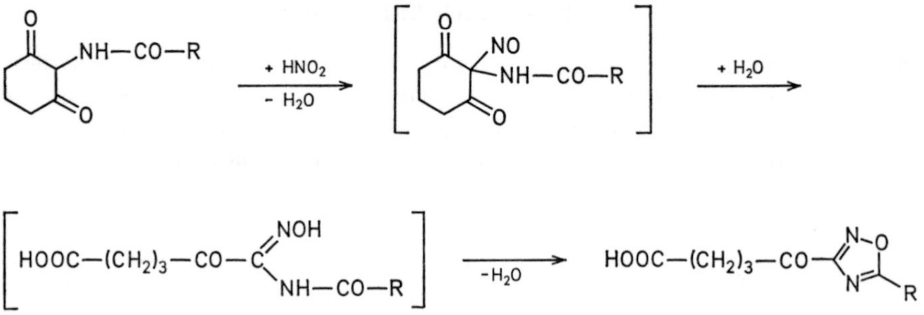

Eine weitere präparativ wichtige Methode zur Herstellung von α-Hydroximino-ketonen und damit auch der entsprechenden α-Diketone ist die nitrosierende Spaltung der α-monoalkylierten β-Oxo-carbonsäuren, wobei man nach Verseifung der Ester salpetrige Säure[2, 3] oder Alkylnitrite[4] einwirken läßt. Die hierbei erzielten Ausbeuten sind meist ausgezeichnet.

2-Oxo-1-hydroximino-cyclohexan[3]:

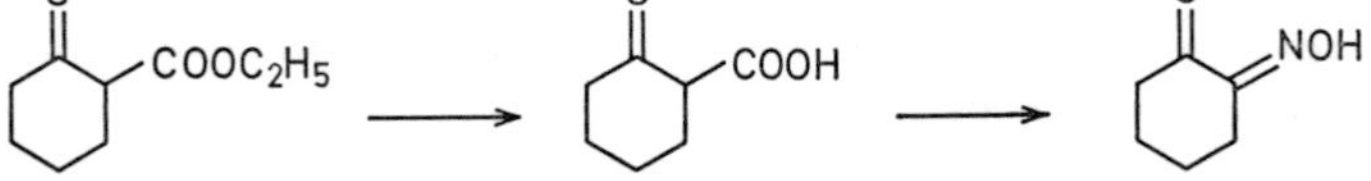

Eine Lösung von 11,0 g Natriumhydroxid in 200 *ml* Wasser gibt man langsam zu 42,5 g 2-Oxo-cyclohexan-1-carbonsäure-äthylester. Darauf fügt man 17,2 g Natriumnitrit, gelöst in 50 *ml* Wasser hinzu und schüttelt das Gemisch 48 Stdn. bei Raumtemperatur. Die schwach gelbe Lösung wird dann auf 0° gekühlt und unter Schütteln mit 100 *ml* 6 n Schwefelsäure versetzt. Dabei entwickelt sich eine beträchtliche Menge Gas. Man läßt 30 Min. stehen und extrahiert dann 10mal mit je 50 *ml* Äther. Die Äther-Lösung wird durch 20 Min. langes Schütteln mit Magnesiumsulfat getrocknet. Man destilliert den Äther bei 40° ab und entfernt den Rest bei 70°/20 Torr innerhalb von 5 Min.; Ausbeute: 28,5 g (89% d.Th.); Kp_{20}: 70° (gelbes Öl); kann direkt für die Herstellung des Diketons verwendet werden.

---

[1] H. STETTER u. K. HOEHNE, B. **91**, 1123 (1958).
[2] L. BOUVEANLT u. R. LOCQUIN, Bl. [3] **31**, 1159 (1904).
    R. LOCQUIN, Bl. [3] **31**, 1164 (1904).
[3] T. A. GEISSMAN u. M. J. SCHLATTER, J. Org. Chem. **11**, 771 (1946).
[4] O. DIELS u. G. PLAUT, B. **38**, 1919 (1905).

Bei Verwendung von monoalkylierten β-Oxo-carbonsäureestern unter **wasser-freien** Bedingungen lassen sich die sehr instabilen Nitroso-Verbindungen als Öle isolieren. Diese Nitroso-Verbindungen spalten den Acyl-Rest leicht unter Bildung von α-Hydroximino-carbonsäuren ab, wobei Spuren von Alkali die Bildung des Oxims katalysieren[1]:

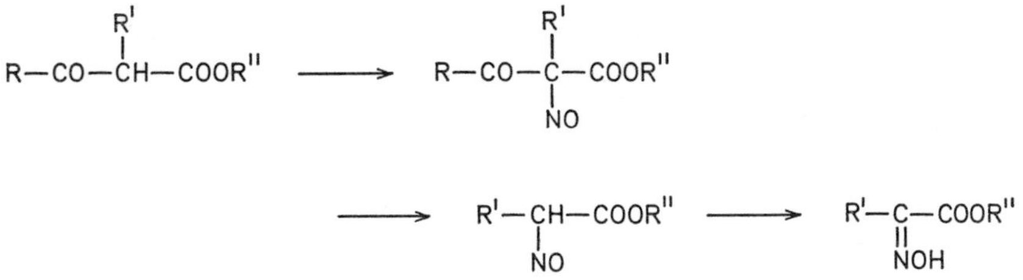

$$R-CO-\underset{\underset{R'}{|}}{CH}-COOR'' \longrightarrow R-CO-\underset{\underset{NO}{|}}{\overset{\overset{R'}{|}}{C}}-COOR''$$

$$\longrightarrow R'-\underset{\underset{NO}{|}}{CH}-COOR'' \longrightarrow R'-\underset{\underset{NOH}{||}}{C}-COOR''$$

Zur nitrosierenden Spaltung der β-Oxo-carbonsäureester wurden angewandt: **Nitrosylschwefelsäure** in konz. Schwefelsäure[2], **Butylnitrit** in 85%iger Schwefelsäure[3] und **Äthylnitrit** mit Chlorwasserstoff[4].

Aus **cyclischen** β-Oxo-carbonsäureestern erhält man durch Nitrosierung in Gegenwart von Alkoholat Ringspaltung unter Bildung von α-Hydroximino-di-carbonsäure-diestern[5], wie das Beispiel der Herstellung von *2-Hydroximino-hexandisäure-diäthylester* aus 2-Oxo-cyclopentan-1-carbonsäure-äthylester zeigt:

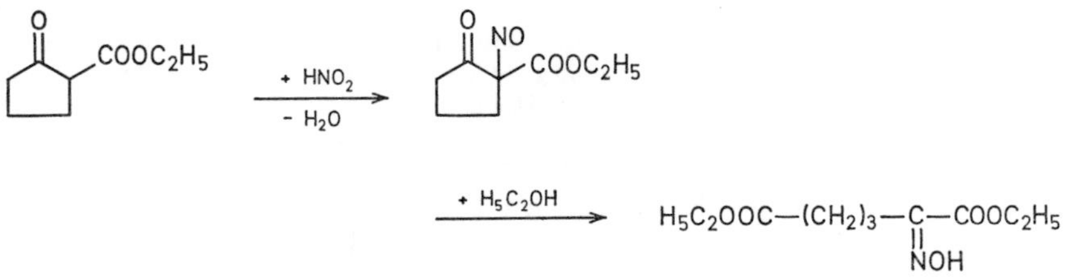

2-Hydroximino-1,4-butanolid[4]:

Zu einer auf 0° bis −5° gekühlten Lösung von 256 g (2 Mol) 2-Acetyl-1,4-butanolid in 500 *ml* Methanol gibt man 300 g (4 Mol) Äthylnitrit. Man läßt das Reaktionsgemisch in einem Eis-Kochsalz-Gemisch 15–20 Stdn. stehen, wobei das Gemisch nach dem Schmelzen des Eises Zimmertemp. annimmt. Das Gemisch wird nun erneut gekühlt und der kristalline Niederschlag abfiltriert. Das Filtrat wird i. Vak. eingeengt und der Rückstand aus dem Dampfbad 2mal mit 100 *ml* Butanol extrahiert. Beim Abkühlen erhält man eine weitere Kristallfraktion, die mit der ersten vereinigt wird; Ausbeute: 196–209 g (85–91% d. Th.).

Zum Gelingen der nitrosierenden Spaltung sind Spuren von Chlorwasserstoff erforderlich, die im Äthylnitrit vorhanden sind. Deshalb eignet sich Äthylnitrit, das unter Verwendung von Schwefelsäure hergestellt wurde, nicht für diese Reaktion.

---

[1] J. SCHMIDT u. K. T. WIDMANN, B. **42**, 498, 1886 (1909).
  J. SCHMIDT u. A. HAID, A. **377**, 23 (1910).
  J. SCMHIDT u. H. DIETERLE, A. **377**, 30 (1910).
[2] L. BOUVEAULT u. R. LOCQUIN, Bl. [3] **31**, 1049, 1055, 1061 (1904); C. r. **135**, 179 (1902).
[3] K. E. HAMLIN u. W. H. HARTUNG, J. Biol. Chem. **145**, 349 (1942).
[4] H. R. SNYDER et al., Am. Soc. **64**, 2083 (1942).
[5] W. DIECKMANN u. A. GROENEWALD, B. **33**, 595 (1900).

Monoalkylierte Malonsäuren geben bei der Nitrosierung ebenfalls α-Hydroximino-carbonsäuren, aus denen die α-Oxo-carbonsäuren erhalten werden können:

$$\begin{array}{ccc} R-CH-COOH & \xrightarrow[- H_2O]{+ HNO_2} & \left[R-\overset{\displaystyle NO}{\underset{\displaystyle COOH}{C}}-COOH \right] \xrightarrow{- CO_2} R-\underset{\displaystyle NOH}{C}-COOH \\ \underset{\displaystyle COOH}{} & & \end{array}$$

Zur nitrosierenden Spaltung können salpetrige Säure[1], Alkylnitrite mit Chlorwasserstoff[2] sowie Nitrosylchlorid[3] angewandt werden.

Verwendet man an Stelle der freien Malonsäure deren Diester, so gelangt man durch nitrosierende Spaltung zu den Estern der α-Hydroximino-carbonsäuren[4].

2-Hydroximino-hexansäure-äthylester[5]:

$$H_9C_4-\underset{\displaystyle COOC_2H_5}{CH}-COOC_2H_5 \longrightarrow H_9C_4-\overset{\displaystyle COOC_2H_5}{\underset{\displaystyle COOC_2H_5}{C}}-NO$$

$$\xrightarrow{C_2H_5OH} \quad H_9C_4-\underset{\displaystyle NOH}{C}-COOC_2H_5$$

64,9 g (0,3 Mol) Butyl-malonsäure-diäthylester werden unter Kühlung mit Eis und Rühren mit 33,8 g (0,4 Mol) Äthylnitrit versetzt, wobei die Temp. auf 0° gehen wird. Die Mischung wird dann auf —10° gekühlt und eine Lösung von 6,9 g Natrium in 138 *ml* absol. Äthanol langsam unter Rühren hinzugegeben. Man entfernt dann das Äthanol durch vorsichtige Vakuumdestillation auf dem Wasserbad. Nach Hinzugeben des gleichen Vol. an Eiswasser extrahiert man mit Äther. Aus dieser Äther-Lösung lassen sich 9,4 g Kohlensäure-diäthylester isolieren. Die wäßrige Lösung wird unter Eiskühlung mit konz. Salzsäure bis $p_H = 5$ angesäuert. Der sich hierbei abscheidende Oximino-carbonsäureester wird in Äther aufgenommen. Nach dem Trocknen der Äther-Lösung wird der Äther abdestilliert; Rohausbeute: 42,8 g (83% d.Th.); F: 49–53°. Nach dem Umkristallisieren aus Petroläther (Kp: 30–50°); Ausbeute: 41,4 g (80% d.Th.); F: 53–55°.

5. Spaltung durch Aryldiazoniumsalze
(Japp-Klingemann-Reaktion)

Bei der Einwirkung von Aryldiazoniumsalzen auf α-alkylierte β-Dicarbonyl-Verbindungen in Gegenwart von Alkali erhält man durch Azokupplung primär die entsprechenden Azo-Verbindungen, die aber sehr leicht eine hydrolytische Spaltung erleiden, wobei die Monophenylhydrazone von α-Dicarbonyl-Verbindungen gebildet werden[6] (s. a. ds. Handb., Bd. X/3, S. 522f.).

Durch Einwirkung von Phenyldiazoniumsalzen auf α-Methyl-acetessigsäureester erhält man auf diese Weise *2-Phenylhydrazono-propansäure*[7]:

$$H_5C_6-N=N-\overset{\displaystyle CH_3}{\underset{\displaystyle COOR}{C}}-CO-CH_3 \xrightarrow{+ H_2O} H_3C-COOH$$

$$+ \quad H_5C_6-N=N-\overset{\displaystyle CH_3}{\underset{\displaystyle COOR}{CH}} \longrightarrow H_5C_6-NH-N=\overset{\displaystyle CH_3}{\underset{\displaystyle COOR}{C}}$$

[1] L. KLETZ u. A. LAPWORTH, Soc. **107**, 1254 (1915).
[2] R. H. BARRY u. W. H. HARTUNG, J. Org. Chem. **12**, 460 (1947).
    R. H. BARRY, A. M. MATTOCKS u. W. H. HARTUNG, Am. Soc. **70**, 693 (1948).
[3] A. S. ONISHSCHENKO, Ž. obšč. Chim. **11**, 197 (1941); C. A. **35**, 7941 (1941).
[4] E. FISCHER u. F. WEIGERT, B. **35**, 3773 (1902).
[5] J. C. SHIVERS u. C. R. HAUSER, Am. Soc. **69**, 1264 (1947).
[6] R. R. PHILLIPS, Org. Reactions **10**, 143 (1959).
    S. M. PARMETER, Org. Reactions **10**, 3 (1959).
[7] F. R. JAPP u. F. KLINGEMANN, B. **20**, 2942, 3284, 3398 (1887); A. **247**, 190, 217 (1888).

Entsprechend erfolgt die Bildung von *2-Phenylhydrazono-3-naphthyl-(2)-propan-säure*[1]. Diese Spaltung ist allgemein anwendbar. Da die entstehenden Phenylhydrazone hydrolytisch gespalten werden können (s. S. 799), ergibt sich so eine Möglichkeit zur Gewinnung von Ketonen.

Besonderes Interesse beansprucht hier die Spaltung von cyclischen β-Dicarbonyl-Verbindungen, die ähnlich wie die Spaltung mit salpetriger Säure unter Ringöffnung verlaufen kann. Bei der Kupplung von Phenyldiazoniumsalzen mit 2-Oxo-cyclopentan-1-carbonsäure-äthylester in alkalischer Lösung erfolgt an Stelle der hydrolytischen Abspaltung der Äthoxycarbonyl-Gruppe die hydrolytische Ringspaltung zu **2-Phenylhydrazono-hexandisäure-1-ester**[2]:

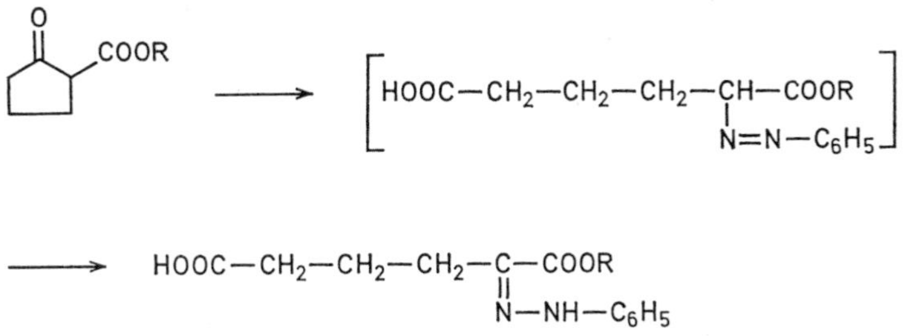

$$
\text{[Cyclopentanon-COOR]} \longrightarrow \left[\text{HOOC}-CH_2-CH_2-CH_2-\underset{\underset{N=N-C_6H_5}{|}}{CH}-COOR \right]
$$

$$
\longrightarrow \text{HOOC}-CH_2-CH_2-CH_2-\underset{\underset{N-NH-C_6H_5}{\|}}{C}-COOR
$$

Verwendet man an Stelle der Ester die freien Oxo-carbonsäuren so tritt im Gegensatz zu dem Verhalten der Ester an Stelle der Ringöffnung eine Kohlendioxid-Abspaltung des Kupplungsproduktes ein, und man erhält das Mono-phenylhydrazon eines cyclischen Diketons. 2-Oxo-cyclohexan-1-carbonsäure gibt so mit 4-Nitro-phenyldiazoniumsulfat unter Abspaltung von Kohlendioxid *2-Oxo-1-(4-nitro-phenyl-hydrazono)-cyclohexan*[3]:

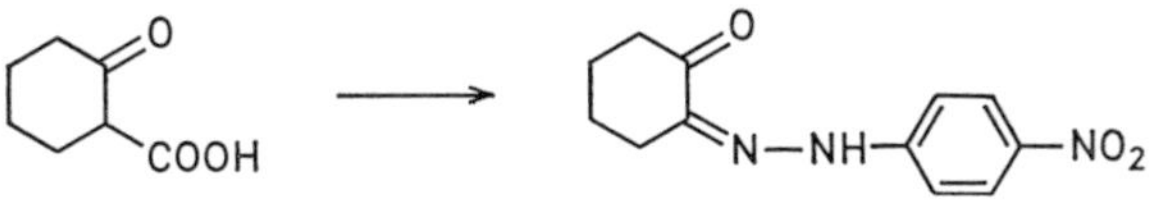

$$
\text{[2-Oxo-cyclohexan-COOH]} \longrightarrow \text{[2-Oxo-cyclohexan} = N-NH-C_6H_4-NO_2 \text{]}
$$

Die Reaktion kann auch mit Erfolg für die Herstellung von 2-Acyl-pyridinen verwendet werden. Zu ihrer Herstellung geht man von α-Pyridyl-(2)-carbonsäuren aus, die bei der Einwirkung von Aryldiazoniumsalzen unter Abspaltung von Kohlendioxid die Arylhydrazone von 2-Acyl-pyridinen ergeben, die ihrerseits bei der Verseifung die freien Ketone ergeben[4]; z. B.:

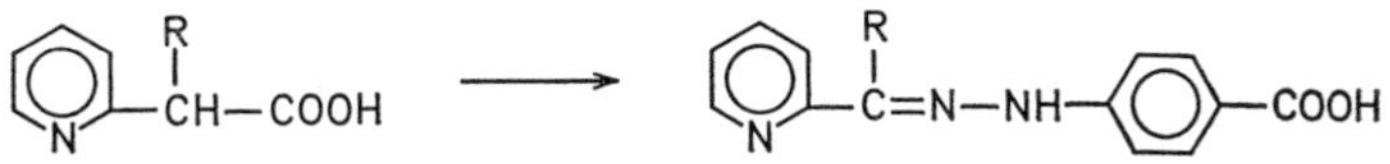

$$
\text{[Pyridyl-}\underset{R}{CH}-COOH] \longrightarrow \text{[Pyridyl-}\underset{R}{C}=N-NH-C_6H_4-COOH]
$$

[1] A. SEMPRONI, G. **68**, 263 (1938).
[2] L. KALB, F. SCHWEIZER u. G. SCHIMPF, B. **59**, 1858 (1926).
 L. KALB et al., B. **59**, 1860 (1926).
[3] R. P. LINSTEAD u. A. BAO-LANG WANG, Soc. **1937**, 807.
[4] R. L. FRANK u. R. R. PHILLIPS, Am. Soc. **71**, 2804 (1949).
 S. a. D. SHAPIRO u. R. A. ABRAMOVITSCH, Chem. & Ind. **1955**, 1255; Am. Soc. **77**, 6690 (1955); Soc. **1956**, 4589.
 H. HENECKA et al., B. **90**, 1060 (1957).

Ein Beispiel für die Spaltung von β-Oxo-aldehyden ist die Einwirkung von Phenyl-diazoniumchlorid auf 2-Oxo-4-methyl-1-formyl-cyclohexan in Gegenwart von Natriumacetat[1]:

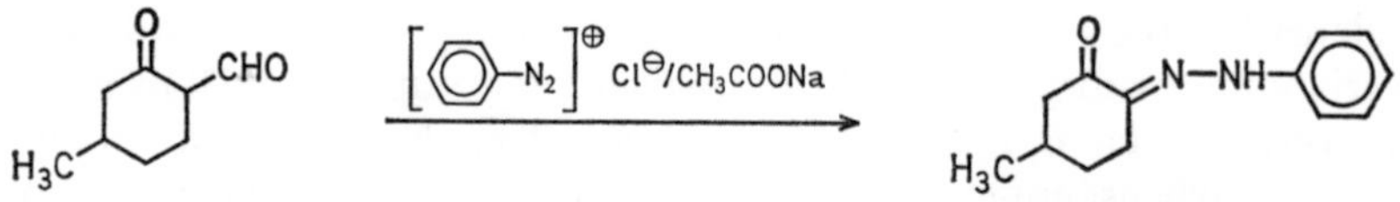

4-Phenylhydrazono-3-oxo-1-methyl-cyclohexan; 75% d.Th.

c) Ketone durch Keton-Spaltung von β-Oxo-carbonsäureestern[2]

Bearbeitet von

Prof. Dr. HANS HENECKA

Bayer AG, Wuppertal-Elberfeld

Die synthetische Bedeutung der β-Oxo-carbonsäureester beruht auf ihrer Spalt-barkeit, die, zumeist hydrolytisch, in zwei verschiedenen Richtungen verlaufen kann:

ⓐ Hydrolytische Abspaltung der Acyl-Gruppe als Carbonsäure, z.B.:

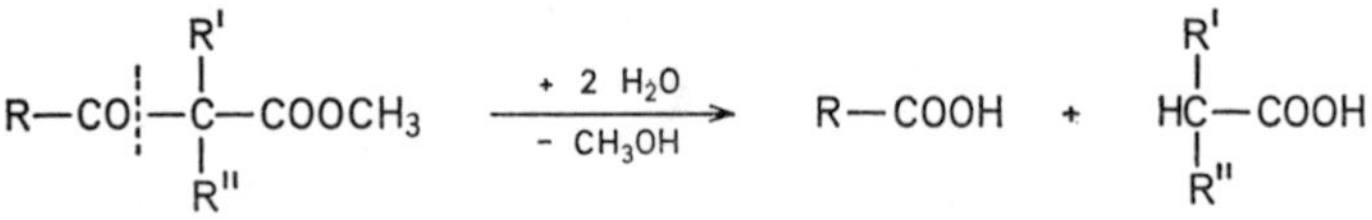

Diese Reaktion stellt praktisch die Rückreaktion der Ester-Kondensation dar; es entstehen die Säuren zurück, durch deren Kondensation der β-Oxo-carbonsäure-ester entstand. Diese Spaltung heißt daher Säure-Spaltung.

Eine Variante der Säure-Spaltung stellt die unter Alkali-Katalyse verlaufende Alkoholyse insbesondere α,α-disubstituierter β-Oxo-carbonsäureester dar, z.B.:

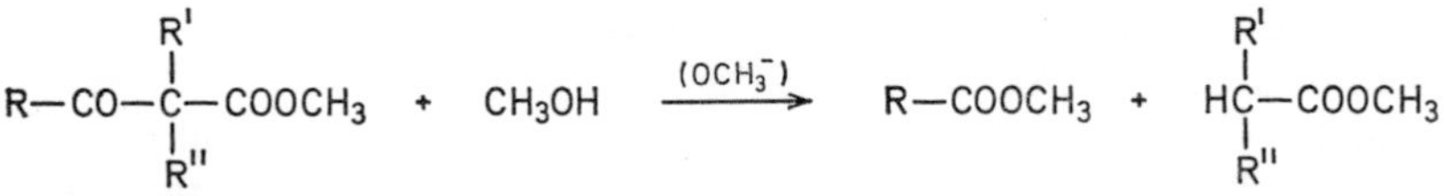

(Vgl. ds. Handb., Bd. VIII, S. 617).

ⓑ Verseifung der Ester-Gruppe führt zur freien β-Oxo-carbonsäure, die unter Decarboxylierung ein Keton bildet, z.B.

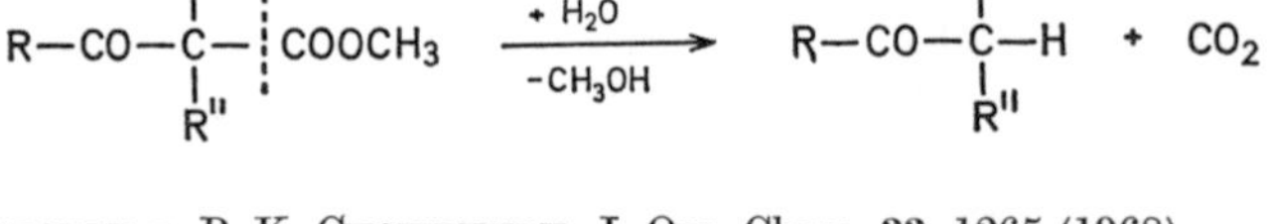

[1] D. P. CHAKRABORTY u. B. K. CHOWDHURY, J. Org. Chem. **33**, 1265 (1968).
  S. a. T. S. GORE u. P. K. INAMDAR, Indian J. Chem. **6**, 14 (1968).
[2] Vgl. a. H. HENECKA, *Chemie der β-Dicarbonylverbindungen*, S. 129 ff., Springer-Verlag Berlin–Göttingen–Heidelberg 1950.

Diese Spaltungsreaktion heißt daher die Keton-Spaltung; sie stellt eine wichtige und weitgehend abwandlungsfähige Keton-Synthese dar, mit deren Hilfe es praktisch gelingt, eine Carbonsäure, R—COOH, über einen β-Oxo-carbonsäureester

$$R-CO-\underset{\underset{R''}{|}}{\overset{\overset{R'}{|}}{C}}-COOR'''$$

in ein Keton,

$$R-CO-\underset{\underset{}{}}{\overset{\overset{R'}{|}}{C}H}-R''$$

umzuwandeln.

Während die Säure-Spaltung im allgemeinen vorwiegend beim Erwärmen mit starker, zweckmäßig alkoholischer Lauge eintritt, bewirkt man Keton-Spaltung durch Einwirkung von verdünnter Säure oder verdünnter Lauge. In Abhängigkeit von der Wahl des spaltenden Mittels tritt gewöhnlich eine der beiden Spaltungen vorwiegend ein, so daß die Reaktionsprodukte meist nicht ganz einheitlich sind, wenn auch die Trennung der Spaltungsprodukte Keton und Carbonsäure keine Schwierigkeiten bereitet[1].

Die Keton-Spaltung wird durch eine Verseifung der Alkoxycarbonyl-Gruppe des β-Oxo-carbonsäureesters eingeleitet. Die Verseifungsgeschwindigkeit ist abhängig von der Substitution der α-CH$_2$-Gruppe: während α-unsubstituierte und α-monosubstituierte β-Oxo-carbonsäureester im allgemeinen relativ leicht verseifbar sind, gelingt die Keton-Spaltung α,α-disubstituierter β-Oxo-carbonsäureester, deren Alkoxycarbonyl-Gruppe an ein quartäres Kohlenstoffatom gebunden ist, mitunter erst unter relativ drastischen Bedingungen.

1. Ketonspaltung von β-Oxo-carbonsäureestern mit Säuren

Eine solche Spaltung verläuft naturgemäß dann besonders glatt, wenn der β-Oxo-carbonsäureester selbst säurelöslich ist, wie etwa beim 3-Oxo-3-pyridyl-(3)-propansäure-äthylester.

3-Acetyl-pyridin-Hydrochlorid[2]:

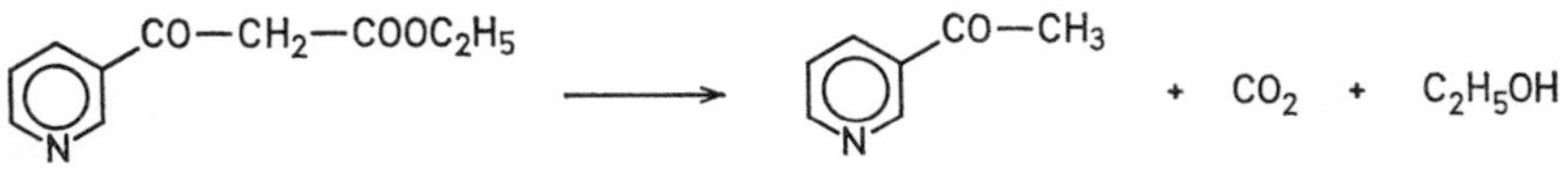

Eine Lösung von 42 g (0,22 Mol) 3-Oxo-3-pyridyl-(3)-propansäure-äthylester in 300 *ml* 10%iger Salzsäure (0,83 Mol) wird 6 Stdn. unter Rückfluß bis zum Aufhören der Kohlendioxid-Abspaltung gekocht. Die erhaltene Lösung wird i. Vak. zur Trockne verdampft und der Rückstand aus Äthanol umkristallisiert; Ausbeute: 27,5 g (80% d. Th.); F: 176–177°.

2- und *4-Acetyl-pyridin* sind aus 3-Oxo-3-pyridyl-(2)- bzw. 3-Oxo-3-pyridyl-(4)-propansäure-äthylester analog zugänglich[3].

---

[1] S.a. A. J. BIRCH et al., Soc. **1963**, 2209.
[2] F. M. STRONG u. S. M. MCELVAIN, Am. Soc. **55**, 818 (1933).
  S.a. H. G. KOLLOFF u. I. H. HUNTER, Am. Soc. **63**, 490 (1941).
  H. O. BURRUS u. G. POWELL, Am. Soc. **67**, 1468 (1945).
[3] A. PINNER, B. **34**, 4240 (1901).
  H. G. KOLLOFF u. J. H. HUNTER, Am. Soc. **63**, 490 (1941).

Bei den im allgemeinen schwerer löslichen nicht basischen β-Oxo-carbonsäureestern arbeitet man zur Keton-Spaltung zweckmäßig in Eisessig unter Zusatz von
Schwefelsäure[1] oder Halogenwasserstoffsäuren, z.T. auch mit Eisessig allein[2]. Bei
schwerer verseifbaren β-Oxo-carbonsäureestern kann man mit Eisessig-Salzsäure,
Eisessig-Bromwasserstoffsäure oder Eisessig-Jodwasserstoffsäure[3] arbeiten, wie
etwa bei der Keton-Spaltung des 2-Äthyl-2-benzoyl-butansäure-äthylesters.

3-Benzoyl-pentan[4]: 15 g (0,06 Mol) 2-Äthyl-2-benzoyl-butansäure-äthylester werden in einem
Gemisch aus 75 ml Eisessig und 75 ml 50%iger Jodwasserstoffsäure 48 Stdn. bis zur Beendigung
der Kohlendioxid-Entwicklung unter Rückfluß zum Sieden erhitzt. Man verdünnt kalt mit
Wasser, nimmt mit Benzol auf, wäscht mit Wasser, entfärbt mit Thiosulfat-Lösung, wäscht
erneut mit Wasser, entsäuert mit Natriumhydrogenkarbonat-Lösung und destilliert nach dem
Trocknen (Natriumsulfat); Ausbeute: 8 g (75% d.Th.); Kp_{10}: 117–118°.

Brauchbar zur Keton-Spaltung sind auch gelegentlich konzentrierte Säuren[5], so
etwa 85%ige Phosphorsäure[6], mit deren Hilfe es z.B. gelingt, 2-Acetyl-heptan-
säureester zu 95% in *Octanon*-(2) überzuführen.

Cyclische, noch enolisierbare β-Oxo-carbonsäureester vom Typ der Oxo-
cyclopentan- und Oxo-cyclohexan-carbonsäureester sind durch saure Verseifung und
Decarboxylierung zumeist glatt zu Ketonen abzubauen[7]. So geht unter dem Einfluß
von Eisessig/27%iger Schwefelsäure der 4-Oxo-5-(4-methoxy-butyl)-tetrahydro-
thiophen-3-carbonsäure-äthylester in *3-Oxo-2-(4-methoxy-butyl)-tetrahydrothiophen*[8]
über:

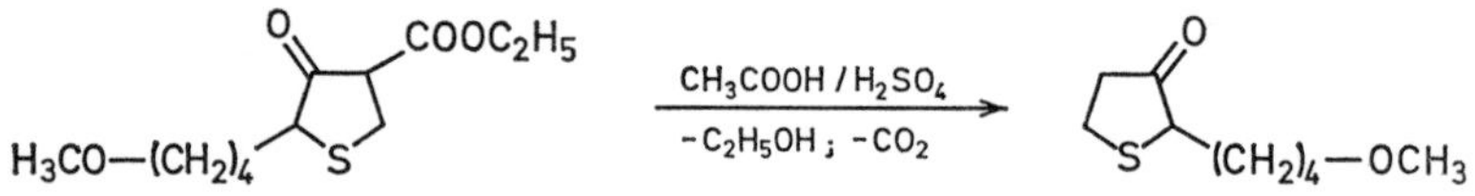

3-Oxo-2-(4-methoxy-butyl)-tetrahydrothiophen: 20 g (0,077 Mol) 4-Oxo-5-(4-methoxy-butyl-
tetrahydrothiophen-3-carbonsäure-äthylester werden unter Stickstoff mit einer Lösung von 40 ml
Eisessig, 40 ml Wasser und 8 ml konz. Schwefelsäure 3 Stdn. unter Rückfluß gekocht. Nach dem
Neutralisieren der Schwefelsäure mit der ber. Menge Natriumcarbonat, Abziehen des Eisessigs
i. Vak. sättigt man mit Natriumchlorid, nimmt mit Äther auf, entsäuert, trocknet und destilliert;
Ausbeute: 11,8 g (81,5% d.Th.); $Kp_{0,05}$ = 102–103°.

[1] B. E. Hudson u. C. R. Hauer, Am. Soc. **63**, 3163 (1941).
   J. C. Shivers, M. L. Dillon u. C. R. Hauser, Am. Soc. **69**, 121 (1947).
[2] W. Dieckmann u. A. Korn, B **41**, 1266 (1908).
   E. R. Meineke u. S. M. McElvain, Am. Soc. **57**, 1445 (1935).
   Über die Keton-Spaltung höherer aliphatischer β-Oxo-carbonsäureseter unter Isolierung der
      intermediär entstehenden β-Oxo-carbonsäuren: M. G. Mitz, A. E. Axelrod, K. Hofmann,
      Am. Soc. **72**, 1231 (1950).
[3] H. Leuchs, A. Heller u. A. Hoffmann, B. **62**, 871 (1929).
[4] B. E. Hudson u. C. R. Hauser, Am. Soc. **63**, 3163 (1941).
[5] L. Bouveault u. R. Locquin, Bl. [3] **31**, 1154 (1904).
   J. W. Baker, Soc. **1950**, 1302.
[6] W. M. Dehn u. K. E. Jackson, Am. Soc. **55**, 4284 (1933).
[7] W. Dieckmann, A. **317**, 99 (1901).
   H. A. Weidlich, B. **71**, 1601 (1938).
   R. H. Martin u. R. Robinson, Soc. **1943**, 496.
   V. Prelog u. S. Szpilfogel, Helv. **28**, 180 (1945).
   D. S. Breslow et al., Am. Soc. **66**, 1921 (1944).
   R. C. Elderfield et al., Am. Soc. **69**, 1258 (1947).
   W. D. McPhee u. E. Klingsberg, Am. Soc. **66**, 1132 (1944).
[8] H. Schmid, Helv. **27**, 137 (1944).

Auch p-Toluolsulfonsäure eignet sich zur Ketonspaltung; so entsteht aus 2,5-Dioxo-cyclohexan-1,4-dicarbonsäure-diäthylester beim Erhitzen in wasserhaltigem Glykol (20 g Ester, 100 *ml* Glykol, 10 *ml* Wasser) bei Gegenwart von p-Toluolsulfonsäure (1 g) mit 85–92% Ausbeute das *1,4-Dioxo-cyclohexan*[1].

Der aus Acetondicarbonsäure-diester und Oxalsäure-diester erhältliche 1,3,4-Trioxo-cyclopentan-2,5-dicarbonsäure-diester muß 90 Min. mit konz. Salzsäure erhitzt werden, um eine Decarboxylierung zum *2,4,5-Trioxo-cyclopentan* (62 % d. Th.; F: 172,5°) zu erreichen[2].

α-Substituierte, nicht mehr enolisierbare, alicyclische β-Oxo-carbonsäureester sind als solche nur schwer zu Ketonen spaltbar. Hier gelangt man auf einem Umweg zum Ziel. Durch Behandlung mit Natrium-alkanolat in alkoholischer Lösung tritt Isomerisierung ein zu einem α-unsubstituierten β-Oxo-carbonsäureester, der bei der anschließend nunmehr leicht mit Säure durchführbaren Keton-Spaltung dasselbe Keton ergibt, das das schwerer spaltbare Ausgangsmaterial geben würde[3], z.B.:

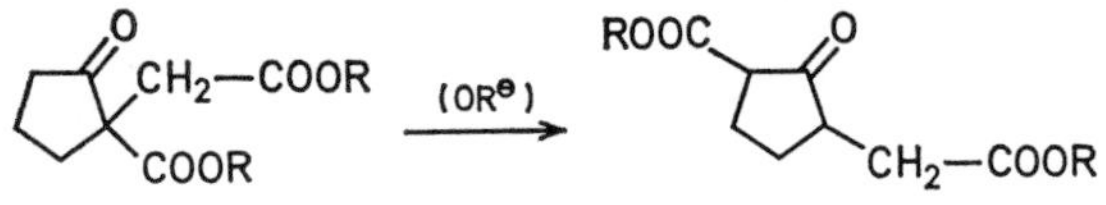

(2-Oxo-cyclopentyl)-essigsäure

Ist bei einem α-substituierten alicyclischen β-Oxo-carbonsäureester eine solche Isomerisierung nicht möglich, z. B. beim 3-Oxo-1-methyl-4-isopropyl-cyclohexen-(1)-4-carbonsäure-äthylester, dann benutzt man zur Ketonspaltung konzentrierte Mineralsäuren. Bei 1 stdgm. Erhitzen mit 95%-iger Schwefelsäure auf 120–130° entsteht aus dem oben erwähnten Ester das *3-Oxo-1-methyl-4-isopropyl-cyclohexen*[4] (*Piperiton*).

Hochgliedrige cyclische α-Cyan-ketonimine lassen sich in saurem Medium stufenweise zu α-Cyan-ketonen und diese schließlich zu Ketonen verseifen[5]; z.B.:

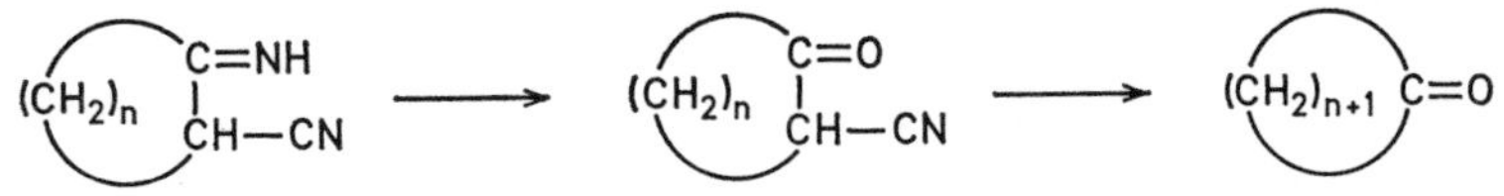

Auch α,α-disubstituierte β-Oxo-carbonsäureester, deren Oxo-Gruppe Glied eines Bicyclus ist, lassen sich mit Eisessig/Salzsäure zu Ketonen abbauen. So geht der „Meerwein-Ester", 2,6-Dioxo-bicyclo[1.3.3]nonan-1,3,5,7-tetracarbonsäure-tetramethylester auf diesem Weg über in *2,6-Dioxo-bicyclo[3.3.1]nonan*[6]:

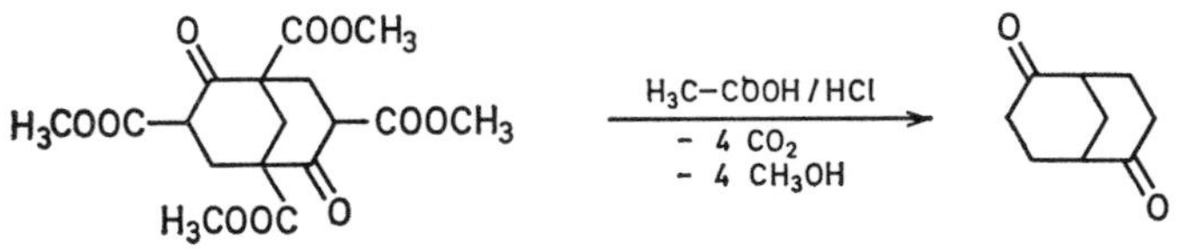

[1] S. A. PATWARDHAN u. S. DEV, Synthesis **1971**, 427.
[2] J. M. BOOTHE et al., Am. Soc. **75**, 1732 (1953).
[3] N. N. CHATTERJEE, B. K. DAS u. G. N. BARPUJARI, J. indian chem. Soc. **17**, 161 (1940).
    W. B. RENFROW, A. RENFROW , E. SHOUN, u. C. A. SCARS, Am. Soc. **73**, 317 (1951).
    S. a. ds. Handb., Bd. VIII, S. 576.
[4] H. HENECKA, B. **82**, 112 (1949).
[5] Vgl. ds. Handb., Bd. IV/2, S. 763.
[6] H. STETTER, H. HELD u. A. SCHULTE-OESTRICH, B. **95**, 1687 (1962).

β-Oxo-carbonsäure-nitrile sind ebenfalls mit Eisessig/Salzsäure in Ketone über-führbar. Aus dem Kondensationsprodukt von Phenyl-acetonitril mit Bernstein-säure-diester erhält man auf diese Weise nach 14 stdg. Kochen *4-Oxo-5-phenyl-pentan-säure* (70% d. Th.)[1]:

$$H_5C_6-\underset{\underset{CN}{|}}{CH}-CO-(CH_2)_2-COOC_2H_5 \xrightarrow[\substack{-NH_4Cl \\ -CO_2 \\ C_2H_5OH}]{H_3C-COOH/HCl}$$

$$H_5C_6-CH_2-CO-CH_2-CH_2-COOH$$

Über die Herstellung von *2-Oxo-1-phenyl-heptan* (>80% d. Th.) aus 3-Oxo-2-phenyl-butansaure-nitril durch Erwärmung mit konz. Schwefelsäure s. Org. Synth. II, S. 391.

Die durch Kondensation von Oxalsäure-diester mit Fettsäureestern entstehenden 3-Oxo-2-alkyl-bernsteinsäure-diester gehen beim Kochen mit wäßrigen Mineralsäuren in α-Oxo-carbonsäuren über[2]:

$$R-\underset{\underset{CO-COOC_2H_5}{|}}{CH}-COOC_2H_5 \longrightarrow R-CH_2-CO-COOH + CO_2 + 2\ C_2H_5OH$$

Da α-Oxo-carbonsäuren bei Gegenwart von Alkohol sehr leicht unter Säurekata-lyse verestern, erhält man bei der Aufarbeitung eines solchen alkohol-haltigen An-satzes ein Gemisch der α-Oxo-carbonsäure und ihres Esters, das anschließend leicht vollständig zu verestern ist[3].

2-Oxo-butansäure-äthylester: 100 g (0,5 Mol) 3-Oxo-2-methyl-bernsteinsäure-diäthylester werden mit 100 *ml* Wasser und 200 *ml* konz. Salzsäure 2–3 Stdn. unter Rückfluß gekocht. Nach dem Abkühlen sättigt man die homogene Lösung mit Natriumchlorid und extrahiert danach kontinuierlich mit Äther. Man trocknet die Äther-Lösung mit Natriumsulfat, verdampft den Äther und destilliert den Rückstand. Auf diese Weise erhält man ein bei 88–102° siedendes, leicht erstarrendes Gemisch etwa gleicher Teile 2-Oxo-butansäure und ihres Äthylesters; Aus-beute 50 g.

Zur vollständigen Veresterung wird das so erhaltene Destillat (50 g) mit 60 *ml* Benzol, 50 *ml* absol. Alkohol und 2 *ml* alkoholischer Salzsäure 90 Min. unter Rückfluß gekocht und anschließend fraktioniert destilliert; Ausbeute: 48 g (75% d. Th.); Kp_60: 91–94°; Kp_11: 59°.

Diese Keton-Spaltung von 3-Oxo-2-alkyl-bernsteinsäure-diestern gelingt nur dann, wenn ein noch enolisierbarer α-monosubstituierter 3-Oxo-2-alkyl-bernsteinsäure-diester vorliegt. Dagegen gelingt die Keton-Spaltung mit verdünnten Säuren bei den durch Kondensation von 3-Oxo-2-alkyl-bernsteinsäure-diestern mit Formaldehyd entstehenden nicht mehr enolisierbaren 2-Oxo-3-alkyl-3-hydroxymethyl-bernsteinsäure-4-ester-1,4-lacton:

R = Alkyl

[1] Y. Izumi et al., Bl. chem. Soc. Japan **38**, 1338 (1965).
[2] W. Wislicenus u. E. Arnold, A. **246**, 333 (1888).
   F. Adickes u. G. Andresen, A. **555**, 48 (1944).
[3] E. Vogel u. H. Schinz, Helv. **33**, 116 (1950).

aus denen sich hierbei die praktisch vollständig enolisierten 2-Oxo-3-alkyl-γ-butyro-lactone bilden[1].

Cyclische (Lacton) Acetessigsäureester (α-Acyl-lactone) lassen sich durch Erhitzen mit Salzsäure in ω-Chlor-2-oxo-alkane überführen; z. B.[2]:

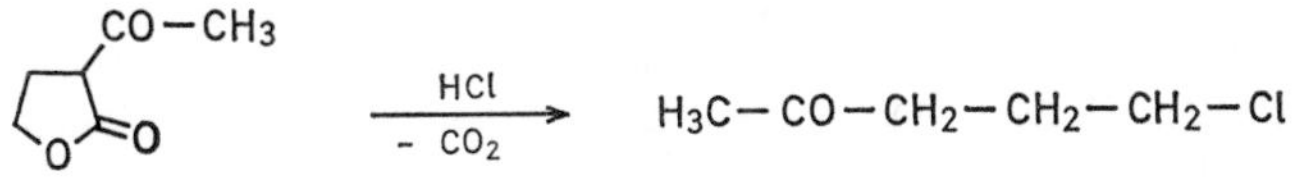

$$\xrightarrow[- CO_2]{HCl}\quad H_3C-CO-CH_2-CH_2-CH_2-Cl$$

1-Chlor-4-oxo-pentan

α-Acyl-lactone gehen bei der Spaltung mit verdünnten wäßrigen Mineralsäuren unter hydrolytischer Ringsprengung und anschließender Decarboxylierung über in (ω-Hydroxy-alkyl)-ketone[3]. So entsteht aus 2-Acetyl-γ-butyrolacton das *1-Hydroxy-4-oxo-pentan* (*4-Oxo-propanol*), das beim langsamen Destillieren unter Atmosphärendruck den zugehörigen cyclischen Enoläther (2-Methyl-4,5-dihydro-furan) bildet, der beim Stehen mit Wasser 1-Hydroxy-4-oxo-pentan zurückbildet[4]:

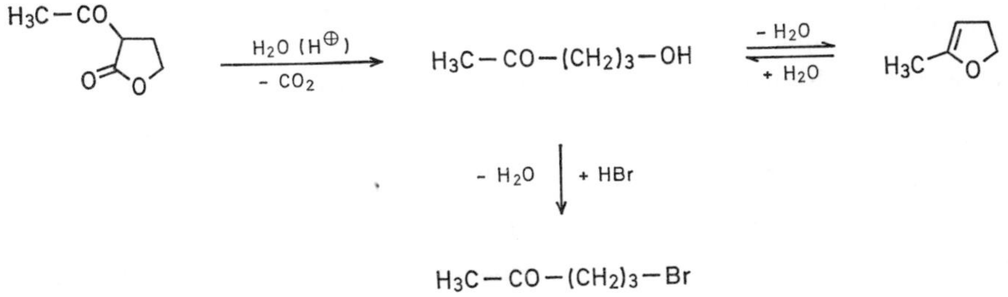

Verseift man durch Kochen mit konz. Chlor- oder Bromwasserstoffsäure, so erhält man unmittelbar die 1-Halogen-4-oxo-pentane[5] (s. o.).

Synthetisch besonders interessante Zwischenprodukte erhält man bei der sauren Hydrolyse von Dibutolacton (2-[Tetrahydrofuryliden-(2)]-γ-butyrolacton)[6], das man durch Selbstkondensation von γ-Butyrolacton erhält[7].

So entsteht beim Kochen mit verdünnter Salzsäure unter Verseifung und Decarb-oxylierung das „*Oxeton*" (*2,2'-Bi-tetrahydrofuryl*), das spirocyclische Acetal des *1,7-Dihydroxy-4-oxo-heptan*:

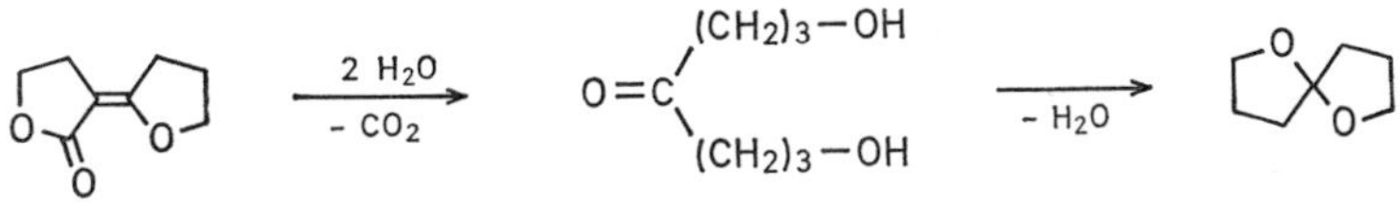

Bei der Einwirkung konzentrierter Halogenwasserstoffsäuren erhält man hieraus die 1,7-Dihalogen-4-oxo-heptane als wertvolle Synthesebausteine. Bei der Her-

[1] H. Schinz u. M. Hinder, Helv. 30, 1349 (1947).
[2] S. Org. Synth. IV, S. 597.
S. ds. Handb., Bd. VII/2a, S. 498.
[3] R. C. Elderfield et al., Am. Soc. 68, 1582 (1946).
[4] T. R. Marshal, W. H. Perkin, jr., Soc. 59, 881 (1891).
[5] G. W. Cannon, R. C. Ellis, J. R. Leal, Org. Synth. IV, 597 (1951).
[6] R. Fittig, K. T. Ström, A. 267, 198 (1892).
[7] S. a. ds. Handb., Bd. VII/2a, S. 498.

stellung etwa von 1,7-Dichlor-4-oxo-heptan ist es hierbei zweckmäßig, das rohe Ein-
wirkungsprodukt von Natriumäthanolat auf γ-Butyrolacton unmittelbar mit konz.
Salzsäure zu behandeln[1].

1,7-Dichlor-4-oxo-heptan: Zu einer Lösung von 23 g (1 g Atom) Natrium in 400 *ml* Methanol
gibt man 172 g (2 Mol) γ-Butyrolacton und kocht diese Lösung 3 Stdn. unter Rückfluß. Nach dem
Verdampfen des Lösungsmittels i. Vak. erhält man einen sirupösen Rückstand, den man unter
Kühlung und kräftigem Rühren mit 500 *ml* konz. Salzsäure versetzt. Die Mischung wird danach
15 Min. gekocht und nach dem Abkühlen mit Äther extrahiert. Die getrocknete (Natriumsulfat)
Äther-Lösung wird verdampft und der Rückstand destilliert; Ausbeute: 119 g (65% d.Th.);
Kp$_4$: 106–110°. Die Substanz ist nicht lagerbeständig.

Acyl-malonsäure-diester, die gleichzeitig 3-Oxo-2-alkoxycarbonyl-carbon-
säureester darstellen, gehen durch saure Verseifung und Decarboxylierung in Methylketone über:

$$\underset{\substack{|\\R-CO-\overset{\displaystyle COOC_2H_5}{CH}-COOC_2H_5}}{}\xrightarrow{(H^\oplus)}\quad R-CO-CH_3\ +\ 2\,CO_2\ +\ 2\,C_2H_5OH$$

Diese Methode wurde näher untersucht[2]; sie eignet sich insbesondere zur Herstellung h ö h e r e r aliphatischer oder aliphatisch-aromatischer Methylketone.

Ketone aus Acyl-malonsäure-diester durch Keton-Spaltung; allgemeine Arbeitsvorschrift:
Der aus 0,2 Mol Malonsäure-diester erhaltene rohe Acyl-malonsäure-diester[3] wird zu einer Lösung
von 60 *ml* Eisessig, 7,5 *ml* konz. Schwefelsäure und 40 *ml* Wasser gegeben und diese Mischung
4–5 Stdn. bis zur Beendigung der Kohlendioxid-Entwicklung gekocht. Nach dem Abkühlen
macht man mit 20%iger Natronlauge schwach alkalisch und isoliert das sich abscheidende
Keton wie üblich.

Auf diese Weise wurden folgende Methylketone erhalten (Ausbeute bez. auf Malonsäure-diester):

2-Chlor-acetophenon	81% d.Th.
2-Nitro-acetophenon	85% d.Th.
4-Nitro-acetophenon	61% d.Th.
2-Oxo-1-phenyl-propan (Phenyl-aceton)	71% d.Th.
2,4,6-Trimethyl-1-(2-oxo-propyl)-benzol	83% d.Th.
Acetyl-cyclohexan	66% d.Th.

Auf die bequeme Herstellung von *2-Oxo-1-phenyl-propan*(*Phenyl-aceton*) nach dieser
Methode sei besonders hingewiesen.

Auch α-(4-Nitro-benzoyl)-acetessigsäure-äthylester wurde nach dieser Methode in
4-Nitro-1-acetyl-benzol (60% d.Th.) übergeführt[4]:

---

[1] H. HART, O. E. CURTIS, jr., Am. Soc. **78**, 115 (1956).
[2] H. G. WALKER u. C. R. HAUSER, Am. Soc. **68**, 1386 (1946); dort Hinweise auf frühere Arbeiten.
[3] Siehe ds. Handb., Bd. VII/2a, S. 520.
[4] H. PAUL, J. pr. [4] **21**, 195 (1963).
    S. a. M. LEVI u. K. MARKOV, Pharm. Chem. J. (N. Y.) **1969**, 316; C. A. **71**, 70254 (1969).

Die Keton-Spaltung des α-(2-Nitro-benzoyl)-acetessigsäure-äthylesters zu *2-Nitro-acetophenon* läßt sich auf folgende Weise auch gestaffelt durchführen[1]:

2-Nitro-acetophenon: α-(2-Nitro-benzoyl)-acetessigsäure-äthylester wird in äthanolischer Lösung mit 10% seines Gewichtes an Schwefelsäure 7 Stdn. gekocht, wobei zunächst die Acetyl-Gruppe als Essigsäure-äthylester abgespalten wird. Man verdünnt mit dem gleichen Vol. Wasser, destilliert Essigsäure-äthylester und Äthanol ab, bis das ursprüngliche Vol. wieder erreicht ist und kocht danach noch 1 Stde. unter Rückfluß; Ausbeute: 75% d.Th.

Eine Keton-Spaltung von Diacyl-essigsäureestern unter Bildung von β-Diketonen, z.B. die Umwandlung von 3-Oxo-2-acetyl-butansäure-äthylester in *Pentandion-(2,4)* (*Acetylaceton*) (bis 75% d.Th.), gelingt durch Acetolyse mit Eisessig bei Gegenwart von etwas Borsäure oder Schwefelsäure bei achtstündigem Erhitzen[2]:

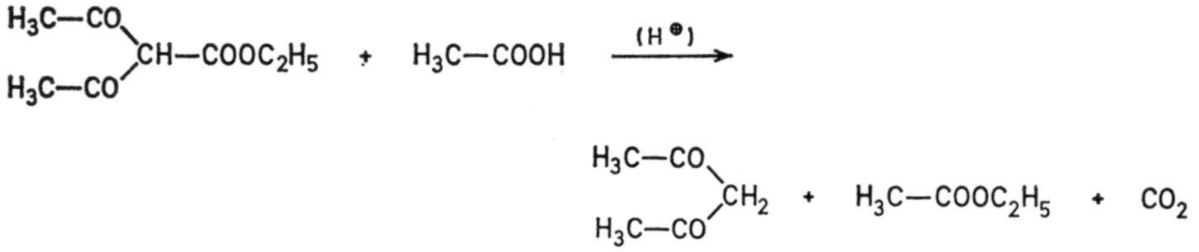

$$H_3C-CO \diagdown \atop H_3C-CO \diagup CH-COOC_2H_5 \ + \ H_3C-COOH \ \xrightarrow{(H^\oplus)}$$

$$H_3C-CO \diagdown \atop H_3C-CO \diagup CH_2 \ + \ H_3C-COOC_2H_5 \ + \ CO_2$$

In ähnlicher Weise läßt sich die partielle Acidolyse von Acyl-malonsäure-diestern[3] zu β-Oxo-carbonsäureestern durchführen, z.B.:

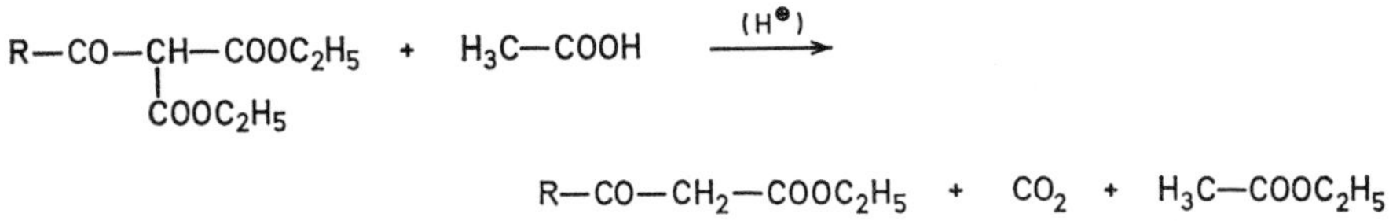

$$R-CO-\underset{\underset{COOC_2H_5}{|}}{CH}-COOC_2H_5 \ + \ H_3C-COOH \ \xrightarrow{(H^\oplus)}$$

$$R-CO-CH_2-COOC_2H_5 \ + \ CO_2 \ + \ H_3C-COOC_2H_5$$

und besonders die vollständige Acidolyse zu Methylketonen[3], zweckmäßig durch Kochen mit Propionsäure bei Gegenwart katalytischer Mengen Schwefelsäure:

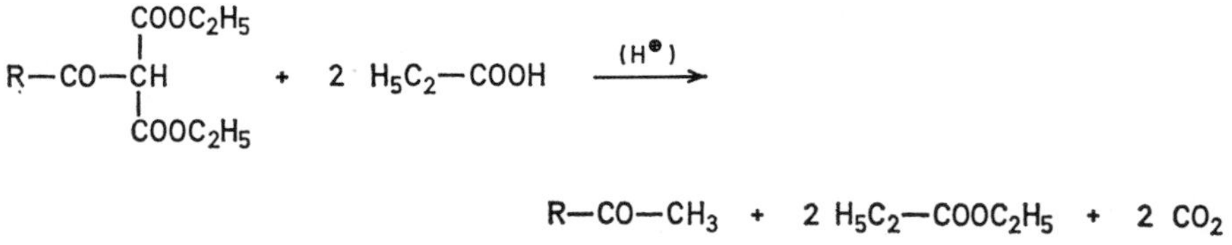

$$R-CO-\underset{\underset{COOC_2H_5}{|}}{\overset{\overset{COOC_2H_5}{|}}{CH}} \ + \ 2 \ H_5C_2-COOH \ \xrightarrow{(H^\oplus)}$$

$$R-CO-CH_3 \ + \ 2 \ H_5C_2-COOC_2H_5 \ + \ 2 \ CO_2$$

Ketone durch Acidolyse von Acyl-malonsäure-diestern; allgemeine Arbeitsvorschrift: Eine Lösung von 1 Mol rohem Acyl-malonsäure-diester in 8 Mol Propionsäure wird nach Zusatz von 1% des Gesamtgewichtes konz. Schwefelsäure 3 Stdn. zum Sieden unter Rückfluß erhitzt, wobei besonders zu Beginn lebhafte Gasentwicklung eintritt. Danach setzt man der etwas abgekühlten

[1] W. O. KERMACK u. J. F. SMITH, Soc. **1929**, 814.
   Herstellung von *p-Diacetylbenzol* nach dieser Methode: K. SCHOFIELD u. R. S. THEOBALD, Soc. **1949**, 2404.
[2] US.P. 2395012 (1943); Carbide and Carbon Chemicals Corp., Erf.: W. H. REEDER u. G. A. LECISIN; C. A. **40**, 3130 (1946).
[3] R. E. BOWMAN, Soc. **1950**, 322.
   S.a. ds. Handb., Bd. VIII, Kap. Carbonsäureester, S. 616.

Lösung 75 *ml* 4n Schwefelsäure zu und kocht weiter unter Rückfluß bis zur Beendigung der Gasentwicklung. Aufarbeitung je nach Eigenschaften des Ketons und Ansatzgröße, vgl.[1].

Diese Methode stellt eine besonders ergiebige und abwandlungsfähige[2,3] Variante der Keton-Spaltung von Acyl-malonsäure-diestern dar; folgende Ausbeuten, bezogen auf die zur Herstellung der Acyl-malonsäure-diester eingesetzten Carbonsäurechloride wurden erhalten:

Nonanon-(2)	93% d.Th.	*Dodecandion-(2,11)*	93% d.Th.
Dodecanon-(2)	94% d.Th.	*10-Oxo-undecansäure*	100% d.Th. (roh)
Tridecanon-(2)	97% d.Th.	*2-Chlor-acetophenon*	98% d.Th.
Nonadecanon-(2)	96% d.Th.	*4-Nitro-acetophenon*	99% d.Th.

Die Reaktion versagt in dieser Ausführungsform bei nicht mehr enolisierbaren Alkyl-acyl- bzw. Aryl-acyl-malonsäure-diestern, da hier saure Verseifung oder Acidolyse primär nur zur Rückspaltung in Carbonsäure und Alkyl-malonsäure-diester führt[4]. Über die Keton-Spaltung solcher Alkyl-acyl- bzw. Aryl-acyl-malonsäurediester s. S. 1351 ff..

In diesem Zusammenhang muß auch auf die Herstellung von *Brenztraubensäure* aus Weinsäure durch Erhitzen mit Kaliumhydrogensulfat hingewiesen werden, da diese über die *Oxo-bernsteinsäure* verläuft[5]:

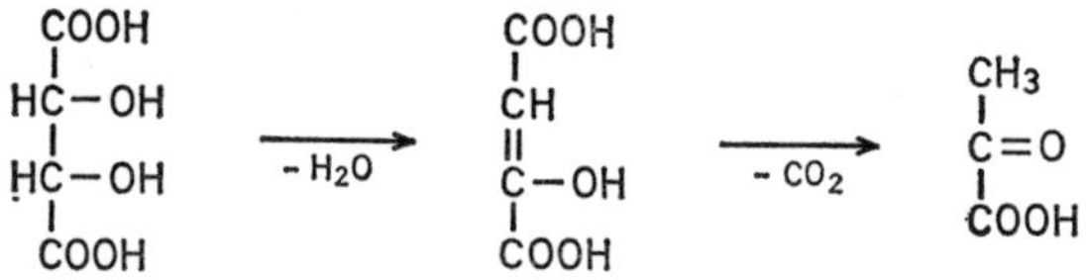

2. Keton-Spaltung von β-Oxo-carbonsäureestern mit Alkalien

Zur Keton-Spaltung von β-Oxo-carbonsäureestern in alkalischem Medium arbeitet man zweckmäßig in großer Verdünnung und mit möglichst geringem Überschuß an Alkali, wie durch systematische Versuche gefunden wurde[6].

Als Alkali kann man wäßrige oder alkoholische Natron- oder Kalilauge, wäßrige Lösungen von Bariumhydroxid[7], Natrium- oder Kaliumcarbonat verwenden. So

[1] R. E. Bowman, Soc. **1950**, 322.
　　S.a. ds. Handb., Bd. VIII, Kap. Carbonsäureester, S. 616.
[2] S.z.B.: *1-Acetyl-bicyclohexan*: M. Charpentier-Morize, Bl. **1954**, 497.
　　Acetyl-chinoline : S. Pietra u. G. Traverso, G. **83**, 1047 (1953).
[3] H. G. Walker u. C. R. Hauser, Am. Soc. **68**, 1386 (1964).
　　S.a.S. 1352 ff.
[4] M. E. Blumer u. E. Sorkin, Helv. **32**, 2547 (1949).
　　R. E. Bowman, Soc. **1950**, 322.
　　G. S. Fonken u. W. S. Johnson, Am. Soc. **74**, 831 (1952).
　　W. H. Puterbaugh, F. W. Swamer u. C. R. Hauser, Am. Soc. **74**, 3438 (1952).
[5] Org. Synth. I, S. 475.
[6] I. Wislicenus, A. **190**, 257 (1878); **219** 307 (1883).
　　S.a. N. L. Drake u. W. Riemenschneider, Am. Soc. **52**, 5005 (1930).
　　P. S. Bailey u. W. W. Hakki, Am. Soc. **71**, 2886 (1949).
[7] S.z.B.: D. C. Hibbit u. R. P. Linstead, Soc. **1936**, 474.
　　L. Ruzicka u. H. Schinz, Helv. **23**, 964 (1940).

erhält man z.B. durch Keton-Spaltung von 2,3-Diacetyl-bernsteinsäure-diäthyl-ester *Hexandion-(2,5)*[1]:

$$H_3C-CO-\underset{|}{CH}-COOC_2H_5 \quad \xrightarrow{+\,2\,H_2O} \quad H_3C-CO-\underset{|}{CH_2} \quad +\; 2\,CO_2 \;+\; 2\,C_2H_5OH$$
$$H_3C-CO-\underset{}{CH}-COOC_2H_5 \qquad\qquad\qquad H_3C-CO-CH_2$$

dadurch mit 90% Ausbeute, daß man 2,3-Diacetyl-bernsteinsäure-diäthylester mit der zur Bildung von Natriumhydrogencarbonat berechneten Menge 3%iger Natron-lauge entweder mehrere Tage stehen läßt oder 2–3 Stdn. kocht.

Eine Ausbeute von 76–80% d.Th. erzielt man bei dieser Spaltung dadurch, daß man 100 g (0,388 Mol) des Diesters mit 600 Teilen 20%iger (120 g bzw. 0,870 Mol) Kaliumcarbonat-Lösung 1 Stde. unter Rückfluß kocht.

Durch Selbstkondensation von Fettsäureestern entstehende 3-Oxo-monoalkyl-alkansäureester (vgl. ds. Handb., Bd. VIII, S. 568) lassen sich durch 3–4 stdg. Kochen mit 5% Kaliumhydroxid in 90%igem Äthanol in hoher Ausbeute zu den ent-sprechenden symmetrischen Ketonen spalten, wie folgende Übersicht zeigt[2]:

$$2\ R-CH_2-COOC_2H_5 \quad\longrightarrow\quad R-CH_2-CO-\underset{|}{\overset{\overset{\displaystyle R}{|}}{CH}}-COOC_2H_5$$
$$\longrightarrow\quad R-CH_2-CO-CH_2-R$$

Tab. 167. Ketone aus durch Selbstkondensation von Alkansäure-äthylestern entstehenden 3-Oxo-2-alkyl-carbonsäure-äthylestern

Ausgangsester	Keton R—CH₂—CO—CH₂—R	Ausbeute [%d.Th.]	F [°C]	Literatur
Pentansäure-äthylester	*Nonanon-(5)*	72	(Kp₁₂: 88°)	2
Hexansäure-äthylester	*Undecanon-(6)*	81	14–15	2
Octansäure-äthylester	*Pentadecanon-(8)*	93	41–42	2
Dodecansäure-äthyl-ester	*Tricosanon-(12)*	98	68–69	2
Octadecansäure-äthyl-ester	*Pentatriacontanon-(18)*	90	88–89	3
Undecen-(10)-säure-äthylester	*Heneicosadien-(1,20)-on-(11)*	73	46	4
Ölsäure-äthylester	*Pentatriacontadien-(cis-9, cis-26)-on-(18)*	65	40	4
Elaidinsäure-äthylester	*Pentatriacontadien-(trans-9, trans-26)-on-(18)*	68	70	4
Erucasäure-äthylester	*Tritetracontadien-(9,34)-on-(22)*	65	48	4
Linolsäure-äthylester	*Pentatriacontatetraen-(6,9,26,29)-on-(18)*	60	Öl	4

Die zuletzt aufgeführten ungesättigten Ketone entstehen ohne Isomerisierung der Doppelbindungen; auch der empfindliche 2-Acetyl-pentin-(4)-säure-äthylester geht beim Verseifen mit Natriumcarbonat-Lösung in *5-Oxo-hexin-(1)* (80% d.Th.) über[5].

[1] L. KNORR, B. 22, 168, 2100 (1889); 33, 1219 (1900).
[2] R. R. BRIESE u. S. M. McELVAIN, Am. Soc. 55, 1697 (1933).
[3] R. CLEMENT, C. r. 236, 718 (1953).
[4] R. CLEMENT, C. r. 237, 1421 (1953).
[5] J. COLONGE u. R. GELIN, C. r. 234, 633 (1952).

Der durch Michael-Addition von Acrylnitril an Acetessigsäure-äthylester erhaltene 2-Acetyl-glutarsäure-1-äthylester-5-nitril läßt sich durch Kochen mit verdünnter Natriumcarbonat-Lösung zu *5-Oxo-hexansäure-nitril* (70% d.Th.) abbauen[1].

Cyclische fünf- oder sechsgliedrige β-Oxo-carbonsäureester werden zweckmäßig der Keton-Spaltung in saurem Medium unterworfen, da mit Alkalien hier in der Regel die Säure-Spaltung überwiegt[2]. Trotzdem gelingt bei 2-Oxo-cyclohexan-1-carbonsäureestern eine Keton-Spaltung gelegentlich auch mit Alkali. So geht der 2-Oxo-1-[buten-(3)-yl]-cyclohexan-1-carbonsäure-äthylester bei 14 stdg. Kochen mit der doppelten Menge Bariumhydroxid im 4fachen Volumen Wasser zu *2-Oxo-1-[buten-(3)-yl]-cyclohexan* (63% d.Th.)[3] über. Ebenso gelingt bei 2-Oxo-cycloheptan-2-carbon-säure-estern mit alkoholischer Lauge die Keton-Spaltung[4] zu *Cycloheptanonen.*

Da 3-Oxo-α,α-dialkyl-butansäureester mit Ausnahme des 3-Oxo-2,2-dimethyl-butansäureesters gegen wäßriges Alkali in der Kälte relativ beständig sind[5], α-Mono-alkyl-acetessigsäureester (3-Oxo-2-alkyl-butansäureester) jedoch unter diesen Bedingungen glatt verseift werden, kann man die Rohprodukte der Monoalkylierung des Acetessigsäureesters, die etwas Dialkylierungsprodukt enthalten können[6], unmittelbar mit kalter, etwa 5%iger Natronlauge verseifen, den unverseifbaren dialkylierten Anteil entfernen, die alkalische Lösung ansäuern und die Decarboxylierung durch Erwärmen durchführen bzw. vervollständigen[7]. Diese besondere Reaktionsführung der Keton-Spaltung – alkalische Verseifung unter milden Bedingungen mit anschließender Decarboxylierung im schwach sauren Medium – hat sich mitunter als vorteilhaft erwiesen.

Die unter Normalbedingungen schwer verseifbaren α,α-dialkylierten Acetessigsäureester erleiden erst unter schärferen Reaktionsbedingungen die Keton-Spaltung: 3-Oxo-2,2-diäthyl-butansäure-äthylester geht beim Erhitzen mit alkoholisch-wäßriger Natronlauge auf 250° im Autoklaven in *2-Oxo-3-äthyl-pentan* (84% d.Th.) über[8].

Eine weitere Variante der Reaktionsführung der Keton-Spaltung insbesondere α-monosubstituierter β-Oxo-carbonsäureester besteht darin, daß man zunächst mit starker Lauge in der Kälte behandelt, danach mit Wasser verdünnt und erwärmt.

2-Oxo-5,7-dimethyl-octan[9]: 20,1 g 4,6-Dimethyl-2-acetyl-heptansäure-äthylester werden mit 30 ml 33%iger Natronlauge durchgeschüttelt, wobei die Masse fest wird. Nach Zugabe der gleichen Menge Wasser wird auf dem Wasserbad erhitzt, das sich ölig abscheidende Keton mit Äther aufgenommen, gewaschen und destilliert; Ausbeute: 80% d.Th.; Kp$_7$: 67–67,5°.

---

[1] N. F. Albertson, Am. Soc. **72**, 2594 (1950).

[2] Vgl. ds. Bd. S. 1340.

[3] D. C. Hibbit u. R. P. Linstead, Soc. **1936**, 474.

[4] K. Schofield u. R. S. Theobald, Soc. **1949**, 2404.

[5] A. Michael u. K. Wolgast, B. **42**, 3177 (1909).

[6] A. Michael, B. **38**, 2093 (1905).
S. a. z. B. C. Franzke et al., Fette, Seifen, Anstrichmittel **1968**, 638; C. A. **70**, 12828 (1969).

[7] J. F. Arens u. D. A. van Dorp, R. **67**, 977 (1948).
S.a. J. R. Johnson u. F. B. Hagn, Org. Synth. Coll. Vol. I, 351 (1948).

[8] R. Connon u. H. Adkins, Am. Soc. **54**, 3420 (1932).

[9] DBP 847891 (1943); Erf.: W. Dirscherl u. H. Nahm; C.A. **38**, 1747 (1944); s. a. B. **76** [B], 635 (1943).

3. Keton-Spaltung von β-Oxo-carbonsäureestern mit Wasser (Meerwein-Spaltung)

Wie H. Meerwein[1] gefunden hat, kann man eine glatte Keton-Spaltung von β-Oxo-carbonsäureestern auch dadurch erreichen, daß man mit wenig Wasser kurze Zeit unter Druck auf 150–250° erhitzt.

3-Oxo-1-phenyl-butan[1]: 9 g (0,04 Mol) α-Benzyl-acetessigsäure-äthylester werden mit 5 ml (0,28 Mol) Wasser 30 Min. im Bombenrohr auf 240° erhitzt; Ausbeute: 5,3 g (88% d. Th.).

Diese Spaltung tritt umso leichter ein, je größer die Enolisierungstendenz des zu spaltenden ß-Oxo-carbonsäureesters ist. Sie erfolgt daher am leichtesten bei α-unsubstituierten und α-monosubstituierten β-Oxo-carbonsäureestern, während α,α-disubstituierte β-Oxo-carbonsäureester nach Meerwein nicht spaltbar sind.

Diese Ausführungsform der Keton-Spaltung eignet sich insbesondere zur Herstellung solcher Ketone, die unter dem Einfluß von Säuren oder Basen Selbstkondensation erleiden können. So stellt die Meerwein-Spaltung eine vorteilhafte Methode zur Keton-Spaltung von alicyclischen β-Oxo-carbonsäureestern dar, so z.B. von 2,5-Dioxo-cyclohexan-1,4-dicarbonsäure-diäthylester.

Cyclohexandion-(1,4)[2]: 128 g (0,5 Mol) 2,5-Dioxo-cyclohexan-1,4-dicarbonsäure-diäthylester werden in einem 0,7-*l*-Rührautoklaven mit 200 ml (11,1 Mol) Wasser aufgeheizt. Die Kohlendioxid-Abspaltung beginnt bei etwa 150° und erreicht bei 170° in wenigen Min. einen Druck von 90 atü. Nach Beendigung des Druckanstiegs läßt man erkalten, klärt die erhaltene Lösung mit etwas Aktivkohle und dampft das Filtrat i. Vak. vorsichtig ein. Der Rückstand wird in 200 ml Chloroform aufgenommen, die Lösung durch Abdestillieren des Chloroforms azeotrop entwässert und schließlich abermals i. Vak. verdampft, wobei 56 g farblose Kristalle (F: 74°) erhalten werden, die aus Benzol-Petroläther umkristallisiert werden; Ausbeute: 54,5 g (97,5% d.Th.); F: 78°.

Die Durchführung der Meerwein-Spaltung im Druckgefäß läßt sich dadurch vermeiden, daß man die Reaktion durch Erhitzen in wasserhaltigem Glykol, Bis-[2-hydroxy-äthyl]-äther (Diglykol) oder Glycerin durchführt, wobei man außerdem die Beendigung der Reaktion am Ausbleiben der Eisen(III)-chlorid-Reaktion erkennen kann.

Besonders glatt gelingt die Meerwein-Spaltung enolisationsfähiger β-Oxo-carbonsäureester in wasser-haltigem Dimethylsulfoxid[3] bei 120–150° (2 Mol Wasser pro Mol β-Oxo-carbonsäureester).

Da α,α-disubstituierte β-Oxo-carbonsäureester nach Meerwein nicht spaltbar sind, lassen sich auf diesem Wege selektive Keton-Spaltungen durchführen.

4-Oxo-2,2,3-trimethyl-cyclopentan-1,3-dicarbonsäure-diäthylester[4]:

I   II

---

[1] H. Meerwein, A. **398**, 242 (1913).

[2] L. Bruns, Leverkusen, unveröffentlicht.

[3] A. P. Krapcho et al., Tetrahedron Letters **1974**, 1091.

S. a. A. P. Krapcho u. A. J. Lovey, Tetrahedron Letters **1973**, 957.

C. L. Liotte u. F. L. Cook, Tetrahedron Letters **1974**, 1095.

Den gleichen Effekt erzielt man beim Kochen enolisationsfähiger β-Oxo-carbonsäureester in o-Xylol bei Gegenwart der 6fach molaren Menge von 1,4-Diaza-bicyclo[2.2.2]octan(DABCO);

B. S. Huang, E. J. Parish u. D. A. Miles, J. Org. Chem. **39**, 2647 (1974).

[4] N. J. Toivonen, Acta chem. Scand. **1**, 133 (1947).

Aus 300 g Glycerin ($\delta = 1{,}23$) wird das Wasser bis zum Kp: 160° abdestilliert (Rest-Wasser-Gehalt $\sim$ 5%). Nach Zugabe von 171 g (0,51 Mol) I wird das Erhitzen fortgesetzt unter Temperatursteigerung auf 200° innerhalb $\sim$ 1 Stde.; bei noch positiver Eisen(III)-chlorid-Reaktion wird die Operation nach Zusatz von einigen *ml* Wasser wiederholt. Nach Erkalten und Verdünnen mit Wasser kann man durch Aufnehmen in Äther II isolieren

Ähnlich selektive Keton-Spaltungen sind[1]:

Umwandlung des 2,6-Dioxo-bicyclo[3.3.1]nonan-1,3,5,7-tetracarbonsäure-tetramethylesters in *2,6-Dioxo-bicyclo[3.3.1]nonan-1,5-dicarbonsäure-dimethylester.*

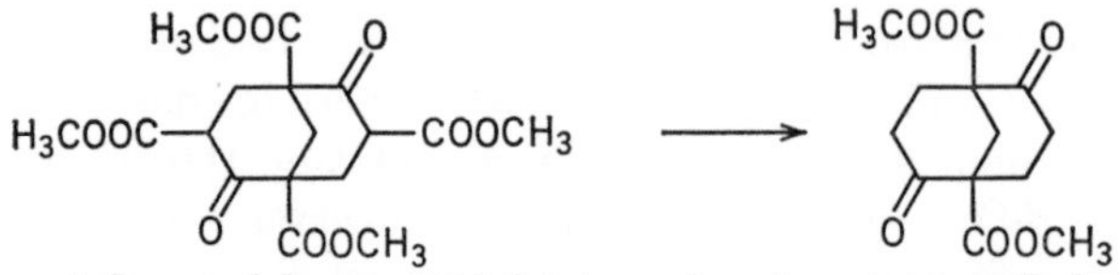

Überführung von 4-Oxo-cyclohexan-1,1,3,5-tetracarbonsäure-tetramethylester in *4-Oxo-cyclohexan-1,1-dicarbonsäure-dimethylester:*

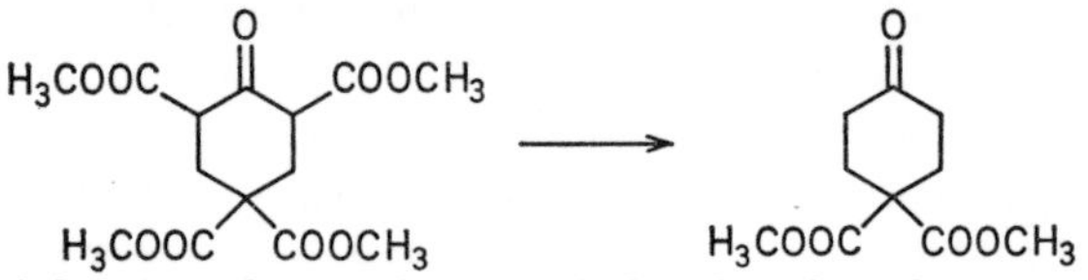

Umwandlung von 6-Oxo-2-methoxycarbonylmethyl-4-phenyl-1-äthoxycarbonyl-cyclohexan in *5-Oxo-3-(methoxycarbonylmethyl)-1-phenyl-cyclohexan:*

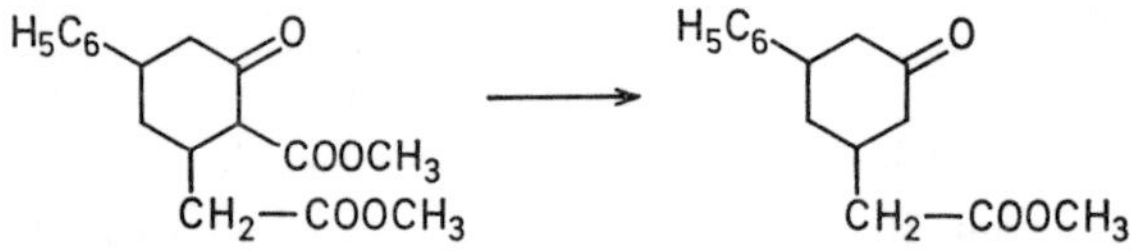

Durch selektive Meerwein-Spaltung von Acyl-malonsäure-diestern durch Erhitzen mit der berechneten Menge Wasser auf 130–150° unter Druck gelangt man zu β-Oxo-carbonsäureestern[2],

$$R{-}CO{-}\underset{\displaystyle COOC_2H_5}{\underset{|}{C}H}{-}COOC_2H_5 \xrightarrow[\substack{-\ CO_2\\ -\ C_2H_5OH}]{+\ H_2O} R{-}CO{-}CH_2{-}COOC_2H_5$$

während unter den gleichen Bedingungen mit mehr Wasser die zugehörigen Ketone, R—CO—CH_3, entstehen.

Die gleiche Reaktion gelingt auch gelegentlich beim Destillieren von Acyl-malonsäure-diestern mit Wasserdampf: so geht der Phthalimidocarbonyl-malonsäure-diäthylester unter diesen Bedingungen Malonsäure-äthylester-phthalimid über[3]:

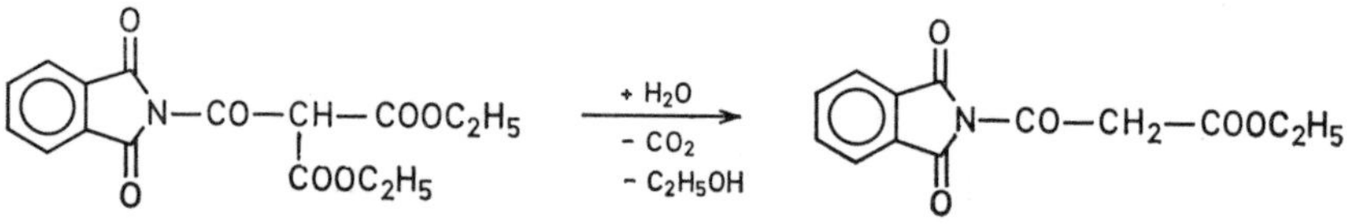

[1] H. MEERWEIN, A. **398**, 242 (1913).
[2] R. GELIN u. S. GELIN, C. r. **258**, 4783 (1964).
S.a. B. R. BAKER et al., J. Org. Chem. **17**, 116 (1952).
[3] S. GABRIEL u. J. COLMAN, B. **42**, 1244 (1909).
E. PLACHLER, B. **46**, 1702 (1913).
J. K. MEHROTRA u. S. D. VERMA, J. Ind. Chem. Soc. **38**, 785 (1961).
Analoge Spaltung von Benzoyl-malonsäure-diester zu *Benzoyl-essigsäure-äthylester:*
BERNHARD, A. **282**, 166 (1894).
D. S. BRESLOW, E. BAUMGARTEN u. C. R. HAUSER, Am. Soc. **66**, 1286 (1944).

Aus β-Oxo-α-acyl-carbonsäureestern erhält man beim Erhitzen mit der berechneten Menge Wasser unter Druck auf 130–150° die zugehörigen β-Diketone[1,2]:

$$R-CO-\underset{\underset{CO-R'}{|}}{CH}-COOCH_3 \xrightarrow[\substack{-CO_2 \\ -CH_3OH}]{+H_2O} R-CO-CH_2-CO-R'$$

β-Oxo-α-alkyl-α-acyl-carbonsäureester gehen beim Erhitzen mit wenig Wasser auf 240° nahezu quantitativ in Ketone über: so entsteht aus 3-Oxo-2-äthyl-2-benzoyl-butansäure-äthylester auf diesem Wege *Butanoyl-benzol* (*Butyrophenon*; 96% d.Th.[3]):

$$H_3C-CO-\underset{\underset{CO-C_6H_5}{|}}{\overset{\overset{C_2H_5}{|}}{C}}-COOC_2H_5 + 2\ H_2O \longrightarrow H_5C_6-CO-C_3H_7$$

$$+\ H_3C-COOH\ +\ CO_2\ +\ C_2H_5OH$$

Alkyl-acyl-malonsäure-diester lassen sich durch Wasserdampfdestillation in β-Oxo-α-alkyl-carbonsäureester überführen. Aus Methyl-(phthalimido-acetyl)-malonsäure-diäthylester wurde auf diesem Wege *4-Phthalimido-3-oxo-2-methyl-butansäure-äthylester* erhalten[4]:

Im Gegensatz zu den nach Meerwein nicht spaltbaren α,α-disubstituierten β-Oxo-carbonsäureestern sind daher β-Oxo-α-alkyl-α-acyl-carbonsäureester oder Alkyl-acyl-malonsäure-diester als Tricarbonylmethan-Derivate der Meerwein-Spaltung zugänglich, obwohl sie nicht mehr enolisierbar sind.

4. Spezielle Methoden zur Keton-Spaltung von β-Oxo-carbonsäureestern

Die Keton-Spaltung von β-Oxo-carbonsäureestern verläuft dann besonders glatt, wenn man die konkurrierende Säure-Spaltung dadurch ausschließt, daß man solche β-Oxo-carbonsäureester wählt, die unter nicht-solvolytischen Bedingungen in leicht decarboxylierbare β-Oxo-carbonsäuren überführbar sind.

Solche Ester sind

ⓐ   Benzylester, die hydrogenolytisch spaltbar sind,

ⓑ   Ester tertiärer Carbinole und

ⓒ   Tetrahydropyranyl-(2)-ester,

[1] R. GELIN u. S. GELIN, C. r. **258**, 4783 (1964).

[2] R. GELIN u. S. GELIN, C. r. **259**, 3027 (1964).

[3] H. PAUL, J. pr. [4] **21**, 186 (1963).

[4] S. N. DIXIT, S. D. VERMA u. J. K. MEHROTRA, J. indian chem. Soc. **38**, 853 (1961).

die in nicht-solvolytischem System unter Proton-Katalyse nach einem Eliminierungsmechanismus in Carbonsäuren übergehen, z. B.:

$$R{-}CO{-}O{-}\underset{\underset{CH_3}{|}}{\overset{\overset{CH_3}{|}}{C}}{-}CH_3 \xrightarrow{\ (H^\bullet)\ } R{-}COOH \ + \ H_2C{=}C\overset{CH_3}{\underset{CH_3}{}}$$

$$\text{(Tetrahydropyranyl-Ester)} \xrightarrow{\ (H^\bullet)\ } R{-}COOH \ + \ \text{(Dihydropyran)}$$

α) Keton-Spaltung von β-Oxo-carbonsäure-benzylestern

Diese Methode wurde von R. E. Bowman[1] entwickelt zur Keton-Spaltung von Alkyl-acyl-malonsäure-dibenzylestern, die als nicht enolisationsfähige β-Oxo-carbonsäureester der Keton-Spaltung durch Acidolyse nicht mehr zugänglich sind (vgl. S. 1346).

Die Methode beruht auf der leichten Hydrogenolyse von Benzylestern über Palladium als Katalysator zu Carbonsäure und Toluol. Ausgehend von Alkyl-acyl-malonsäure-dibenzylestern entstehen hierbei über die glatt decarboxylierbaren freien Alkyl-acyl-malonsäuren die zugehörigen Ketone:

$$R{-}CO{-}\underset{\underset{COO-CH_2-C_6H_5}{|}}{\overset{\overset{R^I}{|}}{C}}{-}COO{-}CH_2{-}C_6H_5 \xrightarrow{\ H_2/Pd\ } R{-}CO{-}CH_2{-}R^I \ + \ 2\,CO_2 \ + \ 2\,H_5C_6{-}CH_3$$

Zur Durchführung dieser Methode verfährt man derart, daß man die Monoalkyl-malonsäure-dialkylester zunächst mit Benzylalkohol umestert zu den Benzylestern durch Kochen der Natriumsalze mit der berechneten Menge Benzylalkohol in benzolischer Lösung unter azeotroper Entfernung des niedriger siedenden Alkohols. Die so erhaltenen Lösungen der Natriumalkyl-malonsäure-dibenzylester werden anschließend durch Zugabe einer Benzollösung des gewählten Carbonsäure-chlorids acyliert und die entstandenen Alkyl-acyl-malonsäure-dibenzylester wie üblich in Substanz isoliert. Zur Hydrogenolyse löst man das erhaltene Rohprodukt in Essigsäure-äthylester und hydriert über Palladium/Strontiumcarbonat (10% Pd) bei Zimmertemperatur. Die Decarboxylierung läßt sich anschließend durch Kochen der Lösung bis zur Beendigung der Gasentwicklung bewirken.

Auf diese Weise wurden folgende Ketone erhalten:

4-Oxo-tridecansäure	66% d. Th.
Heptadecanon-(8)	91% d. Th.
Octacosandion-(10,19)	78% d. Th.
4-Oxo-4-(3-methoxy-phenyl)-butansäure	83% d. Th.
5-Oxo-2-methyl-pentadecan	80% d. Th.

Bei größeren Ansätzen ist es vorteilhaft, die Hydrogenolyse und Decarboxylierung des Alkyl-acylmalonsäure-dibenzylesters in siedendem Butanon unter Durchleiten von Wasserstoff bei Gegenwart von Palladium auf Strontiumcarbonat durchzuführen[2].

Die Reaktionsfolge versagt bei Phenyl-malonsäure-diestern[2]; außerdem ist die Reaktion naturgemäß bei Alkyl-acyl-malonsäure-diestern mit leicht hydrierbaren Gruppen nicht anwendbar, es sei denn die gleichzeitige Hydrierung bzw. Reduktion solcher Gruppen beabsichtigt.

[1] R. E. BOWMAN, Soc. **1950**, 325.
[2] R. E. BOWMAN u. W. D. FORDHAM, Soc. **1951**, 2753.

β) Keton-Spaltung von β-Oxo-carbonsäure-tert.-butylestern

Eine elegante und weitgehend abwandlungsfähige Methode zur Keton-Spaltung von β-Oxo-carbonsäureestern besteht in der protonkatalysierten Zersetzung von β-Oxo-carbonsäure-tert.-butylestern:

$$R-CO-\underset{\underset{R''}{|}}{\overset{\overset{R'}{|}}{C}}-COOC(CH_3)_3 \xrightarrow{(H^\oplus)} R-CO-\underset{}{\overset{\overset{R'}{|}}{C}}H-R'' \ + \ CO_2 \ + \ H_2C{=}C(CH_3)_2$$

Diese Spaltung wird durchgeführt durch Erhitzen des tert.-Butylesters selbst oder seiner Lösung in Benzol oder Toluol bei Gegenwart einer geringen Menge p-Toluolsulfonsäure, wobei das Ende der Reaktion leicht am Aufhören der Gasentwicklung erkennbar ist.

Die Methode wurde aufgefunden und erstmals angewandt bei der partiellen Spaltung von Acyl-malonsäure-diestern zu β-Oxo-carbonsäure-äthylestern[1] (R′ = H; R″ = COOC$_2$H$_5$). Man acyliert hierbei Malonsäure-äthylester-tert.-butylester (Herstellung: s. ds. Handb., Bd. VIII, S. 550) über das Äthoxy-magnesiumsalz mit dem gewünschten Carbonsäure-chlorid zu dem Acyl-malonsäure-äthylester-tert.-butylester, der beim Erhitzen mit Toluolsulfonsäure in den entsprechenden β-Oxo-carbonsäure-äthylester übergeht: (R′ = H; Ausbeuten: ~ 50–70% d. Th.):

$$\underset{\underset{COOC(CH_3)_3}{|}}{R'-CH}-COOC_2H_5 \xrightarrow{RCOCl} R-CO-\underset{\underset{COOC(CH_3)_3}{|}}{\overset{\overset{R'}{|}}{C}}-COOC_2H_5 \longrightarrow R-CO-\overset{\overset{R'}{|}}{C}H-COOC_2H_5$$

Aus Monoalkyl-malonsäure-äthylester-tert.-butylestern sind auf diesem Wege auch β-Oxo-α-alkyl-carbonsäure-äthylester mit befriedigender Ausbeute (50–60% d. Th.) zugänglich.

Ausgehend von Malonsäure-di-tert.-butylester (aus Malonsäure und Isobuten in Äther bei Gegenwart von konz. Schwefelsäure) gelangt man auf diesem Wege unmittelbar zu Ketonen[2] (Ausbeuten: 56–85% d. Th.):

$$R-CO-\underset{\underset{COOC(CH_3)_3}{|}}{\overset{\overset{R'}{|}}{C}}-COOC(CH_3)_3 \longrightarrow R-CO-CH_2-R'$$

Mit Hilfe der tert.-Butylester-Methode läßt sich eine glatte Keton-Spaltung α,α-disubstituierter β-Oxo-carbonsäure-tert.-butylester erreichen[3], die bei der Keton-Spaltung der Äthylester mitunter nur unbefriedigend verläuft (R′,R″ = Alkyl oder Aryl):

$$R-CO-\underset{\underset{R''}{|}}{\overset{\overset{R'}{|}}{C}}-COOC(CH_3)_3 \longrightarrow R-CO-\overset{\overset{R'}{|}}{C}H-R''$$

[1] D. S. Breslow, E. Baumgarten u. C. R. Hauser, Am. Soc. **66**, 1286 (1944).

[2] G. S. Fonken u. W. S. Johnson, Am. Soc. **74**, 831 (1952).
 W. H. Puterbaugh, F. W. Swamer u. C. R. Hauser, Am. Soc. **74**, 3438 (1952).

[3] S. Yost u. C. R. Hauser, Am. Soc. **69**, 2326 (1947).
 W. B. Renfrow u. G. B. Walker, Am. Soc. **70**, 3957 (1948).
 S. a. A. Treibs u. K. Hintermeier, B. **87**, 1163 (1954).

Tab. 168. Ketone durch Spaltung von β-Oxo-carbonsäure-tert.-butylestern

$$\begin{matrix} & O & R' \\ R{-}C{-}C{-}COOC(CH_3)_3 \\ & & R'' \end{matrix}$$

R	R'	R''	$H_3C{-}CO{-}CH{-}R'$ $\;\;R''$	Ausbeute [%d.Th.]	Literatur
CH_3	C_4H_9	$-CH_2-CH(CH_3)_2$	2-Oxo-3-(2-methyl-propyl)-heptan	84	[1]
CH_3	C_4H_9	$\begin{matrix}CH_3\\-CH-C_2H_5\end{matrix}$	2-Oxo-3-butyl-(2)-heptan	75	[1]
C_6H_5	C_6H_5	C_6H_5	2-Oxo-1,1,2-triphenyl-äthan	40	[2]
CH_3	C_6H_5	C_6H_5	2-Oxo-1,1-diphenyl-äthan	15	[2]
CH_3	H	$-CH_2-COOC_2H_5$	4-Oxo-pentansäure	92–94	[3]
CH_3	H	$-CH_2-CH_2-COOC_2H_5$	5-Oxo-hexansäure-äthylester	95	[3]
CH_3	H	$-CO-CH_2-CH(CH_3)_2$	4,6-Dioxo-2-methyl-heptan	100	[3]
CH_3	H	$-CO-(CH_2)_{16}-CH_3$	Heneicosandion-(2,4)	~100	[3]
CH_3	H	$-CO-C_6H_5$	1,3-Dioxo-1-phenyl-butan	60	[3]
CH_3	H	$-CO-(CH_2)_2-COOC_2H_5$	4,6-Dioxo-heptansäure-äthylester	58	[3]
CH_3	H	$-CH_2-CO-CH_3$	Hexadion-(2,5)	70	[3]
C_2H_5	H	$-COOC_2H_5$	3-Oxo-pentansäure-äthylester	63	[4]

[1] W. B. RENFROW u. G. B. WALKER, Am. Soc. **70**, 3957 (1948).
[2] S. YOST u. C. R. HAUSER, Am. Soc. **69**, 2326 (1947).
[3] A. TREIBS u. K. HINTERMEIER, B. **87**, 1163 (1954).
[4] D. S. BRESLOW, E. BAUMGARTEN u. C. R. HAUSER, Am. Soc. **66**, 1286 (1944).

General formula (reactant):

$$\begin{array}{c}\ \ \ \ \overset{O}{\overset{\|}{}}\ \ \overset{R'}{\overset{|}{}}\\ R{-}C{-}C{-}COOC(CH_3)_3\\ \ \ \ \ \ \ \ \ \underset{R''}{|}\end{array}$$

R	R'	R''	H$_3$C—CO—CH—R' (with R'')	Ausbeute [% d. Th.]	Literatur
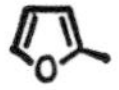 furyl-(2) (Furanring)	H	COOC$_2$H$_5$	3-Oxo-3-furyl-(2)-propansäure-äthylester	70	1
C$_6$H$_5$	C$_4$H$_9$	COOC$_2$H$_5$	2-Benzoyl-hexansäure-äthylester	48	1
C$_6$H$_{13}$	H	COOC$_2$H$_5$	3-Oxo-3-cyclohexyl-propansäure-äthylester	65	1
CH$_2$—C$_6$H$_5$	H	COOC$_2$H$_5$	3-Oxo-4-phenyl-butansäure-äthylester	47	1
C$_6$H$_5$	CH$_2$—C$_6$H$_6$	COOC(CH$_3$)$_3$	1-Oxo-1,3-diphenyl-propan	80	2
C$_6$H$_5$	4-NO$_2$—C$_6$H$_4$	COOC(CH$_3$)$_3$	3-Oxo-3-phenyl-1-(4-nitro-phenyl)-propan	81	2
C$_6$H$_5$	2-NO$_2$—C$_6$H$_4$	COOC(CH$_3$)$_3$	3-Oxo-3-phenyl-1-(2-nitro-phenyl)-propan	71	2
H$_5$C$_6$—CH=CH—	CH$_2$—C$_6$H$_5$	COOC(CH$_3$)$_3$	3-Oxo-1,5-diphenyl-penten-(1)	79	2
C$_7$H$_{15}$	C$_8$H$_{17}$	COOC(CH$_3$)$_3$	Heptadecanon-(8)	65	2
C$_6$H$_5$	C$_6$H$_{13}$	COOC(CH$_3$)$_3$	1-Oxo-2-cyclohexyl-1-phenyl-äthan	56	2
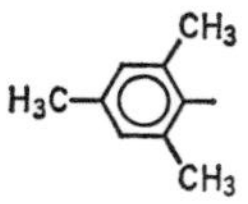 2,4,6-Trimethyl-phenyl	CH$_2$—C$_6$H$_5$	COOC(CH$_3$)$_3$	1-Oxo-2-phenyl-1-(2,4,6-trimethyl-phenyl)-äthan	84	2
4-NO$_2$—C$_6$H$_4$	C$_4$H$_9$	COOC(CH$_3$)$_3$	4-Nitro-1-hexanoyl-benzol	58	2
4-NO$_2$—C$_6$H$_4$	CH$_3$	COOC(CH$_3$)$_3$	4-Nitro-1-propanoyl-benzol	36	2

[1] D. S. BRESLOW, E. BAUMGARTEN u. C. R. HAUSER, Am. Soc. 66, 1286 (1944).

[2] G. S. FONKEN u. W. S. JOHNSON, Am. Soc. 74, 831 (1952).
W. H. PUTERBAUGH, F. W. SWAMER u. C. R. HAUSER, Am. Soc. 74, 3438 (1952).

Die Anwendung der Methode auf α-Acyl-acetessigsäure-tert.-butylester[1] eröffnet eine elegante Methode zur Herstellung von β-Diketonen:

$$H_3C-CO-\underset{\underset{CO-R}{|}}{CH}-COOC(CH_3)_3 \longrightarrow H_3C-CO-CH_2-CO-R$$

Das Verfahren liefert Ausbeuten von 60–95% d. Th.

Eine Übersicht über die bisher beschriebenen Keton-Spaltungen von β-Oxocarbonsäure-tert.-butylestern

$$R-CO-\underset{\underset{R''}{|}}{\overset{\overset{R'}{|}}{C}}-COO-C(CH_3)_3 \longrightarrow R-CO-\underset{}{\overset{\overset{R'}{|}}{C}}H-R''$$

gibt Tab. 168 (S. 1354).

Ersetzt man die tert.-Butyl-Gruppe durch den Trimethylsilyl-Rest[2], so gelangt man nach Acylierung der Lithium-Salze von Acetessigsäure-trimethylsilylester oder der Silylester der Malonsäure bzw. der Malonsäure-monoester mit gemischten Anhydriden in aprotischen Lösungsmitteln wie Äther nach dem Behandeln der Reaktionsansätze mit Wasser unmittelbar zu den gewünschten β-Dicarbonyl-Derivaten; Ausbeuten: 50–70% d. Th.

Es ist bemerkenswert, daß auch Acyl-malonsäure-diäthylester beim Erhitzen mit einer geringen Menge Naphthalin-2-sulfonsäure auf 190–200° ebenfalls unter partieller Verseifung und Decarboxylierung in β-Oxo-carbonsäureester übergehen[3]. So erhält man aus Propanoyl-malonsäure-diäthylester den *3-Oxo-pentansäure-diäthylester*, aus Benzoyl-malonsäure-diäthylester den *3-Oxo-3-phenyl-propansäure-äthylester* und aus 3-Oxo-2-äthoxycarbonyl-hexandisäure-diäthylester den *3-Oxo-hexandisäure-diäthylester*, wenn auch nur in mäßiger Ausbeute.

Mit Borsäureanhydrid als Katalysator zerfällt Acetessigsäure-äthylester bereits bei 150° in inerter Atmosphäre pyrolytisch in hoher Ausbeute zu *Aceton*, Kohlendioxid und Äthylen[4]:

$$H_3C-CO-CH_2-COOC_2H_5 \xrightarrow{(B_2O_3),\,150°} H_3C-CO-CH_3 + CO_2 + H_2C=CH_2$$

Diese Reaktion gelingt naturgemäß nur dann, wenn der zur Veresterung benutzte Alkohol zur β-Elimination zu einem Olefin fähig ist; die Reaktion erscheint verallgemeinerungsfähig.

γ) Keton-Spaltung von β-Oxo-carbonsäure-tetrahydropyranyl-(2)-estern

Diese Methode[5] zur Keton-Spaltung beruht auf der Tatsache, daß Carbonsäuren unter Säurekatalyse bei Zimmertemperatur 5,6-Dihydro-4H-pyran[6] quantitativ zu Tetrahydropyranyl-(2)-estern addieren und daß diese Reaktion in der Hitze bereits

[1] A. Treibs u. K. Hintermeier, B. 87, 1163 (1954).
[2] U. Schmidt u. M. Schwochau, Tetrahedron Letters 1967, 875.
[3] B. Riegel u. W. M. Lilienfeld, Am. Soc. 67, 1273 (1945).
[4] J. M. Lalancette u. A. Lachance, Tetrahydron Letters 1970, 3903.
[5] R. E. Bowman u. W. D. Fordham, Soc. 1952, 3945.
[6] Herstellung von 5,6-Dihydro-4H-pyran aus Tetrahydrofurfurylalkohol über Aluminiumoxid/300°: Org. Synth., Coll. Vol 3, 276 (1955).
     DBP 858564 (1941), Cassella; Erf.: W. Zerweck, H. Ritter u. E. Korten; C. 1954, 3572.
     C. Kline u. J. Turkevich, Am. Soc. 67, 498 (1954).

mit *Essigsäure* als Katalysator rückläufig ist:

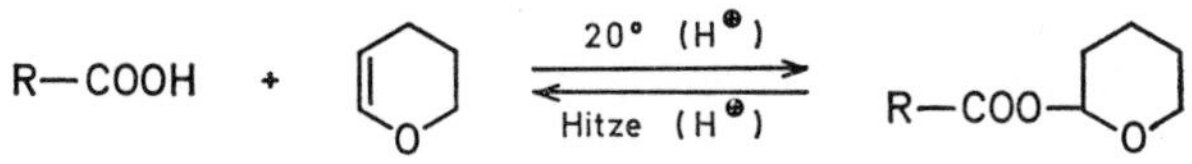

R—COOH + [Struktur: 3,4-Dihydro-2H-pyran] $\underset{\text{Hitze (H}^{\oplus}\text{)}}{\overset{20° \ (\text{H}^{\oplus})}{\rightleftharpoons}}$ R—COO—[Tetrahydropyranyl-Rest]

Die Methode wurde bisher benutzt zur Keton-Spaltung von Acyl-malonsäure-di-tetrahydropyranyl-(2)-estern zu Ketonen:

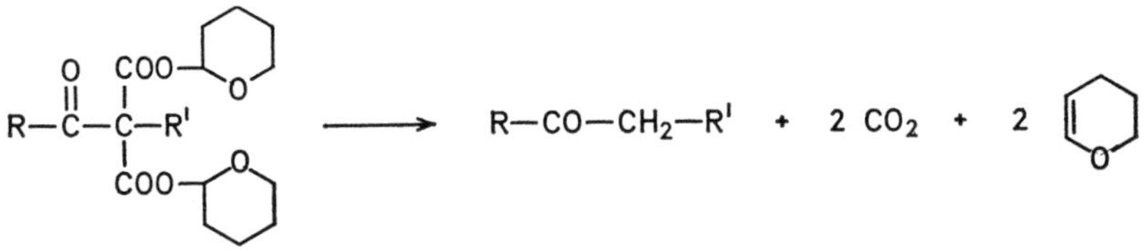

[Reaktionsschema:] R—C(=O)—C(COO—[THP])(COO—[THP])—R' $\longrightarrow$ R—CO—CH$_2$—R' + 2 CO$_2$ + 2 [Dihydropyran]

Ketone aus Acyl-malonsäure-di-tetrahydropyranyl-(2)-estern; allgemeine Arbeitsvorschrift: 0,05 Mol Malonsäure oder einer monosubstituierten Malonsäure werden zu einer Lösung von 0,15 Mol 5,6-Dihydro-4H-pyran in 50 *ml* Benzol gegeben. Nach Zusatz von einem Tropfen konz. Schwefelsäure tritt unter Wärmetönung die Addition ein; durch gelegentliches Kühlen wird die Reaktionstemp. unter 30° gehalten. Hierbei entsteht gewöhnlich eine klare Lösung, die man nach Abklingen der Wärmetönung noch 30 Min. bei Zimmertemp. stehen läßt. Nachdem man durch Bestimmung etwa noch vorhandener freier Malonsäure die Vollständigkeit der Umsetzung festgestellt hat, entfernt man den Katalysator durch 30 Min. Schütteln mit 4 g festem Ätzkali und dekantiert danach von anorganischem Material. Lösungsmittel und Überschuß 5,6-Dihydro-4H-pyran werden i.Vak. bei einer 30° nicht übersteigenden Badtemp. abgezogen, der zurückbleibende Ester in 50 *ml* Benzol gelöst und diese Lösung unter Kühlung zu einer Suspension von 0,05 g Atom Natriumpulver in 100 *ml* Benzol gegeben (Reaktionstemp. 35°). Nach Auflösung des Metalls fügt man 0,05 Mol des Carbonsäure-chlorids in 50 *ml* Benzol hinzu, läßt 30 Min. bei Zimmertemp. stehen, fügt alsdann 5 *ml* Eisessig hinzu und kocht die Lösung unter Rückfluß bis zur Beendigung der Kohlendioxid-Entwicklung (90 Min.). Isolierung des Ketons wie üblich.

Diese Methode ist weitgehend variationsfähig. Sie ist anwendbar auf die Herstellung von Ketonen aus ungesättigten Carbonsäure-chloriden oder aus α-Chlorcarbonsäure-chloriden; ebenso gelingt die Reaktion mit Carbonsäure-anhydriden[1].

Ausgehend von Malonsäure-monoester und entsprechenden C-Alkyl-Derivaten lassen sich auch glatt entsprechende β-Oxo-carbonsäureester erhalten und aus Alkan-1,1,ω-tricarbonsäuren z.B. γ-, δ- und ε-Oxo-carbonsäuren[2].

Tab. 169 (S. 1358) enthält eine Zusammenstellung der beschriebenen Synthesen.

5. Keton-Spaltung von β-Oxo-carbonsäure-allylestern und propargylestern durch Pyrolyse

Die unter Inversion des Allyl-Restes verlaufende Pyrolyse von β-Oxo-carbonsäure-allylestern, die zu γ,δ-ungesättigten Ketonen führt,

R—CO—CH$_2$—COO—CH(R')—CH=CH—R'' $\xrightarrow{- CO_2}$ R—CO—CH$_2$—CH(R'')—CH=CH—R'

wurde bereits in ds. Handb., Bd. VIII, S. 636 behandelt.

---

[1] J. C. PROMÉ u. C. ASSELINEAU, Bl. **1964**, 2665.
[2] V. ARSENIJERIC u. A. HOREAN, Bl. **1959**, 1943.

Tab. 169. Ketone durch Keton-Spaltung von Acyl-malonsäure-bis-tetrahydro-
pyranylestern

$$\underset{\text{R}-\overset{\displaystyle \text{COOH}}{\underset{|}{\text{CH}}}-\text{COOH}}{} + \text{Cl}-\text{CO}-\text{R}' \quad \rightarrow \quad \text{R}-\text{CH}_2-\text{CO}-\text{R}'$$

R	R'	Keton	Ausbeute [% d.Th.]	Literatur
C_6H_5—CH_2—	$C_{11}H_{23}$	3-Oxo-1-phenyl-tetradecan	60	1
C_8H_{17}	C_6H_5	Decanoyl-benzol (1-Oxo-1-phenyl-decan)	50	1
$C_{12}H_{25}$	$H_{17}C_8$—$CH=CH_2$—	Tetracosen-(1)-on-(11)	76	1
$HOOC$—$(CH_2)_{10}$	$H_{17}C_8$—$CH=CH_2$—	13-Oxo-tricosen-(22)-säure	75	1
C_8H_{17}	—$COOC_2H_5$	2-Oxo-undecan-säure-äthylester	65	1
C_6H_{13}	—$\overset{\displaystyle \text{Cl}}{\underset{|}{\text{CH}}}$—$CH_3$	2-Chlor-3-oxo-decan	92	1
C_6H_{13}	—$C\equiv C$—C_6H_5	3-Oxo-1-phenyl-decin-(1)	85	1
C_6H_{13}	—$CH=CH$—$CH=CH$—CH_3	Tridecadien-(2,4)-on-(6)	90	1
$C_{12}H_{25}$	—$CH=CH$—$COOC_2H_5$	4-Oxo-heptaedcen-(2)-säure-äthyl-ester	45	1
$HOOC$—CH_2—	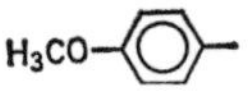 H_3CO—⟨C₆H₄⟩—	4-Oxo-4-(4-meth-oxy-phenyl)-bu-tansäure	76	2
$HOOC$—CH_2—	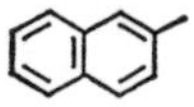 (naphthyl-2)	4-Oxo-4-naphthyl-(2)-butansäure	83	2
$HOOC$—CH_2—	H_3CO—(6-methoxy-naphthyl-2)	4-Oxo-4-[6-meth-oxy-naphthyl (2)]-butansäure	85	2
$HOOC$—$(CH_2)_2$—	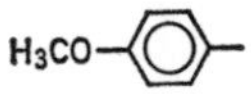 H_3CO—⟨C₆H₄⟩—	5-Oxo-5-(4-meth-oxy-phenyl)-pentansäure	81	2
$HOOC$—$(CH_2)_2$—	H_3CO—(7-methoxy-naphthyl-2)	5-Oxo-5-[7-meth-oxy-naphthyl-(2)]-pentansäure	74	2
$HOOC$—$(CH_2)_3$—	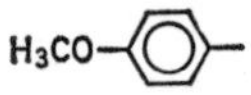 H_3CO—⟨C₆H₄⟩—	6-Oxo-6-(4-meth-oxy-phenyl)-hexansäure	86	2
$HOOC$—$(CH_2)_3$—	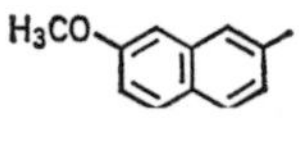 H_3CO—(7-methoxy-naphthyl-2)	6-Oxo-6-[7-meth-oxy-naphthyl-(2)]-hexansäure	78	2
$HOOC$—$(CH_2)_3$—	H_5C_6—$CH=CH$	6-Oxo-8-phenyl-octen-(7)-säure	63	2

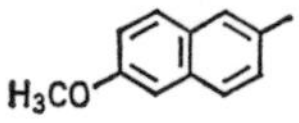

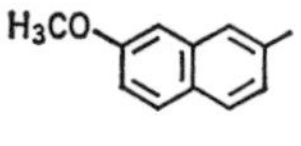

[1] R. E. BOWMAN u. W. D. FORDHAM, Soc. 1952, 3945.
[2] V. ARSENIJEVIC u. A. HOREAU, Bl. 1959, 1943.

Die erforderlichen Allylester lassen sich leicht durch (nichtkatalysierte) Umesterung von β-Oxo-carbonsäure-methylestern oder -äthylestern mit den ungesättigten Alkoholen durch Erwärmen auf dem Wasserbad unter Abdestillieren der freiwerdenden niederen Alkohole gewinnen[1]. Empfehlenswert ist auch die meist alkalisch katalysierte Acetoacetylierung der ungesättigten Alkohole mit Diketen[2].

Präparativ vorteilhaft ist die Durchführung von Umesterung und Pyrolyse in einem Arbeitsgang, wie etwa bei der Herstellung von *5-Oxo-1-phenyl-hexen-(1)*.

5-Oxo-1-phenyl-hexen-(1)[3]:

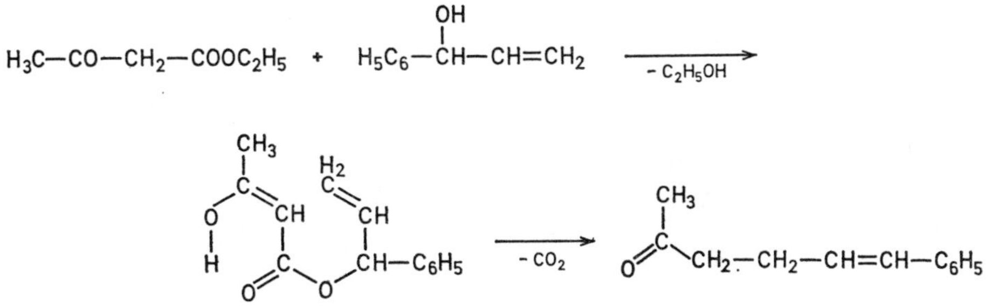

Eine Mischung von 0,2 Mol Phenyl-vinyl-carbinol (1-Phenyl-allylalkohol), 0,27 Mol Acetessigsäure-äthylester und 0,3 g Kaliumacetat werden im Verlauf von 3 Stdn. auf 220° erhitzt und weitere 3 Stdn. bei der gleichen Temp. gehalten. Die Kohlendioxid-Entwicklung beginnt bereits bei 170° und ist bei 220° praktisch beendet; danach wird wie üblich aufgearbeitet; Ausbeute: 26 g (75% d. Th.); Kp$_4$: 125–130°.

Die gleiche Reaktion läßt sich auch in der Gasphase durchführen, indem man den β-Oxo-carbonsäure-allylester im Gemisch mit überschüssigem Allylalkohol durch ein auf 450–550° beheiztes Rohr leitet[4], wobei als Nebenprodukt *4-Hydroxy-3-acetyl-2H-pyron (Dehydracetsäure)* entsteht.

Hexen-(1)-on-(5): Zu 364 g (6,25 Mol) Allylalkohol und 0,5 *ml* Triäthylamin läßt man bei 60–70° 250 g 95%-iges Diketen (2,72 Mol) im Verlauf von 30 Min. tropfen und erhitzt danach die gleiche Zeit. Das Reaktionsprodukt wird mit einer Geschwindigkeit von 90–100 *ml*/Stde. durch ein 17 mm weites Pyrex-Rohr geleitet, das auf 30 cm Länge auf 485–495° geheizt ist. Man erhält 520 g Kondensat neben 42,2 *l* 84%-igem Kohlendioxid. Die Destillation des Kondensats ergibt 212,7 g Allylalkohol, 118,6 g *Hexen-(1)-on-(5)* und 98,6 g nicht gespaltenen Ester neben 45,9 g *4-Hydroxy-3-acetyl-α-pyron (Dehydracetsäure)*. Ausbeute an *Hexen-(1)-on-(5)*: 56,8% d.Th. (bez. auf umgesetzten Allylester).

Bei der Synthese des *6-Oxo-2-methyl-hepten-(2)* aus 3-Methyl-buten-(1)-ol-(3) hat

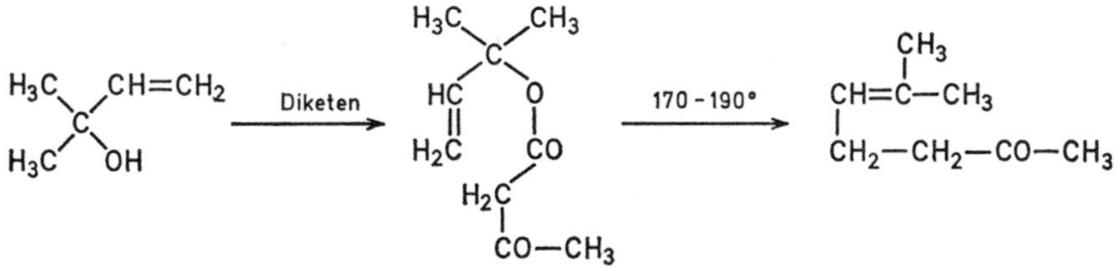

---

[1] A. R. BADER, L. O. CUMMINGS u. H. A. VOGEL, Am. Soc. **73**, 4195 (1951).
   A. R. BADER u. H. A. VOGEL, Am. Soc. **74**, 3992 (1952).
   S.a. ds. Handb., Bd. VIII, S. 527.
[2] S.a. ds. Handb., Bd. VIII, S. 549.
[3] M. F. CARROLL, Soc. **1940**, 1267.
[4] Brit.P. 695313 (1951), British Industrial Solvents Ltd., Erf.: R. N. LACEY; C. A. **48**, 11482 (1954).

sich der Zusatz einer geringen Menge Aluminium-alkanolat bei der Pyrolyse des Acet-essigsäureesters bewährt[1]:

6-Oxo-2-methyl-hepten-(2): 510 g (3,0 Mol) Acetessigsäure-3-methyl-buten-(1)-yl-(3)-ester und 8,7 g Aluminium-triisopropanolat werden im 2-l-Kolben an einem wirksamen Rückflußkühler unter kräftigem Rühren 5 Stdn. auf 140–160° erhitzt, wobei 90% der ber. Menge Kohlendioxid abgespalten werden, anschließend wird destilliert; Ausbeute: 314 g (83% d.Th.); Kp_{10}: 58–59°.

Dem Mechanismus der Reaktion entsprechend gelingt die Pyrolyse auch noch bei α-monosubstituierten β-Oxo-carbonsäure-allylestern, da ein noch substituier-bares Wasserstoffatom in α-Stellung und damit die Möglichkeit zur Enolisierung Voraussetzung für den Eintritt der Reaktion ist:

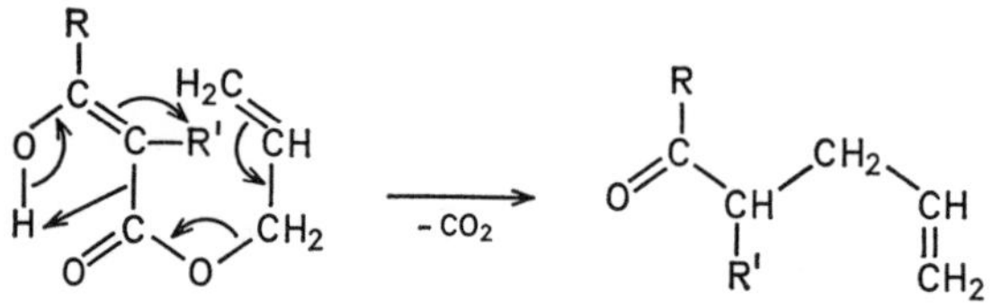

Bemerkenswerterweise läßt sich die Reaktion übertragen auf entsprechende Alkin-(1)-ol-(3)-ester enolisierbarer β-Oxo-carbonsäuren, insbesondere auf Ester von tertiären Acetylencarbinolen. Hierbei entstehen als Reaktionsprodukte 1,3-Dienone-(5), z.T. neben den isomeren Allen-Derivaten, den 1,2-Dienonen-(5)[2] und *4-Hydroxy-3-acetyl-2H-pyron (Dehydracetsäure)*:

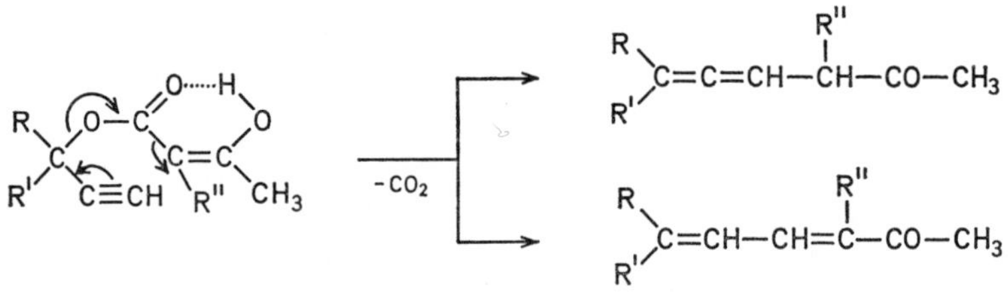

Es ist bisher nicht untersucht, ob die Allen-Derivate Nebenprodukte dieser Reak-tion sind oder wirkliche Zwischenprodukte, obwohl der Verlauf über Allene wahr-scheinlich ist.

Erhitzt man die Acetessigsäure-tert.-propargylester für sich ohne Zusätze auf 160–210°, so entstehen i. allg. als Reaktionshauptprodukte die erwarteten konju-gierten Dienone mit 50–70% Ausbeute neben einer geringen Menge der isomeren

[1] W. Kimel et al., J. Org. Chem. **22**, 1611 (1957); **23**, 153 (1958).
  S.a. J. Dreux u. J. Colonge, Bl. **1955**, 1312.
[2] US.P. 2661368 (1952); Hoffmann-La Roche Inc.; C. A. **49**, 1784 (1955).
  DAS 1021354, Hoffmann-La Roche & Co. AG., Erf.: W. Kimel u. N. W. Sax; C. A. **53**, 19888 (1959).
  Brit.P. 762656 (1953); A. Boake Roberts Co., Erf.: M. F. Carroll; C. A. **51**, 12143 (1957).
  G. J. Samokhvalov, M. A. Miropol'skaya u. N. A. Preobrazhenskii, Doklady Akad. SSSR **107**, 103 (1956); C. A. **50**, 13820 (1956).
  G. J. Samokhvalov et al., Ž. obšč. Chim. **27**, 2501 (1957).
  I. N. Nazarov et al., Doklady Akad. Nauk SSSR **114**, 331, 553 (1957); C. A. **52**, 235 ,247 (1958).
  I. K. Sarycheva et al., Ž. obšč. Chim. **27**, 2662 (1957); C. A. **52**, 7139 (1958).

Allenketone. Führt man die Pyrolyse unter Zusatz saurer Katalysatoren[1] wie p-Toluolsulfonsäure durch, so sind die Ausbeuten an 1,3-Dienonen-(5) weniger günstig, da nunmehr auch Gemische isomerer Ketone entstehen.

Die Pyrolyse der Acetessigsäure-tert.-α-alkinylester wurde bisher häufig zur Synthese des *Pseudojonons* [*10-Oxo-2,6-dimethyl-undecatrien-(2,6,8)*; III][2], einem wichtigen Zwischenprodukt der Synthese des Vitamins A benutzt. Ausgehend von I, erhält man durch Addition an Diketen den entsprechenden Acetessigester II, dessen Pyrolyse bei 170–190° zum Keton III führt, (55% d. Th.) wobei ein isomeres Cyclopentenyl-Derivat IV als Nebenprodukt entsteht (14% d. Th.)[3]:

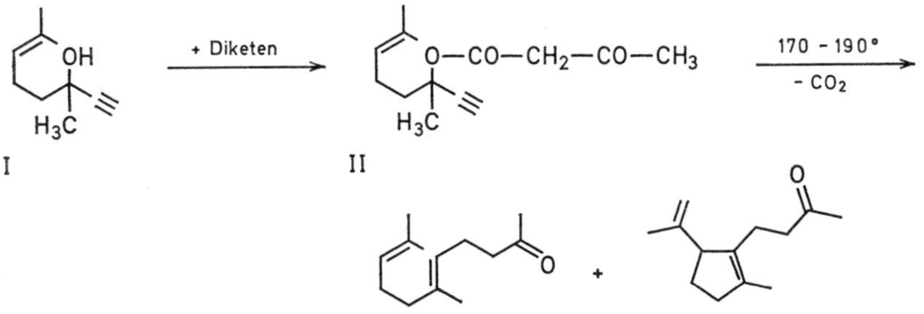

III; Pseudojonon   IV; *1-Methyl-2-(3-oxo-butyl)-3-isopropenyl-cyclopenten-(1)*

Auch bei dieser Pyrolyse hat sich ein Zusatz von 0,2 g Aluminium-triisopropanolat pro Mol Carbonsäureester als vorteilhaft erwiesen.

Es konnte gezeigt werden[4,5], daß die gleiche Reaktion auch dann eintritt, wenn man α-Alkinole mit Acetessigsäureestern im Überschuß ohne Anwesenheit eines Katalysators auf etwa 150–180° erhitzt. Erhöht man den Überschuß des β-Oxo-carbonsäureesters auf mindestens 2,5–3 Mol, dann verläuft die Umsetzung glatt und im wesentlichen ohne Bildung von Nebenprodukten[6]:

Pseudojonon [10-Oxo-2,6-dimethyl-undecatrien-(2,6,8); **III]:** Man erhitzt 152 g (1 Mol) I [3-Hydroxy-3,7-dimethyl-octen-(6)-in-(1)] mit 390 g (3 Mol) Acetessigsäure-äthylester 2–3 Stdn. auf 180–190°, wobei unter Kohlendioxid-Entwicklung 67 g Äthanol abdestillieren. Nach dem Erkalten verdünnt man das Reaktionsgemisch mit Äther, Chloroform oder Benzol, entsäuert durch Schütteln mit Natriumhydrogencarbonat-Lösung, trocknet und destilliert das Verdünnungsmittel ab. Bei fraktionierter Destillation des Rückstandes unter vermindertem Druck erhält man nach einem Vorlauf von 220 g (1,7 Mol) Acetessigsäure-äthylester 140 g (73% d.Th.) *Pseudojonon*; Kp$_4$: 130–135°.

[1] Brit.P. 741047 (1952); DAS 1021355 (1953), The Distillers Comp. Ltd., Edinburgh; Erf.: R. N. Lacey; C. A. **50**, 16839 (1956); C. **1959**, 13949.
R. N. Lacey, Soc. **1954**, 827.
[2] W. Kimel et al., J. Org. Chem. **23**, 153 (1958).
S.a. W. Kimel et al., J. Org. Chem. **22**, 1611 (1957).
A. Sturzenberger, J. Zelauskas u. A. Ofner, J. Org. Chem. **28**, 920 (1963).
J. D. Surmatis u. A. Ofner, J. Org. Chem. **28**, 2735 (1963).
[3] Vgl. ds. Bd., S. 1360.
[4] Brit.P. 762656 (1953), A. Boake Roberts Co., Erf.: M. F. Carroll; C. A. **51**, 12143 (1957).
[5] Y.-R. Naves, C. r. **240**, 1437 (1955).
Y.-R. Naves u. P. Ardizio, Bl. **1955**, 1479; **1956**, 1409.
Y. R. Naves, P. Ardizio u. B. Wolf, C. r. **244**, 2393 (1957); Bl. **1957**, 1213.
S.a. O. Isler et al., Chimia **11**, 103 (1957).
[6] DAS 1026743 (1955), BASF, Erf.: H. Pasedach u. M. Seefelder; C. A. **54**, 18392 (1960).

Eine Übertragung der Reaktion auf den Umsatz der α-Alkinole mit α-Acyl-acet-essigsäure-äthylester ist nur bedingt möglich[1]. Während aus 3-Phenyl-butin-(1)-ol-(3) und 3-Oxo-2-acetyl-butansäure-äthylester zu 25–30% das erwartete *6-Oxo-2-phenyl-5-acetyl-heptadien-(2,4)* erhalten wird, entsteht aus 1-Äthinyl-cyclohexanol *Cyclohexan-⟨spiro-2⟩-5-oxo-3-methyl-4-acetyl-2,5-dihydro-furan*.

Eine Alternative zur Pyrolyse der Acetessigsäure-alkin-(1)-yl-(3)-ester stellt die Umlagerung der 3-Acetoxy-alkine-(1) in Essigsäure bei Gegenwart von Silber- oder Kupfer-Katalysatoren zu Acetoxy-allenen und deren Kondensation mit Aceton und Alkali zum entsprechenden 3,5-Dienon-(2) dar[2]:

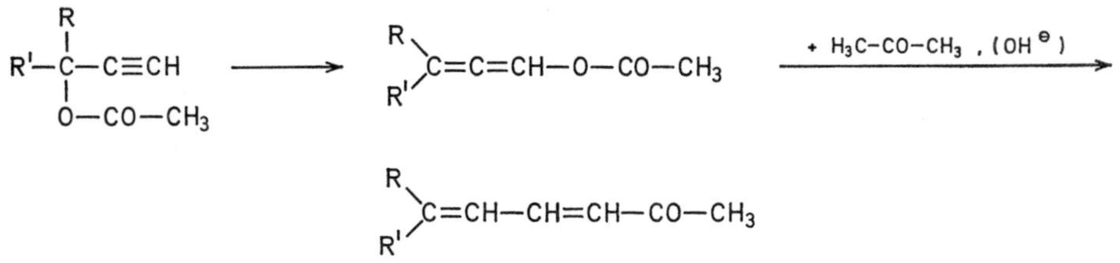

Auf diese Weise gelangt man vom 3-Hydroxy-3,7-dimethyl-octen-(6)-in-(1) (De-hydrolinalool) über den Enolester des Citrals ebenfalls zum *Pseudojonon*.

d) Ketone durch Spaltung von Amiden und Aziden der α-Halogen-, α-Hydroxy- und α,β-ungesättigten Carbonsäuren

Bearbeitet von

Prof. Dr. Hermann Stetter

Institut für Organische Chemie der Technischen Hochschule Aachen

Ausgehend von am α-Kohlenstoffatom verzweigten α-Halogen-carbonsäuren, α-Hydroxy-carbonsäuren, α,β-ungesättigten Carbonsäuren und dialkylierten Malon-säuren lassen sich Ketone nach den bekannten Abbau-Methoden von Hofmann und Curtius erhalten.

α-Halogen-carbonsäuren dieses Typs können durch den Hofmann-Abbau ihrer Amide in Ketone überführt werden:

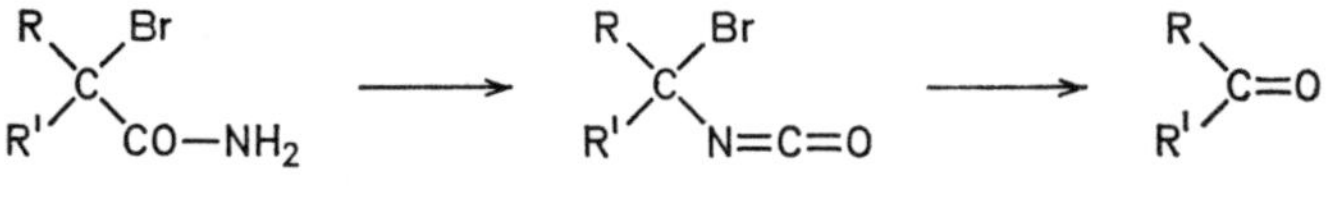

Beispiele für solche Keton-Herstellungen durch Hofmann-Abbau sind die Her-stellung von *Aceton* und *Pentanon-(3)* aus 2-Brom-2-methyl-propansäure-amid und 2-Brom-2-äthyl-butansäure-amid[3], *Cyclobutanon* aus 1-Brom-cyclobutan-1-carbon-

[1] R. N. Lacey, Soc. **1960**, 3153.
[2] G. Saucy et al., Helv. **42**, 1952 (1959).
    S.a. E. J. Kozlov u. M. T. Yanomovskii u. G. I. Samokhvalov, Ž. obšč. Chim. **34**, 2770 (1964); engl.: 2748.
    G. Saucy u. R. Marbet, Helv. **50**, 1158 (1967).
[3] G. Mossler, M. **29**, 69 (1908).

säure-amid[1] sowie die Herstellung von *Heptanon-(3)* (70% d.Th.) aus 2-Brom-2-äthyl-hexansäure-amid[2].

Bessere Ausbeuten an Ketonen gibt im allgemeinen der Curtius-Abbau der α-Halogen-carbonsäuren. Für die Herstellung der halogenierten Carbonsäure-azide bedient man sich hier der direkten Einwirkung der halogenierten Carbonsäure-chloride auf Natriumazid. Der Weg zu den Aziden ausgehend von den Carbonsäureestern über die Hydrazide ist im allgemeinen nicht anwendbar, da das α-ständige Halogen ebenfalls mit Hydrazin reagiert.

$$\begin{array}{ccc} \begin{matrix} R \\ {\diagdown} \\ R' \diagup C {\diagup} \begin{matrix} Br \\ CO-N_3 \end{matrix} \end{matrix} & \longrightarrow & \begin{matrix} R \\ {\diagdown} \\ R' \diagup C {\diagup} \begin{matrix} Br \\ N=C=O \end{matrix} \end{matrix} & \longrightarrow & \begin{matrix} R \\ {\diagdown} \\ R' \diagup C=O \end{matrix} \end{array}$$

Als Lösungsmittel für diese Umsetzung benutzt man absol. Pyridin oder Benzol, wobei Pyridin meist bessere Ausbeuten ergibt.

Die Isocyanate werden nicht isoliert sondern sofort mit alkoholischer Kalilauge verseift. Nach dem Ansäuern kann man dann die entstandenen Ketone vorteilhaft durch Wasserdampf-Destillation abtrennen.

So erhält man aus[3]

2-Brom-2-butyl-hexansäure	→	*Nonanon-(5)*	77% d.Th.[4]
2-Brom-2,2-dicyclopentyl-essigsäure	→	*Dicyclopentyl-keton*	60% d.Th.[4]
2-Brom-2-äthyl-butansäure	→	*Pentanon-(3)*	35% d.Th.[3]
1-Brom-cyclohexan-1-carbonsäure	→	*Cyclohexanon*	57% d.Th.[3]
11-Chlor-11-carboxy-⟨dibenzo-bicyclo[2.2.2]octadien⟩	→	*11-Oxo-⟨dibenzo-bicyclo [2.2.2]octadien⟩*	87% d.Th.[5]

Der Abbau nach Schmidt ist dagegen auf α-Halogen-carbonsäuren nicht anwendbar, da diese unter den Reaktionsbedingungen dehalogeniert werden[6].

Am α-Kohlenstoffatom verzweigte α-Hydroxy-carbonsäuren lassen sich durch Abbau nach Curtius ebenfalls in Ketone überführen. Die intermediär entstehenden Isocyanate spalten Cyansäure ab und gehen dabei in Ketone über[7]:

$$\begin{array}{ccc} \begin{matrix} R \\ {\diagdown} \\ R' \diagup C {\diagup} \begin{matrix} OH \\ CON_3 \end{matrix} \end{matrix} & \longrightarrow & \begin{matrix} R \\ {\diagdown} \\ R' \diagup C {\diagup} \begin{matrix} OH \\ N=C=O \end{matrix} \end{matrix} & \longrightarrow & \begin{matrix} R \\ {\diagdown} \\ R' \diagup C=O \end{matrix} & + & HN=C=O \end{array}$$

Benzilsäure-azid ergibt so *Benzophenon*[8], während das Triazid der Citronensäure unter gleichzeitigem Abbau aller Azid-Gruppen *1,3-Diamino-aceton* bildet[9].

Unterwirft man verätherte oder veresterte α-Hydroxy-carbonsäuren dem gleichen Abbau, so ergeben die primär entstehenden Isocyanate nach Verseifung die entsprechenden Ketone. Sind im Molekül noch weitere Gruppen vorhanden, die mit

[1] N. KISHNER, C. 1905 I, 1219, 1220.
[2] C. L. STEVENS u. T. H. COFFIELD, Am. Soc. 73, 103 (1951).
    S. a. C. L. STEVENS, T. K. MUKHERJEE u. V. J. TRAYNELIS, Am. Soc. 78, 2264 (1956).
[3] M. S. NEWMAN, Am. Soc. 57, 732 (1935).
[4] J. v. BRAUN, B. 67, 218 (1934).
[5] E. J. COREY, T. RAVINDRANATHAN u. S. TERASHIMA, Am. Soc. 93, 4326 (1971).
[6] J. v. BRAUN, B. 67, 218 (1934).
    H. GILMAN u. R. G. JONES, Am. Soc. 65, 1458 (1943).
[7] T. CURTIUS, J. pr. 94, 273 (1916).
[8] T. CURTIUS u. A. GOLDBERG, J. pr. 95, 168 (1917).
[9] T. CURTIUS u. F. SAUVIN, J. pr. 95, 252 (1917).

Isocyanat reagieren können, so kann es zur Ausbildung von cyclischen Urethanen oder Harnstoffen kommen. Während z.B. 1,5-Dihydroxy-3,4-isopropylidendioxy-cyclohexan-1-carbonsäure-azid(I) in der erwartetenWeise unter Bildung von *5-Hydroxy-3,4-isopropylidendioxy-1-oxo-cyclohexan* (78% d. Th.; III) reagiert, ergibt der α-Methyläther III das cyclische Urethan, aus dem erst durch Verseifung das cyclische Keton IV entsteht[1]:

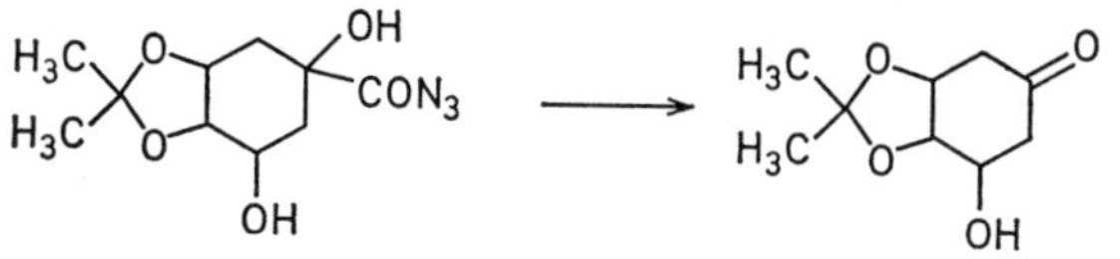

α,β-Ungesättigte Carbonsäuren mit Verzweigung in α-Stellung lassen sich ebenfalls durch diese Abbau-Methoden glatt in Ketone überführen:

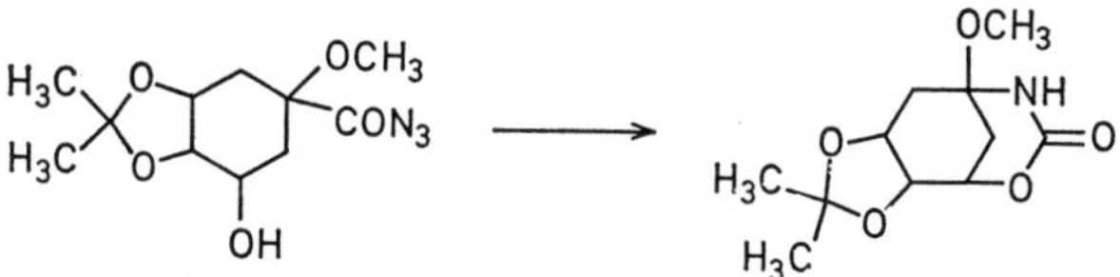

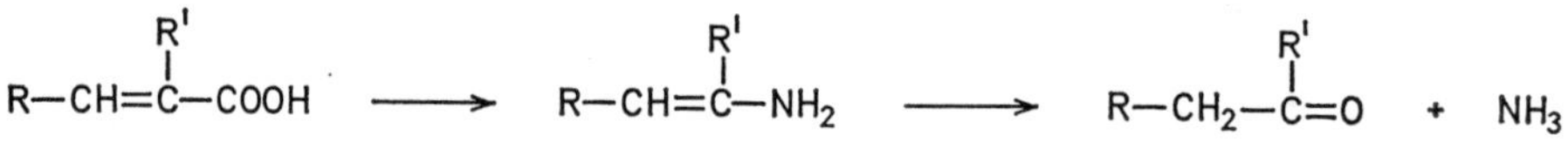

Durch Hofmann-Abbau von Cyclohexen-(1)-1-carbonsäure-amid erhält man mit Methanol primär das Methylurethan, das bei der sauren Verseifung *Cyclohexanon* ergibt[2].

Mit Hilfe des Curtius-Abbaus sind zahlreiche ungesättigte Carbonsäuren in die entsprechenden Ketone überführt worden. Die Herstellung der Azide kann sowohl über die Hydrazide als auch durch direkte Einwirkung von Natriumazid auf die Carbonsäure-chloride erfolgen, wobei meist die letztere Methode Vorteile bietet.

1,7,7-Trimethyl-bicyclo[2.2.1]hepten-(2)-3-carbonsäure läßt sich auf diese Weise in *3-Oxo-1,7,7-trimethyl-bicyclo[2.2.1]heptan* (*Epicampher*; 93% d. Th.) überführen[3]:

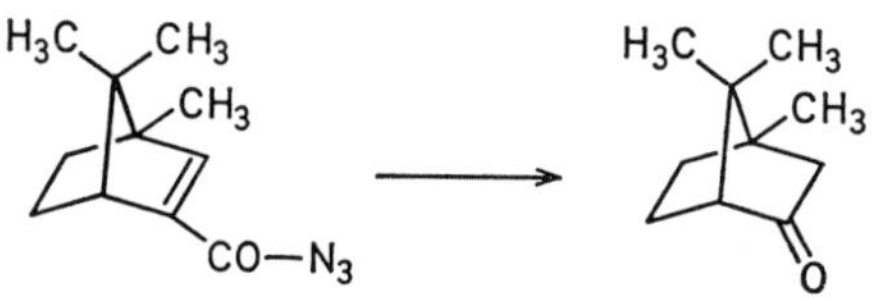

3-Oxo-1,7,7-trimethyl-bicyclo[2.2.1]heptan (**Epicampher**)[3]: 5 g 1,7,7-Trimethyl-bicyclo[2.2.1]hepten-(2)-3-carbonsäure-chlorid werden mit 1,8 g Natriumazid in 20 ml gut getrocknetem

---

[1] H. O. L. Fischer u. G. Dangschat, B. **65**, 1009 (1932).
[2] I. J. Rinkes, R. **45**, 819 (1926).
 S.a. C. D. Gutsche u. J. W. Baum, Tetrahedron Letters **1965**, 2301.
[3] M. Bredt-Savelsberg u. E. Bund, J. pr. **131**, 46 (1931).

Benzol im Ölbad bei 90° unter Rückfluß in einer geschlossenen Apparatur erhitzt, die es gestattet, die abgespaltene Menge Stickstoff über konz. Natriumchlorid-Lösung aufzufangen und zu messen. Das Erhitzen wird solange fortgesetzt, bis die ber. Menge Stickstoff abgespalten ist. Dabei zeigt sich, daß die Dauer des Erhitzens von dem Alter des Natriumazids abhängig ist. Frisch aus Wasser mit Aceton umgefälltes Natriumazid ist am wirksamsten. Das Reaktionsgemisch wird nach Beendigung der Stickstoff-Abspaltung vom Rückstand abfiltriert. Das Filtrat wird mit 20 *ml* konz. Salzsäure versetzt und dann im Ölbad unter Rückfluß auf 90° erwärmt bis zur Beendigung der Kohlendioxid-Abspaltung (∼ 3–6 Stdn.). Das Reaktionsgemisch wird nach dem Alkalisieren mit Natriumcarbonat mit Wasserdampf destilliert. Der Epicampher wird aus dem Destillat nach Sättigen mit Natriumsulfat ausgeäthert und nach dem Abdestillieren des Äthers über das Semicarbazon gereinigt (F: 230–231°).

Epicampher wird dann aus dem Semicarbazon regeneriert; Ausbeute: 93% d.Th.; F: 181 –182°; $[\alpha]_D^{19} = -47°$.

Weitere Beispiele für diese Reaktion sind die Herstellung von *Pentanon-(3)* aus 2-Äthyl-pentansäure-chlorid (55% d.Th.)[1] und von *3-Oxo-8-methyl-bicyclo[4.3.0] nonan* aus 8-Methyl-bicyclo[4.3.0]nonen-3-carbonsäure (30% d.Th.)[2].

Auch die Schmidt-Reaktion läßt sich mit Erfolg für diesen Abbau heranziehen, wie das Beispiel der Ringverengung cyclischer Ketone zeigt[3]. Nach dieser Methode wird z. B. Cyclododecanon mit Brom in 2,12-Dibrom-1-oxo-cyclododecan überführt. Die Favorski-Reaktion ergibt den Methylester, der ohne Isolierung der Schmidt-Reaktion unterworfen wird, und *Cycloundecanon* mit 85–90% Gesamtausbeute liefert:

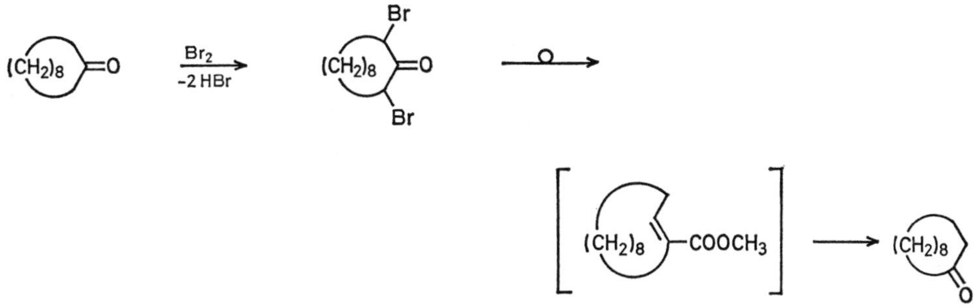

Zu erwähnen wäre hier noch der Curtius-Abbau von dialkylierten Malonsäure-diaziden, der ebenfalls zu Ketonen führt:

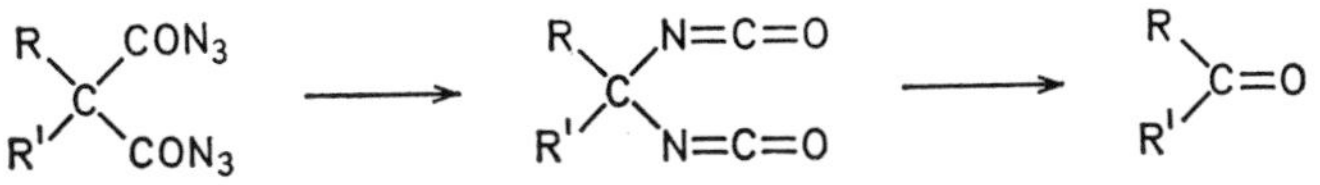

Die Herstellung der Diazide erfolgt hier auf dem Wege über die Hydrazide ausgehend von den dialkylierten Malonsäure-diestern.

Aus Dimethyl-malonsäure-diester erhält man auf diesem Wege *Aceton*[4]. Ein weiteres Beispiel ist die Herstellung von *1-Amino-2-oxo-butan* aus Propyl-hydrazino-carbonyl-malonsäure-dihydrazid (70% d.Th.)[5].

---

[1] M. S. NEWMAN, Am. Soc. **57**, 732 (1935).
[2] P. BAGCHI u. D. K. BANERJEE, J. indian. chem. Soc. **23**, 397 (1946).
  S.a. K. SCHANK u. B. EISTERT, B. **98**, 650 (1965).
[3] E. W. GARBISCH u. J. WOHLLEBE, J. Org. Chem. **33**, 2157 (1968).
  S. a. C. MERCIER et al., Synth. Commun. **3**, 161 (1973).
[4] T. CURTIUS u. W. CÄSAR, J. pr. **94**, 299 (1916).
[5] T. CURTIUS u. R. GUND, J. pr. **107**, 177 (1924).

e) Ketone durch Spaltung von β-Hydroxy-carbonyl-, β-Nitro-hydroxy- und α,β-ungesättigten Carbonyl-Verbindungen

(Inverse Aldolkondensation) sowie durch Spaltung von Michael-Addukten

Bearbeitet von

Prof. Dr. HERMANN STETTER

Institut für Organische Chemie der Technischen Hochschule Aachen

Da die Additionsreaktionen vom Typ der Aldol-Kondensation Gleichgewichtsreaktionen darstellen, können solche Addukte der Aldol-Kondensation grundsätzlich auch wieder in die Komponenten gespalten werden. Hierbei entstehen aus verzweigten Addukten Ketone. Prinzipiell ist diese Keton-Bildung aus verzweigten Ketonen, Carbonsäureestern und Nitro-Verbindungen mit β-ständigen Hydroxy-Gruppen entsprechend dem folgenden Formelschema möglich:

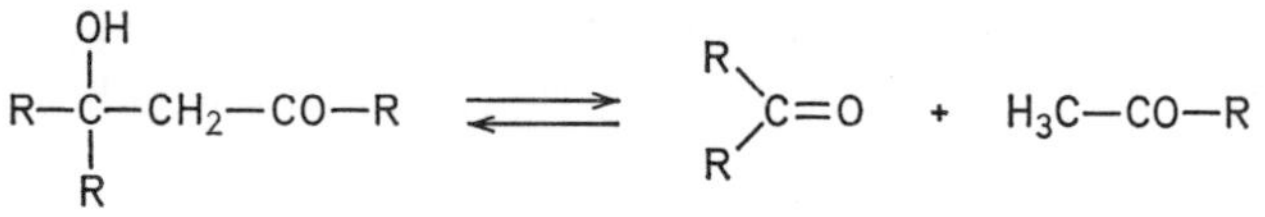

$$
\underset{\underset{R}{|}}{\overset{\overset{OH}{|}}{R-C}}-CH_2-CO-R \;\rightleftharpoons\; \overset{R}{\underset{R}{>}}C=O \;+\; H_3C-CO-R \qquad \textcircled{1}
$$

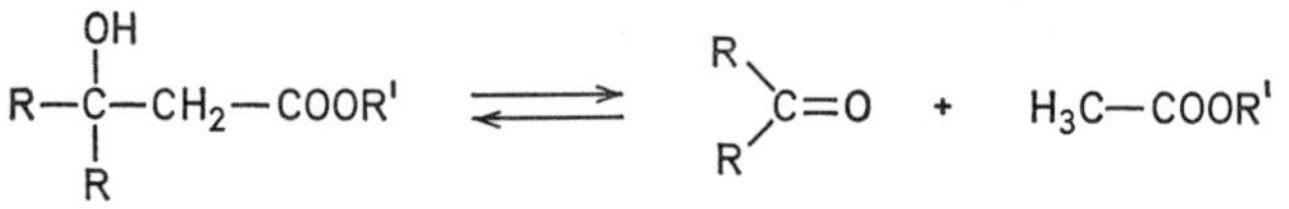

$$
\underset{\underset{R}{|}}{\overset{\overset{OH}{|}}{R-C}}-CH_2-COOR' \;\rightleftharpoons\; \overset{R}{\underset{R}{>}}C=O \;+\; H_3C-COOR' \qquad \textcircled{2}
$$

$$
\underset{\underset{R}{|}}{\overset{\overset{OH}{|}}{R-C}}-CH_2-NO_2 \;\rightleftharpoons\; \overset{R}{\underset{R}{>}}C=O \;+\; H_3C-NO_2 \qquad \textcircled{3}
$$

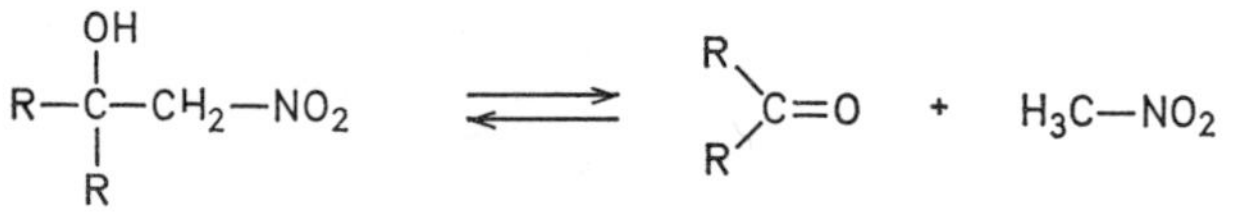

In bestimmten Fällen gelingt diese Spaltung bereits durch einfaches Erhitzen. 4-Hydroxy-4-(1-äthoxycarbonyl-äthyl)-1,2,3,4-tetrahydro-phenanthren spaltet so beim Erhitzen über 150° quantitativ in Propionsäure-äthylester und *4-Oxo-1,2,3,4-tetrahydro-phenanthren* auf[1]:

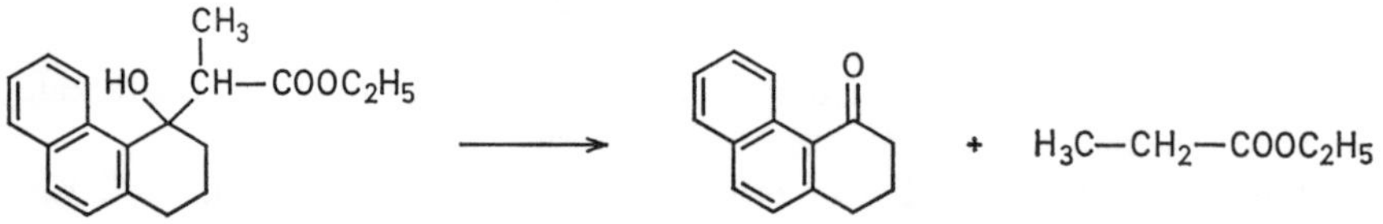

In der gleichen Weise spaltet 2-Hydroxy-4-methyl-2-(1-carboxy-äthyl)-1-isopropyl-cyclohexan in *2-Oxo-4-methyl-1-isopropyl-cyclohexan (Menthon)* und Propionsäure auf[2].

Als Katalysatoren für solche Spaltungen können sowohl Säuren als auch Basen dienen. Damit eine vollständige Spaltung erreicht werden kann, ist es notwendig,

---

[1] H. DANNENBERG u. H. BRACHERT, B. **84**, 504 (1951).
[2] O. WALLACH, A. **365**, 255 (1909).

das Gleichgewicht zu Gunsten der Spaltung zu verschieben. In einfachsten Fällen gelingt dies bereits durch genügende Verdünnung, da die Rückreaktion zu den Addukten in starkem Maße konzentrationsabhängig ist. Ist eines der Spaltprodukte leicht flüchtig, so läßt sich das Gleichgewicht durch Abdestillieren dieses Spaltproduktes günstig beeinflussen.

Eine weitere Möglichkeit, das Gleichgewicht zu Gunsten der Spaltung zu verschieben, besteht darin, daß man eines der Spaltprodukte durch chemische Veränderung dem Gleichgewicht entzieht.

Die Abspaltung des Essigsäureester-Restes aus der Verbindung I gelingt in einfacher Weise, wenn man in Benzol mit Kalium-tert.-butanolat 5 Min. erhitzt. Das Diketon bildet sich hierbei in 75%iger Ausbeute[1]:

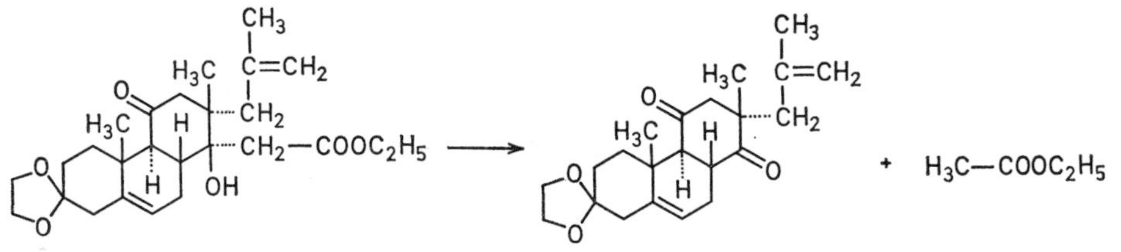

I → II + $H_3C-COOC_2H_5$

13,13-Äthylendioxy-5,8-dioxo-6,10-dimethyl-6-(2-methyl-allyl)-tricyclo[8.4.0.0^{4,9}]tetradecen-(1); Diketon II: Eine Lösung von 165 mg I in 7 ml Benzol erhitzt man mit 0,6 ml 1 m Kalium-tert.-butanolat in tert. Butanol 5 Min. unter Rückfluß. Nach Zugabe von 5 ml Wasser trennt man die Benzol-Schicht ab und extrahiert die wäßrige Schicht 2mal mit Äther. Die vereinigten Extrakte ergeben beim Einengen i. Vak. einen kristallinen Rückstand, der aus Äther/Petroläther (Kp: 30–50°) umkristallisiert werden kann; Ausbeute: 100 mg (75% d. Th.); F: 132–136°.

Über die Gesetzmäßigkeiten bei der basenkatalysierten Spaltung von β-Hydroxy-carbonsäuren vgl. Lit.[2].

Ein Beispiel dafür, wie durch chemische Veränderung eines Spaltproduktes das Gleichgewicht zu Gunsten der Spaltung verschoben werden kann, bildet die Spaltung von 1-Nitro-2-hydroxy-2,4,4-trimethyl-pentan zu *4-Oxo-2,2-dimethyl-pentan* (73% d. Th.). Diese Spaltung wird mit wenig Natronlauge in Gegenwart von Paraformaldehyd vorgenommen. Das als weiteres Spaltprodukt entstehende Nitromethan wird unter diesen Bedingungen als 2-Nitro-1,3-dihydroxy-2-hydroxymethyl-propan abgefangen[3]:

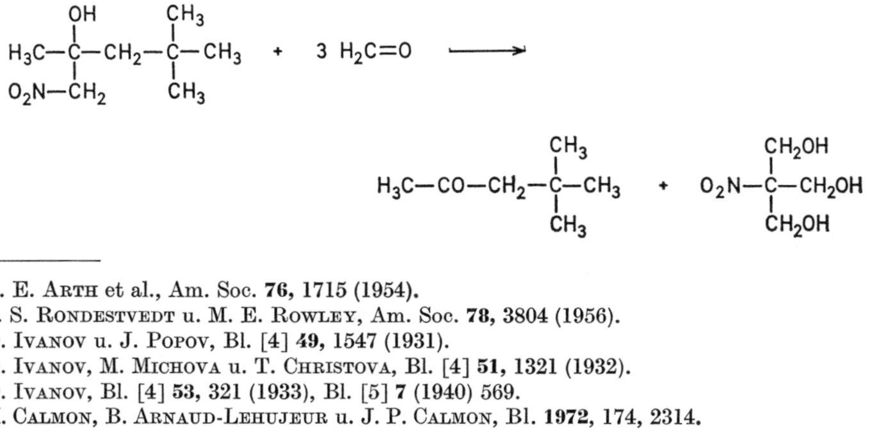

---

[1] G. E. Arth et al., Am. Soc. **76**, 1715 (1954).
[2] C. S. Rondestvedt u. M. E. Rowley, Am. Soc. **78**, 3804 (1956).
  D. Ivanov u. J. Popov, Bl. [4] **49**, 1547 (1931).
  D. Ivanov, M. Michova u. T. Christova, Bl. [4] **51**, 1321 (1932).
  D. Ivanov, Bl. [4] **53**, 321 (1933), Bl. [5] **7** (1940) 569.
  M. Calmon, B. Arnaud-Lehujeur u. J. P. Calmon, Bl. **1972**, 174, 2314.
[3] H. Baldock, N. Levy u. C. W. Scaife, Soc. **1949**, 2627.

4-Oxo-2,2-dimethyl-pentan[1]: 3,5 g 1-Nitro-2-hydroxy-2,4,4-trimethyl-pentan werden mit 1,8 g Paraformaldehyd in Äthanol unter Zusatz eines kleinen Stückchens Natriumhydroxid erwärmt. Die flüchtigen Anteile destilliert man darauf i. Vak. bei 25° ab und kondensiert in einer Kühlfalle, die mit Trockeneis/Methanol gekühlt ist; das Kondensat wird fraktioniert destilliert; Ausbeute: 1,64 g (73,2% d. Th.); F: 128–130°.

Der Rückstand der ersten Destillation gibt nach dem Umkristallisieren aus Essigsäure-äthyl-ester 2,8 g *2-Nitro-1,3-dihydroxy-2-hydromethyl-propan*; F: 156°.

Über den Mechanismus der durch Amine katalysierten Spaltung von β-Hydroxy-ketonen s. Lit.[2].

In der gleichen Weise wie die oben erwähnten β-Hydroxy-carbonyl-Verbindungen lassen sich auch α,β-ungesättigte Carbonyl-Verbindungen zu Ketonen spalten, wenn man für eine geeignete Hydratisierung der Doppelbindung Sorge trägt:

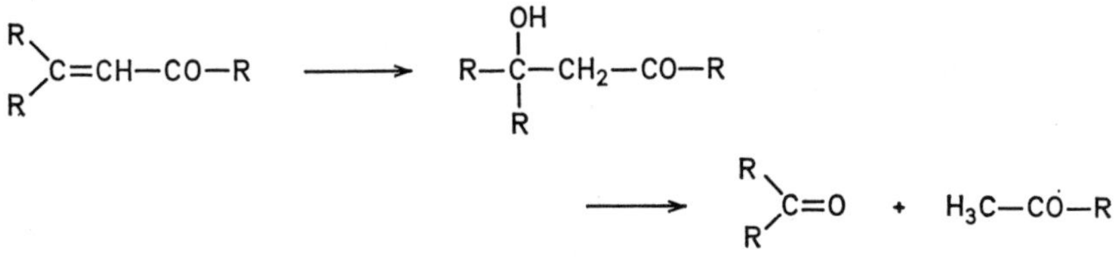

Als Katalysatoren für diese Spaltung kommen Mineralsäuren, Carbonsäuren, Amine und wäßriges Alkali in Betracht.

2-Oxo-1-cyclohexenyl-cyclohexan läßt sich mit 45%iger Schwefelsäure unter Rückfluß und ständigem Abdestillieren des gebildeten *Cyclohexanons* vollständig spalten[3].

Die gleiche Spaltung läßt sich auch mit Wasser, das wenig Benzoesäure, Hexandi-säure oder Borsäure enthält, beim Erhitzen auf 295–300° erreichen[4].

Durch zweitägiges Erhitzen von 2-Oxo-4-methyl-1-isopropyliden-cyclohexan (Pulegon) in Ameisensäure erhält man eine Spaltung unter Bildung von *3-Oxo-1-methyl-cyclohexan* und *Aceton*[5]:

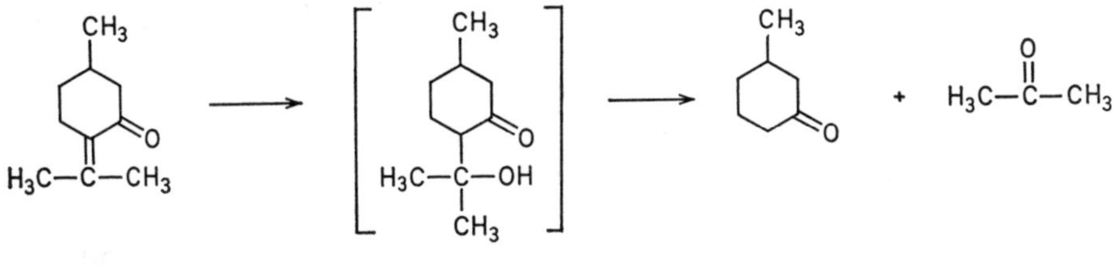

3-Oxo-1-methyl-cyclohexen-(1) erhält man sowohl bei der Spaltung von 3-Oxo-1-methyl-4-isopropyliden-cyclohexen-(1) (I) mit Ameisensäure[6] als auch bei der Spal-

[1] H. BALDOCK, N. LEVY u. C. W. SCAIFE, Soc. **1949**, 2627.
[2] R. M. POLLACK u. S. RITTERSTEIN, Am. Soc. **94**, 5064 (1972).
    J. HINE u. W. H. SACHS, J. Org. Chem. **39**, 1937 (1974).
[3] DBP. 932966 (1952), Farbw. Hoechst, Erf.: U. SCHWENK; C. A. **53**, 260 (1959).
[4] DBP. 875512 (1951), Farbenf. Bayer, Erf.: J. BINAPFL; C. A. **50**, 4206 (1956).
[5] O. WALLACH, A. **289**, 337 (1896).
[6] Y. R. NAVES, Helv. **25**, 732 (1942).

tung von 4-Oxo-2,6,6-trimethyl-bicyclo[3.1.1]hepten-(2) (II)[1] und 7-Oxo-2,6,6-tri-methyl-bicyclo[3.1.1]hepten-(2) (III)[2] mit Schwefelsäure:

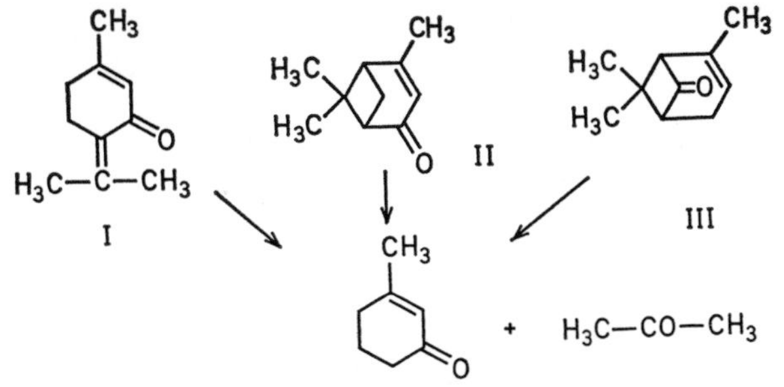

Mit Alkali gelingt die Spaltung des Citrals [3,7-Dimethyl-octadien-(2,6)-al] in *6-Oxo-2-methyl-hepten-(2)* und Acetaldehyd[3]:

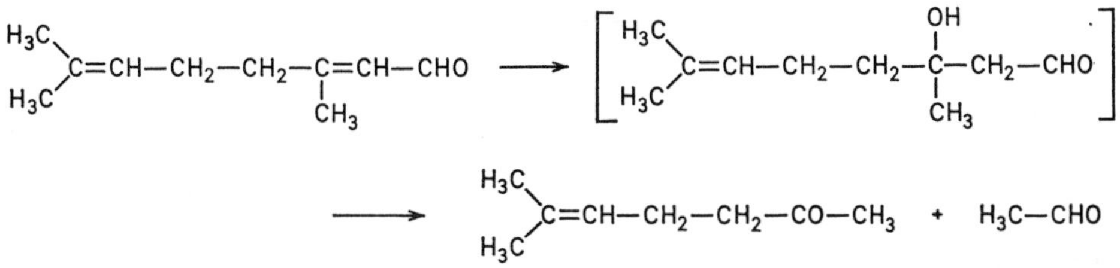

Auch 2-Oxo-1-cyclohexenyl-cyclohexan läßt sich mit wäßrigem Alkali unter Druck in *Cyclohexanon* aufspalten. Zweifellos geht dieser Spaltung eine Isomerisierung zu 2-Oxo-1-cyclohexyliden-cyclohexan voraus[4].

Genauer untersucht wurde auch die durch Propylamin katalysierte Spaltung von Mesityloxid, wobei folgender Mechanismus zugrunde liegt[5]:

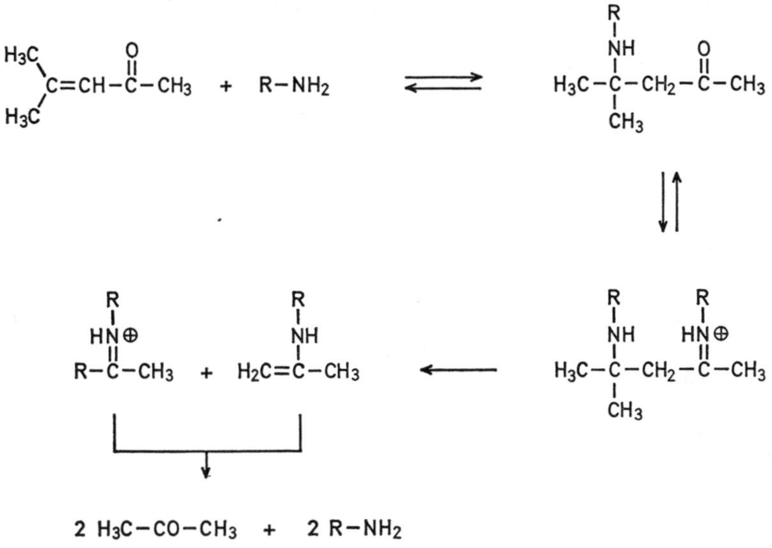

[1] A. BLUMANN u. O. ZEITSCHEL, B. **46**, 1178 (1913).
[2] M. KOTAKE u. H. NONAKA, A. **607**, 153 (1957).
[3] A. VERLEY, Bl. [3] **17**, 175 (1897).
[4] DBP 946 443 (1953), Farbenf. Bayer, Erf.: W. WOLF; C. A. **52**, 18266 (1958).
[5] R. M. POLLACK u. D. STROHBEEN, Am. Soc. **94**, 2534 (1972).

Die durch Addition von Acetylenkohlenwasserstoff an Ketone erhältlichen Alkinole lassen sich in Gegenwart von Alkali wieder in das entsprechende Keton und den zugehörigen Acetylenkohlenwasserstoff zerlegen[1]:

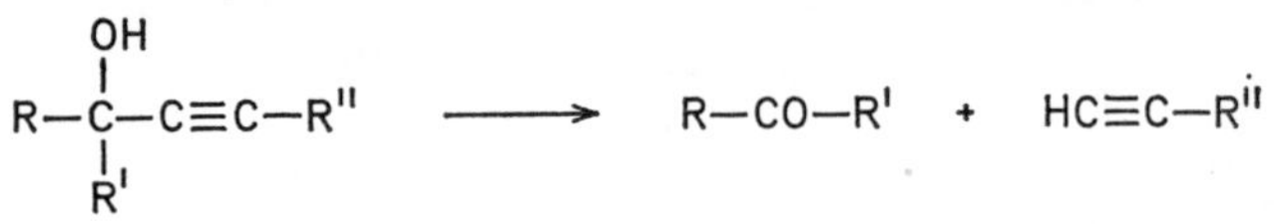

$$R-\underset{\underset{R'}{|}}{\overset{\overset{OH}{|}}{C}}-C\equiv C-R'' \longrightarrow R-CO-R' + HC\equiv C-R''$$

Besser bewährte sich für diese Spaltung Silbercarbonat. 17β-Hydroxy-3-methoxy-17α-äthinyl-ostratrien-(1,3,5^{15}) läßt sich mittels Silbercarbonat auf Celite in Toluol als Lösungsmittel quantitativ zum *3-Methoxy-17-oxo-östratien-(1,3,5^{10})* zurückspalten[2]:

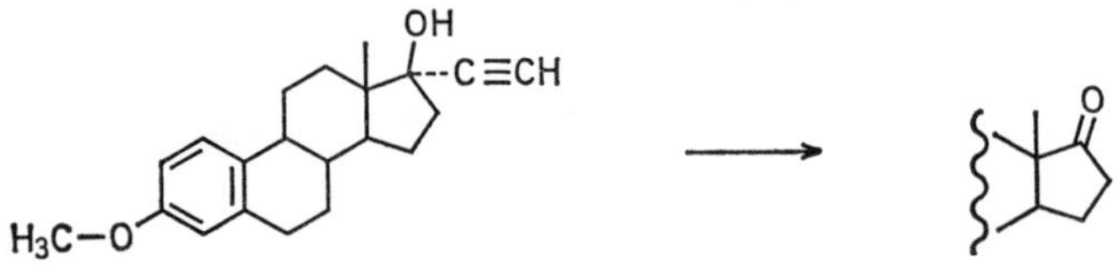

Ähnliche Ergebnisse wurden bei Verwendung von Silbercarbonat oder Silberoxid in Dimethylsulfoxid erhalten[3].

Auch die Michael-Addukte lassen sich thermisch unter Bildung von Ketonen spalten. Dabei ergeben Michael-Addukte von Nitrilen an α,β-ungesättigte Ketone zwei Arten der Rückspaltung. Die „normale Spaltung" ergibt zum Beispiel im Falle von 5-Oxo-2,3,5-triphenyl-pentansäure-nitril Phenylacetonitril und *Chalkon (3-Oxo-1,2-diphenyl-propen)*, während die „anomale Spaltung" 2,3-Diphenyl-acrylsäure-nitril und *Acetophenon* ergibt[4]:

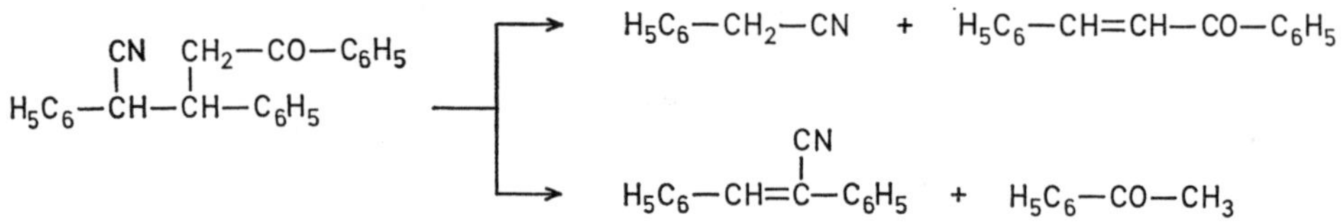

Eine große Anzahl weiterer Spaltungen von Michael-Addukten durch Erhitzen wurden näher untersucht. Die Spaltung unter Bildung von Ketonen wurde sowohl bei γ-Nitro-ketonen[5] als auch bei 1,5-Diketonen[6] beobachtet.

[1] Fr.P. 1138211 (1955), Industrielle Toraude, Erf.: C. E. Malen u. R. Maugé; C. **1959** I, 3640.

[2] G. R. Lenz, Chem. Commun. **1972**, 468.

[3] R. Vitali, S. Gladiali u. R. Gardi, G. **102**, 673 (1972).

[4] C. F. H. Allen u. G. P. Happ, Canad. J. Chem. **42**, 641 (1964).

[5] C. F. H. Allen u. G. P. Happ, Canad. J. Chem. **42**, 650 (1964).

[6] C. F. H. Allen u. G. P. Happ, Canad. J. Chem. **42**, 655 (1964).

f) Ketone durch Decarboxylierung von α-Alkyl-glycidsäuren (2-Alkyl-oxiran-2-carbonsäureestern)

bearbeitet von

Prof. Dr. Hans Henecka

Bayer AG, Wuppertal-Elberfeld

Zur Umwandlung eines Aldehyds

$$R{-}CHO \qquad R = \text{Alkyl, Aryl}$$

oder eines Ketons

$$R{-}CO{-}R' \qquad R, R' = \text{Alkyl, Aryl}$$

in ein Keton

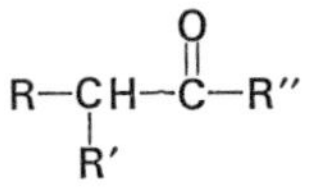

$$R{-}\underset{\underset{R'}{|}}{C}H{-}\overset{\overset{O}{\|}}{C}{-}R'' \qquad R'' = \text{Alkyl}$$

eignet sich die Verseifung und Decarboxylierung der aus dem Aldehyd bzw. Keton durch Kondensation mit α-Halogen-fettsäureestern unter dem Einfluß alkalischer Kondensationsmittel nach G. Darzens[1] zugänglichen Glycidsäureester, deren zugehörige freie Säuren zu Ketonen decarboxylierbar sind:

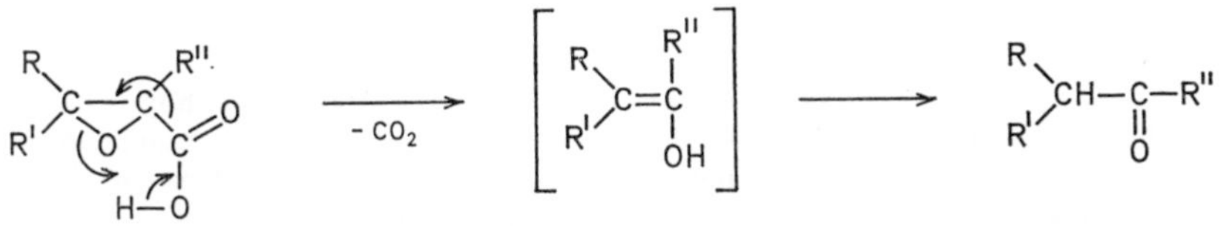

wobei zu bemerken ist, daß α-Halogen-alkansäureester mit Ketonen schlechter als Halogenessigsäureester reagieren. α-Halogen-aryl-essigsäureester vom Typ des α-Chlor-phenyl-essigsäureester reagieren nach Darzens unter Bildung von Glycidsäureestern nur mit aromatischen Aldehyden als Carbonyl-Komponente; Ketone wie Aceton, Cyclohexanon, Pinakolon, Acetophenon oder 1-Oxo-2-methyl-1-phenyl-propan, die in α-Stellung zur Carboxy-Gruppe ein Wasserstoffatom tragen, geben mit α-Chlor-α-phenyl-essigester unter dem Einfluß von Kalium-tert.-butanolat keine Darzens-Kondensation[2]. Arylketone mit R'' = Aryl sind daher über die Kondensation von α-Halogen-aryl-essigestern mit aliphatischen, cycloaliphatischen und aromatisch-aliphatischen Ketonen nicht zugänglich (s. a. S. 1374).

Die nach Darzens herstellbaren Glycidsäureester sind im allgemeinen recht glatt verseifbar. Zweckmäßig bedient man sich hierzu der sog. Claisen-Verseifung[3]:

Versetzen der hinreichend verd. ätherischen Lösung des Glycidsäureesters mit der äquivalenten Menge Natriummethanolat-Lösung, der zuvor die ber. Menge Wasser zugefügt wurde. Bereits in der Kälte und in kurzer Zeit fällt hierbei aus der ätherischen Lösung das Natriumsalz der Glycidsäure aus.

---

[1] Vgl. ds. Handb., Bd. VIII, S. 511.

    G. Darzens, C. r. **141**, 766 (1905); **142**, 214 (1906); **144**, 1123 (1907); **154**, 1812 (1912).

    S. a. M. S. Newman u. B. J. Magerlein, Org. Reactions **5**, 413.

[2] H. H. Morris et al., Am. Soc. **79**, 411 (1957).

    H. E. Zimmermann u. L. Ahramjáan, Am. Soc. **82**, 5459 (1960).

[3] L. Claisen, B. **38**, 703 (1905).

Die durch Ansäuern der wäßrigen Lösung der Natriumsalze erhaltenen freien Glycidsäuren sind nach verschiedenen Methoden decarboxylierbar, je nach der von der Konstitution abhängigen Leichtigkeit, mit der Zerfall unter Abspaltung von Kohlendioxid eintritt. Besonders glatt decarboxylieren α-Alkyl-β-(alkoxyphenyl)-glycidsäuren bereits beim Ansäuern der wäßrigen Lösung ihrer Alkalisalze[1]. So erhält man aus α-Methyl-β-(4-methoxy-phenyl)-glycidsäure-methylester *2-Oxo-1-(4-methoxy-phenyl)-propan.*

2-Oxo-1-(4-methoxy-phenyl)-propan: 222,5 g α-Methyl-β-(4-methoxy-phenyl)-glycidsäure-methylester werden mit der äquivalenten Menge verd. Natronlauge verseift und die erhaltene Lösung des Natriumsalzes mit verd. Salzsäure bis zur kongosauren Reaktion angesäuert. Hierbei tritt sofort Kohlendioxid-Entwicklung unter Abscheidung des Ketons ein. Man erwärmt noch kurze Zeit und isoliert nach Beendigung der Gasentwicklung durch Aufnehmen in Äther und Destillation; Ausbeute 148 g (90% d. Th.); Kp_{13}: 140–145°.

Neigt das alkoxylierte Benzylketon unter dem Einfluß von Mineralsäure zur Selbstkondensation, so etwa bei 2- oder 3-Methoxy-Derivaten, dann führt man die Decarboxylierung durch Kochen in Essigsäure durch.

Nach diesen Methoden, Erwärmen in kongosaurer Lösung (Methode (A)) bzw. Kochen in Eisessig (Methode (B)), wurden folgende Ketone hergestellt:

2-Oxo-1-(4-methoxy-phenyl)-butan	87% d. Th. (Methode (A)
2-Oxo-1-(3-methoxy-phenyl)-propan	66% d. Th. (Methode (B)
2-Oxo-3-methyl-1-(3,4-dimethoxy-phenyl)- butan	58% d. Th. (Methode (A)
2-Oxo-1-(2-methoxy-phenyl)-propan	78% d. Th. (Methode (B)
2-Oxo-3-methyl-1-(4-methoxy-phenyl)- butan	75% d. Th. (Methode (A)

Die besonders glatt nach Methode (A) decarboxylierbaren α-Alkyl-β-(methoxy-phenyl)-glycidsäuren gehen bereits beim Kochen der Lösungen ihrer Natriumsalze unter hydrolytischer Abspaltung von Natriumhydrogencarbonat in die Benzylketone über, wenn auch mit etwas schlechterer Ausbeute[2]. Ein ähnliches Verhalten zeigt der α-Methyl-β-furyl-glycidester, der bereits beim Ansäuern der wäßrigen Lösung des entsprechenden Natriumsalzes mit Essigsäure zu 83% in *3-Oxo-1-furyl-(2)-butan* übergeht[3].

Reine α-Alkyl-β-phenyl-glycidsäuren benötigen zur Decarboxylierung in wäßrig-mineralsaurer Lösung etwas schärfere Reaktionsbedingungen, so etwa mehrstündiges Kochen unter Zusatz von Eisessig (*2-Oxo-1-phenyl-propan* aus α-Methyl-β-phenyl-glycidsäure; 70% d. Th.) oder Destillation der mit Schwefelsäure angesäuerten Lösung mit Wasserdampf (*2-Oxo-1-phenyl-butan* aus α-Äthyl-β-phenyl-glycidsäure; 58% d. Th.), wenn das Keton mit Wasserdampf flüchtig ist.

β,β-Disubstituierte α-Alkyl-glycidsäuren sind im allgemeinen beständiger und durch Ansäuern der wäßrigen Lösung der Alkalisalze in Substanz isolierbar. Man decarboxyliert diese Säuren pyrolytisch durch längeres Erwärmen in Substanz auf 150–250°, evtl. bei Gegenwart von Kupferpulver[4], z. T. bei mehr oder weniger ver-

---

[1] DRP. 727405 (1938); 752328 (1940), Knoll AG, Erf.: A. WOLF; C. A. **38**, 376 (1944); **45**, 1626 (1951).
  A. H. SOMMERS u. A. W. WESTON, Am. Soc. **73**, 5749 (1951).
[2] G. DARZENS, C. r. **142**, 214 (1906).
[3] M. E. DULLAGHAN u. F. F. NORD, J. Org. Chem. **18**, 878 (1953).
[4] W. S. JOHNSON et al., Am. Soc. **75**, 4996 (1953).
  S. a. G. DARZENS u. H. LEROUX, C. r. **154**, 1812 (1912).
  L. RUZICKA u. L. EHMANN, Helv. **15**, 160 (1932).
  A. E. BRADFIELD, R. R. PRITCHARD u. J. L. SIMONSEN, Soc. **1937**, 760.
  J. ELKS u. D. H. HEY, Soc. **1943**, 15.
  N. K. NELSON u. H. MORRIS, Am. Soc. **75**, 3337 (1953).

mindertem Druck. So wurden die aus Aceton und α-Chlor-fettsäureestern erhaltenen β,β-Dimethyl-α-alkyl-glycidsäureester nach Claisen verseift, aus den Lösungen der Natriumsalze die freien Säuren abgeschieden und diese durch 8–10 stdg. Erhitzen auf die jeweilige, zur Kohlendioxid-Abspaltung erforderliche Temperatur in 3-Oxo-2-methyl-alkane übergeführt[1]:

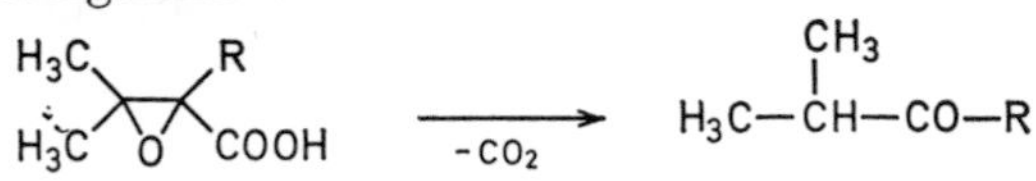

Hierbei wurden in der Reihe von *3-Oxo-2-methyl-butan, -pentan-, -hexan, -heptan, -octan, -nonan, -decan, -undecan, -dodecan* Ausbeuten von 40–75% d. Th. erzielt.

Die Reaktion gelingt auch mit α-Alkyl-glycidsäuren, ausgehend von cyclischen Ketonen vom Typ des Cyclohexanons[2], jedoch bei Anwendung der Standard-Methode im allgemeinen nur mit schlechteren Ausbeuten (25–50% d. Th.). Bessere Ergebnisse erzielt man bei Decarboxylierung von Cyclohexan-⟨spiro-2⟩-3-alkyl-oxiran-3-carbonsäuren zu Alkanoyl-cyclohexanen durch Anwendung einer Methode[3], die darin besteht, daß man die freie Glycidsäure durch Behandeln mit Chlorwasserstoff in inertem Medium überführt in die entsprechende β-Chlor-α-hydroxy-carbonsäure, die bereits beim Behandeln mit alkalischen Mitteln wie etwa Lösen in Pyridin oder in Natronlauge oder Natriumkarbonat-Lösung in hoher Ausbeute in das zugehörige Keton übergeht, z. B.:

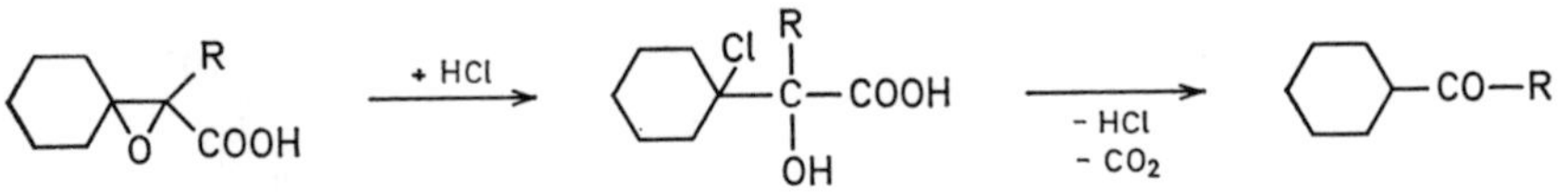

Acetyl-cyclohexan[4]: 13,8 g (0,072 Mol) des Natriumsalzes der Cyclohexan-⟨spiro-2⟩-3-methyl-oxiran-carbonsäure (erhalten durch Verseifung nach Claisen mit 92% Ausbeute aus dem entsprechenden Äthylester) werden in 200 *ml* trockenem Äther suspendiert und bei 5–10° unter Rühren Chlorwasserstoff eingeleitet bis zur beginnenden Sättigung. Nach 30 Min. Stehen verdampft man Chlorwasserstoff und Äther i. Vak., nimmt den Rückstand erneut mit 200 *ml* Äther auf und tropft nun unter Rühren und Kühlen allmählich 7%ige Natronlauge bis zur schwach alkalischen Reaktion zu, fügt dann zusätzlich 30 *ml* 7%ige Natronlauge zu und verrührt noch 15 Min. Man schüttelt mit Äther aus, trocknet über Kaliumcarbonat und destilliert; Ausbeute: 6,21 g (68,5% d. Th.); Kp$_{30}$: 87–90°.

Man kann hierbei auch so verfahren, daß man die durch die Chlorwasserstoff-Behandlung entstandene 2-Hydroxy-2-(1-chlor-cyclohexyl)-propansäure isoliert (Roh F: 105 bis 109°, nach Umkristallisieren aus Benzol/Petroläther F: 113–114°; Ausbeute an Rohprodukt 97% d. Th.) und durch Eintragen der rohen Säure in eine konz. Semicarbazid-Lösung bei Gegenwart von Pyridin (0,483 g der Säure, 1,5 g Semicarbazid-Hydrochlorid, 3 *ml* Wasser, 5 *ml* Pyridin) unmittelbar in das Semicarbazon des Acetyl-cyclohexans umwandelt; Ausbeute: 87% d. Th.; F: 173,5–175°.

[1] H. H. Morris u. R. H. Young, Am. Soc. **77**, 6678 (1955).
    S. a. H. H. Morris u. C. J. S. Lawrence, Am. Soc. **77**, 1692 (1955).
[2] G. Darzens, C. r. **144**, 1123 (1907).
    G. Darzens u. H. Leroux, C. r. **154**, 1812 (1912).
    M. Mousseron et al., C. r. **218**, 358 (1944); Bl. **1947**, 598.
    N. K. Nelson u. H. H. Morris, Am. Soc. **75**, 3337 (1953).
    H. H. Morris u. M. L. Lusth, Am. Soc. **76**, 1237 (1954).
[3] W. A. Yarnall u. E. S. Wallis, J. Org. Chem. **4**, 270 (1939).
    S. a. G. Darzens, C. r. **150**, 1243 (1910).
[4] W. S. Johnson et al., Am. Soc. **75**, 4995 (1953).
    S. a. H. H. Morris u. C. J. S. Lawrence, Am. Soc. **77**, 1962 (1955).
    Über eine anodische Decarboxylierung des Natriumsalzes von Cyclohexan-⟨spiro-2⟩-3-alkyl-oxiran-3-carbonsäure s. J. A. Waters u. B. Witkop, J. Org. Chem. **36**, 3232 (1971).

Erhitzt man 1,26 g der rohen 2-Hydroxy-2-(1-chlor-cyclohexyl)-propansäure mit 40 *ml* 5%iger Natriumhydrogen-carbonat-Lösung 10 Min. auf dem Wasserbad, so erhält man durch Äther-Extraktion ein Öl, das beim Behandeln mit Semicarbazid-Hydrochlorid/Natriumacetat 0,89 g (79% d. Th.) Semicarbazon ergibt; F: 173,5–175°.

Eine weitere Methode zur Umwandlung von α-Alkyl-glycidestern in Ketone stellt die Pyrolyse entsprechender tert.-Butylester[1] dar, die unter Abspaltung von Isobuten und Kohlendioxid verläuft:

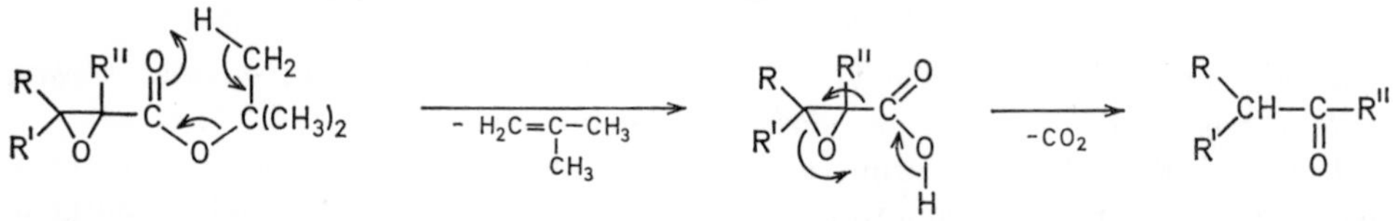

Die hierzu erforderlichen tert.-Butylester erhält man durch Kondensation von Carbonyl-Verbindungen mit α-Halogen-fettsäure-tert.-butylestern. Die Pyrolyse wurde bisher rein thermisch durchgeführt durch Leiten des Dampfes der tert.-Butylester (6 Tropfen/Min.) im Stickstoffstrom (5 *ml*/Min.) durch ein mit Raschig-Ringen gefülltes Rohr[2] bei 350–360°. Cyclohexan-⟨spiro-2⟩-3-methyl-oxiran-3-carbonsäure-tert.-butylester geht auf diese Weise unmittelbar in *Acetyl-cyclohexan* (∼ 50% d. Th.) über und 2,3-Epoxy-2,3,7-trimethyl-octen-(6)-säure-tert.-butylester ohne Verlagerung der Doppelbindung in *7-Oxo-2,6-dimethyl-octen-(2)*:

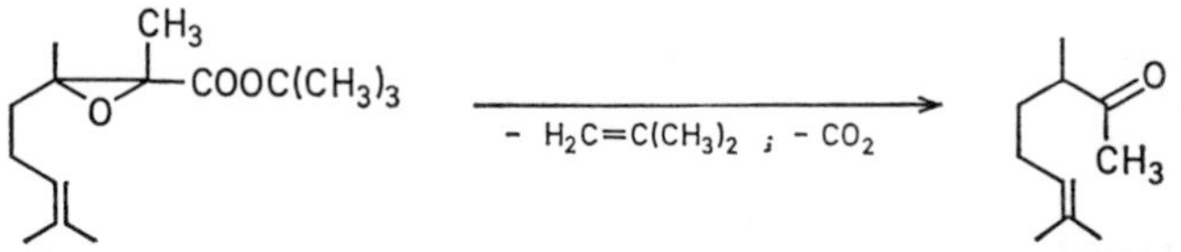

Die Methode hat in dieser Ausführungsform den Vorteil, daß säureempfindliche Substituenten, wie etwa Acetal-Gruppen, bei der Pyrolyse nicht verändert werden.

Die zur Eliminierung von Isobuten aus tert.-Butylestern erforderliche Temperatur läßt sich durch Säurekatalyse erniedrigen. So gelingt die Umwandlung des Cyclohexan-⟨spiro-2⟩-3-methyl-oxiran-3-carbonsäure-tert.-butylesters in *Acetyl-cyclohexan* bei Zusatz von 20% Chloressigsäure bereits bei 180°, wenn auch nur mit 37% Ausbeute[3]; diese säurekatalysierte Umwandlung von Glycidsäure-tert.-butylestern erscheint jedoch ausbaufähig.

α-Phenyl-glycidester, die nicht durch Darzens-Kondensation (s. S. 1371), sondern durch Epoxidierung α,β-ungesättigter 2-Phenyl-carbonsäureester zugänglich sind[4], decarboxylieren nach der Claisen-Verseifung als Carbonsäuren in saurer Lösung nach einem über ein energetisch begünstigtes Benzyl-carbonium-Kation verlaufenden Mechanismus (H-Anionotropie) zu einem Benzyl-keton[5]. Aus β-Methyl-α-phenyl-glycidsäure entsteht so beim Kochen in kongosaurer Lösung *2-Oxo-1-phenyl-propan* (*Phenylaceton*):

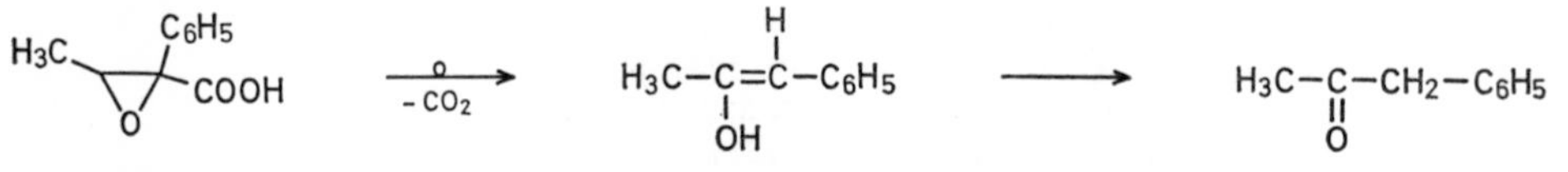

[1] E. P. BLANCHARD u. G. BÜCHI, Am. Soc. **85**, 955 (1963).
[2] Apparatur siehe: G. BÜCHI u. J. M. GOLDMAN, Am. Soc. **79**, 4751 (1957).
[3] W. S. JOHNSON et al., Am. Soc. **75**, 4998 (1953).
[4] Z. B.: Epoxidierung von 2-Phenyl-buten-(2)-säureester: M. A. PHILLIPS, Soc. **1958**, 1794.
[5] S. P. SINGH u. J. KAGAN, J. Org. Chem. **35**, 2203 (1970).

g) Ketone durch Abbau von α-Hydroxy-carbonsäuren

bearbeitet von

Prof. Dr. HERMANN STETTER

Institut für Organische Chemie der Technischen Hochschule Aachen

α-Hydroxy-carbonsäuren vom Typ I können thermisch unter Abspaltung von Kohlenmonoxid und Wasser in Ketone übergehen[1]:

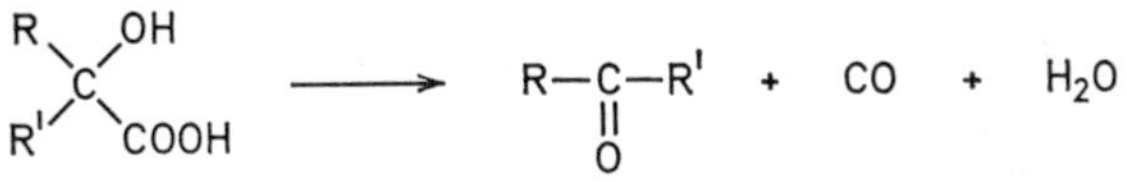

$$
\underset{I}{\underset{R'}{\overset{R}{>}}C\underset{COOH}{\overset{OH}{<}}} \longrightarrow R-\underset{O}{\overset{\parallel}{C}}-R' \;+\; CO \;+\; H_2O
$$

Die Ausbeuten bei der thermischen Spaltung sind meist wenig befriedigend, da immer zugleich mehr oder weniger große Mengen an Nebenprodukten entstehen. Man erhält z.B. durch Erhitzen von Benzilsäure auf 180–200° neben *Benzophenon* beträchtliche Mengen Diphenyl-essigsäure[2]. Die Benzophenon-Bildung aus Benzilsäure erfolgt, wenn man mehrere Tage im Rohr auf 105° erhitzt[3].

Bessere Ausbeuten an Ketonen erhält man, wenn man die α-Hydroxy-carbonsäuren zuerst acetyliert und die acetylierten Carbonsäuren dann thermisch spaltet[4]:

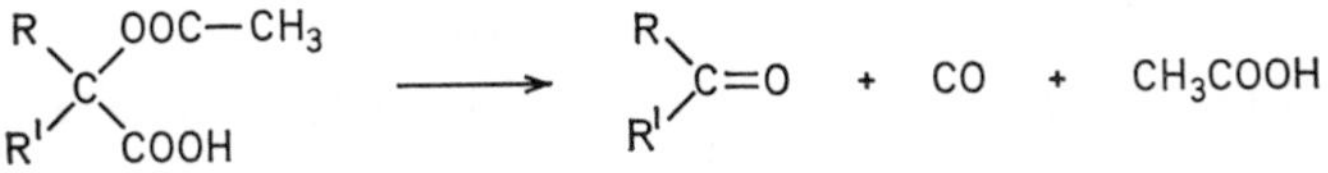

$$
\underset{R'}{\overset{R}{>}}C\underset{COOH}{\overset{OOC-CH_3}{<}} \longrightarrow \underset{R'}{\overset{R}{>}}C=O \;+\; CO \;+\; CH_3COOH
$$

An Stelle der acetylierten α-Hydroxy-carbonsäuren lassen sich auch α-Methoxy-carbonsäuren thermisch zu Ketonen abbauen[5]. Da solche Äther-carbonsäuren aus den α-Halogen-carbonsäuren erhalten werden können, ergibt sich damit ein Weg, um α-verzweigte Carbonsäuren nach folgendem Schema in Ketone zu überführen:

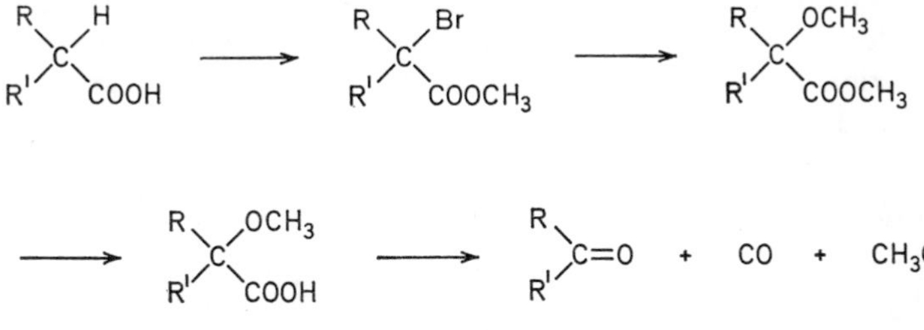

$$
\underset{R'}{\overset{R}{>}}C\underset{COOH}{\overset{H}{<}} \longrightarrow \underset{R'}{\overset{R}{>}}C\underset{COOCH_3}{\overset{Br}{<}} \longrightarrow \underset{R'}{\overset{R}{>}}C\underset{COOCH_3}{\overset{OCH_3}{<}}
$$

$$
\longrightarrow \underset{R'}{\overset{R}{>}}C\underset{COOH}{\overset{OCH_3}{<}} \longrightarrow \underset{R'}{\overset{R}{>}}C=O \;+\; CO \;+\; CH_3OH
$$

Auch die cyclischen Ester der α-Hydroxy-carbonsäuren, die Lactide, lassen sich durch Pyrolyse unter Abspaltung von Kohlenmonoxid in Ketone überführen[6].

In ähnlicher Weise wie der thermische Abbau kann auch die Einwirkung von Schwefelsäure oder rauchender Schwefelsäure zur Bildung von Ketonen aus α-

[1] E. E. BLAISE, C. r. **138**, 697 (1904).
[2] J. U. NEF, A. **298**, 242 (1897).
[3] A. LACHMAN, Am. Soc. **44**, 335 (1922).
[4] M. BAGARD, Bl. [4] **1**, 307 (1907).
[5] G. DARZENS u. A. LEVY, C. r. **196**, 348 (1933).
[6] A. GOLOMB u. P. D. RITCHIE, Soc. **1962**, 838.

Hydroxy-carbonsäuren führen. Diese Methode ist vor allem für die Herstellung von *3-Oxo-glutarsäure (Aceton-1,3-dicarbonsäure)* aus Citronensäure von Bedeutung[1]:

$$
\begin{array}{c}
\text{CH}_2\text{—COOH} \\
| \\
\text{HO—C—COOH} \\
| \\
\text{CH}_2\text{—COOH}
\end{array}
\quad\longrightarrow\quad
\begin{array}{c}
\text{CH}_2\text{—COOH} \\
| \\
\text{C=O} \\
| \\
\text{CH}_2\text{—COOH}
\end{array}
\quad + \quad \text{CO} \cdot \quad + \quad \text{H}_2\text{O}
$$

Ein weiteres Beispiel für den Abbau mit Schwefelsäure ist die Herstellung von *2,4-Dioxo-1,6-diphenyl-hexan* aus 2-Hydroxy-4-oxo-6-phenyl-2-benzyl-hexansäure[2].

2-Oxo-adamantan-2-^{14}C konnte aus 2-Hydroxy-adamantan-2-carbonsäure-1'-^{14}C durch Einwirkung von Thionylchlorid in benzolischer Lösung mit einer Ausbeute von 92% d. Th. erhalten werden[3].

Im allgemeinen läßt sich feststellen, daß weder der thermische Abbau noch der Abbau mit Schwefelsäure von allgemeiner präparativer Bedeutung ist. Sehr viel günstiger und allgemeiner anwendbar ist die Methode des oxidativen Abbaus solcher α-Hydroxy-carbonsäuren, die auf S. 1321 beschrieben ist.

h) Ketone durch andere Fragmentierungen[4]

bearbeitet von

Prof. Dr. HERMANN STETTER

Institut für Organische Chemie der Technischen Hochschule Aachen

Eine unter dem Begriff Fragmentierung zusammengefaßte Gruppe von Spaltungen der C—C-Bindung ermöglicht ebenfalls die Herstellung von Ketonen. Bei dieser Reaktion handelt es sich um eine Carboniumionen-Reaktion, bei der die Tendenz zur Ausbildung der Carbonyl-Gruppe die treibende Kraft der Spaltung ist. Funktionelle Gruppen in 1,3-Stellung, von denen eine die Bildung des Carboniumions ermöglicht, während die andere den Übergang in die Carbonyl-Gruppe gestattet, sind die strukturellen Voraussetzungen für den Ablauf dieser Spaltungsreaktion. Die erste Reaktion dieser Art wurde beim 2,4-Dihydroxy-2,3,3,4-tetramethyl-pentan[5] beobachtet. Bei Einwirkung von Säuren zerfällt dieses Diol in *Aceton* und 2,3-Dimethyl-buten-(2):

$$
\begin{array}{c}
\text{H}_3\text{C} \quad \text{CH}_3 \text{CH}_3 \\
| \quad | \quad | \\
\text{HO—C—C—C—OH} \\
| \quad | \quad | \\
\text{H}_3\text{C} \quad \text{CH}_3 \text{CH}_3
\end{array}
\;\xrightarrow[-\text{H}_2\text{O}]{+\text{H}^\oplus}\;
\begin{array}{c}
\text{H}_3\text{C} \quad \text{CH}_3 \text{CH}_3 \\
| \quad | \quad | \\
\oplus\text{C—C—C—OH} \\
| \quad | \quad | \\
\text{H}_3\text{C} \quad \text{CH}_3 \text{CH}_3
\end{array}
\;\xrightarrow{-\text{H}^\oplus}\;
\begin{array}{c}
\text{H}_3\text{C} \qquad \text{CH}_3 \\
\;\;\;\diagdown\;\;\diagup \\
\text{C=C} \\
\;\;\;\diagup\;\;\diagdown \\
\text{H}_3\text{C} \qquad \text{CH}_3
\end{array}
\; + \;
\begin{array}{c}
\text{CH}_3 \\
| \\
\text{C=O} \\
| \\
\text{CH}_3
\end{array}
$$

Eine große Anzahl weiterer verzweigter 1,3-Diole konnten auf diese Weise in Ketone und Olefine gespalten werden[6].

---

[1] H. v. PECHMANN, B. **17**, 2543 (1884).
    R. WILLSTÄTTER u. A. PFANNENSTIEL, A. **422**, 5 (1921).
    R. ADAMS, H. M. CHILES u. C. F. RASSWEILER, Org. Synth., Coll. Vol. **I**, 10.
[2] M. KRISTENSEN-RELL, Bl. **1956**, 882.
[3] S. H. LIGGERO et al., J. Labelled Compds. **7**, 3 (1971).
[4] C. A. GROB u. P. W. SCHIESS, Ang. Ch. **79**, 1 (1967).
[5] A. N. SLAWJANOW, Ж **39**, 140 (1907).
[6] V. J. SHINER u. G. F. MEIER, J. Org. Chem. **31**, 137 (1966).

Der Mechanismus der Fragmentierung ist auch auf 3-Amino-alkohole anwendbar, wenn man diese mit salpetriger Säure behandelt. Als Beispiel sei die Diazotierung von 1-Amino-3-hydroxy-1,3,3-triphenyl-propan erwähnt, die unter Fragmentierung *Benzophenon* und Styrol liefert[1]:

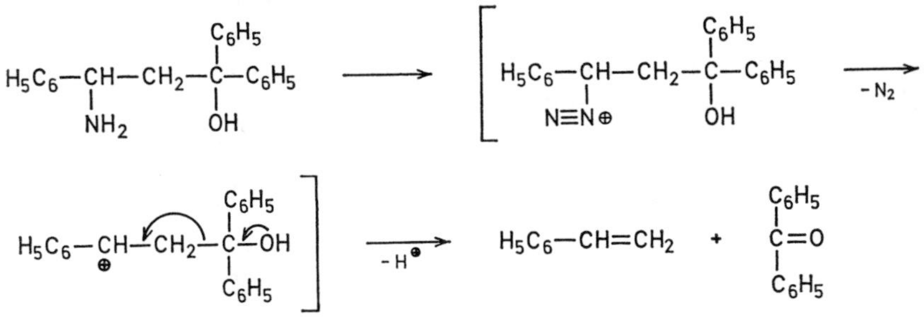

Bei den bisher erwähnten offenkettigen Verbindungen hat die Fragmentierung keine Bedeutung für die Herstellung von Ketonen. Bedeutung besitzt diese Fragmentierungsreaktion dagegen bei bi- und polycyclischen Verbindungen zur Herstellung von cyclischen, ungesättigten Ketonen.

Ein besonders gut untersuchtes Beispiel hierfür ist die Fragmentierung von 1,10-Dihydroxy-dekalin, die über den Monoester der p-Toluolsulfonsäure *trans-5-Oxo-cyclodecan* (82% d.Th.) liefert, wobei die sterischen Verhältnisse beim Ausgangsdiol von Bedeutung sind[2]:

Eine Fragmentierung von präparativem Interesse erleidet 3-Brom-1-methoxycarbonylamino-adamantan bei der Behandlung mit Alkali. Man erhält *7-Oxo-3-methylen-bicyclo[3.3.1]nonan* (89% d.Th.)[3]; die Fragmentierung fußt auf der Stufe des primär entstehenden Amins:

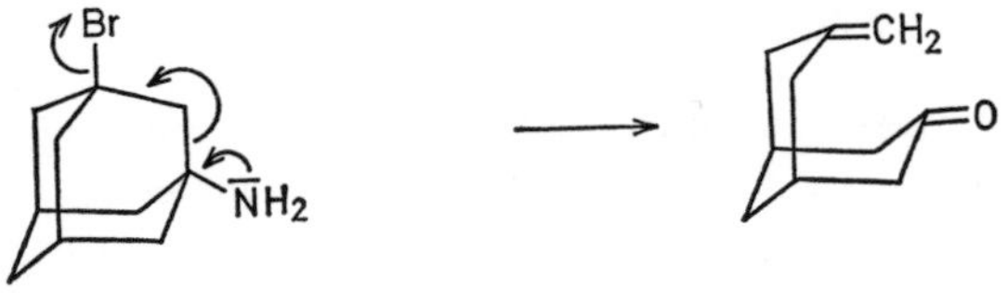

7-Oxo-3-methylen-bicyclo[3.3.1]nonan[3]: 10 g 3-Brom-1-methoxycarbonylamino-adamantan werden mit 100 *ml* 10%iger Natronlauge unter Rückfluß erhitzt, wobei man zweckmäßig einen möglichst weiten Rückflußkühler verwendet. Nach ~ 90 Min. beginnt sich die Substanz im Kühler abzuscheiden. Von Zeit zu Zeit läßt man etwas abkühlen und wäscht die Substanz mit Äther aus dem Kühler. Die Reaktion ist beendet, wenn sich kein Reaktionsprodukt mehr im

[1] J. EMGLISH u. A. D. BLISS, Am. Soc. **78**, 4057 (1956).

[2] P. S. WHARTON, G. A. HIEGEL u. R. V. COOMBS, J. Org. Chem. **28**, 3217.

E. J. COREY, R. D. MITRA u. H. UDE, Am. Soc. **86**, 485 (1964).

H. H. WESTEN, Helv. **47**, 575 (1964).

P. S. WHARTON u. G. A. HIEGEL, J. Org. Chem. **30**, 3254 (1965).

[3] H. STETTER u. P. TACKE, B. **96**, 694 (1963).

S. a. C. A. GROB u. W. SCHWARZ, Helv. **47**, 1870 (1964).

Kühler abscheidet. Aus dem Äther-Extrakt erhält man farblose Kristalle, die aus Äthanol oder Petroläther (Kp: 30–50°) umkristallisiert werden können; Ausbeute: 4,65 g (89% d.Th.); F: 162–163° (im zugeschmolzenen Röhrchen); Semicarbazon, F: 205,5° (Zers.).

Das gleiche Reaktionsprodukt läßt sich auch durch alkalische Fragmentierung von 1,3-Dibrom-adamantan erreichen. Die Fragmentierung erfolgt hier auf der Zwischen-stufe des 1-Brom-3-hydroxy-adamantans[1]. Unter analogen Reaktionsbedingungen gelingt die Herstellung von *7-Oxo-3-methylen-bicyclo[3.3.1]nonan-9-carbonsäure* aus 5,7-Dibrom-adamantan-2-carbonsäure[2]:

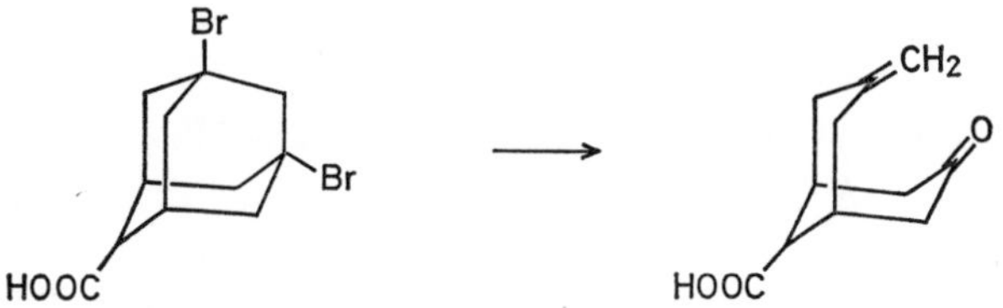

7-Oxo-3-methylen-bicyclo[3.3.1]nonan-9-carbonsäure[2]: In einem 1-*l*-Stahlautoklav mit Rührer gibt man 24,4 g (72,1 mMol) 5,7-Dibrom-adamantan-2-carbonsäure, 13,6 g (0,34 Mol) Natrium-hydroxid, 230 *ml* Wasser und 230 *ml* 1,4-Dioxan. Man rührt 24 Stdn. bei 180°. Nach dem Ab-kühlen wird filtriert, das hellbraune Filtrat bei 50° i. Vak. fast bis zur Trockne eingeengt und dann wieder mit 100 *ml* Wasser versetzt. Unter Eiskühlung wird mit halbkonz. Salzsäure vor-sichtig bis höchstens $p_H = 3$ angesäuert und sofort mit Äther 12 Stdn. perforiert. Anschließend wird die bräunliche Äther-Lösung filtriert und das klare Filtrat bei schwachem Vak. bei 30° zur Trockne eingedampft. Das hellbraune Rohprodukt (9,4 g) wird mit wenig kaltem Äther digeriert. Schließlich kühlt man auf –70° ab und saugt scharf ab. Man wiederholt diesen Vorgang noch einmal; Ausbeute: 8,8 g (62,8% d.Th.); F: 144–147° (farblos).

Ein weiteres Beispiel für eine glatt laufende Fragmentierung ist die Spaltung von 10β-Hydroxy-1-tosyloxy-5,5,9β-trimethyl-dekalin mittels Kalium-tert.-butanolat zu *6-Oxo-1,7,7-trimethyl-(E)-cyclodecen*[3]:

Auch die in Gegenwart von Silber-Ionen verlaufende Spaltung von 10,10-Dibrom-tricyclo[4.3.1.0^{1,6}]decan zu *5-Oxo-1-brommethylen-cyclononan* verläuft im zweiten Schritt entsprechend dem folgenden Fragmentierungsmechanismus[4]:

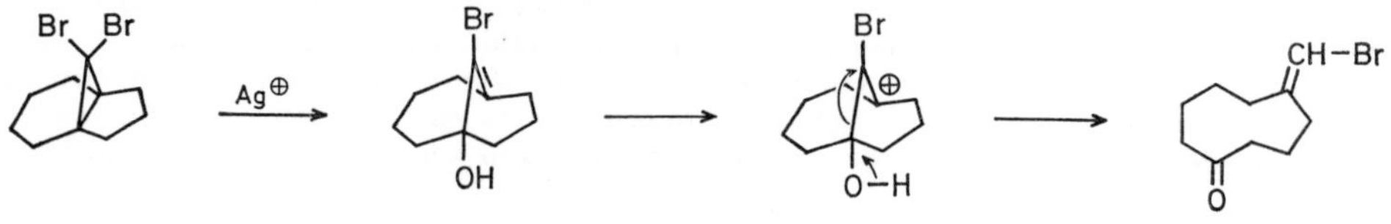

[1] A. R. Gagneux u. R. Meier, Tetrahedron Letters **1969**, 1365.
[2] H. Stetter u. V. Tillmanns, B. **105**, 735 (1972).
[3] M. Miyashita u. A. Yoshikoshi, Am. Soc. **96**, 1917 (1974).
[4] C. B. Reese u. M. R. D. Stebles, Chem. Commun. **1972**, 1231.
    D. B. Ledlie, J. Knetzer u. A. Gitterman, J. Org. Chem. **39**, 708 (1974).

Eine Fragmentierung von α,β-Epoxi-diazoalkanen führt nach dem gleichen Mechanismus unter Abspaltung von Stickstoff zu Ketonen und Alkinen entsprechend dem folgenden Reaktionsschema:

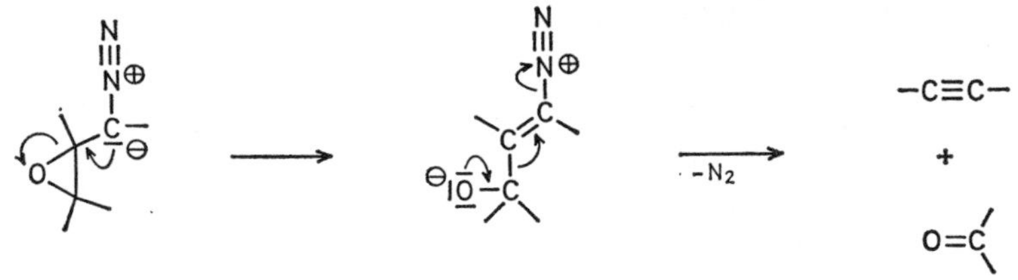

In der Praxis konnte auf diesem Wege aus 13-Oxo-16-oxa-tricyclo[10.3.1.0^{1,12}]hexadecan durch Einwirkung von p-Tolylsulfonsäure-hydrazid in guten Ausbeuten *5-Oxocyclopentadecin* erhalten werden[1]:

In der Sterin-Reihe wurden entsprechende Epoxi-ketone durch Überführung in die Oxime und Behandlung mit Hydroxylamin-O-sulfonsäure in die entsprechenden Alkinone unter Ringöffnung überführt[2]:

5-Oxo-4,5-seco-$\varDelta^3$-steroide

Näheres über Mechanismus und sterische Voraussetzung der Fragmentierung findet sich in der Literatur[3].

Hier sei noch auf einige weitere Möglichkeiten der Keton-Bildung durch Spaltung von C—C-Bindungen hingewiesen.

---

[1] P. WIELAND, H. KAUFMANN u. A. ESCHENMOSER, Helv. **50**, 2108 (1967).

[2] A. ESCHENMOSER, D. FELIX u. G. OHLOFF, Helv. **50**, 708 (1967).
   S. a. S. V. SUNTHANKAR u. S. D. MEHENDALE, Tetrahedron Letters **24**, 2481 (1972).
   D. FELIX, R. K. MÜLLER, U. HORN, R. JOOS, J. SCHREIBER u. A. ESCHENMOSER, Helv. **55**, 1276 (1972).
   G. L. LANGE u. T. W. HALL, J. Org. Chem. **39**, 3819 (1974).

[3] C. A. GROB, Bl. **1960**, 1360; Experientia **13**, 126 (1957). Theoretical Organic Chemistry, Report on the Kékulé Symposium, London 1958, S. 114.
   R. D'ARCY et al., Helv. **49**, 185 (1966) und vorhergehende Mitteilungen.

1,2,3-Triketone der aromatischen Reihe erleiden beim Belichten oder Behandeln mit Selen eine in ihrem Mechanismus noch ungeklärte Umwandlung in α,β-Diketone. Aus 1,2,3-Trioxo-1,3-diphenyl-propan erhält man beim Belichten in benzolischer Lösung *Benzil*[1] und aus 1,2,3-Trioxo-2,3-dihydro-1H-phenalen beim Erhitzen mit Selen *Acenaphthenchinon* (60% d. Th.)[2]:

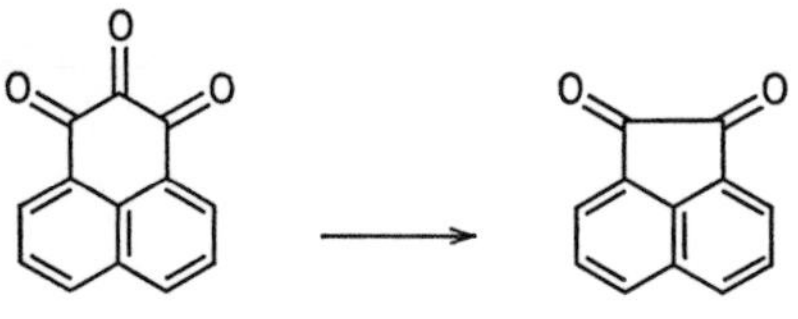

Ein solcher Abbau von 1,2,3-Triketonen läßt sich auch unter den Bedingungen der Benzilsäure-Umlagerung im alkalischen Milieu erreichen, wobei aus 1,2,3-Trioxo-1,3-diphenyl-propan *Benzoin* gebildet wird[3]. Dieser Abbau kann im Falle des 1,2,3-Trioxo-1,3-diphenyl-propan auch mit verdünnten Mineralsäuren erreicht werden, wobei folgender Mechanismus angenommen wird[4]:

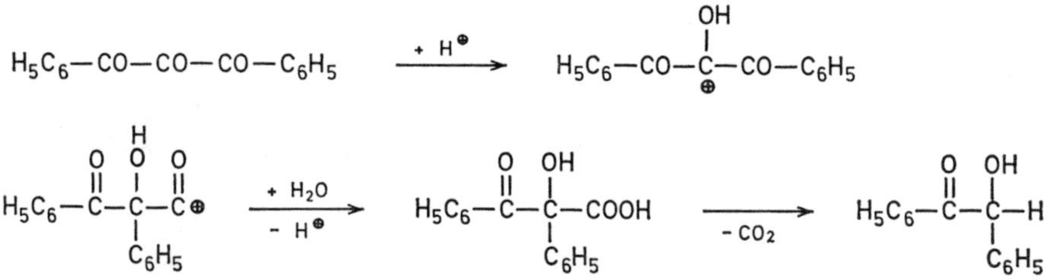

Diese Spaltung läßt sich in einigen Fällen auch durch einfache Pyrolyse erreichen. Ninhydrin gibt unter diesen Bedingungen *1,2-Dioxo-benzocyclobuten*[5] (17% d. Th.):

Eine weitere Möglichkeit zur Keton-Bildung bildet die Rückspaltung der Cyanhydrine in Keton und Cyanwasserstoff. Auf dieser Möglichkeit beruht eine Methode zur Herstellung von Ketonen aus Nitrilen mit der Nitril-Gruppe am sekundären Kohlenstoffatom. Bei dieser Abbaumethode wird das Nitril durch Behandlung mit Phosphor(V)-chlorid in Tetrachlormethan in das α-Chlor-nitril überführt,

[1] A. SCHÖNBERG u. A. MUSTAFA, Soc. **1947**, 997.
[2] A. SCHÖNBERG, R. MOUBASHER u. A. MUSTAFA, Soc. **1946**, 966.
[3] R. DE NEUFVILLE u. H. v. PECHMANN, B. **23**, 3375 (1890).
    J. D. ROBERTS, D. R. SMITH u. C. C. LEE, Am Soc. **73**, 618 (1951).
[4] A. SCHÖNBERG u. R. C. AZZAM, J. Org. Chem. **23**, 286 (1958); Soc. **1939**, 1428.
[5] R. F. C. BROWN u. R. K. SOLLY, Austral. J. Chem. **19**, 1045 (1966).

das bei der Behandlung mit Natriumhydroxid in Dimethylsulfoxid in das Keton gespalten wird[1]:

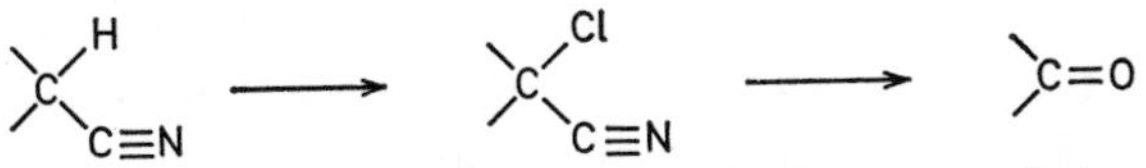

Die durch Alkylierung von Phenylacetonitrilen leicht zugänglichen 2-Phenyl-alkansäure-nitrile können mit Phenylsulfenylchlorid direkt oder besser auf dem Umweg über Silylketimine in 2-Phenylmercapto-2-phenyl-alkansäure-nitrile überführt werden, die ihrerseits mit N-Brom-succinimid in Gegenwart von Natronlauge in hohen Ausbeuten zu Acyl-benzolen abgebaut werden können[2]:

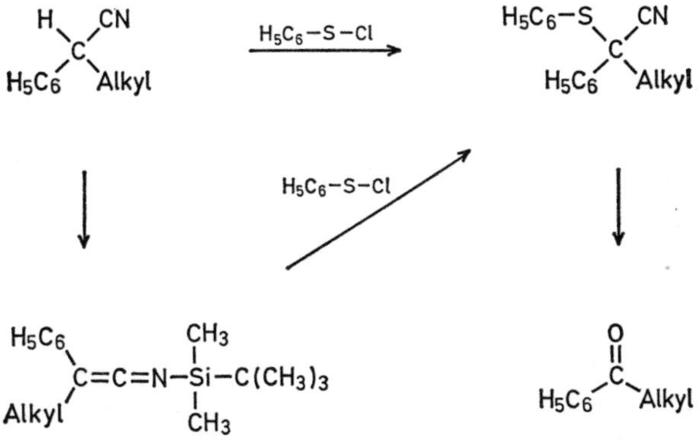

In ähnlicher Weise erleiden auch α-Amino-nitrile bei der Behandlung mit konz. Salzsäure eine Abspaltung von Ammoniak und Cyanwasserstoff unter Bildung von Ketonen, wie die Bildung von *Benzophenon* aus 2-Amino-2,2-diphenyl-acetonitril zeigt[3]:

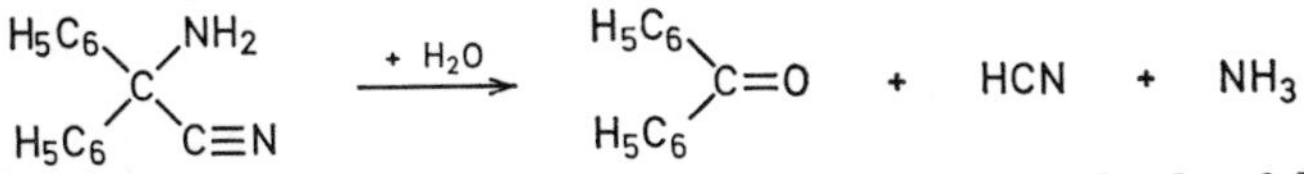

In α-Stellung verzweigte α-Amino-carbonsäuren lassen sich ebenfalls in Ketone spalten. Neben der oxidativen Spaltung beobachtet man auch bei der Alkali-Einwirkung auf die Carbonsäure-chloride und Carbonsäure-azide der Sulfonsäure-amide von α-Amino-carbonsäuren die Bildung von Ketonen entsprechend der folgenden Gleichung[4]:

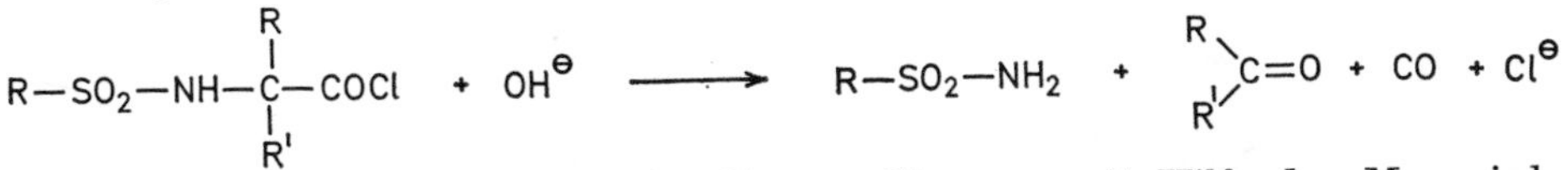

Auch die Kondensationsprodukte, die aus Ketonen mit Hilfe der Mannich-Kondensation erhalten werden, lassen sich hydrolytisch in die Ketone zurückspalten. Diese Spaltung läßt sich entweder mit einer Lösung von Natriumhydrogensulfit in wäßriger schwefliger Säure[5] oder durch Erhitzen mit einer Alkalimetallcyanid-Lösung erreichen.

[1] P. K. Freeman u. D. M. Balls, Tetrahedron Letters **1967**, 437.
S. ferner E. J. Corey, U. Koelliker u. J. Neuffer, Am. Soc. **93**, 1489 (1971).
J. Damiano, S. Geribaldi, G. Torri u. M. Azzaro, Tetrahedron Letters **1973**, 2301.
A. Kalir u. D. Balderman, Synthesis **1973**, 358.
S. J. Selikson u. D. S. Watt, J. Org. Chem. **40**, 267 (1975).
[2] S. J. Selikson u. D. S. Watt, Tetrahedron Letters **1974**, 3029.
[3] H. M. Woodburn u. L. B. Lathroum, J. Org. Chem. **19**, 285 (1954).
[4] A. F. Beecham, Am. Soc. **79**, 3257 (1957).
[5] C. Mannich u. B. Kather, Ar. **257**, 18 (1919).

Cyclohexandion-(1,4) läßt sich reduktiv zu *Hexandion-(2,5)* (*Acetonylaceton*) auf-spalten. Als Reduktionsmethoden eignen sich die Bedingungen der Clemmensen-Reduktion[1], die elektrolytische Reduktion[2] und die Reduktion mit Lithium im flüs-sigen Ammoniak[3]. Die besten Ausbeuten werden unter den Bedingungen der Clem-mensen-Reduktion (amalgamiertes Zink und Salzsäure) beobachtet:

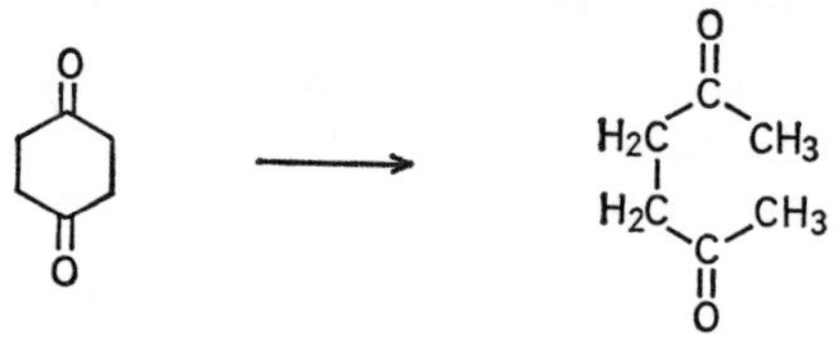

Diese reduktive Spaltung läßt sich nicht generell auf 1,4-Diketone anwenden. Eine analoge Spaltung wurde allerdings nur in geringen Ausbeuten bei dem Photodimeren des Cyclohexanons (3,12-Dioxo-tricyclo[6.4.0.0^{2,7}]dodecan) beobachtet[3] (man erhält *3,3'-Dioxo-bi-cyclohexyl*).

Möglich ist auch der Abbau von α-Hydroxy-ketonen und α,β-unge-sättigten Ketonen über die Beckmann-Umlagerung ihrer Oxime. Solche Ab-baumöglichkeiten sind vor allem in der Sterin-Reihe von Bedeutung. Als Beispiel für den Abbau eines α-Hydroxy-ketons sei der Abbau von 17α-Hydroxy-3β-acetoxy-20-hydroximino-pregnen-(5) mit einer Mischung von Phosphoroxychlorid und Pyridin zu *3β-Acetoxy-17-oxo-androsten-(5)* (98% d. Th.)[4] erwähnt:

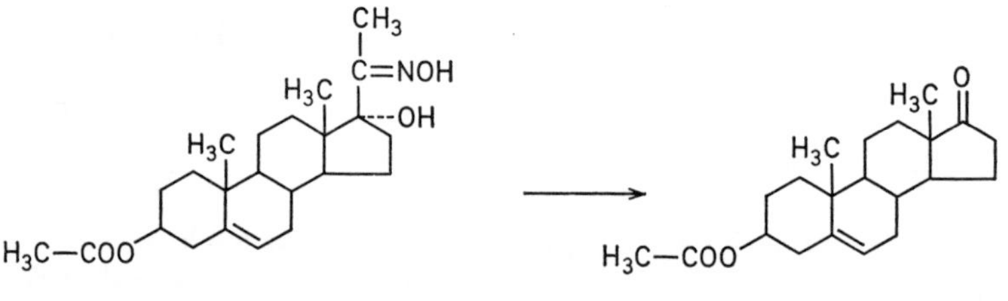

Bei den entsprechenden Oximen der α,β-ungesättigten Ketone erhält man primär die Acylenamine, die erst bei der sauren Verseifung die Ketone liefern[5]:

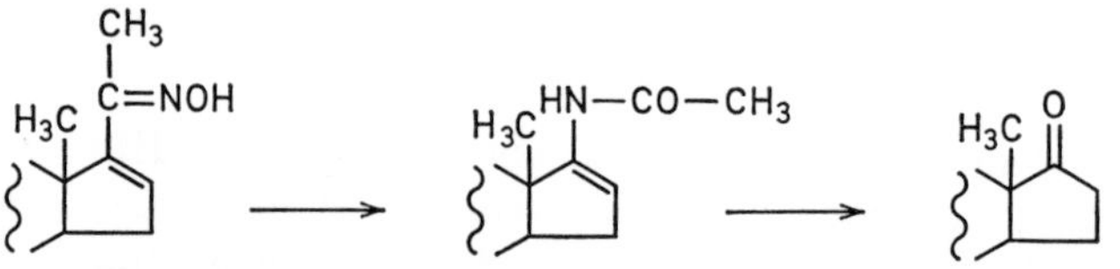

Auch die Oxime von Äthern der α-Hydroxy-ketone geben bei der Beckman-Um-lagerung Ketone, wie das Beispiel des 3-Methoxy-2-hydroximino-3-phenyl-pentan

[1] E. Wenkert u. J. E. Yoder, J. Org. Chem. **35**, 2986 (1970).
[2] E. Kariv u. B. J. Cohen, Soc. (Perkin I) **1972**, 509.
[3] J. Grimshaw u. R. J. Haslett, Chem. Commun. **1974**, 174.
  S. a.: J. Dekker, F. J. C. Martins, J. A. Krüger u. A. J. Goosen, Tetrahedron Letters **1974**, 3721.
[4] J. Scmhidt-Thomé, Ang. Ch. **67**, 715 (1955); A. **603**, 43 (1957).
[5] G. Rosenkranz et al., J. Org. Chem. **21**, 520 (1956).
  H. Singh, V. V. Parashar u. T. K. Kaw, Steroids **12**, 577 (1968).

zeigt, das bei der Einwirkung von Benzolsulfonsäure-chlorid in 10%iger Natronlauge *Propiophenon* (81% d. Th.) ergibt[1]:

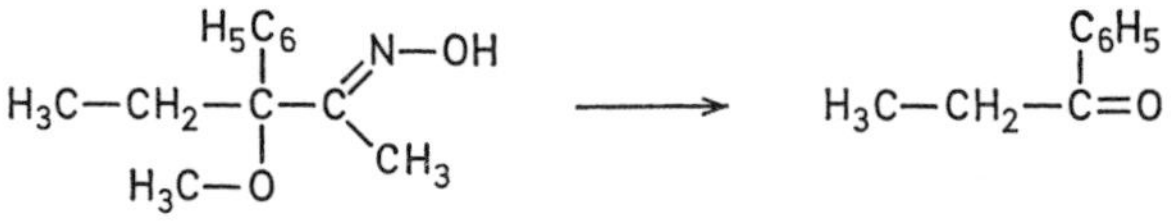

$$H_3C-CH_2-\underset{H_3C-O}{\overset{H_5C_6}{C}}-C\underset{CH_3}{\overset{N-OH}{}} \longrightarrow H_3C-CH_2-\underset{}{\overset{C_6H_5}{C}}=O$$

In gespannten Ringsystemen vermögen tertiäre Hydroxy-Gruppen oder ihre Ester unter dem Einfluß von starken Basen (z. B. Natriummethanolat) durch einen als Homoketonisierung bezeichneten Reaktionsverlauf eine Ringspaltung zu Ketonen zu erleiden[2].

Ein typisches Beispiel für diesen Reaktionsverlauf ist die Homoketonisierung von 1-Brom-4-hydroxy-9,9-äthylendioxy-homocuban zu *1-Brom-4-oxo-9,9-äthylendioxy-tetracyclo[4.3.0.0²,⁵.0³,⁸]nonan*, die praktisch quantitativ mit Natriummethanolat in Methanol verläuft[3]:

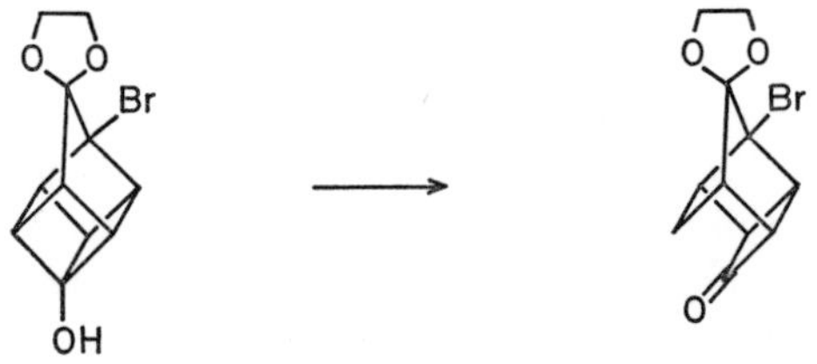

Über eine bei 2-Hydroxy-1-oxo-cyclobutan unter dem Einfluß von Natriumcarbonat verlaufende Ringspaltung zu α-Diketonen vgl. Lit.[4].

Eine zu Ketonen führende Spaltung beobachtet man bei der Cope-Umlagerung von 1,2-Dihydroxy-1-vinyl-cycloalkanen. Während man auf diese Weise durch Erhitzen von 1,2-Dihydroxy-1-vinyl-cyclopentan in 90%-iger Ausbeute *3-Oxo-2-methyl-cyclohexen* als Folgeprodukt der cyclisierenden Aldolkondensation des primär entstehenden 5-Oxo-heptanals erhält, gibt die Spaltung von 1,2-Dihydroxy-2-äthyl-1-vinyl-cyclopentan praktisch quantitativ *3,7-Dioxo-nonan*[5]:

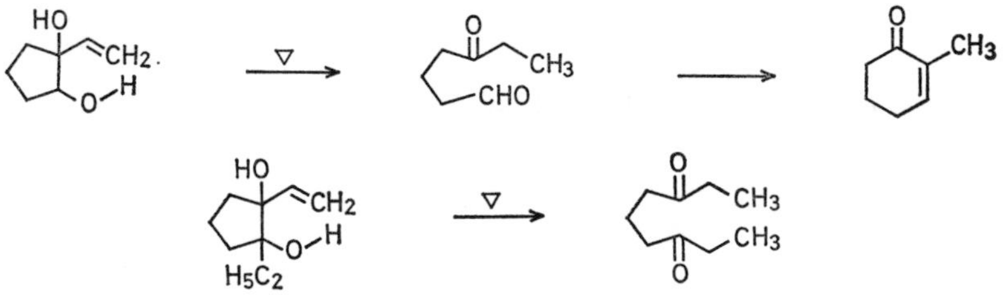

---

[1] T. I. TEMNIKOVA, A. K. PETRYAEVA u. S. S. SKOROKHODOV, Ž. obšč. Chim. **25**, 1575 (1955); C. A. **50**, 4891 (1956).
[2] R. HOWE u. S. WINSTEIN, Am. Soc. **87**, 915 (1965).
   T. FUKUNAGA, Am. Soc. **87**, 916 (1965).
   A. NICKON, J. L. LAMBERT, R. O. WILLIAMS u. N. H. WERSTIUK, Am. Soc. **88**, 3354 (1966).
   R. J. STEDMAN, L. S. MILLER, L. D. DAVIS u. J. R. E. HOOVER, J. Org. Chem. **35**, 4169 (1970).
   R. D. MILLER u. D. L. DOLCE, Tetrahedron Letters **52**, 5217 (1973).
[3] A. J. H. KLUNDER u. B. ZWANENBURG, Tetrahedron **29**, 1683 (1973).
[4] W. T. BRADY u. A. D. PATEL, J. Org. Chem. **39**, 1949 (1974).
[5] J. M. CONIA u. J. P. BARNIER, Tetrahedron Letters **1969**, 2679.

Diese Spaltung bietet auch die Möglichkeit zu Abbaureaktionen in der Sterin-Reihe, wie der Abbau von 17α-Hydroxy-3β-acetoxy-17β-acetyl-androsten-(5) zu *3β-Hydroxy-17-oxo-androsten-(5)* entsprechend dem folgenden Formelschema zeigt[1]:

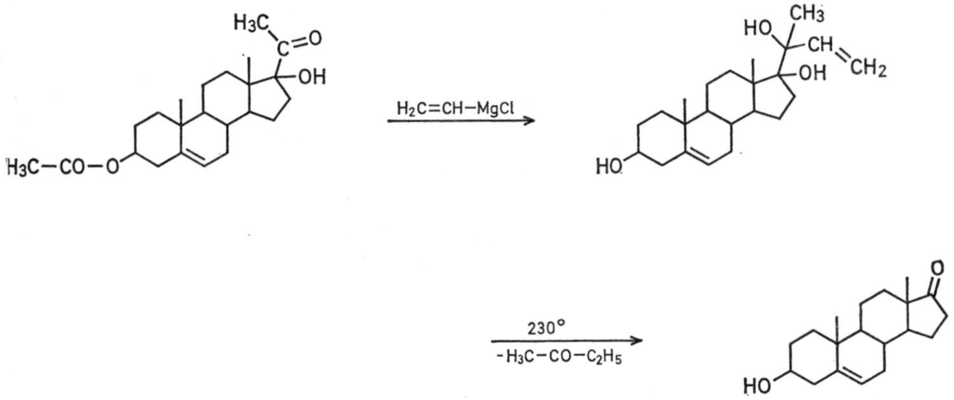

Die Cope-Umlagerung von 1,2-Dihydroxy-1,2-divinyl-cycloalkan führt entsprechend dem allgemeinen Formelschema zu cyclischen Diketonen, die aber infolge einer sich anschließenden cyclisierenden Aldolkondensation in bicyclische ungesättigte Ketone übergehen. Dabei spielt die *cis*- oder *trans*-Konfiguration eine Rolle[2]:

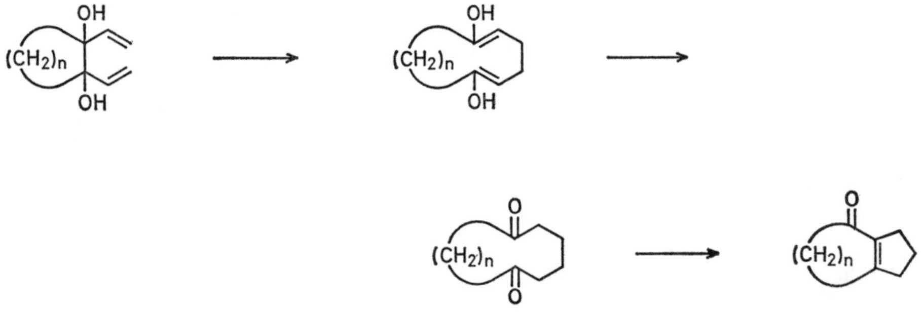

2-Oxo-bicyclo[4.3.0]alken-(1^x)

Bei höhergliedrigen 1,2-Dihydroxy-1,2-divinyl-cycloalkanen vom 8-Ring an aufwärts unterbleibt die cyclisierende Aldolkondensation. Dadurch ergibt sich eine präparativ günstige Möglichkeit zur Ringerweiterung um vier Kohlenstoffatome entsprechend dem Formelschema; z. B.:

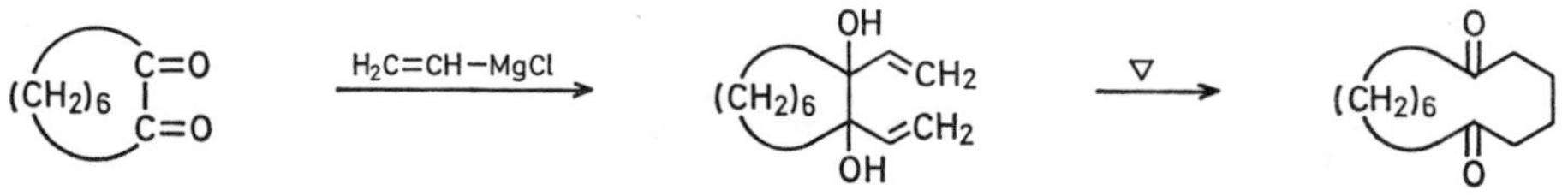

Mit dieser Reaktionsfolge konnten 1,2-Dioxo-cyclooctan in *1,6-Dioxo-cyclododecan* (>100% d. Th.) und 1,2-Dioxo-cyclododecan in *1,6-Dioxo-cyclohexadecan* (80% d. Th.) überführt werden[2].

---

[1] J. M. Conia, u. J.-P. Barnier, Tetrahedron Letters **1969**, 2679.
[2] P. Leriverend u. J. M. Conia, Tetrahedron Letters **1969**, 2681.

In der Sterin-Reihe konnten photochemische Ringspaltungen bei gesättigten Carbinolen zu ungesättigten Ketonen beobachtet werden. So wurde z. B. bei der UV-Bestrahlung Δ^{16}-Pregnens I in 2,2,4-Trimethyl-octan bzw. tert.-Butanol *3β-Acetoxy-14,20-dioxo-14,15-seco-5α,17ξ-pregnen-(16)* (II) erhalten[1]:

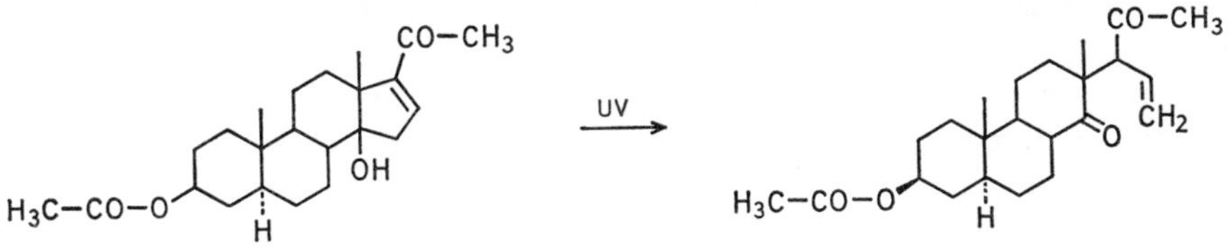

CO—CH₃ structure I → UV → structure II

Eine andere analoge photochemische Ringspaltung wurde am tricyclischen Alkohol III beobachtet[2]:

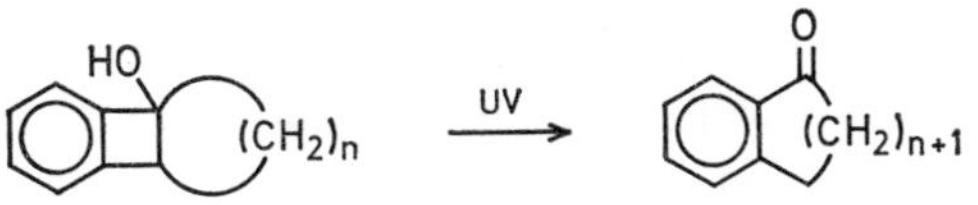

structure III → UV → product

n=4; *5-Oxo-5,6,7,8,9,10-hexahydro-⟨cycloocta-benzol⟩*; 59% d.Th.
n=5; *5-Oxo-6,7,8,9,10,11-hexahydro-5H-⟨cyclonona-benzol⟩*; 60% d.Th.

VIII. Ketone aus anderen Ketonen durch Einführung der R—CO—R¹-Gruppe

a) Alkylierung von Ketonen[3]

1. Einfache Ketone

bearbeitet von

Prof. Dr. Hermann Stetter

Institut für Organische Chemie der Technischen Hochschule Aachen

Für die Alkylierung einfacher Ketone läßt sich infolge ihrer geringeren CH-Acidität die für β-Dicarbonyl-Verbindungen übliche Arbeitsweise unter Anwendung der berechneten Menge Alkoholat in Alkohol als Lösungsmittel nicht anwenden. Die Ausbildung der Alkali-Verbindung erfordert hier die Anwendung von starken Basen in indifferenten Lösungsmitteln[4]. Als Basen werden angewendet Natrium- oder Kaliumamid sowie Kalium-tert.-butanolat und -tert.-amylat, wobei der Vorteil dieser Alkanolate auf ihrer Löslichkeit in aromatischen Kohlenwasserstoffen beruht, wodurch das Arbeiten in homogener Lösung ermöglicht wird. In Einzelfällen werden auch Kalium- und Natriumhydrid mit Erfolg verwendet.

---

[1] F. Marti, H. Wehrli u. O. Jeger, Helv. **56**, 1078 (1973).
   S. a. H.A.C.M. Keuss u. J. Lakeman, Chem. Commun. **1973**, 480.
[2] M. L. Viriot, C. Carre u. P. Caubere, Tetrahedron Letters **1974**, 3301.
[3] H. O. House, *Modern Synthesis Reactions*, 2. Aufl., S. 492ff., 541ff., W. A. Benjamin Jr., Inc., Menlo Park 1972.
[4] Über die Metallierung von Ketonen mit Kalium bzw. Natrium s. ds. Handb., Bd. XIII/1, S. 293ff., mit Lithium, S. 101, mit Natriumhydrid, S. 303ff., mit Natriumamid, S. 322ff., mit Natrium-alkanolaten, S. 349.

Von den Halogen-Verbindungen eignen sich besonders die Jodide und die durch nachbarständige olefinische Doppelbindungen oder Benzolkerne aktivierten Halogen-Verbindungen für diese Alkylierungen. In der gleichen Weise lassen sich auch die Ester der Schwefelsäure und der Sulfonsäuren mit Erfolg zu diesen Alkylierungen heranziehen. Bei den einfachen primären Halogen-alkanen fällt die Ausbeute an Alkylierungsprodukt mit größer werdendem Rest. Im allgemeinen erhält man bei mehreren α-ständigen Wasserstoffatomen eine ausschließliche Monoalkylierung nur schwierig. Es bilden sich meist auch die höher alkylierten Ketone. Dies gilt vor allem für die Einführung von Alkyl-Gruppen mit geringer Raumerfüllung. In diesen Fällen lassen sich die vollständig alkylierten Ketone meist mit besserer Ausbeute erhalten.

Besonders gut untersucht sind die Alkylierungen cyclischer Ketone. Sie zeigt deutlich die von der Theorie zu erfordernde Bevorzugung der asymmetrischen α,α-Disubstitution vor der entsprechenden symmetrischen α,α'-Disubstitution[1].

Die unter Verwendung von Natrium-2-methyl-butanolat-(2) mit Schwefelsäuredimethylester in Benzol durchgeführte Methylierung von Cyclopentanon im Verhältnis 2 Mol Schwefelsäure-dimethylester zu 1 Mol Cyclopentanon ergab in 65%iger Ausbeute ein Ketongemisch folgender Zusammensetzung[2]:

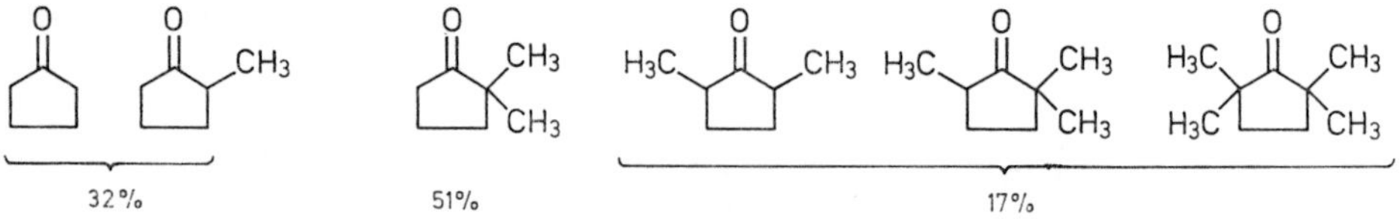

2-Oxo-1,1-dimethyl-
cyclopentan

Ähnliche Verhältnisse wurden bei der Methylierung von Cyclohexanon beobachtet[3].

Dagegen scheinen Abweichungen bei der Alkylierung von 3-Oxo-1-methyl-cyclohexan bzw. -cyclopentan aufzutreten. Die Monomethylierung von 3-Oxo-1-methyl-cyclohexan ergab ausschließlich 2-Oxo-1,4-dimethyl-cyclohexan[4], was für einen sterischen Einfluß der Methyl-Gruppe in 3-Stellung zu sprechen scheint.

Eine bevorzugte Bildung von 2-Oxo-1,3-dimethyl-cyclohexan läßt sich erreichen, wenn man Lithium-3-methyl-cyclohexen-(1)-olat-(2) (II), das aus der Chlorquecksilber-Verbindung I mit Lithium zugänglich ist, mit Methyljodid zur Reaktion bringt[2] (s. a. S. 1903):

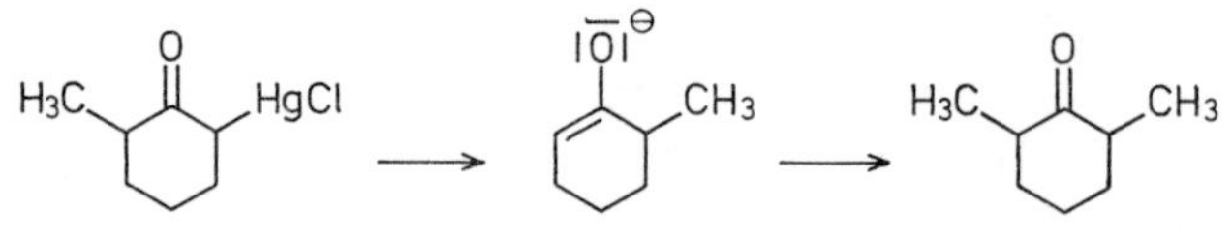

Die Dimethylierung von 3-Oxo-1-methyl-cyclopentan läßt dagegen keine eindeutige Bevorzugung der 5-Stellung erkennen. Es wurde in 74%iger Ausbeute ein Keton-

[1] Vgl. hierzu M. E. T. H. Dau, M. Fetizon u. N. T. Anh, Tetrahedron Letters **1973**, 851.
[2] F. G. Gault, J. E. Germain u. J. M. Conia, Bl. **1957**, 1064.
[3] A. Haller u. R. Cornubert, Bl. **39**, 1724 (1926).
   J. M. Conia, Bl. **1956**, 1040.
[4] R. Cornubert u. R. Humeau, Bl. **49**, 1239 (1931).

gemisch folgender Zusammensetzung erhalten[1]:

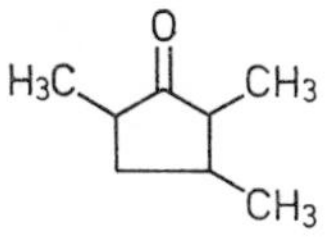

24%	46%	30%
3-Oxo-1,2,4-trimethyl-cyclopentan	*2-Oxo-1,1,4-trimethyl-cyclopentan*	*2-Oxo-1,2,2-trimethyl-cyclopentan*

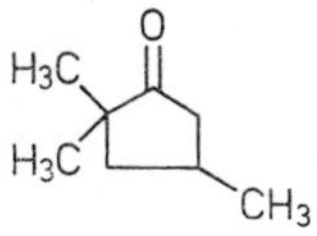

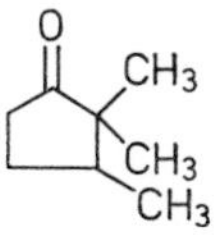

Besonders glatt gelingt die Alkylierung – wie zu erwarten – bei solchen Ketonen, bei denen infolge nachbarständiger Benzolkerne eine höhere CH-Acidität vorhanden ist. Hier genügt als Base bereits die Verwendung von Natriumhydroxid, wie das Beispiel der Alkylierung von 2-Oxo-1-phenyl-propan mit Propyljodid zu *2-Oxo-3-phenyl-hexan* zeigt[2]. Gleiches gilt auch für die cyclischen Ketone vom Typ des 2-Tetralons, für welche zahlreiche Mono- und Dialkylierungen in der 1-Stellung beschrieben sind.

Beispiele für die Herstellung von *2-Oxo-1-allyl-cyclohexan* und *2-Oxo-1,1-diallyl-cyclohexan* mit Kalium in Phosphorsäure-tris-[dimethylamid](Hexametapol) s. ds. Handb., Bd. XIII/1, S. 293.

Zur Einführung des Allyl-Restes in die α-Stellung von Ketonen eignet sich auch die der Claisen-Umlagerung analoge Umlagerung von Allyl-Enoläthern, die ohne vorherige Isolierung aus den Diallylacetalen der betreffenden Ketone durch Erhitzen mit katalytischen Mengen Toluolsulfonsäure erhalten werden[3]. So ergibt die Pyrolyse von 1,1-Diallyloxy-cyclohexan *2-Oxo-1-allyl-cyclohexan* (85% d. Th.)[4,5]:

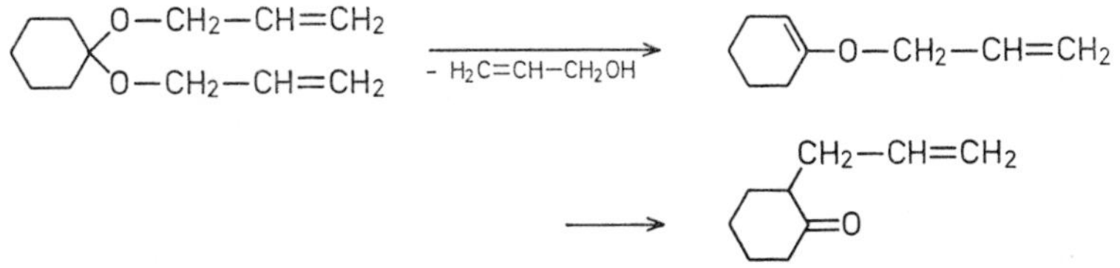

Über die analoge Reaktion beim 1,1-Diallyloxy-cyclobutan s. Lit.[6].

4-Allyl-4-benzoyl-heptadien-(1,6)[7]:

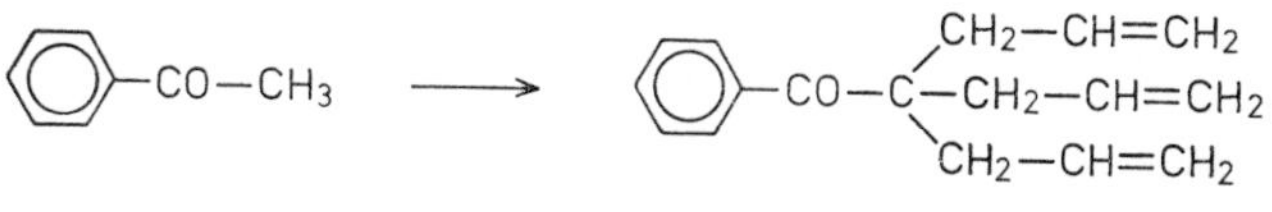

Man erhitzt eine 2 n Lösung von 2-Methyl-butanol-(2) in Xylol mit überschüssigem Natrium so lange unter Rückfluß, bis die Wasserstoff-Entwicklung beendet ist. Nach dem Erkalten bestimmt man den Alkanolat-Gehalt der Lösung durch Titration gegen Phenolphthalein. Unter Luftausschluß läßt sich diese Lösung mehrere Tage aufbewahren.

[1] D. Caine, J. Org. Chem. **29**, 1868 (1964).
  S.a. H. A. Smith et al., J. Org. Chem. **32**, 2851 (1967).
[2] E. M. Schultz et al., Am. Soc. **75**, 1072 (1953).
[3] C. D. Hurd u. M. A. Pollack, Am. Soc. **60**, 1905 (1938).
[4] N. B. Lorette u. W. L. Howard, J. Org. Chem. **26**, 3112 (1961).
  S. a. ds. Handb., Bd. VII/2a, S. 902.
[5] Org. Synth. **42**, 14 (1962).
[6] D. S. Sethi u. P. Yates, Am. Soc. **95**, 3820 (1973).
[7] J. M. Conia, Bl. **1950**, 537.

12 g Acetophenon und 36 g Allylbromid werden in 200 *ml* Xylol gelöst. Unter Rühren läßt man hierzu allmählich 150 *ml* einer 2 n Natrium-2-methyl-butanolat-(2)-Lösung, die wie oben beschrieben hergestellt wurde, zutropfen. Nach Zugabe erhitzt man auf dem Wasserbad bis zur beendeten Reaktion. Man läßt erkalten, behandelt mit Wasser, trennt die organische Schicht ab, trocknet mit Calciumchlorid und destilliert. Das so erhaltene Gemisch wird erneut mit 50 *ml* Natrium-2-methyl-butanolat-(2)-Lösung und 12 g Allylbromid alkyliert. Nach 3stdgm. Erhitzen, Waschen und Destillieren erhält man:

1. Fraktion: 3 g Kp_{19}: 150–172°
2. Fraktion: 17 g Kp_{18}: 172–174°
Rückstand: 4 g

Die zweite Fraktion ist das *4-Allyl-4-benzoyl-heptadien-(1,6)*; 70% d. Th.

2-Oxo-3-phenyl-hexan[1]:

44 g (1,1 Mol) gepulvertes Natriumhydroxid werden in einen Dreihalskolben mit Hershberg-Rührer, Rückflußkühler und Tropftrichter gegeben. Nach Zugabe von 134 g (1 Mol) 2-Oxo-1-phenyl-propan wird die Mischung 15 Min. heftig gerührt, wobei sich das Natriumhydroxid teilweise löst und der Inhalt des Kolbens eine tiefrote Farbe annimmt. Nun gibt man 204 g (1,2 Mol) Propyljodid tropfenweise innerhalb 1 Stde. hinzu, wobei die Temp. mittels eines Wasserbades auf 30–35° hält. Darauf entfernt man die Kühlung und rührt 2 Stdn. bis die Reaktionswärme abklingt. Nun erhitzt man zuerst vorsichtig noch 3 Stdn. auf dem Dampfbad. Während des Erhitzens scheidet sich Natriumjodid ab, wobei die Lösung hellgelb wird. Nun fügt man unter Rühren 250 *ml* kaltes Wasser hinzu und kühlt von außen. Das ölige Reaktionsprodukt wird mit Äther extrahiert, die Äther-Schicht mit Wasser gewaschen und über Natriumsulfat getrocknet. Nach dem Abdestillieren des Äthers bleibt ein Öl, das der fraktionierten Destillation unterworfen wird; Ausbeute: 71% d.Th.; Kp_{18}: 120–124°.

Über die Herstellung von Ketonen durch Alkylierung von 2-Lithium-1,3-dithianen s. ds. Handb., Bd. XIII/1, S. 110, 210, 300 und ds. Bd., S. 1894 ff.

Für die Einführung des Propargyl-Restes hat sich die Verwendung von 3-Brom-1-trimethylsilyl-1-propin als vorteilhaft erwiesen. Nach der Alkylierung läßt sich der Trimethylsilyl-Rest mit Kalilauge abspalten. 2-Oxo-1-methyl-cyclohexan konnte so in 63%-iger Gesamtausbeute in *2-Oxo-1-methyl-1-[propin-(2)-yl]-cyclohexan* überführt werden[2] (mit 3-Brom-propin selbst erhält man nur unbefriedigende Ergebnisse):

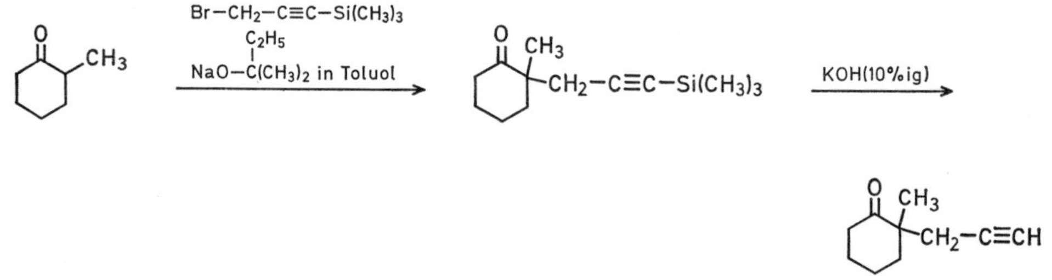

Benzoine lassen sich in Dimethylsulfoxid bei 25° unter Zusatz von Natronlauge schonend alkylieren. Die konkurrierende Ätherbildung wird dabei weitgehend zurückgedrängt. Bei Anwendung von überschüssigem Alkylierungsmittel kann allerdings

---

[1] E. M. SCHULTZ et al., Am. Soc. **75**, 1072 (1953).
[2] R. B. MILLER, Synth. Commun. **2**, 267, 273 (1972).

auch das jeweilige α-Alkoxy-keton erhalten werden[1]. Mit Methyljodid erhält man so z. B. zu 68% d. Th. *2-Hydroxy-1-oxo-1,2-diphenyl-propan* oder bei Überschuß von Methyljodid 70% d. Th. *2-Methoxy-1-oxo-1,2-diphenyl-propan*:

$$H_5C_6-\overset{\overset{\displaystyle O}{\|}}{C}-\overset{\overset{\displaystyle OH}{|}}{C}H-C_6H_5 \xrightarrow[(H_3C)_2SO]{CH_3J/} H_5C_6-\overset{\overset{\displaystyle O}{\|}}{C}-\overset{\overset{\displaystyle OH}{|}}{\underset{\underset{\displaystyle CH_3}{|}}{C}}-C_6H_5 \xrightarrow{CH_3J} H_5C_6-\overset{\overset{\displaystyle O}{\|}}{C}-\overset{\overset{\displaystyle OCH_3}{|}}{\underset{\underset{\displaystyle CH_3}{|}}{C}}-C_6H_5$$

2-Hydroxy-1-oxo-1,2-diaryl-alkane: allgemeine Arbeitsvorschrift[1]. Zu einer Lösung des Benzoins in Dimethylsulfoxid (0,1 Mol/200 *ml*) werden unter Rühren, Kühlen (Temp. 25°) und Stickstoff die jeweils benötigte Menge 10%-ige Natronlauge und Alkylierungsmittel zugegeben. Nach 4–6 Stdn. wird mit Wasser versetzt. Kristalline Umsetzungsprodukte werden abgesaugt, mit Wasser gewaschen und umkristallisiert. Flüssige Reaktionsprodukte werden nach Ansäuern der wäßrigen Lösung mittels verd. Salzsäure mit Hexan und/oder Äther extrahiert und darauf wie üblich aufgearbeitet (Waschen der organischen Phase mit Wasser bis zur Neutralreaktion, Trocknen über wasserfreiem Natriumsulfat und Einengen i. Vak.). Durch destillative bzw. chromatographische Trennung werden die α-Hydroxy-ketone isoliert.

Bei genügend CH-aciden Ketonen kann mit Erfolg auch die Alkylierung nach den Prinzipien der Phase-Transfer-Katalyse (**extraktive Alkylierung**)[2] durchgeführt werden. Die Methode beruht darauf, daß bei Zugabe von Trialkyl-ammoniumsalzen und einem weiteren, mit Wasser nicht mischbaren Lösungsmittel, zu dem wäßrigen Reaktionsgemisch, Ionen-Paare der Carbanionen und Ammoniumionen in die nichtwäßrige Phase übergehen und dort besonders glatt zu reagieren vermögen. So kann die Methylierung von Phenyl-aceton unter diesen Bedingungen mit Methyljodid in 92%-iger Ausbeute erreicht werden[3]:

$$H_5C_6-CH_2-CO-CH_3 \xrightarrow{CH_3J} H_5C_6-\overset{\overset{\displaystyle CH_3}{|}}{C}H-CO-CH_3$$

3-Oxo-2-phenyl-butan[3]: Zu einer Mischung von 0,1 Mol Tetrabutylammonium-hydrogensulfat und 0,2 Mol Natriumhydroxid in 100 *ml* Wasser werden unter Rühren eine Lösung von 0,1 Mol Phenylaceton und 0,2 Mol Methyljodid in 100 *ml* Dichlormethan gegeben. Unter Erwärmen ist die Reaktion nach 10 Min. beendet. Nach dem Abtrennen und Einengen der organischen Phase fällt man Tetrabutylammonium-jodid durch Zugabe von Äther aus. Dieses wird abfiltriert. Aus dem Ätherextrakt erhält man 13,6 g (92% d. Th.) 3-Oxo-2-phenyl-butan; Kp: 210–212°.

Bei Alkylierungen in wäßrigem Milieu kann durch den Zusatz katalytischer Mengen von Tetraalkylammonium-Salzen eine Steigerung der Ausbeute erreicht werden. So gibt Phenylaceton mit Benzylchlorid in 50%-iger Natronlauge nur 5% d. Th. *3-Oxo-1,2-diphenyl-butan*; unter Zusatz von Triäthyl-benzyl-ammonium-chlorid steigert sich jedoch die Ausbeute auf 90% d. Th.[4]. In solchen Fällen dürfte das Alkylhalogenid selbst die zweite Phase bilden.

[1] H. G. HEINE, A. **735**, 56 (1970).
  S. a. US.P. 2722512 (1955), DuPont, Erf.: J. L. CRANDALL; C. A. **50**, 6836 (1956).
  H. VAN DE SANDE u. K. R. KOPECKY, Canad. J. Chem. **47**, 163 (1969).
  Y. UENO u. M. OKAWARA, Synthesis **1975**, 268.
[2] J. DOCKX, Synthesis **1973**, 440.
  S. a. A. BRÄNDSTRÖM u. U. JUNGGREN, Acta chem. scand. **23**, 2204, 2203, 3585, 2536 (1969).
[3] A. BRÄNDSTRÖM u. U. JUNGGREN, Tetrahedron Letters **1972**, 473.
[4] A. JONCZYK, B. SERAFIN u. M. MAKOSZA, Tetrahedron Letters **1971**, 1351; Rocz. Chem. **45**, 1027 (1971).

In manchen Fällen kann es vorteilhaft sein, den Weg über die α-Halogen-ketone zu gehen, wobei das Halogen-Atom gegen den Alkyl-Rest ausgetauscht wird[1].

Eine Möglichkeit bietet die Reaktion mit Lithium-dimethylcuprat(I) in Diäthyläther und anschließender Umsetzung des Enolates mit einem Alkylhalogenid. Aus 2-Brom-1-oxo-cyclododecan konnte so mit Methyljodid das *2-Oxo-1-methyl-cyclododecan* (67% d. Th.) erhalten werden[2].

Die Reaktion von α,α'-Dibrom-ketonen mit 2 Mol Lithium-dimethylcuprat(I) liefert über die Stufe des Cyclopropanons Methyl-substituierte Ketone in Ausbeuten von 80–90% d. Th.[2]:

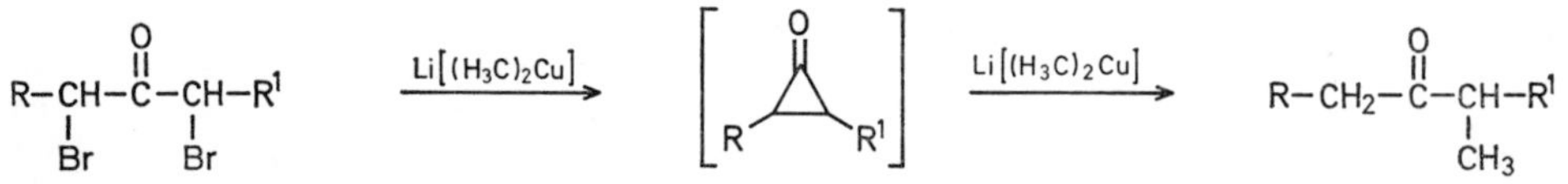

Aus 2,6-Dibrom-1-oxo-cyclohexan und 2,12-Dibrom-1-oxo-cyclododecan entstehen so *2-Oxo-1-methyl-cyclohexan* bzw. *-cyclododecan* zu 98% d. Th.

Diese Alkylierungsreaktion ausgehend von α,α'-Dibrom-ketonen läßt sich auch auf die Dialkylierung übertragen, wenn man die primär mit Lithium-dialkylcuprat(I) entstehenden Komplexe mit überschüssigem Alkylhalogenid reagieren läßt[3].

Eine weitere Möglichkeit, ausgehend von α-Brom-ketonen zu monoalkylierten Ketonen zu gelangen, ergibt sich durch Reaktion der Brom-ketone mit Trialkyl-bor unter dem Einfluß von Kalium-tert. -butanolat[4]; z. B.:

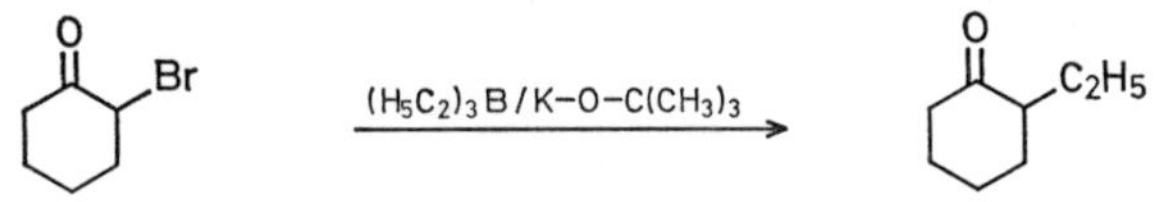

Bei den Lithium-dialkylcupraten(I) geht von den beiden Alkyl-Gruppen nur eine in die Alkylierung ein. Bei den Trialkyl-bor-Verbindungen ist das Verhältnis mit 1:3 noch ungünstiger. Außerdem reagieren verzweigte Alkyl-Reste nur schlecht oder gar nicht.

Günstiger im Hinblick auf die geschilderten Nachteile erscheint die Möglichkeit der Alkylierung von α-Brom-ketonen durch Umsetzung mit Lithium in Äther oder Phosphorsäure-tris-[dimethylamid], wobei die Lithium-enolate gebildet werden. Diese können mit Alkyljodiden in teilweise recht guten Ausbeuten in die monoalkylierten Ketone überführt werden[5].

Über die Herstellung von Dialkyl- bzw. Diaryl-cyclopropenonen aus α,α'-Dibrom-ketonen s. ds. Handb., Bd. IV/3, S. 734 sowie Lit.[6] (s. Bd. VII/2c).

Intramolekulare Ringschlüsse von α-Halogen-ketonen unter Einwirkung von Triäthylamin können zum Aufbau polycyclischer Ketone dienen.

So erhält man aus 2,4,6,8-Tetrabrom-9,9-äthylendioxy-3,7-dioxo-bicyclo[3.3.1]

[1] L. C. King u. G. K. Ostrum, J. Org. Chem. **29**, 3459 (1964).

[2] G. H. Posner u. J. J. Sterling, Am. Soc. **95**, 3076 (1973).

S. a. J. E. Dubois, C. Lion u. C. Moulineau, Tetrahedron Letters **1971**, 177; C. r. **272**, 1377 (1971).

[3] C. Lion u. J.-E. Dubois, Tetrahedron **31**, 1223 (1975).

[4] H. C. Brown, M. M. Rogič u. M. W. Rathke, Am. Soc. **90**, 6218 (1968).

L. C. King u. G. K. Ostrum, J. Org. Chem. **29**, 3459 (1964).

[5] J. E. Dubois, P. Fournier u. C. Lion, C. r. **279**, 965 (1974).

[6] K. T. Potts u. J. S. Baum, Chem. Reviews **74**, 196 (1974).

nonan mit Triäthylamin ein Gemisch von *2,6-Dibrom-* und *2,8-Dibrom-9,9-äthylen-dioxy-3,7-dioxo-tetracyclo[3.3.1.0²,⁴.0⁶,⁸]nonan*[1]:

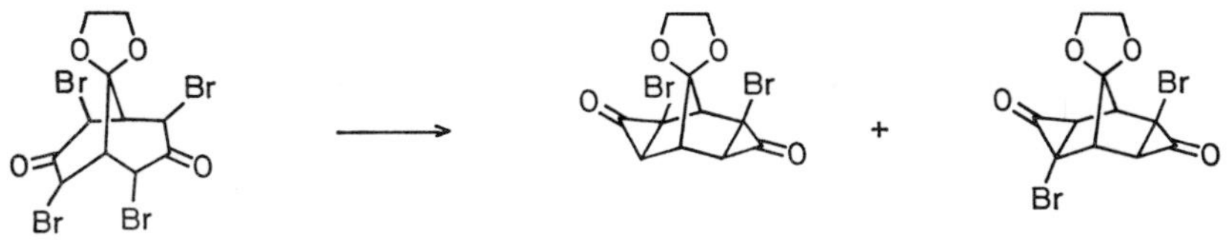

In analoger Weise gibt 2,4,6,8-Tetrabrom-1,5-dioxo-cyclooctan *anti-1,3-Dibrom-2,6-dioxo-tricyclo[5.1.0.0³,⁵]octan*[2]:

Hier sei auch auf die Möglichkeit zur Einführung von Alkyl-Resten in die α-Stellung von Ketonen durch die radikalische Addition von Ketonen an Olefine hingewiesen. Näheres hierüber s. S. 1712.

Tab. 170 (S. 1392) gibt einen Überblick über die Alkylierung einfacher Ketone.

Bei Verwendung von 1,4- und 1,5-Dihalogen-Verbindungen lassen sich mit Hilfe der Keton-Alkylierung unter prinzipiell gleichen Bedingungen Ringschlußreaktionen zu cyclischen Ketonen erreichen. Beispiele hierfür sind die zu Spiranketonen führenden Alkylierungen von Cyclohexanon mit 1,4-Dibrom-butan und 1,5-Dibrom-pentan, die mit Natriumhydrid oder Kalium-tert.-butanolat erreichbar sind[3]:

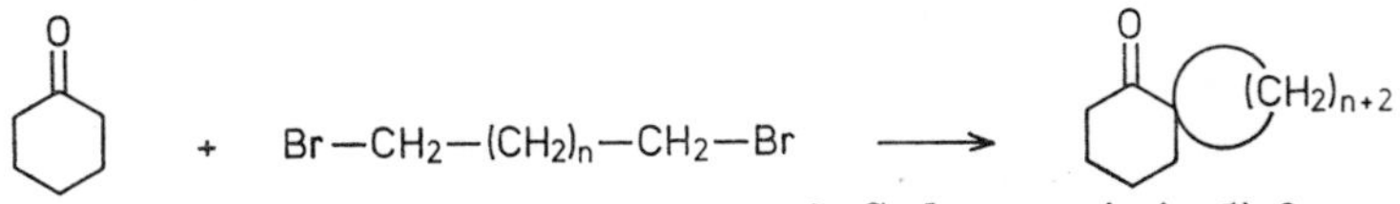

$n = 2$; *Cyclopentan-⟨spiro-1⟩-2-oxo-cyclohexan*
$n = 3$; *Cyclohexan-⟨spiro-1⟩-2-oxo-cyclohexan*

Besondere Bedeutung kommt den cyclisierenden Alkylierungen von Halogen-ketonen zu, die in vielen Fällen mit besonderer Leichtigkeit realisierbar sind. Bemerkenswerterweise gelingt hier auch die Herstellung des Cyclopropan-Ringes aus γ-Halogen-ketonen mit ausgezeichneten Ausbeuten.

Dicyclopropyl-keton[4]:

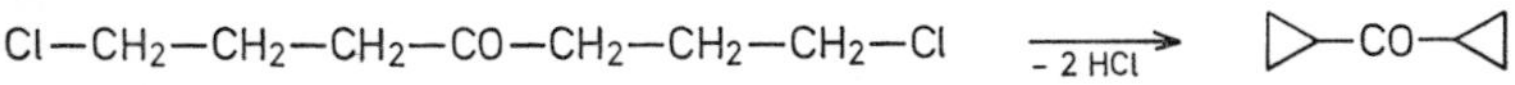

$$Cl-CH_2-CH_2-CH_2-CO-CH_2-CH_2-CH_2-Cl \xrightarrow{-2\,HCl} \triangleright-CO-\triangleleft$$

Eine Mischung von 600 *ml* 20%ige Natronlauge und 165 g 1,7-Dichlor-4-oxo-heptan werden unter kräftigem Rühren 30 Min. unter Rückfluß erhitzt. Das Reaktionsgemisch wird dann der Wasserdampfdestillation unterworfen, bis das übergehende Destillat nicht mehr den charakteristischen Keton-Geruch zeigt. Nach dem Sättigen des Destillates mit Kaliumcarbonat trennt man die obere Schicht ab und extrahiert die wäßrige Schicht mit Äther. Nach dem Trocknen über Kaliumcarbonat und dem Entfernen des Lösungsmittels erhält man das Keton durch Destillation; Ausbeute: 69 g (70% d. Th.); Kp₂₀: 69°; n²⁵_D = 1,4654.

Einen Überblick über die Cyclisierung von Halogen-ketonen und Sulfonsäureester von Hydroxy-ketonen gibt die Tab. 171 (S. 1396)[5].

S. a. n. Dehydrohalogenierung, Bd. VII/2c.

[1] I. A. McDonald u. A. S. Dreiding, Helv. **56**, 2523 (1973).
[2] J. Heller, A. Yogev u. A. S. Dreiding, Helv. **55**, 1003 (1972).
[3] M. Mousseron, R. Jacquier u. H. Christol, Bl. **1957**, 346.
[4] H. Hart u. O. E. Curtis, Am. Soc. **78**, 112 (1956).
[5] S. a. A. P. Krapcho, Synthesis **1973**, 383.

Tab. 170: Alkylierung von Ketonen

Ausgangsketon	Alkylierungsmittel	Reaktionsbedingungen	Alkylierungsprodukt	Ausbeute [%d.Th.]	Literatur
Aceton	1-Chlor-3-methyl-buten-(2)	NaOH	6-Oxo-2-methyl-hepten-(2)		1
	Allylchlorid	NaOH/Dimethylamin	5-Oxo-hexen-(1)	29	2
3-Oxo-2,4-dimethyl-pentan	Schwefelsäure-dimethyl-ester	NaNH₂/Toluol H_9C_4-MgBr/OP[N(CH₃)₂]₃	3-Oxo-2,2,4,4-tetramethyl-pentan	52	3
				84	4
Pinakolon (3-Oxo-2,2-di-methyl-butan)	Methyljodid	NaNH₂/Äther	3-Oxo-2,2,4-trimethyl-pentan +3-Oxo-2,2,4,4-tetramethyl-pentan	50	5
	Propyljodid	NaNH₂/Benzol	3-Oxo-2,2-dimethyl-heptan +3-Oxo-2,2-dimethyl-5-äthyl-octan	95	6
3-Oxo-2,2,4-trimethyl-pentan	Schwefelsäure-dimethyl-ester	Butyl-magnesiumbromid	3-Oxo-2,2,4,4-tetramethyl-pentan	71	7
5-Oxo-hexen-(1)	Propyljodid	NaNH₂/Benzol	3-Oxo-2,2,4,4-tetramethyl-heptan	55	6
	Allylbromid	Na—O—C—CH₂—CH₃ (CH₃, CH₃) Allylbromid	4-Acetyl-heptadien-(1,6)	23	8
			+4-Allyl-4-acetyl-heptadien-(1,6)		
Acetyl-cyclopropan	Methyljodid	NaNH₂/Benzol	1-Oxo-2,2-dimethyl-1-cyclopropyl-propan	22	9
Cyclopentanon	2-Brom-cyclohexen	K—O—C(CH₃)₃	2-Oxo-1-cyclohexen-(1)-yl-cyclopentan	17	10
Cyclohexanon	Methylbromid	Na—O—C—CH₂—CH₃ (CH₃, CH₃) Benzol	2-Oxo-1,1-dimethyl-cyclohexan	26	11

[1] Belg.P. 574301 (1958), Metal a. Thermit Corp., Erf.: H. E. RAMSDEN, E. H. MILLER u. A. GIBBONS; C. 1962, 8415.

[2] Fr.P. 1384137 (1963), Rhone-Poulenc, Erf.: W. C. MEULY u. P. GRADEFF; C. A. 63, 14708 (1965).

[3] F. C. WHITMORE u. E. E. STAHLY, Am. Soc. 55, 4155 (1933).

[4] J. FAUVARQUE u. J. F. FAUVARQUE, Bl. 1969, 160.

[5] A. HALLER u. E. BAUER, A. ch. [8] 29, 313 (1913).

[6] I. N. NAZAROV, B. 70, 594 (1937).

[7] J. FAUVARQUE u. J. F. FAUVARQUE, C. r. 263, 488 (1966).

[8] J. M. CONIA, Bl. 1956, 1392.

[9] S. C. BUNCE, Am. Soc. 77, 6616 (1955).

[10] H. CHRISTOL, R. JACQUIER u. M. MOUSSERON, Bl. 1957, 1027.

[11] J. M. CONIA, Bl. 1950, 537.

Tab. 170 (1. Fortsetzung)

Ausgangsketon	Alkylierungsmittel	Reaktionsbedingungen	Alkylierungsprodukt	Ausbeute [% d.Th.]	Literatur
Cyclohexanon	Äthyljodid	NaNH₂/Benzol	2-Oxo-1-äthyl-cyclohexan +2-Oxo-1,1-diäthyl-cyclohexan	15 43	1
	Schwefelsäure-diäthylsulfat	Na—O—C(CH₃)—CH₂—CH₃, Benzol	2-Oxo-1-äthyl-cyclohexan +2-Oxo 1,1-diäthyl-cyclohexan	10	2
	Schwefelsäure-diisopropylester	Na—O—C(CH₃)—CH₂—CH₃	2-Oxo-1-isopropyl-cyclohexan	30	2
	Allylbromid	NaNH₂/Äther	2-Oxo-1-allyl-cyclohexan	50 (54–62)	1,3
	2-Chlor-cyclopenten	K—O—C(CH₃)₃	2-Oxo-1-cyclopenten-(1)-yl-cyclo-hexan	75	4
2-Oxo-1-methyl-cyclohexan	Methyljodid	NaNH₂/Äther	2-Oxo-1,1-dimethyl-cyclohexan +2-Oxo-1,3-dimethyl-cyclohexan	66 28	5
4-Oxo-1-methyl-cyclohexan	Allylbromid	NaNH₂/Äther	2-Oxo-5-methyl-1-allyl-cyclohexan	59	6
Cycloheptanon	Allylbromid	NaNH₂/Äther	2-Oxo-1-allyl-cyclohexan	58	6
	Brombenzol	NaNH₂/Tetrahydrofuran	2-Oxo-1-phenyl-cycloheptan	69	7
Cyclooctanon	Methyljodid	NaNH₂/Äther	2-Oxo-1-methyl-cyclooctan		8
	1-Chlor-cyclohepten	NaNH₂/OP[N(CH₃)₂]₃	2-Oxo-1-cycloheptyliden-cyclooctan	50	9

1 P. M. EVERITT, D. M. HALL u. E. E. TURNER, Soc. **1956**, 2286.

2 J, M, CONIA, Bl. **1950**, 537.

3 R. CORNUBERT u. A. MAUREL, Bl. [4] **49**, 1498 (1931).
C. A. VANDERWERF u. L. V. LEMMERMAN, Org. Synth., Coll. Vol. III, S. 44.
s. a. M. A. IORIO, G. DAMIA u. A. F. CASY, J. Med. Chem. **16**, 592 (1973).

4 H. CHRISTOL, R. JACQUIER u. M. MOUSSERON, Bl. **1957**, 1027.

5 K. v. AUWERS u. F. KROLLPFEIFFER, B. **48**, 1226 (1915).
F. G. FISCHER u. K. WUNDERLICH, B. **74**, 1544 (1941).
W. J. BAILY u. M. MADOFF, Am. Soc. **76**, 2707 (1954).

6 J. COLONGE u. A. ARSAC, Bl. [5] **20**, 1074 (1953).

7 P. CAUBERE, G. GUILLAUMET u. M. S. MOURAD, Tetrahedron **28**, 95 (1972).

8 M. GODCHOT u. G. CANQUIL, C. r. **192**, 962 (1931).

9 J. J. BRUNET, B. FIXARI u. P. CAUBERE, Tetrahedron **30**, 1237, 1245 (1974).

Tab. 170 (2. Fortsetzung)

Ausgangsketon	Alkylierungsmittel	Reaktionsbedingungen	Alkylierungsprodukt	Ausbeute [% d. Th.]	Literatur
Acetophenon	Allylbromid	Na—O—C(CH₃)₂—CH₂—CH₃ / Xylol	5-Oxo-5-phenyl-penten-(1)	5	1
Propiophenon	Methyljodid	NaNH₂/Benzol	1-Oxo-2,2-dimethyl-1-phenyl-propan	60	2
2-Oxo-1-phenyl-propan	Äthyljodid	Na-isopropanolat	2-Oxo-3-phenyl-pentan	55	3
	Butylbromid	Natronlauge (50%ig)/Triäthylammoniumchlorid	2-Oxo-3-phenyl-heptan	90	4
	Isopropyljodid	NaOH	2-Oxo-4-methyl-3-phenyl-pentan	59	5
	4-Jod-butansäure-äthylester	NaH/Benzol/Dimethylformamid	6-Oxo-5-phenyl-heptansäure-äthylester	60	6
	2-Brom-benzylbromid	K—O—C(CH₃)₃/tert. Butanol	3-Oxo-2-phenyl-1-(2-brom-phenyl)-butan	84	7
Benzoyl-cyclohexan	Methyljodid	NaNH₂/Toluol	1-Methyl-1-benzoyl-cyclohexan	80	8
2-Oxo-1,1-diphenyl-propan	Methyljodid	K—O—C(CH₃)₃/tert. Butanol	3-Oxo-2,2-diphenyl-butan	67,3	5
1-Oxo-2-methyl-1-phenyl-propan	Pentylbromid	NaNH₂/Toluol	1-Oxo-2,2-dimethyl-1-phenyl-heptan	75	8
Phenyl-cycloheptanon	Allylchlorid	NaNH₂/Benzol/Äther	2-Oxo-1-allyl-1-phenyl-cycloheptan	79,8	9

[1] J. M. CONIA, Bl. 1950, 537.
[2] C. L. CARTER u. S. N. SLATER, Soc. 1946, 130.
[3] E. R. CLARCK, Soc. 1964, 5704.
[4] A. JOUCZYK, B. SERAFI u. M. MAKOSZA, Tetrahedron Letters 1971, 1351.
[5] E. M. SCHULTZ et al., Am. Soc. 75, 1072 (1953).
S. a. V. I. DOMBROVSKII et al., Izv. Vyss. Uch. Zav. Chim. i chim. Techn. 14, 895 (1971).
[6] E. D. BERGMANN u. S. YAROSLAVSKY, Tetrahedron 11, 154 (1960).

[7] E. J. CRAGOE u. A. M. PIETRUSKIEWICZ, J. Org. Chem. 22, 1338 (1957).
[8] K. E. HAMLIN u. M. FREIFELDER, Am. Soc. 75, 369 (1953).
S. a. E. TORREILLES, C. MONPETIT u. L. GIRAL, C. r. [C] 277, 727 (1973).
[9] J. W. WILT u. H. PHILP, J. Org. Chem. 25, 891 (1960).
J. W. WILT, J. F. ZAWADZKI u. D. G. SCHULTENOVER, J. Org. Chem. 31, 876 (1966).
S. a. R. S. ATKINSON u. R. H. GREEN, Chem. Commun. 1973, 890.

Tab. 170 (3. Fortsetzung)

Ausgangsketon	Alkylierungsmittel	Reaktionsbedingungen	Alkylierungsprodukt	Ausbeute [% d. Th.]	Literatur
1-Tetralon	Methyljodid	K—O—C(CH₃)₃/tert. Butanol	1-Oxo-2-methyl-tetralin	76	1
2-Tetralon	Brom-essigsäure-methyl-ester	NaH/Benzol	2-Oxo-1,1-bis-[methoxycarbonyl-methyl]-tetralin	94	2
5,8-Dimethoxy-2-oxo-tetralin	Methyljodid	Kalium/Xylol	5,8-Dimethoxy-2-oxo-1-methyl-tetralin	90	3
2-Oxo-2-(4-methoxy-phenyl)-1-(4-cyan-phenyl)-äthan	Propyljodid	Na—OC₂H₅/Äthanol	1-Oxo-1-(4-methoxy-phenyl)-2-(4-cyan-phenyl)-pentan	85	4
5,8-Dimethoxy-2-oxo-1,2,3,4-tetrahydro-naphthalin	Methyljodid	Kalium/Benzol	5,8-Dimethoxy-2-oxo-1-methyl-1,2,3,4-tetrahydro-naphthalin		5
10-Oxo-2,3,3a,10,11,11a-hexahydro-1H-⟨cyclo-penta-[a]-phenanthren⟩	Methyljodid	K—O—C(CH₃)₃/tert. Butanol	10-Oxo-11-methyl-2,3,3a,10,11,11a-hexahydro-1H-⟨cyclopenta-[a]-phenanthren⟩	45,5	6
1-Oxo-1-phenyl-2-pyridyl-(2)-propan	Methyljodid	NaNH₂/Toluol	1-Oxo-2-methyl-1-phenyl-2-pyridyl-(2)-propan	64	7
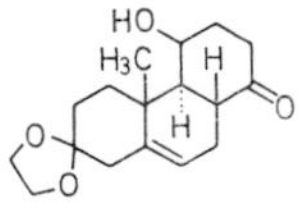	3-Jod-2-methyl-propen-(1)	K—O—C(CH₃)₃/1,4-Dioxan	8-Hydroxy-13,13-äthylendioxy-5-oxo-10-methyl-6,6-bis-[2-methyl-allyl]-tricyclo[$8.4.0.0^{4,9}$]tetra-decen-(1) 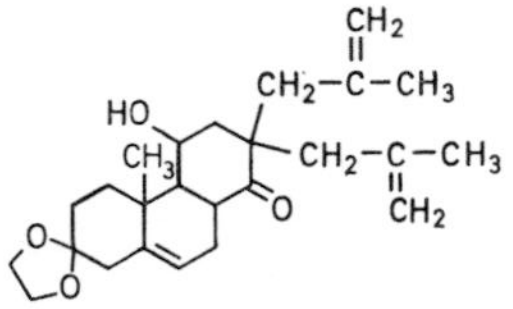	95	8
Benzoin	Allylchlorid	NaOH/DMSO	4-Hydroxy-5-oxo-4,5-diphenyl-penten-(1)	92	9

[1] J. ENGLISH u. G. CAVAGLIERI, Am. Soc. **65**, 1085 (1943).
[2] M. D. SOFFER et al., Am. Soc. **72**, 3704 (1950).
US.P. 2644836 (1950), Research Corp., Erf.: M. D. SOFFER; C. A. **48**, 7061 (1954).
[3] C. A. GROB u. W. JUNDT, Helv. **31**, 1691 (1948).
[4] R. NEHER u. K. MIESCHER, Helv. **29**, 449 (1946).
[5] US.P. 2715143 (1955), Organon Inc., Erf.: C.A. GROB; C. A. **50**, 5757 (1956).
[6] A. BUTENANDT, H. DANNENBERG u. D. v. DRESLER, Z. Naturf. **1**, 151 (1946).
[7] A. H. BECKETT u. K. A. KERRIDGE, Soc. **1954**, 2948.
[8] P. WIELAND et al., Helv. **41**, 74 (1958).
S. a. R. M. LUKES et al., Am. Soc. **75**, 1707 (1953).
[9] H. G. HEIM, A. **735**, 56 (1970).
Y. UENO u. M. OKAWARA, Synthesis **1975**, 268.

Tab. 171: Cyclisierende Alkylierung von Ketonen

Ausgangsmaterial	Alkylierungsmittel	Endprodukt	Ausbeute [% d.Th.]	Literatur
Cyclohexanon + 1,4-Dibrom-butan	K—O—$C(CH_3)_3$/Benzol	Cyclopentan-⟨spiro-1⟩-2-oxo-cyclohexan	70	1
+ 1,5-Dibrom-pentan	K—O—$C(CH_3)_3$/Benzol	Cyclohexan-⟨spiro-1⟩-2-oxo-cyclohexan	60	1
Tetralin-(2) + 1,4-Dibrom-butan	NaH/Benzol	Cyclopentan-⟨spiro-1⟩-2-oxo-tetralin	70	1
+ 1,5-Dibrom-pentan	NaH/Benzol	Cyclohexan-⟨spiro-1⟩-2-oxo-tetralin	60	1
5-Chlor-2-oxo-pentan	KOH	Acetyl-cyclopropan	60	2
5-Chlor-2-oxo-3-methyl-pentan	NaOH	2-Oxo-1-methyl-1-acetyl-cyclopropan		3
2-Oxo-1-(2-brom-äthyl)-cyclopentan	30%ige KOH	Cyclopropan-⟨spiro-1⟩-2-oxo-cyclopentan	89	4
2-Oxo-1-(3-brom-propyl)-cyclohexan	K—O—$C(CH_3)_3$/tert. Butanol	Cyclobutan-⟨spiro-1⟩-2-oxo-cyclohexan	70	5
2-Oxo-1-(4-brom-butyl)-cyclohexan	Na—O—$C(CH_3)(CH_2$—$CH_3)(CH_3)$ / Benzol	1-Oxo-dekalin	54	6
4-Oxo-1-(3-p-tosyloxy-propyl)-cyclohexan	K—O—$C(CH_3)_3$/THF	2-Oxo-bicyclo[3.3.1]nonan	65	7
4-Chlor-1-oxo-1-phenyl-butan	KOH/CH_3OH	Benzoyl-cyclopropan	85–88	8

[1] M. Mousseron, R. Jacquier u. H. Christol, Bl. 1957, 346.
S. a. H. Christol, A. P. Krapcho, R. C. H. Peters u. C. Arnal, Tetrahedron Letters 1969, 2799.
K. Schank u. W. Pack, B. 102, 1892 (1969).
R. G. A. Flynn u. P. D. Woodgate, Soc. (Perkin I) 1974, 964.

[2] N. D. Zelinsky u. E. F. Dengin, B. 55, 3360 (1922).
S. a. G. D. Christiansen u. D. A. Lightner, J. Org. Chem. 36, 948 (1971).
A. P. Krapcho u. R. Donn, J. Org. Chem. 30, 641 (1965).
A. P. Krapcho, J. E. McCullough u. K. V. Nahabedian, J. Org. Chem. 30, 139 (1965).
R. K. Hill u. R. T. Conley, Am. Soc. 82, 645 (1960).

[3] Fr. P. 1239959 (1959), Société des Usines Chimique Rhone-Poulenc, Erf.: M. Julia; C. A. 56, 353 (1962).

[4] R. Mayer u. H. J. Schubert, B. 91, 768 (1958).
D. E. Applequist u. J. A. Landgrebe, Am. Soc. 86, 1543 (1964).
J. J. Gajewski, Am. Soc. 92, 3688 (1970).
J. K. Crandall u. R. J. Seidewand, J. Org. Chem. 35, 697 (1970).
G. D. Christiansen u. D. A. Lightner, J. Org. Chem. 35, 948 (1971).

[5] H. Christol, M. Mousseron u. F. Plenat, Bl. 1959, 543.
S. J. Etheredge, J. Org. Chem. 31, 1990 (1966).

[6] J. M. Conia u. F. Rouessac, Tetrahedron 16, 45 (1961).

[7] E. N. Marvell, D. Sturmer u. C. Rowell, Tetrahedron 22, 861 (1966).

[8] W. J. Close, Am. Soc. 79, 1455 (1957).

Tab. 171 (1. Fortsetzung)

Ausgangsmaterial	Alkylierungsmittel	Endprodukt	Ausbeute [% d. Th.]	Literatur
4-Chlor-1-oxo-1-(4-chlor-phenyl)-butan	KOH/CH₃OH	4-Chlor-1-cyclopropylcarbonyl-benzol	80	[1]
4-Brom-4-nitro-1-oxo-3,3-dimethyl-1-phenyl-butan	K-acetat/CH₃OH	3-Nitro-2,2-dimethyl-1-benzoyl-cyclopropan	75	[2]
1-p-Tosyloxy-6-oxo-decan	Äthanol	2-Oxo-bicyclo[5.3.0]decan	50	[3]
(Steroid: HO, H_3C, CH_3, $CH_2-CO-CH_3$, $CH_2-CH_2-O-T_s$)	Na—OCH₃/CH₃OH	11-Hydroxy-3,3-äthylendioxy-17-acetyl-androsten-(5)		[4]
(Steroid: H_3C, C_8H_{17}, H_3C, Cl)	K₂CO₃/C₂H₅OH	6-Oxo-3,5-cyclo-cholestan	89	[5]
(Bicyclic ketone: $CH_2-CH_2-O-SO_2-CH_3$)	NaH/Dimethylformamid	4-Oxo-twistan	90	[6]

[1] W. J. Close, Am. Soc. 79, 1455 (1957).
[2] L. I. Smith u. V. A. Engelhardt, Am. Soc. 71, 2671, 2676 (1949).
[3] H. L. Goering, A. C. Olson u. H. H. Espy, Am. Soc. 78, 5371 (1956).
[4] W. F. Johns, R. M. Lukes u. L. H. Sarett, Am. Soc. 76, 5026 (1954).
[5] N. F. Blau u. C. G. Stuckwisch, J. Org. Chem. 27, 370 (1962).
[6] H. W. Whitlock, Am. Soc. 84, 3412 (1962).

Tab. 171 (2. Fortsetzung)

Ausgangsmaterial	Alkylierungsmittel	Endprodukt	Ausbeute [% d.Th.]	Literatur
2-Oxo-1-phenyl-propan + 1,4-Dibrom-pentan	NaNH₂/Benzol	2-Methyl-1-phenyl-1-acetyl-cyclopentan	91	1
1-Oxo-acenaphthen + 1,4-Dibrombutan	NaOH/DMSO + Triäthyl-benzyl-ammoniumchlorid	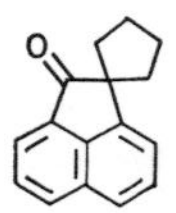 Cyclopentan-⟨spiro-1⟩-2-oxo-acenaphthen	50	2
Indanon-(2) + 2 Mol 1,4-Dibrom-äthan	NaNH₂/NH₃	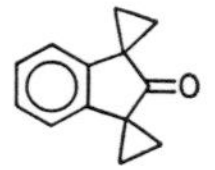 Cyclopropan-⟨spiro-1⟩-2-oxo-indan-⟨3-spiro⟩-cyclopropan	37	3
Indanon-(2) + 1,5-Dibrom-pentan	KO—C(CH)₃)₃/Benzol	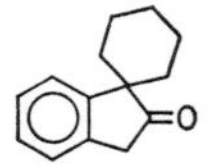 Cyclohexan-⟨spiro-1⟩-2-oxo-indan	48	4
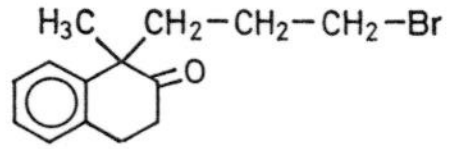 H₃C–CH₂–CH₂–CH₂–Br (Struktur)	NaH/DMF	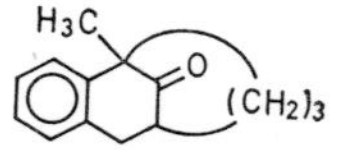 11-Oxo-1-methyl-⟨benzo-bicyclo[3.3.1]nonen-(2)⟩	50	5

¹ J. M. FABRE, B. CALAS u. L. GIRAL, Bl. **1974**, 1473.
² A. JONCZYK, B. SERAFIN u. E. SKULIMOWSKA, Rocz. Chem. **45**, 1259 (1971).
³ H. J. REICH u. J. M. RENGA, Tetrahedron Letters **1974**, 2747.
s. a. M. S. NEWMAN, V. DEVRIES u. R. DARLAK, J. Org. Chem. **31**, 2171 (1966).
⁴ H. CHRISTOL, F. PIETRASANTA, Y. PIETRASANTA u. J. L. VERNET, Bl. **1971**, 4518.
⁵ M. E. FREED, J. R. POTOSKI, E. H. FREED, G. L. CONKLIN u. J. L. MALIS, J. Med. Chem. **16**, 595 (1973).

Tab. 171 (3. Fortsetzung)

Ausgangsmaterial	Alkylierungsmittel	Endprodukt	Ausbeute [%d. Th.]	Literatur
Cyclotridecanon + 3-Chlor-2-chlormethyl-propen (1 Mol)	NaH/Toluol	16-Oxo-14-methylen-bicyclo[10.3.1]hexadecan	57	1
(2 Mol)	NaH/Toluol	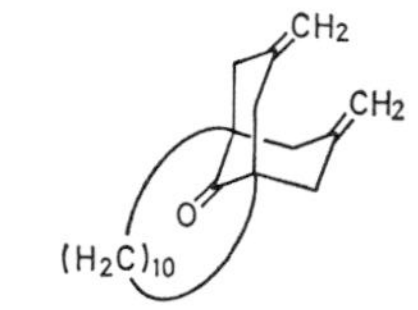 19-Oxo-14,17-bis-[methylen]-tricyclo[10.3.3.1^{1,12}]nonadecan	26	2
2-Oxo-1-tosyloxymethyl-cyclopentan	NaH/THF	2-Oxo-bicyclo[2.2.1]heptan	90	3
5-Oxo-5-tosyloxymethyl-cyclooctan	KOC(CH$_3$)$_3$/Äther	2-Oxo-bicyclo[4.2.0]octan	90	4
(E)-2-Oxo-5-methyl-5-(tosyloxymethyl)-hexen-(3)	KOH/CH$_3$OH	6-Oxo-3,3-dimethyl-cyclohexen	15	5
1-Brom-2-oxo-1,1,3-triphenyl-propan	NaOCH$_3$/CH$_3$OH	2-Oxo-1,3-diphenyl-indan	97	6

[1] H. NOZAKI, H. YAMAMOTO u. T. MORI, Canad. J. Chem. **47**, 1107 (1969).
[2] T. MORI, K. KIMOTO, K. KAWANISI u. H. NOZAKI, Tetrahedron Letters **1969**, 3653.
[3] J. L. MARSHALL, Tetrahedron Letters **1971**, 732.
s. a. H. MARSCHALL u. F. VOGEL, B. **107**, 2176 (1974).
K. KLINKMÜLLER, H. MARSCHALL u. P. WEYERSTAHL, B. **108**, 191 (1975).
R. H. BISCEGLIA u. C. J. CHEER, Chem. Commun. **1973**, 165.
[4] J. K. CRANDALL, R. D. HUNTINGTON u. G. L. BRUNNER, J. Org. Chem. **37**, 2911 (1972).
[5] H. MARSCHALL, K. TANTAU u. P. WEYERSTAHL, B. **107**, 887 (1974).
[6] F. G. BORDWELL u. R. G. SCAMEHORN, Am. Soc. **93**, 3410 (1971).

Die Alkylierung von unsymmetrischen Ketonen führt in der Regel zu einem Gemisch der möglichen Isomeren. Eine große Zahl von Veröffentlichungen befaßt sich mit der Möglichkeit, in solchen Fällen eine spezifische, sterisch einheitliche Alkylierung zu erreichen.

Eine Lösung von Enolationen mit eindeutiger Struktur kann erreicht werden, wenn man das betreffende Keton in das Enolacetat überführt und mit zwei Mol Methyllithium zur Reaktion bringt. Auf diese Weise gelang die selektive Alkylierung von 2-Oxo-heptan, 2-Oxo-1-methyl-cyclopentan bzw. -cyclohexan und 1-Oxo-dekalin mit Methyljodid[1]:

1-Oxo-9-methyl-trans-dekalin

Regeospezifische Alkylierungen ermöglichen auch die Magnesiumenolate, die man bei der 1,4-Addition von Grignard-Reagenzien an α,β-ungesättigte Ketone erhält. So ergibt die Kupfer(I)-jodid katalysierte Addition von Methyl-magnesiumjodid an 3-Oxo-1-methyl-cyclohexen das 3,3-Dimethyl-cyclohexenolat, das bei der Alkylierung mit Allylbromid *6-Oxo-2,2-dimethyl-1-allyl-cyclohexan* liefert[2]:

Die gleiche Reaktionsfolge wurde auch für die Herstellung von dialkylierten 3-Oxo-cyclopentenen angewandt[3].

Noch günstigere Voraussetzungen für eine regeospezifische Alkylierung unter Vermeidung von Mehrfachalkylierung bietet die Addition von Lithium-dialkylcuprat(I) an α,β-ungesättigte Ketone und anschließender Alkylierung der Organo-kupfer(I)-enolate, wobei letztere auch aus α-Halogen-ketonen gewonnen werden können[4].

Von großer präparativer Bedeutung für die α-Alkylierungen von Ketonen sind die sog. Hydroxymethylen-ketone, die durch Claisen-Kondensation von Ketonen mit Ameisensäureester leicht zugänglich sind (s. S. 1720). Diese bilden sehr starke Anionen, so daß sich diese eindeutig monoalkylieren lassen, ein Umweg, der gegenüber der Direktalkylierung beim Vorliegen wertvoller Ketone lohnend ist. Nach erfolgter Umsetzung läßt sich die aktivierende Hydroxymethylen-Gruppe mit verd. Natronlauge als Natriumformiat wieder abspalten.

[1] H. O. House u. B. M. Trost, J. Org. Chem. 30, 2502 (1965).
[2] F. Näf u. R. Decorzant, Helv. 57, 1317 (1974).
   s. a. E. C. Ashby u. G. Heinsohn, J. Org. Chem. 39, 3297 (1974).
   B. Ganem, J. Org. Chem. 40, 146 (1975).
[3] G. Stork, G. L. Nelson, F. Rouessac u. O. Gringore, Am. Soc. 93, 3092 (1971).
[4] R. K. Boeckman, J. Org. Chem. 38, 4450 (1973).
   P. A. Grieco u. R. Finkelhor, J. Org. Chem. 38, 2100 (1973).
   G. H. Posner, J. J. Sterling, C. E. Whitten, C. M. Lentz u. D. J. Brunelle, Am. Soc. 97, 107 (1975).
   R. M. Coates u. L. O. Sandefur, J. Org. Chem. 39, 275 (1974).
   s. a. J. P. Gorlier, L. Hamon, J. Levisalles u. J. Wagnon, Chem. Commun. 1973, 88.

Durch Kondensation mit einem Überschuß an sehr starken Basen (Kaliumamid in fl. Ammoniak) können die Hydroxymethylen-ketone in Di-anionen überführt werden, in denen das 2. Anion das reaktionsfähigste ist und daher mit größerer Geschwindigkeit alkyliert wird als das Anion der Hydroxymethylen-Gruppierung. In diesem Falle wirkt diese als blockierende Gruppe und ermöglicht die Einführung einer Alkyl-Gruppe am anderen C-Atom[1] (analog dem Verhalten der Di-anionen aus 1,3-Diketonen, s. S. 1428).

So entstehen aus

2-Oxo-1-methyl-cyclohexan
       als Monoanion → *2-Oxo-1,3-dimethyl-cyclohexan* (I) (vorwiegend)[2]
       als Di-anion → *2-Oxo-1,1-dimethyl-cyclohexan* (II)[2]
1-Oxo-dekalin (als Di-anion) → *1-Oxo-9-methyl-dekalin* (III)[3]

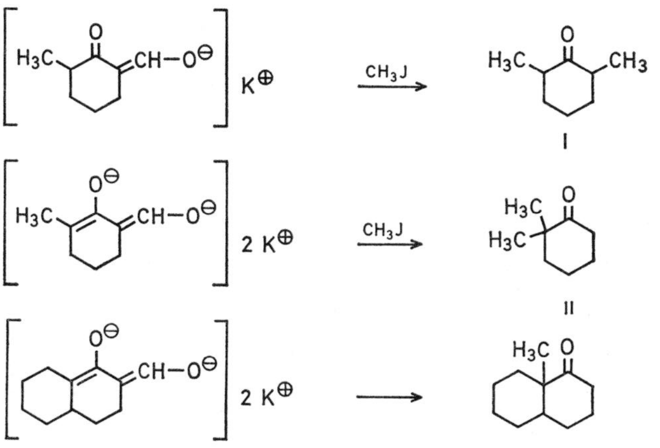

(s. a. S. 1900)

Die gleiche Reaktionsfolge läßt sich auch durch Esterkondensation mit Oxalsäure-diäthylester, Alkylierung der erhaltenen Äthoxalyl-ketone mit Abspaltung des Oxalsäure-Rests erreichen[4].

Über die Alkylierungen von "cinetically controlled" Lithium-enolaten. Einzelheiten s. S. 1903 ff.

Die Hydroxymethylen-Gruppe läßt sich auch durch Verätherung, besonders mittels Isopropyljodid, in eine blockierende Gruppe umwandeln[5] (s. S. 1908); z. B.:

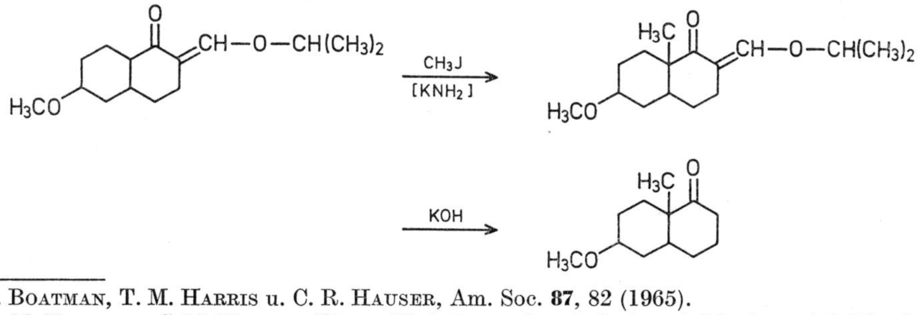

[1] S. BOATMAN, T. M. HARRIS u. C. R. HAUSER, Am. Soc. **87**, 82 (1965).
   T. M. HARRIS u. C. M. HARRIS, *The γ-Alkylation and γ-Arylation of Dianions of β-Dicarbonyl Compounds*, in Org. Reactions **17**, 155 (1969).
[2] S. BOATMAN, T. M. HARRIS u. C. R. HAUSER, Org. Synth. **48**, 40 (1968).
[3] T. M. HARRIS u. C. R. HAUSER, Am. Soc. **84**, 1750 (1962).
[4] Y. MAZUR u. F. SONDHEIMER, Am. Soc. **80**, 5220 (1958).
[5] US.P. 2813906 (1955), Merck u. Co., Inc., Erf.: J. F. McPHERSON; C. A. **52**, 8202 (1958).

Dieses Verfahren ist jedoch der Dianion-alkylierung unterlegen (s. S. 1900).

Eine weitere Möglichkeit zur spezifischen α-Alkylierung bietet die Maskierung einer α-Position durch Kondensation mit Benzaldehyd zu dem entsprechenden Benzyliden-keton. Nach erfolgter Alkylierung der freien α-Position läßt sich der Benzyliden-Rest durch Überführung in das Benzoyl-keton und alkalische Spaltung entfernen. Der Reaktionsverlauf sei am Beispiel der Herstellung von *1-Oxo-9-methyl-dekalin* aus Dekalon-(1)[1] wiedergegeben.

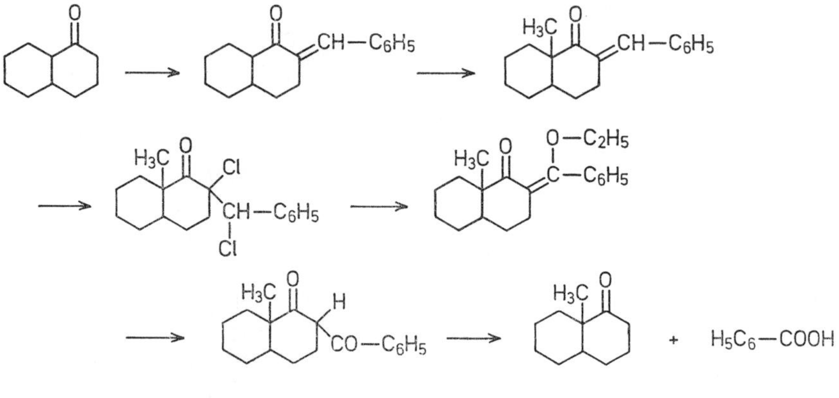

Dieser Syntheseweg hat jedoch keine präparative Bedeutung.

Für die angulare Methylierung kann die aus dem cyclischen Keton hergestellte Formyl-Verbindung durch Kondensation mit N-Methyl-anilin auch in das Enamin überführen. Die Kondensation dieses Enamins mit Methyljodid in Benzol unter Zugabe von Natriumamid ergibt in befriedigenden Ausbeuten die angularen Methyl-Verbindungen, aus denen der Enamin-Rest durch Hydrolyse mit Salzsäure abgespalten werden kann. Das Formelschema gibt den Verlauf dieser Reaktionsfolge am Beispiel der Herstellung von *1-Oxo-9-methyl-dekalin* aus Dekalon-(1) wieder[2] (s. a. S. 1903):

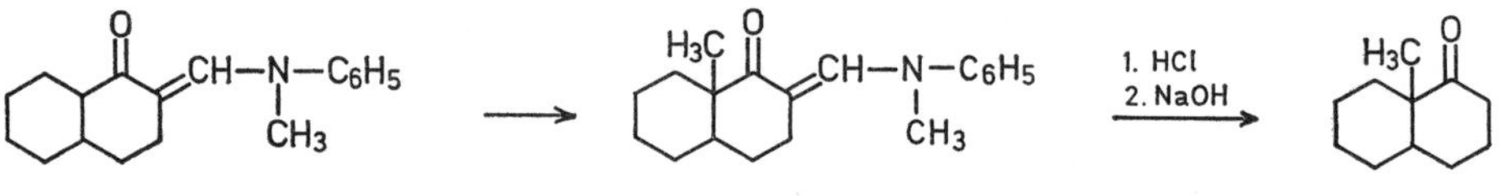

Auch die Butylmercaptomethylen-Gruppe wurde für den gleichen Zweck vorgeschlagen[3]. Man erhält sie aus der Formyl-Verbindung durch Kondensation mit Butylmercaptan. Nach der erfolgten Alkylierung läßt sich der schwefelhaltige Rest mit Alkali abspalten. Darüber hinaus besteht hier die Möglichkeit, den schwefelhaltigen Rest durch Desulfurierung mit Raney-Nickel in eine Methyl-Gruppe zu überführen. Aus 2-Oxo-3-methyl-1-formyl-cyclohexan kann man auf diese Weise

[1] W. S. JOHNSON, Am. Soc. **65**, 1317 (1943).
G. HORNKE, H. KRAUCH u. W. KUNZ, Ch. Z. **89**, 738 (1965).
[2] A. J. BIRCH u. R. ROBINSON, Soc. **1944**, 501.
A. J. BIRCH, R. JAEGER u. R. ROBINSON, Soc. **1945**, 582.
[3] R. E. IRELAND u. J. A. MARSHALL, J. Org. Chem. **27**, 1615 (1962).
s. a. F. FRINGUELLI u. A. TATICCHI, Soc. [C] **1971**, 297.

sowohl *2-Oxo-1,1-dimethyl-cyclohexan* als auch *2-Oxo-1,1,3-trimethyl-cyclohexan* erhalten:

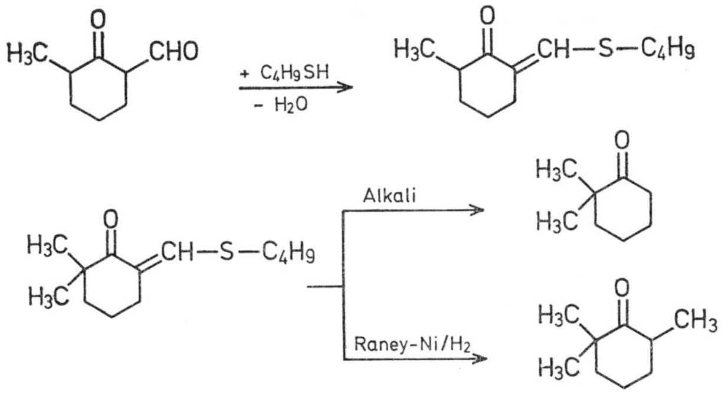

Da bei der Reduktion solcher Verbindungen mit Lithium in flüssigem Ammoniak ein methylsubstituiertes Enolat-Anion an der ursprünglichen Methylen-Position entsteht, kann sich in einer Operation hieran eine Alkylierung anschließen. So erhält man aus der (Butylthio-methylen)-Verbindung des 2-Oxo-1-methyl-cyclohexans nach Reduktion und Alkylierung mit Methyljodid *2-Oxo-1,1,3-trimethyl-cyclohexan*[1]:

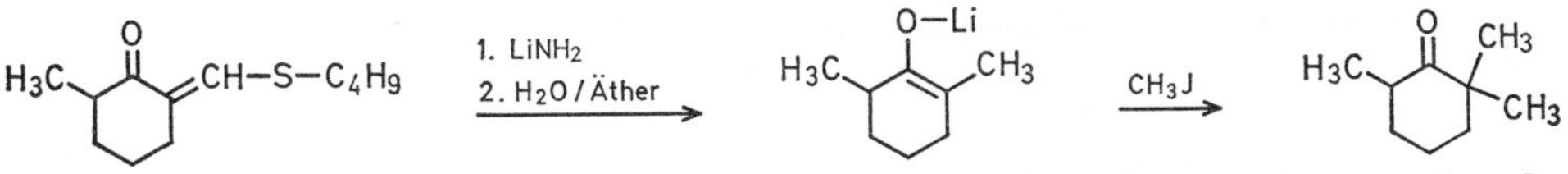

Eine weitere Variation bei Verwendung von (Butylthiomethylen)-ketonen beruht auf der Einwirkung von Lithium-dimethylcuprat(I) und anschließender Alkylierung. Cycloheptanon konnte so zu 93% d.Th. in *2-Oxo-1-methyl-1-isopropyl-cycloheptan* überführt werden[2]:

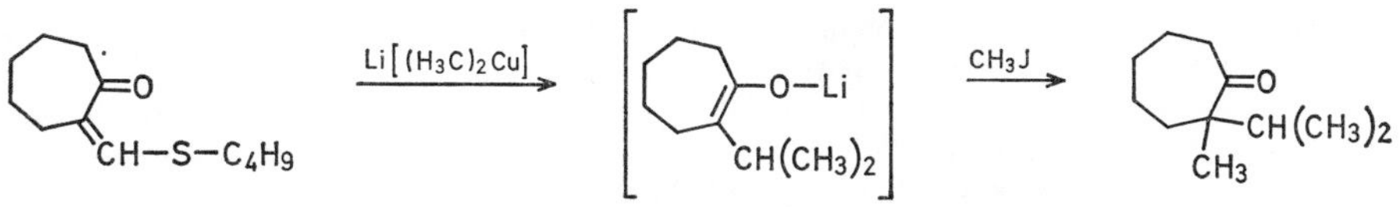

Über die Möglichkeit der Alkylierung und kombinierten Reduktion und Alkylierung vgl. Lit.[3].

Eine weitere wichtige Methode zur Herstellung monoalkylierter cyclischer Ketone beruht ebenfalls auf einem Umweg. Hierbei führt man die cyclischen Ketone unter Verwendung von cyclischen sekundären Aminen, vorzugsweise **Pyrrolidin**, in die Enamine über und setzt diese mit der Halogen-Verbindung um[4,5]. Als Halogen-Verbindungen eignen sich für die **Enamin-Alkylierung** in erster Linie Verbindungen mit aktiviertem Halogen, wie α-Halogen-carbonsäureester, α-Halogen-ketone und Halogen-Verbindungen mit Halogen in der Allyl- oder Benzyl-Stellung. Auch eine Arylierung ist möglich, wenn man Halogen-nitro-aromaten zur Reaktion bringt.

[1] R. M. COATES u. R. L. SOWERBY, Am. Soc. **93**, 1027 (1971).

[2] R. M. COATES u. L. O. SANDEFUR, J. Org. Chem. **39**, 275 (1974).

[3] R. M. COATES, H. D. PIGOTT u. J. OLLINGER, Tetrahedron Letters **1974**, 3955.
   s. a. A. G. SCHULTZ u. D. S. KASHDAN, J. Org. Chem. **38**, 3814 (1973).
   R. F. ROMANET u. R. H. SCHLESSINGER, Am. Soc. **96**, 3701 (1974).

[4] G. STORK, R. TERRELL u. J. SZMUSZKOVICZ, Am. Soc. **76**, 2029 (1954).
   J. SZMUSZKOVICZ, *Enamines*, Adv. Org. Chem. **4**, 1 (1963).
   A. G. COOK, *Enamines, Structure and Reactions*, M. Dekker, New York 1969.

[5] s. a. J. MATHIEU u. J. WEILL-RAYNAL, *Formation of C–C Bonds*, Vol. II, S. 264 u. ff., G. Thieme
   Verlag, Stuttgart 1975.

Das bei der Alkylierung primär entstehende Ammoniumsalz wird durch Hydrolyse
mit Säuren in das alkylierte Keton überführt. Das Formelschema gibt einen Überblick über den Reaktionsverlauf:

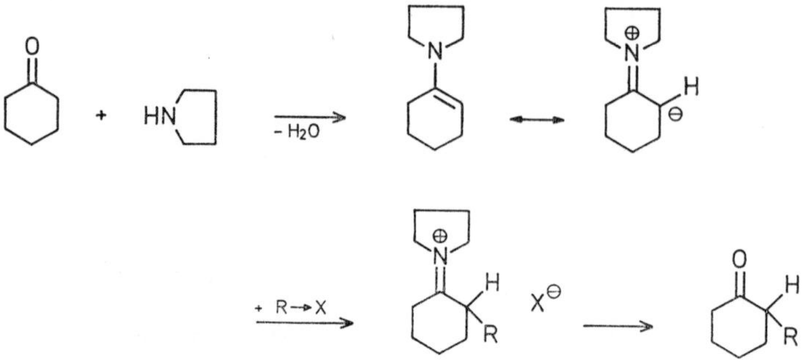

Bei geeigneten Bis-enaminen besteht auch die Möglichkeit zum alkylierenden
Ringschluß, wie das Beispiel der Cyclisierung des Bis-enamins aus 2,6-Dioxo-
bicyclo[3.3.1]nonan und Pyrrolidin mit Dibrom-essigsäure-methylester zu *4,8-
Dioxo-2-methoxycarbonyl-adamantan* zeigt[1]:

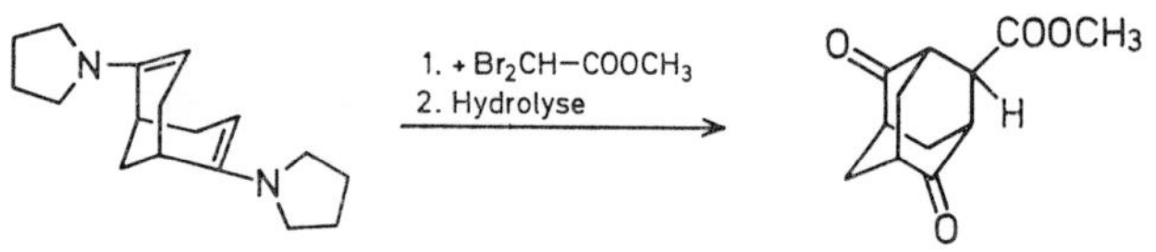

4,8-Dioxo-2-methoxycarbonyl-adamantan[1]: 40 g 2,6-Dioxo-bicyclo[3.3.1]nonan werden in
einem 1-*l*-Rundkolben, der mit einem Wasserabscheider versehen ist, mit 320 *ml* abs. Benzol,
60 g Pyrrolidin und einer Spatelspitze p-Toluolsulfonsäure unter Rückfluß erhitzt (Badtemp.
135–140°). Nach ~ 2 Stdn. ist die Wasser-Abscheidung beendet. Die Badtemp. wird auf 95–100°
erniedrigt, überschüssiges Benzol und Pyrrolidin werden i.Vak. abdestilliert. Der hellgelbe ölige
Rückstand wird sofort mit 240 *ml* abs. Chloroform versetzt und der Wasserabscheider gegen
einen Anschütz-Aufsatz mit Rückflußkühler und Tropftrichter ausgetauscht. Sobald die Lösung
zu sieden beginnt, wird innerhalb von 2 Stdn. bei einer Badtemp. von 100° gleichmäßig eine
Lösung von 30 g Dibrom-essigsäure-methylester in 80 *ml* abs. Chloroform zugetropft. Dabei
wird die Lösung tiefrot. Nach beendeter Zugabe wird noch weitere 30 Min. unter Rückfluß erhitzt.
Man läßt dann bei Raumtemp. über Nacht stehen und erhitzt 45 Min. mit 160 *ml* 10%iger Salzsäure unter Rückfluß. Nach dem Erkalten trennt man die Chloroform-Schicht ab und extrahiert
noch 2mal mit je 80 *ml* Chloroform. Die vereinigten Extrakte werden 3mal mit je 100 *ml* Wasser
gewaschen, mit Calciumchlorid getrocknet und i.Vak. eingeengt. Der feste Rückstand wird
i.Hochvak. destilliert. Neben einer sehr geringen Menge an unverbrauchtem Dibrom-essigsäure-
methylester erhält man bei Kp$_{0,01}$: 130–150° ~ 6–7 g des unveränderten Diketons und bei
Kp$_{0,01}$: 150–170° im Metallbad (Badtemp. von 160–200° ansteigend) 12–13 g des Reaktionsproduktes, das in der Vorlage erstarrt. Der rohe Ester wird 1mal aus der gleichen Gewichtsmenge
Isopropanol umkristallisiert; Ausbeute: 11,5 g (24% d.Th.); F: 115–120°.

Der Ester ist zur Weiterverarbeitung geeignet.

Auch eine Dialkylierung in α,α'-Stellung ist möglich, wenn man das Enamin
mit zwei Mol der Halogen-Verbindung umsetzt und ein Amin als Halogenwasser-
stoffakzeptor hinzufügt. Als Amin eignet sich hierzu das N-Äthyl-dicyclohexyl-

[1] H. Stetter u. H. G. Thomas, B. **99**, 920 (1966).
    H. Stetter u. H. Held, A. **658**, 151 (1962).

amin, das selbst nicht alkylierbar ist. 1-Pyrrolidino-cyclohexen läßt sich auf diese Weise mit Allylbromid in *2-Oxo-1,3-diallyl-cyclohexan* überführen[1]:

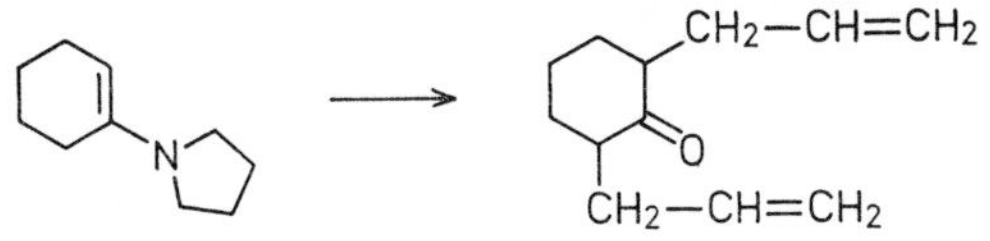

Wenn man Cyclohexanon 40 Min. in Phosphorsäure-tris-[dimethylamid] unter Rückfluß erhitzt, erhält man 1-Dimethylamino-cyclohexen, das unmittelbar mit Alkylhalogeniden, wie Allylbromid, Benzylbromid oder Bromessigsäureester zu den monoalkylierten Cyclohexanonen zu reagieren vermag[2].

Die Stereochemie der Alkylierung von Enaminen des Cyclohexanons mit Alkylhalogeniden wurde näher untersucht[3].

Tab. 172 (S. 1407) gibt einen Überblick über die wichtigsten der bisher über Enamine durchgeführten Keton-Alkylierungen.

Eine weitere interessante Möglichkeit zur Alkylierung von Ketonen wird in der Literatur angegeben[4]. Bei dieser Methode handelt es sich ebenfalls um eine Enamin-Alkylierung. Im ersten Schritt der Reaktion stellt man mit einem primären Amin, vorzugsweise Cyclohexylamin, das Ketonimin her. Durch Erhitzen dieses Ketonimins mit einem Äquivalent Äthyl-magnesiumbromid in Tetrahydrofuran überführt man in das Magnesiumsalz des Enamins, das mit primären oder sekundären Alkylhalogeniden zu α-alkylierten Iminen abreagiert. Letztere werden nach saurer Verseifung in die entsprechenden α-alkylierten Ketone überführt. Die Ausbeuten betragen bei den aufgeführten Beispielen 50–80% d. Th. Das Formelschema gibt einen Überblick über die Reaktionsfolge:

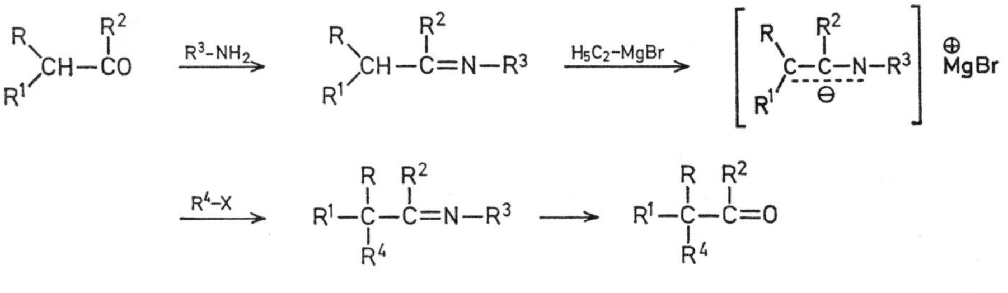

Aus dem Cyclohexylamin des Cyclohexanons erhält man mit Isopropyljodid *2-Oxo-1-isopropyl-cyclohexan* (61% d.Th.) und mit 2-Brom-1-phenyl-äthan *2-Oxo-1-(2-phenyl-äthyl)-cyclohexan* (65% d.Th.).

Über die Metallierung von Enaminen und Schiff'schen Basen sind vielfach Alkylierungen möglich, die mit den Enaminen selbst nicht gelingen. Cyclohexanon läßt sich so z. B. mit 4-Brom-buten-(1) alkylieren, wenn man mit Cyclohexylamin Cyclohexylidenamino-cyclohexan hergestellt und dann mit Butyl-magnesiumchlorid metalliert[5]. Als weiteres Beispiel sei die Methylierung von 1,3-Diphenyl-aceton über das metallierte Pyrrolidin-Enamin erwähnt[6].

[1] G. Opitz, H. Mildenberger u. H. Suhr, A. **649**, 47 (1961).
[2] R. S. Monson, D. N. Priest u. J. C. Ullrey, Tetrahedron Letters **1972**, 929.
[3] S. Karady, M. Lenfant u. R. E. Wolff, Bl. **1965**, 2472.
   s. a. T. J. Curphey, J. Chao Hung u. C. Chung Chian Chu, J. Org. Chem. **40**, 607 (1975).
[4] G. Stork u. S. R. Dowd, Am. Soc. **85**, 2178 (1963).
[5] I. J. Borowitz u. a., J. Org. Chem. **37**, 581 (1972).
[6] H. W. Thomson u. B. S. Huegi, Chem. Commun. **1973**, 636.

Bei Verwendung von 2,3-Dichlor- oder 2,3-Dibrom-propen-(1) lassen sich ebenfalls glatte Alkylierungen der Ketone über die Metallierung der Schiff'schen Basen mit Cyclohexylamin erreichen. Die Alkylierungsprodukte geben nach Hydrolyse mit Säuren 1,4-Diketone[1]; z. B.:

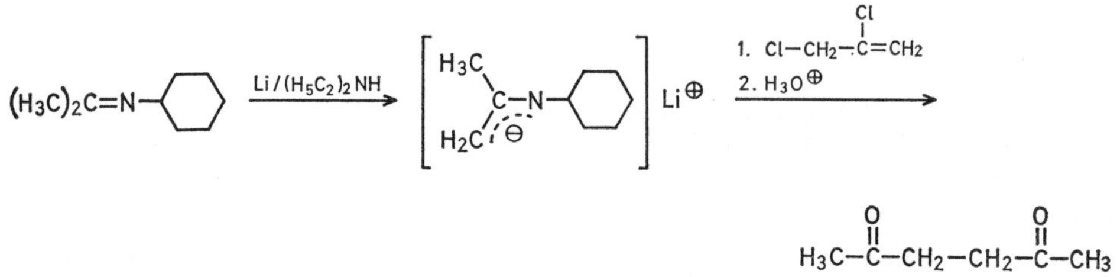

2,5-Dioxo-hexan

Zu 1,4-Diketonen führt auch die Reaktion von metallierten Schiff'schen Basen mit Cyclohexylamin bei Anwendung von Epoxiden. Die primär erhaltenen γ-Hydroxy-ketone ergeben nach der Oxidation die 1,4-Diketone[2].

Eine interessante Möglichkeit der Alkylierung von Ketonen über die Enamin-Bildung läßt sich erreichen, wenn man die Enamine mit Dijodmethan oder 1,2-Dijod-äthan und Diäthyl-zink in die Cyclopropylamine überführt und diese durch Thermo-lyse in wäßrigem Methanol zu den alkylierten Ketonen spaltet. Die Cyclopropylamin-Bildung kann auch mit Diazo-methan oder -äthan und Kupfer(I)-chlorid erreicht werden[3]. Der Reaktionsverlauf sei am Beispiel der Methylierung von Cyclohexanon formuliert:

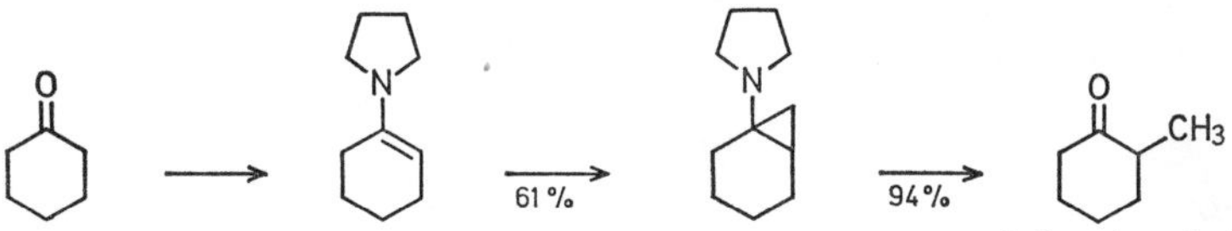

2-Oxo-1-methyl-cyclohexan

Aus dem Pyrrolidin-Enamin des Indanons-(1) entsteht durch Metallierung und Methylierung 3-Oxo-1-methyl-indan (β-Angriff)[4]:

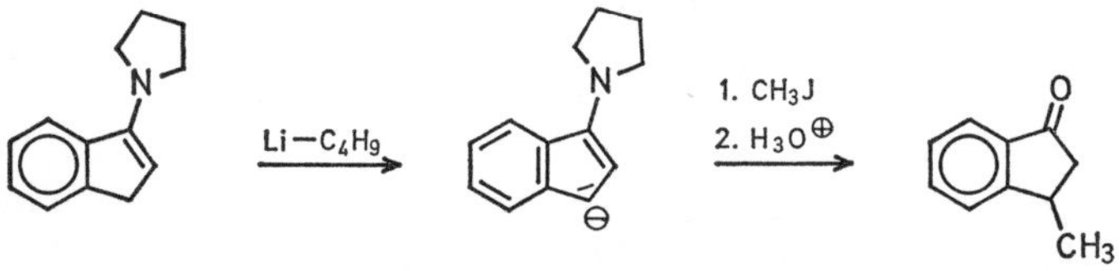

Über entsprechende β-Alkylierungen von aromatischen Ketonen über vorher-gehende Enamin-Bildung mit N-Methyl-anilin s. Lit.[5].

Hier sei auch auf die Möglichkeit zur Herstellung von γ-Oxo-aldehyden durch Alkylierung der Aldehyd-Enamine mit α-Brom-ketonen hingewiesen[6].

Durch Reaktion von 2-Chlor-tropon mit den Morpholin-Enaminen cyclischer Ketone erhält man 2-(2-Oxo-cycloalkyl)-tropone[7].

[1] TH. CUVIGNY, M. LARCHEVEQUE u. H. NORMANT, Tetrahedron Letters 1974, 1237; A. 1975, 718.
[2] M. LARCHEVEQUE, G. VALETTE, T. CUVIGNY u. H. NORMANT, Synthesis 1975, 256.
[3] M. E. KUEHNE u. J. C. KING, J. Org. Chem. 38, 304 (1973).
[4] H. W. THOMSON u. B. S. HUEGI, Chem. Commun. 1973, 636.
[5] H. AHLBRECHT u. G. RAUCHSCHWALBE, Synthesis 1973, 417.
[6] K. U. ACHOLONU u. D. K. WEDEGAERTNER, Tetrahedron Letters 1974, 3253.
[7] M. ODA u. Y. KITAHARA, Synthesis 1971, 368.

Tab. 172. Alkylierung cyclischer Ketone nach Enamin-Bildung mit Pyrrolidin

Keton	Halogenverbindung	Alkylierungsprodukt	Ausbeute [%d.Th.]	Literatur
Cyclopentanon	1,4-Dijod-butan	*Cyclopentan-⟨spiro-1⟩-2-oxo-cyclopentan*	–	1
		+ Cyclopentan-⟨spiro-3⟩-2-oxo-cyclopentan-⟨1-spiro⟩-cyclopentan	13	
	1-Brom-pentin-(2)	*2-Oxo-1-[pentin-(2)-yl]-cyclopentan*	66	2
Cyclohexanon	2,3-Dichlor-propen	*2-Oxo-1-(2-chlor-propenyl)-cyclohexan*	–	3
	4-Brom-1-acetoxy-butan	*2-Oxo-1-(4-acetoxy-butyl)-cyclohexan*	40–42	4
	Bromaceton	*2-Oxo-1-(2-oxo-propyl)-cyclohexan*	40	5
	Brom-essigsäure-äthylester	*2-Oxo-1-äthoxycarbonyl-methyl-cyclohexan*	50	6
	4-Brom-buten-(2)-säure-methylester	*4-(2-Oxo-cyclohexyl)-buten-(2)-säure-methylester*	52	7
	4-Chlor-1,3-dinitro-benzol	*2-Oxo-1-(2,4-dinitro-phenyl)-cyclohexan*	92	8
	2-(2-Brom-äthyl)-naphthalin	*2-Oxo-1-[2-naphthyl-(2)-äthyl]-cyclohexan*	6	9
2-Oxo-tetralin	Methyljodid	*2-Oxo-1-methyl-tetralin*	81	10
2-Oxo-6-isopro-pyl-tetralin	Methyljodid	*2-Oxo-1-methyl-6-isopro-pyl-tetralin*	80–83	11
6-Oxo-6,7,8,9,10-tetrahydro-5H ⟨cyclopenta-benzol⟩	Methyljodid	*6-Oxo-5-methyl-6,7,8,9-tetrahydro-5H-⟨cyclo-hepta-benzol⟩*	40	12
	Brom-essigsäure-methylester	*6-Oxo-5-äthoxycarbonyl-methyl-6,7,8,9-tetra-hydro-5H-⟨cyclohepta-benzol⟩*	50	12
3-Oxo-1-meth-oxycarbonyl-methyl-cyclo-pentan	*cis*-1-Brom-pen-ten-(2)	*3-Oxo-1-methoxycarbonyl-methyl-2-[cis-penten-(2)-yl]-cyclopentan*	–	13

[1] H. KRIEGER, H. RUOTSALAINEN u. J. MONTIN, B. **99**, 3715 (1966).
[2] E. DEMOLE u. M. WINTER, Helv. **45**, 1256 (1962).
[3] E. J. NIENHOUSE, R. M. IRWIN u. G. R. FINNI, Am. Soc. **89**, 4557 (1967).
[4] I. J. BOROWITZ u. G. J. WILLIAMS, Tetrahedron Letters **43**, 3813 (1965).
[5] H. R. BAUMGARTEN, P. L. CREGER u. C. E. VILLARS, Am. Soc. **80**, 6611 (1958).
[6] G. STORK, R. TERRELL u. J. SZMUSZKOVICZ, Am. Soc. **76**, 2029 (1954).
[7] A. CHATTERLEE, Tetrahedron Letters **1965** Nr. 15, 959.
[8] M. E. KUEHNE, Am. Soc. **84**, 837 (1962).
[9] C. DJERASSI u. G. R. PETTIT, J. Org. Chem. **22**, 393 (1957).
[10] G. STORK et al., Am. Soc. **85**, 207 (1963).
[11] G. STORK u. J. W. SCHULENBURG, Am. Soc. **84**, 284 (1962).
[12] T. A. CRABB u. K. SCHOFIELD, Soc. **1958**, 4276.
[13] Belg.P. 628779 (1963), Firmenich & Cie.; C. A. **60**, 11916 (1964).

Ein Weg zur selektiven Methylierung von Ketonen beruht auf der Möglichkeit zur Hydrolyse von Cyclopropyl-äthern oder Cyclopropyl-aminen. Da die entsprechenden Cyclopropyl-äther aus den Enoläthern der Ketone durch Einwirkung von Dijodmethan/Zink nach der Methode von Simmons und Smith leicht zugänglich sind, ist dies ein Weg zu Methylketonen[1]. Die entsprechende Reaktion der Enamine mit Diazomethan/Kupfer(I)-chlorid führt ebenfalls über die Cyclopropylamine zu den Methylketonen[2]. Bei Ketonen vom Typ des Dekalon-(1) konnte durch Anwendung der Simmons-Smith-Reaktion auf die Lithiumenolate die Methylketone direkt erhalten werden[3].

Günstiger für die α-Methylierung erweist sich der Weg über die Trimethylsilyl-Enoläther, die aus den Enolaten und Trimethylsilylchlorid leicht zugänglich sind (s. S. 1906ff.). Die Cyclopropyl-trimethylsilyl-äther lassen sich unter milden Bedingungen mit Alkali in die Methylketone überführen. Zahlreiche Methylierungen wurden auf diesem Wege durchgeführt[4]. Als Beispiel sei die Methylierung von Cycloheptanon zu *2-Oxo-1-methyl-cycloheptan* formuliert[4]:

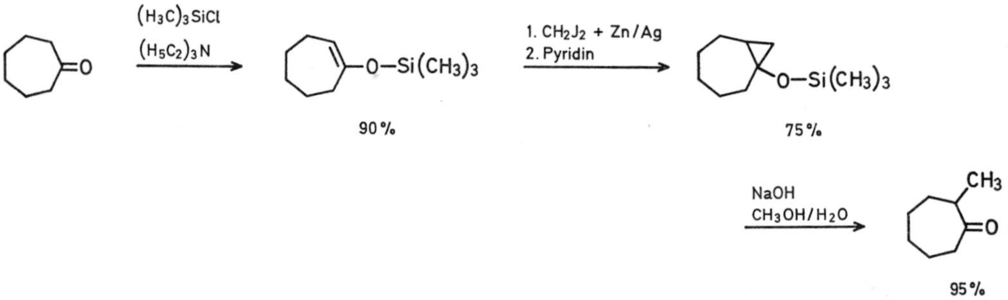

Über die Umwandlung der "cinetically controlled" Lithiumenolate in Silyläther und umgekehrt mit anschließender Alkylierung s. S. 1906, 1909.

1,2-Dioxo-cyclane lassen sich recht glatt in α-Stellung alkylieren, wenn man sie mit Lithium-diisopropylamid in Tetrahydrofuran in das Dianion überführt und bei −78° mit einem Alkylhalogenid reagieren läßt. Man erhält die monoalkylierten 1,2-Dioxo-cycloalkane in Ausbeuten von 60–70% d. Th. Auf diese Weise wurden Cyclopentandion-(1,2) und Cyclohexandion-(1,2) mit Methyljodid, Äthyljodid und Allylbromid alkyliert[5].

2. Alkylierung α,β-ungesättigter Ketone

bearbeitet von

Prof. Dr. HERMANN STETTER

Institut für Organische Chemie der Technischen Hochschule Aachen

Während bei den ungesättigten Ketonen mit nicht konjugierten Doppelbindungen die Alkylierung unter den gleichen Bedingungen möglich ist wie bei den einfachen

[1] E. WENKERT et al., Am. Soc. **92**, 7428 (1970).

[2] M. E. KUEHNE u. J. C. KING, J. Org. Chem. **38**, 304 (1973).

[3] H. W. WHITLOCK u. L. E. OVERMAN, J. Org. Chem. **34**, 1962 (1969).

[4] J. M. CONIA u. C. GIRARD, Tetrahedron Letters **1973**, 2767.

  C. GIRARD u. J. M. CONIA, Tetrahedron Letters **1974**, 3327, 3333.

  C. GIRARD, P. AMICE, J. P. BARNIER u. J. M. CONIA, Tetrahedron Letters **1974**, 3329.

[5] A. S. KENDE u. R. G. EILERMAN, Tetrahedron Letters **1973**, 697.

gesättigten Ketonen, treten bei der Alkylierung von α,β-ungesättigten Ketonen besondere Verhältnisse auf. Infolge der Mesomeriefähigkeit des entstehenden Carbanions erfolgt auch hier eine Alkylierung in α-Stellung zur Carbonyl-Gruppe, wobei primär ein monoalkyliertes β,γ-ungesättigtes Keton gebildet wird, das aber meist nicht isolierbar ist, sondern leicht zum entsprechenden α,β-ungesättigten Keton isomerisiert. Erst bei der Dialkylierung erfolgt die Festlegung der Doppelbindung in β,γ-Stellung. Die Verhältnisse werden für das Beispiel des 4-Oxo-2-methyl-penten-(2) (Mesityloxid) durch das folgende Formelschema wiedergegeben:

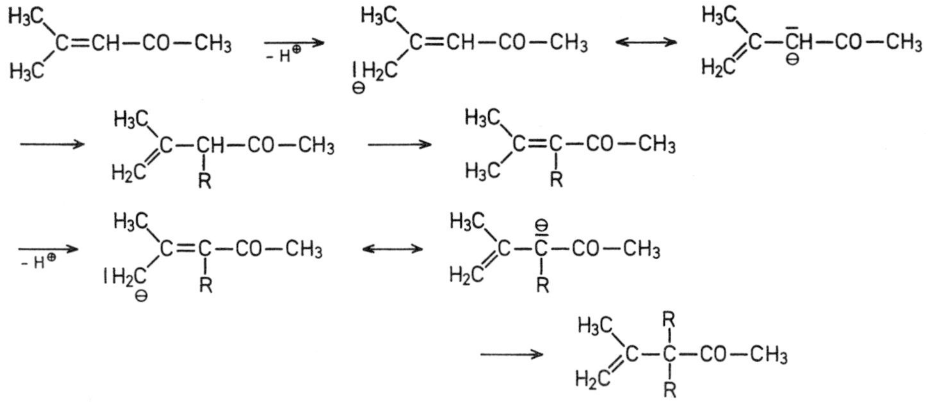

Man erhält bei der Monomethylierung des 4-Oxo-2-methyl-pentens-(2) (Mesityloxid) mit Schwefelsäure-dimethylester ein Gemisch von *4-Oxo-2,3-dimethyl-penten-(2)* und *-(1)*[1].

5-Benzoyloxy-9-oxo-6,10,10-trimethyl-bicyclo[4.4.0]decen-(1)[2]:

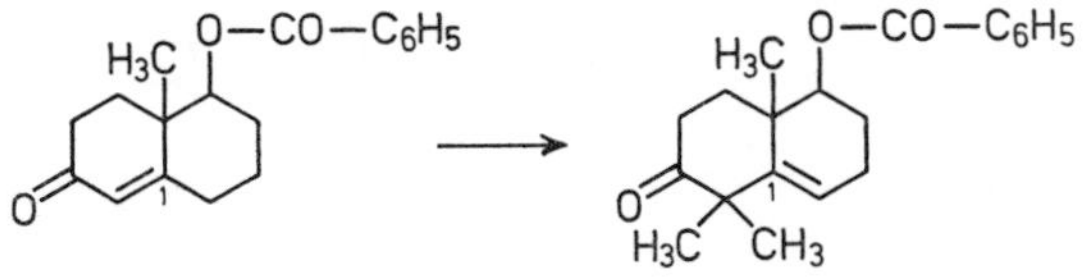

27 g Kalium werden unter Stickstoff in 750 *ml* trockenem tert. Butanol gelöst. Zu dieser Lösung gibt man innerhalb von 5 Min. unter Rühren eine Lösung von 43,5 g 7-Benzoyloxy-3-oxo-6-methyl-bicyclo[4.4.0]decen-(1) in 150 *ml* tert. Butanol. Innerhalb weiterer 5 Min. gibt man hierzu 180 *ml* Methyljodid und rührt dann 1 Stde. bei Zimmertemp. unter Stickstoff. Darauf gibt man verd. Salzsäure hinzu und isoliert das Reaktionsprodukt durch Aufnehmen in Äther. Die chromatographische Adsorption an 1,5 kg Aluminiumoxid und Elution mit einem Petroläther (Kp: 30–60°) Benzol-Gemisch (1:1) gibt zuerst ein Öl und dann 27,1 g (57% d.Th.) des dimethylierten Ketons; F: 86–87° (aus Petroläther).

Das Öl erstarrt nach längerem Stehen kristallin und wird aus Pentan umkristallisiert; Ausbeute: 7,5 g (15% d.Th.) *5-Benzoyloxy-9-oxo-6,4,10,10-tetramethyl-bicyclo[4.4.0]decen-(1)*; F: 91–93°.

In analoger Weise verläuft die Alkylierung von α,β-ungesättigten Ketonen mit α,ω-Dihalogen-alkanen zu spirocyclischen ungesättigten Ketonen. Solche cyclisierenden Alkylierungen wurden mit 3-Oxo-1-methyl-cyclohexen (I) durchgeführt. Mit 1,4-Dibrom-butan und 1,5-Dibrom-pentan wurden die beiden spirocyclischen Ketone II und III erhalten, während mit 1,2-Dibrom-äthan ein Gemisch der beiden spirocyclischen Ketone IV und V erhalten wurde. In allen Fällen diente

[1] J. M. Conia, Bl. **1956**, 1392.
[2] F. Sondheimer u. D. Elad, Am. Soc. **79**, 5542 (1957).

Tab. 173. Alkylierung α,β-ungesättigter Ketone

Ausgangsketon	Alkylierungsmittel	Bedingungen	Alkylierungsprodukt	Ausbeute [% d.Th.]	Literatur
4-Oxo-2-methyl-penten-(2)	Schwefelsäure-dimethylester	CH₃ Na—O—C—CH₂—CH₃ CH₃ Benzol/Äther	*4-Oxo-2,3-dimethyl-penten-(2)* + *4-Oxo-2,3-dimethyl-penten-(1)* + andere	25	1
	4-Brom-2-methyl-butan	NaNH₂/Aceton/Trocken-eis	*3-Acetyl-2,6-dimethyl-hepten-(1)*	—	2
3-Oxo-1,5,5-trimethyl-cyclohexen	Methylbromid	CH₃ Na—O—C—CH₂—CH₃ CH₃ Benzol/Äther	*3-Oxo-1,4,5,5-tetramethyl-cyclohexen*	—	3
	Allylbromid	CH₃ Na—O—C—CH₂—CH₃ CH₃ Benzol	*3-Oxo-1,5,5-trimethyl-2-allyl-cyclohexen*	10	4
	Benzylchlorid	CH₃ Na—O—C—CH₂—CH₃ CH₃ Benzol	*3-Oxo-1,5,5-trimethyl-2-benzyl-cyclohexen* + *5-Oxo-1,3,3-trimethyl-6,6-dibenzyl-cyclohexen*	80	4
	Benzylbromid	CH₃ Na—O—C—CH₂—CH₃ CH₃ Äther	*5-Oxo-1,3,3-trimethyl-6,6-dibenzyl-cyclohexen*	70	5

[1] J. M. Conia, Bl 1956, 1392.
[2] Jap.P. 1909I/65 (1962), Takasago Perfume Co..
[3] Fr.P. 1113274 (1952), Centre National de la Recherche Scientifique...
[4] J. M. Conia, Bl 1954, 690.
[5] J. M. Conia u. C. Nevot, Bl 1959, 493.

Ausgangsketon	Alkylierungsmittel	Bedingungen	Alkylierungsprodukt	Ausbeute [% d.Th.]	Literatur
3-Oxo-1,5,5-trimethyl-cyclohexen	1,6-Dibrom-hexan	NaNH₂	1,6-Bis-[2-oxo-4,6,6-trimethyl-cyclohexen-(3)-yl]-hexan	–	1
Cyclohexen-(1)-on-(3)	Allylbromid	Na–O–C(CH₃)(CH₃)–CH₂–CH₃ / Benzol/Äther	3-Oxo-2,4,4-triallyl-cyclohexen	–	2
1-Oxo-2-cyclopentenyl-cyclopentan	2-Brom-1-vinyl-oxy-äthan	NaNH₂	2-Oxo-1-(2-vinyloxy-äthyl)-1-cyclopenten-(1)-yl-cyclopentan	–	3
6-Oxo-2,4,4-trimethyl-3-äthoxycarbonyl-cyclohexen	Methyljodid	Kalium/Natrium/Äther	6-Oxo-1,2,4,4-tetramethyl-3-methoxycarbonyl-cyclohexen	75	4
3-Oxo-bicyclo[4.4.0]decen-(1)	Methyljodid	K–O–C(CH₃)₃/tert. Butanol	9-Oxo-10,10-dimethyl-bicyclo[4.4.0]decen-(1)	80	5
1-Oxo-2-benzyliden-dekalin	Methyljodid	K–O–C(CH₃)₃/tert. Butanol	cis,trans-1-Oxo-9-methyl-2-benzyliden-dekalin	100	6
7-Hydroxy-3-oxo-6-methyl-bicyclo[4.4.0]decen-(1)	Methyljodid	K–O–C(CH₃)₃	5-Hydroxy-9-oxo-6,10,10-trimethyl-bicyclo[4.4.0]decen-(1)	–	7
6-Oxo-cholesten-(4)	Methyljodid	K–O–C(CH₃)₃	3-Oxo-4,4-dimethyl-cholesten-(5)	63	8
Testosteron	Methyljodid	K–O–C(CH₃)₃/tert. Butanol	17β-Hydroxy-3-oxo-4,4-dimethyl-androsten-(5)	68	9
19-Nortestosteron	Methyljodid	K–O–C(CH₃)₃/tert. Butanol	17β-Hydroxy-3-oxo-4,4-dimethyl-19-nor-androsten-(5)	60	10
Ergosteron	Methyljodid	K–O–C(CH₃)₃/tert. Butanol	3-Oxo-4,4-dimethyl-ergostatrien-(5,7,22)	74	11
6-Oxo-2-methyl-3-äthoxy-carbonyl-cyclohexen	3-Chlor-2-methyl-propen	NaOC₂H₅/C₂H₅OH	6-Oxo-2-methyl-1-(2-methyl-allyl)-3-äthoxy-carbonyl-cyclohexen	82	12

¹ US.P. 2882320 (1957), Bristol Lab. Inc., Erf.: L. C. CHENEY u. W. B. WHEATLEY; C. A. 53, 16025 (1959).
² J. M. CONIA u. A. LECRAZ, C. r. 250, 3196 (1960).
³ Belg.P. 563283 (1957) ≡ DAS. 1059901 (1957), Ciba, Erf.: H. UEBERWASSER; C. 1961, 9899.
⁴ M. A. KAZI, I. H. KHAN u. M. Y. KHAN, Soc. 1964, 1511.
⁵ J. A. MARSHALL u. N. H. ANDERSEN, J. Org. Chem. 31, 667 (1966).
⁶ W. S. JOHNSON, Am. Soc. 65, 1317 (1943).
⁷ J. D. COCKER u. T. G. HALSALL, Chem. & Ind. 1956, 1275.
⁸ R. B. WOODWARD et al., Am. Soc. 76, 2852 (1954); Soc. 1957, 1131.
⁹ H. J. RINGOLD u. G. ROSENKRANZ, J. Org. Chem. 22, 602 (1957).
¹⁰ A. BOWERS u. H. J. RINGOLD, Am. Soc. 81, 424 (1959). s. a. R. A. LEE u. W. REUSCH, Tetrahedron Letters 1973, 969.
¹¹ C. COOLEY, B. ELLIS u. V. PETROW, Soc. 1955, 2998.
¹² J. D. WHITE u. W. L. SUNG, J. Org. Chem. 39, 2323 (1974).

Natriumamid als Kondensationsmittel[1]:

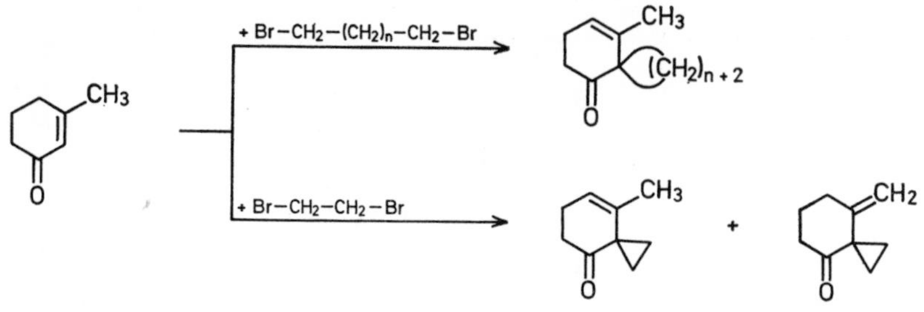

II; n = 2; *Cyclopentan-⟨spiro-3⟩-4-oxo-2-methyl-cyclohexen*
III; n = 3; *Cyclohexan-⟨spiro-3⟩-4-oxo-2-methyl-cyclohexen*
IV; *Cyclopropan-⟨spiro-3⟩-4-oxo-2-methyl-cyclohexen*
V; *Cyclopropan-⟨spiro-2⟩-3-oxo-1-methylen-cyclohexan*

Ähnliche spirocyclische Ketone konnten auch durch intramolekulare Cyclisierung von p-Toluolsulfonsäureestern β,γ-ungesättigter Ketone der allgemeinen Formel VI mit Natriumhydrid erhalten werden[2]:

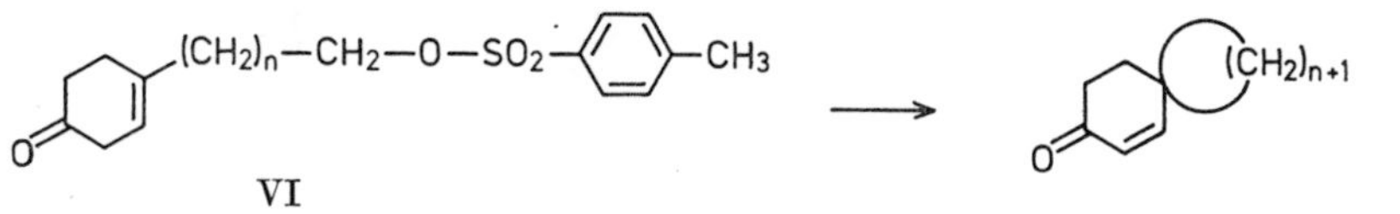

Tab. 173 (S. 1410) gibt einen Überblick über weitere Alkylierungen α,β-ungesättigter Ketone.

An α,β-ungesättigte Ketone addieren sich lithiumorganische – und Grignard-Verbindungen in der Regel in 1,4-Stellung zu β-substituierten Ketonen (s. Bd.XIII/2a, S. 302ff.)[s. a. 3]:

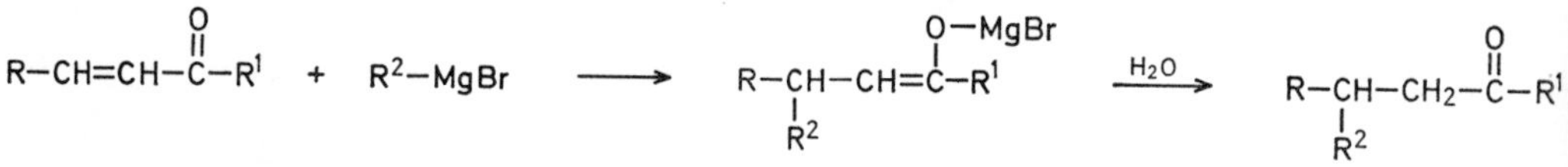

Ebenso reagiert Lithium-dimethyl-cuprat (I)[4].

Carbene führen zu Cyclopropyl-ketonen[5].

Zur Alkylierung von α,β-ungesättigten Ketonen lassen sich auch die Enamine mit Erfolg für die Alkylierung heranziehen[6].

Besser eignen sich für solche Alkylierungen die metallierten Enamine, da hierbei die Dialkylierung vermieden wird. Als Beispiel sei die Monomethylierung von 3-Oxo-6-methyl-bicyclo[4.4.0]decen-(1) zu *3-Oxo-2,6-dimethyl-bicyclo[4.4.0]decen-(1)* über die

[1] M. S. NEWMAN, V. DEVRIES u. R. DARLAK, J. Org. Chem. **31**, 2171 (1966).
[2] J. H. FASSNACHT u. N. A. NELSON, J. Org. Chem. **27**, 1885 (1962).
[3] s. a. J. MATHIEU u. R. J. WEILL-RAYNAL, *Formation of C–C Bonds*, Vol. II, S. 234–242 u. 358, G. Thieme Verlag, Stuttgart 1975.
[4] G. H. POSNER, *Conjugate Addition Reactions of Organocopper Reagents*, Org. Reactions **19**, 1 (1972).
[5] J. M. CONIA u. J. C. LIMASSET, Tetrahedron Letters **1965**, 3151.
[6] G. STORK u. G. BIRNBAUM, Tetrahedron Letters **1961**, 313.
    T. KOMENO u. H. ITANI, Chem. Pharm. Bull. **21**, 335 (1973).

Imin-Bildung mit Cyclohexylamin erwähnt[1]. Das Imin wird in Tetrahydrofuran mit Lithium-diisopropylamid metalliert und dann mit Methyljodid alkyliert. Nach der Hydrolyse erhält man 93% d. Th. des Monomethylierungsproduktes:

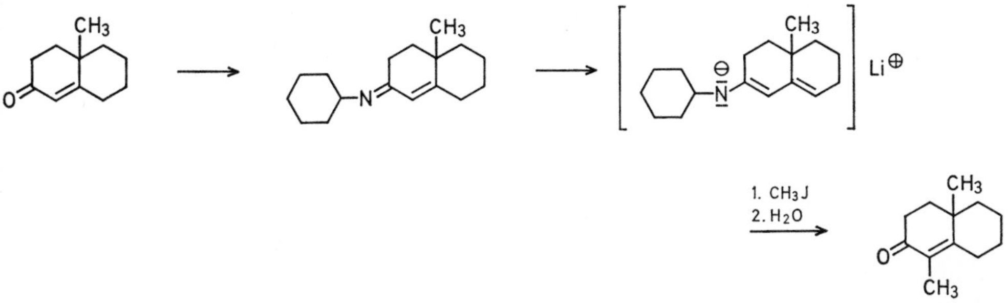

In der gleichen Weise konnte auch 3-Oxo-cholesten-(4) und 17β-Benzoyloxy-3-oxo-androsten-(4) monomethyliert werden.

Über den Verlauf der Methylierung bei 3-Oxo-5,5-dimethyl-2-(3-mercapto-propyl)-cyclohexen Lit.[2].

3. Alkylierung von Phenolen zu Cyclohexadienonen

bearbeitet von

Prof. Dr. Hans Günter Thomas

Institut für Organische Chemie der Technischen Hochschule Aachen

Seit langem ist bekannt[3], daß o- und p-alkyl- oder aryl-substituierte Phenole unter den Bedingungen der Reimer-Tiemann-Synthese stark variierende Ausbeuten an zu erwartendem Aldehyd und substituierten Cyclohexadienonen geben können. p-Kresol (I) z.B. liefert nur geringe Mengen *6-Oxo-3-methyl-3-dichlormethyl-cyclohexa-dien-(1,4)* (II), 2-Hydroxy-1,3,5-trimethyl-benzol (III) dagegen über 80% *6-Oxo-1,3,5-trimethyl-3-dichlormethyl-cyclohexadien-(1,4)* (IV):

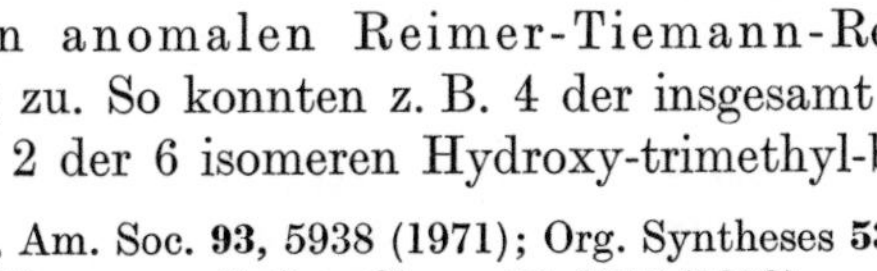

I R¹ = R² = H   II R¹ = R² = H
III R¹ = R² = CH₃   IV R¹ = R² = CH₃

Trotz der zumeist schlechten Ausbeuten kommt der über das Dichlorcarben verlaufenden sogenannten anomalen Reimer-Tiemann-Reaktion[4] eine gewisse allgemeine Bedeutung zu. So konnten z. B. 4 der insgesamt 6 isomeren Hydroxy-dimethyl-benzole und 2 der 6 isomeren Hydroxy-trimethyl-benzole[5] in Cyclohexa-

[1] G. STORK u. J. BENAIM, Am. Soc. 93, 5938 (1971); Org. Syntheses 53, 1848 (1973).

[2] A. G. SCHULTZ u. D. S. KASHDAN, J. Org. Chem. 38, 3815 (1973).

[3] K. AUWERS u. G. KEIL, B. 35, 4207 (1902).

K. AUWERS u. M. HESSENLAND, B. 41, 1790 (1908).

K. v. AUWERS u. M. ZIEGLER, B. 53, 2299 (1920).

[4] W. KIRMSE, *Carbene Chemistry*, Academic Press, New York 1971.

[5] H. WYNBERG, Chem. Reviews 60, 169 (1960).

A. J. WARING, *Advances in Alicyclic Chemistry*, Bd. I, S. 138ff., Academic Press, New York 1966.

dienone umgewandelt werden. Desgleichen wurden verschiedene Hydroxy-alkyl-naphthaline[1], Acenaphthole[1] und Phenanthrole[2] in Dichlor-ketone verwandelt.

Eine interessante Anwendungsmöglichkeit scheint die anomale Reimer-Tiemann-Reaktion in der Einführung angularer Alkyl-Gruppen in Steroide zu besitzen, wie das an der Modellsubstanz des 6-Hydroxy-tetralins I gezeigt[3] wurde:

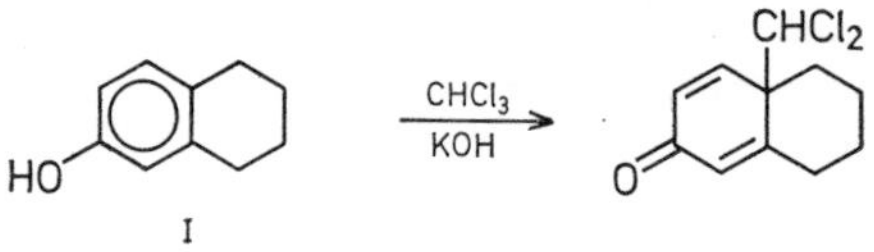

II; *3-Oxo-6-dichlormethyl-bicyclo[4.4.0] decadien-(1,4)*; 12% d.Th

Doch erwies sich diese Reaktion bisher als nicht auf polycyclische Verbindungen übertragbar.

Das isomere 5-Hydroxy-tetralin III ließ sich, allerdings in nur 3%iger Ausbeute, in ein o-Substitutionsprodukt (IV) verwandeln[4]:

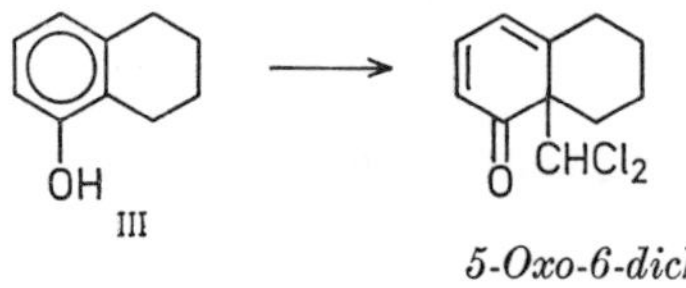

5-Oxo-6-dichlormethyl-bicyclo[4.4.0] decadien-(1,3); IV

o- und p- Substitutionsprodukte wie die Oxo-dichlormethyl-cyclohexadiene II und IV lassen sich in sehr einfacher Weise durch ihre UV-Spektren unterscheiden.

Bei o- disubstituierten Cyclohexadienonen sind die C=C-Doppelbindungen linear konjugiert, bei p-disubstituierten dagegen kreuzkonjugiert. Die Lage der entsprechenden Maxima ist beträchtlich gegeneinander verschoben. Bei der Umsetzung von 2-Hydroxy-1,3,5-trimethyl-benzol mit Dichlorcarben wurde z.B. gefunden[5], daß die Maxima um ~80 mμ auseinanderliegen:

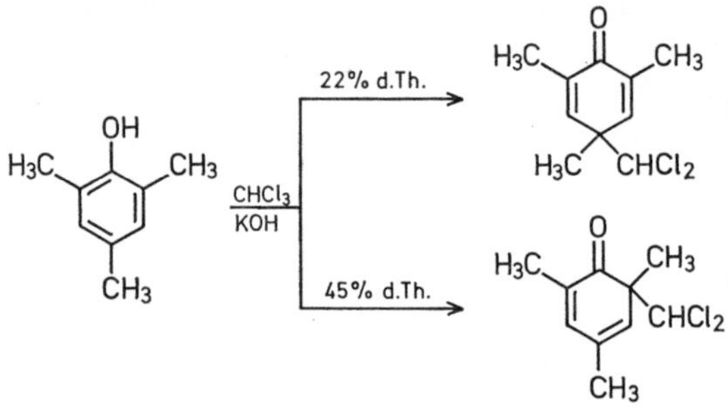

6-Oxo-1,3,5-trimethyl-3-dichlormethyl-cyclohexadien-(1,4); UV$_{max}$ = 240 mμ

6-Oxo-1,3,5-trimethyl-5-dichlormethyl-cyclohexadien-(1,3); UV$_{max}$ = 317 mμ

Eine formale Analogie zur anomalen Reimer-Tiemann-Reaktion ist die Zincke-Suhl-Reaktion[6]. Sie besteht in der Einwirkung von Tetrachlormethan in Gegenwart

[1] F. BELL u. H. W. HUNTER, Soc. **1950**, 2903.
  R. M. DODSEN u. W. WEBB, Am. Soc. **73**, 2767 (1951).
  R. C. FUSON u. T. G. MILLER, J. Org. Chem. **17**, 316 (1952).
  E. WENKERT u. T. E. STEVENS, Am. Soc. **78**, 5627 (1956).
[2] M. GIBSON, Experientia **7**, 176 (1951).
[3] R. B. WOODWARD, Am. Soc. **62**, 1208 (1940).
[4] H. WYNBERG u. W. S. JOHNSON, J. Org. Chem. **24**, 1424 (1959).
[5] D. H. R. BARTON, J. Org. Chem. **24**, 1421 (1951).
[6] T. ZINCKE u. R. SUHL, B. **39**, 4148 (1906).
  R. B. WOODWARD, Am. Soc. **62**, 1208 (1940).
  J. R. MERCHANT, R. G. JADHAV, J. Indian Chem. Soc. **51**, 95 (1974).

von Aluminiumchlorid auf 4-Hydroxy-1-alkyl-benzole[1]. Zum Beispiel erhält man aus p-Kresol (I) und Tetrachlormethan *6-Oxo-3-methyl-3-trichlormethyl-cyclohexadien-(1,4)* (60% d. Th.; II)[2]:

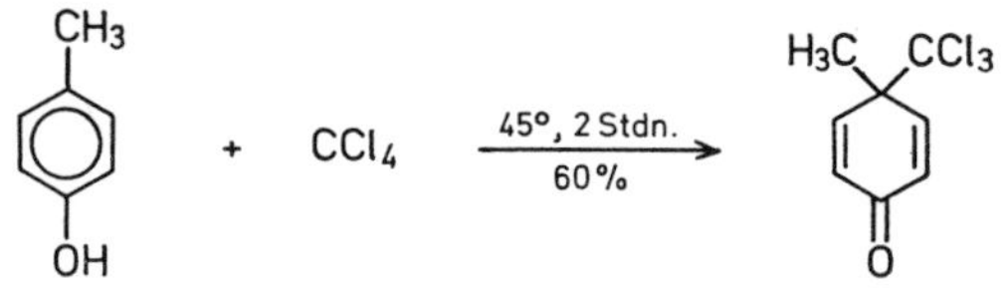

Noch höhere Ausbeuten werden für die Umsetzung von 4-Hydroxy-1,2-dimethyl-benzol mit Tetrachlormethan angegeben[3]; man erhält *6-Oxo-2,3-dimethyl-3-trichlor-methyl-cyclohexadien-(1,4)* (76,6% d. Th.).

Die Zincke-Suhl-Reaktion ist nicht durch die Verwendung von Methylchlorid, Methyljodid, Dichlormethan, Chloroform, Hexachloräthan erweiterungsfähig.

Die Einführung einer angularen Trichlormethyl-Gruppe in 6-Hydroxy-tetralin gelingt nicht[4].

6-Oxo-3-methyl-3-trichlormethyl-cyclohexadien-(1,4)[2]: 5,41 g (0,05 Mol) redestilliertes p-Kresol werden in 5 *ml* Schwefelkohlenstoff gelöst und tropfenweise zu einer gerührten Suspension von 8,33 g (0,063 Mol) wasserfreiem Aluminiumchlorid in 25 *ml* Schwefelkohlenstoff gegeben. Während der Zugabe (10–15 Min.) entwickelt sich Chlorwasserstoff, und ungefähr ein Äquivalent Aluminiumchlorid geht in Lösung.

7,7 g (0,05 Mol) Tetrachlormethan werden auf einmal zugesetzt, und die Reaktionsmischung auf 45° erwärmt. Dabei tritt Farbvertiefung ein und weiterer Chlorwasserstoff wird frei. Im weiteren Fortgang der Reaktion setzt sich an der Kolbenwandung ein dunkelbrauner Teer ab. Nach 2 stdgm. Erwärmen wird das Lösungsmittel i. Vak. abdestilliert. Die Reaktionsmischung wird sodann durch tropfenweise Zugabe von Wasser zersetzt und einer Wasserdampfdestillation unterworfen; Ausbeute: 6,79 g (60,3% d. Th.); F: 104° (aus Petroläther).

Die anomale Reimer-Tiemann-Reaktion, sowie die Zincke-Suhl-Reaktion sind nur Spezialverfahren der Alkylierung von Phenolen. Durch sorgfältige Auswahl der Struktur der Phenole und der Reaktionsbedingungen gelingt eine Alkylierung auch mit anderen Alkylierungsmitteln. Einige Bedingungen müssen erfüllt sein, damit die Alkylierung einigermaßen erfolgreich verläuft:

① Das Alkylierungsmittel muß sehr reaktionsfähig sein.
② Das Phenol soll nach Möglichkeit in beiden o-Stellungen oder in p-Stellung substituiert sein.

Selbst wenn obige Bedingungen erfüllt sind, muß man stets berücksichtigen, daß die entstehenden Cyclohexadienone sehr labile Verbindungen sind. Dienone vom Typ I unterliegen sehr leicht schon bei leicht erhöhten Temperaturen

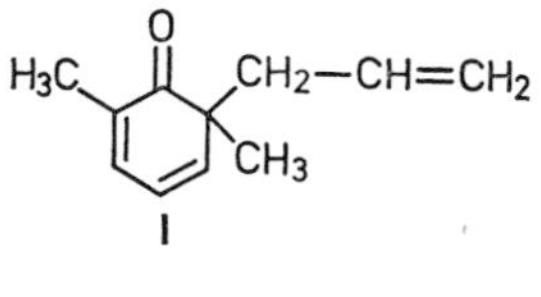

---

[1] J. R. MERCHANT u. V. B. DESAI, Soc. [C] **1968**, 499.
[2] M. S. NEWMAN u. A. G. PINKUS, J. Org. Chem. **19**, 978 (1954).
[3] M. S. NEWMAN u. L. L. WOOD, J. Org. Chem. **23**, 1236 (1958).
[4] T. ZINCKE u. R. SUHL, B. **39**, 4148 (1906).
   R. B. WOODWARD, Am. Soc. **62**, 1208 (1940).
   J. R. MERCHANT u. R. G. JADHAV, J. indian chem. Soc. **51**, 95 (1974).

der Claisen-Umlagerung[1,2] und bilden Diels-Alder-Produkte mit sich selbst. Diese Dimerisierung läßt sich nur dann verhindern, wenn wie im Dienon II in p-Stellung eine tert.-Butyl-Gruppe vorliegt:

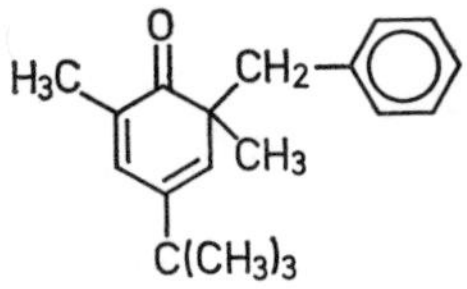

In diesem Fall gelingt die Herstellung von *6-Oxo-1,5-dimethyl-3-tert.-butyl-5-benzyl-cyclohexadien-(1,3)* (II) durch Umsetzung von 4-Oxo-3,5-dimethyl-1-tert.-butyl-benzol mit Benzylchlorid in 46%iger Ausbeute[3].

Genauere Untersuchungen über die Verteilung der Reaktionsprodukte bei der stets nebeneinander anzutreffenden O- und C-Alkylierung von substituierten Phenolen haben ergeben, daß dann die höchsten Ausbeuten an C-Alkylierungsprodukt zu erwarten sind, wenn man die Natriumsalze der Phenole in unpolaren Lösungsmitteln wie Benzol, Toluol oder Xylol mit reaktionsfähigen Halogeniden wie Methyljodid, Allylbromid oder Benzylbromid umsetzt[4].

Nach neueren Untersuchungen kann allerdings in manchen Fällen der Übergang von einem unpolaren Reaktionsmedium zu einem hydroxylhaltigen Lösungsmittel wie tert.-Butanol eine deutliche Ausbeuteverbesserung an C-Alkylierungsprodukt ergeben[5]. Selbst in Wasser kann unter Zusatz eines Mols Silbercarbonat p-Kresol in 25%-iger Ausbeute in der ortho-Stellung alkyliert werden[5].

---

[1] D. Y. Curtin u. R. J. Crawford, Am. Soc. **79**, 3156 (1957).
[2] Anmerkung: Umgekehrt lassen sich aber auch Cyclohexadienone aus O-Allyläthern durch Erhitzen herstellen (ortho-Claisen-Umlagerung), wenn man die reaktionsfähigen Verbindungen als Diels-Alder-Produkte mit Maleinsäure-anhydrid abfängt:
A. Nickon u. B. Aaronoff, J. Org. Chem. **29**, 3014 (1964):

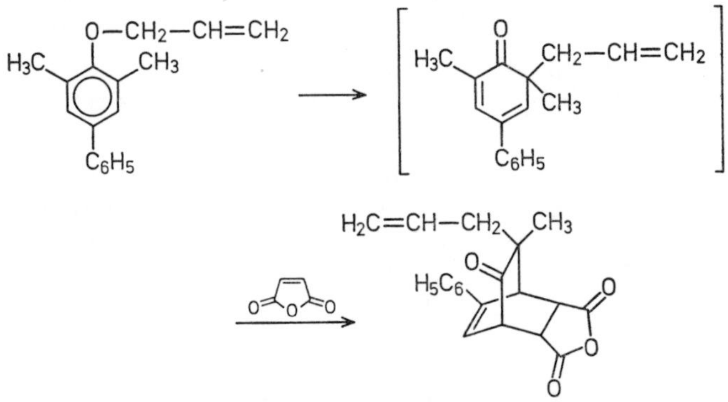

8-Oxo-7-methyl-7-allyl-2-phenyl-bicyclo [2.2.2]octen-(2)-5,6-dicarbonsäure-anhydrid; 90% d. Th.

[3] D. Y. Curtin u. D. H. Dybvig, Am. Soc. **84**, 225 (1962).
[4] D. Y. Curtin, R. J. Crawford u. M. Wilhelm, Am. Soc. **80**, 1391 (1958).
[5] R. Barner u. H. Schmid, Helv. **43**, 1393 (1960).
　N. Kornblum, P. J. Berrigan u. W. J. le Noble, Am. Soc. **82**, 1257 (1960).

Auch das Metallion beeinflußt die Ausbeute. Bei der Herstellung 1-substituierter Cyclohexadien-(1,3)-one-(5)[1] z.B. erzielt man mit den Lithium-phenolaten die besten Ausbeuten. Die Lithiumsalze bieten außerdem den großen Vorteil, daß sie als fein verteilte Pulver anfallen und damit die größte zur Reaktion erforderliche Oberfläche besitzen[2].

Während die ortho-Alkylierung und -Benzylierung o-substituierter Phenole in einer Reihe von Fällen einigermaßen zufriedenstellende Ergebnisse bringt, verläuft die para-Alkylierung entweder gar nicht oder aber nur mit sehr schlechten Ausbeuten. Z.B. erhält man aus in Benzol suspendiertem Natrium-2-methyl-phenolat mit Benzylbromid *6-Oxo-5-methyl-5-benzyl-cyclohexadien-(1,3)* (11% d.Th.)[3]; Natrium-4-methyl-phenolat reagiert unter diesen Bedingungen nur unter Substitution der beiden ortho-Stellungen und unter Alkylierung am O-Atom. In 5%iger Ausbeute erhält man ein para-Alkylierungsprodukt II bei der Umsetzung von p-Kresol (I) mit Allylbromid und Silbercarbonat[3,4]:

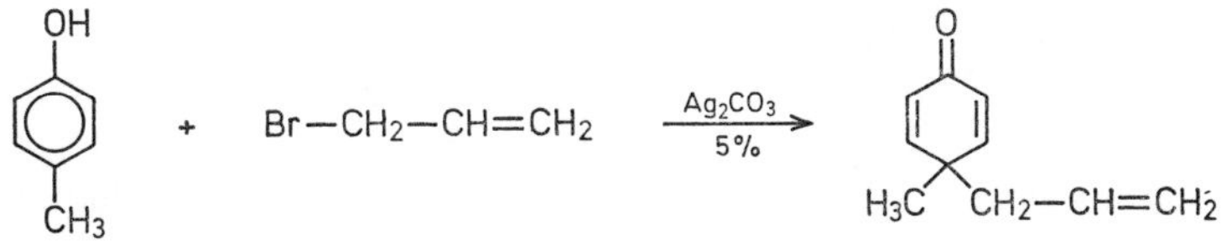

6-Oxo-3-methyl-3-allyl-cyclohexadien-(1,4); II

Die Alkylierung von mehrwertigen Phenolen wie Resorcin verläuft unter Bildung zahlreicher Reaktionsprodukte. Bei der Methylierung des Di-anions des Rersorcins mit Methyljodid wurden 23 von 40 möglichen Zwischen- und Endprodukten isoliert und identifiziert[5], darunter auch die Zwischenstufen X und XI:

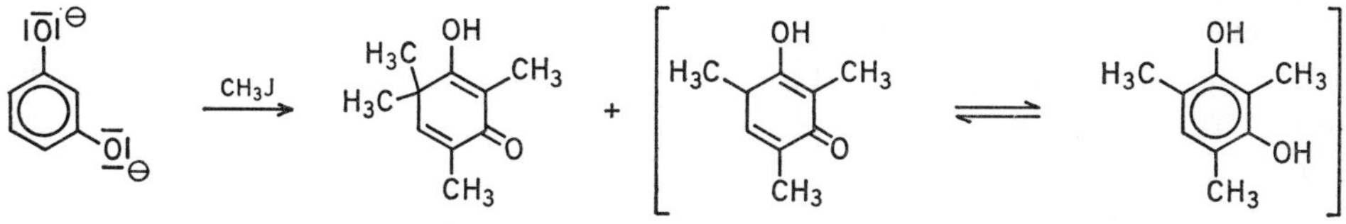

X; *2-Hydroxy-6-oxo-
1,3,3,5-tetramethyl-
cyclohexadien-(1,4)*

[1] T. L. Brown, D. Y. Curtin u. R. R. Fraser, Am. Soc. **80**, 4339 (1958).
  R. R. Fraser, Doctoral dissertation, S. 76, University of Illinois, Urbana, Illinois, 1958.
  D. Y. Curtin u. D. H. Dybvig, Am. Soc. **84**, 225 (1962).
  D. Y. Curtin u. R. R. Fraser, Am. Soc. **80**, 6016 (1958).
  N. Kornblum u. R. Seltzer, Am. Soc. **83**, 3668 (1961).
[2] siehe Org. Synth., Bd. 46, S. 115: Herstellung von *6-Oxo-1,5,5-trimethyl-cyclohexadien.*
[3] D. Y. Curtin u. M. Wilhelm, J. Org. Chem. **23**, 9 (1958).
[4] R. Barner et al., Helv. **48**, 94 (1965).
[5] A. R. Stein, Canad. J. Chem. **43**, 1493 (1965).

Intramolekular verlaufen interessanterweise die Alkylierungen auch in der para-Stellung gut bis hervorragend. Dies ist wohl auf Ar$_1$–5-Beteiligung[1] des benachbarten Phenolations zurückzuführen[2]:

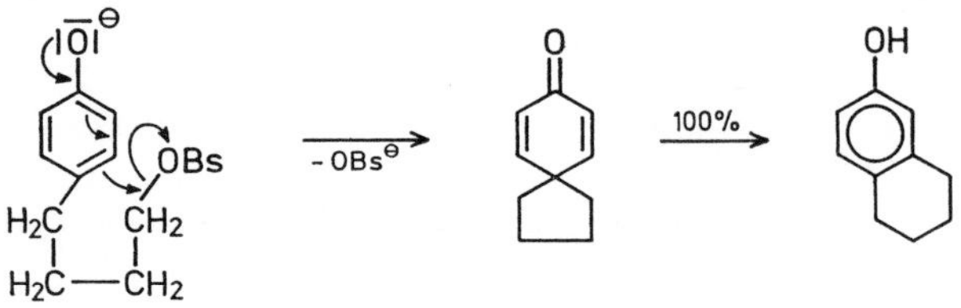

Bs = p-Brombenzolsulfonat

Das 4-Hydroxy-1-[4-(4-brom-benzolsulfonyloxy)-butyl]-benzol (III) liefert *Cyclopentan-⟨spiro-3⟩-6-oxo-cyclohexadien-(1,4)* (IV; 50% d. Th.). IV lagert sich beim Erhitzen mit Säuren quantitativ durch Dienon-Phenol-Umlagerung in 6-Hydroxy-tetralin (V) um.

Durch Bestrahlung der Phenole VI in Gegenwart von Natriumamid oder Natriumhydrid in Dimethylformamid mit einer Quecksilberhochdrucklampe[3] oder durch Erhitzen mit Kalium-tert-butanolat in tert.-Butanol auf 180°[4] wird *1,3-Dioxolan-⟨2-spiro-3⟩-cyclopentan-⟨1-spiro-3⟩-6-oxo-cyclohexadien-(1,4)* (VII) erhalten:

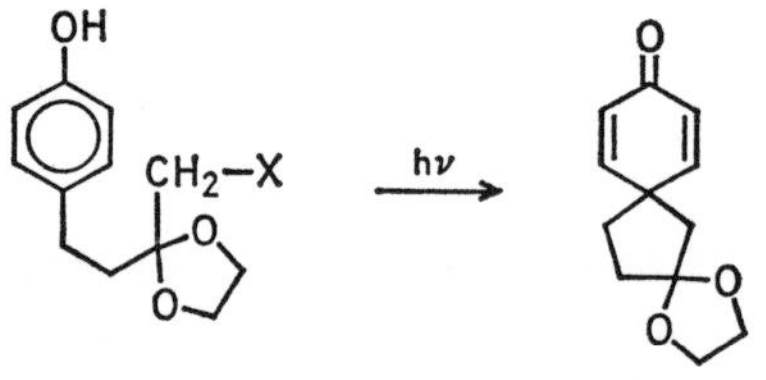

X = Br, Cl
VI   VII

Auch spirocyclisch an einen Cyclopropan-Ring angegliederte Cyclohexadien-(1,3)-one-(5) lassen sich herstellen[5]. Diese sind allerdings nur dann beständig, wenn der Carbonylsauerstoff durch ortho-ständige Gruppen sterisch behindert ist; z.B. durch tert.-Butyl-Gruppen[6]:

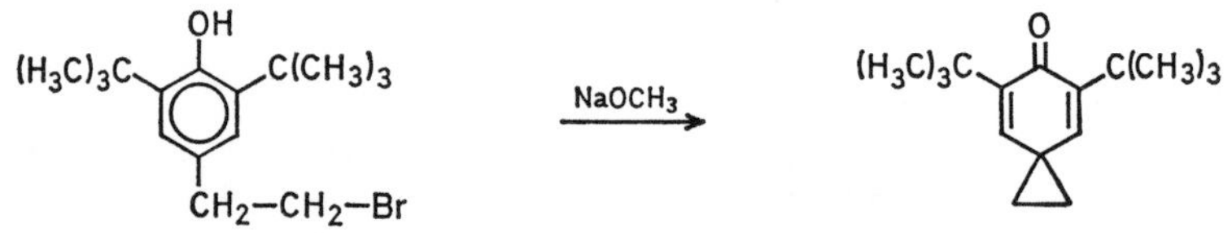

[1] S. Winstein et al., Experientia **12**, 138 (1956).
[2] S. Winstein u. R. Baird, Am. Soc. **79**, 756 (1957).
    B. Rickborn u. M. T. Wuesthoff, Am. Soc. **92**, 6894 (1970).
    M. Julia u. B. Malassine, Tetrahedron Letters **1971**, 987.
    P. C. Mukharji u. P. K. Sen Gupta, Chem. & Ind. **16**, 533 (1970).
    D. I. Schuster u. W. V. Curran, J. Org. Chem. **35**, 4192 (1970).
[3] C. Iwata, Y. Nakashita u. R. Hirai, Chem. Pharm. Bull. **22**, 239 (1974).
[4] S. Dorling u. J. Harley-Mason, Chem. & Ind. **1959**, 1551.
[5] A. A. Volodkin, I. S. Belostotskaya u. V. V. Ershov, Izv. Akad. SSSR **1967**, 1374; C. A. **68**, 29302 (1968).
[6] V. V. Ershov u. I. S. Belostotskaya, Izv. Akad. SSSR **1965**, 1301; C. A. **63**, 13103 (1965).

Die Ausbeute an *Cyclopropan-⟨spiro-3⟩-6-oxo-1,5-di-tert.-butyl-cyclohexadien-(1,4)* ist in diesem Fall nahezu quantitativ[1].

Die höchste Ausbeute, die je für eine Ar_1-Beteiligungsreaktion berichtet wurde (98% d. Th.), stellt die Umsetzung von 4-Hydroxy-3,5-di-tert.-butyl-1-(4-tosyloxy-butyl)-benzol mit Kalium-tert.-butanolat in tert.-Butanol dar[2]. Der Grund für das völlig eindeutige Verlaufen dieser Reaktion ist in der hohen sterischen Hinderung am O-Atom durch die beiden tert.-Butyl-Gruppen zu sehen:

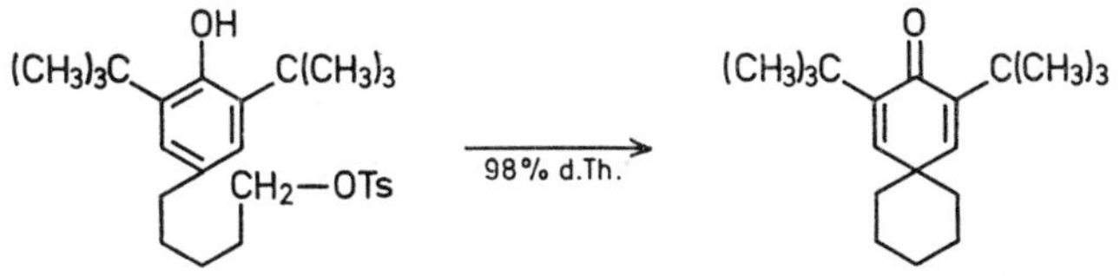

Cyclohexan-⟨spiro-3⟩-6-oxo-1,5-di-tert.-butyl-cyclohexadien-(1,4)

Die unsubstituierte Verbindung [Cyclohexan-⟨spiro-3⟩-6-oxo-cyclohexadien-(1,4)] wird allerdings auch schon mit 88% d. Th. erhalten[3]; und mit 72% Ausbeute ist auf analogem Wege *6-Oxo-cyclohexadien-(1,4)-⟨3-spiro-4⟩-cyclohexan-⟨1-spiro-4⟩-cyclohexan-⟨1-spiro-3⟩-6-oxo-cyclohexadien-(1,4)* zugänglich[4]:

Die intramolekulare Alkylierung von Phenolen hat eine gewisse Bedeutung zur Herstellung von Salzen der *Prephensäure* [*6-Hydroxy-3-(2-oxo-2-carboxy-äthyl)-3-carboxy-cyclohexadien-(1,4)*; II] erlangt[5]:

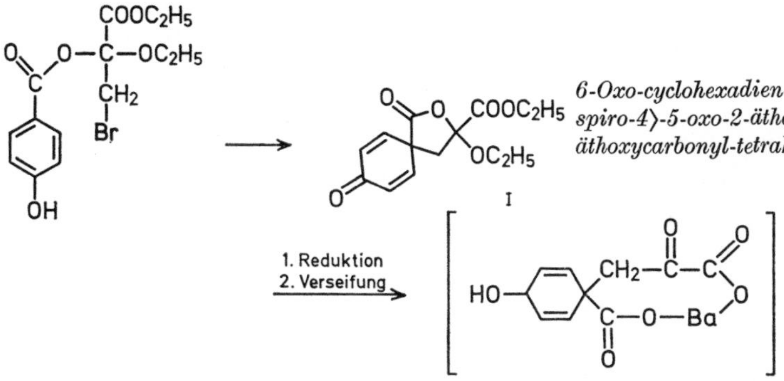

6-Oxo-cyclohexadien-(1,4)-⟨3-spiro-4⟩-5-oxo-2-äthoxy-2-äthoxycarbonyl-tetrahydrofuran

---

[1] A. A. VOLOD'KIN et al., Izv. Akad. Nauk SSSR Ser. Khim. **1971**, 381.
   D. I. SCHUSTER u. C. J. POLOWCZYK, Am. Soc. **88**, 1722 (1966).
   D. I. SCHUSTER u. I. S. KROLL, Am. Soc. **88**, 3456 (1966).
[2] J. D. McCLURE, J. Org. Chem. **27**, 2365 (1962).
[3] A. S. DREIDING, Helv. **40**, 1812 (1957).
[4] R. S. ATKINSON u. A. S. DREIDING, Helv. **50**, 23 (1967).
[5] H. PLIENINGER u. K. FRISCHKORN, Chem. Commun. **1968**, 661.

Stickstoff statt Sauerstoff (Verbindung I) enthaltende spirocyclisch angegliederte Ringe wie III (aus 4-Hydroxy-benzoesäure und Dicyclohexyl-carbodi-
imid hergestellt) konnten synthetisiert werden[1]:

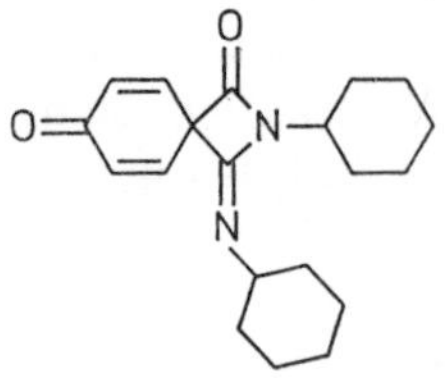

III; *6-Oxo-cyclohexadien-(1,4)-⟨3-spiro-3⟩-4-oxo-2-cyclohexylimino-1-cyclohexyl-azetidin*

Eine Arylbeteiligung für Nicht-Spiran-Strukturen konnte auch nachgewiesen
werden[2]. Während zunächst die erwartete Ar₂-6-Beteiligung bei der Solvolyse von
4-Hydroxy-1-methyl-2-(4-tosyloxy-butyl)-benzol (I) ausblieb und statt dessen
2-Hydroxy-4-methyl-tetralin (II) gebildet wurde[3],

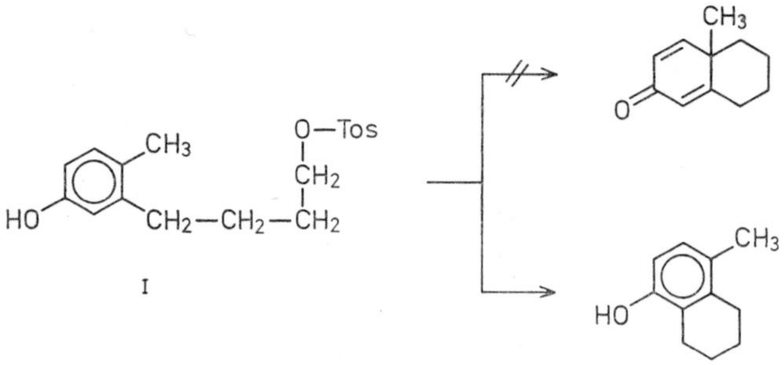

traten bei Substitution der entsprechenden ortho-Stellung in I durch eine Methyl-
Gruppe bei anschließender Solvolyse die erwarteten isomeren Dienone in einer Gesamtausbeute von 27% d. Th. auf[2]:

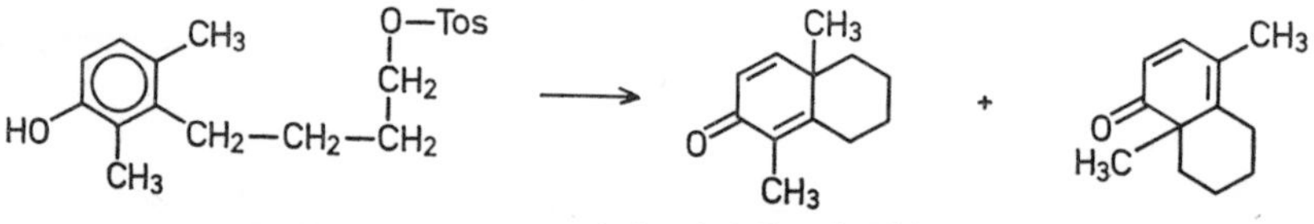

3-Oxo-2,6-dimethyl-bicyclo   5-Oxo-2,6-dimethyl-bicyclo
[4.4.0]decadien-(1,4)   [4.4.0]decadien-(1,3)

Eine weitere Möglichkeit zur intramolekularen Alkylierung eines Phenols stellt
die **phenolische oxidative Kupplung** dar[4]. Nachfolgend seien zur besseren
Charakterisierung dieser Herstellungsmöglichkeit für Cyclohexadienone einige cha-

[1] H. Plieninger u. K. Frichkorn, Chem. Commun. **1968**, 661.
[2] L. Mandell, D. Caine u. G. E. Kilpatrick, Am. Soc. **83**, 4457 (1961).
[3] M. S. Newman u. A. B. Mekler, J. Org. Chem. **26**, 336 (1961).
[4] W. J. Taylor u. A. R. Battersby, *Oxidative Coupling of Phenols*, Marcel Dekker, Inc.,
    New York 1967.

rakteristische Beispiele der sehr ausführlichen, oben zitierten Literaturübersicht und einige darin noch nicht erfaßte neueste Ergebnisse aufgeführt:

Aromatische Monohydroxy-Verbindungen lassen sich zu Dimeren mit Cyclohexadienon-Struktur oxidieren (radikalische C—C-Dimerisierung[1]), wenn für eine Stabilisierung des Radikals in der ortho- und/oder para-Stellung durch Substituenten gesorgt ist:

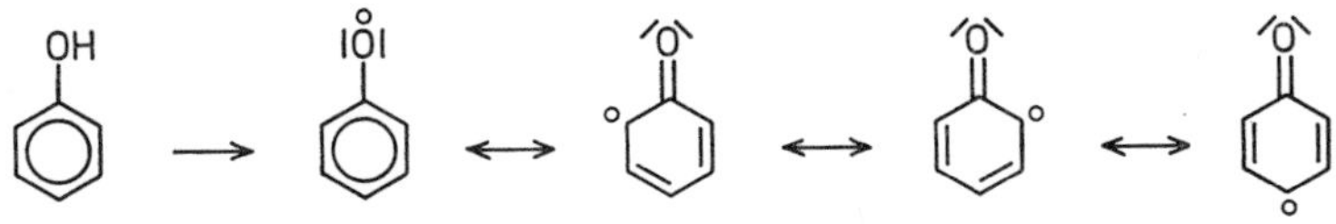

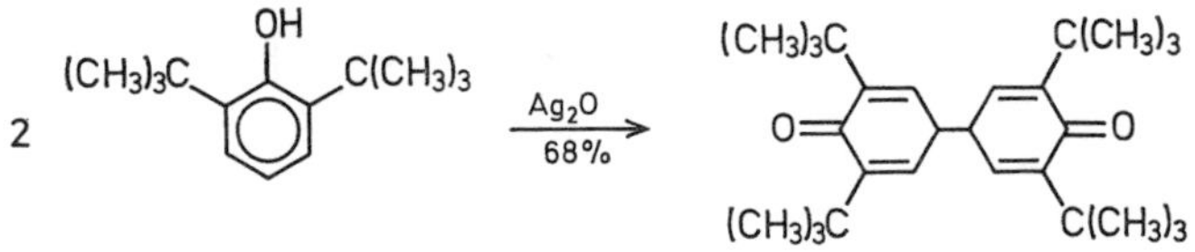

4,4'-Dioxo-3,3',5,5'-tetra-tert.-butyl-bi-[cyclohexadien-(2,5)-yl][2]

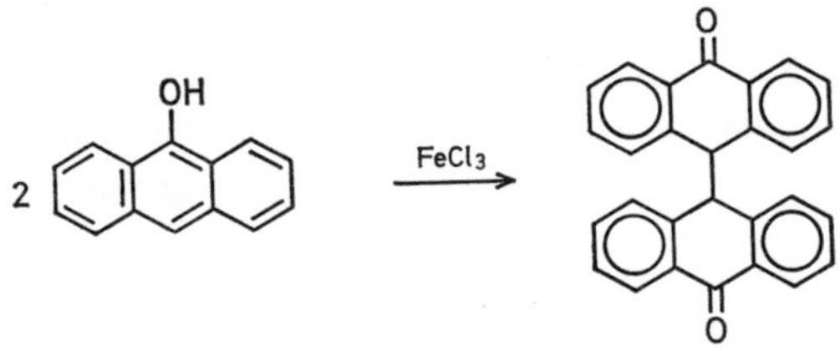

10,10'-Dioxo-9,9'10,10'-tetrahydro-bianthryl-(9)[3]

Besonders stark sterisch abgeschirmte stabile Phenoxyl-Radikale wie das „blaue Aroxyl" können mit anderen C-Radikalen oder deren Vorstufen eine C—C-Verknüpfung eingehen[4,5]:

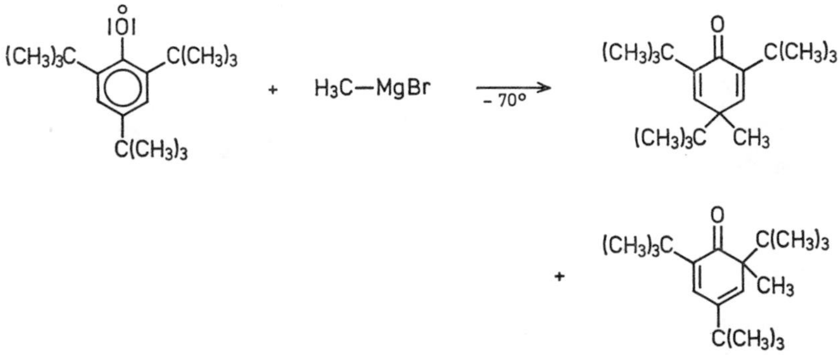

I; 9% *6-Oxo-3-methyl-1,3,5-tri-tert.-butyl-cyclohexadien-(1,4)*
II; 11% *6-Oxo-5-methyl-1,3,5-tri-tert.-butyl-cyclohexadien-(1,3)*

[1] A. J. Waring in: *Advances in Alicyclic Chemistry*, Vol. 1, S. 154, Academic Press New York · London 1966.
[2] R. F. Moore u. W. A. Waters, Soc. **1954**, 243.
[3] O. Dimroth, B. **34**, 223 (1901).
   S. a. ds. Handb., Bd. VII/3 b.
[4] W. Bradley u. L. J. Watkinson, Soc. **1956**, 319.
[5] Eu. Müller u. K. Ley, B. **87**, 922 (1954).

Unter photolytischen Bedingungen reagiert 2,4,6-Tri-tert.-butyl-phenol mit Tetra-chlormethan unter Bildung von *6-Oxo-3-trichlormethyl-1,3,5-tri-tert.-butyl-cyclohexa-dien-(1,4)*[1].

In guten Ausbeuten erhält man aus dem Hydroxyisochinolin I *Homoproaporphin {6-Oxo-cyclohexadien-(1,4)-⟨3-spiro-7⟩-6-hydroxy-5-methoxy-1-methyl-7,8,9,9a-tetra-hydro-1H-⟨benzo-[d,e]-chinolin⟩ II}*[2]:

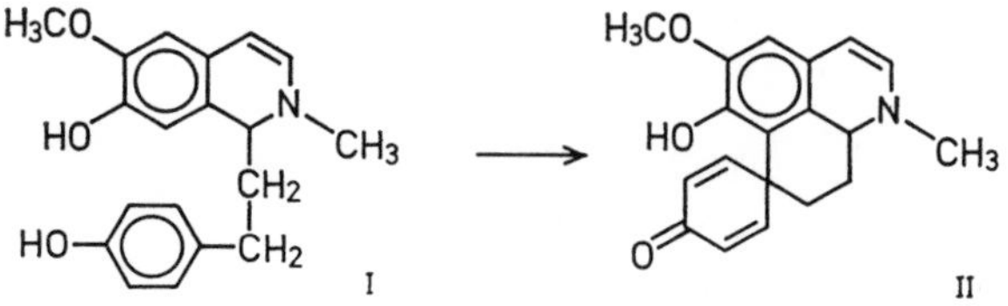

Weitere analoge Fälle intramolekularer Alkylierung durch Einwirkung von Oxi-dationsmitteln auf Phenole unter Bildung von Cyclohexadienonen finden sich in der Literatur[3–5] (s. a. Bd. VI/1c, Kap. Oxidative Kupplung von Phenolen).

Auf die Bedeutung der Phenoloxidation in der Naturstoffchemie kann im Rahmen dieses Handbuches nicht eingegangen werden. Es sei hier nur auf entsprechende Literatur[6] verwiesen, die eine gute Einführung und Übersicht über dieses wichtige, aber sehr spezielle Gebiet gibt.

In diesem Zusammenhang sei auf die glatte Bildung von *1-Oxo-4-phenyl-tetralin* durch Einwirkung von Aluminiumchlorid auf 1-Naphthol und Benzol hingewiesen[7] (vgl. a. S. 1710):

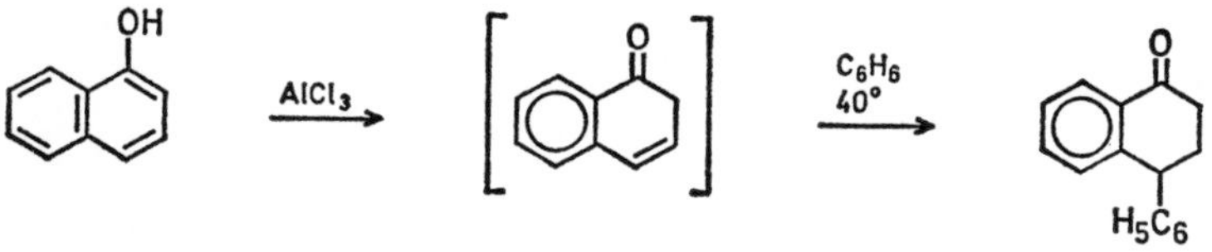

[1] R. H. S. Wang, J. Org. Chem. **37**, 2771 (1972).

[2] T. Kametani et al., Soc. [C] **1968**, 271.

[3] I. Saito et al., Tetrahedron Letters **1975**, 641.

[4] S. Tobinaga u. E. Kotani, Am. Soc. **94**, 309 (1972).

[5] K. Schofield, R. S. Ward u. A. M. Choudhury, Soc. [C] **1971**, 2834.

[6] A. I. Scott u. A. R. Battersby, *Oxydative Coupling of Phenols*, S. 95.ff u. 119ff., Marcel Dekker, Inc., New York 1967.

    K. Mothes u. H. R. Schütte, *Biosynthese der Alkaloide*, Deutscher Verlag der Wissenschaften Berlin 1969.

[7] O. Limpach, Privatmitteilung, J. G. Farb. 1934.

4. Alkylierung von β-Diketonen[1]

bearbeitet von

Prof. Dr. HERMANN STETTER

Organisch Chemisches Institut der Technischen Hochschule Aachen

Die Alkylierung von β-Diketonen gelingt glatt bei Einhaltung geeigneter Reaktionsbedingungen. Als Konkurrenzreaktion beobachtet man neben der C-Alkylierung am α-C-Atom Enoläther-Bildung entsprechend der Mesomerie des Anions:

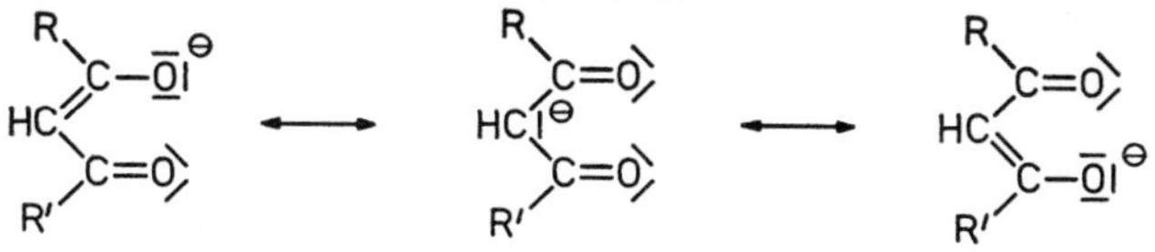

Die Bevorzugung der C- oder O-Alkylierung hängt in starkem Maße von den Reaktionsbedingungen ab (Vgl. hierzu die Theorien verschiedener Autoren)[2-4]. Im wesentlichen wird der Verlauf der Alkylierung bestimmt durch 5 Faktoren:

① Natur der β-Dicarbonyl-Verbindung
② Art des Alkylierungsmittels
③ Wahl des Lösungsmittels
④ Art des Metallions, das zur Salzbildung verwendet wird
⑤ Einsatz von Di-anionen.

Obwohl für den Mechanismus der Alkylierung das mesomeriefähige Anion maßgebend ist, gilt die Regel, daß die Enoläther-Bildung um so mehr bevorzugt ist, je stärker enoliert das betreffende β-Diketon (Regel ①) ist. Es ist allerdings noch nicht geklärt, welchen Einfluß die Acidität, die nicht parallel zur Enolisierung geht, auf den Verlauf der Alkylierung ausübt.

Bei Verwendung von Alkylhalogeniden (Regel ②) zeigt es sich, daß bei erhöhter Reaktionsfähigkeit dieser Halogen-Verbindungen die C-Alkylierung bevorzugt ist. In der Reihe der einfachen Alkylhalogenide beobachtet man bei den Methylhalogeniden die höchsten Ausbeuten an C-Alkylierungsprodukt, während bei den längerkettigen primären Halogen-alkanen bei gleichem Halogen keine größeren Unterschiede zu beobachten sind. Entsprechend der Reaktionsfähigkeit nimmt die Ausbeute an C-Alkylierungsprodukten von den Chloriden zu den Jodiden zu. Weniger gut geeignet sind die Halogen-Verbindungen mit Halogen am sekundären oder tertiären C-Atom, da hier als Konkurrenzreaktion die Olefin-Bildung stark in den Vordergrund tritt. Als besonders geeignet für die C-Alkylierung erweisen sich die durch nachbarständige Gruppen aktivierten Halogen-Verbindungen wie z.B. die Allyl- und Benzylhalogenide. In bestimmten Fällen kann auch aromatisch gebundenes Halogen für die Kondensation herangezogen werden. Dies ist einmal der Fall bei Halogen-nitro-benzolen wie z.B. 4-Chlor-1,3-dinitro-benzol, dann aber auch bei den 2-Brom-benzoesäuren, wenn die Kondensation durch Zusatz von Kupfer(II)-salzen katalysiert wird[5]. Hingewiesen werden soll auch auf die Möglichkeit der Alkylierung mit quaternären Aminen (s. S. 1425, 1444).

---

[1] H. O. HOUSE, *Modern Synthetic Reactions*, S. 492 ff., 2. Aufl; W. A. BENJAMIN Inc., Menlo Park 1972.
[2] A. BRÄNDSTRÖM, Arkiv Kemi **6**, 155 (1953).
[3] N. KORNBLUM et al., Am. Soc. **77**, 6269 (1955).
[4] Siehe hierzu auch:
E. Y. GREN, G. F. ROZENTAL' u. G. Ja. VANAG, Ž. org. Chim. **3**, 1054 (1967).
M. SUAMA u. K. ICHIKAWA, J. chem Soc. Japan, pure Chem. Sect. **92**, 252 (1971).
P. HRNČIAR u. F. SZEMES, Collect. czech. chem. Commun. **39**, 1744 (1974).
[5] H. STETTER u. E. SIEHNHOLD, B. **88**, 1223 (1955).
W. MAYER u. R. FIKENTSCHER, B. **91**, 1536 (1958).

Die Ester der Schwefelsäure und der Sulfonsäuren, die sonst ausgezeichnete Alkylierungsmittel sind, eignen sich dagegen für die C-Alkylierung von β-Diketonen nicht[1]. Man beobachtet bei diesen Alkylierungsmitteln immer eine starke Bevorzugung der Enoläther-Bildung[2]. Das gleiche gilt für Diazomethan und die Ester der phosphorigen Säure, der Phosphorsäure und der schwefligen Säure. Auch hier ist die Enoläther-Bildung die Regel[2].

Die Wahl des Lösungsmittels (Regel ③, S. 1423) bei der Alkylierung kann von entscheidender Bedeutung für deren Verlauf sein. Da β-Diketone eine verhältnismäßig hohe Acidität besitzen, besteht die Möglichkeit, als Lösungsmittel auch Alkohole und in vereinzelten Fällen Wasser zu verwenden. Der Einfluß des Lösungsmittels ist sehr stark abhängig von der Konstitution des in Frage kommenden β-Diketons. Während z. B. bei den stark sauren Cyclohexandionen-(1,3) die Alkylierung ohne Lösungsmittel oder unter Verwendung von unpolaren Lösungsmitteln fast ausschließlich zur Enoläther-Bildung führt, und die C-Alkylierung hier mit steigender Polarität des Lösungsmittels immer stärker bevorzugt wird, lassen sich die schwach sauren β-Diketone in vielen Fällen ohne Lösungsmittel oder unter Verwendung von unpolaren, indifferenten Lösungsmitteln mit bestem Erfolg C-alkylieren.

Das Metallion (Regel ④, S. 1423) hat ebenfalls einen Einfluß auf das Ausmaß der C-Alkylierung. So konnte z. B. in der Reihe vom Lithium bis Kalium eine zunehmende Bevorzugung der C-Alkylierung beim Cyclohexandion-(1,3) beobachtet werden[3]. Die hier beobachteten Effekte sind allerdings gering. In einzelnen Fällen wurde an Stelle der Alkalimetalle auch Silber und Magnesium sowie Thallium[4] für die Salzbildung angewendet.

Bei den β-Diketonen mit 2α-ständigen Wasserstoffatomen können beide Wasserstoffe durch Alkyl-Reste ersetzt werden. Vielfach beobachtet man das Auftreten von Dialkylierungs-Produkten als Nebenprodukte bei der Monoalkylierung. Bei kleinen Alkyl-Resten bereitet die Abtrennung solcher Dialkylierungs-Produkte oft Schwierigkeiten, da die physikalischen Eigenschaften sich dann wenig unterscheiden. Zur Abtrennung bedient man sich meist der Salzbildung der noch aciden monoalkylierten Verbindungen.

Im allgemeinen wird man bei der Herstellung solcher Dialkylierungs-Produkte das Verfahren der schrittweisen Alkylierung dem der direkten Dialkylierung vorziehen. Infolge der oft sehr leicht verlaufenden hydrolytischen und alkoholytischen Spaltung solcher Dialkylierungs-Produkte verbietet sich vielfach die Verwendung von Alkohol oder Wasser als Reaktionsmedium.

Zweckmäßig unterscheidet man zwischen der Alkylierung von β-Diketonen, bei welchen die Enol-Form cis-fixiert ist, und solchen, bei denen eine trans-Fixierung der Enolform vorliegt.

Die erste Gruppe zeigt infolge der Fixierung des Wasserstoffs in der Chelat-Form im allgemeinen eine wesentlich geringere Acidität, als dies bei den β-Diketonen der 2. Gruppe der Fall ist. Andererseits ermöglicht die geringe Polarität der Metall-Verbindungen dieser β-Diketone die C-Alkylierung auch ohne Verwendung von

---

[1] vgl. H. O. HOUSE, Modern Synthetic Reactions, S. 177, W. A. Benjamin, Inc., New York · Amsterdam 1965.
[2] H. MEERWEIN, ds. Handb. Bd. VI/3, Kap. Äther, S. 108ff.
    H. STETTER, Ang. Ch. 67, 742 (1955).
[3] H. STETTER u. W. DIERICHS, B. 85, 61 (1952).
[4] E. C. TAYLOR, G. H. HAWKS u. A. McKILLOP, Am. Soc. 90, 2421 (1968).
    J. M. McINTOSH u. P. M. BEAUMIER, Canad. J. Chem. 51, 843 (1973).
    A. BRÄNDSTRÖM, Arkiv Kemi 2, 587 (1950); C.A. 45, 7526 (1951).
    M. BOYA, M. MORENO-MANAS u. M. PRIOR, Tetrahedron Letters 1975, 1727.

Lösungsmitteln oder in indifferenten, unpolaren Lösungsmitteln. Die Verwendung von Alkoholen und Wasser als Lösungsmittel scheidet in vielen Fällen bei der Alkylierung dieser Diketone aus, da infolge von Alkoholyse oder Hydrolyse erhebliche Ausbeuteverminderungen zu befürchten sind. So erhält man z.B. bei der Umsetzung von Natrium-1,3-dioxo-1,3-diphenyl-propan mit Äthyljodid in Äthanol infolge von Alkoholyse ausschließlich *Butanoyl-benzol(1-Oxo-1-phenyl-butan)* und Benzoesäure-äthylester[1], während unter den gleichen Bedingungen mit Methyljodid fast quantitativ *1,4-Dioxo-1,4-diphenyl-butan* erhalten wird:

$$H_5C_6-CO \diagdown CH_2 \longrightarrow H_5C_6-CO \diagdown CH-CH_2-CH_3$$
$$H_5C_6-CO \diagup \qquad\qquad H_5C_6-CO \diagup$$

$$\xrightarrow{C_2H_5OH} H_5C_6-CO-CH_2-CH_2-CH_3 + H_5C_6-COOC_2H_5$$

Am besten bewährt hat sich die Alkylierung der trockenen Alkalimetall-Verbindungen in Aceton als Lösungsmittel (Methode von C. Weygand), die in dieser Gruppe fast stets zu ausgezeichneten Resultaten führt[2]. Im allgemeinen verwendet man hier die Natrium-Verbindungen. Es sind aber auch Fälle bekannt, bei denen die Alkylierung der Natrium-Verbindung ausbleibt, während die der entsprechenden Kalium-Verbindung ohne Schwierigkeiten zu erreichen ist[2].

Eine weitere bewährte Arbeitsweise bedient sich des tert.-Butanols als Lösungsmittel, wobei die Salzbildung mit Kalium-tert.-butanolat erfolgt[3]. Mit dieser Methode konnte auch die Alkylierung von Pentandion-(2,4) mit Dihalogen-Verbindungen zu Tetraketonen erreicht werden.

Die Verwendung von trockenen Silbersalzen führt fast immer zur gleichzeitigen Bildung von Enoläthern und ist deshalb nur in Sonderfällen zu empfehlen[4]. In Hinblick auf die Alkylierungsmittel gilt das im vorigen Kapitel gesagte. Für die Dialkylierung gelten ebenfalls die dort gemachten Ausführungen.

In manchen Fällen bietet auch das Prinzip der Phase-Transfer-Katalyse präparativ günstige Möglichkeiten für die C-Alkylierung[5]. Pentandion-(2,4) läßt sich so z. B. bei Anwendung der Tetrabutyl-ammonium-Salze in Chloroform in hohen Ausbeuten alkylieren[6]. Allerdings wurde bei der Alkylierung von Pentandion-(2,4) mit Benzyl-chlorid in Dichlormethan/Wasser unter diesen Bedingungen auch eine beträchtliche O-Alkylierung beobachtet[7].

2,4-Dioxo-3-methyl-pentan[8]: In einem Dreihalskolben werden 1200 *ml* absol. tert.-Butanol mit 78,2 g Kalium so lange unter Rückfluß und Rühren erhitzt, bis das Metall vollständig in Lösung gegangen ist (∼ 3 Stdn.).

[1] R. D. Abell, Soc. **101**, 992 (1912).
  S. Boatman, T. M. Harris u. C. R. Hauser, J. Org. Chem. **30**, 3321 (1965).
[2] C. Weygand u. H. Forkel, B. **61**, 687 (1928).
[3] D. F. Martin, W. C. Fernelius u. M. Shamma, Am. Soc. **81**, 130 (1959).
[4] R. D. Abell, Soc. **101**, 992 (1912).
[5] J. Dockx, Synthesis **1973**, 440.
[6] A. Brändström u. U. Junggren, Acta Chem. Scand. **23**, 3585 (1969).
[7] E. D'Incan u. P. Viout, Tetrahedron **31**, 159 (1975).
[8] R. G. Pearson et al., Am. Soc. **72**, 1692 (1950); **73**, 927 (1951).

Die Suspension wird auf 50° abgekühlt. Dazu tropft man schnell eine Lösung von 200,2 g Pentandion-(2,4) in 100 ml tert.-Butanol. Nach 20 Min. fügt man 304,0 g Methyljodid zu und erhitzt so lange unter Rühren und Rückfluß, bis die alkalische Reaktion verschwunden ist. Darauf destilliert man den Alkohol weitgehend ab und versetzt mit so viel Wasser, daß das gesamte Kaliumjodid in Lösung geht. Nach dem Extrahieren mit Äther werden die vereinigten Äther-extrakte mit Wasser gewaschen und mit Natriumsulfat getrocknet. Das Methylierungsprodukt wird durch Fraktionierung gereinigt; Ausbeute: 165,8 g (72,5% d.Th.); Kp: 165–169°.

2,4-Dioxo-3,3-dimethyl-pentan[1]: Die Dimethylierung erfolgt unter Verwendung des 2,4-Dioxo-3-methyl-pentans entsprechend der obigen Vorschrift. Das so erhaltene Rohprodukt (Kp: 170–173°) schüttelt man mit einer wäßr. Lösung von Kupfer(II)-sulfat bei $p_H = 6$–8. Nicht um-gesetztes 2,4-Dioxo-3-methyl-pentan fällt als Kupferchelat und kann abfiltriert werden. Man wäscht nun mit Wasser, trocknet und destilliert über eine Kolonne; Ausbeute: 71% d.Th.; Kp: 172°.

2,4-Dioxo-3-propyl-pentan[2]: Eine Paste bestehend aus 260 g (2 Mol) Propyljodid und 93,3 g (1 Mol) Natrium-pentandion-(2,4) wird in einem Drehautoklaven 2 Stdn. auf 180° erhitzt. Das Reaktionsprodukt wird durch Filtration von Natriumjodid und unumgesetztem Natrium-pentan-dion-(2,4) abgetrennt. Man unterwirft das Filtrat der fraktionierten Destillation, wobei man im Vorlauf nicht umgesetztes Propyljodid abtrennen kann; Ausbeute: 90% d.Th.; Kp_{745}: 191–192°.

1,3-Dioxo-2-methyl-1-phenyl-butan[3]:
Natrium-1,3-dioxo-1-phenyl-pentan: Zur Herstellung des Natrium-1,3-dioxo-1-phenyl-butan löst man 1,3-Dioxo-1-phenyl-butan in der 6fachen Menge trockenen Äthers und fügt Natriumdraht in der ber. Menge hinzu. Nach beendeter Reaktion erhält man die Natrium-Verbindung als lockeres, schwefelgelbes Pulver, das man über Phosphor(V)-oxid trocknet.

1,3-Dioxo-2-methyl-1-phenyl-butan[3]: 3 g der Natrium-Verbindung werden mit 1,9 g Methyljodid 4 Stdn. in 50 ml trockenem Aceton unter Rückfluß erhitzt. Nach dem Abdestillieren des Acetons nimmt man in Äther auf, schüttelt mit Wasser aus, trocknet und fraktioniert; Ausbeute: 88% d.Th.; Kp_{11}: 130–134°.

2,4-Dioxo-3-(2,4-dinitro-phenyl)-pentan[4]: 2 g Natrium-pentandion-(2,4) und 4 g 4-Chlor-1,3-dinitro-benzol werden in 10 ml abs. Äthanol 1 Stde. unter Rückfluß erhitzt und filtriert. Aus dem Filtrat scheiden sich beim Stehen Kristalle ab, die aus Eisessig umkristallisiert werden können; Ausbeute: 3 g (70% d.Th.); F: 121°.

Für die zweite Gruppe der β-Diketone, die zur Bildung *trans*-fixierter Enole befähigt sind, gelten andere Bedingungen für die Alkylierung. Bei dem wichtigsten β-Diketon dieser Reihe, dem Dihydroresorcin [Cyclohexandion-(1,3)] wur-den die Bedingungen näher untersucht[5]. Es zeigte sich, daß bei Verwendung der trockenen Alkalimetallsalze mit oder ohne indifferente Lösungsmittel praktisch nur Enoläther-Bildung eintritt. Mit zunehmender Polarität des Lösungsmittels wird die C-Alkylierung immer stärker bevorzugt. Die besten Ergebnisse werden in Wasser oder Wasser-Alkohol-Gemischen erreicht. Der Nachteil dieser Arbeitsweise ist aller-dings, daß die Reaktionsgeschwindigkeiten der Alkylierung in Wasser sehr klein sind, so daß nur sehr reaktionsfähige Halogen-Verbindungen unter diesen Bedin-gungen zur Reaktion gebracht werden können. Bei weniger reaktionsfähigen Halogen-Verbindungen empfiehlt sich die Verwendung von abs. Alkoholen als Lösungs-mittel. Auch bei der Dialkylierung kommen praktisch nur abs. Alkohole oder Aceton als Lösungsmittel in Frage, da die entstehenden 1,3-Dioxo-dialkyl-cyclo-hexane sehr leicht der Hydrolyse unter Ringöffnung unterliegen. Bei der Mono-alkylierung wird die hydrolytische Spaltung nur in sehr geringem Ausmaß be-obachtet. In einzelnen Fällen kann auch bei der Dialkylierung in abs. Alkoholen

[1] R. G. Pearson et al., Am. Soc. **72**, 1962 (1950); **73**, 927 (1951).
[2] G. T. Morgan u. R. W. Thomason, Soc. **125**, 754 (1924).
[3] C. Weygand u. H. Forkel, B. **61**, 687 (1928).
[4] S. S. Joshi u. I. R. Gambhir, Am. Soc. **78**, 2222 (1956).
[5] H. Stetter, Ang. Ch. **67**, 769 (1955).

eine Alkoholyse unter Ring-Spaltung eintreten, wie das Beispiel der Methylierung von 1,3-Dioxo-2-benzyl-cyclohexan in Methanol zeigt, bei dem als Reaktionsprodukt *5-Oxo-6-methyl-7-phenyl-heptansäure-methylester* erhalten wird[1]:

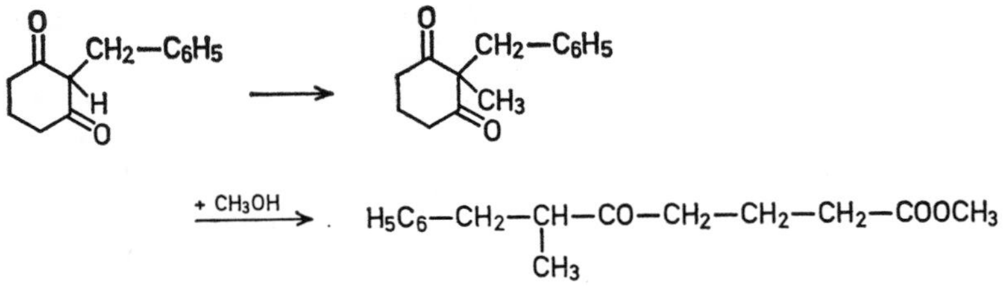
CH2—C6H5
H
CH2—C6H5
CH3
+ CH3OH
H5C6—CH2—CH—CO—CH2—CH2—CH2—COOCH3
CH3

1,3-Dioxo-2-butyl-cyclohexan[2]:

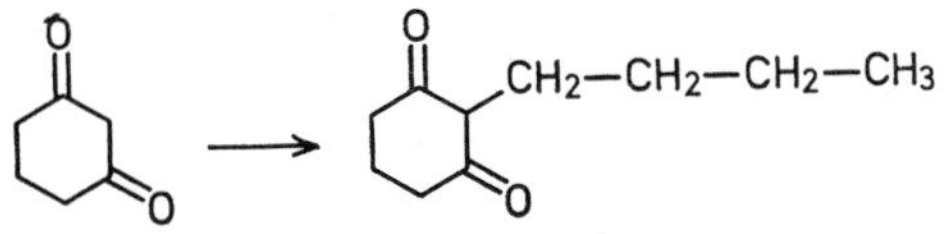
CH2—CH2—CH2—CH3

3,9 g Kalium werden unter Stickstoff in 30 *ml* abs. Methanol gelöst. Nach Zugabe von 11 g Cyclohexandion-(1,3) wird einige Min. unter Rückfluß erhitzt und darauf 20 g Butyljodid hinzugegeben, worauf das Erhitzen fortgesetzt wird. Schon nach 30 Min. beginnt sich die Lösung unter Abscheidung von Kaliumjodid rot zu färben. Nach 3 Stdn. ist die alkalische Reaktion verschwunden. Man destilliert nun das Methanol i. Vak. ab und nimmt den Rückstand in 200 *ml* 3%ige Natronlauge auf. Nach dem Ausschütteln des Enoläthers mit 100 *ml* Äther wird die Lösung mittels Luftdurchsaugen von Äther-Resten befreit. Die gekühlte alkalische Lösung wird mit 4 n Salzsäure vorsichtig bis $p_H = 5$ angesäuert, wobei sich das Reaktionsprodukt abscheidet. Das Rohprodukt wird aus Methanol/Wasser (1:3) umkristallisiert; Ausbeute: 4,7 g (28,4% d. Th.); F: 116°.

1,3-Dioxo-2-benzyl-cyclohexan[1]:

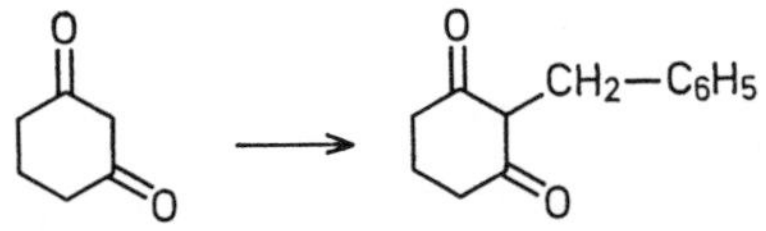
CH2—C6H5

Zur Lösung von 11 g Cyclohexandion-(1,3) in 22 *ml* 20%iger Kalilauge werden 13,6 g Benzylchlorid und 1 g Kaliumjodid gegeben. Das Reaktionsgemisch wird 2 Stdn. unter Rückfluß auf dem Wasserbad erwärmt. Das gebildete rotbraune Öl erstarrt beim Abkühlen zu einer halbfesten Masse. Man gibt verd. Natronlauge hinzu, bis das Öl in Lösung geht. Nach dem Ansäuern und Vertreiben des gelösten Äthers durch einen Luftstrom säuert man vorsichtig mit verd. Salzsäure bis $p_H = 4$ an; Ausbeute: 14 g (70% d. Th.); F: 184° (aus Methanol/Wasser).

1,3-Dioxo-2,2-dibenzyl-cyclohexan[3]:

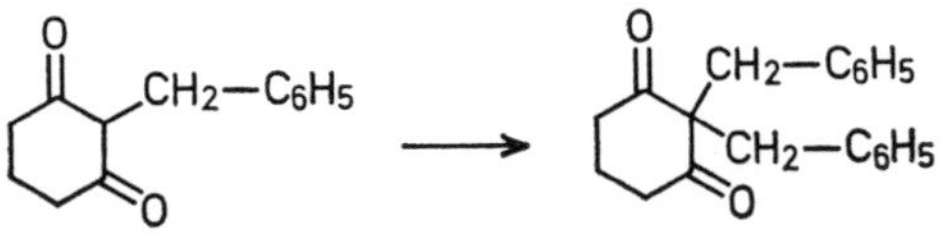
CH2—C6H5
CH2—C6H5
CH2—C6H5

Zur Lösung von 2 g Kalium in 40 *ml* abs. Äthanol gibt man 10,1 g 1,3-Dioxo-2-benzyl-cyclohexan. Sobald durch Erhitzen unter Rückfluß eine klare Lösung entstanden ist, fügt man

[1] H. Stetter u. W. Dierichs, B. **85**, 1061 (1952).
[2] H. Stetter u. W. Dierichs, B. **85**, 61 (1952).
[3] H. Stetter u. E. Klauke, B. **86**, 513 (1953).

7,6 g Benzylchlorid hinzu und erhitzt so lange unter Rückfluß, bis die alkalische Reaktion verschwunden ist ($\sim$ 3 Stdn.). Nach dem Erkalten filtriert man von ausgefallenem Kaliumchlorid ab und engt das Filtrat i. Vak. ein. Der Rückstand wird in $\sim$ 80 ml Äther aufgenommen. Dabei bleiben Kaliumchlorid-Reste und unverändertes Ausgangsmaterial ungelöst. Die ätherische Lösung wird mit verd. Natriumcarbonat-Lösung und Wasser ausgeschüttelt, der Äther i. Vak. abgedampft und der Rückstand aus Methanol/Wasser (1:1) umkristallisiert; Ausbeute: 11 g (69,2% d. Th.); F: 137°.

Eine bemerkenswerte Möglichkeit der Alkylierung von β-Diketonen ergibt sich, wenn man mit 2 Mol Kalium- oder Natrium-amid in flüssigem Ammoniak ein Dicarbanion herstellt[1] (⑤, S. 1423). Die Alkylierung verläuft dann nicht am mittelständigen C-Atom, sondern es kommt zur Alkylierung an den seitenständigen Alkyl-Gruppen[2,3]. Ein anschauliches Beispiel für den Einfluß der Alkalimetallverbindungen auf die Eintrittsstelle einer Alkyl-Gruppe ist z. B. folgendes: Läßt man auf Pentandion-(2,4) in Aceton/Methyljodid in Gegenwart von Kaliumcarbonat (20 Stdn.) unter Rückflußsieden einwirken, so entsteht in 75%-iger Ausbeute das *2,4-Dioxo-3-methyl-pentan*[4].

Mit zwei Mol Natriumamid entsteht die 1,3-Dinatrium-Verbindung, aus der durch Kondensation mit Butylbromid das *Nonandion-(2,4)* (Kp_{19}: 100–103°) in 80%-iger Ausbeute erhalten wird[5]. Mit Benzylchlorid wird *3,5-Dioxo-1-phenyl-hexan* (60% d. Th.) erhalten[2,3]:

$$H_3C-CO-CH_2-CO-CH_3 \xrightarrow{+\,2KNH_2} H_3C-CO-\overset{\ominus}{C}H-CO-\overset{\ominus}{C}H_2$$

$$\xrightarrow[\text{2. NH}_4\text{Cl}]{\text{1. C}_6\text{H}_5-\text{CH}_2-\text{Cl}} H_3C-CO-CH_2-CO-CH_2-CH_2-C_6H_5$$

Analoge Alkylierungen des Pentandions-(2,4) wurden mit Methyljodid[2], Octylbromid[2], Allylbromid[2], Heptylbromid[2], Isopropylbromid[2], Halogen-acetalen[6] und Diphenyljodoniumchlorid[7] durchgeführt. Auch Cyclohexandion-(1,3) läßt sich so in 4-Stellung alkylieren[8]:

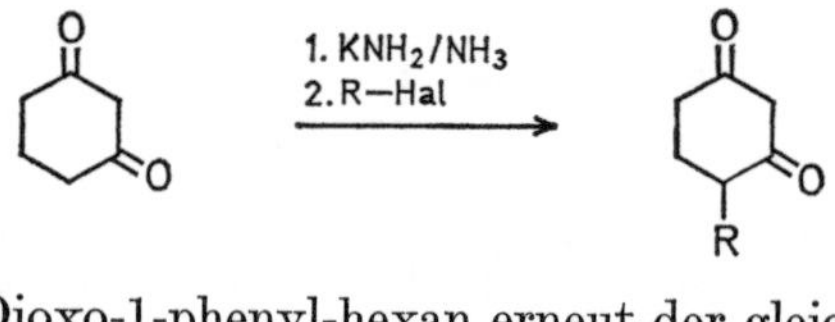

Unterwirft man 3,5-Dioxo-1-phenyl-hexan erneut der gleichen Alkylierung, so erhält man als Reaktionsprodukt *3,5-Dioxo-1,7-diphenyl-heptan*[2]:

[1] T. M. Morris u. C. M. Morris, *γ-Alkylation and Arylation of Dianions of β-Dicarbonyl-Compounds*, Org. Reactions **17**, 155 (1969).
    H. O. House, *Modern Synthetic Reactions*, 2. Aufl., S. 492ff., W. A. Benjamin Inc., Menlo-Park 1972.
    S. a. S. 1900
[2] T. M. Harris u. C. R. Hauser, Am. Soc. **81**, 1160 (1959).
[3] C. R. Hauser et al., J. Org. Chem. **25**, 158 (1960); **28**, 1946 (1963); **30**, 1413 (1965); **31**, 663 (1966).
    S. I. Yoffe et al., Ž. org. Chim. **2**, 381 (1966).
    K. G. Hampton, T. M. Harris u. C. R. Hauser, Org. Synth. **47**, 92 (1967).
[4] A. W. Johnson, E. Markham u. R. Price, Org. Synth. **42**, 75 (1962).
[5] K. G. Hampton, T. M. Harris u. C. R. Hauser, Org. Synth. **47**, 92 (1967).
[6] K. G. Hampton u. R. E. Flannery, Soc. (Perkin I) **1973**, 2308.
[7] K. G. Hampton, T. M. Harris u. C. R. Hauser, Org. Synth. **51**, 128 (1971).
[8] W. I. O'Sullivan u. C. R. Hauser, J. Org. Chem. **25**, 839 (1960).

$$H_3C-CO-CH_2-CO-CH_2-CH_2-C_6H_5 \longrightarrow$$

$$H_5C_6-CH_2-CH_2-CO-CH_2-CO-CH_2-CH_2-C_6H_5$$

Die Benzylierung von 2-Oxo-1-acetyl-cyclohexan nach dem gleichen Verfahren ergibt ausschließlich *2-Oxo-1-(3-phenyl-propanoyl)-cyclohexan* (58% d. Th.)[1]:

Ganz entsprechend reagiert auch 2-Oxo-1-acetyl-cyclopentan zu *2-Oxo-1-(3-phenyl-propanoyl)-cyclopentan*.

3,5-Dioxo-1,7-diphenyl-heptan[1]: Zu einer Lösung von 0,27 Mol Kaliumamid in 600 *ml* flüssigem Ammoniak gibt man unter Rühren 25,7 g (0,135 Mol) 3,5-Dioxo-1-phenyl-hexan, das in der gleichen Menge Äther gelöst ist. Die dunkle Lösung des Dicarbanions wird 30 Min. gerührt. Darauf gibt man schnell eine Lösung von 17,1 g (0,135 Mol) Benzylchlorid, in wenig Äther gelöst, hinzu. Es tritt eine heftige Reaktion ein. Nach 30 Min. werden 15 g Ammoniumchlorid zugegeben. Man dampft das Ammoniak auf dem Wasserbad ab und fügt eine gleiche Menge Äther hinzu. Die äther. Suspension wird mit Wasser gewaschen. Die wäßr. Schicht wird nochmals mit Äther extrahiert und die vereinigten Ätherextrakte über Drierite getrocknet. Nach dem Abdestillieren des Äthers behandelt man den Rückstand mit einem Überschuß einer heißen wäßrigen Kupfer(II)-acetat-Lösung. Man filtriert und wäscht den Niederschlag auf dem Trichter so lange mit Wasser, bis das Filtrat farblos durchläuft. Nach dem Trocknen erhält man 27,1 g (65% d. Th.) des Kupfer-Chelates. Dieses wird in Äther suspendiert und mit Salzsäure so lange geschüttelt, bis die festen Anteile verschwinden. Die wäßr. Schicht wird mit Äther extrahiert, der Äther-Extrakt gewaschen und getrocknet. Den Rückstand destilliert man i. Vak.; Ausbeute: 22,0 g (44% d. Th.); Kp$_1$: 188–193°.

Genaue Untersuchungen über die Alkylierung von unsymmetrischen β-Diketonen in flüssigem Ammoniak über die Dinatriumsalze haben ergeben, daß vorzugsweise die α-ständigen Methyl-Gruppen und erst dann die Methylen-Gruppen und Wasserstoffe am tertiären Kohlenstoffatom alkyliert werden[2]. Die Methylierung von Hexandion-(2,4) ergab 89% *Heptandion-(3,5)* und 11% *3,5-Dioxo-2-methyl-hexan*:

$$H_3C-CO-CH_2-CO-CH_2-CH_3 \xrightarrow[\text{2.CH}_3\text{J}]{\text{1. 2NaNH}_2/\text{NH}_3}$$

$$H_3C-CH_2-CO-CH_2-CO-CH_2-CH_3 \quad + \quad H_3C-CO-CH_2-CO-\underset{\overset{|}{CH_3}}{CH}-CH_3$$

89%   11%

Besonders deutlich werden die Verhältnisse bei der Methylierung von 3,5-Dioxo-methyl-hexan. Hier ist das Verhältnis der Reaktionsprodukte *3,5-Dioxo-2-methyl-heptandion* und *3,5-Dioxo-2,2-dimethyl-hexan* 99 : 1.

$$H_3C-CO-CH_2-CO-\underset{\overset{|}{CH_3}}{\overset{\overset{CH_3}{|}}{CH}}-CH_3 \longrightarrow$$

$$H_3C-CH_2-CO-CH_2-CO-\underset{\overset{|}{CH_3}}{CH}-CH_3 \quad + \quad H_3C-CO-CH_2-CO-\underset{\overset{|}{CH_3}}{\overset{\overset{CH_3}{|}}{C}}-CH_3$$

---

[1] T. M. HARRIS u. C. R. HAUSER, Am. Soc. **81**, 1160 (1959).
[2] K. G. HAMPTON u. T. M. HARRIS, J. Org. Chem. **31**, 663 (1966).

1,3,5-Triketone lassen sich nach dem gleichen Verfahren in die Trinatrium-Verbindung überführen, die bei der Umsetzung mit Alkylhalogeniden eine Alkylierung in der endständigen Methyl-Gruppe erleidet[1]:

$$Ar-CO-CH_2-CO-CH_2-CO-CH_3 \xrightarrow[2.\ H_5C_6-CH_2-Cl]{1.\ 3\ NaNH_2/NH_3}$$

$$Ar-CO-CH_2-CO-CH_2-CO-CH_2-CH_2-C_6H_5$$

Eine Alkylierung von Cyclohexandion-(1,3) in der 4-Stellung läßt sich auch erreichen, wenn man die Enoläther der Alkylierung unterwirft. So konnte eine Spiroannelierung des Isobutyl-enoläthers von Cyclohexandion-(1,3) mit drei Mol Lithium-isopropylamid und 1,4-Dibrom-butan in Tetrahydrofuran unter Zugabe von Phosphorsäure-tris-[dimethylamid] erreicht werden[2]:

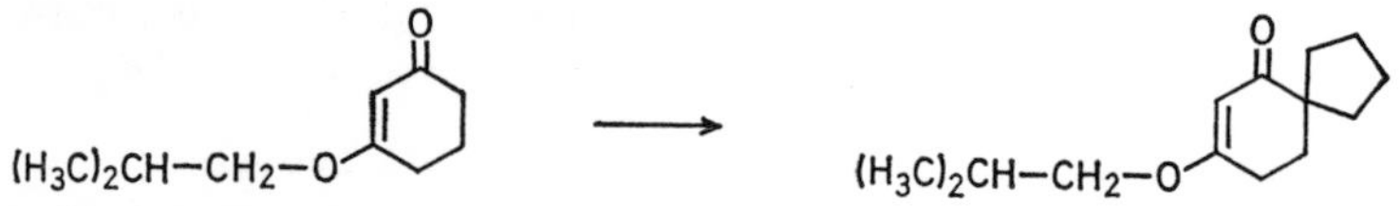

Ein weiterer Weg zur Alkylierung in 4-Stellung des Cyclohexandions-(1,3) beruht auf der Alkylierung des metallierten Pyrrolidin-Enamins. Die Metallierung erfolgt mit Butyl-lithium[3]:

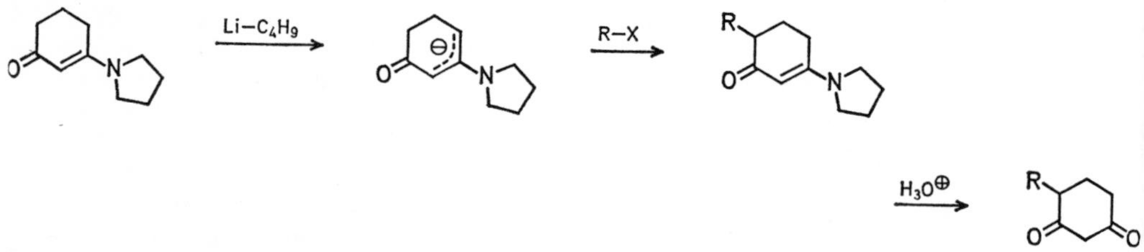

Einen Sonderfall der Alkylierung von β-Diketonen stellt die Kondensation mit α-Halogen-ketonen dar. Während bei der Kondensation von Cyclohexandion-(1,3) mit Brom-aceton, 3-Brom-2-oxo-butan und ω-Brom-acetophenon in normaler Reaktion *1,3-Dioxo-2-(2-oxo-propyl)-cyclohexan*, *1,3-Dioxo-2-[2-oxo-butyl-(3)]-cyclohexan*[4] und *1,3-Dioxo-2-(2-oxo-2-phenyl-äthyl)-cyclohexan*[5] erhalten werden, beobachtet man bei der Kondensation von Cyclohexandion-(1,3) mit 2-Halogen-1-oxo-cyclohexan die direkte Bildung von *5-Oxo-1,2,3,4,5,6,7,8-octahydro-dibenzofuran* und seiner Derivate[4,6]:

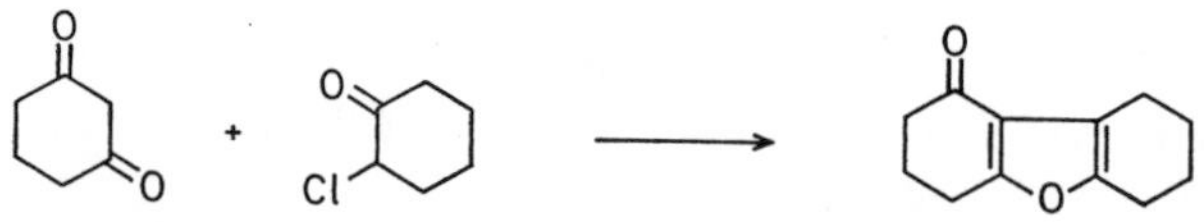

---

[1] K. G. HAMPTON et al., J. Org. Chem. **30**, 4263 (1965).
S. hierzu a. P. J. WITTEK, K. B. HINDLEY u. T. M. HARRIS, J. Org. Chem. **38**, 896 (1973).
[2] G. STORK, R. L. DANHEISER u. B. GANEM, Am. Soc. **95**, 3414 (1973).
[3] T. A. BRYSON u. R. B. GAMMILL, Tetrahedron Letters **1974**, 3963.
[4] H. STETTER u. R. LAUTERBACH, A. **652**, 40 (1962).
S. a. K. TAKAGI u. T. UEDA, Chem. Pharm. Bull. **20**, 2051 (1972).
[5] H. STETTER u. E. SIEHNHOLD, B. **88**, 271 (1955).
[6] I. N. CHATTERJEA u. R. R. RAY, B. **92**, 998 (1959).
I. N. CHATTERJEA u. V. N. MEHROTRA, J. indian chem. Soc. **39**, 599 (1962).
I. N. CHATTERJEA u. K. D. BANERJI, B. **98**, 2738 (1965).

β-Diketon	Halogen-Verbindung	Reaktionsbedingungen	Reaktionsprodukt	Ausbeute [% d.Th.]	Literatur
Pentandion-(2,4)	Methyljodid	K-Vbdg./tert. Butanol	2,4-Dioxo-3-methyl-pentan	72,5	1
	Propyljodid	Na-Vbdg. ohne Lösungsmittel	2-Oxo-3-acetyl-hexan	71	1
	Butyljodid	K-Vbdg./tert. Butanol	2-Oxo-3-acetyl-hexan	46	2
		Na-Vbdg. ohne Lösungsmittel	2-Oxo-3-acetyl-hexan	38	3
	Allylbromid	Na-Vbdg./Äthanol	5-Oxo-4-acetyl-hexen-(1)	78	4
	1,2-Dibrom-äthan	Na-Vbdg./ohne Lösungsmittel	2,7-Dioxo-3,6-diacetyl-octan	10	5
	1,10-Dibromdecan	K-Vbdg./tert. Butanol	2,15-Dioxo-3,14-diacetyl-hexadecan	35	2
	Benzylchlorid 1 Mol	Na-Vbdg./Aceton	2,4-Dioxo-2-benzyl-pentan	45	6
	2 Mol	Na-Vbdg./Aceton	2,4-Dioxo-2,2-dibenzyl-pentan	39	6
	1,4-Bis-[brommethyl]-benzol	K-Vbdg./tert. Butanol	1,4-Bis-[3-oxo-2-acetyl-butyl]-benzol	78	2
	2-Brom-1-phenyl-äthan	K-Vbdg./Aceton	4-Oxo-3-acetyl-1-phenyl-pentan	70	7
	4-Chlor-1,3-dinitro-benzol	Na.-Vbdg./Äthanol	2,4-Dioxo-3-(2,4-dinitro-phenyl)-pentan	70	8
	Dichlor-diphenyl-methan	Na-Vbdg./Äthanol	2,4-Dioxo-3-diphenylmethylen-pentan	39	9
2,4-Dioxo-3-methyl-pentan	Methyljodid	K-Vbdg./tert.-Butanol	2,4-Dioxo-3,3-dimethyl-pentan	71	1
3,5-Dioxo-2,2-dimethyl-hexan	Äthyljodid	Na-Vbdg./Aceton	3,5-Dioxo-2,2-dimethyl-4-äthyl-hexan	45	6

1 R. G. Pearson et al., Am. Soc. 72, 1692 (1950); 73, 927 (1951).
  A. W. Johnson, E. Markham u. R. Price, Org. Synth. 42, 75 (1962).
2 D. F. Martin, W. C. Fernelius u. M. Shamma, Am. Soc. 81, 130 (1959).
3 G. T. Morgan u. E. Holmes, Soc. 125, 760 (1924).
4 H. Adkins, W. Kutz u. D. D. Coffman, Am. Soc. 52, 3213 (1930).
5 G. T. Morgan u. C. J. A. Taylor, Soc. 1926, 46.
6 J. M. Sprague, L. J. Beckham u. H. Adkins, Am. Soc. 56, 2665 (1934).
7 K. v. Auwers u. K. Möller, J. pr. [2] 109, 151 (1925).
8 S. S. Joshi u. I. R. Gambhir, Am. Soc. 78, 2222 (1956).
9 S. Motoki et al., Bull. Chem. Soc. Japan 43, 809 (1970).

Tab. 174 (1. Fortsetzung)

β-Diketon	Halogen-Verbindung	Reaktionsbedingungen	Reaktionsprodukt	Ausbeute [%d. Th.]	Literatur
1,3-Dioxo-1-phenyl-butan	Methyljodid	Na-Vbdg./Äthanol	1,3-Dioxo-2-methyl-1-phenyl-butan	88	[1]
	Methyljodid	Na-Vbdg./Aceton	(desgl.)	50	[2]
	Äthyljodid	Na-Vbdg./Aceton	1,3-Dioxo-2-äthyl-1-phenyl-butan	50	[3]
	Benzylchlorid	Na-Vbdg./ohne Lösungsmittel	1,3-Dioxo-1-phenyl-2-benzyl-butan		[4]
1,3-Dioxo-1,3-diphenyl-propan	Methyljodid	Ag-Vbdg./ohne Lösungsmittel	1,3-Dioxo-2-methyl-1,3-diphenyl-propan	100	[5]
	Methyljodid	Na-Vbdg./Aceton	(desgl.)	92	[2]
	Äthyljodid	Ag-Vbdg./ohne Lösungsmittel	1-Oxo-1-phenyl-2-benzoyl-butan + 2-Äthoxy-3-oxo-1,2-diphenyl-propen		[5]
1,3-Dioxo-3-phenyl-1-(4-methoxy-phenyl)-propan	Methyljodid	K-Vbdg./Aceton	1,3-Dioxo-2-methyl-3-phenyl-1-(4-methoxy-phenyl)-propan	80	[2]
2,6-Dioxo-1-methyl-cyclo-pentan	Methyljodid	K-Vbdg./1,4-Dioxan-Wasser	2,6-Dioxo-1,1-dimethyl-cyclopentan	51	[6]
Cyclohexandion-(1,3) (Dihydroresorcin)	Methyljodid	K-Vbdg./Methanol	1,3-Dioxo-2-methyl-cyclohexan	51,5	[7]
	Methyljodid	K-Vbdg./Methanol-Wasser	(desgl.)	65	[8]
	Methyljodid	K₂CO₃/Methanol	(desgl.)	35	[9]
	Äthyljodid	K-Vbdg./Methanol	1,3-Dioxo-2-äthyl-cyclohexan	27,2	[7]
	Propyljodid	K-Vbdg./Methanol	1,3-Dioxo-2-propyl-cyclohexan	26	[7]
	Hexadecyljodid	K-Vbdg./Methanol	1,3-Dioxo-2-hexadecyl-cyclohexan	27	[7]
	Allylbromid	K-Vbdg./Wasser	1,3-Dioxo-2-allyl-cyclohexan	75	[10]
	1-Brom-cyclohexen	K-Vbdg./Wasser	1,3-Dioxo-2-cyclohexen-(1)-yl-cyclohexan	54,5	[10]
	1-Brom-pentin-(2)	K-Vbdg./Wasser	2,6-Dioxo-1-pentin-(2)-yl-cyclohexan	82,5	[11]
	Chlor-essigsäure-methylester	K-Vbdg./Methanol	1,3-Dioxo-2-methoxycarbonylmethyl-cyclohexan	19	[7]

[1] W. Dieckmann, B. 45, 2685 (1912). K. v. Auwers, A. 415, 226 (1918).
[2] C. Weygand u. H. Forkel, B. 61, 687 (1928).
[3] J. M. Sprague, L. J. Beckham u. H. Adkins, Am. Soc. 56, 2665 (1934).
[4] E. R. Trotman, Soc. 127, 88 (1925).
[6] W. C. Agosta u. A. B. Smith, J. Org. Chem. 35, 3856 (1970).
[7] H. Stetter u. W. Dierichs, B. 85, 61 (1952).
[8] H. Stetter u. M. Coenen, B. 87, 992 (1954).
[9] A. Auvinen et al., Suomen Kem. [B] 27, 88 (1954).
[10] H. Stetter u. W. Dierichs, B. 85, 1061 (1952).

β-Diketon	Halogen-Verbindung	Reaktionsverbindungen	Reaktionsprodukt	Ausbeute [%d.Thl]	Literatur
Cyclohexandion-(1,3) (Dihydroresorcin)	Brom-essigsäure-äthylester	K-Vbdg./Methanol	1,3-Dioxo-2-äthoxycarbonylmethyl-cyclohexan	51	1
	2-Brom-propan-säure-äthylester	K-Vbdg./Methanol	1,3-Dioxo-2-(1-äthoxycarbonyl-äthyl)-cyclo-hexan	87	2
	4-Brom-buten-(2)-säure-methyl-ester	K-Vbdg./Methanol	1,3-Dioxo-2-(3-methoxycarbonyl-allyl)-cyclo-hexan	48	3
	Benzylchlorid	K-Vbdg./Wasser	1,3-Dioxo-2-benzyl-cyclohexen	70	1
	ω-Brom-aceto-phenon	K-Vbdg./Wasser	1,3-Dioxo-2-(2-oxo-2-phenyl-äthyl)-cyclohexan	44	4
	4-Methoxy-benzylchlorid	K-Vbdg./Wasser	1,3-Dioxo-2-(4-methoxy-benzyl)-cyclohexan	11,5	5
	4-Nitro-benzyl-chlorid	K-Vbdg./Methanol-Wasser	1,3-Dioxo-2-(4-nitro-benzyl)-cyclohexan	72,8	6
	2-Brom-benzoe-säure	Na-Vbdg./Cu(II)-salz/Wasser	2-[2-Hydroxy-6-oxo-cyclohexen-(1)-yl]-benzoesäure-lacton	54	7
	1,2-Dibrom-äthan	K-Vbdg./Methanol	1,2-Bis-[2 6-dioxo-cyclohexyl]-äthan	19	3
	1,4-Dibrom-buten-(2)	K-Vbdg./Wasser	1,4-Bis-[2,6-dioxo-cyclohexyl]-buten-(2)	69	1
	1,4-Bis-[chlor-methyl]-benzol	K-Vbdg./Methanol-Wasser	1,4-Bis-[2,6-dioxo-cyclohexylmethyl]-benzol	52	3
	2-Chlor-3-oxo-butansäure-äthylester	K-Vbdg./Methanol-Wasser	4-Oxo-3-methyl-2-äthoxycarbonyl-4,5,6,7-tetrahydro-⟨benzo-[b]-furan⟩		8

1 H. STETTER u. W. DIERICHS, B. 85, 1061 (1952).
2 H. STETTER u. E. KLAUKE, B. 86, 513 (1953).
3 H. STETTER u. W. DIERICHS, B. 86, 693 (1953).
4 H. STETTER u. E. SIEHNHOLD, B. 88, 271 (1955).
5 DBP. 915085 (1952); H. STETTER u. W. DIERICHS; C.A. 52, 14689 (1958).
6 H. STETTER u. H. FIGGE, B. 87, 1331 (1954).
7 H. STETTER u. E. SIEHNHOLD, B. 88, 1223 (1955).
8 H. STETTER u. R. LAUTERBACH, A. 652, 40 (1962).

Tab. 174 (3. Fortsetzung)

β-Diketon	Halogen-Verbindung	Reaktionsbedingungen	Reaktionsprodukte	Ausbeute [% d. Thl]	Literatur
3,5-Dioxo-1-methyl-cyclohexan	Methyljodid	K-Vbdg./Methanol-Wasser	*3,5-Dioxo-1,4-dimethyl-cyclohexan*	60,7	1,2
1,3-Dioxo-2-methyl-cyclohexan	Benzylchlorid	K-Vbdg./Wasser	*2,6-Dioxo-4-methyl-1-benzyl-cyclohexan*	75	2,3
	Brom-essigsäure-äthylester	K-Vbdg./Methanol	*1,3-Dioxo-2-methyl-2-äthoxycarbonylmethyl-cyclohexan*	56,5	4
	2-Brom-1-cyclo-hexyliden-äthan	Na/Vbdg./Methanol	*1,3-Dioxo-2-methyl-2-(2-cyclohexyliden-äthyl)-cyclohexan*	57	5
	2-Brom-1-oxo-1-phenyl-äthan	K-Vbdg./(H₃C)₂SO	*1,3-Dioxo-2-methyl-2-(2-oxo-2-phenyl-äthyl)-cyclohexan*	19	6
1,3-Dioxo-2-benzyl-cyclohexan	Allylbromid	K-Vbdg./Methanol	*1,3-Dioxo-2-allyl-2-benzyl-cyclohexan*	53,5	4
3,5-Dioxo-1,1-dimethyl-cyclohexan (Dimedon)	Benzylchlorid	K-Vbdg./Wasser	*2,6-Dioxo-4,4-dimethyl-1-benzyl-cyclohexan*	80	7
	Benzyljodid	K-Vbdg./Wasser	*2-6-Dioxo-4,4-dimethyl-1-benzyl-cyclohexan*	36	8
	Brom-essigsäure-äthylester	K-Vbdg./Methanol	*2,6-Dioxo-4,4-dimethyl-1-äthoxycarbonyl-methyl-cyclohexan*	32,5	7,9
4,6-Dioxo-1,3-dimethyl-cyclohexan	Benzylchlorid	K-Vbdg./Wasser	*2,6-Dioxo-3,5-dimethyl-1-benzyl-cyclohexan*	53	10
3,5-Dioxo-1-phenyl-cyclohexan	Methyljodid	K-Vbdg./Methanol-Wasser	*2,6-Dioxo-1,4-dimethyl-cyclohexan*	53,9	2,9
	Brom-essigsäure-äthylester	K-Vbdg./Methanol	*2,6-Dioxo-4-phenyl-1-äthoxycarbonylmethyl-cyclohexan*	34	2,9
3,5-Dioxo-1-carboxy-cyclohexan	Methyljodid	K-Vbdg./Wasser	*3,5-Dioxo-4-methyl-1-carboxy-cyclohexan*	38	2
	Allylbromid	K-Vbdg./Wasser	*3,5-Dioxo-4-allyl-1-carboxy-cyclohexan*	51,8	2
Cycloheptandion-(1,3)	Methyljodid	K-Vbdg./Methanol-Wasser	*1,3-Dioxo-2-methyl-cycloheptan*	40-45	11
1,3-Dioxo-5α-cholestan	Methyljodid	K-Vbdg./Methanol	*1,3-Dioxo-2,2-dimethyl-5α-cholestan*	50	12

[1] A. SONN, C. RIESZ u. H. FISCHER, B. 64, 1848 (1931).
[2] H. STETTER u. H. MEISEL, B. 90, 2928 (1957).
[3] A. SONN, B. 65, 1865 (1932).
[4] H. STETTER u. E. KLAUKE, B. 86, 513 (1953).
[5] N. N. ZABROV et al., Z. obšč. Chim. 26, 1489 (1956); C. 45, 9, 14689 (1956).

[7] H. STETTER, H. KESSELER u. H. MEISEL, B. 87, 1617 (1954).
[8] R. D. DESAI, Soc. 1932, 1079.
[9] K. W. ROSENMUND, H. HERZBERG u. H. SCHÜTT, B. 87, 1258 (1954).
[10] H. STETTER u. U. MILBERS, B. 91, 374 (1958).
[11] R. SRINIVASAN et al., Tetrahedron 22, 949 (1966).

Durch Verwendung von alkylierten Derivaten konnte gezeigt werden, daß **primär** eine Aldol-Kondensation stattfindet, an die sich eine cyclisierende Enoläther-Bildung anschließt[1]. Den gleichen Reaktionsverlauf beobachtet man auch bei der Kondensation von Cyclohexandion-(1,3) mit 2-Chlor-3-oxo-butansäure-äthylester. Es entsteht hierbei *4-Oxo-3-methyl-2-äthoxycarbonyl-4,5,6,7-tetrahydro-⟨benzo-[b]-furan⟩*[2]:

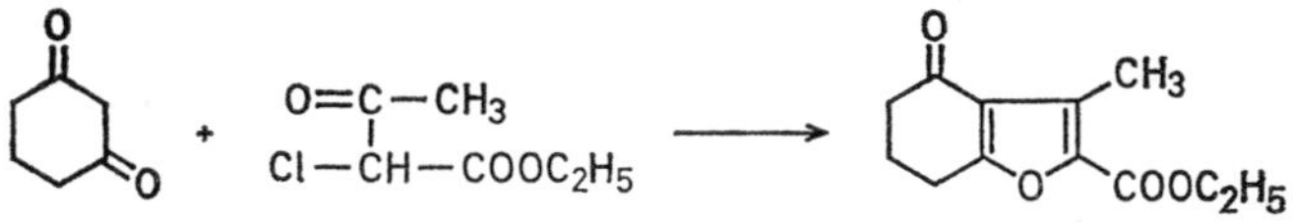

Auch das aus 1,3-Dioxo-cyclohexan durch Alkylierung mit Chloraceton erhältliche 2,6-Dioxo-1-(2-oxo-propyl)-cyclohexan (I) wird durch Einwirkung von konz. Schwefelsäure zum *4-Oxo-2-methyl-4,5,6,7-tetrahydro-⟨benzo-[b]-furan⟩* (II) cyclisiert[1]:

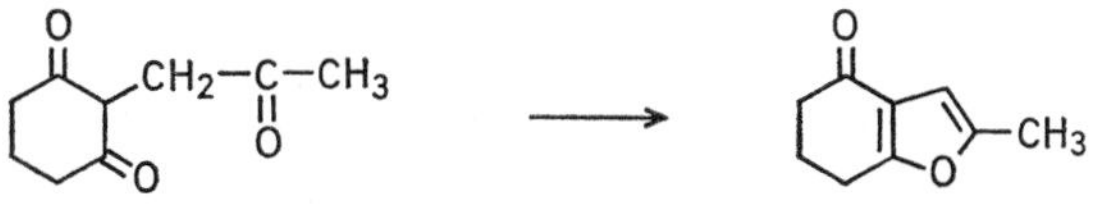

Hier sei auch auf die Möglichkeit des Ringschlusses bei bestimmten Halogen-β-diketonen hingewiesen. Aus 3-Brom-2,6-dioxo-1,1-dimethyl-cyclohexan konnte mit Kalium-tert.-butanolat in 60%-iger Ausbeute *2,4-Dioxo-3,3-dimethyl-bicyclo[3.1.0]hexan* erhalten werden[3]:

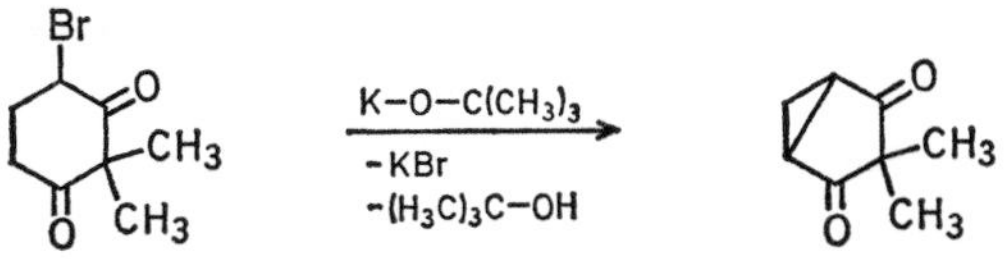

Über die Alkylierung von 2,6-Dioxo-1-äthoxycarbonylmethyl-cyclohexan mit Thiuroniumsalzen s. Lit.[4].

5. Alkylierung von β-Oxo-carbonsäureestern

bearbeitet von

Prof. Dr. Hans Henecka

Bayer AG., Wuppertal-Elberfeld

Die gebräuchlichen Methoden zur α-C-Alkylierung von β-Oxo-carbonsäureestern

$$R-CO-CH_2-COOR^1 \rightarrow R-CO-\underset{\displaystyle R^2}{\overset{\displaystyle R^2}{CH}}-COOR^1 \rightarrow R-CO-\underset{\displaystyle R^2}{\overset{\displaystyle R^2}{C}}-COOR^1$$

[1] H. Stetter u. R. Lauterbach, A. **652**, 40 (1962).
[2] H. Stetter u. R. Lauterbach, B. **93**, 603 (1960).
[3] H. Stetter u. H. J. Sandhagen, B. **100**, 2837 (1967).
[4] K. A. Akopyan, G. M. Segal, I. V. Torgov u. V. I. Maslova, Izv. Akad. SSSR **1974**, 185.

sind bereits in Bd. VIII, S. 600ff. ds. Handb. in typischen Beispielen beschrieben (auch die zur Alkylierung von 1,3-Diketonen im vorangehenden Abschnitt beschriebenen Methoden sind hier, wenn auch nur bedingt, anwendbar):

(a) Alkylierung von β-Oxo-carbonsäureestern in alkoholischer Lösung bei Gegenwart von Natriumalkanolaten mit Halogenalkanen:

① 2-Acetyl-hexansäureester durch α-Butylierung von Acetessigsäureester bei Gegenwart von 1 Mol Natriumäthanolat in Alkohol mit Butylbromid (s. Bd. VIII, S. 601)

② α-Benzyl-acetessigsäureester durch α-Benzylierung von Acetessigsäureester unter Verwendung eines Überschusses an β-Oxo-carbonsäureester zur Vermeidung der Dialkylierung (Bd. VIII, S. 601)

(b) Claisen'sche Carbonatmethode (Aceton — Kaliumcarbonat — Halogen-alkanen [Bd. VIII, S. 603)]

(c) Alkylierung von β-Oxo-carbonsäureester mit sekundären und tertiären Alkoholen/ Bortrifluorid: α-Cyclohexyl-acetessigsäureester aus Cyclohexanol/Acetessigsäureester/Bortrifluorid (S. 604)

(d) Alkylierung von β-Oxo-carbonsäureestern mit Sulfonsäureestern (Bd. VIII, S. 605)

(e) Alkylierung von β-Oxo-carbonsäureestern mit sekundären Alkoholen in Acetanhydrid/Schwefelsäure: α-Diphenylmethyl-acetessigsäureester aus Acetessigsäureester/Benzhydrol/Schwefelsäure (Bd. VIII, S. 607)

(f) Alkylierung von β-Oxo-carbonsäusäureestern mit Äthylenoxiden zu 2-Acyl-4-butanoliden (Bd. VIII, S. 606; Bd. VI 2, S. 701)

(g) Alkylierung von β-Oxo-carbonsäureestern mit Di- und Polyhalogenalkanen (Bd. VIII, S. 605).

Die mitunter langen Reaktionszeiten bei der Alkylierung der Alkalimetall-Derivate von β-Oxo-carbonsäureestern mit Halogenalkanen in alkoholischer Lösung oder in benzolischer Suspension lassen sich wesentlich verkürzen durch die Verwendung dipolarer aprotischer Lösungsmittel wie Dimethylformamid, Dimethyl-sulfoxid, Phosphorsäure-tris-[dimethylamid], N,N'-Tetramethyl-harnstoff, N-Methyl-pyrrolidon, Bis-[2-äthoxy-äthyl]-äther u. dergl.[1]). Diese Reaktionsbeschleunigung, die bis zu mehreren Zehnerpotenzen betragen kann, geht wahrscheinlich darauf zurück, daß in diesen Medien die Enolat-Anionen nicht oder nur wenig solvatisiert sind und daher ihre nucleophile Reaktionsfähigkeit höher ist als etwa in alkoholischer Lösung.

Während bei der Monoalkylierung von Acetessigsäureester der Vorteil bei Verwendung etwa von Dimethylformamid als Lösungsmittel lediglich in einer Verkürzung der Reaktionszeit liegt, werden bei der Alkylierung monosubstituierter Acetessigsäureester in Dimethylformamid bei auch hier wesentlicher Verkürzung der Reaktionszeiten etwas günstigere Ausbeuten an disubstituierten Derivaten erhalten. Die Methode hat besondere Vorteile bei der Alkylierung von Acetessigsäureester mit sekundären Halogeniden wie Isopropylbromid; hier werden Ausbeuten von 60–65% d. Th. bereits nach zweistündiger Reaktionszeit bei 95–100° erreicht gegenüber 10–12 Stdn. in alkoholischer Lösung. α,α-Diisopropyl-acetessigsäure-äthylester ist jedoch auch nach dieser Methode nicht herstellbar.

---

[1] H. E. Zaugg, B. W. Horrom u. S. Borgwardt, Am. Soc. 82, 2895 (1960).

H. E. Zaugg, Am. Soc. 82, 2903 (1960); 83, 837 (1961).

Vgl. a. ds. Handb. Bd. XIII/1, Kap. Normale Alkylierung alkalimetallorganischer Verbindungen mit Halogenalkanen, S. 467.

Tertiäre Alkylhalogenide werden beim Versuch ihrer Verwendung zur Alkylierung von Alkalimetall-acetessigsäureestern in Dimethylformamid im wesentlichen zu Olefinen dehydrohalogeniert. Alkyljodide sind zur Alkylierung von Natrium-β-oxo-carbonsäureestern in Dimethylformamid ungeeignet, da entstehendes Natriumjodid durch Komplexbildung mit dem Lösungsmittel den Ansatz allmählich in eine halbfeste, nicht mehr rührbare Masse verwandelt. Bei Verwendung von Dimethylsulfoxid tritt diese Störung nicht auf.

Bei der Durchführung solcher Alkylierungen von β-Oxo-carbonsäureestern etwa in Dimethylformamid ist es zweckmäßig, die Natriumsalze durch Anwendung von Natriumhydrid herzustellen[1]:

β-Oxo-α-alkyl-carbonsäureester; allgemeine Herstellungsvorschrift:

Natrium-β-oxo-carbonsäureester: 1 Mol Natriumhydrid wird in 200–400 ml trockenem Dimethylformamid[2] in einem mit Thermometer, Rührer, Kühler, Gaseinleitungsrohr und Tropftrichter versehenen Dreihalskolben suspendiert und unter einer Stickstoffatmosphäre tropfenweise unter Rühren mit 1 Mol des zu alkylierenden β-Oxo-carbonsäureesters (evt. gelöst in der Mindestmenge Dimethylformamid) versetzt derart, daß die Innentemp. 40–50° nicht übersteigt. Man hält anschließend diese Temp. bis zur Beendigung der Wasserstoffentwicklung, wobei in vielen Fällen eine klare Lösung des Natriumenolats in Dimethylformamid entsteht.

β-Oxo-α-alkyl-carbonsäureester: Zur kalten Lösung bzw. Suspension des Natriumsalzes in Dimethylformamid tropft man allmählich unter Rühren 1,0–1,2 Mol des Alkylierungsmittels; dabei gibt man zunächst rascher etwa ein Viertel des Reagens zu, wobei i. allg. Wärmetönung eintritt. Andernfalls erwärmt man vorsichtig im Wasserbad bis zum Eintritt der Reaktion und hält danach ohne zu heizen durch stetes Zutropfen des Alkylierungsmittels auf der erreichten Reaktionstemp. Nach dem Abklingen der Reaktion erhitzt man auf dem Wasserbad auf 90–100° bis zum Eintritt neutraler Reaktion.

Siedet der entstandene β-Oxo-α-alkyl-carbonsäureester höher als Dimethylformamid, dann destilliert man das Lösungsmittel i. Vak. fraktioniert ab, verteilt den Rückstand zwischen Wasser und Äther und arbeitet die ätherische Lösung wie üblich auf.

Mitunter ist es zweckmäßig, anstelle der Natriumsalze die i. allg. reaktionsfähigeren und auch besser löslichen Kalium-salze zu verwenden, die man mit Vorteil unter Anwendung von Kaliumhydroxid folgendermaßen herstellt[3].

Kalium-acetessigsäure-äthylester[3]:

Man verwendet einen 3-l-Dreihalskolben mit Thermometer, Gaseinleitungsrohr, Rührer und einem Wasserabscheider mit aufgesetztem Rückflußkühler[4]; und beschickt den Kolben mit einer Lösung von 139,5 g (1,05 Mol) Acetessigsäure-äthylester in 1 l Benzol, erhitzt unter Durchleiten von Stickstoff zum Sieden und trägt nun in 7–8 gleichen Teilen allmählich 66 g 85%iges gepulvertes Kaliumhydroxid (1 Mol) derart ein, daß man nach jeder Zugabe 30 Min. kocht, bis sich die jeweils gebildete Menge Wasser im Wasserabscheider angesammelt hat. Die Salzbildung ist nach $\sim$ 4 Stdn. nach Abscheidung von 27,5 ml Wasser (98,3% der zu erwartenden Menge) beendet. Bei dieser Ausführung der Salzbildung tritt hydrolytische Spaltung des Acetessigsäure-äthylesters praktisch nicht ein.

Die so erhaltene benzolische Suspension des Kalium-acetessigsäure-äthylesters ist unmittelbar zur Alkylierung brauchbar; man kann aber auch das Lösungsmittel ganz oder teilweise destillativ entfernen und den erhaltenen Rückstand im jeweils gewünschten Lösungsmittel verteilen bzw. lösen.

In analoger Weise lassen sich auch die Natrium-salze der β-Oxo-carbonsäureester unter Verwendung von Natriumhydroxid herstellen.

---

[1] H. E. ZAUGG et al., J. Org. Chem. **26**, 644 (1961).
   s. a. ds. Handb. Bd. XIII/1, S. 467.
[2] Die Trocknung erfolgt zweckmäßig durch Destillation unter Atmosphärendruck; $Kp_{760} = 153°$; da Dimethylformamid ein bei derselben Temp. siedendes Azeotrop mit 1,2% Ameisensäure bildet, empfiehlt sich Redestillation über wenig Kaliumhydroxid; J. R. RUHOFF u. E. E. REID, Am. Soc. **59**, 401 (1937).
[3] H. E. ZAUGG et al., J. Org. Chem. **26**, 650 (1961).
[4] Vgl a. ds. Handb., Bd. VIII, S. 523.

Beim 2-Oxo-cyclopentan-1-carbonsäureester bewährte sich folgende Methode[1].

Kalium-2-oxo-cyclopentan-1-carbonsäure-äthylester: Eine Lösung von 112 g (2 Mol) Kalium-hydroxid in 30 ml Wasser und 550 ml 96%igem Äthanol wird mit einer Eis/Kochsalz-Mischung auf 5–10° gekühlt und unter Rühren und Kühlung innerhalb von 3 Min. mit 312 g (2 Mol) frisch destilliertem 2-Oxo-cyclopentan-1-carbonsäure-äthylester versetzt. Nach weiterem 2 Min. Rühren setzt man bei Temp. bis höchstens 20° ~ 100 ml Äther zu, saugt den entstandenen breiigen farb-losen Niederschlag sofort ab, wäscht mit wenig eiskaltem Äthanol und dann mit Äther nach, preßt den erhaltenen Niederschlag ab und trocknet schließlich 2 Stdn. bei 50–60°; Ausbeute: 360 g (93% d.Th.).

Dieses so erhaltene Rohprodukt ist zu weiteren Umsetzungen direkt verwendbar, z. B. zur C-Alkylierung mit Alkylbromiden und -jodiden, die am besten in Dimethylsulfoxid bei 25–30° gelingt[2].

2-Oxo-1-(2-phenyl-äthyl)-cyclopentan-1-carbonsäure-äthylester[3]: Zu einer Lösung von 6,27 g (0,027 Mol) Kalium-2-oxo-cyclopentan-1-carbonsäure-äthylester in 50 ml trockenem Dimethyl-sulfoxid tropft man unter Rühren und Überleiten von Stickstoff bei 20° 8,70 g (0,054 Mol) frisch destilliertes 2-Phenyl-äthylbromid. Nach 6 Stdn. Rühren gießt man das Reaktionsgemisch in Wasser und nimmt in Petroläther (Kp: 40–60°) auf. Der Petrolätherauszug wird mit Wasser gewaschen, über Magnesiumsulfat getrocknet und fraktioniert; Ausbeute: 5,27 g (78,8% d.Th.); $Kp_{0,1}$: 90°.

Der so erhaltene Ester ist frei vom isomeren O-Alkyl-Derivat, das sich jedoch in beträchtlicher Menge bei Verwendung des entsprechenden Natriumsalzes bildet[3].

Im allgemeinen bilden sich bei der Alkylierung offenkettiger β-Oxo-carbonsäure-ester mit Halogenalkanen unter den klassischen Standardbedingungen (Natrium-alkanolat in alkoholischer Lösung oder Natriumsalz in Äther- bzw. Benzol-Suspen-sion) über das ambifunktionelle Carbeniat-Enolat-Anion in praktisch überwiegender Menge die erwünschten α-C-Alkyl-Derivate I (Reaktionsweg ⓐ):

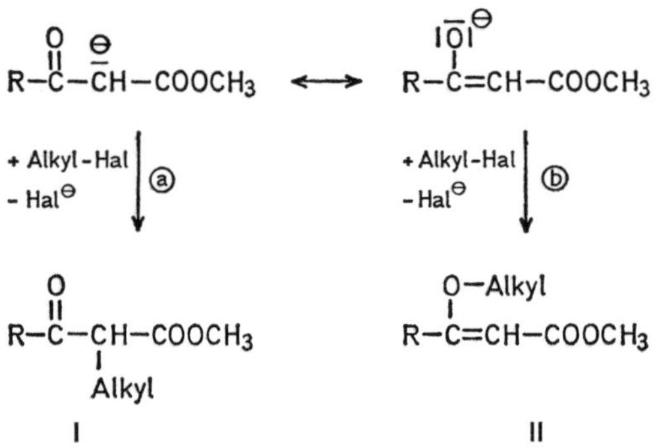

Neuere Untersuchungen[4] haben gezeigt, daß auch unter normalen Alkylierungs-bedingungen bei der Alkylierung des Acetessigsäure-äthylesters mit Alkylbromiden neben den als Hauptprodukten entstehenden α-C-Alkyl-Derivaten sich in geringer

---

[1] R. MAYER et al., B. **91**, 1616 (1958).
[2] D. M. POND u. R. L. CARGILL, J. Org. Chem. **32**, 4064 (1967).
   Herstellung von *2-Oxo-1-(2-phenyl-äthyl)-cyclohexan-1-carbonsäure-äthylester*: A. CHATTERJEE u. D. BANERJEE, J. Indian Chem. Soc. **45**, 78 (1968).
[3] S. J. RHOADS, R. W. HASBROUK, Tetrahedron **22**, 3557 (1966).
   Über die Alkylierung von β-Oxo-carbonsäureestern unter Verwendung von Thallium(III)-alkanolaten s. J. HOOZ u. J. SMITH, J. Org. Chem. **37**, 4200 (1972).
[4] S. T. YOFFE, K. V. VATSURO u. E. E. KUGUTCHEVA, Tetrahedron Letters **1965**, 593.

Menge die isomeren Enoläther II bilden (Reaktionsweg ⓑ, S. 1438):

Tab. 175: Anteil Enoläther [$H_3C-C(OR)=CH-COOC_2H_5$] neben C-Alkyl-Derivat [$H_3C-CO-CH(R)-COOC_2H_5$) bei der Alkylierung von Alkalimetall-acetessig-säure-äthylester mit Alkylhalogeniden

R (geradkettig)	Enoläther %	R (α-verzweigt)	Enoläther %
CH_3	1		–
C_2H_5	3		–
C_3H_7	4	$(CH_3)_2CH$	9
C_4H_9	5	$-CH(CH_3)-C_2H_5$	8
$(CH_3)_2CH-CH_2$	5	C_5H_9	5

Dabei ist bemerkenswert, daß, wohl bedingt durch einen sterischen Faktor, der Anteil an Enoläther bei α-verzweigten Alkyl- bzw. den Cycloalkyl-Resten auf nahezu 10% ansteigen kann, wie bereits früher beobachtet wurde[1].

2-Oxo-cyclopentan- und -cyclohexan-1-carbonsäureester zeigen bei der Alkylierung der Alkalimetallsalze mit Halogenalkanen eine gewisse Tendenz zur Bildung von Enoläthern neben den auch hier als Reaktionshauptprodukten entstehenden C-Alkyl-Derivaten[2,3], insbesondere dann, wenn Dimethylsulfoxid als Lösungsmittel benutzt wird. So wurden bei der Alkylierung des 2-Oxo-cyclopentan-1-carbonsäure-äthyl-esters unter diesen Bedingungen bei 20°[4] folgende Ergebnisse erhalten:

Metall	Halogenid	Zeit [Stdn.]	Gesamt-ausbeute	Anteil O-Alkyl in % der Gesamtausbeute
K	$(CH_3)_2CH-Br$	5	61	7
K	$(CH_3)_2CH-J$	12	77	0
Na	$(CH_3)_2CH-J$	3	78	15
K	H_9C_4-Br	5	82	0
Na	H_9C_4-Br	15	90	14
K	$H_{11}C_6-Br$	11	40	40
K	$Br-CH_2-COOC_2H_5$	1	94	0
K	$Br-CH_2-CH_2-C_6H_5$	6	79	0[5]

Ähnliche Ergebnisse wurden bei der Alkylierung von 2-Oxo-cyclohexan-1-carbon-säure-äthylester (Natriumsalz) mit Isopropyljodid in Dimethylsulfoxid erzielt, während beim 2-Oxo-cyclooctan-1-carbonsäure-äthylester unter den gleichen Bedingun-gen das Alkylierungsprodukt zu 90% aus dem *2-Oxo-1-isopropyl-cyclohexan-1-carbon-säure-äthylester* besteht[2].

Die an sich meist unerwünschten Enoläther kann man aus den erhaltenen Reak-tionsgemischen dadurch entfernen, daß man entweder mehrere Stunden mit 2n Salz-

[1] S. J. RHOADS, R. W. HASBROUK, C. PRYDE u. R. W. HOLDER, Tetrahedron Letters 1963, 669.
[2] S. J. RHOADS u. R. W. HASBROUK, Tetrahedron 22, 3557 (1966).
[3] s. a. S. J. RHOADS u. A. W. DECORA, Tetrahedron 19, 1645 (1963).
[4] D. M. POND u. R. L. CARGILL, J. Org. Chem. 32, 4064 (1967).
[5] Vorschrift s. S. 1438.

säure bei Zimmertemperatur schüttelt oder aber in alkoholischer Salzsäure kurze Zeit erwärmt[1].

Eingehende Untersuchungen haben gezeigt, daß die α-C-Alkylierung eines nucleophilen ambifunktionellen β-Oxo-carbonsäureester-Anions im Übergangszustand zumeist eine S_N2-Reaktion des Halogenalkans im solvatisierten und aggregierten Ionenpaar mit dem Carbeniat-Anion darstellt, während die O-Alkylierung sich i. allg. als S_N1-Reaktion des aus dem Halogenalkan im Übergangszustand bereitstehenden Carbonium-Ions mit dem Sauerstoffatom des Enolat-Anions als der Stelle hoher Elektronendichte erweist[2]. Dies läuft praktisch darauf hinaus, daß eine O-Alkylierung als unerwünschte Nebenreaktion der beabsichtigten α-C-Alkylierung bei Anwendung besonders reaktionsfähiger Halogenalkane zu erwarten ist. Begünstigt wird eine O-Alkylierung auch bei Anwendung dipolarer aprotischer Lösungsmittel, da diese das aggregierte Ionenpaar des S_N2-Übergangszustands der α-C-Alkylierung desaggregieren und insbesondere das Anion desolvatisieren[3], so daß hierdurch die S_N1-Reaktion mit dem Atom der höchsten Elektronendichte z. T. zum Zuge kommen kann.

Die bereits erwähnte Tendenz 5- und 6-gliedriger alicyclischer β-Oxo-carbonsäureester zur Bildung von Enoläthern als Nebenprodukt bei der α-C-Alkylierung tritt auch bei den entsprechenden benzokondensierten Derivaten I in Erscheinung und zwar auch hier insbesondere dann, wenn in Benzol/Dimethylformamid 5:2 gearbeitet wird[4]:

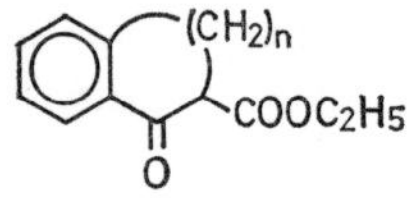

I; n = 1, 2, 3

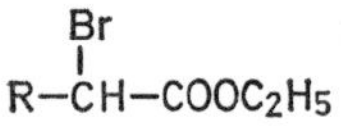

Br
|
R—CH—COOC$_2$H$_5$

II

Bei der Alkylierung von 1-Oxo-2-äthoxycarbonyl-indan (I; n = 1) bzw. -tetralin (I; n = 2) als trockene Alkalimetallsalze mit Bromessigsäure-äthylester bzw. 2-Brompropansäure-äthylester in Benzol/Dimethylformamid 5:2 (7 Stdn., 20°, anschließend 8 Stdn. unter Rückfluß zum Sieden) wurden folgende Ergebnisse erzielt:

[1] W. v. E. Doering u. S. J. Rhoads, Am. Soc. **73**, 3082 (1951).
S. J. Rhoads, R. D. Reynolds u. R. Raulins, Am. Soc. **74**, 2889 (1952).
S. J. Rhoads, R. W. Hasbrouk, C. Pryde u. R. W. Holder, Tetrahedron Letters **1963**, 669.
S. T. Yoffe, K. V. Vatsuro u. E. E. Kugutcheva, Tetrahedron Letters **1965**, 593.
[2] A. Brändström, Arkiv Kem. **6**, 155 (1953); **7**, 81 (1954); **11**, 567 (1957); **13**, 51 (1958).
N. Kornblum et al., Am. Soc. **77**, 6269 (1955).
Zusammenfassende Darstellung: R. Gompper, Ang. Ch. **76**, 412 (1964).
s. a. ds. Handb., Bd. VIII, S. 609.
s. a. W. J. Le Noble, Synthesis **1970**, 1.
[3] H. E. Zaugg, Am. Soc. **82**, 2903 (1960); **83**, 837 (1961).
Über den Einfluß von „Kronenäthern" durch Komplexierung der Alkalimetall-Kationen auf die Alkylierungsrichtung von Acetessigsäureester (Begünstigung der O-Alkylierung): A. L. Kurts et al., Ž. org. Chim. **9**, 1313, 1553 (1973).
Über die Alkylierung von Acetessigsäureester in 1,2-Dimethoxy-äthan G. Bram, F. Guibé u. P. Sarthou, Tetrahedron Letters **1972**, 4903.
Über die Stereochemie der O-Alkylierung von Acetessigsäureester mit p-Toluolsulfonsäureäthylester in Phosphorsäure-tris-[dimethylamid] (HMPT): A. L. Kurts, Tetrahedron Letters **1971**, 3037.
[4] A. Chatterjee, D. Banerjee, S. Banerjee, Tetrahedron Letters **1965**, 3851.
Über Salzeffekte bei der C- und O-Methylierung von 3-Oxo-2-äthoxylcarbonyl-2,3-dihydro-⟨benzo[b]furan⟩ und von 3,5-Dioxo-1,1-dimethyl-cyclohexan (Dimedon): G. Bram, F. Guibe u. M. F. Mollet, Tetrahedron Letters **1970**, 2951; C. r. **1973**, 429.

β-Oxo-carbon-säureester I (s. S. 1440)	Alkalimetall	Bromfett-säureester II (s. S. 1440)	Gesamt ausbeute [%]	Anteil O-Alkyl [% der Gesamtausbeute]
n = 1	Natrium	R = CH₃	83,6	8,6
	Kalium	R = CH₃	74,2	33,3
	Kalium	R = H	80,4	7,6
n = 2	Natrium	R = H	90,4	2,1
	Kalium	R = H	93,2	7,8
	Natrium	R = CH₃	74,8	46,5
	Kalium	R = CH₃	81,3	62,1
n = 3	Natrium	R = H	74,7	7,7
	Natrium	R = CH₃	78,0	75,0
	Kalium	R = CH₃	79,7	85,0

Diese Versuche zeigen zunächst, daß es bei der Vielfalt der möglichen Reaktionsbedingungen bei der Alkylierung von β-Oxo-carbonsäureestern praktisch nicht möglich ist, allgemein gültige Voraussagen über das zu erwartende Verhältnis von C- zu O-Alkylierung zu machen. In dieser Versuchsreihe ist zunächst besonders auffallend, daß hier im Gegensatz zu den Verhältnissen bei den alicyclischen 5- und 6-gliedrigen Ringderivaten die Natrium-salze deutlich bessere Ergebnisse bringen als die Kalium-salze. Weiterhin stellt man fest, daß der α-verzweigte 2-Brom-propansäureester weit mehr O-Alkyl-Derivat gibt als der Bromessigsäureester, wobei die Verhältnisse beim 1-Oxo-2-äthoxycarbonyl-tetralin (I; n = 2) besonders ungünstig liegen, so daß hier bei der Alkylierung des Kalium-salzes mit 2-Brom-propansäureester das O-Alkyl-Derivat sogar zum Reaktionshauptprodukt wird. Noch ungünstiger werden die Ergebnisse bei der Alkylierung des 5-Oxo-6-äthoxycarbonyl-6,7,8,9-tetrahydro-5H-⟨benzocycloheptatrien⟩ (I; n = 3, S. 1440): während das Natrium-salz mit Bromessigsäureester zu über 90% in das C-Alkyl-Derivat übergeht, entstehen bei der Alkylierung des Kalium- bzw. Natrium-salzes mit 2-Brom-propansäureester das O-Alkyl-Derivat als Reaktionshauptprodukt.

Ähnlich interessante Verhältnisse bestehen bei der Alkylierung des 2-Oxo-1-cyan-cyclohexans in alkoholischer Lösung bei Gegenwart von Natriumalkanolat[1]:

Alkylhalogenid	% C-Alkyl		% O-Alkyl	
	im Reaktionsprodukt			
H₃C—J	87	82	13	18
H₃C—Br	–	81	–	19
H₅C₂—J	61	65	39	35
H₅C₂—Br	–	39	–	61
H₇C₃—J	53	59	47	41
H₇C₃—Br	34	31	66	69
(CH₃)₂CH—J	21	–	79	–
H₅C₆—CH₂—Br	61	88	39	12
H₅C₆—CH₂—Cl	55	–	45	–
H₂C=CH—CH₂—Br	–	96	–	4

[1] K. v. AUWERS, B. **61**, 412 (1928).
C. WIEGAND, Dissertation Marburg 1927.
Über die Stereochemie solcher Alkylierungen: M. E. KUCHNE, J. Org. Chem. **35**, 171 (1970).

Überraschenderweise gibt das 2-Oxo-1-cyan-cyclopentan unter analogen Bedingungen nur C-Alkylierung[1], während das 1-Oxo-2-cyan-indan als Natrium- oder Kaliumsalz mit Methyljodid in Methanol nur den Methyläther des zugehörigen Enols bildet[1].

Während offenkettige β-Oxo-carbonsäureester als Natrium- oder Kalium-salze in Benzol oder in Alkoholen mit 2-Dialkylamino-äthylhalogeniden, soweit bisher bekannt, die erwarteten β-C-Alkyl-Derivate ergeben, entstehen bei den alicyclischen 2-Oxo-cyclopentan- und -cyclohexan-1-carbonestern stets Gemische von C- und O-Alkyl-Derivaten[2]. So wurden bei der Alkylierung von 2-Oxo-cyclopentan- und -cyclohexan-1-carbonsäureester mit 2-Dimethylamino-äthylchlorid bzw. 2-Diäthyl-amino-äthylchlorid die folgenden Ergebnisse erhalten:

2-Oxo-1-alkoxy-carbonyl-...	2-Dialkylamino-äthylchlorid	Methode	Ausbeute [%]		
			Gesamt	Isoliert aus Gemisch	
				C	O
...-cyclopentan	$(H_5C_2)_2N$—CH_2—CH_2—Cl	NaH, Benzol, 6 Stdn. Rückfluß	50	24	61
		K—O—$(CH_3)_3$, tert.-Butanol, 3 Stdn. Rückfluß	63	22	61
...-cyclohexan	$(H_5C_2)_2N$—CH_2—CH_2—Cl	Na-Sand, Toluol, 6 Stdn. Rückfluß	71	34	51
	$(H_3C)_2N$—CH_2—CH_2—Cl	Na-Sand, Toluol, 6 Stdn. Rückfluß	42 (63)	42	42
		Na-O—$C(CH_3)_3$, tert. Butanol, 6 Stdn. Rückfluß	70	22	68
		K—O—$C(CH_3)_3$, tert. Butanol, 6 Stdn. Rückfluß	60	19	72

Ziemlich unabhängig von der angewandten Methode entstehen somit bei den alicyclischen 5- und 6-gliedrigen β-Oxo-carbonsäureestern stets Gemische von C- und O-Alkyl-Derivaten, in denen die jeweiligen Enoläther überwiegen.

4-Oxo-1-benzoyl-3-alkoxycarbonyl-piperidin gibt beim Alkylieren (als Kaliumsalz in Toluol) mit 2-Dimethylamino-äthylchlorid ausschließlich den Enoläther[3].

Dieses anormale Verhalten hängt wahrscheinlich zusammen mit der besonderen Reaktionsfähigkeit der 2-Dialkylamino-alkylhalogenide, die nucleophile Reaktions-

[1] S. R. BEST u. J. F. THORPE, Soc. **95**, 711 (1909).
[2] W. v. E. DOERING u. S. J. RHOADS, Am. Soc. **73**, 3082 (1951).
  S. J. RHOADS, R. D. REYNOLDS u. R. RAULINS, Am. Soc. **74**, 2889 (1952).
[3] W. v. E. DOERING, S. J. RHOADS, Am. Soc. **73**, 3082 (1951).

partner in alkalischem Medium über einen Onium-Mechanismus alkylieren[1]:

$$R^\ominus Na^\oplus \; + \; (H_3C)_2\overset{\displaystyle CH_2-Cl}{\underset{\displaystyle CH_2}{N}} \xrightarrow[-\,NaCl]{} \; (H_3C)_2\overset{\oplus}{N}\big]\overset{R^\ominus}{} \longrightarrow (H_3C)_2N-CH_2-CH_2-R$$

Zunächst entsteht durch innermolekulare S_N2-Reaktion im basischen Halogenid unter Ausstoßung des Halogens als Anion ein Cyclammonium-Kation, das mit dem nucleophilen Anion in einem S_N1-ähnlichen Übergangszustand ein salzartiges Ionenpaar bildet, in dem dann durch nucleophilen Angriff des Anions auf das Cyclammonium-Kation unter Aufrollung des Ringes nach S_N2 irreversibel das bzw. die Alkylierungsprodukte entstehen. Da diese Reaktionen sehr rasch ablaufen, kommt auch die Enoläther-Bildung aus dem Pseudo-S_N1-Charakter des Ionenpaars heraus, in dem das Cyclammonium-Kation wie ein Carbonium-Kation wirkt, zum Zuge.

Die besonderen sterischen Verhältnisse im Anion 5- und 6-gliedriger cyclischer β-Oxo-carbonsäureester führen gegenüber analogen offenkettigen Verbindungen durch die Starrheit des Kohlenstoff-Gerüstes zu einer stärkeren Einbeziehung des Carbeniat-Elektronenpaars in das mesomere Carbeniat-Enolat-System und damit zu einer Schwächung der Nucleophilie der Carbeniat-Form zugunsten der analogen Reaktionsfähigkeit der Enolat-Form.

Das experimentell besonders vorteilhafte „Eintopf"-Verfahren der Alkylierung von β-Oxo-carbonsäureestern nach der Claisen'schen Carbonatmethode[2] – Alkylierung in Aceton bei Gegenwart von Kaliumcarbonat – führt ebenfalls bereits bei offenkettigen β-Oxo-carbonsäureestern zu einem Gemisch von C- und O-Alkyl-Derivat, in dem meist das C-Alkyl-Derivat überwiegt.

Da Aceton analog dem isosteren Dimethylsulfoxid ein dipolar-aprotisches Lösungsmittel darstellt, war zu erwarten, daß bei Verwendung solcher Lösungsmittel anstelle von Aceton bei der Claisen-Carbonatmethode ebenfalls O-Alkylierung neben C-Alkylierung eintreten würde. Tatsächlich zeigt sich[3], daß unter diesen Bedingungen Gemische mit hohen Anteilen an O-Alkyl-Isomeren entstehen. So wurden bei der Alkylierung von Acetessigsäureester mit Butylchlorid in Gegenwart von Kaliumcarbonat in dipolar-aprotischen Lösungsmitteln bei einstündigem Behandeln im geschlossenem System bei 100° folgende Ergebnisse erzielt:

Lösungsmittel	% Enoläther im Gemisch
N-Methyl-pyrrolidon	51
N,N-Dimethyl-acetamid	49
Dimethyl-formamid	46
Dimethylsulfoxid	47
Acetonitril	19
Aceton	10

Hierbei ist nun experimentell besonders bemerkenswert, daß man beim Arbeiten in Dimethylformamid/Kaliumcarbonat das Ausmaß der O-Alkylierung wesentlich durch Wahl des Halogenids beeinflussen kann: (100°; 1 Stde.)

[1] Siehe Übersichtsreferat W. Lwowski, Ang. Ch. **70**, 483 (1958).
  S. a. J. Hine, *Reaktivität und Mechanismus in der organischen Chemie*, Georg Thieme Verlag, Stuttgart 1960.
  H. Henecka, U. Hörlein u. K.-G. Risse, Ang. Ch. **72**, 960 (1960).
  A. Ebnöther u. E. Jucker, Helv. **47**, 745 (1964).
[2] Vgl. ds. Handb., Bd. VIII, S. 603.
  H. Henecka, *Chemie der β-Dicarbonylverbindungen*, S. 177, Springer-Verlag, Heidelberg 1950.
[3] G. Brieger u. W. M. Pelletier, Tetrahedron Letters **1965**, 3555.

H₃C—(CH₂)₃—X	% Enoläther im Gemisch
X = Cl	46
X = Br	33
X = J	0 (± 0,5%)

Butyljodid gibt somit im Gegensatz zum Chlorid unter diesen besonderen Reaktionbedingungen nur C-Alkylierung.

Kocht man hingegen Acetessigsäureester mit Butylchlorid in Dimethyl-sulfoxid eine Stunde über Kaliumcarbonat, so erhält man ein C- und O-Butyl-acetessigsäure-ester-Gemisch, in dem mit 69% das O-Alkyl-Derivat überwiegt. Durch geeignete Wahl der Reaktionsbedingungen ist es daher unter Verwendung der Carbonat-methode in dipolar-aprotischen Lösungsmitteln möglich, beim Acetessigsäureester wahlweise vorzugsweise C- oder O-Alkyl-Derivat zu erzielen[1].

Berichte über Versuche zum Verhalten alicyclischer β-Oxo-carbonsäureester bei der Claisen-Alkylierung liegen bisher nicht vor.

Eine experimentell besonders wertvolle Methode zur Alkylierung von β-Oxo-carbonsäureestern stellt die Einwirkung von Alkylhalogeniden auf die in Chloroform oder Dichlormethan als nicht solvatisierte Ionenpaare löslichen Tetrabutylammonium-salze der β-Oxo-carbonsäureester dar[2]. Man erhält solche Lösungen der Tetrabutyl-ammoniumcarbeniate dadurch, daß man eine wäßrige Lösung von Tetrabutyl-ammoniumhydroxid mit einer Chloroform- oder Dichlormethan-Lösung des β-Oxo-carbonsäureesters schüttelt („Ionenpaar-Extraktion"). Extraktion und Alkylierung kann man nun vorteilhaft dadurch gleichzeitig durchführen, daß man eine wäßrige Lösung von Tetrabutyl-ammoniumhydroxid mit einer Chloroform- oder Dichlor-methan-Lösung des β-Oxo-carbonsäureesters und des Alkylierungsmittels schüttelt und so gleichsam eine extraktive Ionenpaar-Alkylierung durchführt, die man auch als „Phasentransfer-Alkylierung"[3] bezeichnen kann.

Bei der Alkylierung von Acetessigsäure-methylester mit geradkettigen Halogen-alkanen nach dieser Methode entstehen überraschenderweise in schneller, z. T. exothermer Reaktion ausschließlich C-Alkyl-Derivate, während mit Isopropyljodid auch das O-Alkyl-Derivat gebildet wird. Die bei einer solchen „extraktiven Alkylie-rung" von Acetessigsäure-methylester erhaltenen Alkylierungsprodukte hatten folgende prozentuale Zusammensetzung:

Alkyl-halogenid	C-Alkyl-Derivat	C,C-Dialkyl-Derivat	O-Alkyl-Derivat	Ausgangs-material
H₃C—J	80	10	0	10
H₅C₂—J	83,5	9	0	7,5
H₉C₄—J	90	5	0	5
(CH₃)₂CH—J	70	0	23,5	6,5

[1] Über die Methylierung von Acetessigsäureester nach der Carbonatmethode mit Dimethylsulfat s.: A. MAKIKO, H. ISABURO, M. HIROSHI, Sci. Pap. Inst. Phys. Chem. Res. 1968, 62, 127; C. A. 70, 19522 (1969).
[2] A. BRÄNDSTRÖM u. U. JUNGGREN, Acta Chem. Scand. 23, 2204 (1969).
[3] E. V. DEHMLOW, Ang. Ch. 86, 187 (1974).

α-Alkyl-acetessigsäure-methylester nach Brändström: 34 g (0,1 Mol) Tetrabutylammonium-hydrogensulfat fügt man zu einer gekühlten Lösung von 8 g (0,2 Mol) Natriumhydroxid in 75 ml Wasser und gibt die entstandene Lösung unter Rühren zu einer Lösung von 11,6 g (0,1 Mol) Acetessigsäure-methylester und 0,2 Mol eines Alkyljodids in 75 ml Chloroform. Die Alkylierung verläuft exotherm und die Mischung wird nach wenigen Min. neutral. Die Schichten werden nach Beendigung der Reaktion getrennt, das Chloroform verdampft und der erhaltene Rückstand mit Äther behandelt, wobei das Tetramethylammonium-jodid ungelöst bleibt. Aus der Äther-Lösung gewinnt man in üblicher Weise das Alkyl-Derivat.

Da sich das in beiden Phasen lösliche Tetrabutylammoniumsalz bei der Alkylierung zurück-bildet, läßt sich eine solche Alkylierung auch mit einem Unterschuß an Ammoniumsalz katalytisch durchführen[1].

Die durch konventionelle Alkylierung nur schwierig zu erhaltenden Alkyl-acyl-malonsäure-diester, entstehen glatt nach der Methode der extraktiven Alkylierung von Acyl-malonsäure-diestern[2].

Die zunächst vergeblich versuchte γ-Alkylierung von β-Oxo-carbonsäureestern[3] über das α,γ-Dianion (s. Bd. XIII/1 S. 451, 722) gelingt mit hoher Ausbeute, wenn das Dianion in zwei Stufen erzeugt wird[4]:

① zunächst Bildung des α-Monoanions mit einem Mol Natriumhydrid in Tetra-hydrofuran

② danach Überführung dieses Natrium-α-carbeniats mit Butyl-lithium in Hexan in das α-Natrium-γ-lithium-carbeniat, das nunmehr leicht in γ-Stellung alkylierbar ist.

$$H_3C-CO-CH_2-COOC_2H_5 \;+\; Na\overset{|}{H} \;\xrightarrow[-H_2]{} \; H_3C-CO-\underset{\underset{Na}{|}}{C}H-COOC_2H_5 \;\xrightarrow[-C_4H_{10}]{+C_4H_9-Li}$$

$$Li-CH_2-CO-\underset{\underset{Na}{|}}{C}H-COOC_2H_5 \;\xrightarrow[-LiX]{+RX}\; R-CH_2-CO-\underset{\underset{Na}{|}}{C}H-COOC_2H_5$$

3-Oxo-pentansäure-methylester: Zu 0,54 g (50% Mineralöl) Natriumhydrid (d. i. 10 mMol) unter 25 ml Tetrahydrofuran gibt man unter Eiskühlung und Überleiten von Stickstoff 1,16 g (10 mMol) Acetessigsäure-methylester und rührt die entstandene farblose Lösung 10 Min. bei 0°. Dann gibt man 10,5 mMol Butyl-lithium (4,8 ml 2,2 m Lösung in Hexan) tropfenweise hinzu und rührt die entstandene orangerote Lösung abermals 10 Min. bei 0°. Nach tropfenweiser Zugabe von 1,56 g (1,1 mMol) Methyljodid in 2 ml Tetrahydrofuran rührt man noch 15 Min. bei 20°, wobei Entfär-bung eintritt, versetzt danach mit 2 ml konz. Salzsäure + 5 ml Wasser, verdünnt mit 15 ml Äther, wäscht die organische Phase neutral, trocknet über Magnesiumsulfat und arbeitet destillativ auf; Ausbeute: 1,06 g (81% d.Th.); Kp_{14}: 70–71°.

---

[1] E. V. DEHMLOW, Ang. Ch. **86**, 188, 189 (1974).
[2] A. BRÄNDSTRÖM u. U. JUNGGREN, Acta Chem. Scand. **23**, 2536 (1969).
[3] J. T. WOLFE, T. M. HARRIS u. C. R. HAUSER, J. Org. Chem. **29**, 3249 (1964).
[4] L. WEILER, Am. Soc. **92**, 6702 (1970).
s. a. S. N. HUCKIN u. L. WEILER, Tetrahedron Letters **1971**, 4835.

Auf analoge Weise wurden folgende 3-Oxo-alkansäure-methylester erhalten:

R-CH₂-CO | H₃COOC-CH₂ R	R¹—X	R—CH—CO—CH₂—COOCH₃ | R¹	Ausbeute [% d.Th.]	Kp	
				[°C]	[Torr]
H	H₅C₂—Br	*3-Oxo-hexansäure-methylester*	84	77–79	14
	(CH₃)₂CH—J	*3-Oxo-5-methyl-hexansäure-methylester*	73	52–54	2
	H₃C—(CH₂)₃—Br	*3-Oxo-octansäure-methylester*	72	53–54	0,4
	H₂C=CH—CH₂—Br	*3-Oxo-hepten-(6)-säure-methylester*	83	99–100	14
	H₅C₆—CH₂—Cl	*3-Oxo-5-phenyl-pentansäure-methylester*	81	102–103	0,4
CH₃	H₅C₆—CH₂—Cl	*3-Oxo-4-benzyl-pentansäure-methylester*	76	103–104	0,5
CH₂—C₆H₅	H₃C—J	*3-Oxo-4-benzyl-pentansäure-methylester*	86	99–100	0,3
C₄H₉	H₂C=CH—CH₂—Br	*3-Oxo-4-allyl-octansäure-methylester*	77	82–84	0,6
	H₅C₆—CH₂—Cl	*3-Oxo-4-benzyl-octansäure-methylester*	62	122–123	0,4

ω,ω',-Dihalogen-alkane, die im alkalischen Medium durch α,α-Dialkylierung zu Ringschlüssen führen, können mit zwei Mol Acetessigsäureester kondensiert werden[1]. So entsteht z.B. aus zwei Mol Natrium-acetessigsäureester und ein Mol 1,10-Dibromdecan mit 85%-iger Kalilauge Tetradecandisäure und mit verdünnter Kalilauge *2,15-Dioxo-hexadecan*:

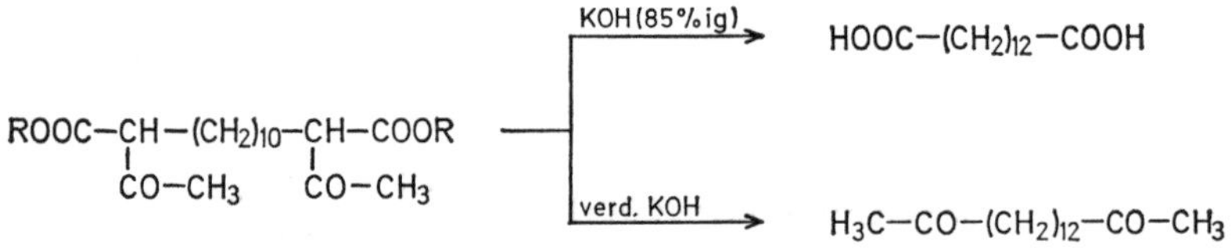

Durch Dialkylierung von 3-Oxo-glutarsäure-diester entstehen symmetrische Dialkylierungsprodukte[2].

Magnesium-3-oxo-glutarsäure-diester läßt sich in mäßigen Ausbeuten mit Dibrommethan, 1,2-Dibrom-äthan bzw. 1,3-Dibrom-propan zu cyclischen Derivaten kondensieren[3]:

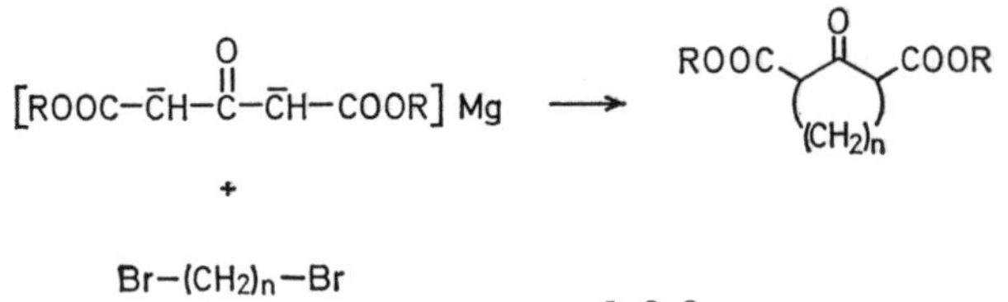

[1] V. M. Rodinov et al., Ž. obšč. Chim. **23**, 1826 (1953).
[2] H. von Pechmann u. N. V. Sidgwick, B. **37**, 3816 (1904).
    N. J. Leonard u. W. E. Goode, Am. Soc. **72**, 5404 (1950).
[3] P. C. Guha u. N. K. Seshadringer, B. **69**, 1207 (1936).

Zur Herstellung von makrocyclischen Ketonen (Muscon, Zibeton) ist die intramolekulare Alkylierung von ω-Halogen-β-oxo-alkansäureestern von Bedeutung (s. ds. Handb., Bd. IV/2, S. 770, Bd. XIII/1, S. 469):

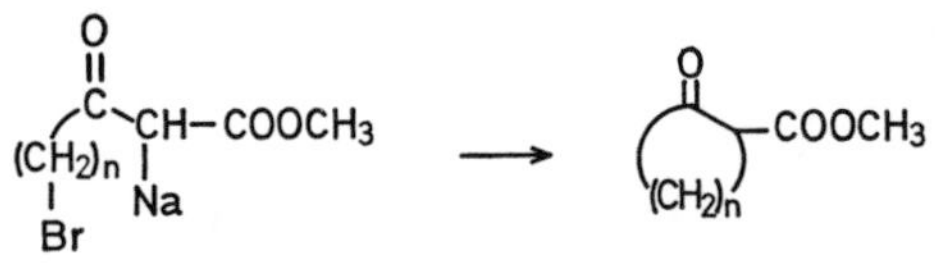

Die Kondensation von 2-Oxo-cyclohexan-1-carbonsäure-äthylester mit 1,4-Dichlorbuten-(2) mittels Natriumalkanolat zum *10-Oxo-1-äthoxycarbonyl-bicyclo[4.3.1]decen-(3)* ist in ds. Handb., Bd. XIII/1, S. 471 beschrieben. Die Umsetzung von Äthylenoxid mit Acetessigsäure-äthylester führt unter C-Alkylierung und Ringschluß zum *4-Acetyl-4-butanolid*[1]. Über die Umlagerung von Acetessigsäure-allylester unter Decarboxylierung zum 5-Oxo-hexen-(1) s. ds. Handb., Bd. VII/2a, S. 1162.

6. Spezielle Methoden zur Alkylierung von Ketonen

bearbeitet von

Prof. Dr. Hermann Stetter

Organisch Chemisches Institut der Technischen Hochschule Aachen

In Gegenwart von Bortrifluorid kann sowohl Acetessigsäure-äthylester[2] als auch Pentandion-(2,4)[3] mit Isopropanol zu den entsprechenden C-alkylierten Isopropyl-Verbindungen umgesetzt werden (*3-Oxo-2-isopropyl-butansäure-äthylester*; *2,4-Dioxo-3-isopropyl-pentan*) (s. S. 1436).

Die Alkylierung von Ketonen mit Diazoalkanen ist in einem anderen Zusammenhang bei der Carben-Reaktion auf S. 1855 ff. beschrieben.

Über die Reaktion von Isobuten mit Pentandion-(2,4) zu *2,4-Dioxo-3-tert.-butyl-pentan* unter der Katalyse mit Perchlorsäure s. Lit.[4]. Die Alkylierung von β-Diketonen mit 1,3-Dienen gelingt durch eine Palladium-katalysierte Reaktion[5].

Ganz besonders leicht vermögen Alkohole vom Typ des Benzhydrols mit starken CH-aciden Verbindungen unter Wasser-Abspaltung zu kondensieren. β-Diketone und β-Oxo-carbonsäureester ergeben so bei der Einwirkung von Benzhydrol in Eisessig die C-Alkylierung unter Einführung des Diphenylmethyl-Restes. Aus Pentandion-(2,4) erhält man z.B. *2,4-Dioxo-3-diphenylmethyl-pentan*[6].

In der gleichen Weise reagieren auch 9-Hydroxy-9H-xanthen und 13-Hydroxy-13H-⟨dibenzo-[b;i]-xanthen⟩[6].

Bei schwächer aciden Carbonyl-Verbindungen empfiehlt sich der Zusatz von Acetanhydrid und Schwefelsäure. Man erhält so aus Butandion und Benzhydrol *3,4-*

[1] S. ds. Handb., Bd. VI/2, S. 660, 670.
[2] J. T. Adams, R. Levine u. C. R. Hauser, Org. Synth., Coll. Vol. **3**, 405 (1955).
[3] T. F. Crimmins u. C. R. Hauser, J. Org. Chem. **32**, 2615 (1967).
[4] P. Boldt u. H. Militzer, Tetrahedron Letters **1966**, 3599.
[5] G. Hata, K. Takahashi u. A. Miyake, Chem. Ind. **1969**, 1836; J. Org. Chem. **36**, 2116 (1971).
[6] M. R. Fosse, Bl. [3] **35**, 1005 (1906); [4] **3**, 1075 (1908).

Dioxo-1,1,6,6-tetraphenyl-hexan[1]:

$$H_5C_6-\overset{\displaystyle H}{\underset{\displaystyle OH}{\overset{|}{\underset{|}{C}}}}-H_5C_6 \quad + \quad H_3C-CO-CO-CH_3 \quad + \quad HO-\overset{\displaystyle C_6H_5}{\underset{\displaystyle C_6H_5}{\overset{|}{\underset{|}{C}}}}-H \quad \xrightarrow{-H_2O}$$

$$H_5C_6-\overset{\displaystyle C_6H_5}{\overset{|}{CH}}-CH_2-CO-CO-CH_2-\overset{\displaystyle C_6H_5}{\overset{|}{CH}}-C_6H_5$$

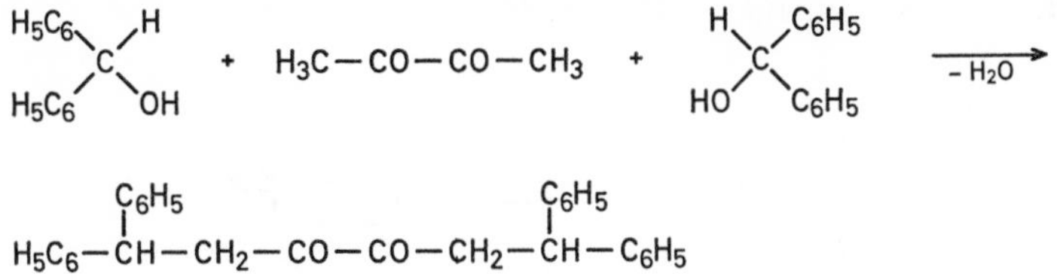

3,4-Dioxo-1,1,6,6-tetraphenyl-hexan[1]: In einem mit Rührer versehenen 300-*ml*-Kolben tropft man unter Rühren zu einer Lösung von 7,0 g Benzhydrol und 1.6 g frisch dest. Butandion in 40 *ml* Eisessig innerhalb von 30 Min. 25 *ml* reinste konz. Schwefelsäure, wobei man mit Eis-Natriumchlorid-Mischung kühlt. Das Reaktionsgemisch färbt sich dabei grün. Nach Natriumchlorid beginnt die Abscheidung von Kristallen, wobei der Kolbeninhalt vollständig erstarrt. Man läßt noch 3 Tage bei Raumtemp. stehen. Der Kolbeninhalt wird dann unter Rühren in 400 g Eis eingetragen. Die Kristalle werden abfiltriert, mit Wasser gewaschen und bei Raumtemp. getrocknet und aus Eisessig umkristallisiert; Ausbeute: 5,0 g (76% d.Th.); F: 180–182°.

Eine gewisse Verwandtschaft mit dieser Kondensation zeigen die Alkylierungen von Ketonen mit N-Methyl-acridinium-Salzen, wenn man diese in Gegenwart der berechneten Menge Alkali zur Reaktion bringt. Das dem Acridiniumsalz zugrundeliegende mesomeriestabilisierte Carboniumion führt zur Bildung des Alkylierungsproduktes:

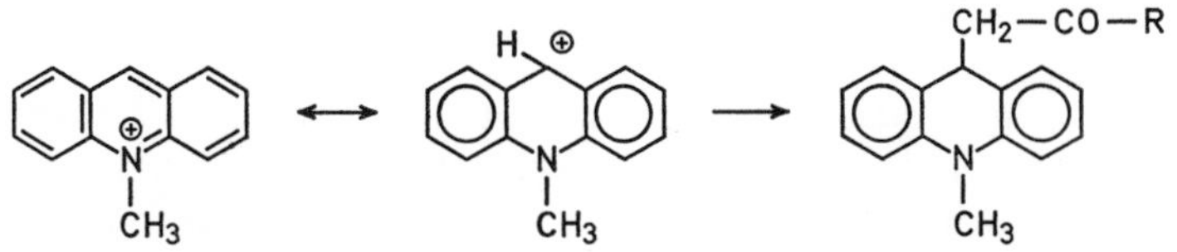

Solche Kondensationen wurden zum ersten Mal mit 2,7,9-Trimethyl-acridiniumjodid und Pentandion-(2,4) durchgeführt und man erhält *2,7,9-Trimethyl-10-[2,4-dioxo-pentyl-(3)]-9,10-dihydro-acridin*[2]. Unter Verwendung von N-Methyl-acridiniumjodid bzw. der Pseudobase wurden solche Kondensationen durchgeführt; z.B.: mit

2-Oxo-1-phenyl-propan	→	*2,7,9-Trimethyl-10-(2-oxo-1-phenyl-propyl)-9,10-dihydro-acridin*
Acetessigsäure-äthylester	→	*2,7,9-Trimethyl-10-(2-oxo-1-äthoxycarbonyl-propyl)-9,10-dihydro-acridin*
ω-Chlor-acetophenon	→	*2,7,9-Trimethyl-10-(1-chlor-2-oxo-2-phenyl-äthyl)-9,10-dihydro-acridin*

9-Methyl-10-(2-oxo-2-phenyl-äthyl)-9,10-dihydro-acridin[3]: Zur heißen Lösung von 5,32 g 9-Methyl-acridiniumchlorid-Dihydrat und 12 g Acetophenon in 20 *ml* Methanol gibt man die ber. Menge methanolischer Natronlauge. Nach 4 Tagen saugt man ab und wäscht den Rückstand erst mit Methanol, dann mit Wasser; Ausbeute: 4,3 g. Nach dem Auskochen mit Methanol (30 Tle.) engt man ein und erhält 2,9 g (46,5% d.Th.); F: 107–108°.

Bei dem in Methanol unlöslichen Rückstand handelt es sich um *2-Oxo-2-phenyl-1,1-bis-[9-methyl-9,10-dihydro-acridyl-(10)]-äthan*.

---

[1] H. Stetter u. Z. Tasic, unveröffentlicht.
[2] O. Dimroth u. R. Criegee, B. **90**, 2207 (1957).
[3] F. Kröhnke u. H. L. Honig, B. **90**, 2215 (1957).

Aromatisch-aliphatische Ketone lassen sich auch auf folgendem Umweg alkylieren. Zu diesem Zweck werden die Ketone in α-Stellung bromiert und mit Pyridin in das Pyridiniumsalz überführt. Aus diesem Salz erhält man mit Kaliumcarbonat das entsprechende Ylid, das mit Alkyljodiden alkyliert werden kann. Das gebildete Salz wird mit Zinkstaub/Eisessig oder mit Zink-Kupfer-Legierung in Alkohol zum alkylierten Keton reduziert. Die Stufe der Alkylierung des Ylids wird vorteilhaft in Dimethylformamid ausgeführt[1]. Das Formelschema zeigt den Reaktionsverlauf für den Fall der Methylierung von Acetophenon zu *1-Oxo-1-phenyl-butan*:

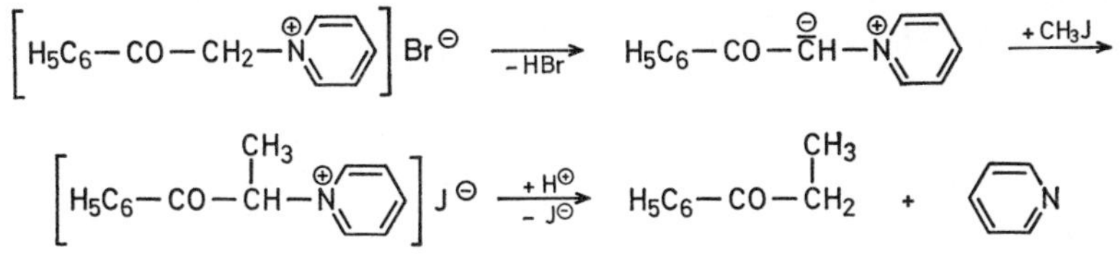

Einfacher gestaltet sich das Verfahren, indem man auf ein α-Brom-keton in DMSO/ Benzol, Zinkstaub und Methyljodid bei 20° einwirken läßt. Auf diese Weise wird z. B. aus 2-Brom-1-oxo-cyclodecan das *2-Oxo-1-methyl-cyclododecan* zu 99% d. Th. gewonnen (das Ganze läuft auf die Alkylierung von Zink-enoluten hinaus)[2].

Die direkte Arylierung von β-Diketonen läßt sich mit Diphenyl-jodiniumchlorid in Gegenwart von tert.-Butanolat erreichen. Aus 3,5-Dioxo-1,1-dimethyl-cyclohexan wurden auf diesem Wege ein Reaktionsgemisch bestehend aus *2,6-Dioxo-4,4-dimethyl-1-phenyl-* und *2,6-Dioxo-4,4-dimethyl-1,1-diphenyl-cyclohexan* in 22 bzw. 23%-iger Ausbeute erhalten[3]:

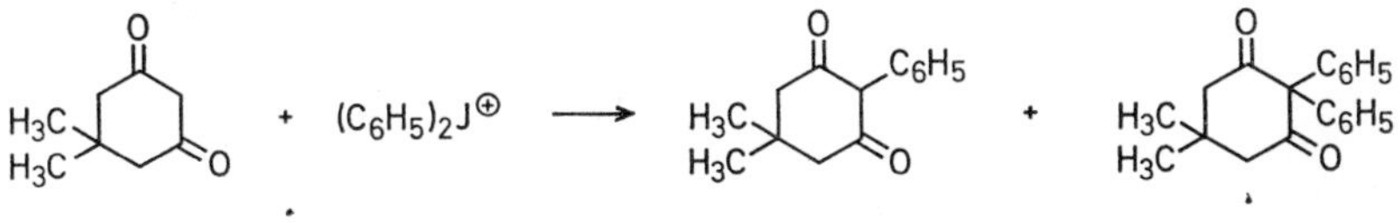

In gleicher Weise entstehen aus den Di-anionen 4-Phenyl-1,3-diketone mit ~60% Ausbeute[4].

b) β-Hydroxy-ketone und α, β-ungesättigte Ketone durch Aldol-Kondensation

bearbeitet von

Professor Dr. Hermann Stetter

Institut für Organische Chemie der Technischen Hochschule Aachen

1. Einleitung und Übersicht

Wohl die wichtigste Reaktion zum Aufbau höherer Ketone stellt die Aldol-Kondensation dar[5]. Dabei lassen sich prinzipiell 3 Möglichkeiten der Aldol-Kondensation unterscheiden.

---

[1] C. A. Henrick, E. Ritchie u. W. C. Taylor, Austral. J. Chem. **20**. 2441 (1967).
[2] T. A. Spencer, R. W. Britton u. D. S. Watt, Am. Soc. **89**, 5727 (1967).
[3] F. M. Beringer, P. S. Forgione u. M. D. Yudis, Tetrahedron **8**, 49 (1960).
[4] Org. Synth. **51**, 128 (1971).
  K. G. Hampton, T. M. Harris u. C. R. Hauser, J. Org. Chem. **29**, 3511 (1964).
[5] H. O. House, *Modern Synthetic* Reactions, 2. Aufl., S. 629ff., W. A. Benjamin Inc., Menlo Park 1972.
  A. T. Nielsen u. W. J. Houlihan, Org. Reactions **16**, 1–403 (1968).

ⓐ Ein Aldehyd vermag mit einem Keton zu reagieren. Dabei muß berücksichtigt werden, daß hier als störende Nebenreaktion die Aldol-Kondensation zwischen zwei oder mehreren Aldehyd-Molekülen auftreten kann, wenn der betreffende Aldehyd über α-ständige Wasserstoffatome verfügt. Es ist deshalb zu erwarten, daß diese Reaktion am eindeutigsten bei aromatischen und α,β-ungesättigten oder bei solchen Aldehyden verläuft, bei denen die Aldehyd-Gruppe an einem quaternären Kohlenstoffatom steht. Dagegen ist in diesem Falle infolge der geringeren Reaktionsfähigkeit der Carbonyl-Gruppe des reagierenden Ketons eine Selbstkondensation der Ketocarbonyl-Gruppe mit dem Aldehyd nicht zu befürchten; das allgemeine Schema für diese Kondensation ist:

$$R-\overset{\overset{\displaystyle H}{|}}{C}=O \ + \ H-\overset{\overset{\displaystyle |}{|}}{\underset{\underset{\displaystyle |}{|}}{C}}-\overset{\overset{\displaystyle O}{\|}}{C}-R' \ \rightleftharpoons \ R-\overset{\overset{\displaystyle H}{|}}{\underset{\underset{\displaystyle OH}{|}}{C}}-\overset{\overset{\displaystyle |}{|}}{\underset{\underset{\displaystyle |}{|}}{C}}-\overset{\overset{\displaystyle O}{\|}}{C}-R'$$

ⓑ Zwei Moleküle des Ketons reagieren miteinander, wobei im Falle der Identität der beiden Keton-Moleküle ein eindeutiger Reaktionsverlauf zu beobachten ist, während bei der Reaktion von zwei verschiedenen Ketonen die Art des gebildeten Reaktionsendproduktes von der Natur der Ketone abhängig ist. Das einfachste Reaktionsschema für diese Kondensation ist:

$$R-\overset{\overset{\displaystyle O}{\|}}{C}-\overset{\overset{\displaystyle |}{|}}{\underset{\underset{\displaystyle R'}{|}}{C}}H \ + \ \overset{\overset{\displaystyle R}{|}}{\underset{\underset{\underset{\displaystyle R'}{|}}{\underset{\displaystyle HC-}{|}}}{C}}=O \ \rightleftharpoons \ R-\overset{\overset{\displaystyle O}{\|}}{C}-\overset{\overset{\displaystyle |}{|}}{\underset{\underset{\displaystyle R'}{|}}{C}}-\overset{\overset{\displaystyle R}{|}}{\underset{\underset{\underset{\displaystyle R'}{|}}{\underset{\displaystyle HC-}{|}}}{C}}-OH$$

ⓒ Oxo-aldehyde und Diketone vermögen bei entsprechender Stellung der Carbonyl-Gruppen unter Bildung cyclischer β-Hydroxy-ketone zu reagieren. Dies ist vor allem dann der Fall, wenn es sich um die Bildung eines 5- oder 6-gliedrigen Ringes handelt. Dabei kann die Keto-Gruppe in dem gebildeten Keton sowohl endocyclisch als auch exocyclisch stehen. Schematisch werden diese beiden Möglichkeiten durch die folgenden allgemeinen Formulierungen wiedergegeben:

$$\begin{array}{c} \overset{\displaystyle R}{|} \\ \overset{\displaystyle \,_{\diagup}C=O}{} \\ CH_2 \quad CH_2-R' \\ | \\ (CH_2)_n-C=O \end{array} \quad \rightleftharpoons \quad \begin{array}{c} R \\ \diagup \ \diagdown \ -OH \\ (CH_2)_n \ \ -R' \\ \diagdown \diagup \\ O \ H \end{array}$$

$$\begin{array}{c} \overset{\displaystyle R}{|} \\ \overset{\displaystyle \,_{\diagup}C=O}{} \\ CH_2 \quad CH_2-CO-R' \\ | \\ (CH_2)_n-CH_2 \end{array} \quad \rightleftharpoons \quad \begin{array}{c} R \\ \diagup \ \diagdown \ -OH \\ (CH_2)_n \\ \diagdown \ CO-R' \end{array}$$

Da es sich bei der Aldol-Kondensation um eine Gleichgewichtsreaktion handelt, vermögen β-Hydroxy-ketone grundsätzlich wieder rückläufig gespalten zu werden.

Als Katalysatoren[1] für die Aldol-Kondensation kommen sowohl Basen als auch Säuren in Betracht. Infolge der sehr leicht verlaufenden Wasser-Abspaltung bei den primär entstehenden β-Hydroxy-ketonen zu den entsprechenden α,β-ungesättigten Ketonen werden letztere häufig als Endprodukte der Reaktion isoliert, was besonders bei Anwendung von sauren Katalysatoren der Fall ist.

Als basische Katalysatoren werden für die Aldol-Kondensation zahlreiche anorganische und organische Basen verwendet wie z. B. Alkalimetallhydroxide, -methanolate, -äthanolate, Kalium-tert.-butanolat, Natriumhydrid, Alkalimetallcarbonate, Natriumacetat, Erdalkalimetallcarbonate, Erdalkalimetallhydroxide, Anionenaustauscher, Diäthylamin, Piperidin, Pyrrolidin, Piperidiniumacetat, Glycin u. a.

Als saure Katalysatoren kommen in erster Linie die Mineralsäuren in Betracht. Es werden aber auch Salze wie Calciumchlorid oder Zinkchlorid mit Erfolg angewendet.

Sehr brauchbar sind auch Festkatalysatoren, da diese eine schonend verlaufende heterogene Katalyse ermöglichen. So entsteht aus Aceton an einem stark sauren Ionenaustauscher bei $\sim 75°$ *4-Oxo-2-methyl-penten-(2)* (*Mesityloxid*) und 2-Hydroxy-4-oxo-2-methyl-pentan etwa im Verhältnis 4:1 (Gleichgewichte!)[2].

Will man auf die β-Hydroxy-ketone hinarbeiten und eine Wasser-Abspaltung möglichst vermeiden, dann empfiehlt es sich, stark basische Festkatalysatoren bei niederen Temperaturen zu verwenden, die unter diesen Bedingungen keine Weiterkondensationen bewirken (s. S. 1479, 1482ff.). So werden bei der Kondensation von Pyridin-2-aldehyd mit Aceton nur nach folgender Arbeitsweise die besten Ausbeuten erhalten[3].

1-Hydroxy-3-oxo-1-pyridyl-(2)-butan[3]: Zu einer stark gekühlten Lösung von 5,2 g (0,05 Mol) Pyridin-2-aldehyd in 100 *ml* Aceton werden 10 g Katalysator eingerührt. Nach 24 stdg. Einwirkung bei $\sim -5°$ läßt man noch einige Zeit bei 20° stehen. Hierauf wird filtriert und das Filtrat i. Vak. eingedampft. Es hinterbleibt ein halbfester Kristallbrei, der aus Heptan umkristallisiert wird; Ausbeute: 5,4 g (70% d. Th.); F: 75–76°.

Der Katalysator wird aus „Amberlite I.R.A. – 400 (Cl$^\ominus$)" durch Einwirkung einer 5%-igen Natronlauge und anschließendem Auswaschen mit destilliertem Wasser und Äthanol hergestellt.

Der Mechanismus der basenkatalysierten Aldol-Kondensation[1] beruht auf der Ablösung eines Protons aus der nachbarständigen CH-Gruppe. Das sich hierbei bildende mesomeriestabilisierte Carbanion addiert sich im zweiten Schritt der Reaktion an die Carbonyl-Gruppe des zweiten Moleküls unter Bildung des β-Hydroxy-keton-alkanolations:

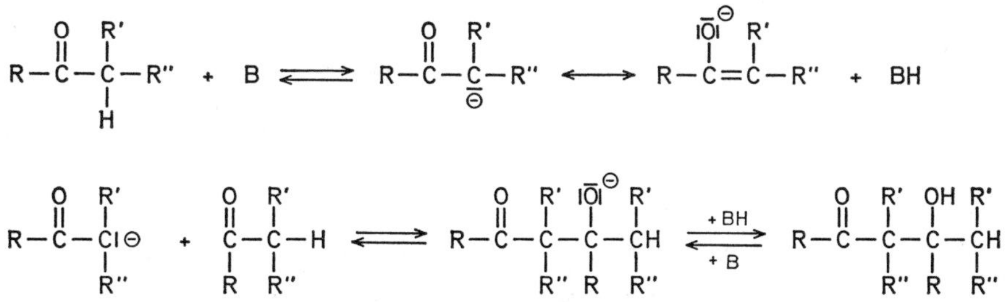

[1] R. P. BELL, Trans. Faraday Soc. **37**, 717 (1941).
   C. K. INGOLD, *Structure and Mechanism in Organic Chemistry*, S. 676–699, Cornell University Press, Ithaca, New York 1953.
   A. A. FORST u. R. G. PEARSON, *Kinetics and Mechanism*, S. 335–350, Wiley, New York 1961.
[2] F. G. KLEIN u. I. T. BANCHERO, Ind. eng. Chem. **48**, 1278 (1956).
[3] W. R. BOEHME u. J. KOO, J. Org. Chem. **26**, 3589 (1961).

Bei Verwendung von primären und sekundären Aminen als Katalysatoren werden im wesentlichen zwei verschiedene Mechanismen diskutiert. Einmal kann der eigentlichen Kondensationsreaktion die Bildung eines Imins oder Carbimmoniumions vorausgehen, welches unmittelbar die Enolform des Ketons angreift, wobei über die Stufe des β-Amino-ketons das α,β-ungesättigte Keton gebildet wird. Das anschließende Formelschema zeigt den Verlauf dieser Reaktion[1]:

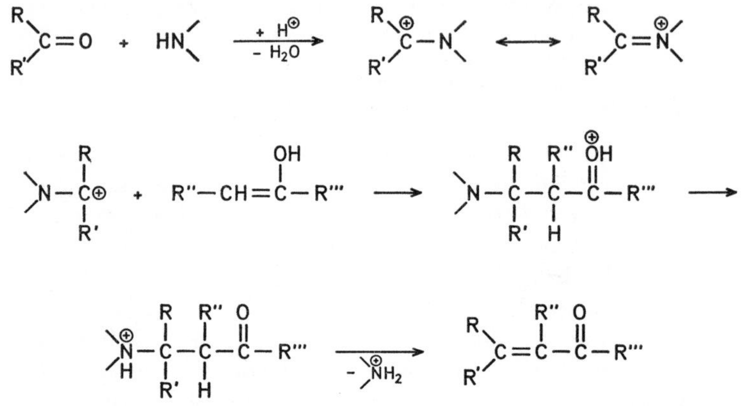

Aldehydimine und Ketonimine vermögen im übrigen bei Katalyse durch Säuren auch im stöchiometrischen Verhältnis mit Ketonen zu α,β-ungesättigten Ketonen zu reagieren[2].

Der zweite Mechanismus setzt die Bildung von Enaminen der Ketone als ersten Schritt des Reaktionsablaufs voraus. Diese Enamine reagieren im zweiten Schritt mit den Carbonyl-Verbindungen. Der Reaktionsablauf kann wie folgt formuliert werden:

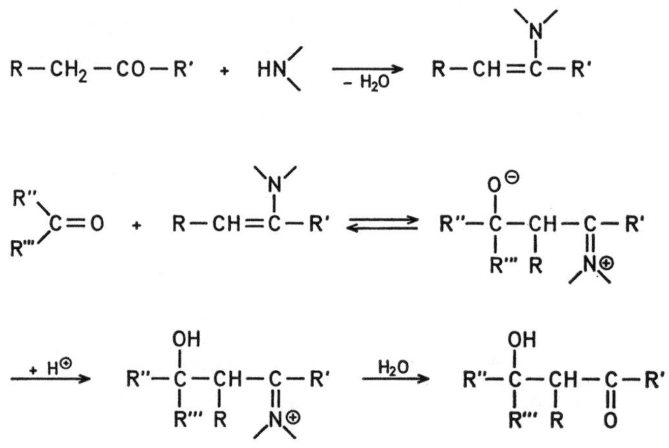

[1] J. Hine et al., Am. Soc. 88, 3367 (1966).
   J. Hine et al., Am. Soc. 89, 1205 (1967).
   N. J. Leonard, J. C. Little u. A. J. Kresge, Am. Soc. 79, 6436 (1957).
[2] A. H. Blatt u. N. Gross, J. Org. Chem. 29, 3306 (1964).

Dieser Reaktionsablauf[1] ist vor allem bei sekundären Aminen und solchen Ketonen zu beobachten, die bevorzugt eine Enamin-Bildung ergeben. Auch hier ist eine Katalyse durch Säuren vorteilhaft, so daß in der Regel Essigsäure zugesetzt wird[2].

Für die Herstellung von Monoalkyliden- oder Monoaryliden-Verbindungen cyclischer Ketone hat sich die Kondensation von Enaminen dieser Ketone mit den entsprechenden Aldehyden bewährt[3].

Der wahrscheinliche Verlauf der Säure-Katalyse beruht im ersten Schritt auf einer Protonen-Addition und der durch Protonen-Katalyse bewirkten Enolbildung. Im zweiten Schritt addiert sich das gebildete Carboxoniumion an die Doppelbindung des Enols, woran sich die Ablösung des Protons anschließt[4]:

$$R-\overset{\overset{\displaystyle O}{\|}}{C}-CH_2-R' \ + \ H^{\oplus} \ \rightleftharpoons \ R-\overset{\overset{\displaystyle OH}{|}}{\underset{\oplus}{C}}-CH_2-R' \ \longleftrightarrow \ R-\overset{\overset{\displaystyle \oplus OH}{\|}}{C}-CH_2-R'$$

$$\rightleftharpoons \ R-\overset{\overset{\displaystyle OH}{|}}{C}=CH-R' \ + \ H^{\oplus}$$

$$R-\overset{\overset{\displaystyle OH}{|}}{\underset{\oplus}{C}}-CH_2-R' \ + \ R-\overset{\overset{\displaystyle OH}{\|}}{C}=CH-R' \ \rightleftharpoons \ R-\overset{\overset{\displaystyle \oplus OH}{\|}}{C}-\underset{\underset{\displaystyle R'}{|}}{CH}-\overset{\overset{\displaystyle R}{|}}{\underset{\underset{\displaystyle OH}{|}}{C}}-CH_2-R'$$

$$\overset{-H^{\oplus}}{\rightleftharpoons} \ R-\overset{\overset{\displaystyle O}{\|}}{C}-\underset{\underset{\displaystyle R'}{|}}{CH}-\overset{\overset{\displaystyle R}{|}}{\underset{\underset{\displaystyle OH}{|}}{C}}-CH_2-R'$$

Die Kinetik der basen- und säurekatalysierten Aldol-Kondensation wurde eingehend untersucht[5].

Neben diesen basen- und säurekatalysierten Aldol-Kondensationen kennt man eine weitere Gruppe von Aldol-Kondensationen, bei welchen es sich um nichtkata-

[1] T. A. SPENCER u. K. K. SCHMIEGEL, Chem. & Ind. 1963, 1765.
  D. J. GOLDSMITH u. J. A. HARTMAN, J. Org. Chem. 29, 3520 (1964).
  A. A. YASNIKOV u. K. I. MATKOVSKII, Ukr. chim. Ž. 28, 210 (1962); C.A. 58, 3306 (1963).
[2] N. V. VOLKOVA u. A. A. YASNIKOV, Doklady Akad. SSSR 149, 94 (1963); C.A. 59, 5011 (1963).
[3] L. BIRKOFER, S. M. KIM u. H. D. ENGELS, B. 95, 1495 (1962).
[4] J. HINE, Reaktivität und Mechanismus, S. 249, G. Thieme Verlag, Stuttgart 1960.
[5] C. FRENCH, Am. Soc. 51, 3215 (1929).
  R. P. BELL, Soc. 1937, 1637.
  V. LaMER u. M. MÜLLER, Am. Soc. 57, 2674 (1935).
  K. BONHOEFFER u. W. WALTERS, Z. physik. Chem. [A] 181, 441 (1938).
  G. MURPHY, Am. Soc. 53, 977 (1931).
  F. WESTHEIMER u. H. COHEN, Am. Soc. 60, 90 (1938).
  J. GETTLER u. L. HAMMET, Am. Soc. 65, 1824 (1943).
  G. KRESZE u. B. GNAUCK, Z. El. Ch. 60, 174 (1956).
  D. S. NOYCE u. A. PRYOR, Am. Soc. 77, 1401, 1402 (1955).
  D. S. NOYCE u. L. R. SNYDER, Am. Soc. 81, 618, 620 (1959).
  J. HINE et al., Am. Soc. 87, 5050 (1965).

lytische Verfahren handelt. Da hierbei kein Gleichgewicht vorliegt, können diese Methoden in manchen Fällen Vorteile gegenüber den rein katalytischen Verfahren bieten.

Die erste Gruppe dieser Methoden bedient sich der Halogenmagnesium-alkanolate[1] oder der entsprechenden Halogenmagnesium-amide[2]. Man isoliert in diesen Fällen die Halogenmagnesium-alkanolate der β-Hydroxy-ketone entsprechend den Gleichungen:

$$2\ R-CO-CH_3\ +\ R'-O\cdot MgX\ \longrightarrow\ R-\underset{\underset{OMgX}{|}}{\overset{\overset{CH_3}{|}}{C}}-CH_2-CO-R\ +\ R'OH$$

$$2\ R-CO-CH_3\ +\ R_2N\cdot MgX\ \longrightarrow\ R-\underset{\underset{OMgX}{|}}{\overset{\overset{CH_3}{|}}{C}}-CH_2-CO-R\ +\ R_2NH$$

Die zweite Gruppe dieser Methoden bedient sich metallorganischer Reagenzien, mit deren Hilfe die Protonen-Ablösung erreicht werden kann. Um in diesem Falle die normale Additionsreaktion der metallorganischen Verbindung an die Carbonyl-Gruppe zu verhindern, bedient man sich solcher metallorganischer Verbindungen, bei denen die normale Addition aus sterischen Gründen erschwert ist. In Frage kommen die metallorganischen Verbindungen stark verzweigter Alkyl-Reste wie z.B. Isopropyl-, tert.-Butyl-magnesiumchlorid, Triphenylmethyl-natrium u.a.[3]:

$$2\ R-CO-CH_3\ +\ H_3C-\underset{\underset{CH_3}{|}}{CH}-MgCl\ \longrightarrow\ R-\underset{\underset{OMgCl}{|}}{\overset{\overset{CH_3}{|}}{C}}-CH_2-CO-R\ +\ \underset{\underset{CH_3}{|}}{\overset{\overset{CH_3}{|}}{CH_2}}$$

Eine wichtige neuere Variante der letzteren Arbeitsweisen bedient sich der Lithium-enolate, die durch Einwirkung von Lithium-diisopropylamid auf Ketone oder durch Reaktion von Methyl-lithium mit den Enolestern sowie den Trimethylsilylenoläthern der Ketone in unpolaren Lösungsmitteln, wie Äther oder 1,2-Dimethoxyäthan, bei tiefer Temperatur erhalten werden können (s. S. 1903). Die Reaktion dieser Enolate mit aliphatischen und aromatischen Aldehyden wird durch Zusatz von wasserfreiem Magnesiumbromid oder Zinkchlorid katalysiert. Dabei werden hohe Ausbeuten und ein stereospezifischer Reaktionsverlauf beobachtet, der sich durch die Bildung der Metallchelate entsprechend folgendem Formelschema erklärt[4]:

---

[1] V. Grignard u. M. Fluchaire, A. Ch. [9] **16**, 6 (1928).

[2] J. Colonge, Thèse Ingénieur-Dicteur, Lyon 1934.

[3] J. E. Dubois, Bl. **1955**, 272.

[4] H. O. House, D. S. Crumrine, A. Y. Teranishi u. H. D. Olmstead, Am. Soc. **95**, 3310 (1973).
H. O. House, W. C. Liang u. P. D. Weeks, J. Org. Chem. **39**, 3102 (1974).
G. Stork, G. A. Kraus u. G. A. Garcia, J. Org. Chem. **39**, 3459 (1974).
R. A. Auerbach, D. S. Crumrine, D. L. Ellison u. H. O. House, Org. Synth. **54**, 49 (1974).

Prinzipiell läßt sich diese Arbeitsweise auch auf die **Magnesium-enolate** anwenden, die aus den α,β-ungesättigten Ketonen durch Reaktion mit Methyl-magnesiumjodid in Gegenwart von Kupfer(I)-jodid[1] oder durch die Einwirkung von Methylmagnesiumjodid auf die Enolacetate leicht erhalten werden können[2].

Silylenoläther reagieren mit Aldehyden und Ketonen in Gegenwart von Titan(IV)-chlorid unter sehr milden Bedingungen in guten Ausbeuten zu den gemischten Aldolen. Diese Methode hat den Vorteil einer hohen Selektivität, wie das Beispiel der Herstellung von *2-Oxo-1-methyl-1-(2-hydroxy-benzyl)-cyclohexan* aus 2-Trimethylsilyloxy-1-methyl-cyclohexen mit Benzaldehyd zeigt[3]:

$$\text{2-Trimethylsilyloxy-1-methyl-cyclohexen} \quad + \quad H_5C_6-CHO \quad \xrightarrow[\text{2. } H_2O]{\text{1. TiCl}_4/\text{CH}_2\text{Cl}_2 \ (-78°)} \quad \text{Produkt}$$

Eine weitere, in vielen Fällen vorteilhafte Methode stellt die Einwirkung von **Magnesium** oder **Zink** auf ein Gemisch von α-Halogen-ketonen und Aldehyden oder Ketonen analog der **Reformatzky-Reaktion** dar. Die sich hierbei intermediär bildenden **metallorganischen Carbonyl-Verbindungen** addieren sich an die Carbonyl-Gruppe der zweiten Carbonyl-Verbindung unter Bildung des β-Hydroxy-ketons[4]:

$$R-\overset{O}{\underset{\|}{C}}-CH_2-Br \ + \ Mg \ \longrightarrow \ R-\overset{O}{\underset{\|}{C}}-CH_2-Mg-Br$$

$$R-\overset{O}{\underset{\|}{C}}-CH_2-MgBr \ + \ \overset{R'}{\underset{R''}{\overset{|}{\underset{|}{C}}}}=O \ \longrightarrow \ R-\overset{O}{\underset{\|}{C}}-CH_2-\overset{R'}{\underset{R''}{\overset{|}{\underset{|}{C}}}}-O-MgBr$$

Diese Methode kann vor allem dann mit ausgezeichneten Ergebnissen angewandt werden, wenn die Aldol-Kondensation zwischen **zwei verschiedenen** Carbonyl-Verbindungen beabsichtigt ist, die ihrerseits zur **Selbstkondensation** neigen. Sie macht in vielen Fällen den beabsichtigten Reaktionsverlauf überhaupt erst möglich und sichert einen eindeutigen Reaktionsverlauf.

Eine weitere, wichtige Möglichkeit zur **gezielten** Aldol-Kondensation wird in der Literatur angegeben[5]. Während mit den üblichen Methoden eine Ketocarbonyl-Gruppe nicht mit der Methylen-Gruppe eines Aldehydes zur Reaktion gebracht werden kann, gelingt dies, wenn man den Aldehyd mit Cyclohexylamin in die **Schiff'-sche Base** überführt und mit Lithiumdialkylamid metalliert. Die Einwirkung dieser Lithium-Verbindung auf ein Keton, wie Benzophenon, ergibt ein Addukt, das bei der Hydrolyse in den α,β-ungesättigten Aldehyd übergeht (s. Bd. XIII/1, S. 247).

[1] N. NÄF u. R. DECORZANT, Helv. **57**, 1317 (1974).

[2] H. O. HOUSE, D. S. CRUMRINE, A. Y. TERANISHI u. H. D. OLMSTEAD, Am. Soc. **95**, 3310 (1973).
H. O. HOUSE, W. C. LIANG u. P. D. WEEKS, J. Org. Chem. **39**, 3102 (1974).
G. STOEK, G. A. KRAUS u. G. A. GARCIA, J. Org. Chem. **39**, 3459 (1974).

[3] T. MUKAIYAMA, K. BANNO u. K. NARASAKA, Am. Soc. **96**, 7503 (1974).

[4] M. MALMGREN, B. **35**, 3910 (1902); **36**, 2608, 2642 (1903).
J. COLONGE u. S. GRENET, Bl. **1953**, C 41.
R. KUHN u. H. A. STAAB, B. **87**, 262, 266 (1954).
F. G. SAITKULOVA, G. G. ABASHEV u. I. I. LAPKIN, Izv. Vyssh. Uchebn. Zaved. Khim. Khim. Technol. **16**, 1458 (1973).

[5] G. WITTIG, H. D. FROMMELD u. P. SUCHANEK, Ang. Ch. **75**, 978 (1963); B. **97**, 3548 (1964); **80**, 36667 (1974).
G. WITTIG u. P. SUCHANEK, Tetrahedron, Suppl. 8, Part I, 347 (1966).
G. WITTIG, S. FISCHER u. M. TANAKA, A. **1973**, 1075.

Die Reaktion kann auch unter Verwendung von metallierten Ketiminen zur gezielten Kondensation zwischen zwei verschiedenen Ketonen führen:

$$H_5C_6\\diagdown C=O + Li-CH_2-CH=N-\bigcirc \longrightarrow H_5C_6-\underset{\underset{OLi}{|}}{\overset{\overset{C_6H_5}{|}}{C}}-CH_2-CH=N-\bigcirc$$

$$\longrightarrow \underset{H_5C_6}{\overset{H_5C_6}{\diagdown}}C=CH-CHO$$

Hier sei auch auf die Möglichkeit, mit Hilfe der Wittig-Olefinierungsreaktion α,β-ungesättigte Ketone aufzubauen, hingewiesen[1]. Diese Möglichkeit kann infolge des eindeutigen Verlaufes der Reaktion in speziellen Fällen an die Stelle der direkten Aldol-Kondensation treten. Hier sei als Beispiel die Reaktion von Hexafluoraceton mit (2-Oxo-propyliden)-triphenyl-phosphin zu *1,1,1-Trifluor-4-oxo-2-trifluormethyl-buten-(2)* (93% d. Th.) erwähnt[2]:

$$\underset{F_3C}{\overset{F_3C}{\diagdown}}C=O + (H_5C_6)_3P=CH-CO-CH_3 \longrightarrow \underset{F_3C}{\overset{F_3C}{\diagdown}}C=CH-CO-CH_3$$

Auch die Anionen von Oxo-alkanphosphonsäureester vermögen in analoger Weise mit Aldehyden und Ketonen α,β-ungesättigte Ketone zu bilden. Als einfaches Beispiel sei die Herstellung von *Chalkon* aus 2-Oxo-2-phenyl-äthanphosphonsäure-diäthylester und Benzaldehyd erwähnt[3]:

$$(H_5C_2O)_2\overset{O}{\overset{\uparrow}{P}}-\overset{\ominus}{C}H-\overset{O}{\overset{||}{C}}-C_6H_5 + H_5C_6-CHO \longrightarrow H_5C_6-CH=CH-\overset{O}{\overset{||}{C}}-C_6H_5 + (H_5C_2O)_2\overset{O}{\overset{\uparrow}{P}}-O^{\ominus}$$

Aldolkondensationen lassen sich in vielen Fällen mit Hilfe organischer Borverbindungen durchführen[4,5]. Es lassen sich sowohl β-Hydroxy-ketone als auch α,β-ungesättigte Ketone erhalten.

Als Borverbindungen haben sich vor allem Triäthyl-boran, das durch Zugabe von 1–5 Mol-% 2,2-Dimethyl-propansäure aktiviert wird, sowie Diäthyl-(2,2-dimethyl-propanoyloxy)-boran bewährt. Der Reaktionsverlauf wird durch das folgende Formelschema wiedergegeben:

$$R^1-\overset{O}{\overset{||}{C}}-\underset{R^2}{\overset{|}{C}}H-R^3 + (H_5C_2)_2B-X \xrightarrow[-HX]{} R^1-\overset{O-B(C_2H_5)_2}{\overset{|}{C}}=\underset{R^2}{\overset{R^3}{C}} \xrightarrow[R^4]{\overset{R^5}{\diagdown}C=O}$$

$$\xrightarrow[-(H_5C_2)_2B-OH]{(R^3=H)} R^1-\overset{O}{\overset{||}{C}}-\underset{R^2}{\overset{R^5}{C}}=\overset{}{C}R^4$$

$X = C_2H_5; (H_3C)_3C-CO-O$

[1] U. Schöllkopf, Ang. Ch. **71**, 260 (1959).
    S. Trippett, Ad. Org. Chem. I, 83 (1960).
[2] V. F. Plachova u. N. P. Gambarjan, Izv. Akad. SSSR **1962**, 681.
    s. a. H. Marschall, K. Taut u. P. Weyerstahl, B. **107**, 887 (1974).
    s. a. J. D. Taylor u. J. F. Wolf, Chem. Commun. **1972**, 876.
[3] W. S. Wadsworth u. W. D. Emmons, Am. Soc. **83**, 1733 (1961).
[4] W. Fenzl u. R. Köster, Ang. Ch. **83**, 807 (1971); engl.: **10**, 750 (1971).
[5] R. Köster u. A. A. Pourzal, Synthesis **1973**, 674.

Bei Verwendung des aktivierten Triäthylborans[1] lassen sich die primär entstehenden Diäthyl-[alkan-(1)-yloxy]-borane oftmals in reiner Form isolieren. Eine sich anschließende Reaktion mit Aldehyden führt zu den ebenfalls isolierbaren (Diäthyl-boryl)-ketonen, aus denen mit Methanol die β-Hydroxy-ketone gewonnen werden.

Aus Cyclopentanon oder Cyclohexanon bilden sich mit aktiviertem Triäthylboran dimere und trimere Selbstkondensate[1]. 3-Oxo-cyclohexen sowie Oxo-steroide[2] mit analogen Teilstrukturen liefern ausschließlich dimere Aldol-Kondensate. Die in hohen Ausbeuten anfallenden Produkte sind meist unmittelbar sehr rein. Bei den Kondensationen mit Hilfe des aktivierten Triäthylborans gehen die Bestandteile des Wassers in Äthan und Tetraäthyl-diboroxan über[3]:

$$2\ (H_5C_2)_3B\ +\ H_2O\ \xrightarrow{(H_3C)_3C-COOH}\ (H_5C_2)_2B-O-B(C_2H_5)_2\ +\ 2\ C_2H_6$$

Die Anwendung des Diäthyl-(2,2-dimethyl-propanoyloxy)-boran führt bei 80–120° glatt zu den Aldol-Kondensaten[4]. Die Borverbindung nimmt hierbei das Wasser auf[3]:

$$2\ (H_5C_2)_2B-O-\overset{\overset{O}{\|}}{C}-C(CH_3)_3\ +\ H_2O\ \longrightarrow\ H_5C_2-\underset{\underset{O-CO-C(CH_3)_3}{|}}{\overset{\overset{O-CO-C(CH_3)_3}{|}}{B}}-O-B-C_2H_5\ +\ 2\ C_2H_6$$

Mit Diäthyl-(2,2-dimethyl-propanoyloxy)-boran sind Selbstkondensationen von Ketonen und Mischkondensationen von Ketonen sowie auch Mischkondensationen von Ketonen mit Aldehyden gleichermaßen gut möglich[2]. Mit nicht enolisierbaren Aldehyden und Ketonen gelingt die Mischkondensation glatt an jeder $-CH_2$-Gruppe von enolisierbaren Ketonen. Aus Pentandion-(2,4) gewinnt man z. B. mit Benzaldehyd vorwiegend das *3,5-Dioxo-1,7-diphenyl-4-benzyliden-heptadien-(1,6)*. Auch Halogen-ketone wie z. B. Chloraceton sowie im Phenyl-Kern funktionell substituierte Acetophenone (Acetoxy-, Hydroxy-, Chlor-, Amino-Gruppen) lassen sich mit Diäthyl-(2,2-dimethyl-propanoyloxy)-boran in die dimeren Kondensate überführen[2,4]. Selbst reaktionsträge Ketone wie z. B. Campher können mit ansonsten nur schwer addierbaren Ketonen wie z. B. Fluorenon oder Benzophenon ebenfalls kondensiert werden.

2. Aldolkondensation von Aldehyden mit Ketonen

Eine gemischte Aldol-Kondensation zwischen einem Mol Aldehyd und einem symmetrischen Keton entsprechend der Gleichung

$$R-CHO\ +\ R'-CH_2-CO-CH_2-R'\ \rightleftharpoons\ R-\overset{\overset{OH}{|}}{C}H-\underset{\underset{R'}{|}}{C}H-CO-CH_2-R'$$

$$\underset{+H_2O}{\overset{-H_2O}{\rightleftharpoons}}\ R-CH=\underset{\underset{R'}{|}}{C}-CO-CH_2-R'$$

---

[1] W. Fenzl u. R. Köster, Ang. Ch. **83**, 807 (1971); engl.: **10**, 750 (1971).
[2] W. Fenzl u. R. Köster, Privatmitteilung.
[3] R. Köster, H. Bellut u. Fenzl, A. **1974**, 54.
[4] A. A. Pourzal, Dissertation Universität Bochum 1972.

die zu β-Hydroxy-ketonen und weiter unter Wasser-Abspaltung zu α,β-unge-
sättigten Ketonen führt, läßt sich sowohl durch alkalische als auch durch saure
Katalyse erreichen. Den glattesten Reaktionsverlauf beobachtet man bei gesättigten,
aliphatischen Aldehyden, wenn diese kein α-ständiges Wasserstoffatom besitzen.
Andernfalls muß mit der Selbstkondensation der Aldehyde als unerwünschte Nebenreaktion gerechnet werden. Man kann diese Selbstkondensation dadurch zurück-
drängen, daß man den Aldehyd allmählich zur Mischung des Ketons mit dem basischen Kondensationsmittel zugibt. Ferner bewährt sich hier die im vorigen Abschnitt erwähnte Kondensation eines α-Halogen-ketons mit dem Aldehyd unter
Metallzusatz. Sehr viel glatter verläuft die Kondensation mit α,β-ungesättigten
und aromatischen Aldehyden. In diesen Fällen ist im allgemeinen das α,β-
ungesättigte Keton das einzig isolierbare Endprodukt.

Während bei Verwendung symmetrischer Ketone immer nur die Bildung eines
β-Hydroxy-ketons möglich ist, ergibt sich bei Verwendung von unsymmetrischen
Ketonen, bei denen die α-ständigen Wasserstoffatome nicht gleichwertig sind, die
Möglichkeit zur Bildung von zwei strukturell verschiedenen β-Hydroxy-ketonen,
wie das Beispiel des Butanons zeigt:

$$H_3C-CO-CH_2-CH_3 \quad + \quad R-CHO$$

$$R-\underset{\underset{OH}{|}}{CH}-CH_2-CO-CH_2-CH_3 \quad ①$$

$$R-\underset{\underset{OH}{|}}{CH}-\underset{\overset{CH_3}{|}}{CH}-CO-CH_3 \quad ②$$

Über den Verlauf solcher Aldol-Kondensationen lassen sich Regeln aufstellen[1].
Dabei hat man zu unterscheiden zwischen dem Verlauf der alkalikatalysierten und
der säurekatalysierten Aldol-Kondensation. Für den Eintritt des Substituenten sind
sowohl die CH-Acidität als auch sterische Faktoren maßgebend.

Bei der alkalikatalysierten Aldol-Kondensation erfolgt bei Verwendung von unverzweigten Aldehyden die Kondensation am α-C-Atom des Ketons, das die meisten
Substituenten trägt. Am α-C-Atom verzweigte Aldehyde bevorzugen dagegen das
α-C-Atom, welches die wenigsten Substituenten besitzt. Im ersten Falle wird also
ein β-Hydroxy-keton gemäß Gleichung ② erhalten, während im zweiten Falle
ein Reaktionsverlauf entsprechend der Gleichung ① zu erwarten ist.

Entsprechend dieser Regel geben Aldehyde ohne α-ständigen Wasserstoff (z.B.
aromatische Aldehyde) bei Butanon ein unverzweigtes β-Hydroxy-keton, während Aldehyde der allgemeinen Formel R—CH$_2$—CHO mit Butanon verzweigte
β-Hydroxy-ketone liefern. Bei Aldehyden der allgemeinen Formel (R)$_2$CH—CHO

---

[1] H. HAEUSSLER u. C. BRUGGER, B. **77**, 152 (1944).
    H. HAEUSSLER u. J. DIJKEMA, B. **77**, 601 (1944).
    S. G. POWELL et al., Am. Soc. **46**, 2514 (1924); **55**, 1153 (1933); **58**, 1871 (1936); **60**, 1914 (1938).
    J. E. DUBOIS, Bl. **1953**, C 17.
    J. E. DUBOIS u. R. LUFT, Bl. **1954**, 1148.
    M. G. J. BEETS u. H. VAN ESSEN, R. **77**, 1138 (1958).

beobachtet man beide möglichen Reaktionsprodukte, wie das Beispiel der Kondensation von 2-Methyl-propanol mit Butanon zeigt:

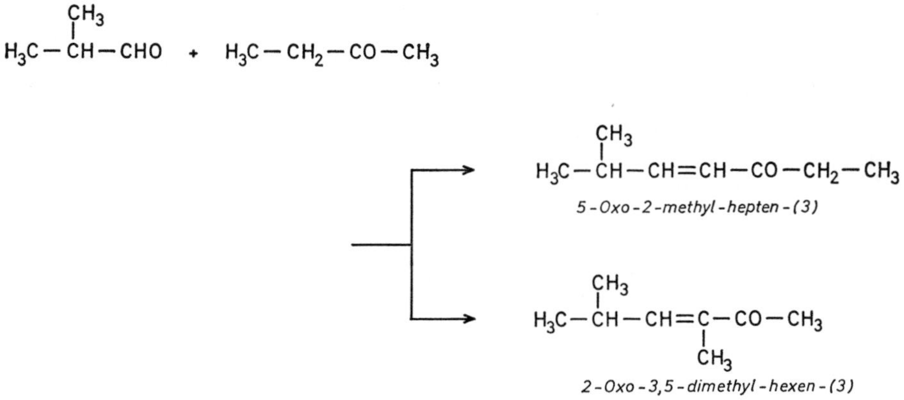

$$
\underset{\text{CH}_3}{\overset{\text{CH}_3}{H_3C-CH-CHO}} \; + \; H_3C-CH_2-CO-CH_3
$$

$$
\longrightarrow \quad \underset{}{\overset{\text{CH}_3}{H_3C-CH-CH=CH-CO-CH_2-CH_3}}
$$

5-Oxo-2-methyl-hepten-(3)

$$
\longrightarrow \quad \overset{\text{CH}_3}{H_3C-CH-CH=\underset{\text{CH}_3}{C}-CO-CH_3}
$$

2-Oxo-3,5-dimethyl-hexen-(3)

Mit wäßrigem Alkali beträgt das Verhältnis von unverzweigtem zu verzweigtem Reaktionsprodukt 55 : 45, während das Verhältnis bei Verwendung von Natriumalkanolat 90 : 10 beträgt.

Ausnahmen von der obigen Regel ergeben sich, wenn das Keton in β-Stellung verzweigt ist. Infolge des zusätzlich auftretenden, sterischen Effektes erfolgt auch bei solchen Ketonen bei der Kondensation mit unverzweigten Aldehyden ein Reaktionsverlauf entsprechend der Gleichung ① (S. 1458). Man erhält so aus Acetaldehyd und 4-Oxo-2-methyl-pentan *6-Hydroxy-4-oxo-2-methyl-heptan*[1]:

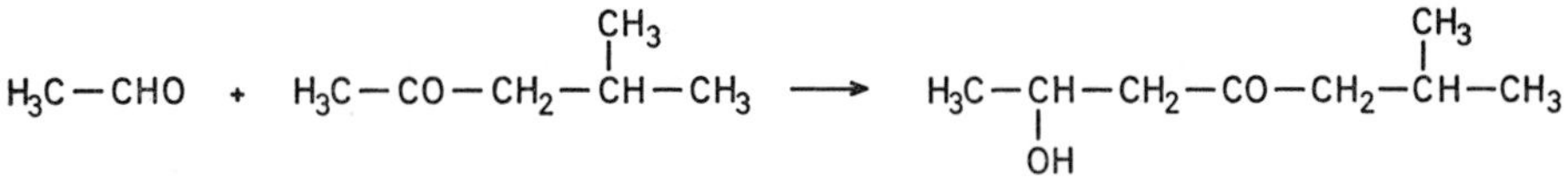

$$
H_3C-CHO \; + \; \overset{\text{CH}_3}{H_3C-CO-CH_2-CH-CH_3} \longrightarrow \underset{\text{OH}}{H_3C-CH}-CH_2-CO-CH_2-\overset{\text{CH}_3}{CH}-CH_3
$$

Aldehyde mit Verzweigung in β-Stellung ermöglichen wieder einen Reaktionsverlauf gemäß Gleichung ② (S. 1458). Bei der Reaktion von 2-Methyl-propanal mit Butanon erhält man *4-Hydroxy-6-oxo-2,5-dimethyl-heptan*[2]:

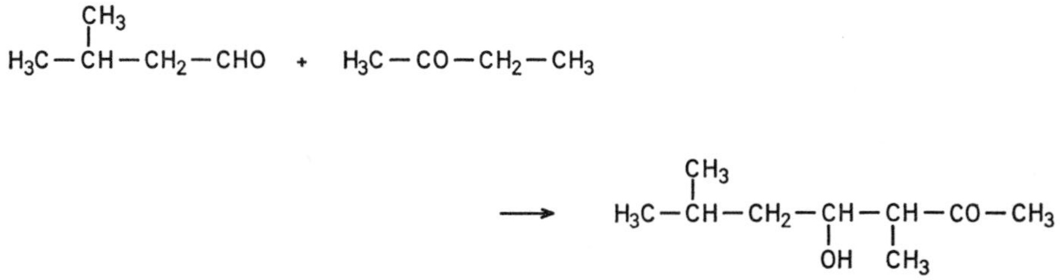

$$
\overset{\text{CH}_3}{H_3C-CH-CH_2-CHO} \; + \; H_3C-CO-CH_2-CH_3
$$

$$
\longrightarrow \quad \overset{\text{CH}_3}{H_3C-CH}-CH_2-\underset{\text{OH}}{CH}-\underset{\text{CH}_3}{CH}-CO-CH_3
$$

Im Gegensatz zur alkalischen Katalyse erhält man bei der Aldol-Kondensation unter Verwendung saurer Katalysatoren vorzugsweise einen Reaktionsverlauf gemäß Gleichung ② (S. 1458). So ergibt die Kondensation von Butanon mit Benzal-

[1] J. E. DUBOIS, R. LUFT u. F. WECK, C. r. **234**, 2289 (1952).
[2] F. WECK, Annales de l'Université de la Sarre **1953**, 1.
    J. E. DUBOIS, R. LUFT u. F. WECK, Ann. univ. saraviensis **1**, 157 (1953); C. A. **47**, 9920 (1953).

dehyd unter Verwendung von Salzsäure ausschließlich *3-Oxo-2-methyl-1-phenyl-buten-(1)*[1]:

$$H_5C_6-CHO \; + \; H_3C-CO-CH_2-CH_3 \; \longrightarrow \; H_5C_6-CH=\overset{\overset{\displaystyle CH_3}{|}}{C}-CO-CH_3$$

Die Hydroxymethylierung von Ketonen zu α-Hydroxymethyl-ketonen mittels Formaldehyd gelingt besonders leicht. Sehr eindeutig verläuft diese Reaktion bei solchen Ketonen, die nur über einen α-ständigen Wasserstoff verfügen, wie das Beispiel der Hydroxymethylierung von 1-Oxo-2-methyl-1-phenyl-propan in Gegenwart von Kaliumhydroxid zeigt[2]:

$$H_5C_6-CO-\overset{\overset{\displaystyle CH_3}{|}}{\underset{\underset{\displaystyle CH_3}{|}}{CH}} \; + \; CH_2O \; \longrightarrow \; H_5C_6-CO-\overset{\overset{\displaystyle CH_3}{|}}{\underset{\underset{\displaystyle CH_3}{|}}{C}}-CH_2OH$$

3-Hydroxy-1-oxo-2,2-dimethyl-1-phenyl-propan

Weniger günstig liegen die Verhältnisse bei Ketonen mit mehreren α-ständigen Wasserstoffatomen. Auch hier läßt sich eine Reaktion im Molverhältnis 1:1 erreichen, doch muß in diesen Fällen immer mit dem Auftreten von Poly-[hydroxymethyl]-ketonen und weiteren Folgeprodukten gerechnet werden, da grundsätzlich sämtliche α-ständigen Wasserstoffatome in die Reaktion einbezogen werden können.

Ein viel untersuchtes, charakteristisches Beispiel stellt hier die Reaktion von Aceton mit Formaldehyd dar. Die zum *4-Hydroxy-2-oxo-butan* führende Reaktion im Molverhältnis 1:1 läßt sich in schwach alkalischem Milieu ($p_H = 8{,}3–8{,}5$) mit einem 4fachen molaren Überschuß an Aceton erreichen[3]. Neben 28% d. Th. an *4-Hydroxy-2-oxo-butan* erhält man als Nebenprodukte die im Formelschema aufgeführten Verbindungen[4]:

$$H_3C-CO-CH_3 \; + \; CH_2O \; \longrightarrow \; HO-CH_2-CH_2-CO-CH_3$$

28%

$$H_3C-CO-\overset{\overset{\displaystyle CH_2}{||}}{C}-CH_2OH$$

14–15%

$$\text{(1,3-dioxolan)}-CO-CH=C\overset{\diagup CH_3}{\diagdown CH_3}$$

10–11%

$$\text{(1,3-dioxolan)}-CO-CH_3$$

3–4%

$$H_3C-CO-CH_2-\overset{\overset{\displaystyle OH}{|}}{\underset{\underset{\displaystyle CH_3}{|}}{C}}-CH_3$$

4–5%

[1] C. HARRIES u. G. H. MÜLLER, B. **35**, 966 (1902).
M. STILES, D. WOLF u. G. V. HUDSON, Am. Soc. **81**, 628 (1959).
B. UNTERHALT u. H. J. REINHOLD, Ar. **305**, 463 (1972).
[2] F. NERDEL, P. WEYERSTAHL u. U. KRETZSCHMAR, B. **92**, 1329 (1959).
[3] US. P. 2064564 (1935), Union Carbide u. Carbon Corp., Erf.: W. M. QUATTLEBAUM; C.A. **31**, 703 (1937).
DRP 223207 (1909), Farbf. Bayer; C. A. **4**, 2980 (1910).
[4] T. WHITE u. R. N. HAWARD, Soc. **1943**, 25.
S. a. F. ENGELHARDT u. J. WÖLLNER, Brennstoffch. **44**, 181 (1963).
S. MALINOWSKI, H. HOSER u. M. SOLIK, Roczniki Chem. **43**, 1837 (1969).

4-Hydroxy-2-oxo-butan[1]: 3 *l* Aceton, 315 g Paraformaldehyd und 20 *ml* 2n methanolisches Kaliumcarbonat (potash) (p_H=8,3-8,5) werden unter Rühren solange unter Rückfluß erhitzt, bis 4 Tropfen des Reaktionsgemisches mit 2 *ml* Tollens Reagenz das vollständige Abreagieren des Formaldehydes anzeigen. Das Reaktionsgemisch wird dann neutralisiert mit 2n Salzsäure in Aceton und der Überschuß an Aceton auf dem Wasserbad abdestilliert. Man gewinnt 2365 *ml* Aceton zurück. Der Rückstand beträgt 800 g. Zu diesem Rückstand gibt man 500 *ml* Phthalsäure-dibutylester und destilliert das Gemisch i. Vak., wobei 575 g bis zu einem Siedepunkt von 180°/15 Torr übergehen. Das Destillat wird dann einer fraktionierten Destillation über eine Kolonne unterworfen. Die dritte Fraktion ist das Hydroxy-keton; Ausbeute: 215 g (23% d. Th.); Kp_{12}: 70-71°.

Diese und eine Reihe weiterer Kondensationen von Formaldehyd mit Methylketonen konnten unter Anwendung einer speziellen Apparatur mit wesentlich höheren Ausbeuten durchgeführt werden[2]. In dieser Apparatur soll Aceton bei 80° mit einer wäßrigen, alkalischen Formaldehyd-Lösung ($p_H = 10$) im Molverhältnis 30:1 zur Reaktion gebracht werden. Die in der Ketonschicht vorhandene nichtflüchtige Säure neutralisiert sofort die mit dem Kondensat zurückfließende Base. Auf diese Weise wird das gebildete Hydroxy-keton weiteren Veränderungen unter dem Einfluß des Katalysators entzogen.

Ältere Angaben, daß bei einem p_H-Wert von 10 und darüber bei einem Molverhältnis von 2 Mol Formaldehyd und 1 Mol Aceton *1,5-Dihydroxy-3-oxo-pentan* in Ausbeuten bis zu 75% d. Th. erhalten werden soll[3], konnten in neuerer Zeit nicht bestätigt werden[4]. Nach diesen Untersuchungen ist *1,5-Dihydroxy-3-oxo-pentan* maximal mit 20% d. Th. erhältlich, wenn man Alkalimetallhydroxid auf ein Gemisch von Aceton, Formaldehyd und Methanol im Molverhältnis von 5 : 1 : 4 einwirken läßt.

Besser zugänglich ist *1-Hydroxy-3-oxo-2,2-bis-[hydroxymethyl]-butan*, das in Ausbeuten über 80% d. Th. erhalten werden konnte bei einem Aceton/Formaldehyd-Molverhältnis von 1 : 1 und Lithiumhydroxid als Katalysator[4].

Bei Anwendung eines großen Überschusses an Formaldehyd in Gegenwart von Calciumhydroxid gelingt es, alle Wasserstoffatome durch Hydroxymethyl-Gruppen zu ersetzen (s. Bd. XIV/2, S. 415 ff.). Unter diesen Bedingungen erfolgt aber sekundär eine gekreuzte Cannizzaro-Reaktion unter Reduktion der Carbonyl-Gruppe sowie eine intramolekulare Wasser-Abspaltung zu *4-Hydroxy-3,3,5,5-tetrakis-[hydroxymethyl]-tetrahydropyran (Anhydro-enneaheptit)*[5]. Nach neueren Untersuchungen erfolgt die cyclische Ätherbildung vor der Reduktion so, daß folgendes Formelschema den Reaktionsverlauf wiedergibt[4]:

[1] T. White u. R. N. Haward, Soc. 1943, 25.
s. a. F. Engelhardt u. J. Wöllner, Brennstoff ch. 44, 181 (1963).
[2] J. T. Hays et al., Am. Soc. 73, 5369 (1951).
[3] DRP. 544887 (1930); 1955060 (1934), I. G. Farb., Erf.: W. Flemmig u. H. D. von der Horst; C.A. 26, 3521 (1932).
[4] F. Engelhardt u. J. Wöllner, Brennstoffch. 44, 180 (1963).
[5] B. Tollens u. P. Wigand, A. 265, 340 (1891).
M. Apel u. B. Tollens, B. 27, 1089 (1894).
J. R. Roach, H. Wittcoff u. S. E. Miller, Am. Soc. 69, 2651 (1947).

1,5-Dihydroxy-3-oxo-2,2,4,4-tetrakis-[hydroxymethyl]-pentan läßt sich auf diesem Wege nicht erhalten. Dagegen gelingt es in vielen Fällen, durch Vermeidung eines Überschusses an Formaldehyd eine vollständige Hydroxymethylierung zu erreichen, ohne daß hierbei die Reduktion der Carbonyl-Gruppe erfolgt. Cyclopentanon und Cyclohexanon konnten so durch Reaktion von 4 Mol Formaldehyd mit 1 Mol Keton in Gegenwart von Calciumhydroxid in hohen Ausbeuten in *2-Oxo-1,1,3,3-tetrakis-[hydroxymethyl]-cyclopentan* bzw. *-cyclohexan* überführt werden[1]:

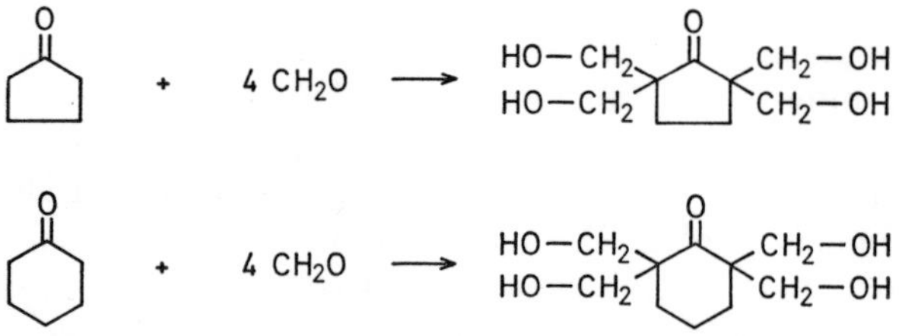

Überschüssiger Formaldehyd bewirkt auch hier die gekreuzte Cannizzaro-Reaktion[1,2].

2-Oxo-1,1,3,3-tetrakis-[hydroxymethyl]-cyclohexan[1]: 10 g Cyclohexanon (1 Mol), 34 g 35%iges Formalin (4 Mol) und 100 *ml* Wasser werden gemischt und mit wenig Calciumhydroxid alkalisch gemacht. Nach mehrmaligem geringen Zusatz von Calciumhydroxid (zusammen ~ 0,5 g) ist nach 8 Tagen kein Formaldehyd mehr nachweisbar. Die Lösung wird mit verd. Schwefelsäure bis zur deutlich kongosauren Reaktion versetzt, vom ausgeschiedenen Calciumsulfat abfiltriert und auf dem Wasserbad zu einem Sirup eingedampft. Nach einem Tag beginnt die Kristallisation. Nach längerem Stehen werden die Kristalle mit Aceton angerührt, abgesaugt und aus Äthanol umkristallisiert; Ausbeute: 8,5 g; F: 143°.

Ein **stereospezifischer** Verlauf der Monohydroxymethylierung von Ketonen wurde bei der Reaktion von gasförmigem Formaldehyd mit den Lithiumenolaten cyclischer Ketone bei −78° beobachtet. So konnte z. B. *6-Oxo-2-methyl-1-hydroxymethyl-cyclohexan* aus 3-Oxo-1-methyl-cyclohexan in 70%-iger Ausbeute erhalten werden[3]:

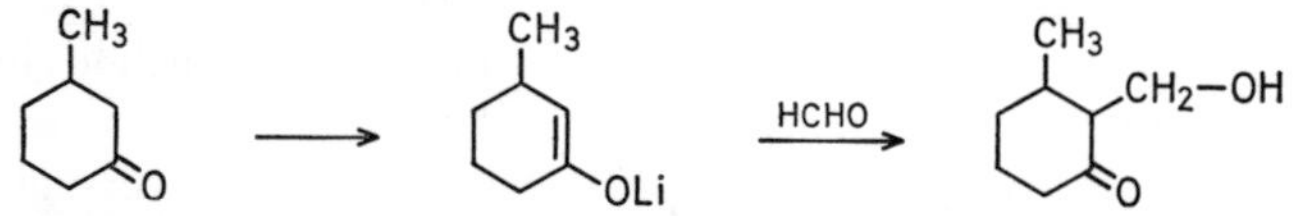

Auch die durch Aktivierung mit Titan(IV)-chlorid mögliche gemischte Aldolkondensation von Silylenoläthern mit Aldehyden ermöglicht die spezifische Monohydroxymethylierung von Ketonen. Man erhält so aus 2-Trimethylsilyloxy-1-phenyl-propen mit Formaldehyd in 64%-iger Ausbeute *4-Hydroxy-2-oxo-3-phenyl-butan*[4]:

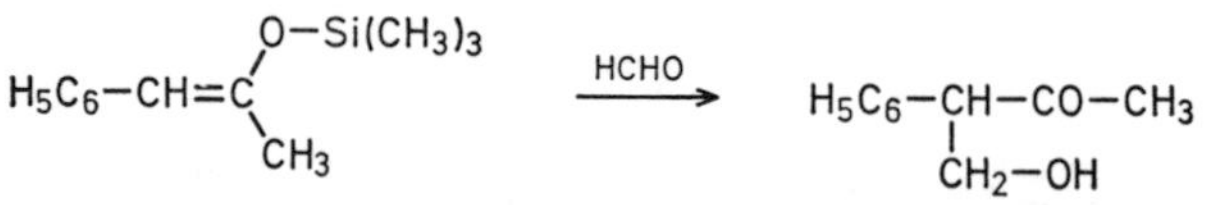

Eine Monhydroxymethylierung von Ketonen mit mehreren aciden Wasserstoffen läßt sich auch auf einem Umweg erreichen. Im ersten Schritt dieser Reaktionsfolge kondensiert man das Keton mit Ameisensäure-äthylester zu dem Hydroxymethylen-

[1] C. Mannich u. W. Brose, B. **56**, 840 (1923).
[2] H. Wittcoff, Org. Syntheses **31**, 101 (1951).
[3] G. Stork u. J. d'Angelo, Am. Soc. **96**, 7114 (1974).
[4] T. Mukaiyama, K. Banno u. K. Narasaka, Am. Soc. **96**, 7503 (1974).

keton, das im zweiten Reaktionsschritt mit Aluminiumhydrid zu dem Hydroxy-methyl-keton reduziert werden kann. 4-Oxo-1-tert.-butyl-cyclohexan konnte so in ~ 88%-iger Gesamtausbeute in *4-Oxo-3-hydroxymethyl-1-tert.-butyl-cyclohexan* über-führt werden[1]:

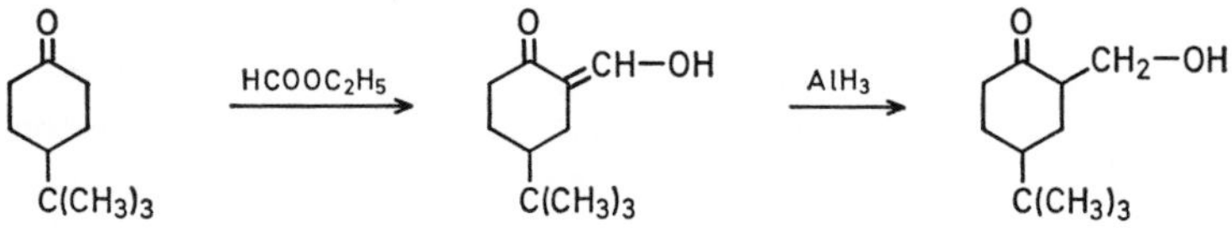

In einigen Fällen kann auch bei Methyl-ketonen eine Bis-hydroxymethylierung erreicht werden, wenn unter den Bedingungen der Aldolkondensation die Bis-hydroxy-methyl-Verbindung durch Acetalisierung mit Formaldehyd fixiert wird. Aus Aceto-phenon erhält man bei der Reaktion mit Paraformaldehyd im Methanol unter Kata-lyse mit Kaliumcarbonat *5-Benzoyl-1,3-dioxan*[2]:

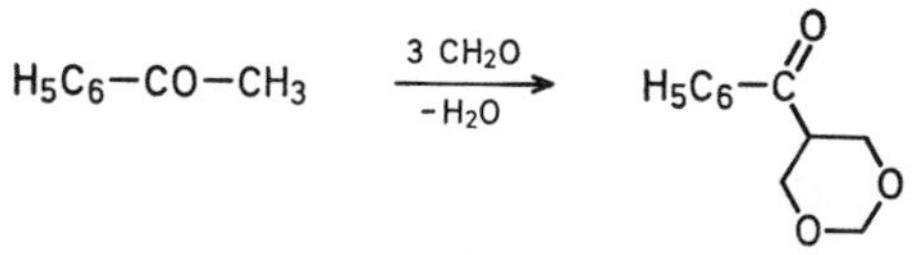

5-Benzoyl-1,3-dioxan[3]: 1080 g (9 Mol) Acetophenon, 270 g (9 Mol) Paraformaldehyd und 12 g Kaliumcarbonat werden in 1800 ml Methanol gelöst und 10 Tage bei Raumtemp. aufbewahrt. Dabei tritt eine leichte Gelbfärbung ein. Das Reaktionsgemisch wird dann in 10 l Wasser ein-gerührt, die untere organische Schicht abgetrennt und sofort im Wasserstrahlvakuum fraktioniert. Als Vorlauf erhält man ~ 500 g unverändertes Acetophenon (Kp$_{15}$: 90–120°) mit etwas Wasser. Zwischen 140–160°/15 Torr erhält man 450 g (78% d.Th.) 5-Benzoyl-1,3-dioxan, das für die Weiterverarbeitung geeignet ist.

Mit dem gleichen Erfolg läßt sich auch 3-Oxo-2,2-dimethyl-butan (Pinakolon) in die Reaktion einsetzen[4] und man erhält *5-(2,2-Dimethyl-propanoyl)-1,3-dioxan*.

Überraschend ist es, daß bei einigen bicyclischen Ketonen die alkalisch katalysierte Aldolkondensation mit Formaldehyd unmittelbar zu den **Methylen-ketonen** führt. 3-Oxo-chinuclidin ergibt so *3-Oxo-2-methylen-chinuclidin*[5]. 9,9-Äthylendioxy-3-oxo-bicyclo[3.3.1]nonan ergibt ebenfalls eine 2,4-Bis-[methylen]-Verbindung[6]:

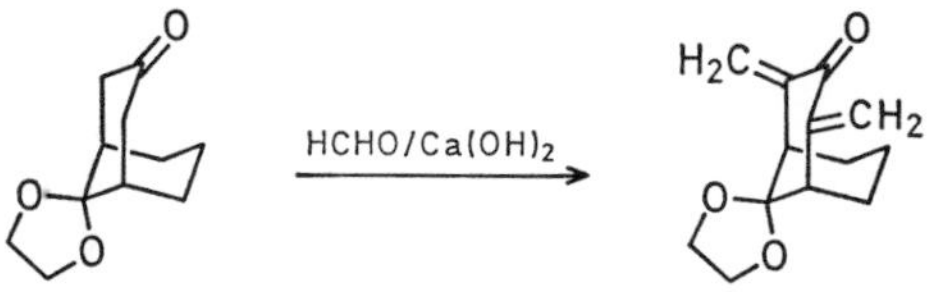

9,9-Äthylendioxy-3-oxo-2,4-bis-[methylen]-bicyclo[3.3.1]nonan[6]: 19,6 g (0,1 Mol) 9,9-Äthylen-dioxy-3-oxo-bicyclo[3.3.1]nonan werden in 75 ml Methanol gelöst und mit 75 ml Wasser in fein verteilte Form ausgefällt. Zu dieser Emulsion gibt man 10 g (0,33 Mol) Paraformaldehyd und 1 g Calciumhydroxid. Unter schwacher Wärmeentwicklung entsteht nach 30 Min. eine nicht völlig

[1] E. J. Corey u. D. E. Cane, J. Org. Chem. **36**, 3070 (1971).
[2] R. C. Fuson, Am. Soc. **60**, 2935 (1938).
[3] Eine etwas abgeänderte Vorschrift, die sich im Laboratorium des Autors (Aachen) bewährt hat.
[4] T. Daldrup, Diplomarbeit, Aachen 1974.
[5] A. T. Nielsen, J. Org. Chem. **31**, 1053 (1966).
    E. Oppenheimer u. E. D. Bergmann, Synthesis **1972**, 269.
[6] K. D. Rämsch, Dissertation, S. 60, Technische Hochschule Aachen 1973.

klare Lösung. Nach 5 stdgm. Rühren wird das ausgefallene Rohprodukt abgesaugt und mit viel Wasser neutral gewaschen. Nach dem Trocknen kristallisiert man aus Cyclohexan um; Ausbeute: 20 g (90% d.Th.); F: 128–129°.

Eine weitere Möglichkeit der Hydroxymethylierung von Ketonen unter Vermeidung der gekreuzten Cannizzaro-Reaktion bietet die säurekatalysierte Aldol-Kondensation, die vorteilhaft in Eisessig/Schwefelsäure durchgeführt wird[1]. Unter diesen Bedingungen verläuft aber immer der Ringschluß zum Tetrahydro-γ-pyron-System, wie das Beispiel der Hydroxymethylierung von Aceton zeigt, die zum *4-Oxo-3,3,5,5-tetrakis-[hydroxymethyl]-tetrahydropyran* führt:

$$H_3C-CO-CH_3 \ + \ 6\,CH_2O \ \longrightarrow$$

$$
\begin{array}{c}
HO-CH_2\ \ O\ \ CH_2-OH \\
| \quad\ \| \quad\ | \\
HO-CH_2-C-C-C-CH_2-OH \\
| \qquad\qquad | \\
CH_2 \quad\ CH_2 \\
| \qquad\quad\ | \\
OH \qquad\ OH
\end{array}
$$

$$\xrightarrow{-\,H_2O}$$

$$
\begin{array}{c}
HO-CH_2 \\
\quad\quad\quad\ \ C{=}O \\
HO-CH_2 \quad\quad CH_2-OH \\
\quad\quad\quad\quad\ \ CH_2-OH
\end{array}
$$

Bei Einwirkung von Paraformaldehyd in Trifluoressigsäure lassen sich die Hydroxymethyl-ketone als Ester der Trifluoressigsäure isolieren. *1-Trifluoracetoxy-3-oxo-2,2-dimethyl-butan* läßt sich auf diese Weise aus 3-Oxo-2-methyl-butan in 78%-iger Ausbeute erhalten[2]:

$$
\begin{array}{c}
O \quad CH_3 \\
\| \quad\ | \\
H_3C-C-CH-CH_3
\end{array}
\ \longrightarrow \
\begin{array}{c}
O \quad CH_3 \qquad O \\
\| \quad\ | \qquad\quad\ \| \\
H_3C-C-C-CH_2-O-C-CF_3 \\
\ \ | \\
\ \ CH_3
\end{array}
$$

Über die Herstellung der Vinylketone aus den β-Hydroxy-ketonen vgl. Bd. VII/2c.

Auch α-Halogen-ketone eignen sich für die Aldol-Kondensation mit Formaldehyd. Es reagieren hier infolge der höheren CH-Acidität vorzugsweise die Wasserstoffatome in Nachbarschaft zum Halogen, wie das Beispiel der Hydroxymethylierung von Chloraceton in verd. Alkalilauge zeigt, die zu *2-Chlor-4-hydroxy-3-oxo-butan*[3] oder *2-Chlor-1-hydroxy-3-oxo-2-hydroxymethyl-butan*[4] führt:

$$H_3C-CO-CH_2Cl$$

$$\xrightarrow{+\,CH_2O}\
\begin{array}{c}
H_3C-CO-CH-CH_2-OH \\
| \\
Cl
\end{array}
$$

$$\xrightarrow{+\,2\,CH_2O}\
\begin{array}{c}
CH_2-OH \\
| \\
H_3C-CO-C-CH_2-OH \\
| \\
Cl
\end{array}
$$

Entsprechend erhält man aus 1,1-Dichlor-2-oxo-propan bzw. 2,2-Dichlor-1-oxo-1-phenyl-äthan *3,3-Dichlor-4-hydroxy-2-oxo-butan* bzw. *2,2-Dichlor-3-hydroxy-1-oxo-1-phenyl-propan*[3,5].

[1] S. OLSEN, Z. Naturf. **1**, 676 (1946), Acta chem. scand. **9**, 101, 955 (1955); B. **88**, 205 (1955).
   S. OLSEN u. G. HAVRE, Acta chem. scand. **8**, 47 (1954).
   S. OLSEN et al., B. **92**, 1072 (1959); A. **627**, 96 (1959).
[2] W. C. LUMMA u. O. H. MA, J. Org. Chem. **35**, 2391 (1970).
[3] C. D. HURD, W. D. McPHEE u. G. H. MORCY, Am. Soc. **70**, 329 (1948).
[4] E. R. BUCHMAN u. H. SARGENT, Am. Soc. **67**, 402 (1945).
[5] Brit. P. 785379 (1955), Union Carbide Corp; C. **1959** I, 4305.

3,3-Dichlor-4-hydroxy-2-oxo-butan[1]: Eine Mischung von 51 g 1,1-Dichlor-2-oxo-propan und 65 *ml* 40%iges Formalin werden unter Rühren allmählich mit 5 g trockenem Natriumcarbonat versetzt. Nach der anfänglich heftigen Reaktion wird das Reaktionsgemisch noch 8 Stdn. bei Raumtemp. gerührt. Die untere Schicht wird abgetrennt, mit Drierite getrocknet, filtriert und i. Vak. destilliert. Nach dem Abtrennen eines Vorlaufes von 4,5 g (Kp_{20}: 78–81°) destilliert das Reaktionsprodukt bei Kp_{20}: 81°; Kp_{50}: 105°; Ausbeute: 75% d. Th.

In der Steroid-Reihe konnten 3-Oxo-6-hydroxymethyl-$\Delta^{4,6}$-steroide durch Reaktion von Formaldehyd mit den aus den 3-Oxo-$\Delta^{4,6}$-steroiden mit Pyrrolidin zugänglichem 3-Pyrrolidino-$\Delta^{4,6}$-steroiden glatt erhalten werden[2]:

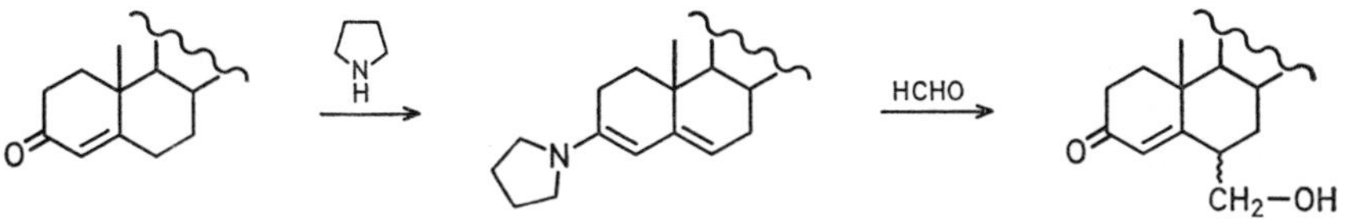

Auch α-Acylamino-ketone lassen sich mit Formaldehyd hydroxymethylieren. Diese Reaktion wurde besonders eingehend im Hinblick auf die Chloramphenicol-Synthese untersucht. Eine Reihe von 2-Acylamino-1-oxo-1-(4-subst.-phenyl)-äthanen wurden in Gegenwart von Natriumhydrogencarbonat oder 2n-Natronlauge in alkoholischer Lösung mit Formaldehyd in die entsprechenden 2-Acylamino-3-hydroxy-1-oxo-1-(4-subst.-phenyl)-propane überführt[3]:

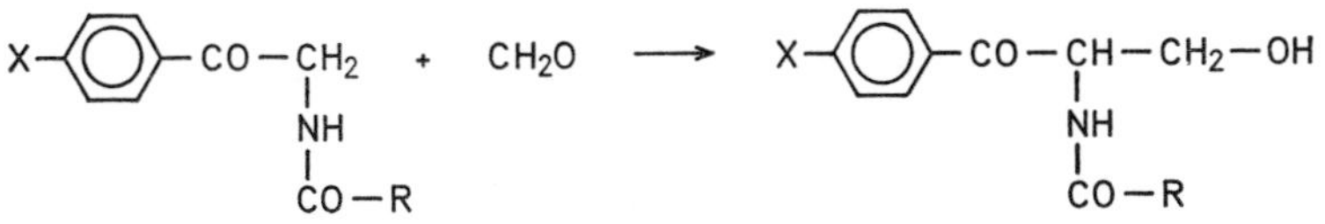

Bei der Durchführung der Hydroxymethylierung in Alkoholen beobachtet man das Auftreten von Alkoxymethyl-ketonen. Aus Acetophenon wurde so z.B. in Methanol mit Kaliumcarbonat oder Natrium-methanolat *1,3-Dimethoxy-2-benzoyl-propan* erhalten[4] (über den Mechanismus dieser Reaktion s. Lit.):

$$H_5C_6-CO-CH_3 \;+\; 2\,CH_2O \;+\; 2\,CH_3OH$$

$$\longrightarrow\; H_5C_6-CO-\underset{\displaystyle CH_2-O-CH_3}{\underset{|}{CH}}-CH_2-O-CH_3 \;+\; 2\,H_2O$$

Bei Ketonen mit hoher CH-Acidität gelingt es im allgemeinen nicht, eine Hydroxymethylierung zu erreichen. In diesen Fällen lassen sich entweder die durch Wasser-Abspaltung entstehenden Methylen-ketone oder infolge einer sekundär verlaufenden Michael-Addition aus letzteren die Methylen-bis-ketone erhalten.

---

[1] C. D. HURD, W. D. MCPHEE u. G. H. MORCY, Am. Soc. **70**, 329 (1948).
[2] F. SCHNEIDER, A. BOLLER, M. MÜLLER, P. MÜLLER u. A. FÜRST, Helv. **56**, 2396 (1973).
[3] R. A. CUTLER, R. J. STENGER u. C. M. SUTER, Am. Soc. **74**, 5475 (1952).
D. D. EVANS et al., Soc. **1954**, 1687.
L. M. LONG u. H. D. TROUTMAN, Am. Soc. **71**, 2469 (1949).
DDRP. 37376 (1964), G. ZIEBELL u. K. SCHINKOWSKI; C.A. **63**, 9876 (1965).
[4] L. G. HEERINGA u. M. G. J. BEETS, R. **76**, 213 (1957).

Tab. 176: Hydroxymethylierung von Ketonen mit Formaldehyd

Ketone	Katalysator	Hydroxy-keton	Ausbeute [% d.Th.]	Literatur
Aceton	K_2CO_3 (p_H = 8,3–8,5)	*4-Hydroxy-2-oxo-butan*	23	1
	K_2CO_3 + 0,04% Hydrochinon	*4-Hydroxy-2-oxo-butan*	50–55	2
	NaOH (PH = 10)	*4-Hydroxy-2-oxo-butan*	80	3
	NaOH	*1-Hydroxy-3-oxo-2-hydroxymethyl-butan*	20	4
	LiOH	*1-Hydroxy-3-oxo-2,2-bis-[hydroxymethyl]-butan*	[illegible]0	4
Butanon	2n NaOH	*4-Hydroxy-3-oxo-2-methyl-butan*	30	5
		+ *3-Oxo-2,2-bis-[hydroxy-methyl]-butan*	20	
	30%ige NaOH	*1-Hydroxy-3-oxo-2-methyl-butan*	70	6
	KOH, NaOH, K_2CO_3	*3-Oxo-2,2-bis-[hydroxy-methyl]-butan*	max. 85	4,7
Pentanon-(3)	NaOH	*3-Oxo-2-Hydroxymethyl-pentan*	75	3,8
	NaOH	*3-Oxo-2,2-bis[hydroxy-methyl]-pentan* + *3-Oxo-2,2,4-tris-[hydromethyl]-pentan*		5,9
Cyclopentanon	$Ca(OH)_2$	*2-Oxo-1,1,3,3-tetrakis-[hydroxymethyl]-cyclopentan*	90	10

[1] DRP 223207 (1909), Farb. Bayer; C. A. **4**, 2980 (1910).
US. P. 2064564 (1935), Union Carbide u. Carbon Corp., Erf.: W. M. Quattlebaum; C.A. **31**, 703 (1937).
T. White u. R. N. Haward, Soc. **1943**, 25.
[2] N. S. Wulfsson, Z. prikl. Chim. **27**, 1330 (1954).
[3] J. T. Hays et al., Am. Soc. **73**, 5369 (1951).
[4] F. Engelhardt u. J. Wöllner, Brennstoffch. **44**, 178 (1963).
[5] G. T. Morgan u. E. L. Holmes, Soc. **1932**, 2671.
[6] J. Colonge u. L. Cumet, Bl. **1947**, 838.
[7] DRP 544887 (1930), I. G. Farb, Erf.: W. Flemming u. H. D. von der Horst; C. **1932**, 2996.
J. Décombe, C. r. **203**, 1077 (1936).
D. Capon et. al., Bl. **1958**, 847.
G. T. Morgan u. E. L. Holmes, Soc. **1932**, 2671.
T. White, S. **1943**, 238.
E. F. Landau u. E. P. Irany, J. Org. Chem. **12**, 422 (1947).
[8] J. Décombe, C. r. **202**, 1685 (1936).
[9] J. Décombe, C. r. **203**, 1077 (1936).
J. Colonge u. L. Cumet, Bl. [5] **14**, 838 (1947).
[10] C. Mannich u. W. Brose, B. **56**, 840 (1923).

Tab. 176 (1. Fortsetzung)

Ketone	Katalysator	Hydroxy-keton	Ausbeute [% d.Th.]	Literatur
Cyclohexanon	Ca(OH)$_2$	*2-Oxo-1,1,3,3-tetrakis-[hydroxymethyl]-cyclohexan*	40	1
2-Oxo-1-methyl-cyclohexan	CH$_3$OK	*2-Oxo-1-methyl-1-hydroxymethyl-cyclohexan*	18	2
4-Oxo-1-methyl-cyclohexan	CH$_3$OK	*2-Oxo-5-methyl-1-hydroxymethyl-cyclohexan*	34	2
5-Methyl-5-acetyl-1,3-dioxan	NaOH	*5-Methyl-5-(3-hydroxy-2-hydroxymethyl-propanoyl)-1,3-dioxan*		3
Acetophenon	verd. H$_2$SO$_4$	*3-Hydroxy-1-oxo-1-phenyl-propan*	25	4
2,4,6-Trimethyl-1-acetyl-benzol	K$_2$CO$_3$	*3-Hydroxy-1-oxo-1-(2,4,6-trimethyl-phenyl)-propan*	74	5
Propiophenon	Amberlite IRA-400	*3-Hydroxy-1-oxo-2-methyl-1-phenyl-propan*	40	6
1-Oxo-2-methyl-1-phenyl-propan	KOH	*3-Hydroxy-1-oxo-2,2-dimethyl-1-phenyl-propan*	66	7
α-Chlor-aceton	K$_2$CO$_3$	*3-Chlor-4-hydroxy-2-oxo-butan*	30	8
1,1-Dichlor-2-oxo-propan	Na$_2$CO$_3$	*3,3-Dichlor-4-hydroxy-2-oxo-butan*	75	9
2,2-Dichlor-1-oxo-1-phenyl-äthan	NaOH	*2,2-Dichlor-3-hydroxy-1-oxo-1-phenyl-propan*		10
2-Benzoylamino-1-oxo-1-phenyl-äthan	NaHCO$_3$	*2-Benzoylamino-3-hydroxy-1-oxo-1-phenyl-propan*	77	11

[1] C. MANNICH u. W. BROSE, B. **56**, 840 (1923).
s. a.: J. KENNEE, W. H. RITCHIE u. F. S. STATHAM, Soc. **1937**, 1169.
[2] J. COLONGE, J. DREUX u. H. DELPLACE, Bl. **1956**, 1635.
J. KENNER, W. H. RITCHIE u. F. S. STATHAM, Soc. **1937**, 1169.
[3] DAS 1052385 (1957), Rheinpreussen AG, Erf.: W. GRIMME u. J. WÖLLNER; C.A. **55**, 5349 (1961).
[4] M. G. J. BEETS u. L. G. HEERINGA, R. **74**, 1085 (1955).
[5] R. C. FUSON u. C. H. MCKEEVER, Am. Soc. **62**, 999 (1940).
R. C. FUSON, W. E. ROSS u. C. H. MCKEEVER, Am. Soc. **61**, 414 (1939).
[6] R. C. FUSON, W. E. ROSS u. C. H. MCKEEVER, Am. Soc. **60**, 2935 (1938).
S. YAMADA, I. CHIBATA u. H. MATSUMAE, Ann. Rept. Gohei Tanabe Co., Ltd. **1**, 20 (1956); C.A. **51**, 6546 (1957).
[7] F. NERDEL, P. WEYERSTAHL u. U. KRETZSCHMAR, B. **92**, 1329 (1959).
[8] E. R. BUCHMAN u. H. SARGENT, Am. Soc. **67**, 402 (1945).
[9] C. D. HURD, W. D. MCPHEE u. G. H. MORCY, Am. Soc. **70**, 329 (1948).
[10] Brit. P. 785379 (1955), Union Carbide Corp; C. **1959** I, 4305.
[11] L. M. LONG u. H. D. TROUTMAN, Am. Soc. **71**, 2469 (1949).

Tab. 176 (2. Fortsetzung)

Ketone	Katalysator	Hydroxy-keton	Aus-beute [% d.Th.]	Literatur
2-Acetylamino-1-oxo-1-(4-benzyl-phenyl)-äthan	2n NaOH	*2-Acetylamino-3-hydroxy-1-oxo-1-(4-benzyl-phenyl)-propan*	80	[1]
2-Dichloracetyl-amino-1-oxo-1-(4-methylsulfhy-dryl-phenyl)-äthan	NaHCO$_3$	*2-Dichloracetylamino-3-hydroxy-1-oxo-1-(4-methylsulfhydryl-phenyl)-propan*	72	[2]
2-Oxo-1-phenyl-2-(4-dimethylamino-phenyl)-äthan	(CH$_3$)$_2$NH	*3-Hydroxy-1-oxo-1-phenyl-2-(4-dimethyl-amino-phenyl)-propan*	80	[3]

Beispiele für die glatte Bildung von Methylen-ketonen sind die Bildung von *3-Oxo-1,2-diphenyl-propen*[4] und *10-Oxo-9-methylen-9,10-dihydro-anthracen*[5] aus Desoxybenzoin bzw. Anthron mit Formaldehyd bei alkalischer Katalyse.

Hier sei auch auf die Herstellung von Methylen-ketonen auf dem Umweg über die Mannich-Kondensation durch β-Eliminierung der Mannich-Basen hingewiesen[6].

Die Bildung von Methylen-bis-ketonen ist charakteristisch für die Reaktion von Formaldehyd mit β-Dicarbonyl-Verbindungen, kann aber auch weniger glatt bei Monoketonen erreicht werden.

Für die Aldol-Kondensation von Ketonen mit höheren aliphatischen Aldehyden gelten die im vorhergehenden Kapitel angestellten Überlegungen. Im allgemeinen macht die Isolierung der primär entstehenden β-Hydroxy-ketone größere Schwierigkeiten als im Falle des Formaldehyds, da die sekundäre Wasser-Abspaltung zu den α,β-ungesättigten Ketonen infolge der Stellung der Hydroxy-Gruppe an sekundären oder tertiären C-Atomen wesentlich erleichtert ist. Die α,β-ungesättigten Ketone sind deshalb oft die Endprodukte der Reaktion.

Die α,β-ungesättigten Ketone stellen dann die einzigen isolierbaren Reaktionsprodukte dar, wenn man für die Kondensation α,β-ungesättigte Aldehyde einsetzt, wie das Beispiel der Kondensation von Citral [3,7-Dimethyl-octadien-(2,6)-al] mit Aceton zu *Pseudoionon [10-Oxo-2,6-dimethyl-undecatrien-(2,6,8)]* zeigt[7]:

$$H_3C-\underset{\underset{CH_3}{|}}{C}=CH-CH_2-CH_2-\underset{\underset{CH_3}{|}}{C}=CH-CHO \;+\; H_3C-CO-CH_3 \longrightarrow$$

$$H_3C-\underset{\underset{CH_3}{|}}{C}=CH-CH_2-CH_2-\underset{\underset{CH_3}{|}}{C}=CH-CH=CH-CO-CH_3$$

[1] D. D. EVANS et al., Soc. **1954**, 1687.

[2] R. A. CUTLER, R. J. STENGER u. C. M. SUTER, Am. Soc. **74**, 5475 (1952).

[3] K. MATSUMURA, Am. Soc. **57**, 496 (1935).

[4] H. FIESSELMANN u. J. RIBKA, B. **89**, 27 (1956).

[5] K. H. MAYER, A. **420**, 134 (1920).

[6] s. ds. Handb., Bd. V/1b, Kap. Olefine.
s. a. R. B. MILLER u. B. F. SMITH, Tetrahedron Letters **1973**, 5037.

[7] F. TIEMANN u. P. KRÜGER, B. **26**, 2692 (1893).
W. STIEHL, J. pr. [2] **58**, 84 (1898).
F. TIEMANN, B. **32**, 115 (1899).
H. HIBBERT u. L. T. CANNON, Am. Soc. **46**, 119 (1924).
L. I. SMITH, W. B. RENFROW u. L. E. DeMYTT, Org. Synth., Coll. Vol. III, 747.

Ähnlich liegen die Verhältnisse bei der Kondensation von aliphatischen Aldehyden mit α,β-ungesättigten oder aromatischen Ketonen. Aus Butanal und 4-Oxo-2-methyl-penten-(2) (Mesityloxid) erhält man so ausschließlich *4-Oxo-2-methyl-nonadien-(2,5)*[1]:

$$H_3C-CH_2-CH_2-CHO \quad + \quad H_3C-CO-CH=C\begin{smallmatrix}CH_3\\ \\CH_3\end{smallmatrix} \quad \longrightarrow$$

$$H_3C-CH_2-CH_2-CH=CH-CO-CH=C\begin{smallmatrix}CH_3\\ \\CH_3\end{smallmatrix}$$

4-Hydroxy-2-oxo-pentan[2]: 300 g trockenes Aceton werden mit 90 g Acetaldehyd versetzt. Unter kräftigem Kühlen mit Eis-Natriumchlorid-Mischung werden allmählich zu dem gekühlten Reaktionsgemisch 6 g fein gepulvertes Kaliumhydroxid zugefügt, mit etwas Hydrochinon versetzt und unter Wasserabschluß über Nacht im Eisschrank stehen gelassen. Hierauf wird mit Kohlendioxid behandelt, vom abgeschiedenen Hydrogencarbonat abfiltriert und fraktioniert; Rohausbeute: 50 g (24% d.Th.; bez. auf Acetaldehyd); Kp_{14}: 60–70°.

4-Hydroxy-2-oxo-heptan[3]: Zu einer Mischung von 200 g (3,5 Mol) Aceton, 50 *ml* Äther und 100 *ml* einer 15%igen Natronlauge, die auf eine Temp. unterhalb 15° abgekühlt wird, gibt man unter Rühren innerhalb von 6 Stdn. 108 g (1,5 Mol) Butanal. Das Rühren wird noch 15 Stdn. fortgesetzt. Nach dem Neutralisieren, der Extraktion mit Äther und Destillation erhält man 165 g (84% d.Th.); Kp_{12}: 92°.

1,1,2,9,9,9,-Hexachlor-5-oxo-nonatetraen-(1,3,6.8)[4]: Zu einer kräftig gerührten und gut gekühlten Mischung von 4,8 g Trichlor-acrolein und 1,74 g Aceton werden innerhalb von 30 Min. 3 *ml* konz. Schwefelsäure zugesetzt, wobei Dunkelfärbung auftritt. Nach 24 stdg. Stehenlassen bei 20° verreibt man mit Eis und löst das Reaktionsprodukt in Äther. Die Äther-Lösung wird mit Natriumhydrogencarbonat-Lösung ausgeschüttelt und mit Natriumsulfat getrocknet. Zum Eindampfungsrückstand gibt man 3 *ml* Methanol und kristallisiert die entstehenden hellgelben Nadeln nochmals aus dem gleichen Lösungsmittel um; Ausbeute: 3,5 g (60% d.Th.); F: 93,5°.

Die Aldol-Kondensation läßt sich auch für die Herstellung von β-**Hydroxy**- und α,β-**ungesättigten Oxocarbonsäuren** anwenden. Glyoxylsäureester können mit Ketonen bei Temperaturen von 120–200° zu α-Hydroxy-γ-oxo-carbonsäureestern reagieren, aus denen durch Behandlung mit Säuren die α,β-ungesättigten γ-Oxo-carbonsäureester zugänglich sind[5]. Als Beispiel sei die Kondensation von Glyoxylsäureester mit Acetophenon zu 2-**Hydroxy-4-oxo-phenyl-butansäureester** und dem hieraus durch Dehydratisierung erhältlichen 4-**Oxo-4-phenyl-buten-(2)-säureester** erwähnt:

$$H_5C_6-CO-CH_3 \quad + \quad OHC-COOR \quad \longrightarrow \quad H_5C_6-CO-CH_2-\underset{\underset{OH}{|}}{CH}-COOR$$

$$\xrightarrow{-H_2O} \quad H_5C_6-CO-CH=CH-COOR$$

Eine weitere Möglichkeit zum Aufbau von α,β-ungesättigten γ-Oxo-carbonsäuren bietet die Kondensation von Aldehyden mit 4-Oxo-penten-(2)-säure nach dem For-

[1] S. G. POWELL u. W. J. WASSERMANN, Am. Soc. **79**, 1934 (1957).

[2] R. KUHN, F. KÖHLER u. L. KÖHLER, H. **247**, 204 (1937).
Fr.P. 626729 (1926), I. G. Farb.; C. **1928** I, 2207.

[3] R. HEILMANN et al., Bl. **1957**, 112.

[4] A. ROEDIG u. S. SCHÖDEL, B. **91**, 320 (1958).
s. a. F. POCHAT u. E. LEVAS, C. r. **273**, 4 (1971).

[5] DBP. 1008729 (1955), BASF, Erf.: H. POMMER u. W. AREND; C.A. **53**, 15989 (1959).
A. W. NOLTES u. F. KÖGL, R. **80**, 1334 (1961).
Y. A. ARBUZOV u. E. I. KLIMOVA, Ž. obšč. Chim. **32**, 3676 (1962); engl.: 3606.

melschema[1]:

$$R-CHO \;+\; H_3C-CO-CH=CH-COOH \;\longrightarrow\; R-CH=CH-CO-CH=CH-COOH$$

4-Oxo-alkadien-(2,5)-säure

Eine Arbeitsweise, mit deren Hilfe gemischte Aldolkondensationen zwischen Methylketonen und α-Oxo-aldehyden möglich sind, bedient sich primär der Überführung des Methylketons mit Magnesium-methyl-carbonat in Dimethylformamid in die β-Oxo-carbonsäure, die durch anschließende Titration mit Kalilauge in das Kaliumsalz überführt wird. Unter Decarboxylierung lassen sich diese mit α-Oxo-aldehyden in hohen Ausbeuten in die Hydroxy-diketone überführen. Als Beispiel sei die Kondensation von 2-Oxo-octadien-(5,7) mit 2-Oxo-propanal zu *3-Hydroxy-2,4-dioxo-decadien-(7,9)* formuliert[2]:

$$H_2C=CH-CH=CH-CH_2-CH_2-CO-CH_3 \xrightarrow[\;2.\ KOH\;]{1.\ (H_3CO-CO-O)_2Mg}$$

$$H_2C=CH-CH=CH-CH_2-CH_2-CO-CH_2-COOK$$

$$\xrightarrow{H_3C-CO-CHO} \quad H_2C=CH-CH=CH-CH_2-CH_2-CO-\overset{\overset{\displaystyle OH}{|}}{C}H-CO-CH_3$$

Über analoge Reaktionen mit 2-Oxo-4-phenyl-buten-(3)-al vgl. Lit.[3].

Möglichkeiten, die störende Selbstkondensation der Aldehyde auszuschalten, bieten die auf den Seiten 1453–1457 erwähnten Methoden der nichtkatalysierten Verfahren. Hier sind vor allem die indirekten Aldolkondensationen unter Verwendung von α-Halogen-ketonen, die Aldolkondensationen mit Hilfe von Enolaten und von bororganischen Verbindungen zu nennen. Als Beispiel für die letzte Arbeitsweise sei die Herstellung von *3-Hydroxy-1-oxo-2-methyl-1-phenyl-butan* aus Propiophenon und Acetaldehyd angeführt, die mit einer Gesamtausbeute von 80% d. Th. möglich ist.

3-Hydroxy-1-oxo-2-methyl-1-phenyl-butan[4]:

$$H_3C-CHO \;+\; \underset{H_5C_6}{\overset{\displaystyle O}{C}}-CH_2-CH_3 \;\longrightarrow\; \underset{H_5C_6}{\overset{\displaystyle O}{C}}-\overset{\overset{\displaystyle CH_3}{|}}{\underset{\underset{\displaystyle OH}{|}}{C}}H-CH-CH_3$$

(Z)-1-(Diäthylboryloxy)-1-phenyl-propen: Beim Erhitzen eines Gemisches von 417,6 g (4,26 Mol) Triäthyl-boran und 556,6 g (4,15 Mol) Propiophenon auf 100° entwickeln sich nach Zusatz von 2 ml Diäthyl-(2,2-dimethyl-propanoyloxy)-boran in einer Woche 93 l Äthan. Nach Abziehen der bis 30°/9 Torr flüchtigen Anteile destillieren 721,7 g (86,1% d. Th.) (Z)-1-(Diäthylboryloxy)-1-phenyl-propen (Kp$_{0,06}$: 62–65°) über (Rückstand: 72,2 g).

3-(Diäthylboryloxy)-1-oxo-2-methyl-1-phenyl-butan: Zu 20,2 g (0,1 Mol) (Z)-1-(Diäthylboryloxy)-1-phenyl-propen tropft man bei Raumtemp. innerhalb 15 Min. 5,8 g (0,13 Mol) Acetaldehyd. Das Gemisch erwärmt sich bis ∼ 70° und destilliert; Ausbeute: 21,4 g (87% d. Th.); Kp$_{0,05}$: 69–72°.

3-Hydroxy-1-oxo-2-methyl-1-phenyl-butan: 9,9 g (40,2 mMol) obiger Verbindung gibt man zu 25 ml absol. Methanol und destilliert das Azeotrop von Methanol und Diäthylmethoxy-boran (Kp$_{770}$: 59,7°) sowie überschüssiges Methanol unter Atmosphärendruck ab. Anschließend wird i. Vak. destilliert; Ausbeute: 6,3 g (88,2% d. Th.); Kp$_{0,1}$: 68–70°.

[1] US. P. 2967874 (1959), Inventa AG f. Forschung u. Patentverwertung, Erf.: J. GIESEN u. W. DEITERS; C. A. **55**, 13317 (1961).

[2] L. CROMBIE, P. HEMESLEY u. G. PATTENDEN, Soc. [C] **1969**, 1016.

s. a. L. CROMBIE, A. J. B. EDGAR, S. H. HARPER, M. W. LOWE u. D. THOMPSON, Soc. **1950**, 3552.

s. a. C. SCHÖPF u. K. THIERFELDER, A. **518**, 127 (1935).

s. a. M. STILES, D. WOLF u. G. V. HUDSON, Am. Soc. **81**, 628 (1959).

[3] M. MIYANO, C. R. DORN u. R. A. MUELLER, J. Org. Chem. **37**, 1810 (1972).

[4] W. FENZL u. R. KÖSTER, Privatmitteilung.

Tab. 177: Hydroxy-ketone bzw. α,β-ungesättigte Ketone durch Aldolkondensation von aliphatischen Aldehyden mit Ketonen (katalytische Verfahren)

Aldehyd	Keton	Katalysator	Reaktionsprodukt	Ausbeute [% d.Th.]	Literatur
Acetaldehyd	Aceton	12%ige NaOH	*4-Hydroxy-2-oxo-pentan*	12	1
		0,005–0,05%ige NaOH	*4-Hydroxy-2-oxo-pentan*	80	2
		24%ige KOH	*4-Hydroxy-2-oxo-pentan*	24	3
	Butanon	10%ige NaOH	*4-Hydroxy-2-oxo-3-methyl-pentan*	85	4
		Methanol/KOH		80–87	5
	4-Oxo-2,2-dimethyl-pentan	NaOH	*4-Oxo-6,6-dimethyl-hepten-(2)*	—	6
Butanal	Aceton	15%ige NaOH	*4-Hydroxy-2-oxo-heptan*	84	7
	Butanon	10%ige NaOH	*4-Hydroxy-2-oxo-3-methyl-heptan*	—	4
	3-Oxo-2,4-dimethyl-pentan	N-Methyl-anilin-MgBr	*5-Hydroxy-3-oxo-2,4,4-trimethyl-octan*	81,5	8
	4-Oxo-2-methyl-penten-(2) (Mesityloxid)	KOH	*4-Oxo-2-methyl-nonadien-(2,5)*	22	9

[1] A. L. Wilds u. C. Djerassi, Am. Soc. **68**, 1718 (1946).

[2] Brit. P. 745689 (1953); DAS 1025867 (1954); US. P. 2792421 (1954), Distillers Co. Ltd., Erf.: A. Dalgleish u. R. N. Lacey; C. A. **51**, 1248 (1957); **54**, 8635 (1960); **51**, 10561 (1957).
V. S. Markevich, S. M. Markevich u. L. V. Andreev, Ž. prikl. Chim. **45**, 2505 (1972); C. A. **79**, 4937 (1973).

[3] Fr. P. 626729 (1926), I. G. Farb., R. Kuhn, F. Köhler u. L. Köhler, H. **247**, 204 (1937).
US. P. 3045048 (1959), Esso Research a. Engineering Co., Erf.: D. S. Maisel, J. F. Ryan u. J. H. Cox; C. A. **57**, 16405(1962).

[4] L. P. Kyrides, Am. Soc. **55**, **3433** (1933).

[5] J. E. Dubois, Bl. **1949**, 66.

[6] M. F. Ansell et al., Chem. & Ind. **1955**, 1483.

[7] R. Heilmannet al., Bl. **1957**, 112.
G. de Gaudemaris u. P. Arnaud, C. r. **241**, 1311 (1955).
S. a. E.N. Eccott u. R. P. Linstead, Soc. **132**, 905 (1930).

[8] A. T. Nielsen, C. Gibbons u. C. A. Zimmermann, Am. Soc. **73**, 4696 (1951).
S. a. W. D. Garden u. F. D. Gunstone, Soc. **1952**, 2650.

[9] S. G. Powell u. W. J. Wassermann, Am. Soc. **79**, 1934 (1957).

Tab. 177 (1. Fortsetzung)

Aldehyd	Keton	Katalysator	Reaktionsprodukt	Ausbeute [% d.Th.]	Literatur
2-Methyl-propanal	Aceton	NaOH	2-Oxo-5-methyl-hexen-(3) + 5-Oxo-2-methyl-hexen-(2)	50	1
	Pentandion-(2,4)	$TiCl_4$/Pyridin	2,4-Dioxo-3-isopropyliden-pentan	83	2
3-Methyl-butanal	Butanon	Methanol/KOH	4-Hydroxy-6-oxo-2,5-dimethyl-heptan	34	3
Propanal	Cyclohexanon	$Na\text{-}OC_2H_5$	2-Oxo-1-(1-hydroxy-propyl)-cyclohexan	80	4
Formyl-cyclopropan	Acetophenon	Äthanol/KOH	3-Oxo-1-cyclopropyl-3-phenyl-propen	71–79	5
Buten-(2)-al	Butanon	Natronlauge	6-Oxo-5-methyl-heptadien-(2,4)	—	6
Citral [3,7-Dimethyl-octadien-(2,6)-al]	Aceton	$Na\text{-}OC_2H_5$	Pseudoionon[10-Oxo-2,6-dimethyl-undeca-trien-(2,6,8)]	45–49	7
1-Methyl-4-formyl-cyclohexen	Aceton	Natronlauge	1-Hydroxy-3-oxo-1-[4-methyl-cyclohexen-(3)-yl]-butan	70	8
cis-β-Ionyliden-acetaldehyd	Aceton	$Al\text{-}[O\text{-}C(CH_3)_3]_3$	7-Oxo-3-methyl-1-[2,6,6-trimethyl-cyclo-hexen-(1)-yl]-octatrien-(1,3,5)	95	9

[1] R. HEILMANN, G. DE GAUDEMARIS u. P. ARNAUD, C. r. 242, 2008 (1956). s. a. W. DROSTE u. F. OBENAU, M. 104, 485 (1973).
[2] W. LEHNERT, Synthesis 1974, 667.
[3] J. E. DUBOIS u. F. WECK, Ann. Univ. Saraviensis 2, 39 (1953).
[4] DBP. 956948 (1953), Chemische Werke Hüls AG, Erf.: F. A. FRIES u. F. BROICH; C. A. 53, 7056 (1959).
[5] L. I. SMITH u. E. R. ROGIER, Am. Soc. 73, 3831 (1951).
[6] V. V. CHELINTSEV u. G. I. KUZNETSOVA, Ž. obšč. Chim. 9, 1858 (1939). H. HAEUSSLER u. C. BRUGGER, B. 77, 152 (1944). DDRP. 21542 (1958), Erf.: H. G. KREY; C. A. 56, 5837 (1962).
[7] A. RUSSELL u. R. L. KENYON, Org. Synth., Coll. Vol. III, 747.
[8] I. N. NAZAROV, G. P. KUGATOVA u. G. A. LAUMENSKAS, Ž. obšč. Chim. 27, 2450 (1957); C. A. 52, 7171 (1958).
[9] N. L. WENDLER et al., Am. Soc. 73, 719 (1951). R. AHMAD u. B. C. L. WEEDON, Soc. 1953, 3286.

Tabelle 177 (2. Fortsetzung)

Aldehyd	Keton	Katalysator	Reaktionsprodukt	Ausbeute [% d. Th.]	Literatur
Trichlor-acrolein	Cyclopentanon	H_2SO_4	2-Oxo-1,3-bis-[2,3,3-trichlor-allyliden]-cyclopentan	80	1
	Acetophenon	H_2SO_4	1,1,2-Trichlor-5-oxo-5-phenyl-pentadien-(1,3)	50	1
β,β-Dichlor-acrolein	Acetophenon	HCl	1,1-Dichlor-5-oxo-5-phenyl-pentadien-(1,3)	—	2
3,6,6-Trimethyl-3-formyl-cyclohexen	Aceton	NaH	3-Oxo-1-[1,4,4-trimethyl-cyclohexen-(2)-yl]-buten-(1)	40	3
Glyoxylsäure	2-Nitro-3-hydroxy-1-acetyl-benzol	Acetanhydrid	4-Oxo-4-(2-nitro-3-hydroxy-phenyl)-buten-(2)-säure	64	4
Crocetindialdehyd [2,6,11,15-Tetra-methyl-hexadeca-heptaen-(2,4,6,8,10,-12,14)-dial]	Aceton	KOH	2,21-Dioxo-5,9,14,18-tetramethyl-docosa-nonaen-(3,5,7,9,11,13,15,17,19)	52	5
Chloral (Trichlor-acetaldehyd)	3-Oxo-1-phenyl-buten-(1)	$H_3C\text{-}COOK/(CH_3CO)_2O$	6,6,0-Trichlor-5-hydroxy-3-oxo-1-phenyl-hexen-(1) Gemische	65	6
3,6-Bis-[methylen]-4-formyl-cyclohexen	Methyl-ketone Aceton	$H_3C\text{-}COOK/(CH_3CO)_2O$ Kalilauge	5-(1-Hydroxy-3-oxo-butyl)-bicyclo-[2.2.1]hepten-(2)	55	7 8
	Acetophenon	Piperidin	3-Oxo-1-[2,5-bis-(methylen)-cyclohexen-(4)-yl]-3-phenyl-propen	50	8

1 A. ROEDIG u. S. SCHÖDEL, B. 91, 320 (1958).
2 L. I. ZAKHARKIN u. L. P. SOROKINA, Izv. Akad. SSSR 1958, 1445; C. A. 53, 8130 (1959).
  M. JULIA u. J. BULLOT, Bl. 1960, 28.
3 L. RE u. H. SCHINZ, Helv. 41, 1710 (1958).
4 A. BUTENANDT, G. HALLMANN u. R. BECKMANN, B. 90, 1120 (1957).
5 C. K. WARREN u. B. C. L. WEEDON, Soc. 1958, 3972.
6 F. CAUJOLLE, P. COUTURIER u. C. DULAURANS, Bl. 1950, 19.
  s. a. F. DE CHAMPS DE SAINT LEGER, A. ch. 7, 411 (1972).
7 P. MASTAGLI u. F. DE CHAMPS, C. r. 270, [C] 1247 (1970).
8 F. KASPER u. K. KUSCHEL, J. pr. 311, 97 (1969).

Tab. 178: Hydroxy-ketone und ungesättigte Ketone durch Aldolkondensation von Aldehyden mit Ketonen (nichtkatalytische Verfahren)

Aldehyd	Keton	Kondensationsmittel	Hydroxy-keton	Ausbeute [% d.Th.]	Literatur
H₃C—CHO	H₃C—CO—(CH₂)₂—CH₃	(H₅C₂)₃B	5-Hydroxy-3-oxo-4-methyl-hexan	77	1
H₃C—(CH₂)₂—CHO	H₃C—CO—(CH₂)₂—CH₃	Li—N[CH(CH₃)₂]/THF	6-Hydroxy-4-oxo-nonan	65	2
(H₃C)₂CH—CHO	H₅C₂—CO—C₂H₅	(H₅C₂)₃B	5-Hydroxy-3-oxo-2,4-dimethyl-heptan	90	1
	H₅C₆—CO—C₂H₅	(H₅C₂)₃B	3-Hydroxy-1-oxo-2,4-dimethyl-1-phenyl-pentan	76	1
(H₃C)₃C—CHO	(H₃C)₃C—CO—CH₃	Li—N[CH(CH₃)₂]/THF	5-Hydroxy-3-oxo-2,2,6,6-tetramethyl-heptan	82	3
H₂C=CH—CHO	H₅C₂—CO—C₂H₅	(H₅C₂)₃B	3-Hydroxy-5-oxo-4-methyl-hepten-(1)	87	1
CH₃ | H₂C=C—CHO	[cyclodecanon, Ringstruktur mit C=O]	(H₅C₂)₃B	2-Oxo-1-(1-hydroxy-allyl)-cyclodecan	100	1
H₃C—CH=CH—CHO	H₅C₆—CO—CH₂—Br	Zn/C₆H₆	1-Oxo-1-phenyl-hexadien-(2,4)	10–12	4
	[2,2-Dimethyl-cyclohexanon, Ringstruktur mit O und CH₃, CH₃]	H₃C—MgJ/CuJ [mit 3-Methyl-cyclohexanon-Struktur]	6-Oxo-2,2-dimethyl-1-[1-hydroxy-buten-(2)-yl]-cyclohexan OH | H₃C CH—CH=CH—CH₃ [Cyclohexanonring mit CH₃]	90	5
CH₃ | (H₃C)₂C=CH—(CH₂)₂—C=CH—CHO	Cl O | ‖ H₃C—CH—C—CH₃	Mg/Äther	8-Hydroxy-10-oxo-2,6,9-trimethyl-undecadien-(2,6)	48	6
H₅C₆—CH₂—CHO	[Cyclopentanon, Ringstruktur mit O]	TiCl₄/Cl—Si(CH₃)₃	2-Oxo-1-(2-phenyl-äthyliden)-cyclopentan	95	7
CH₃ | H₅C₆—C—CHO | CH₃	(H₃C)₃C—CO—CH₃	Li—N[CH(CH₃)₂]/Äther	3-Hydroxy-5-oxo-2,6,6-trimethyl-2-phenyl-heptan	95	8
H₅C₆—CHO	H₅C₆—CO—CH₃	Li—N[CH(CH₃)₂]/THF/MgBr₂	3-Hydroxy-1-oxo-1,3-diphenyl-propan	81	3

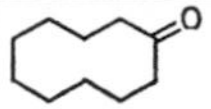

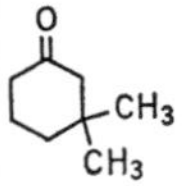

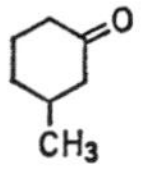

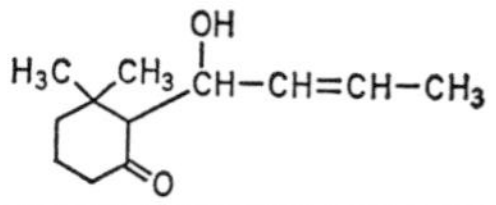

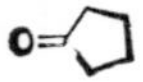

[1] W. Fenzl u. R. Köster, Mülheim, Privatmitteilung.
[2] G. Stork, G. A. Kraus u. G. A. Garcia, J. Org. Chem. 39, 3459 (1974).
[3] H. O. House, D. S. Crumrine, A. Y. Teranishi u. H. D. Olmstead, Am. Soc. 95, 3310 (1973).
[5] F. Näf u. R. Decorzant, Helv. 57, 1317 (1974).
[6] M. G. J. Beets, R. 69, 307 (1950).
[7] T. Mukaiyama, K. Banno u. K. Narasaka, Am. Soc. 96, 7503 (1974).
[8] H. O. House, W. C. Liang u. P. D. Weeks, J. Org. Chem. 39, 3102 (1974).

Als Beispiel für die Anwendung von Enolaten sei die Aldolkondensation von 3-Oxo-1,1-dimethyl-cyclohexan mit Acetaldehyd zu *6-Oxo-2,2-dimethyl-1-(1-hydroxy-äthyl)-cyclohexan* angeführt. In diesem Falle wird das Magnesiumenolat durch Addition von Methyl-magnesiumjodid an 3-Oxo-1-methyl-cyclohexen gebildet[1]:

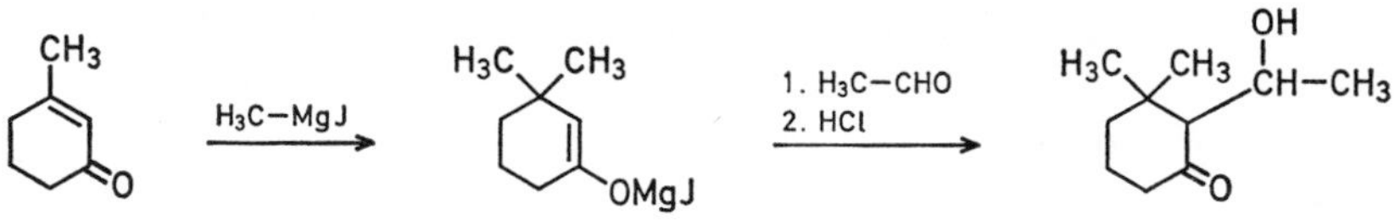

6-Oxo-2,2-dimethyl-1-(hydroxy-äthyl)-cyclohexan[1]: Aus 1,44 g (60 mMol) Magnesium und 8,52 g (60 mMol) Methyljodid stellt man in 40 *ml* abs. Äther eine Lösung von Methyl-magnesiumjodid her. Nach Zusatz von ∼ 200 mg Kupfer(I)-jodid kühlt man auf –5° ab und rührt 5 Min. bei –5°. 5,5 g (50 mMol) 3-Oxo-1-methyl-cyclohexen in 20 *ml* abs. Äther werden zugegeben und das Rühren bei der gleichen Temp. 30 Min. fortgesetzt. Darauf gibt man eine Lösung von 2,2 g (50 mMol) Acetaldehyd in 10 *ml* abs. Äther unter Rühren bei –10 bis –15° zu. Das Reaktionsgemisch wird 30 Min. bei 0°, 30 Min. bei 25° gerührt und dann in eine Mischung von 25 *ml* 2n Salzsäure eingegossen. Das Reaktionsprodukt wird mit Äther extrahiert. Nach dem Waschen und Trocknen des Äther-Extraktes wird der Rückstand destilliert; Ausbeute: 6,34 g (75% d.Th.); $Kp_{0,01}$: 69–73°.

Die besonders glatt verlaufende Kondensation von **aromatischen und heterocyclischen Aldehyden** sowie den entsprechenden α,β-ungesättigten Aldehyden vom Typ des Zimtaldehyds mit Ketonen verläuft sowohl bei alkalischer als auch saurer Katalyse infolge der in diesen Fällen besonders begünstigter sekundärer Wasser-Abspaltung im allgemeinen **direkt** zu den α,β-ungesättigten Ketonen.

Untersuchungen[2] an substituierten Benzaldehyden bei der Kondensation mit Acetophenonen ergaben eine starke Abhängigkeit der Ausbeute von der Art der Substituenten. Elektronen-anziehende Substituenten begünstigen die alkalisch-katalysierte Kondensation, während Elektronen-abgebende Substituenten die säure-katalysierte Aldolkondensation erleichtern[3].

Ketone mit 2α-ständigen Methylen- oder Methyl-Gruppen können je nach Reaktionsbedingungen überwiegend mit 1 oder 2 Mol Aldehyd reagieren, wie das Beispiel der Herstellung von *2-Oxo-1-benzyliden-cyclopentan* und *2-Oxo-1,3-bis-[benzyliden]-cyclopentan* zeigt:

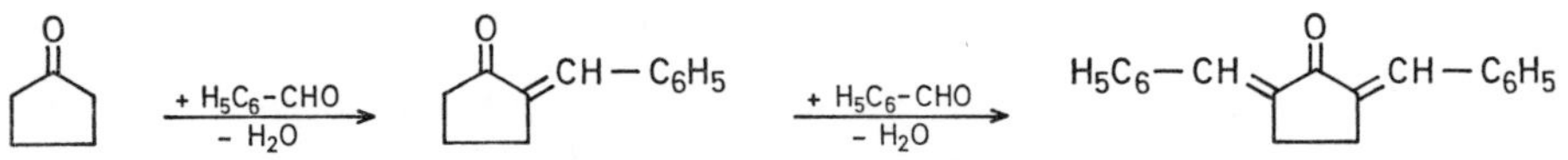

2-Oxo-1-benzyliden- und 2-Oxo-1,3-bis-[benzyliden]-cyclopentan[2]: 504 g Cyclopentanon und 700 *ml* äthanol. Natronlauge (350 *ml* 0,5 n Natriumhydroxid und 350 *ml* Äthanol) werden nach und nach unter Rühren während 2 Stdn. mit 212 g in 400 *ml* Äthanol gelöstem Benzaldehyd versetzt. Die durch ein dünnes Glasröhrchen eintropfende Aldehyd-Alkohol-Mischung gelangt sofort in den Rührstrudel. Nach weiteren 53 Min. werden i. Vak. ∼ 700 *ml* Flüssigkeit abdestilliert. Das sich aus dem Rückstand nach Verdünnen mit Wasser abscheidende Öl erstarrt nach einigen Tagen und erweist sich als ein Gemisch der Mono- und Dibenzyliden-Verbindung des Cyclopentanons. 2-Oxo-1-benzyliden-cyclopentan ist wesentlich leichter in kaltem Äthanol löslich als 2-Oxo-1,3-bis-[benzyliden]-cyclopentan und kann so von diesem abgetrennt werden. Während eine Rohtrennung durch Destillation wegen der Isomerisierungsgefahr nicht ratsam ist, erzielt man eine völlige Trennung durch Chromatographie über Aluminiumoxid.

---

[1] F. Näf u. R. Decorzant, Helv. **57**, 1325 (1974).
[2] R. Mayer, B. **88**, 1853 (1955).
    Vgl. a. H. Hellmann u. D. Dieterich A. **656**, 89 (1962).
[3] T. Szell u. J. Sohar, Canad. J. Chem. **47**, 1254 (1969).

2-Oxo-1-benzyliden-cyclopentan: 245 g (71% d. Th.); Kp$_6$.: 150–180°; F: 68,5° (aus Methanol/ Wasser).

2-Oxo-1,3-bis-[benzyliden]-cyclopentan: 70 g (27% d. Th.); F: 192–193° (aus viel Methanol).

Aldehyde lassen sich mit Cyclopentanon und Cyclohexanon auch auf dem Umweg über die Enamine der cyclischen Ketone erhalten. Unter Verwendung des 1-Morpholino-Cyclopentens konnten so mit Acetaldehyd, Propanal, Butanal, 2-Methyl-propanal, 3-Methyl-butanal und Furfural die 2-Oxo-1-alkyliden-cyclopentane in Ausbeuten von 30–86% d. Th. erhalten werden[1]:

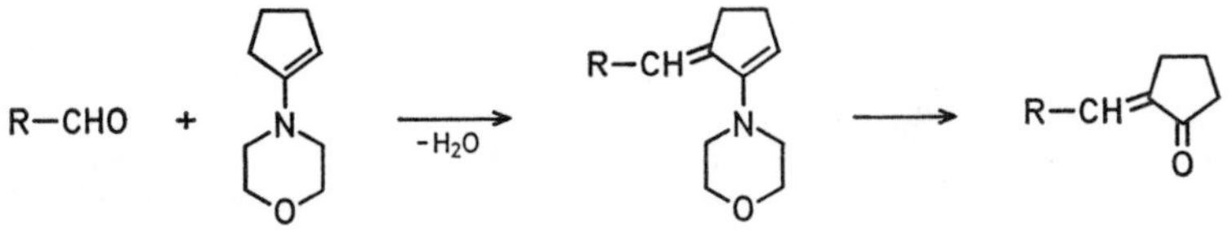

R = CH$_3$; *2-Oxo-1-äthyliden-cyclopentan*; 30% d. Th.
R = C$_3$H$_7$; *2-Oxo-1-butyliden-cyclopentan*; 65% d. Th.
R = C$_4$H$_9$; *2-Oxo-1-isopentyliden-cyclopentan*; 78% d. Th.
R = C$_5$H$_{11}$; *2-Oxo-1-isohexyliden-cyclopentan*; 86% d. Th.
R = Furyl-(2); *2-Oxo-1-[furyl-(2)-methylen]-cyclopentan*; 86% d. Th.

In bestimmten Fällen gelingt es auch, bei Verwendung von aromatischen und heterocyclischen Aldehyden die primär gebildeten Aldole zu isolieren. Dies ist selbstverständlich der Fall, wenn das Keton nur über ein einziges α-ständiges Wasserstoffatom verfügt. Aber auch in Fällen, in denen die Wasser-Abspaltung prinzipiell möglich ist, gelingt es manchmal, daß β-Hydroxy-keton zu isolieren. Dies ist z. B. der Fall bei der Aldol-Kondensation von 2-Formyl-pyridin mit Ketonen, da hier wegen der starken Wasserstoff-Brückenbindung die Wasser-Abspaltung erschwert ist. 2-Formyl-pyridin ergibt so mit Aceton[2] bzw. Propiophenon [zu *1-Hydroxy-3-oxo-2-methyl-3-phenyl-1-pyridyl-(2)-propan*][3] unter Alkali-Katalyse nur die β-Hydroxyketone, während mit Acetophenon unter den gleichen Bedingungen *3-Oxo-3-phenyl-1-pyridyl-(2)-propen* erhalten wird:

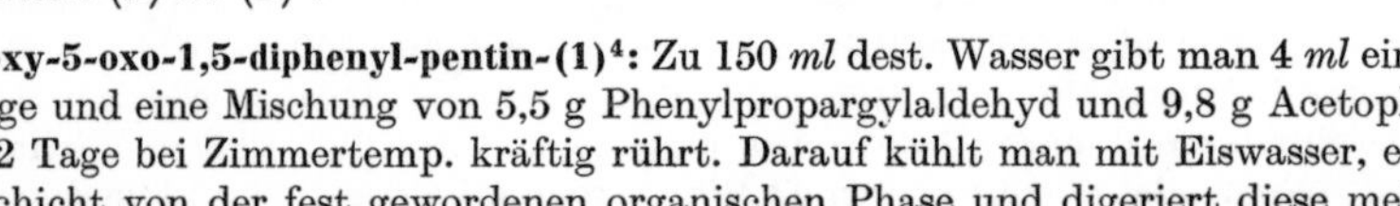

1-Hydroxy-3-oxo-1-pyridyl-(2)-butan

Auch bei der Kondensation von Propargylaldehyd mit Acetophenon erhält man je nach Bedingungen *3-Hydroxy-5-oxo-1,5-diphenyl-pentin-(1)* oder *5-Oxo-1,5-diphenyl-penten-(3)-in-(1)*[4].

3-Hydroxy-5-oxo-1,5-diphenyl-pentin-(1)[4]: Zu 150 ml dest. Wasser gibt man 4 ml einer 5%igen Natronlauge und eine Mischung von 5,5 g Phenylpropargylaldehyd und 9,8 g Acetophenon, worauf man 2 Tage bei Zimmertemp. kräftig rührt. Darauf kühlt man mit Eiswasser, entfernt die wäßrige Schicht von der fest gewordenen organischen Phase und digeriert diese mehrfach mit 50%igem Äthanol zur Entfernung des überschüssigen Acetophenons. Der Rückstand wird 2 mal aus 60–70%igem Äthanol umkristallisiert; Ausbeute: 73,5% d. Th.; F: 73°.

5-Oxo-1,5-diphenyl-penten-(3)-in-(1)[4]: In einem 4-l-Rundkolben legt man ein Gemisch von 900 ml Wasser, 750 ml Äthanol und 50 ml 5%iger Natronlauge vor, zu dem man unter kräftigem Rühren innerhalb von 3–4 Stdn. bei Zimmertemp. ein Gemisch von 65 g frisch dest. Phenyl-

[1] L. BIRKOFER, S. KIM u. H. ENGELS, B. 95, 1495 (1962).
s. a. M. P. L. CATON et al., Synth. Commun. 4, 303 (1974).
[2] E. PROFFT, F. SCHNEIDER u. H. BEYER, J. pr. [4] 2, 147 (1955).
[3] C. S. MARVEL, L. E. COLEMAN u. G. P. SCOTT, J. Org. Chem. 20, 1785 (1955).
[4] H. STETTER u. A. REISCHL, B. 93, 1353 (1960).

propargylaldehyd und 120 g Acetophenon zutropft. Während des Zutropfens beobachtet man nach kurzer Zeit eine Trübung und Gelbfärbung des Reaktionsgemisches. Die Fällung des Reaktionsproduktes ist erst dann vollständig, wenn man nach beendeter Zugabe noch weitere 3 Stdn. rührt. Man kühlt dann in einem Eis/Natriumchlorid-Gemisch auf 0° und saugt den Niederschlag ab. Der Niederschlag wird zuerst mit 150 ml kaltem 20%igen Äthanol in kleinen Portionen und darauf mit dest. Wasser bis zur neutralen Reaktion gewaschen. Das Filtrat trennt sich in 2 Phasen, von den die untere Schicht mit dem 2–3fachen Vol. 50%igen Äthanol kräftig geschüttelt wird. Unter Eiskühlung erhält man so noch 8 g krist. Reaktionsprodukt, das wie oben behandelt und mit der Hauptmenge vereinigt wird. Zur Reinigung wird aus Eisessig umkristallisiert; Ausbeute: 103 g (86,6% d. Th.); F: 101,5°.

Eine Komplikation tritt bei der Herstellung von besonders reaktionsfähigen α,β-ungesättigten Ketonen auf, da diese bei alkalischer Katalyse ein weiteres Mol Keton unter Michael-Addition anlagern können. Ein Beispiel hierfür ist die alkalische Kondensation von 4-Dimethylamino-benzaldehyd mit Acetophenon, wobei neben dem in der Hauptmenge entstehenden *3-Oxo-3-phenyl-1-(4-dimethylamino-phenyl)-propen* (I), *1,5-Dioxo-1,5-diphenyl-3-(4-dimethylamino-phenyl)-pentan* (II) und *1,7-Dioxo-1,7-diphenyl-3,5-bis-[4-dimethylamino-phenyl]-4-benzoyl-heptan* (III) gebildet wird[1].

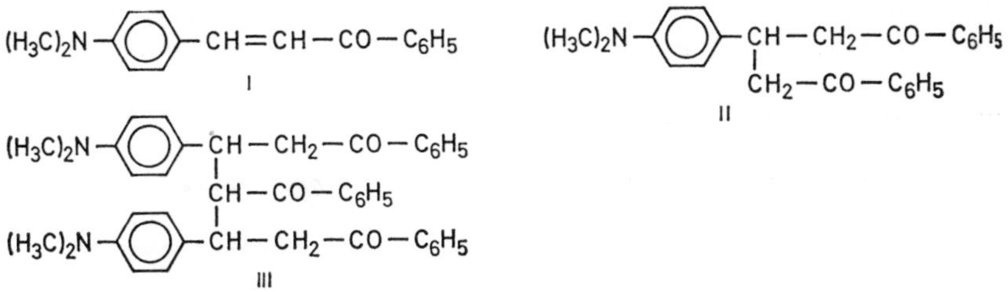

Ähnliche Verhältnisse werden auch bei der Kondensation von 2-Formyl-pyridin mit Acetophenon in abs. Alkohol beobachtet. Man erhält ausschließlich *1,5-Dioxo-1,5-diphenyl-3-pyridyl-(2)-pentan*[2]:

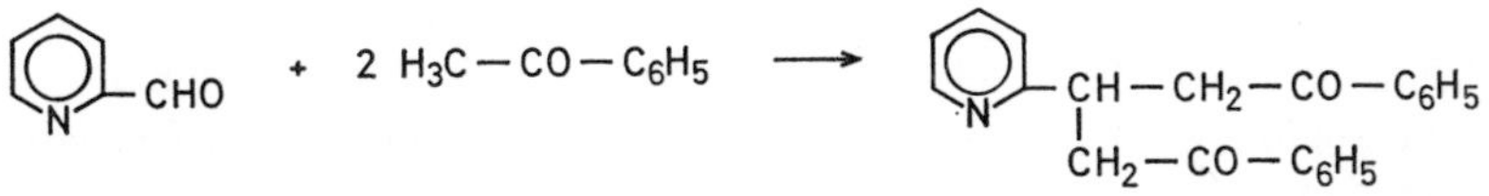

Die bei Verwendung von Nitro-benzaldehyden in der alkalischen Aldol-Kondensation oft störende, als Nebenreaktion auftretende Cannizzaro-Reaktion läßt sich mit Erfolg ausschalten, wenn man an Stelle der freien Aldehyde die leicht zugänglichen (Diacetoxymethyl)-benzole verwendet[3].

3-Oxo-3-phenyl-1-(4-nitro-phenyl)-propen[3]:

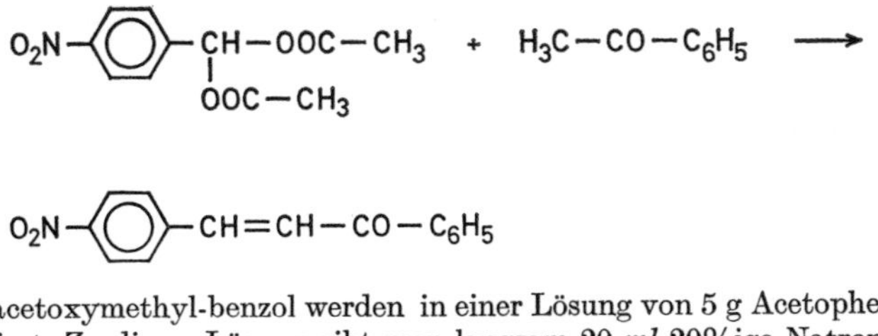

10 g 4-Nitro-1-diacetoxymethyl-benzol werden in einer Lösung von 5 g Acetophenon in 95%igem Äthanol suspendiert. Zu dieser Lösung gibt man langsam 20 ml 20%ige Natronlauge hinzu und

[1] A. Treibs u. H. Bader, B. **90**, 789 (1957).
[2] E. Profft, F. Schneider u. H. Beyer, J. pr. [4] **2**, 147 (1955).
[3] W. Davey u. J. R. Gwilt, Soc. **1957**, 1008.

rührt dann 15 Min. bei Zimmertemp.; darauf verdünnt man mit dem 2fachen Vol. Wasser, säuert mit Salzsäure an, saugt ab und kristallisiert aus Äthanol um; Ausbeute: quantitativ; F: 164°.

Schwierigkeiten bereitet auch die Verwendung von freien Amino-benzaldehyden und Amino-ketonen in der Aldol-Kondensation. Diese lassen sich dadurch umgehen, daß man entweder von Nitro-benzaldehyden oder Nitro-ketonen ausgeht und die nitrogruppenhaltigen α,β-ungesättigten Ketone in geeigneter Weise reduziert, oder daß man die Amino-Gruppen durch Acylierung schützt und nach der Kondensation verseift[1].

Bei der sauren Katalyse durch Chlorwasserstoff in Alkohol beobachtet man in mehr oder weniger großem Ausmaß auch die Bildung von β-Chlor-ketonen. In solchen Fällen empfiehlt es sich, das Reaktionsprodukt einer Behandlung mit Alkali zu unterwerfen[2]. Vielfach spalten solche β-Chlor-ketone schon beim Erhitzen über den Schmelzpunkt Chlorwasserstoff ab unter Bildung der α,β-ungesättigten Ketone[3].

Bei der Kondensation von aromatischen Aldehyden mit α-Diketonen, die sich durch besondere Alkaliempfindlichkeit auszeichnen, hat sich Piperidin[4] oder besser Piperidiniumacetat[5] als geeigneter Katalysator erwiesen.

5,6-Dioxo-1,10-diphenyl-decatetraen-(1,3,7,9)[5]:

$$2\ H_5C_6-CH=CH-CHO\ +\ H_3C-CO-CO-CH_3 \longrightarrow$$

$$H_5C_6-CH=CH-CH=CH-CO-CO-CH=CH-CH=CH-C_6H_5$$

27 g Zimtaldehyd und 8,5 g Butandion in 40 ml Benzol werden mit je 1,5 ml Eisessig und Piperidin versetzt. Innerhalb weniger Tage erstarrt die Lösung zu einem orangeroten Kristallbrei, der abgesaugt und aus Essigsäure-äthylester umkristallisiert wird; Ausbeute: 14 g (40% d.Th.); F: 190–191°.

Mit Erfolg lassen sich für solche Kondensationen auch die aus Aldehyden mit Piperidin leicht zugänglichen Dipiperidino-phenyl-methan verwenden. Cyclodecandion-(1,2) ergibt so mit Dipiperidino-phenyl-methan in Äther bei Raumtemperatur *2,3-Dioxo-1,4-bis-[benzyliden]-cyclodecan* (80% d.Th.)[6]:

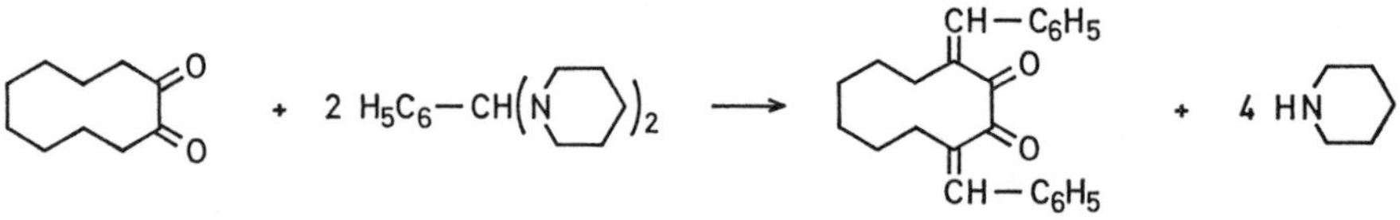

Ein Beispiel dafür, daß bei Verwendung von α,β-ungesättigten Aldehyden gelegentlich der eigentlichen Aldol-Kondensation eine „Retroaldolkondensation" vorgeschaltet sein kann, ist die durch Natrium-alkanolat katalysierte Kondensation

[1] W. Davey u. J. R. Gwilt, Soc. **1957**, 1008.
[2] R. D. Abell, Soc. **1953**, 2834.
[3] US. P. 2836623 (1956), G. D. Searle u. Co., Erf.: K. J. Rorig; C.A. **52**, 20057 (1958).
[4] P. Karrer, C. Chochand u. N. Neuss, Helv. **29**, 1181 (1946).
[5] H. Schlenk, B. **81**, 175 (1948).
[6] N. J. Leonard, J. C. Mittle u. A. J. Kresge, Am. Soc. **79**, 6436 (1957).

von 3-(3,4-Methylendioxy-phenyl)-acrolein mit 3-Oxo-2,2-dimethyl-butan (Pinakolon), die unter Abspaltung von Acetaldehyd zu einem einfach ungesättigten Keton führt[1]:

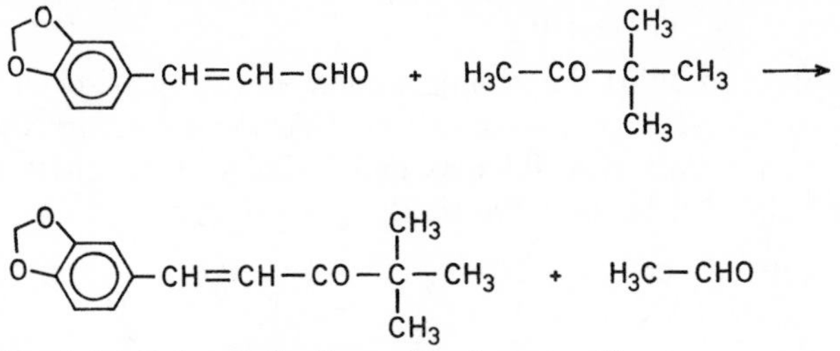

3-Oxo-4,4-dimethyl-1-(3,4-methylendioxy-phenyl)-penten-(1)

An Stelle der einfachen Ketone lassen sich auch **aliphatische Oxo-carbon-säuren**, **Nitro-ketone**, **Hydroxy-ketone** und **Halogen-ketone** in die Aldol-Kondensation einsetzen. So ergibt die Kondensation von Furfural mit *4-Oxo-pentan-säure 4-Oxo-6-furyl-(2)-hexen-(5)-säure*[2]:

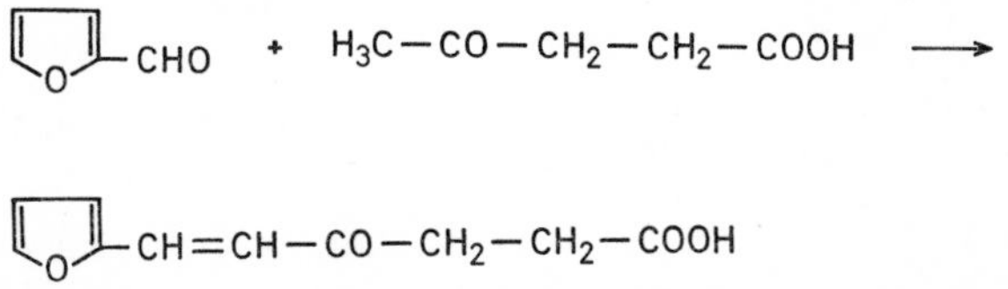

Bei der Kondensation von aromatischen Aldehyden mit Nitro-aceton in 5%iger Natronlauge tritt die Methyl-Gruppe in Reaktion; z. B.:

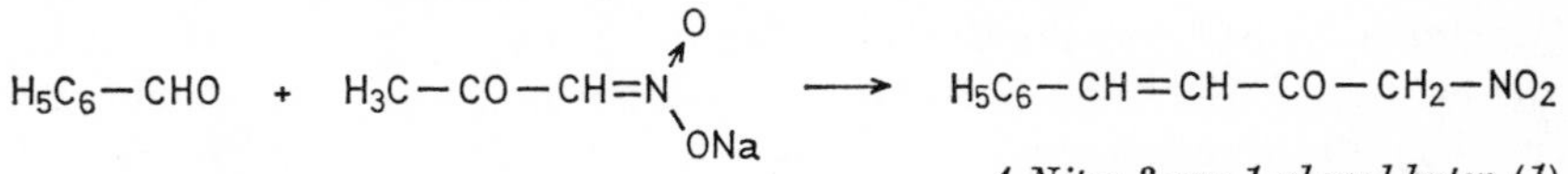

$$H_5C_6-CHO \; + \; H_3C-CO-CH=N\begin{smallmatrix}O\\ \\ONa\end{smallmatrix} \longrightarrow H_5C_6-CH=CH-CO-CH_2-NO_2$$

4-Nitro-3-oxo-1-phenyl-buten-(1)

Dagegen erfolgt die Kondensation mit Schiff'schen Basen in Gegenwart von Acet-anhydrid an der Methylen-Gruppe[3]:

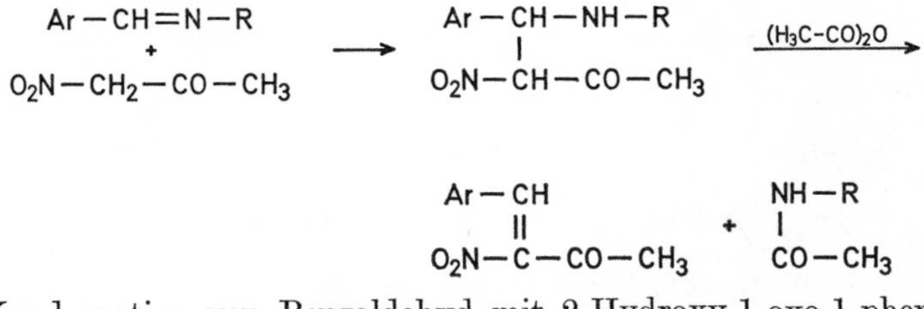

Durch Kondensation von Benzaldehyd mit 2-Hydroxy-1-oxo-1-phenyl-äthan in Pufferlösungen vom $p_H = 7,5$ erhält man in glatter Reaktion *2,3-Dihydroxy-1-oxo-1,3-diphenyl-propan*[4]:

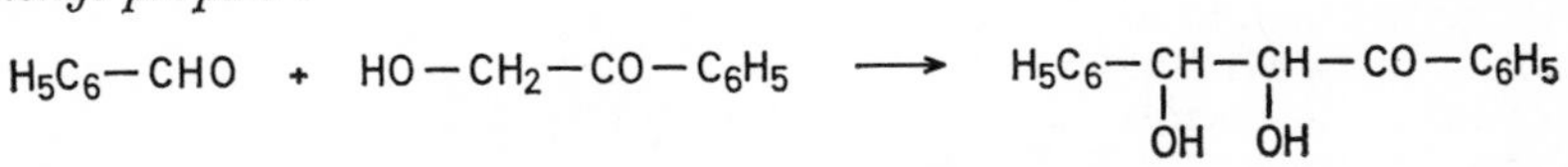

[1] S. G. POWELL u. W. J. WASSERMANN, Am. Soc. **79**, 1934 (1957).
[2] US.P. 2753358 (1952), Röhm a. Haas, Erf.: T. E. BOCKSTAHLER; C.A. **51**, 4437 (1957).
[3] A. DORNOW u. W. SASSENBERG, A. **602**, 14 (1957).
   S. a. USSR. P. 162127, 164614 (1963), N. S. KOZLOV u. R. K. ISAEVA; C. A. **61**, 9439 (1964).
   A. H. BLATT u. N. GROSS, J. Org. Chem. **29**, 3306 (1964).
[4] L. REISCHEL u. H. W. DÖRING, A. **606**, 137 (1957); **745**, 75 (1971).

2,3-Dihydroxy-1-oxo-1,3-diphenyl-propan[1]:　10 g　2-Hydroxy-1-oxo-1-phenyl-äthan,　7,8 g frisch dest. Benzaldehyd und 30 ml Phosphat-Puffer vom $p_H = 7,5$ werden 30 Tage beı 37° aufbewahrt. Der p_H-Wert wird täglich kontrolliert und, wenn erforderlich, mit n Natronlauge nachgestellt. Das Reaktionsprodukt wird abgesaugt, auf Ton abgepreßt und aus Benzol umkristallisiert; Ausbeute: 52% d. Th.; F: 117–119°.

Zu Epoxy-ketonen führt die Kondensation von aromatischen und heterocyclischen Aldehyden mit α-Halogen-ketonen unter Verwendung von Natriumalkanolat in alkolischer Lösung[2]. Aus Benzaldehyd und ω-Chlor- bzw. ω-Brom-acetophenon erhält man so in hoher Ausbeute *3-Phenyl-2-benzoyl-oxiran*[3]:

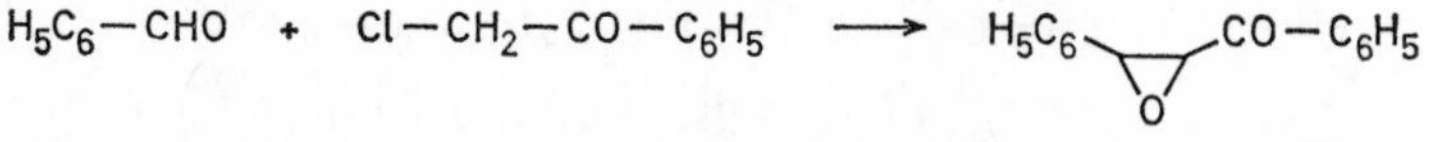

$$H_5C_6-CHO \;+\; Cl-CH_2-CO-C_6H_5 \;\longrightarrow\; H_5C_6\overset{\diagdown}{\underset{O}{\triangle}}CO-C_6H_5$$

Bei β-Oxo-carbonsäureestern, die in α-Stellung nur einen aciden Wasserstoff besitzen, kann die Kondensation mit Aldehyden in der weniger aktiven γ-Stellung zur Ester-Gruppe erfolgen. 2-Oxo-cyclopentan-1-carbonsäure-äthylester gibt so in Gegenwart von methanolischer Kalilauge *2-Oxo-1-benzyliden-1-äthoxycarbonyl-cyclopentan*[4]:

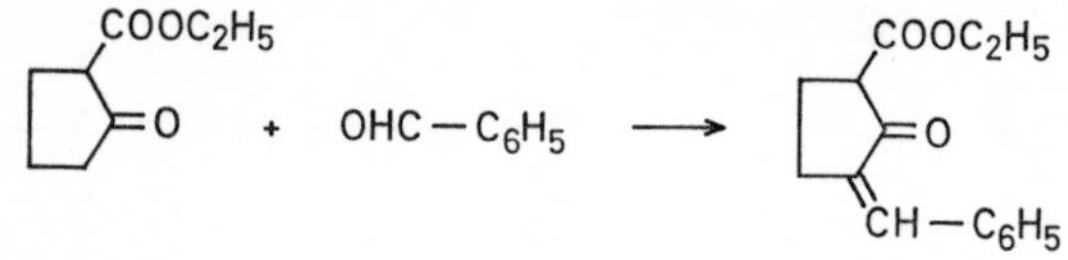

Auch bei β-Diketonen läßt sich eine Kondensation in der weniger aktiven γ-Stellung durchführen, wenn man die β-Diketon-Gruppierung durch Komplexbildung mit Borsäure schützt. Solche Kondensationen sind mit Pentandion-(2,4) und aromatischen Aldehyden erfolgreich durchgeführt worden. Man stellt zu diesem Zweck mit Borsäureanhydrid den Borsäurekomplex des Pentandion-(2,4) her und kondensiert diesen unter Zusatz von Borsäure-tributylester und wenig Butylamin. Beispielhaft ist hier die Synthese des *3,5-Dioxo-1,7-bis-[4-hydroxy-3-methoxy-phenyl]-heptadiens-(1,6)* (*Curcumin*) aus Pentandion-(2,4) und 4-Hydroxy-3-methoxy-benzaldehyd (Vanillin)[5]:

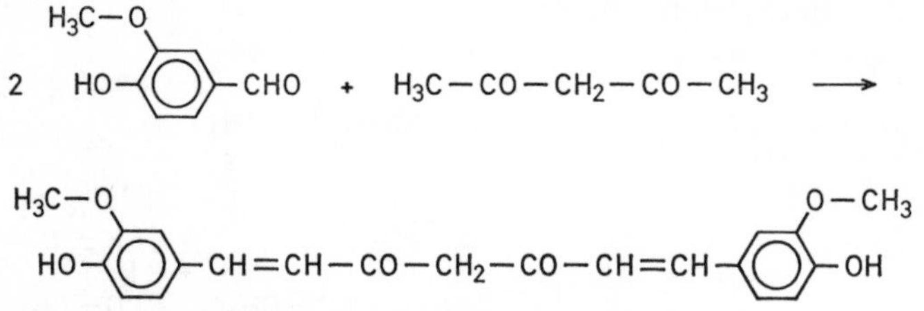

[1] L. REISCHEL u. H. W. DÖRING, A. **606**, 137 (1957); **745**, 75 (1971).
[2] O. WIDMANN, B. **49**, 477 (1916).
H. JÖRLANDER, B. **49**, 2782 (1916), **50**, 415 (1917).
B. EISTERT u. H. MUNDER, B. **91**, 1415 (1958).
N. H. CROMWELL u. J. L. MARTIN, J. Org. Chem. **33**, 1890 (1968).
[3] O. WIDMAN, B. **49**, 477 (1916).
s. a. G. SIPOS, G. SCHOBEL u. L. BALASPIRI, Soc. [C] **1970**, 1154.
[4] R. MAYER u. B. GEBHARDT, B. **93**, 1212 (1960).
[5] H. J. J. PABON, R. **83**, 379 (1964).
S. a. T. PAVOLINI, Riv. Ital. Essenze, **19**, 167 (1937).
T. PAVOLINI, F. GAMBARIN u. A. M. GRINZATO, Ann. Chimica **40**, 280 (1950).
Brit. P. 914047 (1962), Unilever Ltd., Erf.: J. VAN ALPHEN u. H. J. J. PABON; C.A. **58**, 13852 (1963).
Y. ASAKAWA, Bull. Chem. Soc. Japan **45**, 1794 (1972).

Die Aldolkondensation mit der stark aciden Methylen-Gruppe des Pentandions-(2,4) ergibt häufig anstelle des primären Kondensationsproduktes infolge anschließender Michael-Addition die 2,6-Dioxo-4-phenyl-3,5-diacetyl-heptane. Bei Hydroxy-benzaldehyden konnten aber auch die primären Kondensationsprodukte erhalten werden[1]. Verwendet man anstelle der üblichen Katalysatoren Titan(IV)-chlorid in Gegenwart von tertiären Basen, so gelingt die Kondensation von aliphatischen und aromatischen Aldehyden mit Pentandion-(2,4) in hohen Ausbeuten[2]:

$$R-CHO \;+\; H_2C\begin{smallmatrix} CO-CH_3 \\ \\ CO-CH_3 \end{smallmatrix} \;\xrightarrow[\text{Basen}]{TiCl_4 \,/\,tert.}\; R-CH=C\begin{smallmatrix} CO-CH_3 \\ \\ CO-CH_3 \end{smallmatrix}$$

2,4-Dioxo-3-alkyliden-pentane; allgemeine Vorschrift[2]: In 100 *ml* absol. Tetrahydrofuran läßt man unter Feuchtigkeitsausschluß und unter gutem Rühren bei ∼ 0° 11 *ml* (0,1 Mol) Titan(IV)-chlorid in 25 *ml* absol. Tetrachlormethan eintropfen. Zu der gelben Suspension werden 0,05 Mol Aldehyd und danach 8 *ml* (0,1 Mol) absol. Pyridin in 25 *ml* abs. Tetrahydrofuran zugegeben. Unter weiterer Eiskühlung tropft man nun innerhalb 0,5–1 Stde. 0,1 Mol Natrium-pentandionat-(2,4) [aus 0,1 Mol Pentandion-(2,4) und 0,1 Mol Natriumhydrid] in 100 *ml* abs. Dimethylform-amid (über Natriumhydrid bei ∼ 20 Torr destilliert) ein und rührt bei 0° weiter bzw. läßt auf 20° ansteigen. Nach 17–46 Stdn. je nach angewendetem Aldehyd wird mit 50 *ml* Wasser und 50 *ml* Äther versetzt, die wäßr. Phase 2mal mit 50 *ml* Äther extrahiert, die vereinigten organischen Schichten mit ges. Natriumchlorid-, Natriumhydrogencarbonat- und nochmals mit ges. Natrium-chlorid-Lösung gewaschen. Nach dem Trocknen mit Magnesiumsulfat wird das Lösungsmittel i. Vak. bei ∼ 30° abdestilliert und das Rohprodukt durch Destillation i. Hochvak. und/oder Säulenchromatographie an Kieselgel (Petroläther/Aceton) und anschließende Destillation gereinigt. Ausbeuten: ∼ 80% d. Th.

Die Arbeitsweise eignet sich für aromatische, heterocyclische und aliphatische Aldehyde. Folgende Aldehyde wurden mit Erfolg umgesetzt; z. B.:

Benzaldehyd	→ *2,4-Dioxo-3-benzyliden-pentan*; 81% d.Th.
3-Chlor-benzaldehyd	→ *2,4-Dioxo-3-(3-chlor-benzyliden)-pentan*; 97% d.Th.
4-Nitro-benzaldehyd	→ *2,4-Dioxo-3-(4-nitro-benzyliden)-pentan*; 70% d.Th.
4-Methoxy-benzaldehyd	→ *2,4-Dioxo-3-(4-methoxy-benzyliden)-pentan*; 50% d.Th.
Furfural	→ *2,4-Dioxo-3-[furyl-(2)-methylen]-pentan*; 79% d.Th.
2-Formyl-thiophen	→ *2,4-Dioxo-3-[thienyl-(2)-methylen]-pentan*; 64% d.Th.
Acetaldehyd	→ *2,4-Dioxo-3-äthyliden-pentan*; 52% d.Th.
2-Methyl-propanal	→ *2-Oxo-5-methyl-3-acetyl-hexen-(3)*; 83% d.Th.
2-Äthyl-butanal	→ *2-Oxo-5-äthyl-3-acetyl-hepten-(3)*; 79% d.Th.

Eine Aldolkondensation in der γ-Stellung von β-Diketonen wird nach Überführung in die Enamine beobachtet. Das aus 1,3-Dioxo-1-phenyl-butan und Pyrrolidin erhältliche Enamin gibt mit 4-Nitro-benzaldehyd bei saurer oder basischer Katalyse *3-Pyr-rolidino-5-hydroxy-1-oxo-1-phenyl-5-(4-nitro-phenyl)-penten-(2)* (80% d.Th.)[3]:

---

[1] Brit. P. 1 188 411 (1968), Merck & Co. Inc., Erf.: E. J. Cragoe u. J. B. Bicking; C.A. **73**, 2599 (1970).
K. Uehara, M. Ito u. M. Tanaka, Bull. Chem. Soc. Jap. **46**, 1566 (1973).
J. P. Vecchionacci et al., Bl. **1974**, 1683.
[2] W. Lehnert, Synthesis **1974**, 667.
[3] M. Yoshimoto, T. Hiraoka u. Y. Kishida, Chem. Pharm. Bull. **18**, 2469 (1970).

Ein abweichender Reaktionsverlauf wurde bei der alkalisch katalysierten Aldol-kondensation von Chloral mit β-Diketonen beobachtet. Während Pentandion-(2,4) mit Chloral zu *1,1,1-Trichlor-4-oxo-penten-(2)* unter Abspaltung des Acyl-Restes führt[1] erhält man mit 2-Oxo-1-acetyl-cyclopentan zwar primär 2-Oxo-1-(2,2,2-tri-chlor-1-hydroxy-äthyl)-cyclopentan, das aber in einer Folgereaktion *2-(2-Chlor-vinyl)-1-carboxy-cyclobuten* ergibt[1]:

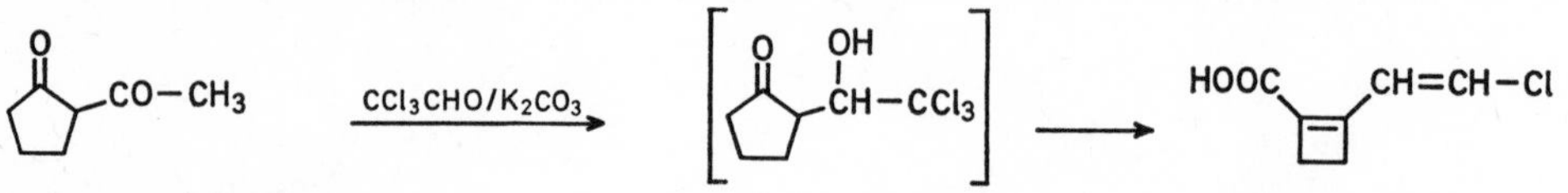

Zu den isomeren β,γ-ungesättigten Diketonen führt die Aldolkondensation von Pentandion-(2,4) mit Aldehyden in Gegenwart von Pyridin[2]:

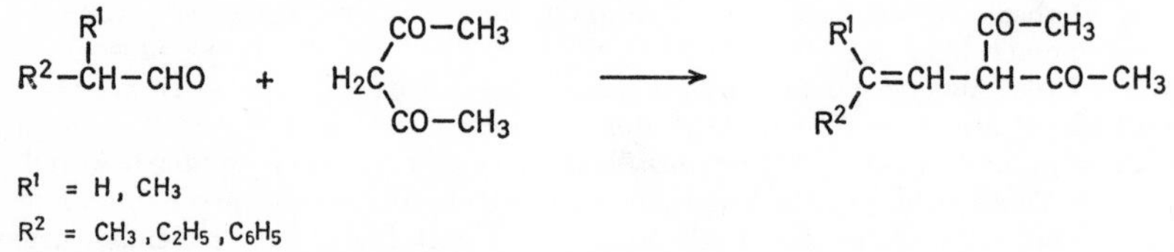

R^1 = H, CH$_3$

R^2 = CH$_3$, C$_2$H$_5$, C$_6$H$_5$

Eine sehr glatte Aldolkondensation von aromatischen Aldehyden mit Ketonen ermöglicht auch das nichtkatalytische Verfahren unter Verwendung von Diäthyl-(2,2-dimethyl-propanoyloxy)-boran[3].

α,β-Ungesättigte Ketone, allgemeine Vorschrift[3]: Zu einer Mischung von 50 mMol Keton und 100 mMol Benzaldehyd tropft man unter gutem Rühren bei $\sim$ 120° 100 mMol Diäthyl-(2,2-dimethyl-propanoyloxy)-boran. Unter Verfärbung der flüssigen Mischung entwickeln sich 100 mMol Äthan mit allenfalls 1–5% Äthylen. Die Mischung wird noch $\sim$ 30 Min. bei 120° gehalten, bis die Gasentwicklung beendet ist. Man destilliert dann 50 mMol überschüssigen Benzaldehyd und anschließend i. Vak. 50 mMol B,B'-Bis-[2,2-dimethyl-propanoyloxy]-B,B'-diäthyl-diboroxan ab. Der Rückstand (50 mMol) wird mit etwa 100 *ml* Methanol versetzt. Die borhaltigen Anteile und Spuren von 2,2-Dimethyl-propansäure werden zuletzt bei 0,1 Torr ab-destilliert. Feste Kondensate können aus Methanol bzw. Heptan umkristallisiert werden.

Beispiele für diese Methode sind *2-Oxo-1-benzyliden-tetralin* (96% d. Th.) aus Benzaldehyd und 2-Tetralon *2-Oxo-1,7,7-trimethyl-3-benzyliden-bicyclo[2.2.1]heptan* (*3-Benzyliden-campher*; 92% d. Th.) aus Campher und Benzaldehyd, *2-Oxo-1,3-bis-[benzyliden]-cyclododecan* (84% d. Th.) aus 2 Mol Benzaldehyd und Cyclodecanon und *2-Chlor-3-oxo-1,5-diphenyl-pentadien-(1,4)* (92% d. Th.).

4. Aldol-Kondensationen zwischen Ketonen

a) zu β-Hydroxy-ketonen

Die Aldol-Kondensation zwischen zwei gleichen Ketonen bietet im allgemeinen keine Schwierigkeiten. Die Bedingungen der Kondensation müssen allerdings so ge-wählt werden, daß die meist leicht verlaufende, sekundäre Wasser-Abspaltung zu α,β-ungesättigten Ketonen verhindert wird. Methodisch eignen sich hierfür die Kata-lyse durch Alkalimetallhydroxid, wobei zu hohe Reaktionstemperaturen vermie-den werden müssen, und besonders die nichtkatalytischen Verfahren. Diese letz-teren führen im übrigen allein zum Ziel, wenn die sekundäre Wasser-Abspaltung besonders begünstigt ist.

[1] A. Takeda, S. Tsuboi, F. Sakai u. M. Tanabe, J. Org. Chem. **39**, 3098 (1974).

[2] K. Uehara, F. Kitamura u. N. Tanaka, J. Syn. Org. Chem. Jap. **32**, 753 (1974).

[3] A. A. Pourzal, Dissertation, Universität Bochum 1972.
　　R. Köster u. A. A. Pourzal, Mülheim, Privatmitteilung.

Tab. 179. Aldol-Kondensation von aromatischen Aldehyden mit Ketonen

Aldehyd	Keton	Katalysator	Reaktionsprodukt	Ausbeute [% d.Th.]	Literatur
Benzaldehyd	Aceton	NaOH/H₂O/Äthanol	3-Oxo-1-phenyl-buten-(I)	65–78	1
		NaOH/H₂O	3-Oxo-1,5-diphenyl-pentadien-(1,4)	90–94	2
	Nitro-aceton	NaOH/H₂O	4-Nitro-3-oxo-1-phenyl-buten-(I)	90	3
	3-Oxo-2,2-dimethyl-butan (Pinakolon)	NaOH/H₂O	3-Oxo-4-methyl-1-phenyl-penten-(I)	88–93	4
	Brenztraubensäure	KOH/H₂O	2-Oxo-4-phenyl-buten-(3)-säure	50	5
	4-Oxo-5,5-dimethyl-hexen-(2)	NaOC₂H₅/Äthanol	5-Oxo-6,6-dimethyl-1-phenyl-heptadien-(1,3)	28	6
	Cyclopentanon	NaOH/H₂O/Äthanol	2-Oxo-1-benzyliden-cyclopentan	71	7,8
		NaOH/H₂O/Äthanol	2-Oxo-1,3-bis-[benzyliden]-cyclopentan	100	9
	Cyclohexanon	NaOH/H₂O	2-Oxo-1-(α-hydroxy-benzyl)-cyclohexan	60	10
	4-Oxo-1-tert.-butyl-cyclo-hexan	NaOH/Äthanol	2-Oxo-5-tert.-butyl-1,3-dibenzyliden-cyclo-hexan		
	3,3-Äthylendioxy-cyclo-hepten-(1)	HCl/Eisessig	4-Oxo-3,5-bis-[benzyliden]-cyclohepten	21	11
	Cyclooctanon	KOH/H₂O	2-Oxo-1-benzyliden-cyclooctan	35	12
	1-Hydroxy-5-oxo-1-äthinyl-dekalin	NaOC₂H₅/Äthanol	5-Hydroxy-1-oxo-5-äthinyl-2-benzyliden-dekalin	82	13
	Acetophenon	NaOH/H₂O/Äthanol	Chalkon	97	14

1 L. CLAISEN u. A. C. PONDER, A. 223, 139 (1884).
  L. CLAISEN, B. 14, 2468 (1881).
2 N. L. DRAKE u. P. ALLEN, Org. Synth. Coll. Vol. I, 77.
  J. G. SCHMIDT, B. 14, 1460 (1881).
  L. CLAISEN, B. 14, 2470 (1881).
  F. STRAUS u. F. CASPARI, B. 40, 2698 (1907).
3 A. DORNOW u. W. SASSENBERG, A. 602, 14 (1957).
4 D. VORLÄNDER u. F. KALKOW, B. 30, 2269 (1897).
  G. A. HILL u. G. M. BRAMANN, Org. Synth. Coll. Vol. I, 81.
5 P. CORDIER, Bl. 1956, 564.
6 S. G. POWELL u. W. J. WASSERMANN, Am. Soc. 79, 1934 (1957).

7 R. MAYER, B. 88, 1853 (1955).
  S. a. L. BIRKHOFER, S. M. KIM u. H. D. ENGELS, B. 95, 1495 (1962).
8 D. VORLÄNDER u. K. HOBOHM, B. 29, 1836 (1896).
9 J. D. BILLIMORIA, Soc. 1955, 1126.
10 P. THIEME, Z. Naturf. [b] 22, 1230 (1967).
11 W. TREIBS u. P. GROSSMANN, B. 92, 273 (1959).
12 E. A. BRAUDE et al., Soc. 1957, 4711.
   G. L. CARLSON, I. H. HALL, G. S. ABERNETHY u. J. PIANTADOSI, J. Med. Chem. 17, 156 (1974).
13 H. H. INHOFFEN u. J. KALK, B. 87, 1589 (1954).
14 S. v. KOSTANECKI u. G. ROSSBACH, B. 29, 1492 (1896).
   W. SCHLENK u. E. BERGMANN, A. 463, 234 (1928).
   E. P. KOHLER u. H. M. CHADWELL, Org. Synth. Coll. Vol. I, 78.

C. R. CONARD u. M. A. DOLLIVER, Org. Synth. Coll. Vol. II, 167.

Tab. 179 (1. Fortsetzung)

Aldehyd	Keton	Katalysator	Reaktionsprodukt	Ausbeute [% d.Th.]	Literatur
Benzaldehyd	Cyclobutanon	NaOH/H₂O/Äthanol	2-Oxo-1,3-bis-[benzyliden]-cyclobutan	47	1
	ω-Brom-acetophenon	NaOC₂H₅/Äthanol	3-Phenyl-2-benzoyl-äthylenoxid	80	2
	4-Brom-acetophenon	NaOH/H₂O	3-Oxo-1-phenyl-3-(4-brom-phenyl)-propen	100	3
	2-Oxo-1-phenyl-propan Propiophenon	Piperidin	3-Oxo-cis-1,2-diphenyl-buten-(1)	52,7	4
		HCl/Äthanol	3-Oxo-2-methyl-1,3-diphenyl-propen	100	5
	4-Nitro-1-acetyl-benzol	HCl/Methanol	3-Oxo-1-phenyl-3-(4-nitro-phenyl)-propen	67	6
	3,5-Dinitro-2-methyl-1-acetyl-benzol	HCl/Eisessig	3-Oxo-1-phenyl-3-(3,5-dinitro-2-methyl-phenyl)-propen		7
	4-Amino-1-acetyl-benzol	HCl/Äthanol	3-Oxo-1-phenyl-3-(4-amino-phenyl)-propen	76	8
	4-Dimethylamino-1-acetyl-benzol	HCl/Methanol	3-Oxo-1-phenyl-3-(4-dimethylamino-phenyl)-propen		6
	3-Acetylamino-1-acetyl-benzol	NaOH/H₂O/Äthanol	3-Oxo-1-phenyl-3-(4-acetylamino-phenyl)-propen	92	9
	2-Hydroxy-4-methyl-1-acetyl-benzol	NaOH/Äthanol	3-Oxo-1-phenyl-3-(2-hydroxy-4-methyl-phenyl)-propen	65	10
	4-Nitro-2-hydroxy-1-acetyl-benzol	NaOH/H₂O	3-Oxo-1-phenyl-3-(4-nitro-2-hydroxy-phenyl)-propen	92	11
	5-Nitro-2-hydroxy-1-acetyl-benzol	KOH/Äthanol	3-Oxo-1-phenyl-3-(5-nitro-2-hydroxy-phenyl)-propen		12
	4-Methoxy-1-chloracetyl-benzol	NaOC₂H₅/Äthanol	3-Phenyl-2-(4-methoxy-benzol)-äthylenoxid	90	13
	3-Acetyl-pyridin	NaOH/H₂O	3-Oxo-1-phenyl-3-pyridyl-(3)-propen	92	14
	4-Acetyl-pyridin	NaOH/Äthanol	3-Oxo-1-phenyl-3-pyridyl-(4)-propen	26	15

[1] P. THIEME, B. 101, 378 (1968).
A. T. NIELSEN, R. C. WEISS u. D. W. MOORE, J. Org. Chem. 37, 1086 (1972).
[2] O. WIDMAN, B. 49, 477 (1916).
[3] N. P. BUU-HOI u. M. SY, Bl. 1958, 219.
[4] R. A. ABRAMOVITCH u. A. OBACH, Canad. J. Chem. 37, 502 (1959).
[5] R. D. ABELL, Soc. 1953, 2834.
[6] R. LYLE u. L. P. PARADIS, Am. Soc. 77, 6667 (1955).
[7] R. C. FUSON u. G. MUNN, Am. Soc. 71, 1116 (1949).

[8] W. DILTHEY et al., J. pr. [2] 124, 105 (1930).
[9] W. DAVEY u. J. R. GWILT, Soc. 1957, 1008.
[10] F. CRAMER u. G. H. ELSCHNIG, B. 89, 1 (1956).
[11] T. SZÉLL, B. 91, 2609 (1958).
[12] C. M. CHRISTIAN u. G. C. AMIN, B. 90, 1287 (1957).
[13] H. JÖRLANDER, B. 49, 2782 (1916).
[14] M. C. KLOETZEL u. F. L. CHUBB, Am. Soc. 79, 4226 (1957).
[15] C. S. MARVEL, L. E. COLEMAN u. G. P. SCOTT, J. Org. Chem. 20, 1785 (1955).

Tab. 179 (2. Fortsetzung)

Aldehyd	Keton	Katalysator	Reaktionsprodukt	Ausbeute [% d. Th.]	Literatur
Benzaldehyd	2-Acetyl-chinoxalin	NaOC$_2$H$_5$/Äthanol	*3-Oxo-1-phenyl-3-chinoxalyl-(2)-propen*	60	1
	Chinuclidon	NaOH/Äthanol	*3-Oxo-2-benzylidin-chinuclidin*	91	2
Benzaldehyd-butylimin	Nitro-aceton	Acetanhydrid	*2-Nitro-3-oxo-1-phenyl-buten-(1)*	24	3
Dipiperidino-phenyl-methan	Cyclodidecandion-(1,2)		*2,3-Dioxo-1,4-bis-[benzyliden]-cyclodecan*	70	4
Diacetoxy-phenyl-methan	Acetophenon	NaOH/H$_2$O/Äthanol	*Chalkon*	92	5
4-Jod-benzaldehyd	Acetophenon	HCl/Methanol	*3-Oxo-3-phenyl-1-(4-jod-phenyl)-propen*	88	6
4-Methyl-benzaldehyd	3-Oxo-1-methyl-cyclohexan	NaOH/H$_2$O	*2-Oxo-4-methyl-1-(4-methyl-benzyliden)-cyclohexan*	91	7
2,4,6-Trimethyl-benzaldehyd	Acetophenon	NaOH/Äthanol	*3-Oxo-3-phenyl-1-(2,4,6-methyl-phenyl)-propen*	87	8
2-Nitro-benzaldehyd	4-Nitro-2-hydroxy-1-acetyl-benzol	NaOH/H$_2$O	*3-Oxo-1-(2-nitro-phenyl)-3-(4-nitro-2-hydroxy-phenyl)-propen*	56	9
3-Nitro-benzaldehyd	Acetophenon	HCl/Methanol	*3-Oxo-3-phenyl-1-(3-nitro-phenyl)-propen*	100	6
3-Nitro-1-diacetoxy-methyl-benzol	Acetophenon	NaOH/H$_2$O/Äthanol	*3-Oxo-3-phenyl-1-(3-nitro-phenyl)-propen*	92	5
4-Nitro-1-diacetoxy-methyl-benzol	Acetophenon	NaOH/Äthanol	*3-Oxo-3-phenyl-1-(4-nitro-phenyl)-propen*	100	5
4-Nitro-benzaldehyd	4-Amino-1-acetyl-benzol	HCl/Äthanol	*3-Oxo-1-(4-amino-phenyl)-3-(4-nitro-phenyl)-propen*	60	10
	4-Oxo-tetrahydrothiapyran	Piperidinacetat/Äthanol	*4-Oxo-3,5-bis-[4-nitro-benzyliden]-tetra-hydrothiapyran*	77	11
4-Dimethylamino-benzaldehyd	2-Nitro-9-oxo-3,6-dimethyl-fluoren	Piperidin	*2-Nitro-9-oxo-3,6-dimethyl-fluoren*	94	12

1 G. HENSEKE u. K. J. BÄHNER, B. 91, 1605 (1958).
2 E. J. WARAWA u. J. R. CAMPBELL, J. Org. Chem. 39, 3511 (1974).
3 A. DORNOW u. W. SASSENBERG, A. 602, 14 (1957).
4 N. J. LEONARD, J. C. MITTLE u. A. J. KRESGE, Am. Soc. 79, 6436 (1957).
5 W. DAVEY u. J. R. GWILT, Soc. 1957, 1008.
6 R. LYLE u. L. P. PARADIS, Am. Soc. 77, 6667 (1955).
7 F. NERDEL, B. GNAUCK u. G. KRESZE, B. 88, 1006 (1955).
8 R. C. FUSON u. H. L. JACKSON, Am. Soc. 72, 1637 (1950).
9 T. SZÉLL, B. 91, 2609 (1958).
10 F. BERGEL, A. L. MORRISON u. H. RINDERKNECHT, Soc. 1950, 659.
11 N. J. LEONARD u. D. CHOUDHURY, Am. Soc. 79, 156 (1957).
12 L. CHARDONNES et al., Helv. 33, 1175 (1950).

Tab. 179 (3. Fortsetzung)

Aldehyd	Keton	Katalysator	Reaktionsprodukt	Ausbeute [% d. Th.]	Literatur
4-Azido-benzaldehyd	Cyclohexanon	HCl/Äthanol	2-Oxo-1,3-bis-[4-azido-benzyliden]-cyclohexan	80	1
Salicylaldehyd	1-Hydroxy-2-acetyl-naphthalin	Borsäure/Acetanhydrid	3-Oxo-1-(2-acetoxy-phenyl)-3-[1-hydroxy-naphthyl-(2)]-propen		2
	Aceton	NaOH/H$_2$O	3-Oxo-1,5-bis-[2-hydroxy-phenyl]-penta-dien-(1,4)	98	3
4-Methoxy-benzaldehyd	2-(4-Acetylamino-phenyl-sulfon)-1-oxo-1-phenyl-äthan	Pyridin/Piperidin	2-(4-Acetylamino-phenylsulfon)-3-oxo-2-phenyl-1-(2-hydroxy-phenyl)-propen	90	4
	Cyclopentanon	NaOH/H$_2$O/Äther	2-Oxo-1-(4-methoxy-phenyl)-cyclopentan	75	5
	Cycloheptanon	NaOC$_2$H$_5$/Äthanol	2-Oxo-1,3-bis-[4-methoxy-benzyliden]-cycloheptan		6
2-Hydroxy-3-methoxy-benzaldehyd	Aceton	NaOH/H$_2$O	3-Oxo-1-(2-hydroxy-3-methoxy-phenyl)-buten-(1)	93	7
5-Brom-2-hydroxy-benzaldehyd	4-Methoxy-1-acetyl-benzol	NaOH/H$_2$O/Äthanol	3-Oxo-1-(5-brom-2-hydroxy-phenyl)-3-(4-methoxy)-phenyl-propen	60	8
4-Hydroxy-3-methoxy-benzaldehyd (Vanillin)	Cyclohexanon	HCl	2-Oxo-1,3-bis-[4-hydroxy-3-methoxy-benzyliden]-cyclohexan	34-50	9
3,4-Dimethoxy-benzaldehyd	4-Acetyl-pyridin	HCl/Äthanol	3-Oxo-1-(3,4-dimethoxy-phenyl)-3-pyridyl-(4)-propen	71	10
Phthalaldehyd	1-Methoxy-2-oxo-propan	NaOH/H$_2$O	Methoxy-⟨benzo-tropon⟩	34-50	11
Zimtaldehyd	Aceton	Anionenaustauscher	5-Oxo-1,9-diphenyl-nonatetraen-(1,3,6,8)		12
	5-Oxo-⟨benzo-cycloocten⟩	KOH/Methanol	5-Oxo-6-(3-phenyl-allyliden)-⟨benzo-cycloocten⟩	86	13
Phenyl-glyoxal	4-Methyl-1-acetyl-benzol	H$_2$SO$_4$/Eisessig	1,4-Dioxo-1,4-diphenyl-buten-(2)	45	14

[1] USSR. P. 242868 (1968), K. Y. MARYANOVSKAYA; C. A. 72, 3208 (1970).
[2] W. JENNY, Helv. 34, 539 (1951).
[3] P. T. MORA u. T. SZÉKI, Am. Soc. 72, 3009 (1950).
  s. a. F. TIEMANN u. A. KEES, B. 18, 1955 (1885).
  s. a. H. DECKER u. H. FELSER, B. 41, 2997 (1908).
[4] I. K. FELDMAN u. E. S. NIKITSKAYA, Ž. obšč. Chim. 22, 278 (1952); C. A. 46, 11137 (1952).
[5] H. M. WALTON, J. Org. Chem. 22, 1161 (1957).
[6] N. J. LEONARD, L. A. MÜLLER u. J. W. BEERY, Am. Soc. 79, 1482 (1957).
[7] K. W. MERZ u. H. PFÖFFLE, Ar. 288/60, 86 (1955).
[8] L. C. RAIFORD u. L. K. TANZER, J. Org. Chem. 6, 722 (1941).
[9] US.P. 2839584 (1954), Merck & Co., Erf.: J. D. GARBER; C. A. 52, 20065 (1958).
[10] M. CUSSAC, A. BOUCHERLE u. J. L. PIERRA, Bl. 1974, 1427.
[11] D. S. TARBELL u. J. C. BILL, Am. Soc. 74, 1234 (1952).
[12] G. V. AUSTERWEIL u. R. PALLAUD, J. appl. Chem. 5, 213 (1955).
[13] R. HUISGEN u. W. RAPP, B. 85, 826 (1952).
[14] I. SMEDLEY, Soc. 95 226 (1909).
  C. WEYGAND, Org. Chem. Experimentierkunst, S. 556, Leipzig 1948.

Tab. 179 (4. Fortsetzung)

Aldehyd	Keton	Katalysator	Reaktionsprodukt	Ausbeute [% d. Th.]	Literatur
7-Phenyl-heptatrien-(2,4,6)-al	9,10-dioxo-1-phenyl-undeca-tetraen-(1,3,5,7)	Piperidinacetat/Benzol	9,10-Dioxo-1,18-diphenyl-octadecaoctaen-(1,3,5,7,11,13,15,17)	18	1
	Butandion	Piperidinacetat	5,6-Dioxo-1,10-diphenyl-decatetraen-(1,3,7,9)	32	1
2-Furmyl-fluoren	Aceton	Na$_2$CO$_3$/H$_2$O	2-Oxo-1-fluorenyliden-(9)-propan	60	2
Furfural	Aceton	NaOH/H$_2$O	3-Oxo-1-furyl-(2)-buten-(I)	60–66	3
	Lävulinsäure (4-Oxo-pentansäure)	NaOH/H$_2$O	4-Oxo-3-furfuryliden-pentansäure	70	4
3-Furyl-(2)-acrolein	Pentandion-(2,4)	Glycin/H$_2$O	2,4-Dioxo-3-furfuryliden-pentan	92	5
	Aceton	NaOH/H$_2$O	5-Oxo-1-furyl-(2)-hexadien-(1,3)	71,4	6
		NaOH/H$_2$O/Äthanol	5-Oxo-1,9-difuryl-(2)-nonatetraen-(1,3,6,8)		6
3-Formyl-thiophen	Aceton	NaOH/H$_2$O	3-Oxo-1-thienyl-(3)-buten-(I)	63	7
2-Formyl-pyridin	Acetophenon	Na$_2$CO$_3$/H$_2$O	1-Hydroxy-3-oxo-3-phenyl-1-pyridyl-(2)-propan	42	8
	Acetophenon	KOH/H$_2$O	3-Oxo-3-phenyl-1-pyridyl-(2)-propen	52,6	9
	Acetophenon	NaOCH$_3$/Methanol	1,5-Dioxo-1,5-diphenyl-3-pyridyl-(3)-pentan	66	9
	ω-Brom-acetophenon	NaOCH$_3$/Methanol	3-Benzoyl-2-pyridyl-(2)-äthylenoxid	70	8
	3-Acetyl-pyridin	Na$_2$CO$_3$/H$_2$O	3-Oxo-1,3-dipyridyl-(3)-propen	42	10
	2-Acetyl-pyrrol	NaOH	3-Oxo-3-pyrryl-(2)-1-pyridyl-(2)-propen	50	11
3-Formyl-pyridin	Acetylferrocen	NaOH	[3-Pyridyl-(3)-propenoyl]-ferrocen	44	12
5-Brom-furfural	3-Oxo-1-phenyl-butin	10–20%ige NaOH	3-Oxo-5-phenyl-1-[5-brom-furyl-(2)]-penta-dien-(1,4)	69	13

1 H. Schlenk, B. 81, 175 (1948).

2 M. Martynoff, C. r. 248, 692 (1959).

3 J. G. Schmidt, B. 14, 574, 1459 (1881).
L. Claisen, B. 14, 2468 (1881).
L. Claisen u. A. C. Ponder, A. 223, 137 (1884).
G. J. Leuck u. L. Cejka, Org. Synth., Coll. Vol. I, S. 283.
Y. M. Mamatov, V. S. Kozhevnikov, N. M. Popspirova u. S. N. Galiak-berova, Chim. Prom.-st' 1973, 587.

4 US.P. 2753358 (1952); Röhm u. Haas Co, Erf.: T. E. Bockstahler; C.A. 51, 4437 (1957).

5 C. A. C. Haley u. P. Maitland, Soc. 1951, 3155.

6 H. Hinz, G. Meyer u. G. Schücking, B. 78, 676 (1943).

7 W. L. Nobles, Am. Soc. 77, 6675 (1955).

8 B. Eistert u. H. Munder, B. 91, 1415 (1958).

9 E. Profft, F. Schneider u. H. Beyer, J. pr. [4] 2, 147 (1955).

10 J. Thesing u. A. Müller, B. 90, 711 (1957).

11 A. Corvaiser, Bl. 1962, 528.

12 J. Boichard, J.-P. Monin u. J. Tivouflet Bl. 1963, 851.

13 L. I. Vereshchagin et al., Chim. geteroc. Soed. 1, 177 (1968); C.A. 70, 19848 (1969).

Das einfachste und am besten untersuchte Beispiel für das katalytische Verfahren ist die Aldol-Kondensation des Acetons, die je nach den Reaktionsbedingungen zu *2-Hydroxy-4-oxo-2-methyl-pentan* bzw. *2,6-Dihydroxy-4-oxo-2,6-dimethyl-heptan* führt:

$$2\ H_3C-\overset{O}{\overset{\|}{C}}-CH_3 \longrightarrow H_3C-\overset{CH_3}{\underset{OH}{\overset{|}{C}}}-CH_2-\overset{O}{\overset{\|}{C}}-CH_3$$

$$\xrightarrow{+\ H_3C-CO-CH_3} H_3C-\overset{CH_3}{\underset{OH}{\overset{|}{C}}}-CH_2-\overset{O}{\overset{\|}{C}}-CH_2-\overset{CH_3}{\underset{OH}{\overset{|}{C}}}-CH_3$$

Für die Herstellung des *2-Hydroxy-4-oxo-2-methyl-pentan* lassen sich Alkalimetallhydroxide[1], Bariumhydroxid[2], Calciumhydroxid[3], Anionenaustauscher[4] und Eisenoxidhydrate[5] als Katalysatoren verwenden.

2,6-Dihydroxy-4-oxo-2,6-dimethyl-heptan läßt sich erhalten, wenn man Aceton mit Alkalimetallhydroxid bei tiefen Temp.[6] oder mit Magnesium-alkanolat in Äther[7] behandelt. Auch die Kondensation von 2-Hydroxy-4-oxo-2-methyl-pentan mit Aceton zu *2,6-Dihydroxy-4-oxo-2,6-dimethyl-heptan* ist mit Calciumhydroxid möglich[8].

Für die Dimerisierung der höheren aliphatischen Ketone gelten im wesentlichen die gleichen Bedingungen wie bei der Aldol-Kondensation des Acetons. Die Verhältnisse werden aber dadurch unübersichtlicher, daß bei unsymmetrischen Ketonen zwei Möglichkeiten der Verknüpfung bestehen. Neuere Untersuchungen[9] über die Orientierung der Dimerisierung von Ketonen bestätigen für den Fall der Methylketone die Reaktion unter Beteiligung der Methyl-Gruppe:

$$2\ R-CH_2-\overset{O}{\overset{\|}{C}}-CH_3 \longrightarrow R-CH_2-\overset{CH_3}{\underset{OH}{\overset{|}{C}}}-CH_2-\overset{O}{\overset{\|}{C}}-CH_2-R$$

[1] DRP. 591316 (1925), I. G. Farb.; Erf.: R. Leopold u. B. Schacke; C. **1934** I, 1884.
US.P. 1844430 (1926), Ellis-Foster Co., Erf.: B. N. Lougivoy; C. **1933** II, 3048.
US.P. 1937272 (1930), Usines de Melle, Erf.: H. Guinot; C. **1931** II, 1192.
DAS. 1052970 (1957), Bergwerksgesellschaft Hibernia, Erf.: K. Schmitt u. J. Disteldorf; C.A. **55**, 3439 (1961).
[2] L. P. Kyriakides, Am. Soc. **36**, 534 (1914).
B. P. Jerschow u. V. L. Pridorogin, Ž. prikl. Chim. **19**, 38 (1946).
J. W. Howard u. W. A. Fraser, Org. Synth. Coll. Vol. I, 475 (1941).
[3] US.P. 1550792 (1925), Erf.: W. J. Edmonds; C. **1926** I, 226.
[4] Y. Y. Cmur u. I. B. Smolanka, Ž. prikl. Chim. **1966**, 1675.
Z. N. Verchovskaja et al., Chim. Průmysl **1967**, 500.
[5] S. A. Levina, N. F. Ermolenko u. V. I. Pansévič-Koljada, Ž. obšč. Chim. **29**, 1920 (1959); engl.: 1891.
[6] E. E. Conolly, Soc. **1944**, 338.
Brit. P. 830813 (1957), Distillers Co. Ltd., Erf.: E. C. Craven; C.A. **54**, 19495 (1960).
[7] V. Grignard u. M. Fluchaire, A. ch. [10] **9**, 26 (1928).
[8] DRP. 481290 (1929), I. G. Farb., Erf.: R. Leopold u. B. Schacke; C. **1930** I, 2006.
[9] J. E. Dubois u. M. Chastrette, Tetrahedron Letters **1964**, 2229–2234.
Vgl. a. J. E. Dubois, C. r. **224**, 1506 (1947).

Entsprechend dieser Orientierung erhält man aus Butanon mit Natronlauge[1], Brommagnesium-butanolat[2] oder Brommagnesium-N-methyl-anilid[3] *3-Hydroxy-5-oxo-3-methyl-heptan*. Die Reaktion von *2-Oxo-4-methyl-pentan* mit Isopropyl-magnesiumbromid als Kondensationsmittel führt analog zu *4-Hydroxy-6-oxo-2,4,8-trimethyl-nonan*[4].

Einen eindeutigen Reaktionsverlauf erhält man bei symmetrischen Ketonen oder solchen Ketonen, bei denen nur ein α-ständiges Kohlenstoffatom für die Kondensation zur Verfügung steht.

Als Beispiel sei die Dimerisierung von Pentanon-(3) und 3-Oxo-2,2-dimethyl-butan (Pinakolon) erwähnt. Während bei der Anwendung von katalytischen Mengen Alkali nur sehr geringe Mengen des Dimerisierungsproduktes von Pentanon-(3) anfallen[5], erhält man *5-Hydroxy-3-oxo-4-methyl-5-äthyl-heptan* mit stöchiometrischen Mengen Brommagnesium-N-methyl-anilid ($\sim 60\%$ d. Th.)[2,3]:

$$2\ H_3C-CH_2-\overset{\overset{O}{\|}}{C}-CH_2-CH_3 \longrightarrow H_3C-CH_2-\overset{\overset{H_3C-CH_2}{|}}{\underset{\underset{OH}{|}}{C}}-\overset{CH_3}{\underset{}{CH}}-\overset{\overset{O}{\|}}{C}-CH_2-CH_3$$

Mit dem gleichen Kondensationsmittel bildet sich auch *5-Hydroxy-3-oxo-2,2,5,6,6-pentamethyl-heptan* ($\sim 70\%$ d. Th.) aus 3-Oxo-2,2-dimethyl-butan[2]:

$$2\ H_3C-\overset{\overset{O}{\|}}{C}-\overset{\overset{CH_3}{|}}{\underset{\underset{CH_3}{|}}{C}}-CH_3 \longrightarrow H_3C-\overset{\overset{H_3C}{|}}{\underset{\underset{H_3C}{|}}{C}}-\overset{\overset{O}{\|}}{C}-CH_2-\overset{\overset{OH}{|}}{\underset{\underset{CH_3}{|}}{C}}-\overset{\overset{CH_3}{|}}{\underset{\underset{CH_3}{|}}{C}}-CH_3$$

Für die letzte Aldolkondensation kann ähnlich wie bei anderen sterisch gehinderten Ketonen mit Erfolg auch Isopropyl-magnesiumbromid[6] oder tert.-Butyl-magnesiumbromid[7] verwendet werden.

Die Aldol-Kondensation von aromatischen Ketonen vom Typ des Acetophenons verläuft zwar verhältnismäßig leicht zu den α,β-ungesättigten Ketonen; die Isolierung der primär entstehenden Hydroxy-ketone macht aber Schwierigkeiten, da infolge der Konjugation zum aromatischen Kern die Wasser-Abspaltung besonders erleichtert ist.

Im Falle des Acetophenons gelingt die Aldol-Kondensation zu *3-Hydroxy-1-oxo-1,3-diphenyl-butan* mit Brommagnesium-N-methyl-anilid[3]:

$$2\ H_5C_6-\overset{\overset{O}{\|}}{C}-CH_3 \longrightarrow H_5C_6-\overset{\overset{CH_3}{|}}{\underset{\underset{OH}{|}}{C}}-CH_2-\overset{\overset{O}{\|}}{C}-C_6H_5$$

β-Hydroxy-ketone aus Ketonen mit Brommagnesium-N-methyl-anilid; allgemeine Arbeitsvorschrift[3]:
Brommagnesium-N-methyl-anilid-Lösung: 9,0 g Magnesiumspäne werden in der üblichen Weise mit 50,0 g Äthylbromid in 120 *ml* abs. Äther zur Reaktion gebracht. Nach der

[1] A. FRANKE u. T. KÖHLER, A. **433**, 314 (1923).
[2] J. COLONGE, Bl. [4] **49**, 443 (1931).
[3] J. COLONGE, Bl. [5] **1**, 1105 (1934).
[4] J. B. DUBOIS u. M. CHASTRETTE, Tetrahedron Letters **1964**, 2229—2234.
  Vgl. a. J. E. DUBOIS C.r. **224**, 1506 (1947).
[5] A. FRANKE u. T. KÖHLER, A. **433**, 314 (1923).
[6] D. IVANOFF u. A. SPASSOFF, Bl. **1935**, 1437.
[7] W. J. HICKINBOTTOM u. E. SCHLÜCHERER, Nature **155**, 19 (1945).

vollständigen Auflösung des Metalls läßt man tropfenweise eine Lösung von 35 g N-Methyl-anilin in 100 ml abs. Benzol zufließen. Nach beendeter Zugabe erwärmt man das Reaktions-gemisch noch kurze Zeit. Die so erhaltene, farblose und viskose Lösung oxidiert sich langsam unter Braunfärbung. Sie muß deshalb sofort nach ihrer Herstellung verwendet werden.

Kondensation: die Lösung des Brommagnesium-N-methyl-anilids überführt man unter Ausschluß von Feuchtigkeit in einen Rundkolben, der $^2/_3$ Mol des Ketons in 50–80 ml abs. Benzol enthält. Die Zugabe erfolgt innerhalb von 20–30 Min. unter Rühren bei ∼ 20°. Nach beendeter Zugabe läßt man noch 1 Stde. stehen und gibt dann die ber. Menge verd. Salzsäure hinzu, wobei man unter Rühren dafür sorgt, daß die Temp. nicht über 20° steigt. In einigen Fällen erweist es sich auch als vorteilhaft, das Reaktionsgemisch auf Eis zu gießen und dann mit verd. Salzsäure zu behandeln. Die organische Phase wird dann abgetrennt, mit Wasser gewaschen und über Natriumsulfat getrocknet. Nach dem Abdestillieren des Lösungsmittels i. Vak. bei 60° destilliert man den Rückstand i. Vak. bei 2–15 Torr, je nach Stabilität des Reaktionsproduktes.

Nach dieser Arbeitsweise wurden z. B. erhalten:

aus 3-Oxo-2,2-dimethyl-butan → 5-*Hydroxy-3-oxo-2,2,5,6,6-* 68% d. Th.; Kp_{15}: 103–105°
  (Pinakolin) *pentamethyl-heptan*

aus Pentanon-(3) → 5-*Hydroxy-3-oxo-4-methyl-* 50–60% d. Th.; Kp_{16}: 101–102°
  5-*äthyl-heptan*

aus Acetophenon → 3-*Hydroxy-1-oxo-1,3-diphenyl-butan*

Das Rohprodukt wird i. Vak. bei 2 Torr destilliert, wobei bei 54° (Badtemp. 75°) unverändertes Acetophenon übergeht. Der Rückstand erstarrt kristallin und kann aus Petroläther umkristallisiert werden; Ausbeute: 25% d. Th.; F: 63°.

Beispiele für die Dimerisierung von Halogen-ketonen finden sich bei den fluorierten Ketonen. So läßt sich 1,1,1-Trifluor-2-oxo-propan mit Natriumamid in Chloroform oder Natrium-äthanolat in Äther in *1,1,1,5,5,5-Hexafluor-4-hydroxy-2-oxo-4-methyl-pentan* (∼ 60% d. Th.) überführen[1].

Daß auch cyclische Ketone in der gleichen Weise zur Dimerisierung geeignet sind, zeigen die Beispiele des Indanons-(2)[2], des 3-Oxo-5,5-dimethyl-tetrahydrofuran[3] und des Cyclopentanons[4]. Während die beiden ersten Ketone unter dem katalytischen Einfluß von Ammoniak bzw. Kaliumhydroxid das Keton I (90% d. Th.) bzw. *3-Oxo-5,5-dimethyl-2-[3-hydroxy-5,5-dimethyl-tetrahydrofuryl-(3)]-tetrahydrofuran* (50% d. Th.) liefern, wird das 1'-Hydroxy-2-oxo-bi-cyclopentyl aus Cyclopentanon mit stöchiometrischen Mengen Brommagnesium-N-methyl-anilid erhalten.

2-Oxo-1-[2-hydroxy-indanyl-(2)]-indan:

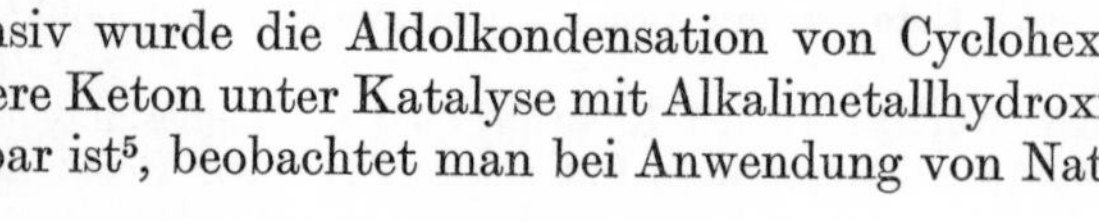

I

5,3 g Indanon-(2) werden in 15 ml methanolischem Ammoniak rasch gelöst; die alsbald eintretende Kristallisation wird durch Tiefkühlung vervollständigt; Ausbeute: 90% d. Th.; F: 147,5–148,5° (aus Methanol).

Besonders intensiv wurde die Aldolkondensation von Cyclohexanon untersucht. Während das dimere Keton unter Katalyse mit Alkalimetallhydroxid nur in mäßigen Ausbeuten isolierbar ist[5], beobachtet man bei Anwendung von Natrium die Bildung

---

[1] E. T. MCBEE et al., Am. Soc. 78, 4597 (1956).
[2] W. TREIBS u. W. SCHROTH, A. 639, 204 (1961).
[3] J. COLONGE, R. FALCOTET u. R. GAUMONT, Bl. 1958, 211.
[4] J. COLONGE, Bl. [5] 1, 1105 (1934).
[5] A. V. IOGANSEN, G. A. KURKCHI, V. P. BAEVA, Z. N. RASSKAZOVA u. G. A. SALAMATINA, Ž. org. Chim. 7, 2509 (1971); C. A. 76, 72079 (1972).
  S. a. L. K. FREIDLIN u. V. Z. SHARF, Izv. Akad. SSSR 1957, 512; C. A. 51, 15422 (1957).
  P. RICHTER u. J. BESTA, Chem. Průmysl 8, 62 (1958); C. A. 62, 15444 (1958).

eines Trimeren der nachstehenden Formel[1]:

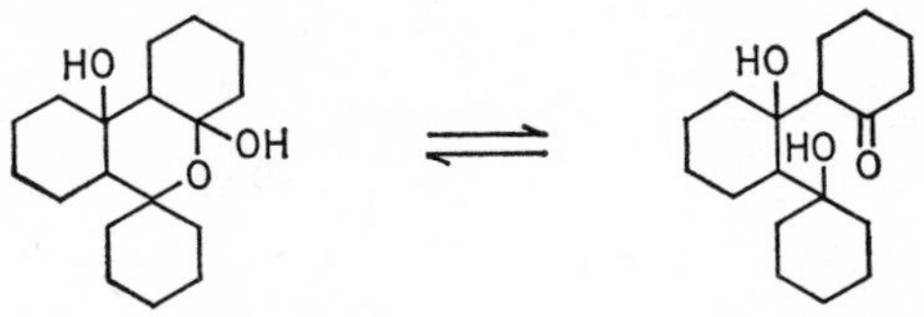

Cyclohexan-⟨spiro-8⟩-2,10-
dihydroxy-9-oxa-tricyclo
[8.4.0.0²,⁷]tetradecan

1-Hydroxy-2'-oxo-2-(1-
hydroxy-cyclohexyl)-bi-cyclo-
hexyl

Ein interessantes Beispiel für die Dimerisierung von cyclischen β-Diketonen ist die Dimerisierung des Cyclohexandions-(1,3), die durch 10stdgs. Erhitzen in wäßriger Pufferlösung vom p_H-Wert 6 in 78%iger Ausbeute erreicht werden kann[2]. Nach neueren Untersuchungen[3] handelt es sich hierbei nicht um das primär gebildete Dimerisierungsprodukt I, sondern um die ungesättigte Dioxocarbonsäure II, die durch Säure-Spaltung und Dehydratisierung aus I entstanden ist:

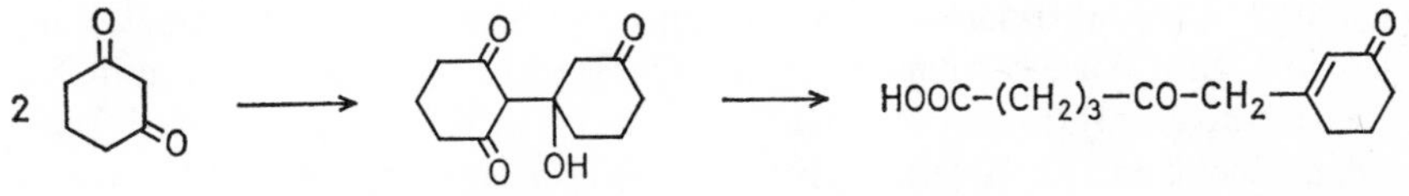

1'-Hydroxy-2,3',6-tri-
oxo-bi-cyclohexyl

5-Oxo-6-[3-oxo-cyclohexen-(1)-yl]-
hexansäure

Die Dimerisierung der Ketone läßt sich auch mit Ritter-Reaktion kombinieren, wenn man Ketone in Gegenwart von Nitrilen den Bedingungen der Ritter-Reaktion unterwirft. So konnte aus Aceton und Acetonitril mit 96%iger Schwefelsäure bei 25° *2-Acetylamino-4-oxo-2-methyl-pentan* und aus Cyclohexanon mit Acetonitril *1'-Acetylamino-2-oxo-bi-cyclohexyl* erhalten werden[4]:

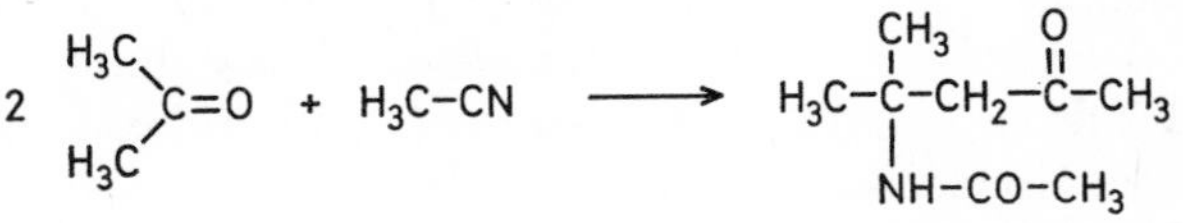

β) α,β-ungesättigter Ketone durch Kondensation zwischen gleichen Keton-Molekülen

Die Herstellung α,β-ungesättigter Ketone ohne Isolierung der primär entstehenden β-Hydroxy-ketone kann mit Hilfe der verschiedensten sauren und basischen Katalysatoren erfolgen. Das klassische Beispiel ist hier die Kondensation von Aceton zu

[1] P. ROLLIN, Bl. **1973**, 1509.
[2] H. STETTER et al., B. **86**, 1308 (1953).
[3] K. CONROW, J. Org. Chem. **31**, 1050 (1966).
[4] A. Y. CHORLIN, O. S. CIZOV u. N. K. KOCETKOV, Ž. obšč. Chim. **29**, 3411 (1959); engl.: 3373.

4-Oxo-2-methyl-penten-(2) (Mesityloxid):

$$2\ H_3C-CO-CH_3 \xrightarrow[-H_2O]{} H_3C-CO-CH=C\begin{smallmatrix}CH_3\\CH_3\end{smallmatrix}$$

$$\xrightarrow[-H_2O]{+\ H_3C-CO-CH_3} \begin{smallmatrix}H_3C\\H_3C\end{smallmatrix}C=CH-CO-CH=C\begin{smallmatrix}CH_3\\CH_3\end{smallmatrix}\ +$$

4-Oxo-2,6-dimethyl-hepta-
dien-(2,5) (Phoron)

3-Oxo-1,5,5-trimethyl-cyclo-
hexen (Isophoron)

Die direkte Herstellung von *4-Oxo-2-methyl-penten-(2) (Mesityloxid)* aus Aceton kann durch saure Kondensationsmittel wie Chlorwasserstoff[1] erfolgen. Die Ausbeute bei dieser Kondensation ist allerdings nicht sehr hoch. Es entstehen gleichzeitig Phoron und höhere Kondensationsprodukte.

Neuere Verfahren bedienen sich sulfonsäurehaltiger Kationenaustauscher, mit deren Hilfe die Umwandlung von Aceton in *4-Oxo-2-methyl-penten-(2) (Mesityloxid)* gelingt[2]. Auch aktiviertes Aluminiumoxid eignet sich zur Herstellung von Mesityloxid[3]. Die Wasser-Abspaltung aus β-Hydroxy-ketonen z. B. mit Kaliumhydrogensulfat, katalytischen Mengen Jod u. a. ist in Bd. VII/2c beschrieben.

Von den alkalischen Kondensationsmitteln zur Herstellung von *4-Oxo-2-methyl-penten-(2) (Mesityloxid)* sei hier Aluminium-tri-tert.-butanolat in Xylol als Lösungsmittel besonders erwähnt[4].

Die Bildung von *4-Oxo-2,6-dimethyl-heptadien-(2,5) (Phoron)* erfolgt im allgemeinen in mehr oder weniger großer Menge bei der Mesityloxid-Herstellung. Es kann ferner aus Aceton durch Behandlung mit einer gesättigten Kalilauge bis 50° zu 50% d. Th. erhalten werden[5].

Für das Laboratorium empfiehlt sich deshalb für die Herstellung des *4-Oxo-2-methyl-pentens-(2) (Mesityloxid)* der Umweg über 2-Hydroxy-4-oxo-2-methyl-pentan[6].

Erwähnt werden soll hier noch als weiteres Kondensationsprodukt des Acetons das *3-Oxo-1,5,5-trimethyl-cyclohexen-(1) (Isophoron)*, das durch Michael-Addition eines Acetonmoleküls an 4-Oxo-2-methyl-penten-(2) (Mesityloxid) und anschließende cyclisierende Aldol-Kondensation entsteht. Das *3-Oxo-1,5,5-trimethyl-cyclohexen (Isophoron)* bildet sich in größerer Menge aus Aceton mit verdünntem Alkali bei Temperaturen von 150–300° unter Druck[7].

[1] P. C. Freer u. A. Lachmann, Am. **19**, 887 (1897).
J. Colonge, Bl. [4] **49**, 426 (1931).
[2] F. G. Klein u. J. T. Banchero, Ind. eng. Chem. **48**, 1278 (1956).
N. B. Lorette, J. Org. Chem. **22**, 346 (1957).
[3] Fr. P. 1296196 (1961), B. A.-Shawinigan Ltd., Erf.: I. G. Palmer u. D. G. Cowan.
[4] W. Wayne u. H. Adkins, Am. Soc. **62**, 3401 (1940).
[5] USSR. P. 195439 (1966), Plastics Res. Inst., Erf.: I. O. Elin et al.; C.A. **68**, 49079 (1968).
[6] J. B. Conant u. N. Tuttle, Org. Synth, Coll. Vol. I, 345.
[7] DAS. 1095818 (1958), Bergwerksgesellschaft Hibernia AG, Erf.: K. Schmitt, J. Disteldorf u. W. Baron; C.A. **56**, 5837 (1962).
Belg. P. 611720 (1961), Hibernia-Chemie, GmbH; C.A. **58**, 3332 (1963).
Canad. P. 769084 (1965), Shawinigan Chemicals Ltd., Erf.: G. Kohan, I. Palmer u. N. Gravino; C.A. **68**, 39120 (1968).

Bei der Kondensation der höheren aliphatischen Ketone haben wir ähnliche Verhältnisse wie beim Aceton. Allerdings kann bei Verwendung unsymmetrischer Ketone der Reaktionsverlauf weniger übersichtlich sein, wie das Beispiel des Butanons zeigt. Die Dimerisierung dieses Ketons führt zwar in einem eindeutigen Reaktionsverlauf zu *5-Oxo-3-methyl-hepten-(3)* die Dehydratisierung jedoch ergibt stets ein Gemisch von *5-Oxo-3-methyl-hepten-(3)* und *2-Oxo-3,4-dimethyl-hexen-(3)*, da beide Verbindungen miteinander im Gleichgewicht stehen[1]. Zum gleichen Gemisch führt auch die direkte Kondensation von Butanon mit sauren und alkalischen Kondensationsmitteln, wenn die Reaktionsbedingungen eine sekundäre Wasser-Abspaltung ermöglichen[2]:

$$2 \quad H_3C-\overset{\overset{O}{\|}}{C}-CH_2-CH_3 \quad \longrightarrow \quad H_3C-CH_2-\overset{\overset{OH}{|}}{\underset{\underset{CH_3}{|}}{C}}-CH_2-\overset{\overset{O}{\|}}{C}-CH_2-CH_3$$

$$\xrightarrow{-H_2O} \quad H_3C-CH_2-\overset{\overset{H_3C}{|}}{\underset{\underset{CH_3}{|}}{C}}=C-\overset{\overset{O}{\|}}{C}-CH_3 \quad \rightleftharpoons \quad H_3C-CH_2-\overset{\overset{CH_3}{|}}{C}=CH-\overset{\overset{O}{\|}}{C}-CH_2-CH_3$$

Bei den höheren Methylketonen erscheint der Reaktionsverlauf einheitlicher. Es werden überwiegend die Reaktionsprodukte gebildet, die durch Kondensation der Carbonyl-Gruppe mit der Methyl-Gruppe entstehen[3].

Bei Verwendung von Chlorwasserstoff ist das primäre Kondensationsprodukt ein β-Chlor-keton, das erst durch Chlorwasserstoff Abspaltung in das α,β-ungesättigte Keton übergeht. Solche β-Chlor-ketone erleiden im allgemeinen schon beim Erhitzen eine Chlorwasserstoff-Abspaltung. Zur Vervollständigung dieser Reaktion empfiehlt sich aber eine Behandlung mit Alkali. Für die Anwendung von Chlorwasserstoff ist das folgende Beispiel repräsentativ.

6-Oxo-4-methyl-nonen-(4)[3]:

$$2 \quad H_3C-CH_2-CH_2-CO-CH_3 \quad \longrightarrow \quad H_3C-CH_2-CH_2-\overset{\overset{Cl}{|}}{\underset{\underset{CH_3}{|}}{C}}-CH_2-CO-CH_2-CH_2-CH_3$$

$$\longrightarrow \quad H_3C-CH_2-CH_2-\underset{\underset{CH_3}{|}}{C}=CH-CO-CH_2-CH_2-CH_3$$

4-Chlor-6-oxo-4-methyl-nonan: in 430 g Pentanon-(2) löst man 125 g trockenen Chlorwasserstoff und läßt die Lösung 48 Stdn. bei 20° stehen. Das braune Reaktionsgemisch wird darauf mit 150 ml Wasser versetzt. Die organische Phase wird dann abgetrennt und über Calciumchlorid getrocknet. Das unveränderte Pentanon-(2) wird i. Vak. bei 55 Torr abdestilliert. Den Rückstand fraktioniert man i. Vak.; Ausbeute: 145 g; Kp$_8$: 94–97°.

6-Oxo-4-methyl-nonen-(4): 4-Chlor-6-oxo-4-methyl-nonan zersetzt sich teilweise bei der Destillation. Um das ungesättigte Keton zu erhalten, genügt es, die Chlor-Verbindung mit einer äthanolischen Lösung von Natriumhydroxid unter Rückfluß zu erhitzen. Nach Zugabe von Wasser wird das abgetrennte Keton mit Calciumchlorid getrocknet und destilliert; Ausbeute: 105 g; Kp$_6$: 76–77°.

270 g des Ausgangsketons werden zurückerhalten.

Bei den aromatischen Ketonen vom Typ des Acetophenons ist die Bildung der α,β-ungesättigten Ketone infolge der Ausbildung der C=C—Doppelbindung in Konjugation

[1] G. A. R. Kon u. K. S. Nargund, Soc. **1934**, 623.
[2] USSR. P. 195439 (1966), Plastics Res. Inst., Erf.: I. O. Elin et al., C.A. **68**, 49079 (1968).
[3] J. Colonge, Bl. [4] **49**, 426 (1931).

zum Benzol-Kern besonders begünstigt. Für die Herstellung von *4-Oxo-2-phenyl-penten-(2)* (*Dypnon*) aus Acetophenon sind eine große Anzahl von Kondensationsmitteln wie Chlorwasserstoff[1], Bromwasserstoff[2], Fluorwasserstoff[3], Aluminiumchlorid[4], Aluminiumbromid[5], Phosphor(V)-chlorid[6], Calciumhydroxid[7], Diäthylzink[8], Natrium-äthanolat[9] und Aluminium-tri-tert.-butanolat[10,11] verwendet worden. Besonders die Verwendung von Aluminium-tri-tert.-butanolat hat sich als vorteilhaft erwiesen. Man erhält mit diesem Kondensationsmittel auch bei anderen Ketonen zum Teil sehr gute Ausbeuten.

4-Oxo-2-phenyl-penten-(2) (Dypnon)[10]:

$$2 \ H_5C_6-CO-CH_3 \ \longrightarrow \ H_5C_6-\overset{\overset{\displaystyle CH_3}{|}}{C}=CH-CO-CH_3$$

In einem Dreihalskolben, der mit einem Thermometer, einem wirksamen Rührer und mit einer 35-cm-Vigreux-Kolonne versehen ist, gibt man Acetophenon, Aluminium-tri-tert.-butanolat und Xylol im Verhältnis von 1 : 0,55 : 400. Die Kolonne wird mit einem Kühler und einer durch ein Trockenröhrchen verschlossenen Vorlage verbunden. Das Reaktionsgemisch wird im Ölbad unter Rühren auf 133–137° erhitzt. Die Geschwindigkeit des Erhitzens wird so gewählt, daß kein Keton übergeht. Das sich bildende tert. Butanol wird abdestilliert. Nach 2 Stdn. läßt man das Reaktionsgemisch auf 100° abkühlen und gibt unter Rühren in kleinen Anteilen 3,3 Mol Wasser pro Mol des Aluminium-tri-tert.-butanolats hinzu. Es erfolgt heftige Reaktion unter Rückfluß, worauf die Mischung unter Bildung eines Gels erstarrt, das sich nach Zugabe des restlichen Wassers wieder löst. Das Reaktionsgemisch wird nun in einem Ölbad 15 Min. unter Rückfluß erhitzt, um die Hydrolyse zu vervollständigen. Nach dem Erkalten wird das Reaktionsgemisch zentrifugiert und die Lösung dekantiert. Ungefähr 1 *l* Äther auf ein Mol des eingesetzten Aluminium-trialkanolats werden benötigt, um das Reaktionsgefäß auszuspülen, die Zentrifugengläser zu tarieren und das Aluminiumoxid 4mal zu extrahieren. Die Extraktion wird so durchgeführt, daß man das Aluminiumoxid herauslöst und unter Zugabe von Äther mit dem Spatel zu einer gleichmäßigen Paste verrührt. Es wird erneut zentrifugiert und dekantiert. Diese Operation wird noch 3mal wiederholt. Diese Extraktion muß sorgfältig durchgeführt werden, um einen Verlsut an Reaktionsprodukt zu vermeiden. Äther, tert. Butanol und Wasser werden über eine Widmer-Kolonne abdestilliert, worauf man das Xylol i.Vak. bei 57–60°/45 Torr destilliert. Der Rückstand wird i.Vak. fraktioniert; Ausbeute: 91,5% d.Th.; Kp$_1$: 138–140.

Die Kondensation cyclischer Ketone bietet ebenfalls keine Schwierigkeiten. Sie kann sowohl durch saure als auch durch alkalische Kondensationsmittel erreicht werden[12]. Als Beispiele seien hier die Selbstkondensation von Cyclopentanon und Cyclohexanon besonders erwähnt.

Für die Herstellung von *2-Oxo-1-cyclopentyliden-cyclopentan* aus Cyclopentanon wurden eine große Anzahl von Kondensationsmitteln wie Aluminiumchlorid[13],

[1] J. COLONGE, Bl. [4] **49**, 426 (1931).
[2] A. MÜLLER u. G. SPINOSA-STÖCKEL, Öst. Chemiker-Ztg. **49**, 130 (1948).
[3] J. H. SIMONS u. E. O. RAMLER, Am. Soc. **65**, 1390 (1948).
[4] N. O. CALLOWAY u. L. D. GREEN, Am. Soc. **59**, 809 (1937).
[5] M. KONOWALOW u. J. FINOGEJEW, Ж **34**, 944 (1902).
[6] W. TAYLOR, Soc. **1937**, 304.
[7] C. PORLEZZA u. K. GATTI, G. **56**, 265 (1926).
[8] F. HENRICH u. A. WIRTH, M. **25**, 423 (1904).
[9] J. F. EIJKMAN, Chem. Weekb. **1**, 349 (1904).
[10] W. WAYNE u. H. ADKINS, Am. Soc. **62**, 3401 (1940).
[11] W. WAYNE u. H. ADKINS, Org. Synth. Coll. Vol. III, 367 (1955).
[12] S. V. SVETOZARSKII u. E. N. ZILBERMANN, Russ. Chem. Rev. **39**, 553 (1970); Usp. Chim. **39**, 1173 (1970); C.A. **73**, 120140 (1970).
[13] C. COURTOT u. V. OUPÉROFF, C. r. **191**, 416 (1930).

Calciumhydrid[1], Calciumcarbid[2], und Alkalimetallalkanolaten[3] mit Erfolg angewendet. Die Bildung von *2-Oxo-1-cyclopentyliden-cyclopentan* wurde bereits beim Lösen von Cyclopentanon in wäßrig-alkoholischer Natronlauge beobachtet[4]. Bei Verwendung der alkalischen Kondensationsmittel, wie z. B. Natrium-äthanolat entsteht als Nebenprodukt *2-Oxo-1,3-bis-[cyclopentyliden]-cyclopentan*, das bei erhöhter Reaktionstemperatur zum Hauptprodukt wird[5,6]:

2-Oxo-1-cyclopentyliden-cyclopentan[6]: Eine Lösung von 300 g Natrium in 4500 *ml* abs. Äthanol läßt man unter Rühren und Eiskühlung langsam in 4000 g Cyclopentanon eintropfen, bewahrt die rotbraune Lösung 2 Tage bei –1° auf, dekantiert von festen Anteilen, treibt mit Wasserdampf fast allen Alkohol über und trennt nach Verdünnen mit Wasser die flüssigen Anteile ab. Nach fraktionierter Vakuumdestillation konnte bei Kp_2: 88,5–90° das zunächst farblose, aber nach einigen Tagen sich blaßgelb verfärbende, stark minzig riechende Reaktionsprodukt isoliert werden (Ausbeute: 50–52% d. Th.).

2-Oxo-1,3-bis-[cyclopentyliden]-cyclopentan[6]: Mengenverhältnis und Reaktionsansatz wie im vorstehenden Beispiel, aber ohne Außenkühlung (Vorsicht!) Das sich sofort tief rotbraun färbende und stark erwärmende Gemisch bleibt noch 3 Tage bei 20–25° stehen, wird mit Wasserdampf vom Alkohol befreit und schließlich mit 2000 *ml* Wasser versetzt, wobei das rotbraune Öl erstarrt. Es wird durch Umkristallisieren aus Methanol bzw. chromatographisch über Aluminiumoxid [Petroläther (Kp: 30–60°)/Cyclohexan] gereinigt. Wegen der geringen Löslichkeit des Ketons in Kohlenwasserstoffen eignet sich die chromatographische Trennung nur für kleinere Mengen und ist vorteilhaft in einer vollautomatischen Apparatur durchzuführen; Ausbeute: 1950–2060 g (57–60% d.Th.). Das Keton läßt sich auch durch Destillation i.Vak. reinigen; Kp_{12}: 198–200°; Roh F: 76–78°; nach Umkristallisieren aus Benzol oder Äthanol, F: 81,5–82°.

Auch Cyclohexanon kann mit sauren und alkalischen Kondensationsmitteln in analoger Weise kondensiert werden. Als Kondensationsmittel wurden Schwefelsäure[7], Chlorwasserstoff[8], p-Toluolsulfonsäure[9], Phosphorsäure[10], Aluminium-tert.-butanolat[11] und Cyclohexylamin[12] verwendet. Dabei lassen sich je nach den Reaktions-

[1] F. Taboury u. M. Godchot, C. r. **169**, 63 (1919).

[2] J. K. Jurjew, R. J. Lewina u. M. I. Spektor. Ž. obšč. Chim. **7**, 1581 (1937); C. **1938** I, 3908.

[3] G. A. R. Kon u. J. H. Nutland, Soc. **1926**, 3106.

C. S. Marvel u. L. A. Brooks, Am. Soc. **63**, 2853 (1941).

D. Varech, C. Ouames u. J. Jacques, Bl. **1965**, 1662.

[4] M. Godchot u. F. Taboury, Bl. [4] **13**, 16 (1913).

[5] O. Wallach, B. **29**, 2963 (1896); A. **389**, 178 (1912).

J. Plecek, Chem. Listy **50**, 246 (1956).

[6] R. Mayer, B. **89**, 1443 (1956).

S. a. I. E. Dolgij, A. P. Meščerjakov u. I. B. Švedova, Izv. Akad. SSSR **1968**, 2135; C.A. **70**, 77429 (1969).

S. a. P. Rollin, Bl. **1973**, 1509.

S. a. J. A. L. Herbert u. H. Suschitzky, Soc. (Perkin I) **1974**, 2657.

[7] C. Mannich, B. **40**, 157 (1907).

H. Gault, L. Daltroff u. J. Ecktridon, Bl. **1945**, 952.

[8] O. Wallach, B. **40**, 70 (1907).

N. D. Zelinsky, N. I. Schuikin u. L. M. Fatejew, Ž. obšč. Chim. **2**, 671 (1932); C. A. **27**, 2430 (1933).

W. S. Rapson, Soc. **1941**, 16.

C. C. Price, M. Knell u. J. P. West, Am. Soc. **65**, 2469 (1943).

K. K. Kelly u. J. S. Matthews, J. Chem. Eng. Data **14**, 276 (1969).

[9] J. Plešek, Chem. Listy **50**, 252 (1956).

[10] Jap. P. 13736 (1965), Toa Gosei Chem. Ind., C.A. **63**, 11431 (1965).

[11] W. Wayne u. H. Adkins, Am. Soc. **62**, 3401 (1940).

[12] DBP. 922167 (1952), BASF, Erf.: O. Stichnoth; C.A. **51**, 17988 (1957).

bedingungen *2-Oxo-1-cyclohexyliden-* oder *2-Oxo-1-cyclohexen-(1)-yl-cyclohexan* erhalten. Allem Anschein nach stellt das kristalline 2-Oxo-1-cyclohexyliden-cyclohexan das primäre Kondensationsprodukt dar, das sich beim Erhitzen in 2-Oxo-1-cyclohexen-(1)-yl-cyclohexan umwandelt[1]:

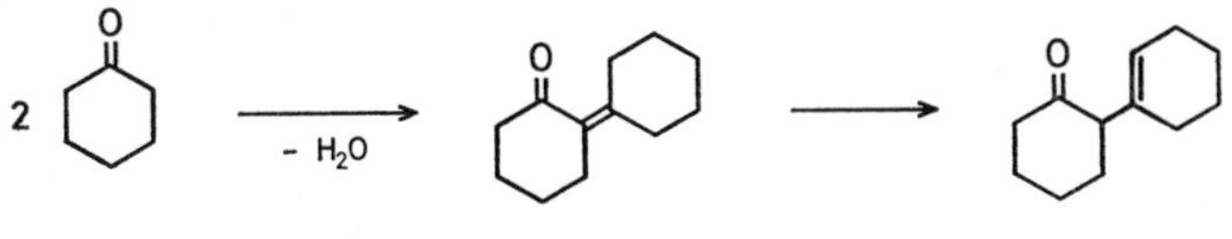

Je nach Reaktionsbedingungen kann auch eine weitere Kondensation zu *2-Oxo-1,3-dicyclohexen-(1)-yl-cyclohexan* erfolgen[2].

Über die Selbstkondensation von Cyclohexanon und Oxo-methyl-cyclohexanen unter sehr hohen Drucken s. Lit. [3].

Mit Hilfe des nichtkatalytischen Verfahrens unter Anwendung von 2,2-Dimethyl-propansäure-diäthylborylester lassen sich solche Kondensationen zwischen gleichen Ketonen besonders glatt und gezielt durchführen. Die Arbeitsweise sei am Beispiel der Kondensation von Acetophenon zu *1-Oxo-1,3-diphenyl-buten-(2)* (*Dypnon*) wiedergegeben.

1-Oxo-1,3-diphenyl-buten-(2) (Dypnon)[4]:

$$2\ H_5C_6-CO-CH_3\ +\ 2\ (H_5C_2)_2B-O-CO-C(CH_3)_3\ \longrightarrow$$

$$H_5C_6-CO-CH=C\underset{C_6H_5}{\overset{CH_3}{<}}\ +\ 2\ C_2H_6\ +\ \left[(H_3C)_3C-CO-O-B-\overset{H_5C_2}{|}\right]_2O$$

Man heizt 50 g (416,5 mMol) Acetophenon auf maximal 110° und läßt dazu unter Rühren 67,2 g (395 mMol) 2,2-Dimethyl-propansäure-diäthylborylester tropfen (Dauer der Zugabe: ~ 2,5 Stdn.). Unter Gelbfärbung des Ansatzes entwickelt sich Äthan (9200 *ml*). Beim Abkühlen fallen Kristalle von Bis-[(2,2-dimethyl-propanoyloxy)-äthyl-boryl]-oxid aus. Vakuumdestillation ergibt zunächst 54 g Bis-[(2,2-dimethyl-propanoyloxy)-äthyl-boryl]-oxid ($Kp_{0,1}$: 55–65°) und danach 33,2 g rohes Dypnon ($Kp_{0,001}$: 105–107°). Man versetzt mit 100 *ml* Methanol, destilliert sämtliche leichtflüchtigen Bestandteile ab und erhält gaschromatographisch reines Dypnon; Ausbeute: 31,3 g (68% d.Th.).

Tab. 180 (S. 1497) gibt einen Überblick über weitere Beispiele für die Kondensation von zwei gleichen Ketonmolekülen.

γ) Aldol-Kondensation zwischen zwei verschiedenen Ketonen

Die Möglichkeit zur Aldol-Kondensation zwischen verschiedenen Ketonen unterliegt in der praktischen Durchführung erheblichen Beschränkungen. Nur in bestimmten Fällen können hierbei befriedigende Ergebnisse erhalten werden. Der Grund für den meist sehr uneinheitlichen Reaktionsverlauf ist darin zu suchen, daß grundsätzlich die Aldol-Kondensation in diesen Fällen zu zwei isomeren Reaktionsprodukten führen kann, und daß darüberhinaus die Selbstkondensation der Reaktionspartner den einheitlichen Reaktionsverlauf beträchtlich stört.

[1] J. REESE, B. **75**, 384 (1942).
[2] J. PLESEK, Chem. Listy **50**, 252 (1956).
[3] T. TAKAHASHI, K. HARA u. J. OSUGI, Nippon Kagaku Kaishi **1974**, 1350.
[4] R. KÖSTER u. A. A. POURZAL, Synthesis **1973**, 675.

Dementsprechend erhält man z. B. bei dem Versuch der alkalisch katalysierten Aldol-Kondensation von Aceton mit 3-Oxo-2-methyl-butan einen sehr uneinheit-

Tab. 180. Kondensation zwei gleicher Ketone

Keton	Kondensations-mittel	α,β-ungesättigtes Keton	Ausbeute [% d.Th.]	Literatur
Hexanon-(2)	HCl	*7-Oxo-5-methyl-undecen-(5)*	21	1
4-Oxo-2-methyl-pentan	Al[O–C(CH$_3$)$_3$]$_3$	*4-Oxo-3,6,7-trimethyl-no-nen-(5)*	73	2
3-Oxo-2,2-dimethyl-butan (Pinakolon)	Al[O–C(CH$_3$)$_3$]$_3$	*5-Oxo-2,2,3,6,6-penta-methyl-hepten-(3)*	10	2
1-Oxo-dekalin	HCl	}*1-Oxo-2-[3,4-dihydro-na-phthyl-(1)]-tetralin*	70	3
Heptanon-(2)	H$_5$C$_2$–MgBr	*6-Oxo-8-methyl-tridecen-(7)*	70	4
Cycloheptanon	CaH$_2$	*2-Oxo-1-cycloheptyliden-cycloheptan*		5
2-Oxo-bicyclo[4.3.0] nonan	verd. H$_2$SO$_4$	*2-Oxo-3-{bicyclo[4.3.0] nonyliden-(2)}-bicyclo [4.3.0]nonan*		6
3-Oxo-bicyclo[4.3.0] nonan	verd. H$_2$SO$_4$	*3-Oxo-2-{bicyclo[4.3.0] nonyliden-(3)}-bicyclo [4.3.0]nonan*		7
	NaOCH$_3$		99	8
	(H$_3$C)$_3$C–CO–O–B(C$_2$H$_5$)$_2$		92	9
2-Oxo-*trans*-dekalin	H$_{11}$C$_6$–NH$_2$	*2-Oxo-1-dekalyliden-(2)-dekalin*	80	10
6-Methoxy-1-oxo-tetralin	Al[O-C(CH$_3$)$_3$]$_3$	*6-Methoxy-1-oxo-2-[6-me-thoxy-tetralinyliden-(1)]-tetralin*		11
2-Oxo-1,1-diphenyl-propan	H$_5$C$_6$–MgBr	*2-Oxo-4-methyl-1,1,5,5-tetraphenyl-penten-(3)*	70	12
Cyclooctanon	(H$_3$C)$_3$C–CO–O–B(C$_2$H$_5$)$_2$	*2-Oxo-1-cyclooctyliden-cyclooctan*	92	9
3-Oxo-cyclohexen	(H$_3$C)$_3$C–CO–O–B(C$_2$H$_5$)$_2$	*6-Oxo-2-[cyclohexen-(2)-yliden]-cyclohexen*	91	9,13
1-Oxo-1-phenyl-hexan	(H$_3$C)$_3$C–CO–O–B(C$_2$H$_5$)$_2$	*6-Phenyl-5-benzoyl-undecen-(5)*	95	14

[1] J. Colonge, Bl. [4] 49, 434 (1931).

[2] W. Wayne u. H. Adkins, Am. Soc. 62, 3401 (1940).

[3] H. L. Retcofsky, L. Reggel u. R. A. Friedel, Chem. & Ind. 1969, 617.

[4] A. J. Birch u. R. Robinson, Soc. 1942, 496.

[5] M. Godchot, C. r. 174, 618 (1922).

[6] F. S. Kipping, Soc. 65, 497 (1894).

[7] F. Hensler u. H. Schieffer, B. 32, 32 (1899).

[8] W. Treibs u. W. Schroth, A. 639, 204 (1961).

[9] R. Köster u. A. A. Pourzal, Privatmitteilung.

A. A. Pourzal, Dissertation Universität Bochum 1972.

[10] DBP. 922167 (1952), BASF, Erf.: O. Stichnoth; C.A. 51, 17 988 (1957).

[11] US. P. 2836624 (1957), G. D. Searle u. Co., Erf.: R. E. Gentry u. R. R. Burtner; C.A. 52 17222 (1958).

[12] J. Bornstein u. F. Nunes, J. Org. Chem. 30, 3324 (1965).

[13] W. Fenzl u. R. Köster, Ang. Ch. 83, 807 (1971).

[14] R. Köster u. A. A. Pourzal, Synthesis 1973, 674.

lichen Reaktionsverlauf. Erst bei großem Überschuß von Aceton bildet sich *2-Hydr-oxy-4-oxo-2,6-dimethyl-heptan* in befriedigenden Ausbeuten neben *2-Hydroxy-4-oxo-2-methyl-pentan*[1].

Auch bei der gemischten Aldolkondensation von Cyclohexanon und Cyclopentanon in Gegenwart von Calciumcarbid erhält man neben *2-Oxo-1-cyclohexyliden-cyclopentan* auch die Produkte der Selbstkondensation[2].

Günstigere Verhältnisse findet man, wenn die beiden Ketone stark unterschied-liche Reaktionsfähigkeit besitzen, oder wenn eines der reagierenden Ketone nicht unter Selbstkondensation zu reagieren vermag.

Ein Beispiel für die Kondensation von zwei Ketonen mit stark unterschiedlichem Enolisierungsvermögen ist die Kondensation von Brenztraubensäure mit Aceton in Gegenwart von Piperidin, die zu *cis-4-Oxo-2-methyl-penten-(2)-säure* (28% d. Th.) führt[3]. Als Nebenprodukt entsteht hierbei *2,6-Dihydroxy-4-oxo-2,6-dimethyl-heptan-disäure*. Durch Kondensation von Brenztraubensäure mit Aceton in Eisessig unter Zusatz von Schwefelsäure gelangt man direkt zu der *4-Oxo-2,6-dimethyl-heptadien-(2,5)-disäure*[4]:

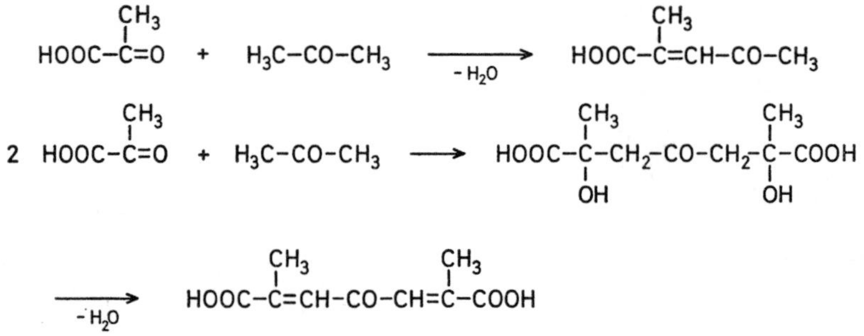

4-Oxo-2-methyl-penten-(2)-säure[5]: In die Lösung von 22 g Brenztraubensäure in 90 *ml* wasser-freiem Aceton trägt man unter Außenkühlung mit Eis und unter stetem Umschütteln 43 g Piperi-din in kleinen Anteilen nach und nach ein. Man läßt 2 Tage bei Raumtemp. stehen und saugt hernach das überschüssige Aceton im Wasserstrahlvak. ab. Sobald der Inhalt sich verdickt, taucht man den Kolben in ein Wasserbad von 25° und vakuiert ihn so lange, bis der Rückstand sirupartige Konsistenz besitzt. Unter lebhaftem Umschütteln fügt man sodann ein Gemisch aus 200 *ml* Eisessig und 80 *ml* konz. Salzsäure in kleinen Anteilen zu. Die Lösung wird im Wasserbad 1 Stde. auf 90° erwärmt, dann gießt man die dunkel gefärbte Flüssigkeit in eine große Porzellan-schale, die 1,5 *l* Wasser enthält, und dampft auf dem Wasserbad ein. Die zurückbleibende kristal-line Masse wird mehrmals mit Äther digeriert; man filtriert vom Piperidin-Hydrochlorid ab und entfernt den Äther. Der Rückstand kristallisiert beim Stehenlassen und wird in 20 *ml* heißem Benzol aufgenommen. Beim Abkühlen scheiden sich 6 g aus; F: 102 (farblose lange Nadeln). Aus der Mutterlauge können noch 3–4 g weniger reine Säure gewonnen werden, die sich durch Subli-mation bei 120°/10 Torr von der begleitenden Dicarbonsäure befreien lassen; Gesamtausbeute: 9 g (28,2% d. Th.).

Über die Verwendung von Phosphorsäure zur gleichen und analogen Kondensation s. Lit.[6].

---

[1] Belg. P. 550567 (1956), Montecatini.

[2] R. D. SANDS, Org. Prep. Proceed. Int. **6**, 153 (1974).

[3] E. BUCHTA u. G. SATZINGER, B. **92**, 449 (1959).

   s. a.: C. ARMENGAND, C. G. WERMUTH u. J. SCHREIBER, C. r. **254**, 2181 (1962).

[4] O. DOEBNER, B. **31**, 681 (1898).

[5] E. BUCHTA u. G. SATZINGER, B. **92**, 459 (1959).

[6] R. SCHEFFOLD u. P. DUSS, Helv. **50**, 798 (1967).

Analoge Kondensationen wurden auch von 2-Oxo-3-phenyl-propansäure mit Aceton, Acetophenon und 2-Oxo-1-phenyl-propan[1], die u. a. zu *4-Oxo-2-benzyl-penten-(2)-säure, 4-Oxo-4-phenyl-2-benzyl-buten-(2)-säure* bzw. *4-Oxo-3-phenyl-2-benzyl-penten-(2)-säure* führen, sowie von Isatin mit Propiophenon[2] durchgeführt, wobei ebenfalls Piperidin oder Diäthylamin als Katalysator verwendet wurden.

Brauchbare Ergebnisse lassen sich auch bei der Kondensation von **Acetophenon** mit **aliphatischen** Ketonen erhalten, wie das Beispiel der Kondensation mit 3-Oxo-2,2-dimethyl-butan (Pinakolon) zeigt. Mit Jodmagnesium-N-methyl-anilid als Kondensationsmittel erhält man *3-Hydroxy-1-oxo-3,4,4-trimethyl-1-phenyl-pentan* (47,5% d. Th.)[3].

Weitere Beispiele für die erfolgreiche Kondensation von zwei verschiedenen Ketonen mit stark unterschiedlicher Reaktionsfähigkeit sind die durch Alkanolat katalysierte Aldol-Kondensationen von 2-Oxo-1-methyl-cyclopentan mit Aceton zu *2-Oxo-1-(2-methyl-cyclohexyliden)-propan*[4]. Cyclobutanon bzw. 3-Oxo-1,1-dimethyl-cyclobutan mit Aceton zu *2-Oxo-1,3-diisopropyliden-* bzw. *2-Oxo-4,4-dimethyl-1,3-diisopropyliden-cyclobutan*[5].

Die besten Beispiele für die Verwendung eines Ketons, das zu keiner Selbstkondensation befähigt ist, sind die zahlreichen Kondensationen des **Benzils** mit Acetophenon und substituierten Acetophenonen, die zu **1,4-Dioxo-1,2,4-triphenyl-butenen-(2)** führen. Als Kondensationsmittel dient am besten Natrium-methanolat in Methanol[6]. An Stelle von Acetophenon wurden auch 2-Acetyl-thiophen, 2-Acetyl-furan, 1-Acetyl-naphthalin und 2-Acetyl-naphthalin mit Benzil zu *1,4-Dioxo-2-phenyl-1,4-dithienyl-(2)-[bzw. -1,4-difuryl-(2)-; -1,4-dinaphthyl-(1)-; -1,4-dinaphthyl-(2)]-buten-(2)* kondensiert[7].

1,4,Dioxo-1,2,4-triphenyl-buten-(2)[6]:

$$H_5C_6-C=O \atop H_5C_6-C=O \quad + \quad H_3C-CO-C_6H_5 \quad \xrightarrow{-H_2O} \quad {H_5C_6-C=CH-CO-C_6H_5 \atop H_5C_6-C=O}$$

0,05 Mol Benzil und 0,05 Mol Acetophenon werden mit 5 *ml* abs. Methanol bis zur vollständigen Lösung erwärmt. Darauf gibt man eine Lösung von 0,2 g Natrium in 25 *ml* abs. Methanol zu. Das Reaktionsgemisch wird einige Min. bis zum Siedepunkt erhitzt und dann über Nacht bei Raumtemp. stehen gelassen. Das Reaktionsprodukt wird abfiltriert, mit verd. Methanol gewaschen, bis alles Alkali entfernt ist, und umkristallisiert. Dabei geht man so vor, daß man in möglichst wenig siedendem Chloroform löst und die gleiche Menge Methanol zusetzt; Ausbeute: 85% d. Th.); F: 129°.

Unter Verwendung von Natrium-äthanolat als Kondensationsmittel und Änderung der Mengenverhältnisse gelingt auch die Kondensation von 1 Mol Benzil mit 2 Mol Acetophenon zu *1,6-Dioxo-1,4,5,6-tetraphenyl-hexadien-(2,4)*[8]:

$$H_5C_6-C=O \atop H_5C_6-C=O \quad + \quad 2\ H_3C-CO-C_6H_5 \quad \xrightarrow{-2\,H_2O} \quad {H_5C_6-CO-CH=C-C=CH-CO-C_6H_5 \atop \qquad\qquad H_5C_6\ \ C_6H_5}$$

[1] P. Cordier, Bl. **1955**, 151.
P. Hudry u. P. Cordier, C. r. **261**, 468 (1965).
[2] S. Pietra u. G. Tacconi, G. **92**, 1422 (1962).
[3] W. I. Jessafow et al., Ž. obšč. Chim. **29**, 845 (1959); engl.: 829.
[4] J. Golé, Bl. **1949**, 894.
[5] J. Salaän u. J. M. Conia, Bl. **1968**, 3730.
[6] C. F. H. Allen u. H. B. Rosener, Am. Soc. **49**, 2112 (1927).
s. a. O. Shelyapin, I. V. Samartseva u. L. A. Pavlova, Ž. org. Chim. **10**, 1513 (1974); C.A. **80**, 70761 (1974).
[7] C. F. H. Allen u. J. R. Hubbard, Am. Soc. **52**, 384 (1930).
[8] J. Wislicenus u. A. Lehmann, A. **302**, 195 (1898).
H. W. Bost u. P. S. Baily, J. Org. Chem. **21**, 803 (1956).

Interessant ist in diesem Zusammenhang der Befund, daß die Kondensation von Cyclohexenonen mit Benzil unter Aromatisierung zu Phenolketonen führt. So ergibt die Kondensation von Benzil mit 3-Oxo-1,5-dimethyl-cyclohexen-(1) *2-Oxo-1,2-diphenyl-1-(6-hydroxy-2,4-dimethyl-phenyl)-äthan* (81% d.Th.)[1]:

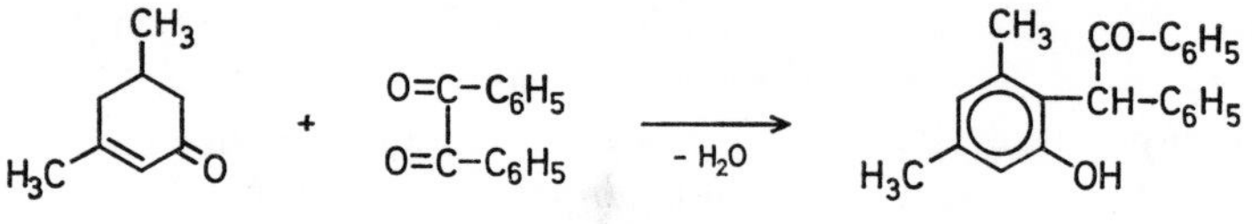

Auch o-Chinone vermögen mit Ketonen unter Aldol-Kondensation zu reagieren. Als Beispiel sei die Aldol-Kondensation von 3,5,6-Trimethyl-benzochinon-(1,2) mit Aceton zu *5-Hydroxy-6-oxo-1,2,4-trimethyl-5-(2-oxo-propyl)-cyclohexadien-(1,3)* erwähnt[2]:

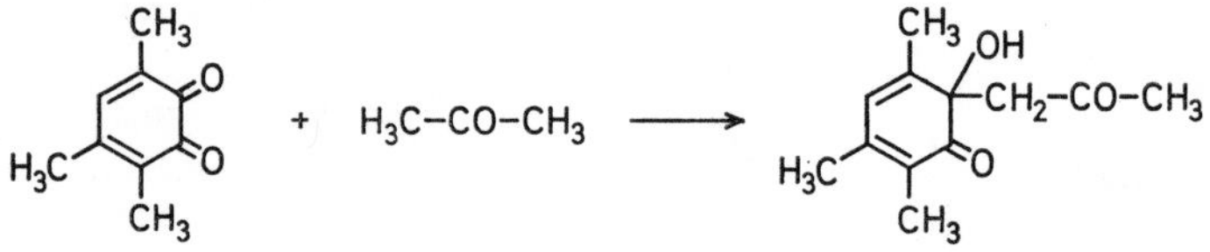

1,2,3-Trioxo-Verbindungen vermögen ohne Katalyse Aldoladdition mit enolisierbaren Ketonen zu geben[3]; z.B.:

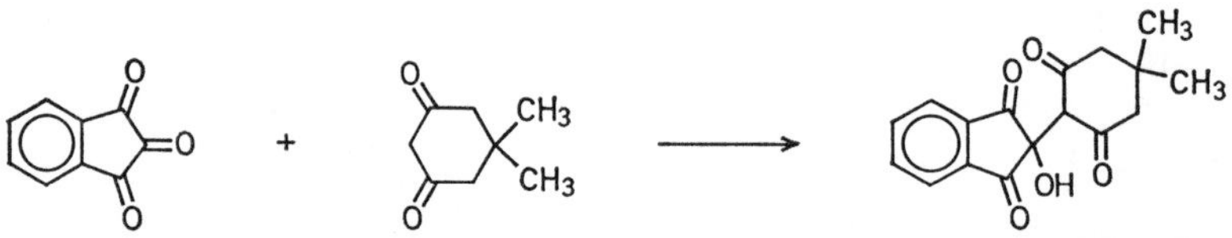

2-Hydroxy-1,3-dioxo-2-(2,6-dioxo-4,4-dimethyl-cyclohexyl)-indan

Als sehr leistungsfähig erweist sich hier das nichtkatalytische Verfahren mit 2,2-Dimethyl-propansäure-diäthylborylester, das immer dann anwendbar ist, wenn es sich um eine Aldolkondensation eines enolisierbaren Ketons mit einem nichtenolisierbaren Keton handelt, wie es das Beispiel der mit 90%iger Ausbeute verlaufenden Kondensation von Campher mit Benzophenon zu *2-Oxo-1,7,7-trimethyl-3-(diphenylmethylen)-bicyclo[2.2.1]heptan* zeigt[4]:

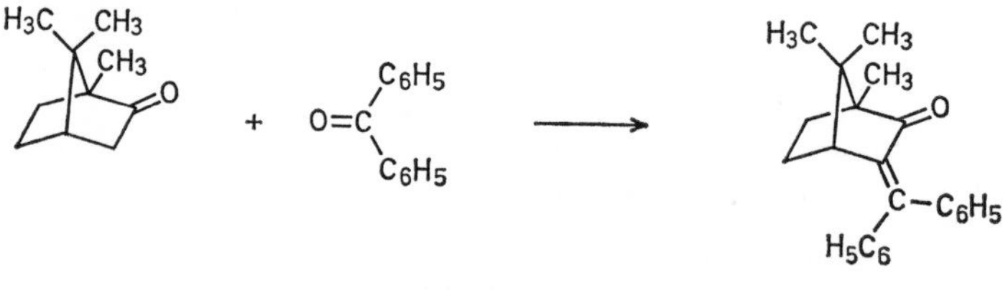

[1] C. F. H. Allen u. J. A. van Allan, J. Org. Chem. **16**, 716 (1951).
[2] R. Magnusson, Acta chem. scand. **14**, 1643 (1960).
[3] A. Schönberg u. E. Singer, B. **103**, 3871 (1970).
[4] A. A. Pourzal, Dissertation Universität Bochum 1972.
    R. Köster u. A. A. Pourzal, unveröffentlicht.

Solche Kondensationen konnten mit ähnlich hohen Ausbeuten unter Verwendung von Benzophenon mit Acetophenon, Indanon, 3-Oxo-cyclohexen, 3-Oxo-2,2-dimethyl-butan und Aceton durchgeführt werden. Als weitere nichtenolisierbare Ketone wurden 9-Oxo-fluoren, Oxo-adamantan und Chalkon eingesetzt.

α-Alkyliden-ketone; allgemeine Arbeitsvorschrift[1]: Zu einer Mischung von 0,3 Mol nichtenolisier-barem Keton und 0,2 Mol 2,2-Dimethyl-propansäure-diäthylborylester tropft man bei 80–140° eine Lösung von je 0,1 Mol enolisierbarem und nichtenolisierbarem Keton. Pro α-CH$_2$-Gruppe bilden sich 0,2 Mol Äthan und 0,1 Mol B,B′-Bis-[2,2-dimethyl-propanoyloxy]-B,B′-diäthyl-dibor-oxan. Nach Abdestillieren des überschüssigen nichtenolisierbaren Ketons und des Boroxans erhält man als Rückstand nahezu quantitativ α-Alkyliden-ketone.

5. Cyclisierende Aldol-Kondensationen

α) von Dicarbonyl-Verbindungen mit CH-aciden Verbindungen

Die cyclisierenden Aldol-Kondensationen von Dicarbonyl-Verbindungen mit CH-aciden Verbindungen spielen vor allem eine Rolle bei den zahlreichen Kondensationen des **Benzils mit Ketonen**. Diese Kondensationen führen mit aliphatischen Ketonen unter Alkalikatalyse zu *3-Hydroxy-5-oxo-cyclopentenen* wie das Beispiel der Kondensation von Benzil mit Aceton zu *3-Hydroxy-5-oxo-2,3-diphenyl-cyclopenten* zeigt[2]:

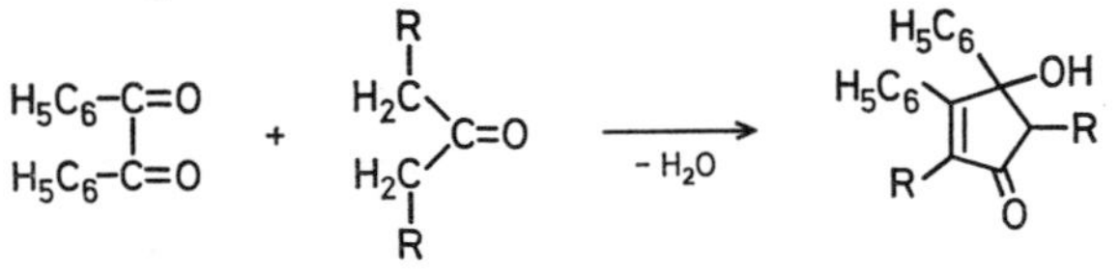

Eine große Zahl solcher Kondensationen von Benzil mit Methylketonen und höheren aliphatischen Dialkylketonen zu den entsprechenden 3-Hydroxy-5-oxo-1-alkyl-2,3-diphenyl-cyclopenten und den 3-Hydroxy-5-oxo-1,4-dialkyl-2,3-diphenyl-cyclopenten wurden durchgeführt[3,4]. In allen Fällen wurde alkoholische Kalilauge als Kondensationsmittel angewandt.

3-Hydroxy-5-oxo-2,3-diphenyl-cyclopentene[3]; allgemeine Herstellungsvorschrift: 0,1 Mol Benzil und 0,2 Mol des Ketons gibt man unter Rühren zu 250 *ml* 0,5%iger abs. äthanolischer Kaliumhydroxid-Lösung. Das Reaktionsgemisch läßt man so lange bei Raumtemp. stehen, bis alles Benzil verschwunden ist (~ 48 Stdn.). Dieser Punkt kann dadurch ermittelt werden, daß man zu einer kleinen Probe des Reaktionsgemisches Wasser zugibt. Bei Vorhandensein von unverändertem Benzil scheiden sich die charakteristischen Kristalle dieser Verbindung aus. Nach Beendigung der Reaktion rührt man das Reaktionsgemisch in 500 *ml* Wasser ein und trennt das ausgefallene Reaktionsprodukt durch Filtration ab. Die Reinigung erfolgt durch Umkristallisieren.

Bei Verwendung von 3-Oxo-glutarsäure-dimethylester konnte in analoger Weise *3-Hydroxy-5-oxo-2,3-diphenyl-1,4-dimethoxycarbonyl-cyclopenten* erhalten werden[5].

An Stelle von Benzil kann auch 1,2-Dioxo-acenaphthen mit dem gleichen Erfolg für diese Kondensationen herangezogen werden. Zahlreiche aliphatische Ketone

[1] A. A. POURZAL, Dissertation Universität Bochum 1972.
   R. KÖSTER u. A. A. POURZAL, unveröffentlicht.
[2] F. R. JAPP u. N. H. J. MILLER, B. **18**, 182 (1885); Soc. **47**, 27 (1885).
   F. R. JAPP u. J. KNOX, Soc. **87**, 679 (1905).
[3] C. F. H. ALLEN u. J. A. VAN ALLAN, Am. Soc. **72**, 5165 (1950).
[4] P. YATES et al., Am. Soc. **80**, 202 (1958).
   T. J. CLARK, J. Org. Chem. **38**, 1749 (1973).
[5] D. M. WHITE, J. Org. Chem. **39**, 1951 (1974).

wurden entsprechend dem folgenden Formelschema unter Anwendung von methanolischer Kalilauge mit Acenaphthenchinon kondensiert[1]:

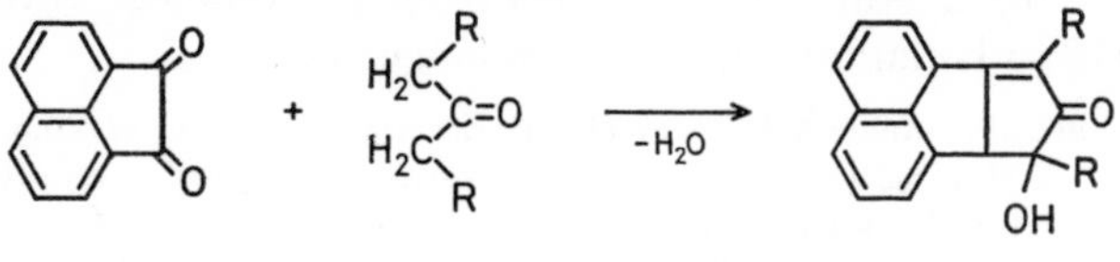

Die Wasser-Abspaltung zu den entsprechenden Cyclopentadienonen läßt sich mit Acetanhydrid unter Zusatz von wenig Schwefelsäure durchführen. Dabei zeigt es sich, daß die in 1,4-Stellung dialkylsubstituierten 3-Hydroxy-5-oxo-2,3-diphenyl-cyclopentene die dimeren Cyclopentadienone geben, von denen nur die dialkylierten in die monomeren Cyclopentadienone zu dissoziieren vermögen[2,3]:

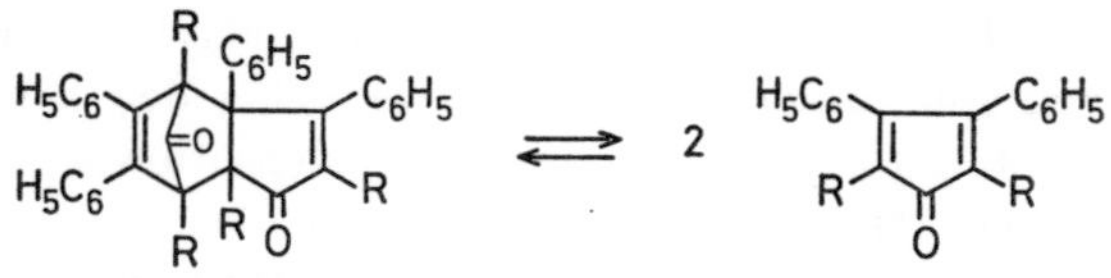

R = Alkyl

5-Oxo-2,3-diphenyl-cyclopentadiene; allgemeine Herstellungsvorschrift[3]: 0,1 Mol des an der Luft getrockneten, als Rohprodukt isolierten 3-Hydroxy-5-oxo-2,3-diphenyl-cyclopentens werden in 40 *ml* Acetanhydrid unter Zusatz von einem Tropfen konz. Schwefelsäure gelöst. Die Temp. steigt leicht an und die Lösung färbt sich rot. Nach 1 Stde. fällt man das Reaktionsprodukt mit Wasser und kristallisiert es aus einem geeigneten Lösungsmittel um; Ausbeuten: 60–90% d. Th.

Grundsätzlich den gleichen Reaktionsverlauf beobachtet man bei der alkalikatalysierten Aldol-Kondensation von Benzil mit Ketonen vom Typ des 2-Oxo-1,3-diphenyl-alkans. Auch hier enthält man mit alkoholischer Kalilauge in der Kälte *3-Hydroxy-5-oxo-1,2,3,4-tetraphenyl-cyclopenten*[4]. Zum Unterschied von den diphenyl-substituierten Verbindungen dieses Typs erfolgt bei den tetraphenyl-substituierten Derivaten schon beim Erhitzen des Reaktionsgemisches ein leichter Übergang zum *5-Oxo-tetraphenyl-cyclopentadien* (*Tetracyclon*), das im monomeren Zustand stabil ist[4,5]:

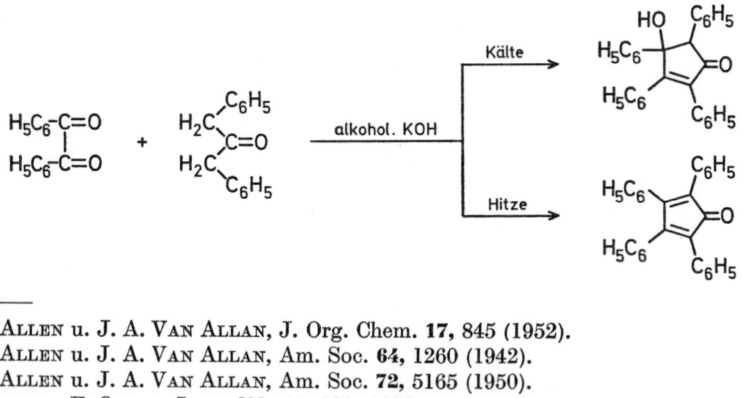

[1] C. F. H. Allen u. J. A. Van Allan, J. Org. Chem. **17**, 845 (1952).
[2] C. F. H. Allen u. J. A. Van Allan, Am. Soc. **64**, 1260 (1942).
[3] C. F. H. Allen u. J. A. Van Allan, Am. Soc. **72**, 5165 (1950).
[4] W. Dilthey u. F. Quint, J. pr. [2] **128**, 139 (1930).
   DRP. 575857 (1930); Frdl. **20**, 503.
[5] J. R. Johnson u. O. Grummitt, Org. Synth. Coll. Vol. III, 806.

5-Oxo-tetraphenyl-cyclopentadien[1,2]: Zu einer siedenden Lösung von 2,0 g Benzil und 2,0 g 2-Oxo-1,3-diphenyl-propan in 40 ml Äthanol fügt man 0,5 ml äthanolische Kalilauge (1:4) hinzu. Unter starkem Aufschäumen färbt sich der Kolbeninhalt rotschwarz. Nach kurzem Sieden (1–2 Min) beginnt das Kondensationsprodukt in prächtigen, schwarz glänzenden Kristallen auszufallen. Zur weiteren Reinigung löst man je 5 g Rohprodukt in 50 ml siedendem Benzol, gibt 100 ml Äthanol hinzu und läßt auf nicht unter 0° abkühlen, da sonst auch Verunreinigungen ausfallen. Bei Beachtung dieser Bedingungen ist die auskristallisierte Verbindung sofort rein; Ausbeute: 91–96% d.Th.; F: 218°.

Über den Verlauf der Kondensation zwischen unsymmetrisch substituierten Benzilen mit unsymmetrisch substituierten 2-Oxo-1,3-diphenyl-propanen vgl. Lit.[3].

Eine große Anzahl von 5-Oxo-tetraaryl-cyclopentadienen wurde auf gleichem Wege erhalten. Tab. 181 (S. 1504) gibt einen Überblick über Kondensationen dieses Typs.

An Stelle von Benzil und seinen Derivaten lassen sich auch rein aliphatische α-Dicarbonyl-Verbindungen und Ketone für die cyclisierende Aldol-Kondensation heranziehen. Solche Kondensationen wurden mit 2-Oxo-propanal und β-Oxo-carbonsäuren durchgeführt. Im ersten Schritt der Reaktion erfolgt unter Decarboxylierung die Aldol-Kondensation zu den 2-Hydroxy-2,5-dioxo-alkanen. Diese Kondensation erfolgt bei $p_H = 8$–8,5 und Raumtemperatur. Der eigentliche Ringschluß verläuft im zweiten Schritt der Reaktion unter Basenkatalyse[4]:

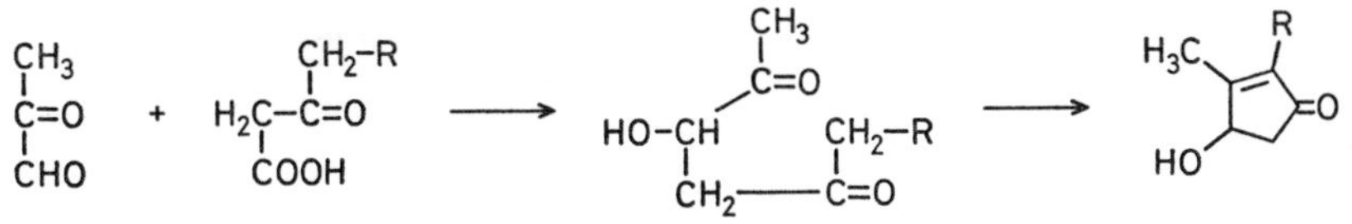

D,L-5-Hydroxy-3-oxo-1-methyl-2-butyl-cyclopenten[5]:

3-Hydroxy-2,5-dioxo-decan: 30 g 3-Oxo-octansäure werden in 50 ml kaltem Wasser unter Eiskühlung mit 10%iger Natronlauge gegen Phenolphthalein titriert, wobei gegen Ende der Titration heftig geschüttelt wird. Nach Zugabe von 18 g 2-Oxo-propanal (87,6%ig) stellt man den p_H-Wert des Reaktionsgemisches mit wenig 10%iger Natronlauge auf ~ 8 ein. Darauf soll das Gesamtvol. des Reaktionsgemisches 200 ml betragen. Nach ungefähr 2 Stdn. bei Raumtemp. wird die Lösung trüb und das ölige Reaktionsprodukt scheidet sich an der Oberfläche ab. Nach 2 Tagen wird mehrfach mit Äther extrahiert. Die vereinigten Extrakte werden mehrfach mit ges. Natriumchlorid-Lösung gewaschen, über Natriumsulfat getrocknet und durch Destillation vom Äther befreit. Man erhält 32 g eines gelben Öles, das i. Vak. fraktioniert wird. Der Hauptteil geht bei 89–95°/0,05 Torr über und wird erneut destilliert; Ausbeute: 23 g (65% d.Th.); Kp$_{0,05}$: 93–95°).

5-Hydroxy-3-oxo-1-methyl-2-butyl-cyclopenten: 14 g des so erhaltenen 3-Hydroxy-2,5-dioxo-decans werden 12 Stdn. mit 140 ml 2%iger Natronlauge unter Stickstoff geschüttelt. Das Reaktionsgemisch wird bei Zugabe von Alkali gelb und färbt sich im Verlauf der Reaktion dunkler. Man extrahiert mit Äther, wäscht den Extrakt mehrmals mit einer ges. Natriumchlorid-Lösung und trocknet über Natriumsulfat. Nach dem Abdestillieren des Äthers fraktioniert man i. Vak.; Ausbeute: 8,0 g (63% d.Th.); Kp$_{0,07}$: 110–113°.

Eine große Zahl von cyclisierenden Aldol-Kondensationen wurden mit o-Phthaldialdehyd und aliphatischen Ketonen zum Ringsystem des Benzo-[c]-tropons durchgeführt. Während o-Phthaldialdehyd mit Aceton zu 1-Oxo-2-acetyl-indan abreagiert, erhält man bei Verwendung von 3-Oxo-glutarsäure-diäthylester[6], Butanon,

[1] W. Dilthey u. F. Quint, J. pr. [2] **123**, 139 (1930).
DRP. 575857 (1930); Frdl. **20**, 503.

[2] Verbesserte Reinigung: B. Eistert u. A. Langbein, A. **678**, 88 (1964).

[3] W. Brosser, J. Reusch, H. Kurreck u. P. Siegle, B. **102**, 1715 (1969).

[4] M. Henze, H. **189**, 121 (1930); **200**, 101 (1931); **214**, 281 (1931).
M. S. Schechter, F. B. LaForge u. N. Green, Am. Soc. **71**, 1517 (1949).

[5] M. S. Schechter, N. Green u. F. B. LaForge, Am. Soc. **71**, 3165 (1949).

[6] J. Thiele u. J. Schneider, A. **369**, 294 (1909).

Tab. 181. Oxo-tetraaryl-cyclopentadiene aus substituierten Benzilen und 2-Oxo-1,3-diaryl-propanen

Benzil	2-Oxo-1,3-diaryl-keton	5-Oxo-tetraaryl-cylco-pentadiene	Ausbeute [%d.Th.]	Literatur
Benzil	2-Oxo-1,3-diphenyl-propan	5-Oxo-tetraphenyl-cyclopentadien	90–96	1
	2-Oxo-1,3-bis-[4-methoxy-phenyl]-propan	5-Oxo-2,3-diphenyl-1,4-[4-methoxy-phenyl]-cyclopentadien	34	2
4,4'-Dimethyl-benzil	2-Oxo-1,3-diphenyl-propan	5-Oxo-1,4-diphenyl-2,3-bis-[4-methyl-phenyl]-cyclopentadien	75	2
	2-Oxo-1,3-bis-[4-methyl-phenyl]-propan	5-Oxo-1,2,3,4-tetrakis-[4-methyl-phenyl]-cyclopentadien	61	2
4,4'-Dibrom-benzil	2-Oxo-1,3-bis-[4-brom-phenyl]-propan	5-Oxo-1,2,3,4-tetrakis-[4-brom-phenyl]-cyclopentadien	54,5	3
4-Phenoxy-benzil	2-Oxo-1,3-diphenyl-propan	5-Oxo-1,3,4-triphenyl-2-(4-phenoxy-phenyl)-cyclopentadien	60	3
4-Alkyl-benzil (C₁–C₁₁)	2-Oxo-1,3-diphenyl-propan	5-Oxo-1,3,4-triphenyl-2-[4-methyl-(bzw. -äthyl-, propyl-, butyl-, pentyl-, hexyl-, heptyl-, octyl-, nonyl-, decyl-, undecyl)-phenyl]-cyclopentadien	30–70	4
4,4'-Bis-[1,2-di-oxo-2-phenyl-äthyl]-biphenyl	2-Oxo-1,3-diphenyl-propan	4,4'-Bis-[5-oxo-1,3,4-triphenyl-cyclopentadienyl-(2)]-biphenyl	89	5
Ninhydrin	2-Oxo-1,3-diphenyl-propan	2,8-Dioxo-1,3-diphenyl-2,8-dihydro-⟨benzo-[b]-pentalen⟩		6
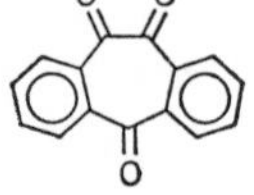	2-Oxo-1,3-diphenyl-propan	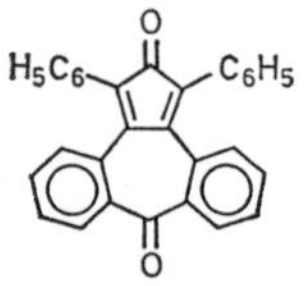 2,8-Dioxo-1,3-diphenyl-2,8-dihydro-⟨dibenzo-[e;h]-azulen⟩	50–60	7

¹ W. Dilthey u. F. Quint, J. pr. [2] **128**, 139 (1930).
   DRP. 575857 (1930); Frdl. **20**, 503 (1933).
   J. R. Johnson u. O. Grummitt, Org. Synth. Coll. Vol. III, 806.
² St. B. Coan, D. E. Trucker u. E. I. Becker, Am. Soc. **77**, 60 (1955).
³ V. F. D'Agostino et al., J. Org. Chem. **23**, 1539 (1958).
⁴ A. Friedman et al., J. Org. Chem. **24**, 516 (1959).
⁵ M. A. Ogliaruso, L. A. Shadoff u. E. I. Becker, J. Org. Chem. **28**, 2725 (1963).
⁶ W. Ried u. D. Freitag, B. **101**, 756 (1968).
⁷ W. Ried u. J. Ehret, Ang. Ch. **80**, 365 (1968); engl.: **7**, 377 (1968).

Pentanon-(3) Pentanon-(2) und Hexanon-(2)[1] die entsprechenden Benzo-[c]-tropone. Als Katalysator wurde alkoholische Kalilauge oder Diäthylamin verwendet:

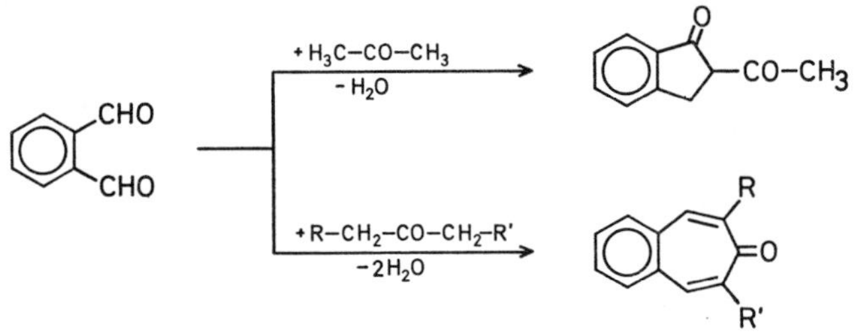

R = H; R′ = CH$_3$;   7-Oxo-6-methyl-7H-⟨benzo-[c]-cycloheptatrien⟩
          R′ = C$_2$H$_5$ 7-Oxo-6-äthyl-7H-⟨benzo-[c]-cycloheptatrien⟩
          R′ = C$_3$H$_7$;   7-Oxo-6-propyl-7H-⟨benzo-[c]-cycloheptatrien⟩
R = R′ = COOC$_2$H$_5$;   7-Oxo-6,8-diäthoxycarbonyl-7H-⟨benzo-[c]-cycloheptatrien⟩

7-Oxo-6,8-dimethyl-7H-⟨benzo-[c]-cycloheptatrien⟩[1]: 6,7 g o-Phthaldialdehyd und 4,3 g Pentanon-(3) in 250 ml Äthanol werden mit 5 ml 5n methanolischer Kalilauge versetzt und 15 Min. auf dem Wasserbad erwärmt. Man setzt allmählich 300 ml Wasser zu der braunen Flüssigkeit und saugt die anfallenden, gelblichen Kristalle (5,5 g) ab. Aus der Mutterlauge fallen mit mehr Wasser noch 1,5 g weniger reines Reaktionsprodukt an; Ausbeute: 75% d.Th.; F: 85° (fast farblose Blättchen aus Petroläther, Kp: 60–80° oder verd. Äthanol).

Eine genaue Untersuchung der Reaktion zwischen o-Phthaldialdehyd und 3-Oxoglutarsäure-diester bei Verwendung von Diäthylamin als Katalysator ergab, daß die Ausbeute nicht über 50% d.Th. gesteigert werden kann, da als Folgereaktion eine cyclisierende Michael-Addition eines zweiten 3-Oxo-glutarsäure-diesters zum Ringsystem stattfindet[2]. Die Ausbeute läßt sich in diesem Falle beträchtlich erhöhen, wenn man die Kondensation in Gegenwart von 96–98%iger Schwefelsäure vornimmt[3].

7-Oxo-6,8-dimethoxycarbonyl-7H-benzocycloheptatrien[3]:

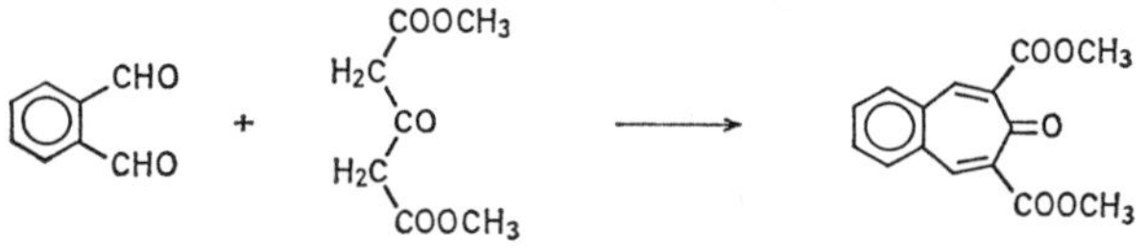

Man löst 6,72 g (50 mMol) o-Phthaldialdehyd bei 0° in 160 ml 96–98%iger Schwefelsäure und läßt bei 0° (Innentemp.) unter Rühren 8,72 g (50 mMol) 3-Oxo-glutarsäure-dimethylester zutropfen. Danach rührt man 1 Stde. bei ∼ 20°, gießt auf Eis, saugt den Niederschlag ab und wäscht ihn mit Wasser säurefrei. Das getrocknete Pulver wird aus Butanon (kleinere Mengen aus Methanol) umkristallisiert; Ausbeute: 9,9 g (73%); F: 183–185°.

An Stelle von o-Phthaldialdehyd lassen sich unter diesen Bedingungen auch 1,2-Bis-[dichlormethyl]- oder 1,2-Bis-[dibrommethyl]-benzol mit dem gleichen Erfolg verwenden, da die Halogen-Verbindungen unter den Bedingungen der Reaktion zu o-Phthaldialdehyd verseift werden[3].

---

[1] J. Thiele u. E. Weitz, A. 377, 1 (1910).
   s. a. W. Davey u. H. Gottfried, J. Org. Chem. 26, 3699 (1961).
   s. a. D. S. Tarbell u. B. Wargotz, Am. Soc. 76, 5761 (1954).
[2] B. Föhlich et al., A. 1973, 1839.
[3] B. Föhlich, Synthesis 1972, 564.

Analoge Kondensationen wurden mit zahlreichen im Kern substituierten Phthaldialdehyden durchgeführt[1]. Zum Ringsystem des 6-Hydroxy-⟨benzo-[c]-tropolons⟩ führt die Kondensation von Phthaldialdehyd mit Hydroxy-aceton[2] und Methoxy-aceton[3]:

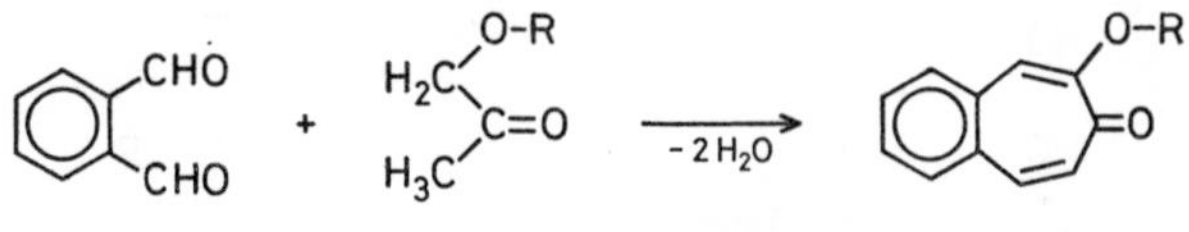

R = H;   6-Hydroxy-7-oxo-7H- ⎱
R = CH₃; 6-Methoxy-7-oxo-7H- ⎰ -⟨benzo-cycloheptatrien⟩

Zu polycyclischen Ringketonen führt die Kondensation von o-Phthaldialdehyd mit geeigneten Ketonen. Ein Beispiel hierfür ist die Kondensation mit 1-Oxo-2,3,4,-5,6,7-hexahydro-1H-⟨benzo-[c]-inden⟩, die mit Natrium-methanolat in Methanol in guter Ausbeute zu 7-Oxo-1,2,3,4-tetrahydro-7H-⟨dibenzo-[b;g]-fluoren⟩ führt[4]:

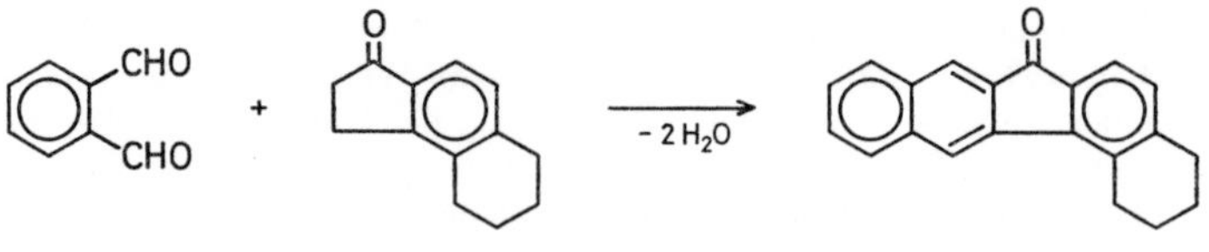

Durch Kondensation von o-Phthalaldehyd mit Cycloalkanonen der verschiedenen Ringgrößen konnten entsprechende 7-Oxo-6,8-(alkan-1,ω-diyl)-7H-⟨benzocycloheptatriene⟩ erhalten werden[5]:

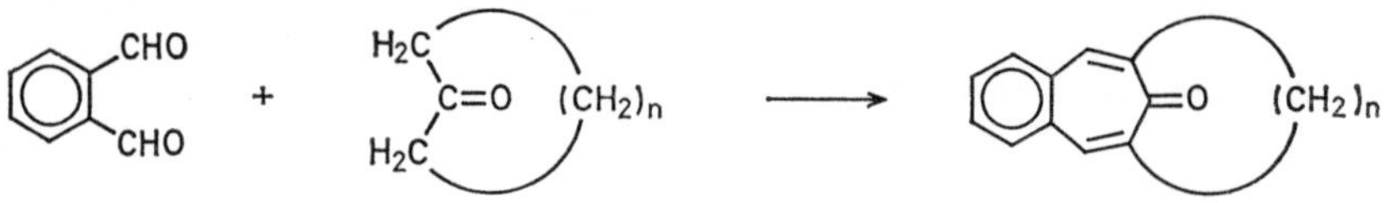

Entsprechend ergibt die Kondensation mit Dioxo-cycloalkanen Verbindungen des folgenden Typs[6]:

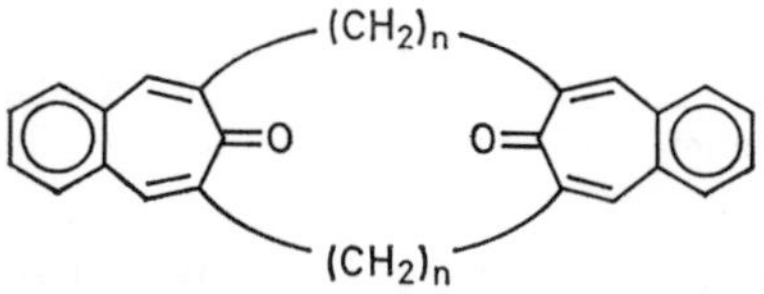

[1] A. V. Eltsov, Ž. org. Chim. 1, (10) 1815 (1965); C.A. 64, 3439 (1966).
[2] D. S. Tarbell, G. P. Scott u. A. D. Kemp, Am. Soc. 72, 379 (1950).
   W. Ried u. H. J. Schwenecke, B. 91, 566 (1958).
[3] D. S. Tarbell u. J. C. Bill, Am. Soc. 74, 1234 (1952).
   M. Kerfanto u. J. P. Quentin, C. r. 257, 2660 (1963).
[4] R. H. Martin, Helv. 30, 620 (1947).
[5] E. Kloster-Jensen, N. Tarkoy, A. Eschenmoser u. E. Heilbronner, Helv. 39, 786 (1956).
   R. W. Schmid, E. Kloster-Jensen, E. Kovats u. E. Heilbronner, Helv. 39, 806 (1956).
   R. E. Harmon, R. Suder u. S. K. Gupta, Canad. J. Chem. 48, 195 (1970).
[6] R. E. Harmon, R. Suder u. S. K. Gupta, Soc. (Perkin I) 1972, 1746.

Mit 1,2,4,5-Tetraformyl-benzol konnten in analoger Reaktion 3,9-Dioxo-3,9-dihydro-⟨bis-[cyclohepta]-[a;d]-benzol⟩-Derivate gewonnen werden[1]:

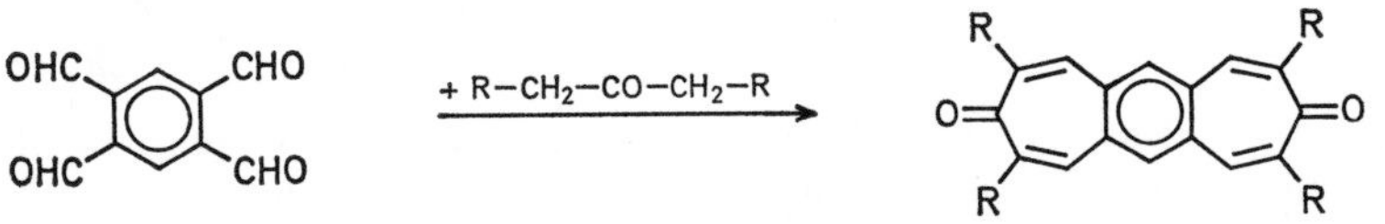

Analoge Kondensationen wurden auch mit heterocyclischen Dialdehyden, wie 2,3-Diformyl-pyridin[2], 1-Methyl-2,3-diformyl-pyrrol[3] und 2,3-Diformyl-thiophen[4] durchgeführt.

Bemerkenswerterweise lassen sich solche cyclisierenden Aldolkondensationen auch dann mit Erfolg ausführen, wenn sie zu hochgliedrigen, quasiaromatischen Ringsystemen führen, wie das Beispiel der Kondensation von *cis*-1,2-Bis-[5-formyl-furyl-(2)]-äthylen mit 3-Oxo-glutarsäure-dimethylester zu *15-Oxo-3,6;9,12-bis-[epoxi]-1,14-dimethoxycarbonyl-cyclopentadecaheptaen-(1,3,5,7,9,11,13)* zeigt[5]:

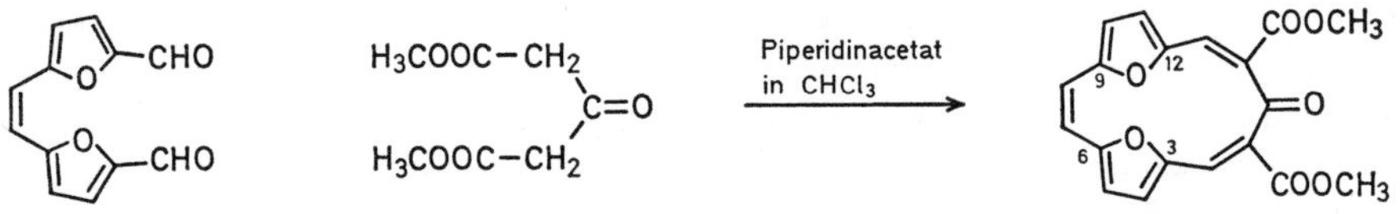

β) Ringschlüsse zu monocyclischen Ketonen

Die cyclisierende Aldolkondensation stellt eine der wichtigsten Reaktionen zum Aufbau carbocyclischer, nichtaromatischer Ketone dar. Für die cyclisierende Aldol-Kondensation eignen sich γ-, δ- und ε-Diketone. Die primär entstehenden, cyclischen β-Hydroxy-ketone können im allgemeinen nicht isoliert werden, da die sekundäre Wasser-Abspaltung zu den α,β-ungesättigten, cyclischen Ketonen mit besonderer Leichtigkeit unter den Reaktionsbedingungen verläuft.

Der wichtigste Weg zu den 3-Oxo-cyclopentenen ist die cyclisierende Aldolkondensation von γ-Diketonen[6] bzw. γ-Oxo-aldehyden[7].

Das einfachste γ-Diketon, Hexandion-(2,5), gibt mit 1%iger Natronlauge *3-Oxo-1-methyl-cyclopenten* (45% d. Th.)[8]:

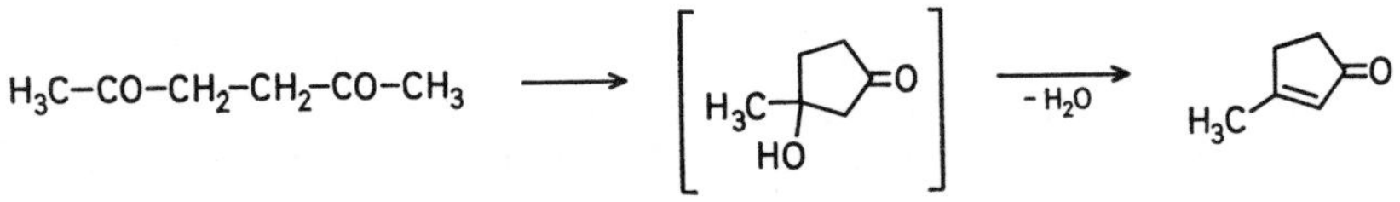

Entsprechend diesem Reaktionsverlauf liefern die höheren γ-Diketone 3-Oxo-1,2-dialkyl-cyclopentene, wie das Beispiel des Nonandions-(3,6) zeigt, das

[1] B. Fröhlich u. E. Widmann, Z. Naturf. 24b, 464 (1969).
  N. Soyer u. M. Kerfanto, C. r. 275, 901 (1972).
[2] G. Queguiner, C. Fugier u. P. Pastour, Bl. 1970, 3636.
  D. Letouzé, J. Duflos u. P. Pastour, J. Heterocycl. Chem. 10, 1075 (1973).
[3] J. Duflos, D. Létouzé, G. Queguiner u. P. Pastour, J. Heterocycl. Chem. 10, 1083 (1973).
[4] R. Guilard u. P. Fournari, Bl. 1972, 4349.
[5] H. Oagawa, N. Shimojo, H. Kato u. H. Saikachi, Tetrahedron 30, 1033 (1974).
[6] R. A. Ellison, Synthesis 1973, 397.
[7] G. W. K. Cavill, B. S. Goodrich u. D. G. Laing, Austral. J. Chem. 23, 83 (1970).
[8] R. M. Acheson u. S. R. Robinson, Soc. 1952, 1127.

unter den gleichen Bedingungen *3-Oxo-2-methyl-1-äthyl-cyclopenten* ergibt[1]:

$$H_3C-CH_2-CO-CH_2-CH_2-CO-CH_2-CH_3 \quad \xrightarrow{-H_2O}$$

Höhere γ-Diketone mit endständigen Acetyl-Gruppierungen reagieren nicht unter Beteiligung der Methyl-Gruppen. Es entstehen immer nur die 3-Oxo-1-methyl-2-alkyl-cyclopentene, wie an zahlreichen Beispielen[2,3] gezeigt werden konnte. Als charakteristisches Beispiel sei die Herstellung von *3-Oxo-1-methyl-2-pentyl-cyclopenten(Dihydrojasmon)* aus Undecandion-(2,5) erwähnt[2]:

$$H_3C-CO-CH_2-CH_2-CO-CH_2-CH_2-CH_2-CH_2-CH_2-CH_3$$

$$\xrightarrow{-H_2O}$$

3-Oxo-1-methyl-2-pentyl-cyelopenten (Dihydrojasmon)[4]: Man erhitzt 9,2 g Undecandion-(2,5) mit 80 g 2%iger Natronlauge und 20 g Äthanol 6 Stdn. unter Rückfluß. Nach dem Abkühlen äthert man aus, trocknet den Äther-Extrakt über Natriumsulfat und destilliert das Lösungsmittel ab. Der Rückstand wird i. Vak. fraktioniert; Ausbeute: 7,6 g (92% d.Th.); Kp$_{12}$: 122–124°.

Umfangreiche Literatur findet sich über die Synthese des *5-Oxo-2-methyl-1-[penten-(cis-2)-yl]-cyclopenten(cis-Jasmons)* durch cyclisierende Aldolkondensation aus *cis*-2,5-Dioxo-undecen-(8) mittels verd. Natronlauge, wobei die Herstellung des ungesättigten Diketons auf sehr verschiedenen Synthesewegen erfolgen kann[5]:

$$H_3C-CO-CH_2-CH_2-CO-CH_2-CH_2-CH=CH-CH_2-CH_3 \longrightarrow$$

[1] E. Blaise, C. r. **158**, 710 (1914).

[2] H. Hunsdiecker, B. **75**, 455 (1942).
J. H. Amin, R. K. Razdan u. S. C. Bhattachargya, Perfum. Essent. Oil Rec. **49**, 502 (1958).
DDR.P. 30727 (1966), E. Thiele; C. A. **65**, 8789 (1966).
J. L. Herrmann, J. E. Richman u. R. H. Schlessinger, Tetrahedron Letters **1973**, 3275.
P. A. Grieco u. C. S. Pogonowski, J. Org. Chem. **39**, 732 (1974).
J. Fíciní u. J. P. Genet, Tetrahedron Letters **1971**, 1565, 1569.
T. Wakamatsu, K. Akasaka u. Y. Ban, Tetrahedron Letters **1974**, 3883.
H. Stetter u. H. Kühlmann, Synthesis, **1975**, 379.
P. Lombardi, Ann. Chimica. **64**, 413 (1975).

[3] DRP. 765015 (1939), H. Hunsdiecker, C. **1954**, 11301.
US.P. 2387587 (1940) Alien Property Custodian, Erf.: H. Hunsdiecker; C.A. **40**, 3131 (1946).
P. A. Bartlett u. W. S. Johnson, Am. Soc. **95**, 7501 (1973).
T. I. Naryškina u. I. F. Belskij, Izv. Akad. SSSR **1965**, 370; C. A. **63**, 505 (1965).

[4] H. Hunsdiecker, B. **75**, 455 (1942).

[5] W. Treff u. H. Werner, B. **68**, 640 (1935).
L. Crombie u. S. H. Harper, Soc. **1952**, 869.
G. Büchi u. H. Wuest, J. Org. Chem. **31**, 977 (1966).
K. Sisido, Y. Kawasima u. T. Isida, Perfum. Essent. Oil Record **57**, 364 (1966).
L. Crombie, P. Hemesley u. G. Pattenden, Soc. [C] **1969**, 1024.
M. Fetizon u. J. Schalbar, Fr. Ses. Parfums **12**, 33 (1969); C. A. **72**, 42886 (1970).
S. Weinreb u. R. J. Cvetovich, Tetrahedron Letters **1972**, 1233.
R. A. Ellison u. W. D. Woessner, Chem. Commun. **1972**, 529.
J. L. Herrmann, J. E. Richman u. R. H. Schlessinger, Tetrahedron Letters **1973**, 3275.
T. Wakamatsu, K. Akasaka u. Y. Ban, Tetrahedron Letters **1974**, 3883.
H. C. Ho, T. L. Ho u. C. M. Wong, Canad. J. Chem. **50**, 2718 (1972).
H. Stetter u. H. Kühlmann, Synthesis **1975**, 379.

Eine Ausnahme von der Regel, daß endständige Methyl-Gruppen nicht in die Reaktion einbezogen werden, beobachtet man außer bei dem bereits erwähnten Hexandion-(2,5) auch bei 1,4-Dioxo-1-phenyl-pentan, das mit verdünnter Natronlauge *3-Oxo-1-phenyl-cyclopenten* bildet[1].

In den γ-Diketonen vorhandene **funktionelle Gruppen**, wie die Hydroxy- oder die Carboxy-Gruppe, stören im allgemeinen die Cyclisierung nicht. Beispiele hierfür sind die cyclisierenden Aldol-Kondensationen von 7-Hydroxy-5,8-dioxo-nonen-(1) und 4,7-Dioxo-7-phenyl-heptansäure, die in glatter Reaktion mit verdünn-tem, wäßrigem Alkali *3-Hydroxy-5-oxo-2-methyl-1-allyl-cyclopenten*[2] bzw. *3-Oxo-2-carboxymethyl-1-phenyl-cyclopenten*[3] ergeben:

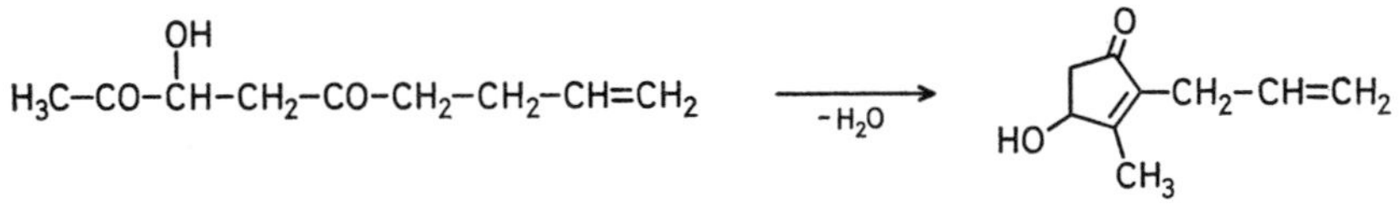

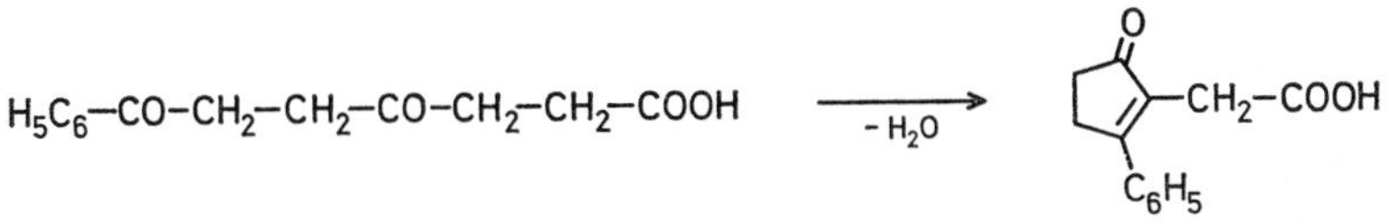

Weitere Beispiele für den Aufbau von 5-Hydroxy-3-oxo-cyclopentenen sind die cyclisierende Aldolkondensation von 3-Hydroxy-2,5-dioxo-undecandien-(8,10) zu *3-Hydroxy-5-oxo-2-methyl-1-[pentadien-(2,4)-yl]-cyclopenten (Pyrethrolon)*[4]

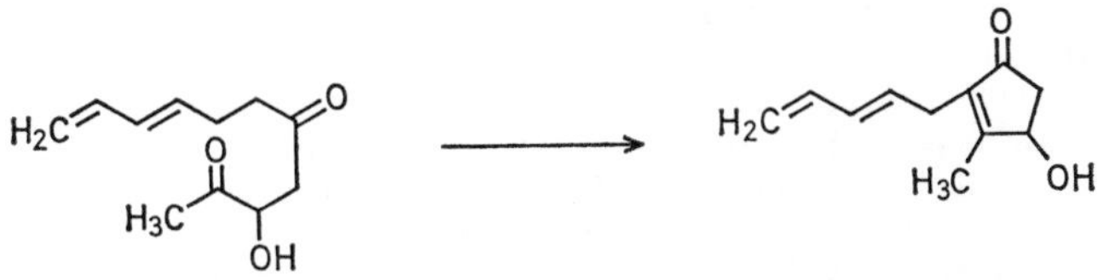

sowie die Herstellung von *15-Dehydro-prostaglandin E₁ [5-Hydroxy-3-oxo-2-(6-carboxy-hexyl)-1-(2-phenyl-vinyl)-cyclopenten]* aus 11-Hydroxy-9,12-dioxo-14-phenyl-tetra-decen-(13)-säure[5]:

---

[1] W. BORSCHE u. A. FELS, B. **39**, 1924 (1906).
[2] DBP. 877456 (1950); C. **1956**, 1450.
    Brit.P. 678230 (1950), National Distillers Products Corp., Erf.: F. B. LA FORGE u. M. S. SHECHTER; C.A. **48**, 1431 (1954).
    s. a. M. S. SHECHTER, N. GREEN u. F. B. LaFORGE, Am. Soc. **71**, 3165 (1949).
    s. a. M. MIYANO, C. R. DORN u. R. A. MUELLER, J. Org. Chem. **37**, 1810 (1972).
[3] R. ROBINSON, Soc. **1938**, 1390.
    s. a. hierzu Fr. P. 1526415 (1967), CIBA, Erf.: N. FINCH u. W. I. TAYLOR; C.A. **71**, 30130 (1969).
    s. a. U. VALCAVI, Farm. Ed. Sci. **27**, 610 (1972).
    s. a. N. FINCH, J. J. FITT u. I. H. C. HSU, J. Org. Chem. **36**, 21 (1971).
[4] L. CROMBIE, P. HEMESLEY u. G. PATTENDEN, Soc. [C] **1969**, 1016.
    s. a. M. S. SCHECHTER, N. GREEN u. F. B. LE FORGE, Am. Soc. **71**, 3165 (1949).
[5] M. MIYANO, C. R. DORN u. R. A. MUELLER, J. Org. Chem. **37**, 1810 (1972).

Eine wichtige Methode zur Herstellung von γ-Diketonen beruht auf der Kondensation von α-Halogen-ketonen mit β-Oxo-carbonsäureestern und der anschließenden Keton-Spaltung der Dioxo-carbonsäureester. Nach der Methode von Borsche[1] läßt sich die Keton-Spaltung mit der cyclisierenden Aldol-Kondensation zum 3-Oxo-cyclopenten-Ringsystem kombinieren. Man erhält auf diesem Wege im allgemeinen sehr gute Gesamtausbeuten. Das folgende Formelschema gibt einen Überblick über die Reaktionsfolge:

Eine große Anzahl von Cyclisierungen wurden nach dieser Methode durchgeführt.

3-Oxo-cyclopentene nach der Methode von Borsche[2]; allgemeine Arbeitsvorschrift: Zu 1 Mol feinverteiltem Natrium unter Äther läßt man unter Rühren 1 Mol 3-Oxo-alkansäureester in Äther gelöst zutropfen und erwärmt dann 4–8 Stdn. unter Rückfluß. Nach dem Erkalten gibt man 1 Mol fein gepulvertes Brom-keton zu. Die Umsetzung verläuft glatt unter Erwärmung. Man erhitzt noch 4–5 Stdn., läßt erkalten und setzt Wasser zu. Nach dem Neutralisieren mit Salzsäure trennt man die Äther-Schicht ab, trocknet über Natriumsulfat und destilliert den Äther ab. Der Rückstand ist in praktisch quantitativer Menge der gewünschte Ester, der nicht destillierbar ist und direkt weiterverarbeitet wird. Je 20–30 g dieses Esters werden mit 1000 ml 2%iger Natronlauge 4–5 Stdn. auf ~ 50–60° erwärmt und dann unter stetem Schwenken über freier Flamme zum Sieden erhitzt, worauf man noch 5–10 Min. im Kochen hält. Dann kühlt man ab und läßt das Reaktionsprodukt, das meist dunkel gefärbt ist, absitzen. Nach dem Stehenlassen über Nacht ist es gewöhnlich durchkristallisiert. Man filtriert oder dekantiert und reinigt das unges. cyclische Keton durch Fraktionierung i. Vak. oder durch Umkristallisieren. Weitere Mengen des unges. Ketons erhält man durch Ansäuern der alkalischen Lösung, wobei ein Säuregemisch ausfällt. Man erwärmt kurz, läßt erkalten und filtriert die oft klebrige Kristallmasse ab. Dann wird mit Natriumcarbonat erwärmt, wobei die Säuren in Lösung gehen, während das unges. cyclische Keton hinterbleibt. Die Ausbeuten betragen 60–75% d. Th.

Folgende 3-Oxo-cyclopentene wurden nach dieser Vorschrift hergestellt:

3-Oxo-2-methyl-1-phenyl-cyclopenten	70% d. Th.
3-Oxo-4-methyl-1-phenyl-cyclopenten	66% d. Th.
3-Oxo-5-methyl-1-phenyl-cyclopenten	60% d. Th.
3-Oxo-2-methyl-1-naphthyl-(2)-cyclopenten	73% d. Th.

Als weiteres Beispiel für die Anwendung der Methode von Borsche sei die Synthese des *3-Oxo-1-methyl-2-penten-(2)-yl-cyclopenten* erwähnt, die ausgehend von 3-Oxo-nonen-(6)-säure-methylester und Brom-aceton in 73,5%iger Ausbeute gelingt[3].

Auch die Kondensationsprodukte von α-Halogen-ketonen mit β-Diketonen können bei der Säure-Spaltung eine sekundäre cyclisierende Aldol-Kondensation zu Derivaten des Cyclopentenons erleiden.

[1] W. BORSCHE u. A. FELS, B. **39**, 1922 (1906).
　　W. BORSCHE u. W. MENZ, B. **41**, 190 (1908).
[2] H. A. WEIDLICH u. G. H. DANIELS, B. **72**, 1590 (1939).
[3] H. HUNSDIECKER, B. **75**, 460 (1942).

Entsprechend dem Reaktionsverlauf bei δ-Diketonen erhält man bei der cyclisierenden Aldol-Kondensation von δ-Diketonen Cyclohexenon-Derivate. Das einfachste δ-Diketon, das Heptandion-(2,6), ergibt mit verdünnter Schwefelsäure oder verdünnter Natronlauge *3-Oxo-1-methyl-cyclohexen*:

$$H_3C-CO-CH_2-CH_2-CH_2-CO-CH_3 \quad \xrightarrow{-H_2O} \quad$$

Für die Herstellung von δ-Diketonen bietet sich als wichtigste Methode die Michael-Addition von β-Diketonen oder β-Oxo-carbonsäureestern an α,β-ungesättigte Ketone an. Diese Addukte lassen sich in der Regel durch cyclische Aldol-Kondensation ohne Schwierigkeiten in die entsprechenden Cyclohexenon-Derivate überführen.

So ergibt z. B. das Addukt von Acetessigsäure-äthylester an Butenon, der 5-Oxo-2-acetyl-hexansäure-äthylester, mit verdünnter Salzsäure *3-Oxo-1-methyl-cyclohexen*[2]:

$$\xrightarrow{-H_2O}$$

Bei Verwendung von trockenem Chlorwasserstoff und nachträglicher Einwirkung von Diäthylamin läßt sich auch das primäre Cyclisierungsprodukt, der *3-Oxo-1-methyl-cyclohexen-4-carbonsäure-äthylester*, erhalten[2]. Es konnte gezeigt werden, daß unter diesen Bedingungen alle Dioxo-carbonsäureester des gleichen Typs unter Beteiligung der zur Estergruppe δ-ständigen Oxo-Gruppe reagieren. Näheres über diese Ringschlußmöglichkeiten findet sich in ds. Handb., Bd. VIII, S. 595.

Bei Anwendung von Piperidinium-acetat tritt in Abweichung von Befunden anderer Autoren die β-Oxo-Gruppe in die Aldol-Kondensation ein, wobei das isomere Cyclohexenon-Derivat erhalten wird. 5-Oxo-2-methyl-2-acetyl-hexansäure-äthylester gibt mit Piperidinium-acetat *6-Oxo-2,3-dimethyl-3-äthoxycarbonyl-cyclohexen*, während mit Phosphorsäure *3-Oxo-1,4-dimethyl-4-äthoxycarbonyl-cyclohexen* erhalten wird[3]:

Über die Verwendung von Natriummethanolat für diese cyclisierende Aldolkondensation vgl. Lit.[4].

[1] C. HARRIES, B. 47, 787 (1914); A. 406, 209 (1914).
   R. G. FARGHER u. W. H. PERKIN, Soc. 105, 1361 (1914).
[2] E. E. BLAISE u. M. MAIRE, Bl. [4] 3, 418 (1908).
[3] H. PLIENINGER u. T. SUEHIRO, B. 89, 2789 (1956).
   S. a. H. PLIENINGER et al., B. 94, 2106 (1961).
   S. a. A. L. BEYBIE u. B. T. GOLDING, Soc. (Perkin I) 1972, 602.
   S. a. H. PLIENINGER, L. ARNOLD u. W. HOFFMANN, B. 98, 1399 (1965).
[4] S. ISOE, H. HAYASE u. T. SAKAN, Tetrahedron Letters 1971, 3691.

6-Oxo-2,3-dimethyl-3-äthoxycarbonyl-cyclohexen[1]: Man erhitzt 52 g 5-Oxo-2-methyl-2-acetyl-hexansäure-äthylester mit 17 g Piperidiniumacetat und 50 *ml* Äthanol 2 Stdn. auf dem Wasserbad, versetzt mit etwas Äther, entfernt das Piperidiniumacetat durch Waschen mit Wasser und trocknet die Flüssigkeit über Natriumsulfat. Durch Vakuumdestillation erhält man 44 g eines Öls (Kp_{12}: 143–145°). Zur Reinigung überführt man in das Semicarbazon, F: 183–184°. Zur Spaltung läßt man eine Lösung des Semicarbazons in der 10fachen Menge konz. Salzsäure bei Zimmertemp. stehen, verdünnt mit Wasser und extrahiert das Keton mit Äther; Kp_{12}: 139°.

3-Oxo-1,4-dimethyl-4-äthoxycarbonyl-cyclohexen[1]: Man erhitzt 7 g des 5-Oxo-2-methyl-2-acetyl-hexansäure-äthylesters mit 30 *ml* 85%iger Phosphorsäure 30 Min. auf 50–60°. Nach dem Auswaschen der Säure erhält man 2,1 g (34% d. Th.); Kp_{12}: 145°; Semicarbazon, F: 156–157°.

In den meisten Fällen erfolgt die cyclisierende Aldol-Kondensation zu den Cyclohexenon-Derivaten bereits unter den Bedingungen der Michael-Addition.

Zu 6-Oxo-3,3-dialkyl-cyclohexenen führt die cyclisierende Aldolkondensation von entsprechenden δ-Oxo-aldehyden, die ihrerseits durch Michael-Addition von verzweigten Aldehyden vom Typ des 2-Methyl-propanal an Butenon zugänglich sind. Aus 2-Methyl-propanal und Butenon erhält man so *6-Oxo-3,3-dimethyl-cyclohexen*[2]:

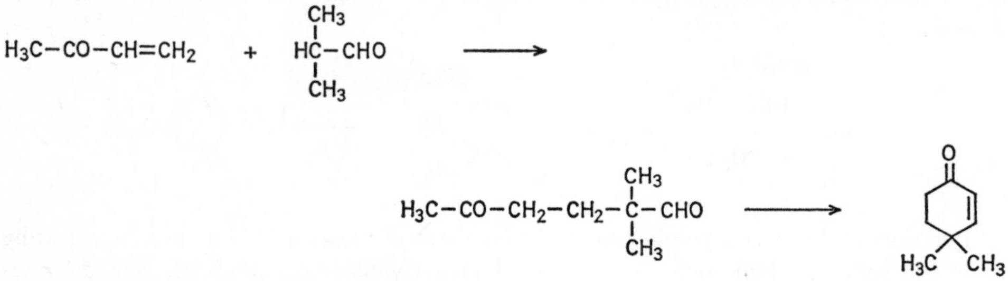

Die Ausbeute läßt sich erheblich verbessern, wenn man sich der Pyrrolidin-Enamine solcher Aldehyde bedient[3].

Eine neue, sehr allgemein mit hohen Ausbeuten durchführbare Reaktionsfolge bedient sich des Umweges über die Horner-Wittig-Reaktion von 2,6-Dioxo-alkanphosphonsäure-diestern. Es handelt sich hierbei um eine Dreistufen-Reaktion. Der erste Schritt besteht in einer Alkylierung von 2-Oxo-alkanphosphonsäure-diestern als Dianion mit 1,3-Dichlor-buten-(2). Die so erhaltenen Alkylierungsprodukte werden mit Schwefelsäure zu 2,6-Dioxo-alkanphosphonsäure-diester hydrolysiert. Letztere werden dann der Horner-Wittig-Reaktion unterworfen[4]:

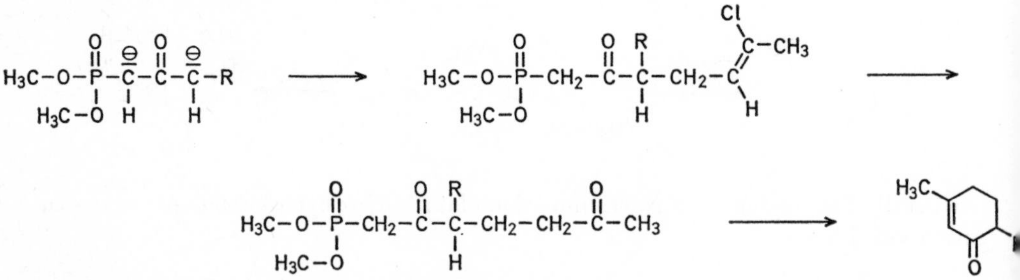

---

[1] H. PLIENINGER u. T. SUEHIRO, B. **89**, 2789 (1956).

[2] E. L. ELIEL u. C. A. LUKACH, Am. Soc. **79**, 5986 (1957).

J. M. CONIA u. A. LeCRAZ, Bl. **1960**, 1934.

E. D. BERGMANN, u. R. CORETT, J. Org. Chem. **23**, 1507 (1958).

[3] Y. CHAN u. W. W. EPSTEIN, Org. Syntheses Vol. **53**, 48 (1973).

G. OPITZ u. H. HOLTMANN, A. **684**, 79 (1965).

[4] P. A. GRIECO u. C. S. POGONOWSKI, Synthesis **1973**, 425.

3-Oxo-1-methyl-4-alkyl-cyclohexene; allgemeine Arbeitsvorschrift für die cyclisierende Horner-Wittig-Reaktion[1]: Zu einer Suspension von 1,1 mMol Natriumhydrid in 2 ml wasserfreiem 1,2-Dimethoxy-äthan gibt man unter Stickstoff 1 mMol des 2,6-Dioxo-alkan-phosphonsäure-dimethylesters gelöst in 1,0 ml 1,2-Dimethoxy-äthan. Nach 30 Min. bei Raumtemp. erwärmt man das Reaktionsgemisch auf 65° und läßt bei dieser Temp. ∼ 1 Stde. stehen. Die Reaktion wird durch Eingießen in eine Kochsalz-Lösung unterbrochen. Man extrahiert darauf mit Äther, wäscht die Äther-Extrakte mit Wasser, ges. Kochsalz-Lösung und trocknet über Magnesiumsulfat. Nach dem Abdestillieren des Lösungsmittels i. Vak. und Reinigung über Kieselgel erhält man die 3-Oxo-cyclohexene mit 75–81%iger Ausbeute.

Auf diese Weise erhält man z. B.

R = H; *3-Oxo-1-methyl-cyclohexen*
R = (CH₃)₂CH; *3-Oxo-1-methyl-4-isopropyl-cyclohexen*
R = C₄H₉; *3-Oxo-1-methyl-4-butyl-cyclohexen*
R = H₅C₆—CH₂; *3-Oxo-1-methyl-4-benzyl-cyclohexen*

Eine weitere Möglichkeit zur Herstellung der für den Cyclohexenon-Ringschluß geeigneten δ-Diketone bietet die Kondensation der aus Aldehyden und β-Dicarbonyl-Verbindungen leicht zugänglichen 1,5-Dioxo-3-alkyl-2,4-diacyl-alkane bzw. 3-Alkyl-2,4-diacyl-glutarsäure-diestern.

2,6-Dioxo-3,5-diacetyl-heptan läßt sich mit Salzsäure in *6-Oxo-2-methyl-3.5-bis-[2-oxo-propyl]-cyclohexen* überführen. Mit Schwefelsäure gelingt auch der doppelte Ringschluß zu *4,8-Dioxo-2,6-dimethyl-bicyclo[3.3.1]nonadien-(2,6)[2]*:

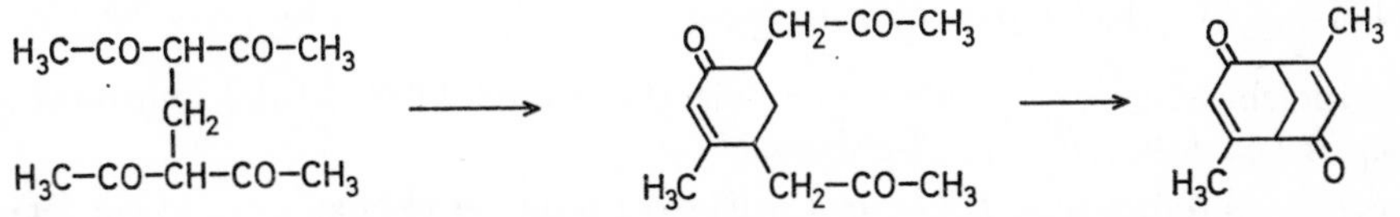

2,6,10,14-Tetraoxo-pentadecan ergibt mit Schwefelsäure oder Bortrifluorid-Diäthylätherat *6-Oxo-2-methyl-1-[3-oxo-6-methyl-cyclohexen-(1)-ylmethyl]-cyclohexen*, während mit 2n Natronlauge *1-Oxo-8-methyl-1,2,3,4,5,6,7,9-octahydro-anthracen* entsteht[3]:

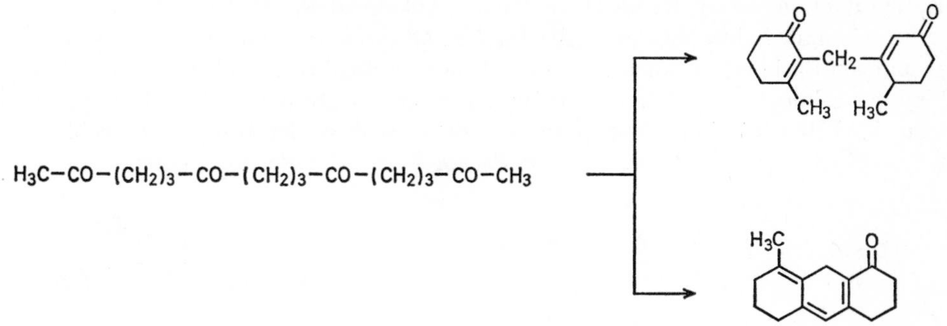

Wichtiger sind die analogen Ringschlüsse bei den 3-Alkyl-2,4-diacyl-glutarsäure-diestern, die bereits in ds. Handb., Bd. VIII, S. 595 ausführlich besprochen worden sind.

Die cyclisierende Aldol-Kondensation von ζ-Diketonen führt zu exocyclischen Ketonen des Cyclopentens. So ergibt die säure- oder alkalikatalysierte Aldol-Kondensation von Octandion-(2,7) als Hauptreaktionsprodukt *2-Methyl-1-acetyl-cyclo-*

[1] P. A. GRIECO u. C. S. POGONOWSKI, Synthesis 1973. 425.
[2] E. KNOEVENAGEL, B. 36, 2160 (1903).
   M. SEKIYA, T. MORIMOTO u. K. SUZUKI, Chem. Pharm. Bull. 21, 1213 (1973).
[3] B. FRANCK, V. SCHARF u. M. SCHRAMEYER, Ang. Ch. 86, 160 (1974).

penten[1]. In geringer Menge bildet sich daneben auch *2-Methyl-3-acetyl-cyclo-penten*[2]:

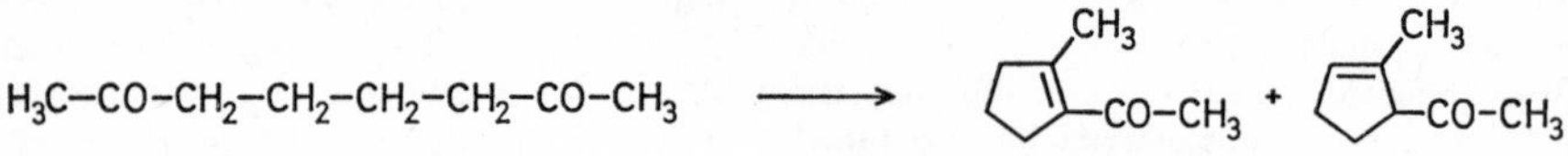

$$H_3C-CO-CH_2-CH_2-CH_2-CH_2-CO-CH_3 \longrightarrow$$

(Strukturformeln: Cyclopenten mit CH_3 und $CO-CH_3$ + Cyclopenten mit CH_3 und $CO-CH_3$)

2-Methyl-1-acetyl-cyclopenten[2]: 38 g Octandion-(2,7) werden zu einer Lösung von 21 g Kaliumhydroxid in 150 ml Äthanol gegeben. Man erhitzt 45 Min. unter Rückfluß, destilliert den Alkohol ab und behandelt den Rückstand in der Kälte mit 50 ml 2n Schwefelsäure. Dann extrahiert man 5mal mit je 30 ml Äther. Die vereinigten Extrakte werden mit einer ges. Natriumhydrogencarbonat-Lösung bis $p_H = 8$ gewaschen. Die wäßrige Lösung wird dann 3mal mit 30 ml Äther extrahiert und dieser Extrakt mit dem ersten Extrakt vereinigt. Man wäscht den Gesamtextrakt dann noch 2mal mit je 30 ml dest. Wasser und extrahiert das Waschwasser 3mal mit je 20 ml Äther. Der Gesamtextrakt wird über Natriumsulfat getrocknet. Nach dem Abdestillieren des Äthers fraktioniert man i. Vak.; Ausbeute: 29 g (86% d. Th.); Kp_{15}: 76°.

15 g dieser Mischung werden über eine Drehbandkolonne fraktioniert, wobei man 200 mg Jod zusetzt. Bei 12 Torr erhält man folgende Fraktionen:

Fraktion A: 0.2 g; Kp_{12}: 63–65°
Fraktion B: 1,2 g; Kp_{12}: 65°
Fraktion C: 0,6 g; Kp_{12}: 65–71°
Fraktion D: 11 g; Kp_{12}: 71°.
Fraktion B: *2-Methyl-3-acetyl-cyclopenten*; 8% d. Th.
Fraktion C: enthält 80% *2-Methyl-1-acetyl-cyclopenten*
Fraktion D: reines *2-Methyl-1-acetyl-cyclopenten*

Entsprechend gibt Decandion-(3,8) als Hauptprodukt *2-Äthyl-1-propanoyl-cyclopenten* neben wenig *2-Äthyl-3-propanoyl-cyclopenten*[2,3].

Auch das aromatische Diketon, 1,6-Dioxo-1,6-diphenyl-hexan, ergibt bei der cyclisierenden Aldol-Kondensation mit Natriumalkanolat *2-Phenyl-1-benzoyl-cyclopenten* neben wenig *2-Phenyl-3-benzoyl-cyclopenten*[2,4].

Die cyclisierende Aldol-Kondensation der ζ-Diketone ergibt exocyclische Ketone der Cyclohexen-Reihe. Das einfachste Diketon dieser Reihe ist das Nonandion-(2,8), das mit Schwefelsäure *2-Methyl-1-acetyl-cyclohexen* bildet[5]. Genaue Untersuchungen darüber, ob auch bei dieser Ringschlußreaktion noch eine isomere Verbindung gebildet wird, liegen nicht vor. Dagegen zeigte die analoge Kondensation beim 1,7-Dioxo-1,7-diphenyl-heptan, daß neben dem in der Hauptsache gebildeten *2-Phenyl-1-benzoyl-cyclohexen* auch *2-Phenyl-3-benzoyl-cyclohexen* entsteht[6]:

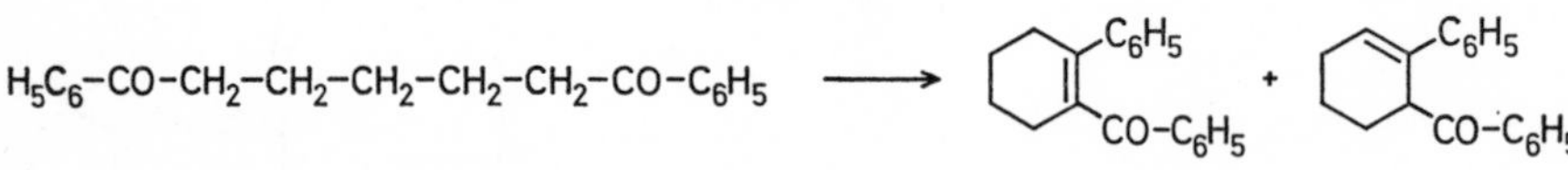

$$H_5C_6-CO-CH_2-CH_2-CH_2-CH_2-CH_2-CO-C_6H_5 \longrightarrow$$

(Strukturformeln: Cyclohexen mit C_6H_5 und $CO-C_6H_5$ + Cyclohexen mit C_6H_5 und $CO-C_6H_5$)

Ein Beispiel dafür, daß die cyclisierende Aldol-Kondensation auch zum Aufbau heterocyclischer Ringsysteme dienen kann, ist die cyclisierende Aldol-Konden-

---

[1] E. H. FARMER u. A. SUNDRALINGAM, Soc. **1942**, 137.
   T. M. MARSHALL u. A. W. H. PERKIN, Soc. **57**, 241 (1890).
[2] J. KOSSANYI, Bl. **1965**, 722.
[3] E. E. BLAISE u. A. KOEHLER, C. r. **148**, 852 (1909); Bl. **1910**, 655.
[4] E. BAUER, C. r. **155**, 288 (1912); A. ch. [9] **1**, 343 (1914).
[5] F. S. KIPPING u. W. H. PERKIN, Soc. **57**, 16 (1890).
   H. MEERWEIN u. J. SCHÄFER, J. pr. [2] **104**, 289 (1922).
[6] E. BAUER, A. ch. [9] **1**, 379 (1914).
   S. SKRAUP u. S. GUGGENHEIMER, B. **58**, 2499 (1925).

sation der Mannich-Base Methyl-bis-[3-oxo-3-phenyl-propyl]-amin, die mit Natronlauge in *4-Hydroxy-1-methyl-4-phenyl-3-benzoyl-piperidin* übergeht[1]:

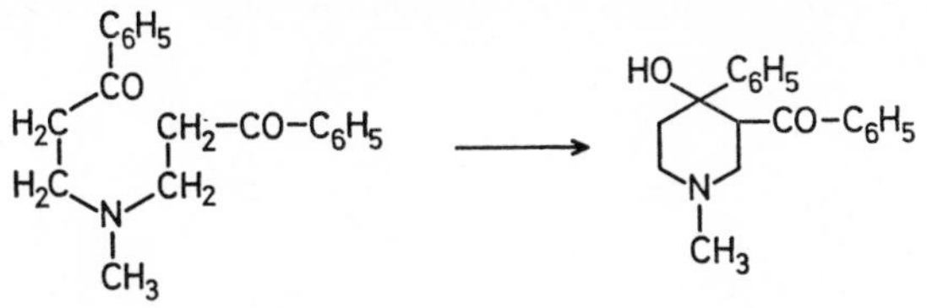

4-Hydroxy-1-methyl-4-phenyl-3-benzoyl-piperidin[2]: Eine Suspension von 1440 g Methyl-bis-[3-oxo-3-phenyl-propyl]-amin-Hydrochlorid in 16 *l* Wasser wird unter Rühren mit einer Lösung von 320 g Natriumhydroxid in 3200 *ml* Wasser 30 Min. lang bei Raumtemp. behandelt. Nach ~ 1 Stde. wird die zunächst ölige Base fest. Man filtriert ab und kristallisiert aus 7 *l* Methanol um. Nach dem Stehenlassen über Nacht erhält man das Reaktionsprodukt; F: 135–136°.

Das Filtrat wird mit dem gleichen Vol. Wasser verdünnt und der dabei ausfallende Niederschlag aus 2600 *ml* Aceton umkristallisiert. Noch eine weitere Menge des Reaktionsproduktes erhält man durch Wiederholung der Verdünnung: Gesamtausbeute: 1088 g (85% d.Th.); F: 138–140° (aus Aceton).

Für die Cyclisierung des (2-Oxo-2-phenyl-äthyl)-(2-oxo-propyl)-sulfons zum *5-Oxo-3-phenyl-5,6-dihydro-2H-thiapyran-1,1-dioxid* bewährt sich am besten Natriumacetat in Eisessig[3]:

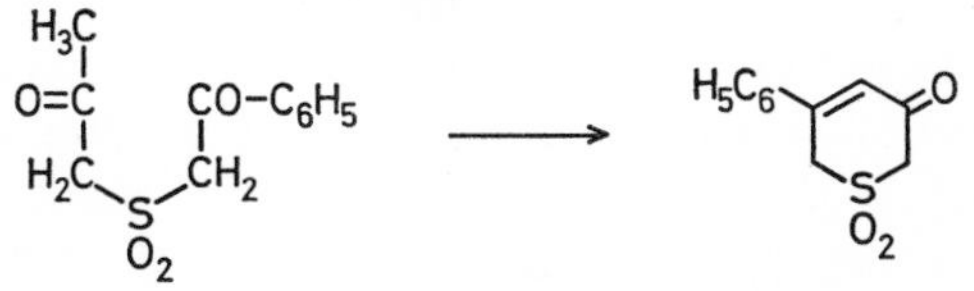

Über cyclische Aldolkondensationen die zu Phenolen führen s. Bd. VI/1 c, S. 874 ff.

γ) Ringschlüsse zu di- und polycyclischen Ketonen

Von besonderem Interesse ist die cyclisierende Adol-Kondensation von Diketonen für den Aufbau bi- und polycyclischer Ketone. Dabei kann die Angliederung eines weiteren Ringes an ein vorhandenes Ringsystem sowohl zu **spirocyclischen** und **1,2-kondensierten Ringssystemen** als auch zu Ringsystemen mit **Brücken-kohlenstoffatomen** führen. Ähnlich wie bei der cyclisierenden Aldol-Kondensation zu monocyclischen Ketonen sind auch hier nur solche Kondensationen von präparativem Interesse, bei denen ein 5- oder 6-Ring gebildet wird.

Für die Angliederung eines Kohlenstoff-Fünfringes geht man ähnlich wie bei den Ringschlüssen zum Cyclopentan-Ringsystem von γ- oder ε-Diketonen aus, von denen die ersteren im allgemeinen durch Alkylierung von β-Oxo-carbonsäureestern mit α-Halogen-ketonen und Keto-Spaltung der so erhaltenen Dioxo-carbonsäureester hergestellt werden können.

So gelingt z.B. die Herstellung des Bicyclo[3.3.0]octan-Ringsystems in sehr guten Ausbeuten durch cyclisierende Aldol-Kondensation von Diketonen der Formel I, (S. 1516), die durch Kondensation von α-Chlor-cyclopentan mit β-Oxo-carbonsäureestern und anschließende Keto-Spaltung glatt erhalten werden[4]. Dabei ist es bemer-

---

[1] J. T. PLATI u. W. WENNER, J. Org. Chem. **14**, 543 (1949).
   Vgl. auch C. MANNICH u. O. HIERONIMUS, B. **75**, 49 (1942).
[2] J. T. PLATI u. W. WENNER, J. Org. Chem. **14**, 543 (1949).
[3] G. PAGANI, G. **97**, 1518 (1967).
[4] H. PAUL u. I. WENDEL, B. **90**, 1342 (1957).

kenswert, daß das einfachste Keton dieser Struktur, das 2-Oxo-1-(2-oxo-propyl)-cyclopentan, nicht unter Ringschluß zu reagieren vermag. Erst bei Vorhandensein einer (2-Oxo-alkyl)-Gruppe gelingt der Ringschluß ohne Schwierigkeiten:

3-Oxo-2-methyl-bicyclo[3.3.0]octen-(1)[1]: 12,7 g 2-Oxo-1-(2-oxo-butyl)-cyclopentan werden mit 500 ml 5%iger Kaliumhydroxid-Lösung im dunklen, elektrisch beheizten Luftbad 5 Stdn. unter ständigem Rühren und unter Rückfluß im Sieden gehalten. Die erkaltete braune Lösung wird mit Ammoniumsulfat gesättigt und ausgeäthert. Nach Trocknen des Äther-Auszuges über Natriumsulfat und Abdestillieren des Lösungsmittels wird das Rohprodukt i. Vak. destilliert; Ausbeute: 9,4 g (82,5% d. Th.); Kp_{14}: 107–108°.

Im Rahmen der Totalsynthese des Cedrols bewährte sich zum Aufbau dieses Ringsystems mittels cyclisierender Aldol-Kondensation besonders Kalium-tert.-butanolat in tert.-Butanol[2].

Die Angliederung des Fünfringes an den Cyclohexan-Ring erfolgt auf die gleiche Weise; doch gelingt hier die Herstellung der δ-Diketone über die Alkylierung von β-Oxo-carbonsäureestern mit α-Halogen-ketonen nicht. Das einfachste Diketon, das *2-Oxo-1-(2-oxo-propyl)-cyclohexan*, kann aber ohne Schwierigkeiten erhalten werden, wenn man 2-Oxo-cyclohexan-1-carbonsäureester mit Propargylbromid kondensiert und anschließend die C≡C-Dreifachbindung in der üblichen Weise hydratisiert. Den Ringschluß kann man hier im Gegensatz zum vorhergehenden Beispiel unter Einbeziehung der Methyl-Gruppe in die Kondensation ohne Schwierigkeiten mit 5%iger Kalilauge erreichen. Unter gleichzeitiger Verseifung und Decarboxylierung erhält man *8-Oxo-bicyclo[4.3.0]nonen-(1⁹)*[3]:

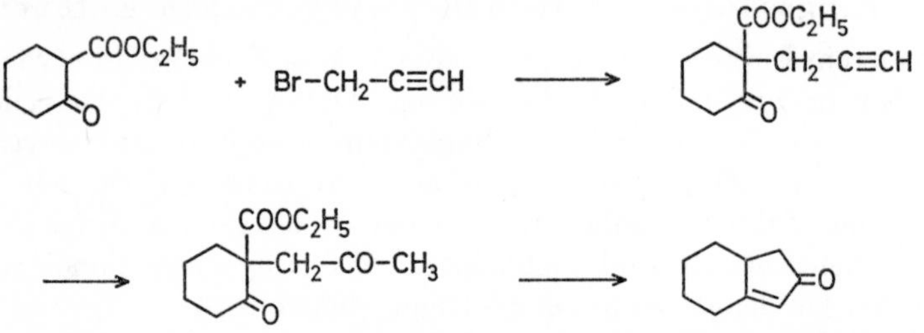

8-Oxo-bicyclo[4.3.0]nonen-(1⁹)[2]: 3 g 2-Oxo-1-(2-oxo-propyl)-cyclohexan-1-carbonsäure-äthylester und 150 ml 5%ige Kalilauge werden unter Stickstoff 6 Stdn. unter Rückfluß erhitzt. Nach dem Erkalten wird das Reaktionsgemisch mit verd. Schwefelsäure angesäuert und mit Äther extrahiert. Nach dem Abdestillieren des Äthers wird der Rückstand i. Vak. destilliert; Ausbeute: 1,3 g (73% d. Th.); Kp_4: 88° (farbloses Öl); n_D^{19}: 1,5190.

Analog erhält man ausgehend von 2-Oxo-cycloheptan-1-carbonsäure-äthylester *9-Oxo-bicyclo[5.3.0]decen-(1¹⁰)* (76% d. Th.)[4].

---

[1] H. Paul u. I. Wendel, B. **90**, 1342 (1957).
[2] G. Stork u. F. H. Clarke, Am. Soc. **83**, 3114 (1961).
[3] A. M. Islam u. R. A. Raphael, Soc. **1952**, 4086.
s. a. A. DeBoer u. R. E. Ellwanger, J. Org. Chem. **39**, 77 (1974).
[4] D. Lloyd u. F. Rowe, Soc. **1953**, 3718.
A. M. Islam u. R. A. Raphael, Soc. **1955**, 3151.
s. a. B. A. McAndrew u. S. W. Russel, Soc. (Perkin I) **1975**, 1172.

Das gleiche Ringsystem läßt sich auch durch transanulare Aldol-Kondensation aus dem durch Ozonolyse von Bicyclo[4.4.0]decen-(1^6) zugänglichen Cyclodecandion-(1,6) mit Natriumcarbonat-Lösung (96% d. Th.) erhalten[1]:

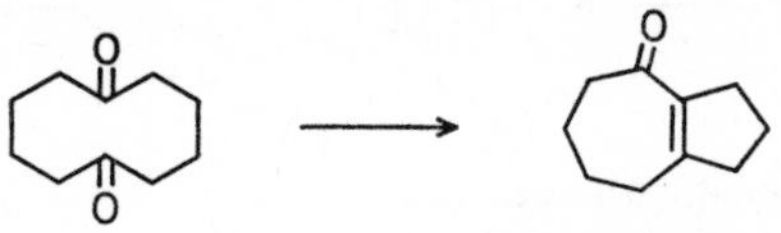

2-Oxo-bicyclo[5.3.0]decen-(1^7)

Ein Beispiel für die Angliederung eines Fünfringes durch cyclisierende Aldol-Kondensation von ε-Diketonen ist die genau untersuchte Cyclisierung von 2-Oxo-1-(4-oxo-pentyl)-cyclohexan (I), die zu einem Gemisch von *2-Acetyl-bicyclo[4.4.0] decen-(1^6)* (III) bzw. *-(1^9)* (II) führt. Die Mengenverhältnisse der beiden Isomeren lassen sich durch die Wahl des Alkalis und des Lösungsmittels beeinflussen. Mit Natrium-methanolat in Methanol wurden 29% II und 71% III, mit Kalilauge 20% II und 80% III und mit wäßriger Kaliumcarbonat-Lösung 67% II und 12% III erhalten[2]:

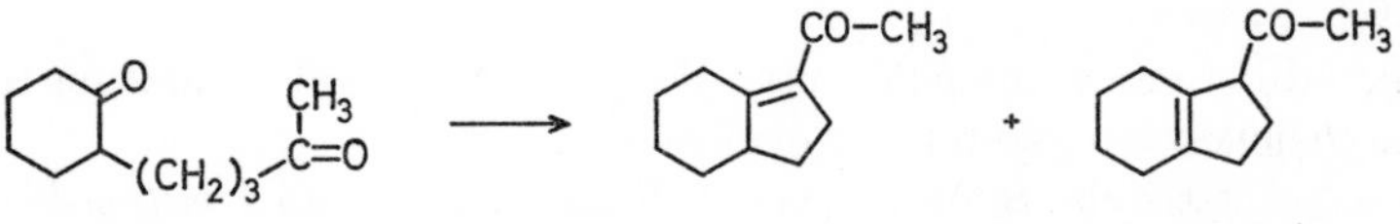

Über einen analogen Aufbau des Bicyclo[3.1.0]hexen-(2)-Ringsystems vgl. Lit.[3].

Wichtiger als die Angliederung des Cyclopentan-Ringes an ein vorhandenes Ringsystem ist die Angliederung des Cyclohexan-Ringes, die durch cyclisierende Aldol-Kondensation von δ-Diketonen ohne Schwierigkeiten möglich ist. Die Herstellung solcher Diketone erfolgt in den meisten Fällen durch Michael-Addition von cyclischen Carbonyl-Verbindungen an α,β-ungesättigte Ketone. Hier seien nur solche Cyclisierungen besprochen, die von reinen, isolierten δ-Diketonen ausgehen.

Ein Beispiel für die Angliederung eines Sechsringes an den Cyclopentan-Ring ist die cyclisierende Aldol-Kondensation von 2-Oxo-1-(3-oxo-butyl)-cyclopentan, die mit Pyrrolidin/Essigsäure zu *3-Oxo-bicyclo[4.4.0]decen-(1)* führt[4]:

Für die cyclisierende Aldolkondensation von 2-Oxo-1-(3-oxo-butyl)-1-äthoxy-carbonyl-cyclopentan zu *3-Oxo-6-äthoxycarbonyl-bicyclo[4.3.0]nonen-(1)* wurde Aluminium-tri-tert.-butanolat verwendet[5]. Mit erheblich besserer Ausbeute läßt sich die

[1] W. HÜCKEL u. L. SCHNITZSPAHN, A. **505**, 274 (1933).
   A. G. ANDERSON u. J. A. NELSON, Am. Soc. **73**, 232 (1951).
   S. a. M. E. HERR u. G. S. FONKEN, J. Org. Chem. **32**, 4065 (1967).
[2] W. L. MEYER u. J. F. WOLFE, J. Org. Chem. **27**, 3263 (1962).
[3] Jap. P. 26101/69 (1965), Sumitomo Kagaku Kogyo Co., Ltd.; C. A. **72**, 12220 (1970).
[4] T. A. SPENCER, S. W. BALDWIN u. K. K. SCHMIEGEL, J. Org. Chem. **30**, 1294 (1965).
[5] W. G. DAUBEN, J. W. McFARLAND u. J. B. ROGAN, J. Org. Chem. **26**, 297 (1961).

Cyclisierung mittels Pyrrolidin in Benzol durchführen. Das hierbei primär gebildete Enamin ergibt bei der sauren Hydrolyse das En-on in 81%iger Gesamtausbeute[1]:

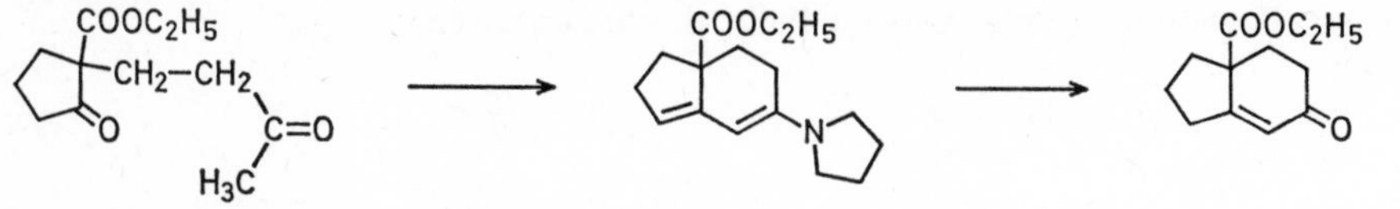

3-Oxo-6-äthoxycarbonyl-bicyclo[4.3.0]nonen-(1):.

3-Pyrrolidino-6-äthoxycarbonyl-bicyclo[4.3.0]nonadien-(1⁹,2)[1]: 50,0 g (0,236 Mol) 2-Oxo-1-(3-oxo-butyl)-1-äthoxycarbonyl-cyclopentan und 33,6 g (0,472 Mol) Pyrrolidin werden in 420 ml abs. Benzol unter Stickstoff am Wasserabscheider unter Rückfluß erhitzt. Nach 12 Stdn. haben sich 8,1 ml (0,45 Mol) Wasser abgeschieden. Nach dem Abdestillieren des Lösungsmittels und des überschüssigen Pyrrolidins i. Vak. erhält man 53,1 g (91% d. Th.) des Enamins als Rückstand.

3-Oxo-6-äthoxycarbonyl-bicyclo[4.3.0]nonen-(1)[1]: Das rohe Enamin wird in 420 ml Benzol gelöst. Zu der Lösung gibt man eine Lösung von 9,5 g Natriumacetat und 19,1 ml Eisessig in 19,1 ml Wasser. Man erhitzt 4 Stdn. unter Rückfluß in Stickstoff-Atmosphäre, wäscht mit Wasser, 10%iger Salzsäure, ges. Natriumhydrogencarbonat-Lösung und ges. Kochsalz-Lösung. Nach dem Trocknen und Abdestillieren des Lösungsmittels erhält man 38,8 g eines schwach gelben Öls, das nach der Destillation 37,0 g (81% d.Th.) des reinen Reaktionsproduktes liefert Kp$_{0,4}$: 104–105°; F: 40–43°.

Auch Nitro-diketone vermögen unter Säurekatalyse und Erhaltung der Nitro-Gruppe zum gleichen Ringsystem zu cyclisieren[2].

Über die asymmetrische Synthese von *6-Hydroxy-4,9-dioxo-1-methyl-bicyclo[4.3.0] nonan* aus 2,5-Dioxo-1-methyl-1-(3-oxo-butyl)-cyclopentan vgl. Lit.[3].

Für die Totalsynthese der Steroide ist von Bedeutung, daß bei der Cyclisierung des optisch aktiven Alkohols I ein wichtiges Ausgangsmaterial für die tricyclische Verbindung II erhalten wird[4]:

II
11-Oxo-10-methyl-6-oxa-tricyclo [8.3.0.0²,⁷]tridecadien-(1¹³,2⁷)-System

Ähnlich gibt die Cyclisierung des 2,5-Dioxo-1-methyl-1-(3-oxo-butyl)-cyclopentans in Anwesenheit natürlicher Aminosäuren das S-konfigurierte *3,7-Dioxo-6-methyl-bicyclo[4.3.0]nonen-(1)* in sehr guter Ausbeute. Für diese Reaktion wird als Zwischenstufe eine Enamin-Bildung angenommen[5]:

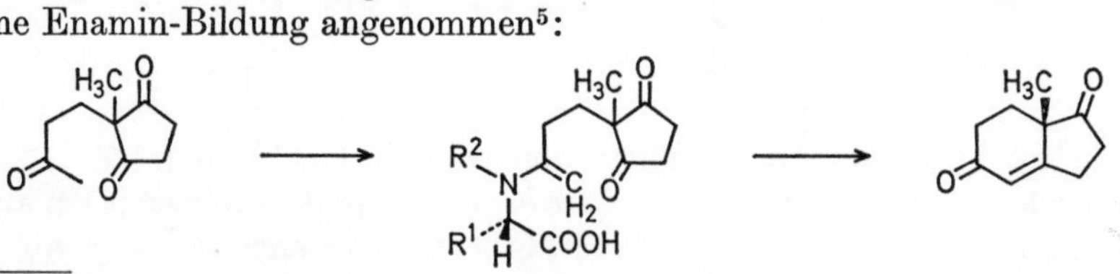

[1] C. J. V. SCANIO u. L. P. HILL, Synthesis **1970**, 651.
[2] G.A.MACALPINE, R.A.RAPHAEL, A.SHAW, A.W.TAYLOR u. H.J.WILD, Chem. Commun. **1974**, 834.
[3] Z. G. HAJOS u. D. R. PARRISH, J. Org. Chem. **39**, 1615 (1974).
[4] G. SAUCY u. R. BORER, Helv. **54**, 2121 (1971).
[5] DAS 2102623 (1971), Hoffmann-La Roche a. Co., Nutley, N. J., USA; Erf., Z. G. HAJOS u. D. R. PARRISH; C. A. **76**, 59072 (1972).
  U. EDER, G.SAUER u. R.WIECHERT, Ang.Ch. **83**, 492 (1971).
s. a. S. DANISHEFSKY u. P. CAIN, J. Org. Chem. **39**, 2925 (1974).

Große Bedeutung hat diese Ringangliederung in der Sterin-Synthese erlangt. Sie ist unter dem Namen Robinson-Annellierungs-Methode bekannt geworden[1]. Im ersten Schritt dieser Reaktion erfolgt die Michael-Addition eines cyclischen Ketons an ein α,β-ungesättigtes Keton. An Stelle des ungesättigten Ketons läßt sich auch die entsprechende Mannich-Base mit Erfolg anwenden. Im zweiten Schritt der Reaktion erfolgt die cyclisierende Aldol-Kondensation. Hier sei nur die letzte Stufe erwähnt.

Der Ringschluß der durch Michael-Addition erhaltenen δ-Diketone kann sowohl im alkalischen als auch im sauren Milieu durchgeführt werden. Als alkalische Kondensationsmittel wurden Alkalimetall-hydroxide[2,3] oder -alkanolate[4] angewandt. Ein Beispiel für die alkalikatalysierte Ringschlußreaktion ist die Cyclisierung von 1-Oxo-2-(3-oxo-butyl)-2-methoxycarbonyl-1,2,3,4-tetrahydro-phenanthren zu *3-Oxo-1,2,3,11,12,12a-hexahydro-chrysen*[3], die unter gleichzeitiger Verseifung und Decarboxylierung verläuft:

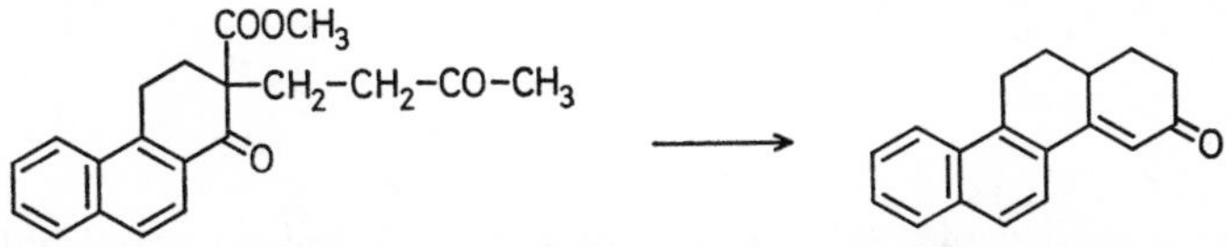

3-Oxo-1,2,3,11,12,12a-hexahydro-chrysen[3]: Eine Mischung von 50 *ml* Methanol, 5 *ml* 45%iger Kalilauge und 0,8 g 1-Oxo-2-(3-oxo-butyl)-2-methoxycarbonyl-1,2,3,4-tetrahydro-phenanthren werden unter Stickstoff 20 Stdn. unter Rückfluß erhitzt. Die Lösung wird dann verdünnt und das Reaktionsprodukt mit 3 Portionen warmen Benzols extrahiert. Der Extrakt wird mit Wasser und darauf mit verd. Salzsäure gewaschen. Nach dem Einengen erhält man eine erste Fraktion von 400 mg in Form gelber Blättchen, F: 182–185°. Aus der Mutterlauge gewinnt man noch weitere 150 mg, F: 176–183°. Eine weitere Reinigung erfolgt durch Umkristallisieren aus Benzol; Ausbeute: 90% d.Th.; F: 188–188,5°.

Für die cyclisierende Aldol-Kondensation im sauren Milieu verwendet man vorzugsweise Chlorwasserstoff/Eisessig[5] und p-Toluolsulfonsäure in Benzol[6].

Das Ringsystem des Dekalins läßt sich außer durch die Robinson-Annelierung durch cyclisierende Aldol-Kondensation in verschiedener Weise erhalten.

Eine Möglichkeit bietet die zweifache Aldol-Kondensation von 2,6,10-Trioxoundecan zu *8-Oxo-2-methyl-bicyclo[4.4.0]decadien-(1,6)*[7]:

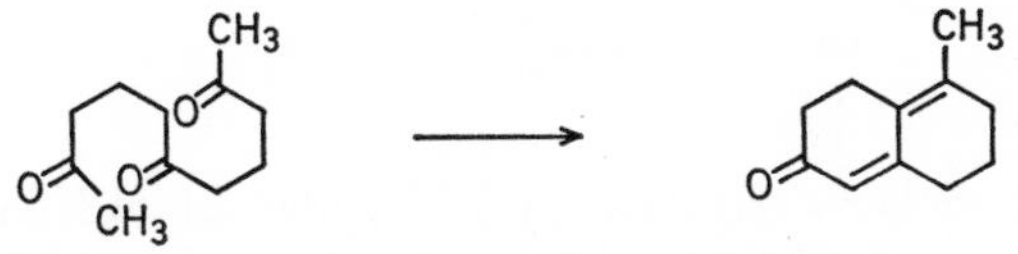

[1] E. C. DuFeu, F. J. McQuillin u. R. Robinson, Soc. **1937**, 53.
[2] C. H. Shunk u. A. L. Wilds, Am. Soc. **71**, 3946 (1949).
  A. L. Wilds, W. C. Wildman u. K. E. McCaleb, Am. Soc. **72**, 5794 (1950).
  US.P. 2838569 (1958), Wisconsin Aluminium Research Foundation, Erf.: J. W. Ralls et al.; C.A. **53**, 319 (1959).
[3] A. L. Wilds u. C. H. Shunk, Am. Soc. **65**, 469 (1943).
[4] A. L. Wilds et al., Am. Soc. **75**, 4878 (1953).
  I. N. Nazarov u. S. I. Zavyalov, Izv. Akad. SSSR **1957**, 207; C.A. **51**, 11302 (1957).
  Y. Pietrasanta u. B. Pucci, Tetrahedron Letters **1974**, 1901.
[5] D. Nasipuri u. D. N. Roy, Soc. **1961**, 3361.
  J. Davey u. B. R. T. Keene, Chem. & Ind. **1965**, 849.
  T. Wirthlin, H. Wehrli u. O. Jeger, Helv. **57**, 368 (1974).
[6] C. B. C. Boyce u. J. S. Whitehurst, Soc. **1959**, 2022.
[7] S. Danishefsky, A. Nagel u. D. Peterson, Chem. Commun. **1972**, 374.

Ein präparativ günstiger Weg bietet die Ringangliederung über 1,2-Oxazol-Derivate entsprechend dem folgenden Formelschema, wobei der letzte Schritt ebenfalls eine cyclisierende Aldol-Kondensation darstellt[1]; z. B.[2]:

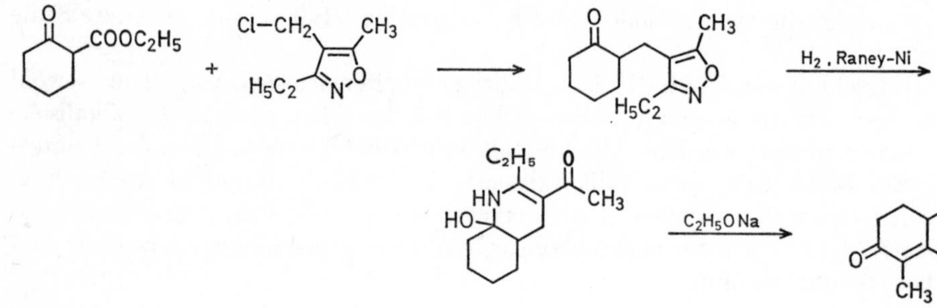

3-Oxo-2-methyl-bicyclo[4.4.0]decen-(1); 66% d.Th.

Eine weitere Annelierungsreaktion bedient sich des 4-Jod-2-methyl-buten-(*trans*-2)-säureesters (γ-Jod-tiglinsäureesters). Seine Kondensation mit Lithium-cyclohexen-(2)-olat bzw. -x-alkyl-cyclohexen-(2)-olaten ergibt nach der Verseifung die ungesättigten Oxo-carbonsäuren, die durch einen modifizierten Curtius-Abbau[3] die für die cyclisierende Aldol-Kondensation geeigneten Diketone ergeben; z. B.[4]:

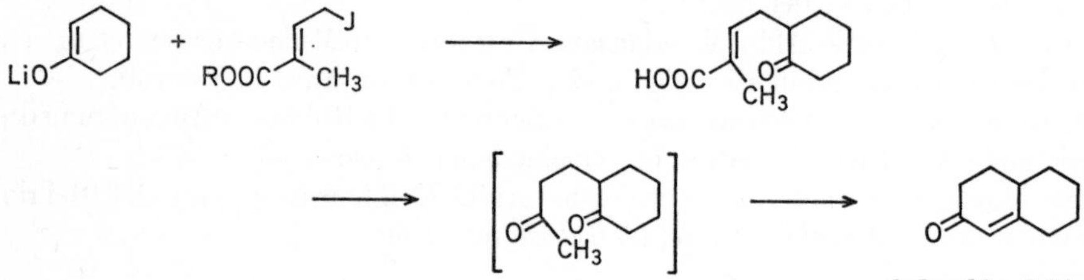

*3-Oxo-bicyclo[4.4.0]
decen-(1)*; 82% d.Th.

Ein sterisch einheitlicher Verlauf der cyclisierenden Aldol-Kondensation wurde bei der Einwirkung von (S)-Prolin und 1n Perchlorsäure auf 2,6-Dioxo-1-methyl-1-(3-oxo-butyl)-cyclohexan beobachtet. Hierbei wird in 68%iger optischer Reinheit (*S*)-*3,7-Dioxo-6-methyl-bicyclo[4.4.0]decen-(1)* erhalten[5].

Zu spirocyclischen Ketonen führt die cyclisierende Aldol-Kondensation von Addukten des Butenons mit den 2-Hydroxymethylen-Derivaten[6] cyclischer Ketone der

[1] G. Stork, S. Danishefsky u. M. Ohashi, Am. Soc. **89**, 5459 (1967).
G. Stork u. J. E. McMurry, Am. Soc. **89**, 5464 (1967).
[2] J. E. McMurry, Org. Synth. **53**, 70 (1973).
[3] J. Weinstock, J. Org. Chem. **26**, 3511 (1961).
[4] Ph. L. Stotter u. K. A. Hill, Am. Soc. **96**, 6524 (1974).
[5] J. Ruppert, U. Eder u. R. Wiechert, B. **106**, 3636 (1973).
[6] V. Dave u. J. S. Whitehurst, Soc. (Perkin I) **1973**, 393.

Ringgrößen 5, 6, 7 und 12:

n = 3; *2,8-Dioxo-spiro[5.4]decen-(6)*; 21% d.Th.
n = 4; *3,7-Dioxo-spiro[5.5]undecen-(1)*; 35% d.Th.
n = 5; *3,7-Dioxo-spiro[6.5]dodecen-(1)*; 40% d.Th.
n = 10; *3,7-Dioxo-spiro[11.5]heptadecen-(1)*; 30% d.Th.

Bei einer gleichzeitig vorhandenen β-Diketon-Struktur ist sowohl bei der alkalischen als auch bei der sauren Kondensation besondere Vorsicht geboten, da bei der Aldol-Kondensation auch eine Säure-Spaltung eintreten kann. So erhält man bei der Cyclisierung von 1,3-Dioxo-2-methyl-2-(3-oxo-butyl)-cycloheptan (I) mit p-Toluolsulfonsäure nur 13% d.Th. *6,10-Dioxo-7-methyl-bicyclo[5.4.0]undecen-(1^{11})* (II) neben 55% d.Th. *3-Oxo-1,4-dimethyl-2-(3-carboxy-propyl)-cyclohexen* (III). Erst bei Anwendung von Pyrrolidin/Essigsäure erhält man 45% d.Th. II[1]:

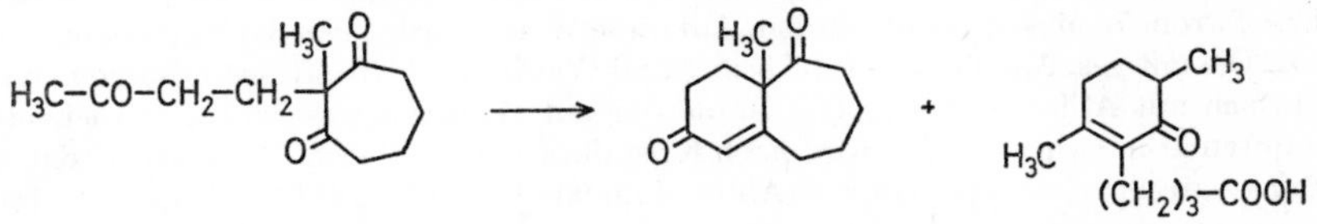

Über die analoge Ringangliederung an Ketone des mittleren Ringbereichs s. Lit.[2].

Eine weitere Möglichkeit zur Angliederung eines Cyclohexan-Ringes, die in der Sterin-Chemie ebenfalls von Bedeutung ist, besteht in der Einwirkung von Grignard-Verbindungen auf Enollactone. Diese Methode ermöglicht die Einführung von ^{14}C in die 4-Stellung von Sterinen. Das bei der Einwirkung von Grignard-Verbindungen primär entstehende γ-Diketon, das der cyclisierenden Aldol-Kondensation unterliegt, wird im allgemeinen nicht isoliert. Folgendes Formelschema gibt den Reaktionsverlauf wieder:

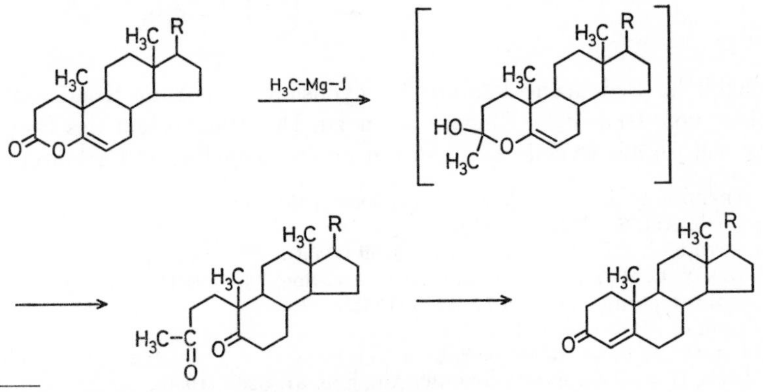

---

[1] R. Selvarajan et al., Tetrahedron **22**, 949 (1966).
   Vgl. a. A. M. Chalmers u. A. J. Baker, Tetrahedron Letters **1974**, 4529.
[2] V. Dave u. J. S. Whitehurst, Tetrahedron **30**, 745 (1974).
   Vgl. a. D. J. Baisted u. J. S. Whitehurst, Soc. **1965**, 2340.
   B. A. McAndrew u. S. W. Russel, Soc. (Perkin I) **1975**, 1172.

Mit dieser Reaktion wurden 4-[14]C-*3-Oxo-cholesten-(4)*[1,2], *Testosteron*[2] und *Progesteron*[3] hergestellt. Außerdem spielt diese Reaktion eine Rolle in der Sterin-Synthese[4]. Als Beispiel sei die Cyclisierung von *d,l-17,17-Äthylendioxy-3-oxo-4-oxa-D-homo-androstadien-(5,9[11])* zu *d,l-17,17-Äthylendioxy-3-oxo-D-homo-androstadien-(4,9[11])* erwähnt[5]:

d,l-17,17-Äthylendioxy-3-oxo-D-homo-androstadien-(4,9[11]) [5]: Zu 2,5 g d,l-17,17-Äthylendioxy-3-oxo-4-oxa-D-homo-androstadien-(5,9)[6] in 40 *ml* Benzol gibt man unter Rühren im Stickstoffstrom innerhalb von 45 Min. tropfenweise eine aus 205 mg Magnesium und 1,25 g Methyljodid hergestellte Lösung von Methyl-magnesiumjodid in 18 *ml* Äther. Nach beendeter Zugabe wird noch 1 Stde. bei Raumtemp. weitergerührt und anschließend unter Kühlung mit einer Eis-Natriumchlorid-Lösung mit 10 *ml* eiskalter 1n Salzsäure und dann mit Wasser versetzt. Darauf extrahiert man die wäßrige Phase noch 2 mal mit Äther. Der Rückstand der neutral gewaschenen, getrockneten und eingedampften äther. Lösung gibt nach Umlösen aus Benzol/Petroläther 1,87 g farblose Kristalle; F: 182–185°, die mit 130 *ml* Methanol und 13 *ml* 10%ige Natronlauge im Stickstoffstrom 75 Min. gekocht werden. Auf diese Weise wurde auch die Mutterlauge (850 mg) behandelt. Die mit ges. Natriumchlorid-Lösung und Wasser verd. Reaktions-Lösungen extrahiert man mehrfach mit Äther. Aus dem Rückstand der mit Wasser gewaschenen, getrockneten und eingedampften ätherischen Lösung wird nach Kristallisation aus Benzol-Petroläther (Kp: 40–60°) und Chromatographie der Mutterlauge an Aluminiumoxid 1,72 g (72% d. Th.) erhalten; F: 186–187°.

Die gleiche Reaktion kann auch zur Herstellung von *3-Oxo-1,2-diphenyl-indan* aus Benzyliden-phthalid mit Phenyl-magnesiumbromid entsprechend dem folgenden Formelschema dienen[7]:

Eine erhebliche Bedeutung kommt der cyclisierenden Aldol-Kondensation auch beim Aufbau von Brücken-Ringsystemen zu. Das Ringsystem des Bicyclo[2.2.2] octans läßt sich so aus Cyclohexanonen mit einer exocyclischen Carbonyl-Gruppe in

[1] R. D. H. Heard u. P. Ziegler, Am. Soc. **73**, 4036 (1951).

[2] G. I. Fujimoto, Am. Soc. **73**, 1856 (1951).

[3] G. I. Fujimoto u. J. Prager, Am. Soc. **75**, 3259 (1953).
L. M. Thompson, C. H. Yates u. A. D. Odell, Am. Soc. **76**, 1194 (1954).

[4] R. B. Woodward et al., Am. Soc. **74**, 4223 (1952).

[5] P. Wieland et al., Helv. **36**, 1231 (1953).
Weitere Literatur zu dieser Reaktionsfolge s.
E. J. Corey, H. J. Hess u. S. Proskow, Am. Soc. **81**, 5258 (1959).
L. Velluz et al., C. r. **257**, 3086 (1963).
G. I. Fujimoto u. K. D. Zwahlen, J. Org. Chem. **25**, 445 (1960).
J. Overnell u. J. S. Whitehurst, Soc. [C] **1971**, 378.

[6] P. Wieland et al., Helv. **36**, 1231 (1953).

[7] J. Colonge u. R. Vuillemet, Bl. **1961**, 2235.

4-Stellung erhalten. Ein Beispiel hierfür ist die Herstellung von *4-Hydroxy-2-oxo-1-methyl-bicyclo[2.2.2]octan* durch cyclisierende Aldol-Kondensation von 4-Oxo-1-methyl-1-acetyl-cyclohexan mit Kalilauge[1]:

4-Hydroxy-2-oxo-1-methyl-bicyclo[2.2.2]octan[1]: Zu einer Lösung von 8 g Kaliumhydroxid in 100 *ml* Wasser gibt man 10 g 4-Oxo-1-methyl-1-acetyl-cyclohexan und erhitzt das Gemisch 4 Stdn. unter Rückfluß. Nach dem Erkalten neutralisiert man mit Salzsäure und extrahiert mit Äther. Der Äther-Extrakt wird mit Natriumsulfat getrocknet. Der nach dem Abdestillieren des Äthers zurückbleibende Rückstand wird fraktioniert destilliert; das Destillat erstarrt kristallin und kann zur weiteren Reinigung aus Petroläther (Kp: 40–60°) umkristallisiert werden; Ausbeute: 50% d.Th.; Kp_{18}: 147°.

Bessere Ausbeuten erhält man bei der säurekatalysierten Cyclisierung von 1-Methoxy-4-acetyl-cyclohexen in aprotischen Lösungsmitteln wie Benzol oder Tetrahydrofuran. Dabei wird *1-Methoxy-3-oxo-bicyclo[2.2.2]octan* in über 90%iger Ausbeute erhalten[2]:

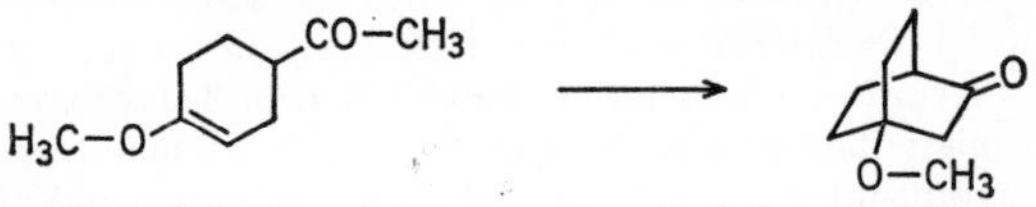

Besonders bewährt hat sich eine Arbeitsweise, bei der eine Lösung von entsprechenden 4-Oxo-1-acetyl-cyclohexanen in Methanol mit Orthameisensäure-trimethylester in Gegenwart von Chlorwasserstoff zu den 1-Methoxy-3-oxo-bicyclo[2.2.2]octanen umgesetzt wird[2].

4-Methoxy-2-oxo-1-methyl-bicyclo[2.2.2]octan[2]:

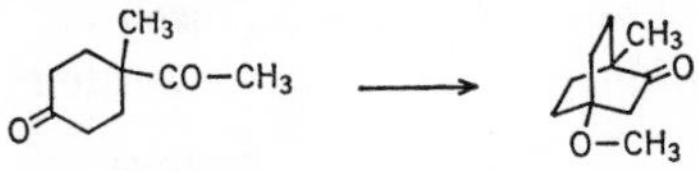

Zu einer Lösung von 24 g (0,156 Mol) 4-Oxo-1-methyl-1-acetyl-cyclohexan und 52 g (0,49 Mol) Orthoameisensäure-trimethylester in 160 *ml* abs. Methanol leitet man bei 0–5° 10,3 g Chlorwasserstoff ein und erhitzt dann 30 Min. unter Rückfluß. Der größte Teil des Methanols und des Chlorwasserstoffs werden i. Vak. entfernt. Der Rückstand wird mit methanolischer Natriummethanolat-Lösung neutralisiert und mit Äther verdünnt. Der Äther-Extrakt wird mit Wasser gewaschen, über Natriumsulfat getrocknet und destilliert; Ausbeute: 23,5 g (91% d. Th.); Kp_{15}: 118–119°.

Zahlreicher sind die Beispiele für die Synthese des Bicyclo[3.3.1]nonan-Ringsystems nach dieser Methode. Eine Synthesemöglichkeit besteht in der cyclisierenden Aldol-Kondensation von Cyclohexanonen mit einer in 3-Stellung angegliederten β-ständigen Carbonyl-Gruppe. Ein Beispiel hierfür ist die mit Natronlauge bewirkte Cyclisierung von 3-Oxo-1-methyl-1-(2-oxo-1-äthoxycarbonyl-propyl)-cyclohexan zu *3-Oxo-5-hydroxy-1-methyl-bicyclo[3.3.1]nonan*[3], die unter gleichzeitiger Verseifung und Decarboxylierung verläuft:

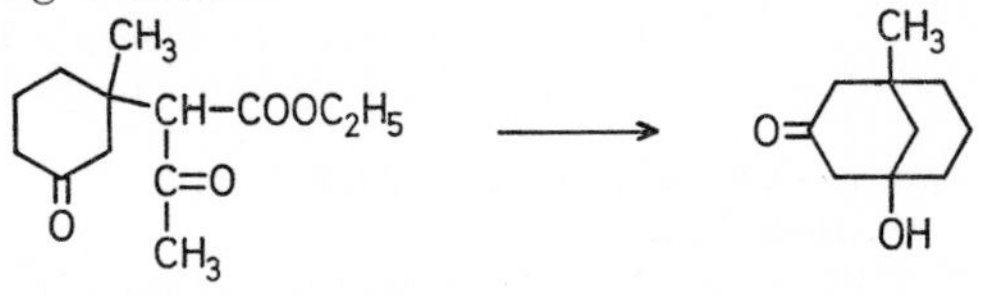

[1] J. Colonge u. R. Vuillemet, Bl. **1961**, 2235.
   S. a. K. I. Morita u. T. Kobayashi, J. Org. Chem. **31**, 229 (1966).
[2] K. Morita u. T. Kobayashi, J. Org. Chem. **31**, 229 (1966).
   H. E. Zimmermann u. R. D. McKelvey, Am. Soc. **93**, 3638 (1971).
[3] P. Rabe, R. Ehrenstein u. M. Jahn, A. **360**, 265 (1908).
   P. Rabe u. K. Appuhn, B. **76**, 982 (1943).

Eine weitere Möglichkeit zum Aufbau des Bicyclo[3.3.1]nonan-Ringsystems ist die cyclisierende Aldol-Kondensation von Cyclohexanonen, bei denen in 2-Stellung eine δ-ständige Carbonyl-Gruppe angegliedert ist. Hier führt die Reaktion zu β,γ-ungesättigten Ketonen mit der Oxo-Gruppe in der Brücke. Die Bildung der α,β-ungesättigten Ketone ist bei all diesen Cyclisierungen zum Ringsystem des Bicyclo [3.3.1]nonans nicht möglich, da dies der Bredt-Regel widersprechen würde. Als Kondensationsmittel werden in erster Linie Eisessig/Salzsäure[1] oder Eisessig/p-Toluolsulfonsäure[2] angewandt. Ein Beispiel für diesen Cyclisierungstyp ist die Herstellung von *9-Oxo-2-phenyl-bicyclo[3.3.1]nonen-(2)* aus 2-Oxo-1-(3-oxo-3-phenyl-propyl)-cyclohexan[3]:

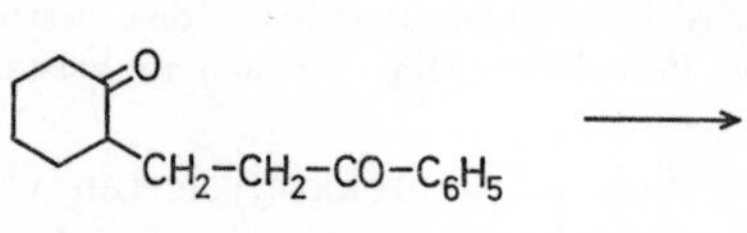

9-Oxo-2-phenyl-bicyclo[3.3.1]nonen-(2)[3]: Eine Lösung von 324 g 2-Oxo-1-(3-oxo-3-phenyl-propyl)-cyclohexan in 2500 ml Eisessig und 500 ml konz. Salzsäure wird 41 Stdn. unter Rückfluß erhitzt. Der größte Teil der Essigsäure wird durch Destillation i. Vak. entfernt. Der Rückstand wird mit 1500 ml Wasser verdünnt und mit je 500 ml Benzol 3mal extrahiert. Die vereinigten Extrakte werden 3mal mit je 250 ml ges. Natriumhydrogencarbonat-Lösung, 1mal mit Wasser gewaschen und mit Natriumsulfat getrocknet. Nach dem Einengen i. Vak. in Stickstoffatmosphäre wird der dunkle, viskose Rückstand i. Vak. fraktioniert unter Verwendung eines Claisen-Aufsatzes mit einer 15-cm-Kolonne; Ausbeute: 271 g (91% d. Th.); $Kp_{0,7-0,8}$: 143—155°.

Das Destillat kristallisiert beim Erkalten zu einer gelben Masse; F: 46,8—50°. Eine Analysenprobe erhält man bei dem Umkristallisieren aus einem Cyclohexan/Pentan-Gemisch; F: 51,8—52,8°.

Im Falle der Cyclisierung von 2-Oxo-1-(3-oxo-propyl)-1-äthoxycarbonyl-cyclohexan mit Schwefelsäure konnte chromatographisch ein Gemisch von *9-Oxo-1-* und *5-äthoxycarbonyl-bicyclo[3.3.1]nonen-(2)* erhalten werden[4]:

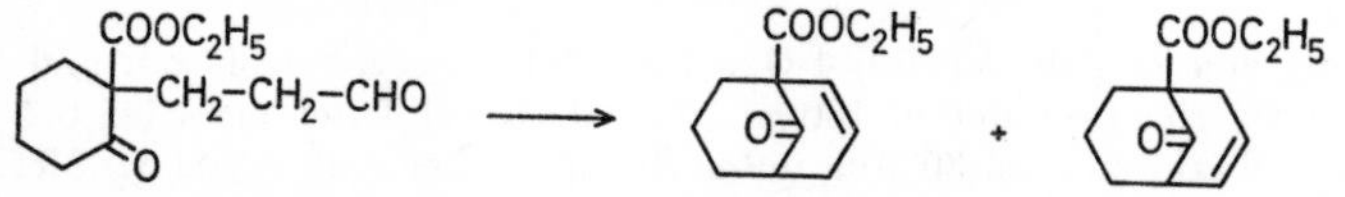

3-(2-Oxo-cycloalkyl)-propanal, die durch Umsetzung von Enaminen cyclischer Ketone mit Acrolein leicht zugänglich sind, können mit einem basischen Ionenaustauscher in Wasser in bicyclische Hydroxy-Ketone überführt werden[5]:

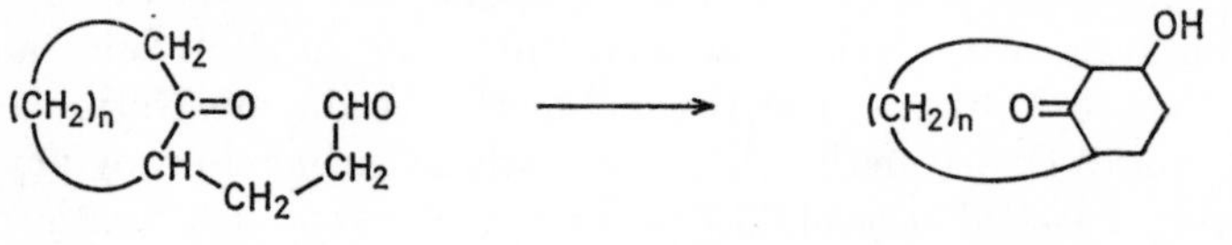

n = 2; *2-Hydroxy-8-oxo-bicyclo[3.2.1]octan*; 65% d. Th.
n = 3; *2-Hydroxy-9-oxo-bicyclo[3.3.1]nonan*; 90% d. Th.
n = 4; *7-Hydroxy-10-oxo-bicyclo[4.3.1]decan*; 95% d. Th.

[1] A. C. Cope, F. S. Fawcett u. G. Munn, Am. Soc. **72**, 3399 (1950).
[2] S. Julia u. D. Varech, Bl. **1959**, 1127.
    s. a. N. Barbulescu, M. Moraru u. D. Sotca, Rev. Roum. Chim. **18**, 873 (1973).
[3] A. C. Cope u. E. C. Hermann, Am. Soc. **72**, 3405 (1950).
[4] E. W. Colvin u. W. Parker, Soc. **1965**, 5764.
    I. M. Sokolova, I. A. Matveeva u. A. A. Petrov, Neftekhimiya **13**, 361 (1973); C. A. **79**, 78195 (1973).
    s. a. J. Martin, W. Parker, T. Stewart u. J. R. Stevenson, Soc. (Perkin I) **1972**, 1760.
[5] R. D. Allan, B. G. Cordinier u. R. J. Wells, Tetrahedron Letters **1968**, 6055.

Die cyclisierende Aldol-Kondensation einer Reihe von 2-Oxo-1-(3-oxo-butyl)-1-äthoxycarbonyl-cycloalkanen der Formel I, in denen die Ringgröße 6 bis 15 Kohlenstoffatome beträgt, wurde eingehend untersucht[1]. Die Reaktionsprodukte der mit Eisessig/Salzsäure durchgeführten Kondensation waren entweder α,β-ungesättigte Ketone der Formel II oder β-Oxo-carbonsäureester der Formel III. Der Verlauf der Kondensation hängt von der Ringgröße ab. Bei den Verbindungen der Formel I mit n = 3 oder 4 wurden ausschließlich Cyclisierungsprodukte der allgemeinen Formel II erhalten, während bei den Verbindungen der Formel I mit n = 6,7 und 12 ausschließlich Reaktionsprodukte der Formel III entstanden. Bei der Verbindung I mit n = 5 entstanden beide möglichen Reaktionsprodukte nebeneinander:

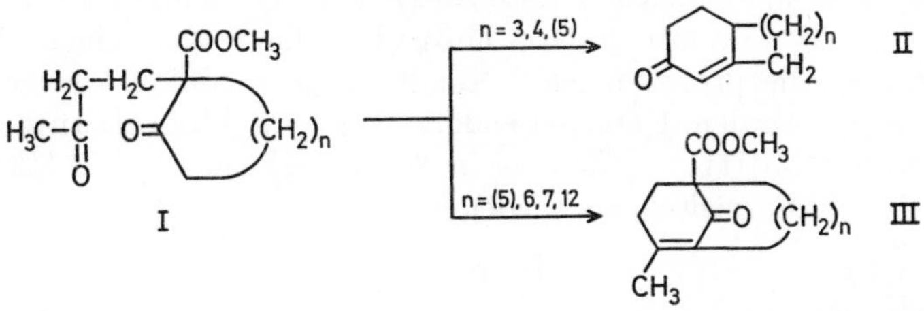

Besondere Aufmerksamkeit verlangt die Möglichkeit zur Herstellung gespannter Ringsysteme durch Aldol-Kondensation, die darauf beruht, daß man die grundsätzlich reversible Aldol-Kondensation dadurch irreversibel gestaltet, daß man die Hydroxy-keton-Stufe durch Veresterung abfängt. Ein interessantes Beispiel für diesen Reaktionsverlauf ist die intramolekulare Aldol-Kondensation von 2,7-Dioxo-decalin mittels eines Gemisches von Essigsäure, Acetanhydrid und Bortrifluorid-diäthylätherat, wobei auf einfache Weise unmittelbar das Twistan-Derivat erhalten wird[2]:

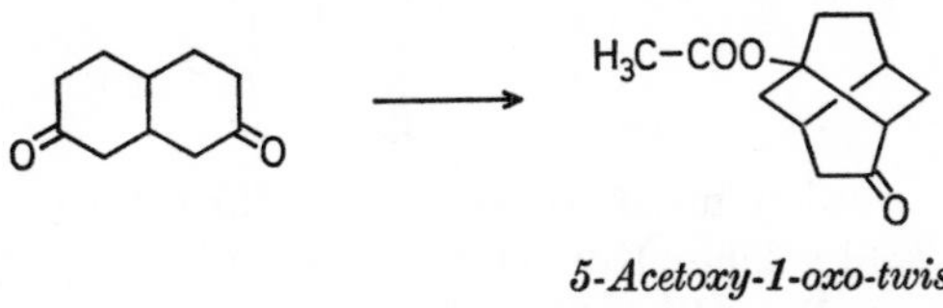

5-Acetoxy-1-oxo-twistan

Weitere Beispiele für die cyclisierende Aldol-Kondensation zu polycyclischen Ringsystemen sind die Cyclisierung von Bis-[2-oxo-cyclopentyl]-methan mit p-Toluolsulfonsäure in Benzol zu 11-Oxo-tricyclo[6.2.1.0²,⁶]undecen-(2⁶)[3],

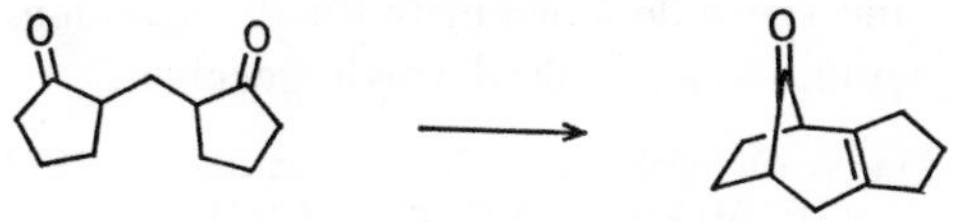

[1] V. PRELOG, Soc. 1950, 420.
 V. PRELOG, P. BARMAN u. M. ZIMMERMANN, Helv. 32, 1284 (1949).
 V. PRELOG et al., Helv. 31, 92 (1948).
[2] A. BÉLANGER, J. POUPART u. P. DESLONGCHAMPS, Tetrahedron Letters 1968, Nr. 17, 2127.
 A. BÉLANGER, Y. LAMBERT. u. P. DESLONGCHAMPS, Canad. J. Chem. 47, 795 (1969).
 s. a. J. D. YORDY u. W. REUSCH, J. Org. Chem. 40, 2086 (1975).
[3] G. L. BUCHANAN, A. C. W. CURRAN, J. McCRAE u. G. W. McLAY, Tetrahedron 23, 4729 (1967).
 G. L. BUCHANAN u. G. A. R. YOUNG, Soc. (Perkin I) 1973, 2404.

die cyclisierende Aldolkondensation von 2,3'-Dioxo-bi-cyclohexyl mit einem sauren Ionenaustauscher zu *9-Oxo-tricyclo[6.2.2.0²,⁷]dodecen-(2⁷)*[1]

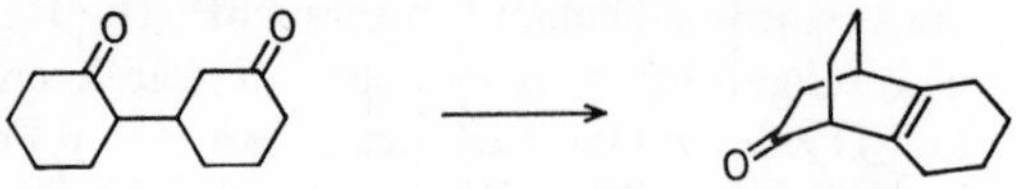

und die mittels wäßriger Ameisensäure über die Stufe des Cyclododecatetraons verlaufende Bildung von *1-Hydroxy-4,7,10-trioxo-bicyclo[6.4.0]dodecan*, das bei langer Behandlung in geringer Menge in *1,4-Dihydroxy-7,10-dioxo-tricyclo[6.4.0.0⁴,⁹]dodecan* übergeht[2].

6. Dreikohlenstoff-Knoevenagl-Kondensationen[3]

Im Gegensatz zu den einfachen Ketonen beobachtet man bei der Aldol-Kondensation von Aldehyden mit β-Dicarbonyl-Verbindungen einen abweichenden Reaktionsverlauf. Die primären Aldol-Kondensationsprodukte können hier in der Regel nicht isoliert werden. Unter sekundärer Wasser-Abspaltung und anschließender Michael-Addition gehen sie in 2,4-Dialkanoyl-1,5-diketone über, wie es das folgende Formelschema wiedergibt:

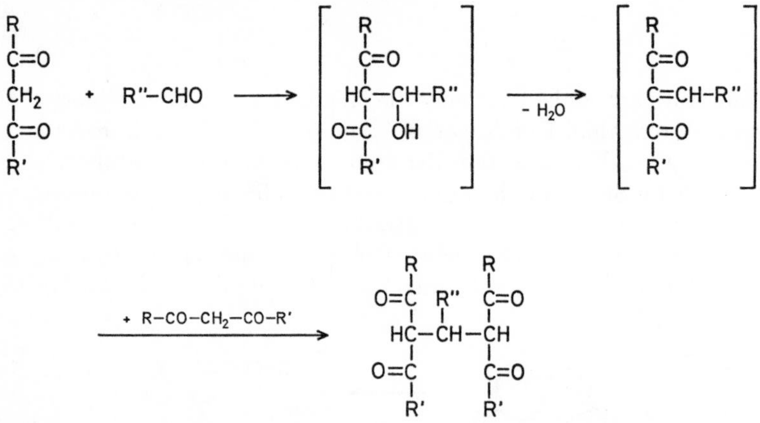

Als Katalysatoren werden meist Basen, wie Piperidin oder Diäthylamin, verwendet. Eine große Zahl solcher Kondensationen mit β-Oxo-carbonsäureestern und β-Diketonen wurde auf diese Weise durchgeführt[4]. Die besten Ergebnisse werden mit aliphatischen Aldehyden und hier besonders mit Formaldehyd erhalten; aber auch aromatische Aldehyde können in die entsprechenden Tetracarbonyl-Verbindungen überführt werden.

Im folgenden sei eine allgemeine Vorschrift für die Kondensation von β-Diketonen mit Aldehyden und eine spezielle Vorschrift für die Kondensation von Pentandion-(2,4) mit 4-Dimethylamino-benzaldehyd wiedergegeben.

[1] K. Elfert, Dissertation, S. 15, Technische Universität Aachen 1973.
[2] H. G. Fritz, H. Henke u. H. Musso, B. **107**, 3164 (1974).
[3] G. Jones, *The Knoevenagl Condensation*, Org. Reactions XV, S. 204 (1967).
[4] E. Knoevenagel et al., B. **36**, 2136 (1903).
    E. Knoevenagel u. F. Albert, B. **37**, 4476 (1904).
    E. Knoevenagel u. R. Werner, A. **281**, 79 (1894).
    R. Schiff, A. **309**, 206 (1899).
    K. Bodendorf u. G. Koralowski, Ar. **271**, 101 (1903).
    S. Ruheman, Soc. **83**, 1376 (1903).
    S. V. Liebermann u. E. C. Wagner, J. Org. Chem. **14**, 1001 (1949).
    W. Dieckmann u. K. von Fischer, B. **44**, 974 (1911).

α,α′-Diacyl-1,5-dicarbonyl-Verbindungen; allgemeine Arbeitsvorschrift[1]: 0,1 Mol des β-Diketons und 0,05 Mol des Aldehyds werden in 70–90%igem Äthanol gelöst und darauf 10 Tropfen Piperidin zugegeben. Das Gemisch läßt man so lange bei Raumtemp. stehen bis das Kondensationsprodukt auskristallisiert. Das Produkt wird abfiltriert und umkristallisiert. Die Zeit zwischen der Zugabe von Piperidin und dem Auskristallisieren des Reaktionsproduktes wechselt von Fall zu Fall. Im allgemeinen kristallisiert das Reaktionsprodukt innerhalb einiger Tage. Derivate des 1-Methoxy-2,4-dioxo-pentans benötigen sogar einige Wochen.

2,6-Dioxo-4-(4-dimethylamino-phenyl)-3,5-diacetyl-heptan[1]:

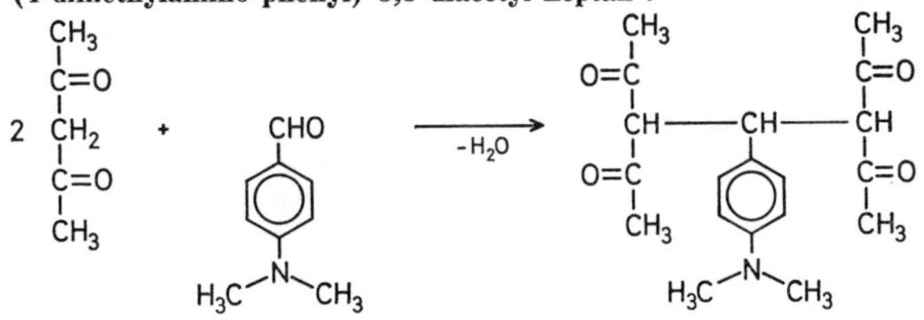

10 g (0,1 Mol) Pentandion-(2,4) und eine Lösung von 7,5 g (0,05) Mol 4-Dimethylamino-benzaldehyd in 60 *ml* 95%igem Äthanol werden bei Raumtemp. gemischt. Man gibt dann ∼ 10 Tropfen Piperidin zu und läßt die Mischung stehen. Das Reaktionsprodukt, das nach 3 Tagen auskristallisiert ist, wird abfiltriert und aus Benzol umkristallisiert; Ausbeute: 7,5 g.

Besonders glatt verlaufen solche Kondensationen bei cyclischen β-Diketonen vom Typ des Cyclohexandions-(1,3). Hier bedarf die Reaktion im allgemeinen keiner Katalyse. Solche Kondensationen wurden mit Cyclohexandion-(1,3) und den verschiedensten Aldehyden in großer Zahl durchgeführt[2]. Der glatte Verlauf dieser Kondensation hat dazu geführt, daß das 3,5-Dioxo-1,1-dimethyl-cyclohexan (Dimedon) zum Nachweis und zur Charakterisierung von Aldehyden verwendet werden kann[3]. Zur Charakterisierung eignen sich sowohl die Bis-[2,6-dioxo-4,4-dimethyl-cyclohexyl]-methane als auch die aus diesen Verbindungen durch Wasser-Abspaltung erhältlichen cyclischen Enoläther 4,5-Dioxo-2,2,7,7-tetramethyl-1,2,3,4,5,6,7,8-octahydro-9H-xanthene. Das Formelschema gibt den Reaktionsverlauf wieder:

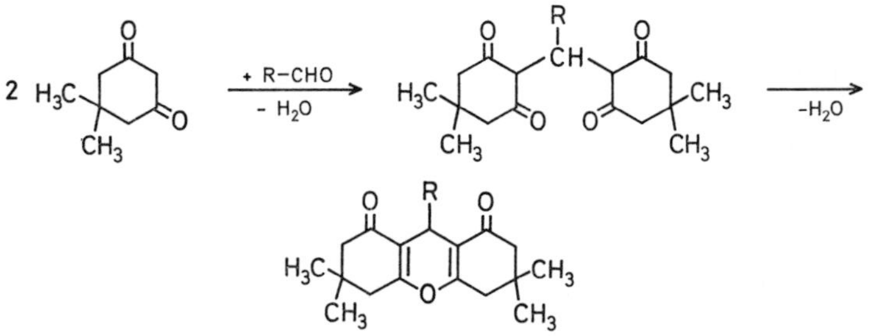

Eine große Anzahl weiterer Derivate des Cyclohexandions-(1,3) wurden der gleichen Kondensationsreaktion unterworfen[4].

[1] D. F. MARTIN, M. SHAMMA u. W. C. FERNELIUS, Am. Soc. **80**, 5851 (1958).

[2] G. MERLING, A. **278**, 30 (1893).
  D. VORLÄNDER u. F. KALKOW, A. **309**, 356 (1899).
  H. STETTER u. W. DIERICHS, B. **85**, 292 (1952).

[3] D. VORLÄNDER, A. **294**, 253 (1897); B. **30**, 1801 (1897); B. **58**, 2656 (1925); Ang. Ch. **42**, 46 (1929); Fr. **77**, 241, 321 (1929).
  E. C. HORNING u. M. G. HORNING, J. Org. Chem. **11**, 95 (1946).
  H. M. EL-FATATRY, T. S. EL-ALFY u. M. A. TOAMA, Pharmazie **29**, 613 (1974).
  s. ds. Handb., Bd. II, Kap. Analytik von Aldehyden und Ketonen, S. 450.

[4] D. VORLÄNDER u. F. KALKOW, A. **309**, 370 (1899).
  H. STETTER u. U. MILBERS, B. **91**, 374 (1958).

Bisher wurde nur in einem Falle das Primärprodukt der Kondensation isoliert. 2,3,4,5,5-Pentachlor-pentadien-(2,4)-al(I) lieferte mit Cyclohexandion-(1,3) das Reaktionsprodukt II [*2,6-Dioxo-4,4-dimethyl-1-(2,3,4,5,5-pentachlor-pentadienyliden)-cyclohexan*]. Eine Weiterreaktion konnte hier nicht beobachtet werden[1].

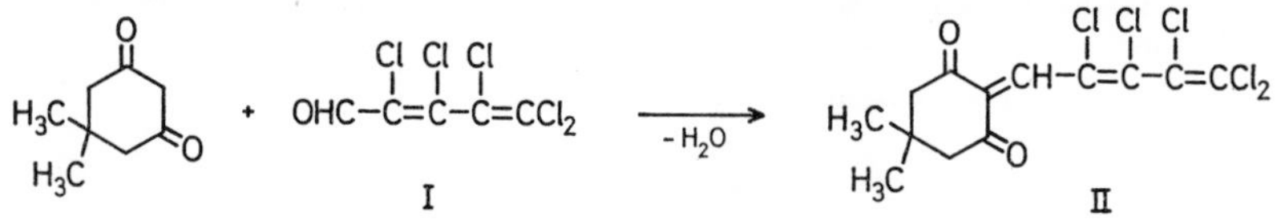

$$\text{(I)} \qquad \xrightarrow{-H_2O} \qquad \text{(II)}$$

Das analoge Kondensationsprodukt wurde auch mit Indandion-(1,3) [*1,3-Dioxo-2-(2,3,4,5,5-pentachlor-pentadienyliden)-indan*] erhalten.

Bei geeigneter Wahl der Komponenten lassen sich auch z w e i v e r s c h i e d e n e CH-acide Verbindungen über eine Methylen-Gruppe vereinigen. Voraussetzung ist die leichtere Wasser-Abspaltung aus der Hydroxymethyl-Verbindung der einen CH-aciden Verbindung und ein höheres nucleophiles Potential am Anion der anderen[2]. Als Beispiel sei die Kondensation von 1,3-Dioxo-1,3-diphenyl-propan mit Bis-[äthylsulfon]-methan und Formaldehyd erwähnt. Das unsymmetrische Kondensationsprodukt entsteht hier in Gegenwart von Triäthylamin in 88%iger Ausbeute:

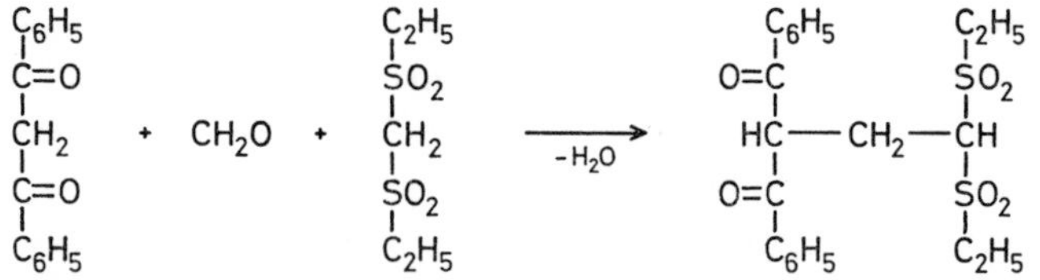

4,4-Bis-[äthylsulfon]-1-oxo-1-phenyl-2-benzoyl-butan

Im Gegensatz zu den β-Dicarbonyl-Verbindungen beobachtet man Dreikohlenstoff-Kondensationen bei e i n f a c h e n Ketonen wesentlich seltener. Am ehesten sind solche Kondensationen dann zu erwarten, wenn die zur Oxo-Gruppe α-ständige Methylen-Gruppe einer z u s ä t z l i c h e n Aktivierung durch einen Aryl-Rest unterliegt, wie es beim Desoxybenzoin (1-Oxo-1,2-diphenyl-äthan) der Fall ist, das mit Formaldehyd und alkoholischem Kaliumhydroxid in glatter Reaktion *1,5-Dioxo-1,2,4,5-tetraphenyl-pentan* ergibt[3]:

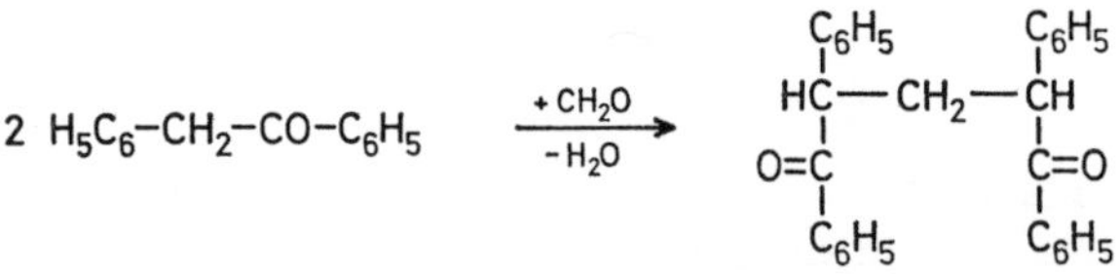

In den Fällen, in denen eine solche zusätzliche Aktivierung n i c h t vorhanden ist, kann man bei alkalischer Katalyse und g r o ß e m Überschuß an Keton oftmals noch brauchbare Ausbeuten an Kondensationsprodukt erhalten, wie das Beispiel

---

[1] A. ROEDIG, H. G. KLEPPE u. G. MÄRKL, A. **692**, 79 (1966).

[2] H. HELLMANN u. D. DIETERICH, Ang. Ch. **71**, 627 (1959); A. **656**, 53 65, 70 (1962).
   H. HELLMANN u. M. SCHRÖDER, A. **656**, 79 (1962); A. **632**,73 (1960)

[3] J. WISLICENUS u. H. CARPENTER, A. **302**, 223 (1898).
   K. ZIEGLER u. B. SCHNELL, A. **445**, 224 (1925).

der in 60%iger Ausbeute durchführbaren Kondensation von Acetophenon mit Formaldehyd zu *1,5-Dioxo-1,5-diphenyl-pentan* zeigt[1].

Eine größere Zahl solcher Kondensationen wurde bei c y c l i s c h e n K e t o n e n durchgeführt, wobei aber immer nur F o r m a l d e h y d als Reaktionskomponente angewandt wurde[2]. Als repräsentative Vorschrift für die Durchführung solcher Kondensationen sei die Herstellung von *Bis-[2-oxo-cyclohexyl]-methan* wiedergegeben.

Bis-[2-oxo-cyclohexyl]-methan[3]:

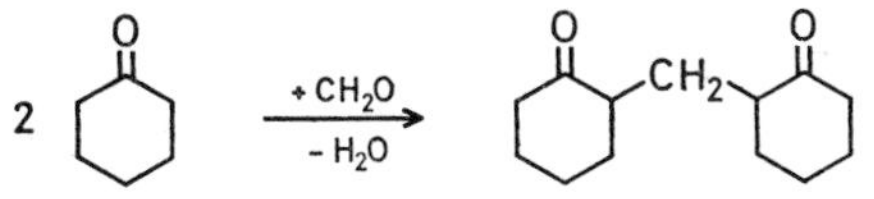

In einem Rundkolben von 1 *l* Inhalt, der mit Thermometer und Kühler versehen ist, gibt man
1,5–2,3 Mol Cyclohexanon und 10 g 1,3,5-Trioxan. Man erwärmt das Reaktionsgemisch auf 45°
und fügt 10 *ml* methanolische 2n Kaliumhydroxid-Lösung hinzu. Das 1,3,5-Trioxan verschwindet
schnell, die Lösung färbt sich braun und siedet 2–3 Min. sehr lebhaft. Wenn das Sieden aufhört,
erhitzt man noch 2–3 Min. unter Rückfluß und kühlt dann schnell ab. Nachdem man mit Chlor-
wasserstoffsäure neutralisiert hat, filtriert man das ausgeschiedene Kaliumchlorid ab. Das
Gemisch wird dann der fraktionierten Destillation i. Vak. unterworfen; Ausbeute: 60% d. Th.;
Kp_{12}: 165–170°. Das Öl erstarrt nach längerem Aufbewahren im Eisschrank teilweise kristallin.
Die Kristalle lassen sich aus Petroläther (Kp: 40–60°) umkristallisieren; F: 58°.

An die primäre Dreikohlenstoff-Kondensation kann sich auch eine cyclisierende
Aldol-Kondensation anschließen. Dies wurde bei der Alkanolat-katalysierten Kondensation aliphatischer[4], aromatischer[5] und heterocyclischer Aldehyde[6] mit Cyclohexanon
beobachtet. Der Reaktionsverlauf entspricht dem folgenden Formelschema:

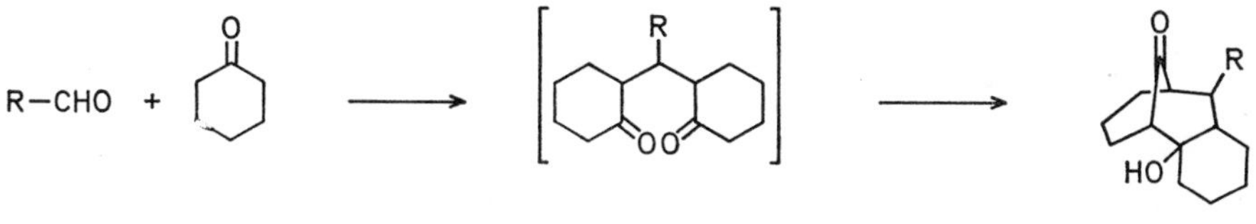

2-Hydroxy-13-oxo-8-alkyl(aryl)-
tricyclo[7.3.1.0²,⁷]tridecane

[1] M. N. TILICHENKO, Ž. prikl. Chim. **29**, 274 (1956). C. A. **50**, 13838 (1956).
s. a. H. RIPPERGER u. K. SCHREIBER, Z. Chem. **14**, 273 (1974).

[2] R. C. DECOMBE, C. r. **213**, 579 (1941); **226**, 1991 (1948).
DAS 1085520 (1958), BASF, Erf.: F. BECKE u. K. WICK; C.A. **55**, 19827 (1961).

[3] J. COLONGE, J. DREUX u. H. DELPLACE, Bl. **1956**, 1635.
s. a. A. PALSKY, J. HUET u. J. DREUX, Bl. **1967**, 4277.
s. a. J. MOUNET, J. HUET u. J. DREUX, Bl. **1970**, 1170.

[4] N. BARBULESCU, An. Univ. „C. I. Parhon" Bucuresti, Ser. Stiint Naturii **1957**, 101; C. **135**,
17-0875 (1964).
E. BARBULESCU, N. BARBULESCU u. M. N. TILITSCHENKO, Rev. chim. [Bukarest] **12**, 631 (1961);
C.A. **57**, 16424 (1962).
L. IVAN u. N. BARBULESCU, An. Univ. Bucuresti, Ser. Stiint. Naturii **1963**, 155; C.A. **65**, 21451
(1966).

[5] M. N. TILITSCHENKO u. V. G. KHARTSCHENKO, Ber. Akad. Wiss. USSR **110**, 226 (1956); C.A. **51**,
5037 (1957).

[6] N. BARBULESCU, F. POTMISCHIL u. G. BADITA, B. **104**, 787 (1971).

c) Einführung der R′-CO-R-Gruppe durch Michael-Reaktion

bearbeitet von

Prof. Dr. Hans Günter Thomas

Organisch Chemisches Institut der TH Aachen

Allgemeines

Die Michael-Addition[1] ist eine der wichtigsten Synthese-Reaktionen der organischen Chemie, da sie ähnlich wie die Alkylierung, Aldol- oder Ester-Kondensation die Verknüpfung zweier Moleküle durch eine C—C-Bindung bewirkt. Speziell für eine Keton-Synthese bedeutet dies, daß sich je nach Anzahl der vorhandenen Carbonyl-Gruppen in den Reaktanden (Donator und Acceptor) der Michael-Addition auf diese Weise höhere Mono-, Di- und Polyketone herstellen lassen. Aus einer Verbindung mit acidem Wasserstoff entsteht durch Baseneinwirkung ein Carbanion, das sich an ein α,β-ungesättigtes Keton in β-Stellung anlagert. Es vollzieht sich also eine 1,4-Addition[2]; z. B.:

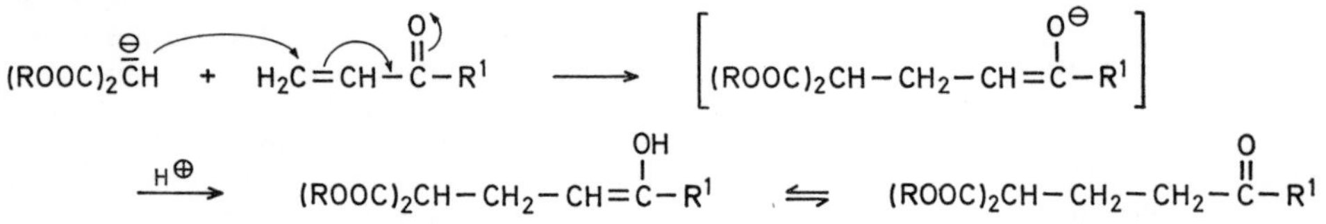

$$(ROOC)_2\overset{\ominus}{C}H \;+\; H_2C{=}CH{-}\overset{\overset{O}{\|}}{C}{-}R^1 \;\longrightarrow\; \left[(ROOC)_2CH{-}CH_2{-}CH{=}\overset{\overset{O^{\ominus}}{|}}{C}{-}R^1\right]$$

$$\xrightarrow{\;H^{\oplus}\;} (ROOC)_2CH{-}CH_2{-}CH{=}\overset{\overset{OH}{|}}{C}{-}R^1 \;\rightleftharpoons\; (ROOC)_2CH{-}CH_2{-}CH_2{-}\overset{\overset{O}{\|}}{C}{-}R^1$$

Da die Michaeladdukte weniger CH-acid als die Ausgangsverbindungen sind, genügen katalytische Mengen an Basen. Größere Mengen Base können die Michaeladdukte wieder in die Ausgangskomponenten zurückspalten. Die Carbonyl-Funktion des Michael-Donators I und des Michael-Acceptors II werden bei der Reaktion nicht verändert, es sei denn, daß sich an die eigentliche Addition Nebenreaktionen wie Ester- oder Aldol-Kondensationen anschließen:

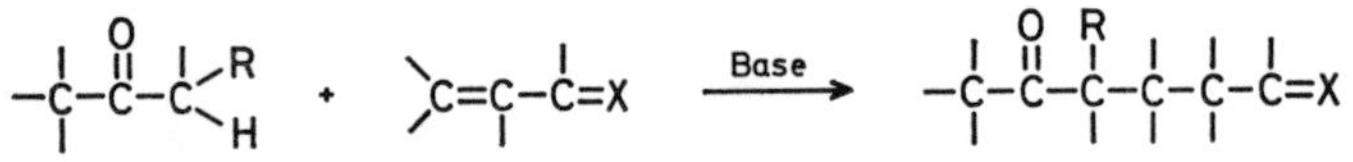

$$-\overset{|}{\underset{|}{C}}{-}\overset{\overset{O}{\|}}{C}{-}\overset{|}{\underset{H}{C}}{\diagdown}^{R} \;+\; \overset{}{\diagup}C{=}C{-}\overset{|}{\underset{|}{C}}{=}X \quad\xrightarrow{\text{Base}}\quad -\overset{|}{\underset{|}{C}}{-}\overset{\overset{O}{\|}}{C}{-}\overset{\overset{R}{|}}{\underset{|}{C}}{-}\overset{|}{\underset{|}{C}}{-}\overset{|}{\underset{|}{C}}{-}C{=}X$$

$$\quad\quad\text{I}\quad\quad\quad\quad\quad\text{II}$$

Addukt

Als carbonylhaltige Donatoren können verwendet werden[3,4]:

Aliphatische, cycloaliphatische und aromatische Ketone und alle β-Oxo-carbonsäureester und β-Diketone, die über wenigstens ein α-ständiges Wasserstoffatom verfügen, sowie Enamine.

Als carbonylhaltige Acceptorsysteme kommen in Frage:

α,β-ungesättigte Ketone und als Spezialfälle vinyloge α,β-ungesättigte Ketone.

Im Abschnitt 1 wird nun die Kombination der carbonylhaltigen Donatoren mit Nicht-Oxo-Acceptorsystemen wie

α,β-ungesättigten Carbonsäureestern, Carbonsäure-nitrilen, Aldehyden, Nitro-Verbindungen, Sulfonen und Chinoniminen besprochen.

---

[1] Eine ausführliche Besprechung der Bedingungen der Michael-Addition s.:
E. D. Bergmann, D. Ginsburg u. R. Pappo, *Org. Reactions* **10**, 179 ff. (1959).

[2] Zur Theorie der Michael-Addition s. E. S. Gould, *Mechanismus und Struktur in der organischen Chemie.* S. 464 ff., Verlag Chemie, Weinheim 1962.

[3] H. O. House, *Modern Synthetic Reactions*, 2 Aufl., S. 595 u. ff., W. A. Benjamin Inc., Menlo Park 1972.

[4] Tabellen: J. Mathieu u. J. Weill-Raynal, *Formation of C-C Bond*, Bd. II, S. 152–211, G. Thieme Verlag, Stuttgart 1975; mit Enaminen S. 270–276.

Im Abschnitt 2 wird die Herstellung höherer Ketone beschrieben, die man durch Addition von Nicht-Oxo-Donatoren wie

Nitroalkanen, Malonsäure-diestern, aciden Essigsäureestern und sonstigen CH-aciden Verbindungen

an α,β-ungesättigte Ketone erhält.

Abschnitt 3 schildert, wie bestimmte, in den Abschnitten 1 und 2 beschriebene Michael-Additionen in Gegenwart molarer Mengen des basischen Katalysators ablaufen können. Es entsteht die Verbindungsklasse der Cyclohexandione-(1,3).

Abschnitt 4 stellt dar, welche Verbindungen entstehen, wenn carbonyl-haltige Donatoren mit α,β-ungesättigten Ketonen vereinigt werden; hierunter fallen

Reine Addition
Addition mit anschließender Aldol-Kondensation (Herstellung von Cycloalkenonen)

Abschnitte 1, 2, 3 u. 4 schließen somit alle Möglichkeiten der Keton-Synthese durch Michael-Reaktion ein, wenn man fordert, daß die Carbonyl-Gruppen sowohl im Donator wie im Acceptor an der Reaktion aktiv beteiligt sein müssen.

Für das Eintreten der Michael-Addition sind folgende Faktoren unerläßlich:

Ein reaktives Wasserstoffatom im Donator
eine polarisierte Doppelbindung im Molekül des Acceptors
ein basischer Katalysator

Da Vinyl-Verbindungen sehr leicht polymerisieren, können auch Verbindungen verwendet werden, aus denen diese unter den Reaktionsbedingungen leicht in situ erzeugt werden können. Verbindungen dieser Art sind:

β-Chlor-ketone
Mannichbasen
quaternäre Salze von Mannichbasen.

Eine Stütze für die Auffassung, daß durch eine β-Eliminierung aus Mannichbasen tatsächlich die olefinischen Produkte auftreten, ist darin zu sehen, daß Mannichbasen ohne ein zum Stickstoff β-ständiges Wasserstoffatom nicht reaktionsfähig sind. Andererseits läßt sich der Prozeß auch so verstehen[1], daß der Amin-Rest am Carbeniation der Mannichbase durch das elektronenreiche Zentrum des Donators substitutiv verdrängt wird. Daher können Mannichbasen, die kein β-Wasserstoffatom haben – in Gestalt der quaternären Salze allerdings nur – nach einem S_N1- oder S_N2-Mechanismus reagieren[1].

Eine wichtige Rolle spielen bei der Michael-Addition auch Lösungsmitteleffekte[2]. Neutrale Carbonyl-Verbindungen wie Cyclohexanon z. B. gehen Michael-Additionen im allgemeinen leichter im nicht wäßrigen Lösungsmittel wie z. B. tert.-Butanol ein. Dagegen reagieren stark enolisierte Verbindungen wie Cyclohexandion-(1,3) besser im wäßrigen Medium. Katalysatormenge und relative Basenstärke[3] sind Faktoren, die wesentlichen Einfluß auf Nebenreaktionen wie Cyclisierungen und Spaltungen der primären Additions-Produkte haben. In vielen Fällen wird ein eindeutiger Verlauf der Michael-Addition nur bei Verwendung eines speziellen Katalysators erreicht.

[1] H. Hellmann u. G. Opitz, *a-Aminoalkylierung*, S. 252, Verlag Chemie, Weinheim 1960.
[2] I. N. Nazarov u. S. I. Zavyalov, Izv. Akad. SSSR **1957**, 325; engl.: 339.
[3] J. Hine u. M. Hine, Am. Soc. **74**, 5266 (1952).

Im allgemeinen wird durch die Reaktionsdauer nur die Höhe der Ausbeute bestimmt, während die Temperatur bisweilen sehr entscheidend sein kann, je nachdem ob die Reaktion kinetisch oder thermodynamisch kontrolliert ist.

Bei der Michael-Addition können aus folgenden Gründen eine Reihe von Nebenreaktionen auftreten:

① Das Addukt kann erneut als Donator fungieren

② infolge der Umkehrbarkeit der Aldolkondensation kommen bei den Acceptoren weitere Komponenten ins Spiel

③ auch die Michael-Addition ist reversibel, zudem tritt in einigen Fällen die Rückspaltung an einer anderen Stelle ein

④ es können Folgereaktionen[1] eintreten; z. B. Claisenkondensation mit anschließender Rückspaltung (Holden-Lapworth-Reaktion), Cyclisierungen, Ketonspaltungen etc.

1. Einführung der R-CO-R-Gruppe durch den Michael-Donator

α) δ-Oxo-aldehyde[2]

Ketone addieren sich in Gegenwart eines basischen Katalysators an α,β-ungesättigte Aldehyde. Hierdurch entstehen δ-Oxo-aldehyde. Die ersten Umsetzungen dieses Typs wurden am Beispiel des Desoxybenzoins (1-Oxo-1,2-diphenyl-äthan) beschrieben[3]. Man erhält durch Addition von Desoxy-benzoin an Acrolein, Buten-(2)-al, 2-Methyl-penten-(2)-al und Zimtaldehyd die δ-Oxo-aldehyde I–IV in hohen Ausbeuten. Die Reaktion wird in Methanol als Lösungsmittel und mit Natrium-methanolat als Katalysator durchgeführt.

$$H_5C_6-CH-CO-C_6H_5$$
$$CH_2-CH_2-CHO$$

I; *5-Oxo-4,5-diphenyl-pentanal*

$$H_5C_6-CH-CO-C_6H_5$$
$$H_3C-CH-CH_2-CHO$$

II; *5-Oxo-3-methyl-4,5-diphenyl-pentanal*

$$H_5C_6-CH-CO-C_6H_5$$
$$H_5C_2-CH-CH-CHO$$
$$CH_3$$

III; *5-Oxo-2-methyl-3-äthyl-4,5-diphenyl-pentanal*

$$H_5C_6-CH-CO-C_6H_5$$
$$H_5C_6-CH-CH_2-CHO$$

IV; *5-Oxo-3,4,5-triphenyl-pentanal*

5-Oxo-3,4,5-triphenyl-pentanal: Zu einer Lösung von 13,2 g (0,1 Mol) Zimtaldehyd und 19,4 g (0,1 Mol) Desoxybenzoin in 80 *ml* Methanol, die auf ∼ 5° abgekühlt ist, fügt man 1–2 *ml* einer konz. Natriummethanolat-Lösung. Die Lösung färbt sich gelb und die Temp. steigt auf 20–25°. Nach einiger Zeit scheidet sich ein Niederschlag ab, der die ganze Flüssigkeit erfüllt. Nach 2stdgm. Stehen wird der Niederschlag abgesaugt und mit Äthanol ausgewaschen; Ausbeute: 32,5 g (∼ 100% d.Th.); F: 177° (aus Eisessig, feine Nädelchen).

Versucht man andere gesättigte Ketone mit Acrolein oder Buten-(2)-al in alkoholischer Lösung in Gegenwart von Alkali umzusetzen, so stellt man fest, daß sich lediglich die Alkohole mit den α,β-ungesättigten Aldehyden gemäß folgender

---

[1] Siehe E. B. Bergmann, D. Ginsburg u. R. Rappo, Org. Reaction **10**, 187–190 (1959). Vgl. a. S. 1606.

[2] Vgl. ds. Handb., Bd. VII/1, S. 96.

[3] H. Meerwein, J. pr. [2] **97**, 225 (1918).

Gleichung zu β-Alkoxy-aldehyden[1] umsetzen, für den Fall des Buten-(2)-al in Methanol z.B. also:

$$H_3C-CH=CH-CHO \quad + \quad CH_3OH \quad \xrightarrow{KOH} \quad H_3C-\underset{\underset{OCH_3}{|}}{CH}-CH_2-CHO$$

Die Kondensation von α-substituierten α,β-ungesättigten Aldehyden in Gegenwart von Alkanolaten mit gesättigten Ketonen, die jeweils in α- und α'-Stellung ein enolisierbares Proton besitzen, führt zu Dienonen. Michael-Additionsprodukte werden nicht gebildet[2].

Um diese Schwierigkeiten zu umgehen, verwendet man als Lösungsmittel das gesättigte Keton. Auf diese Weise lassen sich auch aliphatische Ketone, wenn auch nur in mäßiger Ausbeute, an Acrolein und Buten-(2)-al addieren[3] (vgl. Tab. 182).

Tab. 182. δ-Oxo-aldehyde durch Umsetzung aliphatischer und cycloaliphatischer Ketone mit α,β-ungesättigten Aldehyden

Keton	Reaktionsprodukt	Ausbeute [%d.Th.]	Kp [°C]	[Torr]	Literatur
a) mit Acrolein					
Aceton	*5-Oxo-hexanal*	20	79	11	3
Butanon-(2)	*5-Oxo-4-methyl-hexanal*	40	94	18	3
Pentanon-(2)	*5-Oxo-4-äthyl-hexanal*	12	90–95	18	3
3-Oxo-2-methyl-butan	*5-Oxo-4,4-dimethyl-hexanal*	10	89–94	24	3
Cyclopentanon	*3-(2-Oxo-cyclopentyl)-propanal*	10	129	20	3,4
Cyclohexanon	*3-(2-Oxo-cyclohexyl)-propanal*	20	141,5	22	3,4
b) mit Buten-(2)-al					
Butanon-(2)	*5-Oxo-3,4-dimethyl-hexanal*	60	94–98	15	3,4
Pentanon-(2)	*5-Oxo-3-methyl-4-äthyl-hexanal*	44	104–106	14	3,4
3-Oxo-2-methyl-butan	*5-Oxo-3,4,4-trimethyl-hexanal*	18	101	15	3
Cyclopentanon	*3-(2-Oxo-cyclopentyl)-butanal*	14	130–135	17	3
Cyclohexanon	*3-(2-Oxo-cyclohexyl)-butanal*	21	135–137	15	3,4

δ-Oxo-aldehyde; allgemeine Herstellungsvorschrift[3]: 2–4 Mol Keton werden in einem Dreihalskolben (Rührer, Thermometer) auf –10° abgekühlt und sodann mit 3–30 *ml* einer 3,5 n Natriummethanolat-Lösung versetzt. Die Zugabe von 0,5 Mol eines ungesättigten Aldehyds (0,5 Mol) erfolgt tropfenweise, so daß die Temp. nicht unter 0° absinkt (∼ 1 Stde.). Nachdem der Geruch des Aldehyds verschwunden ist, neutralisiert man mit Salzsäure, läßt die Temp. auf 20° ansteigen und filtriert. Unter leichtem Vakuum entfernt man das überschüssige Keton und rektifiziert den Rückstand. Um einen reinen δ-Oxo-aldehyd zu erhalten, muß zumeist mehrmals destilliert werden.

Die δ-Oxo-aldehyde sind Substanzen, die sehr leicht durch Aldol-Kondensation in Cyclohexen-(1)-one-(3) übergehen. Gibt man z.B. Acrolein zu der 8fachen molaren Menge Butanon-(2) und erwärmt nach Zusatz geringer Mengen methano-

[1] S. G. POWELL u. W. J. WASSERMAN, Am. Soc. **79**, 1934 (1957).
[2] Y. LERAUX, A. ch. [14] **5**, 209 (1970).
[3] J. COLONGE, J. DREUX u. M. THIERS, Bl. **1959**, 370.
[4] J. COLONGE, J. DREUX u. M. THIERS, C. r. **244**, 89 (1957).

lischer Kalilauge auf 50–60°, so erhält man über das intermediäre *5-Oxo-4-methyl-hexanal* (I) *3-Oxo-4-methyl-cyclohexen* (40% d. Th.; II)[1]:

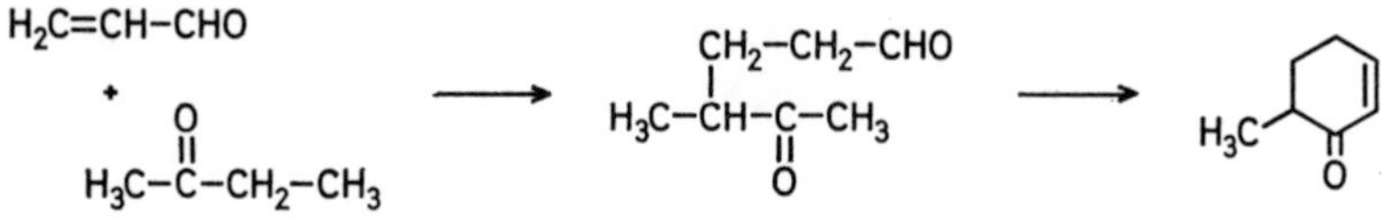

Weitere Beispiele s. Tab. 183.

Tab. 183. 3-Oxo-cyclohexene aus einem Alkanon und einem α,β-ungesättigten Aldehyd und 2n Kalium-methanolat-Lösung als Katalysator

Keton	Aldehyd	Reaktionsprodukt	Ausbeute [% d. Th.]	Kp		Litera-tur
R^1–CH$_2$–CO–CH$_3$	R^2–CH=CH–CHO	R^2⬡R^1 O		[°C]	[Torr]	
Pentanon-(2)	Acrolein	*3-Oxo-4-äthyl-cyclo-hexen*	20	80—85	15	1,2
3-Oxo-2-methyl-butan	Acrolein	*3-Oxo-4,4-dimethyl-cyclohexen*	12	85—90	20	2
Butanon-(2)	Buten-(2)-al	*3-Oxo-4,5-dimethyl-cyclohexen*	35	85—90	20	2
Octanon-(2)	Buten-(2)-al	*3-Oxo-5-methyl-4-pentyl-cyclo-hexen*	24	145	17	2
Pentanon-(2)	Buten-(2)-al	*3-Oxo-5-methyl-4-äthyl-cyclo-hexen*	30	95—98	15	1,2

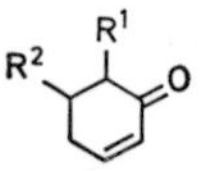

Cyclisierung läßt sich bisweilen vermeiden, wenn man im Falle cyclischer Ketone statt der freien Ketone deren Enamine einsetzt[3] (s. S. 1673).

β-Oxo-carbonsäureester, offenkettige sowie cyclische[4], addieren sich an Acrolein unter Bildung von 2-Alkoxycarbonyl-1,5-dicarbonyl-Verbindungen, die als mögliche Ausgangssubstanzen für δ-Oxo-aldehyde von großem präparativem Interesse sind. So reagiert Acetessigsäure-äthylester z.B. zu *2-Acetyl-glutar-5-aldehyd-1-säure-äthylester*[5].

Die leicht erfolgende Polymerisation des Acroleins verhindert man durch Stabilisation mit einem Gewichtsprozent Hydrochinon bzw. durch Einhaltung niedriger Reaktionstemperaturen, z.B. bei der Addition von 2-Oxo-cyclohexan-1-carbonsäure-äthylester an Acrolein [*2-Oxo-1-(3-oxo-propyl)-cyclohexan-1-carbonsäure-äthylester*][6] bei einer Temperatur von −70°. Unter den gleichen Bedingungen wird 2-Oxo-3-methyl-cyclohexan-1-carbonsäure-äthylester an Acrolein zu *2-Oxo-3-methyl-1-(3-*

[1] J. Colonge, J. Dreux u. M. Thiers, C. r. 243, 1425 (1956).
[2] J. Colonge, J. Dreux u. M. Thiers, Bl. 1959, 450.
[3] R. N. Schut, F. E. Ward u. R. Rodriguez, J. Med. Chem. 15, 301 (1972).
[4] E. W. Warnhoff, C. M. Wong u. W. T. Tai, J. Org. Chem. 32, 2664 (1967).
    G. L. Buchanan u. G. W. McLay, Tetrahedron 22, 1521 (1966).
[5] US.P. 2610204 (1952), General Mills. Inc., Erf.: O. A. Moe u. D. T. Warner; C.A. 47, 5961 (1953).
[6] A. C. Cope u. M. E. Synerholm, Am. Soc. 72, 5228 (1950).

oxo-propyl)-cyclohexan-1-carbonsäure-äthylester addiert[1]. Aber auch hier sind genügend Fälle bekannt, bei denen die schlechte Ausbeute an Additionsprodukt weniger auf die Neigung des α,β-ungesättigten Aldehyds zur Polymerisation als vielmehr auf die Tatsache zurückzuführen ist, daß der primäre δ-Oxo-γ-alkoxycarbonyl-aldehyd spontan cyclisiert. Acetessigsäure-äthylester und Buten-(2)-al reagieren z.B. in Gegenwart einer äthanolischen Lösung von Natriumäthanolat zu einem Gemisch aus 15–20% *3-Oxo-5-methyl-cyclohexen-(1)-4-carbonsäure-äthylester* und 35% *3-Oxo-5-methyl-cyclohexen-(1)*[2–4].

Desgleichen entsteht aus Zimtaldehyd und Acetessigsäure-äthylester nur das cyclische Folgeprodukt, *3-Oxo-5-phenyl-cyclohexen-(1)-4-carbonsäure-äthylester*[2].

Substituierte Acetessigsäure-äthylester[5] lassen sich ebenfalls mit Buten-(2)-al zu Cyclohexen-(1)-on-(3)-Derivaten umsetzen, wobei hier schon darauf hingewiesen sei, daß mit α,β-ungesättigten K e t o n e n doppelbindungsisomere Cyclohexenone erhalten werden können (vgl. S. 1639):

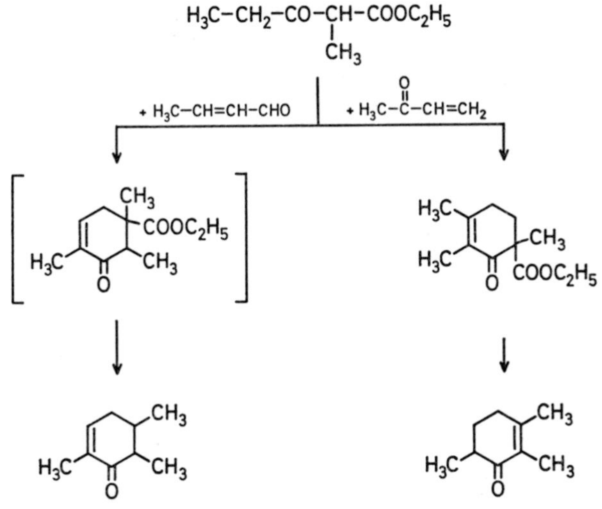

3-Oxo-1,2,4-trimethyl-cyclohexen-(1)-4-carbonsäure-äthylester

3-Oxo-2,4,5-trimethyl-cyclohexen   *3-Oxo-1,2,4-trimethyl-cyclohexen*

Ein Isomerengemisch erhält man auch bei der Umsetzung von Acetessigsäure-äthylester mit 2-Methylen-butanal. Nach Aufarbeitung des Kondensationsproduktes in siedender Salzsäure liegen konjugiertes und nichtkonjugiertes Cyclohexenon im Verhältnis 70 : 30 vor[6]:

6-Oxo-2-äthyl-cyclohexen   *4-Oxo-1-äthyl-cyclohexen*

[1] R. D. H. MURRAY et al., Tetrahedron **18**, 55 (1962).
[2] S. M. MUKHERJEE u. B. K. BHATTACHARYYA, J. ind. chem. Soc. **23**, 451 (1946); C. A. **42**, 128 (1948).
[3] R. JACQUIER et al., Bl. **1953**, 25; **1954**, 1246.
[4] F. BOHLMANN u. K. PREZEWOWSKY, B. **97**, 1176 (1964).
[5] T. ICHIKAWA, H. OWATARI u. T. KATO, Bl. chem. Soc. Japan **41**, 1228 (1968).
[6] K. G. LEWIS u. G. J. WILLIAMS, Austral. J. Chem. **23**, 807 (1970).

Cyclische β-Oxo-carbonsäureester liefern mit Acrolein und 2-alkylierten Acroleinen Addukte, die erst in einer nachgeschalteten säurekatalysierten Aldol-Kondensation cyclisieren. Das aus dem 6-Methoxy-2-oxo-tetralin (I; R=H) mit Dimethylcarbonat/ Natriumhydrid erhältliche 6-Methoxy-2-oxo-1-methoxycarbonyl-tetralin (I; R= COOCH$_3$) reagiert mit 2-Methyl-acrolein zum δ-Oxo-aldehyd II (Isomerengemisch)[1]:

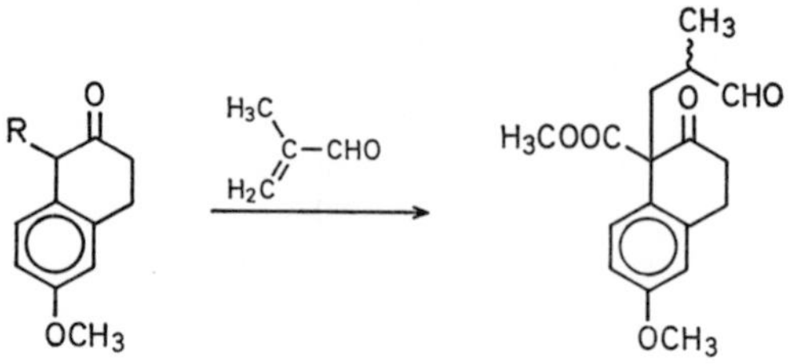

I

II
6-Methoxy-2-oxo-1-(2-formyl-propyl)-
1-methoxycarbonyl-tetralin

Bei Verwendung von optisch aktivem 2-Hydroxymethyl-chinuclidin als Katalysator erfolgt die Addition der Acroleine IV an das Indanon III in Benzol als Lösungsmittel und bei Raumtemperatur stereospezifisch zu den optisch aktiven Addukten V[2]:

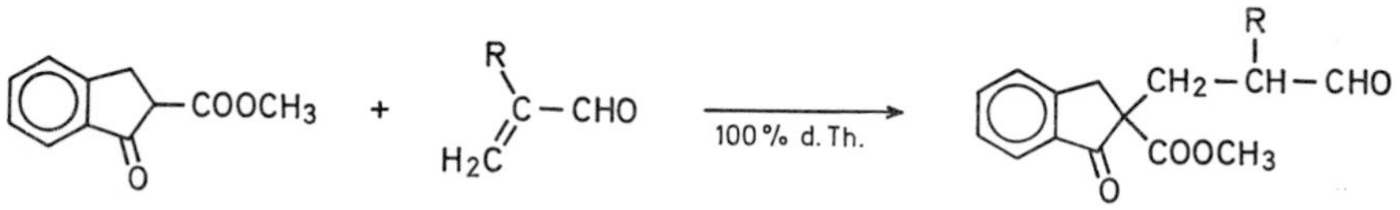

III   IV   V
R = H; *1-Oxo-2-(2-formyl-äthyl)-2-methoxycarbonyl-indan*
R = CH(CH$_3$)$_2$; *1-Oxo-2-(3-methyl-2-formyl-butyl)-2-methoxycarbonyl-indan*

Mit Vorteil lassen sich statt einfacher Ketone auch β-Diketone zur Addition an α,β-ungesättigte Aldehyde verwenden[3]. Aus Pentandion-(2,4) und Acrolein erhält man mit Pyridin als Katalysator *5-Oxo-4-acetyl-hexanal* (27% d. Th.), neben weiteren Produkten, die durch Cyclisierung des primären Additionsproduktes entstehen[3].

β) Herstellung von α,β-ungesättigten δ-Oxo-carbonsäureestern

Die Michael-Addition von Acetessigsäure-äthylester oder Pentandion-(2,4) an Phenylpropiolsäure-äthylester in Gegenwart von Natriumäthanolat führt zu 4-Phenyl-2H-pyronen I, da sich das intermediäre Additionsprodukt II sofort cyclisiert[4]:

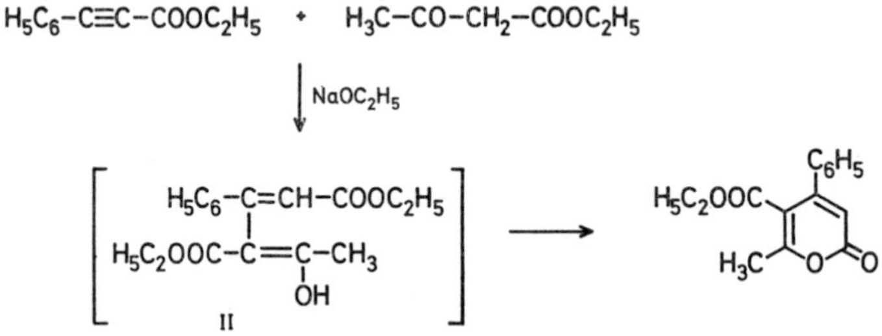

$$H_5C_6-C\equiv C-COOC_2H_5 \quad + \quad H_3C-CO-CH_2-COOC_2H_5$$

6-Methyl-4-phenyl-5-äthoxycarbonyl-2H-pyron; I

[1] E. W. Colvin et al., Soc. (Perkin I) **1972**, 860.
[2] B. Langström u. G. Bergson, Acta chem. scand. **27**, 3118 (1973).
[3] US.P. 2516729 (1950), Shell Development Co., Erf.: C. W. Smith; C.A. **45**, 6217 (1951).
[4] S. Ruhemann, Soc. **75**, 251, 411 (1899).

Im Falle des 2,3-Dimethoxy-phenyl-propiolsäure-äthylesters konnte jedoch in mäßiger Ausbeute das Additionsprodukt mit Pentandion-(2,4), allerdings nur in Form des zur Carbonsäure III verseiften δ-Oxo-carbonsäureesters, erhalten werden[1]:

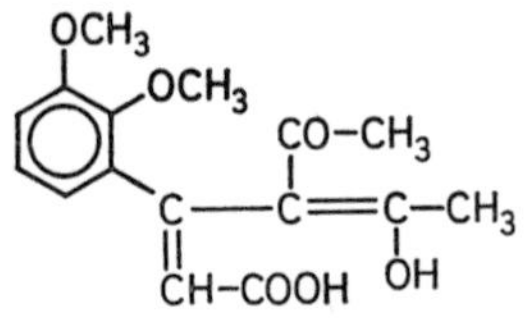

III; *5-Oxo-3-(2,3-dimethoxy-phenyl)-4-acetyl-hexen-(2)-säure*

Das Abfangen der primären Additionsprodukte ist nicht nur eine Frage der geeigneten Reaktionsbedingungen, sondern auch der Konfiguration der entstehenden α,β-ungesättigten Carbonsäureester[2].

Nur die *cis*-Isomeren dieser Carbonsäureester können cyclisieren. So gelang es bei der Umsetzung von Desoxybenzoin (1-Oxo-1,2-diphenyl-äthan) mit Phenyl-propiolsäure-äthylester mit Natriumäthanolat als Katalysator neben 4,5,6-Triphenyl-2H-pyron (IV) *5-Oxo-3,4,5-triphenyl-penten-(2)-säure-äthylester* (V) zu isolieren:

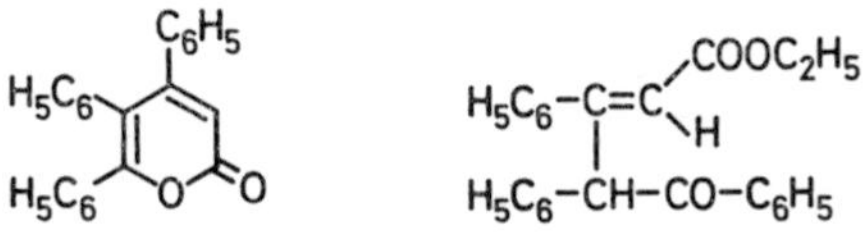

Aber nicht nur das Additionsprodukt selbst, sondern auch die Ausgangsprodukte können statt der Michael-Addition teilweise eine andere Kondensation eingehen, wie bei der Umsetzung von Acetessigsäure-äthylester mit Propiolsäure-äthylester und Natriumäthanolat als Katalysator gefunden wurde[3]. Neben *4-Acetyl-penten-(2)- disäure-diäthylester*(VI) entsteht *2-Methyl-benzol-1,3,5-tricarbonsäure-triäthylester* (VII):

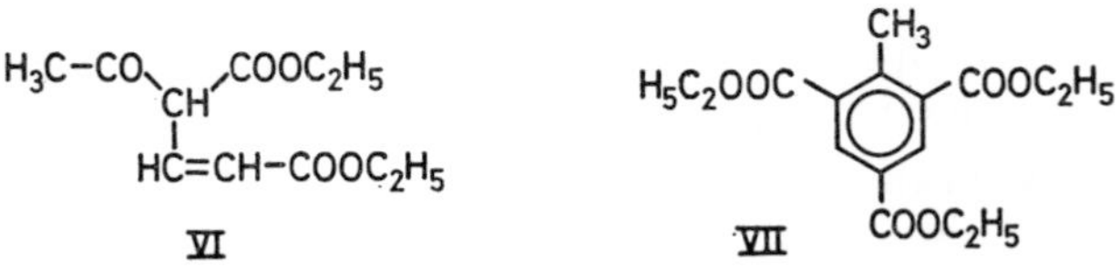

Auch acylierte Malonsäure-diester können als CH-acide Verbindungen zur 1,4-Addition an aktivierte C≡C-Dreifachbindungen geeignet sein, wie nachfolgendes

[1] G. N. WALKER, Am. Soc. **76**, 309 (1954).
[2] G. SOLIMAN u. I. E. EL-KHOLY, Soc. **1955**, 2911.
[3] J. L. SIMONSEN, Soc. **97**, 1910 (1910).

Beispiel[1] zeigt:

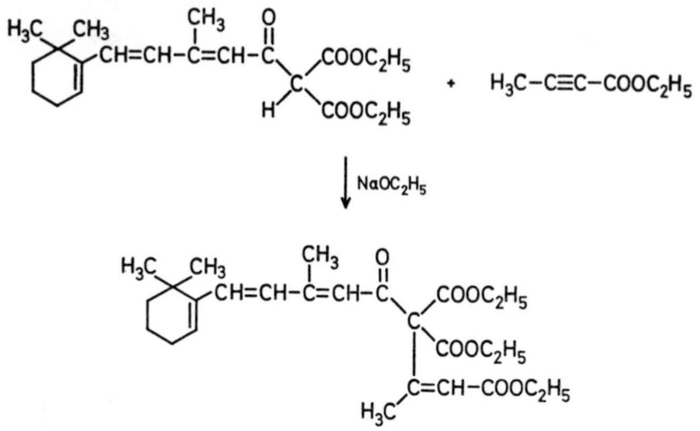

5-Oxo-3,7-dimethyl-9-[6,6-dimethyl-cyclohexen-(1)-yl]-4,4-diäth-
oxycarbonyl-nonatrien-(2,6,8)-säure-äthylester

Eine Variante der Addition acider Carbonyl-Verbindungen an Propiolsäureester besteht darin, letztere in situ zu erzeugen. Dies kann z.B. aus 3-Chlor-acrylsäure-estern geschehen[2]:

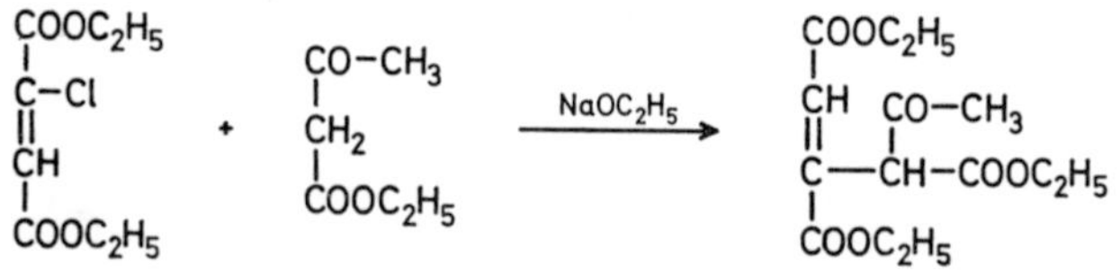

4-Acetyl-3-äthoxycarbonyl-penten-(2)-disäure-diäthylester

Im Gegensatz zu rein alicyclischen Ketonen reagieren halbaromatische Ketone vom Typ des α-Tetralons mit Propiolsäureester nicht unter Addition der entsprechenden Natrium-acetylen-Verbindung an die Carbonyl-Doppelbindung, sondern unter Michael-Addition[3]. Es entstehen β-substituierte Acrylsäureester bzw. vinyloge β-Oxo-carbonsäureester. In sehr guten Ausbeuten konnten auf diese Weise

> *1-Oxo-2-(2-äthoxycarbonyl-vinyl)-tetralin*
> *6-Methoxy-1-oxo-2-(2-äthoxycarbonyl-vinyl)-tetralin*
> *1-Oxo-2-(2-äthoxycarbonyl-vinyl)-1,2,3,4-tetrahydro-phenanthren*

hergestellt werden[3]. In allen drei Fällen kam Natriumamid in flüssigem Ammoniak als Katalysator zur Anwendung.

1-Oxo-2-(äthoxycarbonyl-vinyl)-tetralin: Eine Lösung von 3 g 1-Tetralon und 1,9 g Propiol-säure-äthylester in 8 *ml* absol. Äther wird zu einer Suspension von Natriumamid (aus 0,52 g Natrium) in 40 *ml* flüssigem Ammoniak getropft; ein kräftiger Ammoniak-Strom wird während der Zugabe durch die Suspension geleitet. Nachdem mit Hilfe eines Wasserbades der flüssige

---

[1] US.P. 2369158 (1945); 2432921 (1944), Research Corp., Erf.: N. A. Milas; C. A. **39**, 5044 (1945); **42**, 2278 (1948).

[2] S. Ruhemann, Soc. **71**, 325 (1897).
    S. Ruhemann et al., Soc. **69**, 530 (1896); **77**, 804 (1900).
    R. B. Woodward u. W. A. Reed, Am. Soc. **65**, 1569 (1943).

[3] W. E. Bachmann, G. I. Fujimoto u. E. K. Raunio, Am. Soc. **72**, 2533 (1950).

Ammoniak abgedampft worden ist, wird die Reaktionsmischung mit Eis und verd. Schwefelsäure behandelt, das Reaktionsprodukt in Äther aufgenommen, die Äther-Lösung getrocknet und der Äther abgedampft; Ausbeute: 4,15 g (flüssiger Rückstand).

γ) δ-Oxo-carbonsäureester

Die basisch katalysierte Addition von CH-aciden Carbonyl-Verbindungen an α,β-ungesättigte Carbonsäureester führt zu gesättigten δ-Oxo-carbonsäureestern. Z.B. reagiert Benzyliden-malonsäure-dimethylester (I) mit Desoxybenzoin (1-Oxo-1,2-diphenyl-äthan) (II) in Gegenwart von Natriummethanolat in Methanol zu *(3-Oxo-1,2,3-triphenyl-propyl)-malonsäure-dimethylester*[1] (44% d.Th.; III):

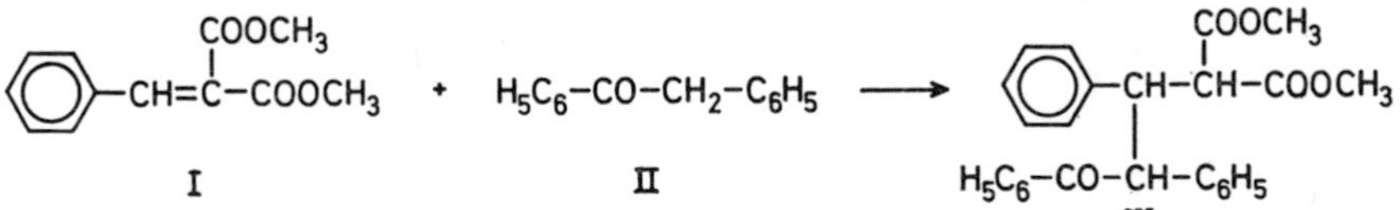

I II III

In gleicher Weise reagiert Benzyliden-malonsäure-dimethylester mit Anthron zu *10-Oxo-9-(1-phenyl-2,2-diäthoxycarbonyl-äthyl)-9,10-dihydro-anthracen* (71% d.Th.)[1].

Weitere Beispiele für die Umsetzung von α,β-ungesättigten Carbonsäureestern (z. B. Arylmethylen-malonsäure-diester und -acetessigsäureester) mit Desoxybenzoin werden beschrieben[2]. Die Ausbeuten an Additions-Produkt liegen zwischen 25 und 50% d.Th. In gewissen Fällen kann neben der Michael-Addition eine normale Ester-Kondensation ablaufen; z. B.:

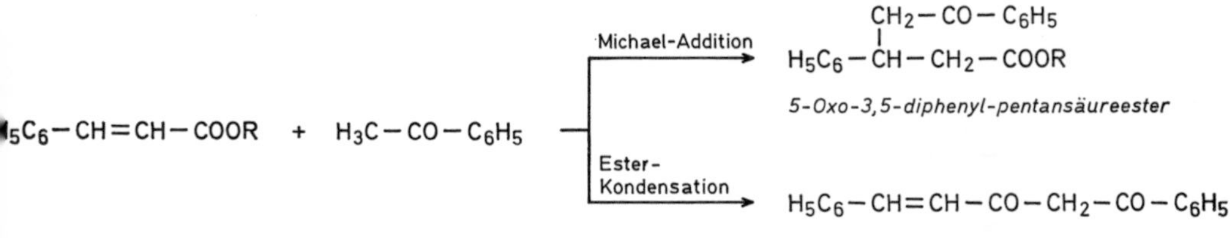

5-Oxo-3,5-diphenyl-pentansäureester

3,5-Dioxo-1,5-diphenyl-penten-(1)

Es besteht eine gewisse Abhängigkeit von dem verwendeten basischen Katalysator und dem Rest X des α,β-ungesättigten Carbonsäureesters[3]. Für den Fall der Zimtsäureester wurde gefunden, daß in der Reihenfolge

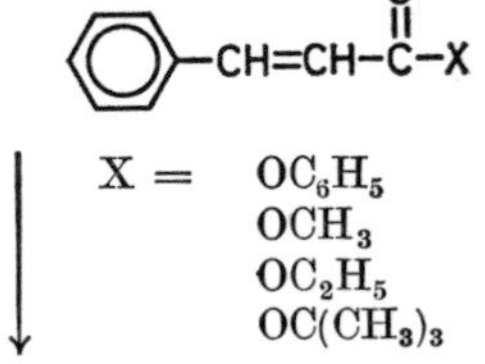

die Ester-Kondensation zugunsten der Michael-Addition abnimmt. Außerdem ist letztere bevorzugt, wenn die Ketone direkt als Natrium-Ketone eingesetzt werden. Die Ester-Kondensationen sollen jedoch begünstigt werden, wenn z. B. Natriumamid als Katalysator verwendet wird. Das wird an folgenden Beispielen Tab. 183 (S. 1540) demonstriert.

[1] H. Meerwein, J. pr. [2] **97**, 225 (1918).
[2] M. V. Ionescu u. O. G. Popescu, Bl. [4] **51**, 1215 (1932).
[3] C. R. Hauser, R. S. Yost u. B. I. Ringler, J. Org. Chem. **14**, 261 (1949).

Tab. 184. Abhängigkeit der Reaktionsprodukte vom Katalysator

Zimtsäureester	Natrium-Keton	Katalysator	Art der Addition[a]	Keton	Ausbeute [% d.Th.]
H_5C_6—CH=CH—COOCH$_3$	Na(CH$_2$—CO—C$_6$H$_5$)	—	M	5-Oxo-3,5-diphenyl-pentansäure-methylester	49
H_5C_6—CH=CH—COOC$_2$H$_5$	Na(CH$_2$—CO—C$_6$H$_5$)	—	M	5-Oxo-3,5-diphenyl-pentansäure-äthyl-ester	66
	(CH$_3$)$_3$C—CO—CH$_2$Na	—	M	5-Oxo-6,6-dimethyl-3-phenyl-hexan-säure-äthylester	64
	Na(CH$_2$—CO—C$_6$H$_5$)	1 Mol NaNH$_2$	M	5-Oxo-3,5-diphenyl-pentansäure-äthyl-ester	37
		10 Mol NaNH$_2$	M		19
H_5C_6—CH=CH—COO—C$_6$H$_5$	Na(CH$_2$—CO—C$_6$H$_5$)	1 Mol NaNH$_2$	E	3,5-Dioxo-1,5-diphenyl-penten-(I)	30
	Na(CH$_2$—CO—CH$_3$)	1 Mol NaNH$_2$	E	3,5-Dioxo-1-phenyl-hexen-(I)	30

[a] M = Michael-Addition
   E = Ester-Kondensation

Zu schwache CH-Acidität der einfachen Ketone ist mit ein Grund, warum relativ wenige Beispiele für die Michael-Addition solcher Ketone an α,β-ungesättigte Carbonsäureester bekannt geworden sind.

Die nucleophile Addition verschiedener einfacher Ketone [z.B. Butanon, Pentanon-(3), Acetophenon, Cyclopentanon u.a.] an Acrylsäure-methylester wurde eingehend untersucht[1]. Es werden Ausbeuten an Additionsprodukten zwischen 7% d.Th. [Pentanon-(3) zu *5-Oxo-4-methyl-heptansäure-methylester*] und 34% d.Th. [Cyclopentanon zu *3-(2-Oxo-cyclopentyl)-propansäure-methylester*] gefunden. Bessere Ausbeuten sollen unter Verwendung von prim. Basen bzw. Schiff'schen Basen unter Zusatz geringer Mengen Benzoesäure[2] als Katalysator erzielt werden. Auch Kaliumfluorid soll zur Ausbeuteverbesserung beitragen[3].

Die Ausbeuten an 1:1-Addukten sind meist schlecht, weil sich neben diesen solche mit 2–4 Molekülen Acrylsäureester bilden und das entstandene Michael-Addukt wiederum mit den ungesättigten Carbonsäureestern reagieren kann. U.a. tritt bei günstigen sterischen Verhältnissen eine cyclisierende Ester-Kondensation ein.

So bildet sich aus 2-Oxo-1-(2-diäthylamino-äthyl)-tetralin (I) und Buten-(2)-säuremethylester das *8,11-Dioxo-10-methyl-1-(2-diäthylamino-äthyl)-⟨benzo-bicyclo[3.3.1] nonen-(2)⟩* (II) neben nur 23% d.Th. an eigentlichem Additionsprodukt III {*2-Oxo-1-(2-diäthylamino-äthyl)-1-[1-äthoxycarbonyl-propyl-(2)]-tetralin*}[4]:

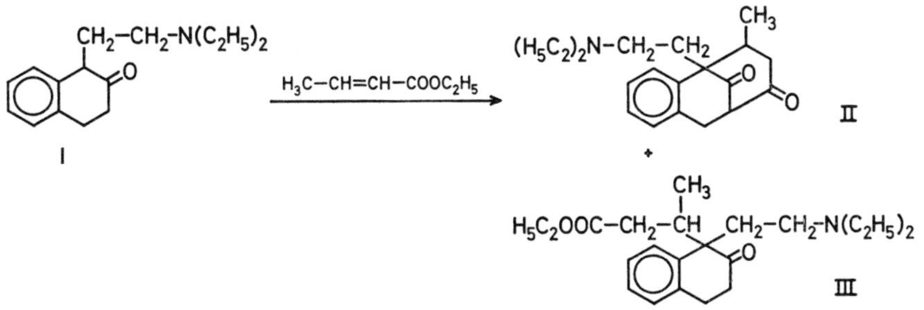

Ebenfalls nur geringe Ausbeuten wurden bei der Umsetzung eines 2-Oxo-1-cyclohexenyl-cyclohexans mit α-Methyl-acrylsäureester oder Acrylsäureester selbst in Gegenwart von Benzyl-trimethyl-ammonium-hydroxid als Katalysator festgestellt[5].

Um gute Ausbeuten an 1:1-Addukten zu erzielen, geht man zweckmäßigerweise von den Enaminen aus (s. S. 1568).

β-Diketone zeigen aufgrund ihrer höheren Acidität eine größere Reaktionsbereitschaft bei der Addition an α,β-ungesättigte Carbonsäureester. So reagiert z.B. Cyclohexandion-(1,3) mit Acrylsäure-äthylester unter Alkanolat-Katalyse zu *3-(2,6-Dioxo-cyclohexyl)-propansäure-äthylester*[6] (IV):

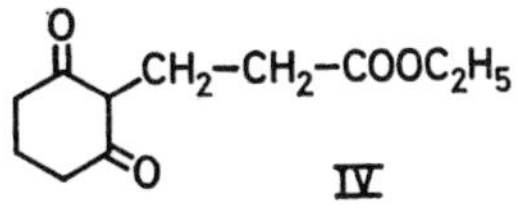

[1] R. BERTOCCHIO u. J. DREUX, Bl. **1962**, 823.
[2] DOS. 2355859 (1973); Niederl. Prior. 1972), Stamicarbon B.V., Erf.: S. SCHAAFSMA, J. HOFMANN u. J. CLAASSENS; Ang. Ch. **86**, 785 (1975).
[3] H. YASUDA, H. MIDORIKAWA u. S. AOYAMA, Scient. Pap. Inst. phys. Chem. Res. C.A. **54**, 3192 (1960).
[4] J. A. BARLTROP, Soc. **1947**, 399.
[5] H. J. SCHNEIDER, T. W. RIENER u. H. A. BRUSON, Am. Soc. **72**, 1486 (1950).
[6] H. STETTER u. M. COENEN, B. **87**, 869 (1954).

3-(2,6-Dioxo-cyclohexyl)-propansäure-äthylester (IV)[1]: Zu einer Lösung von 0,5 g Natrium in 30 ml abs. Äthanol gibt man 11 g (0,1 Mol) Cyclohexandion-(1,3) und 10 g (0,1 Mol) Acrylsäure-äthylester (frisch dest.) und erhitzt das Gemisch 9 Stdn. unter Rückfluß auf dem Wasserbad, wobei die Lösung kirschrot wird. Darauf wird das Lösungsmittel i. Vak. abdestilliert. Der rote sirupöse Rückstand wird in wenig kalter, 3%-iger Natronlauge gelöst und mit Äther ausgeschüttelt. Aus der alkalischen Lösung entfernt man die Äther-Reste, indem man Luft durchsaugt. Unter Eiskühlung und Rühren säuert man darauf die wäßr. Lösung mit verd. Salzsäure bis p_H 4 an. Der Niederschlag wird nach 2stdgm. Stehen im Eisschrank abgetrennt, getrocknet und aus Xylol umkristallisiert; Ausbeute: 9 g (42% d.Th.); F: 128°.

Bei der Umsetzung des 3,5-Dioxo-1,1-dimethyl-cyclohexans (Dimedon) mit 2 Molen Acrylsäure-methylester entsteht das Bisaddukt (*2,6-Dioxo-4,4-dimethyl-1,1-bis-[2-methoxycarbonyl-äthyl]-cyclohexan*) in 81%iger Ausbeute[2]; mit Fumarsäure erhält man (*2,6-Dioxo-4,4-dimethyl-cyclohexyl)-bernsteinsäure* (55% d.Th.)[2]:

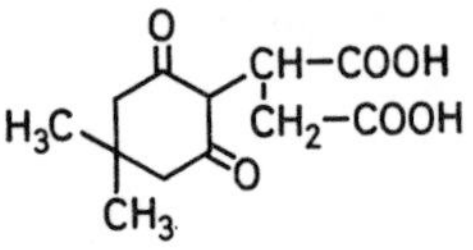

In 2-Stellung monoalkylierte Cyclohexandione-(1,3) lassen sich zwar mit α,β-ungesättigten Carbonsäureestern leicht umsetzen, doch unterliegt das primär entstehende Addukt im basischen Milieu leicht der Säure-Spaltung. Es entstehen offenkettige δ-Oxo-carbonsäureester. Aus Acrylsäure-äthylester (I) und 1,3-Dioxo-2-äthyl-cyclohexan (II) erhält man z. B. *5-Oxo-4-äthyl-nonandisäure-diäthylester* (III; 61% d.Th.)[3]:

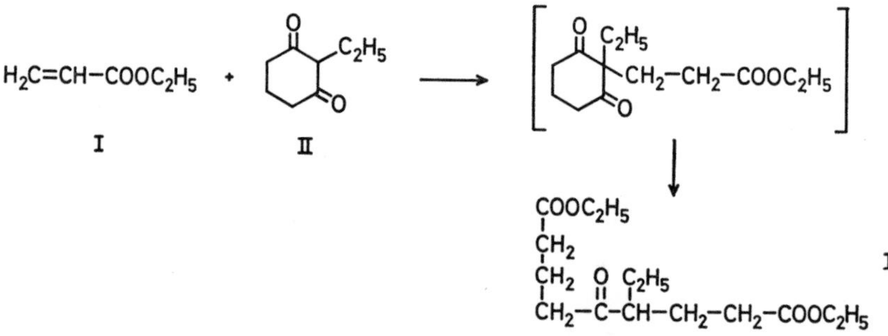

Entsprechend erhält man aus 1,3-Dioxo-2-benzyl-(bzw. -2-allyl)-cyclohexan *5-Oxo-4-benzyl-(bzw. -4-allyl)-nonandisäure-diäthylester*[3,4].

5-Oxo-4-allyl-nonandisäure-diäthylester[4]: Zu einer Lösung von 0,5 g Natrium in 30 ml abs. Äthanol gibt man 15,2 g (0,1 Mol) 2,6-Dioxo-1-allyl-cyclohexan und 11 g (0,11 Mol) Acrylsäure-äthylester (frisch dest.). Die Lösung wird 8Stdn. unter Feuchtigkeitsausschluß auf dem Wasserbad unter Rückfluß erhitzt. Nach dem Abdestillieren des Lösungsmittels i. Vak. auf dem Wasserbad wird der sirupöse Rückstand in 100 ml Äther gelöst, die äther. Lösung mit verd. Natrium-carbonat-Lösung und darauf 2mal mit Wasser gewaschen. Nach dem Trocknen mit Natrium-sulfat destilliert man den Äther ab und fraktioniert den Rückstand; Ausbeute: 19,7 g (66% d.Th.); (66% d.Th.); Kp_{10}: 196°.

In gleicher Weise entsteht aus 2,6-Dioxo-1-benzyl-cyclohexan der *5-Oxo-4-benzyl-nonandisäure-diäthylester*[3] (Kp_5: 210°) mit 61%iger Ausbeute.

---

[1] H. Stetter u. M. Coenen, B. **87**, 869 (1954).
[2] I. N. Nazarov u. S. I. Zavylov, Ž. obšč. Chim. **25**, 208 (1955); engl.: 477; C.A. **50**, 3359 (1956).
[3] H. Stetter et al., , C. Büntgen u. M. Coenen, B. **88**, 77 (1955).
[4] H. Stetter u. M. Coenen, B. **87**, 990 (1954).

Spaltprodukte treten in größerem Maße auch bei der Umsetzung von Pentandion-(2,4) (Acetylaceton) mit Acrylsäureestern auf[1]. Das Verhältnis der Mengen an Spaltprodukten zueinander wird durch die Menge an verwendetem Natriumalkanolat bestimmt.

Konsequenterweise müßten andere β-Dicarbonyl-Verbindungen ebenfalls sehr geeignet als Addenden sein. In der Tat findet man z. B. bei den cyclischen wie bei den offenkettigen β-Oxo-carbonsäureestern leicht und mit guten Ausbeuten verlaufende Michael-Additionen. Die große Empfindlichkeit der entstehenden Additionsprodukte gegenüber Alkali erfordert allerdings in vielen Fällen zur Erzielung einer guten Ausbeute eine empirische Arbeitsweise bei der Wahl der geeigneten Reaktionsbedingungen und des Katalysators.

So wurde im Falle der Umsetzung von Buten-(2)-säure-äthylester mit 2-Oxo-cyclopentan-1-carbonsäure-äthylester in Gegenwart von Kaliumäthanolat als Katalysator neben dem erwarteten *3-(2-Oxo-1-äthoxycarbonyl-cyclopentyl)-butansäure-äthylester* (I) der *3-Methyl-4-äthoxycarbonyl-octandisäure-diäthylester* (II) als Spaltprodukt von I isoliert[2]:

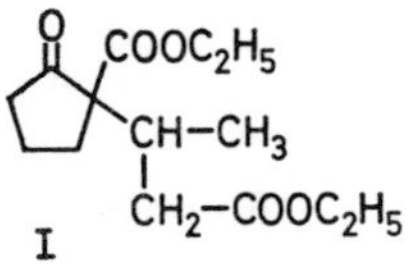

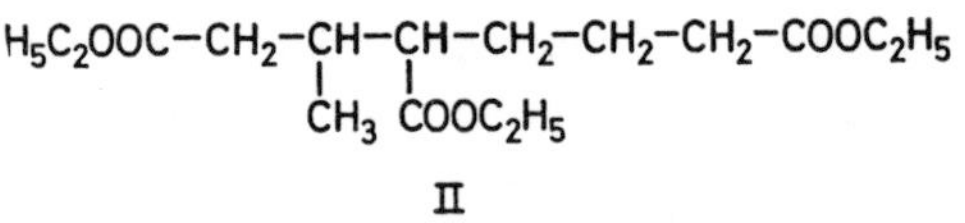

Mit Acrylsäure-methylester in Gegenwart von Natriummethanolat wird aus 2-Oxo-4-methyl-cyclopentan-1-carbonsäure-methylester ebenfalls das Ring-geöffnete Additionsprodukt erhalten[3].

Mit α-Methyl-acrylsäure-methylester (III) dagegen reagiert 2-Oxo-cyclopentan-1-carbonsäure-äthylester unter Natriumäthanolat-Katalyse zu *2-Oxo-1-äthoxycarbonyl-1-(2-methoxycarbonyl-propyl)-cyclopentan* (70% d. Th.; IV)[4], ohne daß Spaltung eintritt:

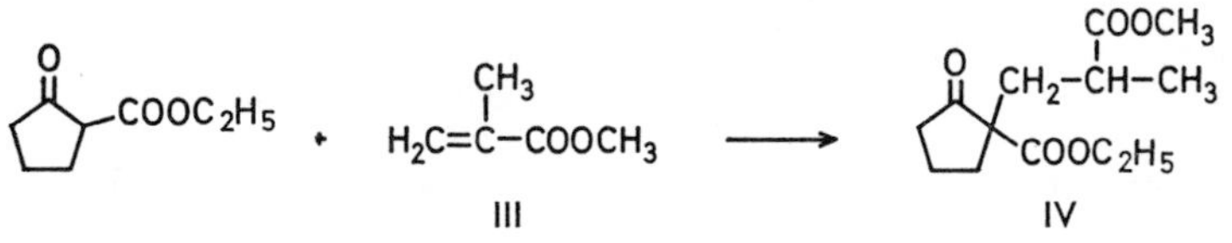

2-Oxo-1-äthoxycarbonyl-1-(2-methoxycarbonyl-propyl)-cyclopentan[4]: Zu einer Lösung von Natriumäthanolat in Äthanol (0,27 g = 0,012 g Atom Natrium, 5 ml Äthanol) werden unter Rühren 15,6 g (0,1 Mol) 2-Oxo-cyclopentan-1-carbonsäure-äthylester gegeben. Die Mischung wird intensiv gekühlt und 12,1 g (0,11 Mol) α-Methyl-acrylsäure-äthylester, gelöst in einer Mischung aus je 5 ml Äther und Äthanol, in dünnem Strahl zufließen gelassen. Nach Stehen über Nacht wird 2 Stdn. unter Rückfluß erhitzt, nach Abkühlen mit 3 ml Eisessig und darauf mit einer großen Menge Wasser zersetzt. Nach Extraktion mit Benzol wird wie üblich durch Destillation aufgearbeitet; Ausbeute: 18 g (70% d. Th.) $Kp_{1,5}$: 135–137°.

In hoher Ausbeute (90% d. Th.) reagiert 2-Oxo-cyclopentan-1-carbonsäure-äthylester auch mit Methylen-bernsteinsäure-äthylester zu [(*2-Oxo-1-äthoxycarbonyl-cyclo-*

---

[1] R. Chong u. P. S. Clezy, Austral. J. Chem. **20**, 123 (1967).
[2] B. K. Bhattacharyya, J. indian chem. Soc. **22**, 214 (1945).
   B. K. Bhattacharyya, Sci. Culture, **8**, 426 (1943); C. A. 37, 5031 (1943).
   W. Herz, J. Org. Chem. **20**, 1062 (1955).
[3] R. L. Augustine u. L. Seif, Synth. Commun. **1**, 37 (1971).
[4] P. B. Talukdar u. P. Bagchi, J. Org. Chem. **20**, 25 (1955).

pentyl)-methyl]-bernsteinsäure-diäthylester[1]. In diesem Falle hat sich Benzyl-trimethyl-ammoniumhydroxid (Triton B), das in 38%iger wäßriger Lösung zur Anwendung kommt, als Katalysator besonders bewährt.

Auch 2-Oxo-cyclohexan-1-carbonsäureester lassen sich gut mit Acrylsäureestern umsetzen. So entsteht durch Katalyse mit Natriumäthanolat aus 6-Oxo-2,2-dimethyl-cyclohexan-1-carbonsäure-äthylester (I) und Acrylsäure-äthylester das *6-Oxo-2,2-dimethyl-1-äthoxycarbonyl-1-(2-äthoxycarbonyl-äthyl)-cyclohexan* (II; 49% d. Th.)[2]:

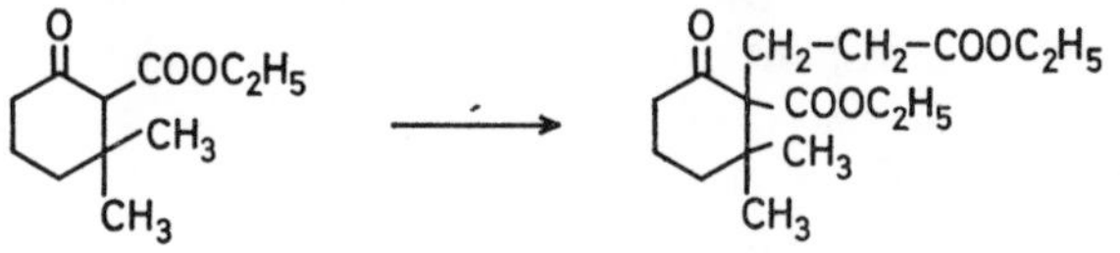

Eine große Zahl von zu δ-Oxo-carbonsäureestern führenden Additionen beruht auf der Umsetzung der unsubstituierten und substituierten Acetessigsäureester mit α,β-ungesättigten Carbonsäureestern. Tab. 185 (S. 1545) bringt eine Übersicht über diese Gruppe von Reaktionen.

Aufgrund ihrer β-Oxo-carbonsäureester-Struktur lassen sich obige substituierten 2-Acetyl-glutarsäure-diester durch Keto-Spaltung zu den entsprechenden δ-Oxo-carbonsäuren umwandeln, wie am Beispiel des 2-Acetyl-glutarsäure-diäthylesters (I) gezeigt wurde[3]:

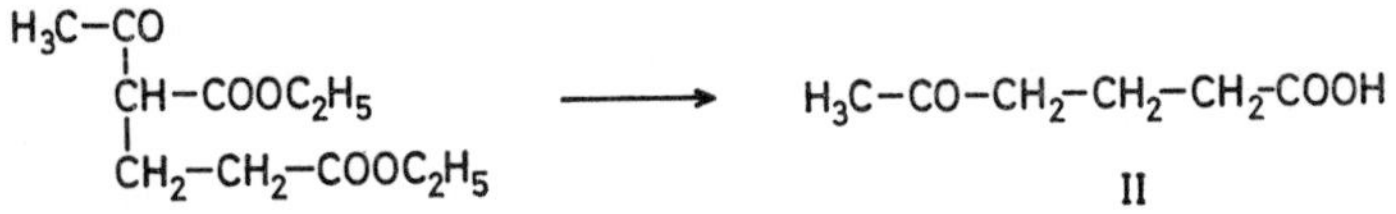

5-Oxo-hexansäure[3]:

2-Acetyl-glutarsäure-diäthylester: 6 g Natrium werden in 150 *ml* abs. Äthanol gelöst und unter Rühren nach dem Erkalten 650 g (5 Mol) Acetessigsäure-äthylester zugegeben. Unter Rühren werden bei 95–100° 500 g (5 Mol) frisch dest. Acrylsäure-äthylester langsam zugetropft. Man läßt über Nacht stehen und säuert mit verd. kalter Schwefelsäure an, zerstört die Emulsion mit Ammoniumsulfat und wäscht 2mal mit 500 *ml* Ammoniumsulfat-Lösung. Nach dem Trocknen über Magnesiumsulfat wird i. Vak. destilliert; Ausbeute: 840 g (73% d. Th.); Kp$_{0,05}$: 92–95° (farbloses Öl).

5-Oxo-hexansäure: 310 g obigen Esters, 800 *ml* Wasser und 50 *ml* konz. Schwefelsäure werden unter Rühren auf 95–100° erhitzt, so daß das entstehende Äthanol langsam abdestilliert. Nach ~ 8 Stdn. ist die Decarboxylierung beendet. Man sättigt mit Ammoniumsulfat, äthert die ausgefallene 5-Oxo-hexansäure aus und destilliert i. Vak.; Ausbeute: 152 g (86,7% d. Th.); Kp$_{0,01}$: 95° (farbloses Öl).

Wie die Acetessigsäureester reagieren auch andere Acylessigsäureester.

3-Oxo-3-phenyl-propansäure-äthylester gibt mit Acrylsäure-methylester in Gegenwart von Triton B als Katalysator *2-Benzoyl-glutarsäure-5-methylester-1-äthylester* (52% d. Th.)[4]. 3-Oxo-4-methyl-pentansäure-äthylester addiert sich in Gegenwart von Natrium-äthanolat an Acrylsäure-methylester und man erhält *2-(2-Methyl-propanoyl)-glutarsäure-5-methylester-1-äthylester* (72% d. Th.)[5]. Auch bei der Herstel-

---

[1] R. T. Arnold, R. W. Amidon u. R. M. Dodson, Am. Soc. **72**, 2871 (1950).
[2] D. Stauffacher u. H. Schinz, Helv. **37**, 1223 (1954).
[3] F. Korte u. H. Machleidt, B. **88**, 1676 (1955).
[4] G. N. Walker, Am. Soc. **77**, 3664 (1955).
[5] F. Korte, K. H. Büchel u. L. Schiffer, B. **91**, 759 (1958).

Tab. 185. δ-Oxo-carbonsäureester durch Michael-Addition verschiedener Acetessigsäure-äthylester an α,β-ungesättigte Carbonsäureester

β-Oxo-carbonsäureester	α,β-ungesättigter Carbonsäureester	Katalysator	Reaktionsprodukt	Ausbeute [% d.Th.]	Kp [°C]	Kp [Torr]	Literatur
2-Äthyl-acetessigsäure-äthylester	Fumarsäure-diäthylester	Na-äthanolat	2-Äthyl-2-acetyl-3-äthoxycarbonyl-glutarsäure-diäthylester				1
2-Propyl-acetessigsäure-äthylester	Fumarsäure-diäthylester	Na-äthanolat	2-Propyl-2-acetyl-3-äthoxycarbonyl-glutarsäure-diäthylester		207–210	20	2
2-Benzyl-acetessigsäure-äthylester	Fumarsäure-diäthylester	Na-äthanolat	2-Benzyl-2-acetyl-3-äthoxycarbonyl-glutarsäure-diäthylester				1
2-Methyl-acetessigsäure-äthylester	Fumarsäure-diäthylester	Na-äthanolat	2-Methyl-2-acetyl-3-äthoxycarbonyl-glutarsäure-diäthylester		149	5	3,4
Acetessigsäure-äthylester	Acrylsäure-methylester	Na-äthanolat	2-Acetyl-glutarsäure-diäthylester	73			5
	Fumarsäure-diäthylester	Na; KOH	2-Acetyl-3-äthoxycarbonyl-glutarsäure-diäthylester	—; 72	109	2	1,6
	Methylen-malonsäure-diäthylester	Na-äthanolat	4-Acetyl-2-äthoxycarbonyl-glutarsäure-diäthylester	38	200	15	7
	Methyl-maleinsäure-diäthylester	Na/Na-äthanolat	4-Methyl-2-acetyl-3-äthoxycarbonyl-glutarsäure-diäthylester		182	6*	3
	Isopropyliden-malonsäure-diäthylester	Na-äthanolat	3,3-Dimethyl-4-acetyl-4-äthoxycarbonyl-glutarsäure-diäthylester				8
	Acrylsäure-äthylester	Na-äthanolat	2-Acetyl-glutarsäure-diäthylester	73	92–95	0,05	9
	2-Äthyl-acrylsäure-äthylester	Na-äthanolat	4-Äthyl-2-acetyl-glutarsäure-diäthyl-ester	20			10
	Methylen-bernsteinsäure-diäthylester	Na-äthanolat	4-Äthoxycarbonylmethyl-2-acetyl-glutarsäure-diäthylester				3
	2-Methyl-acrylsäure-äthylester	Na-äthanolat	4-Methyl-2-acetyl-glutarsäure-diäthyl-ester	24	152–156	12	7

* Kp-Angabe für 3-Methyl-Verbindung

1 S. RUHEMANN u. K. C. BROWNING, Soc. 73, 727 (1898).
2 F. CHALLENGER u. B. FISHWICK, J. Inst. Petr. 39, 220 (1953); C. A. 48, 9355 (1954).
3 P. C. MITTER u. A. C. ROY, J. indian chem. Soc. 5, 33 (1928); C. A. 22, 3882 (1928).
4 S. RUHEMANN u. A. V. CUNNINGTON, Soc. 73, 1006 (1898).

5 N. F. ALBERTSON, Am. Soc., 70, 669 (1948).
6 W. SCHLENK, H. HILLEMANN u. I. RODLOFF, A. 487, 135 (1931).
7 L. RUZICKA, Helv. 2, 144 (1919).
8 P. S. MAYURANATHAN u. P. C. GUHA, J. indian. Inst. Sci. [A] 15, 131 (1932); C. A. 27, 3211 (1933).
9 F. KORTE u. H. MACHLEIDT, B. 88, 1676 (1955).
10 E. E. BLAISE u. A. LUTTRINGER, Bl. [3] 33, 760 (1905).

lung substituierter Acetessigsäure-äthylester durch Knoevenagel-Kondensation mit Aldehyden entstehen α,β-ungesättigte Carbonsäureester, die ein weiteres Molekül Acetessigsäure-äthylester addieren. Man erhält 2,4-Diacetyl-glutarsäure-diäthylester, z. B. aus Heptanal und Acetessigsäure-äthylester *3-Hexyl-2,4-diacetyl-glutarsäure-diäthylester* (III)[1].

$$
\begin{array}{c}
\overset{\overset{\textstyle O}{\|}}{H_3C-C}-CH-COOC_2H_5 \\
| \\
H_3C-(CH_2)_5-CH \\
| \\
\underset{\underset{\textstyle O}{\|}}{H_3C-C}-CH-COOC_2H_5
\end{array}
$$

III

Dies ist jedoch keine gute Methode, solche Acyl-glutarsäure-diester herzustellen, da in den meisten Fällen Aldol-Kondensationen nebenher verlaufen (vgl. S. 1629).

δ) δ-Oxo-carbonsäure-nitrile[2]

Die sehr zahlreichen Additionen von Carbonyl-Verbindungen, die über wenigstens ein α-H-Atom verfügen, an Acrylnitril werden als Cyanäthylierungen[3] bezeichnet. Die entstehenden δ-Oxo-carbonsäure-nitrile lassen sich über die δ-Oxo-carbonsäuren leicht in δ-Oxo-carbonsäureester verwandeln, die ihrerseits zu Cyclo-hexandionen-(1,3) cyclisiert werden können. Aliphatische, cycloaliphatische Ketone, Alkyl-aryl-ketone, β-Oxo-carbonsäure-ester und β-Diketone können cyanäthyliert werden.

Bei den aliphatischen Ketonen liegen die Ausbeuten an Monocyanäthylierungs-produkt nur in seltenen Fällen oberhalb 50% d. Th., meist weit darunter, da größere Mengen an di-, tri- und noch höher cyanäthyliertem Produkt in Kauf genommen werden müssen, wie man der folgenden Zusammenstellung Tab. 186 (S. 1547) entnehmen kann.

Pentandion-(2,4) liefert stets nur das Di-cyanäthylierungsprodukt I[4,5], 2,4-Dioxo-4-phenyl-butan dagegen, bei dem ebenfalls zwei H-Atome besonders aktiviert sind, nur das Mono-Produkt (*5-Oxo-4-benzoyl-hexansäure-nitril*; II)[4]:

$$
\begin{array}{cc}
\begin{array}{l}
H_3C-CO \diagdown \diagup CH_2-CH_2-CN \\
\qquad\qquad C \\
H_3C-CO \diagup \diagdown CH_2-CH_2-CN
\end{array}
&
\begin{array}{l}
H_3C-CO \diagdown \diagup H \\
\qquad\qquad C \\
H_5C_6-CO \diagup \diagdown CH_2-CH_2-CN
\end{array} \\
\text{I} & \text{II}
\end{array}
$$

4,4-Diacetyl-heptandisäure-dinitril:[4] Zu einer Lösung von 5 g Pentandion-(2,4) in 15 *ml* tert.-Butanol, die 1,5 g einer 40%igen methanolischen Kaliumhydroxid-Lösung enthält, werden unter Rühren 21,5 g Acrylnitril in 15 *ml* tert.-Butanol zugefügt. Man rührt 12 Stdn. bei Zimmertemp. nach der ersten Stde. beginnt sich ein Niederschlag abzusetzen, welcher sich im Verlaufe der Reaktion allmählich vermehrt. Anschließend wird das Gemisch mit verd. Salzsäure neutralisiert, der Niederschlag abgetrennt und aus Äthanol umkristallisiert; Ausbeute: 10 g (99% d. Th.); F: 181–182°.

Bei Anwendung eines Molverhältnisses Pentandion-(2,4)/Acrylnitril statt von 1:8 (oben) von 1:1 bzw. 1:2 erhält man Ausbeuten von nur 25% bzw. 75% d. Th. eines Produktes mit gleichem F.

[1] E. Knoevenagel, A. **288**, 323 (1895).

[2] E. D. Bergmann, D. Ginsburg u. R. Pappo, Org. Reactions **10**, 416 ff. (1959).

[3] Der Begriff „Cyanäthylierung" wird auch ganz allgemein für die Umsetzung beliebiger Verbindungen, die ein bewegliches Wasserstoffatom besitzen, mit Acrylnitril verwendet. Siehe H. A. Bruson in: Org. Reactions **5**, 79 (1952).

[4] G. S. Misra u. R. S. Asthana, A. **609**, 240 (1957).

[5] A. D. Campbell, C. L. Carter u. S. N. Slater, Soc. **1948**, 1741.

Tab. 186. Reaktion von Acrylnitril mit aliphatischen Ketonen

Keton	Katalysator	Cyanäthylierungsprodukt [% d.Th.]			Literatur
		mono	di	tri	
		5-Oxo-hexansäure-nitril	*4-Acetyl-heptandisäure-dinitril*	*5-Acetyl-5-(2-cyan-äthyl)-heptan-säure-dinitril*	
Aceton	quat. Polyvinyl-pyridin-Harz	19		32	1
	NaOH	8			2
	Triton B		14	24	3
	Triton B	18		75	4
		5-Oxo-4-äthyl-hexansäure-nitril	*4-Äthyl-4-acetyl-heptandisäure-dinitril*		
Pentanon-(2)	KOH, C_2H_5OH	15,20	14,43		5,6
	Triton B		43	wenig	7
	quat. Polyvinyl-pyridin-Harz	20	15		2
		5-Oxo-4-methyl-hexansäure-nitril	*4-Methyl-4-acetyl-heptandisäure-dinitril*		
Butanon	Na; Triton B	6	51,90		7,8
	KOH, C_2H_5OH	20	47		5
	Triton B				6
	Triton B	24-30	24-30		4

[1] US.P. 2579580 (1951), DuPont, Erf.: B. W. HOWK u. C. M. LANGKAMMERER; C.A. 46, 7114 (1952).
[2] A. P. TERNTEV u. S. M. GURVICH, Vestn. Mosk. Univ., Ser. II Chim. 5, No.5.
[3] US.P. 2383444 (1945), Resinous Products and Chemical Co., Erf.: H. A. BRUSON; C.A. 40, 351 (1946).
[4] H. E. BAUMGARTEN u. R. L. ELFERT, Am. Soc. 75, 3015 (1953).
[5] L. B. BARKLEY u. R. LEVINE, Am. Soc. 72, 3699 (1950).
[6] US.P. 2437906 (1948), Resinous Products and Chemical Co., Erf.: H. A. BRUSON u. W. D. NIEDERHAUSER; C.A. 42, 4196 (1948).
[7] H. A. BRUSON u. T. W. RIENER, Am. Soc. 64, 2850 (1942).
[8] US.P. 2403570 (1946), Alien Property Custochan, Erf.: G. WIEST u. H. GLASER; C.A. 40, 6498 (1946).

Tab. 186 (1. Fortsetzung)

Keton	Katalysator	Cyanäthylierungsprodukt [% d. Th.]			Literatur
		mono	di	tri	
Butanon	Polyvinyl-pyridin-Harz	5-Oxo-4-methyl-hexansäure-nitril 47	4-Methyl-4-acetyl-heptan-disäure-dinitril	—	1
	KOH, CH₃OH ⓐ	10–20			2
	Triton B			5-Oxo-4,6-dimethyl-4-(2-cyanäthyl)-nonandisäure-dinitril 31	3
Pentanon-(3) 4-Oxo-2-methyl-pentan	KOH, C₂H₅OH	5-Oxo-4-isopropyl-hexansäure-nitril 17	4-Isopropyl-4-acetyl-heptan-disäure-dinitril 15		4
	Triton B	17	15		3
4-Oxo-2-methyl-penten-(2)	Triton B		35 ⓑ	4-Isopropenyl-4-acetyl-heptandisäure-dinitril	5
2,4-Dioxo-3-methyl-penten	binärer Cu₂O/Cyclohexylisocyanid-Komplex-Katalysator	4,4-Diacetyl-glutar-säure-nitril	—	—	6
Octanon-(2)	KOH (fest)	4-Acetyl-nonansäurenitril	4-Acetyl-4-pentyl-heptandisäure-dinitril	—	7
Heptanon-(4)	verschiedene Basen im Vergleich	5-Oxo-4-äthyl-octansäure-nitril		—	8

Triton B, Trimethyl-benzyl-ammonium-hydroxid   ⓑ = Struktur des Bis-Adduktes:

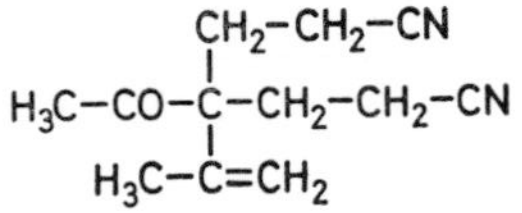

$$\begin{array}{l} \quad\quad\quad CH_2{-}CH_2{-}CN \\ \quad\quad\quad | \\ H_3C{-}CO{-}C{-}CH_2{-}CH_2{-}CN \\ \quad\quad\quad | \\ \quad\quad\quad H_3C{-}C{=}CH_2 \end{array}$$

ⓐ = 10 facher Überschuß an Keton

¹ A. P. Terntev u. S. M. Gurvich, Vestn. Mosk. Univ., Ser II Chim. 5, Nr. 5.

² R. Y. Levina, N. P. Shusherina u. M. Y. Lurye, Ž. obšč. Chim. 24, 1439 (1954); engl.: 1423.

³ H. A. Bruson u. T. W. Riener, Am Soc. 64, 2850 (1942).

⁵ R. L. Frank u. J. B. McPherson, Am. Soc. 71, 1387 (1949).

⁶ T. Saegusa et al., Bl. chem. Soc. Japan 45, 496 (1972).

⁷ J. Cason et al., J. Org. Chem. 37, 2573 (1972).

⁸ H. E. Kenney, E. T. Donahue u. G. Maerker, J. Am. Oil Chemist's
Soc. 48, 765 (1971).

Die in ihrer Reaktivität den β-Diketonen vergleichbaren β-Oxo-sulfone geben in allen bisher beobachteten Fällen ausschließlich Di-cyanäthylierungs-Produkte[1]. Dagegen reagiert ω-Methylsulfinyl-acetophenon mit Acrylnitril ausschließlich zu 4-Methansulfinyl-5-oxo-5-phenyl-pentansäure-nitril[2].

Die Addition von Acrylnitril an höhere aliphatische Ketone ergibt in jedem Falle isomere δ-Oxo-carbonsäure-nitrile. So erhält man z. B. aus 6-Oxo-5-äthyl-decan (I), 6-Oxo-5-methyl-decan (II), 4-Oxo-3-methyl-octan (III) und 3-Oxo-2-methyl-heptan (IV) die isomeren δ-Oxo-carbonsäure-nitrile Ia–IVa und Ib–IVb[3]:

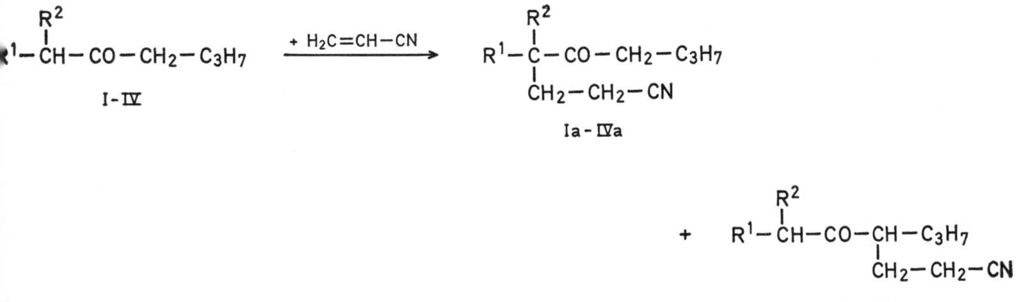

	R¹	R²	% .....-nonansäure-nitril	%
I	C_4H_9	C_2H_5	25; *5-Oxo-4-äthyl-4-butyl-*	75; *5-Oxo-6-äthyl-4-propyl-decansäure-nitril*
II	C_4H_9	CH_3	61; *5-Oxo-4-methyl-4-butyl-*	39; *5-Oxo-6-methyl-4-propyl-decansäure-nitril*
III	C_2H_5	CH_3	37; *5-Oxo-4-methyl-4-äthyl-*	63; *5-Oxo-6-methyl-4-propyl-octansäure-nitril*
IV	CH_3	CH_3	87; *5-Oxo-4,4-dimethyl-*	13; *5-Oxo-6-methyl-4-propyl-heptansäure-nitril*

Zur Monocyanäthylierung von Ketonen, die über zumindest ein α-H-Atom verfügen, kann man auch in Gegenwart von Metallsalzen aliphatischer Monocarbonsäuren [Kupfer(II)-, Cobalt(III)-, Nickel(II)-, Silber-, Zink-, Blei(II)-, Mangan(II)-, Cadmium-, Eisen(II)-] bei 75–300° arbeiten[4].

So reagiert z. B. Cyclohexanon (I) mit Acrylnitril (II) in Gegenwart von Kupfer(II)-(2-äthyl-hexanoat) mit besseren Ausbeuten zu *3-(2-Oxo-cyclohexyl)-propansäure-nitril* (III),

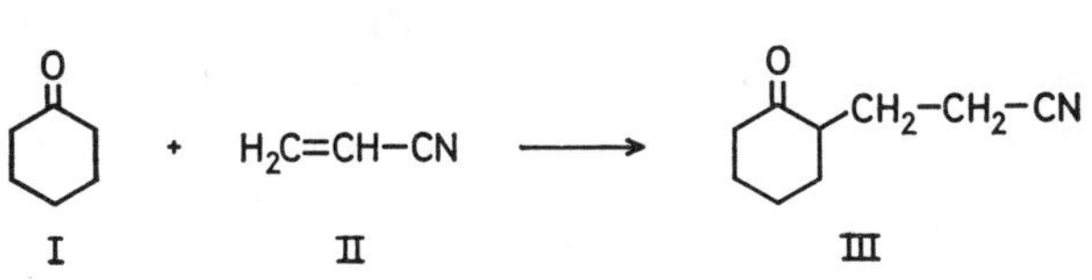

als mit anderen Katalysatoren wie, z. B. Kaliumhydroxid/Äthanol[5], Triton B[6], Na-

---

[1] R. G. Dubenko, Y. N. Uskenko u. P. S. Pelkis, Ž. Org. Chim. **4**, 298 (1968); engl.: 290.

[2] D. Diller u. F. Bergmann, J. Org. Chem. **37**, 2147 (1972).

[3] J. Cason u. M. P. Chang, J. Org. Chem. **21**, 449 (1956).

[4] US.P. 3150142 (1964), Monsanto Co, Erf.: C. J. Eby; C.A. **61**, 13213 (1964).

[5] R. L. Frank u. R. C. Pierle, Am. Soc. **73**, 724 (1953).
G. Russo u. B. Danieli, G. **95**, 438 (1965).

[6] H. E. Baumgarten u. R. L. Eifert, Am. Soc. **75**, 3015 (1953).

triumamid[1], Natrium[2], Natriumäthanolat[3], Amberlit Ionenaustauscher IR-410[4], die mehr höher cyanäthylierte Produkte liefern. Der einzig praktische Weg, der zum monocyanäthylierten Cyclohexanon führt, ist der über das Cyclohexanon-enamin (s. S. 1569).

Je nach verwendetem Katalysator werden niedrige oder hohe Ausbeuten an niedrig- oder hoch-substituierten Cyclohexanonen erhalten. Die erhaltenen Ergebnisse der Cyanäthylierung von Cyclohexanon sind nicht miteinander vergleichbar, da auch noch unterschiedliche molare Verhältnisse an Keton und Acrylnitril zu berücksichtigen wären. In manchen Fällen gelingt es aus mehrfach cyanäthylierten Ketonen durch Erhitzen in Gegenwart schwach alkalisierter Tonscherben Acrylnitril partiell wieder abzuspalten[5].

Gute Ausbeuten werden auch bei der Umsetzung von Cyclohexandion-(1,3) und seinen Derivaten mit Acrylnitril erhalten, wobei unter geeigneten Bedingungen die Monoadditionsprodukte in Rohausbeuten bis zu 80% d. Th. isoliert werden können. Aus Cyclohexandion-(1,3) (I) entsteht durch Katalyse mit Kaliummethanolat *1,3-Dioxo-2-(2-cyan-äthyl)-cyclohexan* (II)[6]:

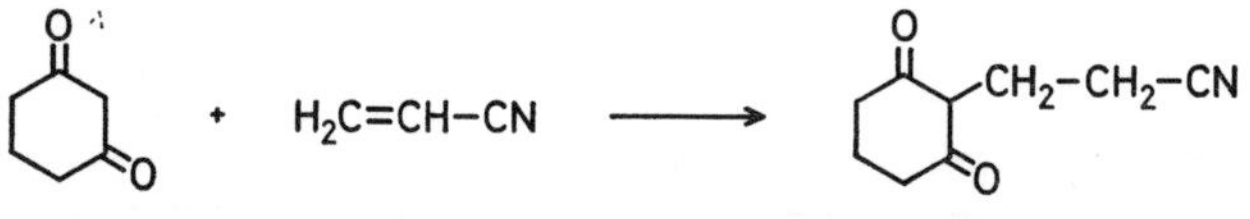

Entsprechend erhält man aus 3,5-Dioxo-1,1-dimethyl-cyclohexan und Acrylnitril *2,6-Dioxo-4,4-dimethyl-1-(2-cyan-äthyl)-cyclohexan* (80% d. Th.)[7].

In 2-Stellung alkylierte Cyclohexandione-(1,3) bilden zwar sehr leicht ein Addukt, doch ist dieses, wie schon bei der Umsetzung mit α,β-ungesättigten Carbon-säureestern beschrieben (S. 1542), nicht beständig, sondern geht durch Alkoholyse in offenkettige δ-Oxo-carbonsäure-nitrile III über[8]; z.B.:

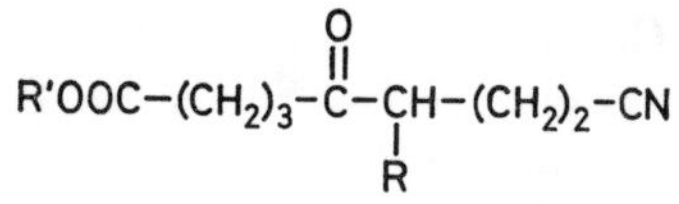

III; R' = Alkyl; 63% d. Th.

Bei der Umsetzung der Cyclopenten-(1)-one-(3) I oder II mit Acrylnitril hat man den interessanten Fall vorliegen, daß zwei als Acceptor-Verbindungen für die Michael-Addition geeignete Systeme in Konkurrenz treten. Man isoliert aus dem

---

[1] H. A. Bruson u. T. W. Riener, Am. Soc. **66**, 56 (1944).

[2] US.P. 2403570 (1946), Alien Property Custodian, Erf.: G. Wiest u. H. Glaser; C.A. **40**, 6498 (1946).

[3] A. P. Terentev u. S. M. Gurvich, Sbornik Statei Obšč. Chim. **1**, 404 (1953); C. A. **49**, 1047 (1955).

[4] P. Mastagli, P. Lambert u. G. Francois, Bl. **1957**, 1108.

[5] O. Bayer, Privatmitteilung, Leverkusen.

[6] H. Stetter u. M. Coenen, B. **87**, 869 (1954).

[7] I. N. Nazarov u. S. I. Zavyalov, Ž. obšč. Chim. **25**, 508 (1955); engl.: 477; C. A. **50**, 3359f (1956).

[8] H. Stetter u. M. Coenen, B. **87**, 990 (1954).

Tab. 187. δ-Oxo-carbonsäure-nitrile aus aliphatischen Ketonen und substituierten Acrylnitrilen

Ausgangsketon	α,β-ungesättigtes Nitril	Reaktionsbedingungen	Reaktionsprodukt	Ausbeute [% d.Th.]	Literatur
Butanon-(2)	α-Phenyl-acrylnitril	—	5-Oxo-4-methyl-2-phenyl-hexansäure-nitril	40	1
	2-Phenyl-buten-(2)-säure-nitril	—	5-Oxo-3,4-dimethyl-2-phenyl-hexansäure-nitril	20	1
Pentanon-(2)	α-Phenyl-acrylnitril	—	5-Oxo-4-äthyl-2-phenyl-hexansäure-nitril	26	2
4-Oxo-2-methyl-pentan	α-Phenyl-acrylnitril	—	5-Oxo-4-isopropyl-2-phenyl-hexansäure-nitril	34	2
5-Oxo-2-methyl-hexan	α-Phenyl-acrylnitril		6-Methyl-2-phenyl-4-acetyl-hexansäure-nitril	34	2
6-Oxo-2-methyl-heptan	α-Phenyl-acrylnitril		7-Methyl-2-phenyl-4-acetyl-octansäure-nitril	32	2
Aceton[a]	2-Cyan-buten-(2)-säure	Katalysator: Ammoniumcarbonat (NaOH oder NaOCH₃ liefern keine definierten Produkte)	5-Oxo-3-methyl-hexansäure-nitril		3
Butanon[a]	2-Cyan-buten-(2)-säure		5-Oxo-3,4-dimethyl-hexansäure-nitril		3
Cyclohexanon[a]	2-Cyan-buten-(2)-säure		3-(2-Oxo-cyclohexyl)-butansäure-nitril		3
4-Oxo-pentansäure-äthylester[a]	2-Cyan-buten-(2)-säure	Temp.: 150–160° (Autoklav)	4-Methyl-3-acetyl-hexandisäure-1-äthylester-6-nitril	55	3
2-Oxo-1-(2-chlor-benzyl)-cyclohexan	Buten-(2)-säure-nitril	—	2-Oxo-1-[1-cyan-propyl-(2)]-1-(2-chlor-benzyl)-cyclohexan		4

a) beim Einsatz von Äthyliden-malonsäure-ester-nitrilen bleibt die Ester-Gruppe erhalten. Buten-(2)-säure-nitril liefert mit diesen Ketonen keine Addukte.

1 A. VIGIER u. J. DREUX, Bl. 1963, 677.
2 R. LONGERAY u. J. DREUX, C. r. 248, 3007 (1959).
3 K. SATO, Y. KURIHARA u. S. INOUE, Bl. chem. Soc. Japan 40, 942 (1967).
4 R. FUSCO et al, Farmaco Ed. sci. 20, 393 (1965).

Tab. 188. δ-Oxo-carbonsäure-nitrile aus cyclischen Ketonen und Acrylnitril

Ausgangsketon	Reaktionsprodukt	Ausbeute [% d.Th.]	Literatur
Cyclohexanon	*2-Oxo-1-(2-cyan-äthyl)-cyclohexan*	47	1
2-Oxo-1-methyl-cyclohexan	*2-Oxo-1-methyl-1-(2-cyan-äthyl)-cyclohexan*	80	2
4-Oxo-1-methyl-cyclohexan	*4-Oxo-1-methyl-1-(2-cyan-äthyl)-cyclohexan*	21	2
4-Oxo-1-[2-methyl-butyl-(2)]-cyclohexan	*4-Oxo-1-(2-cyan-äthyl)-1-[2-methyl-butyl-(2)]-cyclohexan*	80–95	3
4-Oxo-bicyclohexyl	*4-Oxo-1-(2-cyan-äthyl)-bicyclohexyl*	80–96	3
2-Oxo-1-phenyl-cyclohexan	*2-Oxo-1-(2-cyan-äthyl)-1-phenyl-cyclohexan*	63–70	4
Cyclopentanon	*2-Oxo-1-(2-cyan-äthyl)-cyclopentan*	97	3
2-Oxo-1-cyclohexen-(1)-yl-cyclohexan	*2-Oxo-1-(2-cyan-äthyl)-1-cyclohexen-(1)-yl-cyclohexan*	50 (mono)	5
	2-Oxo-1,3,3-tris-[2-cyan-äthyl]-1-cyclohexen-(1)-yl-cyclohexan	29 (tri)	5
3-Oxo-1-cyanmethyl-2-phenyl-cyclohexan	*2-Oxo-4-cyanmethyl-1,1,3-tris-[2-cyan-äthyl]-3-phenyl-cyclohexan*	80 (tri)	6
2-Oxo-1,3-dimethyl-1-methoxy-carbonyl-cyclohexan	*2-Oxo-1,3-dimethyl-3-(2-cyan-äthyl)-1-methoxycarbonyl-cyclohexan*	51	7
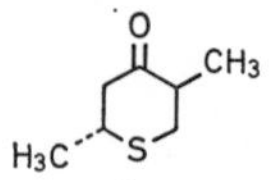	–	0[8]	9
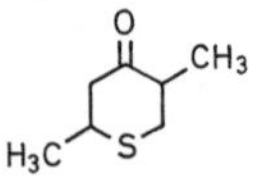	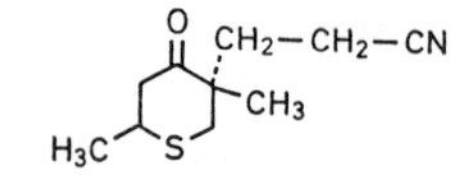 *4-Oxo-2,5-dimethyl-5-(2-cyan-äthyl)-tetrahydrothiin*	30	9
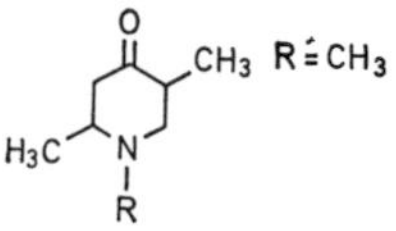 R ≐ CH₃	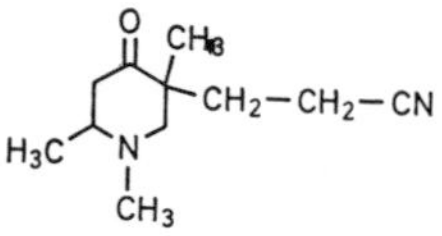 *4-Oxo-1,2,5-trimethyl-5-(2-cyan-äthyl)-piperidin* (Isomerengemisch)	46	10
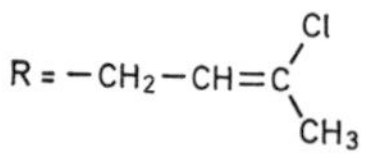 R = −CH₂−CH=C(Cl)(CH₃)	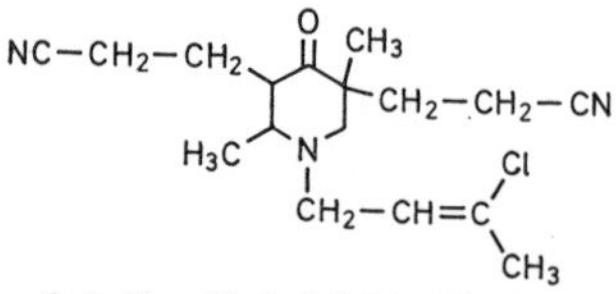 *4-Oxo-2,5-dimethyl-3,5-bis-[2-cyan-äthyl]-1-[3-chlor-buten-(2)-yl]-piperidin*	27	10

¹ H. E. Baumgarten u. R. L. Eifert, Am. Soc. **75**, 3015 (1953).
² R. L. Frank u. R. C. Pierle, Am. Soc. **73**, 724 (1951).
³ H. A. Bruson u. T. W. Riener, Am. Soc. **64**, 2850 (1942).
⁴ V. Boekelheide, Am. Soc. **69**, 790 (1947).
⁵ U.S.P. 2437906 (1948), Resinous Products & Chemical Co., Erf.: H. A. Bruson u. W. D. Niederhauser; C.A. **42**, 4196 (1948).
⁶ D. Ginsburg u. R. Pappo, Soc. **1953**, 1524.
⁷ T. A. Spencer, M. A. Schwartz u. K. B. Sharpless, J. Org. Chem. **29**, 782 (1964).
⁸ Bei Zimmertemp., bei 40° Isomerisierung zum cis-Derivat.
⁹ A. S. Sharifkanov et al., Chim. geteroc. Soed. **1972**, 12; engl.: 10.
¹⁰ A. S. Sharifkanov, N. A. Bushneva u. K. K. Tokmurzin, Chim. geteroc. Soed. **1971**, 479; engl.: 447.

Reaktionsgemisch die Additions-Verbindungen III bzw. IV, d.h., daß das α,β-ungesättigte Keton als CH-acide Verbindung fungiert[1]:

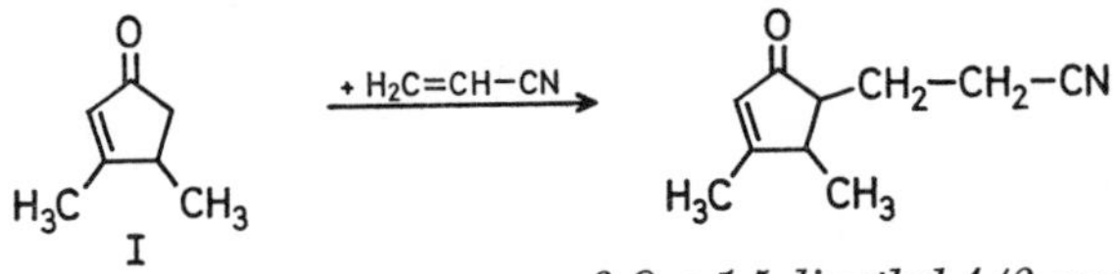

3-Oxo-1,5-dimethyl-4-(2-cyan-äthyl)-cyclopenten;
III; 12% d.Th.

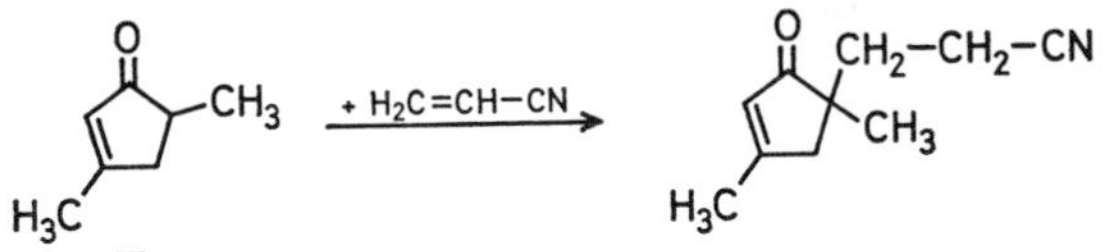

3-Oxo-1,4-dimethyl-4-(2-cyan-äthyl)-cyclopenten;
IV; 24% d.Th.

Die deutliche Abstufung in der Ausbeute ist die Folge der höheren Reaktionsfähigkeit des Ketons II, die durch die α-Substitution durch eine Methyl-Gruppe hervorgerufen wird.

Cyclohexanone mit angegliederten Benzol- oder Cyclohexan-Ringen, mit Heteroatomen wie Sauerstoff oder Stickstoff im Ringsystem und mit zusätzlichen Substituenten versehen reagieren mit Acrylnitril wie das reine Cyclohexanon selbst. Tab. 189 (S. 1554) gibt Beispiele für die Vielfältigkeit der Kombinationsmöglichkeiten unter Verwendung ein und desselben Katalysators.

In Methyl-aryl-ketonen lassen sich sehr leicht alle drei H-Atome der Methyl-Gruppe cyanäthylieren. Der einfachste Vertreter dieses Typs Keton, das Acetophenon, wird zum kristallinen 4-(2-Cyan-äthyl)-4-benzoyl-heptandisäure-dinitril (64% d.Th.; I) umgesetzt:

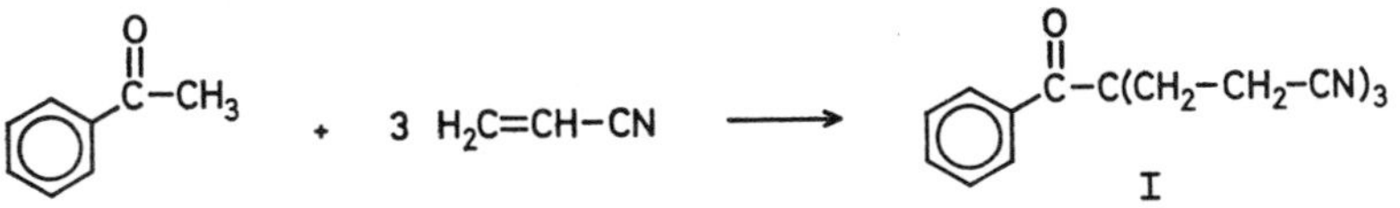

Als Katalysator sind starke Basen wie Triton B oder Kaliumhydroxid geeignet[2]. Anstelle des Phenyl-Restes im Acetophenon lassen sich fast beliebig substituierte Phenyl-Reste verwenden[2], z.B.:

2-Acetyl-naphthalin	→	4-(2-Cyan-äthyl)-4-naphthoyl-heptandisäure-dinitril
4-Acetyl-biphenyl	→	4-(2-Cyan-äthyl)-4-[biphenyl-(4)-carbonyl]-heptandisäure-dinitril
4-Methoxy-1-acetyl-benzol	→	4-(2-Cyan-äthyl)-4-(4-methoxy-benzoyl)-heptandisäure-dinitril
2,4,6-Trimethyl-1-acetyl-benzol	→	4-(2-Cyan-äthyl)-4-(2,4,6-trimethyl-benzoyl)-heptandisäure-dinitril
4-Chlor-acetophenon	→	4-(2-Cyan-äthyl)-4-(4-chlor-benzoyl)-heptandisäure-dinitril

---

[1] I. N. NAZAROV, G. A. SHVEKHGEIMER u. V. A. RUDENKO, Ž. obšč. Chim. **24**, 319 (1954); engl.: 325; C.A. **49**, 4651 (1955).

[2] H. A. BRUSON u. T. W. RIENER, Am. Soc. **64**, 2850 (1942); alle oben aufgeführten Verbindungen entstehen in Ausbeuten von 80–85% d.Th.

Tab. 189. Reaktion cyclischer Ketone mit Acrylnitril unter Verwendung von
Triton B (Trimethyl-benzyl-ammoniumhydroxid)

Keton	Reaktionsprodukt	Ausbeute [% d. Th.]	Literatur
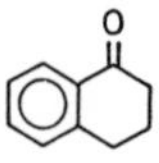	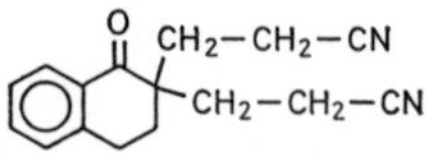 *1-Oxo-2,2-bis-[2-cyan-äthyl]-tetralin*		[1]
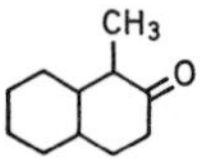 CH₃ *cis*	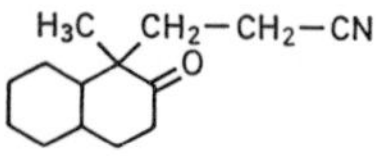 *2-Oxo-1-methyl-1-(2-cyan-äthyl)-cis-dekalin*	50	[2]
trans	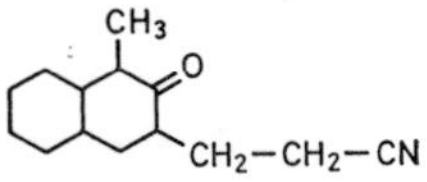 *2-Oxo-1-methyl-3-(2-cyan-äthyl)-trans-dekalin*	40	[2]
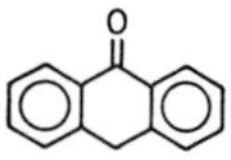	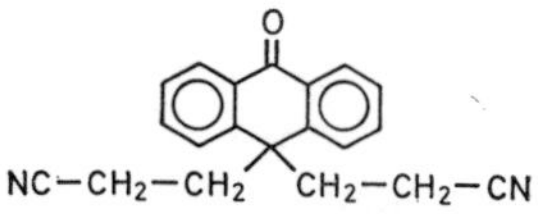 *10-Oxo-9,9-bis-[2-cyan-äthyl]-9,10-dihydro-anthracen*	89	[3]
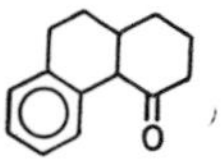	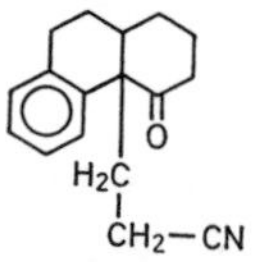 *4-Oxo-4a-(2-cyan-äthyl)-1,2,3,4,4a,9,10,10a-octahydro-phenanthren*	75	[4]
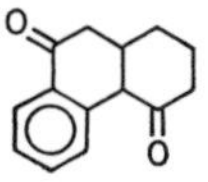	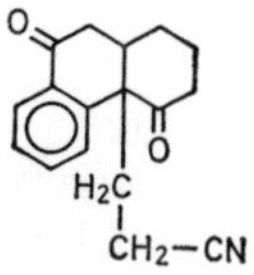 *4,9-Dioxo-4a-(2-cyan-äthyl)-1,2,3,4,4a,9,10,10a-octahydro-phenanthren*	71	[4]

[1] H. A. BRUSON u. T. W. RIENER, Am. Soc. **64**, 2850 (1942).
[2] A. R. PINDER u. R. ROBINSON, Soc. **1952**, 1224.
[3] H. A. BRUSON, Am. Soc. **64**, 2457 (1942).
[4] D. GINSBURG u. R. PAPPO, Soc. **1953**, 1524.

Tab. 189 (1. Fortsetzung)

Keton	Reaktionsprodukt	Ausbeute [% d.Th.]	Literatur
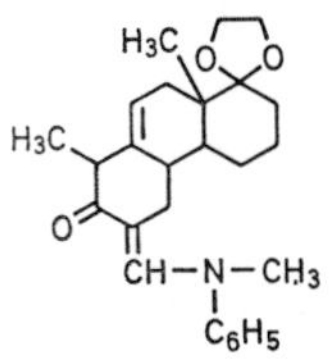	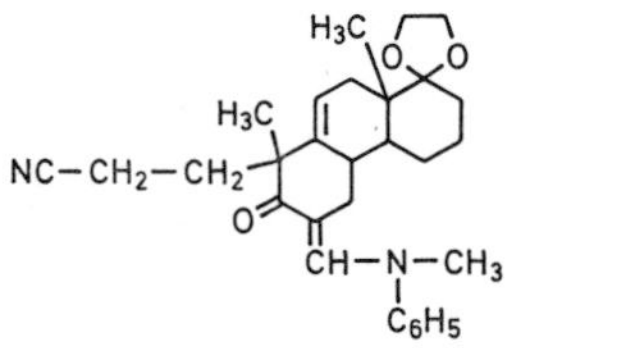 8-Äthylendioxy-2-oxo-1,8a-dimethyl-1-(2-cyan-äthyl)-3-[(α-methyl-anilino)-methylen]-Δ¹⁰(¹⁰ᵃ)-dodecahydrophenanthren	56	1
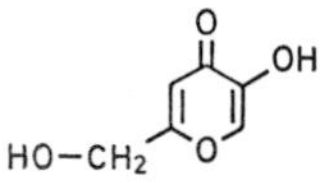	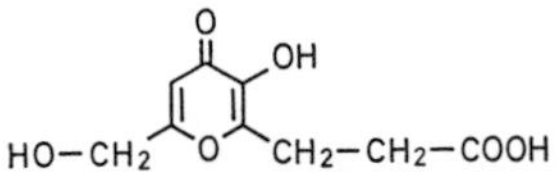 3-Hydroxy-6-hydroxymethyl-2-(2-carboxy-äthyl)-4H-pyron		2
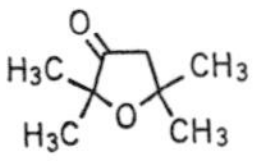	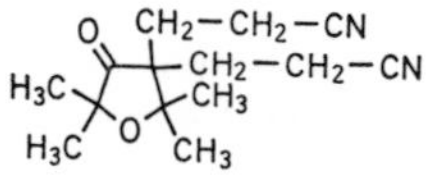 4-Oxo-2,2,5,5-tetramethyl-3,3-bis-[2-cyan-äthyl]-tetrahydrofuran	63	3
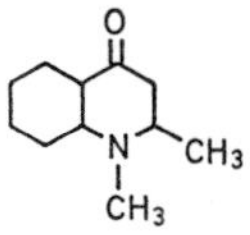	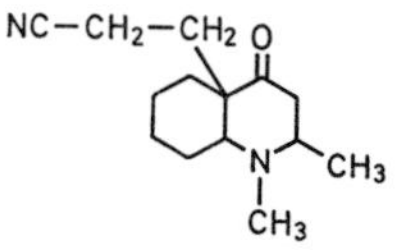 5-Oxo-2,3-dimethyl-6-(2-cyan-äthyl)-2-aza-bicyclo[4.4.0]decan	91	4
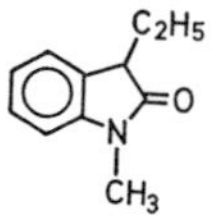	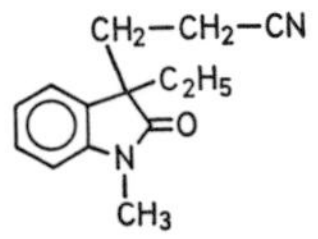 2-Oxo-1-methyl-3-äthyl-3-(2-cyan-äthyl)-2,3-dihydro-indol	71	5

¹ P. Wieland et al., Helv. 36, 1231 (1953).
² L. L. Woods, Am. Soc. 74, 3959 (1952).
³ H. A. Bruson u. T. W. Riener, Am. Soc. 64, 2850 (1942).
⁴ I. N. Nazarov, G. A. Shvekhgeimer u. V. A. Rudenko, Ž. obšč. Chim. 24, 319 (1954); engl.: 325; C. A. 49, 4651 (1955).
⁵ E. C. Horning u. M. W. Rutenberg, Am. Soc. 72, 3534 (1950).

Ersetzt man in den Methyl-aryl-ketonen die Methyl-Gruppe durch andere aliphatische Reste, so stehen maximal zwei aktive H-Atome zur Verfügung. Man erhält bei geradkettigen Resten Bis-cyanäthylierung, z. B. aus Propiophenon das *4-Methyl-4-benzoyl-heptandisäure-dinitril* (III). Ebenso entsteht in hoher Ausbeute (80% d.Th.) aus Desoxybenzoin (1-Oxo-1,2-diphenyl-äthan) und Acrylnitril *4-Phenyl-4-benzoyl-heptandisäure-dinitril* (IV)[1]:

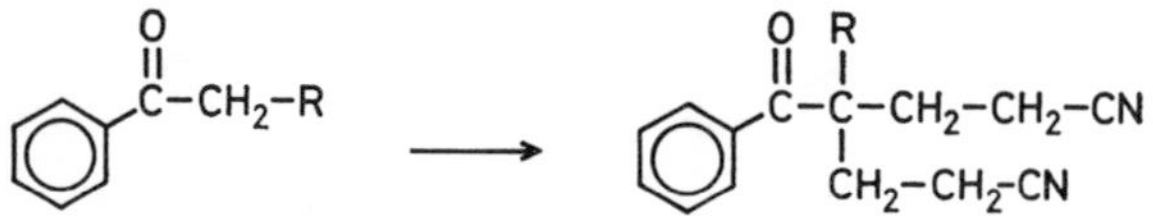

III   R = CH₃-
IV   R = C₆H₅-

δ-Oxo-carbonsäure-nitrile aus Alkyl-aryl-ketonen und Acrylnitril; allgemeine Arbeitsvorschrift[2]: Das Alkyl-aryl-keton wird in 1,4-Dioxan oder tert.-Butanol gelöst, so daß eine 25–50% ige Lösung vorliegt. Man gibt 5–10 Gew.-% des Ketons einer wäßr. 40%igen Triton-B-Lösung (Trimethyl-benzyl-ammonium-hydroxid) zu.

Unter Rühren und Kühlung wird tropfenweise die 3 molare bzw. 2 molare Menge Acrylnitril so zugesetzt, daß die Temp. zwischen 25–40° gehalten werden kann. Nach erfolgter Zugabe wird die Reaktionsmischung noch 2–4 Stdn. bei Raumtemp. gerührt, wobei das Reaktionsprodukt entweder auskristallisiert und durch Filtration isoliert oder nach Neutralisation des Alkalis mit verd. Salzsäure, Abdestillieren des Lösungsmittels und Umkristallisieren des Rückstandes gewonnen werden kann.

Bei in α-Stellung verzweigten aliphatischen Resten müssen demgemäß Mono-cyanäthylierungs-Produkte entstehen; z.B. erhält man aus 1-Oxo-2-methyl-1-phenyl-propan (I) ausschließlich *5-Oxo-4,4-dimethyl-5-phenyl-pentansäure-nitril* (II)[3], ebenso aus 1-Oxo-2-methyl-1-phenyl-hexan (III) *4-Methyl-4-benzoyl-octansäure-nitril* und aus 1-Oxo-2-äthyl-1-phenyl-pentan (IV) *4-Äthyl-4-benzoyl-heptansäure-nitril* (VI)[3]:

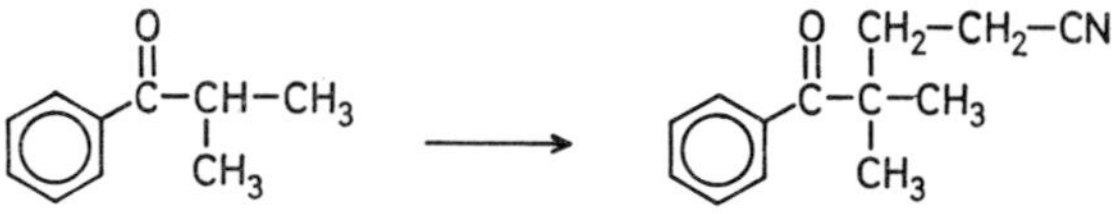

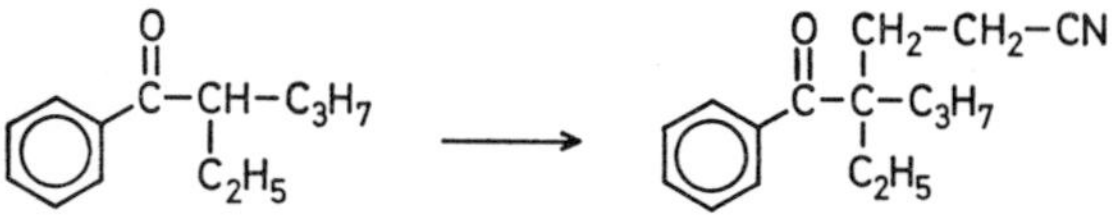

Ketone, die mehr als drei acide Wasserstoffatome enthalten, lassen sich meist nicht vollständig cyanäthylieren. Auch beim Aceton mit 6 α-H-Atomen konnte lediglich ein Tetra-cyanäthylierungsprodukt (*5-Oxo-4,4-bis-[2-cyan-äthyl]-nonandisäure-di-*

---

[1] H. A. Bruson u. T. W. Riener, Am. Soc. **64**, 2850 (1942); alle oben aufgeführten Verbindungen entstehen in Ausbeuten von 80-85% d. Th.

[2] H. A. Bruson u. T. W. Riener, Am. Soc. **64**, 2850 (1942).

[3] A. D. Campbell, C. L. Carter u. S. N. Slater, Soc. **1948**, 1741.

nitril) isoliert werden[1]. Pentanon-(3)[2], 2-Oxo-1,3-diphenyl-propan[2] und 1,3-Dioxo-1-phenyl-butan[3] lassen sich maximal mit drei Molen Acrylnitril vereinigen; man erhält dann *5-Oxo-4,6-dimethyl-4-(2-cyan-äthyl)-*, *5-Oxo-4,6-diphenyl-4-(2-cyan-äthyl)-* bzw. *5-Oxo-4-(2-cyan-äthyl)-3-benzoyl-nonandisäure-dinitril*.

Dagegen scheint der umgekehrte Fall, Erzielung eines Monoadditions-Produktes realisierbar zu sein[4]; z. B. erhält man aus 2-Oxo-1-phenyl-propan und Acrylnitril in Gegenwart von Natrium *5-Oxo-4-phenyl-hexansäure-nitril* (VII; 69% d.Th.; Kp_{14}: 178–180°):

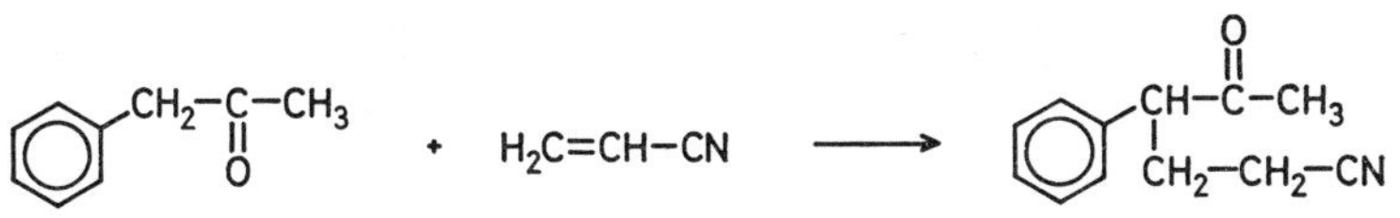

Analog erhält man aus

Aceton	→ *5-Oxo-hexansäure-nitril*	
Butanon	→ *5-Oxo-4-methyl-hexansäure-nitril*	} 55–75% d.Th.
Pentanon-(2)	→ *5-Oxo-4-äthyl-hexansäure-nitril*	

Stehen mehrere Arten von H-Atomen zur Auswahl, so wird der Eintritt der 2-Cyan-äthyl-Gruppen durch die Reihenfolge bestimmt:

tertiär > sekundär > primär

Als Beispiel sei hier 2-Oxo-3-methyl-1-phenyl-butan aufgeführt[2], das in 60%iger Ausbeute *5-Oxo-4,4-dimethyl-6-phenyl-hexansäure-nitril* und nicht 5-Oxo-6-methyl-4-phenyl-heptansäure-nitril ergibt.

In gleicher Weise erhält man aus (3,4-Dimethoxy-phenyl)-aceton und Acrylnitril *4-(3,4-Dimethoxy-phenyl)-4-acetyl-heptandisäure-dinitril* (87% d.Th.) als ausschließliches Reaktionsprodukt[5].

Reaktionen von Alkanoyl-heterocyclen mit Acrylnitril sind in großer Zahl bekannt und geben in den meisten Fällen ausgezeichnete Ausbeuten.

Aus 2-Oxo-1-pyridyl-(2)-propan und Acrylnitril entsteht je nach Molverhältnis und Reaktionsbedingung *5-Oxo-4-pyridyl-(2)-hexansäure-nitril* (I) oder *4-Acetyl-4-pyridyl-(2)-heptansäure-dinitril* (bis 80% d.Th.; II):

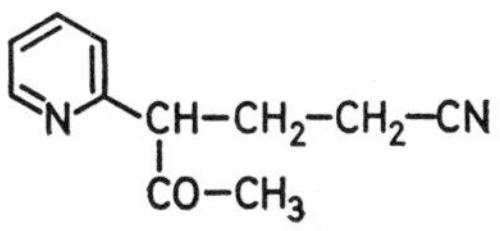

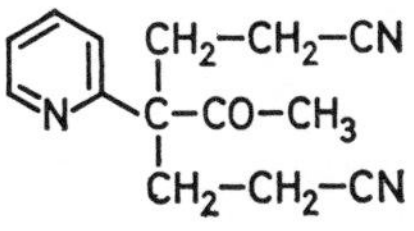

Auf gleiche Weise lassen sich in Ausbeuten von 50% d.Th. *5-Oxo-5-phenyl-4-pyridyl-(2)-* bzw. *5-Oxo-4,5-dipyridyl-(2)-pentansäure-nitril* herstellen.

---

[1] H. A. Bruson u. T. W. Riener, Am. Soc. **64**, 2850 (1942).

[2] A. D. Campbell, C. L. Darter u. S. N. Slater, Soc. **1948**, 1741.

[3] G. R. Zellars u. R. Levine, J. Org. Chem. **13**, 911 (1948).

[4] A. N. Kost u. L. G. Ovseneva, Ž. obšč. Chim. **32**, 3983 (1962); engl.: 3908; C.A. **58**, 13808[d] (1963).

[5] G. Metz u. G. Schwenker, Ar. **305**, 918 1972).

5-Oxo-4-pyridyl-(2)-hexansäure-nitril[1]: 58 g (0,43 Mol) Pyridyl-(2)-aceton, in ∼20 ml abs. Äthanol gelöst, werden mit ∼ 1g Kaliumhydroxid versetzt und unter Rühren 24 g (0,45 Mol) Acrylnitril so eingetropft, daß die Temp. 60° nicht übersteigt (Anwärmen falls die Reaktion nicht anspringt). Anschließend wird 5 Min. zum Sieden erhitzt und nach dem Abkühlen in das 5fache Eiswasser eingetragen. Dabei scheiden sich 9 g eines Öls ab, das aus dem 1 : 2-Addukt besteht. Nach dem Ansäuern des Filtrats mit verd. Salzsäure wird das restliche Acrylnitril ausgeäthert, die wäßrige Phase mit konz. Natronlauge alkalisch gestellt und mehrmals mit Äther extrahiert. Nach dem Trocknen über Natriumsulfat wird destillativ aufgearbeitet und die Fraktion Kp_{15}: 185–192° nochmals rektifiziert; Ausbeute: 36 g (44,5% d. Th.); Kp_{15}: 188–192°. Das erhaltene Öl erstarrt nach dem Abkühlen (F: 34°).

Mit ∼ 5,5 Mol Acrylnitril wird in gleicher Weise das 1 : 2-Addukt mit 82%-iger Rohausbeute erhalten; F: 111,5° (aus Äthanol).

Tab. 190 gibt einige Beispiele für Alkanoyl-furane bzw. -thiophene, die ausschließlich mit Triton B als Katalysator hergestellt wurden.

Tab. 190. Cyanäthylierung von Alkanoyl-furan bzw. -thiophen

Keton	Cyanäthylierungs-Produkt	Ausbeute [% d.Th.]	F [°C]	Literatur
2-Acetyl-furan	*4-(2-Cyan-äthyl)-4-furanoyl-(2)-heptandisäure-dinitril*	80;90	120–121	2,4
2-Propanoyl-furan	*4-Methyl-4-furanoyl-(2)-heptandisäure-dinitril*	100	49	2
2,5-Dimethyl-3-butanoyl-furan	*4-Äthyl-4-[2,5-dimethyl-furanoyl-(3)]-heptandisäure-dinitril*	54	(Kp$_2$: 137,5°)	3
2,5-Dimethyl-3-propanoyl-furan	*5-Oxo-4-methyl-5-[2,5-dimethyl-furyl-(3)]-pentansäure-nitril*	27	(Kp$_8$: 157°)	3
	+4-Methyl-4-[2,5-dimethyl-furanoyl-(3)]-heptandisäure dinitril	45		
2-Acetyl-thiophen	*4-(2-Cyan-äthyl)-4-thienoyl-(2)-heptandisäure-dinitril*	87–89	145–146	2,4
2-Propanoyl-thiophen	*4-Methyl-4-thienoyl-(2)-heptandisäure-dinitril*	98	81–82	2
5-Methyl-2-propanoyl-thiophen	*4-Methyl-4-[5-methyl-thienoyl-(2)]-heptandisäure-dinitril*	70	79–80	3

4-(2-Cyan-äthyl)-4-furanoyl-(2)-heptandisäure-dinitril[2]: Zu einer gerührten Mischung von 6 g Triton B, 200 g tert. Butanol und 99 g 2-Acetyl-furan werden 143 g Acrylnitril innerhalb 1 Stde. getropft. Während der Zugabe wird die Temp. zwischen 22 und 28° gehalten. Der ausfallende Kristallbrei wird mit weiteren 150 g tert. Butanol verdünnt und weitere 18 Stdn. bei ∼ 23° gerührt; der Katalysator mit verd. Salzsäure neutralisiert, der Kristallbrei abgenutscht und aus Äthanol umkristallisiert; Ausbeute: 216 g (89% d.Th.); F: 121–122° (farblose Kristalle).

Die Umsetzung der β-Oxo-carbonsäureester mit Acrylnitril besitzt analog den Umsetzungen der β-Oxo-carbonsäureester mit Acrylsäureestern (s. S. 1543) großes präparatives Interesse, da die zunächst entstehenden δ-Oxo-γ-äthoxycarbonyl-carbonsäure-nitrile I und II leicht durch Säure-Spaltung in substituierte Glutar-

[1] H. Beyer, W. Lässig u. G. Schudy, B. **90**, 592 (1957).
[2] H. A. Bruson u. T. W. Riener, Am. Soc. **70**, 216 (1948).
[3] N. A. Acara u. R. Levine, Am. Soc. **72**, 2864 (1950).
[4] G. R. Zellars u. R. Levine, J. Org. Chem. **13**, 911 (1948).

säuren III bzw. durch Keto-Spaltung in 4-Alkanoyl-heptandisäuren IV überführbar sind:

$$H_3C-\overset{\overset{O}{\|}}{C}-\overset{\overset{R'}{|}}{\underset{|}{C}}-COOR \longrightarrow H_3C-\overset{\overset{O}{\|}}{C}-\overset{\overset{R'}{|}}{\underset{\underset{CH_2-CH_2-CN}{|}}{C}}-COOR \longrightarrow \overset{R'}{\underset{\underset{CH_2-COOH}{|}}{\underset{|}{CH_2}}}CH-COOH$$

I — III

$$H_3C-\overset{\overset{O}{\|}}{C}-CH_2-COOR \longrightarrow H_3C-\overset{\overset{O}{\|}}{C}-\overset{\overset{CH_2-CH_2-CN}{|}}{\underset{\underset{CH_2-CH_2-CN}{|}}{C}}-COOR \longrightarrow H_3C-\overset{\overset{O}{\|}}{C}-\overset{\overset{CH_2-CH_2-COOH}{|}}{\underset{\underset{CH_2-CH_2-COOH}{|}}{CH}}$$

II — IV

4-Acetyl-heptandisäure

In α-Stellung unsubstituierte β-Oxo-carbonsäureester vom Acetessigsäureester-Typ geben in Gegenwart von Triton B[1] (Trimethyl-benzyl-ammonium-hydroxid) oder Trimethyl-benzyl-ammonium-butanolat[2] in 53–80%iger Ausbeute Dicyanäthylierungs-Produkte vom Typ II; z.B.:

Acetessigsäure-äthylester	→ *4-Acetyl-4-äthoxycarbonyl-heptandisäure-dinitril*	80% d.Th.
3-Oxo-hexansäure-äthylester	→ *4-Butanoyl-4-äthoxycarbonyl-heptandisäure-dinitril*	74% d.Th.
3-Oxo-5-methyl-hexansäure-äthylester	→ *4-(3-Methyl-butanoyl)-4-äthoxycarbonyl-heptandisäure-dinitril*	65% d.Th.
3-Oxo-3-phenyl-propansäure-äthylester	→ *4-Benzoyl-4-äthoxycarbonyl-heptandisäure-dinitril*	53% d.Th.

Durch die Wahl eines anderen Katalysators (Natriumäthanolat) gelang es auch hier, Monocyanäthylierungs-Produkte[3] zu erhalten, wobei allerdings die Ausbeuten unter 50% d.Th. liegen. In α-Stellung monosubstituierte Acetessigsäureester führen bei Umsetzung mit Acrylnitril mit Kaliumhydroxid in Methanol und tert. Butanol zu 4-Alkyl-4-acetyl-glutarsäure-5-ester-1-nitrilen des Typs I[4]:

$$H_3C-\overset{\overset{O}{\|}}{C}-\overset{\overset{R^2}{|}}{\underset{\underset{CH_2-CH_2-CN}{|}}{C}}-COOR^1$$

I

z.B. $R^1 = C_2H_5$; $R^2 = CH(CH_3)_2$ — *4-Isopropyl-4-acetyl-glutarsäure-5-äthylester-1-nitril*
$\qquad\qquad = C_4H_9$ — *4-Butyl-4-acetyl-glutarsäure-5-äthylester-1-nitril*
$\qquad\qquad = C_5H_{11}$ — *4-Pentyl-4-acetyl-glutarsäure-5-äthylester-1-nitril*
$\qquad\qquad = (CH_2)_2-CH(CH_3)_2$ — *4-(3-Methyl-butyl)-4-acetyl-glutarsäure-5-äthylester-1-nitril*
$\qquad\qquad = C_6H_{13}$ — *4-Hexyl-4-acetyl-glutarsäure-5-äthylester-1-nitril*
$\qquad\qquad = C_6H_5$ — *4-Phenyl-4-acetyl-glutarsäure-5-äthylester-1-nitril*
$\qquad\qquad = CH_2-C_6H_5$ — *4-Benzyl-4-acetyl-glutarsäure-5-äthylester-1-nitril*

---

[1] H. Henecka, B. **81**, 197 (1948).
[2] G. R. Zellars u. R. Levine, J. Org. Chem. **13**, 911 (1948).
[3] C. W. Yoho u. R. Levine, Am. Soc. **74**, 5597 (1952).
[4] G. S. Misra u. J. S. Shukla, J. indian chem. Soc. **29**, 455 (1952).

Die Addukte des Typs I (S. 1559) lassen sich auch so verseifen, daß nur die Ester-Funktion verseift und die entstehende β-Oxo-carbonsäure unter Decarboxylierung δ-Oxo-carbonsäure-nitrile[1] ergibt. Die Ausbeuten bleiben unter 50% d. Th.

Auch der in α-Stellung fluorierte Acetessigsäureester wurde mit Acrylnitril in Gegenwart von Triton B (Trimethyl-benzyl-ammonium-hydroxid) umgesetzt. Die Reaktion verläuft mit guter Ausbeute, wenn man das Reaktionsgemisch bei Raumtemperatur 120 Stdn. sich selbst überläßt[2].

Wie zu erwarten, reagieren auch cyclische β-Oxo-carbonsäureester wie 2-Oxo-cyclohexan-1-carbonsäureester[3], α-Oxo-tetralin-carbonsäureester[4], 2-Oxo-1,7,7-trimethyl-bicyclo[2.2.1]heptan-3-carbonsäureester[5] und 2-Oxo-cyclopentan-1-carbonsäureester[6] in hoher Ausbeute mit Acrylnitril zu den Addukten I, II, III und IV:

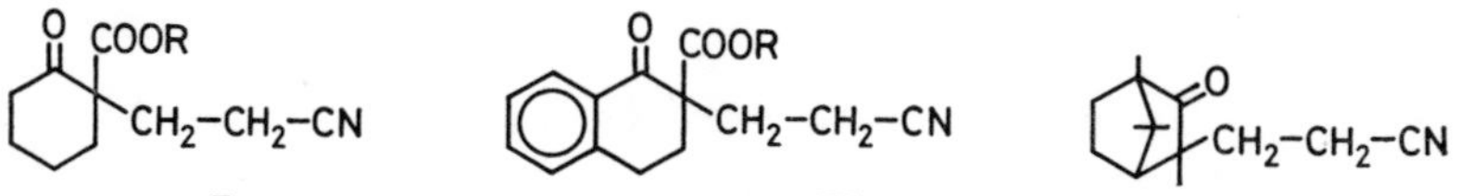

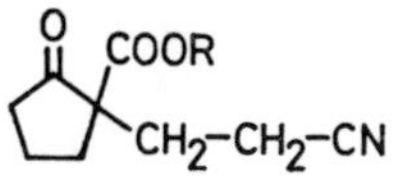

I; *2-Oxo-1-(2-cyan-äthyl)-1-äthoxy-carbonyl-cyclohexan*; 85% d. Th.
II; *1-Oxo-2-(2-cyan-äthyl)-2-äthoxycarbonyl-tetralin*; 92% d. Th.
III; *3-Oxo-4,7,7-trimethyl-2-(2-cyan-äthyl)-2-äthoxycarbonyl-bicyclo[2.2.1]heptan*
IV; *2-Oxo-1-(2-cyan-äthyl)-2-äthoxycarbonyl-cyclopentan*

ε) δ-Nitro-ketone und δ-Oxo-sulfone

Die Addition einfacher Ketone an Nitroäthylene läßt sich zwar prinzipiell durchführen, wie schon 1941 am Beispiel Aceton/2-Dimethylamino-1-nitro-äthylen gezeigt wurde[7], doch scheint zur Erzielung einer einigermaßen befriedigenden Ausbeute die CH-Acidität solch einfacher Ketone nicht auszureichen. Ein Sonderfall ist dagegen die mit sehr guten Ausbeuten verlaufende Umsetzung der Mannichbase I mit Cyclohexanon unter Bildung von *2-Oxo-1-(2-nitro-butyl)-cyclohexan* (II), das um-

[1] G. S. Misra u. J. S. Shukla, J. indian chem. Soc. 30, 37 (1953).
[2] A. Ostaszynski, Bull. Acad. Polon. Sci. Ser. Sci. Chim. 8, 615 (1960); C. A. 60, 1636 (1964).
[3] H. Henecka, B. 81, 197 (1948); 82, 41 (1949).
   D. K. Banerjee, S. Chatterjee u. S. P. Bhattacharya, Am. Soc. 77, 408 (1955).
[4] H. Henecka, B. 81, 197 (1948).
   P. N. Rao, D. H. Buss u. L. R. Axel, J. Med. Chem. 15, 426 (1972).
[5] W. E. Bachmann u. G. D. Johnson, Am. Soc. 71, 3463 (1949).
[6] I. N. Nazarov, S. I. Zavylov u. M. S. Burmistrova, Izv. Akad. SSSR 1956, 205; engl.:
   197; C.A. 50, 13762 (1956).
[7] J. F. Bourland, Dissertation, Purdue University 1941.
   S.a. H. B. Hass u. E. F. Riley, Chem. Reviews 32, 414 (1943).

gekehrt auch aus der Mannichbase III, aus der 2-Oxo-1-methylen-cyclohexan in situ erzeugt wird, und 1-Nitro-propan zugänglich ist[1]:

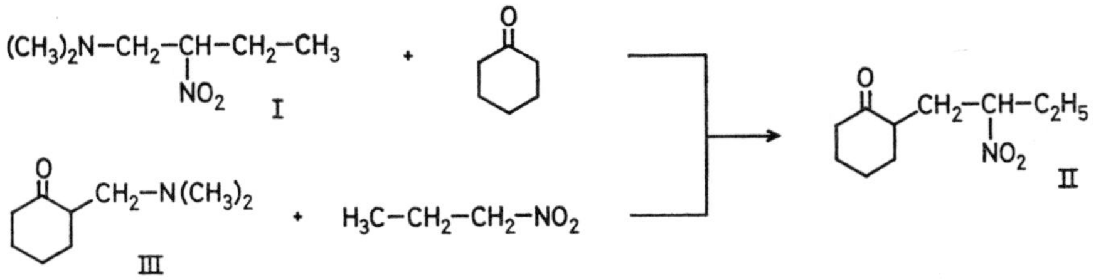

Obige Reaktion läßt sich auf Acetophenon z.B. nicht ausdehnen. Mit diesem Keton tritt keine Reaktion im gewünschten Sinne ein, sondern statt dessen nur Polymerisation des Nitroolefins.

Eine Variante der geschilderten Verfahren der Nitroäthylierung von Ketonen ist die sogenannte 2-Nitro-vinylierung[2]. Hierbei werden die Alkyl- und Alkyl-aryl-ketone I durch Erhitzen mit dem Nitroenamin II in Gegenwart von Kaliumäthanolat in die *aci*-(2-Nitro-vinyl)-ketone III umgewandelt:

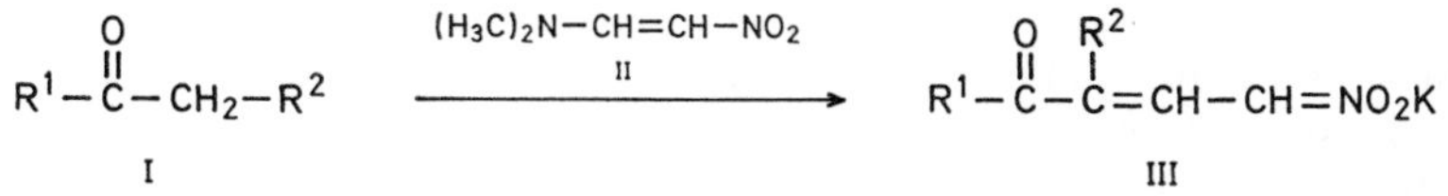

R[1] = C_6H_5; R[2] = CH_3;   *4-Nitro-1-oxo-2-methyl-1-phenyl-buten-(2)*
            R[2] = C_6H_5;   *4-Nitro-1-oxo-1,2-diphenyl-buten-(2)*
R[1] = C_2H_5; R[2] = CH_3;   *1-Nitro-4-oxo-3-methyl-hexen-(2)*
            R[2] = H;   *1-Nitro-4-oxo-hexen-(2)*

Auch bei den stärker aktivierten β-Dicarbonyl-Verbindungen stellt man eine deutliche Abstufung der Ausbeuten in Abhängigkeit von der Aktivierung der α-H-Atome der Carbonyl-Verbindung fest. Setzt man z.B. in Gegenwart von Natrium-äthanolat als Katalysator α-Nitro-stilben mit Pentandion-(2,4), 1,3-Dioxo-1-phenyl-butan und schließlich Acetessigsäure-äthylester um, so erhält man die entsprechenden Nitro-ketone (*1-Nitro-4-oxo-1,2-diphenyl-3-acetyl-pentan*; *1-Nitro-4-oxo-1,2-diphenyl-3-benzoyl-pentan*; *4-Nitro-3,4-diphenyl-2-acetyl-butansäure-äthylester*) in Ausbeuten von 11 über 21–42% d.Th. ansteigend[3]. Wie zu erwarten, reagiert das relativ stark saure 3,5-Dioxo-1,1-dimethyl-cyclohexan mit β-Nitro-styrol in 65%-iger Ausbeute zu *2,6-Dioxo-4,4-dimethyl-1-(2-nitro-1-phenyl-äthyl)-cyclohexan*[4]. In unerwarteter Weise reagiert dagegen Cyclohexandion-(1,3) (I; S.1562) selbst, indem es mit β-Nitro-styrol (II) oder auch mit 1-Nitro-propen (IIa) in Gegenwart von Natriummethanolat in

[1] N. S. Gill, K. B. James u. F. Lions, K. T. Potts, Am. Soc. **74**, 4923 (1952).
[2] T. Severin et al., B. **104**, 2856 (1971).
   T. Severin u. H. Kullmer, B. **104**, 440 (1971).
[3] A. Dornow u. F. Boberg, A. **578**, 101 (1952).
[4] V. V. Perekalin u. K. S. Parfenova, Ž. obšč. Chim. **30**, 388 (1960); engl.: 412.

Methanol über das intermediäre Additionsprodukt III das cyclische Nitron IV ergibt[1-3]:

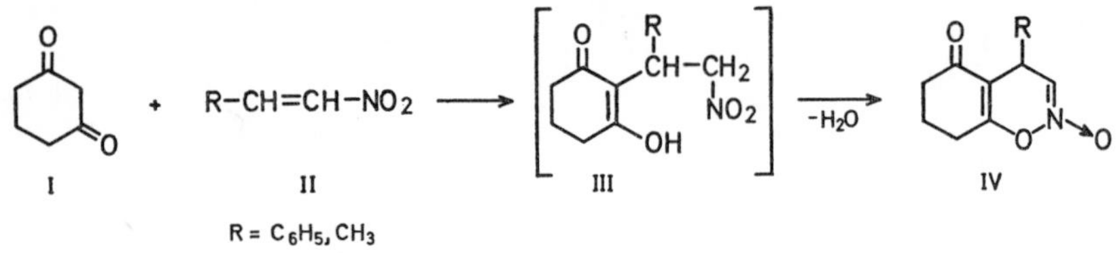

R = C$_6$H$_5$, CH$_3$

5-Oxo-4-phenyl-5,6,7,8-tetrahydro-4H-⟨benzo-[e]-1,2-oxazin⟩-2-oxid (IV)[1]: Zu einer Lösung von 0,5 g Natrium in 30 ml abs. Methanol gibt man 11,2 g (0,1 Mol) Cyclohexandion-(1,3) und, nachdem es gelöst ist, 14,9 g (0,1 Mol) ω-Nitro-styrol. Die Temp. wird durch zeitweise Kühlung auf 35–40° gehalten, bis alles ω-Nitro-styrol gelöst ist. Man kühlt dann 1 Stde. auf ∼ 15°, wobei ein Teil des Reaktionsproduktes in gelblichen Nädelchen auskristallisiert und die Lösung sich von gelb über orange nach rot verfärbt. Zur Vervollständigung der Kristallisation läßt man 12 Stdn. im Kühlschrank stehen. Die ausgeschiedenen Kristalle werden abgesaugt, in einer Reibschale zerrieben, mit 20 ml Methanol gewaschen, scharf abgesaugt und auf einer Tonplatte getrocknet. Die weitere Reinigung erfolgt durch Umkristallisieren aus Methanol; Ausbeute: 17,5 g (72% d.Th.); F: 165–167° (Zers.).

Systematische Untersuchungen[4] über die Herstellung α-substituierter 2-(2-Nitroäthyl)-Derivate cyclischer β-Diketone, die als Ausgangsmaterial für Umsetzungen der aus diesen zu gewinnenden Amino-Verbindungen benötigt werden, liegen vor. Das folgende Reaktionsschema unterrichtet über diese ausführlichen Arbeiten:

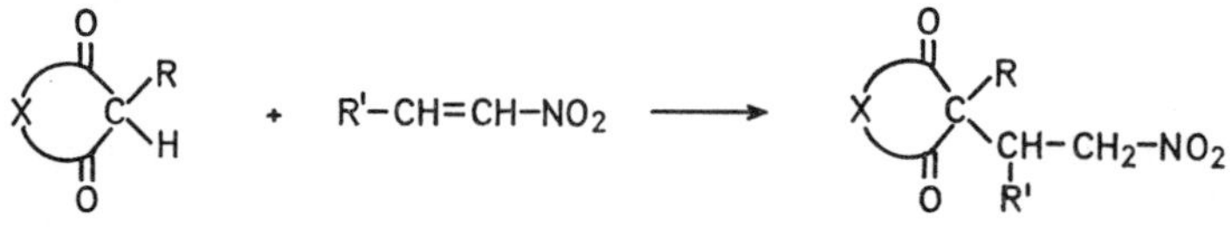

---

[1] H. Stetter u. K. Höhne, B. **91**, 1344 (1958).

[2] G. B. Ansell, D. W. Moore u. A. T. Nielsen, Chem. Commun. **1970**, 1602.

Als Produkt der Addition von Cyclohexandion-(1,3) an 2-Nitro-1-(4-brom-phenyl)-äthylen wird das *2-Oxo-8-hydroximino-9-(4-brom-phenyl)-7-oxa-bicyclo[4.3.0]heptan* (V) formuliert:

[3] In gleicher Weise reagiert 3,5-Dioxo-1,1-dimethyl-cyclohexan mit 2-Nitro-1-phenyläthylen unter Bildung *2-Oxo-8-hydroximino-4,4-dimethyl-9-phenyl-7-oxa-bicyclo[4.3.0]nonans* (VI) s. S. J. Dominianni et al., Tetrahedron Letters **1970**, 4735.

[4] E. M. Danilova u. V. V. Perekalin, Ž. Org. Chim. **1**, 1708 (1965); **3**, 1860 (1967); engl.: 1734, 1816.

X	R	R'	
(indan structure)		H CH$_3$ C$_6$H$_5$	2,6-Dioxo-1-(2-nitro-äthyl)-indan 2,6-Dioxo-1-[1-nitro-propyl-(2)]-indan 2,6-Dioxo-1-(2-nitro-1-phenyl-äthyl)-indan
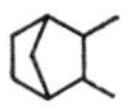 (bicyclic structure)	H	COOH	3,5-Dioxo-4-(2-nitro-1-carboxy-äthyl)-tricyclo [5.2.1.0^{2,6}]decan^1
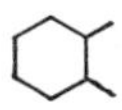 (cyclohexane ring structure)	H	COOH	7,9-Dioxo-8-(2-nitro-1-carboxy-äthyl)-bicyclo [4.3.0]nonan^1
(oxa structure)		H CH$_3$ C$_5$H$_6$	3,4-Dioxo-2-(2-nitro-äthyl)- ⎫ -2-oxa-bi- 3,4-Dioxo-2-[1-nitro-propyl-(2)]- ⎬cyclo[4.4.0] 3,4-Dioxo-2-(2-nitro-1-phenyl-äthyl)- ⎭ decan
H$_2$C | H$_2$C		H CH$_3$ C$_6$H$_5$	2,7-Dioxo-1-(2-nitro-äthyl)-cycloheptan 2,7-Dioxo-1-[1-nitro-propyl-(2)]-cycloheptan 2,7-Dioxo-1-(2-nitro-1-phenyl-äthyl)-cycloheptan
H$_3$C CH$_2$— C H$_3$C CH$_2$—		H CH$_3$ C$_6$H$_5$	2,6-Dioxo-4,4-dimethyl-1-(2-nitro-äthyl)-cyclo- hexan 2,6-Dioxo-4,4-dimethyl-1-[1-nitro-propyl-(2)]- cyclohexan 2,6-Dioxo-4,4-dimethyl-1-(2-nitro-1-phenyl-äthyl)- cyclohexan

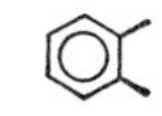

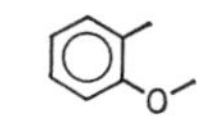

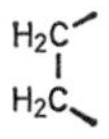

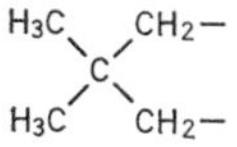

Oxo-alkan-Polyanionen, z. B. das Dianion des 2,4-Dioxo-pentans können mit Nitro-olefinen z. B. ω-Nitro-3,4-dimethoxy-styrol in Tetrahydrofuran/Hexan bei −78° schon unter Bildung von Cyclohexanonen [z. B. *2-Nitro-3-hydroxy-5-oxo-3-methyl-1-(3,4-dimethoxy-phenyl)-cyclohexan*] reagieren^2:

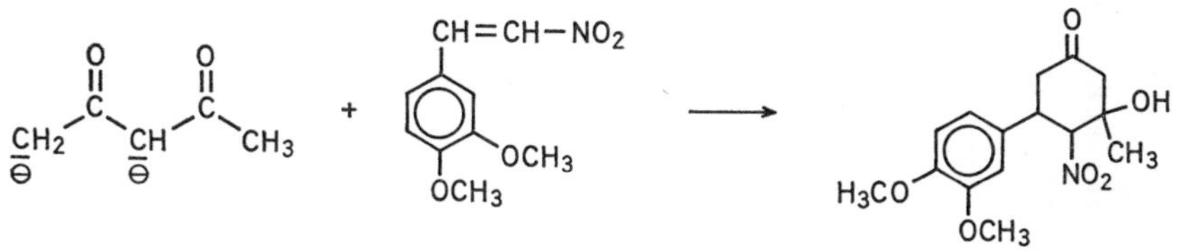

Substitutionsgrad und Aktivierung der Doppelbindung im Acceptorsystem, der α,β-ungesättigten Nitro-Verbindung, bestimmen in wenig charakteristischer Weise die Ausbeute an Michael-Addukt, wie Tab. 191 (S. 1564) zeigt.

4-Nitro-3-methyl-2-acetyl-butansäure-äthylester^3: 13 g (0,1 Mol) Acetessigsäure-äthylester in 30 *ml* abs. Äther werden mit 5 *ml* 2%igem äthanolischen Natriumäthanolat versetzt. Unter starkem Rühren und unter Kühlung mit Eiswasser werden innerhalb 40 Min. 4,4 g (0,05 Mol) 1-Nitro-propen zugetropft. Nach 2stdgm. Rühren bei 22° läßt man noch 15 Stdn. bei 22° stehen, säuert dann mit wenig Eisessig an und entfernt das Lösungsmittel i. Vak. Der Rückstand wird zwischen Äther und Wasser verteilt, die Äther-Lösung mit Natriumhydrogencarbonat-Lösung neutral gewaschen und über Natriumsulfat getrocknet. Nach Abdestillieren des Äthers hinterbleiben 12,4 g eines gelben Öls, das i. Vak. destilliert wird:
7,8 g (Kp$_{10}$: 62–65°) Vorlauf (Acetessigsäure-äthylester)
3,4 g (31% d.Th.; Kp$_{10}$: 145–148°) Nitro-keton.

^{1} T. A. Severina, L. N. Ivanova u. V. F. Kucherov, Izv. Akad. SSSR 1967, 1111; engl.: 1069.
^{2} D. Seebach u. V. Ehrig, Ang. Ch. 86, 446 (1974).
^{3} C. A. Grob u. K. Camenisch, Helv. 36, 49 (1953).

Tab. 191. Umsetzung von Nitroäthylenen mit Acetessigsäure-äthylester

$$R^2-C=C-NO_2 \quad \overset{R^3\;R^1}{|\;|}$$

R¹	R²	R³	Katalysator	Nitro-Keton	Ausbeute [%d.Th.]	Literatur
H	H	CH_3	$NaOC_2H_5$	4-Nitro-3-methyl-2-acetyl-butansäure-äthylester	31	[1]
	H	C_2H_5	Na	3-Nitromethyl-2-acetyl-pentansäure-äthylester	25	[2]
	CH_3	CH_3	$NaOC_2H_5$	4-Nitro-3,3-dimethyl-2-acetyl-butansäure-äthylester	85	[3]
	H	C_6H_5	$(C_2H_5)_3N$	4-Nitro-3-phenyl-2-acetyl-butansäure-äthylester	98	[4]
$COOC_2H_5$	H	C_6H_5	$(C_2H_5)_2NH$	4-Nitro-3-phenyl-2-acetyl-glutarsäure-diäthylester	85	[5]
C_6H_5	H	$4\text{-}OCH_3\text{-}C_6H_4$	—	4-Nitro-4-phenyl-3-(4-methoxy-phenyl)-2-acetyl-butansäure-äthylester	45–50	[6]
	H	$4\text{-}CH_3\text{-}C_6H_4$	—	4-Nitro-4-phenyl-3-(4-methyl-phenyl)-2-acetyl-butansäure-äthylester		
	H	1-Naphthyl	—	4-Nitro-4-phenyl-3-naphthyl-(1)-2-acetyl-butansäure-äthylester		

1 C. A. Grob u. K. Camenisch, Helv. 36, 49 (1953).
2 US.P. 2425276 (1947); C. T. Bahner; C.A. 41, 7410 (1947).
3 V. M. Berezovskii, V. B. Spiro u. B. M. Sheiman, Chim. geteroc. Soed. 1968, 108; C.A. 70, 3706ᴿ (1969).
4 V. V. Perekalin u. A. S. Sopova, Ž. obšč. Chim. 24, 513 (1954); engl.:523.
5 A. Dornow u. H. Menzel, A. 588, 40 (1954).
6 A. Marei u. I. M. Girgis, J. Chem. U.A.R. 14, 349 (1971).

Die Umsetzung von als Mannich-Basen maskierten Nitro-äthylenen mit Acetessigsäure-äthylester bzw. 2-Acetyl-bernsteinsäure-diäthylester wurde beschrieben[1].

Hingewiesen sei auf eine Furan-Synthese durch Michael-Addition von Natrium-acetessigsäure-äthylester (II) an 2-Nitro-1-phenyl-alkene-(1) I, wobei über die in 76%iger Ausbeute entstehenden Produkte III durch Behandeln mit Kohlensäure (Nef-Reaktion) die Diketone IV entstehen, die sich zu V cyclisieren[2]:

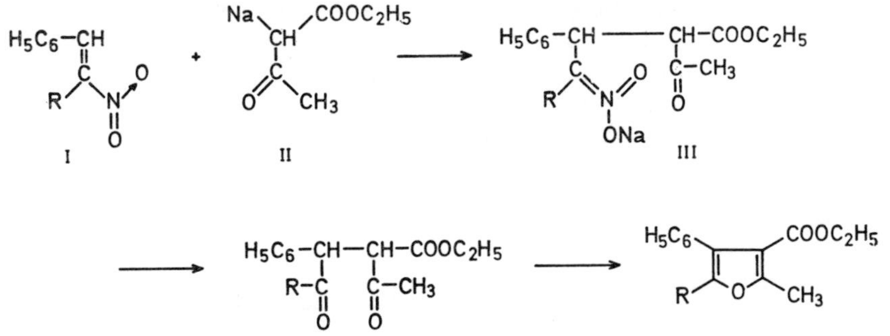

Nitroäthylen selbst reagiert mit 3,5-Dioxo-1,1-dimethyl-cyclohexan oder mit Cyclohexandion-(1,3) unter Natriummethanolat-Katalyse zu einem Bis-addukt VI; man isoliert in guter Ausbeute *2,6-Dioxo-4,4-dimethyl-1,1-bis-[2-nitro-äthyl]*- bzw. *2,6-Dioxo-1,1-bis-[2-nitro-äthyl]-cyclohexan*[3]:

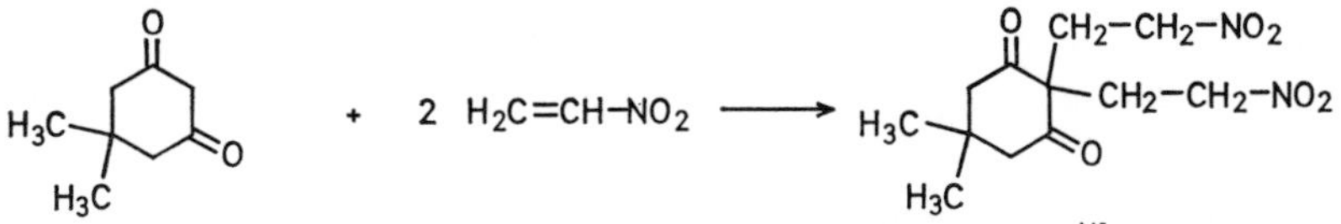

Interessanterweise lassen sich substituierte Nitro-äthylene sehr gut mit Nitro-ketonen umsetzen; eine allgemein anwendbare, einfache Methode zur Herstellung solcher α,γ-Dinitro-ketone wird beschrieben[4]. Hiernach werden α-Nitroketone in organischen Lösungsmitteln (z.B. Benzol) in Gegenwart eines basischen Katalysators (z.B. Triäthylamin) an ungesättigte Nitro-Verbindungen angelagert. Aus β-Nitro-styrol (II) und ω-Nitro-acetophenon (III) entsteht *2,4-Dinitro-1-oxo-1,3-diphenyl-butan* (IV, 75% d.Th.):

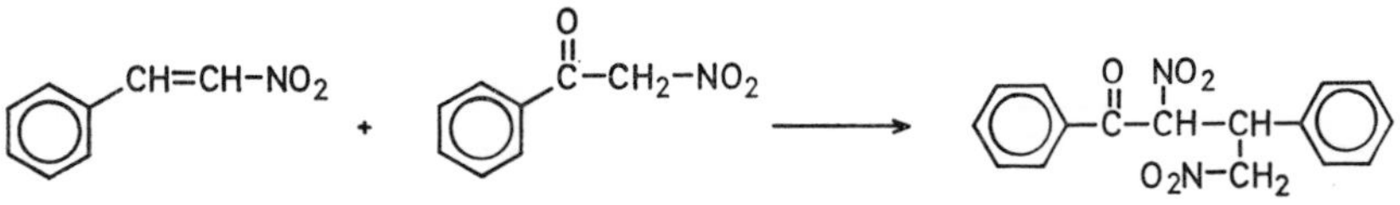

Analog erhält man

1,3-Dinitro-4-oxo-4-phenyl-2-(4-methoxy-phenyl)-butan
1,3-Dinitro-4-oxo-4-phenyl-2-(4-nitro-phenyl)-butan
1,3-Dinitro-4-oxo-4-phenyl-2-furyl-(2)-butan
1,3-Dinitro-4-oxo-phenyl-2-thienyl-(2)-butan

[1] G. L. SHOEMAKER u. R. W. KEOWN, Am. Soc. **76**, 6374 (1954).
[2] F. BOBERG u. G. R. SCHULTZE, B. **90**, 1215 (1957).
[3] V. V. PEREKALIN u. K. S. PARFENOVA, Ž. obšč. Chem. **30**, 388 (1960); engl.: 412.
[4] V. V. PEREKALIN u. K. BAIER, Ž. prikl. Chim. **31**, 667 (1958); engl.: 661.

α,β-ungesättigte Sulfone sind in ihrem reaktiven Verhalten den ungesättigten Nitro-Verbindungen in vielen Punkten gleich zu setzen (Sulfoäthylierung):

$$H_3C-SO_2-CH=CH_2 \quad + \quad R^1-CH_2-R^2 \xrightarrow{\text{Base}} (H_3C-SO_2-CH_2-CH_2)_2\overset{\overset{\displaystyle R^2}{|}}{C}-R^1$$

Bei der Michael-Addition mit Vinylsulfonen wird als geeignetster Katalysator Trimethyl-benzyl-ammonium-hydroxid (Triton B) und absolutes Äthanol als Lösungsmittel empfohlen[1]. Unter diesen Bedingungen wurden folgende Ergebnisse mit **Methyl-vinyl-sulfon** erzielt:

Acetessigsäure-äthylester	→ *4-Methylsulfon-2-acetyl-butansäure-äthylester*	70% d. Th.
Pentandion-(2,4)	→ *2,4-Dioxo-3,3-bis-[2-methylsulfon-äthyl]-pentan*	36% d. Th.
	+ *1,5-Bis-[methylsulfon]-3-acetyl-pentan*	24% d. Th.
2-Oxo-1-phenyl-propan	→ *5-Methylsulfon-2-oxo-3-phenyl-pentan*	61% d. Th.
Acetophenon	→ —	

Sulfoäthylierung[1] von Carbonyl-Verbindungen; allgemeine Arbeitsvorschrift: 0,05 Mol der Carbonyl-Verbindung werden in 10–25 *ml* abs. Äthanol gelöst (3-Halskolben, Rührer, Rückflußkühler, Tropftrichter) und 3,4 g Triton B (Trimethyl-benzyl-ammonium-hydroxid) unter Rühren zugesetzt, bis gegebenenfalls nach Erwärmen eine homogene Lösung entsteht.

Zu der gut gerührten Lösung wird die der Anzahl der aktiven H-Atome der Carbonyl-Verbindung äquivalente Menge Methyl-vinyl-sulfon langsam zugetropft. Eine weitere Menge von 1–2 g Triton B wird sodann zugesetzt und die Reaktionsmischung unter Rühren 4–24 Stdn. unter Rückfluß erhitzt. Nach Abkühlen und vorsichtiger Neutralisation mit verd. Salzsäure wird die Reaktionsmischung in 100 *ml* Eiswasser eingetragen, der ausfallende Niederschlag nach 24 Stdn. abfiltriert und umkristallisiert.

Auch **Vinylsulfoxide** lassen sich in Michael-Additionen einsetzen[2]. Vinyl-(4-methyl-phenyl)-sulfoxid liefert mit Acetessigsäure-äthylester *4-(4-Methyl-phenylsulfinyl)-2-acetyl-butansäure-äthylester*:

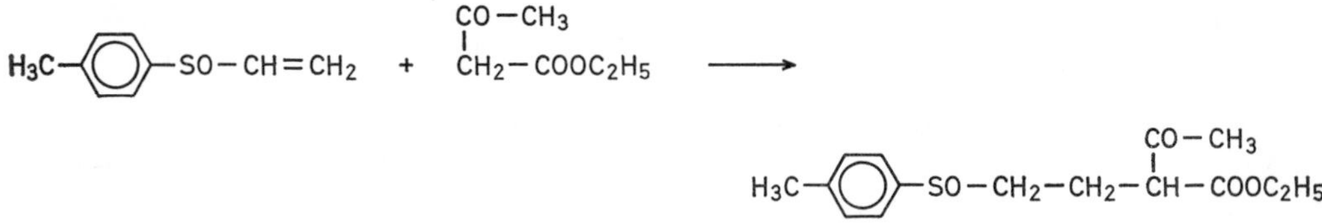

ξ) γ-Pyridyl- und γ-Chinolyl-ketone

Auch 2- bzw. 4-**Vinyl-pyridine** lassen sich an Ketone addieren. Dies wird durch die Resonanzformeln I und Ia, II und IIa deutlich[3]:

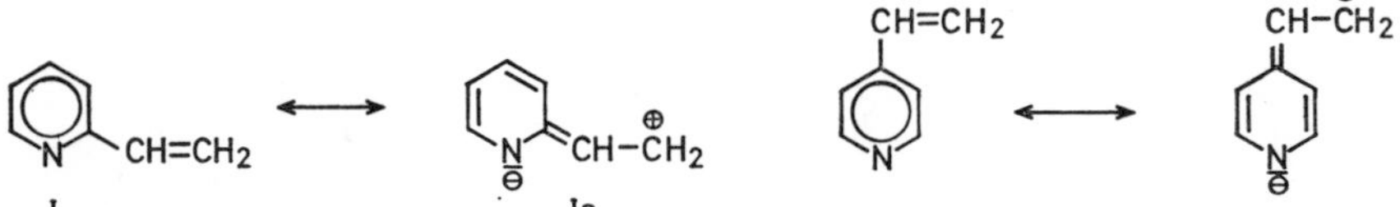

Eine Fülle von Reaktionen mit den verschiedensten nucleophilen Reagenzien beweist die allgemeine Anwendbarkeit der „Pyridyl-(2)-äthylierung". Hingewiesen sei hier auf die Reaktion von 2- bzw. 4-Vinyl-pyridin mit Ketonen[4–6]. Als

[1] W. E. Truce u. E. Wellisch, Am. Soc. **74**, 2881 (1952).
[2] G. Tsuchihashi et al., Tetrahedron Letters **1973**, 323.
[3] W. von V. E. Doering u. R. A. N. Weil, Am. Soc. **69**, 2461 (1947).
[4] R. Levine u. M. H. Wilt, Am. Soc. **74**, 342 (1952).
[5] M. H. Wilt u. R. Levine, Am. Soc. **75**, 1368 (1953).
[6] G. Magnus u. R. Levine, J. Org. Chem. **22**, 270, (1957).

Beispiel sei die Umsetzung von Acetophenon mit 4-Vinyl-pyridin angeführt, die auch als allgemeine Vorschrift für die Umsetzung von Ketonen mit Vinyl-pyridinen angegeben wird[1].

4-Oxo-4-phenyl-1-pyridyl-(4)-butan und 3-Benzoyl-1,5-dipyridyl-(4)-pentan: 120 g (1 Mol) Acetophenon, 52,5 g (0,5 Mol) 4-Vinyl-pyridin und 2,3 g (0,1 g Atom) Natrium werden in einem besonderen Reaktionsgefäß[2] unter Rühren zusammengegeben, wobei nach einigen Min. eine exotherme Reaktion einsetzt, die die Reaktionsmischung zum Sieden bringt. Nach ∼ 15 Min. wird weitere 2 Stdn. unter Rückfluß erhitzt, dann auf Raumtemp. abgekühlt und das Reaktionsgemisch auf eine Mischung aus Eis und 100 ml konz. Salzsäure gegeben und 3mal mit je 100 ml Chloroform ausgeschüttelt (Extrakt I). Die wäßrige Phase wird mit ges. Natriumcarbonat-Lösung alkalisch gestellt, ebenfalls mit Chloroform extrahiert und die Chloroform-Extrakte mit Natriumsulfat getrocknet (Extrakt II). Die Lösungsmittel der Extrakte I und II werden abdestilliert und die Rückstände i. Vak. destilliert.

Extrakt I liefert 20 g nichtumgesetztes Acetophenon und vermutlich 20 g Selbstkondensationsprodukt (Kp$_{0,5}$: 190–225°).

Aus Extrakt II erhält man 20,5 g (18,4% d.Th.) *4-Oxo-4-phenyl-1-pyridyl-(4)-butan* (Kp$_{1,5}$: 190–195°; F: 78–79°) und 55,6 g (66% d.Th.) *3-Benzoyl-1,5-dipyridyl-(4)-pentan* (Kp$_1$: 232–235°).

Acetessigsäure-äthylester (I) z. B. reagiert mit 2-Vinyl-pyridin (II) zu *2-Acetyl-4-pyridyl-(2)-butansäure-äthylester* (III), der als β-Oxo-carbonsäureester leicht der Keto-Spaltung zu *4-Oxo-1-pyridyl-(2)-pentan*(IV) unterliegt:

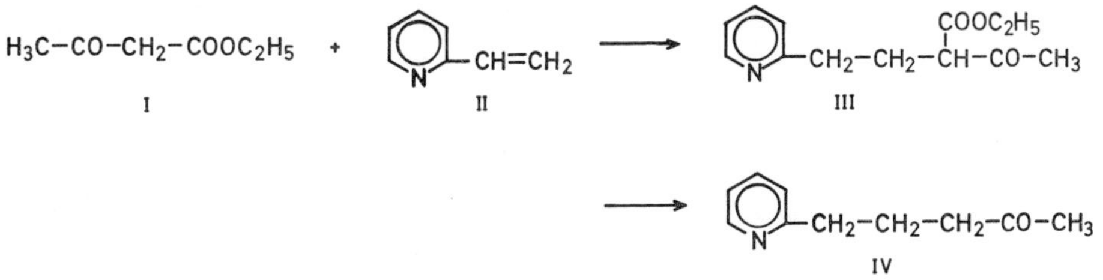

Über die Herstellung von Pyridylketonen über Mannichbasen informiert folgende Übersicht[2]:

	Mannichbase des		
4-Vinyl-pyridin	$\xrightarrow[\text{(+Keto-Spaltung)}]{+H_5C_6-CO-CH_2-COOC_2H_5}$	*4-Oxo-4-phenyl-1-pyridyl-(4)-butan*	51% d.Th. F: 77–81°
2-Vinyl-pyridin	$\xrightarrow{+H_5C_6-CH_2-CO-C_6H_5}$	*4-Oxo-3,4-diphenyl-1-pyridyl-(2)-butan*	46% d.Th. F: 74–75°
	$\xrightarrow{+H_5C_6-CH_2-CO-CH_3}$	*4-Oxo-3-phenyl-1-pyridyl-(2)-pentan*	F: 130°
	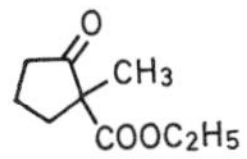	*2-Oxo-1-methyl-3-[2-pyridyl-(2)-äthyl]-1-äthoxy-carbonyl-cyclopentan* I	42% d.Th. F: 120°
	↓ Keto-Spaltung		
		2-Oxo-3-methyl-1-[2-pyridyl-(2)-äthyl]-cyclopentan (bez. auf I)	68% d.Th. F: 114°

[1] G. MAGNUS u. R. LEVINE, J. Org. Chem. **22**, 270 (1957).
[2] V. BOEKELHEIDE u. J. M. MASON, Am. Soc. **73**, 2356 (1951).
  V. BOEKELHEIDE u. S. ROTHSCHILD, Am. Soc. **71**, 879 (1949).

Über die Umsetzung von Enaminen mit Vinylpyridinen s. u.

Analog den Vinyl-pyridinen reagiert 2-Vinyl-chinolin[1]. In Gegenwart von Natrium-äthanolat reagieren Acetessigsäure-äthylester oder 3-Oxo-3-phenyl-propansäure-äthylester mit 2-Vinyl-chinolin in Ausbeuten von 33 bzw. 44% d. Th. zu *2-Acetyl-* (bzw. *-2-benzoyl)-4-chinolyl-(2)-butansäure-äthylester.* Allerdings liegt bei diesen Reaktionen das 2-Vinyl-chinolin auch nicht als solches, sondern maskiert als Mannichbase vor.

Das freie 2-Vinyl-chinolin läßt sich bei 160° und Natrium-Katalyse mit Acetophenon und Propiophenon zu *4-Oxo-4-phenyl-1-chinolyl-(2)-butan* bzw. *4-Oxo-3-methyl-4-phenyl-1-chinolyl-(2)-butan* umsetzen[2].

η) Michael-Addition von Enaminen[3]

Anknüpfend an die im vorigen Abschnitt besprochene Addition von Ketonen an Vinylpyridine soll etwas näher auf die Möglichkeiten eingegangen werden, die sich durch Verwendung der Enamine statt der freien Ketone bei der Michael-Addition anbieten. In einer ausführlichen Arbeit wird die Herstellung von in α-Stellung durch einen Heteroaromaten substituierten cyclischen Ketonen[4] beschrieben; hierbei werden die Pyrrolidinenamine dieser Ketone an 2-Vinyl- bzw. 4-Vinyl-pyridin und an Vinyl-pyrazin addiert (s. Tab. 192), ohne daß hierfür ein basischer Katalysator nötig wäre. Die hohen Ausbeuten, die nach dieser Enamin-Methode[5] erzielt werden,

Tab. 192. Reaktionen der Pyrrolidino-enamine cyclischer Ketone mit Vinyl-pyridin und -pyrazin in Diglyme[4] (Bis-[2-methoxy-äthyl]-äthan) bei 175–185°

Pyrrolidin-enamine von	Olefin	$\dfrac{\text{Mol Enamin}}{\text{Mol Olefin}}$	Diglyme [ml]	Zeit [Stdn.]	Keton	Ausbeute [% d. Th.]
Cyclohexanon	Vinyl-pyrazin	0,053/0,050	100	3	*2-Oxo-1-(2-pyrazyl-(2)-äthyl)-cyclohexan*	81
	2-Vinyl-pyridin	0,11/0,10	25	17	*2-Oxo-1-[2-pyridyl-(2)-äthyl]-cyclohexan*	71
	4-Vinyl-pyridin	0,11/0,10	25	17	*2-Oxo-1-[2-pyridyl-(4)-äthyl]-cyclohexan*	67
Cyclopentanon	Vinyl-pyrazin	0,053/0,050	100	3	*2-Oxo-1-[2-pyrazyl-(2)-äthyl]-cyclopentan*	66
	2-Vinyl-pyridin	0,11/0,10	25	17	*2-Oxo-1-[2-pyridyl-(2)-äthyl]-cyclopentan*	66
	4-Vinyl-pyridin	0,11/0,10	25	17	*2-Oxo-1-[2-pyridyl-(4)-äthyl]-cyclopentan*	65

[1] V. Boekelheide u. G. Marinetti, Am. Soc. **73**, 4015 (1951).

[2] T. Shono, S. Kodama u. R. Oda, J. chem. Soc. Japan, ind. Chem. Sect. **58**, 917 (1955); C. A. **50**, 13017 (1956).

[3] J. Szmuszkovicz, *Enamines*, Adv. Org. Chem. **4**, 1 (1963).
A. G. Cook, *Enamines: Synthesis, Structure and Reactions*, M. Dekker, New York 1969.

[4] G. Singermann u. S. Danishefsky, Tetrahedron Letters **1964**, 2249.

[5] G. Stork, R. Terrell u. J. Smuszkovicz Am. Soc. **76**, 2029 (1954).

sind auf die Tatsache zurückzuführen, daß in Abwesenheit eines basischen Katalysators die sonst unvermeidlichen Nebenreaktionen der mehrfachen Michael-Addition zu di- und trisubstituierten Produkten und die Selbstkondensation der Ketone
stark zurückgedrängt sind.

Ein weiterer Vorteil der Enamin-Methode liegt neben der großen Anwendungs-
breite (Additionsmöglichkeit an praktisch alle elektrophilen, in den vorigen Ab-
schnitten besprochenen Olefine) in der Möglichkeit, unsymmetrisch substituierte
Ketone, wie z. B. 2-Methyl-cyclohexanon, mit dem weniger substituierten C-
Atom an Acrylnitril zu addieren[1]. Ebenso tritt im Gegensatz zu den normalen Michael-
Additionen eine zweite Acrylnitril-Gruppe nicht an das gleiche, sondern an das α'-
Atom. So erhält man aus dem En-amin des Cyclohexanons und zwei Mol Acrylnitril
das *2-Oxo-1,3-bis-[2-cyan-äthyl]-cyclohexan* (s. a. S. 1542):

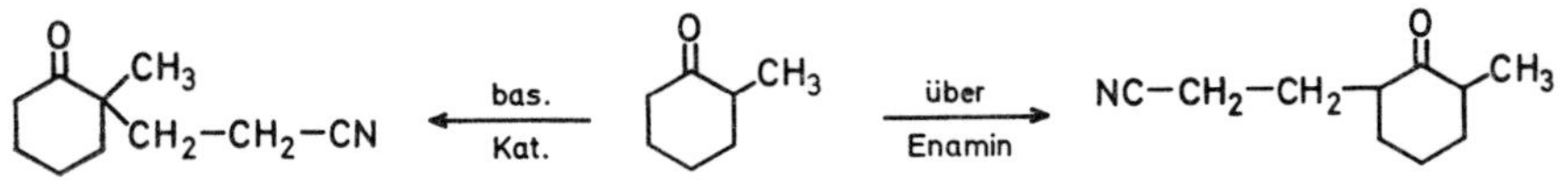

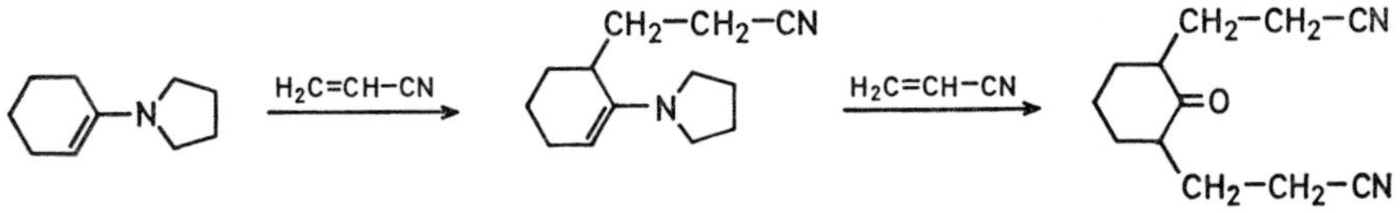

Eine Reihe von Beispielen für die Michael-Reaktion aliphatischer sowie cycloaliphatischer Keton-enamine mit α,β-ungesättigten Nitrilen, Estern und Nitro-Verbindungen s. Tab. 193 (S. 1570).

Die oft schwierige Herstellung der Enamine aliphatischer Ketone, vor allem
monosubstituierter Acetone, oder sterisch behinderter Ketone, bedeutet eine erhebliche Einschränkung der Methode. Ansonsten gilt bei Beachtung einiger Regeln
universelle Anwendbarkeit der Methode.

Als Amin ist Pyrrolidin besonders geeignet. Als Lösungsmittel werden 1,4-
Dioxan und Benzol empfohlen. Will man allerdings eine zweifache Michael-Addi-
tion in einem Reaktionsschritt erzielen, so muß man das stärker polare Äthanol als
Lösungsmittel anwenden. In diesem Falle erhält man in definierter Weise aus

---

[1] G. STORK et al., Am. Soc. **85**, 207 (1963).

Tab. 193. Michael-Addition von Enaminen

Enamin von	reaktive ungesättigte Verbindung	Reaktionsprodukt	Ausbeute [% d.Th.]	Literatur
Cyclopentanon (vgl. a. das Ende der Tab. S. 1571)	Acrylsäure-methylester	3-(2-Oxo-cyclopentyl)-propansäure-äthylester	60	1,2
	3,4-Dihydro-naphthalin-1-carbonsäure-methylester	2-(2-Oxo-cyclopentyl)-tetralin-1-carbonsäure-methylester		3
Cyclohexanon (vgl. a. das Ende der Tab. S. 1571)	Acrylsäure-äthylester	3-(2-Oxo-cyclohexyl)-propansäure-äthylester	80	1,vgl.4
	Buten-(2)-säure-äthylester	3-(2-Oxo-cyclohexyl)-butansäure-äthylester	56	1
	Acrylnitril	2-Oxo-1-(2-cyan-äthyl)-cyclohexan	80	1,2
	ω-Nitro-styrol	2-Oxo-1-(2-nitro-1-phenyl-äthyl)-cyclohexan	83	5,6
	Nitroäthylen	2-Oxo-1-(2-nitro-äthyl)-cyclohexan	80	7
	β-Nitro-acrylsäure-äthylester	2-Oxo-1-(2-nitro-1-äthoxycarbonyl-äthyl)-cyclohexan		8
	4-Jod-2-methyl-buten-(2)-säure-tert.-butylester	2-Oxo-1-[3-tert.-butyloxycarbonyl-buten-(2)-yl]-cyclohexan	50	9
	Cyclopropylmethylen-malonsäure-diäthylester	2-Oxo-1-cyclopropylmethylen-cyclohexan + 2-Oxo-1-(1-cyclopropyl-2,2-diäthoxycarbonyl-äthyl)-cyclohexan	41 / 15	10
	Maleinsäure-dimethylester	2-Oxo-1-(1,2-dimethoxycarbonyl-äthyl)-cyclohexan	60	11

1 G. STORK et al., Am. Soc. 85, 207 (1963).
2 M. E. KUEHNE u. T. GARBACIK, J. Org. Chem. 35, 1555 (1970).
3 U. K. PANDIT u. H. O. HUISMAN, Tetrahedron Letters 1967, 3901.
4 G. E. GREAM u. A. K. SERELIS, Austral. J. Chem. 27, 629 (1974).
5 H. FEUER, A. HIRSCHFELD u. E. D. BERGMANN, Tetrahedron 24, 1187 (1968).
6 A. RISALITI, L. MARCHETTI u. M. FORCHIASSIN, Ann. Chimica 56, 317 (1966).
7 M. E. KÜHNE u. L. FOLEY, J. Org. Chem. 30, 4280 (1965).
8 J. W. PATTERSON u. J. E. McMURRY, Chem. Commun. 1971, 488.
9 P. L. STOTTER u. K. A. HILL, Am. Soc. 96, 6524 (1974).
10 S. DANISHEFSKY u. ROVNYAK, J. Org. Chem. 39, 2924 (1974).
11 T. L. HO u. C. M. WONG, Synth. Commun. 4, 133 (1972).

Tab. 193 (1. Fortsetzung)

Enamin von	reaktive ungesättigte Verbindung	Reaktionsprodukt	Ausbeute [%d.Th.[	Literatur
Cycloheptanon (s. a. u.)	Acrylnitril	2-Oxo-1-(2-cyan-äthyl)-cycloheptanon	60	1
2-Oxo-1,3,5-trimethyl-cycloheptan	Acrylsäure-äthylester	7-Oxo-2,4,6-trimethyl-1-(3-hydroxy-propyl)-cyclo-heptan[a]	>60	2
Cyclooctanon	Acrylsäure-äthylester	2-Oxo-1-(3-hydroxy-propyl)-cyclooctan[a]	<38	2
Pentanon-(3)	Acrylsäure-äthylester	5-Oxo-4-methyl-heptansäure-äthylester	55	1
Heptanon-(2)	Acrylnitril	4-Acetyl-octansäure-nitril	49	1
2-Oxo-1-benzyl-cyclohexan	Acrylsäure-methylester	2-Oxo-3-benzyl-1-(2-methoxycarbonyl-äthyl)-cyclohexan		3
Cycloalkanone O mit $(CH_2)_n$ (Struktur) 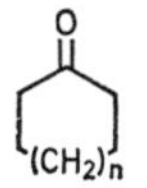	Essigsäure-2-nitro-alkylester als maskierte Nitro-olefine 2-Nitro-1-acetoxy-butan 2-Nitro-1-acetoxy-äthan 2-Nitro-1-acetoxy-1-phenyl-äthan	n = 0; 2-Oxo-1-(2-nitro-butyl)-cyclopentan n = 1; 2-Oxo-1-(2-nitro-butyl)-cyclohexan n = 2; 2-Oxo-1-(2-nitro-butyl)-cycloheptan n = 1; 2-Oxo-1-(2-nitro-äthyl)-cyclohexan n = 1; 2-Oxo-1-(2-nitro-1-phenyl-äthyl)-cyclo-hexan	55 72 82 80 94	4

[a] Michael-Addukt wird vor der Hydrolyse mit Lithiumalanat zum Carbinol reduziert.

[1] G. Stork et al., Am. Soc. 85, 207 (1963).

[2] I. J. Borowitz et al., J. Org. Chem. 37, 581 (1972).

[3] F. d'Alo u. A. Masserini, Farmaco (Pavia) Ed. sci. 20, 640 (1965).

[4] H. Feuer, A. Hirschfeld u. E. D. Bergmann, Tetrahedron 24, 1187 (1968).

1-Pyrrolidino-cyclohexen bei Umsetzung mit Acrylnitril oder Acrylsäure-äthylester symmetrisch alkylierte Cyclohexanone (*2-Oxo-1,3-bis-[2-cyan-äthyl]*- bzw. *2-Oxo-1,3-bis-[2-äthoxycarbonyl-äthyl]-cyclohexan*)[1].

Das 1-Morpholino-cyclohexen gibt auch in äthanolischer Lösung kein Disubstitutionsprodukt, ein Zeichen für die geringere Reaktivität der Morpholin-enamine bei Reaktionen mit elektrophilen Olefinen.

Die unterschiedliche Reaktionsgeschwindigkeit der 1-Morpholino-cyclohexene I und II mit Phenylnitroäthylen führt unter Annahme eines schnellen Gleichgewichtes zwischen I und II bevorzugt zum Addukt III, wenn die Reaktion, kinetisch kontrolliert, bei 5° in absolutem Äther durchgeführt wird[2] (III:IV = 80:20):

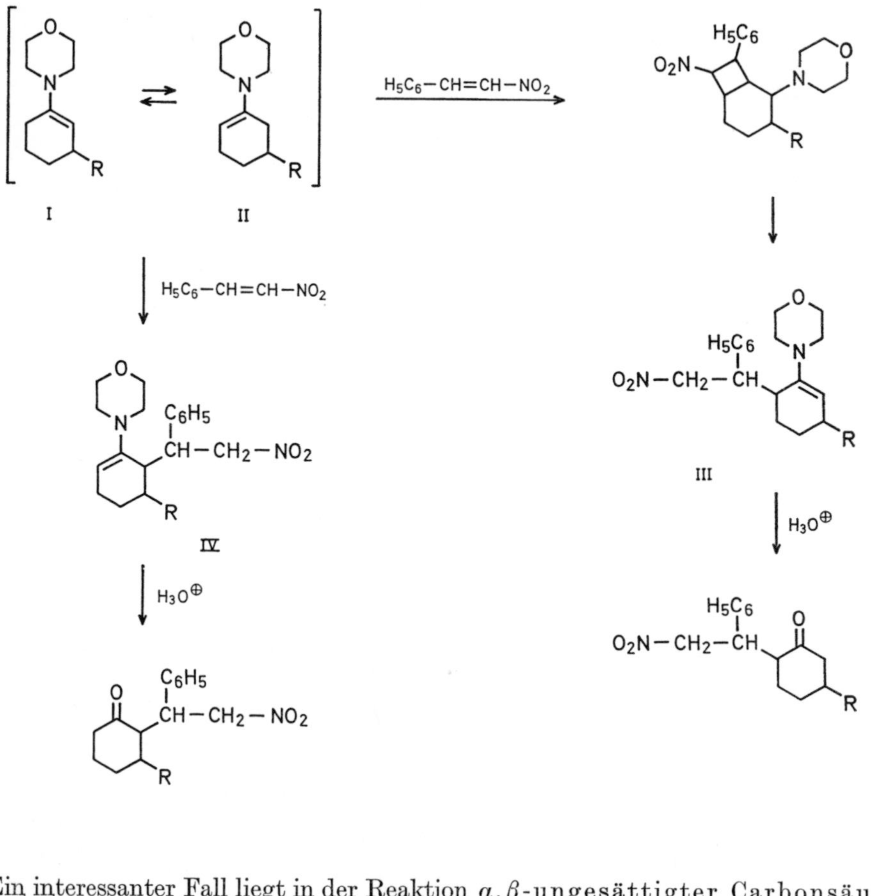

Ein interessanter Fall liegt in der Reaktion α,β-ungesättigter Carbonsäurechloride mit Enaminen vor[3,4]. Als bifunktionelle Verbindung kann das Carbonsäurechlorid I auf das Enamin II grundsätzlich sowohl als Alkylierungsmittel (Mi-

---

[1] G. Stork et al., Am. Soc. **85**, 207 (1963).

[2] E. Valentin, G. Pitacco u. F. P. Colonna, Tetrahedron Letters **1972**, 2837.

[3] P. W. Hickmott, Pr. chem. Soc. **1964**, 287.

[4] P. W. Hickmott u. J. R. Hargreaves, Tetrahedron **23**, 3151 (1967).

chael-Addition, Weg Ⓐ, wie auch als Acylierungsmittel (Weg Ⓑ) einwirken:

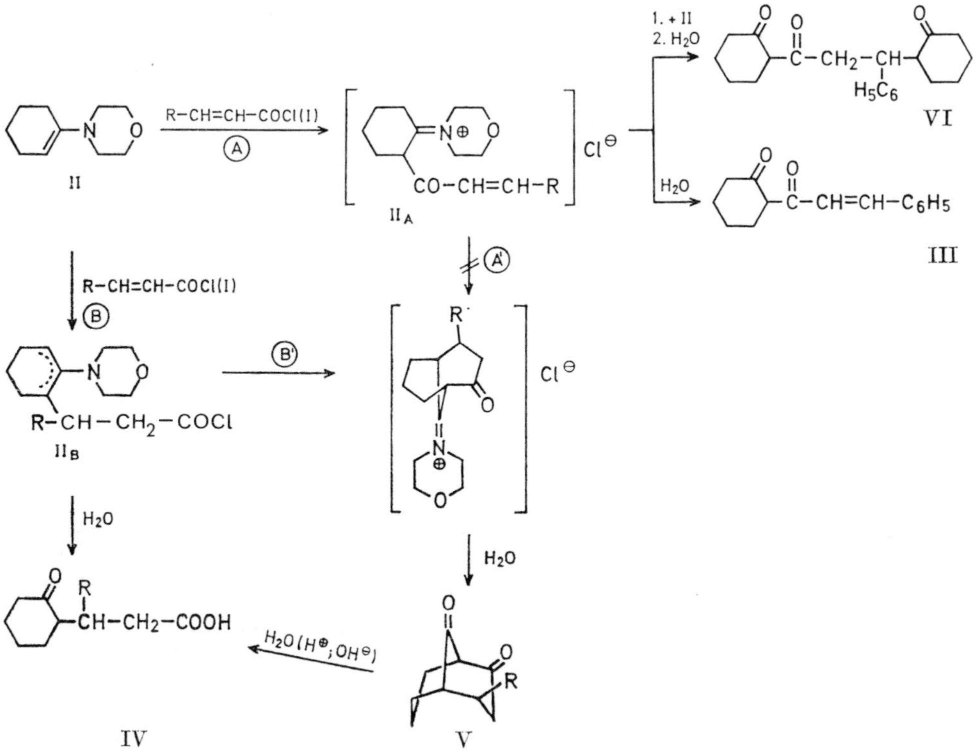

VI; *3-Oxo-1,3-bis-[2-oxo-cyclohexyl]-1-phenyl-propan*

III; *3-Oxo-3-(2-oxo-cyclohexyl)-1-phenyl-propen*

IV; R = H; *3-(2-Oxo-cyclohexyl)-propansäure*

IV; R = C_6H_5; *3-(2-Oxo-cyclohexyl)-3-phenyl-propansäure*

V; R = H; *2,9-Dioxo-bicyclo[3.3.1]nonan*

R = C_6H_5; *4,9-Dioxo-2-phenyl-bicyclo [3.3.1]nonan*

Die Enamine II A und II B ihrerseits könnten intramolekular weiterreagieren, wobei nach hydrolytischer Aufarbeitung das Diketon V erhalten werden müßte. Aufgrund von Substituenteneffekten konnte jedoch Weg Ⓐ ausgeschlossen werden[1]. Das Diketon III konnte isoliert werden, ebenfalls das Folgeprodukt einer zweiten Enamin-Addition an II A. Im Falle der Reaktion des Enamins II mit Zimtsäure-chlorid (I; R = C_6H_5) wurde also nach hydrolytischer Aufarbeitung VI erhalten. Das bicyclische Diketon V erhält man nur dann in guten Ausbeuten, wenn man ganz bestimmte Reaktionsbedingungen einhält und nur mit Wasser allein hydrolysiert. Im sauren oder alkalischen Milieu unterliegt das β-Diketon V sofort der Säure-Spaltung zu IV.

Das Cyclisierungsprinzip Enamin/Acrylsäure-chlorid ist einigermaßen variierbar. Beispielsweise lassen sich nachstehende Acrylsäure-chloride I (S. 1574) mit 1-Morpho-

---

[1] P. W. HICKMOTT u. J. R. HARGREAVES, Tetrahedron **23**, 3151 (1967).

lino-1-cyclohexen (II) zu Reaktionsgemischen aus 2,9-Dioxo-bicyclo[3.3.1]nonanen III und 5,6-Dihydro-4H-pyronen IV umsetzen[1]:

R¹	R²	R³	III ...-bicyclo[3.3.1]nonan (%)		IV ...-2-oxa-bicyclo[4.4.0]decen-(1⁶) (%)	
H	H	H	2,9-Dioxo-	(9)		(30)
H	H	CH₃	2,9-Dioxo-3-methyl-	(40)	5-Oxo-4-methyl-	(—)
CH₃	H	H	2,9-Dioxo-4-methyl-	(—)	5-Oxo-3-methyl-	(73)
CH₃	CH₃	H	2,9-Dioxo-4,4-dimethyl-	(—)	5-Oxo-3,3-dimethyl-	(57)
CH₃	H	CH₃	2,9-Dioxo-3,4-dimethyl-	(—)	5-Oxo-3,4-dimethyl-	(73)

Bei diesen Reaktionen muß man infolge der hydrolytischen Aufarbeitung mit dem Auftreten der δ-Oxo-carbonsäuren V als Zersetzungsprodukt rechnen.

Als Enamin-Komponente lassen sich cyclische Ketone wie 5-Oxo-1,3,3-trimethyl-cyclohexen[2], 5-Oxo-3,3-dimethyl-1-benzyl-cyclohexen[2] und 2-Oxo-1-phenyl-cyclohexan[3] einsetzen. Aber auch offenkettige Enamine, abgeleitet von aliphatischen Diketonen und Oxo-carbonsäureestern, können zu Oxo-cyclohexenen umgewandelt werden[4]. Über die Einwirkung von Acrylsäure-chlorid auf offenkettige, aliphatische Enamine als Aufbauprinzip für Cyclohexandione-(1,3) s. S. 1616.

2,9-Dioxo-bicyclo[3.3.1]nonan[5,6]: Eine Lösung von 4,9 g Acrylsäure-chlorid in 50 ml trockenem Benzol wird innerhalb 1 Stde. zu einer siedenden Lösung von 8,35 g 1-Morpholino-cyclohexen in 75 ml trockenem Benzol getropft. Nach Erhitzen der Reaktionsmischung unter Rückfluß über Nacht wird abgekühlt, der entstandene Niederschlag abfiltriert, mit trockenem Benzol gewaschen und 3 Stdn. lang mit 100 ml eiskaltem Wasser gerührt. Das sich bildende Öl wird mit Äther extrahiert, der Äther abdestilliert und der Rückstand bei 100°/0,5 Torr sublimiert; Ausbeute: 3.4 g (45% d. Th.); F: 117° (wachsweiche Festsubstanz); IR: ν(C=O, CCl₄) 1735, 1710 cm⁻¹; UV: λ_{max} (CH₃OH) 281 mμ (log ε = 1,84) 2,4-Dinitro-phenylhydrazon F:. 266°

Analog erhält man *2,9-Dioxo-1-methyl-bicyclo[3.3.1]nonan*; 97% d. Th.; F: 37,5°.

---

[1] R. Gelin, S. Gelin u. R. Dolmazon, Tetrahedron Letters **1970**, 3657.

[2] N. F. Firrell, P. W. Hickmott u. B. J. Hopkins, Soc. [C] **1970**, 1477.

[3] L. Baiocchi, A. Gambacorta, R. Nicoletti u. V. Petrillo, Ann. Chimica **61**, 744 (1971).

[4] P. W. Hickmott u. G. Sheppard, Soc. (Perkin I) **1972**, 1038.

[5] P. W. Hickmott u. J. R. Hargreaves, Tetrahedron **23**, 3151 (1967).

[6] Anm.: Dieses Diketon ist auch durch Oxidation von 2-Hydroxy-9-oxo-bicyclo[3.3.1]nonan erhältlich; A.C. Cope et al., Am. Soc. **87**, 3130 (1965).

Zwei reaktionsfähige Gruppen enthalten auch die freien α,β-ungesättigten Carbonsäuren II. Sie reagieren mit Enaminen cyclischer Ketone in ~ 30%iger Ausbeute zu 3-(*2*-Oxo-cycloalkyl)-propansäure-Derivaten III[1]:

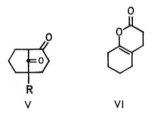

IV; n = 2   R″ = R‴ = H ; *3-(2-Oxo-cyclopentyl)-propansäure*
             = CH₃; *2-Methyl-3-(2-oxo-cyclopentyl)-butansäure*
     n = 3; R″ = R‴ = H ; *3-(2-Oxo-cyclohexyl)-propansäure*
             = CH₃; *2-Methyl-3-(2-oxo-cyclohexyl)-butansäure*

Eine Cyclisierung der δ-Oxo-carbonsäure-Derivate III tritt unter den Bedingungen der Michael-Reaktion hier nicht ein. Unter drastischeren Bedingungen aber (Erhitzen in Tetralin in Gegenwart von p-Toluolsulfonsäure) cyclisieren freie δ-Oxo-carbonsäuren des Typs III, wenn sie in 1-Stellung zusätzlich einen großen Substituenten wie z. B. die Benzyl-Gruppe besitzen, zu 2,9-Dioxo-bicyclo[3.3.1] nonanen[2]. Ohne diesen Substituenten in 1-Stellung entstehen keine Bicyclononan-Verbindungen V, sondern Enollactone VI:

V   VI

Beispiele für Michael-Additionen, bei denen die Ketonenamine zusätzliche funktionelle Gruppen tragen, sind in größerer Zahl nicht bekannt. Erwähnt sei hier nur die Umsetzung des Pyrrolidin-enamins des 4-Oxo-cyclohexan-1-carbonsäure-äthylesters mit Acrylsäure-äthylester in Chloroform, die zu *3-Oxo-4-(2-äthoxycarbonyl-äthyl)-1-äthoxycarbonyl-cyclohexan* (70% d. Th.)[3] führt, sowie die Reaktion des 1-Pyrrolidino-2-benzyl-cyclohexen mit Acrylsäure-äthylester zu *2-Oxo-1-(2-äthoxycarbonyl-äthyl)-1-benzyl-cyclohexan*[4]. Eine weitere sehr interessante Reaktion der Enamine ist folgende: Enamine[5] cyclischer Ketone[6], Piperidone[7] bilden mit α,β-ungesättigten Oxo-Verbindungen 2-substituierte Oxo-bicycloalkane. Als Zwischenstufe dieser Reaktion konnte speziell bei der Umsetzung des 1-Piperazino-cyclohexens

[1] G. Schroll, P. Klemmensen u. S. O. Lawesson, Ark. Kemi 26, 317 (1967).
[2] R. Fusco u. F. Tenconi, Tetrahedron Letters 1965, 1313.
[3] H. Stetter u. H. G. Thomas, B. 99, 920 (1966).
[4] F. D'Alo u. A. Masserini, Farmaco (Pavia), Ed. sci. 20, 640 (1965).
[5] G. Stork u. H. K. Landesman, Am. Soc. 78, 5129 (1956).
[6] K. Mitsuhashi u. S. Shiotani, Chem. Pharm. Bull. (Tokyo) 18, 75 (1970).
   I. M. Sokolova u. A. A. Petrov, Neftechimiya 9, 828 (1969).
   N. Bărbulescu u. M. Moraru, Rev. Chim. (Bukarest) 23, 457 (1972).
[7] A. Z. Britten u. J. O'Sullivan; Chem. & Ind. 1972, 336.

(I) mit Acrolein (II) 1-Piperazino-2-oxa-bicyclo[4.4.0]decen-(3) (III) isoliert und entweder durch Hydrolyse in *3-(2-Oxo-cyclohexyl)-propanal* (IV) oder durch thermische Behandlung in *2-Piperazino-9-oxo-bicyclo[3.3.1]nonan* (V) überführt werden[1]:

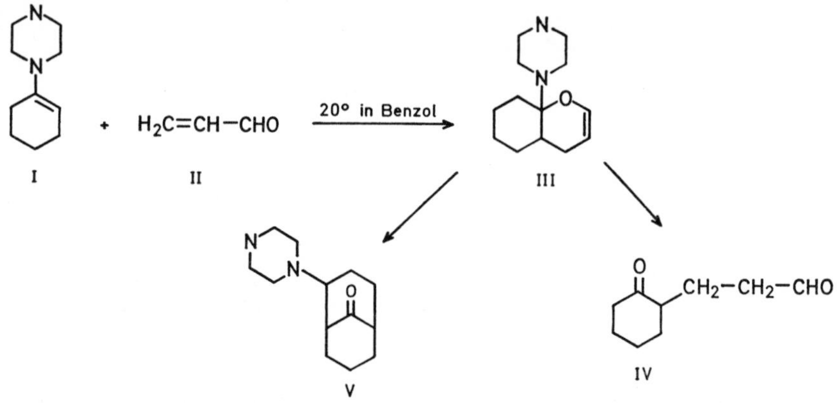

Andere geeignete bifunktionelle Acceptor-Systeme, die zur α,α'-Anellierung cyclischer Ketone führen, sind der 2-Brommethyl-fumarsäure-dimethylester[2] und der α-Brommethyl-acrylsäure-äthylester[3].

Aus den Enaminen II der cyclischen Ketone I erhält man bei der Umsetzung mit α-Brommethyl-acrylsäure-äthylester in guten Ausbeuten die Oxo-bicyclo[3.3.1]nonane III[3]:

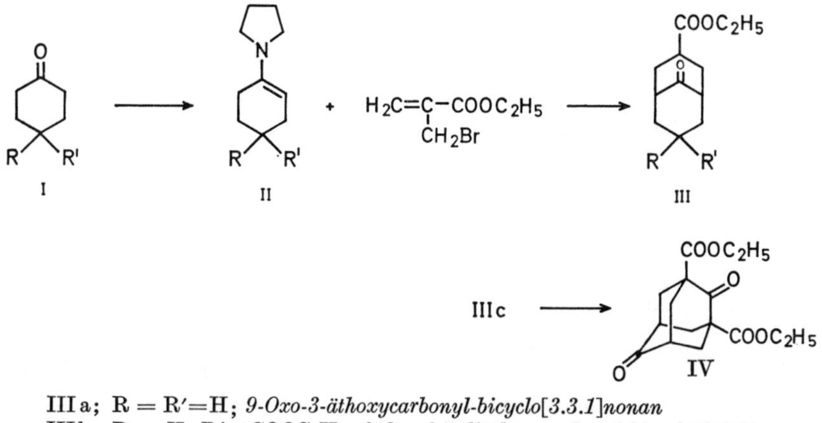

IIIa; R = R'=H; *9-Oxo-3-äthoxycarbonyl-bicyclo[3.3.1]nonan*
IIIb; R = H; R'=COOC$_2$H$_5$; *9-Oxo-3,7-diäthoxycarbonyl-bicyclo[3.3.1]nonan*
IIIc; R'= R'=COOC$_2$H$_5$; *9-Oxo-3,3,7-triäthoxycarbonyl-bicyclo[3.3.1]nonan*

Im Falle des Ketons IIIc kann jedoch diese Verbindung nur als Rohprodukt erhalten werden, da bei der Reinigungsdestillation durch thermische Ester-Kondensation nur *2,6-Dioxo-adamantan-1,3-dicarbonsäure-diäthylester* (IV) in hoher Ausbeute entsteht.

[1] R. N. SCHUT u. T. M. H. LIU, J. Org. Chem. **30**, 2845 (1965).
   vgl. auch W. KRAUS, W. ROTHENWÖHRER u. R. CHASSIN, Tetrahedron Letters **1969**, 4581.
[2] R. P. NELSON u. R. G. LAWTON, Am. Soc. **88**, 3884 (1966).
[3] H. STETTER u. H. G. THOMAS, B. **101**, 1115 (1968).

9-Oxo-3-äthoxycarbonyl- (bzw. -3,7-diäthoxycarbonyl-; bzw. -3,3,7-triäthoxycarbonyl)-bicyclo [3.3.1]nonan[1]:

1-Pyrrolidino-cyclohexen; 1-Pyrrolidino-4-äthoxycarbonyl- (bzw. -4,4-diäthoxycarbonyl)-cyclohexen: 1 Mol der Cyclohexanone Ia-c (S. 1576) 1,1 Mol Pyrrolidin, 1 g p-Toluolsulfonsäure und 500–800 ml Benzol werden unter Rückfluß erhitzt. Nach 2,5 Stdn. hat sich im aufgesetzten Wasserabscheider die ber. Menge Wasser gesammelt. Auf dem Rotationsverdampfer wird Benzol und überschüssiges Pyrrolidin abdestilliert. Der flüssige Rückstand wird i. Vak. destilliert.

IIa; *1-Pyrrolidino-cyclohexen-(1)*[2]	75% d.Th.	Kp_{12}: 107–114°
IIb; *1-Pyrrolidino-4-carbäthoxy-cyclohexen-(1)*[3]	72% d.Th.	$Kp_{0,1}$: 121°
IIc; *1-Pyrrolidino-4,4-dicarbäthoxy-cyclohexen-(1)*[1]	80% d.Th.	Kp_3 : 175–178°

9-Oxo-3-äthoxycarbonyl- (bzw. -3,7-diäthoxycarbonyl-; bzw. -3,3,7-triäthoxycarbonyl)-bicyclo[3.3.1]nonan: Zu einer siedenden Lösung von jeweils 70 g der Enamine IIa-c in 700 ml einer 1 : 1-Mischung aus absol. Äthanol: Acetonitril wird unter Stickstoffatmosphäre eine Lösung der 0,6 molaren Menge α-Brommethyl-acrylsäure-äthylester[4] in 50 ml abs. Äthanol innerhalb 1 Stde. zugetropft. Nach weiterem 5stdgm. Erhitzen unter Rückfluß wird auf dem Rotationsverdampfer alles bis 100° (Bad) und 15 Torr Flüchtige abdestilliert, der dann zumeist feste Rückstand in 300 ml Chloroform aufgenommen, mit 150 ml 10%iger Salzsäure versetzt und 30 Min. auf dem Wasserbad erhitzt. Nach dem Abkühlen werden die Schichten getrennt, die wäßrige Phase 2mal mit je 100 ml Chloroform extrahiert, die vereinigten Chloroformphasen mit Natriumhydrogencarbonat-Lösung und Wasser gewaschen und mit Natriumsulfat getrocknet. Nach Abdestillieren des Lösungsmittels bleibt ein flüssiger Rückstand, der i. Vak. destilliert wird.

9-Oxo-3-äthoxycarbonyl-bicyclo[3.3.1]nonan (IIIa)	40% d.Th.	Kp_3: 127–129°	
9-Oxo-3,7-diäthoxycarbonyl-bicyclo[3.3.1]nonan(IIIb)	60% d.Th.	Kp_3: 190–191°	F: 37–39°

Als Nebenprodukt erhält man hier in Ausbeuten bis zu 15% d.Th. *2,6-Dioxo-1-äthoxycarbonyladamantan*. Diese Verbindung kristallisiert nach einigen Tagen fast vollständig aus dem Ester IIIb aus; F: 116–118° (aus Benzin).

9-Oxo-3,3,7-tricarbäthoxy-bicyclo[3.3.1]nonan (IIIc) läßt sich nicht unzersetzt destillieren. Bei langsamem Erhitzen auf Siedepunktstemp. spaltet sich Äthanol ab. Es destilliert sodann nach einem Vorlauf von nicht umgesetztem Ester Ic *2,6-Dioxo-1,3-diäthoxycarbonyl-adamantan* (IV) über, das in der Vorlage kristallin erstarrt; Ausbeute: 70% d.Th. (bez. auf einges. α-Brommethyl-acrylsäure-äthylester); Kp_3: 203–205°; F: 113–114° (aus Benzol, Benzin).

Die grundsätzlich auch mögliche Anelierung mit substituierten Acrylsäure-chloriden[5] liefert mit 1-Pyrrolidino-4,4-diäthoxycarbonyl-cyclohexen nur bescheidene Ausbeuten an Adamantan-Derivaten des Typs IIIc. Acrylsäure-chlorid selbst ergibt kein Adamantan-Derivat.

Der α,α'-Anellierungsprozeß kann verschiedene Erweiterungen erfahren, wie aus Tab. 194 (S. 1579) hervorgeht.

Stark aktivierte Ketone (z. B. 3-Oxo-glutarsäure-diäthylester, 2-Oxo-1,3-diphenyl-propan) brauchen beim Einsatz in den Anellierungsprozeß nicht in Enamine umgewandelt zu werden[6]. In absolutem Äthanol reagieren sie mit äquimolaren Mengen α-Brommethyl-acrylsäure-äthylester in Gegenwart von Natriumäthanolat unter Ring-

---

[1] H. Stetter u. H. G. Thomas, B. **101**, 1115 (1968).
 H. Stetter, H. G. Thomas u. K. Meyer, B. **103**, 863 (1970).

[2] S. Hünig, E. Benzing u. E. Lücke, B. **90**, 2833 (1957).

[3] H. Stetter u. H. G. Thomas, B. **99**, 920 (1966); **101**, 1115 (1968).

[4] US.P. 3094554 (1963), Borden Co., Erf.: J. Dickstein, M. Bodnar u. R. M. Hoegerle; C.A. **59**, 12647 (1963).

[5] P. W. Hickmott, H. Suschitzky u. R. Urbani, Soc. (Perkin I) **1973**, 2063.

[6] H. Stetter u. K. Elfert, Synthesis **1974**, 36.

schluß zu den Cyclohexanon-Derivaten III, mit zweifach molaren Mengen an Anellierungsreagenz zu Bicyclo[3.3.1]nonan-Derivaten IV:

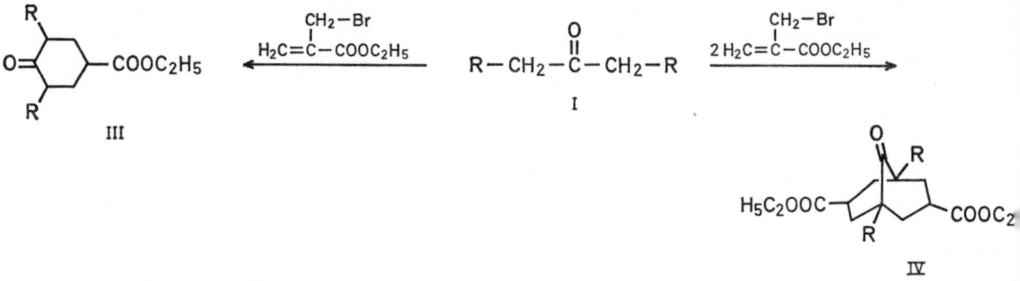

R	III; . . .-cyclohexan	IV; . . .-bicyclo[3.3.1]nonan
$COOC_2H_5$	2-Oxo-1,3,5-triäthoxy-carbonyl-	9-Oxo-1,3,5,7-tetraäthoxycarbonyl-
C_6H_5	4-Oxo-3,5-diphenyl-1-äthoxycarbonyl-	9-Oxo-1,5-diphenyl-3,7-diäthoxycarbonyl-

Einen ungewöhnlichen Verlauf nimmt die Addition von Propiolsäureester an das Enamin des Cyclooctanons, die letztlich nach Reduktion des *4-Oxo-cyclodecen-3-carbonsäureesters* zum *Cyclodecanon* (Gesamtausbeute: ~ 45% d.Th.; F: 20–22°)[1] führt:

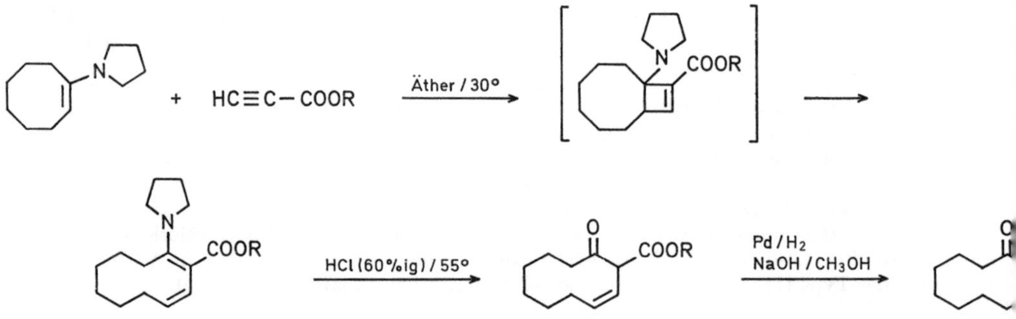

Enamine, und damit Ketone, lassen sich ohne weiteres in Mannichbasen einführen, wenn man äquivalente Mengen der Komponenten 24 Stdn. lang in Lösungsmitteln wie 1,4-Dioxan oder Xylol unter Rückfluß erhitzt[2]. Diese elegante Methode wurde zur Herstellung von Ketonen durch Alkylierung von Enaminen cyclischer Ketone mit Gramin (3-Dimethylaminomethyl-indol)

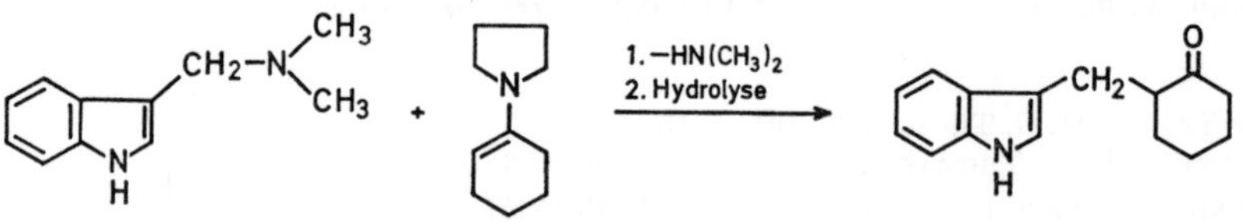

3-(2-Oxo-cyclo hexyl)-indol

---

[1] K. C. Brannock et al., J. Org. Chem. **29**, 818 (1934).
    R. D. Burpitt u. J. G. Thwelt, Org. Synth. **48**, 56 (1968).
[2] M. von Strandtmann, M. P. Cohen u. J. Shavel, J. Org. Chem. **30**, 3240 (1965).
    F. LeGoffic, A. Gouyette u. A. Ahoud, Tetrahedron **29**, 3357 (1973).

Tab. 194. Ketone durch α,α'-Anellierung cyclischer Enamine mit α,β-ungesättigten Carbonsäure-Derivaten

Keton	Enamin	bifunktioneller Acceptor	anellierte Derivate	Ausbeute [% d. Th.]	Literatur
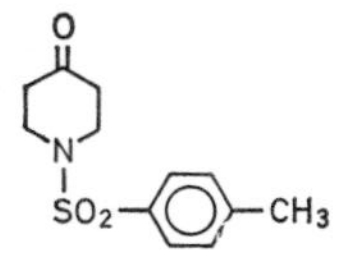 (4-tosyl-piperidon structure)	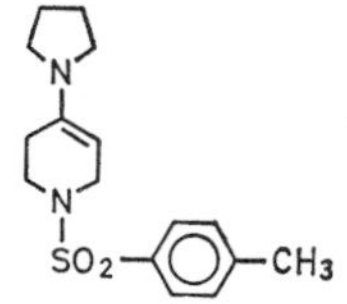 (pyrrolidino-enamine, N–SO₂–C₆H₄–CH₃)	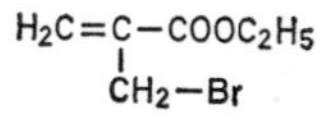 $H_2C=C-COOC_2H_5$; CH_2-Br	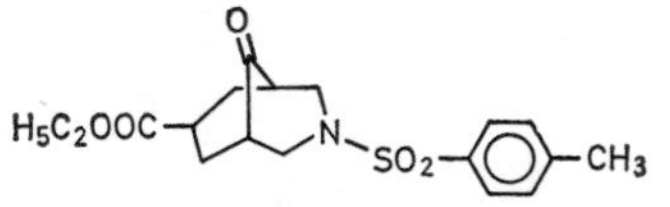 5-Oxo-3-p-tosyl-7-äthoxycarbonyl-3-aza-bicyclo[3.3.0]octan	56	1
	(pyrrolidino-tetrahydropyridine, N–CO–R)	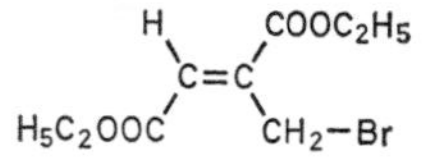 H_5C_2OOC, $COOC_2H_5$, CH_2-Br (C=C–CH₂–Br)	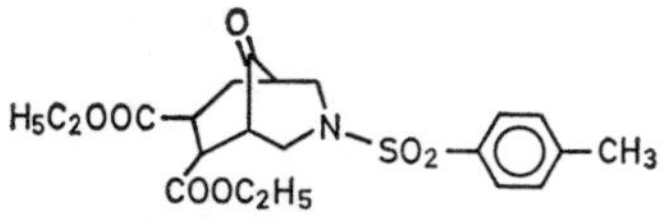 5-Oxo-3-p-tosyl-6,7-diäthoxycarbonyl-3-aza-bicyclo[3.3.0]octan	41	2
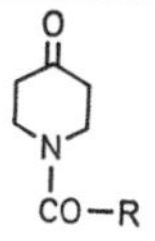 (CO–R piperidone)	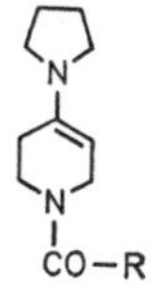	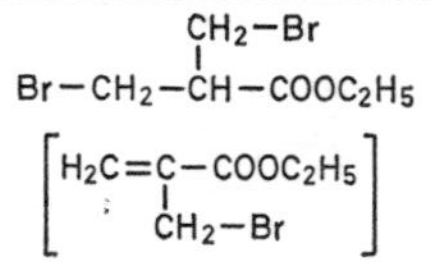 CH_2-Br ; $Br-CH_2-CH-COOC_2H_5$ and $H_2C=C-COOC_2H_5$; CH_2-Br	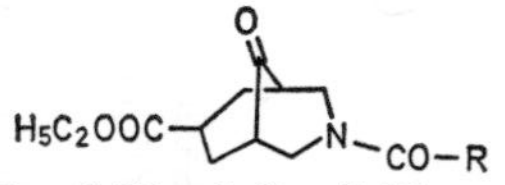 R = O–CH₂–C₆H₅; 3-Oxo-7-äthoxycarbonyl-3-benzyloxycarbonyl-3-aza-bicyclo[3.3.0]octan R = C₆H₅; 3-Oxo-3-benzoyl-7-äthoxycarbonyl-3-aza-bicyclo[3.3.0]octan	59 63	3
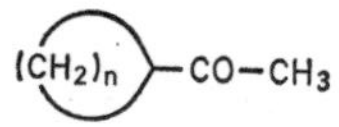 $(CH_2)_n$–CO–CH₃	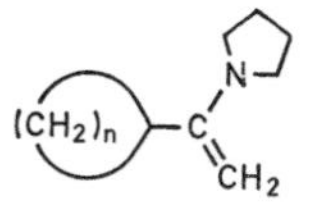 (pyrrolidino enamine $(CH_2)_n$, C=CH₂)	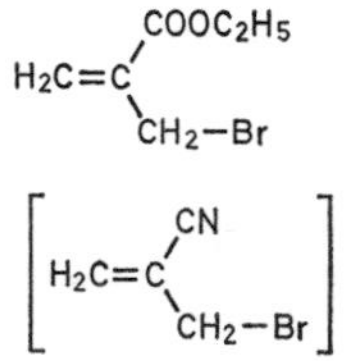 $H_2C=C$; $COOC_2H_5$; CH_2-Br and $H_2C=C$; CN ; CH_2-Br	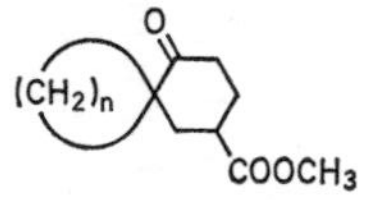 n = 4; 6-Oxo-9-methoxycarbonyl-spiro[5.4]decan n = 5; 1-Oxo-4-methoxycarbonyl-spiro[5.5]undecan	78	4

¹ A. W. J. D. DEKKERS, W. N. SPECKAMP u. H. O. HUISMAN, Tetrahedron Letters 27, 3143 (1971).
² W. N. SPECKAMP et al., Tetrahedron 27, 3143 (1971).
³ H. STETTER u. W. REINARTZ, B. 105, 2773 (1972).
⁴ D. J. DUNHAM u. R. G. LAWTON, Am. Soc. 93, 2074 (1971).

und zur Herstellung der o-Hydroxy-benzylierungs-Produkte des 1-Pyrrolidino-cyclo-
hexens

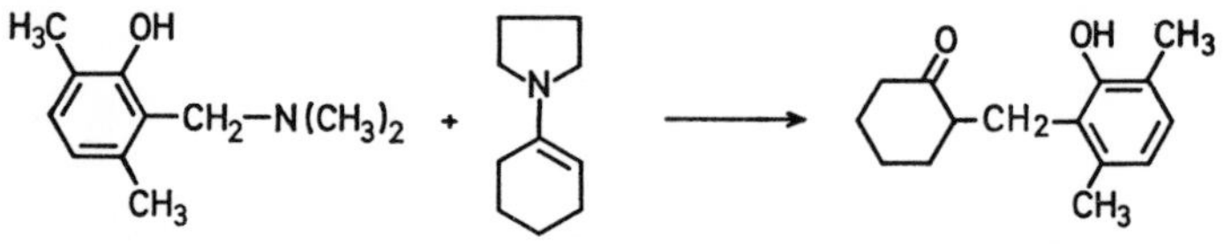

6-Hydroxy-2,5-dimethyl-1-(2-oxo-
cyclohexylmethyl)-benzol

erfolgreich angewendet.

δ) Addition von β-Dicarbonyl-Verbindungen an Chinonimine

Die schon länger bekannte Michael-Addition von CH-aciden Verbindungen (hauptsächlich β-Oxo-carbonsäureester) an Chinone[1] wurde auf Naphthochinon-(1,4)-
bis-[benzolsulfonylimin] ausgedehnt[2]. Diese Verbindung stellt ein gutes
Acceptor-System für Carbonyl-Verbindungen wie 3-Oxo-3-phenyl-propansäureester
oder Pentandion-(2,4) dar.

Aus Benzochinon-(1,4)-bis-[benzolsulfonylimin] konnten mit β-Oxo-carbonsäureestern und Diketonen die entsprechenden Addukte erhalten werden[3], desgleichen aus den Benzochinon-(1,4)-diiminen I[3], II[3], III[4]:

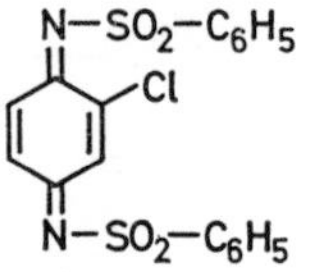

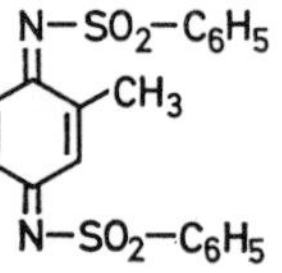

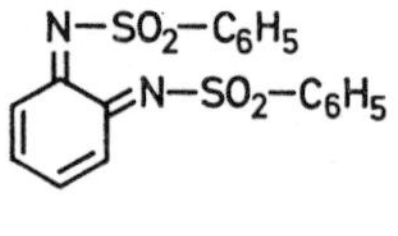

Die Ausbeuten liegen bei 90% d. Th. Als Lösungsmittel wird Chloroform und als
Katalysator Triäthylamin verwendet. Benzochinon-(1,4)-bis-[benzoylimin]
wurde in Gegenwart von Natriummethanolat mit Pentandion-(2,4) zu *2,5-Bis-*
[benzoylamino]-1-[2,4-dioxo-pentyl-(3)]-benzol (75% d. Th.)[5] umgesetzt:

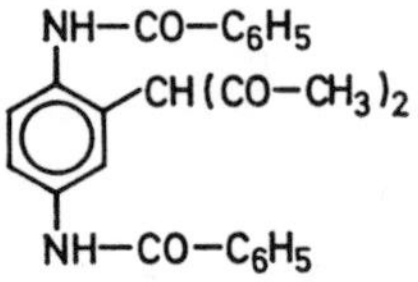

[1] L. I. Smith u. C. W. MacMullen, Am. Soc. 58, 629 (1936).
F. Bergel et al., Soc. 1938, 1375.
s. a. ds. Handb., Bd. VI/1 c.
[2] R. Adams u. W. Moje, Am. Soc. 74, 5562 (1952).
[3] R. Adams u. D. C. Blomstrom, Am. Soc. 75, 3404 (1953).
[4] R. Adams u. J. W. Way, Am. Soc. 76, 2763 (1954).
[5] R. Adams u. D. S. Acker, Am. Soc. 74, 5872 (1952).

2. Einführung der R—CO—R'-Gruppe durch den Michael-Acceptor

In diesem Abschnitt soll die Einführung der R—CO—R'-Gruppierung über den Michael-Acceptor beschrieben werden, d. h. es sollen Reaktionen untersucht werden, bei denen sich CH-acide Verbindungen, die selbst keine Ketone sind, an α,β-ungesättigte Ketone addieren. Die Substanzklassen, die auf diese Weise erschlossen werden können, sind:

  γ-Nitro-ketone
  Acyl-malonsäure-diester
  γ-Oxo-Verbindungen sonstiger CH-acider-Verbindungen.

Sie entstehen ganz allgemein nach der Gleichung

$$-\overset{|}{\underset{|}{C}}-H \ + \ \overset{R'}{\underset{R''}{}}C=CH-\overset{O}{\overset{\|}{C}}-R''' \longrightarrow -\overset{|}{\underset{|}{C}}-\overset{R'}{\underset{R''}{\overset{|}{C}}}-CH_2-\overset{O}{\overset{\|}{C}}-R'''$$

Die Reste R', R'', R''' können beliebige aliphatische oder aromatische Substituenten sein. R' und R'' können auch Wasserstoff sein. Je nach Art des Restes R''' (Alkyl- oder Aryl) kann man von der Aroyläthylierung oder Alkanoyläthylierung einer CH-aciden Verbindung durch ein α,β-ungesättigtes Aryl- oder Alkyl-keton sprechen.

a) γ-Nitro-ketone
a_1) offenkettige
aa_1) mit aliphatischen Resten

Als starke Donator-Verbindungen addieren sich aliphatische Nitro-Verbindungen in vielen Fällen sehr leicht an α,β-ungesättigte Carbonyl-Systeme[1]. Bei aliphatischen Acceptoren wie 4-Oxo-2-methyl-buten-(2) (Mesityloxid) oder Butenon müssen jedoch besondere Maßnahmen bei der Durchführung der Reaktionen ergriffen werden, da diese Acceptoren sehr empfindlich gegen Basen sind. Außerdem lagern sich sehr leicht zwei Moleküle des α,β-ungesättigten Ketons an ein Mol Nitroalkan an[1]. Ein Mol Nitromethan reagiert sogar mit drei Molekülen Butenon[1]. Um gute Ausbeuten an 1:1-Addukten zu erzielen, muß in den meisten Fällen ein Überschuß an Nitroalkan eingesetzt werden. Die 2:1-Addukte sind in der Literatur stets als einheitliche Verbindungen beschrieben, die durch Ablösung von zwei Protonen an der O_2N-CH_2-Gruppe zustande gekommen sind. Es ist jedoch durchaus möglich, daß ein primär entstandenes 1:1-Addukt wenigstens z. Tl. mit einem zweiten Molekül eines α,β-ungesättigten Ketons an der $-CH_2-CO$-Gruppe reagiert; z. B.:

$$O_2N-CH_3 \ + \ H_2C=CH-CO-CH_3 \longrightarrow O_2N-CH_2-CH_2-CH_2-CO-CH_3$$

$$\Big| \ H_2C=CH-CO-CH_3$$

$$O_2N-CH(CH_2-CH_2-CO-CH_3)_2 \qquad O_2N-CH_2-CH_2-\overset{|}{\underset{CH_2-CH_2-CO-CH_3}{CH}}-CO-CH_3$$

5-Nitro-2,8-dioxo-nonan   1-Nitro-6-oxo-3-acetyl-heptan

---

[1] Ausführliche Beschreibung s. ds. Handb., Bd. X/1, S. 203 ff.
  Im folgenden werden daher neben einer allgemeinen Übersicht vorwiegend nur Ergänzungen gebracht. Die beschriebenen Verbindungen und deren Destillationsrückstände sind meist **hochexplosiv.**

Natriummethanolat, früher[1] als Katalysator empfohlen, wird besser durch Diäthyl-amin ersetzt. Diese Variante macht es möglich, Nitromethan mit 4-Oxo-2-methyl-buten-(2) (Mesityloxid) zu *5-Nitro-4-oxo-2,2-dimethyl-pentan* (65% d. Th.) umzu-setzen[1]. Zur Vermeidung von Nebenreaktionen wird die Nitro-Verbindung in 10 molarem Überschuß angewendet und die Temperatur unter 30° belassen, was aller-dings zur Folge hat, daß man tagelange Reaktionszeiten in Kauf nehmen muß. Einen gewissen Vorteil bieten basische Kunstharze[2], d.h. quaternäre Ammo-niumsalze auf einer Polystyrol-Matrix wie z. B. die Amberlite A und B (A = Amber-lite IRA 400, B = Amberlite IRA 410). Diese unlöslichen Ionenaustauscher ge-statten es, den Fortgang der Reaktion durch Beobachtung des Brechungsindexes des Reaktionsgemisches zu verfolgen. Kürzere Reaktionszeiten lassen sich bei Raum-temperatur allerdings auch mit diesen Katalysatoren nicht erzielen, doch ist es nicht nötig, die Nitro-Verbindung in großem Überschuß einzusetzen, da die Reaktion auf der Stufe der Monoaddition stehen bleibt. Es können äquimolare Mengen ein-gesetzt werden, wobei geringe Mengen 1,4-Dioxan (10 *ml* bei 0,1 Mol Nitro-Verbin-dung) als Lösungsmittel verwendet werden.

Mit gutem Erfolg läßt sich Butenon auch in maskierter Form, z. B. als Oxo-Mannichbase[3,4] oder als 4-Acetoxy-2-oxo-butan[5], in Michael-Additionen einsetzen. Aus 4-Diäthylamino-2-oxo-butan (I) und 2-Nitro-propan entsteht *2-Nitro-5-oxo-2-methyl-hexan* (85% d. Th; II)[4]:

$$H_3C-\overset{\overset{O}{\|}}{C}-CH_2-CH_2-N\overset{C_2H_5}{\underset{C_2H_5}{}} \quad \xrightarrow{H_3C-\overset{NO_2}{\underset{|}{C}H}-CH_3} \quad H_3C-\overset{\overset{O}{\|}}{C}-CH_2-CH_2-\overset{\overset{NO_2}{|}}{\underset{\underset{CH_3}{|}}{C}}-CH_3$$

I   II

Butenon reagiert mit α,ω-Dinitro-alkanen unter Bildung der symmetrischen Di-Additionsprodukte, wenn man ein Molverhältnis 1:2 vorgibt. So erhält man aus 1,5-Dinitro-pentan und Butenon *5,9-Dinitro-2,12-dioxo-tridecan* (34% d. Th.)[6]:

$$O_2N-CH_2-(CH_2)_3-CH_2-NO_2 \;+\; 2\;H_2C=CH-\overset{\overset{O}{\|}}{C}-CH_3 \;\longrightarrow\; O_2N-\underset{\underset{\underset{\underset{CH_3}{|}}{C=O}}{\underset{|}{CH_2}}}{\overset{\overset{CH_2}{|}}{CH}}-(CH_2)_3-\underset{\underset{\underset{\underset{CH_3}{|}}{C=O}}{\underset{|}{CH_2}}}{\overset{\overset{CH_2}{|}}{CH}}-NO_2$$

Aus 1,4-Dinitro-butan erhält man ein Gemisch aus *meso-* und *d,l-5,8-Dinitro-2,11-dioxo-dodecan* (83% d. Th.), das durch fraktionierte Kristallisation auftrennbar ist[7].

---

[1] M. C. Kloetzel, Am. Soc. **69**, 2271 (1947).
[2] E. D. Bergmann u. R. Corett, J. Org. Chem. **21**, 107 (1956).
[3] B. Reichert u. H. Posemann, Ar. **275**, 67 (1937).
[4] N. S. Gill et al., Am. Soc. **74**, 4923 (1952).
[5] H. Feuer u. R. Miller, J. Org. Chem. **26**, 1348 (1961).
[6] H. Feuer u. C. N. Aguilar, J. Org. Chem. **23**, 607 (1958).
[7] H. Feuer u. R. Harmetz, J. Org. Chem. **26**, 1061 (1961).

Tab. 195. Aliphatische γ-Nitro-ketone aus Mononitro-alkanen und Butenon (MVK)

Nitro-Ver-bindung	Molver-hältnis Nitro-alkan/ Butenon	Katalysator	Reaktionsprodukt		Aus-beute [% d.Th.]	Kp		Litera-tur
						[°C]	[Torr]	
Nitro-methan	1 1	NaOCH₃ Triton B*	} 5-Nitro-2-oxo-pentan	A′	gut 51	117–120	10	1,2 3,4
Nitro-äthan	1	NaOCH₃	5-Nitro-2-oxo-hexan		49	115–119	10	3,4
2-Nitro-propan	1 10 1 1 1	H₃C–COONa NaOH Amberlite B NaOCH₃ (H₉C₄)₃P	} 4-Nitro-5-oxo-4-methyl-hexan	B′ A′	92 85 36 69 70	88–91 84 118 123–125	2 1 7 10	5 6 7 3 8
1-Nitro-propan	1 1	H₃C–COONa Amberlite A [(CH₃)₂CH]₂NH	} 5-Nitro-2-oxo-heptan	B′	72 54 75 55	102 123 120	4,8 10 10 10	5 7 9 10
1-Nitro-butan	1	NaOH	5-Nitro-2-oxo-octan		83	67–71	0,2	11
7-Nitro-heptin-(3)	1	[(CH₃)₂CH]₂NH	7-Nitro-10-oxo-undecin-(3)		83	110	0,001	10

A′ Butenon als Mannichbase
B′ Butenon als 4-Acetoxy-2-oxo-butan
* Trimethyl-benzyl-ammonium-hydroxid

Bei der Umsetzung von 1,3-Dinitro-2,2-dimethyl-propan mit Butenon läßt sich sowohl das Mono-(*1,3-Dinitro-6-oxo-2,2-dimethyl-heptan*) wie das Bis-addukt (*5,7-Di-nitro-2,10-dioxo-6,6-dimethyl-undecan*) gewinnen[12].

Auch α,α,ω,ω-Tetranitro-alkane geben mit der doppelten molaren Menge Butenon einheitliche Diadditions-Produkte. Bei der Umsetzung der Tetra-

[1] B. REICHERT u. H. POSEMANN, Ar. 275, 67 (1937).
[2] M. E. LEWELLYN u. D. S. TARBELL, J. Org. Chem. 39, 1407 (1974); 48% d.Th.
[3] H. SHECHTER, D. E. LEY u. L. ZELDIN, Am. Soc. 74, 3664 (1952).
[4] J. M. LAARKIN u. K. L. KREUZ, J. Org. Chem. 37, 3079 (1972).
[5] H. FEUER u. R. MILLER, J. Org. Chem. 26, 1348 (1961).
[6] N. S. GILL et al., Am. Soc. 74, 4923 (1952).
[7] E. D. BERGMANN u. R. CORETT, J. Org. Chem. 21, 107 (1956).
[8] D. A. WHITE u. M. M. BAIZER, Tetrahedron Letters 1973, 3597.
[9] J. E. McMURRY u. J. MELTON, Am. Soc. 93, 5309 (1971).
[10] J. E. McMURRY u. J. MELTON, J. Org. Chem. 38, 4367 (1973).
[11] H. FEUER u. R. HARMETZ, J. Org. Chem. 26, 1061 (1961).
[12] H. FEUER, A. F. HALASA u. M. AUERBACH, J. Org. Chem. 33, 2106 (1968).

nitro-Verbindungen IIa, b, die auch aus ihren α,ω-Bis-[hydroxymethyl]-Verbindungen I durch Alkali regeneriert werden können, entstehen die Bis-addukte III[1]:

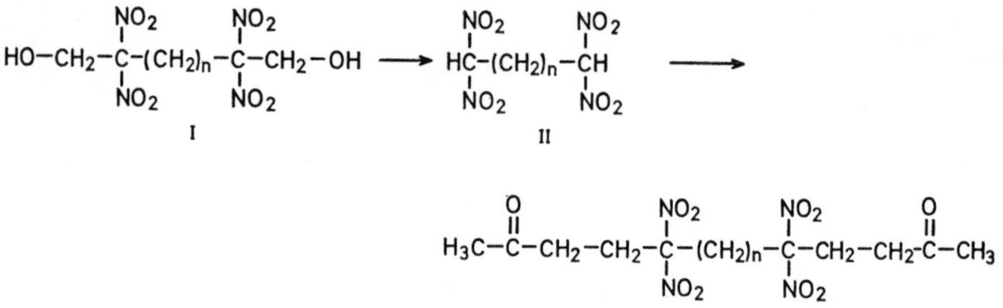

III; n = 2; *5,5,8,8-Tetranitro-2,11-dioxo-dodecan*;
82% d. Th.

n = 4; *5,5,10,10-Tetranitro-2,13-dioxo-tetradecan*;
95% d. Th.

Wie leicht die Addukte aus Vinyl-ketonen und Nitroalkanen noch Folgereaktionen eingehen können, sei an dem Beispiel des Adduktes aus zwei Molekülen Butenon und einem Mol Nitromethan gezeigt, das sehr leicht eine intramolekulare Aldolkondensation eingeht und so in die Cyclohexan-Reihe führt[2]:

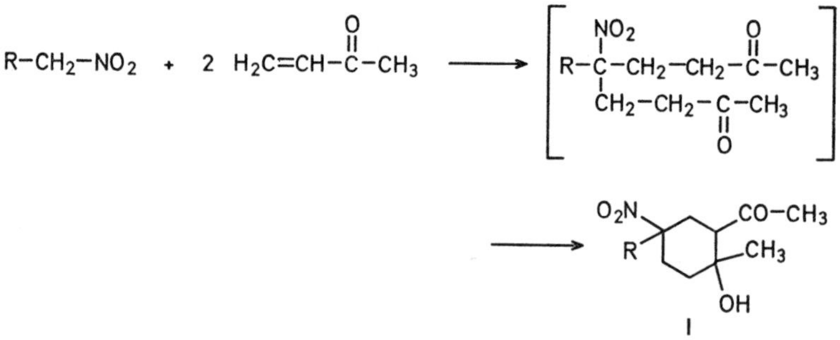

I; R = CH₃ ; *5-Nitro-2-hydroxy-2,5-dimethyl-1-acetyl-cyclohexan*   93% d. Th.
    C₂H₅; *5-Nitro-2-hydroxy-2-methyl-5-äthyl-1-acetyl-cyclohexan*   65% d. Th.
    C₃H₇; *5-Nitro-2-hydroxy-2-methyl-5-propyl-1-acetyl-cyclohexan*   73% d. Th.
    —(CH₂)₂—CO—CH₃; *5-Nitro-2-hydroxy-2-methyl-5-(3-oxo-butyl)-1-*   64% d. Th.
        acetyl-cyclohexan
    H; *5-Nitro-2-hydroxy-2-methyl-1-acetyl-cyclohexan*   5% d. Th.

Entsprechend verhalten sich die Tetra-Additionsprodukte von α,ω-Dinitro-alkanen. Aus 1,5-Dinitro-pentan und 4 Molen Butenon z.B. entsteht so *1,3-Bis-[1-nitro-4-methyl-3-acetyl-4-hydroxy-cyclohexyl]-propan*[3]:

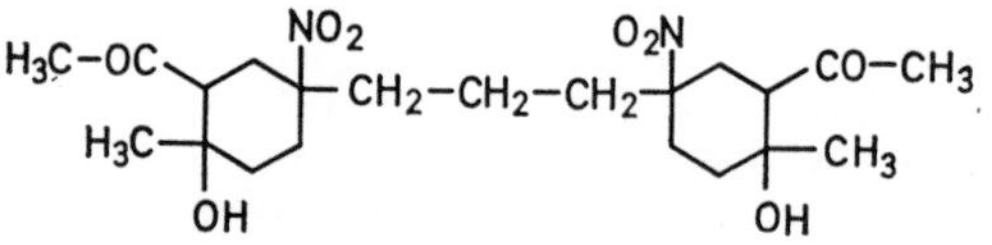

[1] H. Feuer et al., J. Org. Chem. **28**, 339 (1963).
[2] J. M. Patterson u. M. W. Barnes, Bl. chem. Soc. Japan **40**, 2715 (1967).
[3] H. Feuer u. R. Harmetz, J. Org. Chem. **26**, 1061 (1961).

Eine Besonderheit findet sich bei den Reaktionen des Trinitromethans mit Butenon[1]. Während sich aus Trinitromethan und der molaren Menge Kaliumacetat in 33%igem wäßrigem Methanol mit einem Überschuß an Butenon das normale Additionsprodukt I bildet (77% d. Th.), entsteht aus dem Kaliumsalz des Trinitromethans und Butenon die Verbindung II:

$$
\underset{\begin{array}{c}\text{I; } \textit{5,5,5-Trinitro-2-oxo-pentan}\end{array}}{\overset{\begin{array}{c}\text{NO}_2\\|\end{array}}{\underset{\begin{array}{c}|\\\text{CH}_2\text{-CH}_2\text{-CO-CH}_3\end{array}}{\text{O}_2\text{N-C-NO}_2}}}
\qquad
\underset{\begin{array}{c}\text{II; } \textit{5,5-Dinitro-3-hydroxy-2,8-dioxo-nonan}\end{array}}{\overset{\begin{array}{c}\text{NO}_2\quad\text{OH}\quad\text{O}\\|\quad\quad|\quad\quad||\end{array}}{\underset{\begin{array}{c}|\\\text{CH}_2\text{-CH}_2\text{-CO-CH}_3\end{array}}{\text{O}_2\text{N-C-CH}_2\text{-CH-C-CH}_3}}}
$$

Mit 4-Oxo-2-methyl-penten-(2) (Mesityloxid) dagegen erhält man nur das normale, *explosive 1,1,1-Trinitro-4-oxo-2,2-dimethyl-pentan* (F: 21°)[2]:

$$
\overset{\begin{array}{c}\text{CH}_3\quad\quad\text{O}\\|\quad\quad\quad||\end{array}}{\underset{\begin{array}{c}|\\\text{C(NO}_2)_3\end{array}}{\text{H}_3\text{C-C-CH}_2\text{-C-CH}_3}}
$$

αα₂) mit aromatischen Resten

α,β-ungesättigte Ketone vom Typ des 3-Oxo-1-phenyl-butens (I), 1-Oxo-1-phenyl-propens (II) und 3-Oxo-1,3-diphenyl-propens (Chalkons) (III) bilden mit Nitro-alkanen leicht die Mono-Additionsprodukte:

$$
\underset{\text{I}}{\text{H}_5\text{C}_6\text{-CH=CH-CO-CH}_3}
\qquad
\underset{\text{II}}{\overset{\begin{array}{c}\text{O}\\||\end{array}}{\text{H}_2\text{C=CH-C-C}_6\text{H}_5}}
\qquad
\underset{\text{III}}{\overset{\begin{array}{c}\text{O}\\||\end{array}}{\text{H}_5\text{C}_6\text{-CH=CH-C-C}_6\text{H}_5}}
$$

In Analogie zum Butenon bildet auch 1-Oxo-1-phenyl-propen (Acroyl-benzol) leicht Di-Addukte[3], die in Gegenwart starker Basen cyclisieren (s. S. 1584). Erzeugt man das 1-Oxo-1-phenyl-propen in situ aus 3-Chlor-1-oxo-1-phenyl-propan und arbeitet im Molverhältnis 1:1 mit dem Salz der Nitro-Verbindung, so kann man in fast quantitativer Ausbeute das Monoaddukt isolieren. Dieses setzt sich schon bei 0–5° mit einem weiteren Mol 1-Oxo-1-phenyl-propen zu einem offenen Di-Addukt um, das bei Erhitzen spontan cyclisiert. Auch die Mannich-basen des 1-Oxo-1-phenyl-propen geben gute Ausbeuten an Mono-Addukt[4]. Man hat festgestellt[3], daß geringste Mengen Wasser eine Cyclisierung stark begünstigen. Dies kann so erklärt werden, daß im wasserfreien Reaktionsmedium aus dem katalytisch wirksamen Natrium-alkoholat durch Zugabe von Wasser der stärkere Katalysator Natriumhydroxid entsteht, der die Aldol-Kondensation bewirkt.

Neben den Reaktionen des 1-Oxo-1,3-diphenyl-propens (Chalkon) mit Nitromethan (zu *4-Nitro-1-oxo-1,3-diphenyl-butan*)[5-7], Nitroäthan (zu *4-Nitro-1-oxo-1,3-diphenyl-pentan*)[8], 1-Nitro-propan (zu *4-Nitro-1-oxo-1,3-diphenyl-hexan*)[6,9] und 2-Nitro-propan (zu *4-Nitro-1-oxo-4-methyl-1,3-diphenyl-pentan*)[5,9] sind auch 3-Oxo-

[1] L. A. Kaplan u. M. J. Kamlet, J. Org. Chem. 27, 780 (1962).
[2] J. Strumza u. S. Altschuler, Israel J. Chem. 1, 106 (1963), C. A. 60, 10525 (1964).
[3] H. Feuer u. R. Harmetz, J. Org. Chem. 26, 1061 (1961).
[4] N. S. Gill et al., Am. Soc. 74, 4923 (1952).
[5] E. P. Kohler, Am. Soc. 38, 889 (1916).
[6] M. C. Kloetzel, Am. Soc. 69, 2271 (1947).
[7] E. P. Kohler, Am. Soc. 46, 503 (1924).
[8] D. E. Worrall u. C. J. Bradway, Am. Soc. 58, 1607 (1936).
[9] N. Fishman u. S. Zuffanti, Am. Soc. 73, 4466 (1951).

Tab. 196. γ-Nitro-ketone aus Nitro-alkanen und α,β-ungesättigten Ketonen

α,β-ungesättigtes Keton	Nitroalkan	Molverhältnis Nitroalkan: Keton	Art der Maskierung	Katalysator	Reaktionsprodukt	Ausbeute [% d.Th.]	Literatur
3-Oxo-1-phenyl-buten-(1)	Nitromethan		—	(C₂H₅)₂NH	1-Nitro-4-oxo-2-phenyl-pentan	58	1
	Nitro-äthan		—		2-Nitro-5-oxo-3-phenyl-hexan		2
	1-Nitro-propan		—	(C₂H₅)₂NH	3-Nitro-6-oxo-4-phenyl-heptan	90	1,3
	2-Nitro-propan			(C₂H₅)₂NH	2-Nitro-5-oxo-2-methyl-3-phenyl-hexan	77	1
[Struktur: RO– / H₃CO – Ring – CH=CH–CO–CH₃] R = C₃H₇ R = C₄H₉	Nitro-äthan		—	NaOCH₃	5-Nitro-2-oxo-4- -(3-methoxy-2-propyloxy-phenyl)-hexan		4
	1-Nitro-propan			NaOCH₃	-(3-methoxy-2-propyloxy-phenyl)-heptan		
	Nitro-äthan			NaOCH₃	-(3-methoxy-2-butyloxy-phenyl)-hexan		
	1-Nitro-propan			NaOCH₃	-(3-methoxy-2-butyloxy-phenyl)-heptan		
1-Oxo-1-phenyl-propen	Nitromethan	10:1	A	NaOH	4-Nitro-1-phenyl-butan	78	5
	Nitro-äthan	10:1	B		4-Nitro-1-oxo-1-phenyl-pentan	13	6
		1:1	A	NaOH	4-Nitro-1,7-dioxo-1,7-diphenyl-heptan	92	5
		1,6:1	C, B		4-Nitro-1-oxo-1-phenyl-pentan	30;5 48;72	6
	1-Nitro-propan	10:1	B		4-Nitro-1-oxo-1-phenyl-hexan	80	6
Chalkon (3-Oxo-1,3-diphenyl-propen)	2-Nitro-propan	10:1	B	CaH₂,CH₃OH	4-Nitro-1-oxo-4-methyl-1,3-diphenyl-pentan	90	7

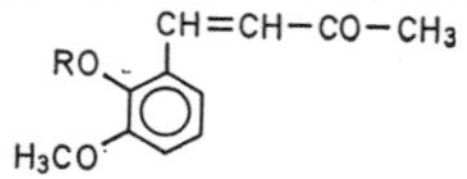

A = 1-Oxo-1-phenyl-propen als 3-Chlor-1-oxo-1-phenyl-propan
B = 1-Oxo-1-phenyl-propen als 3-Dimethylamino-1-oxo-1-phenyl-propan
C = 1-Oxo-1-phenyl-propen als 3-Morpholino-1-oxo-1-phenyl-propan

[1] M. C. Kloetzel, Am. Soc. 69, 2271 (1947).
[2] S. S. Novikov, I. S. Korsakova u. M. A. Latskovskaia, Doklady. Akad. SSSR 118, 954 (1958); engl.: 151; C. A. 52, 12792 (1958).
[3] M. C. Kloetzel, Am. Soc. 70, 3571 (1948).
[4] E. Profft u. E. Wolf, J. pr. [4] 19, 192 (1963).
[5] H. Feuer u. R. Harmetz, J. Org. Chem. 26, 1061 (1961).
[6] N. S. Gill et al., Am. Soc. 74, 4923 (1952).
[7] N. Fishman u. S. Zuffanti, Am. Soc. 73, 4466 (1951).

Tab. 196 (1. Fortsetzung)

α,β-ungesättigtes Keton	Nitroalkan	Molverhältnis Nitroalkan: Keton	Art der Maskierung	Katalysator	Reaktionsprodukt	Ausbeute [% d. Th.]	Literatur
H_5C_6–CH=CH–C(=O)– (3-NO_2-phenyl)	Nitro-äthan	Nitroalkan als Lösungsmittel		Piperidin (einige Tropfen)	4-Nitro-1-oxo-3-phenyl-1-(3-nitro-phenyl)-pentan	20	1
	2-Nitro-propan				4-Nitro-1-oxo-4-methyl-3-phenyl-1-(3-nitro-phenyl)-pentan	98	
	1-Nitro-propan				4-Nitro-1-oxo-3-phenyl-1-(3-nitro-phenyl)-hexan	35	
H_5C_6–CH=CH–C(=O)– (4-NO_2-phenyl)	Nitro-methan	4:1-Benzol als Lösungsmittel		Piperidin	4-Nitro-1-oxo-3-phenyl-1-(4-nitro-phenyl)-butan	10	1
	Nitro-äthan				4-Nitro-1-oxo-3-phenyl-1-(4-nitro-phenyl)-pentan	27	
	2-Nitro-propan				4-Nitro-1-oxo-3-phenyl-1-(4-nitro-phenyl)-pentan	35	
	1-Nitro-propan				4-Nitro-1-oxo-4-methyl-3-phenyl-1-(4-nitro-phenyl)-hexan	20	

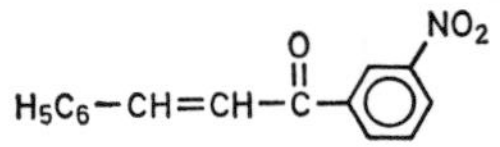

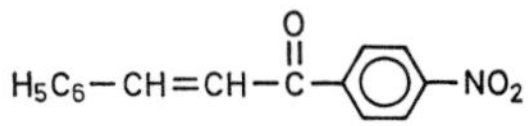

[1] J. SETER, Israel J. Chem. 4, 1 (1966).

Tab. 196 (2. Fortsetzung)

α,β-ungesättigtes Keton	Nitroalkan	Molverhältnis Nitroalkan : Keton	Art der Maskierung	Katalysator	Reaktionsprodukt	Ausbeute [% d. Th.]	Literatur
	Nitromethan	Nitroalkan als Lösungsmittel		Piperidin	4-Nitro-1-oxo-1-phenyl-3-(3-nitro-phenyl)-butan	45	1
	Nitroäthan				4-Nitro-1-oxo-1-phenyl-3-(3-nitro-phenyl)-pentan	71	
	2-Nitro-propan				4-Nitro-1-oxo-4-methyl-1-phenyl-3-(3-nitro-phenyl)-pentan	47	
	1-Nitro-propan				4-Nitro-1-oxo-1-phenyl-3-(3-nitro-phenyl)-hexan	65	
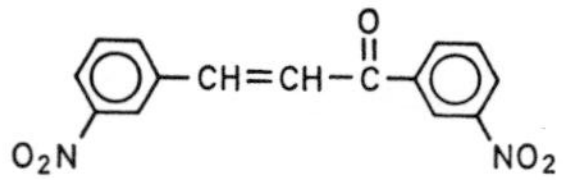	Nitromethan	Nitroalkan als Lösungsmittel		Piperidin	4-Nitro-1-oxo-1,3-bis-[3-nitro-phenyl]-butan	17	1
	Nitroäthan				4-Nitro-1-oxo-1,3-bis-[3-nitro-phenyl]-pentan	5	
	2-Nitro-propan				4-Nitro-1-oxo-4-methyl-1,3-bis-[3-nitro-phenyl]-pentan	26	
	1-Nitro-propan				4-Nitro-1-oxo-1,3-bis-[3-nitro-phenyl]-hexan	41	
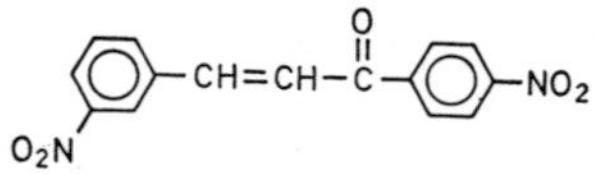	Nitromethan	4:1 Benzol als Lösungsmittel		Piperidin	4-Nitro-1-oxo-3-(3-nitro-phenyl)-1-(4-nitro-phenyl)-butan	39	1
	Nitroäthan				4-Nitro-1-oxo-3-(3-nitro-phenyl)-1-(4-nitro-phenyl)-pentan	37	
	2-Nitro-propan				4-Nitro-1-oxo-4-methyl-3-(3-nitro-phenyl)-1-(4-nitro-phenyl)-pentan	62	
	1-Nitro-propan				4-Nitro-1-oxo-3-(3-nitro-phenyl)-1-(4-nitro-phenyl)-hexan	92	

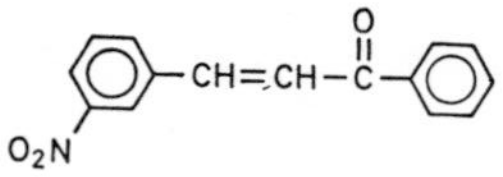

[1] J. Seter, Israel J. Chem. 4, 1 (1966).

3-phenyl-1-(2,3-alkyloxy-phenyl)-propene auf ihre Fähigkeit, Nitroalkane zu addieren, untersucht worden[1]. Dabei stellte sich heraus, daß das aus Acetophenon (I) und 2-Hydroxy-3-äthoxy-benzaldehyd (II) durch Kondensation in äthanolischer Kalilauge zugängliche 3-Oxo-3-phenyl-1-(2-hydroxy-3-äthoxy-phenyl)-propen (III) mit Nitro-alkanen und Natriummethanolat verharzt, während unter diesen Bedingungen aus dem Methyl- oder Äthyl-äther von III die Nitro-ketone IV durch Umsetzung mit Nitromethan, Nitroäthan und 1-Nitro-propan erhalten werden können:

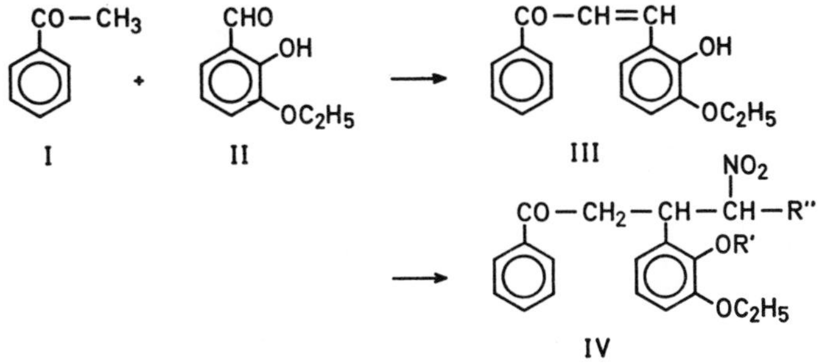

R″ = H   ; R′ = CH₃ ;   *4-Nitro-1-oxo-1-phenyl-3-(2-methoxy-3-äthoxy-phenyl)-butan*
         R′ = C₂H₅;   *4-Nitro-1-oxo-1-phenyl-3-(2,3-diäthoxy-phenyl)-butan*
R″ = CH₃; R′ = CH₃;   *4-Nitro-1-oxo-1-phenyl-3-(2-methoxy-3-äthoxy-phenyl)-pentan*
         R′ = C₂H₅;   *4-Nitro-1-oxo-1-phenyl-3-(2,3-diäthoxy-phenyl)-pentan*
R″ = C₂H₅;R′ = CH₃;   *4-Nitro-1-oxo-1-phenyl-3-(2-methoxy-3-äthoxy-phenyl)-hexan*
         R′ = C₂H₅;   *4-Nitro-1-oxo-1-phenyl-3-(2,3-diäthoxy-phenyl)-hexan*

Die Mannichbase eines 3-Oxo-3-phenyl-1-(4,5-dimethoxy-phenyl)-propen wurde ebenfalls mit Nitromethan umgesetzt[2]; man erhält *4-Nitro-1-oxo-1-phenyl-3-(4,5-dimethoxy-phenyl)-propan.*

αα₃) mit heterocyclischen Resten

Die Umsetzung von 3-Oxo-1-furyl-(2)-buten-(1) und 3-Oxo-3-phenyl-1-furyl-(2)-propen mit 1- und 2-Nitro-propan wurde eingehend untersucht[3]. Die in Gegenwart molarer Mengen Diäthylamin entstehenden 5-Nitro-2-oxo-4-furyl-(2)- bzw. 4-Nitro-1-oxo-1-phenyl-3-furyl-(2)-alkane werden in 75–95%iger Ausbeute isoliert. Die Wahl des geeigneten Katalysators spielt für die Höhe der Ausbeute an 1:1-Addukt die entscheidende Rolle. Mit Natriummethanolat erhält man nur bei der Addition von Nitromethan an 3-Oxo-3-(4-brom-phenyl)-1-furyl-(2)-propen eine Ausbeute von 75% d.Th., wohingegen die Ergebnisse der Reaktion von Nitromethan und Nitro-phenyl-methan an 3-Oxo-3-(4-brom-phenyl)-1-furyl-(2)-propen und von Nitro-phenyl-methan an *3-Oxo-3-phenyl-1-furyl-(2)-propen* erheblich schlechter sind[4].

In Tab. 197 (S. 1590) soll gezeigt werden, inwieweit sich die Reste R¹, R², R³ und R⁴ an einem α,β-ungesättigten Carbonyl-System A und der Rest R⁵ an einer aliphatischen Nitroverbindung B variieren lassen:

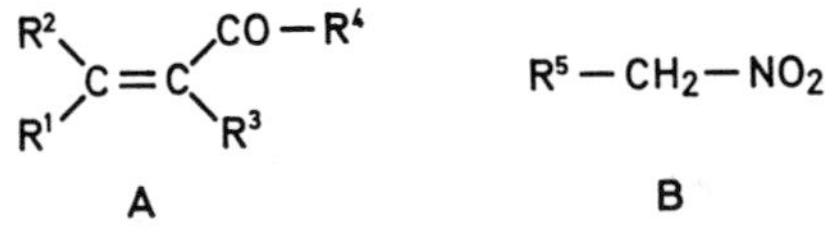

A   B

[1] E. Profft u. E. Wolf, J. pr. [4] 19, 192 (1963).
[2] B. Reichert u. H. Posemann, Ar. 275, 67 (1937).
[3] M. C. Kloetzel, Am. Soc. 69, 2271 (1947).
[4] N. L. Drake u. H. W. Gilbert, Am. Soc. 52, 4965 (1930).

Tab. 197. γ-Nitro-ketone aus α,β-ungesättigten Ketonen und Nitro-alkanen

$$\begin{array}{c} R^2 \\ R^1 \end{array}\!\!\diagdown C\!\!=\!\!C\!\!\diagup\!\!\begin{array}{c} CO-R^4 \\ R^3 \end{array} \qquad R^5-CH_2-NO_2$$

R¹	R²	R³	R⁴	R⁵	Katalysator	γ-Nitro-ketone	Ausbeute [%d.Th.]	Literatur
H	H	H	4-H₇C₃O—C₆H₄	H	NaOH	4-Nitro-1-oxo-1-(4-propyloxy-phenyl)-butan	73	1
H	H	H	4-H₇C₃O—C₆H₄	C₆H₅	NaOCH₃	4-Nitro-1-oxo-4-phenyl-1-(4-propyloxy-phenyl)-butan	71	1
C₆H₅	H	CO—C₆H₅	CH₃	C₆H₅	(C₂H₅)₂NH	1-Nitro-4-oxo-1,2-diphenyl-3-benzoyl-pentan	38	2
C₆H₅	H	H	C₆H₅	COOC₂H₅	(C₂H₅)₂NH	2-Nitro-5-oxo-3,5-diphenyl-pentansäure-äthyl-ester	94	3
C₆H₅	H	H	C(CH₃)₃	H	NaOCH₃	6-Nitro-3-oxo-2,2-dimethyl-5-phenyl-hexan	90	4
H	H	H	C₆H₅	COOC₂H₅	(C₂H₅)₂NH	2-Nitro-5-oxo-5-phenyl-pentansäure-äthylester	65	5
C₆H₅	H	C₆H₅	CH₃	C₆H₅	(C₂H₅)₂NH	1-Nitro-4-oxo-1,2,3-triphenyl-pentan	68	2
C₆H₅	H	H	cC₃H₅	H	NaOCH₃	1-Nitro-4-oxo-4-cyclopropyl-2-phenyl-butan	52	6
cC₃H₅	H	H	C₆H₅	H	NaOCH₃	4-Nitro-1-oxo-3-cyclopropyl-1-phenyl-butan	71	6
CH₃	H	CH₃	C₆H₅	H	NaOC₂H₅	4-Nitro-1-oxo-2,3-dimethyl-1-phenyl-butan	63	7
CH₃	CH₃	H	C₆H₅	H	NaOC₂H₅	4-Nitro-1-oxo-3,3-dimethyl-1-phenyl-butan	76	7
CH₃	CH₃	H	CH₃	CH₃	NaOCH₃	1-Nitro-5-oxo-2,2-dimethyl-hexan	21	8
C₆H₅	H	H	Pyridyl-(2)	C₂H₅	(C₂H₅)₂NH	4-Nitro-1-phenyl-2-pyridoyl-(2)-pentan	95	9

1 E. Profft, F. Runge u. A. Jumar, J. pr. [4] 1, 57 (1955).
2 A. Dornow u. F. Boberg, A. 578, 101 (1952).
3 A. Dornow u. A. Frese, A. 581, 211 (1953).
4 E. P. Kohler u. M. S. Rao, Am. Soc. 41, 1697 (1919).
5 I. S. Ivanova, N. N. Bulatova u. S. S. Novikov, Izv. Akad. SSSR 1962, 921; engl.: 859.
6 L. I. Smith u. E. R. Rogier, Am. Soc. 73, 3831 (1951).
7 L. I. Smith u. V. A. Engelhardt, Am. Soc. 71, 2671, 2676 (1949).
8 L. I. Smith u. W. L. Kohlhase, J. Org. Chem. 21, 816 (1956).
9 M. C. Kloetzel u. F. L. Chubb, Am. Soc. 79, 4226 (1957).

$_2$) *Herstellung von γ-Nitro-ketonen unter Einbeziehung eines cycloaliphatischen Ringsystems*

Eine weitere wichtige Variationsmöglichkeit hinsichtlich des α,β-ungesättigten Ketons, des Acceptors also, läßt sich durch Einbeziehung der C=C-Doppelbindung in ein Ringsystem erreichen. Man kommt so zu der großen Gruppe der Cycloalkenone. Beispiele für die glatt verlaufenden Additionen von Nitroalkanen an substituierte und unsubstituierte Cyclohexen-(1)-one-(3) s. Tab. 198.

Tab. 198. 3-Oxo-1-nitroalkyl-cycloalkane durch Addition von Nitromethan und 2-Nitro-propan an Cycloalken-(1)-one-(3)

Cycloalken-(1)-on-(3)	Katalysator	Reaktionsprodukt	Ausbeute [%d.Th.]	Literatur
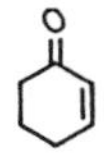 [Struktur A: Cyclohexenon]	NaOCH$_3$ $\oplus$ [(H$_9$C$_4$)$_4$N]CN$^\ominus$/THF	3-Oxo-1-nitromethyl-cyclohexan	50 / 84	1 / 2
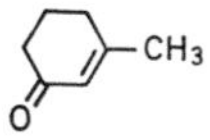 [Struktur A: Methyl-cyclohexenon]	Piperidin	3-Oxo-1-methyl-1-nitromethyl-cyclohexan	48	3
	$\oplus$ [H$_5$C$_6$–N(CH$_3$)$_3$]CH$_3$O$^\ominus$	3-Oxo-1-methyl-1-nitromethyl-cyclohexan	65	4
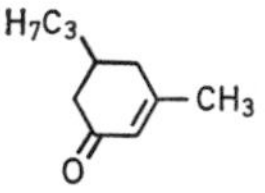 [Struktur A: H$_7$C$_3$, CH$_3$-cyclohexenon]	Piperidin	5-Oxo-3-methyl-3-nitromethyl-1-propyl-cyclohexan	37	3
[Struktur A: Phenyl-cyclohexenon, C$_6$H$_5$]	[H$_5$C$_6$–N(CH$_3$)$_3$]CH$_3$O$^\ominus$	3-Oxo-1-nitromethyl-2-phenyl-cyclohexan	80	5
[Struktur A: Androstadienon mit R^1, R^2]	(CH$_3$)$_3$C–OK	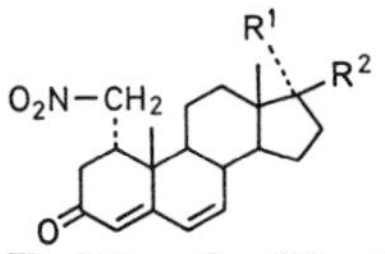 R^1=H; R^2 = O–CO–C$_2$H$_5$; 17β-Acetoxy-3-oxo-1α-nitro-methyl-androstadien-(4,6)	54	6
		R^1 = CH$_3$; R^2 = OH; 17β-Hydroxy-3-oxo-17α-methyl-1α-nitromethyl-androstadien-(4,6)	59	
[Struktur B: H$_3$C, CH$_3$, CH$_2$-cyclohexenon]	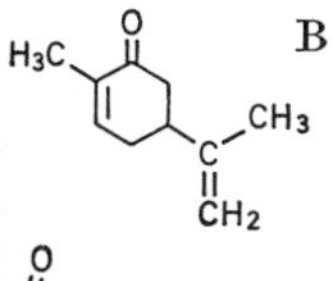 B	5-Oxo-3-[2-nitro-propyl-(2)]-1-propenyl-cyclohexan		7
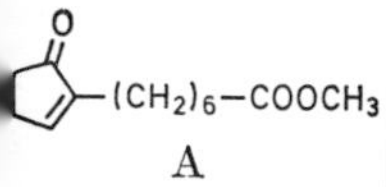 [Struktur A: –(CH$_2$)$_6$–COOCH$_3$ cyclopentenon]	Tetramethyl-guanidin	5-Oxo-trans-2-nitromethyl-1-(6-methoxycarbonyl-hexyl)-cyclopentan	84	8

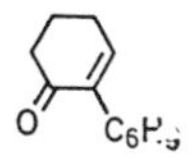

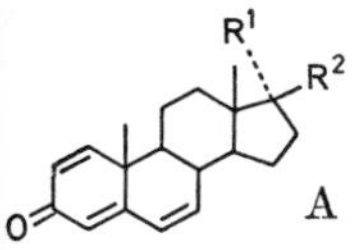

A = Donator Nitromethan   B = Donator 2-Nitro-propan

^{1} A. McCoubrey, Soc. **1951**, 2931.

^{2} D. A. White u. M. M. Baizer, Soc., (Perkin I) **1973**, 2230.

^{3} D. V. Nightingale, F. B. Erickson u. J. M. Shackelford, J. Org. Chem. **17**, 1005 (1952).

^{4} P. R. Shafer, Dissertation, Univ. of Wisconsin 1951.

^{5} D. Ginsburg u. R. Pappo, Soc. **1953**, 1524.

^{6} M. Kocór, M. Gomulka u. T. Cynkowski, Bull. Acad. Polon. Sci., Ser. Sci. Chim. **21**, 721 (1973).

^{7} W. B. Motherwell u. J. S. Roberts, Tetrahedron Letters **1972**, 4287.

^{8} F. S. Alvarez u. D. Wren, Tetrahedron Letters **1973**, 569.

Tab. 198 (1. Fortsetzung)

Cycloalken-(1)-on-(3)	Katalysator	Reaktionsprodukt	Ausbeute [%d.Th.]	Literatur
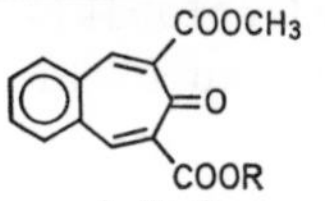 (Struktur A, B, C: Benzocycloheptatrien mit COOCH₃, =O, COOR)	Na-Salz der CH-aciden Verbindung	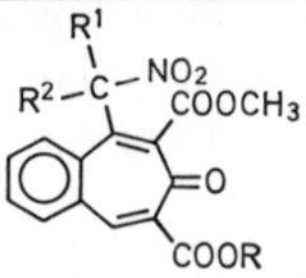 (Struktur: $R^2-\overset{R^1}{\underset{\;}{C}}\!\!<\!\!\overset{NO_2}{COOCH_3}$, Benzocycloheptatrien mit =O, COOR) ... *-8-methoxycarbonyl-6-alkoxymethyl-7H-⟨benzo-cycloheptatrien⟩*		1
		$R^1 = R^2 =$ *7-Oxo-9-nitro-methyl 7H* ...	38	
		$R^1 = R^2 = CH_3$; *7-Oxo-9-[2-nitro-propyl-(2)]* ...	55	
		$R^1 = C_6H_5$; $R^2 = H$; *7-Oxo-9-(α-nitro-benzyl)-* ...	67	

A = Donator Nitromethan;   B = Donator 2-Nitro-propan;   C = Donator Nitro-phenyl-methan

Über die Konfiguration der entstehenden Cyclohexanone werden in der Literatur keine Angaben gemacht. Doch konnte für den Fall der Addition[2] von Nitroessigsäure-methylester an 3-Oxo-2-phenyl-cyclohexen (90% d. Th.) bewiesen werden, daß es sich bei dem erhaltenen *3-Oxo-1-(nitro-methoxycarbonyl-methyl)-2-phenyl-cyclohexan* um das *trans*-Addukt handelt.

Eine eindeutige Konfigurationszuordnung des Reaktionsproduktes gelang auch bei der Addition von Nitromethan an 1-Acetyl-cyclohexen in Gegenwart von Natrium-äthanolat als Katalysator[3]:

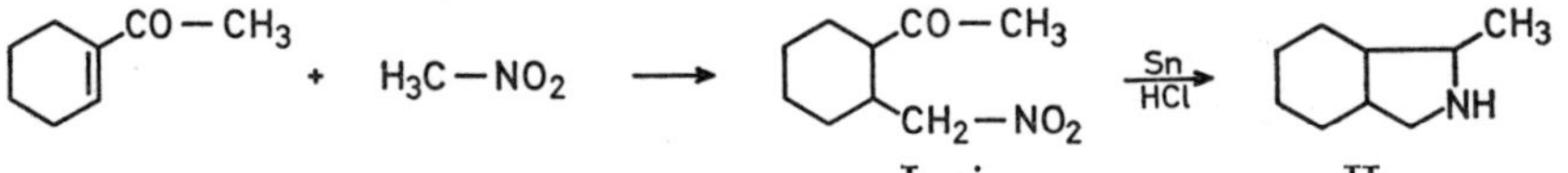

(Reaktionsschema: Acetylcyclohexen + $H_3C-NO_2 \rightarrow$ I; *cis* (2-Nitromethyl-1-acetyl-cyclohexan), $\xrightarrow[HCl]{Sn}$ II)

Es entsteht *cis-2-Nitromethyl-1-acetyl-cyclohexan* (I) das zu II cyclisierbar ist.

Um Cyclohexanone herzustellen, die eine zum Ring β-ständige Nitro-Gruppe besitzen, eignen sich Oxo-Mannichbasen der Form III und IV. Diese setzen sich beim Erwärmen

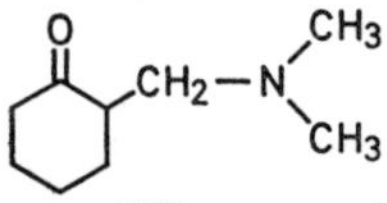

(Strukturen III und IV: Cyclohexanon mit $CH_2-N(CH_3)_2$ bzw. CH_2-N(Morpholin))

III 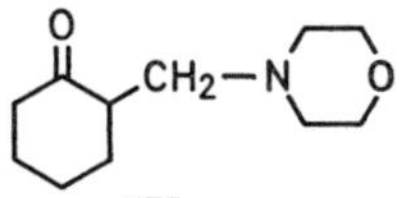   IV

unter alkalischen Bedingungen mit Nitroalkanen zu 2-Oxo-1-(2-nitro-alkyl)-cyclohexanen um. Bei einem Molverhältnis Nitro-alkan : Oxo-Mannichbase 10:1 erhält man z. B. aus 1-Nitro-propan und IV *2-Oxo-1-(2-nitro-butyl)-cyclohexan* (78% d. Th.; V)[4]:

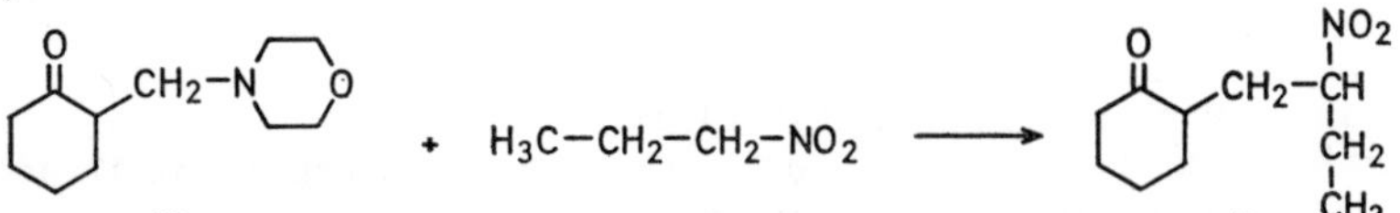

(Reaktionsschema: IV + $H_3C-CH_2-CH_2-NO_2 \rightarrow$ V (Cyclohexanon mit $CH_2-\underset{CH_2}{\overset{NO_2}{CH}}-CH_3$))

[1] B. Föhlisch et al., A. **1973**, 1861.
[2] R. Pappo u. D. Ginsburg, Bull. Research Council Israel **1**, 145 (1951); C. A. **46**, 7064 (1952). D. Ginsburg u. R. Pappo, Soc. **1951**, 938.
[3] S. V. Kessar, J. P. Nagpal u. K. K. Khullar, J. indian chem. Soc. **39**, 381 (1962).
[4] N. S. Gill et al., Am. Soc. **74**, 4923 (1952).

Statt der freien Mannichbasen lassen sich auch deren quaternäre Salze verwenden[1–3], statt IV also z. B. auch VI:

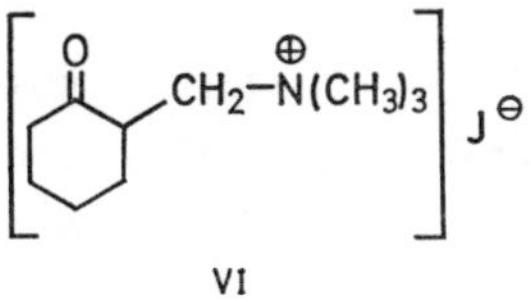

VI

α-Methylen-ketone sind wenig stabile Substanzen. Ist jedoch ein H-Atom der Methylen-Gruppe substituiert, kommt man zu den leicht herzustellenden und recht stabilen Alkyliden- oder Benzyliden-ketonen oder -diketonen. Bisher wurden erst wenige Vertreter dieser Klasse von Verbindungen, z. B. das 1,3-Dioxo-2-benzyliden-indan (VII) und seine Derivate, mit einem Nitro-alkan VIII erfolgreich in die Michael-Addition eingesetzt. Überraschend leicht erhält man durch bloßes Erhitzen der Verbindungen VII in Äthanol mit Nitro-aryl-methanen VIII kristalline Ausscheidungen der Addukte IX[4]:

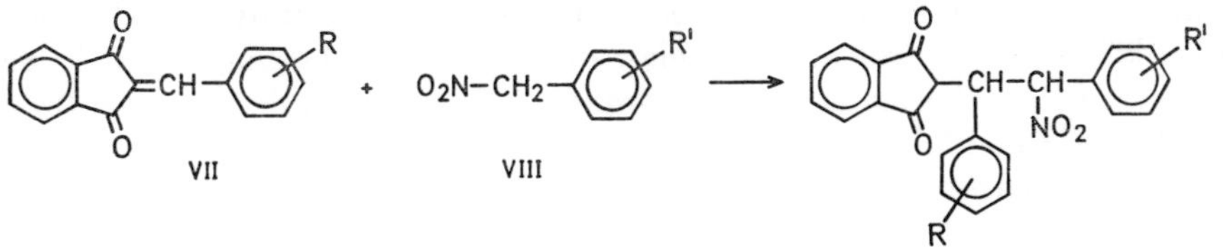

VII   VIII   IX

IX; R' = H, R = 4-NO₂; 3-NO₂; H
1,3-Dioxo-2-[2-nitro-1,2-diphenyl-äthyl]-indan bzw. *1,3-Dioxo-2-[2-nitro-2-phenyl-1-(4- bzw.-3-nitro-phenyl)-indan*
R' = 3-NO₂; R = 4-O-CH₃; 4-J, 4-Br; 4-CH₃; 4-C₂H₅
1,3-Dioxo-2-{2-nitro-2-(3-nitro-phenyl)-1-[4-methoxy- (bzw. -4-jod-, bzw.-4-brom- bzw. -4- äthyl-, bzw. -4-methyl)-phenyl]-äthyl}-indan

α₃) Polynitro-ketone

Wenig untersucht sind bisher die Additionsreaktionen von Polynitro-alkanen an α,β-ungesättigte Ketone, wenn man einmal von den früher geschilderten (S. 1584) diesbezüglichen Reaktionen des Butenons absieht. Tetranitro-alkane setzen sich mit 1-Oxo-1-phenyl-propen (I) und 3-Oxo-5-methyl-hexadien-(1,4) (II)[5] um; so erhält man aus 1 Mol 1,1,3,3-Tetranitro-propan (III) und 2 Mol I in Äthanol bei Raumtemperatur nach 2 Tagen die Additionsverbindung IV (57% d. Th.):

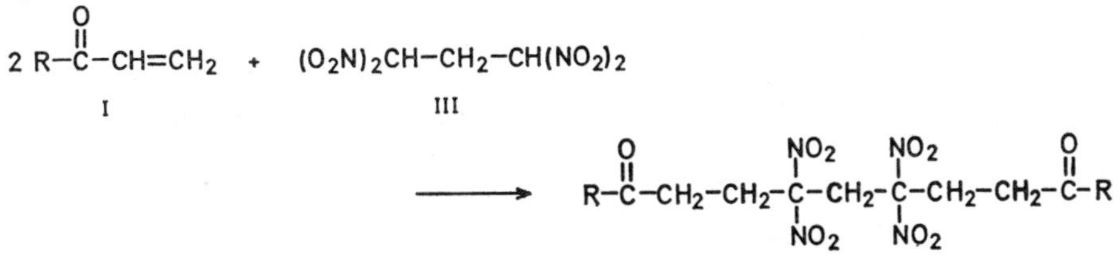

I   III

IV

R=C₆H₅;   *4,4,6,6-Tetranitro-1,9-dioxo-1,9-diphenyl-nonan*
R=(CH₃)₂C=CH- ; *7,7,9,9-Tetranitro-4,12-dioxo-2,14-dimethyl-pentadecadien-(2,13)*

[1] N. S. GILL et. al., Am. Soc. **74**, 4923 (1852).
[2] B. REICHERT u. H. POSEMANN, Ar. **275**, 67.
[3] R. JAQUIER u. J. LANET, Bl. **1953**, 795.
[4] L. P. ZALUKAEV u. D. G. VNENKOVSKAYA, Ž. org. Chim. **2**, 672 (1966); engl.: 674.
[5] I. S. IVANOVA, N. N. BULATOVA u. S. S. NOVIKOV, Izv. Akad. SSSR **1962**, 1856; engl.: 1762; C. A. **58**, 8951 (1963).

1,1,3,3-Tetranitro-butan (V) reagiert nur mit 1 Mol I unter Bildung von VI (89% d. Th.):

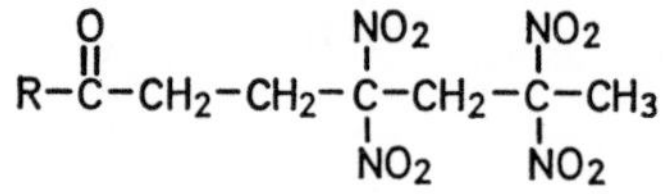

VI;   R = C₆H₅ ;   *4,4,6,6-Tetranitro-1-oxo-1-phenyl-heptan*
VIa; R = (CH₃)₂C=CH- ;   *7,7,9,9-Tetranitro-4-oxo-2-methyl-decen-(2)*

Entsprechend setzen sich 1 oder 2 Mol 3-Oxo-5-methyl-hexadien-(1,4) mit III (S. 1593) oder V um und geben die Additions-Verbindungen IVa (60% d. Th.; S. 1593) und VIa (89% d. Th.). Die substituierte Vinyl-Gruppe reagiert also nicht.

Zum Schluß seien noch die Umsetzungen des Trinitromethans mit α,β-ungesättigten Aryl-ketonen erwähnt. Trinitromethan ist ein außerordentlich starker Donator, so daß Michael-Additionen auch schon ohne Katalysator durchgeführt werden können[1]. Trinitromethan reagiert in äthanolischer Lösung innerhalb weniger Minuten mit Naphthochinon-(1,4) oder *trans*-1,4-Dioxo-1,4-diphenyl-buten-(2) zu den Addukten VII und VIII, die allerdings nicht beständig sind, sondern unter Abspaltung von salpetriger Säure in IX und X übergehen:

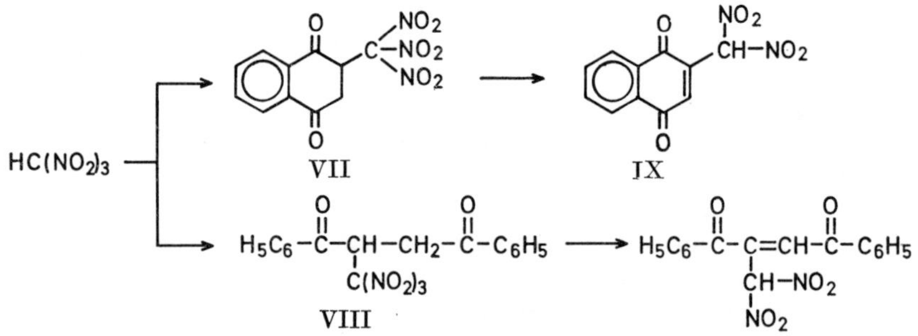

IX; *2-Dinitromethyl-naphthochinon-(1,4)* (F: 227°)
X; *1,4-Dioxo-2-dinitromethyl-1,4-diphenyl-buten-(2)*; F: 120°

Mit 3-Oxo-1,3-diphenyl-propen (Chalkon) und 3-Oxo-1-furyl-(2)-buten-(1) bilden sich die **explosiven** Addukte XI und XII, die gegen Nitrit-Abspaltung stabil sind:

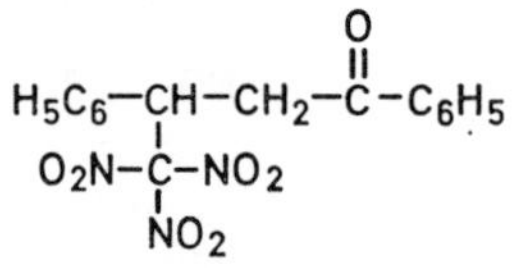

XI; *4,4,4-Trinitro-1-oxo-1,3-*   XII; *1,1,1-Trinitro-4-oxo-2-*
diphenyl-butan (F: 132°)   *furyl-(2)-pentan*

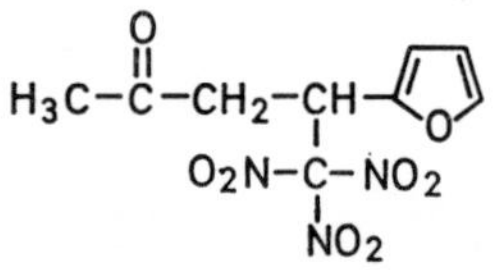

---

[1] L. A. Kaplan u. M. J. Kamlet, J. Org. Chem. **27**, 780 (1962); hier auch weitere Literaturstellen über Addition von Nitroform an α,β-ungesättigte Ketone.

3-Oxo-5-phenyl-1-furyl-(2)-pentadien-(1,4) liefert ein Addukt der wahrscheinlichen Konstitution II[1]:

6,6,6-Trinitro-3-oxo-1-phenyl-5-furyl-(2)-hexen-(1)

Die Oxo-alkohole[2], z.B. *5,5,5-Trinitro-2-oxo-1-hydroxy-pentan* (IV), entstehen durch Michael-Addition einer Nitro-Verbindung, z.B. Nitroform, an 3-Oxo-4-hydroxy-buten-(1) (III) in Gegenwart eines Katalysators, wie Natriumcarbonat oder einem Gemisch von Schwefelsäure und Quecksilber(II)-sulfat:

Analog erhält man aus 4-Chlor-3-oxo-buten-(1) mit Nitroform *1-Brom-5,5,5-trinitro-2-oxo-pentan*[3].

β) Herstellung von acyl- und aroyl-äthylierten Malonsäure- und substituierten Essigsäureester-Verbindungen

β₁) Acyläthylierte Malonsäure-diester- und Cyanessigsäureester-Verbindungen

Unter Beachtung gewisser Bedingungen (niedrige Temperatur, definierte Katalysatorkonzentration) lassen sich Malonsäure-diester acetäthylieren, ohne daß Cyclisierung eintritt. Auch die Art des Katalysators spielt eine große Rolle. Z.B. reagiert Butenon (I) mit Malonsäure-diäthylester (II) in Gegenwart äthanolischer Kalilauge in 83%iger Ausbeute zu (3-Oxo-butyl)-malonsäure-diäthylester (III), während mit Triton B (Trimethyl-benzyl-ammonium-hydroxid) keine höhere Ausbeute als 40% d.Th. zu erzielen ist[4]. Die gleiche Reaktion kann auch mit Natriumäthanolat als Katalysator[5,6] durchgeführt werden (71% d.Th.):

Selbstverständlich addieren auch Cyanessigsäureester und Malonsäure-dinitril ebenso leicht wie Malonsäure-diester.

(3-Oxo-butyl)-malonsäure-diäthylester[7]: 0,2 Mol (14 g) Butenon werden zu einer Mischung von 0,4 Mol (64 g) Malonsäure-diäthylester und 0,1 Mol Kaliumhydroxid (5,2 g in 20 ml 95%igem Äthanol) in 150 ml Äther innerhalb von 90 Min. getropft. Nach 2 stdgm. Rühren bei 20° wird die Reaktionsmischung auf Eis geschüttet, mit verd. Salzsäure angesäuert und wie üblich aufgearbeitet; bei anschließender Destillation erhält man als Vorlauf 33,3 g Malonsäure-diäthylester (Kp$_{20}$: 113°) und als Hauptfraktion: 38,1 g (82,7% d.Th.) Addukt; Kp$_{1,8}$: 119–120°.

[1] J. Strumza u. S. Altschuler, Israel J. Chem. **1**, 106 (1963).
[2] Fr.P. 1279984 (1960) ≡ DAS 1186452 (1960), Aerojet-General Corp., Erf.: K. Klager; C. **1966**, 17–2508.
[3] E. Steininger, Ang. Ch. **77**, 427 (1965).
[4] N. C. Ross u. R. Levine, J. Org. Chem. **29**, 2346 (1964).
[5] T. Tsuruta, Bull. Inst. Chem. Research, Kyoto Univ. **31**, 190 (1953); C.A. **49**, 6183 (1955).
[6] T. A. Spencer, M. D. Newton u. S. W. Baldwin, J. Org. Chem. **29**, 787 (1964).
    F. I. Carroll et al., J. Org. Chem. **39**, 3890 (1974).
[7] US.P. 2540267 (1948), Celanese Corp. of America, Erf.: B. H. Kress; C.A. **45**, 5720 (1951).

Auch in maskierter Form, z.B. als Keto-Mannichbase, wurde Butenon mit Malonsäure-diester in Gegenwart von Natriumäthanolat zur Reaktion gebracht[1]. Man erhält dann das Addukt III zu 50% d.Th., wobei man Reaktionszeiten von ~ einer Woche in Kauf nehmen muß. Unter ungünstigen Bedingungen, etwa höhere Temperatur und molare Mengen Natriumäthanolat, läßt sich III nicht isolieren, sondern nur die cyclischen Folgeprodukte von III (s. S. 1595) und dem Diaddukt aus Malonsäure-diäthylester und zwei Molen Butenon zu *Bis-[3-oxo-butyl]-malonsäure-diäthylester.*

1-Triäthylammoniono-3-oxo-5-methyl-hexan-jodid reagiert mit Malonsäure-diäthylester in guten Ausbeuten zum *3-Oxo-5-methyl-hexyl-malonsäure-diäthylester*[2].

Die gleichen Verhältnisse finden wir bei der Umsetzung der quaternären Mannich-base von 4-Oxo-2,2-dimethyl-pentan und Malonsäure-diäthylester zu *(3-Oxo-5,5-di-methyl-hexyl)-malonsäure-diäthylester*[3].

Es sei an dieser Stelle vorweggenommen (vgl. S. 1598), daß selbstverständlich auch Aryl-vinyl-ketone wie das Chalkon (3-Oxo-1,3-diphenyl-propen) diese cyclisierende Aldolkondensation eingehen können. Aus zwei Molen Chalkon (IV) und einem Mol Malonsäure-diäthylester bildet sich in hoher Ausbeute *1,3,5-Triphenyl-2-benzoyl-cyclohexen-(1)-4,4-dicarbonsäure-diäthylester* (VI), wobei die Zwischenstufe V in Gegenwart eines vollen Äquivalentes Natrium-äthanolat nicht faßbar ist[4].

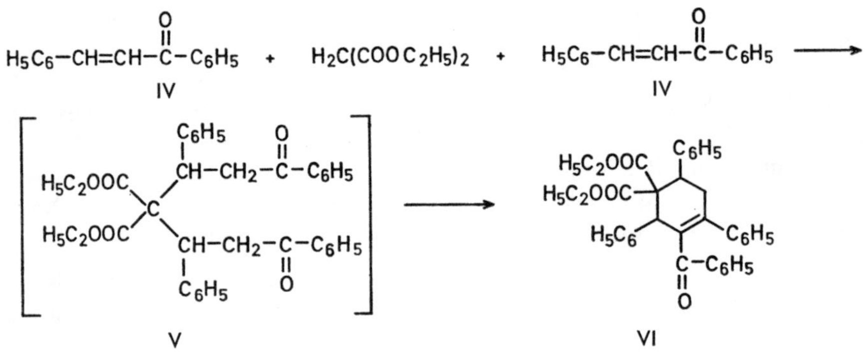

Ein offenes Diaddukt erhält man, wenn man Malonsäure-diäthylester und zwei Mole Butenon in Gegenwart von Triton B aufeinander einwirken läßt[5]; man isoliert *Bis-[3-oxo-butyl]-malonsäure-diäthylester* zu 85% d. Th.[5]

In der Tab. 199 (S. 1597) werden einige an der C=C-Doppelbindung und/oder in der Methyl-Gruppe substituierte Butenone aufgeführt, die mit Malonsäure-diäthyl-ester zu normalen Michael-Addukten reagieren.

[1] C. Mannich u. J. P. Fourneau, B. **71**, 2090 (1938).
[2] Brit.P. 594182 (1947), Erf.: C. Weizmann; C.A. **42**, 2986 (1948).
    US.P. 2472135 (1949), Polymerisable Products Ltd., Erf.: C. Weizmann; C.A. **43**, 6664 (1949).
[3] G. R. Newkome et al., Chem. Commun. **1972**, 905.
[4] P. C. Bhattacharyya, J. indian chem. Soc. **42**, 467 (1965).
[5] US. P. 2540267, B. H. Kress; C.A. **45**, 5720 (1951).

Tab. 199. Michael-Addukte aus substituierten Butenonen und Malonsäure-diäthylestern

Ausgangsverbindung	Reaktionsbedingungen			Katalysator	Reaktionsprodukt	Ausbeute [% d.Th.]	Literatur
	Lösungsmittel	Temp. [°C]	Zeit [Stdn.]				
3-Oxo-1-phenyl-buten-(1)	Acetaldehyd-di-propylacetal	20-90	1	Na-methanolat	(3-Oxo-1-phenyl-butyl)-malonsäure-diäthylester	84	1,2
1-Chlor-3-oxo-pentan				Na-äthanolat	(3-Oxo-pentyl)-malonsäure-diäthylester		3
4-Oxo-penten-(2)-säure-äthylester				Na-äthanolat	3-(2-Oxo-propyl)-2-äthoxycarbonyl-bernsteinsäure-diäthylester		4
3-Oxo-1,5-diphenyl-pentadien	Methanol	Rückfluß	5	Piperidin	[3-Oxo-1,5-diphenyl-penten-(4)-yl]-malonsäure-diäthylester	52	5
3-Oxo-4,4-dimethyl-1-phenyl-penten-(1)	Äthanol	Rückfluß	3	Na-äthanolat	(3-Oxo-4,4-dimethyl-1-phenyl-pentyl)-malonsäure-diäthylester	97	6
3-Oxo-4-methyl-1-phenyl-penten-(1)	Äther/Äthanol 4:1	Rückfluß	2	Na-äthanolat	(3-Oxo-4-methyl-1-phenyl-pentyl)-malonsäure-diäthylester	79	7

[1] C. WEIZMANN, E. BERGMANN u. M. SULZBACHER, J. Org. Chem. 15, 918 (1950).
[2] F. MOULIN, Helv. 34, 2416 (1951).
[3] E. E. BLAISE u. M. MAIRE, Bl. [4] 3, 421 (1908).
[4] W. O. EMERY, J. pr. [2] 53, 308 (1896).
[5] E. P. KOHLER u. C. S. DEWEY, Am. Soc. 46, 1267 (1924).
[6] G. A. HILL, Am. Soc. 49, 566 (1927).
[7] R. F. B. COX u. S. M. McELVAIN, Am. Soc. 56, 2459 (1934).

β_2) *Aroyläthylierte Malonsäure-diester*

Nebenreaktionen durch Cyclisierung, wie sie beim Butenon-Malonsäure-diäthyl-ester-Additionsprodukt A auftreten können, sind bei Additionen von α-CH-aciden Carbonsäureestern an 3-Oxo-3-phenyl-propen nicht möglich (B):

$$
\begin{array}{cc}
\underset{\substack{|\\HC-COOR\\|\\COOR}}{R-\overset{\overset{R}{|}}{C}-\overset{\overset{R}{|}}{C}H-\overset{\overset{O}{\|}}{C}=CH_3} & \underset{\substack{|\\HC-COOR\\|\\COOR}}{R-\overset{\overset{R}{|}}{C}-\overset{\overset{R}{|}}{C}H-\overset{\overset{O}{\|}}{C}-C_6H_5}\\
\text{A} & \text{B}
\end{array}
$$

Möglich jedoch ist eine Reaktion intramolekularer Art unter Beteiligung der der anderen C=O-Gruppe benachbarten CH_2- oder CHR-Gruppe. Das Ergebnis dieser Nebenreaktionen, deren Mechanismus diskutiert wird[1], ist folgendes: bei der Umsetzung α,β-ungesättigter Ketone wie Chalkon (3-Oxo-1,3-diphenyl-propen) oder *trans*-1,4-Dioxo-1,4-diphenyl-buten-(2) mit alkylierten Malonsäure-diäthylestern (wie Methyl-, Äthyl- oder Benzyl-) in Gegenwart starker Basen erhält man nicht die erwarteten Michael-Addukte, sondern Produkte, die denen einer Umkehr einer Michael-Addition unter Bildung eines neuen Acceptors und eines neuen Donators entsprechen. Das sei am Beispiel Chalkon (I) bei der Reaktion mit Methyl-malon-säure-diäthylester (II) formelmäßig dargestellt. Aus I und II erhält man nicht das Addukt III, sondern α-Methyl-zimtsäure-äthylester (IV) und *3-Oxo-3-phenyl-propan-säure-äthylester* (V):

$$
\underset{\text{I}}{H_5C_6-CH{=}CH-\overset{\overset{O}{\|}}{C}-C_6H_5} \quad + \quad \underset{\text{II}}{\overset{\overset{\displaystyle H_3C}{\diagdown}\;\;\overset{\displaystyle COOC_2H_5}{\diagup}}{\underset{\overset{\displaystyle H}{\diagup}\;\;\underset{\displaystyle COOC_2H_5}{\diagdown}}{C}}}
$$

$$
\underset{\text{III}}{\underset{\substack{|\\H_3C-\overset{\overset{\displaystyle}{|}}{C}-COOC_2H_5\\|\\COOC_2H_5}}{H_5C_6-\overset{|}{C}H-CH_2-CO-C_6H_5}} \qquad \underset{\text{V}}{H_5C_6-\underset{\underset{O}{\|}}{C}-CH_2-COOC_2H_5} \;+\; \underset{\text{IV}}{H_5C_6-CH{=}\underset{\underset{CH_3}{|}}{C}-COOC_2H_5}
$$

Besonders in Gegenwart schwacher Basen oder sehr geringer Mengen starker Basen, z.B. Natrium-methanolat[2,3] läßt sich auch das Addukt III [*Methyl-(3-oxo-1,3-diphenyl-propyl)-malonsäure-diäthylester*] in hoher Ausbeute (80% d. Th.) isolieren.

Die Addition der verschiedensten CH-aciden Verbindungen an Chalkon (I) hat gezeigt[3], daß man aus der Zahl der aktivierenden Gruppen einer Methylen-Gruppe oder aus ihrem Enolisierungsgrad nicht auf die Reaktivität des Donators schließen kann (Malonsäure-diäthylester reagiert mit Chalkon in hoher Ausbeute, Phenyl-malonsäure-diäthylester unter den gleichen Bedingungen überhaupt nicht). Bei den Malonsäure-diestern wird durch Einführung eines Substituenten die Reaktivität herabgesetzt, wobei sich der Einfluß einer Methyl-Gruppe als viel schwächer desaktivierend auswirkt als der höherer Alkyl-Gruppen.

[1] E. D. Bergmann, D. Ginsburg u. R. Pappo, Org. Reactions **10**, 194 ff. (1959).
[2] A. Michael u. J. Ross, Am. Soc. **55**, 1632 (1933).
[3] R. Connor u. D. B. Andrews, Am. Soc. **56**, 2713 (1934).

Tab. 205. Aroylallylierung von Malonsäureestern

Vinyl-aryl-keton	Malonsäure-diester	Reaktionsprodukt	Ausbeute [% d.Th.]	Literatur
3-Oxo-3-phenyl-1-furyl-(2)-propen	Malonsäure-diäthylester	[3-Oxo-3-phenyl-1-furyl-(2)-propyl]-malonsäure-diäthylester	75	[1]
Chalkon (3-Oxo-1,3-diphenyl-propen)	Malonsäure-diäthylester	(3-Oxo-1,3-diphenyl-propyl)-malonsäure-diäthylester	94	[2]
	Fluor-malonsäure-diäthylester	Fluor-(3-oxo-2-methyl-1,3-diphenyl-propyl)-malonsäure-diäthylester	94	[3]
	Phenyl-malonsäure-diäthyl-ester	(3-Oxo-1,3-diphenyl-propyl)-phenyl-malonsäure-diäthylester	94	[4]
trans-1,4-Dioxo-1,4-diphenyl-buten-(2)	Benzyl-malonsäure-diäthylester	[5-Oxo-1-phenyl-3-benzoyl-pentyl-(2)]-malonsäure-diäthylester	20	[5]
	Malonsäure-diäthylester	[2,4-Dioxo-2,4-diphenyl-butyl-(2)]-malonsäure-diäthylester	82	[6]
3-Oxo-2-methyl-1,3-diphenyl-propen	Malonsäure-dimethylester	(3-Oxo-2-methyl-1,3-diphenyl-propyl)-malonsäure-dimethylester	52	[7]
[Furyl]—CH=CH—C(=O)—R¹ R¹ = OCH₃; C₆H₁₁	Malonsäure-diäthylester bzw. -dimethylester	$R^2=CH_3;C_2H_5$; [3-Oxo-3-(4-methoxy-phenyl)-1-furyl-(2)-propyl]-malonsäure-diäthylester bzw. -dimethylester		[1]
		$R^2=CH_3;C_2H_5$; [3-Oxo-3-(4-cyclohexyl-phenyl)-1-furyl-(2)-propyl]-malonsäure-diäthylester bzw. -dimethylester	50	[1]

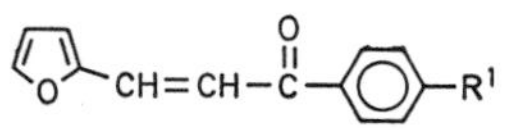

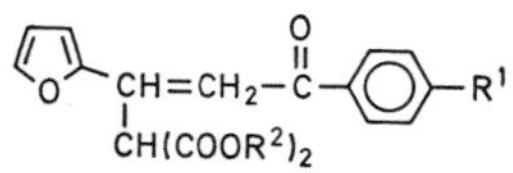

Strukturformel (Reaktionsprodukt, letzte Zeilen): [Furyl]—CH=CH₂—C—| CH(COOR²)₂ mit [Phenylring]—C(=O)—R¹

[1] D. L. Turner, Am. Soc. 73, 1284 (1951).
[2] E. P. Kohler u. J. B. Conant, Am. Soc. 39, 1404 (1917).
[3] A. Ostaszynski, Bull. Acad. Polon. Sci, Ser. Sci. Chim. 8, 615 (1960); C.A. 60, 1636 (1964).
[4] R. Connor, Am. Soc. 55, 4597 (1933).
[5] J. A. Gardner u. H. N. Rydon, Soc. 1938, 45.
[6] P. S. Bailey u. J. C. Smith, J. Org. Chem. 21, 709 (1956).
[7] A. Dornow u. F. Boberg, A. 578, 101 (1952).

Setzt man Malonsäure-diester mit doppelt α,β-ungesättigten Ketonen um, so erhält man in einigen Fällen durch zweifache Michael-Addition cyclische Reaktionsprodukte (s. a. S. 1692).

β_3) 5-Oxo-alkansäureester und 5-Oxo-5-aryl-alkansäureester

Unsubstituierte und Aryl-essigsäureester addieren α,β-ungesättigte Ketone, wenn überhaupt, dann mit schlechten Ausbeuten. Als Ausweichreaktionen treten meist Esterkondensationen auf. So wurde beim Versuch Essigsäure-äthylester an Butenon zu addieren, lediglich *Acetessigsäure-äthylester* (40% d. Th.) isoliert[1], d. h. es war nur Selbstkondensation des Essigsäure-äthylesters eingetreten. Unter den gleichen Reaktionsbedingungen erhält man mit Phenyl-essigsäure-äthylester, wenn auch nur in mäßiger Ausbeute, den gewünschten *5-Oxo-2-phenyl-hexansäure-äthylester*. Auch hier läßt sich Selbstkondensation nicht vermeiden. Mit Lithiumamid-Katalyse z. B. reagiert Phenyl-essigsäure-äthylester unter Kondensation mit sich selbst zu *3-Oxo-2,4-diphenyl-butansäure-äthylester* (I), der sich nun seinerseits mit Butenon (II) zum Addukt III umsetzt (14% d.Th.; neben 30% d.Th. *5-Oxo-2-phenyl-hexansäure-äthylester* (IV):

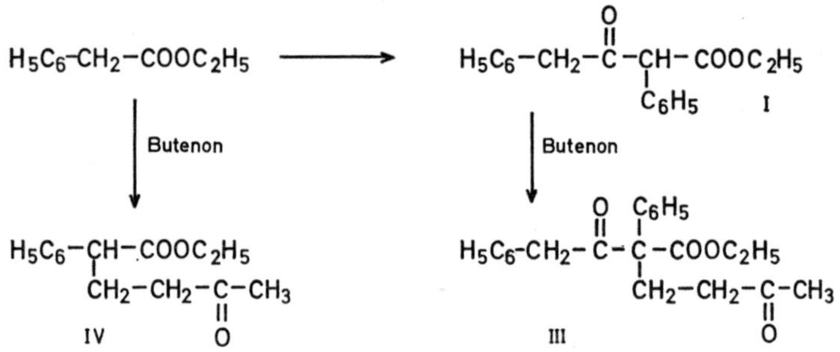

Leicht hingegen addieren 4-Nitro-phenylessigsäureester[2] und Fluoren-9-carbonsäureester[3]:

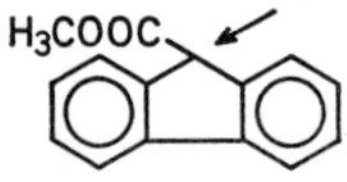

β_4) Acyläthylierte Cyan-alkane

Gegenüber den Essigsäureestern ist die CH-Acidität der Methyl-Gruppe im Acetonitril bedeutend erhöht, so daß mit reaktiven α,β-ungesättigten Ketonen wie 3-Oxo-1-phenyl-buten-(1) leicht Addition eintritt:

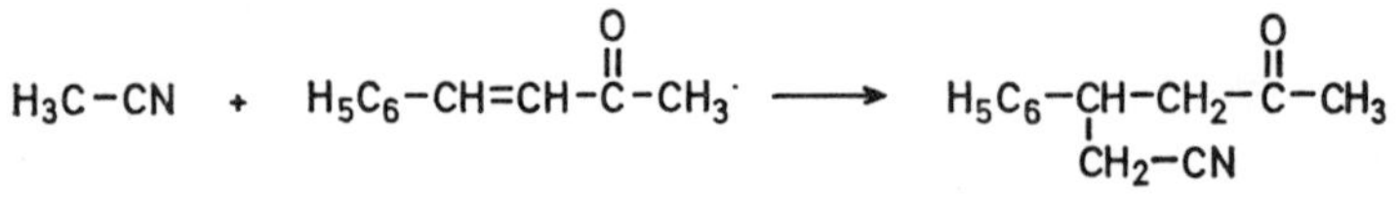

5-Oxo-3-phenyl-hexansäure-nitril

[1] N. C. Ross u. R. Levine, J. Org. Chem. **29**, 2346 (1964).
[2] S. Avery, C. B. Biswell u. E. E. Liston, Am. Soc. **54**, 229 (1932).
[3] H. W. D. Stubbs u. S. H. Tucker, Soc. **1950**, 3288.

Die Ausbeute bei Katalyse mit Kaliumhydroxid beträgt 82% d. Th.[1].

Erwartungsgemäß liefern demnach Cyanessigsäure-äthylester[2,3] sehr leicht mit α,β-ungestättigten Ketonen die entsprechenden Michael-Addukte. Sogar das reaktionsträge 4-Oxo-2-methyl-penten-(2) (Mesityloxid), das mit Acetessigsäure-äthylester z.B. nicht reagiert, gibt ein Additionsprodukt (*5-Oxo-3,3-dimethyl-2-cyan-hexansäure-äthylester*)[4]. Bei Katalyse mit **Aminen** entstehen die **Mono-Additions-Verbindungen**, bei Katalyse mit **Alkanolat** können auch die **Bis-Additions-Verbindungen**[3] erhalten werden. Ziemlich ungewöhnlich ist die Verwendung von **Kaliumfluorid** als Katalysator bei der Addition von Cyanessigsäure-äthylester an 4-Oxo-2-methyl-penten-(2)[5].

Höhere α-Cyan-fettsäureester wie 2-Cyan-hexansäureester[2] oder 2-Cyan-butansäureester[6] sind trotz der desaktivierenden Wirkung des Alkyl-Restes noch als Donator verwendbar. Bei nur durch den Phenyl-Rest in α-Stellung aktivierten höheren Fettsäureestern allerdings, z. B. 2-Phenyl-butansäureester, findet Addukt-Bildung[7] mit Chalkon (*3-Oxo-1,3-diphenyl-propen*) nur noch zu 3% d.Th. statt. Dabei reagiert Phenylessigsäure-äthylester unter gleichen Bedingungen mit Chalkon zu *5-Oxo-2,3,5-triphenyl-pentansäure-äthylester* mit 92% d. Th.[8].

Es besteht eine Vielzahl von weiteren Möglichkeiten, in Essigsäureestern oder Acetonitril durch Einführung von Resten, vor allem auch von aromatischen und heteroaromatischen Resten, eine gesteigerte Aktivität als Michael-Donator herbeizuführen. Eine Auswahl bringt Tab. 201 (S. 1602).

β_5) (*3-Oxo-cycloalkyl*)-*cyan-essigsäureester und -malonsäure-diester*

Reine Additionen von Cyanessigsäureestern oder Malonsäure-diestern an cyclische α,β-ungesättigte Ketone vom Typ des Cyclohexen-(1)-on-(3) verlaufen im allgemeinen in Gegenwart nur **katalytischer** Mengen von Natriummethanolat, -äthanolat oder Kalium-tert.-butanolat glatt unter Bildung von Mono-Addukten nachstehender Struktur.

$$(H_2C)_n \underset{R^1}{\overset{O \quad R^1}{\diagup}} CH-COOR \qquad R^1 = -COOR$$

[1] C. Weizmann, E. Bergmann u. M. Sulzbacher, J. Org. Chem. **15**, 118 (1950).
   Brit. P. 594182 (1947), C. Weizmann; C.A. **42**, 2986 (1948).
   US. P. 2472135 (1949), Polymerisable Products Ltd., Erf.: C. Weizmann; C.A. **43**, 6664 (1949).
[2] E. P. Kohler, A. Graustein u. D. R. Merrill, Am. Soc. **44**, 2536 (1922).
   H. Henecka, B. **82**, 104 (1949).
[3] W. Davey u. D. J. Tivey, Soc. **1958**, 2606.
   C. F. H. Allen u. A. C. Bell, Canad. J. Res. **11**, 40 (1934); C.A. **29**, 150 (1935).
[4] J. Scheiber u. F. Meisel, B. **48**, 238 (1915).
[5] Jap. P. 4516/62 (1959), Physical and Chemical Research Institute, Erf.: H. Yasuda, S. Aoyama u. H. Midorikawa; C.A. **58**, 10086 (1963).
[6] N. F. Albertson, Am. Soc. **72**, 2594 (1950).
[7] R. Connor u. D. B. Andrews, Am. Soc. **56**, 2713 (1934).
[8] W. Borsche, B. **42**, 4496 (1909).

Tab. 201. Oxo-carbonsäure-nitrile aus α,β-ungesättigten Ketonen und CH-aciden Cyan-Verbindungen

Donator	Acceptor	Addukt	Ausbeute [% d. Th.]	Literatur
Cyanacetamid	Chalkon	5-Oxo-3,5-diphenyl-2-cyan-pentansäure-amid	72	1
	3-Oxo-3-phenyl-propen	5-Oxo-2-(3-oxo-3-phenyl-propyl)-5-phenyl-2-cyan-pentansäure-amid		2
Phenylacetonitril	3-Oxo-1-phenyl-buten-(1)	5-Oxo-2,3-diphenyl-hexansäure-nitril	87	3,4
	3-Oxo-1-furyl-(2)-buten-(1)	5-Oxo-2,5-diphenyl-3-furyl-(2)-pentansäure-nitril	81	3
Pyridyl-(2)-acetonitril	Chalkon	5-Oxo-3,5-diphenyl-2-pyridyl-(2)-pentansäure-nitril	14	5
		+ 1,7-Dioxo-1,3,5,7-tetraphenyl-4-pyridyl-(2)-4-cyan-heptan	80	3
	3-Oxo-3-phenyl-1-pyridyl-(2)-propen	5-Oxo-5-phenyl-2,3-dipyridyl-(2)-pentansäure-nitril	35	5
	3-Oxo-3-phenyl-propen	5-Oxo-3,5-diphenyl-2-pyridyl-(2)-pentansäure-nitril	76	5
			69	5
Malonsäure-dinitril	Chalkon	(3-Oxo-1,3-diphenyl-propyl)-malonsäure-dinitril	74	1
	Butenon	Bis-[3-oxo-butyl]-malonsäure-dinitril	gut	6
	3-Oxo-1,4,4-trimethyl-cyclopenten	(3-Oxo-1,4,4-trimethyl-cyclopentyl)-malonsäure-dinitril		7

[1] E. P. Kohler u. B. L. Souther, Am. Soc. 44, 2903 (1922).
[2] C. F. H. Allen u. A. C. Bell, Canad. J. Res. 11, 40 (1934); C.A. 29, 150 (1935).
[3] H. Henecka, B. 82, 104 (1949).
[4] A. M. Baradel et al., Bl. 1970, 255, 258.
[5] H. Beyer u. K. Leverenz, B. 94, 263 (1961).
[6] H. Henecka, B. 81, 197 (1948); 82, 112 (1949).
[7] J. P. Absimon, J. W. Hooper u. B. A. Laishes, Canad. J. Chem. 48, 3064 (1970).

Für die Addition von Malonsäure-diester an cyclische α,β-ungesättigte Ketone lassen sich zahlreiche Beispiele anführen. Eine Auswahl an Addukten der allgemeinen Formel

gibt Tab. 202 (S. 1604).

Völlig analog reagiert Cyanessigsäure-äthylester in hohen Ausbeuten mit 3-Oxo-2-(2,3-dimethoxy-phenyl)-cyclohexen[1,2], 2-Acetmethoxy-3-oxo-4-methyl-cyclohexen[3] und 3-Oxo-2-methyl-5-isopropenyl-cyclohexen (Carvon)[4], um nur einige Beispiele zu nennen; man erhält [*3-Oxo-2-(2,3-dimethoxy-phenyl)-cyclohexyl*]-, (*2-Acetoxy-3-oxo-4-methyl-cyclohexyl*)- bzw. (*3-Oxo-2-methyl-4-isopropenyl-cyclohexyl*)-*malonsäure-äthylester-nitril*.

Auch größere Ringe wie 3-Oxo-cyclodecen addieren Cyanessigsäureester in glatter Reaktion[5].

In vielen Fällen empfiehlt es sich, statt der Malonsäure-dialkylester den Dibenzylester der Malonsäure zu verwenden. Das hat zweierlei Gründe. Einmal wird hierdurch eine bessere Ausbeute erzielt, was bei sterisch behinderten 3-Oxo-2-aryl-cycloalkenen wie z. B. 3-Oxo-2-phenyl-cyclohexen[6] oder -cyclohepten von erheblichem Interesse sein kann, zum anderen bieten die Dibenzylester bei der Weiterverarbeitung des primären Michael-Adduktes dann einen besonderen Vorteil, wenn man die Malonsäure-diester-Struktur durch Verseifung und Decarboxylierung in die entsprechende substituierte Essigsäure überführen will[7]. Benzylester lassen sich nämlich leicht schon in der Kälte mit Palladium/Wasserstoff hydrogenolytisch spalten. Hierbei entsteht dann die freie Malonsäure, die beim Erhitzen auf 150° unter Kohlendioxid-Abspaltung in eine Essigsäure übergeht.

Recht ungewöhnlich für eine basisch katalysierte Michael-Addition ist die Verwendung der freien Malonsäure bzw. Cyanessigsäure. In Gegenwart geringer Mengen Pyridin setzen sich die Säuren mit 3-Oxo-4,7,7-trimethyl-2-hydroxymethylen-bicyclo[2.2.1]heptan zu *3-Oxo-4,7,7-trimethyl-2-[2-carboxy-* (bzw. *-2-cyan)-äthyliden]-bicyclo[3.3.1]heptan* (50 bzw. 80% d. Th.) um[8].

Während 3-Acetoxy-6-oxo-3-methyl-cyclohexadien-(1,4) noch mit Malonsäure-diäthylester in immerhin 47%-iger Ausbeute [*2-Acetoxy-5-oxo-2-methyl-cyclohexen-(3)-yl*]-*malonsäure-diäthylester* liefert, reagiert 5-Acetoxy-6-oxo-5-methyl-cyclohexadien-

[1] D. GINSBURG u. R. PAPPO, Soc. **1951**, 938.

[2] R. PAPPO u. G. DINSBURG, Bull. Research Council Israel **1**, 145 (1951); C.A. **46**, 7064 (1952).

[3] A. BANERJEE u. B. K. BHATTACHARYYA, J. indian. chem. Soc. **35**, 457 (1958).

[4] R. CONNOR u. W. R. McCLELLAN, J. Org. Chem. **3**, 570 (1938).

[5] A. MARCHESINI et al., Tetrahedron Letters **1971**, 671.

[6] D. GINSBURG u. R. PAPPO, Am. Soc. **75**, 1094 (1953); Soc. **1953**, 1524.

[7] R. PAPPO u. D. GINSBURG, Bull. Research Council Israel **1**, 121 (1951); C.A. **47**, 2161 (1953).
    Y. AMIEL, A. LOEFFLER u. D. GINSBURG, Am. Soc. **76**, 3625 (1954).

[8] W. BORSCHE u. J. NIEMANN, B. **69**, 1993 (1936).

Tab. 202. Michael-Addukte aus Cycloalken-(1)-onen-(3) und Malonsäure-diester

Cycloalken-(1)-on-(3)			Reaktionsbedingungen			Katalysator	Reaktionsprodukt ...malonsäure-diäthylester	Ausbeute [% d.Th.]	Literatur
R^1	R^2	R^3	Lösungsmittel	Temp. [°C]	Zeit [Stdn.]				
C$_4$H$_9$	H	H					(3-Oxo-2-butyl-cyclopentyl)-...	—	1
CH$_2$—CH=CH$_2$	H	H				NaOH	(3-Oxo-2-allyl-cyclopentyl)-...	—	2
CH$_2$—C≡C—C$_2$H$_5$	H	H	CH$_3$OH	−5	1	NaOCH$_3$	[3-Oxo-2-pentin-(2)-yl-cyclopentyl]-...	96	3
C$_6$H$_5$	H	H	C$_2$H$_5$OH	20—25	48	NaOC$_2$H$_5$	(3-Oxo-2-phenyl-cyclopentyl)-...	~70	4
H	COOC$_2$H$_5$	C$_5$H$_{11}$					(3-Oxo-4-pentyl-4-äthoxycarbonyl-cyclopentyl)-...	—	5

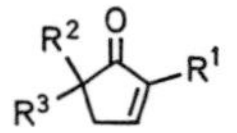

[1] Fr. P. 1280432 (1961) ≡ DAS. 1150483 (1961; Schweiz. Prior 1960) Firmenich & Cie., Frf: E. Demole u. E. Lederer; C. 1964, 29-2546.
[2] G. Traverso u. D. Pirillo, Farmaco (Pavia) Ed. sci. 29, 883 (1974). G. Traverso, D. Pirillo u. A. Villa, Farmaco (Pavia) Ed. sci. 28, 1040 (1973).
[3] G. Büchi u. B. Egger, J. Org. Chem. 36, 2021 (1971).
[4] F. Winternitz, M. Mousseron u. G. Rouzier, Bl. 1954, 316.
[5] U. Ravid u. R. Ikan, Synth. Commun. 4, 335 (1974).

Tab. 202 (1. Fortsetzung)

(2-Acyl-äthyl)-, (2-Aroyl-äthyl)-malonsäure-diester, subst. Essigsäureester   1605

Cycloalken-(1)-on-(3)					Reaktionsbedingungen				Reaktionsprodukt ...malonsäure-diester	Ausbeute [%d.Th.]	Literatur
					Lösungsmittel	Temp. [°C]	Zeit [Stdn.]	Katalysator			
R¹	R²	R³	R⁴	R⁵							
H	H	H	H	H	CH₃OH	−5 bis −20	6	NaOCH₃	} (3-Oxo-cyclohexyl)-	—	1
CH₃	H	H	H	H	C₂H₅OH			NaOC₂H₅		90	2
H	CH₃	H	H	H	CH₃OH			NaOCH₃	(3-Oxo-2-methyl-cyclohexyl)-	—	1
H	H	H	H	H	CH₃OH			NaOCH₃	(3-Oxo-1-methyl-cyclohexyl)-	—	1
H	H	CH₃	H	H	CH₃OH			NaOCH₃	(5-Oxo-2-methyl-cyclohexyl)-	—	1
C₅H₁₁	H	H	H	H					(3-Oxo-2-pentyl-cyclohexyl)-	—	3
H	H	H	CH₃	COOC₂H₅	C₂H₅OH			NaOC₂H₅	(3-Oxo-4-methyl-4-äthoxycarbonyl-cyclohexyl)-	—	4
(COOCH₃, O, COOCH₃ – substituierte Struktur)					CH₃OH	Rückfluß	2	NaCH(COOCH₃)₂ (äquimolar)	7-Oxo-9-(dimethoxycarbonyl-methyl)-6,8-dimethoxycarbonyl-8,9-dihydro-7H-⟨benzocycloheptatrien⟩	85	5
(H₃C, O, CH(CH₃)₂ – substituierte Struktur)					C₂H₅OH	Rückfluß	12	NaOC₂H₅	2-Oxo-4-methyl-4-(di-äthoxycarbonyl-methyl)-1-isopropyl-bicyclo[3.1.0]hexan	>80	6

1 J. A. MARSHALL u. J. L. BELLETIRE, Synth. Commun. 1, 93 (1971).
2 P. D. BARTLETT u. G. F. WOODS, Am. Soc. 62, 2933 (1940).
3 Fr.P. 1280432 (1961) ≡ DAS. 1150483 (1961; Schweiz. Prior. 1960), Firmenich & Cie., Erf.: E. DEMOLE u. E. LEDERER; C. 1964, 29–2546.
4 S. M. MUKHERJI, Sci. Culture 8, 190 (1942); C.A. 37, 1994 (1943). F. D. GUNSTONE u. A. P. TULLOCH, Soc. 1955, 1130.
5 B. FÖHLISCH et al., A. 1973, 1861.
6 R. H. EASTMAN, Am. Soc. 76, 4115 (1954).

(1,3) nur mit dem stark aciden Malonsäure-dinitril. Es entsteht *6-Acetoxy-5-oxo-6-methyl-3-dicyanmethyl-cyclohexen* in hoher Ausbeute (88% d. Th.):

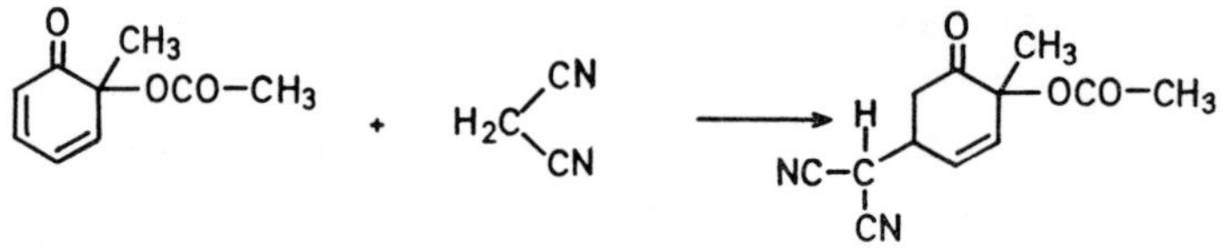

während mit Malonsäure-diester nur aromatische Verbindungen erhalten werden[1].

Eine Besonderheit in der Addukt-Bildung bietet das 3-Oxo-1-methyl-cyclohexen. Bei der Reaktion mit Malonsäure-diäthylester oder Cyanessigsäure-äthylester in Gegenwart molarer Mengen Natriumäthanolat entstehen die Folgeprodukte der sogenannten anomalen Michael-Addition, die Verbindungen I und II:

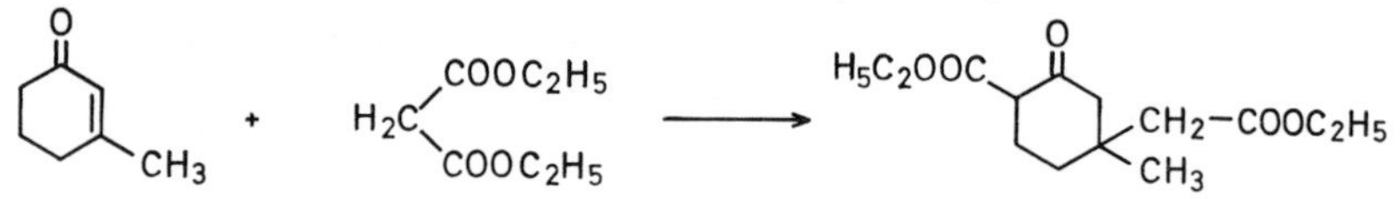

I; *2-Oxo-4-methyl-4-äthoxy-carbonylmethyl-cyclohexan-1-carbonsäure-äthylester*

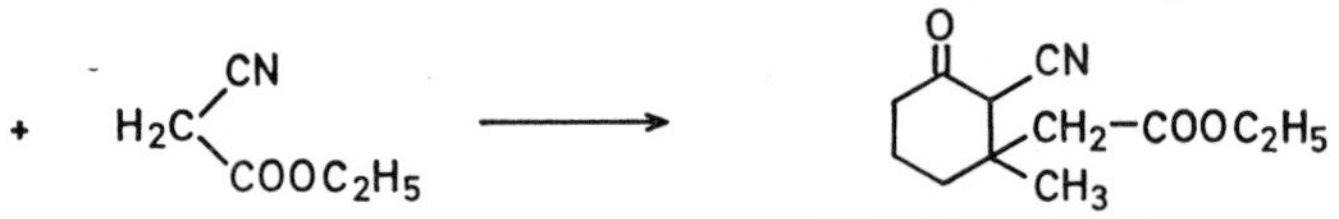

II; *3-Oxo-1-methyl-1-äthoxy-carbonylmethyl-2-cyan-cyclohexan*

Über das Zustandekommen dieser Verbindungen sind viele Untersuchungen angestellt worden[2].

Entgegen der normalen Michael-Addition findet hier, wie man glaubt[3], zunächst eine Art Claisen-Kondensation zwischen dem aus Acceptor und Base gebildeten Anion III und Malonsäure-diester IV unter Bildung des Esters V statt:

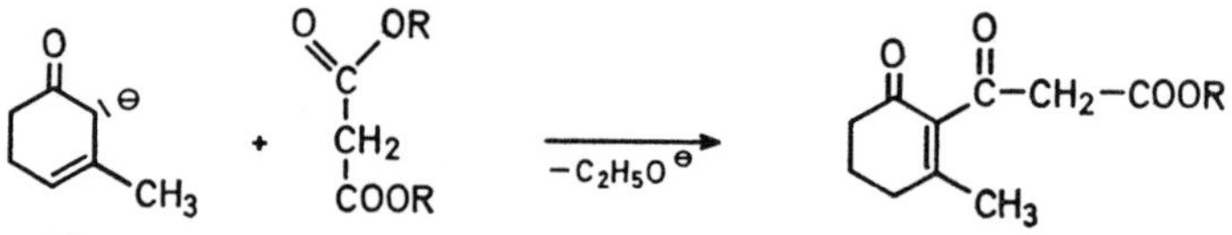

Dieser Ester könnte einer intramolekularen Michael-Addition zu einem unbeständigen Cyclobutanon-Derivat[4] VI unterliegen, das nach Alkoholyse das instabile Produkt VII darstellt, das in dem stark alkalischen Milieu einer Äthanolyse zu VIII und erneut einer cyclischen Ester-Kondensation zu dem stabilen Endprodukt I unterliegt.

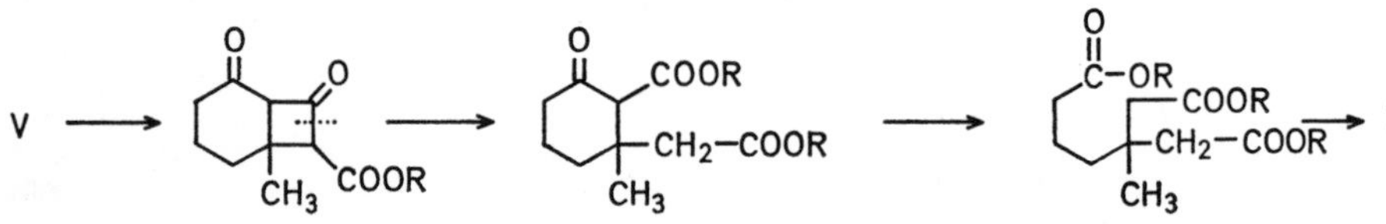

[1] W. Specht u. F. Wessely, M. **90**, 713 (1959).
[2] Eine ausführliche Diskussion des Problems mit zahlreichen Literaturzitaten findet sich in Org. Reactions **10**, 191 (1959).
S. a. H. Henecka, *Chemie der β-Dicarbonyl-Verbindungen*, S. 25, Springer-Verlag, Heidelberg 1950.
[3] P. R. Shafer, W. E. Loeb u. W. S. Johnson, Am. Soc. **75**, 5963 (1953).
[4] N. E. Holden u. A. Lapworth, Soc. **1931**, 2368.

In Analogie zu ersterer Reaktionsfolge bildet 3-Oxo-1-methyl-cyclohexen mit Cyanessigsäure-äthylester über das Produkt der anomalen Michael-Addition IX durch Äthanolyse den offenen Ester X, der wegen der höheren Acidität der der Cyan-Gruppe benachbarten Methylen-Gruppe als stabiles Endprodukt die Verbindung II liefert:

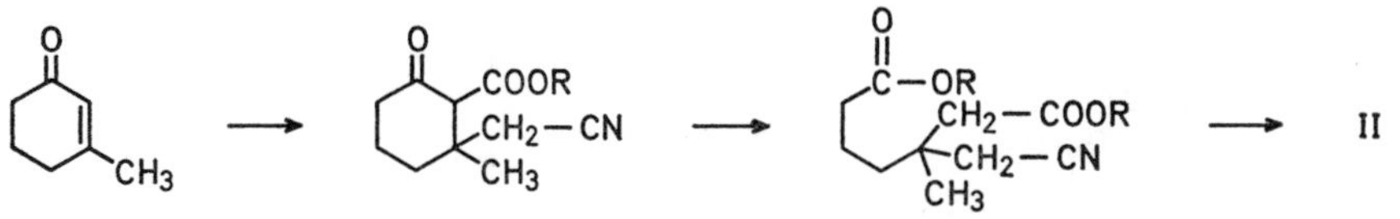

Mit dieser Interpretation steht der neueste Befund nicht in Übereinstimmung, nach dem bei Verwendung von [1-^{13}C]-Cyanessigsäureester die Markierung im Ester-carbonyl enthalten sein müßte, im Ringcarbonyl aber gefunden wurde[1].

Ein neuer Beitrag[2] zum Problem der anomalen Michael-Addition liegt auch in der Reaktion von Cyclohexen-(1)-on-(3) (I) mit Methyl-malonsäure-diäthylester (II). Hier läßt sich zeigen, daß ein Dimeres des Cyclohexenons über Zwischenstufen zu Propionsäure-äthylester unter Bildung des acylierten Ausgangsdimeren reagiert:

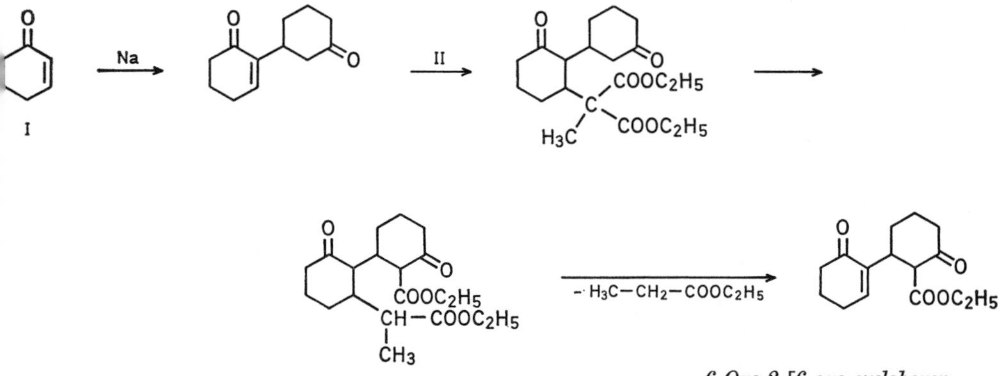

6-Oxo-2-[6-oxo-cyclohexen-
(1)-yl]-cyclohexan-
1-carbonsäure-äthylester

Was die Stereochemie der geschilderten Additionen von Cyanessigsäure-ester oder Malonsäure-diester an Cycloalken-(1)-one-(3) betrifft, so weiß man bisher dar-über eigentlich recht wenig. Soviel ist bekannt, daß die Addition von Malonsäure-diäthylester an 3-Oxo-2-phenyl-cyclohexen die *trans*-Verbindung[3] ergibt. Denn das Addukt läßt sich in die bekannte *trans*-(2-Phenyl-cyclohexyl)-essigsäure um-wandeln. Die gleiche Beobachtung wurde bei anderen 3-Oxo-2-phenyl-cyclohexenen gemacht[4]. Dagegen wird für das Addukt aus 6-Oxo-3-methyl-cyclohexen-(1)-3-carbonsäure-äthylester und Malonsäure-diäthylester [(*5-Oxo-2-methyl-2-äthoxy-car-bonyl-cyclohexyl)-malonsäure-diäthylester*] die *cis*-Konfiguration angegeben[5], da nach Umwandlung des Adduktes in die entsprechende Essigsäure sich diese als nicht iden-tisch mit der bekannten *trans*-Carbonsäure erwies.

[1] R. K. HILL u. N. D. LEDFORD, Am. Soc. **97**, 666 (1975).
[2] G. E. RISINGER u. W. G. HAAG, J. Org. Chem. **38**, 3646 (1973).
[3] W. E. BACHMANN u. E. J. FORNEFELD, Am. Soc. **72**, 5529 (1950).
     D. GINSBURG u. R. PAPPO, Soc. **1951**, 938.
[4] E. D. BERGMANN u. J. SZMUSZKOVICZ, Am. Soc. **75**, 3226 (1953).
[5] P. C. MUKHARJI, J. indian chem. Soc. **33**, 167 (1956); C.A. **51**, 242 (1957).

Die Reversibilität der Michael-Addition bringt es mit sich, daß sich bei thermodynamischer Kontrolle der Reaktion die primären „kinetischen" Additionsprodukte zu stabilen Isomeren epimerisieren[1]. Als Beispiel sei hier die Emetin-Synthese[2] angeführt, bei der als stabileres Isomeres das *trans*-Addukt XI in 76%iger Ausbeute aus XII erhalten wird:

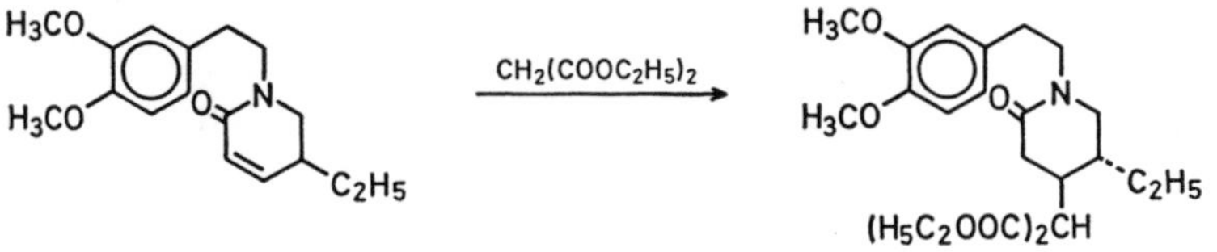

XII → (CH₂(COOC₂H₅)₂) → XI

$$XII \xrightarrow{CH_2(COOC_2H_5)_2} XI$$

XII　　　　　　　　　　　　　　XI

Bei Acceptoren, bei denen entweder die C=O- oder C=C-Doppelbindung außerhalb des Ringes liegt, ist die Michael-Addition meist mit anschließender Ester-Kondensation (s. S. 1624) verbunden. Aus der Steroid-Reihe wird jedoch folgendes Beispiel einer reinen Addition berichtet[3]: 3β-Acetoxy-11,20-dioxo-5α-pregnen-(16) (I) setzt sich mit Natrium-malonsäure-diäthylester in Gegenwart eines Malonsäure-diäthylester-Überschusses bei nachfolgender kurzer Alkalibehandlung zu [3β-Hydroxy-11,20-dioxo-5α-pregnyl-(16α)]-malonsäure (II) um:

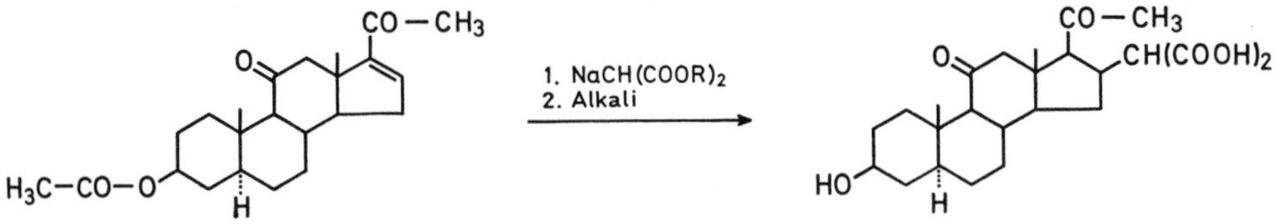

I → 1. NaCH(COOR)₂ 2. Alkali → II

$$I \xrightarrow[\text{2. Alkali}]{\text{1. NaCH(COOR)}_2} II$$

I　　　　　　　　　　　　　　II

Cycloalkanone mit konjugierter exocyclischer Methylen-Gruppe werden als Acceptor für Michael-Additionen nicht als freie Verbindungen eingesetzt, da diese *exo*-Methylen-Verbindungen sehr labile Verbindungen sind. Man erzeugt sie deshalb „in situ" durch Erhitzen der entsprechenden Oxo-Mannich-Basen[4] bzw. deren quaternärer Ammonium-Salze[5,6]:

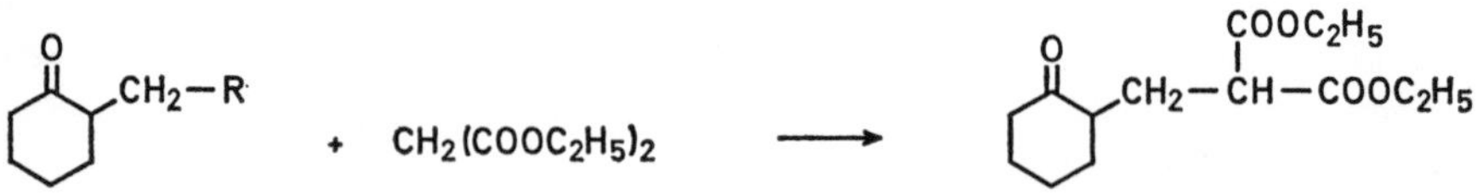

(Cyclohexanon-CH₂-R) + CH₂(COOC₂H₅)₂ ⟶ (Cyclohexanon-CH₂-CH(COOC₂H₅)₂)

(*2-Oxo-cyclohexylmethyl*)-*malonsäure-dimethylester*; 60% d. Th.

Mit 2-Oxo-1-benzyliden-cyclohexan[7] erhält man *3-(2-Oxo-cyclohexyl)-3-phenyl-propansäure-äthylester* (70% d. Th.; III), wenn man die Addition bei Raumtemperatur durchführt; 2 stdg. Erhitzen in benzolischer Lösung reicht schon aus, um unter

[1] L. Velluz, J. Valls u. J. Mathieu, Ang. Ch. 79, 774 (1967);
[2] A. R. Battersby u. J. C. Turner, Chem. & Ind. 1958, 1324; Soc. 1960, 717.
[3] P. Bladon u. T. Sleigh, Soc. 1962, 3264.
[4] R. L. Frank u. R. C. Pierle, Am. Soc. 73, 724 (1951).
[5] C. Mannich u. W. Koch, B. 75, 803 (1942).
[6] W. Treibs u. M. Mühlstädt, B. 87, 407 (1954).
[7] D. Vorländer u. K. Kunze, B. 59, 2078 (1926).

sonst gleichen Bedingungen (Konzentration, Katalysator = Natrium-malonsäure-diäthylester) den primären δ-Oxo-carbonsäure-ester in ein Enollacton zu verwandeln (III → IV)[1]:

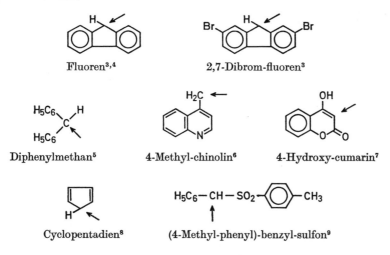

III   IV; 89% d. Th.

Als α,β-ungesättigte Ketone können Chinone mit Cyanessigsäureestern (und Malonsäure-diestern) unter Adduktbildung reagieren; am 2-Methyl-1,4-naphthochinon wurde diese Reaktion näher untersucht. Man erhält *2-Methyl-2-(cyan-äthoxycarbonylmethyl)-1,4-naphthochinon*[2].

γ) Addition verschiedener CH-acider Nicht-Carbonyl-Verbindungen an α,β-ungesättigte Ketone

Die Addition an α,β-ungesättigte Ketone läßt sich auch auf andere CH-acide Verbindungen ausdehnen:

Fluoren[3,4]   2,7-Dibrom-fluoren[3]

Diphenylmethan[5]   4-Methyl-chinolin[6]   4-Hydroxy-cumarin[7]

Cyclopentadien[8]   (4-Methyl-phenyl)-benzyl-sulfon[9]

addieren sich an den mit Pfeil markierten Stellen. Einigermaßen gute Ausbeuten erhält man jedoch nur mit den stabilen Chalkonen, da die reaktionsfähigen α,β-ungesättigten Ketone zu Ausweichreaktionen neigen.

[1] G. M. Badger, J. W. Cook u. T. Walker, Soc. **1948**, 2011.

[2] G. L. Szendey, Ar. **303**, 851 (1970).

[3] L. A. Pinck u. G. E. Hilbert, Am. Soc. **68**, 2014 (1946).
    S. H. Tucker u. M. Whalley, Soc. **1949**, 50.

[4] R. S. Taylor u. R. Connor, J. Org. Chem. **6**, 696 (1941).

[5] M. T. Tetenbaum u. C. R. Hauser, J. Org. Chem. **23**, 229 (1958).

[6] M. J. Weiss u. C. R. Hauser, Am. Soc. **71**, 2026 (1949).

[7] M. Ikawa, M. A. Stahmann u. K. P. Link, Am. Soc. **66**, 902 (1944).

[8] Isoliert nur als Oxim; R. S. Taylor u. R. Connor, J. Org. Chem. **6**, 696 (1941).

[9] R. Connor, C. L. Fleming u. T. Clayton, Am. Soc. **58**, 1386 (1936).

So sind u. a. zugänglich:

4-Oxo-1,1,2,4-tetraphenyl-butan[1]	80% d. Th.
4-(4-Oxo-2,4-diphenyl-butyl)-chinolin[2]	27% d. Th.
2,4-Dioxo-3-(3-oxo-1-phenyl-butyl)-chroman[3]	48% d. Th.
3-Oxo-1-cyclopentadien-(2,4)-yl-1.3-diphenyl-propan[4]	∼30% d. Th.
1-(4-Methyl-phenylsulfon)-4-oxo-1,2,4-triphenyl-butan[5]	26% d. Th.

Auch mit 3-Oxo-1-phenyl-buten-(1) sind Addukte beschrieben.

3-Oxo-1-phenyl-buten-(1) setzt sich mit 4-Hydroxy-cumarin[6], Fluoren[7], 2,7-Dibrom-fluoren[8] um und man erhält *2,4-Dioxo-3-(3-oxo-1-phenyl-butyl)-chroman*, *9-(3-Oxo-1-phenyl-butyl)-fluoren* bzw. *2,7-Dibrom-9-(3-oxo-1-phenyl-butyl)-fluoren.*

Die aus 2-Methyl-chinolin und 2-Methyl-pyridin analog der Umsetzung 4-Methyl-chinolin mit 3-Oxo-1,3-diphenyl-propen (Chalkon) entstehenden Addukte I und II sind nicht isolierbar[9], sondern reagieren sofort erneut mit 3-Oxo-1,3-diphenyl-propen unter Bildung der Dimeren bzw. Trimeren III bzw. IV:

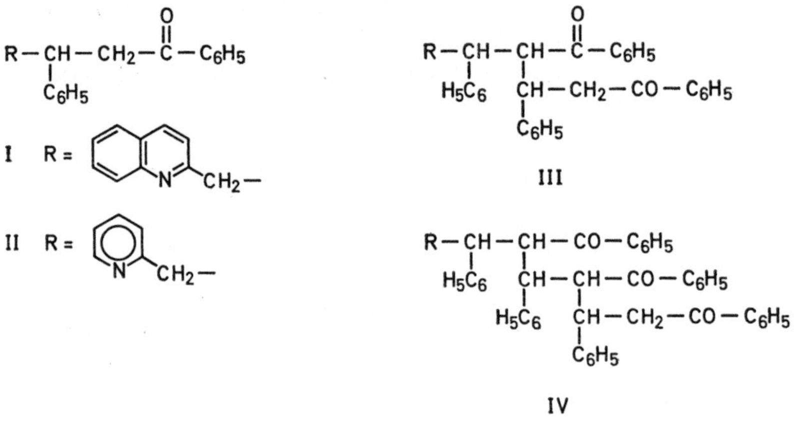

III; *6-Oxo-2,4,6-triphenyl-3-benzoyl-1-pyridyl-(2)-[bzw.-1-chinolyl-(2)]-hexan*
IV; *8-Oxo-2,4,6,8-tetraphenyl-3,5-dibenzoyl-1-pyridyl-(2)-[bzw.-1-chinolyl-(2)]-octan*

Die für die Umsetzung von Cyclopentadien mit α,β-ungesättigten Ketonen ebenfalls denkbare Diels-Alder-Reaktion bzw. Fulven-Bildung, die für die geringe Ausbeute von nur 25% d. Th. an Michael-Produkt verantwortlich sein könnte, wurde in neuerer Zeit bestätigt[10]. Wesentlich erleichtert wird die Michael-Addition,

---

[1] M. T. Tetenbaum u. C. R. Hauser, J. Org. Chem. 23, 229 (1958).
[2] M. J. Weiss u. C. R. Hauser, Am. Soc. 71, 2026 (1949).
[3] M. Ikawa, M. A. Stahmann u. K. P. Link, Am. Soc. 66, 902 (1944).
[4] Isoliert nur als Oxim, R. S. Taylor u. R. Connor, J. Org. Chem. 6, 696 (1941).
[5] R. Connor, C. L. Fleming u. T. Clayton, Am. Soc. 58, 1386 (1936).
[6] M. Ikawa, M. A. Stahmann u. K. P. Link, Am. Soc. 66, 902 (1944).
    M. Seidman, D. N. Robertson u. K. P. Link, Am. Soc. 72, 5193 (1950).
    US.P. 2666064 (1954), S. B. Penick & Co., Inc., Erf.: D.F. Starr u. K. K. Haber; C.A. 49, 380 (1955).
[7] R. S. Taylor u. R. Connor, J. Org. Chem. 6, 696 (1941).
[8] G. Octani u. S. Yamada, Chem. Pharm. Bull. (Tokyo) 21, 2112 (1973).
[9] M. J. Weiss u. C. R. Hauser, Am. Soc. 71, 2026 (1949).
[10] E. Cioranescu et al., B. 95, 2325 (1962).

wenn man von **Pyridiniumsalzen** ausgeht[1]; z. B.: *3-Oxo-1,3-diphenyl-1-fluorenyliden-propan*

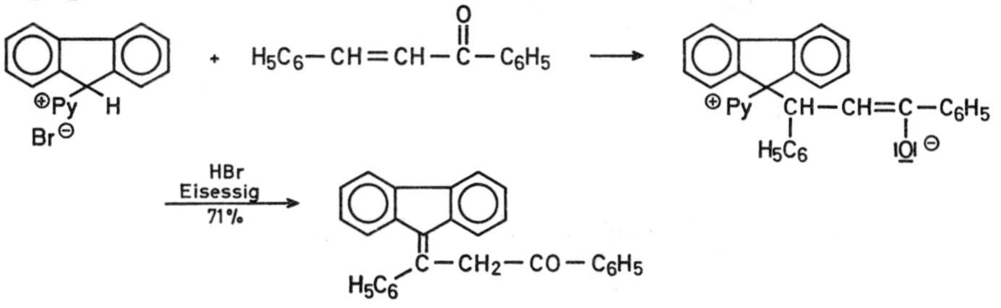

Analog erhält man *1-Oxo-2-(α-fluorenyliden-benzyl)-indan, 1-Oxo-2-(α-fluorenyliden-benzyl)-tetralin* und *2-Oxo-1-(α-fluorenyliden-benzyl)-acenaphthen*.

Ein verbessertes Verfahren zur Gewinnung von 2-Pyridonen bedient sich des Äthoxycarbonylmethyl-pyridinium-bromids als CH-acider Komponente in der Addition an 3-Oxo-1-phenyl-3-pyridyl-(3)-propen[2]. Während in diesem Falle das Michael-Addukt nicht isolierbar ist, hat sich bei der Umsetzung von Aminocarbonylmethyl-pyridinium-chlorid (I) mit 3-Oxo-3-phenyl-1-pyridyl-(4)-propen (II) der Umweg über das isolierbare Michael-Addukt III (81% d.Th.) zum Pyridon IV (73% d.Th.) als günstig erwiesen[2]:

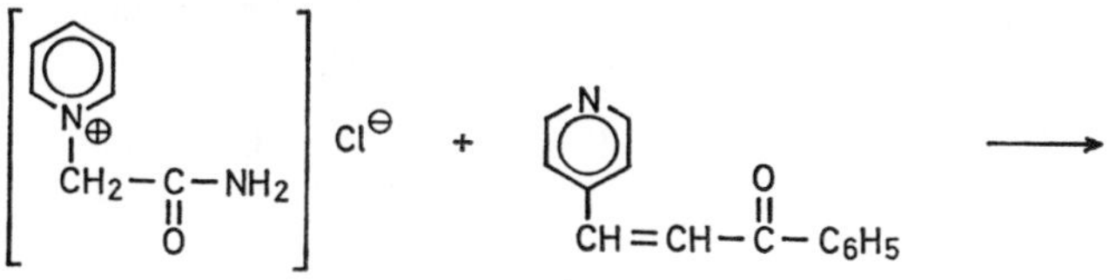

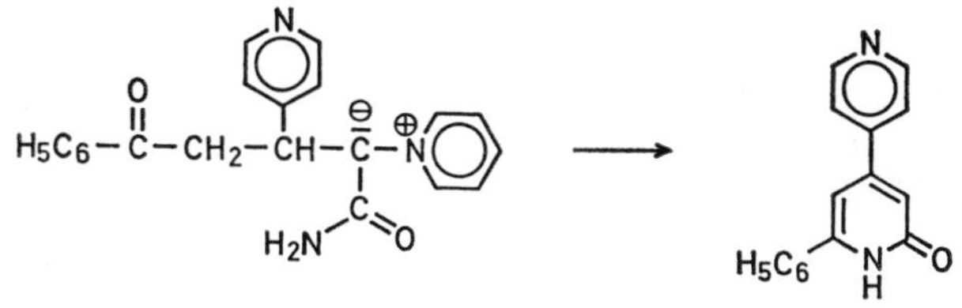

CH-Acidität zeigen auch quaternäre Salze vom Typ des 1,2,3,3-Tetramethyl-indoleninium-jodids. Dieses addiert sich in 89%iger Ausbeute in Gegenwart von methanolischer Kaliumacetat-Lösung an 3-Oxo-3-phenyl-propin unter Bildung von *1,3,3-Trimethyl-2-[4-oxo-4-phenyl-buten-(2)-yliden]-2,3-dihydro-indol*[3]:

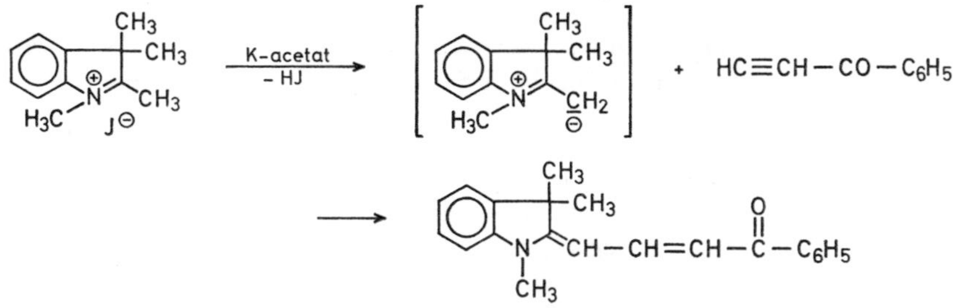

[1] F. Kröhnke et al., Ang. Ch. **74**, 811 (1962).
[2] F. Kröhnke, K. E. Schnalke u. W. Zecher, B. **103**, 322 (1970).
[3] A. W. Johnson, Soc. **1947**, 1626.

δ) Kondensationen von Alkanalen mit α,β-ungesättigten Ketonen

Es sind auch Fälle bekannt, wonach man das sehr reaktionsfähige Butenon an Alkanale sowohl an das α-ständige C-Atom als auch an die Formyl-Gruppe anlagern kann. So reagiert Butenon mit den Enaminen α-verzweigter Aldehyde nach folgenden Reaktionsschema[1–3]:

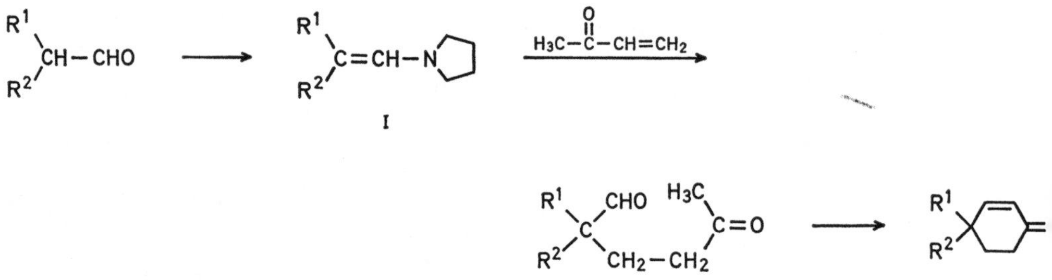

Die Kondensation der Enamine I mit Butenon muß bei 0–20° und unter Stickstoffatmosphäre durchgeführt werden[4], da die 5-Oxo-alkanale II sehr oxidationsempfindlich sind und daher leicht in 5-Oxo-alkansäuren übergehen[4].

Durch Verwendung von L-Prolin-Derivaten zur Enamin-Bildung läßt sich aus 2-Phenyl-propanal nach obigem Schema das optisch aktive (+)*3-Oxo-6-methyl-6-phenyl-cyclohexen* herstellen[5]:

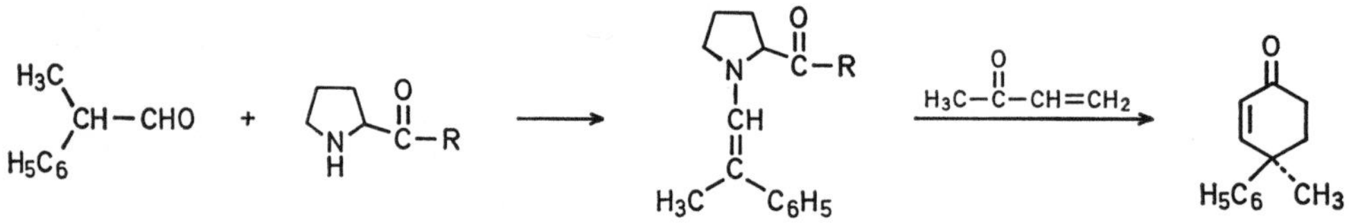

Aus 2-Methyl-propanal und 4-Methoxy-3-oxo-buten entsteht *3-Oxo-6,6-dimethyl-2-hydroxymethyl-cyclohexen*[6].

Auf diese Weise sind eine Reihe von 6-Oxo-3,3-dialkyl- bzw. 6-Oxo-3-alkyl-3-aryl-cyclohexene leicht zugänglich.

Unter dem katalytischen Einfluß eines 1,3-Thiazolium-Salzes, z. B. 4-Methyl-5-(2-hydroxy-äthyl)-3-benzyl-1,3-thiazolium-Salz, lassen sich hochreaktive Vinyl-

---

[1] G. Opitz u. H. Holtmann, A. **684**, 79 (1965).
　　Y. Chan u. W. W. Epstein, Org. Synth. **53**, 48 (1973).
[2] V. P. Vitulla, J. Org. Chem. **35**, 3976 (1970).
[3] J. W. Lewis u. P. L. Meyers, Soc. [C] **1971**, 753.
[4] H. Christol, F. Plénat u. J. Salaçon, Bl. **1970**, 4468.
[5] G. Octani u. S. Yamada, Chem. Pharm. Bull. (Tokyo) **21**, 2112 (1973).
[6] E. Wenkert, N. F. Golob u. R. A. J. Smith, J. Org. Chem. **38**, 4068 (1973).

ketone an aromatische und aliphatische Aldehyde derart zusammenlagern, daß 1,4-Diketone entstehen[1]:

$$R-\overset{O}{\underset{H}{C}} + H_2C=CH-\overset{O}{C}-CH_3 \xrightarrow{\underset{HO-CH_2-CH_2}{\overset{H_3C}{\underset{S}{\overset{\oplus}{N}}}}\overset{CH_2-C_6H_5}{}} R-\overset{O}{C}-CH_2-CH_2-\overset{O}{C}-CH_3$$

R = CH$_3$;   Hexandion-(2,3);   50% d.Th.; Kp$_{12}$: 71–72°
R = C$_3$H$_7$;   Octandion-(2,5);   72% d.Th.; Kp$_{12}$: 98–100°
R = (H$_3$C)$_2$CH;   2,5-Dioxo-6-methyl-heptan; 48% d.Th.; Kp$_{12}$: 92–94°
R = C$_7$H$_{15}$;   Dodecandion-(2,5);   69% d.Th.; Kp$_{0,4-0,3}$: 100°
R = H$_5$C$_6$–CH = CH;   3,6-Dioxo-1-phenyl-hepten-(1); 40% d.Th.; Kp$_{0,4}$: 145–148°; F: 46–48°
R = (H$_5$C$_6$)$_2$ C = CH; 3,6-Dioxo-1,1-diphenyl-hepten-(1); 75% d.Th.; Kp$_{0,15}$: 174–176°; F: 85–87°

Formaldehyd reagiert mit Butenon im Verhältnis 1:2 unter zweifacher Addition zum *Nonantrion-(2,5,8)* (27% d. Th.; F: 58–60°; Kp$_{0,7}$: 108–112°)[1]:

$$H-\overset{O}{C}-H + H_2C=CH-\overset{O}{C}-CH_3 \longrightarrow H-\overset{O}{C}-CH_2-CH_2-\overset{O}{C}-CH_3$$

$$\xrightarrow{+H_2C=CH-\overset{O}{C}-CH_3} H_3C-\overset{O}{C}-CH_2-CH_2-\overset{O}{C}-CH_2-CH_2-\overset{O}{C}-CH_3$$

Alkanale reagieren mit dem 1,3-Thiazolium-Salz in Abwesenheit von Butenon zu Acyloinen[2]. So wurde aus Butanal das *Butyroin (5-Hydroxy-4-oxo-octan)* zu 75% d.Th. erhalten.

Ketone; allgemeine Herstellungsvorschrift[1]: Ein Gemisch aus 0,5 Mol Aldehyd, 0,5 Mol. Butenon, 0,5 Mol Triäthylamin und 0,05 Mol (∼13,5 g) 4-Methyl-5-(2-hydroxy-äthyl)-3-benzyl-1,3-thiazolium-chlorid wird unter Stickstoff und Rückflußsieden 12–15 Stdn. gerührt. Man kann auch den in Äthanol gelösten Katalysator innerhalb 6 Stdn. zutropfen lassen. Hierauf wird das Lösungsmittel abgedampft, der Rückstand in Chloroform aufgenommen und der Extrakt nach dem Ausschütteln mit einer Natriumhydrogencarbonat-Lösung destillativ aufgearbeitet. Sind die Ketone wasserlöslich, dann wird zuvor aus dem Rückstand das Triäthylammonium-chlorid durch Zugabe von 150 *ml* Tetrahydrofuran ausgefällt.

3. Ungesättigte Ketone durch Michael-Addition an Acetylen-Derivaten

Acetylene können auf vielfältige Weise mit Ketonen reagieren. Normalerweise addieren sich die Alkalimetall-acetylenide an die Carbonyl-Gruppe unter Bildung von Äthinyl-carbinolen (s. S. 1974):

$$\underset{/}{\overset{\backslash}{C}}=O + Na-C\equiv C-R \longrightarrow \underset{/}{\overset{\backslash}{C}}\overset{OH}{\underset{C\equiv C-R}{}}$$

Es können jedoch auch Michael-Additionen eintreten. Diese verlaufen meist mit schlechten Ausbeuten, da leicht Folge- und Neben-reaktionen eintreten, vielfach unter Bildung von 5- und 6-gliedrigen sauerstoffhaltigen Ringen oder Aromatisierung zu Phenolcarbonsäureestern (s. Bd. VI/1 c). Soweit es sich um ältere Arbeiten

---

[1] H. STETTER u. H. KUHLMANN, Ang. Ch. **86**, 589 (1974); Tetrahedron Letters **1974**, 4505; Synthesis **1975**, 370.
[2] R. BRESLOW, Am. Soc. **80**, 3719 (1958).

handelt, sollten die angegebenen Konstitutionen überprüft werden. Propiolsäureester reagieren mit monoalicyclischen Ketonen in Gegenwart von Natriumamid, wie Acetylen unter Bildung von gem. Alkin-(1)-yl-carbinolen[1]; z. B.:

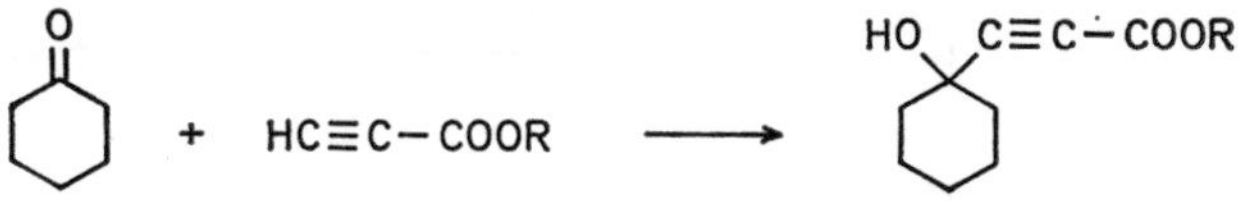

Cyclische Ketone vom Typ des 1-Tetralons hingegen führen zu Michael-Addukten[2]; z. B.:

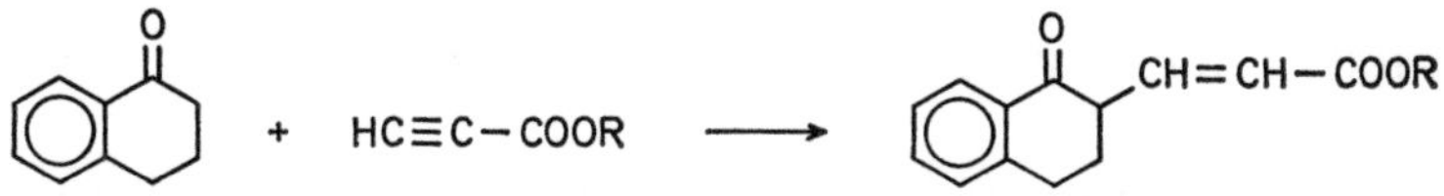

1-Oxo-2-(2-alkoxycarbonyl-vinyl)-tetraline

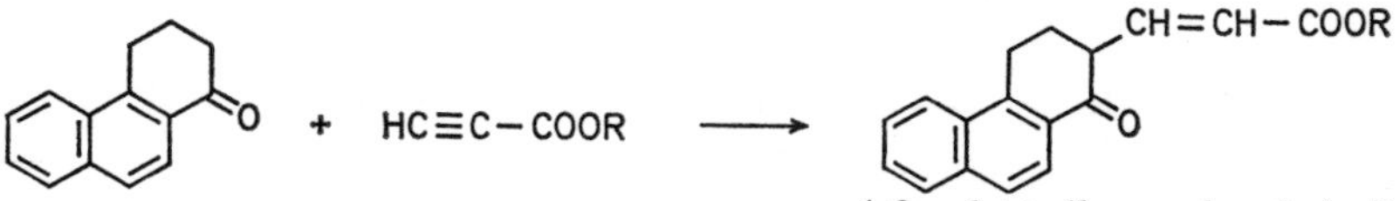

1-Oxo-2-(2-alkoxycarbonyl-vinyl)-1,2,3,4-tetrahydro-phenanthrene

Aus 2-Oxo-octin-(3) (I) und Alkyl-malonsäure-diester (II) entsteht als 1. Kondensationsstufe der *Äthyl-[2-oxo-buten-(3)-yl-(4)]-malonsäure-diester* (III)[3], der in der Enol-Form zum Lacton cyclisiert und in mäßiger Ausbeute zum 5-Butyl-resorcin (V) weiterreagiert:

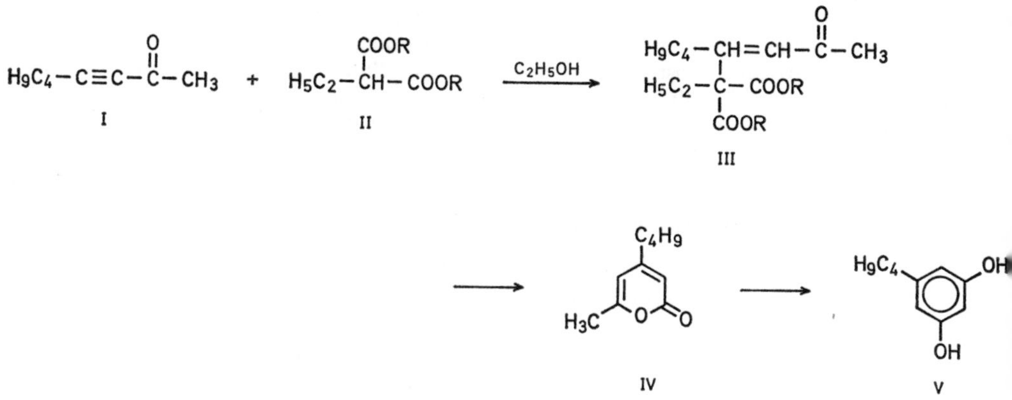

3-Oxo-butin (VI) läßt sich in Äther an 2-Oxo-1-methyl-cyclohexyl-natrium (VII) mit mäßiger Ausbeute zum *3-Oxo-6-methyl-bicyclo[4.4.0]decadien-(1,4)* (VIII) konden-

[1] W. E. Bachmann u. E. K. Raunio, Am. Soc. 72, 2530 (1950). s. S. 1974.

[2] W. E. Bachmann, G. I. Fujimoto u. E. K. Raunio, Am. Soc. 72, 2533 (1950).

[3] R. M. Anker u. A. H. Cook, Soc. 1945, 311.

sieren, das sich in Essigsäureanhydrid/Schwefelsäure zum 8-Hydroxy-5-methyl-tetralin (IX) umlagert[1]:

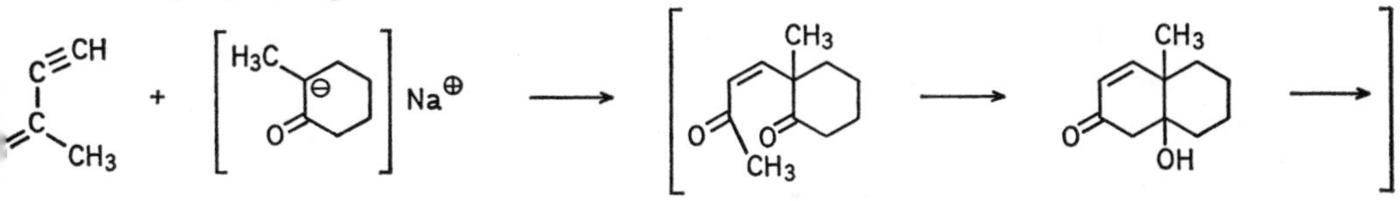

VI   VII

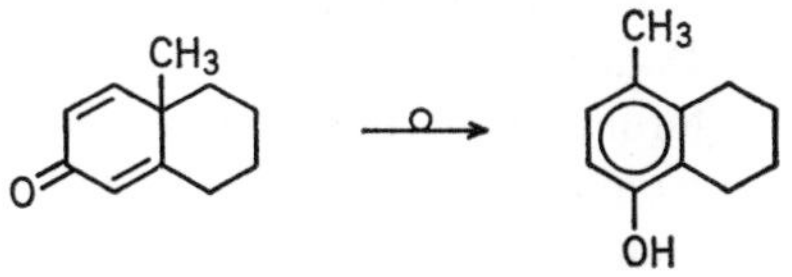

Phenyl-propiolsäureester reagieren mit 2-Oxo-1,3-diphenyl-propan in Gegenwart von Natriumäthanolat primär teils unter Michael-Addition und teils unter Claisen-Kondensation. In beiden Fällen entsteht mit 37%iger Ausbeute das *2,4,5-Triphenyl-resorcin*[2]:

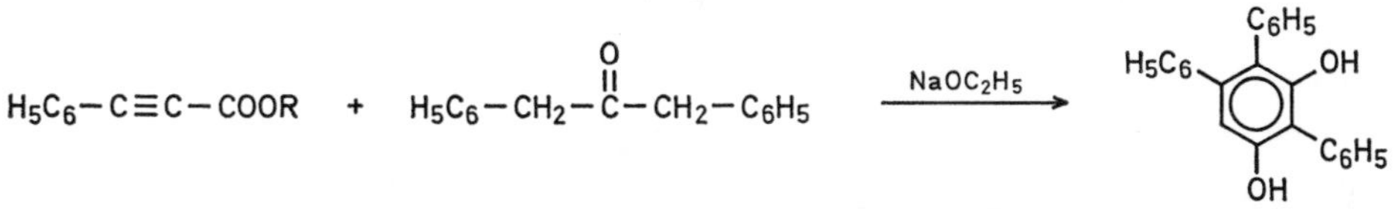

$$H_5C_6-C\equiv C-COOR \quad + \quad H_5C_6-CH_2-\overset{\overset{O}{\|}}{C}-CH_2-C_6H_5 \quad \xrightarrow{NaOC_2H_5}$$

Aceton-1,3-dicarbonsäure-diester lagert sich mit Octin-(2)-säureester mittels Natriumhydrid zum *2-Hydroxy-4-pentyl-isophthalsäure-diester* (64% d.Th.) zusammen[3]. Sehr instruktiv ist das Verhalten des 3-Brom-propins gegenüber Pentandion-(2,4). In Gegenwart von Natriumäthanolat tritt normale Kondensation zum *5-Oxo-4-acetyl-pentin-(1)* (46% d.Th.) ein, das sich beim Erwärmen mit Zinkcarbonat zum *2,5-Dimethyl-3-acetyl-furan* cyclisiert[4]:

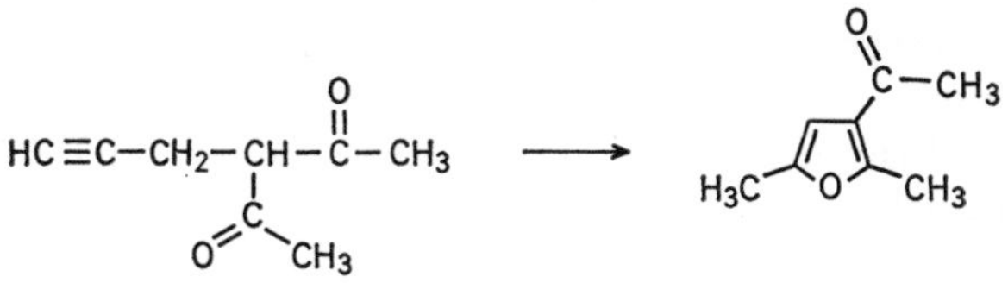

Bringt man jedoch unter praktisch den gleichen Bedingungen das Thioniumsalz aus 3-Brom-propin und Dimethylsulfid zur Einwirkung, so bildet sich aus diesem das starke Allen-Kation (unter Abstoßung des Dimethylsulfids), das in die α-Stellung addiert und sofort mit 81%iger Ausbeute zum isomeren *2,4-Dimethyl-3-acetyl-furan* cyclisiert[5]:

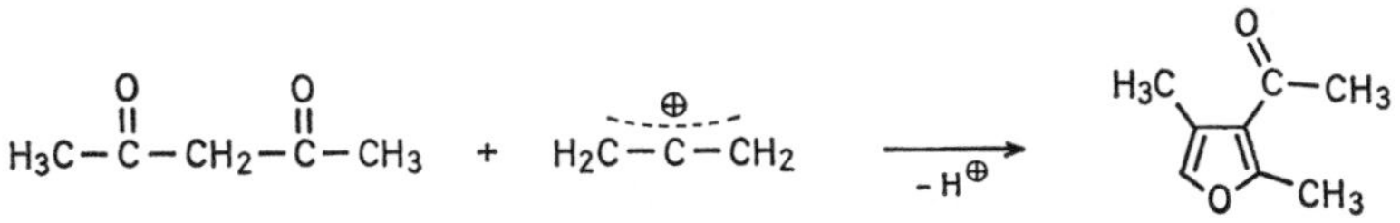

Über die Kondensation von Enaminen mit Acetylencarbonsäureestern s. S. 1578.

[1] R. B. WOODWARD u. T. SINGH, Am. Soc. **72**, 494 (1950).
[2] J. EL-SAYED EL KHOLY et al., Soc. **1962**, 5153.
[3] DOS 2359410 (1973), CIBA-Geigy, Erf.: J. GOSTELI.
[4] K. E. SCHULTE, J. REISCH u. A. MOCK, Ar. **295**, 627 (1962).
[5] J. W. BATTY, P. D. HOWES u. C. J. M. STIRLING, Soc. (Perkin I) **1973**, 65.
   P. D. HOWES u. C. J. M. STIRLING, Org. Synth. **53**, 1 (1973).

4. Herstellung von Cyclohexandionen-(1,3)

Die Synthese der Cyclohexandion-(1,3)-Verbindungen erfolgt z w e i s t u f i g als Ein-topfreaktion. An eine primär ablaufende Michael-Addition schließt sich eine Ester-Kondensation unter Cyclisierung des primären Additionsproduktes an. Da für die Ester-Kondensation molare Mengen einer Base benötigt werden, findet auch die Michael-Addition in Gegenwart eines Ä q u i v a l e n t e s B a s e, im Gegensatz zu den sonst verwendeten nur katalytischen Mengen, statt.

Es stehen zur Herstellung von Cyclohexandionen-(1,3) zwei geeignete Paare von Donator und Michael-Acceptor zur Verfügung. Die Donatoren haben beide die er-forderliche CH-acide Gruppe, doch im Falle ⓐ hat der Acceptor zusätzlich eine zur Kondensation unter Alkohol-Abspaltung befähigte Gruppe, im Falle ⓑ hat der Donator diese Gruppe.

Die Reaktion des Typs ⓐ ist die unter dem Namen V o r l a e n d e r - S y n t h e s e[1] bekannte Umsetzung von Malonsäure-diestern oder Cyanessigsäureestern mit α,β-ungesättigten Ketonen in Gegenwart molarer Mengen einer Base; z.B.:

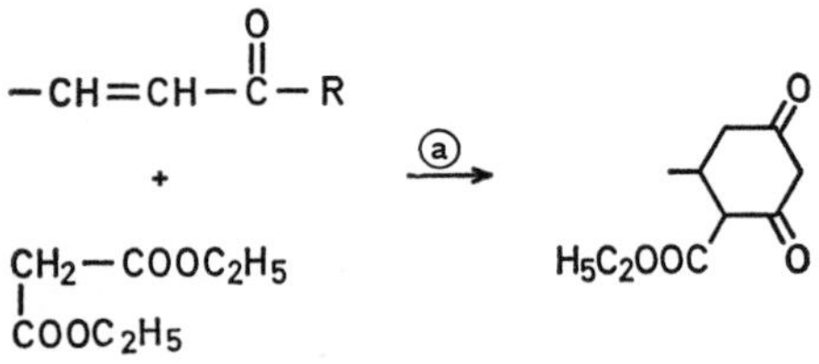

Ist der Rest R zur Kondensation unter Alkohol-Abspaltung nicht befähigt (z.B. R = Phenyl), so entstehen δ-Oxo-Verbindungen, ist R = CH$_3$ oder CH$_2$-Alkyl, so bilden sich Cyclohexandione.

Bei dem Reaktionstyp ⓑ enthält der Donator die kondensationsfähige Methyl-oder Methylen-Gruppe und der Acceptor eine Carbonsäureester-Gruppe. So erhält man aus einem α,β-ungesättigten C a r b o n s ä u r e e s t e r und A c e t e s s i g s ä u r e - ester z.B. einen 2,4-Dioxo-cyclohexan-1-carbonsäureester:

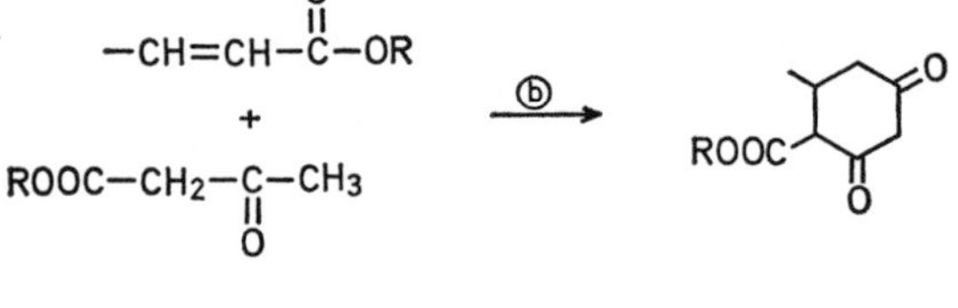

Nach beiden Syntheseprinzipien läßt sich eine große Anzahl von Cyclohexandionen-(1,3) aufbauen, die im folgenden, nach verschiedenen Gruppen getrennt, beschrieben werden sollen.

Eine Modifikation des Reaktionstyps ⓑ erlaubt die Verwendung von e i n f a c h e n aliphatischen Ketonen in Form ihrer 1 - M o r p h o l i n o - a l k e n e als Donatoren, wenn

---

[1] D. Vorländer u. S. Gärtner, A. **304**, 1 (1899).
D. Vorländer et al., A. **345**, 206 (1906).
D. Vorländer, B. **36**, 2339 (1903).

man für die α,β-ungesättigte Gruppierung als bifunktionelle Verbindung einsetzt[1], hier speziell als das Chlorid einer α,β-ungesättigten Carbonsäure[2]:

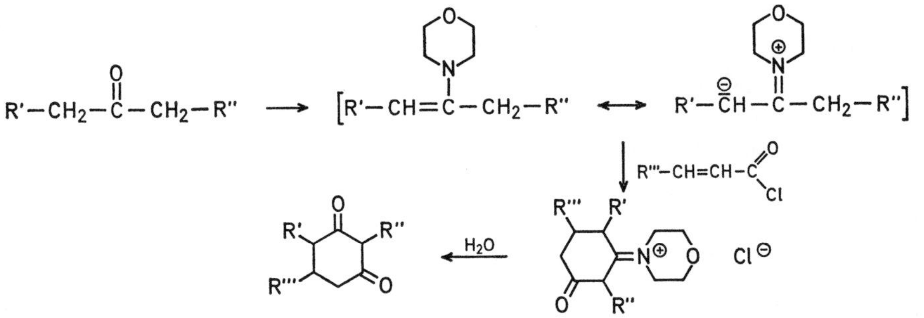

Die Ausbeuten an di- und trisubstituierten Cyclohexandionen-(1,3), die auf diesem Wege erhalten wurden, liegen allerdings z. T. erheblich unter 50% d. Th., nicht eingerechnet die erforderliche Umwandlung der Ausgangsketone in ihre Enamine.

α) in 2-Stellung substituierte Cyclohexandione-(1,3)

Unter den beliebig substituierten Cyclohexandion-(1,3)-Derivaten nehmen die in 2-Stellung substituierten insofern eine Sonderstellung ein, als sie besonders gut als Donatoren[3] für eine Michael-Addition an α,β-ungesättigte Carbonsäureester und Carbonsäure-nitrile geeignet sind. Die entstehenden Addukte sind als solche nicht faßbar, sondern unterliegen im Reaktionsmedium sofort der Alkoholyse unter Bildung von δ-Oxo-carbonsäureestern, z. B.:

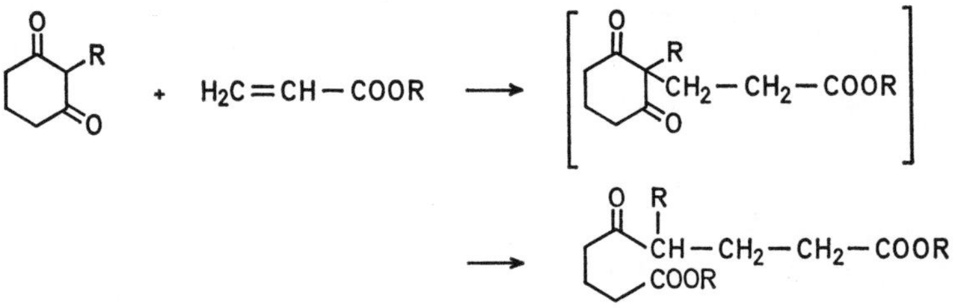

Selbstverständlich ist für die Herstellung rein 2-substituierter Cyclohexandione-(1,3) eine Alkylierung (vgl. S. 1423 ff.) die Methode der Wahl, doch für den Fall, daß zusätzliche Substituenten im Molekül vorhanden sein sollen, muß das Cyclohexandion-(1,3) aus geeigneten Komponenten nach Vorlaender synthetisiert werden. Ausgehend von α,β-ungesättigten Ketonen als Acceptor erhält man dann im Cyclohexandion-(1,3)-Derivat 2-Substitution, wenn der Rest R im Acceptor nicht Wasserstoff ist. So erhält man aus 3-Oxo-1-phenyl-penten-(1) und Malonsäure-diäthylester *4,6-Dioxo-5-methyl-2-phenyl-cyclohexan-1-carbonsäure-äthylester* (79% d.Th.; I)[4]. Als Katalysator dienen, wie bei den meisten dieser Umsetzungen, molare Mengen Natriumäthanolat in Äthanol:

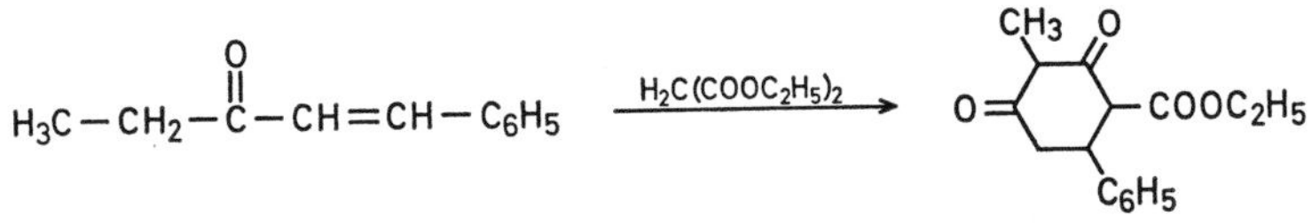

I

[1] s. S. 1572.
[2] J. R. HARGREAVES, P. W. HICKMOTT u. B. J. HOPKINS, Soc. [C] **1968**, 2599.
[3] H. STETTER u. M. COENEN, B. **87**, 990 (1954).
[4] I. H. S. MATTAR, J. J. H. HASTINGS u. T. K. WALKER, Soc. **1930**, 2455.

Im allgemeinen sind die Ausbeuten bei diesen Reaktionen recht gut. Nur wenn man statt Malonsäure-diäthylester Phenylessigsäure-äthylester einsetzt, ist ein deutlicher Rückgang der Ausbeute an *3,5-Dioxo-4-methyl-1,2-diphenyl-cyclohexan* festzustellen. Im obigen Beispiel von 79 auf 21%[1] bzw. 32% d. Th.[2].

In vielen Fällen kommt es durch längere Reaktionszeiten im alkalisch-alkoholischen Milieu zur Keto-Spaltung der β-Oxo-carbonsäureester-Struktur der primären Cyclisierungsprodukte. Es wird dann nicht das Äthoxycarbonyl-Derivat I, sondern nach saurer Aufarbeitung das decarboxylierte Cyclohexandion-(1,3) II isoliert:

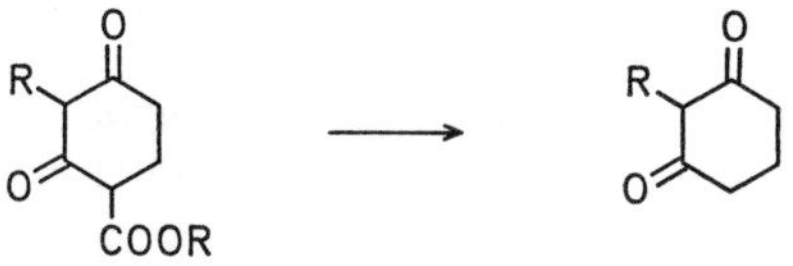

Eine präparativ interessante Verfahrensweise zur gezielten Decarboxylierung ist die Verwendung von tert.-Butylestern statt der einfachen Methylester oder Äthylester in den Donatormolekülen. Die Methode soll den Vorteil haben[3], daß durch Erhitzen der Kondensationsprodukte III aus Acetessigsäure-tert.-butylester (I) und den substituierten Acrylsäureestern II in Eisessig im Stickstoffstrom in Gegenwart katalytischer Mengen p-Toluolsulfonsäure unter Abspaltung von Isobuten und Kohlendioxid die alkoxycarbonyl-freien Verbindungen IV entstehen. Die Ausbeuten für die zweistufige Reaktion liegen zwischen 60 und 90% d. Th.[3]:

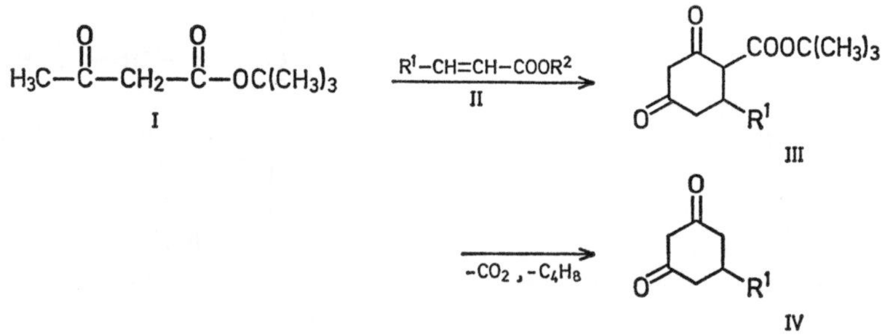

III; R[1] = CH₃; *3,5-Dioxo-1-methyl-2-tert.-butyloxycarbonyl-cyclohexan* → *3,5-Dioxo-1-methyl-cyclohexan*

R[1] = C₆H₅; *3,5-Dioxo-1-phenyl-2-tert.-butyloxycarbonyl-cyclohexan* → *3,5-Dioxo-1-phenyl-cyclohexan*

R[1] = -(CH₂)₃-COOC₂H₅; *3,5-Dioxo-1-(3-äthoxycarbonyl-propyl)-2-tert.-butyloxycarbonyl-cyclohexan* → *3,5-Dioxo-1-(3-äthoxycarbonyl-propyl)-cyclohexan*

R[1] = -(CH₂)₃-COOCH₃; *3,5-Dioxo-1-(3-methoxycarbonyl-propyl)-2-tert.-butyloxycarbonyl-cyclohexan* → *3,5-Dioxo-1-(3-methoxycarbonyl-propyl)-cyclohexan*

[1] I. H. S. Mattar, J. J. H. Hastings u. T. K. Walker, Soc. **1930**, 2455.
[2] L. E. Hinkel et al., Soc. **1931**, 814.
[3] V. B. Piskov u. L. K. Osanova, Ž. org. Chim. 3, 1633 (1967); engl.: 1590.

Tab. 203. In 2-Stellung substituierte Cyclohexandione-(1,3) durch Umsetzung von substituierten Essigsäure-äthylestern mit α,β-ungesättigten Ketonen

R^1—CH$_2$—CO—CH=CH—R^2		R^3—CH(R^4)—COOC$_2$H$_5$		Reaktionsprodukt 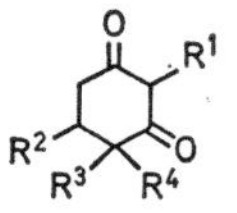	Ausbeute [% d. Th.]	Literatur
R^1	R^2	R^3	R^4			
CH_3	C_6H_5	$COOC_2H_5$	H	3,5-Dioxo-4-methyl-1-phenyl-cyclohexan	80	[1]
C_5H_{11}	C_6H_5	$COOC_2H_5$	H	3,5-Dioxo-4-pentyl-1-phenyl-2-äthoxy-carbonyl-cyclohexan	45	[2]
CH_2—C_6H_5	C_6H_5	$COOC_2H_5$	H	3,5-Dioxo-4-benzyl-1-phenyl-2-äthoxy-carbonyl-cyclohexan	60	[3]
C_6H_5	C_6H_5	$COOC_2H_5$	H	3,5-Dioxo-1,4-diphenyl-cyclohexan	41	[4]
C_2H_5	C_6H_5	$COOC_2H_5$	H	3,5-Dioxo-4-äthyl-1-phenyl-2-äthoxy-carbonyl-cyclohexan	44	[2]
CH_3	4-OCH_3—C_6H_4	$COOC_2H_5$	H	3,5-Dioxo-4-methyl-1-(4-methoxy-phenyl)-2-äthoxycarbonyl-cyclohexan	35	[5]
CH_2—CH_2—CH_3	C_6H_5	$COOC_2H_5$	H	3,5-Dioxo-4-propyl-1-phenyl-2-äthoxy-carbonyl-cyclohexan	25	[2]
$COOC_2H_5$	C_6H_5	$COOC_2H_5$	H	2,6-Dioxo-4-phenyl-1,3-diäthoxy-carbonyl-cyclohexan	20	[6]
CH_3	4-OCH_3—C_6H_4	CH_2—$COOC_2H_5$	$COOC_2H_5$	3,5-Dioxo-2-äthoxycarbonylmethyl-1-(4-methoxy-phenyl)-2-äthoxycarbonyl-cyclohexan		[5]
CH_3	C_6H_5	C_6H_5	H	3,5-Dioxo-4-methyl-1,2-diphenyl-cyclohexan	21;32	[1,2]
CH_3	H	$COOC_2H_5$	$CH(CH_3)_2$	2,4-Dioxo-3-methyl-1-isopropyl-2-äthoxycarbonyl-cyclohexan	36	[7]

[1] L. E. Hinkel et al., Soc. 1931, 814.
[2] I. H. S. Mattar, J. J. H. Hastings u. T. K. Walker, Soc. 1930, 2455.
[3] E. P. Kohler u. C. S. Dewey, Am. Soc. 46, 1267 (1924).
[4] G. R. Ames u. W. Davey, Soc. 1957, 3480.
[5] E. Friedmann, J. pr. [2] 146, 65 (1936).
[6] H. Muxfeldt et al., B. 96, 2943 (1963).
[7] T. A. Spencer u. M. D. Newton, Tetrahedron Letters 1962, 1019.

Die auf S. 1616 als Reaktionsweg ⓑ angegebene Möglichkeit der Herstellung von Cyclohexandionen-(1,3), Umsetzung von β-Oxo-carbonsäureestern mit α,β-ungesättigten Carbonsäureestern, findet sich auch hier verwirklicht. Durch Kondensation von 3-Oxo-pentan-disäure-dimethylester (I) mit Benzyliden-malonsäure-dimethylester (II) konnte man neben dem Michael-Adkukt III (*5-Oxo-3-phenyl-2,4-dimethoxycarbonyl-heptandisäure-dimethylester*; 10% d.Th.) bei längerer Reaktionsdauer auch *2,6-Dioxo-4-phenyl-1,3,5-trimethoxycarbonyl-cyclohexan*; (IV; 25% d.Th.) erhalten[1]:

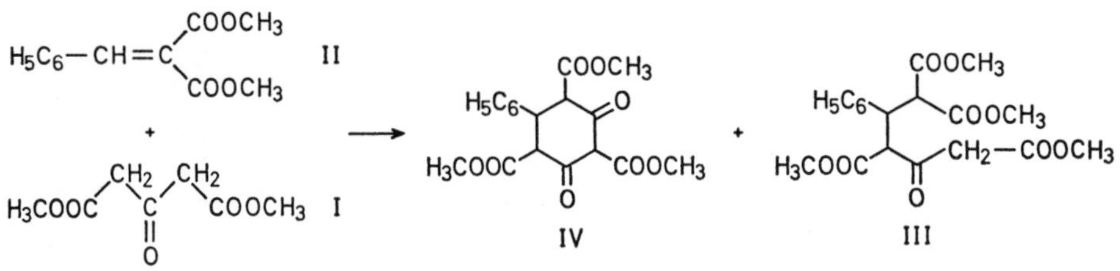

In genau der gleichen Weise reagiert 3-Oxo-4-phenyl-butansäure-äthylester mit β-Phenyl-acrylsäure-äthylester zu *3,5-Dioxo-1,4-diphenyl-cyclohexan*[2].

β) In 2-Stellung nicht-substituierte Cyclohexandione-(1,3)

Nach den eingangs erwähnten Arbeiten[1] (s. S. 1616) ist eine große Zahl substituierter Cyclohexandione-(1,3) bekannt geworden. Die Synthese von in 2-Stellung nicht substituierter Cyclohexandione-(1,3) ist insofern mit gutem Erfolg durchführbar, als die Ringschlußreaktion frei von Substituenteneinflüssen an der kondensationsfähigen Methyl-Gruppe ist. Es handelt sich stets um die intramolekulare Ester-Kondensation einer Acetyl-Gruppierung mit einer Malonsäure-diester-Funktion. Z. B. entsteht aus 5-Oxo-1-phenyl-hexadien-(1,3) (I) und Malonsäure-diäthylester (II) in Gegenwart molarer Mengen Natriumäthanolat in Äthanol *3,5-Dioxo-1-(2-phenyl-vinyl)-2-äthoxycarbonyl-cyclohexan* (71% d.Th.; III)[3]:

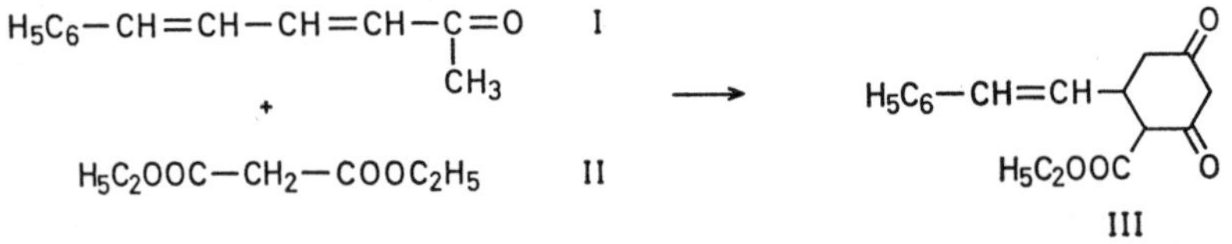

3,5-Dioxo-1-(2-phenyl-vinyl)-2-äthoxycarbonyl-cyclohexan[3]: Man löst 2 g Natrium in 150 *ml* absol. Äthanol und gibt hierzu 16 g Malonsäure-diäthylester und 17 g 5-Oxo-1-phenyl-hexadien-(1,3). Das Reaktionsgemisch färbt sich sofort braun. Nach 4 stdgm. Erhitzen auf dem Wasserbad reagiert die Lösung fast neutral. Nach Erkalten fügt man das gleiche Vol. absol. Äther zu, filtriert nach 12 Stdn. von dem ausgeschiedenen Natriumsalz des Diketons ab und säuert an; Ausbeute: 71% d.Th.; F: 140° (aus Äthanol, farblose Nadeln).

Auf ähnliche Weise lassen sich die in Tab. 204 (S. 1621) aufgeführten Cyclohexan-dione-(1,3) herstellen.

---

[1] H. Muxfeldt et al., B. **96**, 2943 (1963).
[2] G. R. Ames u. W. Davey, Soc. **1957**, 3480.
[3] D. Vorländer et al., A. **345**, 206 (1906).

Tab. 204. In 2-Stellung nichtsubstituierte Cyclohexandione-(1,3)

α,β-ungesättigtes Keton	CH-acider Carbonsäureester	Reaktionsprodukt	Ausbeute [% d.Th.]	Literatur
3-Oxo-1-phenyl-buten-(1)	Malonsäure-diäthylester	*3,5-Dioxo-1-phenyl-cyclohexan*	30, 44	1
	Phenylessigsäure-äthylester	*3,5-Dioxo-1,2-diphenyl-cyclohexan*	90	2,3
3-Oxo-1-(4-methoxy-phenyl)-buten-(1)	Cyanessigsäure-äthylester	*4,6-Dioxo-2-(4-methoxy-phenyl)-1-cyan-cyclohexan*	59	4
	Malonsäure-diäthylester	*3,5-Dioxo-1-(4-methoxy-phenyl)-cyclohexan*		5
3-Oxo-1-(2-äthoxy-phenyl)-buten-(1)	Malonsäure-diäthylester	*3,5-Dioxo-1-(2-methoxy-phenyl)-cyclohexan*	80	5
5-Oxo-2-methyl-hexen-(3)	Malonsäure-diäthylester	*3,5-Dioxo-1-isopropyl-cyclohexan*	85	6
4-Oxo-2-methyl-penten-(2) (Mesityloxid)	Malonsäure-äthylester-methylester	*4,6-Dioxo-2,2-dimethyl-1-methoxycarbonyl-cyclohexan*	85	7
		+ *3,5-Dioxo-1,1-dimethyl-cyclohexan (Dimedon)*		8
	Methyl-malonsäure-diäthylester	*3,5-Dioxo-1,1,2-trimethyl-cyclohexan*	76	9
		+ *4,6-Dioxo-1,2,2-trimethyl-1-äthoxycarbonyl-cyclohexan*		10
	Phenylessigsäure-äthylester	*3,5-Dioxo-2,2-dimethyl-1-phenyl-cyclohexan*		2
	2-Cyan-butansäure-äthylester	*4,6-Dioxo-2,2-dimethyl-1-cyan-cyclohexan*	50	11
4-Oxo-3-methyl-penten-(2)	Malonsäure-diäthylester	*4,6-Dioxo-2,3-dimethyl-1-äthoxycarbonyl-cyclohexan*	—	12
4-Oxo-1-phenyl-penten-(2)	Malonsäure-diäthylester	*3,5-Dioxo-1-benzyl-cyclohexan*		13
3-Oxo-1-(3-nitro-phenyl)-buten	Malonsäure-diäthylester	*3,5-Dioxo-1-(3-nitro-phenyl)-cyclohexan*		14
3-Oxo-1-(4-nitro-phenyl)-buten	Malonsäure-diäthylester	*3,5-Dioxo-1-(4-nitrophenyl)-cyclohexan*		14
3-Oxo-1-(2-chlor-phenyl)-buten	Malonsäure-diäthylester	*3,5-Dioxo-1-(2-chlor-phenyl)-cyclohexan*	27	5
2-Oxo-hepten-(3)	Malonsäure-diäthylester	*3,5-Dioxo-1-propyl-cyclohexan*	24	15
2-Oxo-penten-(3)	Malonsäure-diäthylester	*3,5-Dioxo-1-methyl-cyclohexan*	70	16

1 A. Michael, B. 27, 2126 (1894).
2 W. Borsche, B. 42, 4496 (1909).
3 H. E. Zimmerman u. D. J. Sam, Am. Soc. 88, 4905 (1966).
4 E. Friedmann, J. pr. [2] 146, 71 (1936).
5 L. E. Hinkel, E. E. Ayling u. J. F. J. Dippy, Soc. 1935, 539.
6 R. L. Frank u. H. K. Hall, Am. Soc. 72, 1645 (1950).
7 U. Steiner u. B. Willhalm, Helv. 35, 1752 (1952).
8 R. L. Shriner u. H. R. Todd, Org. Synth., Coll. Vol. II, 200 (1943).
9 A. W. Crossley, Soc. 79, 138 (1901); Pr. chem. Soc. 16, 90 (1900).
10 C. Daessle u. H. Schinz, Helv. 40, 2270 (1957).
11 J. Scheiber u. F. Meisel, B. 48, 238 (1915).
   D. Vorländer, A. 294, 253 (1897).
12 L. Canonica et. al., Tetrahedron Letters 1971, 2691.
13 R. P. Linstead u. L. T. D. Williams, Soc. 1926, 2735.
14 L. E. Hinkel u. J. F. J. Dippy, Soc. 1930, 1387.
15 L. E. Hinkel et al., Soc. 1931, 814.
16 V. Kvita u. J. Weichet, Chem. Listy 51, 380 (1957).

Bei den Umsetzungen der α,β-ungesättigten Ketone mit Malonsäure-diester (s. Tab. 204, S. 1621), ist die eigentlich in 4-Stellung des Cyclohexandions-(1,3) zu erwartende Äthoxycarbonyl-Gruppe durch unmittelbar an die Umsetzung erfolgende **Keto-Spaltung** mit wäßrigem Alkali in den meisten Fällen entfernt worden.

3,5-Dioxo-1-(2-phenyl-vinyl)-cyclohexan[1]: 4 g Natrium werden in 70 *ml* abs. Äthanol gelöst und hintereinander 28 g Malonsäure-diäthylester und 30 g 5-Oxo-1-phenyl-hexadien-(1,3) zugesetzt. Die Reaktionsmischung wird 6 Stdn. lang unter Rückfluß erhitzt, der Alkohol abdestilliert und der Rückstand in 225 *ml* Wasser aufgenommen. Zu dieser Lösung gibt man eine Lösung von 18,8 g Kaliumhydroxid in wenig Wasser und erhitzt 20–25 Min. unter Rückfluß. Die Lösung wird von geringen Mengen teerigem Produkt abfiltriert, das Filtrat 20 Min. lang mit 60 *ml* konz. Salzsäure erhitzt, wobei Kohlendioxid-Abspaltung erfolgt. Aus der wäßrigen Lösung kristallisiert das Diketon aus; Ausbeute: 31,2 g (84% d.Th.)

Der Versuch, Acrylsäureester mittels zwei Mol Natriummethanolat in Xylol in der 1-Stellung des 2-Oxo-octans anzulagern, schlug fehl. Die Addition erfolgt in der 3-Stellung, und durch anschließende Cyclisierung resultiert das *2,4-Dioxo-1-pentyl-cyclohexan* (27% d.Th.; F: 68,5–70°)[2], das auch durch Hydrierung von 2,4-Dihydroxy-1-pentyl-benzol hergestellt werden kann[3]. Leichter gelingt diese Addition mit **aktivierten Ketonen** vom Typ des 2-Oxo-1-phenyl-propans[4] und besonders einfach mit β-Dicarbonyl-Verbindungen, speziell den β-Oxo-carbonsäureestern. So erhält man z.B. aus Benzyliden-malonsäure-dimethylester (I) und Acetessigsäure-methylester *4,6-Dioxo-2-phenyl-1,3-dimethoxycarbonyl-cyclohexan* (58% d.Th.; II)[5]:

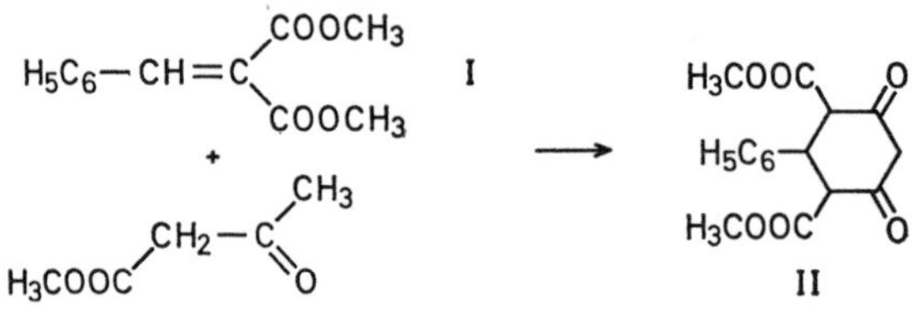

Entsprechend reagieren im aromatischen Kern durch **Acetoxy-** und **Methoxy-**Gruppen substituierte Benzyliden-malonsäure-diester mit 3-Oxo-butansäure- bzw. 3-Oxo-pentansäureester[6–8].

Zusätzliche Substituenten lassen sich durch Verwendung von in α-Stellung **mono-substituierten** β-Oxo-carbonsäureestern in das Cyclohexandion-(1,3)-Molekül einbauen. Aus 3-Oxo-2-methyl-butansäure- und α-Methyl-acrylsäureester entsteht *2,4-Dioxo-1,5-dimethyl-cyclohexan*[9] (69% d.Th.) und aus α-Chlor-fumarsäure-

[1] B. C. Pal, Am. Soc. **77**, 3397 (1955).
 D. Vorländer, A. **294**, 298, 312 (1897).
 P. Groebel, A. **345**, 208 (1906).
[2] J. J. Müller u. P. L. De Benneville, J. Org. Chem. **22**, 1268 (1957).
[3] H. Stetter u. W. Dierichs, B. **86**, 693 (1953); Ang. Ch. **67**, 769 (1955).
[4] G. R. Ames u. W. Davey, Soc. **1958**, 1794.
[5] H. Muxfeldt et al., B. **96**, 2943 (1963).
[6] P. E. Papadakis u. J. Scigliano, Am. Soc. **73**, 5483 (1951).
[7] P. E. Papadakis, Am. Soc. **67**, 1799 (1945).
[8] P. E. Papadakis et al., Am. Soc. **72**, 4256 (1950).
[9] H. Stetter u. U. Milbers, B. **91**, 374 (1958).

dialkylester (I) und 4-Oxo-2-benzyl-butansäure-alkylester (II) unter gleichzeitiger Dehydrochlorierung z.B. *4,6-Dioxo-3-benzyl-2,3-diäthoxycarbonyl-cyclohexen* (III)[1]:

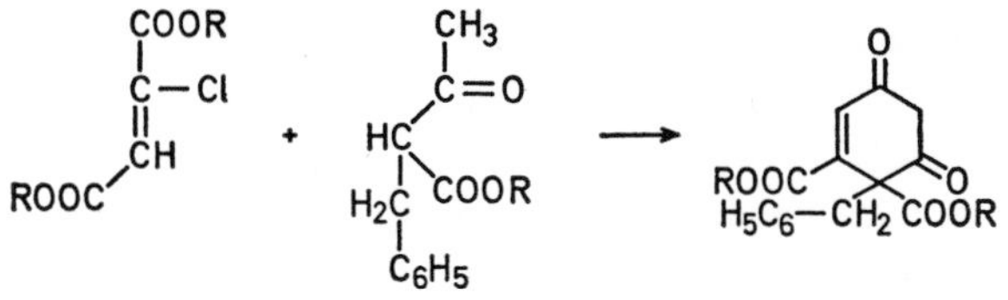

I   II   III

In Tab. 205 werden einige Umsetzungen des Acetessigsäureesters mit α,β-ungesättigten Carbonsäureestern aufgeführt, die in durchweg guten Ausbeuten zu den entsprechenden Cyclohexandionen-(1,3) führen (Katalysator jeweils Natrium-äthanolat).

Tab. 205. Cyclohexandione-(1,3) durch Umsetzung von Acetessigsäure-äthylester mit substituierten Acrylsäureestern

Acrylsäureester	Reaktionsprodukt	Ausbeute [%d.Th.]	Literatur
3-Methyl-2-cyan-penten-(2)-säureester	*4,6-Dioxo-2-methyl-2-äthyl-3-cyan-1-äthoxycarbonyl-cyclohexan*	gut	2
Hexen-(2)-säureester	*3,5-Dioxo-1-propyl-2-äthoxycarbonyl-cyclohexan*		3
Octen-(2)-säure-methyl-ester	*3,5-Dioxo-1-pentyl-2-äthoxycarbonyl-cyclohexan*	71	4
3-Methyl-buten-(2)-säure-ester	*3,5-Dioxo-1,1-dimethyl-2-äthoxy-carbonyl-cyclohexan*	gering	2
Äthyliden-malonsäure-di-äthylester	*4,6-Dioxo-2-methyl-1,3-diäthoxy-carbonyl-cyclohexan*		5
Buten-(2)-säure-äthylester	*3,5-Dioxo-1-methyl-2-äthoxycarbonyl-cyclohexan*	80; 65	4,6
	3,5-Dioxo-1-methyl-cyclohexan	55	7
Buten-(2)-säure-äthylester	*4,6-Dioxo-3-methyl-1-tert.-butyloxy-carbonyl-cyclohexan*[a]	>70	8
3-Phenyl-2-cyan-buten-(2)-säure-äthylester	*4,6-Dioxo-2-methyl-2-phenyl-3-cyan-1-äthoxycarbonyl-cyclohexan*	gut	2

[a] Acetessigsäure-tert.-butylester statt -äthylester.

[1] S. RUHEMANN u. C. G. L. WOLF, Soc. **69**, 1383 (1896).

[2] J. SCHEIBER u. F. MEISEL, B. **48**, 238 (1915).

[3] A. SONN, B. **61**, 2479 (1928).

[4] R. M. ANKER u. A. H. COOK, Soc. **1945**, 311.

[5] E. KNOEVENAGEL, A. **289**, 131 (1896).

[6] R. v. SCHILLING u. D. VORLÄNDER, A. **308**, 184 (1899).

[7] J. P. BLANCHARD u. H. L. GOERING, Am. Soc. **73**, 5863 (1951).

[8] R. J. FRIARY et al., J. Org. Chem. **38**, 3487 (1973).

γ) Cyclohexandione-(1,3) mit angegliederten cycloaliphatischen Ringen
γ₁) *mit anellierten Ringen*

Die Anwendung der Vorländer-Synthese auf Michael-Acceptoren, bei denen die C=C-Doppelbindung in einem Ringsystem gelegen ist und sich die konjugierte C=O-Doppelbindung außerhalb des Ringes befindet, führt zu Vergrößerungen des betreffenden Ringsystems um einen Cyclohexan-Ring.

Im einfachsten Falle erhält man aus 1-Acetyl-cyclohexen und Malonsäure-diäthylester ein Isomerengemisch von *cis-* und *trans-2,4-Dioxo-1-äthoxycarbonyl-dekalin* (60–87% d. Th.; I)[1–3]:

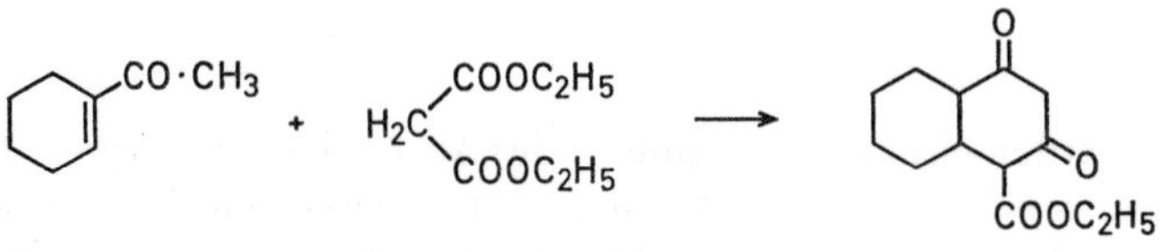

I

Ist die C=C-Doppelbindung des Acceptors tetrasubstituiert, so entstehen 1,3-Dioxo-dekaline mit angularem Substituenten in 10-Stellung. Aus 2,6-Dimethyl-1-acetyl-cyclohexen und Malonsäure-diäthylester erhält man *2,4-Dioxo-5,9-dimethyl-1-äthoxycarbonyl-dekalin* mit allerdings nur 7% Ausbeute[4]. Die eingesetzten Verbindungen wurden größtenteils unverändert zurückgewonnen. Entsprechend dem Reaktionsgleichgewicht, das sich bei hier anzunehmender sterischer Hinderung einstellt, konnte schließlich durch wiederholtes Einsetzen der unveränderten Ausgangsstoffe eine Gesamtausbeute von 45–50% d. Th. erzielt werden[4].

Bicyclo[4.3.0]nonan (Hydrindan)-Derivate, die eine angulare Methyl-Gruppe besitzen, sind auf diese Weise ebenfalls zugänglich. Aus 2-Methyl-1-acetyl-cyclopenten (I) und Malonsäure-diäthylester (II) entsteht *3,5-Dioxo-1-methyl-2-äthoxycarbonyl-bicyclo[4.3.0]nonan* (80% d. Th.; III)[5]:

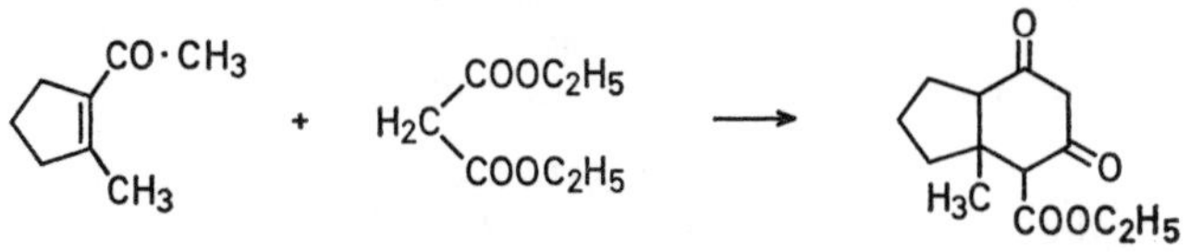

II   III

3,5-Dioxo-1-methyl-2-äthoxycarbonyl-bicyclo[4.3.0]nonan (III)[5]: 50 g 2-Methyl-1-acetyl-cyclo-penten-(1) werden zu Natrium-malonsäure-diäthylester [aus 10,2 g (1,1 Mol) Natrium und 71 g (1,1 Mol) Malonsäure-diäthylester] in 165 *ml* absol. Äthanol hinzugefügt, das Gemisch über Nacht bei Zimmertemp. sich selbst überlassen und dann 3 Stdn. auf dem Wasserbad erhitzt. Nach Entfernung der Hauptmenge des Äthanols wird Wasser zugesetzt, die neutralen Verunreinigungen mit Äther entfernt, die alkalische Lösung mit verd. Salzsäure angesäuert und das ausgefallene Öl mit Äther aufgenommen, die Lösung getrocknet und destilliert; Ausbeute: 80% d. Th;. Kp₃: 160–170°(dickes gelbes Öl).

[1] C. K. Chuang u. Y. L. Tien, B. **69**, 25 (1936).
[2] G. A. R. Kon u. M. Qudrat-i-Khuda, Soc. **1926**, 3071.
[3] L. Ruzicka, D. R. Koolhaas u. A. H. Wind, Helv. **14**, 1151 (1931).
[4] K. W. Rosenmund u. H. Herzberg, B. **87**, 1575 (1954).
[5] C. K. Chuang, C. M. Ma u. Y. L. Tien, B. **68**, 1946 (1935).

γ_2) *mit spirocyclisch angegliederten Ringen*

Cycloalkylidenketone vom Typ des 2-Oxo-cycloalkyliden-propans reagieren mit Malonsäure-diester oder Cyanessigsäureester in der erwarteten Art und Weise unter Bildung spirocyclischer 1,3-Diketone. Die Reaktion verläuft mit sehr guten Ausbeuten und besitzt durch Einsetzen eines beliebigen Cycloalkyliden-Restes eine ziemliche Variationsbreite. In Tab. 206 sollen anhand einiger Beispiele die Möglichkeiten dieser Reaktion aufgezeigt werden.

Tab. 206. 3,5-Dioxo-cyclohexan-⟨1-spiro⟩-cycloalkane durch Umsetzung von Malonsäure-diäthylester oder Cyanessigsäure-äthylester mit 2-Oxo-1-cycloalkyliden-propanen

2-Oxo-1-cycloalkyliden-propan	Reaktionsprodukt 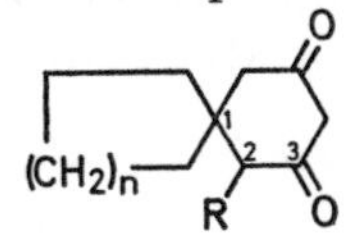	Ausbeute [%d.Th.]	Literatur
$R^1 = H$	Cyclopentan-⟨spiro-1⟩-3,5-dioxo-2-äthoxycarbonyl-cyclohexan	80	1
$R^1 = CH_3$	3-Methyl-cyclopentan-⟨1-spiro-1⟩-3,5-dioxo-cyclohexan[a]		2
$R^1 = H$	Cyclohexan-⟨spiro-1⟩-3,5-dioxo-2-äthoxycarbonyl-cyclohexan +Cyclohexan-⟨spiro-1⟩-3,5-dioxo-cyclohexan[a]	84 70–80	1,3 4
$R^1 = 3\text{-}CH_3$	3,5-Dioxo-cyclohexan-⟨1-spiro-1⟩-3-methyl-cyclohexan[a]	gut	5
$R^1 = 4\text{-}CH_3$	3,5-Dioxo-cyclohexan-⟨1-spiro-1⟩-4-methyl-cyclohexan[a,b]	gut	5
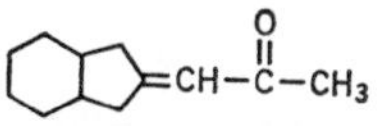	3,5-Dioxo-2-äthoxycarbonyl-⟨1-spiro-8⟩-bicyclo[4.3.0]nonan	90	6

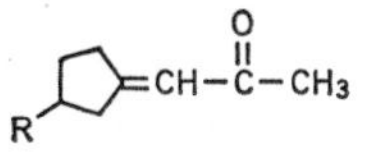

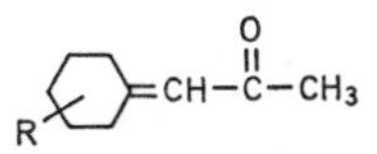

[a] R verseift und decarboxyliert
[b] statt Malonsäure-diäthylester Cyanessigsäure-äthylester!

5. γ-Oxo-Verbindungen von Ketonen, β-Oxo-carbonsäureestern und β-Diketonen

Auf S. 1530ff. wurde die Synthese von Ketonen durch Addition eines carbonylhaltigen Addenden an ein α,β-ungesättigtes System beschrieben; der Abschnitt auf S. 1581ff. befaßte sich mit der Addition CH-acider Nicht-Oxo-Verbindungen an α,β-ungesättigte Ketone. Demnach müßte man durch Kombination geeigneter Verbindungen, die die Gruppe

$$R\text{—}\overset{\overset{\displaystyle O}{\|}}{C}\text{—}R^1$$

[1] W. S. NORRIS u. J. F. THORPE, Soc. **119**, 1199 (1921).
[2] R. D. DESAI, J. indian chem. Soc. **10**, 257 (1933); C.A. **27**, 5310 (1933).
[3] G. A. R. KON, Soc. **1926**, 1792.
[4] B. EISTERT u. W. REISS, B. **87**, 92 (1954).
[5] G. A. R. KON u. R. S. THAKUR, Soc. **1930**, 2217.
[6] R. S. THAKUR, Soc. **1932**, 2147.

enthalten, mit α,β-ungesättigten Ketonen die verschiedensten Arten höherer Ketone aufbauen können. In gewissem Umfang ist dies auch möglich. Doch die Neigung der entstehenden 1,5-Dioxo-Verbindungen, unter den Bedingungen der Michael-Addition Sekundärreaktionen unter Cyclisierung einzugehen, macht es in vielen Fällen unmöglich, die primären Additionsprodukte zu isolieren.

Im folgenden wird dargelegt, wie man je nach Reaktionsbedingungen, Typ des Addenden und Typ des Acceptors offenkettige Addukte oder/und cyclische Folgeprodukte, die ebenfalls Ketone sind, herstellen kann.

a) Reaktion acyclischer α,β-ungesättigter Ketone mit offenkettigen Ketonen, β-Oxo-carbonsäureestern und β-Diketonen (Reine Addition und Reaktionen unter Cyclisierung)

a_1) 1,5-Diketone durch 3-Oxo-alkylierung und 3-Oxo-3-aryl-propylierung aliphatischer Ketone

Butenon, das einfachste α,β-ungesättigte Keton, kann auch zur 3-Oxo-butylierung zahlreicher Ketone mit aktiven Wasserstoffatomen eingesetzt werden[1]. Unter der Wirkung der verwendeten alkalischen Katalysatoren (Lithiumamid, Natriumamid, Kalium-tert.-butanolat, Triton B, Kaliumhydroxid) treten allerdings leicht Folgereaktionen ein, wobei die gebildeten primären 1,5-Diketone Cyclisierungen durch Aldol-Kondensation unterliegen, bzw. nochmals Michaeladditionen eingehen können[1].

Bei der Umsetzung von Acetophenon (I) mit Butenon (II) werden in Abhängigkeit von den molaren Verhältnissen der Reaktanten und dem verwendeten Katalysator zueinander, und in Abhängigkeit von der Reaktionszeit entweder das offene Addukt III oder die Folgeprodukte der Aldol-Addition beziehungsweise -Kondensation von III, die cyclischen Verbindungen IV und V, in verschieden hohen Ausbeuten erhalten:

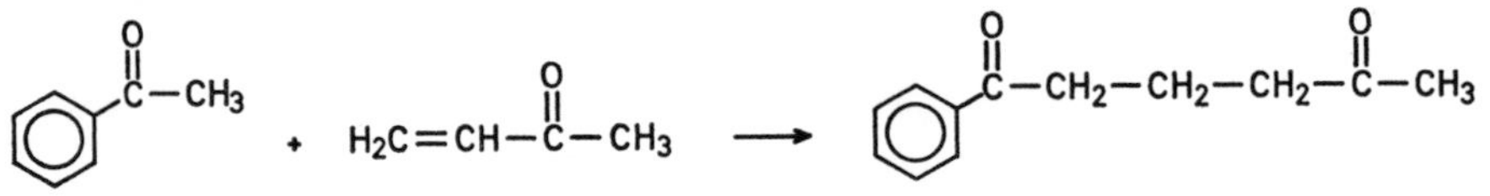

I   II   III; *1,5-Dioxo-1-phenyl-hexan*

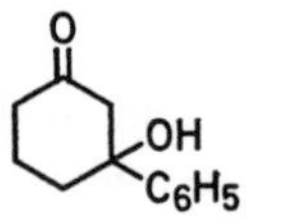

IV; *1-Hydroxy-3-oxo-1-*   V; *3-Oxo-1-phenyl-*
   phenyl-cyclohexan   *cyclohexen*

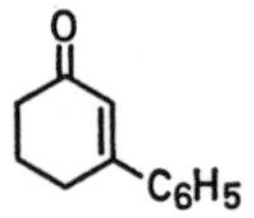

Die Übersichtstab. 207 (S. 1627) zeigt auf, wie sorgfältig man die Reaktionsbedingungen wählen muß, um auch nur eine mittelmäßige Ausbeute an dem gesuchten Additionsprodukt III zu erzielen.

---

[1] N. C. Ross u. R. Levine, J. Org. Chem. **29**, 2341 (1964).

Tab. 207. Einfluß der Reaktionsbedingungen bei der Umsetzung von Butenon mit Acetophenon[1]

Acetophenon [Mol]	Butenon [Mol]	Base [Mol]	Reaktions- zeit nach Zugabe [Stdn.]	Reaktions- produkt	Ausbeute [%d.Th.]
0,6	0,2	0,03 Triton B[a]	2	III	14
0,4	0,2	0,03 Triton B[a]	48	V	8
0,4	0,2	0,08 K–OC(CH$_3$)$_3$	2	III	—
0,3	0,3	0,3 NaNH$_2$	0	III	19
0,5	0,25	0.5 NaNH$_2$	0	III	34
0,5	0,25	0,5 LiNH$_2$	0	III; IV	37; 3,2

[a] Trimethyl-benzyl-ammonium-hydroxid

Während also Acetophenon noch mit Butenon ein Additionsprodukt ergibt, läßt sich bei Propiophenon und Butyrophenon die Zwischenstufe nicht mehr fassen. Es entstehen hier sofort *1-Hydroxy-5-oxo-2-methyl-(bzw.-2-äthyl)-1-phenyl-cyclo- hexan*.

Ganz allgemein kann man sagen, daß acyclische Ketone entweder gar nicht (z.B. 3-Oxo-2-methyl-butan) oder aber nur mit geringen Ausbeuten (z.B. Aceton 7,4% d.Th.) mit Butenon 1,5-Diketone ergeben. Im Gegensatz dazu stehen die c y c l i s c h e n K e t o n e, die sich recht gut 3-oxo-butylieren lassen (vgl. S. 1649). Starke Donatoren wie Desoxybenzoin (1-Oxo-1,2-diphenyl-äthan), 2-Oxo-2-phenyl-1-pyridyl-(2)-äthan und 2-Oxo-2-phenyl-2-pyrazyl-äthan bilden mit Butenon in guten Ausbeuten die Michael-Addukte [*1,5-Dioxo-1,2-diphenyl-hexan, 1,5-Dioxo-1-phenyl-2-pyridyl-(2)-he- xan* bzw. *1,5-Dioxo-1-phenyl-2-pyrazyl-hexan*]. Speziell Desoxybenzoin (1-Oxo-1,2-di- phenyl-äthan) reagiert auch mit α,β-ungesättigten Ketonen, deren β-C-Atom alkyl- substituiert ist und die deswegen[2] im Verhältnis zu Butenon ausgesprochen reaktions- träge sind; z.B.:

4-Oxo-2-methyl-penten-(2) (Mesityloxid) → *1,5-Dioxo-3,3-dimethyl-1,2-diphenyl-hexan*[3]
3-Oxo-1-phenyl-buten-(1) → *1,5-Dioxo-1,2,3-triphenyl-hexan*[4,5]

Daß auch α-A l k y l-S u b s t i t u t i o n die Reaktionsfähigkeit eines α,β-ungesättigten Ketons stark herabsetzt[2,6], sei für den Fall der Michael-Addition von Desoxy- benzoin an 3-Oxo-2-methyl-buten-(1) gezeigt: während man mit Kaliumäthanolat- Katalyse aus Butenon und Desoxybenzoin *1,5-Dioxo-1,2-diphenyl-hexan* zu 71% d.Th. isolieren kann, erhält man das Addukt I nur mit 15%iger Ausbeute[4]:

$$H_5C_6-\overset{O}{\overset{\|}{C}}-\overset{C_6H_5}{\overset{|}{CH}}-\overset{H_3C}{\overset{|}{CH_2}}-\overset{}{CH}-\overset{O}{\overset{\|}{C}}-CH_3$$

I; *1,5-Dioxo-4-methyl-1,2-diphenyl-hexan*

[1] N. C. Ross u. R. Levine, J. Org. Chem. **29**, 2341 (1964).
[2] H. Henecka, *Chemie der β-Dicarbonyl-Verbindungen*, S. 247, Springer-Verlag, Heidelberg 1950.
[3] J. Scheiber u. F. Meisel, B. **48**, 238 (1915).
[4] R. Chapurlat u. J. Dreux, C. r. **251**, 1529 (1960).
[5] R. Chapurlat u. J. Dreux, Bl. **1962**, 349.
  M. V. Ionescu u. O. G. Popescu, Bl. **51**, 1215 (1932).
[6] R. Connor u. W. R. McClellan, J. Org. Chem. **3**, 570 (1939).

Es ist demnach zu erwarten, daß gleichzeitige α- und β-Alkyl-Substitution der Doppelbindung eines Acceptors die Addition eines Donators besonders stark beeinträchtigen wird. Mit 1-Oxo-1,2-diphenyl-äthan und 3-Oxo-2-(3-nitro-benzyliden)-butansäure-äthylester (II) wird jedoch glatte Addukt-Bildung berichtet[1], da elektronenziehende Substituenten die Elektrophilie der C=C-Doppelbindung und damit die Reaktionsfähigkeit erhöhen:

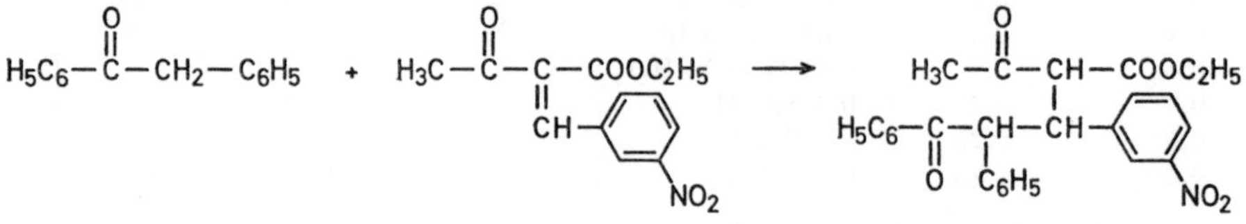

$$H_5C_6-\overset{O}{\overset{\|}{C}}-CH_2-C_6H_5 \;+\; H_3C-\overset{O}{\overset{\|}{C}}-\overset{\displaystyle C-COOC_2H_5}{\underset{\displaystyle CH\text{-}\!\!\bigcirc\!\!-NO_2}{|}} \longrightarrow$$

II

5-Oxo-4,5-diphenyl-3-(3-nitro-phenyl)-
2-acetyl-pentansäure-äthylester

Sehr günstig liegen die Verhältnisse hinsichtlich der Addukt-Bildung ohne die Sekundär-Reaktion der Aldol-Kondensation bei der Umsetzung von Aryl-vinyl-ketonen mit acyclischen Ketonen, da die der Carbonyl-Gruppe benachbarte Aryl-Gruppe nicht kondensationsfähig ist. Deshalb gibt es für eine Cyclisierung nur eine mögliche Richtung, wie sie im folgenden Reaktionsschema angedeutet wird:

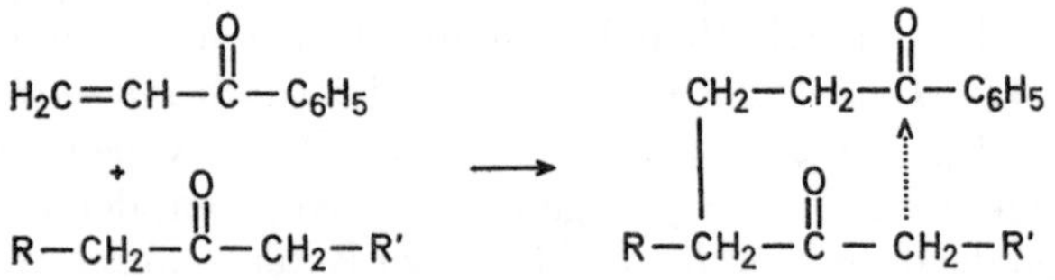

$$H_2C=CH-\overset{O}{\overset{\|}{C}}-C_6H_5 \quad + \quad R-CH_2-\overset{O}{\overset{\|}{C}}-CH_2-R' \longrightarrow$$

Während Propiophenon und Butyrophenon, wie erwähnt, mit Butenon nur cyclische Produkte bilden, gelingt mit Chalkon in Gegenwart von Natriumäthanolat als Katalysator die Isolierung der offenen Addukte in Ausbeuten von 54 bzw. 19% d. Th. des Monoadduktes [*1,5-Dioxo-2-methyl-* (bzw. *-2-äthyl*)-*1,3,5-triphenyl-hexan*] neben 27 bzw. 58% d. Th. des Bis-adduktes [*1,7-Dioxo-4-methyl-* (bzw. *-äthyl*)-*1,3,5,7-tetraphenyl-4-acetyl-heptan*][2]. Ähnlich verhalten sich:

3-Oxo-2,2-dimethyl-butan[2]	→ *1,5-Dioxo-6,6-dimethyl-1,3-diphenyl-heptan*	(0% d. Th.)
	+ *1,7-Dioxo-1,3,5,7-tetraphenyl-4-(2,2-di-methyl-propanoyl)-heptan*	(69% d. Th.)
Acetophenon[3]	→ *1,5-Dioxo-1,3,5-triphenyl-pentan*	(27% d. Th.)
	+ *1,7-Dioxo-1,3,5,7-tetraphenyl-4-benzoyl-heptan*	(56% d. Th.)
1-Oxo-1,2-diphenyl-äthan[4] (Desoxybenzoin)	→ *1,5-Dioxo-1,2,3,5-tetraphenyl-pentan*[5]	(97% d. Th.)
1,3-Dioxo-1,3-diphenyl-propan[3]	→ *1,5-Dioxo-1,3,5-triphenyl-2-benzoyl-pentan*	(1% d. Th.)

[1] M. V. Ionescu u. O. G. Popescu, Bl. 51, 1215 (1932).
[2] D. B. Andrews u. R. Connor, Am. Soc. 57, 895 (1935).
[3] R. Connor et al., Am. Soc. 56, 2713 (1934).
[4] A. M. Baradel et al., Bl. 1970, 252.
[5] Verhältnis *erythro-* zu *threo*-Isomerem (30:70).

Wie ersichtlich, konnte das Addukt des letzteren allerdings nur in einprozentiger Ausbeute isoliert werden. Gut reagiert dagegen *trans*-1,4-Dioxo-1,4-diphenyl-buten-(2) mit 1,4-Dioxo-1,4-diphenyl-butan ebenfalls unter Katalyse mit Natriumäthanolat in 62%iger Ausbeute zum Addukt I[1]:

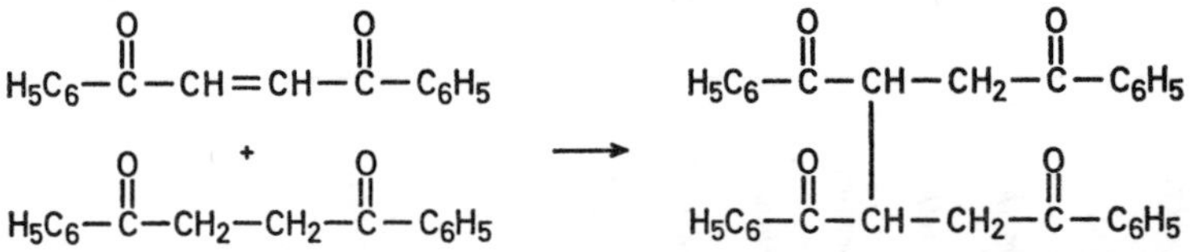

$$H_5C_6-\overset{O}{\overset{\|}{C}}-CH=CH-\overset{O}{\overset{\|}{C}}-C_6H_5$$

$$+$$

$$H_5C_6-\overset{O}{\overset{\|}{C}}-CH_2-CH_2-\overset{O}{\overset{\|}{C}}-C_6H_5$$

$$\longrightarrow$$

$$H_5C_6-\overset{O}{\overset{\|}{C}}-\underset{\underset{H_5C_6-\overset{O}{\overset{\|}{C}}-CH-CH_2-\overset{O}{\overset{\|}{C}}-C_6H_5}{|}}{CH}-CH_2-\overset{O}{\overset{\|}{C}}-C_6H_5$$

I; *1,6-Dioxo-1,6-diphenyl-3,4-dibenzoyl-hexan*

Einige weitere α,β-ungesättigte Aryl-ketone und ihre Umsetzungen mit offen-kettigen Ketonen werden in Tab. 208 (S. 1630) aufgeführt.

Einige Besonderheiten bieten die **Pyridiniumsalze** vom Typ des 1-(2-Oxo-2-phenyl-äthyl)-pyridiniumbromids (I). Dieses reagiert zwar mit 3-Oxo-3-phenyl-propen (II) unter Bildung des 1,5-Diketons III; da jedoch das 1-(2-Oxo-2-phenyl-äthyl)-pyridiniumbromid und damit auch das Addukt III sehr leicht der Hydrolyse (der Säure-Spaltung der β-Diketone vergleichbar) unterliegt (Schmidt-Spaltung), kann das 1,5-Diketon nicht isoliert werden, sondern nur das Spaltprodukt IV[2]:

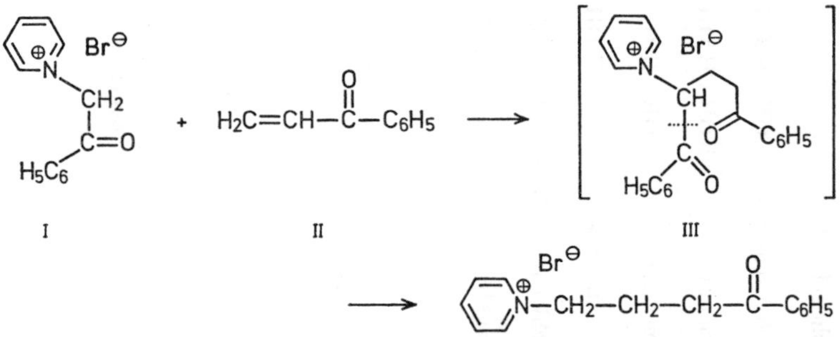

IV; *1-(4-Oxo-4-phenyl-butyl)-pyridinium-bromid*

a₂) *Cyclohexen-(1)-one-(3) aus Vinyl-aryl- und Alkyl-vinyl-ketonen und offenkettigen Ketonen*

Wie schon im letzten Abschnitt angedeutet, bieten die aus Vinyl-aryl-ketonen und Ketonen zugänglichen 1,5-Diketone im allgemeinen eine für eine Cyclisierung durch Aldol-Kondensation ungünstige Ausgangsbasis, soweit diese Cyclisierung unter den Bedingungen der Michael-Addition spontan ablaufen soll. Es gibt einige wenige Beispiele, die aufgrund **zweier** aktiver Methylen-Gruppen im Donator die 3-Oxo-cyclohexen-Bildung zulassen, wie die Umsetzung des 2-Oxo-1,3-diphenyl-propans bzw. 2-Oxo-1-phenyl-propans mit 1-Oxo-1-phenyl-propen zeigt[3]:

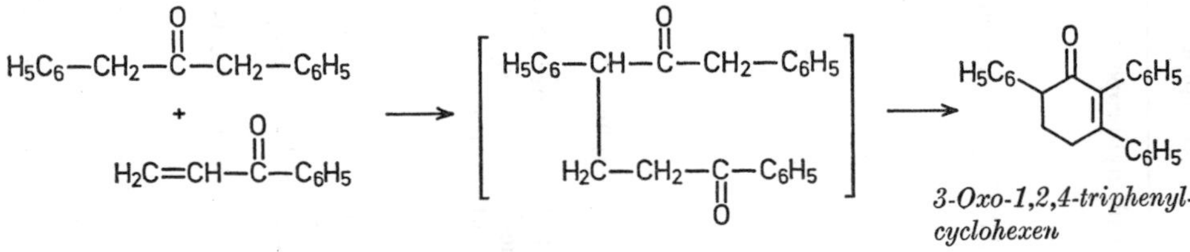

3-Oxo-1,2,4-triphenyl-cyclohexen

[1] R. E. Lutz u. F. S. Palmer, Am. Soc. **57**, 1947 (1935).
[2] F. Kröhnke et al., Ang. Ch. **74**, 811 (1962).
[3] S. M. Abdullah, J. indian chem. Soc. **12**, 62 (1935); C. A. **29**, 3595 (1935).

Tab. 208. 1,5-Diketone mit aromatischen Substituenten

Acceptor	Donator	Katalysator	Reaktionsprodukt	Ausbeute [% d.Th.]	Literatur
3-Oxo-3-phenyl-propen[a]	1-Oxo-1,2-diphenyl-äthan (Desoxybenzoin)	NaOCH$_3$	*1,5-Dioxo-1,2,5-triphenyl-pentan*	55	1
	1-Oxo-2-phenyl-1-biphenylyl-(4)-äthan	NaOCH$_3$	*1,5-Dioxo-2,5-diphenyl-1-biphenylyl-(4)-pentan*	60	1
3-Oxo-2,3-diphenyl-propen	1-Oxo-2-phenyl-1-(4-chlor-phenyl)-äthan	KOH/CH$_3$OH	*1,5-Dioxo-2,4,5-triphenyl-1-(4-chlorphenyl)-pentan*	88	2
	1-Oxo-2-phenyl-1-(4-methyl-phenyl)-äthan	KOH/CH$_3$OH	*1,5-Dioxo-2,4,5-triphenyl-1-(4-methyl-phenyl)-pentan*	85	2
	1-Oxo-2-phenyl-1-(4-methoxy-phenyl)-äthan	KOH/CH$_3$OH	*1,5-Dioxo-2,4,5-triphenyl-1-(4-methoxy-phenyl)-pentan*	74	2
	1-Oxo-1,2-diphenyl-äthan (Desoxybenzoin)	KOH/CH$_3$OH	*1,5-Dioxo-1,2,4,5-tetraphenyl-pentan*	80	2
	1-Oxo-2-phenyl-1-(4-chlor-phenyl)-äthan	KOH/CH$_3$OH	*1,5-Dioxo-1,4,5-triphenyl-1-(4-chlorphenyl)-pentan*	77	2
	1-Oxo-2-phenyl-1-(4-methyl-phenyl)-äthan	KOH/CH$_3$OH	*1,5-Dioxo-1,4,5-triphenyl-1-(4-methyl-phenyl)-pentan*	71	2
4-Propenoyl-biphenyl[a]	1-Oxo-1,2-diphenyl-äthan (Desoxybenzoin)	NaOCH$_3$	*1,5-Dioxo-4,5-diphenyl-1-biphenylyl-pentan*	60	1
3-Oxo-3-phenyl-1-furyl-(2)-propen	Acetophenon	NaOC$_2$H$_5$	*1,5-Dioxo-1,5-diphenyl-2-furyl-(2)-pentan*	25	3
2-(3-Phenyl-propenoyl)-⟨benzo-[b]-furan⟩	2-Acetyl-⟨benzo-[b]-furan⟩	NaOH/H$_2$O	*1,5-Dioxo-3-phenyl-1,5-bis-⟨benzo-[b]-furan⟩-yl-(2)-pentan*	—	3
			1,7-Dioxo-4-{2-oxo-2-⟨benzo-[b]-furan⟩-yl-(2)}-3,5-diphenyl-1,7-bis-⟨benzo-[b]-furan⟩-yl-(2)}-heptan	—	4
3-Oxo-3-phenyl-1-chinolyl-(4)-propen	Acetophenon	NaOH	*1,5-Dioxo-1,5-diphenyl-3-chinolyl-(4)-pentan*	87	5
2-Oxo-2-phenyl-1-fluorenyliden-äthan	Acetophenon	KOH/1,2-Dipropyloxy-äthan	*9,9-Bis-[2-oxo-2-phenyl-äthyl]-fluoren*	~30	6
3-Dimethylamino-1-oxo-1-phenyl-propan	Acetophenon		*1,5-Dioxo-1,5-diphenyl-pentan*	40	7
	1-Oxo-1,2-diphenyl-äthan (Desoxybenzoin)		*1,5-Dioxo-1,2,5-triphenyl-pentan*	9	7
5-Oxo-1,5-diphenyl-pentadien-(1,3)	1-Oxo-1,2-diphenyl-äthan		*1,5-Dioxo-1,2,5-triphenyl-3-(2-phenyl-äthenyl)-pentan*		8

[a] maskiert als β-Chlor-keton.

[1] C. F. H. Allen u. W. E. Barker, Am. Soc. 54, 736 (1932).
[2] L. Mehr, E. I. Becker u. P. E. Spörri, Am. Soc. 77, 984 (1955).
[3] D. B. Andrews u. R. Connor, Am. Soc. 57, 895 (1935).
[5] C. E. Kwartler u. H. G. Lindwall, Am. Soc. 59, 524 (1937).
[6] W. D. Garden u. F. D. Gunstone, Soc. 1952, 2650.
[7] N. S. Gill et al., Am. Soc. 74, 4923 (1952).

Auch Pentanon-(3) gibt mit 3-Oxo-1,3-diphenyl-propen (Chalkon) diese Reaktion; man erhält *3-Oxo-2,4-dimethyl-1,5-diphenyl-cyclohexen*[1].

Ein ausgefallenes, aber instruktives Beispiel ist auch die Umsetzung des Aminoketons I mit 2-Oxo-4-phenyl-buten-(3)-säure (II), die mit Piperidin katalysiert zu den Piperidinsalzen der Cyclohexene III (11–39% d. Th.) führt[2]:

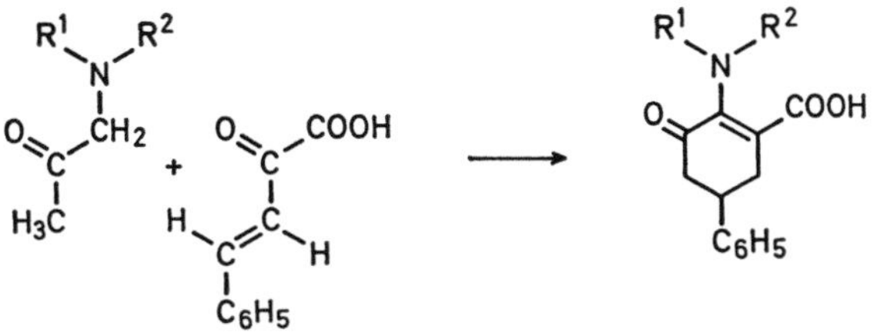

| | I | II | III |

R^1–R^2 = –(CH$_2$)$_5$–; *2-Piperidino-3-oxo-5-phenyl-1-carboxy-cyclohexen*
R^1–R^2 = –(CH$_2$)$_2$–O–(CH)$_2$–; *2-Morpholino-3-oxo-5-phenyl-1-carboxy-cyclohexen*
R^1=R^2 = C$_2$H$_5$; *2-Diäthylamino-3-oxo-5-phenyl-1-carboxy-cyclohexen*

Die besonderen **stereochemischen** Verhältnisse hinsichtlich Konfiguration und Konformation der Additions- und Cyclisierungsprodukte bei der Michael-Reaktion wurden bei der Umsetzung von 3-Oxo-1-phenyl-buten-(1) mit 1-Oxo-1,2-diphenyläthan (Desoxybenzoin) zu *6-Oxo-2,3,4-triphenyl-cyclohexen* untersucht[3]. Dabei zeigte sich, daß das *erythro*-Addukt I nur zum *cis*-Produkt II, das *threo*-Addukt III nur zum *trans*-Produkt IV cyclisieren kann:

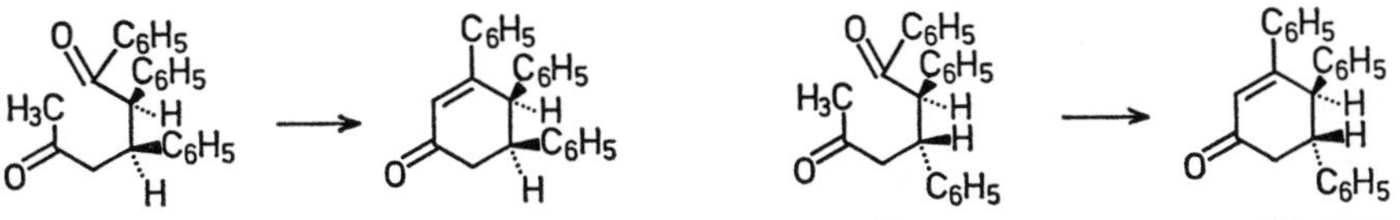

| | I | II cis | III | IV trans |

Wie schon am Beispiel Propiophenon und Butyrophenon erwähnt (s. S. 1628), lassen sich die primären 1,5-Diketone aus Alkyl-vinyl-ketonen und Ketonen nur selten isolieren, da hier die Cyclohexenon-Stufe die bevorzugte Endstufe der Reaktion ist. Eine Auswahl an Beispielen für diese Reaktionsfolge bringt Tab. 209 (S. 1632).

Als besonders interessant darf im Zusammenhang mit der auf S. 1628 besprochenen Reaktionsabstufung durch Substitution an der Vinyl-Gruppe die Umsetzung von 4-Oxo-2-methyl-penten-(2) (Mesityloxid) als CH-acider Komponente mit Butenon als Acceptor bezeichnet werden. Es entsteht mit Natrium-2-methyl-butanolat-(2)

---

[1] L. Chardonnens u. H. Chardonnens, Helv. **41**, 2109 (1958).

[2] J. C. Koffel, L. Jung u. P. Cordier, Bl. **1971**, 4320, 4324.

[3] A. M. Braadel et al., Bl. **1966**, 3543.

Tab. 209: Cyclohexen-(1)-one-(3) durch Reaktion nicht cyclischer Ketone mit Alkyl-vinyl-ketonen

Donator	Acceptor	Hinweise	Reaktionsprodukt	Katalysator	Ausbeute [% d.Th.]	Literatur
Aceton	Butenon	a	3-Oxo-1-methyl-cyclohexen	Oxide		1
	Butenon	b	3-Oxo-1-methyl-cyclohexen			2
	3-Oxo-2-methyl-buten-(1)		3-Oxo-1,4-dimethyl-cyclohexen	KOH/CH₃OH	20	3
	3-Oxo-2-methyl-buten-(1)		3-Oxo-1,4,6-trimethyl-cyclohexen	KOH/CH₃OH	50	3
Butanon	Butenon		3-Oxo-1,4-dimethyl-cyclohexen	NaOCH₃	26	4
	4-Chlor-2-oxo-pentan		3-Oxo-1,4,5-trimethyl-cyclohexen		29	5
Pentanon-(2)	2-Oxo-3-methylen-pentan		3-Oxo-1-methyl-4,6-diäthyl-cyclohexen	KOH/CH₃OH	20	6
	Butenon	c	3-Oxo-1,2,4-trimethyl-cyclohexen	K-tert.-butanolat	25	5
	Buten-(2)-al		3-Oxo-2,4,5-trimethyl-cyclohexen	KOH/CH₃OH	70	5
3-Oxo-2-methyl-butan	Butenon		3-Oxo-1,4,4-trimethyl-cyclohexen + 3-Oxo-1,6,6-triphenyl-cyclohexen	Na-tert.-butanolat	95 / 5	7
4-Oxo-2-methyl-penten-(1) (Mesityloxid)	Butenon		3-Oxo-1,5,5-trimethyl-6-isopropyliden-cyclohexen			8
Acetessigsäureester	4-Oxo-3-methyl-penten-(2)		3-Oxo-1,5,6-trimethyl-cyclohexen	NaOCH₃	47	5
3-Oxo-butansäure-nitril	4-Oxo-2-methyl-penten-(1)	d	3-Oxo-1,5,5-trimethyl-4-cyan-cyclohexen	K-OC₃H₇	40	9
4-Oxo-pentansäure-nitril	Butenon	e	3-Oxo-1-methyl-4-cyanmethyl-4-(3-oxo-butyl)-cyclohexen	KCN		10

a Reaktion in der Dampfphase, Katalysator sind Oxide der zweiten und vierten Nebengruppe des Periodensystems.
b Methylvinylketon maskiert als Mannich-Base
c s. S. 1534
d Cyanoceton in situ aus 5-Methyl-1,2-oxazol erzeugt
e durch Reaktion mit 2 Molen Butenon

1 DRP. 714314 (1941), I. G. Farb., Erf.: F. EBEL u. O. PESTA; C.A. 38, 1754 (1944).
2 N. S. GILL et al., Am. Soc. 74, 4923 (1952).
3 J. DREUX, Bl. 1954, 1443.
4 J. COLONGE, J. DREUX u. R. CHAPURLAT, C. r. 251, 252 (1960).
5 P. A. WEHRLI et al., J. Org. Chem. 37, 2340 (1972).
6 J. COLONGE u. J. DREUX, C. r. 231, 1504 (1950).
7 J. M. CONIA u. F. ROUESSAC, Bl. 1963, 1925.
8 J. WIEMANN u. S. L. THI THUAN, C. r. 245, 1552 (1957).
9 C. H. EUGSTER, L. LEICHNER u. E. JENNY, Helv. 46, 543 (1963).
10 DBP. 811231 (1951), Chemische Werke Hüls, Erf.: W. FRANKE u. W. REITER; C.A. 47, 11234 (1953).

Tab. 209 (1. Fortsetzung)

Donator	Acceptor	Hinweise	Reaktionsprodukt	Katalysator	Ausbeute [% d.Th.]	Literatur
1-Acetyl-cyclopentan	Butenon	a	6-Oxo-8-methyl-spiro[5.4]decen-(7)	KOH, Äther-Äthanol	60	1
		b	8-Oxo-6-methyl-spiro[5.4]decen-(6)		14	
Acetophenon	Mesityloxid		3-Oxo-5,5-dimethyl-1-phenyl-cyclohexen	NaH/DMF	19	2
4-Methoxy-1-acetyl-benzol	Mesityloxid		3-Oxo-5,5-dimethyl-1-(4-methoxy-hexyl)-cyclohexen	NaH/DMF	12	2
Propiophenon	Butenon		3-Oxo-6-methyl-1-phenyl-cyclohexen	Triton B^a/tert. Butanol	51	3
2-Oxo-1-phenyl-propan	Butenon		3-Oxo-1-methyl-6-phenyl-cyclohexen bzw. 3-Oxo-1-methyl-4-phenyl-cyclo-hexen		40	4
	3-Oxo-2-methyl-buten-(1)		+3-Oxo-1-methyl-4-phenyl-cyclohexen		63	3
			3-Oxo-1,6-dimethyl-4-phenyl-cyclo-hexen		72	3
1-Oxo-1,2-diphenyl-äthan (Desoxybenzoin)	3-Oxo-2-benzyliden-butansäure-äthylester		3-Oxo-1,5,6-triphenyl-cyclohexen	NaOR		5
1-Oxo-1,2-bis-[2-methoxy-phenyl]-äthan	Butenon	b	3-Oxo-1,6-bis-[2-methoxy-phenyl]-cyclohexen	Na–OC₂H₅	56	6
2-Oxo-3-(4-methoxy-phenyl)-propansäure	Butenon	c	3-Oxo-6-(4-methoxy-phenyl)-1-carboxy-cyclohexen	NaOH	86	7
3-Oxo-1-(2-hydroxy-phenyl)-buten-(1)	3-Oxo-1-(2-hydroxy-phenyl)-buten	d	3-Oxo-1-[2-(2-hydroxy-phenyl)-vinyl]-3-(2-hydroxy-phenyl)-cyclohexen	NaOH		8
2-Oxo-1-pyridyl-(2)-propan	Butenon		3-Oxo-1-methyl-4-pyridyl-(2)-cyclo-hexen		~25	9

a Trimethyl-benzol-ammonium-hydroxid
b Methylvinylketon maskiert als Methjodid einer Mannich-Base
c nach Erhitzen des Aldol-Additionsproduktes auf 180°.
d das gleiche Molekül reagiert als Donator sowie als Acceptor

1 B. E. RATCLIFFE u. C. A. HEATHCOCK, Synth. Commun. 2, 157 (1972).
2 C. M. CIMARUSTI u. J. WOLINSKY, J. Org. Chem. 36, 1871 (1971).
3 J. COLONGE, J. DREUX u. R. CHAPURLAT, C. r. 251, 252 (1960).
4 G. N. WALKER, Am. Soc. 77, 3664 (1955).
5 M. M. R. CORNUBERT et al., Bl. [5] 2, 195 (1935).
6 R. L. HUANG, Soc. 1954, 3655.
7 F. E. ZIEGLER u. M. E. CONDON, J. Org. Chem. 36, 3707 (1971).
8 R. KUHN u. D. WEISER, B. 88, 1601 (1955).
9 H. BEYER, W. LÄSSIG u. G. SCHUDY, B. 90, 592 (1957).

als Katalysator in Toluol *3-Oxo-1-methyl-4-isopropyliden-cyclohexen-(1)* (41% d.Th.; I)[1,2]:

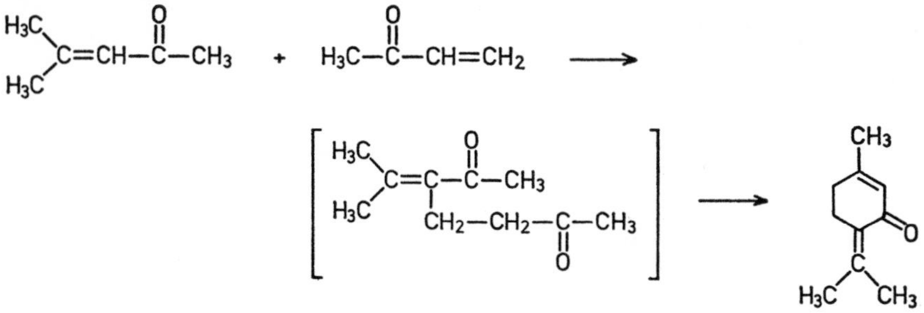

a_3) *2-Alkoxycarbonyl-1,5-diketone*
aa_1) Reine Addition

Da β-Dicarbonyl-Verbindungen wie z.B. die β-Oxo-carbonsäureester aufgrund günstiger Mesomeriemöglichkeiten ihrer Anionen eine erheblich größere CH-Acidität aufweisen als einfache Ketone, lassen sich mit ihnen Reaktionen in hoher Ausbeute durchführen, die bei Ketonen nicht möglich sind. So genügen schon schwache Basen wie Piperidin, um im Sinne der folgenden Gleichung eine Michael-Addition zwischen dem Acceptor I und Acetessigsäureester ablaufen zu lassen[3]; z. B.:

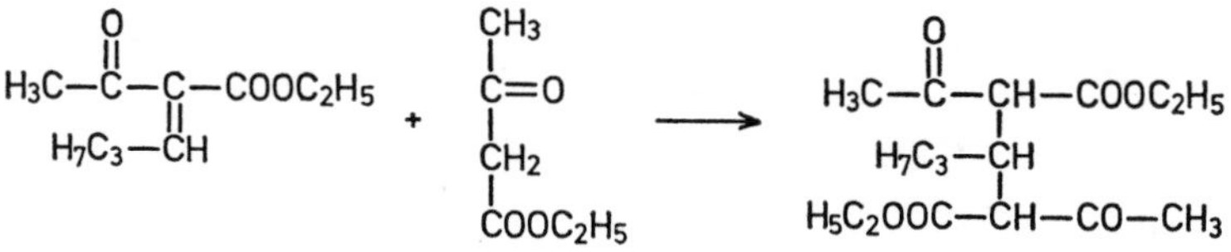

II; *3-Propyl-2,4-diacetyl-glutar-säure-diäthylester*

Die Besonderheit der Reaktion liegt darin, daß man bei einem molaren Verhältnis von 2:1 aus Acetessigsäureester und Butanal das Addukt II erhält, ohne daß es nötig wäre, den Acceptor I als definierte Verbindung einzusetzen. In völlig analoger Weise entsteht so auch aus Acetessigsäure-äthylester und 4-Cyan-benzaldehyd in 77%iger Ausbeute das Addukt III[4]:

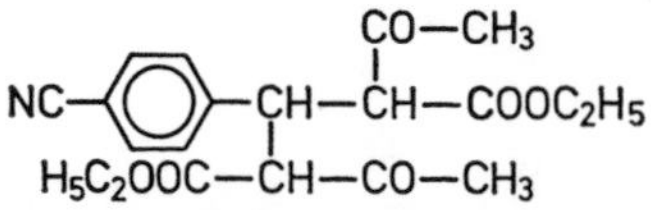

III; *3-(4-Cyan-phenyl)-2,4-diacetyl-glutarsäure-diäthylester*

---

[1] D. Bergmann u. P. Bracha, J. Org. Chem. **24**, 994 (1959).
[2] S. Ohshiro u. K. Doi, J. pharm Soc. Japan **88**, 417 (1968).
[3] E. C. Horning, M. O. Denekas u. R. E. Field, J. Org. Chem. **9**, 547 (1944).
[4] F. J. Dyer, D. A. A. Kidd u. J. Walker, Soc. **1952**, 4778.

In Gegenwart der schwachen Base sind die Addukte stabil, cyclisieren jedoch auf Zusatz von Salzsäure spontan zu den entsprechenden Cyclohexenonen.

Statt schwacher Basen lassen sich als Katalysator mit Vorteil auch basische Ionenaustauscher (Typ Amberlit JR A 400 oder JR A 410) verwenden[1]. Doch auch fast alle anderen Basen sind geeignet, wenn man nur katalytische Mengen verwendet und die Reaktionstemperatur nicht zu hoch gewählt wird.

Aus Acetessigsäureester und α,β-ungesättigten Ketonen, die auch in maskierter Form vorliegen können, erhält man die offenen Addukte in guten Ausbeuten, wie Tab. 210 zeigt:

Tab. 210. Umsetzung von Acetessigsäure-äthylester mit α,β-ungesättigten Ketonen

α,β-ungesättigtes Keton bzw. dessen Vorläufer	Kataly-sator	Reaktionsprodukt	Ausbeute [% d.Th.]	Literatur
Butenon	Triton B[a]	*5-Oxo-2-acetyl-hexansäure-äthylester*	48	2
	KOH		90	2
	Na–OCH$_3$		88	3
4-Oxo-1,1-dimethyl-piperidinium-jodid	K–OC$_2$H$_5$	*7-Dimethylamino-5-oxo-2-acetyl-heptansäure-äthylester*	21	4
1-Chlor-3-oxo-butan	Na–OC$_2$H$_5$	*5-Oxo-2-acetyl-hexansäure-äthylester*		5
3-Oxo-1-(3,4-methylendioxy-phenyl)-nonen-(1)	Na–OC$_2$H$_5$	*5-Oxo-3-(3,4-methylendioxy-phenyl)-2-acetyl-nonansäure-äthylester*	65	6
3-Oxo-1-cyclohexen-(4)-yl-propen	KOH/Methanol	*5-Oxo-5-cyclohexen-(4)-yl-2-acetyl-pentansäure-äthylester*		7
3-Oxo-3-cyclohexyl-propen	KOH/Methanol	*5-Oxo-5-cyclohexyl-2-acetyl-pentansäure-äthylester*		7
7-Oxo-6,8-dimethoxy-carbonyl-7H-⟨benzocycloheptatrien⟩	NaOCH$_3$ (äquimolar)	*7-Hydroxy-5-(2-oxo-1-methoxy-carbonyl-propyl)-6,8-dimethoxycarbonyl-5H-⟨benzocycloheptatrien⟩*	94	8

[a] Trimethyl-benzyl-ammonium-hydroxid.

Gerade das 4. Beispiel der Tab. 210 zeigt den Einfluß der Temperatur besonders deutlich: Nur bei 5° kann man nämlich die acyclische Verbindung erhalten, wird unter sonst gleichen Bedingungen unter Rückfluß erhitzt, so erhält man *3-Oxo-1-(2-methyl-propyl)-5-(3,4-methylendioxy-phenyl)-cyclohexen* in 50%iger Ausbeute[9].

[1] E. D. Bergmann u. R. Corett, J. Org. Chem. **21**, 107 (1956).
[2] N. C. Ross u. R. Levine, J. Org. Chem. **29**, 2346 (1964).
[3] H. Henecka, B. **81**, 179, 197 (1948); **82**, 104, 112 (1949).
[4] H. E. Cardwell u. F. J. McQuillin, Soc. **1949**, 708.
[5] E. E. Blaise u. M. Maire, Bl. [4] **3**, 421 (1908).
[6] H. Wachs u. O. F. Hedenburg, Am. Soc. **70**, 2695 (1948).
[7] G. P. Kugatova-Shemyakina u. V. I. Vidugirene, Ž. Org. Chim. **2**, 685 (1966); engl.: 687.
[8] B. Föhlisch et al., A. **1973**, 1681.
[9] O. F. Hedenburg u. H. Wachs, Am. Soc. **70**, 2216 (1948).
  US.P. 2524107 (1950), H. W. Moburg, Erf.: O. F. Hedenburg; C.A. **45**, 811 (1951).

Abhängigkeit von der Katalysatormenge und den molaren Verhältnissen der Reaktanten zueinander wird bei der Umsetzung von 3-Oxo-3-phenyl-propan-säure-äthylester mit Butenon offenbar:

$$H_5C_6-\overset{\overset{\textstyle O}{\|}}{C}-CH_2-COOC_2H_5 \quad + \quad H_3C-\overset{\overset{\textstyle O}{\|}}{C}-CH=CH_2 \quad \xrightarrow{\text{Triton B}}$$

I   II

III (H_5C_2OOC, C_6H_5)

oder

$$H_5C_6-\overset{\overset{\textstyle O}{\|}}{C}-\underset{\underset{\textstyle CH_2-CH_2-\overset{\overset{\textstyle O}{\|}}{C}-CH_3}{|}}{CH}-COOC_2H_5$$

IV

I : II = 1 : 1 + große Menge Kat.   →   III; *6-Oxo-2-phenyl-3-äthoxycarbonyl-cyclohexen*[1];
                                                   55% d. Th.
        = 2 : 1 + katalyt. Menge Kat.   →   IV; *5-Oxo-2-benzoyl-hexansäure-äthylester*[2];
                                                     86% d. Th.

Da 3-Oxo-alkansäureester bzw. 3-Oxo-3-aryl-propansäureester in α-Stellung zwei acide Wasserstoffatome besitzen, lassen sich bei Anwendung von zwei Molen Acceptor die Di-Addukte herstellen, z.B.: aus Acetessigsäure-äthylester und zwei Molen Butenon *5-Oxo-2-(3-oxo-butyl)-2-acetyl-hexansäure-äthylester*[3].

$$H_3C-CO-\overset{\overset{\textstyle CH_2-CH_2-\overset{\overset{\textstyle O}{\|}}{C}-CH_3}{|}}{\underset{\underset{\textstyle CH_2-CH_2-\overset{\overset{\textstyle }{|}}{\underset{\textstyle O}{\|}}-CH_3}{|}}{C}}-COOC_2H_5$$

α-monosubstituierte β-Dicarbonyl-Verbindungen sind daher ebenfalls als Donator-Verbindungen in der Michael-Addition geeignet; z.B. reagiert 3-Oxo-2-methyl-butansäure-äthylester in Gegenwart von Kalium-tert.-butanolat mit Butenon zu *5-Oxo-2-methyl-2-acetyl-hexansäure-äthylester* (50% d. Th.)[4].

Die mit guter Ausbeute verlaufende Michael-Addition des Formyl-bernsteinsäure-diäthylesters an Butenon erfolgt in Gegenwart von 0,1 Mol Kalium-tert.-butanolat. Es stellt sich ein Gleichgewicht ein, das bei 75% Umsatz liegt[5]:

$$\underset{OHC}{\overset{H_5C_2OOC}{\diagdown}}C\underset{H}{\overset{CH_2-COOC_2H_5}{\diagup}} \quad + \quad H_2C=CH-\overset{\overset{\textstyle O}{\|}}{C}-CH_3 \quad \overset{75\%}{\rightleftharpoons}$$

$$\underset{OHC}{\overset{H_5C_2OOC}{\diagdown}}C\underset{CH_2-CH_2-\overset{\overset{\textstyle O}{\|}}{C}-CH_3}{\overset{CH_2-COOC_2H_5}{\diagup}}$$

2-(3-Oxo-butyl)-2-formyl-bernsteinsäure-diäthylester

[1] G. N. Walker, Am. Soc. **77**, 3664 (1955).
[2] N. C. Ross u. R. Levine, J. Org. Chem. **29**, 2346 (1964).
[3] H. Henecka, *Chemie der β-Dicarbonyl-Verbindungen*, S. 242, Springer-Verlag, Heidelberg 1950.
[4] H. Plieninger u. F. Suehiro, B. **89**, 2789 (1956).
[5] H. Plieninger et al., B. **94**, 2106 (1961).

Saure Enole wie der Formyl-bernsteinsäure-diäthylester sind nur selten als Donatoren für die Michael-Addition beschrieben worden[1-3], bieten jedoch den großen Vorteil, daß die die große Acidität hervorrufende β-Dicarbonyl-Gruppierung durch Entfernung der Formyl-Gruppe rückgängig gemacht werden kann[2] (vergl. a. S. 1665).

Auch γ-ständige Substituenten können den Verlauf der Michael-Addition eines β-Oxo-carbonsäureesters an ein α,β-ungesättigtes Keton beeinflussen. Der Einfluß γ-ständiger elektronegativer Substituenten wie Fluor wurde bei der Umsetzung von 4-Fluor-3-oxo-butansäure-äthylester mit Butenon oder 3-Oxo-1,3-diphenyl-propen (Chalkon) in Gegenwart verschiedener Katalysatoren wie Natriumhydroxid, Di- und Tri-äthylamin, Triton B und Natrium-äthanolat[1] untersucht[4]. In der Arbeit werden jedoch keine experimentellen Einzelheiten angegeben.

Statt des bisher nur erwähnten Acetessigsäureesters lassen sich selbstverständlich auch andere β-Oxo-carbonsäureester mit 3-Oxo-alkenen-(1) umsetzen. Eine kleine Auswahl der Möglichkeiten bringt Tab. 211.

Tab. 211. Umsetzungen von 3-Oxo-carbonsäureestern mit 3-Oxo-alkenen-(1)

β-Oxo-carbon-säureester	α,β-ungesättigtes Keton	Reaktionsprodukt	Ausbeute [%d.Th.]	Literatur
3-Oxo-pentan-säure-äthyl-ester	Butenon	5-Oxo-2-propanoyl-hexansäure-äthylester	77	5
3-Oxo-4-methyl-pentansäure-äthylester	4-(Methyl-diäthyl-ammonium)-2-oxo-butan-jodid	5-Oxo-2-(2-methyl-pro-panoyl)-hexansäure-äthylester	65	6
3-Oxo-2-methyl-hexandisäure-dimethylester	4-Oxo-1-methyl-thio-niumpyran-jodid	3-Oxo-2-methyl-2-(5-me-thylmercapto-3-oxo-pentyl)-hexandisäure-dimethylester	70	7
3,10-Dioxo-2,6-dimethyl-undecandien-(4,6)-säure-methylester	3-Oxo-penten-(1)	2,9,13-Trioxo-6,10-di-methyl-10-methoxy-carbonyl-pentade-cadien-(5,7)		8

Vinyl-aryl-ketone geben mit 3-Oxo-alkansäureestern entweder α-Alkoxy-carbonyl-1,5-diketone oder deren Cyclisierungsprodukte. Je nach verwendetem Katalysator läßt sich die Reaktion manchmal auf den einzelnen Stufen ab-

[1] F. KORTE u. K. H. BÜCHEL, Ang. Ch. **71**, 709 (1959).
[2] R. B. WOODWARD et al., Am. Soc. **74**, 4223 (1952).
[3] H. PLIENINGER, L. ARNOLD u. W. HOFFMANN, B. **98**, 1399 (1965).
[4] A. OSTASZYNSKI, Bull. Acad. Polon. Sci, Ser. Sci. Chim. **8**, 599 (1960); C.A. **60**, 1636 (1964).
[5] E. BUCHTA, u. G. SATZINGER, B. **92**, 468 (1959).
[6] J. K. ROY, Sci. Culture **19**, 569 (1954).
[7] M. M. E. CARDWELL, Soc. **1949**, 715.
[8] J. A. EDWARD et al., Chem. Commun. **1971**, 292.

brechen, wie die Umsetzung von 3-Oxo-1,3-diphenyl-propen (Chalkon) mit Acetessigsäure-äthylester zeigt[1]:

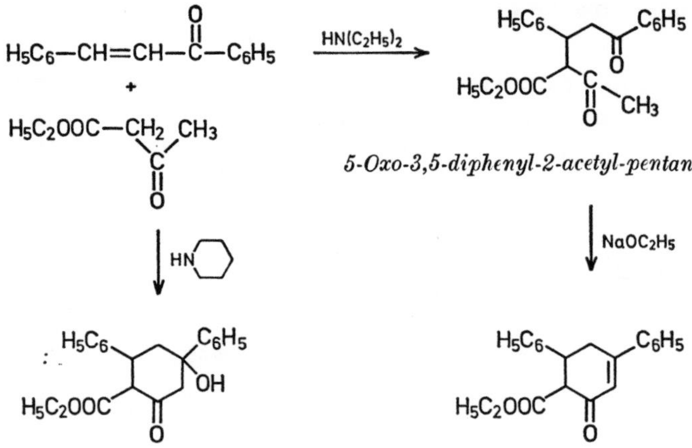

5-Oxo-3,5-diphenyl-2-acetyl-pentansäure-äthylester

4-Hydroxy-6-oxo-2,4-diphenyl-
1-äthoxycarbonyl-cyclohexan

3-Oxo-1,5-diphenyl-4-äthoxycarbonyl-
cyclohexen

In anderen Fällen bleibt die Reaktion zwangsläufig auf der 1,5-Diketon-Stufe
stehen, da keine kondensationsfähigen Methylen-Gruppen vorhanden sind[2]:

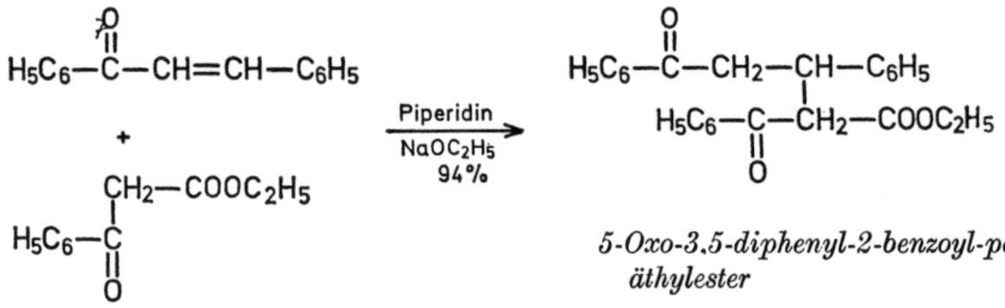

5-Oxo-3,5-diphenyl-2-benzoyl-pentansäure-
äthylester

aa_2) 1,5-Diketone unter Bedingungen, die zur Cyclisierung führen

Weitaus die größte Zahl der primären Addukte aus β-Oxo-carbonsäureestern und
Alkyl-vinyl-ketonen läßt sich entweder von vornherein nicht isolieren oder wird
unter Bedingungen hergestellt, die darauf abgestellt sind, daß nur Cyclisierungsprodukte der primären 1,5-Diketone entstehen. Das gilt vor allem für die Fälle, in
denen das Gleichgewicht der Additions-Reaktion ganz auf Seiten der Komponenten
liegt. Nur durch die Sekundärreaktion der Aldol-Kondensation wird das instabile
primäre Additionsprodukt, das wegen seiner geringen Bildungstendenz nur in sehr
geringer Konzentration vorliegt, irreversibel aus dem Gleichgewicht entfernt. Beispielsweise gelingt es nur in Gegenwart eines vollen Moles Natrium-äthanolat, Acetessigsäure-äthylester (I) mit 4-Oxo-2-methyl-penten-(2) (Mesityloxid; II) umzusetzen,
da sich unter diesen Bedingungen das 3-Oxo-1,5,5-trimethyl-cyclohexen (III) bilden

[1] G. A. Hanson, Bl. Soc. chim. Belg. 65, 1024 (1956).

[2] R. Connor u. D. B. Andrews, Am. Soc. 56, 2713 (1934).
   E. Knoevenagel, A. 281, 25 (1894).

kann, wohingegen mit katalytischen Mengen einer Base auch bei höheren Temperaturen keine Reaktion stattfindet[1]:

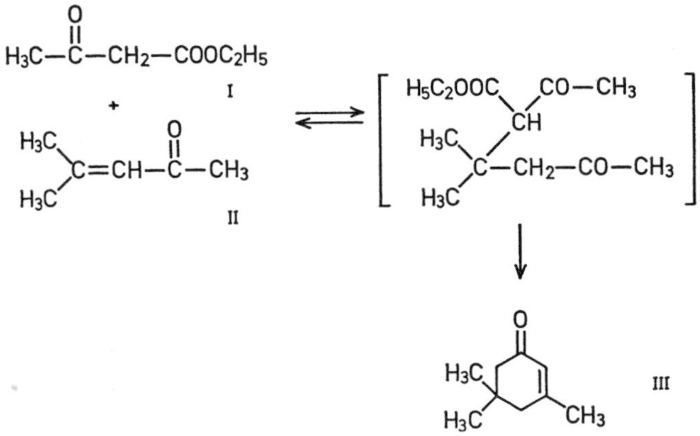

$$
\begin{array}{c}
\underset{\displaystyle I}{H_3C-\overset{\overset{\textstyle O}{\|}}{C}-CH_2-COOC_2H_5} \\[2mm]
+ \\[2mm]
\underset{\displaystyle II}{\underset{H_3C}{\overset{H_3C}{}}\!\!>\!C=CH-\overset{\overset{\textstyle O}{\|}}{C}-CH_3}
\end{array}
\;\rightleftharpoons\;
\left[\,
\begin{array}{c}
H_5C_2OOC\quad CO-CH_3 \\
\diagdown\!\overset{\textstyle CH}{}\!\diagup \\
\underset{H_3C}{\overset{H_3C}{}}\!\!>\!C-CH_2-CO-CH_3
\end{array}
\,\right]
$$

III

Neben dem Keton III werden unter bestimmten Bedingungen auch *3-Oxo-1,5,5-trimethyl-6-äthoxycarbonyl-* (IV) und *3-Oxo-1,5,5-trimethyl-4-äthoxycarbonyl-cyclohexen* (V) gefunden[2]:

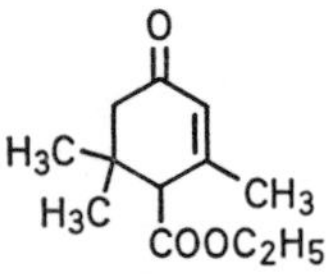

IV 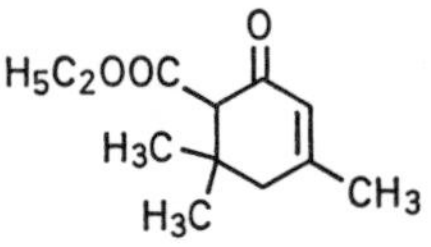   V

Es sei hier kurz angedeutet, daß eine Aldol-Kondensation, die zur Cyclisierung führt, in ihrer Richtung durch die unterschiedliche Reaktivität der kondensationsfähigen Gruppen festgelegt ist. Die Addition von Acetessigsäure-äthylester und Homologen an α,β-ungesättigte Ketone gibt 3-Oxo-4-äthoxycarbonyl-cyclo-hexen-Derivate, das heißt β-Oxo- und nicht δ-Oxo-carbonsäureester, ob man die Reaktion in zwei Stufen[3] (erst Michael-Addition, dann Cyclisierung) oder in Gegenwart von Natrium-äthanolat in einer Stufe durchführt[4]. Die Orientierung der Addition ist die gleiche auch für den Fall, daß eine maskierte α,β-ungesättigte Verbindung angewendet wird[5], wie die Herstellung des *3-Oxo-1-methyl-4-isopropyl-cyclo-hexens* aus verschiedenartig maskiertem Butenon und 3-Methyl-2-acetyl-butansäure-äthylester beweist:

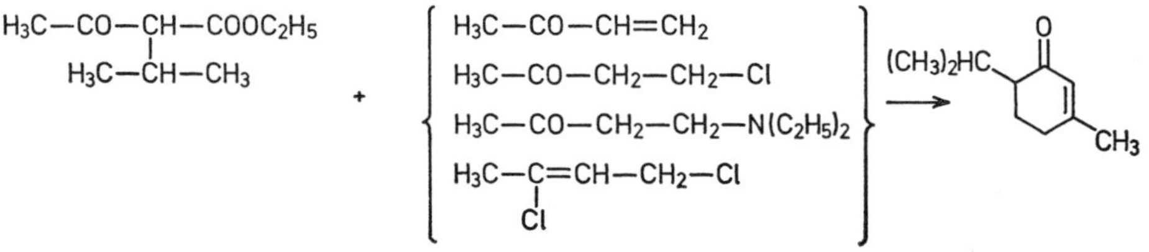

---

[1] H. HENECKA, *Chemie der β-Dicarbonylverbindungen*, S. 264, Springer-Verlag, Heidelberg 1950.
[2] J. D. SUTMATIS et al., J. Org. Chem. **35**, 1053 (1970).
[3] E. E. BLAISE u. M. MAIRE, Bl. **3**, 418 (1908).
   H. HENECKA, B. **82**, 112 (1949).
   E. BUCHTA, B. **92**, 468 (1959).
[4] S. M. ABDULLAH, J. indian. chem. Soc. **12**, 62 (1935).
[5] R. N. LACEY, Soc. **1960**, 1625.

Ist nur eine kondensationsfähige Gruppe im Addukt vorhanden, so liegt die Richtung ohnehin fest: 3-Oxo-3-phenyl-propansäureester gibt mit Butenon *3-Oxo-1-phenyl-6-äthoxycarbonyl-cyclohexen* (55% d. Th.; IV), neben *2-Hydroxy-4-oxo-2-phenyl-1-äthoxycarbonyl-cyclohexan* (21% d. Th.; V)[1]:

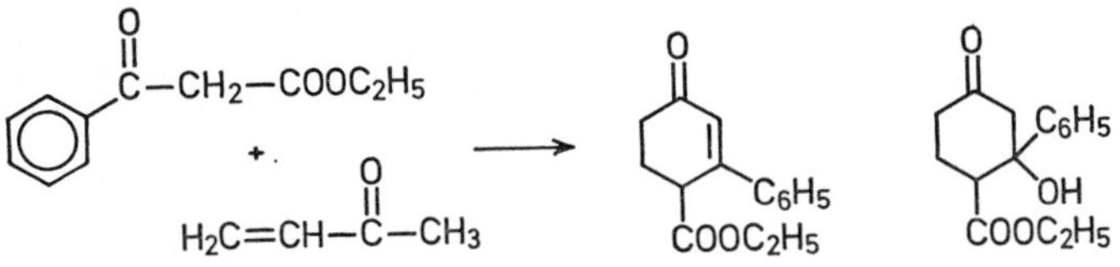

Butenon liefert mit 3-Methyl-2-acetyl-butansäure-äthylester *3-Oxo-1-methyl-4-isopropyl-4-äthoxycarbonyl-cyclohexen* (35% d. Th.)[2].

Die Reaktion α,β-ungesättigter Alkyl-vinyl-ketone mit β-Oxo-carbonsäureestern ist weitgehend variierbar. Statt Butenon wurde z. B. umgesetzt

	+ 3-Oxo-2-methyl-buten-(1)[3]	+ 3-Oxo-2-methyl-penten-(1)[3]
Acetessigsäure-äthylester	*3-Oxo-1,6-dimethyl-4-äthoxycarbonyl-cyclohexen*	*3-Oxo-6-methyl-1-äthyl-4-äthoxycarbonyl-cyclohexen*
3-Oxo-pentansäure-äthylester	*3-Oxo-1,2,6-trimethyl-4-äthoxycarbonyl-cyclohexen*	*3-Oxo-2,6-dimethyl-1-äthyl-4-äthoxycarbonyl-cyclohexen*
3-Oxo-2-methyl-buten-(2)-säure-äthylester	*3-Oxo-1,4,6-trimethyl-4-äthoxycarbonyl-cyclohexen*	*3-Oxo-4,6-dimethyl-1-äthyl-4-äthoxycarbonyl-cyclohexen*
2-Acetyl-buten-(2)-säure-äthylester	*3-Oxo-1,6-dimethyl-4-acetyl-4-äthoxycarbonyl-cyclohexen*	*3-Oxo-6-methyl-1-äthyl-4-acetyl-4-äthoxycarbonyl-cyclohexen*

Auch Benzylidenketone können umgesetzt werden[4]:

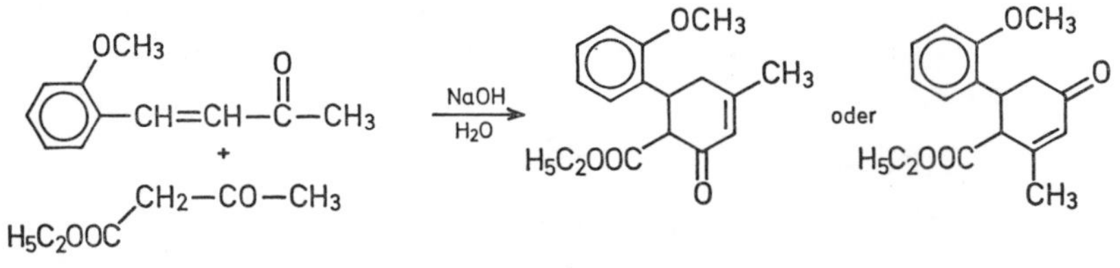

3-Oxo-1-methyl-5-(2-methoxy-phenyl)-4-äthoxycarbonyl-cyclohexen

3-Oxo-1-methyl-5-(2-methoxy-phenyl)-6-äthoxycarbonyl-cyclohexen

[1] G. N. Walker, Am. Soc. **77**, 3664 (1955).
 D. G. Farnum et al., J. Org. Chem. **36**, 698 (1971).
[2] G. N. Walker, Soc. **1935**, 1585.
[3] J. Décombe, C. r. **205**, 680 (1937).
 T. A. Forster u. J. M. Heilbron, Soc. **125**, 340 (1924).

Trägt der aromatische Kern jedoch in o-Stellung eine Hydroxy-Gruppe, so findet nicht Aldol-Kondensation statt, sondern Pyran-Bildung. Aus 3-Oxo-1-(2-hydroxy-phenyl)-buten-(1) und Acetessigsäure, 3-Oxo-2-methyl-butansäure oder 3-Oxo-2-phenyl-butansäure-äthylester entstehen so *2-Methyl-4-(2-oxo-propyl)-4H-chromen* (V), *2,3-Dimethyl-4-(2-oxo-propyl)-4H-chromen* (VI) und *2-Methyl-4-(2-oxo-propyl)-3-phenyl-4H-chromen* (VII)[1,2]:

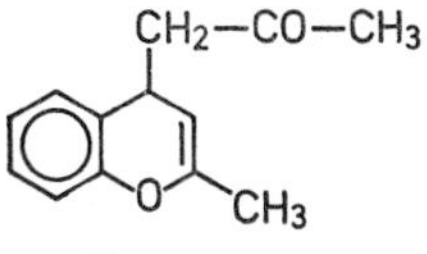

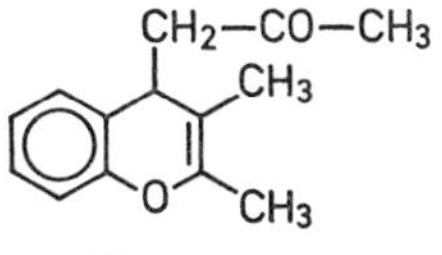

In Tab. 212 (S. 1642) sind einige Beispiele für eine bereits auf S. 1541 erwähnte Variante der Michael-Addition angeführt, die darin besteht, daß statt der freien α,β-ungesättigten Ketone deren zugehörige Mannich-Basen beziehungsweise deren quaternäre Salze verwendet werden.

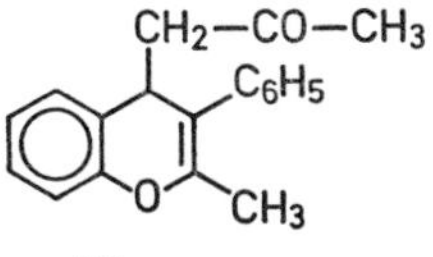

Die aus Aldehyden und β-Oxo-carbonsäureestern leicht zugänglichen β-Oxo-α-alkyliden (bzw.-aryl-methylen)-carbonsäureester kondensieren in Gegenwart molarer Mengen einer Base zu substituierten Cyclohexen-(1)-onen-(3). Aus Acetessigsäure-äthylester und Aceton gelangt man auf diese Weise über das Knoevenagel-Kondensationsprodukt I durch Michael-Addition eines weiteren Mols Acetessigsäure-äthylester zu dem Additionsprodukt II und nach dessen Aldol-Kondensation zu *3-Oxo-1,5,5-trimethyl-6-äthoxycarbonyl-cyclohexen* (III)[3]:

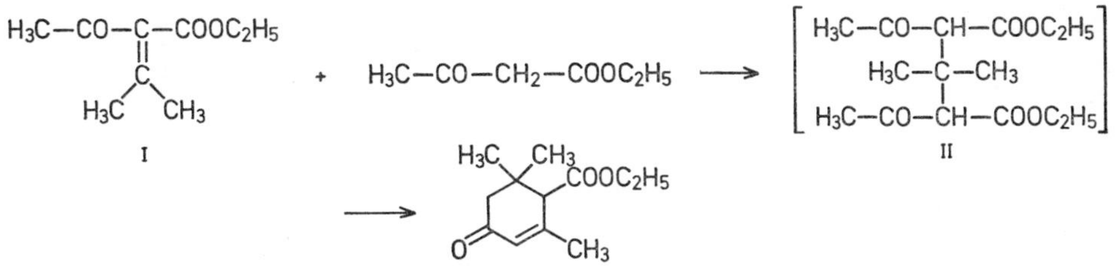

Bei Verwendung von Kalium-tert.-butanolat läßt sich die Reaktionszeit von vier Wochen auf 6 Stdn. verkürzen[4].

In ähnlicher Weise wurde Acetessigsäure-äthylester in Gegenwart von Piperidin mit Heptanal[3] zum *3-Oxo-1-methyl-5-hexyl-cyclohexen*, mit Butanal[5] zum *3-Oxo-*

---

[1] T. A. FORSTER u. J. M. HEILBRON, Soc. **125**, 340 (1924).

[2] R. HILL, Soc. **1928**, 256.

[3] G. MERLING u. R. WELDE, A. **366**, 119 (1909); B. **38**, 979 (1905).

[4] O. JEGER u. G. BÜCHI, Helv. **31**, 134 (1948).

[5] E. C HORNING, M. O. DENEKAS u. R. E. FIELD, J. Org. Chem. **9**, 547 (1944).

Tab. 212. Substituierte Cyclohexen-(1)-one-(3) aus Oxo-Mannichbasen und β-Oxo-carbonsäureestern

Mannichbase	β-Oxo-carbonsäureester	Katalysator	Cyclohexen-(1)-one-(3)	Ausbeute [% d.Th.]	Literatur
1-(1-Methyl-morpholinio)-3-oxo-butan	3-Methyl-2-acetyl-butansäure-äthylester	$NaOC_2H_5$	3-Oxo-1-methyl-4-isopropyl-cyclo-hexen	50	1
5-Dimethylamino-3-oxo-2-methyl-pentan	Acetessigsäure-äthylester	$NaOC_2H_5$	3-Oxo-1-isopropyl-cyclohexen	—	2
3-Diäthylamino-1-oxo-1-cyclo-hexyl-propan-Hydrochlorid	3-Oxo-2-methyl-butansäure-äthylester	$K—OC(CH_3)_3$	3-Oxo-1-cyclohexyl-cyclohexen	30	3
1-(1-Methyl-piperidinio)-3-oxo-2-methyl-butan-jodid	3-Oxo-4-methyl-pentansäure-äthylester	$NaOC_2H_5$	3-Oxo-4-methyl-1-isopropyl-cyclo-hexen[a]	38	4
4-Dimethylamino-2-oxo-butan	Acetessigsäure-äthylester	$NaOC_2H_5$	3-Oxo-1-methyl-6-äthoxycarbonyl-cyclohexen	—	5
4-(Methyl-diäthyl-ammonio)-2-oxo-butan-jodid	3-Oxo-2-benzyl-butansäure-äthylester	$NaOC_2H_5$	3-Oxo-1-methyl-4-benzyl-cyclohexen	—	6
	3-Oxo-2-methyl-hexandisäure-dimethylester	$NaOCH_3$/Pyridin	3-Oxo-6-methyl-1-(2-methoxycarbonyl-äthyl)-6-methoxycarbonyl-cyclohexen	8	7
5-(1-Methyl-morpholinio)-3-oxo-2,2-dimethyl-pentan	Acetessigsäure-äthylester	$NaOC_2H_5$	3-Oxo-1-tert.-butyl-cyclohexen	45	2

[a] Adduktbildung 65% d.Th.; Cyclisierung und Decarboxylierung durch Schwefelsäure in Essigsäure.

1 A. M. Downes, N. S. Gill u. F. Lions, Am. Soc. 72, 3464 (1950).
2 M. R. Jacquier u. S. Boyer, Bl. 1954, 442.
3 F. C. Novello, M. E. Christy u. J. M. Sprague, Am. Soc. 75, 1330 (1953).
4 J. K. Roy, Sci. Culture 19, 156; C. A. 48, 13660 (1954).
5 W. Dilthey et al., J. pr. [2] 141, 331 (1934).
6 R. Jacquier u. S. Boyer, Bl. 1954, 717.
7 R. Robinson u. E. Seijo, Soc. 1941, 582.

1-methyl-5-propyl-cyclohexen und mit Propanal[1] zum *3-Oxo-1-methyl-5-äthyl-cyclo-hexen* umgesetzt. An aromatischen Aldehyden wurden mit Acetessigsäure-äthylester Benzaldehyd und substituierte Benzaldehyde zur Reaktion gebracht, und zwar:

Benzaldehyd (mit Piperidin)[1]	→	*4-Hydroxy-6-oxo-4-methyl-2-phenyl-1,3-diäthoxy-carbonyl-cyclohexan*
4-Nitro-benzaldehyd (mit Piperidin)[1,2]	→	*4-Hydroxy-6-oxo-4-methyl-2-(4-nitro-phenyl)-1,3-diäthoxycarbonyl-cyclohexan*
2-Methoxy-benzaldehyd (mit Natriumäthanolat)[1,3]	→	*4-Hydroxy-6-oxo-4-methyl-2-(4-methoxy-phenyl)-1,3-diäthoxycarbonyl-cyclohexan*
3,4-Methylendioxy-benz-aldehyd(mit Trimethyl-benzyl-ammonium-hy-droxid; Triton B)[4]	→	*4-Hydroxy-6-oxo-4-methyl-2-(3,4-methylendioxy-phenyl)-1,3-diäthoxycarbonyl-cyclohexan* ~20 % d.Th.

In allen Fällen werden nur die reinen Aldol-Additionsprodukte der primären Additionsprodukte der Michael-Addition erhalten, z. B. aus Benzaldehyd und 2 Mol Acetessigsäure-äthylester *4-Hydroxy-6-oxo-4-methyl-2-phenyl-1,3-diäthoxycarbonyl-cy-clohexan*:

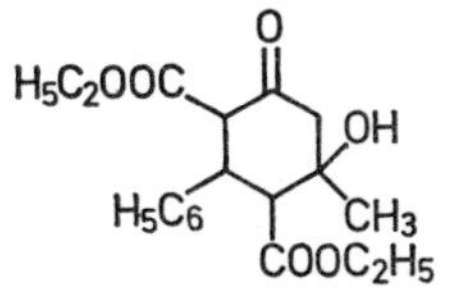

Statt des Acetessigsäure-äthylesters lassen sich auch Acetessigsäure-a n i l i d und -4-methyl-anilid in die oben geschilderte Reaktionsfolge einsetzen[5]. Mit Pyridin als Katalysator und aliphatischen Aldehyden als Reaktionskomponenten werden die der Verbindung (I) analogen 3-Hydroxy-1-oxo-cyclohexane erhalten: z. B. aus 2-Acetyl-buten-(2)-säure-anilid (II) und Acetessigsäure-anilid (III) *4-Hydroxy-6-oxo-2,4-dimethyl-1,3-dianilinocarbonyl-cyclohexan* (IV):

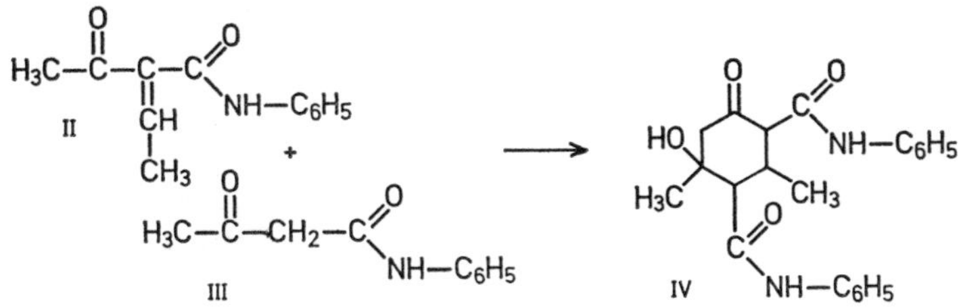

Sehr ausführlich wird die Addition von β-Oxo-carbonsäureestern (Acetessigsäure-ester und a-alkylierte Acetessigsäureester) an V i n y l - p h e n y l - k e t o n e beschrieben[6], die als Hydrochloride der entsprechenden β-Dimethylamino-alkyl-ketone, als Mannich-ketone oder quaternäre Salze der Mannich-ketone eingesetzt werden. Dabei ist zu sagen, daß erstere instabil, letztere häufig nicht kristallin und schwer zu

[1] D. RABE u. F. ELZE, A. **323**, 83 (1902).
[2] E. KNOEVENAGEL, A. **303**, 223 (1898).
[3] R. V. SCHILLING u. D. VORLÄNDER, A. **308**, 184 (1899).
[4] G. N. WALKER, Am. Soc. **77**, 3664 (1955).
[5] P. PASTOUR, C. r. **237**, 1094 (1953).
[6] F. C. NOVELLO, M. E. CHRISTY u. J. M. SPRAGUE, Am. Soc. **75**, 1330 (1953).

reinigen sind. Verwendet man als Katalysator Kalium-tert.-butanolat, so erhält man nach folgendem allgemeinen Schema substituierte Cyclohexen-(1)-one-(3) in guter Ausbeute:

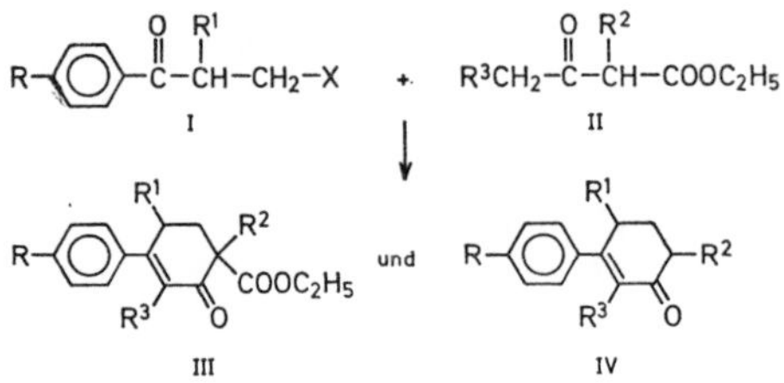

Beispiele werden in der nachfolgenden Tab. 213 (S. 1645) gegeben.

Statt 3-Oxo-3-phenyl-propen läßt sich auch 3-Oxo-3-naphthyl-(2)-propen (2-Propenoyl-naphthalin) einsetzen[1]. Die Ausbeute an entsprechendem Cyclohexen-(1)-on-(3) liegt bei 70% d.Th. [z.B. *3-Oxo-1-naphthyl-(2)-cyclohexen-(1)*].

Die schon bei Alkyl-vinyl-ketonen beobachtete Neigung zur Chroman-Bildung tritt in gleicher Weise bei Vinyl-aryl-ketonen, die an der Doppelbindung in β-Stellung durch einen 2-Hydroxy-phenyl-Rest substituiert sind, ein. Aus 3-Oxo-3-phenyl-1-(2-hydroxy-phenyl)-propen (I) und 3-Oxo-2-methyl-butansäure-äthylester (II) entsteht so in Gegenwart einer äthanolischen Natrium-äthanolat-Lösung durch Michael-Addition und Ätherringschluß in einem Schritt *2,3-Dimethyl-4-(2-oxo-2-phenyl-äthyl)-chroman* (III)[2]:

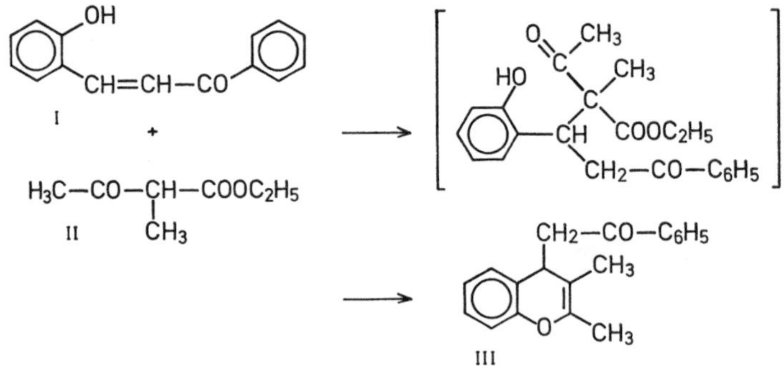

In gleicher Weise reagieren 3-Oxo-2-phenyl-butansäure-äthylester[2] und 3-Oxo-3-phenyl-propansäure-äthylester zu *2-Methyl-4-(2-oxo-2-phenyl-äthyl)-3-phenyl-* bzw. *4-(2-Oxo-2-phenyl-äthyl)-2-phenyl-chroman*[3]. Mit Acetessigsäure-äthylester dagegen ist der Reaktionsverlauf insofern anders, als zusätzlich Aldol-Addition eintritt.

---

[1] F. C. Novello u. M. E. Christy, Am. Soc. **75**, 5431 (1953).

[2] R. Hill, Soc. **1928**, 256.

[3] T. A. Forster u. I. M. Heilbron, Soc. **125**, 340 (1924).

Tab. 213. Substituierte Cyclohexen-(1)-one-(3) aus den Vorstufen der Vinyl-phenyl-ketone und β-Oxo-carbonsäureestern

I (vgl. S. 1644)			II		Katalysator	Reaktionsprodukt (III; IV)	Ausbeute [%d.Th.]	Literatur
X	R	R^1	R^2	R^3				
$(H_3C)_2N$; HCl	H	H	H	H	$KOC(CH_3)_3$	3-Oxo-1-phenyl-cyclohexen	60	[1]
$(H_3C)_2N$	H	H	H	H	$NaOC_2H_5$	3-Oxo-1-phenyl-4-äthoxycarbonyl-cyclo-hexen	30	[2,3]
$(H_3C)_2N$; HCl	OH	H	H	H	$KOC(CH_3)_3$	3-Oxo-1-(4-hydroxy-phenyl)-cyclohexen	71	[1]
$(H_3C)_2N$; HCl	OH	H	C_2H_5	H	$KOC(CH_3)_3$	3-Oxo-4-äthyl-1-(4-hydroxy-phenyl)-cyclo-hexen	56	[1]
$(H_3C)_2N$; HCl	OH	H	CH_3	CH_3	$KOC(CH_3)_3$	3-Oxo-2,4-dimethyl-1-(4-hydroxy-phenyl)-cyclohexen	15	[1]
$(H_3C)_2N$; HCl	OH	H	C_6H_5	C_6H_5	$KOC(CH_3)_3$	3-Oxo-2,4-diphenyl-1-(4-hydroxy-phenyl)-cyclohexen	30	[1]
$(H_3C)_2N$; HCl	OCH_3	H	$(H_3C)_3C$	H	$KOC(CH_3)_3$	3-Oxo-4-isopropyl-1-(4-methoxy-phenyl)-cyclohexen		[1]
$(H_3C)_2N$; HCl	H	CH_3	H	H	$KOC(CH_3)_3$	3-Oxo-6-methyl-1-phenyl-cyclohexen	40	[1]

[1] F. C. NOVELLO, M. E. CHRISTY u. J. M. SPRAGUE, Am. Soc. 75, 1330 (1953).

[2] S. M. ABDULLAH, J. indian. chem. Soc. 12, 62 (1935); C. A. 29, 3995 (1935).

[3] P. CROTTI u. F. MACCHIA, G. 100, 999 (1970).

Ätherringschluß erfolgt dann zwischen der phenolischen Hydroxy-Gruppe und der durch Aldol-Addition entstandenen Hydroxy-Gruppe[1]:

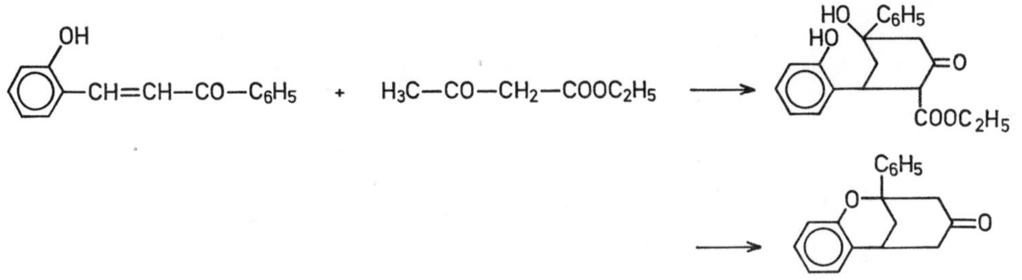

9-Oxo-1-phenyl-⟨benzo-2-oxa-
bicyclo[3.3.1]nonen-(3)⟩

Wie erwartet, verlaufen Additionen von β-Oxo-carbonsäureestern an 3-Oxo-1,3-diphenyl-propen (Chalkon) normal; Acetessigsäure-äthylester ergibt mit Chalkon unter Natriumäthanolat-Katalyse 3-Oxo-1,5-diphenyl-4-äthoxycarbonyl-cyclohexen (40% d.Th.; I)[2,3]:

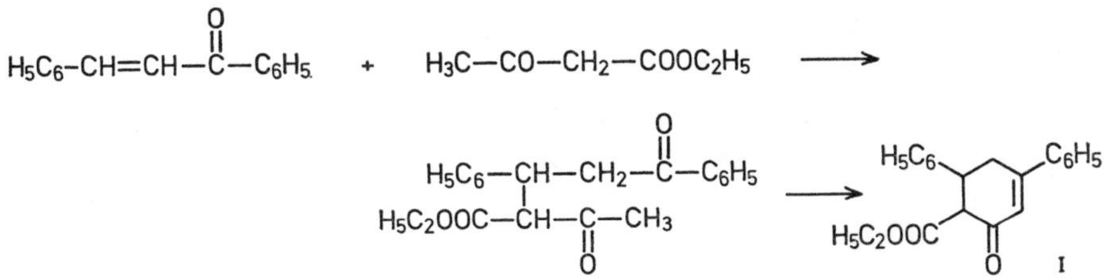

Das Chalkon kann dabei in den Benzolkernen vielfältig substituiert sein[4-6].

Auch α-Alkyl-acetessigsäureester[3] und β-Oxo-dicarbonsäure-diester[7] wurden mit Chalkon und substituierten Chalkonen[8] umgesetzt[9-11].

Divinyl-ketone des Typs II reagieren ebenfalls völlig normal mit Acetessigsäureester im Verhältnis 1:1.

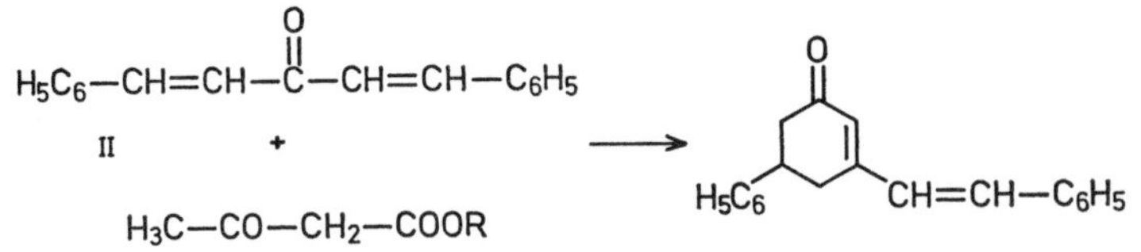

3-Oxo-1-(2-phenyl-vinyl)-5-phenyl-cyclohexen

[1] R. Kuhn u. D. Weiser, B. 88, 1601 (1955).
   S.a. I. M. Heilbron u. T. A. Forster, Soc. 125, 2064 (1924).
   I. M. Heilbron u. R. Hill, Soc. 1927, 918.
[2] N. B. Sunshine u. G. F. Woods, J. Org. Chem. 28, 2517 (1963).
[3] R. Connor u. D. B. Andrews, Am. Soc. 56, 2713 (1934).
[4] J. R. Merchant, A. P. Moghe u. J. R. Patell, J. indian chem. Soc. 48, 483 (1971).
[5] A. Sammour, M. T. Elzimaity u. A. Abdel-Maksoud, J. Chem. UAR 12, 481 (1969).
[6] A. S. Warty u. G. V. Jadhav, J. indian chem. Soc. 50, 488 (1973).
[7] G. A. Hanson, Bl. Soc. chim. Belg. 65, 421 (1956).
[8] A. D. Petrow, B. 63, 898 (1930).
[9] R. Kuhn u. D. Weiser, B. 88, 1601 (1955).
[10] I. M. Heilbron u. R. Hill, Soc. 1928, 2863.
[11] E. P. Kohler u. C. S. Dewey, Am. Soc. 46, 1267 (1924).

Eine interessante Variante der Cyclohexenonring-Synthese führt zum Aufbau von Polyphenylen[1]. Setzt man Dialdehyde wie Isophthalaldehyd mit Acetophenon in Gegenwart von Natriumhydroxid oder Salzsäure um, so erhält man *1,3-Bis-[3-oxo-3-phenyl-propenyl]-benzol* (III), das sich mit Acetessigsäure-äthylester unter Michael-Addition mit anschließender Aldol-Kondensation zu Vorprodukten von Polyphenyl-Verbindungen IV erweitern läßt:

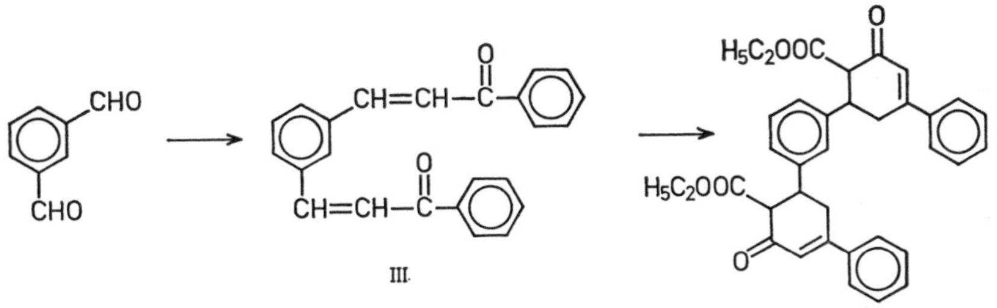

IV; *1,3-Bis-[5-oxo-3-phenyl-6-äthoxy-carbonyl-cyclohexen-(3)-yl]-benzol*

Analog erhält man aus 3,3′-Diformyl-biphenyl über *3,3′-Bis-[3-oxo-3-phenyl-propenyl]-biphenyl 3,3′-Bis-[5-oxo-3-phenyl-6-äthoxycarbonyl-cyclohexen-(3)-yl]-biphenyl*.

Michael-Additionen unter Aufbau des 3-Oxo-cyclohexen-Ringes lassen sich mit Acetessigsäureester und 4-Oxo-4-aryl-buten-(2)-säuren auch im wäßrigen Medium durchführen[2][3]. Aus 4-Oxo-4-phenyl-buten-(2)-säure als Acceptor und Acetessigsäure-äthylester als Addend entsteht in Gegenwart von Alkali *3-Oxo-1-phenyl-5-carboxy-cyclohexen* (85% d.Th.; V):

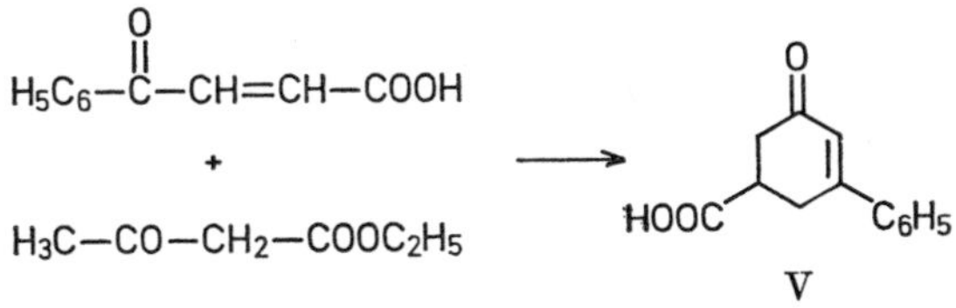

Statt Acetessigsäure-äthylester können 3-Oxo-pentansäureester (man erhält z.B. *3-Oxo-4-methyl-1-phenyl-5-carboxy-cyclohexen*) und Acetessigsäure-anilid, statt 4-Oxo-4-phenyl-buten-(2)-säure auch im aromatischen Kern substituierte 4-Oxo-4-phenyl-buten-(2)-säuren verwendet werden[3][4].

α₄) Umsetzung α,β-ungesättigter Ketone mit acyclischen β-Diketonen

Nur in der Kälte gelingt es, nichtcyclische Diketone mit α,β-ungesättigten Ketonen in Gegenwart eines Katalysators wie Natrium-methanolat zu Triketonen umzusetzen. Unter diesen Bedingungen erhält man aus Pentandion-(2,4) und Butenon

[1] N. B. SUNSHINE u. G. F. WOODS, J. Org. Chem. **28**, 2517 (1963).
[2] S. JULIA u. Y. BONNET, Bl. **1957**, 1354.
[3] S. JULIA u. Y. BONNET, C. r. **243**, 2079 (1956).
[4] S. JULIA u. D. VARECH, Bl. **1959**, 1463.

2,6-Dioxo-3-acetyl-heptan (I), das beim Erhitzen allerdings sofort unter Abspaltung von Wasser in ein Tautomerengemisch von *3-Oxo-1,6-dimethyl-4-acetyl-cyclohexen* (I → II) übergeht[1]:

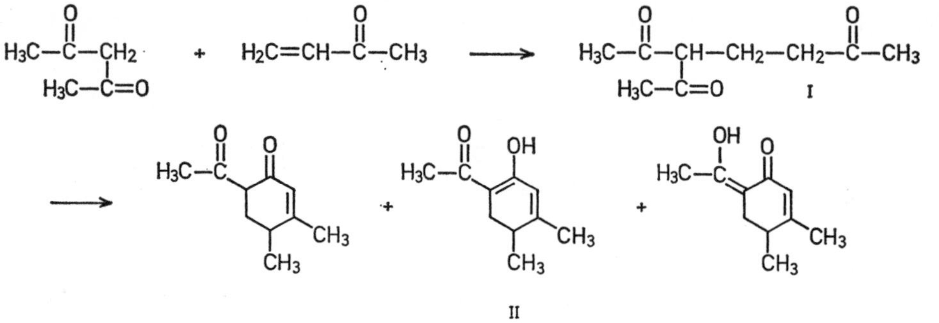

II

In gleicher Weise reagieren Chalkone mit Pentandion-(2,4) zu 3-Oxo-acetyl-cyclohexanen[2].

Außer dem Triketon aus 1-Chlor-3-oxo-pentan und Pentandion-(2,4) (*2,6-Dioxo-3-acetyl-octan*[3]) werden in der Literatur sonst keine geradkettigen Triketone des Typs I beschrieben. Andere Vinylketone gehen in der Kälte die Michael-Addition nicht ein. Das Gleichgewicht der Addition liegt offensichtlich ganz auf Seiten der Komponenten. In der Hitze erfolgt Reaktion unter dauernder Störung dieses ungünstigen Gleichgewichts dadurch, daß sich unter Wasser-Abspaltung irreversibel das Cyclohexen-(1)-on-(3)-Derivat bildet.

Cyclische ungesättigte Ketone scheinen bisher noch nicht als Acceptoren für β-Diketone eingesetzt worden zu sein. Allerdings ergab Trimethyl-p-benzochinon mit Pentandion-(2,4) in Gegenwart von Natrium-äthanolat in 72%iger Ausbeute ein Mono-Additionsprodukt. Dieses konnte jedoch nur in der enolisierten (aromatisierten) Form I isoliert werden[4]:

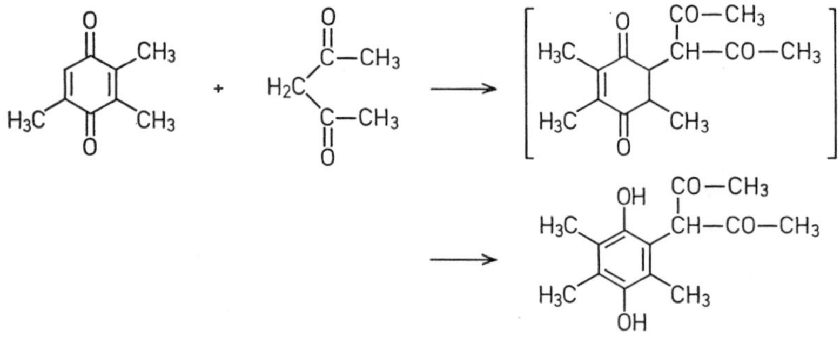

I; *3,6-Dihydroxy-2,4,5-trimethyl-1-[2,4-dioxo-pentyl-(3)]-benzol*

Trimethyl-benzochinon-(1,4) reagiert in völlig gleicher Weise mit 3,5-Dioxo-2-methyl-hexan zu *3,6-Dihydroxy-2,4,5-trimethyl-1-[3,5-dioxo-2-methyl-hexyl-(4)]-benzol*[4], 3,5-

[1] A. Sammour, M. I. B. Selim u. A. M. Hataba, Egypt. J. Chem. **15**, 531 (1972).
[2] R. N. Lacey, Soc. **1960**, 1625.
[3] E. Blaise u. M. Maire, Bl. [4] **3**, 421 (1908).
[4] L. J. Smith u. E. W. Kaiser, Am. Soc. **62**, 133 (1940).

Dioxo-2,6-dimethyl-heptan zu *3,5-Dioxo-2,6-dimethyl-4-(3,6-dihydroxy-2,4,5-trime-thyl-phenyl)-heptan*[1] und Heptadecandion-(2,4) zu *3,6-Dihydroxy-2,4,5-trimethyl-1-[2,4-dioxo-heptadecyl-(3)]-benzol*[2].

2,6-Dioxo-3-acetyl-heptan[3]: 30 g Butenon werden innerhalb 20 Min. unter Rühren zu einer Mischung von 60 g Pentandion-(2,4) und einer Lösung von 0,2 g Natrium in 5 *ml* Methanol gegeben. Die Temp. wird auf 25–30° gehalten. Nach 24 Stdn. Reaktionsdauer bei 20° wird das Reaktionsprodukt mit verd. Schwefelsäure gewaschen und wie üblich durch Extraktion isoliert; Ausbeute: 32,9 g; Kp$_8$: 97–101°.

3-Oxo-1,6-dimethyl-4-acetyl-cyclohexen-(1)[3]: Eine Mischung von 0,6 Mol (60 g) Pentandion-(2,4), 0,5 Mol (42 g) 3-Oxo-2-methyl-buten-(1) und 1 g Natriummethanolat werden unter Entfernung des Reaktionswassers erhitzt. Die Temp. in der Reaktionsmischung steigt innerhalb von 15 Min. durch den Fortgang der Reaktion von 120 auf 174°. Nach 2 stdgm. Erhitzen beträgt die Temp. 206°, und 10 *ml* Wasser haben sich im Wasserabtrennaufsatz angesammelt. Nach Abkühlen wird der Rückstand in Äther aufgenommen, mit 10%iger Schwefelsäure und Wasser gewaschen und durch Destillation gereinigt; Ausbeute: 60,1 g (72% d.Th.); Kp$_{14}$: 133–135°.

Verwendet man statt Natriummethanolat Natriumhydroxid (0,5 g), so werden 61,5% Ausbeute erhalten.

Pentandion-(2,4) wurde auch mit Vinyl-aryl-ketonen umgesetzt. Die Bildung von 3-Oxo-4-acyl-cyclohexenen wurde nicht beobachtet[4]. Dagegen konnte durch Umsetzung mit Mannich-Oxo-Basen in Gegenwart von Kalium-tert.-butanolat p h e n y l - substituierte 3-Oxo-4-acetyl-cyclohexene erhalten werden[5]. Die Michael-Addition von Hexandion-(2,5) oder Pentandion-(2,4) an 3-Dimethylamino-1-oxo-1-phenyl-propen gelingt auch ohne Zusatz eines Katalysators[6]; *3-Oxo-4-(2-oxo-propyl)-1-phenyl-* bzw. *3-Oxo-1-phenyl-4-acetyl-cyclohexen* entstehen mit 22 bzw. 50% Ausbeute.

β) **Reaktion acyclischer α,β-ungesättigter Ketone mit cyclischen Ketonen, β-Oxo-carbonsäureestern und β-Diketonen.**
(Reine Addition)

β$_1$) *2-Oxo-1-(3-oxo-alkyl)-cycloalkane durch 3-Oxo-alkylierung bzw. 3-Oxo-aryl-propylierung cyclischer Ketone*

Die Addukte aus Alkyl-vinyl-ketonen und cyclischen Ketonen lassen sich meistens nur unter sehr m i l d e n Bedingungen und unter Beachtung gewisser Vorsichtsmaßnahmen herstellen, da überaus leicht Cyclisierung durch Aldol-Reaktion eintritt. Es gibt allerdings auch 1,5-Diketone dieses Typs, die gegenüber der Aldol-Kondensation mehr oder weniger beständig sind[7]. Dies wird z. B. für *2,3,4-Trimethoxy-5-oxo-6-(3-oxo-butyl)-6,7,8,9-tetrahydro-5H-⟨benzo-cycloheptatrien⟩* (III) berichtet, das aus I über II durch Addition an Butenon in siedendem Methanol in Gegenwart von Triäthylamin zugänglich ist[7]:

          I   II   III

[1] L. J. SMITH u. J. A. KING, Am. Soc. **65**, 441 (1943).
[2] L. J. SMITH u. G. A. BOYACK, Am. Soc. **70**, 2690 (1948).
[3] R. N. LACEY, Soc. **1960**, 1625.
[4] M. SCHOLTZ, Ar. **254**, 547 (1916).
[5] F. C. NOVELLO, M. E. CHRISTY u. J. M. SPRAGUE, Am. Soc. **75**, 1330 (1953).
[6] N. S. GILL et al., Am. Soc. **74**, 4923 (1952).
[7] J. D. HARDSTONE u. K. SCHOFIELD, Soc. **1965**, 5194.

Einige weitere Beispiele sind in Tab. 214 zusammengestellt.

Tab. 214. Isolierbare Addukte aus cyclischen Ketonen und Butenon

Keton	Reaktionsprodukt	Bemerkungen	Ausbeute [% d.Th.]	Literatur
(+)-2-Oxo-4-methyl-1-iso-propyliden-cyclohexan [(+)-Pulegon]	3-Oxo-1-methyl-2-(3-oxo-butyl)-4-isopropyliden-cyclohexan	a		1
1-Oxo-2-methyl-tetralin	1-Oxo-2-methyl-2-(3-oxo-butyl)-tetralin	b,c	70	2
2-Oxo-2,3-dihydro-indol	2-Oxo-3-(3-oxo-butyl)-2,3-dihydro-indol	d		3
2-Oxo-1-methyl-2,3-dihydro-indol	2-Oxo-1-methyl-3-(3-oxo-butyl)-2,3-dihydro-indol	d		3
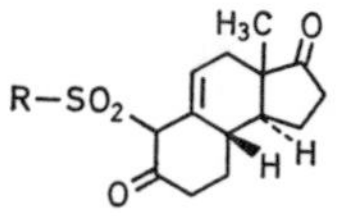	5,17-Dioxo- . . .- des -A-östren-(9¹¹)			4
R = CH₃	. . .-10-methylsulfonyl-. . .	e	56	
R = C₆H₅	. . .10-phenylsulfonyl-. . .		90	

ᵃ Pulegon wird zunächst formyliert; bei der Umsetzung mit Butenon cyclisiert ein Teil des Adduktes durch Aldolkondensation
ᵇ Das Addukt läßt sich leicht zum Tricyclus kondensieren (85% d.Th.)
ᶜ Butenon dampfförmig (= hohe Verdünnung) eingeführt (Stickstoff als Trägergas)
ᵈ Als Katalysator muß Triäthylamin in Monoglyme verwendet werden.
ᵉ Untersuchung der Bildungskinetik.

Nur bei Einhaltung einer Reaktionstemperatur von −10° läßt sich α-Tetralon beziehungsweise seine 2-Hydroxy-methylen-Verbindung mit Butenon in 64%iger Ausbeute zum offenen Addukt I umsetzen, wohingegen schon bei einer Temperatur von auch nur 20° in 75%iger Ausbeute das ungesättigte Keton II entsteht[5]. In beiden Fällen ist Triäthylamin der Katalysator:

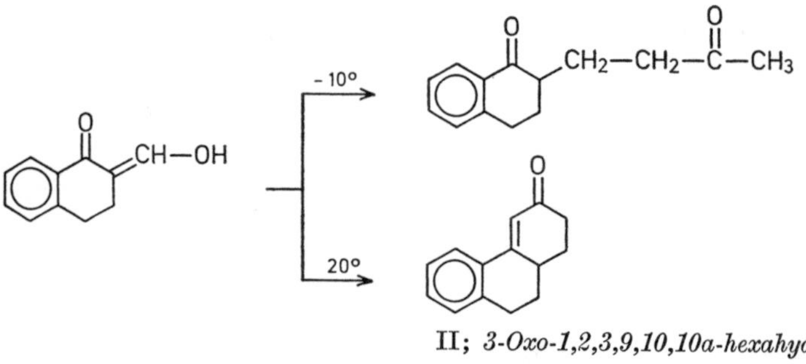

II; 3-Oxo-1,2,3,9,10,10a-hexahydro-phenanthren

---

[1] T. Matsuura u. A. Horinaka, J. chem. Soc. Japan, pure Chem. Sect. 92, 1199 (1971).
[2] C. D. deBoer, J. Org. Chem. 39, 2426 (1974).
[3] I. Gruda, Tetrahedron Letters 1973, 457.
[4] T. Komeno, S. Ishihara u. H. Itani, Tetrahedron 28, 4719 (1972).
[5] H. Christol, M. Mousseron u. R. Sallé, Bl. 1958, 556.

Die analoge Reaktion, die zu II führt, wurde am 7-Methoxy-1-oxo-tetralin durchgeführt[1]. Hier betrug die Ausbeute 89% d. Th. an *6-Methoxy-3-oxo-1,2,3,9,10,10a-hexahydro-phenanthren.*

β-Naphthol, das tautomer als Keto-Verbindung III vorliegen kann, gibt Keton IV; *2-Hydroxy-1-(3-oxo-butyl)-naphthalin* (24% d. Th.)[2]:

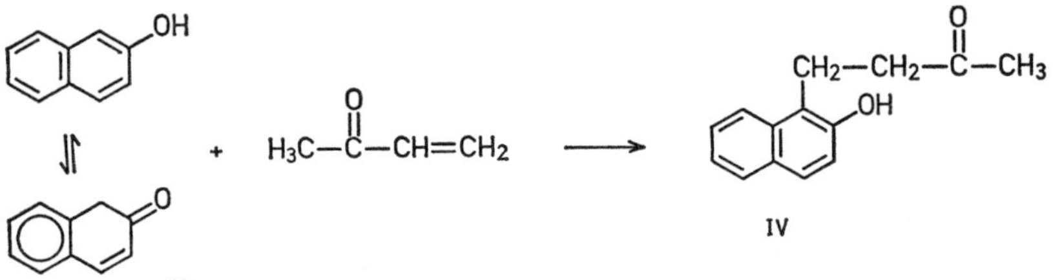

In maskierter Form wurde Butenon zur Acetoäthylierung folgender Ketone verwendet:

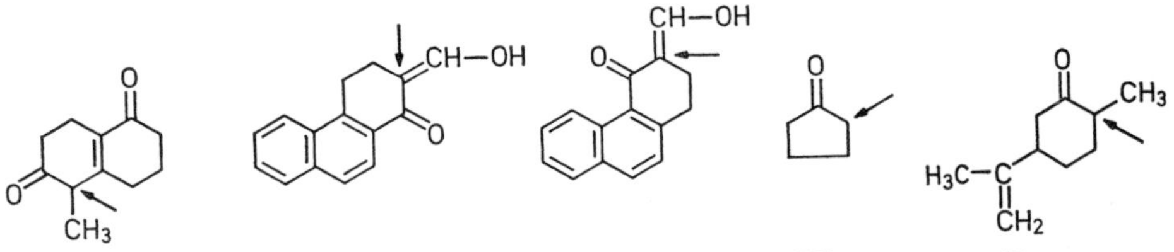

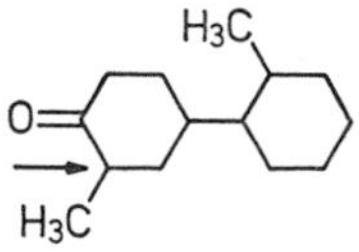

I *3,6-Dioxo-2-methyl-2-(3-oxo-butyl)-bicyclo[4.4.0]decen-(1)*[6,3]
II *1-Oxo-2-hydroxymethyl-2-(3-oxo-butyl)-1,2,3,4-tetrahydro-phenanthren*[4]
III *4-Oxo-3-hydroxymethyl-2-(3-oxo-methyl)-1,2,3,4-tetrahydro-phenanthren*[5]
IV *2-Oxo-1-(3-oxo-butyl)-cyclopentan*[6]
V *2-Oxo-1-methyl-4-isopropenyl-1-(3-oxo-butyl)-cyclohexan*[7]
VI *5-Oxo-3-methyl-3-(3-oxo-butyl)-1-(2-methyl-cyclohexyl)-cyclohexan*[8]

Dabei konnte im Falle des Cyclopentanons auf diese Weise keine höhere Ausbeute als 28% d. Th. erzielt werden[6]. Setzt man Cyclopentanon dagegen mit freiem Butenon in Gegenwart von Lithiumamid[5] um, so erhält man 40% Ausbeute. Reine Addukte aus Cyclohexanon und Butenon erhält man gut über den Umweg der vorübergehenden Einführung der Formyl-Hilfsfunktion, d. h. man kondensiert das zu oxobutylierende Keton mit Ameisensäureester, führt die Addition mit Butenon durch

[1] R. B. TURNER et al., Am. Soc. **78**, 5923 (1956).
[2] S. A. MILLER u. R. ROBINSON, Soc. **1934**, 1535.
[3] US. P. 2674627 (1954), Wisconsin Alumni Research Foundation, Erf.: J. W. RALLS, W. C. WILDMAN, K. E. McCALEB u. A. L. WILDS; C. A. **49**, 1813 (1955).
[4] A. L. WILDS u. R. G. WERTH, J. Org. Chem. **17**, 1149, 1154 (1952).
[5] N. C. ROSS u. R. LEVINE, J. Org. Chem. **29**, 2341 (1964).
[6] N. S. GILL et al., Am. Soc. **74**, 4923 (1952).
[7] P. S. ADAMSON et al., Soc. **1937**, 1576.
[8] E. BUCHTA u. G. WOLFRAM, A. **598**, 25 (1956).

und entfernt die Formyl-Gruppe z. B. durch Chromatographie an Aluminium-oxid aus den Addukten[1]:

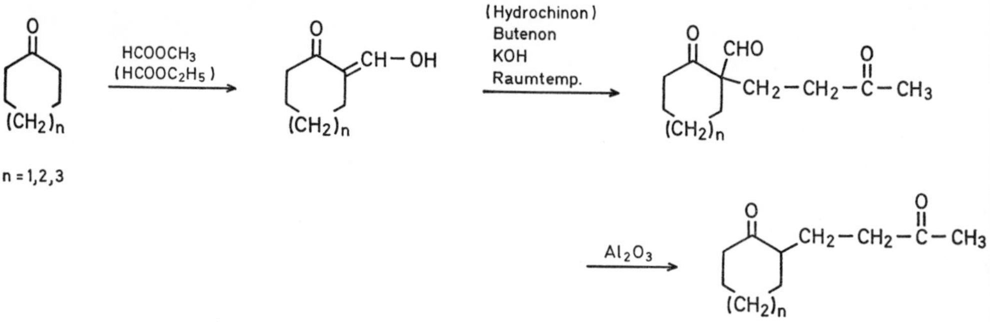

$$n = 1,2,3$$

$$\begin{array}{l} n = 1 \\ n = 2 \\ n = 3 \\ n = 7 \end{array} \left. \right\} \text{2-Oxo-1-(3-oxo-butyl)-} \left\{ \begin{array}{ll} \text{-cyclohexan;} & 72\% \text{ d.Th.} \\ \text{-cycloheptan;} & 68\% \text{ d.Th.} \\ \text{-cyclooctan;} & 60\% \text{ d.Th.} \\ \text{-cyclododecan;} & 58\% \text{ d.Th.} \end{array} \right.$$

Weitere Beispiele für diese häufig erfolgreiche Variante finden sich auf S. 1665. 2-Oxo-1-methyl-cyclohexan dagegen läßt sich unter Natriumkatalyse an 1-Methoxy-3-oxo-buten-(1) addieren[2], wobei sich allerdings auch kleine Mengen der cyclischen Verbindung I bilden:

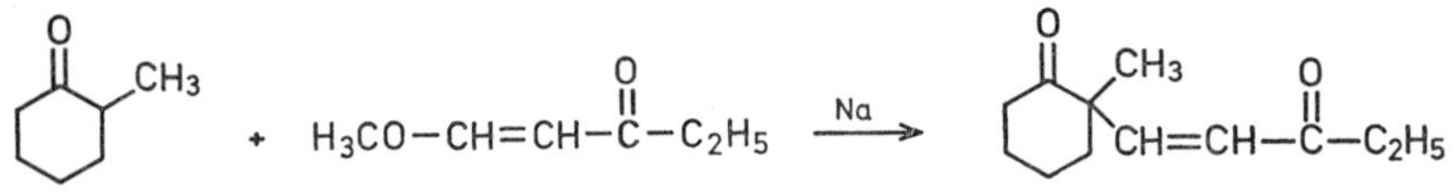

2-Oxo-1-methyl-1-[3-oxo-penten-(1)-yl]-cyclohexan

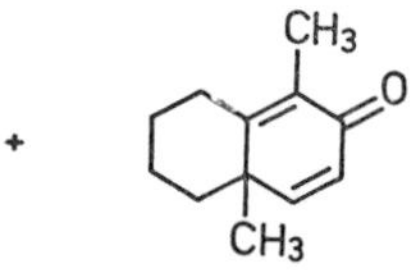

I; *3-Oxo-2,6-dimethyl-bicyclo[4.4.0]decadien-(1,4)*

3-Oxo-2-benzyliden-butansäure-äthylester (II) reagiert mit dem vinylogen Keton Anthron unter Natrium-äthanolat-Katalyse zu *3-Oxo-2-{phenyl-[10-oxo-9,10-dihydro-anthryl-(9)]-methyl}-butansäure-äthylester* (83% d.Th.; III)[3]:

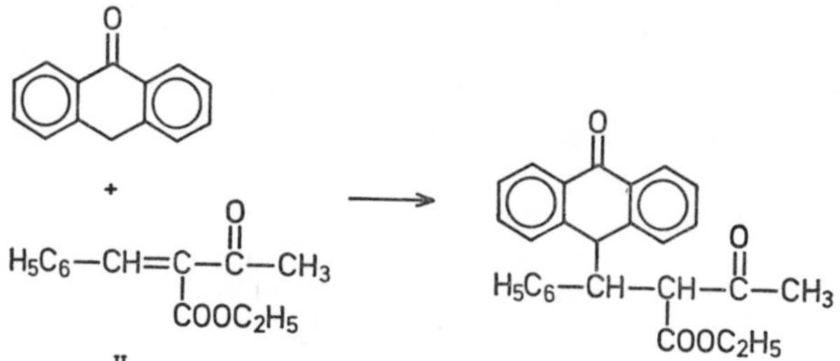

II   III

[1] V. DAVE u. J. S. WHITEHURST, Soc. (Perkin I) **1973**, 393.
[2] P. R. HILLS u. F. J. McQUILLIN, Soc. **1953**, 4060.
[3] H. MEERWEIN, J. pr. [2] **97**, 225 (1918).

Unter Umständen lassen sich auch Enoläther als maskierte Ketone in die Michael-Addition einsetzen. Dies ist dann von Interesse, wenn man das gewünschte maskierte Keton II durch Birch-Reduktion aus entsprechenden Phenoläthern I herstellen kann. Der Vorteil dieser Variante ergibt sich aus nachfolgendem Beispiel[1]:

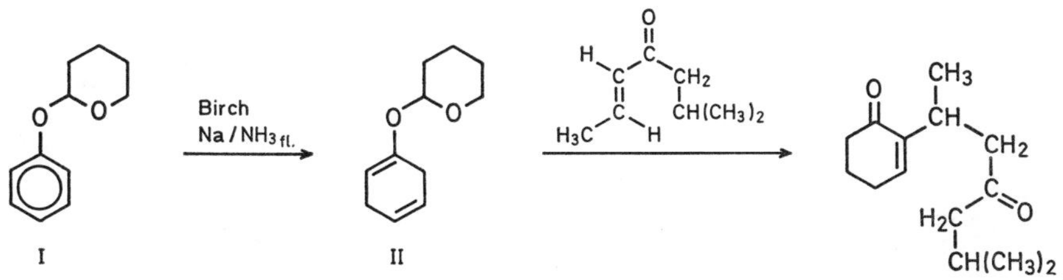

4-Oxo-6-methyl-2-
[6-oxo-cyclohexen-
(1)-yl]-heptan;III

Die nichtenolische Doppelbindung der Cyclohexadiene II ist für die primäre Addition nicht erforderlich. Denn hydriert man diese C=C-Doppelbindung mit Wasserstoff an einem Wilkinson-Katalysator, so erhält man auch mit dem reduzierten Enoläther das entsprechende Adduct III. Eine gewisse Ähnlichkeit zu diesem Verfahren zeigt die Verwendung von Magnesiumenolaten bei der Michael-Reaktion[2]. Hierbei reagiert 3-Oxo-cyclohexen (IV) mit Methyl-magnesiumjodid zum Addukt V, aus dem mit Butenon über das Keton VI und eine doppelte Addition das Diketon VII bzw. das Triketon VIII gebildet werden:

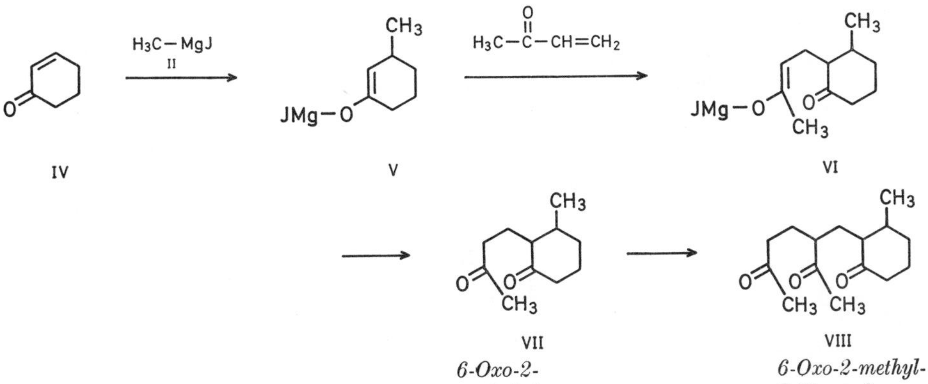

VII
6-Oxo-2-
methyl-1-
(2-oxo-butyl)-
cyclohexan

VIII
6-Oxo-2-methyl-
1-(5-oxo-2-
acetyl-hexyl)-
cyclohexan

Eine Kontrolle der Orientierung bei der Michael-Addition von cyclischen Ketonen an α,β-ungesättigte Ketone wurde bei der Umsetzung von 3-Oxo-3-phenyl-propen (IX) einerseits und 3-Dimethylamino-1-oxo-1-phenyl-propan (X) andererseits

---

[1] A. J. Birch et al., Chem. Commun. 1, 52 (1970).
[2] R. A. Kretchmer, E. D. Michelich u. J. J. Waldron, J. Org. Chem. 37, 4483 (1972).

mit 2-Oxo-1-methyl-cyclopentan gefunden[1]. Während mit IX das erwartete Addukt XI entsteht, wird aus X überraschenderweise das isomere Addukt XI erhalten.

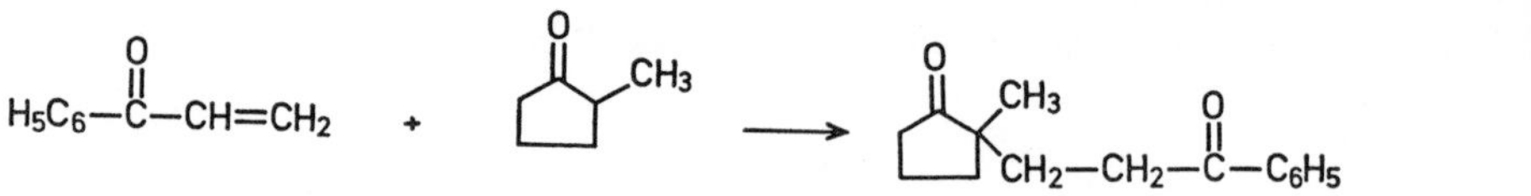

IX

XI; *2-Oxo-1-methyl-1-(3-oxo-
3-phenyl-propyl)-cyclopentan*

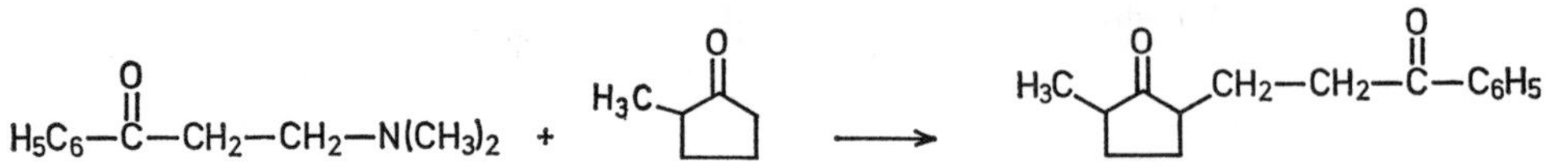

X

XII; *2-Oxo-3-methyl-1-(3-oxo-
3-phenyl-propyl)-cyclopentan*

Das gleiche Ergebnis wurde für Butenon und seine Oxo-Mannich-Base (4-Dimethyl-amino-2-oxo-butan) gefunden; entsprechend XI *2-Oxo-1-methyl-1-(3-oxo-butyl)-cyclopentan* und entsprechend XII *2-Oxo-3-methyl-1-(3-oxo-butyl)-cyclopentan*.

Die Additionen vollziehen sich also über die intermediär entstandenen Enamine.

Die üblicherweise in Gegenwart einer Base durchgeführte Michael-Addition von Ketonen an „in situ" aus Oxo-Mannich-Basen erzeugte α,β-ungesättigte Ketone bringt im Falle cyclischer Ketone[2] dann besonders gute Ausbeuten, wenn man ohne Katalysator durch kurzzeitiges Erhitzen der Reaktanten auf 150–200° die Umsetzung durchführt. So wurde aus Cyclohexanon und 3-Dimethylamino-1-oxo-1-phenyl-propan *2-Oxo-1-(3-oxo-3-phenyl-propyl)-cyclohexan* in 95%iger Ausbeute erhalten; aus Cyclopentanon 95% d.Th. *2-Oxo-1-(3-oxo-3-phenyl-propyl)-cyclopentan*.

In Tab. 215 (S. 1655) sind einige weitere Beispiele für 3-Oxo-3-aryl-propylierungen cyclischer Ketone unter Adduktbildung ohne nachfolgende Cyclisierung aufgeführt.

Die Umsetzung des 4-Oxo-2,5-dimethyl-piperidins (I) mit 3-Oxo-5-methyl-hexandien-(1,4) (II) erfolgt nach zwei Richtungen. Ohne Katalysator entsteht bei 100° *4-Oxo-2,5-dimethyl-1-[3-oxo-5-methyl-hexen-(4)-yl)]-piperidin* (III; 60% d.Th.), mit Kaliumhydroxid als Katalysator bildet sich bei 20° *4-Oxo-3,6-dimethyl-3-[3-oxo-5-methyl-hexen-(4)-yl]-piperidin* (IV; 59% d.Th.)[3]:

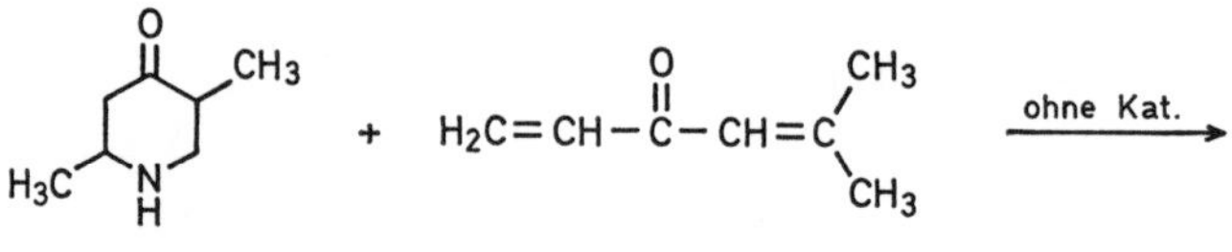

I

II

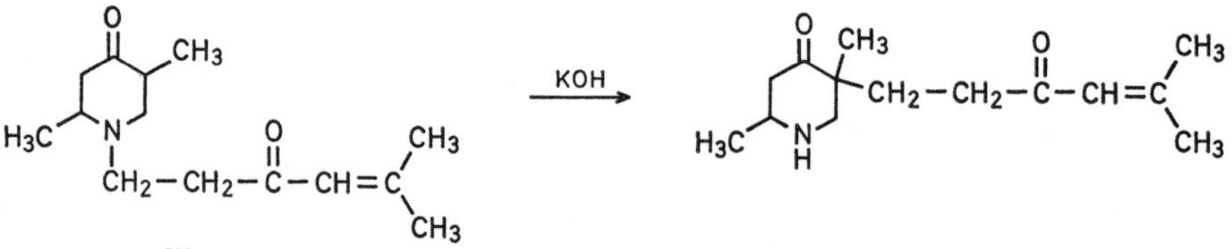

III

IV

[1] G. L. Buchanan u. G. W. McLay, Chem. Commun. 1965. 504.
[2] N. S. Gill et al., Am. Soc. 74, 4923 (1952).
[3] K. K. Tokmurzin, A. S. Sharifkanov u. B. Bakhmanov, Chim. geteroc. Soed. 1971, 350.

Tab. 215. 2-Oxo-1-(3-oxo-3-aryl-propyl)-cycloalkane aus Ketonen und 3-Oxo-1,3-diphenyl-propen (Chalkon)

Keton	Katalysator	Hin-weise	Reaktionsprodukt	Ausbeute [%d.Th.]	Litera-tur
Anthron	NaOCH$_3$; NaOH/Äthanol; sec. Amine		*10-Oxo-9-(3-oxo-1,3-diphe-nyl-propyl)-9,10-dihydro-anthracen*	77	[1,2]
4-Oxo-6-phenyl-5,6-dihydro-4H-pyran	NaOH/Äthanol	a b	*4-Oxo-6-phenyl-5-(3-oxo-1,3-diphenyl-propyl)-5,6-dihydro-4H-pyran*		[3]
4-Oxo-2,2-di-methyl-tetra-hydropyran	KOH/Äthanol		*4-Oxo-2,2-dimethyl-5-(3-oxo-1,3-diphenyl-propyl)-tetrahydropyran*		[4]
Cyclopentanon	NaOH/Äthanol		*2-Oxo-1-(3-oxo-1,3-diphe-nyl-propyl)-cyclopentan*	83	[5]
	Diäthylamin	b		10	[6]
Cyclohexanon (als Enamin)	NaOH/Äthanol kein Kat.	c	*2-Oxo-1-(3-oxo-1,3-diphe-nyl-propyl)-cyclohexan*	80 44	[7] [8]
3-Oxo-1-methyl-cyclohexan	NaOH/Äthanol Piperidin		*2-Oxo-4-methyl-1-(3-oxo-1,3-diphenyl-propyl)-cyclohexan*	56	[6]
Cyclohexanon Cyclopentanon	NaOH/Äthanol	a	*2-Oxo-1-(3-oxo-1,3-di-phenyl-propyl)-cyclohexan* und *-cyclopentan*	70–75	[9]

a hier auch substituierte Chalkone eingesetzt
b 3-Oxo-3-phenyl-1-(2-hydroxy-phenyl)-propen
c Enamin aus Cyclohexanon und N-Phenyl-piperazin

Die Addition cyclischer Ketone an α,β-ungesättigte Ketone ist auch für einige cyclische α,β-ungesättigte Ketone beschrieben worden. Dabei sind folgende drei Typen solcher cyclischer Acceptoren zu unterscheiden:

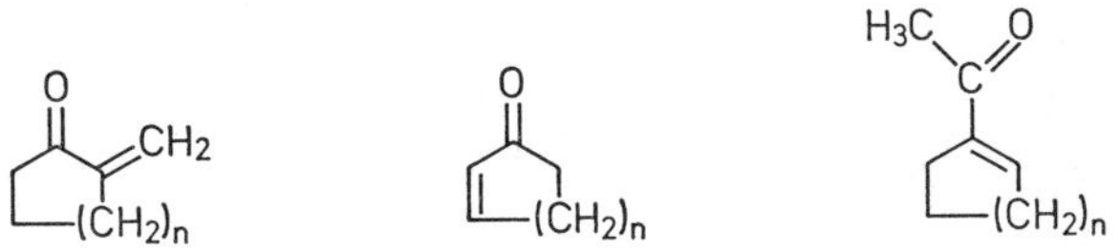

Diese besitzen insofern im Zusammenhang mit der Michael-Addition erhebliches Interesse, als sie sich zum Aufbau von Verbindungen mit anellierten Ringen eignen. Unter diesem Gesichtspunkt werden sie bei der Robinson-Anellierungs-Reaktion (s. S. 1666) besprochen. Für reine Additions-Reaktionen von cyclischen Ketonen an

1 H. MEERWEIN, J. pr. [2] **97**, 225 (1918).
2 C. F. H. ALLEN u. H. R. SALLANS, Canad. J. Res. **89**, 574 (1933); C.A. **28**, 2006 (1934).
3 B. N. KAPLASH, R. C. SHAH u. T. S. WHEELER, J. indian chem. Soc. **19**, 117 (1942); C.A. **37**, 375 (1943).
4 G. A. KLIMOV et al., Chim. geteroc. Soed. **1972**, 1547.
5 H. STOBBE, J. pr. [2] **86**, 209 (1912).
6 R. HILL, Soc. **1935**, 1115.
7 A. COPE et al., Am. Soc. **72**, 3399 (1950).
8 R. N. SCHUT u. T. M. H. LIU, J. Org. Chem. **30**, 2845 (1965).
9 A. SAMMOUR et al., Acta chim. Acad. Sci. hung. **78**, 399 (1973).

3-Oxo-cycloalkene II oder 1-Acyl-cycloalkene III sind kaum Beispiele bekannt. Angeführt seien hier jedoch die Umsetzung von 6-Methoxy-1-oxo-tetralin (IV) mit 3-Oxo-2-methyl-cyclohexen (V) in Gegenwart von Kalium-tert.-butanolat zu *6-Methoxy-1-oxo-2-(3-oxo-2-methyl-cyclohexyl)-tetralin (VI)*[1]:

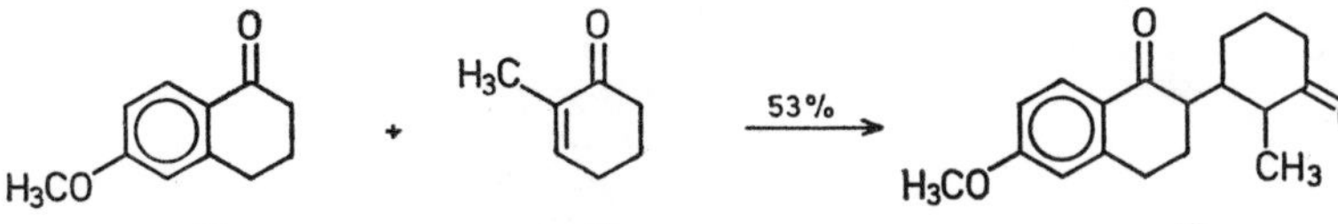

und die Umsetzung von *cis*-Dekalon-(1) (VII) mit 1-Acetyl-cyclohexen (VIII) zu *1-Oxo-2-(2-acetyl-cyclohexyl)-cis-dekalin (IX)*[2]:

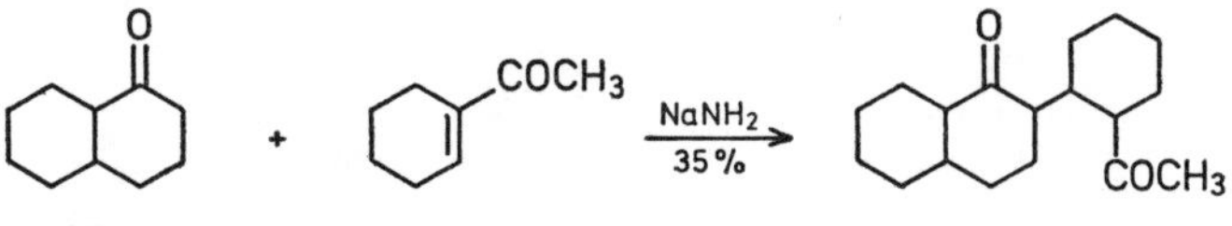

Methylenketone wie 2-Oxo-1-methylen-cyclohexan haben den Vorzug, daß sie „in situ" aus den Oxo-Mannichbasen (X) oder deren quaternären Ammonium-Verbindungen (XI) erzeugt werden können und daß die Umsetzung mit einem cyclischen Keton keines zusätzlichen Katalysators bedarf[3]:

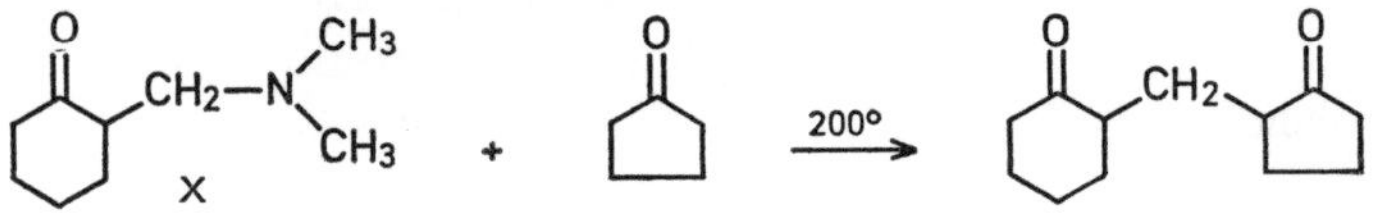

2-Oxo-1-(2-oxo-cyclopentylmethyl)-cyclohexan; 73% d. Th.

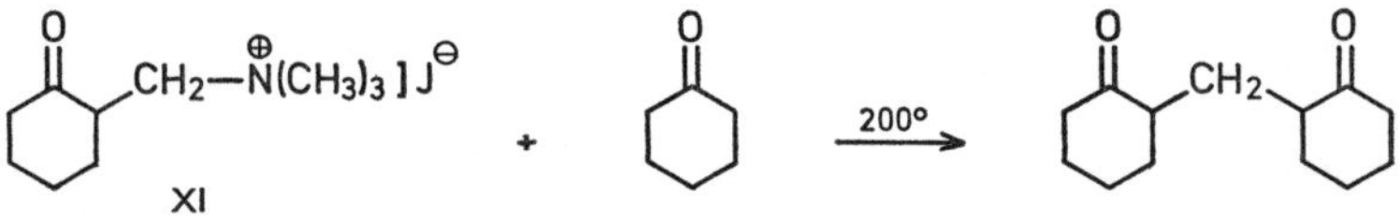

Bis-[2-oxo-cyclohexyl]-methan; 63% d. Th.

Die gleichen Reaktionsprodukte erhält man bei niedrigen Temperaturen in Gegenwart methanolischer Kalilauge[4].

[1] I. N. NAZAROV, S. I. ZAVYALOV u. M. S. BURMISTROVA, Izv. Akad. SSSR **1956**, 32; engl.: 31.
[2] I. N. NAZAROV u. S. I. ZAVYALOV, Izv. Akad. SSSR **1952**, 437; engl.: 423; C. A. **47**, 5365 (1953).
[3] N. S. GILL et al., Am. Soc. **74**, 4923 (1952).
[4] J. COLONGE, J. DREUX u. J. DELPLACE, C. r. **238**, 1237 (1954).
    J. COLONGE, Bl. **1955**, 250.

Die Arylmethylen-Derivate cyclischer Ketone reagieren nach folgendem Schema[1] unter Bildung von 1,5-Diketonen:

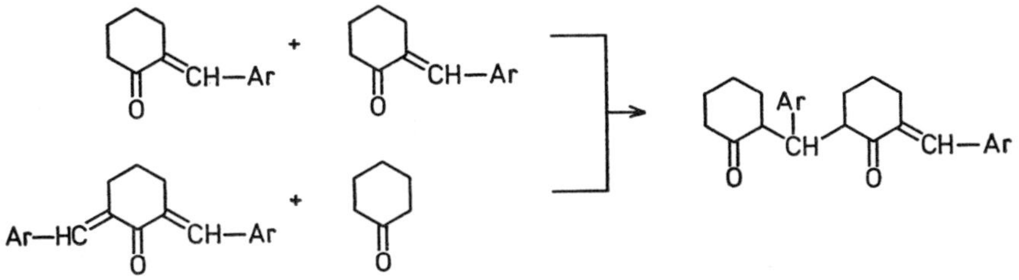

Ar = —C$_6$H$_5$ 2-Oxo-3-[α-(2-oxo-cyclohexyl)-benzyl]-1-benzyliden-cyclohexan

Ar =   2-Oxo-3-[(2-oxo-cyclohexyl)-furyl-(2)-methyl]-1-furfuryliden-cyclohexan

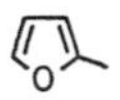

Enamine reagieren mit Oxomannich-Basen wie die freien Ketone[2]:

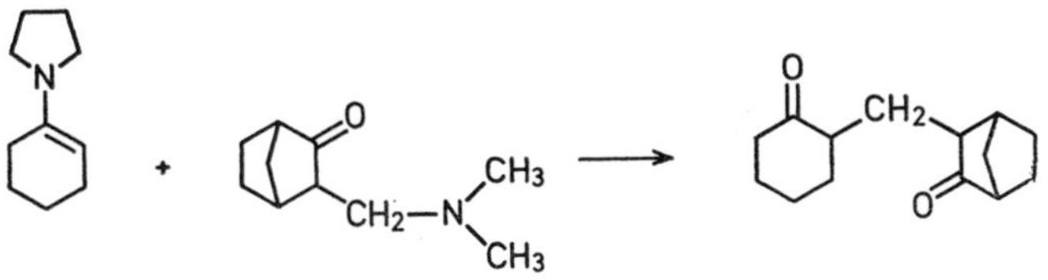

3-Oxo-2-(2-oxo-cyclohexylmethyl)-
bicyclo[2.2.1]heptan

β₂) Alkoxycarbonyl-1,5-diketone

ββ₁) durch 3-Oxo-alkylierung cyclischer β-Oxo-carbonsäureester

Die Umsetzung der, verglichen mit einfachen Ketonen, stärker aciden β-Oxo-carbonsäureester mit α,β-ungesättigten Ketonen ist eine vielangewendete und mit guten Ausbeuten verlaufende Reaktion. Als α,β-ungesättigte Ketone wurden allerdings bisher nur Alkyl-vinyl-ketone, meistens Butenon selbst, angewendet.

Tab. 216 (S. 1658) gibt eine Übersicht über Additionen von cyclischen β-Oxo-carbonsäureestern an α,β-ungesättigte Ketone.

Bei hohen Alkalikonzentrationen kann die Säure-Spaltung eintreten[3]. Aus I und II erhält man 2-(3-Oxo-1-phenyl-butyl)-hexandisäure-1-äthylester (III):

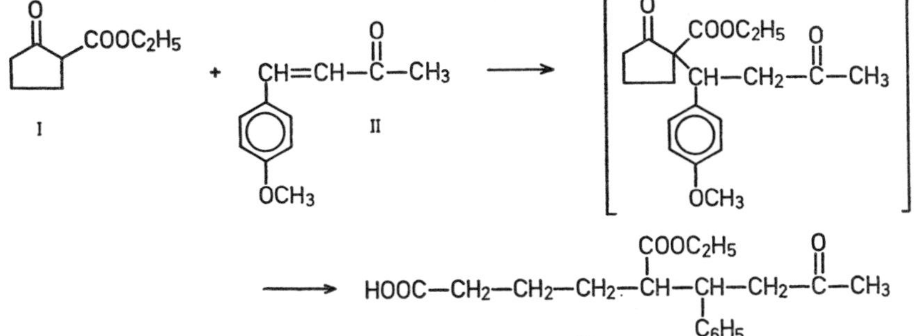

---

[1] M. N. TILICHENKO u. V. G. KHARCHENKO, Doklady Akad. SSSR **110**, 226 (1956); engl.: 561; C. A. **51**, 5037 (1958).

[2] M. v. STRANDTMANN, M. P. COHEN u. J. SHAVEL, J. Org. Chem. **30**, 3240 (1965).

[3] W. S. RAPSON, Soc. **1936**, 1626.

Tab. 216. Michael-Addukte aus cyclischen β-Oxo-carbonsäureestern und α,β-ungesättigten Ketonen

β-Oxo-carbonsäureester	α,β-ungesättigtes Keton	Katalysator	Reaktionsprodukt	Ausbeute [% d.Th.]	Literatur
(Struktur: O=, COOC₂H₅, (CH₂)ₙ) n = 1	4-Triäthylammoniono-2-oxo-butan-jodid	NaOCH₃	2-Oxo-1-(3-oxo-butyl)-1-äthoxy-carbonyl- *cyclopentan*		1
n = 2	4-Triäthylammoniono-2-oxo-butan-jodid	NaOCH₃	*cyclohexan*	78	2
n = 3	4-Triäthylammoniono-2-oxo-butan-jodid	NaOCH₃	*cycloheptan*	86	3
n = 4	4-Triäthylammoniono-2-oxo-butan-jodid	NaOCH₃	*cyclooctan*	80	2
n = 5	4-Triäthylammoniono-2-oxo-butan-jodid	NaOCH₃	*cyclononan*	78	2
n = 11	4-Triäthylammoniono-2-oxo-butan-jodid	NaOCH₃	*cyclopenta-decan*		4
n = 1	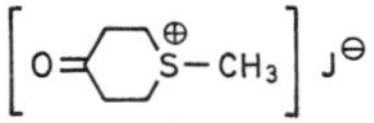 (Struktur: $O=$ …$\overset{\oplus}{S}-CH_3$, $J^{\ominus}$)	KOC₂H₅	2-Oxo-1-[5-methylmercapto-3-oxo-pentyl]-1-äthoxycarbonyl-cyclopentan	58	4
2-Oxo-cyclohexan-1-carbonsäure-äthylester	3-Oxo-1-phenyl-buten-(1)	KOC₂H₅	2-Oxo-1-(3-oxo-1-phenyl-butyl)-1-äthoxy-carbonyl-cyclohexan		5
	Butenon	Triton B*	2-Oxo-1-(3-oxo-butyl)-1-äthoxycarbonyl-cyclohexan	91	6
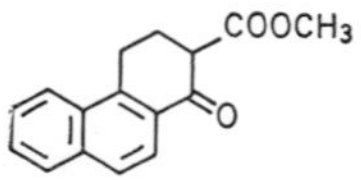 (Struktur mit COOCH₃, tetracyclisch)	4-(1-Methyl-piperidinio)-2-oxo-butan-jodid	NaOCH₃	4-Oxo-3-(3-oxo-butyl)-3-methoxycarbonyl-1,2,3,4-tetrahydro-phenanthren	95	7
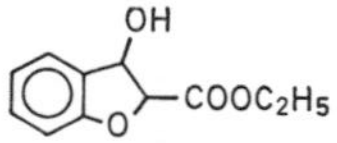 (Struktur mit OH, COOC₂H₅, Benzofuran)	Butenon	NaOC₂H₅	3-Oxo-2-(3-oxo-butyl)-2-äthoxycarbonyl-2,3-dihydro-⟨benzo-[b]-furan⟩	90	8
3-Oxo-1-methyl-4-äthoxy-carbonyl-cyclohexen-(1)	Butenon	NaOCH₃	3-Oxo-4-(3-oxo-butyl)-4-äthoxycarbonyl-cyclohexen	84	9

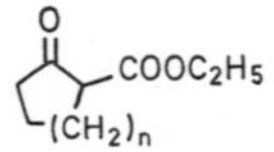

* Trimethyl-benzyl-ammonium-hydroxid

1 F. J. McQuillin u. R. Robinson, Soc. 1938, 1097.
2 V. Prelog et al., Helv. 32, 1284 (1949); 31, 92 (1948).
3 V. Prelog, M. Wirth u. L. Ruzicka, Helv. 29, 1425 (1945).
4 H. M. Cardwell, Soc. 1949, 715.
5 W. G. D. u. C. 1938, 1097.

6 A. S. Dreiding u. A. J. Tomasewski, Am. Soc. 77, 411 (1955).
7 A. L. Wilds u. R. G. Werth, J. Org. Chem. 17, 1149 (1952).
8 H. Henecka, B. 81, 197 (1948).
9 H. Henecka, B. 82, 112 (1949).

Tab. 216 (1. Fortsetzung)

β-Oxo-carbonsäureester	a,β-ungesättigtes Keton	Katalysator	Reaktionsprodukt	Ausbeute [%d.Th.]	Literatur
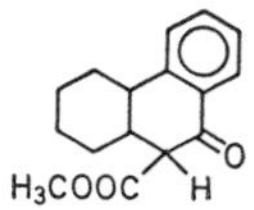 (Struktur: H₃COOC—H, Phenanthren-System mit O)	4-Oxo-hexen-(5)-säure-äthylester	NaOCH₃	10-Oxo-9-(3-oxo-5-methoxycarbonyl-pentyl)-9-methoxycarbonyl-4b,5,6,7,8,8a,9,10-octahydro-phenanthren	43	1
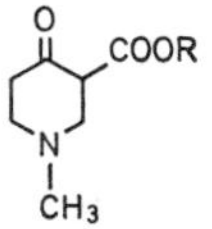 (Struktur: O=, COOR, N—CH₃ Piperidin) R = CH₃	Butenon	NaH/Benzol	4-Oxo-1-methyl-3-(3-oxo-butyl)-3-methoxy-carbonyl-piperidin	67	2
R = C₂H₅		NaH/Benzol	4-Oxo-1-methyl-3-(3-oxo-butyl)-3-äthoxy-carbonyl-piperidin	83	
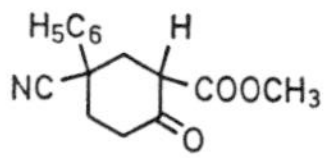 (Struktur: H₅C₆—H, NC, COOCH₃, Cyclohexanon)	Butenon		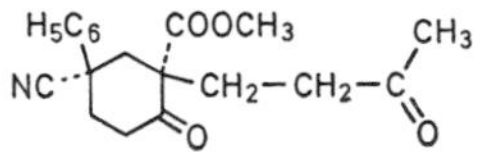 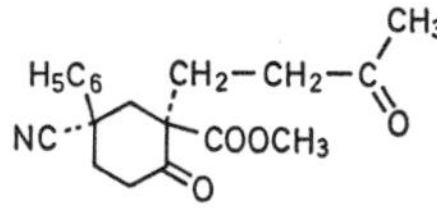 (Struktur: H₅C₆, COOCH₃, CH₂—CH₂—C—CH₃ mit O, NC, Cyclohexanon und zweite Struktur H₅C₆, CH₂—CH₂—C—CH₃, COOCH₃, NC) 2-Oxo-1-(3-oxo-butyl)-5-phenyl-5-cyan-1-methoxycarbonyl-cyclohexan		3

1 E. Buchta u. H. Kröger, A. 705, 190 (1967).
2 N. Finch et al., J. Org. Chem. 39, 1118 (1974).
3 K. Nomura et al., Chem. Pharm. Bull. (Tokyo) 22, 1386 (1974).

$\beta\beta_2$) durch Umsetzung von cyclischen a,β-ungesättigten Ketonen mit offenkettigen β-Oxo-carbonsäureestern.

Acyclische β-Oxo-carbonsäureester sind imstande, mit a,β-ungesättigtenKetonen Addukte zu liefern, wie aus der folgenden Zusammenstellung zu ersehen ist:

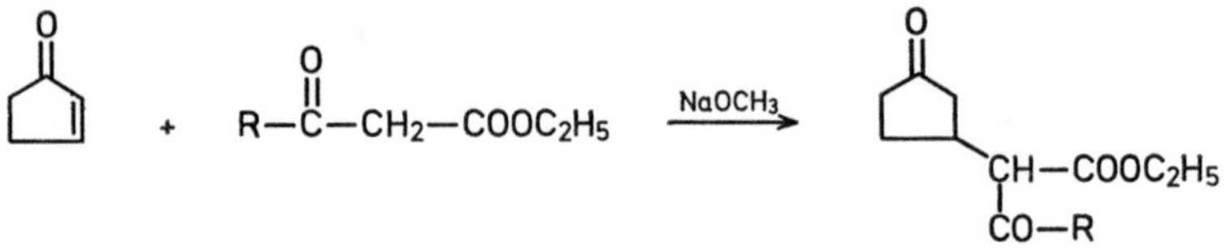

R = CH$_3$; *3-Oxo-2-(3-oxo-cyclopentyl)-butansäure-äthylester*[1]   (Ausbeute: gut)
    C$_6$H$_5$; *3-Oxo-2-(3-oxo-cyclopentyl)-3-phenyl-propansäure-äthylester*[2]   (61% d.Th.)

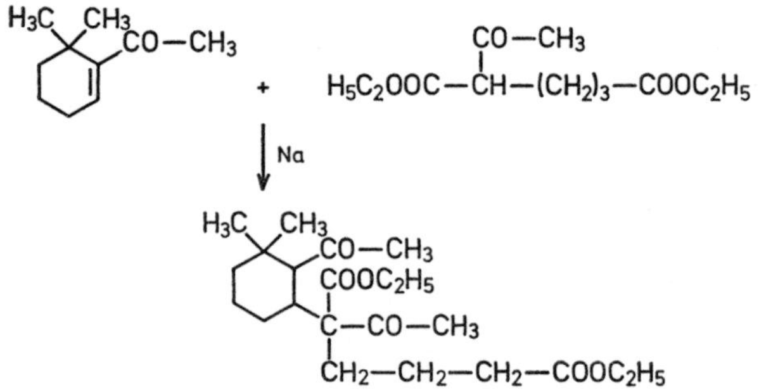

2-(3,3-Dimethyl-2-acetyl-cyclohexyl)-2-acetyl-hexandisäure-diäthylester[3]

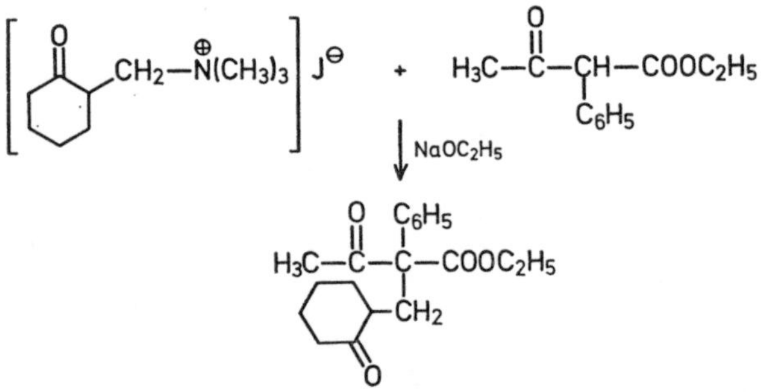

3-Oxo-2-(2-oxo-cyclohexylmethyl)-2-phenyl-butansäure-äthylester[4]

[1] J. H. Burckhalter u. J. A. Durden, J. Org. Chem. **25**, 298 (1960).
[2] J. H. Burckhalter u. J. A. Brown, J. Org. Chem. **30**, 1291 (1965).
[3] C. A. Friedmann u. R. Robinson, Chem. & Ind. **1951**, 777.
[4] A. V. Logan et al., Am. Soc. **76**, 4127.

Cyclimmoniumsalze wie das 1-(2-Oxo-2-phenyl-äthyl)-chinolinium-bromid (I) sind den β-Oxo-carbonsäureestern vergleichbar. Dieses addiert sich in Gegenwart von Triäthylamin in Methanol an Naphthochinon-(1,4) (über 50% d. Th.)[1]:

III; *1,4-Dihydroxy-2-(2-oxo-2-phenyl-äthyl)-naphthalin*;   98% d. Th.

Das primäre Additionsprodukt II läßt sich mit Zink/Eisessig in das Keton III umwandeln[1].

β_3) *3-Oxo-alkylierung und 3-Oxo-3-aryl-propylierung von cyclischen β-Diketonen*

Cyclische β-Diketone besitzen hohe CH-Acidität und eignen sich deswegen gut als Donatoren zur Addition an α,β-ungesättigte Ketone.

Im Hinblick auf weitere Umsetzungen der entstehenden 1,5-Diketone wurden vornehmlich die Reaktionen der Cyclohexandione-(1,3) mit Alkyl-vinyl-ketonen untersucht. Die Reaktionsbedingungen lassen sich in den meisten Fällen so stellen, daß hohe Ausbeuten an reinem Additionsprodukt erzielt werden können, ohne daß schon Cyclisierung eintritt. So reagiert z.B. 1,3-Dioxo-2-methyl-cyclohexan mit Butenon in methanolischer Lösung in Gegenwart einer Spur Kaliumhydroxid als Katalysator zu *1,3-Dioxo-2-methyl-2-(3-oxo-butyl)-cyclohexan* (85% d.Th.)[2]. Wie sehr allerdings der Katalysator bei diesen Additionen eine Rolle spielt, wird daraus ersichtlich, daß die gleiche Reaktion mit Triton B (Trimethyl-benzyl-ammonium-hydroxid)[3] nur 35% d. Th. ergibt, mit Natriumäthanolat[4] 64% d. Th.. Selbstverständlich spielt auch die Menge des basischen Katalysators eine entscheidende Rolle, da durch erhöhte Katalysator-Konzentration eine Aldol-Kondensation ausgelöst werden kann. Ganz ohne Katalysator kann man arbeiten, wenn man das Butenon als Oxo-Mannichbase einsetzt, wie am Beispiel 3,5-Dioxo-1,1-dimethyl-cyclohexan (Dimedon)/4-Diäthylamino-2-oxo-butan gezeigt werden konnte[5].

Analoges Verhalten findet man bei der Umsetzung von 1,3-Dioxo-2,5,5-trimethyl-cyclohexan, das in Pyridin mit 4-Diäthylamino-2-oxo-butan ein Addukt liefert, bei Gegenwart des stärker basischen Triäthylamins aber sofort cyclisiert[6].

[1] F. KRÖHNKE et al.. Ang. Ch. **74**, 811 (1962).
[2] S. RAMACHANDRAN u. M. S. NEWMAN, J. Org. Synth. **41**, 38 (1961).
[3] S. S. SWAMINATHAN u. M. S. NEWMAN, Tetrahedron **2**, 88 (1958).
[4] I. N. NAZAROV u. S. I. ZAVYALOV, Izv. Akad. SSSR. **1952**, 300; engl.: 309; C. A. **47**, 5364 (1953).
[5] I. N. NAZAROV u. S. I. ZAVYALOV, Ž. obšč. Chim. **23**, 1703 (1953); engl.: 1793; C. A. **48**, 13667 (1954).
[6] P. C. MUKHARJI u. T. K. GUPTA, Tetrahedron **25**, 5275 (1969).

Mit methanolischer Kalilauge als Katalysator entsteht bei Verwendung von 2 Molen Butenon aus 3,5-Dioxo-1,1-dimethyl-cyclohexan *2,6-Dioxo-4,4-dimethyl-1,1-bis-[3-oxo-butyl]-cyclohexan*, neben größeren Mengen (>50% d.Th.) *2,6-Dioxo-4,4-dimethyl-1-(3-oxo-butyl)-cyclohexan*[1]. Auch Cyclohexandion-(1,3) selbst liefert ein Bis-Additionsprodukt[2] (*1,3-Dioxo-2,2-bis-[3-oxo-butyl]-cyclohexan*) mit einem etwas günstigeren Verhältnis von Bis- zu Mono-Addukt (38 : 36%) [Monoaddukt *1,3-Dioxo-2-(3-oxo-butyl)-cyclohexan*].

Will man aus 2-substituierten Cycloalkandionen-(1,3) durch Umsetzung mit α,β-ungesättigten Ketonen die primären Michael-Addukte erhalten, so empfiehlt sich auf jeden Fall die Anwendung der Methode, bei der die Acceptoren als Mannich-basen eingesetzt werden. Man vermeidet damit die Säure-Spaltung der Addukte, der diese in Gegenwart starker Basen sehr leicht unterliegen. Z.B. reagiert 1,3-Dioxo-2-methyl-cyclohexan (I) mit 5-Diäthylamino-3-oxo-2-methyl-pentan (II) zu dem Addukt III, das bei Alkalibehandlung sofort zu einer Carbonsäure IV gespalten wird[3]:

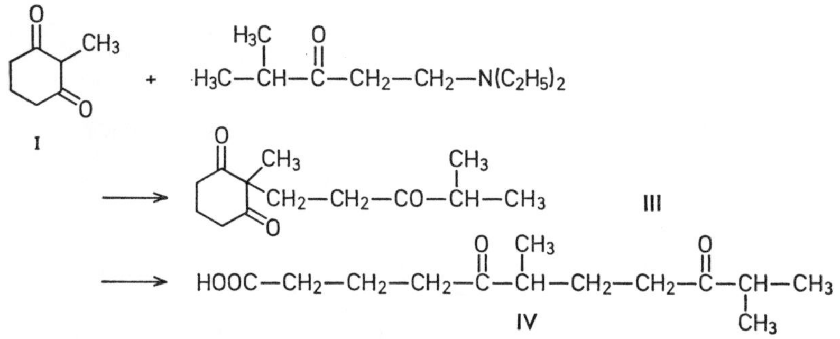

III; *1,3-Dioxo-2-methyl-2-(3-oxo-4-methyl-pentyl)-cyclohexan*
IV; *5,9-Dioxo-6,10-dimethyl-undecansäure*

Gute Ausbeuten erzielt man auch dann, wenn man, wie schon auf S.1661 erwähnt, mit sehr geringen Hydroxyl-Ionen-Konzentrationen in Methanol die Umsetzung durchführt.

In Tab. 217 (S. 1663) werden einige Beispiele für die Umsetzung von Cycloalkandionen-(1,3) mit α,β-ungesättigten Ketonen aufgeführt.

Cyclische β-Diketone, bei denen eine Carbonyl-Gruppe exocyclisch angegliedert ist, werden als Reaktanten für Vinyl-ketone nur selten erwähnt. Als Beispiel sei die Umsetzung von 2-Oxo-6,6-dimethyl-1-acetyl-cyclohexan (I) mit 4-(Methyl-diäthyl-amoniono)-2-oxo-butan-jodid (II) in Gegenwart von Natriummethanolat angeführt, wobei *6-Oxo-2,2-dimethyl-1-(3-oxo-butyl)-1-acetyl-cyclohexan* (40% d.Th.; III) erhalten wird[4]:

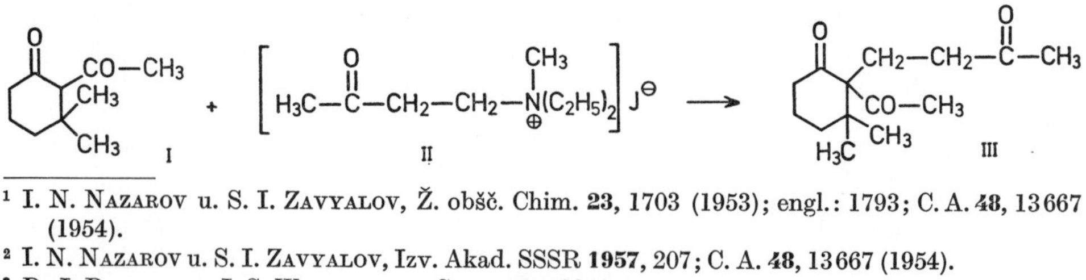

[1] I. N. Nazarov u. S. I. Zavyalov, Ž. obšč. Chim. **23**, 1703 (1953); engl.: 1793; C. A. **48**, 13 667 (1954).
[2] I. N. Nazarov u. S. I. Zavyalov, Izv. Akad. SSSR **1957**, 207; C. A. **48**, 13 667 (1954).
[3] D. J. Baisted u. J. S. Whitehurst, Soc. **1965**, 2340.
[4] G. Büchi, O. Jeger u. L. Ruzicka, Helv. **31**, 241 (1948).

Tab. 217. 3-Oxo-alkylierte bzw. 3-Oxo-3-aryl-propylierte Cycloalkandione-(1,3) und Heterocycloanaloge

β-Dicarbonyl-Verbindung	α,β-ungesättigtes Keton	Katalysator	Reaktionsprodukt	Ausbeute [% d.Th.]	Literatur
Cyclohexandion-(1,3)	Butenon	Triton B	1,3-Dioxo-2-(3-oxo-butyl)-cyclohexan	>80	1
		Na-methanolat	1,3-Dioxo-2-(3-oxo-butyl)-cyclohexan		2,3
	Penten-(1)-on-(3)	Na-äthanolat	1,3-Dioxo-2-(3-oxo-butyl)-cyclohexan	50	4,5
	3-Oxo-1-phenyl-buten-(1)	Piperidin	1,3-Dioxo-2-(3-oxo-1-phenyl-butyl)-cyclohexan		6
	3-Oxo-1,3-diphenyl-propen (Chalkon)		1,3-Dioxo-2-(3-oxo-1,3-diphenyl-propyl)-cyclohexan		
	3-Dimethylamino-1-oxo-1-(4-methoxy-phenyl)-propan	KOH/H2O	1,3-Dioxo-2-[3-oxo-3-(4-methoxy-phenyl)-propyl]-cyclohexan	33	7
	2-Oxo-1-dimethylaminomethyl-cyclo-hexan-Hydrochlorid	KOH	1,3-Dioxo-2-(2-oxo-cyclohexyl-methyl)-cyclohexan	55	8
	2-Oxo-5-acetoxy-3-methylen-pentan	K2CO3	1,3-Dioxo-2-[3-oxo-2-(2-acetoxy-äthyl)-butyl]-cyclohexan	70	3
Dimedon (3,5-Dioxo-1,1-dimethyl-cyclohexan)	3-Oxo-2-methyl-propen-(1)	KOH	2,6-Dioxo-4,4-dimethyl-1-(3-oxo-2-methyl-butyl)-cyclohexan	71	8
	2-Oxo-1-dimethylaminomethyl-cyclo-hexan-Hydrochlorid	KOH	2,6-Dioxo-4,4-dimethyl-1-(3-oxo-cyclohexylmethyl)-cyclohexan	80	8
	4-Diäthylamino-2-oxo-butan	Pyridin	2,6-Dioxo-4,4-dimethyl-1-(3-oxo-butyl)-cyclohexan	60	1
Indandion-(1,3)	3-Oxo-1,3-diphenyl-propen (Chalkon)	Na-methanolat	1,3-Dioxo-2-(3-oxo-1,3-diphenyl-propyl)-indan	63	9

[1] K. BALASUBRAMANIAN, J. P. JOHN u. S. SWAMINATHAN, Synthesis 1974, 51.
[2] U.S.P. 2674627 (1950), Wisconsin Alumni Research Foundation, Erf.: J. W. RALLS W. C. WILDMAN, K. E. McCALEB u. A. L. WILDS; C.A. 49, 1813 (1955).
[3] W. J. PATTERSON u. W. REUSCH, Synthesis 1971, 155.
[4] U.S.P. 2838569 (1950), Wisconsin Alumni Research Foundation, Erf.: J. W. RALLS, W. C. WILDMAN, K. E. McCALEB u. A. L. WILDS; C.A. 53, 319 (1959).
[5] H. STETTER u. M. COENEN, B. 87, 869 (1954).
[6] B. M. MIKHAILOV, Ž. obšč. Chim. 7, 2950 (1937); C.A. 32, 5402 (1938).
[7] I. N. NAZAROV u. S I. ZAVYALOV, Izv. Akad. SSSR 1956, 1452; engl.: 1493, C. obšč. Chim. 25, 508 (1955); engl.: 477;
[8] I. N. NAZAROV u. S. I. ZAVYALOV, Ž. obšč. Chim. 26, 3125 (1956); engl.: 3483; C. A. 51, 8052 C. A. 50, 3359 (1956).
[9] L. ZALUKAYEV, Ž. obšč. Chim. 26, 3125 (1956); engl.: 3483; C. A. 51, 8052 (1957).

Tab. 217 (1. Fortsetzung)

β-Dicarbonyl-Verbindung	α,β-ungesättigtes Keton	Katalysator	Reaktionsprodukt	Ausbeute [% d.Th.]	Literatur
1,3-Dioxo-2-phenyl-indan (und substituierte)	Naphthochinon-(1,4) (und substituierte)		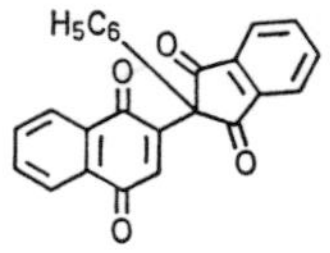 (nach Oxidation durch überschüssiges Naphthochinon)		1
1,3-Dioxo-2-methyl-cyclohexan	4-(Methyl-diäthyl-ammoniono)-2-oxo-butan-jodid	Na-äthanolat	1,3-Dioxo-2-methyl-2-(3-oxo-butyl)-cyclohexan	30	2
	3-Oxo-penten-(4)-säure-äthylester	Na-methanolat	1,3-Dioxo-3-methyl-2-(3-oxo-4-äthoxycarbonyl-butyl)-cyclohexan	30	3
1,3-Dioxo-2-methyl-cyclopentan	4-Diäthylamino-2-oxo-butan	Na-methanolat	1,3-Dioxo-2-methyl-2-(3-oxo-butyl)-cyclopentan	37	2
	Butenon	KOH/ohne Kat.	1,3-Dioxo-2-methyl-2-(3-oxo-butyl)-cyclopentan	100,87	4,5
1,3-Dioxo-2-äthyl-cyclopentan	Butenon	ohne Kat.	2,5-Dioxo-1-äthyl-1-(3-oxo-butyl)-cyclopentan	82	6
2,4-Dioxo-3-methyl-tetrahydrofuran	Butenon	Na-methanolat	2,4-Dioxo-3-methyl-3-(3-oxo-butyl)-tetrahydrofuran	56	7
2,4-Dioxo-1,2-diphenyl-pyrazolidin	Butenon		2,4-Dioxo-3-(3-oxo-butyl)-1,2-diphenyl-pyrazolidin		8
4-Oxo-cumarin	Butenon-Homologe		4-Oxo-3-(3-oxo-alkyl)-cumarine		9

[1] K. BUGGLE, J. A. DONNELLY u. L. J. MAHER, Chem. Commun. 1971, 955.
[2] P. WIELAND u. K. MIESCHER, Helv. 33, 2215 (1950).
[3] I. N. NAZAROV u. S. I. ZAVYALOV, Ž. obšč. Chim. 23, 1703 (1953); engl.: 1793; C. A. 48, 13667 (1954).
[4] C. B. C. BOYCE u. J. S. WHITEHURST, Soc. 1959, 2022.
[5] Z. G. HAJOS u. D. R. PARRISH, J. Org. Chem. 39, 1612 (1974).
[6] Z. G. HAJOS u. D. R. PARRISH, J. Org. Chem. 39, 1615 (1974).
[7] I. N. NAZAROV u. S. I. ZAVYALOV, Izv. Akad. SSSR 1952, 300; engl.: 309; C. A. 47, 5364 (1953).
[8] O. NĚMECEK, Pharm. Ind. 32, 896 (1970).
[9] E. BOSCHETTI et al., Chim. Ther. 7, 20 (1972).

Besondere Bedeutung erhalten 1,3-Dicarbonylverbindungen des oben erwähnten Typs, wenn sie statt als Diketone als Oxo-aldehyde IV vorliegen.

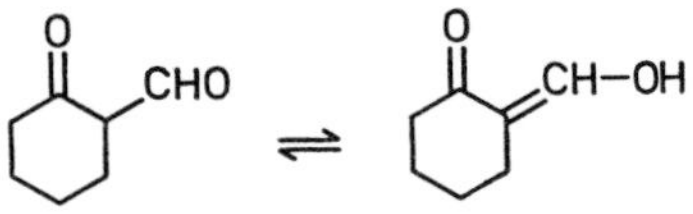

IV

Da die Aldehyd-Funktion recht einfach durch eine Ester-Kondensation des cyclischen Ketons mit Ameisensäureester einführbar ist[1,6], andererseits aber nach Addition eines Substituenten in der 2-Stellung ebenso leicht wieder abspaltbar ist, stellen diese Oxo-aldehyde sehr brauchbare Donatoren in der Michael-Addition dar. Auf diese Weise werden unerwünschte Michaeladdukte – 1 Mol Keton : 2 und mehr Mol ungesättigter Akzeptor (jedoch nicht solche mit dem 1 : 1-Addukt) – und Aldolkondensationen ausgeschlossen. Beispiele hierfür finden sich bereits auf S. 1650–1652.

Weitere Michaeladditionen wurden u. a. durchgeführt mit den Hydroxymethylen-Verbindungen von 4-Oxo-bicyclohexyl[3], höhergliedrigen Cycloalkanonen[4], 4-Oxo-4'-carboxymethyl-bicyclohexyl[5] und

n = 1,2

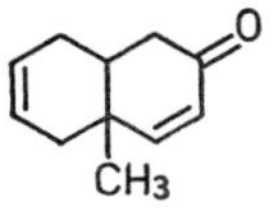

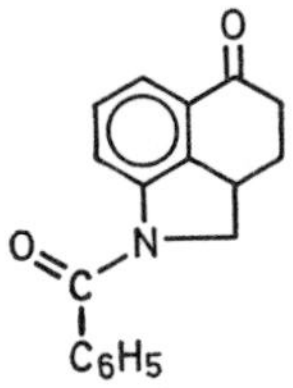

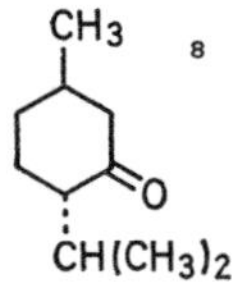

(statt Kondensation mit
Ameisensäureester hier mit Oxal-
säure-dimethylester kondensiert)

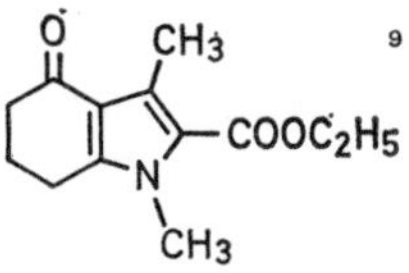

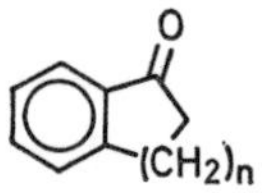

ohne daß jedoch in allen Fällen die Eliminierung der Hilfs-Aldehyd-Funktion schon auf der Stufe des reinen Adduktes erreicht wurde oder erreicht werden sollte.

---

[1] S. ds. Handb., Bd. VII/1, Kap. Einführung der Aldehyd-Gruppe in reaktionsfähige Kohlenstoff-Wasserstoff-Gruppierungen, S. 44.
[2] s. ds. Bd., S. 1400, 1720, 1900.
[3] C. H. Shunk u. A. L. Wilds, Am. Soc. **72**, 2388 (1950).
[4] V. Dave u. J. S. Whitehurst, Tetrahedron **30**, 745 (1974).
[5] R. Jaquier u. S. Boyer, Bl. **1954**, 442.
[6] R. B. Woodward et al., Am. Soc. **74**, 4223 (1952).
[7] S. Rastogi, J. S. Bindra u. N. Anand, Indian J. Chem. **8**, 377 (1970).
[8] G. D. Joshi et al., Indian J. Chem. **11**, 824 (1973).
[9] H. Bhagavatheeswaran et al., Indian J. Chem. **12**, 1209 (1974).
[10] E. Brown, M. Ragault u. J. Tovet, Tetrahedron Letters **1971**, 1043; Bl. **1972**, 212.

γ) 3-Oxo-alkylierung von cyclischen Ketonen, β-Oxo-carbonsäure-estern und β-Diketonen unter nachfolgender cyclisierender Aldol-Kondensation (Robinson-Anellierungsreaktion)

γ₁) *Michael-Reaktion cyclischer Ketone mit α,β-ungesättigten Ketonen*

Die Umsetzung cyclischer CH-acider Carbonyl-Verbindungen mit α,β-ungesättigten Ketonen läßt nur unter den im vorigen Kapitel erörterten Bedingungen die Isolierung der primären Michael-Additionsprodukte zu. Sind die Voraussetzungen einer Aldol-Kondensation (z.B. stöchiometrische Mengen eines stärker basischen Katalysators) gegeben, so kann diese Reaktion eintreten. In diesem Fall werden dann die den bereits auf S. 1626 besprochenen 3-Oxo-cyclohexenen analogen 3-Oxo-cyclohexene mit anellierten Ringen erhalten. Die Bedeutung dieser Methode zur Synthese natürlicher nicht aromatischer Steroide ist sehr groß. Man kann sagen, daß keine der erfolgreichen Totalsynthesen auf dem Steroidgebiet ohne Anwendung dieser als Robinson-Anellierungs-Reaktion bekanntgewordenen Reaktionsfolge durchführbar gewesen wäre.

Die grundlegenden Versuche des Verfahrens gehen auf das Jahr 1935 zurück, als es gelang[1], Cyclohexanon (I) mit 3-Oxo-1-phenyl-buten-(1) (II) in Gegenwart stöchiometrischer Mengen Natriumamid zu *3-Oxo-5-phenyl-bicyclo[4.4.0]decen-(1)* (43% d.Th.; III) umzusetzen:

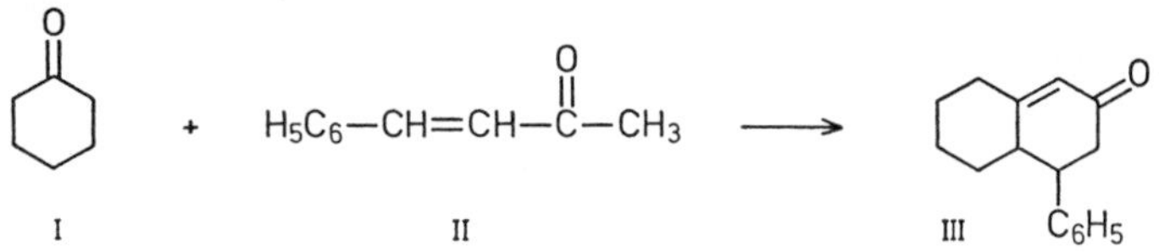

Auf dieselbe Weise erhielt man aus 1-Oxo-2-methyl-tetralin das partiell hydrierte Phenanthren IV, das eine angulare Methyl-Gruppe enthält:

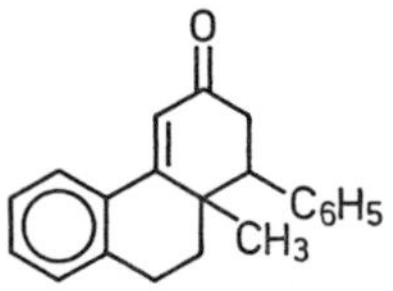

IV; *3-Oxo-10a-methyl-1-phenyl-1,2,3,9,10,10a-hexahydro-phenanthren*

Wegen der großen Neigung zur Polymerisation ersetzte man schon recht bald die freien Vinyl-ketone durch die Jodmethylate ihrer Mannichbasen:

Aus 2-Oxo-1-methyl-cyclopentan bzw. 2-Oxo-1-methyl-cyclohexan konnten durch diese Modifikation die korrespondierenden cyclisierten Michael-Additionsprodukte V und VI in 35–40%iger Ausbeute hergestellt werden[2]:

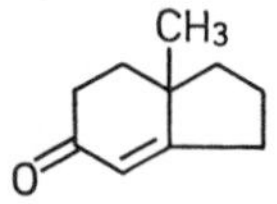

V; *3-Oxo-6-methyl-bicyclo[4.3.0]nonen-(1)* 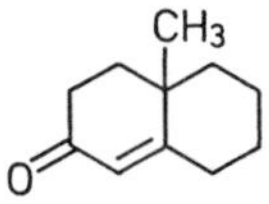   VI; *3-Oxo-6-methyl-bicyclo[4.4.0]decen-(1)*

---

[1] W. S. Rapson u. R. Robinson, Soc. **1935**, 1285.

[2] E. C. du Feu, F. J. McQuillin u. R. Robinson, Soc. **1937**, 53.

F. J. McQuillin u. R. Robinson, Soc. **1938**, 1097.

Andere Autoren[1] erhielten Verbindung VI mit Kalium-tert.-butanolat statt Natriumamid[2] als Katalysator in 28%iger Ausbeute. Zwecks Erhöhung der Ausbeute, allerdings ohne Erfolg, wurden als Katalysator auch Triphenylmethyl-natrium[3], Kaliumhydroxid in Äthanol[4] und Natriummethanolat[5] verwendet. Offensichtlich handelt es sich hier um eine sterische Hinderung der im zweiten Reaktionsschritt erfolgenden Aldol-Kondensation, was auch die Erklärung[6] für die noch geringere (11% d.Th.) Ausbeute bei der Umsetzung von 2-Oxo-1,3-dimethyl-1-methoxy-carbonyl-cyclohexan mit der Mannich-Base des Butanons ist. Denn hier ist die kondensationsfähige Carbonyl-Gruppe beidseitig behindert:

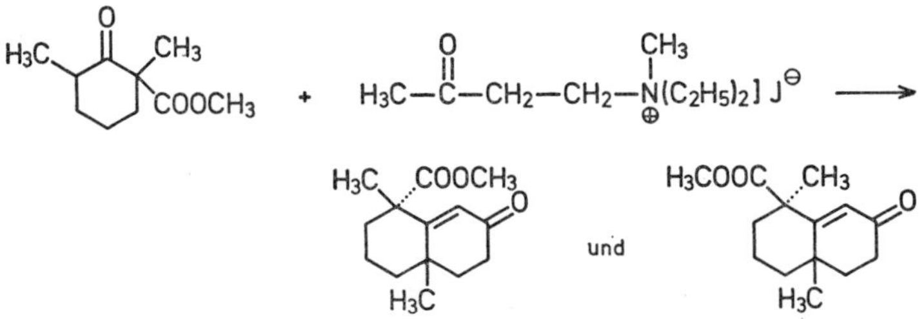

3-Oxo-6,10-dimethyl-10-methoxycarbonyl-bicyclo[4.4.0]decen-(1)

Die präparative Durchführung der Anellierungsreaktion empfiehlt sich nach der Methode von Cornforth und Robinson[7], nach der auch bicyclischen Ketonen, wie substituierten Tetralonen, ein weiterer Ring angegliedert werden kann. Hierdurch erhält man tricyclische Systeme wie etwa VII, dessen drei Ringe schon den Ringen A, B, C des Steroid-Gerüstes entsprechen:

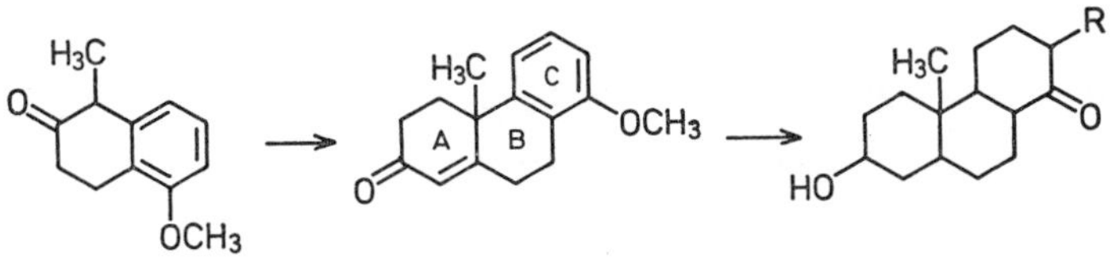

VII; *8-Methoxy-2-oxo-4a-methyl-2,3,4,4a,9,10-hexahydro-phenan-thren*   VIII; R = H; CH$_3$; *7-Hydroxy-1-oxo-4b-methyl-(bzw. -2,4b-dimethyl)-perhydrophen-anthren*

Nach weiteren Umwandlungen wird VIII erhalten, welches als Ausgangsprodukt für die Angliederung des Ringes D dienen kann[8].

---

[1] A. S. Hussey, H. P. Liao u. R. H. Baker, Am. Soc. **75**, 4727 (1953).
[2] E. C. du Feu, F. J. McQuillin u. R. Robinson, Soc. **1937**, 53.
   F. J. McQuillin u. R. Robinson, Soc. **1938**, 1097.
[3] A. L. Wilds, C. H. Hoffman u. T. H. Pearson, Am. Soc. **77**, 647 (1955).
[4] US.P. 2671808 (1954), Merck & Co., Inc., Erf.: E. L. Johnston u. F. W. Holly; C.A. **49**, 3264 (1954).
[5] F. D. Gunstone u. A. P. Tulloch, Soc. **1955**, 1130.
[6] T. A. Spencer et al., J. Org. Chem. **29**, 782 (1914).
[7] J. W. Cornforth u. R. Robinson, Soc. **1946**, 676; **1949**, 1855.
[8] C. A. Grob u. W. Jundt, Helv. **31**, 1691 (1948).

Statt der Mannichbasen sind auch andere Verbindungen[1], die „in situ" α,β-ungesättigte Ketone zu erzeugen gestatten, für die Anellierungreaktion geeignet. Angegeben werden für die Umsetzung mit 5-Hydroxy-8-methoxy-2-oxo-1-methyltetralin die Verbindungen

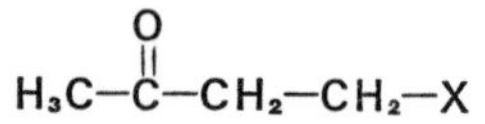

$$\underset{H_3C-\overset{\overset{\textstyle O}{\|}}{C}-CH_2-CH_2-X}{}$$

X = NR$_2$, O–SR,
   –O–SO–R, OR
   Hal

in Gegenwart von wäßrigem Alkali oder Ammoniak oder Triton B (Trimethylbenzyl-ammonium-hydroxid); man erhält *8-Hydroxy-5-methoxy-2-oxo-4a-methyl-2,3,4,4a,9,10-hexahydro-phenanthren.*

Nicht in 2-Stellung durch Alkyl-Reste substituierte cyclische Ketone reagieren durchweg leichter und mit besseren Ausbeuten mit Vinyl-ketonen. Die α,β-ungesättigten Ketone müssen nicht in maskierter Form in die Reaktion eingesetzt werden. Als Katalysator ist eine Lösung von Kalium-äthanolat in absolutem Äthanol deutlich einer solchen von Natriumäthanolat überlegen[2]. Die Ergebnisse der Michael-Addition einiger unsubstituierter cyclischer Ketone an Butenon und 3-Oxo-2-methyl-buten sind in Tab. 218 wiedergegeben.

Tab. 218. Robinson-Reaktion unsubstituierter cyclischer Ketone[2]

Cyclisches Keton	Vinylketon	Katalysator	Reaktionsprodukt	Ausbeute [% d.Th.]
Cyclopentanon	Butenon	KOC$_2$H$_5$	*3-Oxo-bicyclo[4.3.0] nonen-(1)*	100
Cyclohexanon	Butenon	KOC$_2$H$_5$	*3-Oxo-bicyclo[4.4.0] decen-(1)*	58
Cycloheptanon	Butenon	KOC$_2$H$_5$	*9-Oxo-bicyclo[5.4.0]un-decen-(7)*	20
	3-Oxo-2-methyl-buten-(1)	NaOCH$_3$	*9-Oxo-10-methyl-bicyclo [5.4.0]decen-(1)*	17
Indanon-(1)	Butenon	KOC$_2$H$_5$	*3-Oxo-1,2,3,9a-tetra-hydro-fluoren*	58
	3-Oxo-2-methyl-buten-(1)	NaOCH$_3$	*3-Oxo-2-methyl-1,2,3,9a-tetrahydro-fluoren*	28
Tetralon-(1)	3-Oxo-2-methyl-buten-(1)	NaOCH$_3$	*3-Oxo-2-methyl-1,1a,2, 3,9,10-hexahydro-phenanthren*	23

Cyclopentanon und Cyclohexanon unterliegen in Gegenwart starker Basen sehr leicht der Selbstkondensation:

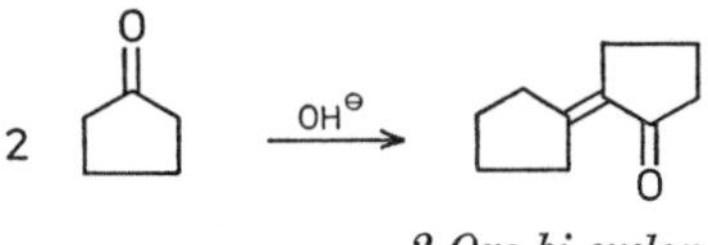

$$2 \quad \overset{\textstyle O}{\square} \quad \xrightarrow{OH^{\ominus}} \quad \text{(Produkt)}$$

2-Oxo-bi-cyclopentyliden

[1] US.P. 2671808 (1951), Merck & Co., Inc., Erf.: E. L. Johnston u. F. W. Holly; C.A. **49**, 3264 (1955).

[2] E. Bergmann et al., Bl. **1957**, 290.

Tab. 219. Oxo-cyclohexene mit anellierten Ringen aus cyclischen Ketonen und α,β-ungesättigten Ketonen

Keton	α,β-ungesättigtes Keton	Katalysator	Reaktionsprodukt	Ausbeute [% d.Th.]	Literatur
	1-(Methyl-diäthyl-ammoniono)-3-oxo-pentan-jodid	Na-OCH$_3$ Na-NH$_2$ Na-C(C$_6$H$_5$)$_3$	3-Oxo-2,6-dimethyl-9-(1-methoxycarbonyl-äthyl)-bicyclo[4.4.0]decen-(1)	15 70 45 10 23	1 2 3 2 4
	4-(Methyl-diäthyl-ammoniono)-2-oxo-butan-jodid	Na-OCH$_3$	3-Oxo-8-(4-carboxy-cyclohexyl)-bicyclo[4.4.0]decen-(1)	83/90	5
	4-(Methoxy-diäthyl-ammoniono)-2-oxo-butan-jodid	Na-OCH$_3$	3-Oxo-bicyclo[4.4.0]decen-(1)	68	6
	4-(Methyl-diäthyl-ammoniono)-2-oxo-butan-jodid	K-OC$_2$H$_5$	8-Methoxy-2-oxo-4a-methyl-2,3,4,4a,9,10-hexahydro-phenanthren	70	7 8
	Butenon	KOH	5,6,8-Trimethoxy-2-oxo-4a-methyl-2,3,4,4a,9,10-tetrahydro-phenanthren		9

[1] F. D. GUNSTONE u. A. P. TULLOCH, Soc. 1955, 1130.
[2] Y. ABE et al., Am. Soc. 75, 2567 (1953).
[3] F. D. GUNSTONE u. A. P. TULLOCH, J. appl. Chem. 4, 291 (1954).
[4] G. R. CLEMO u. F. J. MC QUILLIN, Soc. 1952, 3839.
[5] A. L. WILDS u. C. H. SHUNK, Am. Soc. 72, 2388 (1950).
[6] D. K. BANERJEE, S. CHATTERJEE u. S. P. BHATTACHARYYA, Am. Soc. 77, 408 (1955).
[7] J. W. CORNFORTH u. R. ROBINSON, Soc. 1949, 1855.
[8] US.P. 2671808 (1954), Merck & Co., Inc., Erf.: E. L. JOHNSTON u. F. W. HOLLY; C. A. 49, 3264 (1955).
[9] T. MATSUMOTO, Y. TACHIBANA u. K. FUKUI, Chem. Letters 1972, 321.

Tab. 219 (1. Fortsetzung)

Keton	α,β-ungesättigtes Keton	Katalysator	Reaktionsprodukt	Ausbeute [% d. Th.]	Literatur
(Struktur)	Butenon	NaNH$_2$	6-Methoxy-2-oxo-4a-methyl-8-isopropyl-2,3,4,4a,9,10-hexahydro-phenanthren		1
(Struktur)	4-(Methyl-diäthyl-ammoniono)-2-oxo-butan-jodid	Na-NH$_2$	13-Oxo-10-methyl-tri-cyclo[8.4.0.0^{4,9}]tetradecen-(1^{14})	<10	2
(Struktur) (trans)	4-(Methyl-diäthyl-ammoniono)-2-oxo-butan-jodid	Na-NH$_2$	13-Oxo-tricyclo[8.4.0.0^{3,8}]tetradecen-(1^{14})	~20	3
(Struktur)	4-Methyl-diäthyl-ammoniono)-2-oxo-butan-jodid	Na-OCH$_3$	5,11-Dioxo-tricyclo[8.4.0.0^{2,7}]tetradeca-dien-($1^{10,6}$)		4
(Struktur)	Butenon	Triton B*	5,8 Dihydroxy-13-oxo-10-methyl-tricyclo[8.4.0.0^{4,9}]tetradecen-(1^{14})	39	5

* Trimethyl-benzyl-ammonium-hydroxid

[1] T. Matsumoto et al., Chem. Letters 1973, 321.
[2] R. Robinson u. F. Weygand, Soc. 1941, 386.
[3] E. C. du Feu, F. J. McQuillin u. R. Robinson, Soc. 1937, 53.
[4] US. P. 2674627 (1950), Wisconsin Alumni Research Foundation, Erf.: J. W. Ralls, W. C. Wildman, K. E. McCaleb u. A. L. Wilds; C. A. 49, 1813 (1955).
[5] G. I. Poes et al., Am. Soc. 75, 422 (1953).

Tab. 219 (2. Fortsetzung)

Keton	α,β-ungesättigtes Keton	Katalysator	Reaktionsprodukt	Ausbeute [% d. Th.]	Literatur
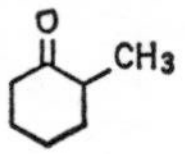 ![Keton: 2-Methyl-cyclohexanon]	3-Oxo-butin	Na-Derivat des Ketons	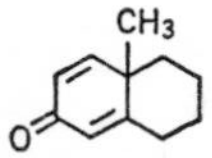 3-Oxo-6-methyl-bicyclo[4.4.0]decadien-(1,4)	gering	1
	Butenon	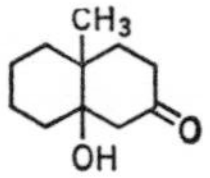	6-Hydroxy-4-oxo-1-methyl-bicyclo[4.4.0]decan	—	2
		(H₂SO₄)	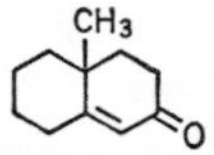 3-Oxo-6-methyl-bicyclo[4.4.0]decen-(1)	49–55	3
	4-Oxo-penten-(2)	als Na-enolat des Ketons	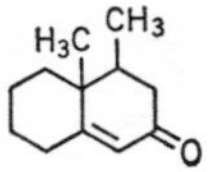 3-Oxo-5,6-dimethyl-bicyclo[4.4.0]decen-(1)	65[a]	4
			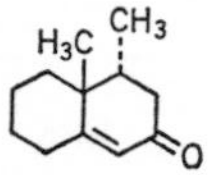 3-Oxo-5,6-dimethyl-bicyclo[4.4.0]decen-(1)	72[b]	4
	4-Oxo-penten-(2)-säure-methylester	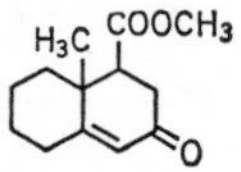	3-Oxo-6-methyl-5-methoxycarbonyl-bicyclo[4.4.0]decen-(1)	—	5

[a] in 1,4-Dioxan   [b] in Dimethylsulfoxid

1 R. B. WOODWARD u. T. SINGH, Am. Soc. 72, 494 (1950).
2 H. C. NEUMANN, J. Med. Chem. 14, 1246 (1971).
3 C. H. HEATHCOCK et al., Tetrahedron Letters 1971, 4995.
4 C. J. V. SCANIO u. R. M. STARRET, Am. Soc. 93, 1539 (1971).
5 J. E. McMURRY u. L. C. BLASZCZAK, J. Org. Chem. 39, 2217 (1974).

Tab. 219 (3. Fortsetzung)

Keton	α,β-ungesättigtes Keton	Katalysator	Reaktionsprodukt	Ausbeute [% d.Th.]	Literatur
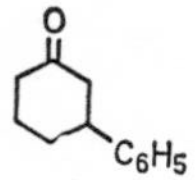	Butenon	KOH/Äthanol	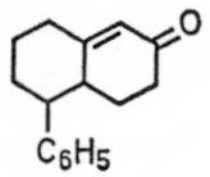 3-Oxo-7-phenyl-bicyclo[4.4.0]decen-(1)	75	1
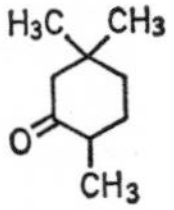	4-(Methyl-diäthyl-ammoniono)-2-oxo-butan-jodid	K—OC(CH₃)₃ in tert.-Butanol	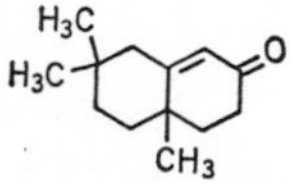 3-Oxo-6,9,9-trimethyl-bicyclo[4.4.0]decen-(1)	34	2
	Butenon	(H₂SO₄)		60	3
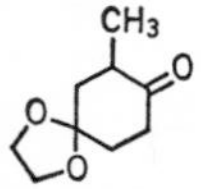	4-Oxo-penten-(2)	NaH/(C₂H₅)₂O	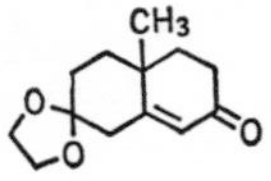 9,9-Äthylendioxy-3-oxo-6-methyl-bicyclo[4.4.0]decen-(1)	56	4
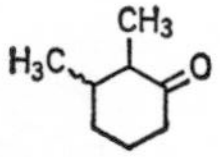	Butenon		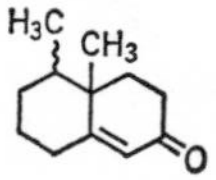 3-Oxo-6,7-dimethyl-bicyclo[4.4.0]decen-(1) cis/trans 3:2	15	5

[1] E. D. Bergmann et al., Tetrahedron **20**, 195 (1964).
[2] F. Sondheimer u. S. Wolfe, Canad. J. Chem. **37**, 1870 (1959).
[3] C. H. Heathcock et al., Tetrahedron Letters **1971**, 4995.
[4] H. M. McGuire, H. C. Odom u. A. R. Pinder Soc. [Perkin I] **1974**, 1879.
[5] A. K. Torrence u. A. R. Pinder, Tetrahedron Letters **1971**, 745.

Diese Nebenreaktion läßt sich bei der durch Alkali katalysierten cyclisierenden Michael-Addition dadurch ausschalten, daß man die Ketone als Enamine[1] einsetzt. Die Anwendung eines Katalysators erübrigt sich in diesem Fall und aus Cyclohexanon und Butenon erhält man *3-Oxo-bicyclo[4.4.0]decen-(1)* (66% d. Th.)[1].

Es ist auffallend, daß in praktisch allen Fällen, bei denen bicyclische Ringe entstehen, nur die α,β-ungesättigten Verbindungen beschrieben sind, da doch gerade bei diesen auch die $\Delta^{1,6}$-Isomeren entstehen können. Am Beispiel der Kondensation des Cyclohexanon-enamins mit Butenon (4 Stdn. Rückflußsieden in 1,4-Dioxan) wurde gezeigt, daß tatsächlich beide Isomeren im Verhältnis 4:1 anfallen[2]:

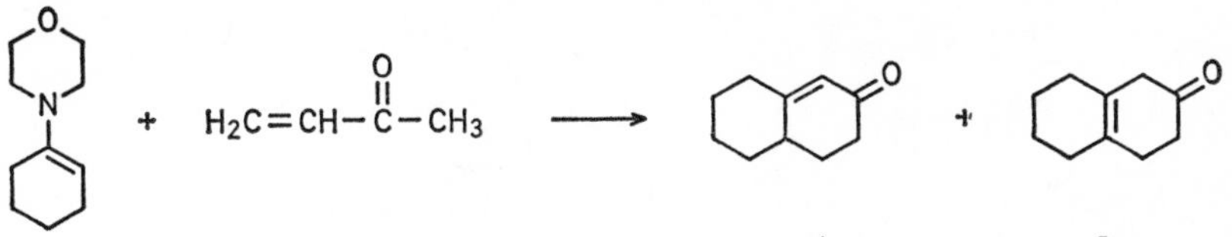

4   :   1

3-Oxo-bicyclo   *3-Oxo-bicyclo[4.4.0]*
[4.4.0]decen-(1)   *decen-(1⁶)*

Es dürfte sich daher empfehlen, die entsprechenden Publikationen kritisch zu würdigen.

Weitere Beispiele der Anwendung der Enamin-Methode sind in Tab. 220 (S. 1674) zusammengestellt.

Die Reaktion von 1-Morpholino-cyclohexen (I) mit dem *cis*- oder *trans* 1,4-Dioxo-1,4-diphenyl-buten-(2) II liefert nur *1-Morpholino-3-phenyl-5-benzoyl-2-oxa-bicyclo [4.4.0]decen-(3)* (III). Analog erhält man aus dem Enamin I und den Chalkonen entsprechende Dihydropyrane V, die sich dann durch Erhitzen in zu Ketonen hydrolysierbare Enamine VI umwandeln lassen[3]:

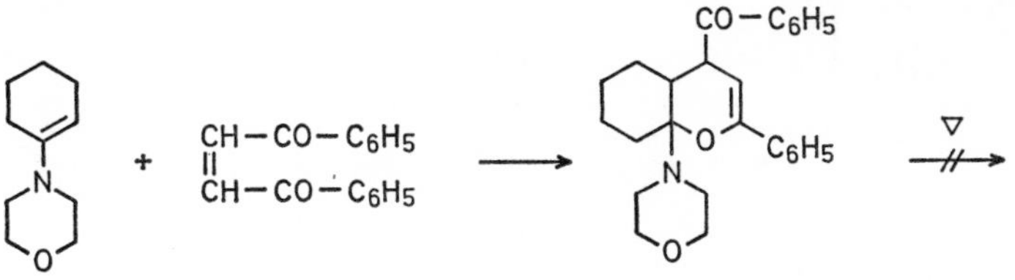

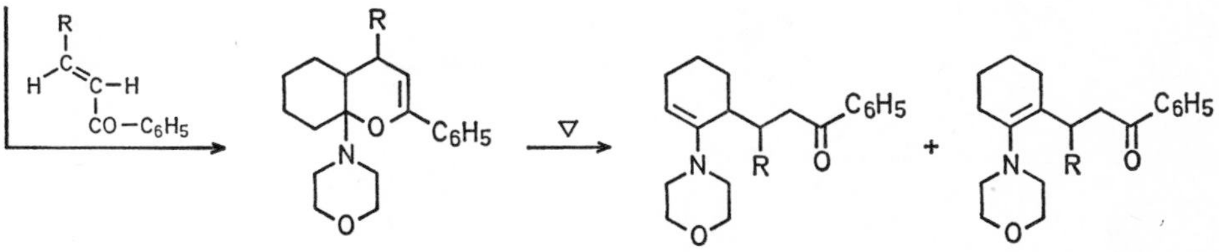

V; . . .-*2-oxa-bicyclo[4.4.0]decen-(3)*   VI; (nach Hydrolyse):
R = H;   *10-Morpholino-3-phenyl-*. . .   *1-Oxo-3-(2-oxo-cyclohexyl)-1-phenyl-propan*
R = C₆H₅; *10-Morpholino-3,5-diphenyl-*. . .   *3-Oxo-3-(2-oxo-cyclohexyl)-1,3-diphenyl-propan*

---

[1] G. Stork et al., Am. Soc. **85**, 207 (1963).
[2] R. L. Augustine u. J. A. Caputo, Org. Synth. **45**, 80 (1965).
[3] F. P. Colonna et al., Soc. [C] **1970**. 2377.

Tab. 220. Enamine cyclischer Ketone in der Robinson-Reaktion

Enamin	α,β-ungesättig-tes Keton	Reaktionsprodukt	Ausbeute [% d.Th.]	Literatur
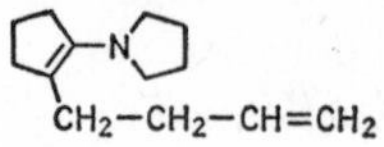 $CH_2-CH_2-CH=CH_2$	Butenon	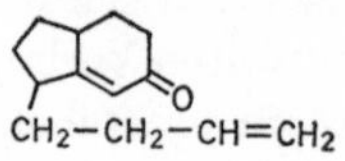 $CH_2-CH_2-CH=CH_2$ *3-Oxo-9-[buten-(3)-yl]-bicyclo[4.3.0] nonen-(1)*	50	1
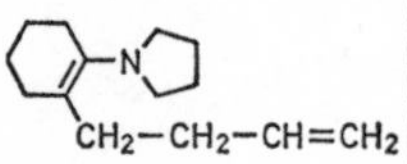 $CH_2-CH_2-CH=CH_2$	Butenon	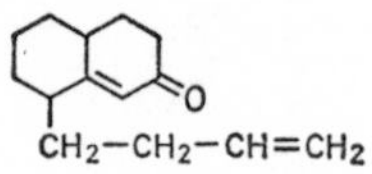 $CH_2-CH_2-CH=CH_2$ *3-Oxo-10-[buten-(3)-yl]-bicyclo[4.4.0] decen-(1)*	49	1
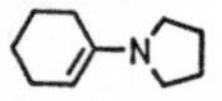	5-Oxo-2-methyl-hepten-(*trans*-3)	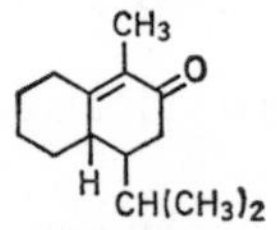 *3-Oxo-2-methyl-5-isopropyl-bicyclo[4.4.0]decen-(1)*	82	2
	4-Oxo-penten	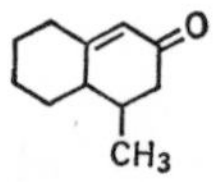 *3-Oxo-5-methyl-bicyclo[4.4.0]decen-(1)*		3
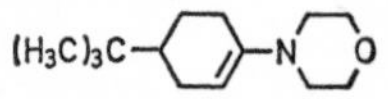 $(H_3C)_3C-$	Butenon	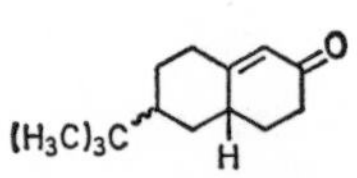 $(H_3C)_3C$ *3-Oxo-8-tert.-butyl-bicyclo[4.4.0] decen-(1)*	44	4
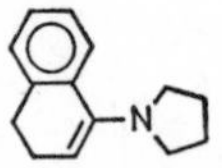	Butenon	*1-Oxo-2-(3-oxo-butyl)-tetralin*	38	5

[1] V. Georgian u. M. Saltzman, Tetrahedron Letters **1972**, 4315.
[2] E. Piers, W. M. Phillips-Johnson u. C. Berger, Tetrahedron Letters **1972**, 2915.
[3] J. A. Marshall u. R. A. Ruden, Synth. Commun. **1**, 227 (1971).
[4] M. Maes et al., Tetrahedron **25**, 5163 (1969).
[5] L. H. Hellberg, R. J. Milligan u. R. N. Wilke, Soc. [C] **1970**, 35.

Tab. 220 (1. Fortsetzung)

Enamin	α,β-ungesättigtes Keton	Reaktionsprodukt	Ausbeute [%d.Th.]	Literatur
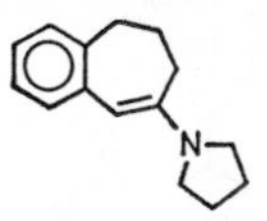	Butenon	*5-Oxo-6-(3-oxo-butyl)-6,7,8,9-tetra-hydro-5H-⟨benzocycloheptatrien⟩*	65	1
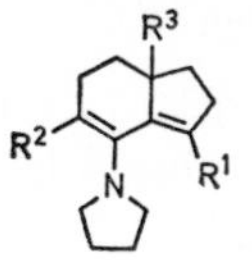	Butenon	*2-Oxo-... -3-(3-oxo-butyl)-bicyclo [4.3.0]nonen-(1⁹)*		2

R¹	R²	R³			
H	CH₃	H	*...-6-methyl-...*	85	
CH₃	CH₃	H	*...-6,9-dimethyl-...*	94	
CH₃	H	CH₃	*...-3,9-dimethyl-...*	62	
CH₃	CH₃	CH₃	*...-3,6,9-trimethyl-...*	56	

Enamin	α,β-ungesättigtes Keton	Reaktionsprodukt	Ausbeute [%d.Th.]	Literatur
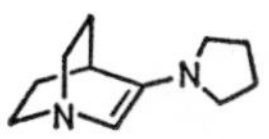	Butenon	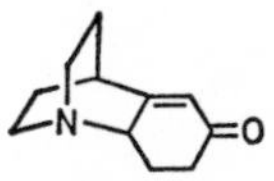 *5-Oxo-1-aza-tricyclo[6.2.2.0²,⁷] dodecen-(6)*		3
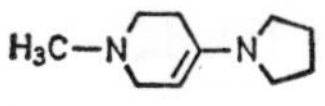	Butenon	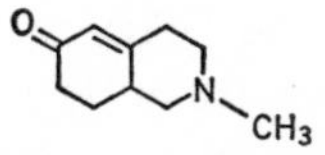 *8-Oxo-3-methyl-3-aza-bicyclo[4.4.0] decen-(6)* 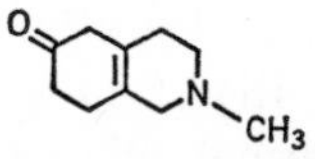 *+ 8-Oxo-3-methyl-3-aza-bicyclo[4.4.0] decen-(1⁶)*	48	4

1 L. H. HELLBERG, R. J. MILLIGAN u. R. N. WILKE, Soc. [C] **1970**, 35.
2 F. WEISBUCH u. G. DANA, Tetrahedron **30**, 2873 (1974).
3 E. OPPENHEIMER u. E. D. BERGMANN, Synthesis **1972**, 269.
4 D. PERELMAN, S. SICSIC u. Z. WELVART, Tetrahedron Letters **1970**, 103.

Bei der Kondensation des Enamins I mit Penten-(2)-on-(4) (II) in Benzol/Eisessig/ Natriumacetat-Gemisch erhält man stereoselektiv 59% d.Th. des Isomeren III neben nur sehr wenig IV, wohingegen in Formamid als Reaktionsmedium etwa gleiche Teile an III und IV entstehen[1]:

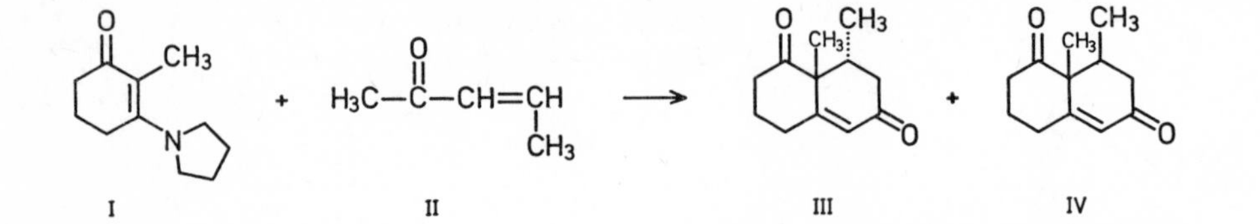

3,7-Dioxo-5,6-dimethyl-bicyclo[4.4.0]decen-(1)

Mit Erfolg wurde auch ein Verfahren erprobt[2], bei dem sowohl Donator als auch Acceptor in maskierter Form zur Reaktion gebracht wurden. Das folgende Schema gibt einen Überblick über die ablaufenden Reaktionen:

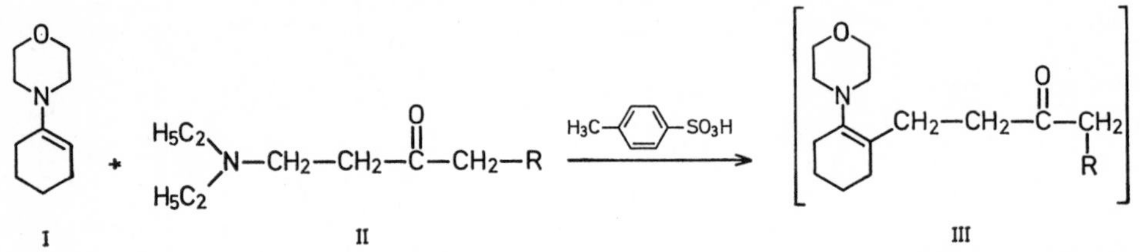

III; *2-Morpholino-1-[3-oxo-butyl- (bzw. -3-oxo-pentyl)]-cyclohexen*

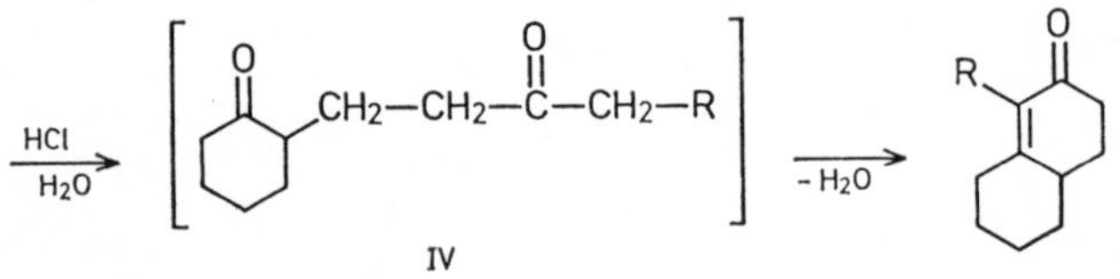

V; R = H; *3-Oxo-bicyclo [4.4.0]decen-(1)* R = CH$_3$; *3-Oxo-2-methyl- bicyclo[4.4.0]decen-(1)*

Das Morpholinenamin des Cyclohexanons (I) reagiert in Gegenwart von p-Toluolsulfonsäure bei 155–180° mit der Mannichbase des Butanons-(2) bzw. Pentanons-(3) (II) unter Abspaltung von Diäthylamin zu dem Zwischenprodukt III, das durch Erhitzen mit 20%iger Salzsäure unter intermediärer Bildung von IV zu V cyclisiert.

γ_2) *Umsetzung cyclischer β-Oxo-carbonsäureester und β-Diketone mit Vinyl-ketonen in der Anellierungsreaktion*

Die basisch katalysierte Reaktion cyclischer β-Oxo-carbonsäureester und β-Diketone mit Vinyl-ketonen bringt, über die auf S. 1657 bereits erwähnte größere CH-Acidität in der eigentlichen Michael-Addition hinaus, in den meisten Fällen keine Besonderheiten. Darum werden die entsprechenden Umsetzungen nur tabellarisch nachfolgend (S. 1677 ff.) erfaßt.

---

[1] R. M. Coates u. J. E. Shaw, Chem. Commun. 1968, 47; Am. Soc. 92, 5657 (1970).
[2] V. I. Gunar, L. F. Ovechkina u. S. I. Zavyalov, Izv. Akad. SSSR 1963, 1110; engl.: 1007; C. A. 59, 7385 (1963).

Tab. 221. Cyclohexen-(1)-one-(3) mit anellierten Ringen aus cyclischen β-Oxo-carbonsäureestern und α,β-ungesättigten Ketonen

β-Ketoester	α,β-ungesättigtes Keton	Katalysator	Reaktionsprodukt	Ausbeute [% d.Th.]	Literatur
(Cyclohexanon-COOC$_2$H$_5$)	Natriumsalz der 3-Oxo-2-methylen-butansäure (in situ)	NaOH	3-Oxo-6-äthoxycarbonyl-bicyclo[4.4.0]decen-(1)		1
	Butenon		3-Oxo-6-äthoxycarbonyl-bicyclo[4.4.0]decen-(1)	73	2
	4-(Methyl-diäthyl-ammoniono)-2-oxo-butan	NaOC$_2$H$_5$	3-Oxo-6-äthoxycarbonyl-bicyclo[4.4.0]decen-(1)	70	3
	3-Oxo-1-(4-methoxy-phenyl)-buten-(1)	KOC$_2$H$_5$	3-Oxo-5-(4-methoxy-phenyl)-6-äthoxy-carbonyl-bicyclo[4.4.0]decen-(1)		4
(Cyclohexanon-COOC$_2$H$_5$, CH$_3$)	4-(Methyl-diäthyl-ammoniono)-2-oxo-butan-jodid	NaOC$_2$H$_5$	3-Oxo-2-methyl-6-äthoxycarbonyl-bicyclo[4.4.0]decen-(1)	45	5
(Cyclohexanon-COOC$_2$H$_5$, H$_3$C, H$_3$C)	Butenon	NaOC$_2$H$_5$	3-Oxo-9,9-dimethyl-6-äthoxycarbonyl-bicyclo[4.4.0]decen-(1)	55	6
(Cyclohexanon-COOCH$_3$, CH–CH$_3$)	3-Oxo-penten-(2)	Kalium-2-methyl-butanolat-(2)	3-Oxo-5-methyl-8-äthyliden-6-methoxy-carbonyl-bicyclo[4.4.0]decen-(1)	75	7
(Piperidinon-COOC$_2$H$_5$, CO–C$_6$H$_5$)	Butenon		3-Oxo-8-benzoyl-8-aza-bicyclo[4.4.0]decen-(1)	–	8

1 P. Wieland u. K. Miescher, Helv. 33, 2215 (1950).
2 W. G. Dauben, R. C. Tweit u. R. L. Mc Lean, Am. Soc. 77, 48 (1955).
3 J. W. Baker u. E. Rothstein, Chem. & Ind., 1955, 776.
4 E. C. du Feu, F. J. McQuillin u. R. Robinson, Soc. 1938, 1097.
5 F. J. McQuillin u. R. Robinson, Soc. 1941, 586.
6 J. D. Metzger, M. W. Baker u. R. J. Morris, J. Org. Chem. 37, 789 (1972).
7 J. A. Marshall u. R. A. Ruden, J. Org. Chem. 36, 594 (1971).
8 S. N. Rastogi et al., Indian J. Chem. 10, 673 (1972).
W. S. Rapson, Soc. 1936, 1626.

Tab. 222. Anellierte Ringe mit zwei Oxo-Gruppen aus cyclischen 1,3-Diketonen und α,β-ungesättigten Ketonen

β-Diketon	α,β-ungesättigtes Keton	Katalysator	Reaktionsprodukt	Ausbeute [% d.Th.]	Literatur
	Natriumsalz der 3-Oxo-2-methylen-butansäure (in situ)	NaOH/Piperidin	6-Hydroxy-4,9-dioxo-1-methyl-bicyclo[4.3.0]nonan		1
	Butenon		3,7-Dioxo-6-methyl-bicyclo[4.3.0]nonen-(1)		2
	Butenon		3,7-Dioxo-6-äthyl-bicyclo[4.4.0]decen-(1)		2,3
	Butenon		3,7-Dioxo-6-methyl-bicyclo[4.4.0]decen-(1)	30	4—6
	5-Oxo-hepten-(6)-säure-methylester	NaOCH$_3$	3,7-Dioxo-6-methyl-2-(2-methoxy-carbonyl-äthyl)-bicyclo[4.4.0]decen-(1)	schlecht	7
	7-Piperidino-5-oxo-heptansäure-äthylester			—	8

[1] P. Wieland u. K. Miescher, Helv. 33, 2215 (1950).
[2] O. I. Fedorova, I. V. Ogurtsova u. G. S. Grinenko, Ž. Org. Chim. 7, 1996 (1971); engl.: 2071.
[3] O. I. Fedorova, G. S. Grinenko u. V. I. Maksimov, Ž. obšč. Chim. 40, 690 (1970); engl.: 660.
[4] J. D. Cocker u. T. G. Halsall, Soc. 1957, 3441.
[5] G. R. Newkome et al., J. Org. Chem. 37, 2098 (1972).
[6] S. Swaminathan u. M. S. Newman, Tetrahedron 2, 88 (1958); Org. Synth. 41, 38 (1961).
[7] I. N. Nazarov u. S. I. Zavyalov, Ž. obšč. Chim. 23, 1703 (1953); engl.: 1793; C. A. 48, 13667 (1954).
[8] N. K. Chaudhuri u. P. C. Mukharji, J. indian Chem. Soc. 33, 81 (1956).

Tab. 222 (1. Fortsetzung)

β-Diketon	α,β-ungesättigtes Keton	Katalysator	Reaktionsprodukt	Ausbeute [% d. Th.]	Literatur
	3-Oxo-penten-(4)-säure-äthyl-ester	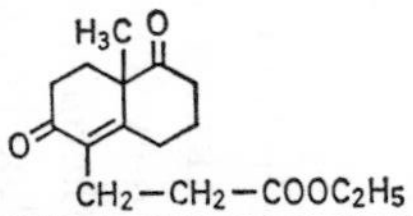 KOH NaOCH₃	3,7-Dioxo-6-methyl-2-[2-äthoxycarbonyl-äthyl]-bicyclo[4.4.0]decen-(I)	73	1, 2
	4-(Methyl-diäthyl-ammonio)-2-oxo-butan	NaNH₂ Diäthyl-amin/Pyridin	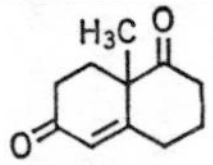 3,7-Dioxo-6-methyl-bicyclo[4.4.0]decen-(I)		3, 4
	3-Oxo-6-(3-methoxy-phenyl)-hexen-(1)	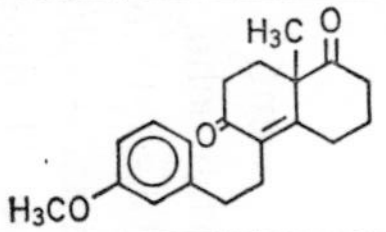	3,7-Dioxo-6-methyl-2-[2-(4-methoxy-phenyl)-äthyl]-bicyclo[4.4.0]decen-(I)	>43	5
	4-Methoxy-3-oxo-buten-(1)	KOH/CH₃OH	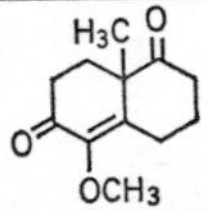 2-Methoxy-3,7-dioxo-6-methyl-bicyclo[4.4.0]decen-(I)	70	6
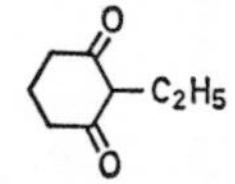	Butenon	Enamin-Methode	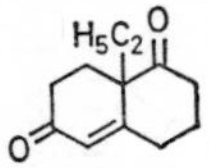 3,7-Dioxo-6-äthyl-bicyclo[4.4.0]decen-(I)	52	7
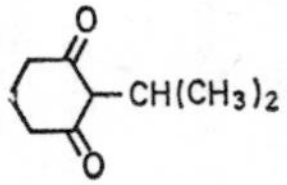	Butenon	Enamin-Methode	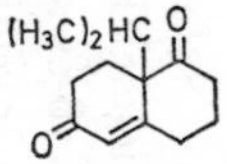 3,7-Dioxo-6-isopropyl-bicyclo[4.4.0]decen-(I)	58	7

1 I. N. NAZAROV u. S. I. ZAVYALOV, Ž. obšč. Chim. 25, 508 (1955); engl.: 477; C. A. 50, 3359f (1956).
2 FRIEDMANN u R. ROBINSON, Chem. & Ind. 1951, 777.
3 P. WIELAND u. K. MIESCHER, Helv. 33, 2215 (1950).
4 Schweiz. P. 293104 (1953). Ciba; C. A. 49, 3263 (1955).
5 R. E. IRELAND et al., Am. Soc. 96, 3333 (1974).
6 R. E. IRELAND et al., Am. Soc. 92, 4754 (1970).
7 G. R. NEWKOME et al., J. Org. Chem. 37, 2098 (1972).

γ₃) *Umsetzung von CH-aciden Carbonyl-Verbindungen*

γγ₁) mit cyclischen 2-Methylen-ketonen

Die Herstellung der 3-Oxo-bicyclo[4.4.0]decene-(1) (Octalone) des Typs I wurde bereits auf S. 1666 ff. besprochen:

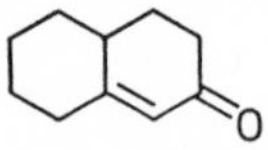

Es besteht nun prinzipiell die Möglichkeit, diese Octalone auch durch Umsetzung von cyclischen 2-Methylen-ketonen mit **aliphatischen** Ketonen herzustellen; so erhält man z.B. aus 2-Oxo-1-methylen-cyclohexan (I) und Butanon (II) in Gegenwart methanolischer Kalilauge *3-Oxo-4-methyl-bicyclo[4.4.0]decen-(1)*[1] III:

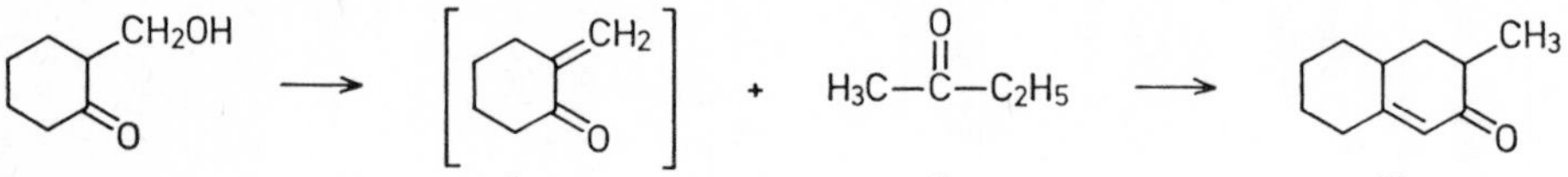

Wie schon im Formelschema angedeutet, sind einige 2-Methylen-ketone äußerst **empfindliche** Substanzen, was eine erhebliche **Einschränkung** für die Tauglichkeit zur Michael-Reaktion bedeutet. Das 2-Oxo-1-methylen-cyclohexan (I) ist so unbeständig, daß es sich kurz nach seiner Herstellung durch thermische Zersetzung[2] des 2-Oxo-1-(piperidinomethyl)-cyclohexan-Hydrochlorids schon bei Zimmertemperatur nach Art einer Diensynthese zu IV dimerisiert:

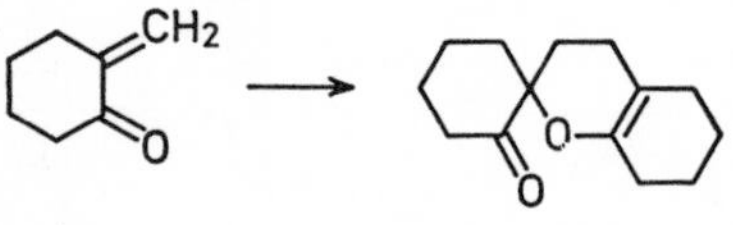

IV; 2-Oxo-cyclohexan-
⟨1-spiro-3⟩-2-oxa-
bicyclo[4.4.0]decen(1⁶)

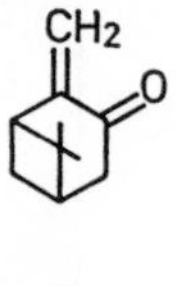

Beständiger ist dagegen das auch natürlich vorkommende 3-Oxo-6,6-dimethyl-2-methylen-bicyclo[3.1.1]heptan (Pinocarvon; V). In Gegenwart von Sauerstoff, Mineralsäuren, Radikalen und Katalysatoren polymerisiert dieses jedoch auch wie andere Vinylketone zu Hochpolymeren[3].

Gut handhabbar sind substituierte o-Methylen-ketone, die durch Kondensation von Glyoxylsäure mit cyclischen Ketonen erhalten werden. Nach Veresterung der Carbonsäuren entstehen Michael-Acceptoren, die mit aciden Ketonen unter Ring-

[1] J. Colonge, J. Dreux u. G. C. Delplace, C. r. **238**, 1237 (1954).

[2] C. Mannich u. P. Hönig, B **74**, 554 (1941).

[3] W. Treibs u. H. Schmidt, B. **82**, 218 (1949).

angliederung reagieren können. Ein Beispiel für diesen Reaktionsablauf ist das folgende[1]:

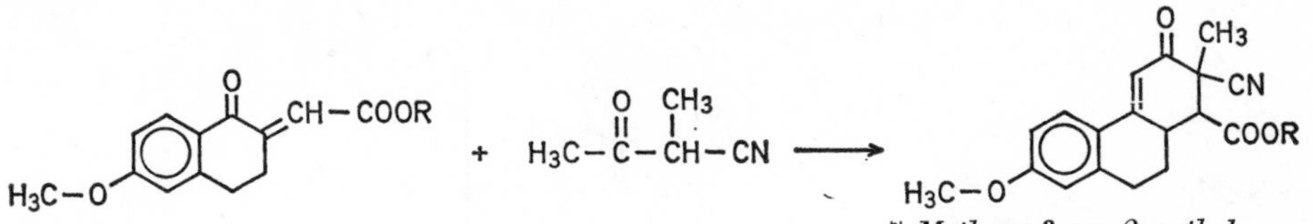

7-Methoxy-3-oxo-2-methyl-
2-cyan-1-alkoxycarbonyl-1,2,
3,9,10,10a-hexahydro-phenan-
thren

Völlig stabil sind dagegen substituierte 2-Methylen-ketone wie das 1,3-Dioxo-2-benzyliden-indan (I). Indandione des Typs I lagern bei 4–63° die 3-Oxo-alkansäure-ester II unter Bildung der Indandione III in Ausbeuten von 45–81% d. Th. an, die bei der Keto-Spaltung mit verdünnter Natronlauge die Indandione IV (60–75% d. Th.) liefern[2]:

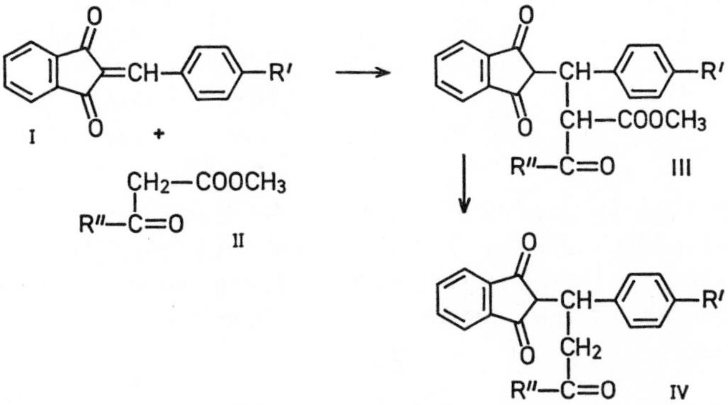

R' = Alkyl, Halogen   R'' = Methyl, Phenyl

Acetessigsäure-äthylester reagiert mit Bis-[arylmethylen]-cyclohexanonen unter Ringangliederung[3].

Die Umsetzung der Alkyliden- bzw. Arylmethylen-meldrumsäuren I mit 1,3-Dioxo-cyclohexanen II liefert über die Michael-Addukte III hinaus durch intramolekulare Umesterung des Acylal-Ringes die Cumarin-Derivate IV[4]:

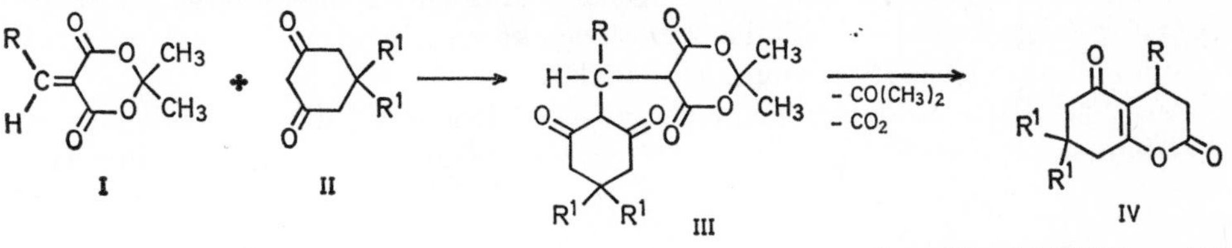

. . . -2-oxa-bicyclo[4.4.0]decen-(1⁶)

IV; R = C₆H₅;   R¹ = H;   3,7-Dioxo-5-phenyl-. . .
                    R¹ = CH₃;   3,7-Dioxo-9,9-dimethyl-5-phenyl-. . .
     R = CH(CH₃)₂; R¹ = H;   3,7-Dioxo-5-isopropyl-. . .
                    R¹ = CH₃;   3,7-Dioxo-9,9-dimethyl-5-isopropyl-. . .

[1] D. K. BANERJEE et al., Indian J. Chem. 9, 1 (1971).
[2] L. P. ZALUKAEV u. I. K. ANOKHINA, Ž. Org. Chim. 3, 1312 (1967); engl.: 1272.
[3] A. SAMMOUR, A. MAREI u. M. H. M. HUSSEIN, J. Chem. U.A.R. 12, 451 (1970).
[4] P. MARGARETHA, Tetrahedron Letters 1970, 1449.

1,2-Dioxo-cyclohexan (V) reagiert ebenfalls mit Alkyliden-ketonen VI unter Pyranringbildung zu den hydrierten Xanthen-Derivaten IX, ohne daß die Zwischenstufen VII und VIII isoliert werden können[1]:

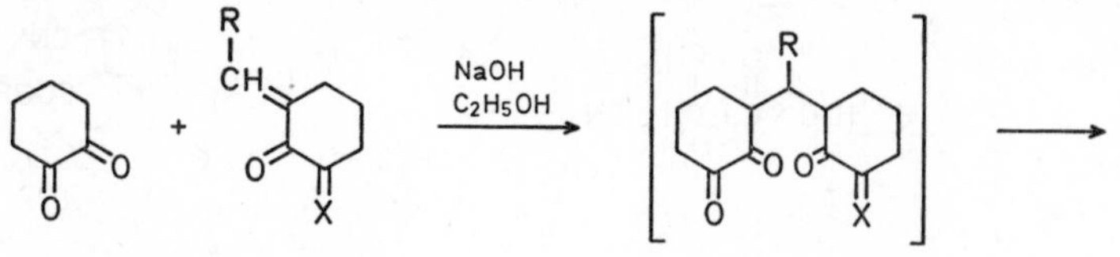

V VI VII

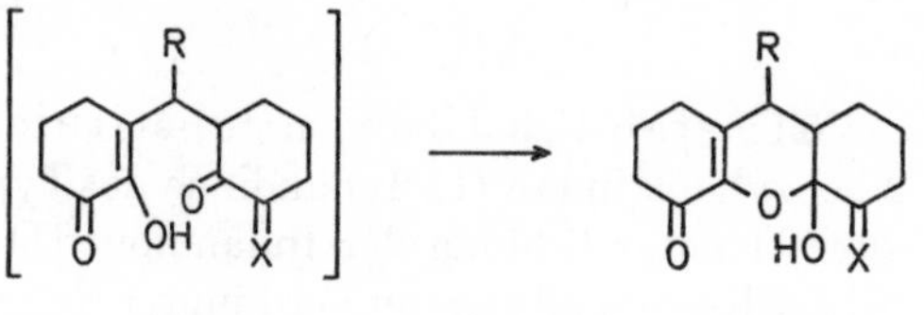

VIII IX

3-Hydroxy-14-oxo- ... 2-oxa-tricyclo[8.4.0.0^{3,8}]tetradecen-(1^{10})

IX; X = H_2; R = H;
R = C_6H_5; ...*-9-phenyl-*...
X = CH–C_6H_5; R = H; ...*-4-benzyliden-*...
R = C_6H_5; ...*-9-phenyl-4-benzyliden-*...

Unerwartete Reaktionsprodukte können bei der Umsetzung von Enaminen mit Arylmethylen-ketonen auftreten. 1-Oxo-2-benzyliden-tetralin (I) z. B. reagiert mit 1-Piperidino- bzw. 1-Pyrrolidino-cyclohexen (II) zu einem Addukt III, dessen Pyran-Ring sich nur mit Lithiumalanat wieder öffnen läßt[2]:

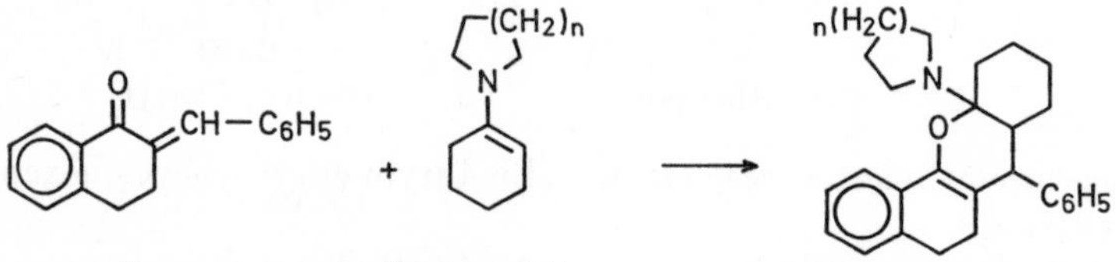

I II; n = 1,2 III; n = 1,2

Ist der Donator, d.h. die CH-acide Verbindung, genügend reaktionsfähig, so lassen sich Michael-Reaktionen mit befriedigenden Ausbeuten durchführen. Voraussetzung ist jedoch auch, daß das 2-Methylen-keton „in situ" erzeugt wird, z.B. aus der Mannichbase oder deren Jodmethylat.

Aus 2-Oxo-1-(trimethylammoniono-methyl)-cycloheptan-jodid (I) erhält man mit Natrium-acetessigsäure-äthylester in 69%iger Ausbeute das bicyclische Keton II[3]:

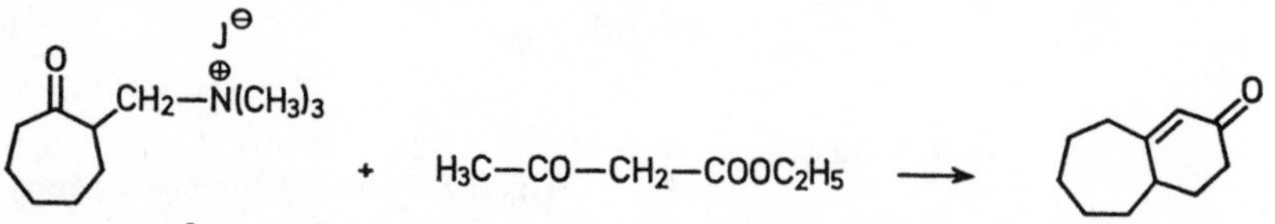

I II

[1] V. I. VYSOTSKII et al., Chim. geterocikl. Soed. **1974**, 746; C. A. **81**, 169394 (1974).

[2] K. K. PRASAD u. V. M. GIRIJAVALLABHAN, Chem. & Ind. **1971**, 426.
J. W. LEWIS u. P. L. MYERS, Chem. & Ind. **1970**, 1625.
K. K. PRASAD, Indian J. Chem. **9**, 1239 (1971).

[3] W. TREIBS u. M. MÜHLSTAEDT, B. **87**, 407 (1954).

9-Oxo-bicyclo[5.4.0]undecen-(7) (II)[1]: 68 g (2/5 Mol) 2-Oxo-1-(dimethylamino-methyl)-cyclo-heptan werden mit 57 g (2/5 Mol) Methyljodid unter guter Kühlung vermischt. Das 2-Oxo-1-(trimethylammoniono-methyl)-cycloheptan-jodid wird in 100 *ml* abs. Äthanol suspendiert und zur Lösung von 11 g Natrium in 100 *ml* abs. Äthanol, die nach Abkühlen mit 62 g Acetessigsäure-äthylester versetzt und mit abs. Äthanol auf 400–500 *ml* aufgefüllt wurden, gegeben. Nach 10 stdgm. Kochen unter Rückfluß, wobei lebhaft Trimethylamin entweicht, wird die gelbe Reaktions-Lösung mit viel Wasser verdünnt und ausgeäthert, die äther. Lösung getrocknet und danach destilliert; Ausbeute: 46 g (69% d. Th.) Rohketon, das mehrmals fraktioniert wird; Kp_1: 124–126° (hellgelbes dünnflüssiges Öl); $n_D^{25} = 1,5265$.

Mit Mannichbasen, die sich vom Cyclohexanon ableiten, führt die Alkylierung mit Acetessigsäure-äthylester mit nachfolgender Aldol-Kondensation zu 3-Oxo-bi-cyclo[4.4.0]decenen-(1) (60–80% d. Th.)[2]. Alkyl-substituierte Acetessigsäureester geben niedrigere Ausbeuten[3]:

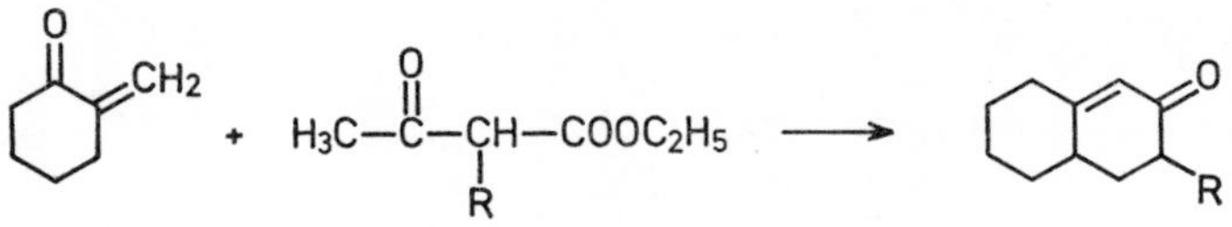

R = CH_3; *3-Oxo-4-methyl-bicyclo[4.4.0]decen-(1)*   41% d. Th.
C_2H_5; *3-Oxo-4-äthyl-bicyclo[4.4.0]decen-(1)*   35% d. Th.
C_3H_7; *3-Oxo-4-propyl-bicyclo[4.4.0]decen-(1)*   32% d. Th.
CH_2—C_6H_5; *3-Oxo-4-benzyl-bicyclo[4.4.0]decen-(1)*   42% d. Th.
CH_2—CH=CH_2; *3-Oxo-4-allyl-bicyclo[4.4.0]decen-(1)*   26% d. Th.

In Tab. 223 (S. 1684) werden einige Beispiele für die Robinson-Reaktion der 2-Methylen-ketone mit β-Oxo-carbonsäureestern angeführt.

$\gamma\gamma_2$) mit 1-Acetyl-cycloalkenen

Von Michael-Additionen einfacher aliphatischer Ketone an 1-Acetyl-cyclo-alkene ist nur die basenkatalysierte Reaktion von Aceton mit 12,20-Dioxo-pregnen-(16) bisher beschrieben worden[4], die zur Angliederung eines neuen Ringes (E) an das Steroid-Gerüst führt:

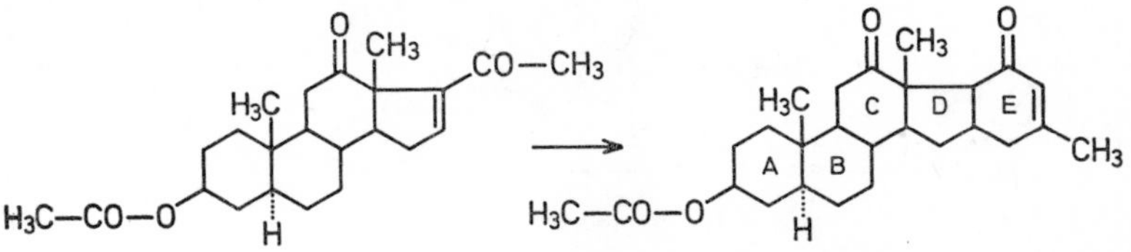

3β-Acetoxy-12-oxo-16β,17α-[4-oxo-2-methyl-buten-
(2)-diyl-(1,4)]-5α-androstan

Die Ausbeute bei dieser Reaktion, die in Gegenwart wäßriger Kalilauge durch-geführt wird, liegt oberhalb 50% d. Th.

[1] W. Treibs u. M. Mühlstaedt, B. **87**, 407 (1954).
[2] E. C. Du Feu, F. J. McQuillan u. R. Robinson, Soc. **1937**, 53.
[3] A. V. Logan et al., Am. Soc. **76**, 4127 (1954).
[4] M. E. Wall et al., Am. Soc. **85**, 1844 (1963).

Tab. 223. Cyclohexen-(1)-one-(3) mit anellierten Ringen

β-Oxo-carbonsäureester	o-Methylen-keton erzeugt in situ aus	Reaktionsprodukt	Aus-beute [% d.Th.]	Litera-tur
3-Oxo-pentansäure-äthylester	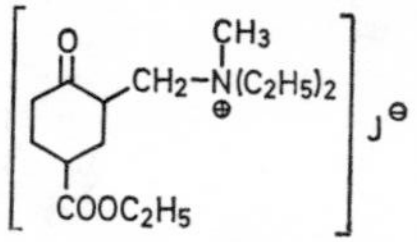	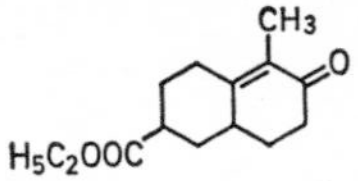 3-Oxo-2-methyl-8-äthoxycarbonyl-bicyclo[4.4.0]decen-(1)	18	1
Acetessigsäure-äthylester	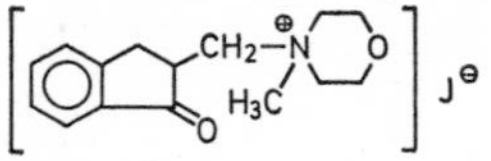	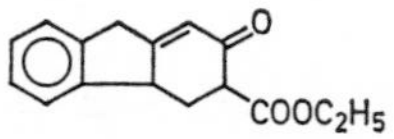 2-Oxo-3-äthoxycarbonyl-2,3,4,4a-tetrahydro-fluoren	70	2
		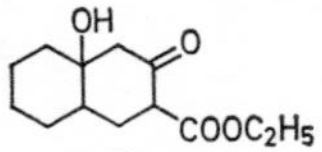 6-Hydroxy-4-oxo-3-äthoxy-carbonyl-bicyclo[4.4.0]decan	60	3
	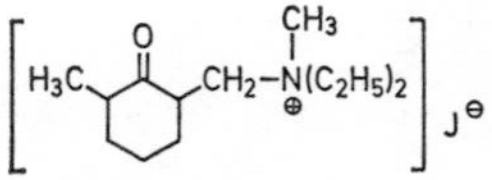	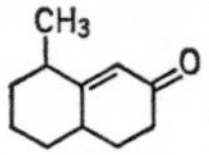 3-Oxo-10-methyl-bicyclo[4.4.0]decen-(1)		4
	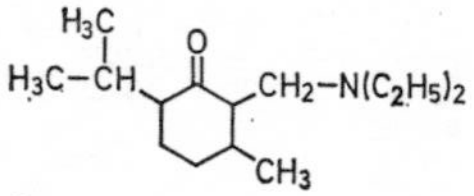	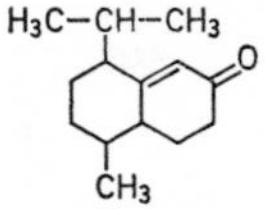 3-Oxo-7-methyl-10-isopropyl-bi-cyclo[4.4.0]decen-(1)		5
	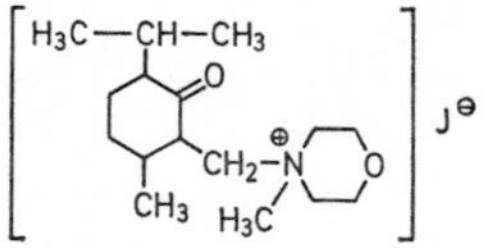	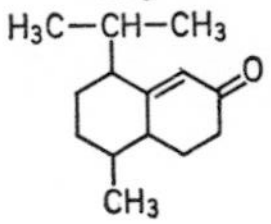 3-Oxo-7-methyl-10-isopropyl-bicyclo[4.4.0]decen-(1)	82	6
		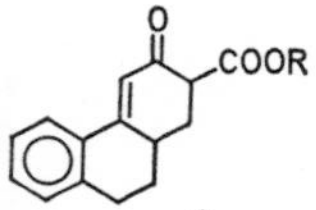 3-Oxo-2-alkoxycarbonyl-1,2,3,9,10,10a-hexahydro-phenanthren		3
	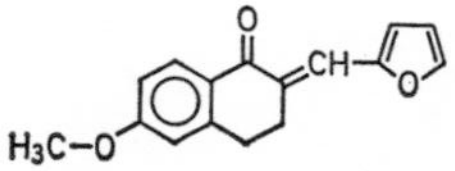	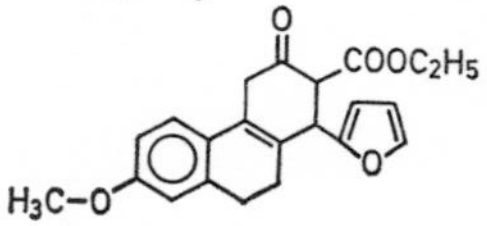 7-Methoxy-3-oxo-2-äthoxycarbo-nyl-1-furyl-(2)-1,2,3,4,9,10-hexahydro-phenanthren	gering	7

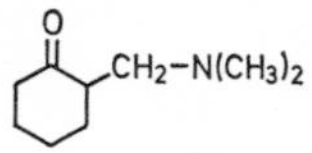

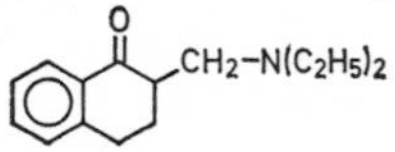

1 J. G. Cook u. R. Robinson, Soc. 1941, 391.
2 R. H. Harradence u. F. Lions, J. Pr. Soc. N. S. Wales 72, 284 (1939).
3 C. Mannich, W. Koch u. F. Borkowsky, B. 70, 355 (1937).
5 P. C. Bhattacharyya, J. indian. chem. Soc. 42, 457 (1965).
6 N. S. Gill u. F. Lions, Am. Soc. 72, 3468 (1950).
7 D. A. Peak u. R. Robinson u. J. Walker, Soc. 1936, 752

Einige wenige Beispiele sind auch bekannt[1], bei denen β-Oxo-carbonsäureester als acide Komponente an 1-Acetyl-cycloalkene addiert wurden, etwa folgende Reaktion[2]:

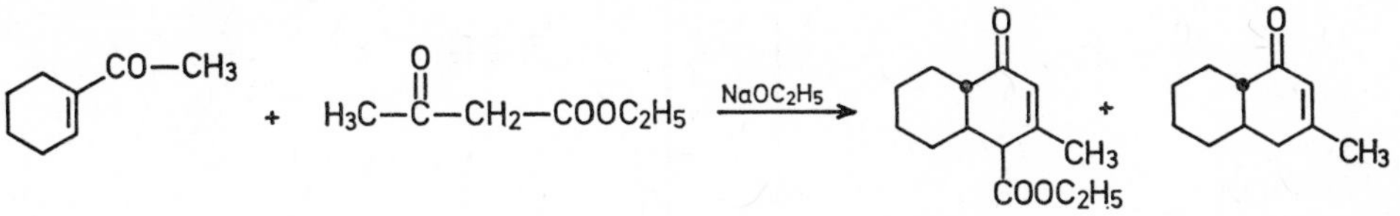

5-Oxo-3-methyl-
2-äthoxycarbonyl-
bicyclo[4.4.0]
decen-(3);
30% d. Th.

5-Oxo-3-methyl-
bicyclo[4.4.0]
decen-(3);
10% d. Th.

Doch sind die Ausbeuten im allgemeinen schlecht. In guten Ausbeuten erhält man dagegen tricyclische α,β-ungesättigte Ketone durch Michael-Reaktion von 1-Acetyl-cycloalkenen mit cyclischen Ketonen. Diese Reaktionsprodukte besitzen großes Interesse als Zwischenprodukte zum Aufbau nichtbenzoider Aromaten[3].

Cyclohexanon als Vertreter der cycloaliphatischen Ketone reagiert mit 2-(1-Oxo-2-methyl-propyl)-cyclohexen in Gegenwart von Natriumamid zum *8a-Hydroxy-10-oxo-9,9-dimethyl-perhydrophenanthren*[4]:

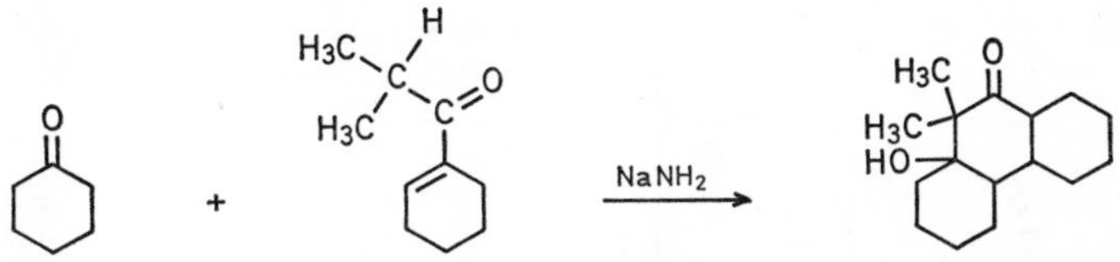

Auch tetracyclische Ketone lassen sich so synthetisieren. Dazu geht man von bicyclischen Ketonen wie Tetralonen-(1) aus. Man addiert diese an 1-Acetyl-cycloalkene und erhält aus Tetralon-(1) (IV) und 1-Acetyl-cyclohexen (V) z.B. in Gegenwart von Natriumamid als Katalysator das *12-Oxo-1,2,3,4,4a,4b,5,6,12,12a-deca-hydro-chrysen*[5,6] (VI):

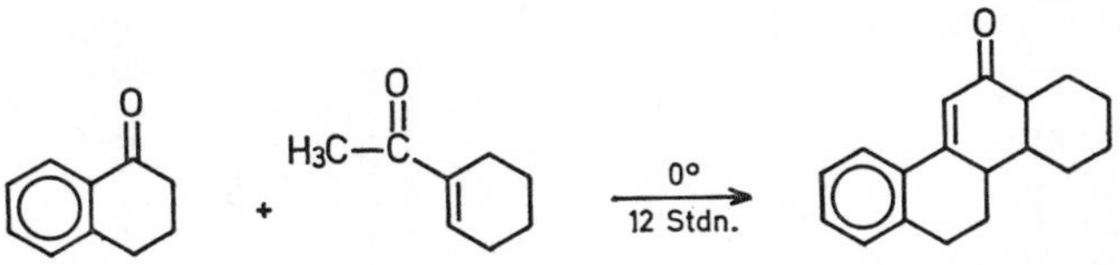

IV   V   VI

[1] C.A. FRIEDMANN u. R. ROBINSON, Chem. & Ind. 1951, 777.
   P. C. MUKHERJI, Sci. Culture 13, 39 (1947); 19, 569 (1954); C. A. 42, 2957 (1948); 49, 5414 (1955).
[2] J. W. BARRET, H. A. COOK u. R. P. LINSTEAD, Soc. 1936, 1065.
[3] W. J. ROSENFELDER u. D. GINSBURG, Soc. 1954, 2955.
[4] A. REISSE, D. CAGNIANT u. P. CAGNIANT, Bl. 1970, 742.
[5] D. A. PEAK u. R. ROBINSON, Soc. 1936, 759.
   W. S. RAPSON u. R. ROBINSON, Soc. 1935, 1285.
[6] C. F. KOELSCH u. S. A. SUNDET, Am. Soc. 72, 1844 (1950).

Tab. 224. Tricyclische Ketone aus 1-Acetyl-cycloalkenen und cyclischen Ketonen

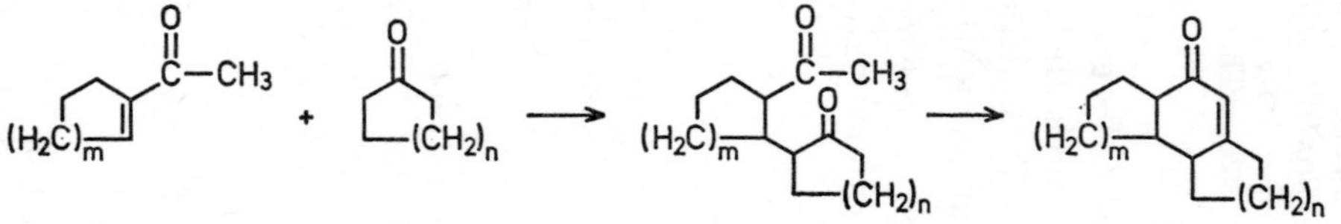

I	II	Katalysator	III		Ausbeute [% d.Th.]	Litera- tur
1-Acetyl-cyclopenten	Cycloheptanon	K—OC(CH$_3$)$_3$	m = 1, n = 3	3-Oxo-tricyclo[7.5.0.0^{4,8}]tetradecen-(I)	41	1
1-Acetyl-cyclohexen	Cycloheptanon	K—OC(CH$_3$)$_3$	m = 2, n = 3	3-Oxo-tricyclo[8.5.0.0^{4,9}]pentadecen-(I)	55	1
	Cyclohexanon	NaNH$_2$	m = 2, n = 2	3-Oxo-tricyclo[8.4.0.0^{4,9}]tetradecen-(I)	80	2
1-Acetyl-cyclohepten	Cyclohexanon	K—OC(CH$_3$)$_3$	m = 3, n = 2	3-Oxo-tricyclo[9.4.0.0^{4,10}]pentadecen-(I)	55	1
	Cycloheptanon	K—OC(CH$_3$)$_3$	m = 3, n = 3	3-Oxo-tricyclo[9.5.0.0^{4,}]hexadecen-(I)	57	1
	Cyclopentanon	Na—OC$_2$H$_5$	m = 3, n = 1	3-Oxo-tricyclo[9.3.0.0^{4,10}]tetradecen-(I)	gering	1

[1] W. J. Rosenfelder u. D. Ginsburg, Soc. 1954, 2955.

[2] D. A. Peak u. R. Robinson, Soc. 1936, 759.
W. S. Rapson u. R. Robinson, Soc. 1935, 1285.

γ_4) *Stereochemie der Michael-Reaktion bei der Anellierungs-Reaktion*

Es sind seit langem Beispiele bekannt, daß die Reaktionsprodukte cyclischer Ketone mit α,β-ungesättigten Ketonen nicht in allen Fällen α,β-ungesättigte Ketone vom Dekalin-Typ sind[1]. Bisweilen bleibt die Reaktion auf der Vorstufe, der Aldol-Addition des primären Michael-Additions-Produktes, stehen, so daß Ketole (wie I) isoliert werden können, z.B.:

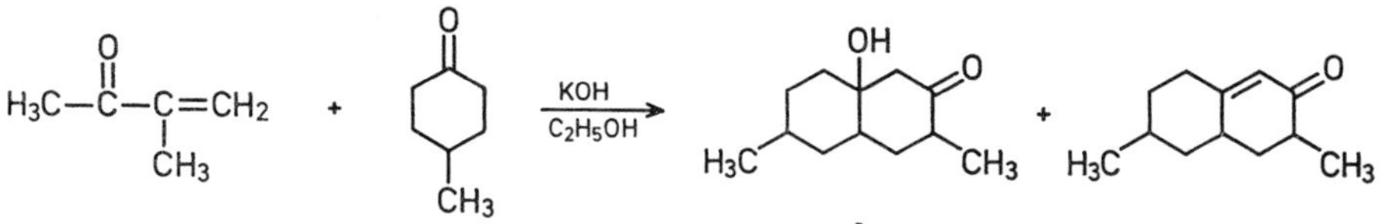

I

1-Hydroxy-3-oxo-4,8-dimethyl-bicyclo[4.4.0]decan; 50% d.Th.

3-Oxo-4,8-dimethyl-bicyclo[4.4.0]decen-(1); 13% d.Th.

Vereinzelt werden in der Literatur aber auch Reaktionsprodukte der **Robinson-Reaktion** beschrieben, denen von den Autoren eine bicyclische Struktur der folgenden Art zugeordnet wird[2–8]:

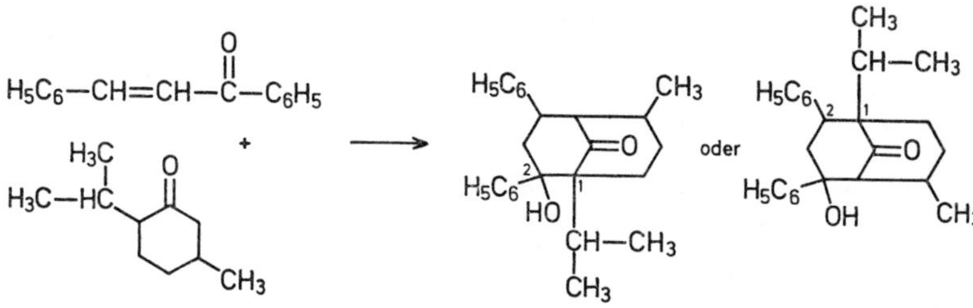

2-Hydroxy-9-oxo-6-methyl-1-isopropyl-2,4-diphenyl-bicyclo[3.3.1]nonan

4-Hydroxy-9-oxo-6-methyl-1-isopropyl-2,4-diphenyl-bicyclo[3.3.1]nonan

[1] C. MANNICH, W. KOCH u. F. BORKOWSKY, B. **70**, 355 (1937).
P. WIELAND et al., Helv. **36**, 1231 (1953).
V. GEORGIAN, Chem. & Ind. **1954**, 930.
J. COLONGE, J. DREUX u. J. P. KEHLSTADT, Bl. **1954**, 1404.
G. STORK, Bl. **1955**, 256.
F. J. McQUILLIN, Soc. **1955**, 528.
R. HOWE u. F. J. McQUILLIN, Soc. **1955**, 2423.
W. S. JOHNSON et al., Am. Soc. **78**, 6302 (1956).
P. WIELAND u. K. MIESCHER, Helv. **33**, 2215 (1950).
[2] H. STOBBE, J. pr. [2] **86**, 209 (1912).
[3] Als Produkte von Michaelkondensationen gefundene Oxo-bicyclononan-Derivate, s. H. G. O. BECKER et al., J. pr. [4] **29**, 142 (1965).
[4] H. D. HOUSE et al., J. Org. Chem. **30**, 2516 (1965), C. r. [C] **265**, 34 (1967): hier als Acceptor 2-Oxo-4-phenyl-buten-(3)-säure verwendet. Konfigurationszuordnungen durch NMR.
[5] A. A. SHCHEGOLEV u. V. F. KUCHEROV, Izv. Akad. SSSR **1970**, 2155; engl.: 2038.
[6] O. I. FEDOROVA, I. V. OGURTSOVA u. G. S. GRINENKO, Ž. Org. Chim. **7**, 1996 (1971); engl.: 2071.
[7] A. A. SHCHEGOLEV u. V. F. KOCHEROV, Izv. Akad. SSSR **1972**, 1107; engl.: 1061.
[8] K. YAMAKAWA et al., Tetrahedron Letters **1974**, 2187.

Eindeutig konnte 1960 nachgewiesen werden, daß die intermediären Ketole diese bicyclische Struktur besitzen können[1]. Und zwar führte man die 3-Oxo-butylierung des Ketons I mit Butenon durch und erhielt als Reaktionsprodukt II und nicht III:

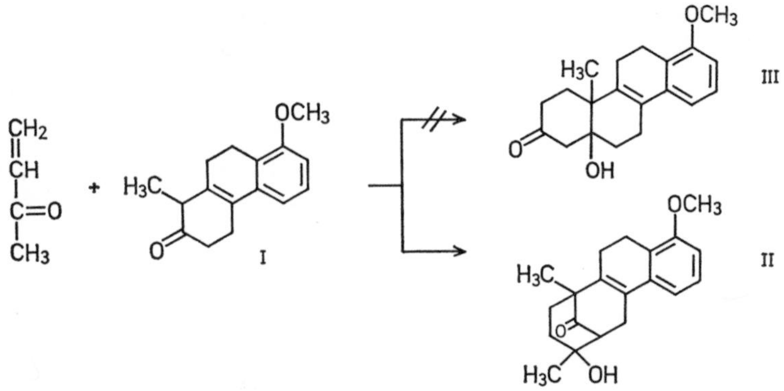

II; *14-Hydroxy-7-methoxy-15-oxo-11,14-dimethyl-⟨benzo-bicyclo[7.3.1.0³,⁸] tridecadien-(3⁸,4)⟩*

Der Strukturbeweis für das Ketol II wurde sowohl chemisch wie physikalisch (Kernresonanz) erbracht[1]. Es ist noch nicht genau überprüft worden, inwieweit die früher in der Literatur beschriebenen Ketole strukturmäßig richtig bestimmt sind. Doch dürften sich bei der Überprüfung einiger früherer Arbeiten noch einige Richtigstellungen beziehungsweise Erklärungen ergeben, wie das inzwischen für die Ketol-Isomeren bei der Kondensation[2] von 2,8-Dioxo-bicyclo[4.4.0] decen-(1⁶) mit Butenon geschehen ist[1].

Da bei der Steroid-Synthese die intermediären Ketole als solche nicht von Interesse sind, sondern nur die aus ihnen durch Dehydratisierung entstehenden cyclischen α,β-ungesättigten Ketone, ist das Problem insofern nur theoretischer Natur, als unabhängig davon, ob nun ein Ketol mit Bicyclononan-Struktur A oder Dekalin-Struktur B vorgelegen hat, die isolierten Endprodukte C identisch sind:

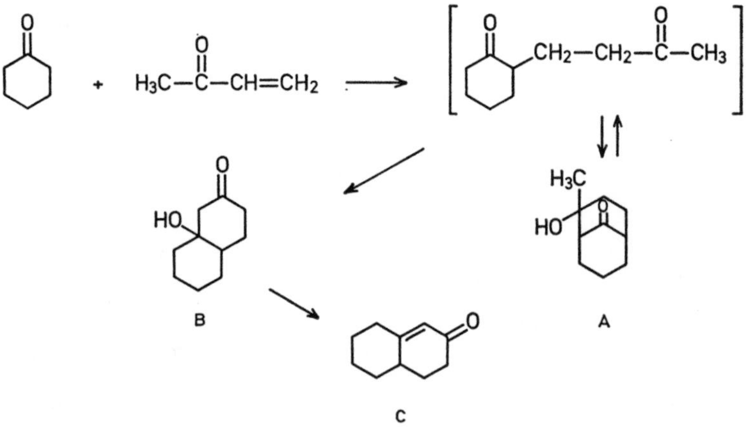

[1] W. S. Johnson et al., Am. Soc. **82**, 614 (1960).

[2] A. L. Wilds et al., Am. Soc. **72**, 5794 (1950).

Voraussetzung ist nur, daß ein **Katalysator** wie Natriummethanolat, **stark genug, um Aldol-Kondensationen auszulösen, im Reaktionsmedium vorhanden ist.** Unter diesen Bedingungen nämlich kann bei dem bicyclischen Keton A eine Retroaldol-Addition eintreten, und unter Inversion der Konformation des Cyclohexanon-Ringes entsteht unter erneuter Aldol-Addition mit gleichzeitig erfolgender Eliminierung der Hydroxy-Gruppe das Endprodukt C (vgl. dazu auch S. 1673, wonach in der 3-Oxo-bicyclo[4.4.0]octen-(1)-Reihe auch die 1^6-Isomeren entstehen können.)

Unter Isolierung der einzelnen Zwischenstufen wurde dieser Reaktionsverlauf bei der Umsetzung des Ketons I mit Butenon gefunden[1,2]. Die Addition des Butenons erfolgt vollständig **stereoselektiv.** Als Substituent befindet sich der 3-Oxo-butyl-Rest nach erfolgter Reaktion in **axialer Stellung**[3] am Cyclohexan-Ring (II) und schließt demzufolge durch Aldol-Addition den Ring zum Bicyclononan-Derivat III, in dem also das Produkt der Michael-Addition festgelegt ist (Starre Struktur der Bicyclononan-Verbindungen, **Sessel-Sessel-Konformation**[4]). Das Bicyclononan-Derivat III läßt sich in das Decalin-Derivat V umwandeln, wenn man statt Triäthylamin als Katalysator Natriummethanolat verwendet. Als nicht isolierte Zwischenstufe ist das Konformationsisomere IV anzusehen:

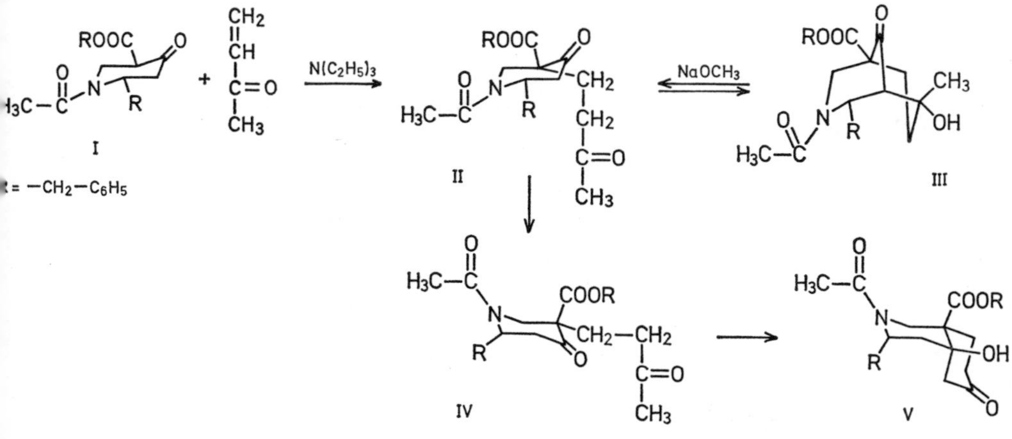

---

[1] G. O. Becker, J. pr. [4] **23**, 259 (1964).

[2] Ein neueres Beispiel ist der Konformationswechsel Ia nach Ib beim Robinson-Ringschluß des Michael-Adduktes I:

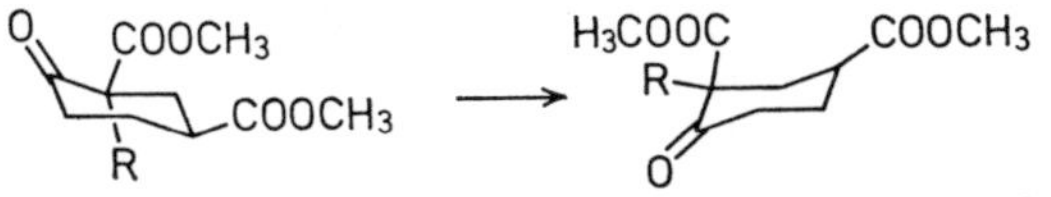

Ib *4-Oxo-3-(3-oxo-butyl)-1,3-dimethoxy-carbonyl-cyclohexan;*
R = CH_2–CH_2–CO-CH_3

H. J. E. Loewenthal, Israel J. Chem. **4**, 47 (1966).

[3] Axiale Addition wurde auch in anderen Fällen nachgewiesen: H. G. O. Becker et al., J. pr. [4] **29**, 142 (1965).

[4] H. O. House, P. P. Wickham u. H. C. Müller, Am. Soc. **84**, 3139 (1962).
J. M. Eckert u. R. J. W. Le Fèvre, Soc. **1964**, 358.

In der Verbindung V sind die Ringe *cis*-verknüpft. Die Michael-Addition von Butenon an Cyclohexanon[1] liefert dagegen das *trans-10-Hydroxy-2-oxo-dekalin* in überwiegender Menge. Dieser Unterschied kann auf den andersartigen energetischen Verhältnissen bei der Konformationsumkehr analog II → IV beruhen: Wenn keine zusätzlichen Substituenten wie im Falle des Cyclohexanons vorhanden sind, ist das Energieniveau des *trans*-Systems im Endprodukt *trans-10-Hydroxy-2-oxo-dekalin* am niedrigsten. Die *cis*-Konformation des Dekalin-Derivates wird durch voluminöse äquatoriale Substituenten des cyclischen Ketons, das der Anellierungs-Reaktion unterworfen wird, gebildet[2]. Ist eine Konformationsumkehr nicht möglich, wie z.B. bei *trans*-Dekalonen, so entstehen durch die Robinson-Reaktion bei thermodynamischer Kontrolle nur die *cis*-Verbindungen. Das ist insofern von Bedeutung, als dadurch in der Synthese von Steroiden aus trans-2-Oxo-1-methyl-dekalinen Verbindungen mit der unnatürlichen Konfiguration der Methyl-Gruppen am Kohlenstoff C_{10} gebildet werden[3]. Der umgekehrte Fall – das nicht starre *cis*-Dekalon-(2)-System – liefert Produkte, bei denen die Methyl-Gruppe an C_{10} mit der richtigen (*axial-axial*) Konformation entsteht[4,5].

6. Besonderheiten der Keton-Herstellung durch Michael-Reaktion[6]

a) Intramolekulare Michael-Additionen

Nicht allzu häufig trifft man den Fall an, daß in ein und demselben Molekül Michael-Donator und -Acceptor vorliegen. Sind die räumlichen Verhältnisse im Molekül für eine Ringschluß-Reaktion geeignet, so kann diese durch Michael-Addition eintreten. Aus 6-Oxo-2-methyl-3-(4-oxo-pentyl)-cyclohexen-(1) (I) läßt sich durch Erhitzen in 10%iger Kalium-tert.-butanolat-Lösung *3-Oxo-1-methyl-9-acetyl-bicyclo[4.3.0]nonan* (II)[7] bzw. dessen Folgeprodukt *1-Hydroxy-8-oxo-11-methyl-tricyclo[5.2.2.0^{4,11}]undecan* (III) herstellen:

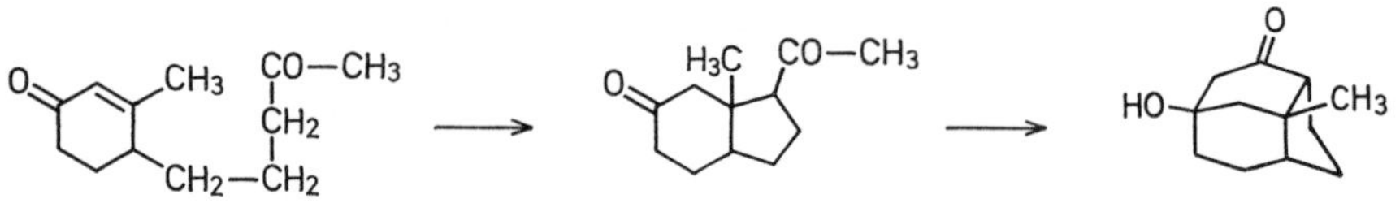

Die Umsetzung von 3-Dimethylamino-1-oxo-1-phenyl-propan (IV) mit 3-Oxo-1,5,5-trimethyl-cyclohexen-(1) (V) unter den Bedingungen der Michael-Reaktion

[1] W. S. Johnson et al., Am. Soc. **82**, 614 (1960).

[2] F. J. McQuillin et al., Soc. **1955**, 528, 2433.
    J. A. Marshall, W. J. Fanta u. G. L. Bundy, Tetrahedron Letters **1965**, 4807.

[3] Vgl. L. Velluz, G. Nominé u. J. Mathieu, Ang. Ch. **72**, 527 (1960).

[4] G. Stork et al., Am. Soc. **84**, 2018 (1962).

[5] H. G. O. Becker et al., J. pr. [4] **29**, 142 (1965).

[6] S. a. S. 1572, 1576, 1598, 1606, 1629, 1634, 1652, 1665, 1676, 1687.

[7] W. S. Johnson et al., J. Org. Chem. **27**, 2015 (1962).

führt zu einem Addukt VI, das intramolekular sofort zu dem Bicyclus VII weiterreagieren kann[1]:

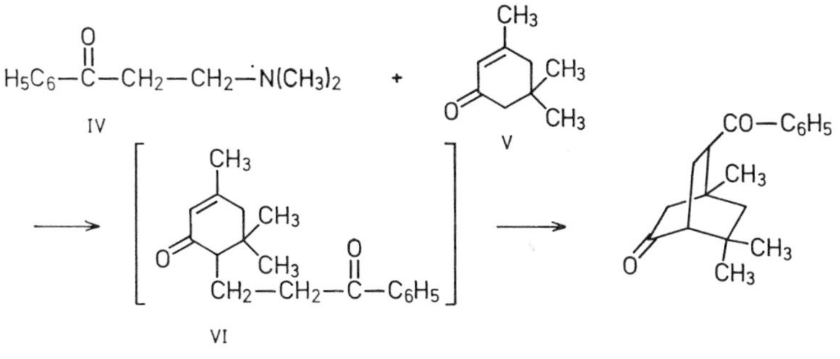

VII; *8-Oxo-1,5,5-trimethyl-2-benzoyl-bicyclo[2.2.2]octan*

Als besonders bemerkenswert muß in diesem Zusammenhang die alkalisch katalysierte Bis-cyclisierung des Entrions I gelten, die durch Michael-Addition im ersten Schritt zu einem 8-Ring führt. Das Ergebnis der im zweiten Schritt erfolgenden Aldol-Addition ist das Cyclisierungsprodukt II (*9-Hydroxy-2,6-dioxo-5-methyl-tricyclo [5.2.1.0^{5,9}]nonan*)[2]:

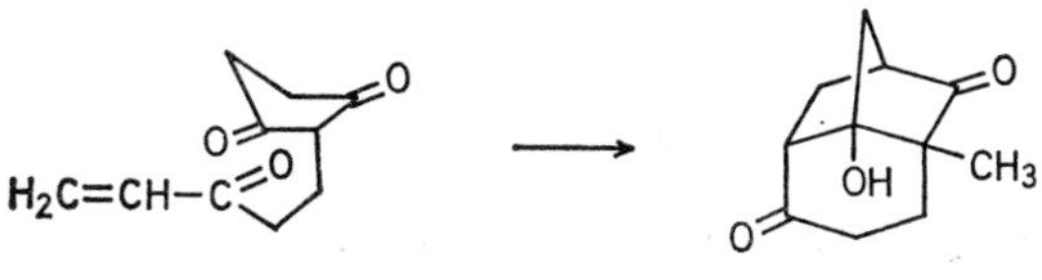

Auch nur sehr schwach acidifizierte Methylen-Gruppen wie solche, die einer Alkyloxycarbonyl-Gruppe benachbart sind, gehen diese Reaktion ein[3]:

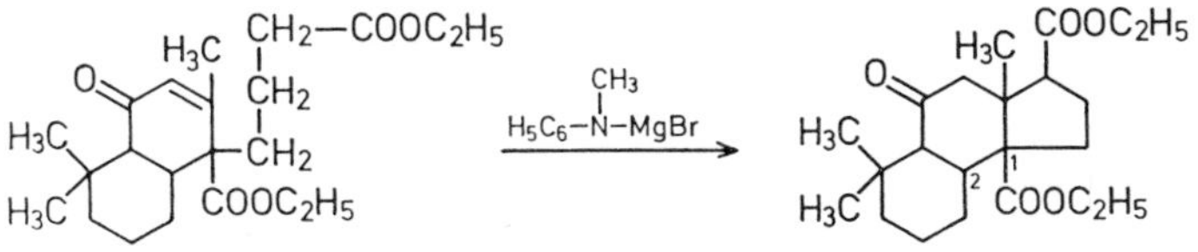

8-Oxo-6,6,10-trimethyl-1,11-diäthoxycarbonyl-tricyclo[8.3.0.0^{2,7}]tridecan

Allgemeineres Interesse gewinnen intramolekulare Michael-Additionen auch dadurch, daß durch doppelte Michael-Additionen aus einfachen Verbindungen

---

[1] H. L. Brown, Chem. Commun. 1967, 399.

[2] S. Danishefsky u. B. H. Migdalof, Tetrahedron Letters 1969, 4331.

[3] A. C. Friedmann u. R. Robinson, Chem. & Ind. 1951, 777.
   Anmerkung: Man vergleiche diese Reaktion bei offenkettigen α, β-ungesättigten Ketonen, s. S. 1600.

cyclische Ketone aufgebaut werden können. Dafür sind bis jetzt folgende typische Reaktionswege gefunden worden[1]:

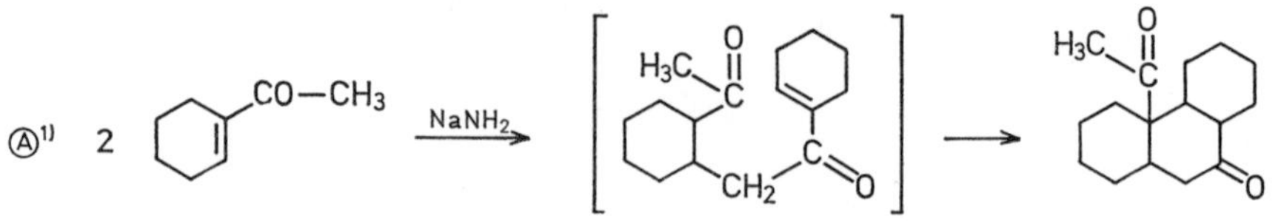

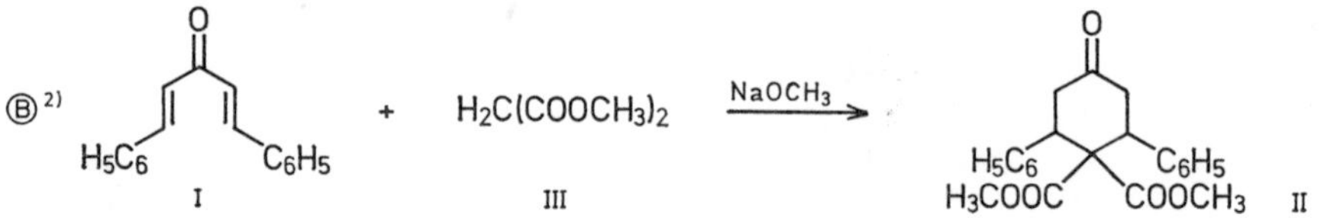

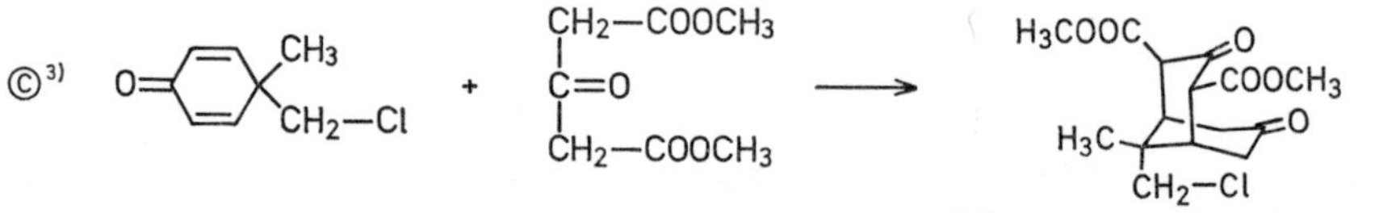

IV; *3,7-Dioxo-9-methyl-9-chlor-*
methyl-2,4-dimethoxycarbonyl-
bicyclo[3.3.1]nonan

Am weitesten variierbar ist die Methode (B). Statt 3-Oxo-1,5-diphenyl-pentadien-(1,4) (I), das mit Malonsäure-dimethylester (III) unter dem Einfluß katalytischer Mengen Natrium-methanolat schon bei Raumtemperatur innerhalb weniger Minuten II[2] ergibt, lassen sich auch 3-Oxo-1,7-diphenyl-heptatrien-(1,4,6), 3-Oxo-7-phenyl-1-(4-methoxy-phenyl)-heptatrien-(1,4,6) oder 5-Oxo-1,9-diphenyl-nonatetraen-(1,3,6,8) verwenden[3].

Aus Cyclohexandion-(1,3) lassen sich durch Michael-Addition mit nichtcyclischen kreuzkonjugierten Dienonen 4-Oxo-cyclohexan-⟨1-spiro-1⟩-2,6-dioxo-cyclohexane herstellen[4]. Die Ausbeuten liegen zwischen 35–45% d.Th.:

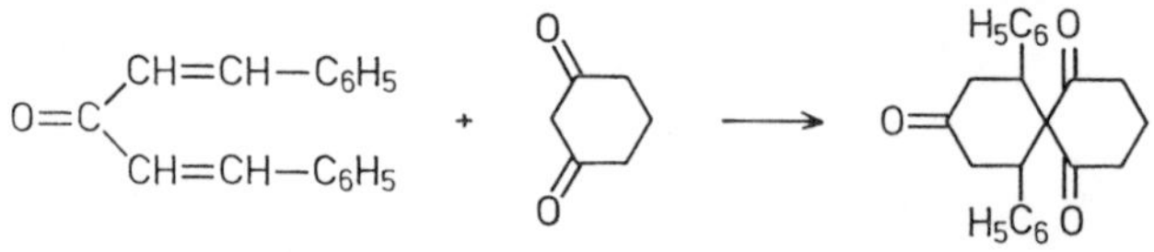

2,6-Dioxo-cyclohexan-⟨1-spiro-1⟩-
4-oxo-2,6-diphenyl-cyclohexan

[1] E. R. H. JONES u. H. P. KOCH, Soc. **1942**, 393.
[2] E. P. KOHLER u. C. S. DEWEY, Am. Soc. **46**, 1267 (1924); das gleiche gilt auch für Cyanessigsäureester [Am. Soc. **62**, 3215 (1940)] und Phenylacetamid [Am. Soc. **71**, 28 (1949)].
[3] H. STETTER u. J. MAYER, B. **92**, 2664 (1959).
   B. FÖHLISCH et al., A. **1973**, 1681: Michael-Addition CH-acider Carbonyl- und Nitroverbindungen an 7-Oxo-7H-⟨benzocycloheptatrien⟩-6,8-dicarbonsäureester.
[4] H. A. P. DE JONGH u. H. WYNBERG, R. **82**, 202 (1963).
   H. A. P. DE JONGH u. H. WYNBERG, Tetrahedron **21**, 515 (1965).

Anstelle von 3,5-Dioxo-cyclohexan läßt sich auch 1,3-Dioxo-indan mit para-substituierten 3-Oxo-1,5-diphenyl-pentadienen-(1,4) umsetzen[1].

Cyclopentanon und Cyclohexanon werden über ihre Pyrrolidinoenamine mit 3-Oxo-1,5-diphenyl-pentadien-(1,4) in Spiroketone überführt. Dabei werden die Zwischenstufen I a, b durch verdünnte Essigsäure zu den freien Ketonen II a, b verseift und diese in einem zweiten Schritt durch anschließende Behandlung mit Natriummethanolat zu III a, b cyclisiert[2]. Unter energischeren Bedingungen erfolgt eine Cyclisierung des Enaminadduktes I a zu einem bicyclischen Diketon IV. Das Diketon IV kann aus II a und Alkanolat nicht hergestellt werden(!):

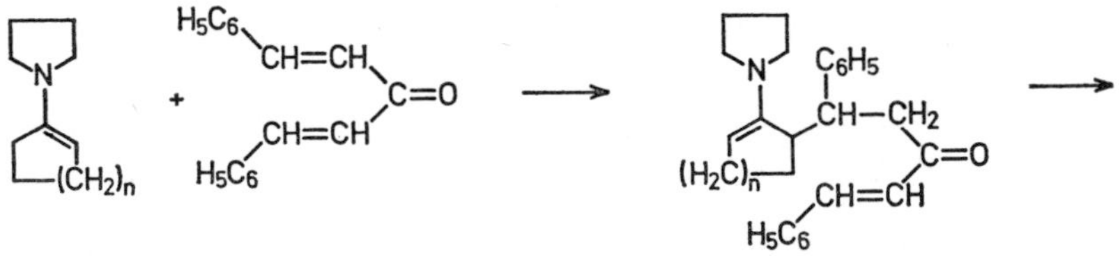

a → n = 1   b → n = 2

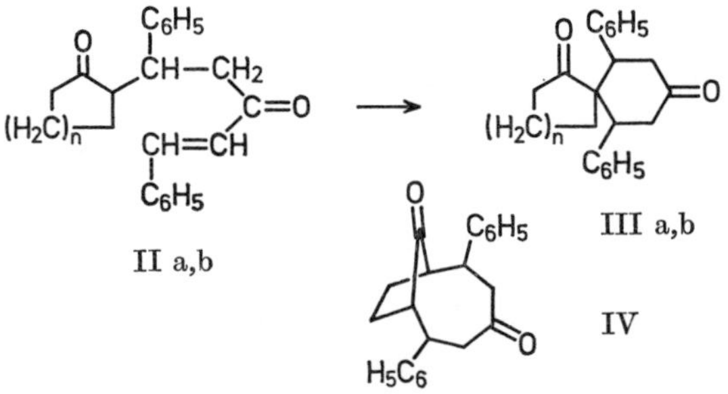

II a; *3-Oxo-5-(2-oxo-cyclopentyl)-1,5-diphenyl-penten-(1)*
  b; *3-Oxo-5-(2-oxo-cyclohexyl)-1,5-diphenyl-penten-(1)*
III a; *2-Oxo-cyclopentan-⟨1-spiro-1⟩-4-oxo-2,6-diphenyl-cyclohexan*
   b; *2-Oxo-cyclohexan-⟨1-spiro-1⟩-4-oxo-2,6-diphenyl-cyclohexan*
IV; *4,10-Dioxo-2,6-diphenyl-bicyclo[5.2.1]decan*

2-Oxo-cyclopentan-⟨1-spiro-1⟩-4-oxo-2,6-diphenyl-cyclohexan(IIIa)[2]:

3-Oxo-5-(2-oxo-cyclopentyl)-1,5-diphenyl-penten-(1) (IIa): Zu einer Lösung von 10 g (0,043 Mol) 3-Oxo-1,5-diphenyl-pentadien-(1,4) in 60 ml 1,4-Dioxan werden 5,9 g (0,043 Mol) 1-Pyrrolidino-cyclopenten-(1)[3] gegeben. Hierbei tritt leichte Erwärmung ein. Nach 45 Min. Aufbewahren bei Raumtemp. wird die Reaktionsmischung durch kurzzeitiges (15 Min.) Erhitzen unter Rückfluß mit 15 ml 65%iger Essigsäure hydrolysiert.

Die Lösungsmittel werden i. Vak. abdestilliert und das zurückbleibende dunkelbraune Öl in 60 ml Äthanol aufgenommen. Nach 4 stdgm. Stehen bei 0° scheiden sich 9,4 g eines braunen, kristallinen Produkts ab, das bei 89–94,5° schmilzt. Die Kristalle werden nach Abfiltrieren mit 20 ml Petroläther (Kp: 40–60°) gewaschen und 2mal aus Petroläther/Benzin (15:1) unter Zusatz von Aktivkohle umkristallisiert; Ausbeute 7,46 g (55% d.Th.); F: 92–97° (farblose Kristalle).

[1] I. Y. SHTERNBERG u. Y. F. FREIMANIS, Ž. Org. Chim. 4, 1081 (1968); engl.: 1044.
[2] H. A. P. DE JONGH, F. J. GERHARTL u. H. WYNBERG, J. Org. Chem. 30, 1409 (1965).
[3] G. STORK et al., Am. Soc. 85, 207 (1963).

2-Oxo-cyclopentan-⟨1-spiro-1⟩-4-oxo-2,6-diphenyl-cyclohexan[1]: Eine Mischung aus 10,75 g (0,034 Mol) IIa (F: 86–98°) in 100 *ml* trockenem Benzol und 80 *ml* Methanol, das 0,5 g Natrium enthält, wird 16 Stdn. bei Raumtemp. aufbewahrt. Nach Zusatz von 60 *ml* 10%iger Essigsäure wird die Benzolschicht abgetrennt und die wäßr. Phase noch 2 mal mit Benzol extrahiert.

Die vereinigten organischen Schichten werden mit Magnesiumsulfat getrocknet und das Lösungsmittel abdestilliert. Das zurückbleibende Öl wird in 10 *ml* siedendem Eisessig aufgenommen. Nach einem Tag scheiden sich 4,3 g cyclisiertes Produkt ab, das abgesaugt und mit 20 *ml* Petroläther gewaschen wird (F: 112–119°). Nach Konzentrieren der Mutterlauge erhält man weitere 2,65 g (F: 102–107°), so daß die Gesamtausbeute bei 6,95 g (64% d.Th.) liegt F:117–119°.

Über Abweichungen von der normalen Michaeladdition s. a. unter Umsetzungen von Malonsäure-diester mit Chalkonen (S. 1598).

Am Rande sei erwähnt, daß in Gegenwart schwächerer Katalysatoren wie z. B. Diäthylamin, Mono-Additionsprodukte aus Divinylketonen und Ketonen[2] bzw. β-Oxo-carbonsäureestern[3] erhalten werden können.

Aus Pentadien-(1,4)-on-(3) und 1,3-Dioxo-2-methyl-cyclohexan läßt sich unter Methanolat-Katalyse *3-Oxo-1,5-bis-[2,6-dioxo-1-methyl-cyclohexyl]-pentan* (18% d.Th.) gewinnen[4].

Ein sehr aktiver Acceptor wie 7-Oxo-6,8-diäthoxycarbonyl-7H-⟨benzocycloheptatrien⟩ reagiert allerdings auch mit Diäthylamin als Katalysator in einer doppelten Michael-Addition mit 3-Oxo-glutarsäure-diäthylester zum *8,11-Dioxo-7,9,10,12-tetraäthoxycarbonyl-⟨benzo-bicyclo[3.3.2]decen-(9)⟩* (100% enolisiert)[5]:

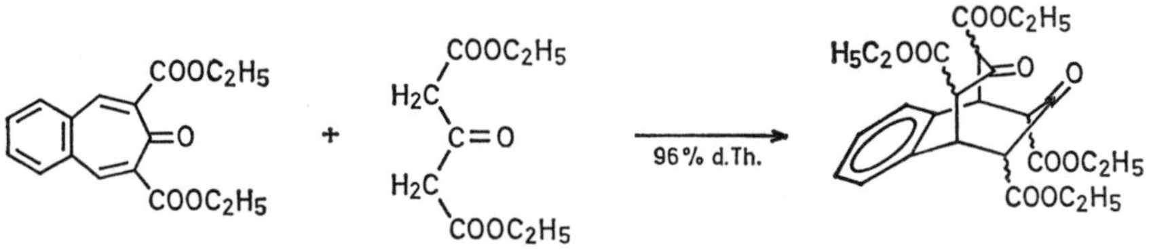

β) 1,6-Addition

Sind zu einer Carbonyl- oder Cyan-Gruppe zwei C=C-Doppelbindungen konjugiert, so besteht bei der Michael-Addition eines Carbanions an dieses System die Möglichkeit, in β- oder δ-Stellung anzugreifen. Im ersteren Fall erhält man das normale 1,4-Michael-Additionsprodukt, im letzteren das 1,6-Addukt. Malonsäurediäthylester reagiert mit Heptadien-(3,5)-on-(2) (I) zu [*6-Oxo-hepten-(3)-yl-(2)]-malonsäure-diäthylester* (66% d.Th.; II) neben [*6-Oxo-hepten-(2)-yl-(4)]-malonsäurediäthylester* (29% d.Th.; III)[6,7]:

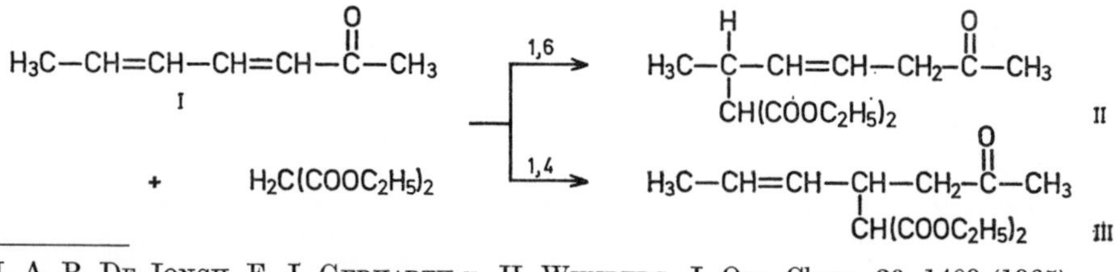

[1] H. A. P. De Jongh, F. J. Gerharth u. H. Wynberg, J. Org. Chem. **30**, 1409 (1965).
[2] H. Stobbe, J. pr. [2] **86**, 209 (1912).
[3] H. Henecka, *Chemie der β-Dicarbonyl-Verbindungen* Springer-Verlag, Heidelberg 1950.
[4] I. N. Nazarov u. S. I. Zavyalov, Ž. obšč. Chim. **23**, 1703 (1953); engl.: 1793; C. A. **48**, 13667 (1954).
[5] B. Föhlisch et al., A. **1973**, 1839.
[6] E. H. Farmer u. T. N. Mehta, Soc. **1931**, 1904.
[7] 1,6-Addition an 2-Cyan-butadien s. J. L. Charlish et al., Soc. **1948**, 232.

Je nachdem, ob im abschließenden Schritt einer 1,6-Addition ein Proton in α- oder γ-Stellung zur Carbonyl- oder Cyan-Gruppe addiert wird, erhält man Produkte mit isolierter Doppelbindung (s. S. 1694) oder konjugierter Doppelbindung. Da die Produkte der 1,6-Addition mit konjugierter Doppelbindung die energieärmeren Bindungsisomeren sind, entstehen sie bevorzugt und in einigen Fällen als ausschließliches Hauptprodukt, wie an folgendem Beispiel gezeigt sei[1,2]:

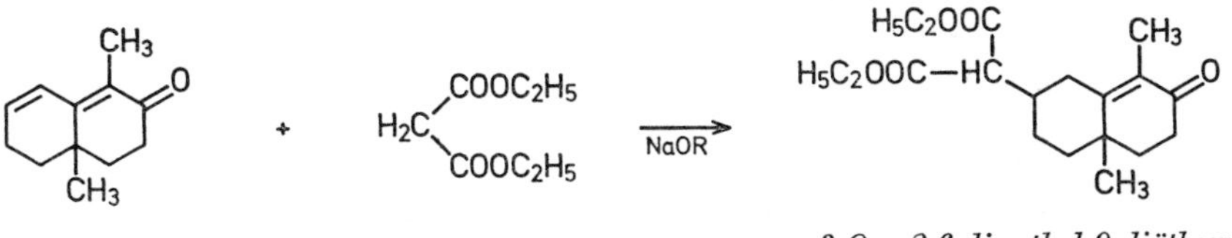

3-Oxo-2,6-dimethyl-9-diäthoxy-
carbonylmethyl-bicyclo[4.4.0]
decen-(1)

3-Oxo-1-vinyl-cyclohexen (I) schafft günstige Bedingungen für eine 1,6-Addition (sterische Hinderung bei 1,4-Addition). Mit 3,7-Dioxo-6β-methyl-2α-methoxycarbonyl-1α-bicyclo[4.3.0]nonan (II) reagiert es in Gegenwart von Kalium-tert.-butanolat (5,5 Stdn. bei 50° unter Stickstoff) zu einem über Silicagel trennbaren Gemisch aus dem Dioxo-enon III und dem Spiro-Triketon IV[3]:

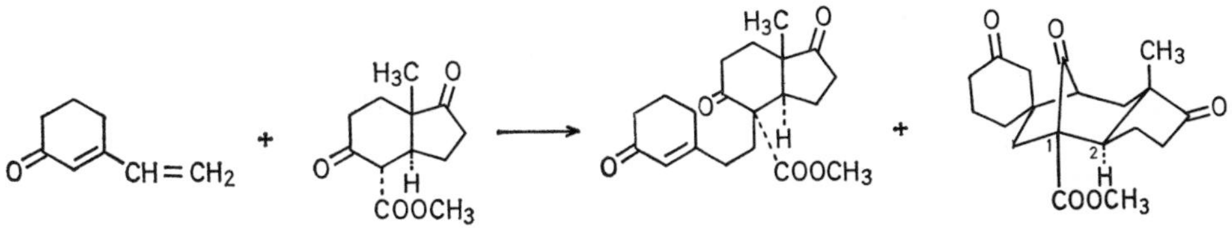

I   II   III; 3,7-Dioxo-6β-methyl-   IV; 3-Oxo-cyclohexan-⟨1-
                                  2β-{2-[3-oxo-cyclo-   spiro-9⟩-5,11-dioxo-6-
                                  hexen-(1)-yl]-äthyl}-2α-   methyl-1-methoxycar-
                                  methoxycarbonyl-1α-   bonyl-tricyclo[6.2.
                                  bicyclo[4.3.0.]nonan $1.0^{2,6}$] undecan

1,6-Addition tritt nicht mehr ein, wenn die β,γ-Doppelbindung durch einen δ-ständigen Phenyl-Rest stabilisiert wird. In diesem Falle tritt ausschließlich 1,4-Addition ein[4].

---

[1] F. J. Mc Quillin, Chem. & Ind. 1954, 311.

[2] A. Eschenmoser, J. Schreiber u. S. A. Julia, Helv. 36, 482 (1953).

[3] K. Sakai u. S. Amemiya, Chem. Pharm. Bull. (Tokyo) 18, 641 (1970).

[4] D. Vorländer u. P. Grobel, A. 345, 206 (1906).

d) Einführung der R—CO—R'-Gruppe durch Kondensation CH-acider Verbindungen mit α-Halogen-ketonen

bearbeitet von

Prof. Dr. Hans Günter Thomas

Institut für organische Chemie der TH Aachen

α-Halogen-ketone sind sehr reaktionsfähige Verbindungen. Je nach Reaktionsbedingungen können sie in verschiedenster Weise reagieren, so daß sie speziell als Alkylierungskomponenten für CH-acide Verbindungen nur bedingt geeignet sind. In Gegenwart von Basen muß man mit folgenden möglichen Reaktionen rechnen[1]:

> Faworsky-Reaktion
> Epoxi-äther-Bildung und Folgereaktionen
> Substitution des Halogens durch nucleophile Lösungsmittel
> α-Eliminierung von Halogenwasserstoff unter Bildung von Ketocarbenen und deren Folgereaktionen (s. S. 1839).

Wenn unter Halogenwasserstoff-Abspaltung eine Doppelbindung entstehen kann, dann verläuft die Kondensation über eine Michael-Addition.

Es ist darum nicht verwunderlich, daß die Alkylierung mit α-Halogen-ketonen auf solche Verbindungen beschränkt geblieben ist, die besonders leicht alkylierbar sind. Fast ausnahmslos sind diese leicht alkylierbaren Verbindungen Substanzen, die eine doppelt aktivierte Methylen-Gruppe enthalten wie z.B. die β-Dicarbonyl-Verbindungen. Speziell folgende Substanz-Klassen erwiesen sich als mit α-Halogen-ketonen kondensierbar:

① Malonsäure-diäthylester
② Monosubstituierte Malonsäure-diäthylester; Malonsäure-Derivate
   ⓐ alkylierte Malonsäure-diäthylester
   ⓑ Alkyl-barbitursäure; Malonsäure-dinitril;
     Acetamino-malonsäure-diäthylester
③ Cyanessigsäureester
④ Arylessigsäureester
⑤ β-Diketone
⑥ β-Oxo-carbonsäureester
⑦ Cyclische Ketone sowie deren Enamine

In Tab. 225 (S. 1697) werden Beispiele für die einzelnen Verbindungstypen aufgeführt.

[3-Oxo-butyl-(2)]-malonsäure-diäthylester[2]: Zu einer Suspension von 12,2 g gepulvertem Natrium in 200 ml trockenem Äther werden 130 g Malonsäure-diäthylester gegeben. Die Reaktion setzt sofort ein, doch muß weitere 12 Stdn. gerührt werden, um vollständige Ausfällung des Natriumsalzes zu erzielen. Nach Zusatz weiterer 400 ml trockenen Äthers werden 80 g Bromaceton in dem Maße zugegeben, daß die Reaktionsmischung schwach siedet. Den Fortgang der Reaktion erkennt man daran, daß der gelatinöse Niederschlag des Natrium-malonsäure-diäthylesters allmählich durch den fein-kristallinen Niederschlag des entstehenden Natriumbromids ersetzt wird. Nach 24 stdgm. Erhitzen unter Rückfluß und Rühren werden soviele ml einer verd. Salzsäure zugesetzt, daß der Natriumbromid-Niederschlag gerade in Lösung geht. Die ätherische Phase wird 2 mal mit Wasser gewaschen, über wasserfreiem Natriumsulfat getrocknet, der Äther entfernt und der Rückstand i.Vak. destilliert; Ausbeute: 85 g (74% d.Th.); Kp₃: 120–125°.

---

[1] A. S. Kende, Organic Reactions Bd. 11, S. 261 ff., J. Wiley u. Sons, New York 1960.
[2] R. Adams u. R. S. Long, Am. Soc. **62**, 2289 (1940).

Tab. 225. Alkylierung mit α-Halogen-ketonen

Klasse (s. S. 1696)	Ausgangsverbindungen	Base	Lösungsmittel	Reaktionsprodukt	Ausbeute [%d.Th.]	Literatur
①	Malonsäure-diäthyl-ester	Bromaceton	Natrium	Äther	(2-Oxo-propyl)-malonsäure-diäthyl-ester + Bis-[2-oxo-propyl]-malonsäure-diäthylester	70	1
		2-Brom-1-oxo-1-phenyl-äthan	Na-äthanolat	Äthanol	(2-Oxo-2-phenyl-äthyl)-malonsäure		2
		3-Chlor-2-oxo-1-phenyl-propan	Mg-äthanolat	Äthanol	Bis-[2-oxo-3-phenyl-propyl]-malonsäure-diäthylester	>50	3
		3-Brom-1-phthalimino-2-oxo-propan	Na-äthanolat	Äthanol/Dimethyl-formamid	(3-Phthalimino-2-oxo-propyl)-malonsäure-diäthylester	50	4
		4-Brom-2-oxo-butan	Natrium	Äther	[3-Oxo-butyl-(2)]-malonsäure-diäthylester	74	5
② ⓐ	Methyl-malonsäure-diäthylester	4-Brom-3-oxo-2,2-di-methyl-pentan	Natrium	Äther	(2-Oxo-3,3-dimethyl-butyl)-malon-säure-diäthylester	56	6
	Äthyl-malonsäure-diäthylester	Chloraceton	Natrium	Äther	Äthyl-(2-oxo-propyl)-malonsäure-diäthylester		7

1 H. GAULT u. T. SALOMON, Ann. chim. Paris [10] 2, 133 (1924).
2 H. GAULT u. T. SALOMON, C. r. 174, 754 (1922).
3 R. M. RAY u. J. N. RAY, Soc. 127, 2721 (1925).
H. LUND, A. U. HANSEN u. A. F. VOIGT, Kgl. danske Vidensk Selsk; mat.-fysiske Medd. 12, 23 (1933); C. A. 28, 2333 (1934).

4 D. P. TSCHUDY u. A. COLLINS, J. Org. Chem. 24, 556 (1959).
5 R. ADAMS u. R. S. LONG, Am. Soc. 62, 2289 (1940).
6 G. A. HILL, V. SALVIN u. W. T. M. O'BRIEN, Am. Soc. 59, 2385 (1937).
7 C. PAAL u. G. KÜHN, B. 41, 51 (1908).

Tab. 225 (1. Fortsetzung)

Klasse (s.S. 1696)	Ausgangsverbindungen	Base	Lösungsmittel	Reaktionsprodukt	Ausbeute [% d.Th.]	Literatur
	Äthyl-malonsäure-diäthylester	2-Brom-4-oxo-1-(3,4-dimethoxy-phenyl)-penten-(2)	Na-hydrid	Dimethyl-formamid	[2-Oxo-5-(3,4-dimethoxy-phenyl)-penten-(3)-yl]-malonsäure-diäthyl-ester	gut	1
②ⓑ	Butyl-barbitursäure	Chloraceton	Natrium mit NaJ-Zusatz ohne NaJ-Zusatz	Äthanol/Wasser	(2-Oxo-propyl)-butyl-barbitursäure	75 10-30	2
	Malonsäure-dinitril	2-Brom-1-oxo-1-(4-methoxy-phenyl)-äthan	Na-äthanolat	Äthanol	4-Oxo-4-(4-methoxy-phenyl)-2-cyan-butansäure-nitril		3
		3-Brom-1-oxo-1-(4-methyl-phenyl)-äthan			4-Oxo-4-(4-methyl-phenyl)-2-cyan-butansäure-nitril	80-88	
		2-Brom-1-oxo-1-(4-chlor-phenyl)-äthan			4-Oxo-4-(4-chlor-phenyl)-2-cyan-butansäure-nitril		
		2-Brom-1-oxo-1-(4-brom-phenyl)-äthan			4-Oxo-4-(4-brom-phenyl)-2-cyan-butansäure-nitril		
②ⓑ	Acetamino-malonsäure-diäthylester	Bromaceton	Na-äthanolat	Benzol	Acetamino-(2-oxo-propyl)-malonsäure-diäthylester	66	4
		2-Brom-1-oxo-1-phenyl-äthan	Na-äthanolat	Benzol	Acetamino-(2-oxo-2-phenyl-äthyl)-malonsäure-diäthylester	71	4,5

[1] K. W. Bentley, S. F. Dyke u. A. R. Marshall, Tetrahedron 21, 2553 (1965).
[2] C. D. H. Hurd u. M. L. McAuley, Am. Soc. 70, 1650 (1948).
[3] V. S. Karavan et al, Ž. org. Chim. 5, 2161 (1969).
[4] O. Wiss u. H. Fuchs, Helv. 35, 407 (1952).
[5] C. E. Dalgliesh, Soc. 1952, 137.

Tab. 225 (2. Fortsetzung)

Klasse (s. S. 1696)	Ausgangsverbindungen	Base	Lösungsmittel	Reaktionsprodukt	Ausbeute [% d.Th.]	Literatur
③	Äthyl-cyanessigsäure-äthylester Bromaceton			4-Oxo-2-äthyl-2-cyan-pentansäure-äthylester		1
④	Fluoren-9-carbonsäure-äthylester 2-Brom-1-oxo-1-phenyl-äthan	K-äthanolat	Äther	9-(2-Oxo-2-phenyl-äthyl)-fluoren-9-carbonsäure-äthylester	90	2
⑤	Cyclohexandion-(1,3) Chloraceton} Bromaceton}	Kalilauge	Methanol/Wasser	1,3-Dioxo-2-(2-oxo-propyl)-cyclohexan	>80	3
	2-Brom-1-oxo-1-phenyl-äthan	Kalilauge	Methanol/Wasser	1,3-Dioxo-2-phenyl-cyclohexan	44	4
	3-Brom-2-oxo-butan	Kalilauge	Methanol/Wasser	1,3-Dioxo-2-[3-oxo-butyl-(2)]-cyclohexan	>70	3
	Cyclohexandion-(1,3) 4,ω-Dibrom-aceto-phenon	KOH/Cu		2-Oxo-8-(4-brom-phenyl)-7-oxa-bicyclo[4.3.0]nonadien-(1⁶,8)		5
	Dimedon-(3,5-Dioxo-1,1-dimethyl-cyclo-hexan) 2-Brom-1-oxo-cyclo-hexan	Na-äthanolat	Methanol	1-Oxo-3,3-dimethyl-2,3,4,5,6,7,8,9-octahydro-⟨dibenzofuran⟩	71,5	6
⑥	Acetessigsäure-äthylester ω-Brom-acetophenon			1,4-Dioxo-1-phenyl-pentan		7
	2-Chlor-1-oxo-1,2-diphenyl-äthan			4-Oxo-3,4-diphenyl-2-acetyl-butan-säure-äthylester	23	8
	2-Brom-1-oxo-2-phenyl-1-(2-methyl-phenyl)-äthan			4-Oxo-3-phenyl-4-(4-methyl-phenyl)-2-acetyl-butansäure-äthylester	31	8

1 I. SATODA, T. FUKUI u. K. MORI, J. pharm. Soc. Japan 82, 302 (1962); C. A. 58, 3427 (1963).
2 W. WISLICENUS u. W. MOCKER, B. 46, 2772 (1913).
3 H. STETTER et al. A. 652, 40 (1962).
4 H. STETTER et al., B. 88, 271 (1955).
5 K. TAKAGI u. T. UEDA, Chem. Pharm. Bull. 20, 2051 (1972).
6 V. A. BARCHAS, V. S. VELEZEVA u. J. V. MACINSKAJA, Ž. Org. Chim. 2, 1083 (1966).
7 D. G. FARNUM, A. MOSTASHARI u. A. A. HAGEDORN, J. Org. Chem. 36, 698 (1971).
8 T. I. TEMNIKOVA, A. E. ASTAFEVA u. S. N. SEMENOVA, Ž. Org. Chim. 6, 736 (1970).

Tab. 225 (3. Fortsetzung)

Klasse (s. S. 1696)	Ausgangsverbindungen		Base	Lösungsmittel	Reaktionsprodukt	Ausbeute [% d.Th.]	Literatur
⑥	3-Oxo-3-(3-methoxy-4-äthoxy-phenyl)-propansäure-äthylester	3-Brom-2-oxo-1-(3-methoxy-4-äthoxy-phenyl)-äthan		Benzol/Dimethylsulfoxid	*2,3-Bis-[3-methoxy-4-äthoxy-benzoyl]-butansäure-äthylester*		[1]
	4-Kaliumoxi-cumarin	2-Brom-1-oxo-cyclobutan			*4-Hydroxy-3-cyclopropylcarbonyl-cumarin*	98	[2]
⑦	Cyclohexanon	Bromaceton	K-tert.-butanolat		*2-Oxo-1-(2-oxo-propyl)-cyclohexan*	75	[3]
	1-Oxo-tetralin*	Bromaceton	Kaliumcarbonat		*1-Oxo-2-(2-oxo-propyl)-tetralin*	40	[4]
	1-Pyrrolidino-cyclohexen-(1)	Bromaceton		Toluol	*2-Oxo-1-(2-oxo-propyl)-cyclohexan*	5	[5]
	1-Pyrrolidino-3-methyl-buten-(1)	Bromaceton			*4-Oxo-2-isopropyl-pentanal*	60	[6]
	1-(Bis-[2-methyl-propyl]-amino)-3-methyl-buten-(1)	Bromaceton			*4-Oxo-2-isopropyl-pentanal*		[6]
	1-Brom-2-oxo-butan				*4-Oxo-2-isopropyl-hexanal*	60	[6]

* eingesetzt als Kondensationsprodukt mit Oxalsäure-diäthylester.

[1] E. G. Schreiber u. R. Stevenson, J. Org. Chem. 40, 386 (1975).
[2] V. S. Veleževa, V. A. Barchaš u. I. V. Macinskaja, Ž. org. Chim. 6, 1788 (1970).
[3] R. Jaquier u. J. Lanet, Bl. 1953, 795.
[4] E. Brown, M. Ragoult u. J. Tovet, Tetrahedron Letters 1971, 1043.
[5] H. E. Baumgarten, P. L. Greger u. C. E. Villars, Am. Soc. 80, 6609 (1958).
[6] K. U. Acholonu u. D. K. Wedegaertner, Tetrahedron Letters 1974, 3253.

1,3-Dioxo-2-(2-oxo-2-phenyl-äthyl)-cyclohexan[1]: Man löst 5,6 g Kaliumhydroxid in 20 *ml* Wasser und fügt dann sofort 11,2 g Cyclohexandion-(1,3), 50 *ml* Methanol und 20 g 2-Brom-1-oxo-1-phenyl-äthan hinzu. Das Reaktionsgemisch wird bei Zimmertemp. gerührt. Nach ~ 1 Stde. erhält man eine klare gelbe Lösung. Nach weiteren 3 Stdn. fallen die ersten Kristalle aus. Nun unterbricht man das Rühren und läßt das Reaktionsgemisch noch 20 Stdn. bei 20° stehen. Nach dem Abfiltrieren des kristallinen Niederschlages destilliert man aus dem Filtrat das Methanol i. Vak. ab. Aus der wäßr. Lösung scheidet sich ein weiterer Teil der Kristalle ab, die mit einem Öl vermischt sind.

Der gesamte Rückstand wird nun mit einer Lösung von 6 g Natriumhydroxid in 100 *ml* Wasser unter heftigem Rühren 30 Min. lang behandelt. Es bleibt ein Öl zurück, von dem man abdekantiert. Die alkalische Lösung säuert man mit konz. Salzsäure bis p_H: 3 an. Dabei verfährt man so, daß man unter Rühren die Säure allmählich zusetzt, bis die erste Trübung entsteht. Man reibt dann mit einem Glasstab an der Wand des Gefäßes oder setzt Impfkristalle zu, bis man die Abscheidung von Kristallen bemerkt. Erst dann fügt man die restliche Salzsäure hinzu. Nach dem Stehenlassen im Eisschrank für einige Stdn. saugt man die Kristalle ab, trocknet auf einer Tonplatte und kristallisiert aus Äthanol um; Ausbeute: 10,2 g (44% d. Th.); F: 158,5° (korr.).

2-Oxo-1-(2-oxo-propyl)-cyclohexan[2]: Zu einer Lösung von 38,1 g (0,25 Mol) 1-Pyrrolidino-cyclohexen in 100 *ml* Toluol wird unter Rühren und Rückfluß eine Lösung von 34,3 g (0,25 Mol) Bromaceton in 50 *ml* Toluol innerhalb von 30 Min. zugetropft. Nach 2 stdgm. Rühren und Erhitzen unter Rückfluß hat sich die Reaktionsmischung in 2 Schichten getrennt. Nach Zusatz von 100 *ml* Wasser wird weitere 3 Stdn. erhitzt. Das Reaktionsgemisch wird dann einer Wasserdampfdestillation unterworfen. 500 *ml* Destillat werden aufgefangen, das mitübergegangene Toluol abgetrennt und die wäßr. Phase mit je 100 *ml* Äther 3 mal extrahiert. Nach Trocknen der vereinten organischen Phasen über Magnesiumsulfat werden die Lösungsmittel abdestilliert. Der flüssige Rückstand wird über eine 15 cm Vigreux-Kolonne i. Vak. destilliert; Ausbeute: 15,3 g (40% d. Th.); $Kp_{0,1}$: 64–75°; redestilliert $Kp_{1,1}$: 91–93°.

Eine intramolekulare Alkylierung durch ein α-Halogen-keton tritt durch Halogenierung des durch Michael-Addition (s. S. 1598) aus Chalkon und Malonsäure-diäthylester leicht zugänglichen *(3-Oxo-1,3-diphenyl-propyl)-malonsäure-diäthylesters* (I) und anschließende Behandlung des α-Halogen-ketons II mit Basen ein. Der *3-Phenyl-2-benzoyl-cyclopropan-1,1-dicarbonsäure-diäthylester* wird zu 90% d. Th. erhalten[3]:

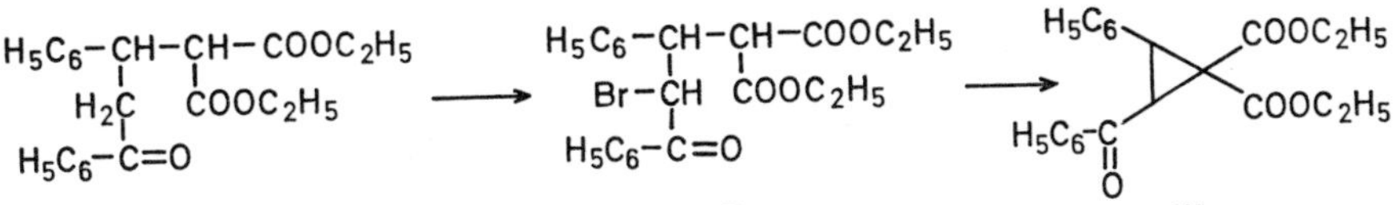

Eine Methode[4] zur Herstellung von 4-Oxo-4-alkyl(aryl)-buten-(2)-säureestern bedient sich aliphatischer und cycloaliphatischer α-Halogen-ketone auf indirektem Wege als Alkylierungsmittel. Zunächst werden die α-Brom-ketone mit

[1] H. Stetter u. E. Siehnhold, B. **88**, 271 (1955).

[2] H. E. Baumgarten, P. L. Greger u. C. E. Villars, Am. Soc. **80**, 6609 (1958).

[3] E. P. Kohler u. J. B. Conant, Am. Soc. **39**, 1404 (1917).

[4] H. J. Bestmann, F. Seng u. H. Schulz, B. **96**, 465 (1963).

Triphenyl-methoxycarbonylmethylen-phosphoran zu Phosphoniumsalzen umgesetzt, die dann durch Einwirkung eines Moles einer Base dem Hofmannschen Abbau unterliegen:

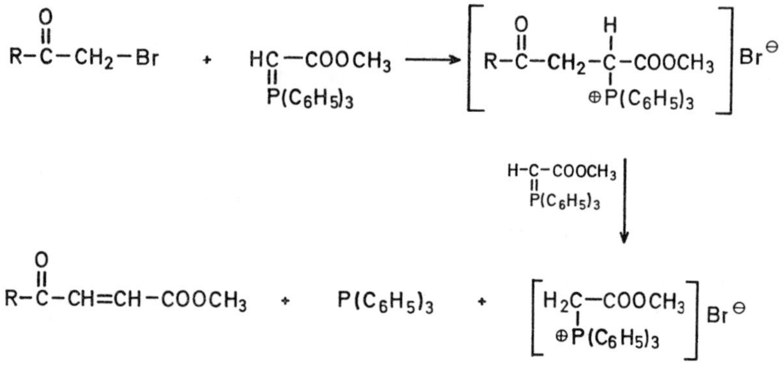

Auf diese Weise erhält man z. B. aus 1-Brom-2-oxo-octan und 2 Mol Triphenyl-methoxycarbonylmethylen-phosphoran in siedendem Benzol nach 2 Stdn. *4-Oxo-decen-(2)-säure-methylester* (85% d. Th.).

4-Oxo-4-aryl-buten-(2)-säuren lassen sich in einigen Fällen vorteilhafter aus Aromaten und Maleinsäure-anhydrid herstellen.

Eine ebenfalls über Phosphor-Verbindungen verlaufende Synthese α,β-ungesättigter Ketone aus α-Halogen-ketonen und Ketonen sei im folgenden skizziert[1]:

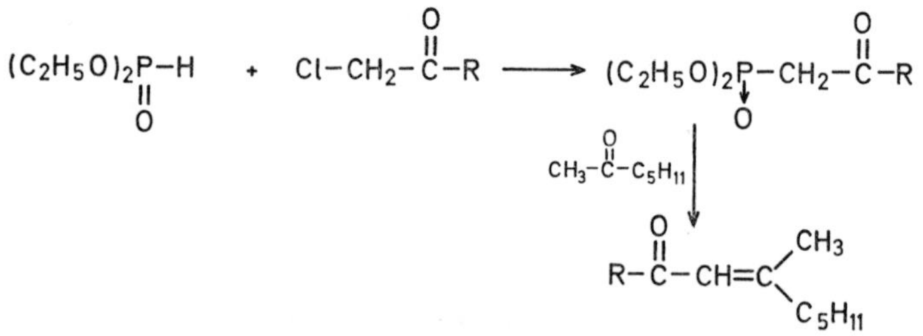

Die α,β-ungesättigten Ketone werden in Ausbeuten zwischen 16 und 70 % erhalten.

---

[1] G. Sturtz, Bl. **1964**, 2349.

e) Einführung der R—CO—R'-Gruppe durch Kondensation CH-acider Verbindungen mit (β-Chlor-vinyl)-ketonen[1]

bearbeitet von

Prof. Dr. Hans Günter Thomas

Institut für Organische Chemie der TH Aachen

Die nucleophile Substitution des β-Chloratoms der β-Chlor-vinyl-ketone durch organische Anionen führt zu einer C—C-Verknüpfung und damit zur Einführung des Oxo-vinyl-Restes in CH-acide Verbindungen. Die Reaktion wird demzufolge als „Ketovinylierung (Oxo-vinylierung)" bezeichnet[2].

Die Reaktion wird nur durch das Vorhandensein der Carbonyl-Gruppe ermöglicht; diese ist nämlich in der Lage, eine negative Ladung des zu ihr β-ständigen Kohlenstoffatoms bei der Substitution des β-Chloratoms zu stabilisieren[1]:

$$
\begin{array}{c}
\overset{O}{\overset{\|}{R-C}}-CH=CH-Cl \;+\; X^{\ominus} \;\longrightarrow\; \left[\overset{\overline{|O|}^{\ominus}}{\underset{R-C=CH-CH-X}{|}}\;\overset{Cl}{\underset{|}{\frown}}\right] \;\longrightarrow\; \overset{O}{\overset{\|}{R-C}}-CH=CH-X \;+\; Cl^{\ominus}
\end{array}
$$

Die Reaktionsfähigkeit der β-Chlor-vinyl-ketone ist mit der der Carbonsäurechloride zu vergleichen, als deren Vinyloge man sie bezeichnen könnte[3]. Keine Ähnlichkeit besteht mit den normalen Vinylhalogeniden, deren Halogen gegen Substitution bekanntermaßen äußerst resistent ist. β-Chlor-vinyl-ketone sind mit einer ganzen Reihe CH-acider Verbindungen umgesetzt worden, meist CH-aciden Carbonyl-Verbindungen[1]. Die entstehenden δ-Dicarbonyl-Verbindungen mit einer C=C-Doppelbindung lassen sich leicht zu den gesättigten δ-Dicarbonyl-Verbindungen hydrieren. Man gewinnt auf diese Weise in einer Reihe von Fällen dieselben Dicarbonyl-Verbindungen, die auch durch Michael-Addition CH-acider Carbonyl-Verbindungen an α,β-ungesättigte Ketone erhältlich sind.

Die Ketovinylierung ließ sich bisher mit gutem Erfolg nur bei CH-aciden Dicarbonyl-Verbindungen mit nur einem aciden Wasserstoffatom durchführen. Sind wie im Acetessigsäureester zwei reaktive Wasserstoffatome vorhanden, so tritt die Re-

---

[1] Die Chemie der β-Chlor-vinyl-ketone siehe:
A. E. Pohland u. W. R. Benson, Chem. Reviews 66, 161 (1966).
N. K. Kochetkov, Prakt. Chem. [Wien] 12, 336 (1961).
N. Sugiyama u. G. Inone, Yûki Gôsei kagaku kyôkai Shi 19, 373 (1961); C. A. 55, 17484 (1961).
S. a. ds. Handb., Bd. VII/2c.

[2] N. Kochetkov, I. Kudryashov u. B. Gottikh, Tetrahedron 12, 63 (1961).

[3] β-Chlor-vinyl-ketone reagieren z.B. wie Carbonsäure-chloride mit cadmium-organischen Verbindungen zu Ketonen: G. Martin, Ann. Chim. [13] 4, 541 (1949); C. A. 54, 1278 (1960).

aktion zwar ein, das primäre Reaktionsprodukt I [*5-Oxo-2-acetyl-hexen-(3)-säure-äthylester*] aber stabilisiert sich unter Cyclisierung zum Phenol II (40% d. Th.)[1]:

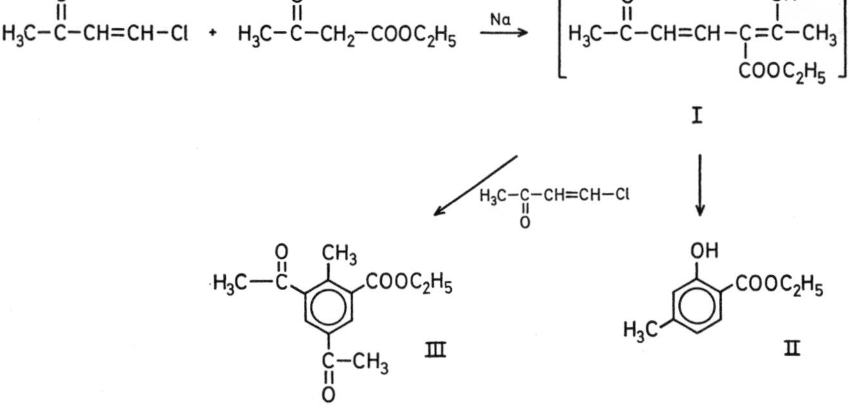

2-Methyl-3,5-diacetyl-benzoesäure-äthylester

Durch Diels-Alder-Reaktion des primären Reaktionsproduktes I mit überschüssigem β-Chlor-vinyl-keton und anschließender Dehydratisierung und Dehydrochlorierung kann ein weiteres Reaktionsprodukt auftreten, ein Diacyl-benzoesäure-ester III[2].

Aus bisher noch nicht geklärten Gründen hängt die Ausbeute bei der Ketovinylierung monoalkylierter β-Dicarbonyl-Verbindungen vom Grad der Enolisierung ab. Je stärker die Enolisierung, desto geringer die Ausbeute. Unter bestimmten Bedingungen gelingt auch die Mono-Ketovinylierung des Malonsäure-diesters. Läßt man nämlich statt des Malonsäure-diesters selbst sein Äthoxy-Magnesium-Derivat mit β-Chlor-vinyl-ketonen in Benzol reagieren, so erhält man in hohen Ausbeuten 5-Oxo-2-äthoxycarbonyl-alken-(3)-säure-äthylester[3]:

R = CH₃;	[*3-Oxo-buten-(1)-yl*]-*malonsäure-diäthylester*	69,6% d. Th.
C₂H₅;	[*3-Oxo-penten-(1)-yl*]-*malonsäure-diäthylester*	44% d. Th.
C₃H₇;	[*3-Oxo-hexen-(1)-yl*]-*malonsäure-diäthylester*	67% d. Th.

Im folgenden soll die Ketovinylierung einiger CH-acider Verbindungen beschrieben werden.

Ketovinylierung von Alkyl-malonsäure-diäthylestern; allgemeine Arbeitsvorschrift[4]: Zu einer Suspension von 0,2 Mol Natrium-alkyl-malonsäure-diäthylester in 200 *ml* Benzol wird unter Eiskühlung eine Lösung von 0,2 Mol β-Chlor-vinyl-keton in 100 *ml* trockenem Benzol im Laufe 1 Stde. unter Rühren zugetropft. Anschließend wird das Reaktionsgemisch noch 2,5 Stdn. unter Rückfluß erhitzt.

Nach Zusatz von Wasser und Extraktion mit Benzol wird das Lösungsmittel abdestilliert und der Rückstand i. Vak. destilliert.

Auf die gleiche Art und Weise lassen sich α-Alkyl-acetessigsäureester, cyclische β-Oxo-carbonsäureester, cyclische β-Dicarbonyl-Verbindungen und 2,4-Dioxo-3-methyl-pentan ketovinylieren, wie aus Tab. 226 (S. 1705) hervorgeht.

[1] N. Kochetkov et al., Izv. Akad. SSSR **1955**, 809; C. A. **50**, 9335 (1956).
[2] N. Kochetkov et al., Ž. obšč. Chim. **29**, 650 (1959); C. A. **54**, 394 (1960).
[3] N. K. Kochetkov u. L. I. Kudryashov, Ž. obšč. Chim. **27**, 248 (1957); C. A. **51**, 12890 (1957).
[4] N. K. Kochetkov, L. I. Kudryashov u. B. P. Gottikh, Tetrahedron **1961**, 63.

79*

Dicarbonylverbindung	β-Chlor-vinylketon	Reaktionsprodukt	Ausbeute [% d.Th.]	Kp [°C]	[Torr]	Literatur
Äthyl-malonsäure-diäthyl-ester	1-Chlor-3-oxo-buten-(1)	Äthyl-(3-oxo-butenyl)-malonsäure-diäthyl-ester	56	125–126	2	1
Propyl-malonsäure-diäthyl-ester	1-Chlor-3-oxo-penten-(1)	Propyl-(3-oxo-butenyl)-malonsäure-diäthyl-ester	94	169–171	9	1
α-Äthyl-acetessigsäure-äthyl-ester	1-Chlor-3-oxo-buten-(1)	5-Oxo-2-äthyl-2-acetyl-hexen-(3)-säure-äthylester	64,5	108–110	1	1
3-Oxo-2-methyl-bernstein-säure-diäthylester	1-Chlor-3-oxo-buten-(1)	3-Oxo-2-(3-oxo-3-phenyl-propenyl)-2-benzyl-bernsteinsäure-diäthylester	gut			2
2,4-Dioxo-3-methyl-pentan (Methyl-acetylaceton)	1-Chlor-3-oxo-buten-(1)	2,6-Dioxo-5-methyl-5-acetyl-hepten-(3)	59	100–101	1	3
2-Oxo-cyclopentan-1-carbon-säure-äthylester	1-Chlor-3-oxo-buten-(1)	2-Oxo-2-(3-oxo-butenyl)-2-äthoxycarbonyl-cyclopentan	65	147–149	3	4
1,3-Dioxo-2-methyl-indan	1-Chlor-3-oxo-hexen-(1)	1,3-Dioxo-2-methyl-2-(3-oxo-hexen-(1)-yl)-indan	60			5
	1-Chlor-3-oxo-3-phenyl-propen	1,3-Dioxo-2-methyl-2-(3-oxo-3-phenyl-propenyl)-indan				5
	1-Chlor-3-oxo-3-(2-chlor-phenyl)-propen	1,3-Dioxo-2-methyl-2-[3-oxo-3-(2-chlor-phenyl)-propenyl] indan				5
1,3-Dioxo-2-phenyl-indan	1-Chlor-3-oxo-hexen-(1)	1,3-Dioxo-2-[3-oxo-hexen-(1)-yl]-2-phenyl-indan				5
	1-Chlor-3-oxo-3-phenyl-propen	1,3-Dioxo-2-(3-oxo-3-phenyl-propenyl)-2-phenyl-indan				5
	1-Chlor-3-oxo-3-(2-chlor-phenyl)-propen	1,3-Dioxo-2-[3-oxo-3-(2-chlor-phenyl)-propenyl]-2-phenyl-indan				5
3,5-Dioxo-1,1,4-trimethyl-cyclohexan	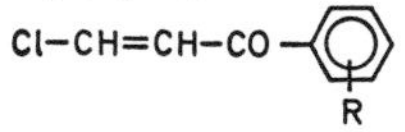 Cl—CH=CH—CO— (phenyl)-R z.B. R = 3-Cl, R = 4-NO$_2$, R = 2-CH$_3$, R = H	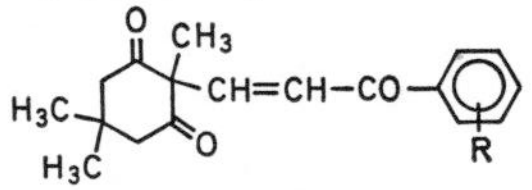 2,6-Dioxo-1,4,4-trimethyl-...-cyclohexan ..-[3-oxo-3-(3-chlor-phenyl)-propenyl]-.. ..-[3-oxo-3-(4-nitro-phenyl)-propenyl]-.. ..-[3-oxo-3-(4-methyl-phenyl)-propenyl]-.. ..-(3-oxo-3-phenyl-propenyl)-..	87–93			6

1 N. K. KOCHETKOV, L. J. KUDRYASHOV u. B. P. GOTTIKH, Tetrahedron 1961, 63.

2 V. F. BELJAEV, Ž. Org. Chim. 2, 310 (1966).

3 N. K. KOCHETKOV u. B. P. GOTTIKH, Ž. obšč. Chim. 30, 948 (1960); C. A. 55, 1479 (1961).

4 N. K. KOCHETKOV et al., Ž. obšč. Chim. 29, 1320 (1959); engl.: 1293.

5 V. F. BELJAEV u. R. I. KOZLJAK, Ž. Org. Chim 3, 1309 (1967).

6 V. F. BELJAEV u. R. J. KOZLYAK, Ž. Org. Chim. 9, 2517 (1973).

Ketovinylierung von 3,5-Dioxo-1,1,4-trimethyl-cyclohexan und 1,3-Dioxo-2-methyl-cyclohexan; allgemeine Arbeitsvorschrift[1]: In abs. Methanol werden die Natrium-Derivate der Diketone hergestellt, das Methanol durch 1,4-Dioxan ersetzt und die doppelte molare Menge β-Chlor-vinyl-keton zugesetzt. Nach 4 stdgm. Erhitzen unter Rückfluß wird der entstandene Niederschlag abgesaugt, das Lösungsmittel abdestilliert und der Rückstand i. Vak. destilliert. Das erhaltene Öl kristallisiert allmählich durch und kann aus trocknem Äther umkristallisiert werden:

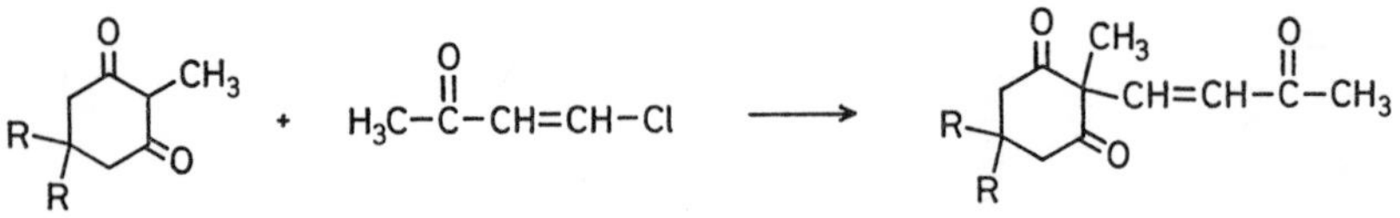

R = H;   *1,3-Dioxo-2-methyl-2-(3-oxo-butenyl)-cyclohexan*   26% d. Th.
R = CH₃; *2,6-Dioxo-1,4,4-trimethyl-1-(3-oxo-butenyl)-cyclo-*   35% d. Th.
                hexan

Ketovinylierung von Malonsäure-diäthylester; allgemeine Arbeitsvorschrift: Zu 4,8 g mit Jod aktiviertem Magnesium wird eine Mischung aus 25 *ml* absol. Äthanol und 33,6 g Malonsäure-diäthylester gegeben (ev. etwas erwärmen, um Reaktion ingang zu bringen). Allmählich werden weitere 100 *ml* Äthanol zugefügt, wobei man solange erwärmt, bis eine Lösung erhalten wird.

Im Vakuum wird sodann das Äthanol abdestilliert und der Rückstand in 100 g Toluol gelöst. Zu dieser Lösung gibt man unter Rühren bei einer Temp. von −10° 0,15 Mol β-Chlor-vinyl-keton und läßt über Nacht stehen.

Am nächsten Tag werden 100 *ml* kaltes Wasser und 25 *ml* konz. Salzsäure zugesetzt, die organische Schicht abgetrennt und die wäßrige Schicht mit Toluol extrahiert. Nach Entfernen des Lösungsmittels wird der Rückstand in Gegenwart von Hydrochinon i. Vak. destilliert.

Nach dieser Vorschrift erhält man z. B.:

(3-Oxo-butenyl)-malonsäure-diäthylester	70% d. Th.	Kp₃:	121–122°
[3-Oxo-penten-(1)-yl]-malonsäure-diäthylester	44% d. Th.	Kp₂:	130–134°
[3-Oxo-hexen-(1)-yl]-malonsäure-diäthylester	67% d. Th.	Kp₀,₀₆:	90–93°

Außer β-Dicarbonyl-Verbindungen besitzen auch einige Nitro-Verbindungen genügende Acidität, um mit β-Chlor-vinyl-ketonen zu reagieren. Die Ausbeuten sind nicht sonderlich gut (40–60% d. Th.).

Als Nitro-Verbindung werden z. B. Nitro-cyclohexan[2] und 2-Nitro-propan[3] erwähnt, als β-Chlor-vinyl-keton werden sowohl 1-Chlor-3-oxo-alkene bzw. 1-Chlor-3-oxo-3-aryl-propene angegeben[4].

Das Natriumsalz des Cyclopentadienyl-eisendicarbonyl-Anions (I) reagiert bei −70° in Tetrahydrofuran mit einigen β-Chlor-vinyl-ketonen II unter Bildung der σ-Verbindungen III, wie auf Grund IR- und NMR-spektroskopischer Untersuchungen gefunden wurde[5]:

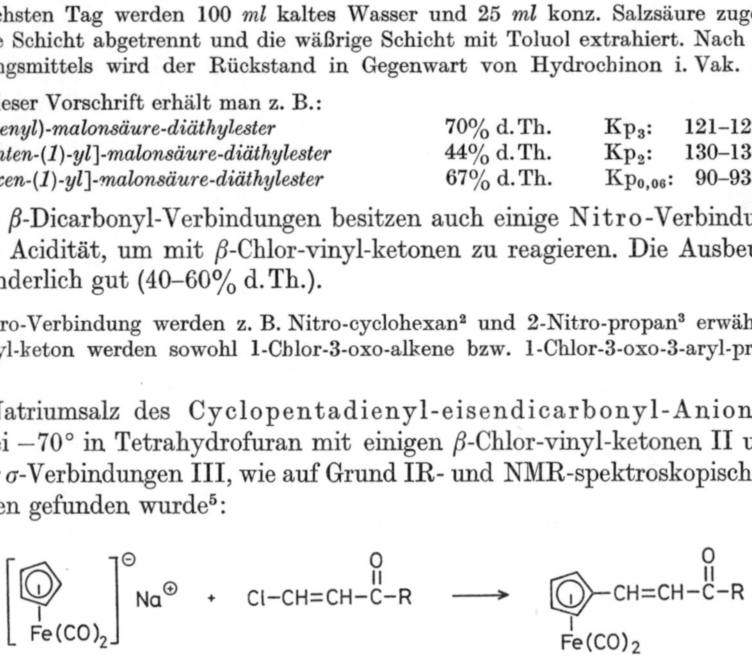

R = CH₃   *[1-(3-Oxo-butenyl)-cyclopentadienyl]-dicarbonyl-eisen*
  = C₆H₅   *[1-(3-Oxo-3-phenyl-propenyl)-cyclopentadienyl]-dicarbonyl-eisen*
  = 4-CH₃—C₆H₄   *{1-[3-Oxo-3-(4-methyl-phenyl)-propenyl]-cyclopenta-*
                      dienyl}-dicarbonyl-eisen

[1] N. K. Kochetkov, L J. Kudryashov u. B. P. Gottikh, Tetrahedron **1961**, 63.
[2] N. Kochetkov, V. Beljaev u. G. Dudina, Ž. obšč. Chim. **32**, 1785 (1962); C. A. **58**, 4458 (1963).
[3] USSR. P. 166667 (1963), V. F. Beljaev; C. A. **62**, 10378 (1965).
[4] V. F. Beljaev u. V. P. Prokopovich, Ž. Org. Chim. **7**, 1823 (1971); **8**, 778 (1972).
[5] A. N. Nesmejanov et al., Ž. obšč. Chim. **37**, 1587 (1967); engl.: 1505.

Bemerkenswert ist, daß bei den Kondensationen von 1-Chlor-3-oxo-buten mit Natriumacetylenid in flüssigem Ammoniak nicht das Chlor-Atom reagiert, sondern Anlagerung an der Carbonyl-Gruppe zum 5-Chlor-3-hydroxy-3-methyl-penten-(4)-in-(1) eintritt[1].

Alle Ketonvinylierungsprodukte besitzen *trans*-Konfiguration und zeichnen sich im IR-Spektrum durch eine scharfe Bande bei 986–984 cm^{-1} aus.

Die Keto-vinylierungsprodukte von Alkyl-malonsäure-diester und Alkyl-acetessigsäureestern sind ein geeignetes Ausgangsmaterial für die Synthese ungesättigter aliphatischer Oxo-carbonsäuren. Bei Behandlung mit basischen Reagenzien unterliegen sie den für β-Dicarbonyl-Verbindungen charakteristischen Umwandlungen (Säurespaltung bzw. Malonsäure-diester-Decarboxylierung). Es bilden sich 5-Oxo-alken-(3)-säuren bzw. deren Salze[2]:

$$\underset{\substack{\| \\ O}}{R-C}-CH=CH-\underset{\substack{| \\ R^1}}{\overset{\substack{COOR \\ |}}{C}}-COOR \longrightarrow \underset{\substack{\| \\ O}}{R-C}-CH=CH-\underset{\substack{| \\ R^1}}{CH}-COOH$$

Saure Reagenzien wandeln die Keto-vinylierungsprodukte der Alkyl-malonsäure-diester und Alkyl-acetessigsäureester in α-Pyrone um[3].

f) Einführung der R—CO—R′-Gruppe in Aromaten

bearbeitet von

Prof. Dr. Hans Günter Thomas

Institut für Organische Chemie der TH Aachen

Durch elektrophile Substitutionsreaktionen lassen sich die C=O-Gruppe enthaltende Verbindungen durch an anderen Stellen dieses Handbuches beschriebene Verfahren in Aromaten einführen. Es wird deswegen hier nur kurz auf die Reaktion dort nicht berücksichtigter Verbindungen mit Aromaten eingegangen.

ⓐ β-Chlor-vinyl-ketone reagieren als Vinyloge der Carbonsäure-chloride unter Friedel-Crafts-Acylierung des aromatischen Kerns[4,5]; z.B.:

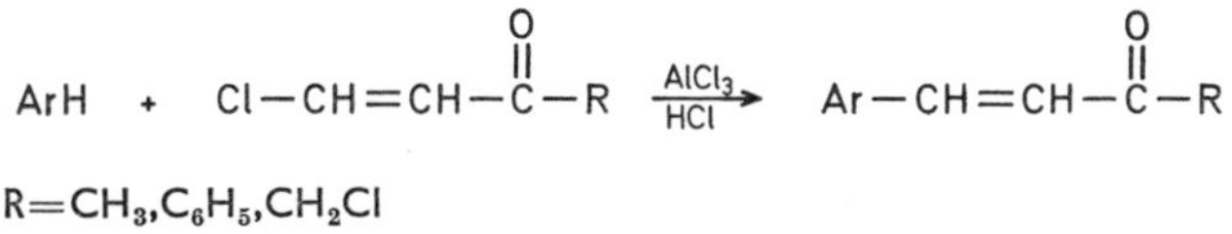

$$ArH + Cl-CH=CH-\underset{\substack{\| \\ O}}{C}-R \xrightarrow[HCl]{AlCl_3} Ar-CH=CH-\underset{\substack{\| \\ O}}{C}-R$$

$$R=CH_3, C_6H_5, CH_2Cl$$

Erhalten werden Styryl-ketone.

[1] I. Heilbron, E. R. M. Jones u. M. Julia, Soc. **1948**, 1430.

[2] N. Kochetkov et al., Ž. obšč. Chim. **27**, 2166 (1957); C. A. **52**, 6195 (1958).
   Y. Tamura et al., Chem. & Ind. **1970**, 1410.

[3] N. Kochetkov et al., Ž. obšč. Chim. **29**, 1324 (1959); engl.: 1257.

[4] A. N. Nesmejanov, M. I. Rybinskaja u. N. K. Kochetkov, Izv. Akad. SSSR **1956**, 1197;
   C. A. **51**, 5726 (1957).

[5] S. a. ds. Handb., Bd. VII/2c.

1-Chlor-3-oxo-buten-(1) reagiert mit 1,3,5-Trimethyl-benzol (Mesitylen) und
m-Xylol in 56–60%iger Ausbeute zu *3-Oxo-1-(2,4,6-trimethyl-phenyl)*- bzw. *3-Oxo-1-
(2,4-dimethyl-phenyl)-buten-(1)*, mit p-Xylol aber nur in 20%iger Ausbeute zu *3-Oxo-
1-(2,5-dimethyl-phenyl)-buten-(1)*. Mit Benzol oder Toluol tritt keine Reaktion ein. Ähnlich verhält sich 1-Chlor-3-oxo-3-phenyl-propen; man erhält mit 2,4,6-Trimethyl-
benzol *3-Oxo-3-phenyl-1-(2,4,6-trimethyl-phenyl)-buten-(1)* und mit m-Xylol *3-Oxo-
3-phenyl-1-(2,4-dimethyl-phenyl)-buten-(1)*. Dagegen reagiert 1,4-Dichlor-3-oxo-
buten-(1) auch mit Benzol und Toluol (50–80% d.Th.) zu *4-Chlor-3-oxo-1-phenyl-
(bzw. -4-methyl-phenyl)-buten-(1)*.

4-Chlor-3-oxo-1-phenyl-buten-(1)[1]: Ein starker Gasstrom aus feuchtem Chlorwasserstoffgas
wird 10 Min. lang durch eine eisgekühlte Lösung von 10 g 1,4-Dichlor-3-oxo-buten-(1) in 50 *ml* Benzol
geleitet, dann unter heftigem Rühren unter weiterem Durchleiten von Chlorwasserstoffgas
portionsweise Aluminiumchlorid (10 g) zugesetzt und 4–5 Stdn. weiter im Gasstrom gerührt, bis sich
der gebildete tiefrote Komplex absetzt. Zum Schluß wird 30 Min. auf 40–50° erwärmt und wie
üblich aufgearbeitet; Ausbeute: 79% d.Th.; Kp$_5$: 138–139°; F: 62°.

In guten Ausbeuten reagiert 1-Chlor-3-oxo-3-phenyl-propen auch mit aromatischen
Äthern wie Methoxy-, Äthoxy- oder Pentyloxy-benzol zu den entsprechenden
Chalkonen {*3-Oxo-3-phenyl-1-[4-methoxy-* (bzw. *-äthoxy-*, bzw. *-pentyloxy)-phenyl]-
propen*}[2]. Das 1-Chlor-3-oxo-3-phenyl-propen kann auch im aromatischen Kern
in o- oder p-Stellung durch Brom substituiert sein. Als Katalysator wird in allen
Fällen Zinn(IV)-chlorid angegeben.

Die Kondensation des 9-Methyl-carbazols mit 1-Chlor-3-oxo-3-aryl-propenen führt
zu den entsprechenden 9-Methyl-3-(3-oxo-3-aryl-propenyl)-carbazolen[3]:

9-Methyl-3- . . . *-carbazol* (76–85% d.Th.)

z. B.: R = 4–CH₃; . . .-[3-oxo-3-(4-methyl-phenyl)-propenyl]-. . .
R = 4–Cl; . . .-[3-oxo-3-(4-chlor-phenyl)-propenyl]-. . .
R = 3–Br; . . .-[3-oxo-3-(3-brom-phenyl)-propenyl]-. . .

ⓑ α,β-ungesättigte Ketone reagieren mit Aromaten wie Olefinen in der Friedel-
Crafts-Alkylierung, z.B.[4]:

3-Oxo-1,1,3-triphenyl-propan

[1] A. N. Nesmejanov, M. I. Rybinskaja u. N. K. Kochetkov, Izv. Akad. SSSR **1956**, 1197;
　　C. A. **51**, 5726 (1957).
[2] V. F. Belyaev, Chim. geteroc. Soed. **1965**, 215; C. A. **63**, 8244 (1965).
[3] V. A. Belyaev u. A. I. Abrazhevich, Chim. geteroc. Soed. **1973**, 1359.
[4] P. R. Shildneck, Org. Synth., Coll. Vol. II, 236.

Diese als **Eijkman-Reaktion** bekannte Methode ist auf eine ganze Reihe von Aromaten, z. B. Halogenbenzole[1], Alkylbenzole[2] angewendet worden. Als α,β-ungesättigte Ketone wurden u. a. 4-Oxo-2-methyl-penten-(2)[1,2] (Mesityloxid) und Butenon[2,3] eingesetzt. Der Zusatz von trockenem Chlorwasserstoffgas zum Reaktionsansatz eingangs der Reaktion erhöht besonders bei β-substituierten Äthylenketonen die Ausbeute an Friedel-Crafts-Produkt[4].

Bei Alken-(1)-yl-ketonen besteht die Gefahr der Bildung strukturisomerer Phenylketone[5]. 2-Oxo-hexen-(3) (I) liefert z. B. mit Benzol nicht nur das erwartete *2-Oxo-4-phenyl-hexan* (II), sondern auch *5-Oxo-2-phenyl-hexan* (III)[6]:

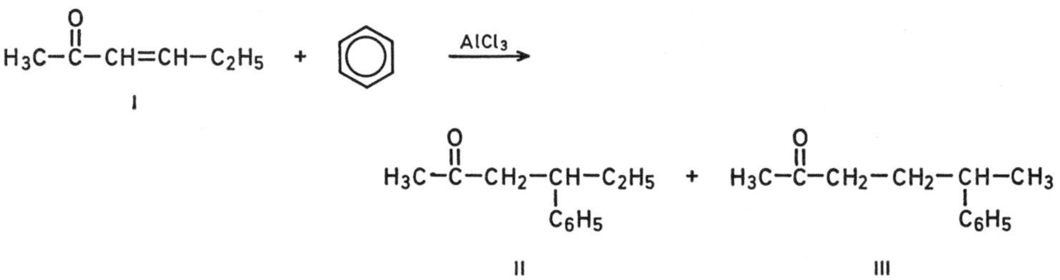

Statt der α,β-ungesättigten Ketone kann man auch andere Verbindungen einsetzen, die unter den Reaktionsbedingungen der Friedel-Crafts-Reaktion elektrophile Teilchen bilden, z. B.:

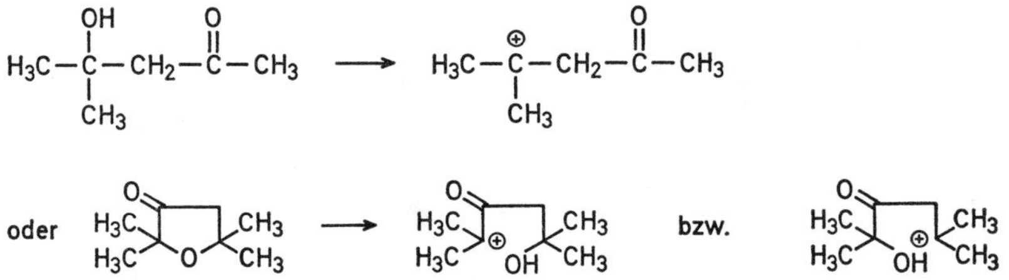

Im oberen Beispiel[7] erhält man aus 2-Hydroxy-4-oxo-2-methyl-pentan und Benzol in Gegenwart von Aluminiumchlorid in mehr als 60% d. Th. *4-Oxo-2-methyl-2-phenylpentan*. 2,2,5,5-Tetramethyl-tetrahydrofuranon setzt sich mit Benzol zu *2-Oxo-1,1,4,4-tetramethyl-tetralin* (>30% d. Th.) um[8].

Ungesättigte Ketone, bei denen die C=C-Doppelbindung **nicht** in Konjugation zur Carbonyl-Doppelbindung steht, reagieren ebenfalls wie einfache Olefine: Isopropyl-benzol und ein Hexen-(1)-on-(5) vereinigen sich zu *5-Oxo-1-(4-isopropylphenyl)-hexan*[9].

[1] J. CORSE u. E. ROHRMANN, Am. Soc. **70**, 370 (1948).
   A. HOFFMAN, Am. Soc. **51**, 2542 (1920).
[2] G. E. SVADKOVSKAJA u. A. I. PLATOVA, Ž. vses. Chim. obšč. **11**, 475 (1966);
   C. A. **65**, 18505 (1966).
   US. P. 2857428, Olin Mathieson Chemical Corporation, Erf.: A. E. ARDIS u. H. A. BRUSON;
   C. A. **53**, 6162 (1959).
[3] H. ARAI u. N. MURATA, J. chem. Soc Japan, ind. Chem. Sect. **61**, 563 (1958).
[4] J. COLONGE u. L. PICHAT, Bl. **1949**, 177.
[5] V. F. BELYAEV, Chim. geteroc. Soed. **1965**, 215; C. A· **63**, 8244 (1965).
[6] M. F. ANSELL u. S. A. MAHMUD, Tetrahedron Letters **1971**, 4129.
[7] I. P. LABUNSKI, Ž. obšč. Chim. **28**, 1626 (1958); C. A. **53**, 1228 (1959).
[8] H. A. BRUSON et al., Am. Soc. **80**, 3633 (1958).
[9] S. M. MUKHERJI et al., J. indian. chem. Soc. **34**, 1 (1957).

Als reaktives ungesättigtes Keton ist auch das α-Naphthol in seiner tautomeren on-Form aufzufassen, das sich leicht an Benzol anlagert und mit vorzüglicher Ausbeute zum *1-Oxo-4-phenyl-tetralin* führt[1]:

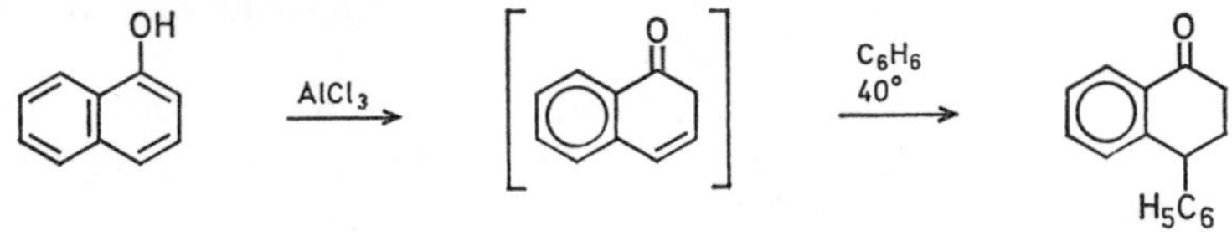

1-Oxo-4-phenyl-tetralin[1]: In eine Lösung von 288 g (2 Mol) 1-Naphthol in 1 l Benzol werden innerhalb 15 Min. 600 g gepulvertes Aluminiumchlorid unter Kühlen eingerührt, so daß die Temp. 40° nicht übersteigt. Nach 6 Stdn. (bei 40°) trägt man in Eiswasser aus, fügt 300 ml Benzol zu, trennt die Schichten, wäscht die Benzol-Phase mehrmals mit Wasser aus, trocknet diese und arbeitet destillativ auf. Nach einem Vorlauf, der noch geringe Mengen 1-Naphthol enthält, destillieren bei 180–190°/2 Torr 400 g (90% d.Th.) Kondensationsprodukt über, das erstarrt (F: 74–75°); nach 2maligem Umkristallisieren aus Methanol F: 79–80°.

ⓒ Nach dem Prinzip der substituierenden Addition[2] reagieren 2-Octyl- (I a) bzw. 2-Undecyl-furan (I b) unter dem katalytischen Einfluß von schwefliger Säure mit Vinyl-(ω-methoxycarbonyl-alkyl)-ketonen des Typs II in 18 bzw. 21%-iger Ausbeute zu 2-Alkyl-5-(3-oxo-ω-methoxycarbonyl-alkyl)-furanen III[3]:

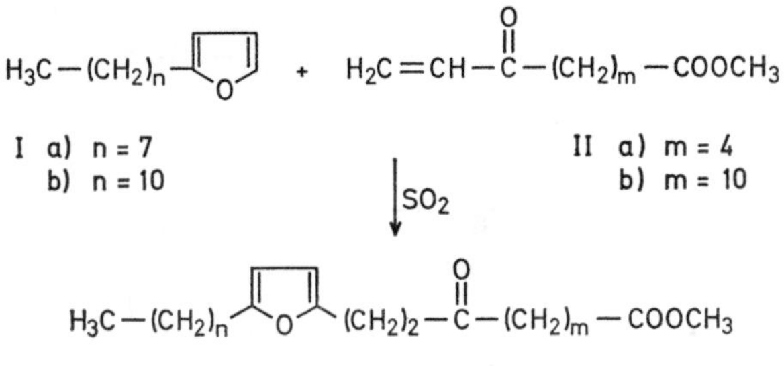

n = 7; m = 4; *5-Octyl-2-(3-oxo-7-methoxycarbonyl-heptyl)-furan*
n = m = 10; *5-Undecyl-2-(3-oxo-13-methoxycarbonyl-tridecyl)-furan*

In einer früheren Arbeit[4] wurde auf gleiche Weise *5-Cyclopentylmethyl-2-(3-oxo-5-methoxycarbonyl-pentyl)-furan* aus 2-Cyclopentylmethyl-furan und 4-Oxo-hexen-(5)-säure-methylester hergestellt.

Für den einfachsten Fall, die Addition von Furan an Butenon, wird folgender Mechanismus angegeben[5]:

---

[1] O. Limpach, I. G. Farben (Hoechst) 1934; aus 4-Chlor-1-hydroxy-naphthalin wird dagegen 1-Hydroxy-3-phenyl-naphthalin (80% d.Th.; F: 102°) erhalten.

[2] E. Buchta, W. Bayer u. G. Heinz, Naturwiss. **45**, 439 (1958).

[3] E. Buchta et al., A. **687**, 161 (1965).

[4] E. Buchta u. F. Fuchs, A. **655**, 81 (1962).

[5] I. D. Webb u. G. T. Borchardt, Am. Soc. **73**, 752 (1951).

Das schwach elektrophile Keton-oxoniumsalz I greift das C-Atom mit der höchsten Elektronendichte des heterocyclischen Diens II an:

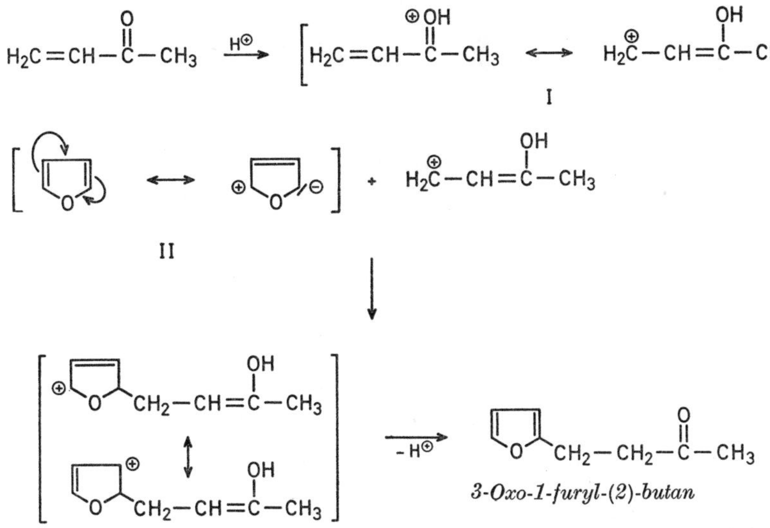

$$H_2C=CH-\overset{O}{\overset{\|}{C}}-CH_3 \xrightarrow{H^\oplus} \left[H_2C=CH-\overset{\overset{\oplus}{O}H}{\overset{\|}{C}}-CH_3 \longleftrightarrow \overset{\oplus}{H_2}C-CH=\overset{OH}{\overset{|}{C}}-CH_3 \right]$$

I

$$\left[\underset{O}{\text{(II)}} \longleftrightarrow \underset{O}{\oplus \text{(II)}} \ominus \right] \ + \ \overset{\oplus}{H_2}C-CH=\overset{\overset{OH}{\overset{|}{}}}{C}-CH_3$$

II

$$\left[\underset{O}{\oplus \text{(furyl)}} CH_2-CH=\overset{OH}{\overset{|}{C}}-CH_3 \ \updownarrow \ \underset{O}{\oplus \text{(furyl)}} CH_2-CH=\overset{OH}{\overset{|}{C}}-CH_3 \right] \xrightarrow{-H^\oplus} \underset{O}{\text{(furyl)}} CH_2-CH_2-\overset{O}{\overset{\|}{C}}-CH_3$$

3-Oxo-1-furyl-(2)-butan

Entsprechend ihrem mehr oder weniger stark ausgeprägten Dien-Charakter ist die Reihenfolge der Leichtigkeit, mit der die Reaktion bei aromatischen Heterocyclen erfolgt[1]:

Pyrrol > Furan > Thiophen

Pyridin reagiert wegen seines ausgesprochen aromatischen Charakters überhaupt nicht.

Indol als zweikernige Verbindung reagiert mit Butenon in Essigsäure zu *3-Oxo-1-indolyl-(3)-butan* (70% d.Th.)[2].

ⓓ α-Halogen-ketone können durch Friedel-Crafts-Alkylierung in Aromaten eingeführt werden. Doch gibt es für diese Reaktion bisher in der Literatur nur einige wenige Beispiele[3,4]:

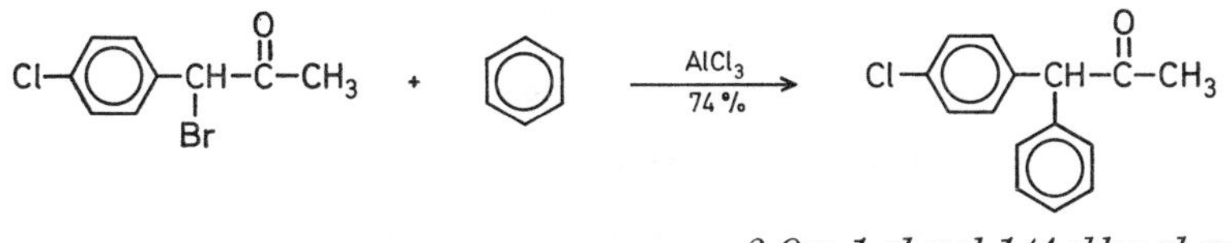

2-Oxo-1-phenyl-1-(4-chlor-phenyl)-propan

ⓔ Der α-Oxo-aldehyd Phenylglyoxal reagiert mit Methylmercapto-benzol in Schwefelkohlenstoff bei 0° in Gegenwart von Aluminiumchlorid zu *1-Hydroxy-2-oxo-2-phenyl-1-(4-methyl-mercapto-phenyl)-äthan* (24,5% d.Th.)[5].

---

[1] E. Buchta u. F. Fuchs, A. 655, 81 (1962).
[2] J. Szmuszkovicz, Am. Soc. 79, 2819 (1957).
[3] E. J. Cragoe et al., J. Org. Chem. 23, 971 (1958).
[4] L. A. Timofeewa, D. A. Simonov u. V. S. Karavan, Ž. Org. Chim. 7, 1676 (1971).
[5] S. B. Coan, D. E. Trucker u. E. I. Becker, Am. Soc. 77, 60 (1955).

(f) Die vinyloge Säure 1-Hydroxy-3-oxo-5,5-dimethyl-cyclohexen (Dimedon) reagiert in konz. Salzsäure mit Resorcin zu *3-Oxo-5,5-dimethyl-1-(2,4-dihydroxy-phenyl)-cyclohexen* (75% d. Th.)[1]:

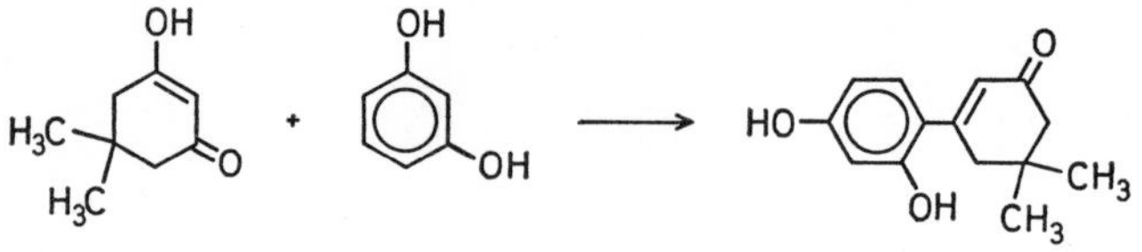

(g) Die aus Acetophenon erhaltenen Mannichbasen I können zur Alkylierung von aromatischen und heterocyclischen Systemen eingesetzt werden. Mit β-Naphthol, Pyrrol, Indol erhält man beim Erhitzen der Mannichbasen in Xylol in 20–45%-iger Ausbeute die Verbindungen II, III, IV[2]:

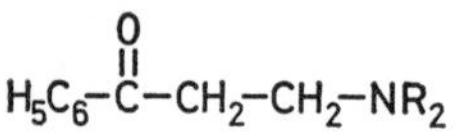

I; R = CH₃; *3-Dimethyl-amino-1-oxo-1-phenyl-propan*
R = C₂H₅; *3-Diäthylamino-1-oxo-1-phenyl-propan*

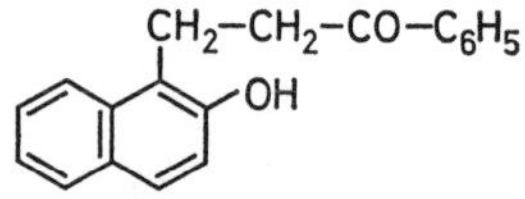

II; *3-Oxo-3-phenyl-1-[2-hydroxy-naphthyl-(1)]-propan*

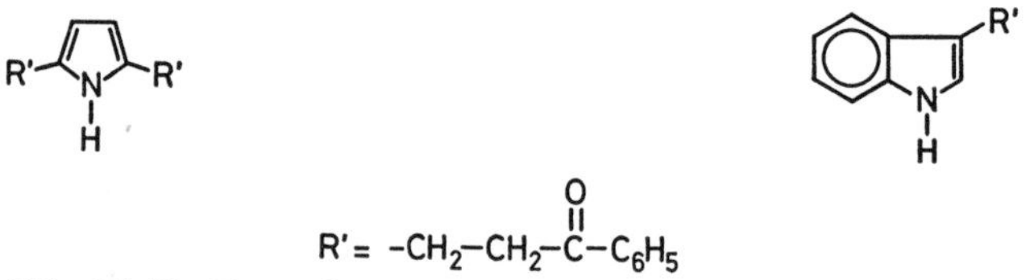

R' = −CH₂−CH₂−CO−C₆H₅

III; *2,5-Bis-[3-oxo-3-phenyl-propyl]-pyrrol*

IV; *3-Oxo-3-phenyl-1-indolyl-(3)-propan*

β-Naphthol kann auch in Natriumäthanolat-Lösung, die Heterocyclen als Hydrochloride in wäßriger Lösung umgesetzt werden.

g) Einführung der R-CO-R′-Gruppe durch radikalische Addition von Ketonen an C=C-Doppelbindungen

bearbeitet von

Prof. Dr. Hans Günter Thomas

Institut für Organische Chemie der TH Aachen

1. Licht-katalysierte Addition von Ketonen an Olefine[3]

Die lichtinduzierte Addition von Ketonen an Olefine in der Flüssigphase wurde erstmals 1953 eingehender untersucht[4]. Es wurden dabei jedoch keine einheitlichen Reaktionsprodukte, sondern eine Vielzahl von Verbindungen erhalten. Speziell bei

---

[1] S. Eskola, Suomen Kem. [B] **34**, 162 (1961).
[2] F. Andreani et al., Tetrahedron Letters **1968**, 1059.
[3] Vgl. ds. Handb., Bd. IV/5.
[4] M. S. Kharasch, J. Kuderna u. W. Nudenberg, J. Org. Chem. **18**, 1225 (1953).

der Addition von Cyclohexanon an Octen-(1) (10facher Überschuß) wurde das ge-suchte 1:1-Adukt, *2-Oxo-1-octyl-cyclohexan*, nur zu maximal 25% d. Th. erhalten, dafür aber wechselnde Mengen an:

Hexen-(5)-al
cis- und *trans-*Octen-(2)-Gemisch
ein Dimeres des Octens
hochsiedende Addukte aus zwei und mehr Molekülen Octen an ein Molekül Cyclohexanon

Die Erklärung für das Auftreten der verschiedenen Produkte ist in der geringen Selektivität der bei Bestrahlung auftretenden Radikale zu sehen. Die erhaltenen Nebenprodukte sind das Ergebnis von Radikaldimerisierungs- und -disproportio-nierungs-Reaktionen. Da man es bei photochemisch erzeugten Radikalen mit sehr energiereichen Teilchen zu tun hat, hängt das gewünschte Reaktionsprodukt in seiner Zusammensetzung hauptsächlich von dem Verhältnis der Konzentrationen der radikalisch und nicht radikalisch auftretenden Reaktionspartner ab. In zweiter Linie ist auch die Struktur der reagierenden Moleküle von gewisser Bedeutung. So addiert sich Aceton radikalisch an die sehr reaktive endocyclische Doppelbindung des Bicyclo[2.2.1]heptens in vollkommen sterisch einheitlicher Weise, wenn man eine an Bicyclo[2.2.1]hepten (I) 8%ige Aceton-Lösung beim Sieden unter Rückfluß bestrahlt[1]. Die Ausbeute an *exo-2-(2-Oxo-propyl)-bicyclo[2.2.1]heptan* (II) beträgt 45% d. Th. Im Dunkeln wird auch bei 50stdgm. Erhitzen keine Umsetzung beob-achtet. Demnach erfolgt hier also ähnlich wie bei der Addition von Cyclohexanon an Octen-(1) und Cyclohexanon an Cyclohexen[2] eine Radikalkettenreaktion:

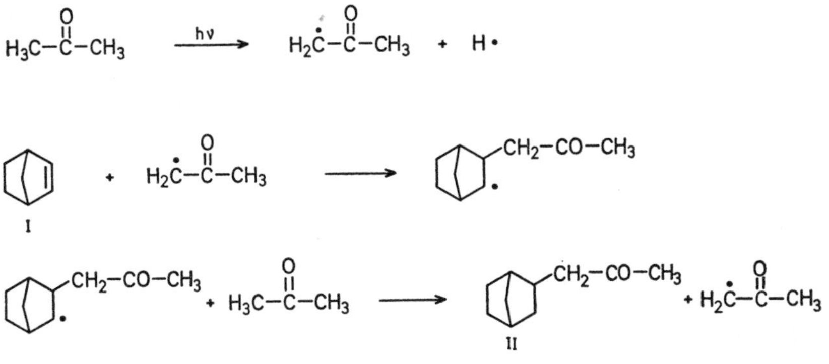

Die Photoaddition einfacher Ketone an Olefine ist präparativ nur selten von Bedeutung, da diese Reaktion im Grunde nur die unerwünschte Nebenreaktion des als Sensibilisator verwendeten Ketons für die eigentlich gesuchte 1,2-Photocyclo-dimerisierung[3] des Olefins ist. Außerdem können Ketone (bei zu geringer Triplett-energie) in der Paterno-Büchi-Reaktion mit Olefinen unter Oxetan-Bildung ab-reagieren[3].

[1] W. Reusch, J. Org. Chem. **27**, 1882 (1962).
[2] P. de Mayo, J. B. Stothers u. W. Templeton, Canad. J. Chem. **39**, 488 (1961).
[3] H. D. Scharf, Fortschr. chem. Forsch. **11**, 216 (1969).
    N. J. Turro, Pure appl. Chem. **27**, 679 (1971).

Speziell bei 1,2-Diketonen, z.B. bei Butandion (I), führt die Reaktion zu acetylierten Oxetanen III[1]:

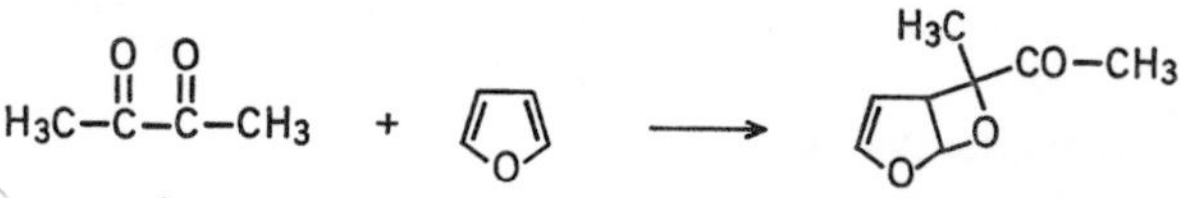

6-Methyl-6-acetyl-2,7-dioxa-bicyclo
[3.2.0]hepten-(3); III

Außer Furan (II) lassen sich als olefinische Komponenten Äthyl-vinyl-äther[1] und 2-Methyl-buten-(2)[1] in diese Reaktion einsetzen. Die Photoaddition von Butandion an Cyclohexen ergibt in 19%iger Ausbeute *3-Hydroxy-2-oxo-3-cyclohexyl-butan*. Als Hauptprodukt tritt hier allerdings das photo-hydrodimerisierte *3,4-Dihydroxy-2,5-dioxo-3,4-dimethyl-hexan* (38% d. Th.)[2] auf.

Eine dritte Reaktionsmöglichkeit behält sich das Butandion bei der Belichtung in Dichlormethan vor. Mit dem gesättigten Kohlenwasserstoff IV erhält man ein Gemisch zweier Acetyl-Derivate[3]:

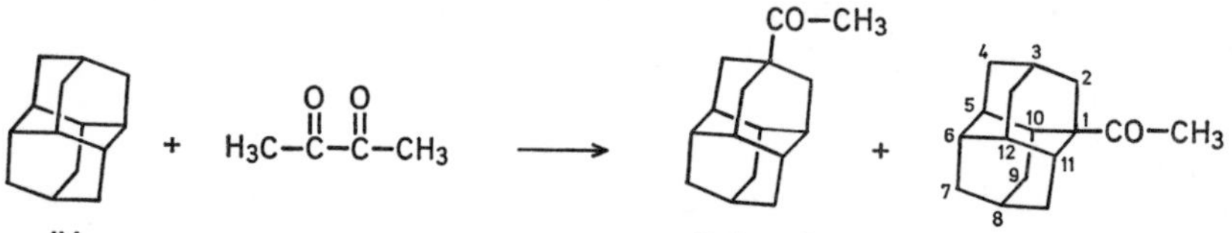

3-Acetyl-   1-Acetyl-
pentacyclo[4.4.2.1^{3,12}.1^{8,11}.0^{5,10}]tetradecan

β-Diketone reagieren bei Bestrahlung in enolisierter Form unter Cycloaddition. Die erste Cycloaddition an eine isolierte C=C-Doppelbindung wurde durch Bestrahlung von 2,4-Dioxo-pentan (II) in Gegenwart von Cyclohexen (Ia), Cyclopenten (Ib), 1-Methyl-cyclohexen (Ic) und Octen-(1) verwirklicht[4,5]. Man erhält nach dem nachfolgend formulierten Mechanismus substituierte Heptandione (III), die sich durch Säuren- oder Basen-Katalyse zu Cyclohexenonen cyclisieren lassen (IV):

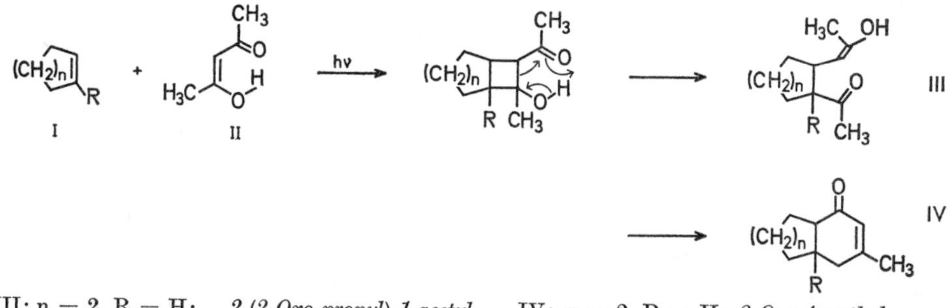

III; n = 2, R = H;   *2-(2-Oxo-propyl)-1-acetyl-*   IV; n = 2, R = H; *2-Oxo-4-methyl-*
                      cyclohexan   *bicyclo[4.4.0]decen-(3)*
          R = CH$_3$; *1-Methyl-2-(2-oxo-propyl)-*   R = CH$_3$; *5-Oxo-1,3-dimethyl-bi-*
                      1-acetyl-cyclohexan   *cyclo[4.4.0]decen-(3)*
    n = 1, R = H;   *2-(2-Oxo-propyl)-1-acetyl-*   n = 1, R = H; *2-Oxo-4-methyl-*
                      cyclopentan   *bicyclo[4.3.0]nonen-(3)*

[1] H. Ryang, K. Shima u. H. Sakurai, Tetrahedron Letters 1970, 1091.
[2] Y. L. Chow, T. C. Joseph, H. H. Quon u. J. N. S. Tam, Canad. J. Chem. 48, 3045 (1970).
[3] I. Tabushi, S. Kojo, P. v. R. Schleyer u. T. M. Gund, Chem. Commun. 1974, 591.
[4] P. de Mayo u. H. Takeshita, Canad. J. Chem. 41, 440 (1963).
[5] Statt Pentandion-(2,4) auch 2-Oxo-1-acetyl-cycloalkane: H. Nozaki et al., Tetrahedron 24, 1821 (1968).

Günstig für synthetische Zwecke werden die Verhältnisse, wenn der Sensibilisator als chromophore Gruppe fest in das Molekül des zu dimerisierenden Olefins eingebaut ist, wie das bei Vinyl-ketonen der Fall ist. Vor allem bei intramolekularen Photocyclisierungen[1] (1,2-Cycloaddition) hat diese Methode erfolgreich Anwendung gefunden. Sie gestattet in einfacher Weise den Aufbau sonst nur schwer zugänglicher polycyclischer Ketone, z. B. Homo-cuban-Strukturen[2]:

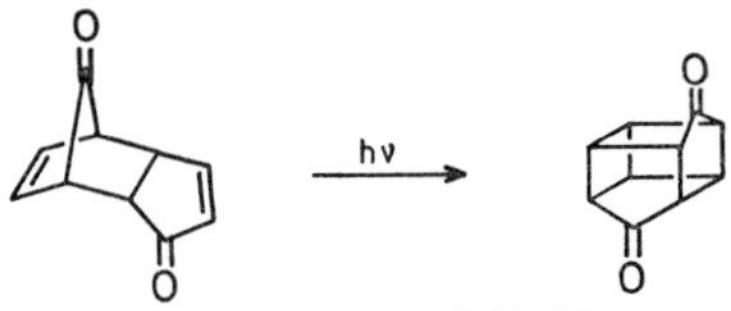

6,10-Dioxo-pentacyclo[5.3.0.0²,⁵.0³,⁹.0⁴,⁸]decan

Intramolekulare Dimerisierung wird z.B. bei direkter Bestrahlung von Cycloheptadienon[3] oder p-Benzochinon[4] in Cyclohexan beobachtet.

Diese Photocycloaddition ist in jüngerer Zeit durch eine Fülle von Beispielen methodisch abgesichert worden (s. Bd. IV/5). Vereinzelt werden auch einfachere Cycloisomerisierungen durch Photolyse als präparative Methoden angeführt, z. B. die Cyclisierung der α-Methylen-ketone I zu den Cyclobutanen II. Die Belichtung (λ > 3300 Å, Uranglasfilter) wird in Benzol durchgeführt[5]:

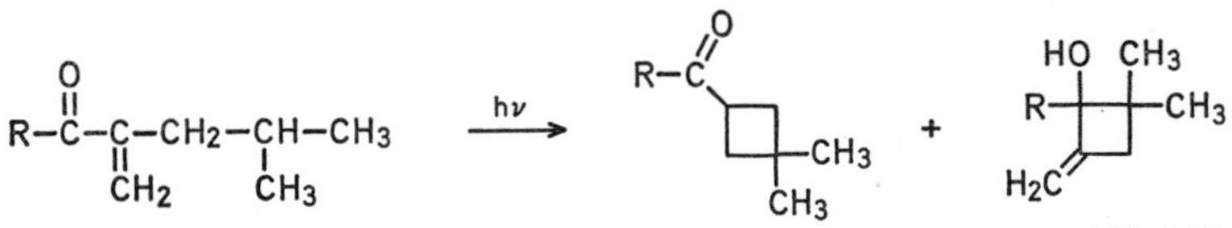

II; R = CH₃;   *3,3-Dimethyl-1-acetyl-cyclobutan*; 68% d.Th.
R = –(CH₂)₂–CH(CH₃)₂; *3,3-Dimethyl-1-(4-methyl-pentanoyl)-cyclobutan*; 67% d.Th.

Die gleiche Reaktion läßt sich mit 1-(3-Methyl-butanoyl)-cyclopenten (III) durchführen[6]. Die Ausbeute an *3-Oxo-1,1-dimethyl-spiro[3.4]octan* (IV) beträgt aber nur 35% d.Th. Als Nebenprodukt tritt *Carbonylen-cyclopentan* (V; 25% d.Th.) auf, das sich auf Zusatz von Methanol nach der Bestrahlung als *Cyclopentan-carbonsäuremethylester* abfangen läßt:

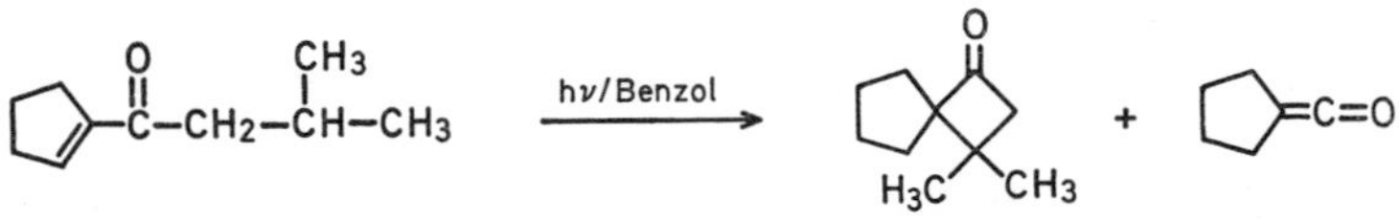

[1] R. STEINMETZ: Photochemische Carbocyclo-Additionen, Fortschr. chem. Forsch. **7**, 445 (1967). W. L. DILLING, Chem. Reviews **66**, 373 (1966).
[2] E. BAGGIOLINI et al., Helv. **50**, 297 (1967).
[3] H. NOZAKI, M. KURITA u. R. NOYORI, Tetrahedron Letters **1968**, 3635.
[4] E. H. GOLD u. D. GINSBURG, Soc. **1967**, 15.
[5] W. L. SCHREIBER u. W. C. AGOSTA, Am. Soc. **93**, 6292 (1971).
[6] A. M. SMITH, A. M. FORSTER u. W. C. AGOSTA, Am. Soc. **94**, 5100 (1972).

Die Bestrahlung von 1,2-Dioxo-1-phenyl-pentan bzw. 1,2-Dioxo-4-methyl-1-phenyl-pentan (III; $R^1 = H$, CH_3; $R^2 = CH_3$) führt in hohen Ausbeuten zu *1-Hydroxy-4-oxo-2-methyl-1-phenyl-* bzw. *1-Hydroxy-4-oxo-2,2-dimethyl-1-phenyl-cyclobutan*(VII)[1]. Die Bestrahlung von 1,2-Dioxo-1-phenyl-butan (VI; $R^1 = R^2 = H$) hingegen liefert das 1-Hydroxy-2-oxo-1-phenyl-cyclobutan nur als Nebenprodukt, als Hauptprodukt wird das Enol des Diketons erhalten (VIII):

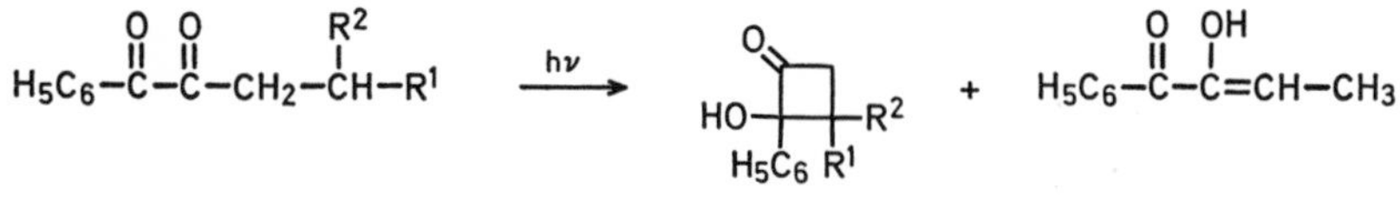

2. Peroxid-katalysierte Addition von Ketonen an Olefine

Die Verwendung von Peroxiden als Starter für Radikalkettenreaktionen hat gegenüber der lichtinduzierten Auslösung der Kettenreaktion gewisse Vorteile:

> höhere Radikalausbeute
> gleiche Radikalkonzentration im gesamten Reaktionsgemisch
> leichte Dosierbarkeit

Die verschieden hohe Zerfallstemperatur der einzelnen Peroxide bestimmt die Reaktionstemperatur, die anzuwenden ist. Am stabilsten ist Di-tert.-butyl-peroxid, das erst ab 100° merklich in Radikale zerfällt (Halbwertszeit bei 120° 20 Stdn.) Diacetyl- und Dibenzoylperoxid dagegen liefern schon zwischen 50 und 100° genügend Radikale. Gegenüber Di-tert.-butyl-peroxid haben die beiden letzteren den Nachteil, daß ihr Zerfall durch bestimmte Lösungsmittel (Äther, Alkohole, Amine) katalysiert wird. Ist dieser induzierte Zerfall nicht erwünscht, so empfiehlt sich für den niederen Temperaturbereich die Verwendung von ebenfalls lösungsmittelunabhängigem Azoisobutansäure-dinitril (Halbwertszeit bei 60° 20 Stdn.). Einschränkend muß jedoch gesagt werden, daß die Wirksamkeit des 1-Cyan-propyl-(2)-Radikals als Kettenstarter nicht besonders groß ist.

Um die Polymerisation der Olefinkomponente zu vermeiden, wird das Keton in großem Überschuß angewendet. Da man nur mit katalytischen Mengen Radikalbildner arbeitet, ist die Gefahr der Bildung von 1,4-Diketonen (s. S. 1876) durch Keton-Radikal-Dimerisierung zurückgedrängt. Mögliche Telomerisation, d. h. Abreaktion eines Keton-Olefin-Adduktradikals mit einem Olefin-Molekül statt mit einem anderen Keton-Molekül unter Radikalübertragung, vermeidet man durch Anwendung höherer Temperaturen.

Unter obigen allgemeinen Bedingungen ließen sich in zum Teil guten Ausbeuten die in Tab. 227 (S. 1717) aufgeführten Ketone mit Olefinen zu 1:1-Addukten umsetzen:

1,3-Dioxo-2-octyl-cyclohexan[2]: Man löst 84 g Cyclohexandion-(1,3) und 28 g Octen-(1) in 100 *ml* wasserfreiem Benzol und tropft bei 70—75° unter Durchleiten von Kohlendioxid 80 *ml* einer 18%igen benzolischen Lösung von Diacetylperoxid zu. Nach 4 Stdn. wird das Gemisch mit 10%iger Natronlauge alkalisch gemacht, die Benzolschicht abgetrennt, die wäßr. Phase mit Petroläther (Kp: 40-80°) und Äther extrahiert und aus der wäßr. Lösung mit 15%iger Salzsäure das Diketon gefällt; Ausbeute: 23% d. Th..

---

[1] N. J. Turro u. T. J. Lee, Am. Soc. **92**, 7467 (1970).

[2] DAS. 10 055 508 (1956), Henkel u. Cie. GmbH, Erf.: O. Rosenthal u. H. Koschi; C. A. **53**, 14 973 (1959).

Tab. 227. Radikalische Addition von Ketonen an Olefine in Gegenwart von Peroxiden

Keton	Olefin	Peroxid	Temperatur [°C]	Molverhältnis Keton: Olefin	Reaktionsprodukt	Ausbeute [% d.Th.]	Literatur
Cyclohexanon	Octen-(1)	DBP	127–153	10:1	2-Oxo-1-octyl-cyclohexan	59	1
	Decen-(1)	DBP	127–153	10:1	2-Oxo-1-decyl-cyclohexan	62	1,2
	4-Methyl-decen-(1)	DBP	127–153	10:1	2-Oxo-1-(4-methyl-decyl)-cyclohexan	61	1
	Octyl-allyl-äther	DBP	127–153	10:1	2-Oxo-1-(3-octyloxy-propyl)-cyclohexan	57	1
	Decyl-allyl-äther	DBP	127–153	10:1	2-Oxo-1-(3-decyloxy-propyl)-cyclohexan		1
	Undecensäure	DBP	151–153	10:1	11-(2-Oxo-cyclohexyl)-undecansäure	50	3
	Hepten-(1)	DBP	140		2-Oxo-1-heptyl-cyclohexan	62	2
			120		2-Oxo-1-heptyl-cyclohexan	40	2
			100		2-Oxo-1-heptyl-cyclohexan	10	2
			120*		2-Oxo-1-heptyl-cyclohexan	55	2
	2-Vinyloxymethyl-tetra-hydrofuran	DBP		10:1	2-[Tetrahydrofuryl-(2)-methoxy]-1-(2-oxo-cyclohexyl)-äthan	63–75	4
	2-Methyl-2-vinyloxymethyl-tetrahydrofuran	DBP		10:1	2-[2-Methyl-tetrahydrofuryl-(2)-methoxy]-1-(2-oxo-cyclohexyl)-äthan	63–75	4
	2-Methyl-4,5-dihydro-furan	DBP		10:1	2-Oxo-1-[2-methyl-tetrahydrofuryl-(3)]-cyclohexan + 2-Oxo-1-[2-methyl-tetrahydrofuryl-(2)]-cyclohexan	60	4

* Zusatz von Essigsäure.

1 G. I. Nikishin, G. V. Somov u. A. D. Petrov, Izv. Akad. SSSR 1961, 2065; C. A. 56, 7155 (1962).

2 J. N. Ogibin, I. A. Palanuer u. G. I. Nikishin, Izv. Akad. SSSR 1968, 425; C. A. 69, 66608 (1968).

3 G. I. Nikishin, G. V. Somov, u. A. D. Petrov, Doklady Akad. SSSR 136, 1099 (1961); C. A. 55, 18584 (1961).

4 V. G. Glukhovtsev, S. S. Spektor, I. N. Golubev u. G. I. Nikishin, Ž. org. Chim. 9, 316 (1973).

Tab. 227 (Fortsetzung)

Keton	Olefin	Peroxid	Temperatur [°C]	Molverhältnis Keton: Olefin	Reaktionsprodukt	Ausbeute [% d.Th.]	Literatur
Cyclopentanon	Octen-(1)	DBP	127–153	10:1	2-Oxo-1-octyl-cyclopentan	57	1
	Decen-(1)	DBP	127–153	10:1	2-Oxo-1-decyl-cyclopentan	71	1
	4-Methyl-decen-(1)	DBP	127–153	10:1	2-Oxo-1-(4-methyl-decyl)-cyclopentan	62	1
	Octyl-allyl-äther	DBP	127–153	10:1	2-Oxo-1-(3-octyloxy-propyl)-cyclopentan	53	1
	Decyl-allyl-äther	DBP	127–153	10:1	2-Oxo-1-(3-decyloxy-propyl)-cyclopentan	45	1
	Undecensäure	DBP	130–132	10:1	11-(2-Oxo-cyclopentyl)-undecansäure	69,5	2
	Undecen-(1)-ol-(11)				2-Oxo-1-(11-hydroxy-undecyl)-cyclopentan		3
	Dodecen-(1)	DBP	128		2-Oxo-1-dodecyl-cyclopentan	67	4
	Undecen-(10)-säure-methylester	DBP	127–128	10:1	11-(2-Oxo-cyclohexyl)-undecansäure-methylester	73	4
Aceton	Äthylen	DBP / A	150–250 (unter Druck)	(500–1000):8	Pentanon-(2) + Heptanon-(2) + Gemisch höherer Alkanone-(2)	54 / 30	5
Chloraceton	Octen-(1)	B	60	20:1	Undecanon-(2)	32	6
	Decen-(1)	DBP	125–130		3-Chlor-2-oxo-tridecan	30	7
Butanon	Octen-(1)	C	(Rückfluß)	100:1	2-Oxo-3-methyl-undecan 90% + Dodecanon-(2)	34	6
Petanon-(3)	Octen-(1)	DBP		50:1	1:1-Addukt Gemisch [3-Oxo-4-methyl-dodecan, Tridecanon-(3)]	17	6
Acetophenon	Octen-(1)	DBP		20:1	1-Oxo-1-phenyl-decan (Decanoyl-benzol)	10	6

DBP = Di-tert.-butyl-peroxid
A = Azoisobutansäure-dinitril
B = Bis-[isopropylperoxicarbonyl]-oxid
C = Dibenzoylperoxid

[1] G. I. Nikishin, G. V. Somov u. A. D. Petrov, Izv. Akad. SSSR 1961, 2065; C. A. 56, 7155 (1962).
[2] G. I. Nikishin, G. V. Somov, u. A. D. Petrov, Doklady Akad. SSSR 136, 1099 (1961); C. A. 55, 18584 (1961).
[3] G. I. Nikishin, RA Pat. 150505, vom 10. 2. 62, angem. Dez. 64.
[4] G. I. Nikishin u. G. V. Somov, Ž. org. Chim. 3, 299 (1967); C. A. 66, 115028 (1967); dort zahlreiche weitere Beispiele.
[5] DBP. 1 172 251 (1962), Deutsche Akademie der Wissenschaften zu Berlin, Erf.: A. Rieche u. E. Gründemann; C. A. 61, 6922 (1964).
[6] J. C. Allen, J. I. G. Cadogan u. D. H. Hey, Soc. 1965, 1918.
[7] R. L. Huang, Soc. 1957, 2528.

3. Spezielle Additionen

Einige nur durch Einzelbeispiele vertretene Reaktionen seien im folgenden aufgeführt.

Ketone addieren sich auch in Abwesenheit eines Katalysators, allerdings sehr langsam, an Tetracyan-äthylen[1]:

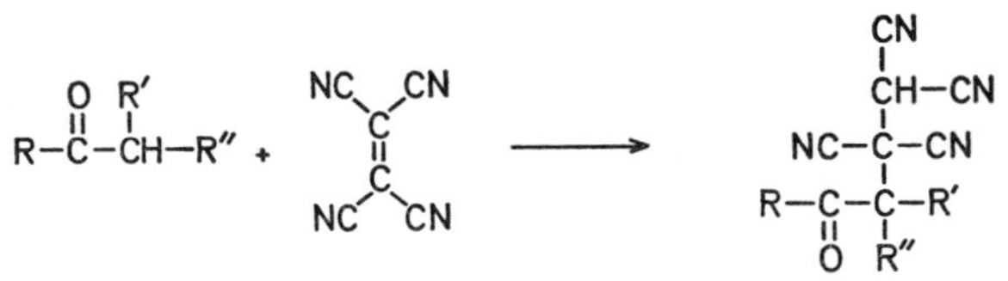

Durch einen Silber-Katalysator[2] („molekulares Silber") wird die Reaktion sehr stark beschleunigt, was auf einen radikalischen Charakter der Addition hindeutet. In Gegenwart von Silberoxid erhält man unter wasserfreien Bedingungen aus Aceton mit Olefinen wie 1-Penten, 1-Hexen, 1-Octen, 1-Decen und Cyclohexen Anti-Markovnikoff-Addukte in Ausbeuten zwischen 73–83% d.Th.[3]. Der Vorteil dieser Reaktion soll gegenüber den peroxid-katalysierten Additionen darin liegen, daß bei vergleichsweise höheren Ausbeuten so gut wie keine Telomeren auftreten. Auch radikalische Additionen an C≡C-Dreifachbindungen werden in der Literatur erwähnt. Zum Beispiel reagiert 2,4-Dioxo-3-methyl-pentan in Gegenwart von Zinkstearat, Cadmiumnaphthenat oder Quecksilber(II)-acetat mit Acetylen unter Bildung von *2,4-Dioxo-3-methyl-3-vinyl-pentan*[4]:

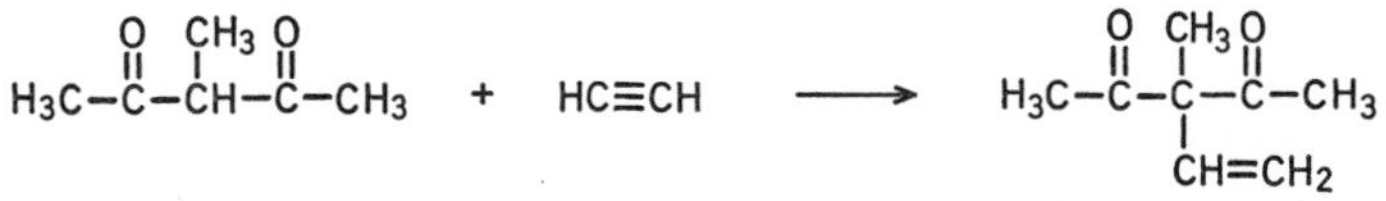

Metallsalze wie Mangan(III)-, Cer(IV)- oder Kupfer(II)-acetat katalysieren radikalische Additionen von Ketonen an Olefine[5]. Die Reaktion wird jedoch durch die selektive Fähigkeit der Metallionen zur Oxidation der auftretenden organischen Radikale bestimmt, was zu Nebenprodukten wie ungesättigten Ketonen und Oxocarbonsäureestern führt.

Es sei an dieser Stelle darauf hingewiesen, daß auch durch die Meerwein-Arylierungs-Reaktion[6] gewisse aromatische Ketone zugänglich sind. Dabei sind grundsätzlich zwei Möglichkeiten für eine Keton-Synthese gegeben:

[1] W. J. Middleton et al., Am. Soc. **80**, 2806, 2783 (1958).

[2] M. Gomberg u. L. H. Cone. B. **39**, 3286 (1906).

[3] M. Hájek, P. Šilhavý u. J. Málek, Tetrahedron Letters **1974**, 3193.

[4] DAS 1066583 (1956), BASF, Erf.: W. Reppe u. M. Seefelder; C. A. **55** 18603 (1961).

[5] E. I. Heiba u. R. M. Dessau, Am. Soc. **93**, 524 (1971); **94**, 2888 (1972).
   M. G. Vinogradov, S. P. Verenchikov u. G. I. Nikishin, Izv. Akad. Nauk SSSR, Ser. Khim **1972**, 1674; Ž. Org. Chim. **8**, 2467 (1972).

[6] C. S. Rondestvedt, Org. Reactions, Bd. XI, S. 189.

Entweder befindet sich die R—CO—R'-Gruppe im Diazoniumsalz ①
oder sie ist Teil des Olefinmoleküls, an das sich das aus der Diazonium-Verbindung
entstehende Aryl-Radikal addiert ②:

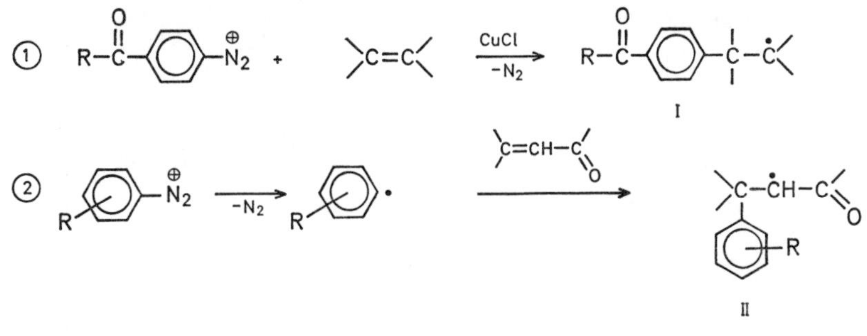

Die Radikale I oder II können sich durch Aufnahme eines Chloratoms aus dem
als Übergangszustand der Arylierung zu bezeichnenden Kupfer(I)-Komplex III
bzw. durch Abgabe eines Wasserstoffatoms unter Bildung eines Olefins stabilisieren.

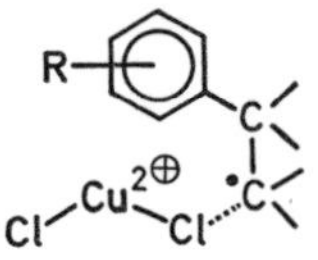

III

Ein konkretes Beispiel für obige Reaktion ② ist die Herstellung von *3-Oxo-1-phenyl-2-(4-chlor-phenyl)-buten-(1)* aus 4-Chlor-anilin und 3-Oxo-1-phenyl-buten-(1)[1].
Die Ausbeute von 45% d. Th. in diesem Falle ist jedoch noch sehr günstig. Im allgemeinen liegen die Ausbeuten erheblich unter diesem Wert.

Eine neuere Methode zur Herstellung von Ketonen durch Addition carbonylhaltiger Radikale an Olefine besteht in der anodischen Oxidation geeigneter organischer Anionen, z. B. Acetylacetonat, zum Radikal in Gegenwart von Olefinen
wie Styrol, Vinyläther, Cyclohexen und Butadien-(1,3)[2]. Doch bedarf es zur Durchführung solcher Reaktionen eines nicht unerheblichen apparativen Aufwandes, da
der Reaktionsablauf sehr genau potentiostatisch kontrolliert werden muß.

4. β-Oxo-aldehyde

In Ketone läßt sich leicht in der α-Stellung eine Formyl-Gruppe durch Esterkondensation mit Ameisensäureester einführen.

Dieses Verfahren ist in Bd. VII/1, S. 44ff. beschrieben.

Zahlreiche Beispiele finden sich auch in ds. Bd. In den meisten Fällen liegen die
β-Oxo-aldehyde als Salze der stark sauren Enol-Form, den sog. Hydroxymethylen-ketonen, vor. Diese sind ungewöhnlich vielseitig verwendbare Synthesematerialien. S. unter Schutzgruppen (S. 1400, 1720, 1900).

Ebenso leicht lassen sich die Alkoxymethylen-ketone nach mehreren Verfahren herstellen (s. Bd. VII/1, S. 434ff.), z. B. durch Kondensation von reaktionsfähigen Ketonen mit Orthoameisensäure-triester und Essigsäureanhydrid (s. Bd. VI/3,
S. 111) oder speziell das *1-Methoxy-3-oxo-buten-(1)* ausgehend von Butadiin (Bd. VII/2c).

[1] P. L'Écuyer u. C. A. Olivier, Canad. J. Res. [B] **28**, 648 (1950); C. A. **45**, 6605 (1951).
[2] H. Schäfer, Chemie-Ing.-Techn. **41**, 179 (1969).
L. Eberson u. H. Schäfer, Fortschr. chem. Forsch. **21**, 77 (1971).

h) Einführung von Carboxy-Gruppen in o-Stellung zur Keto-Gruppe (zu β-Oxo-carbonsäureestern)[1]

bearbeitet von

Prof. Dr. Drs. h. c. OTTO BAYER

Bayer AG, Leverkusen

Da es meist schwierig ist, Essigsäureester mit einem anderen Ester einheitlich zu gemischten β-Oxo-carbonsäureestern zu kondensieren, stellt man diese besonders in der alicyclischen Reihe zweckmäßig durch Kondensation von Ketonen mit Kohlensäureestern her; z. B.:

Dialkylcarbonate	$(RO)_2CO$
Alkylcarbonate	$RO-CO-ONa$; $RO-CO-O-Mg-OR$ (MMC)
O,O-Dialkyl-phosphonsäure-carboxylate	$(H_5C_2O)_2PO-COOR$

Die klassischen Arbeiten wurden an den Beispielen des 1,3-Diphenyl-acetons[2] und Acetons[3] mit Dialkylcarbonaten und Natrium in Äther durchgeführt.

Dieses Verfahren hat eine breite Anwendung unter Einsatz von Natriumhydrid gefunden. Es liefert aber anscheinend nur bei cyclischen Ketonen hohe Ausbeuten.

Zu einem großen Überschuß von Diäthylcarbonat, evtl. mit Äther oder Benzol verdünnt, in dem 2–2,5 Mol Natriumhydrid suspendiert sind, tropft man unter Rühren und unter Stickstoff innerhalb einiger Stdn. 1 Mol Keton. Falls die Kondensation nicht anspricht, fügt man einige Tropfen Äthanol zu.

2-Oxo-1-(2-carboxy-äthyl)-cycloheptan[4]: 50 g Cycloheptanon und 2 *ml* Äthanol werden innerhalb 15 Min. zu einer gerührten Suspension von 21,4 g frisch gemahlenem Natriumhydrid in 108 g Diäthylcarbonat und 200 *ml* Äther eingetropft. Dann wird rückfließend etwa 3 Stdn. erhitzt, bis sich ein farbloser Niederschlag abzuscheiden beginnt und noch 3 Stdn. ohne Erwärmung weiter gerührt. Hierauf fügt man ~ 20 *ml* Essigsäure und Eis zu, um überschüssiges Natriumhydrid zu zersetzen. Die äther. Schicht wird mit einer Natriumhydrogencarbonat-Lösung gewaschen, über Natriumsulfat getrocknet und destillativ aufgearbeitet; Ausbeute: 53,7 g (65% d.Th.); Kp_{14}: 128–136°.

In ähnlicher Weise – in siedendem Benzol – wird *2-Oxo-1-äthoxycarbonyl-cyclooctan* ($Kp_{0,1}$: 85–87°) in 90%iger Ausbeute erhalten[5]; ebenso die 2-(2-Carboxy-äthyl)-Derivate der 8- bis 12- und 15-Cycloalkanone[5,6].

Aus 6-Methoxy-2-oxo-tetralin resultiert in 80%iger Ausbeute das *6-Methoxy-2-oxo-1-methoxycarbonyl-tetralin*[7] (vgl. dazu die Substitution in 3-Stellung durch M.M.C., S. 1722).

---

[1] S. a. ds. Handb., Bd. VII/2c, Kap. Cyanketone.
H. O. HOUSE, *Modern Synthetic Reactions*, 2. Aufl., S. 748, W. A. BENJAMIN Inc., Menlo Park 1972.
[2] G. SCHROETER, B. **49**, 2712 (1916).
[3] H. LUX, B. **62**, 1824 (1929).
[4] G. G. AYERST u. K. SCHOFIELD, Soc. **1960**, 3449.
[5] A. P. KRAPCHO et al., Org. Synth. **47**, 20 (1967).
[6] S. J. RHOADES et al., Tetrahedron **19**, 1642 (1963).
Über das spektroskopische Verhalten dieser makrocyclischen 2-Oxo-cycloalkancarbonsäureester s. S. J. RHOADES et al., Tetrahedron **19**, 1625, 1645 (1963).
[7] E. W. COLVIN, J. MARTIN u. B. SHROOT, Chem. & Ind. **1966**, 2130.

Auch in der Steroid-Reihe wurden analoge Alkoxycarbonylierungen durchgeführt. Am Beispiel des 16-Oxo-östrahexaens-(1,3,5¹⁰,6,8,14)

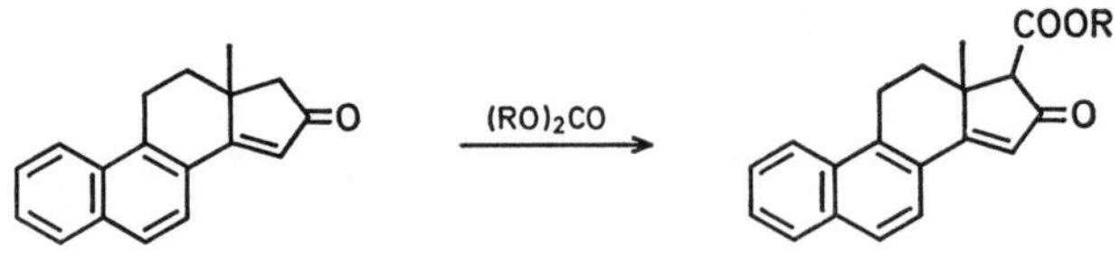

wurden sowohl mit Natriumhydrid als auch mit Natriumamid gute Ausbeuten an *16-Oxo-17-alkoxycarbonyl-östrahexaen-(1,3,5¹⁰,6,8,14)* erzielt[1].

Aus Acetyl-cyclohexan, Diäthylcarbonat und Natriumamid in siedendem Benzol entsteht das *1-Acetyl-1-äthoxycarbonyl-cyclohexan* nur in 33%iger Ausbeute[2].

o-Hydroxy-acetophenone werden mit guten Ausbeuten in Cumarin-Derivate überführt[3]; z. B.:

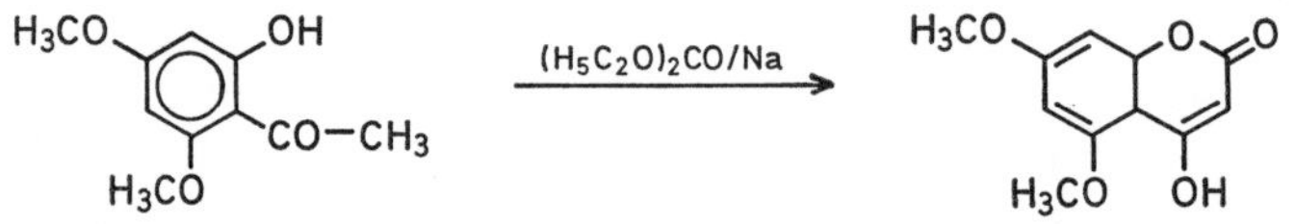

4-Hydroxy-5,7-dimethoxy-cumarin

Anscheinend die ergiebigste Variante der Kohlensäureester-Kondensation besteht in der Anwendung von O-Methoxymagnesium-methylcarbonat (CH₃O–MgO–COOCH₃) (M.M.C.), das aus Magnesiummethanolat und Kohlendioxid leicht zugänglich ist.

So wurden aus Ketonen durch Erhitzen mit ∼3–4 Mol O-Methoxymagnesium-methylcarbonat in Dimethylformamid auf 110–130° und anschließender Säure-hydrolyse die entsprechenden β-Oxo-carbonsäuren in Ausbeuten bis zu 90% d.Th. erhalten[4]; z. B.:

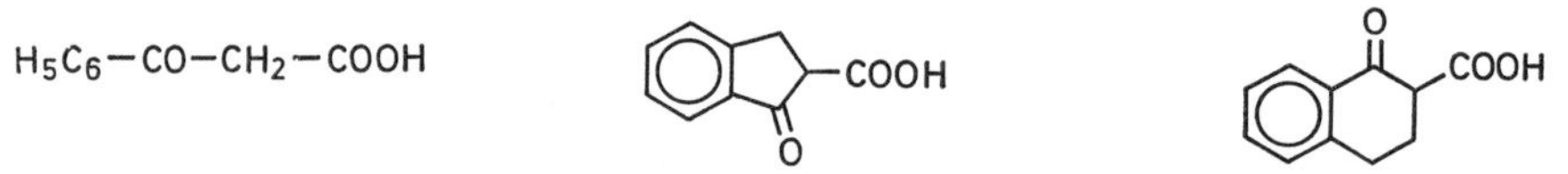

3-Oxo-3-phenyl-propansäure   *1-Oxo-2-carboxy-indan*   *1-Oxo-2-carboxy-tetralin*

Auch die 2-Oxo-tetraline wurden auf diese Weise mit mäßiger Ausbeute in die 2-Oxo-3-carboxy-tetraline überführt[5].

Läßt man O-Methoxymagnesium-methylcarbonat in Dimethylformamid (methanolfrei) bei 90° auf Cyclohexanon einwirken, erhitzt anschließend 2 Stdn. unter Rückflußsieden und verestert zum Schluß mit Methanol unter Einleiten von Chlor-

[1] A. L. WILDS et al., Am. Soc. **88**, 799 (1966).
[2] L. M. BRIGGS u. E. F. ORGIAS, Soc. [C] **1970**, 1887.
[3] J. BOYD u. A. ROBERTSON, Soc. **1948**, 174.
[4] M. STILES, Am. Soc. **81**, 2598 (1959).
[5] S. W. PELLETIER et al., J. Org. Chem. **31**, 1747 (1966).

wasserstoff, so entsteht das *2-Oxo-1,3-dimethoxycarbonyl-cyclohexan* (F: 128–132°) in 45%iger Ausbeute[1]:

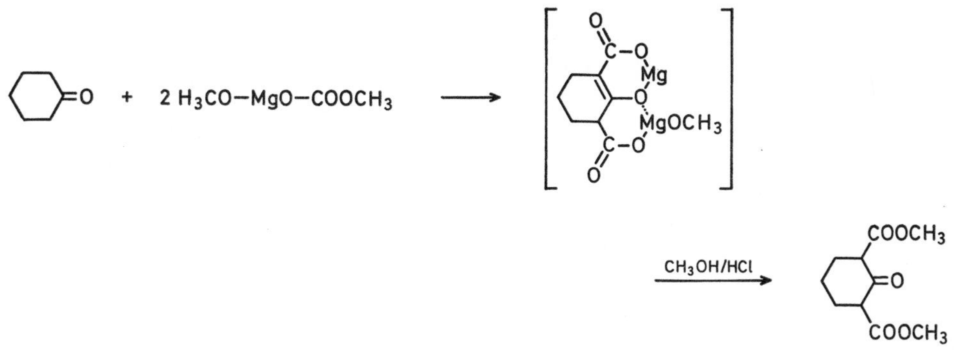

Das aus Triäthylphosphit und Chlorameisensäureester nach Arbusow leicht zugängliche O,O-Diäthyl-phosphonsäure-äthylcarboxylat[2] (Kp$_1$: 58–59°) gibt in Gegenwart von Natriumhydrid gute Ausbeuten an 2-Oxo-1-äthoxycarbonyl-cycloalkanen; z. B.:

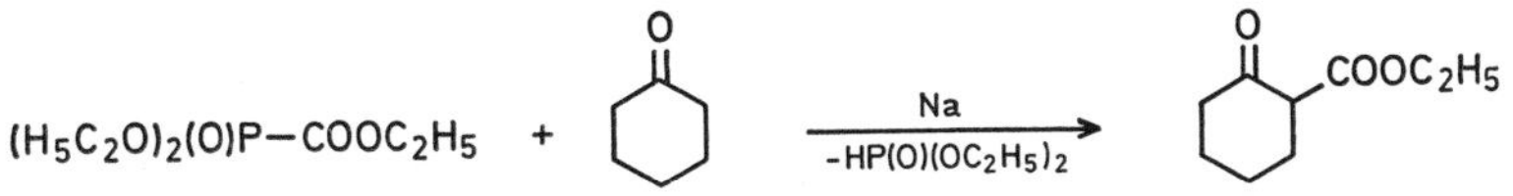

2-Oxo-1-äthoxycarbonyl-cyclohexan

Die Kondensationen werden in Dibutyläther bei 30–50° durchgeführt[3]. Die Ausbeuten liegen meist über 70% d. Th.

Die Alkylierungen von Enolaten mit Chlorameisensäureester, z. B. von Natriumacetessigsäureester liefern nur schlechte Ausbeuten an Alkoxycarbonylierungsprodukten[4].

In Ketone lassen sich Aminocarbonyl-Gruppen einführen, indem man an Enamine Phenylisocyanat addiert. Dabei reagiert anscheinend nicht die Doppelbindung, sondern die Methylen-Gruppe[5-7]:

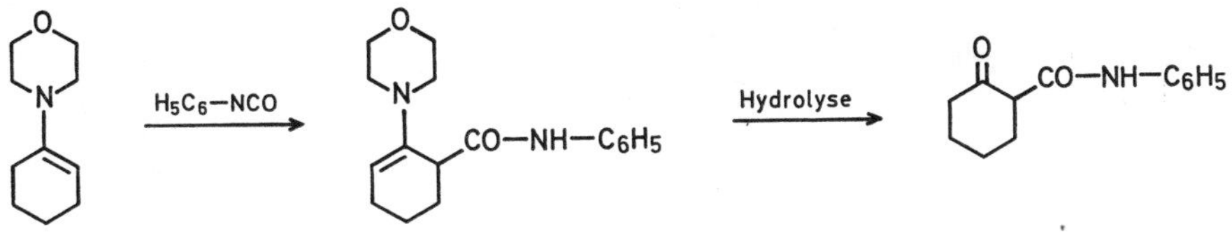

Über α-Cyan-ketone s. Bd. VII 2c.

[1] S. N. u. M. BALASUBRAMANIAN, Org. Synth. **49**, 56 (1969).
[2] T. REETZ et al., Am. Soc. **77**, 3815 (1955).
[3] J. SHAHAK, Tetrahedron Letters **1966**, 2201.
[4] M. CONRAD, C. A. BISCHOFF u. M. GUTHZEIT, A. **214**, 35 (1882).
[5] S. HÜNIG, Ang. Ch. **71**, 312 (1959).
[6] S. HÜNIG, E. BENZING u. K. HÜBNER, B. **94**, 486 (1961).
[7] A. G. COOK, *Enamines, Synthesis, Structure a. Reactions*, Dekker, New York 1969.

i) Ketone aus anderen Ketonen (und Chinonen) unter Erhalt der Oxo-Gruppe durch Diels-Alder-Reaktion

bearbeitet von

Dr. HARTMUND WOLLWEBER

Bayer AG, Wuppertal-Elberfeld

Die Diels-Alder-Reaktion[1] bildet eine wichtige Methode zur Herstellung hydroaromatischer Ketone aus anderen Ketonen oder Keton-Derivaten. Dabei können sowohl Oxo-Gruppen enthaltende Diene mit Dienophilen als auch „Oxo-Dienophile" mit Dienen umgesetzt werden.

1. Diels-Alder-Reaktion mit „Oxo-dienen"

a) mit aliphatischen „α-Oxo-dienen"

Aliphatische „Oxo-diene", bei denen die Oxo-Gruppe in Konjugation zur 1,3-Dien-Gruppierung steht, sind bisher wenig in der Diels-Alder-Reaktion verwendet worden. Ein Beispiel dafür ist die Umsetzung von Maleinsäure-anhydrid mit dem durch thermische Behandlung von 3-Acetoxy-5-oxo-hexen-(4) bei 480° gebildetem, unbeständigen Hexadien-(1,3)-on-(5) mit Maleinsäure-anhydrid:

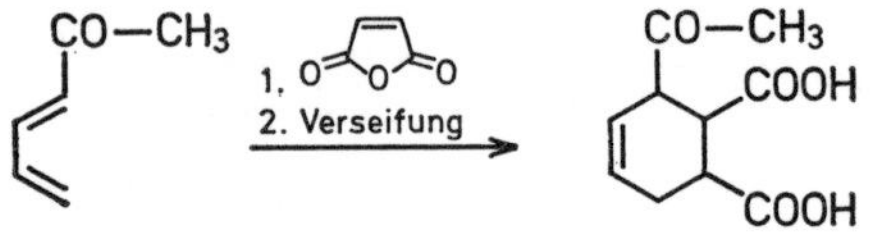

3-Acetyl-cyclohexen-4,5-dicarbonsäure

Analog reagieren 2-Methyl-3-acetyl-butadien-(1,3)[2] und 3-Oxo-1-(2-phenyl-vinyl)-cyclohexen-4-carbonsäure-äthylester[3]:

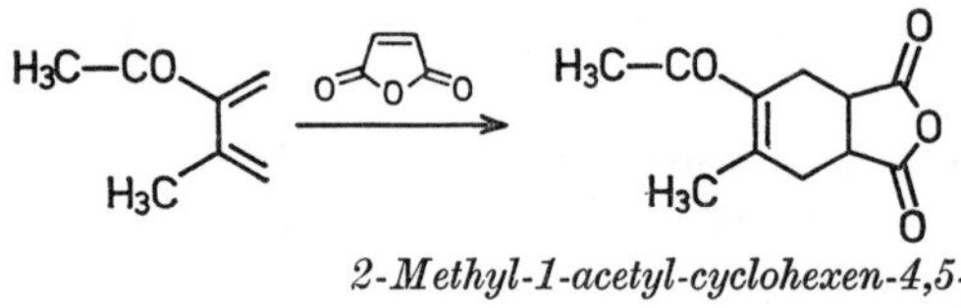

2-Methyl-1-acetyl-cyclohexen-4,5-dicarbonsäure-anhydrid

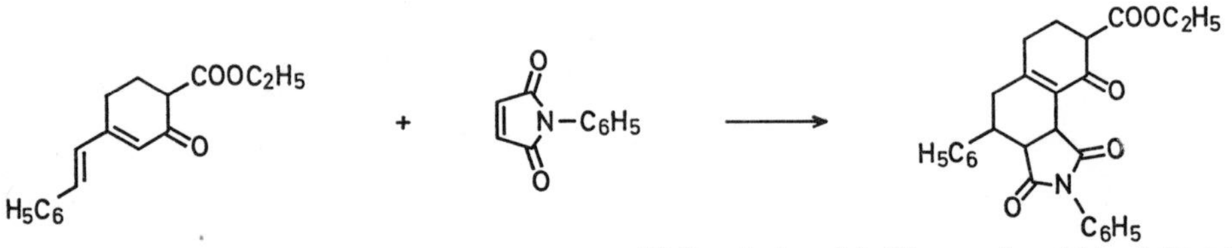

10-Oxo-4-phenyl-9-äthoxycarbonyl-bicyclo[4.4.0] decen-(1⁶)-2,3-dicarbonsäure-phenylimid

2-Methyl-1-acetyl-cyclohexen-4,5-dicarbonsäure-anhydrid[4]: Eine Mischung von 1,5 g 3-Methyl-2-acetyl-butadien-(1,3) und 1,5 g Maleinsäure-anhydrid wird in Gegenwart einer Spatelspitze Hydrochinon in 15 ml Benzol 4 Stdn. unter Rückfluß erhitzt; danach wird eingedampft und aus 2,2,4-Trimethyl-pentan (Isooctan) umkristallisiert; Ausbeute: 0,5 g (19% d.Th.); F: 97–98°.

[1] S. ds. Handb., Bd. V/1c, Kap. Diels-Alder-Reaktion, S. 981.
[2] M. V. MAVROV u. V. F. KUČEROV, Izv. Akad. SSSR **1962**, 1267; C. A. **58**, 1338 (1963).
[3] A. SAMMOUR, A. F. FAHMY u. ABD-EL-MAHSOUD, J. pr. **315**, 193 (1973).
[4] M. V. MAVROV u. V. F. KUCEROV, Izv. Akad. SSSR **1962**, 1268; C. A. **58**, 1338 (1963).

β) mit cyclisch konjugierten „Oxo-dienen"

β₁) Cyclopentadienone (Cyclone)

Das Cyclopentadienon und dessen Substitutionsprodukte, die im allgemeinen in der Literatur als Cyclone bezeichnet werden, sind in der Diels-Alder-Reaktion zum Teil noch reaktionsfreudiger als das Cyclopentadien selbst[1]. Sie fungieren sowohl als Dienkomponente als auch als Dienophil[2,3]. Dieses Verhalten führt dazu, daß die Cyclopentadienone teilweise als dimere Diels-Alder-Addukte auftreten.

Als Faustregel läßt sich sagen, daß Cyclone, die weniger als drei Substituenten aufweisen, in einer farblosen nicht dissoziierenden dimeren Form vorliegen (Ausnahme 2,5-Diaryl-Derivate). Tetrasubstituierte Cyclone, die in 2- eine Methyl- und in 5-Stellung eine Alkyl-Gruppe tragen, sind in fester Form farblos und dimer. In Lösungsmitteln dissoziieren sie zu einer tief gefärbten Lösung, wobei die Färbung von der Temp. und damit vom Dissoziationsgrad abhängt. Alle anderen tetrasubstituierten Cyclone treten monomer in Erscheinung, wenn nicht Chlor- oder Phenoxy-Gruppen eine Dimerisation bewirken[4].

Die Frage, ob die Cyclone in monomerer oder dimerer Form vorliegen, ist für den Ablauf der Diels-Alder-Reaktion nur insofern von Bedeutung, als sie die Bedingungen der Reaktion bestimmen. Die Monomeren und die dissoziierenden Dimeren addieren je nach Substitution am Fünfring bei normaler oder erhöhter Temperatur. Primär werden dabei immer 7-Oxo-bicyclo[2.2.1]heptene gebildet, die leicht bei höherer Temperatur die Carbonyl-Brücke eliminieren. Es hängt nun weitgehend von der Reaktivität des Dienophils und des Cyclons und der Art der Substituenten am Cyclopentadienon-Ring ab, ob bei der Addition Carbonylbrücken-Ringaddukte oder deren sekundäre Transformationsprodukte entstehen. Die Addition von 2-Oxo-1,3-diphenyl-2H-⟨cyclopenta-[1]-phenanthren⟩ an Vinyläther zu dem erwarteten Addukt I und diejenige von Oxo-tetraphenyl-cyclopentadien (Tetracyclon) an das gleiche Philodien zu einem Addukt II, das die CO-Brücke abgespalten hat, zeigt die Strukturspezifität der Reaktion[5]:

I; 11-Äthoxy-13-oxo-11-methyl-1,10-diphenyl-⟨phenanthro-[9,10]-bicyclo-[2.2.1]hepten⟩

II

[1] Oxo-tetraphenyl-cyclopentadien und Phenocyclon werden häufig als „Rekorddiene" für eine mögliche Additionsfähigkeit von Dienophilen eingesetzt.

[2] Eine Deutung für die hohe Reaktivität der Cyclopentadienone und für deren Verhalten als Dien oder Dienophil geben E. W. GERBISCH u. R. F. SPRECHER, Am. Soc. **88**, 3434 (1966).

[3] Zusammenfassende Literatur:
   A. S. ONISHCHENKO, *Diene Synthesis*, S. 330–353, Oldbourne Press, London 1964.
   C. F. H. ALLEN, Chem. Reviews **37**, 209 (1945); **62**, 653 (1962).

[4] C. F. H. ALLEN u. J. A. VAN ALLAN, Am. Soc. **72**, 5165 (1950).

[5] V. S. ABRAMOV u. A. P. PAKHOMOVA, Ž. obšč. Chim. **24**, 1198 (1954); C. A. **49**, 12419 (1955).

Äthylen lagert sich an Oxo-tetraphenyl-cyclopentadien (Tetracyclon) unter Aluminiumchlorid-Katalyse zu einem 1:1-Addukt an, während es bei 180° ohne Katalysator unter Eliminierung der Carbonyl-Brücke 1,2,3,4-Tetraphenyl-cyclohexadien-(1,3) liefert[1]:

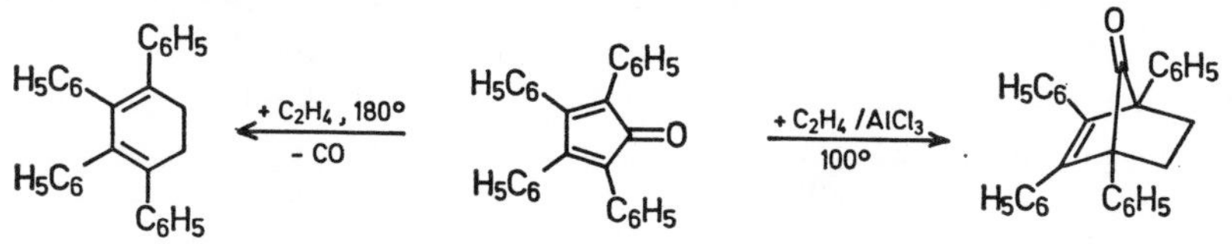

7-Oxo-1,2,3,4-tetraphenyl-bicyclo[2.2.1]hepten-(2)-5,6-dicarbonsäure-anhydrid[2]: Zu einer siedenden Lösung von 3 g Maleinsäure-anhydrid in 100 ml Benzol gibt man allmählich 12 g feinstgepulvertes Oxo-tetraphenyl-cyclopentadien(Tetracyclon). Nach einiger Zeit beginnt die Abscheidung farbloser Kristalle, die nach 7 stdgm. Kochen nicht mehr zunimmt; Ausbeute: 12 g (84% d.Th.); F: 223° (aus Benzol).

7-Oxo-1,2,3,4-tetraphenyl-bicyclo[2.2.1]hepten-(2)[1]: Eine Mischung von 7,7 g Oxo-tetraphenyl-cyclopentadien(Tetracyclon), 2,7 g Aluminiumchlorid und 150 ml Benzol werden unter einem Druck von 20 atü Äthylen 24 Stdn. auf 100° erhitzt. Man gibt die abgekühlte Lösung in Salzsäure, trennt die organische Phase ab, dampft das Benzol i.Vak. ein und erhält nach dem Versetzen mit Methanol das leicht braune Addukt; F: 90–95° (Zers.).

Die Dimeren der 5-Oxo-4-1,4-dialkyl-2,3-diphenyl-cyclopentadiene[3,4] dissoziieren leicht beim Erhitzen in Lösungsmitteln (in heißem Benzol zu 20%) und reagieren auch mit weniger reaktiven Dienophilen wie folgendes Beispiel zeigt.

10-Oxo-1,7-dimethyl-8,9-diphenyl-tricyclo[5.2.1.0²,⁶]decen-(8)-2,6-dicarbonsäure-anhydrid[5]:

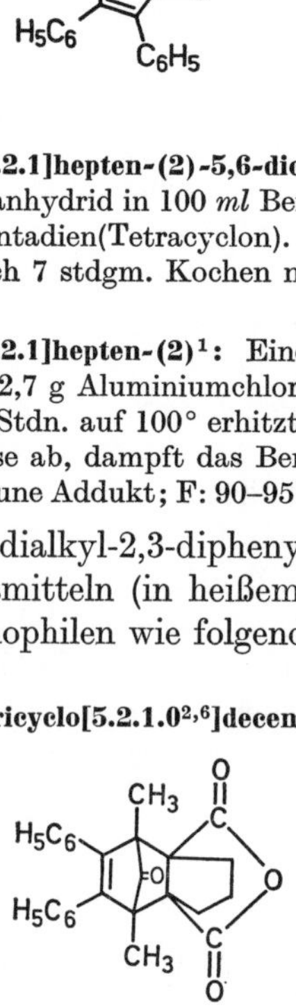

10 g Dimeres 5-Oxo-1,4-dimethyl-2,3-diphenyl-cyclopentadien und 8 g Cyclopenten-1,2-dicarbonsäure-anhydrid werden in Xylol solange unter Rückfluß erhitzt, bis die Farbe verschwunden ist (∼ 4 Stdn.). Man kühlt ab und erhält nach dem Absaugen 6,8 g Addukt, das aus Benzol umgelöst wird; Ausbeute: 45% d.Th.; F: 217–218° (Zers.).

Um eine **Abspaltung** der **Carbonyl-Brücke** unter den anzuwendenden Reaktionsbedingungen zu **verhindern**, ist es zweckmäßig, so schonend wie möglich zu arbeiten. Dieses erreicht man in einer Reihe von Fällen, wenn man nicht die Cyclone selbst, sondern deren synthetische Vorprodukte, die **Hydroxy-oxo-cyclopentene** (sogenannte **potentielle Diene**), die durch Kondensation eines 1,2-Diaryldiketons mit Ketonen entstehen, einsetzt. Als typisches Beispiel sei die Kondensation von Benzil mit Aceton zu 3-Hydroxy-5-oxo-2,3-diphenyl-cyclopenten genannt.

[1] C. F. ALLEN, R. W. RYAN J. A. VAN ALLEN, J. Org. Chem. **27**, 778 (1962).
[2] W. DILTHEY, J. THEWALT u. O. TRÖSKEN, B. **67**, 1959 (1934).
[3] C. F. H. ALLEN u. J. VAN ALLAN, Am. Soc. **64**, 1260 (1942); J. Org. Chem. **17**, 845 (1952).
[4] s. ds. Handb., Bd. V/1c, Kap. Diels-Alder-Reaktionen mit potentiellen Dienen, S. 1044.
[5] S. C. SEN GUPTA u. A. J. BHATTACHARYYA, J. indian chem. Soc. **33**, 29 (1956).

Abspaltung von Wasser in saurem Medium liefert das nicht dissoziierbare Dimerisationsprodukt[1,2]; ein kurzfristiges Auftreten jedoch von 5-Oxo-3,4-diphenyl-cyclopentadien wird durch einen Abfangversuch mit Maleinsäure-anhydrid (am besten unter Zusatz geringer Mengen Säure) zu dem gewünschten Addukt nahegelegt[1,3]:

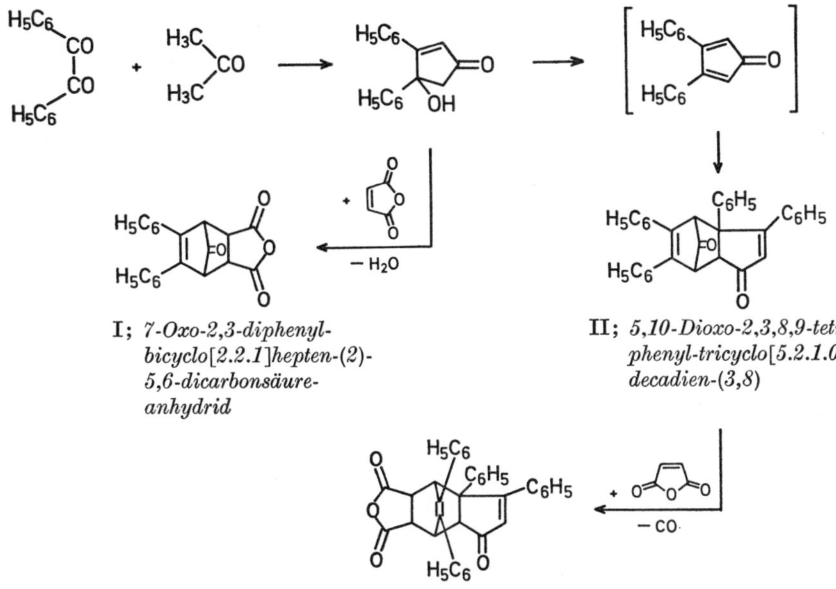

I; *7-Oxo-2,3-diphenyl-*
   bicyclo[2.2.1]hepten-(2)-
   5,6-dicarbonsäure-
   anhydrid

II; *5,10-Dioxo-2,3,8,9-tetra-*
    phenyl-tricyclo[5.2.1.0²,⁶]
    decadien-(3,8)

III; *5-Oxo-2,3,8,9-*
     tetraphenyl-tricyclo
     [5.2.2.0²,⁶]unde-
     cadien-(3,8)-10,11-
     dicarbonsäure-
     anhydrid

7-Oxo-1,2,3,5-tetraphenyl-bicyclo[2.2.1]hepten-(2)[4]:

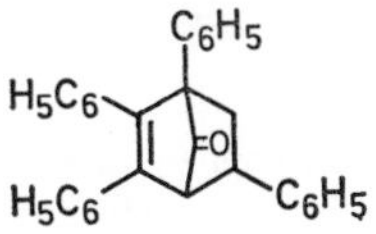

Eine Mischung von 13,2 g 3-Hydroxy-5-oxo-2,3,4-triphenyl-cyclopenten[5], 18 *ml* Styrol, 70 *ml* Essigsäure und 2 Tropfen Schwefelsäure wird 3 Stdn. unter Rückfluß erhitzt. Man engt i. Vak. ein, bis Kristalle erscheinen; es wird aus Isopropanol umkristallisiert; Ausbeute: 9,5 g (59% d.Th.); F: 155°.

Ebenso wie die Hydroxy-oxo-cyclopentene sind die Halogen-oxo-cyclopentene der Klasse der Cyclonprecursoren (potentielle Diene) zuzurechnen. In diesem Falle wird die Abspaltung des Halogenatoms durch sekundäre oder tertiäre Basen oder Natriumacetat erreicht, und man erhält je nach Konstitution des Cyclons das

---

[1] C. F. H. ALLEN u. E. W. SPANAGEL, Am. Soc. **55**, 3773 (1933); Canad. J. Res. **8**, 414 (1933).

[2] C. F. H. ALLEN u. F. P. PINGERT, Am. Soc. **64**, 1365 (1942).

[3] S. a. Addition an Acetylendicarbonsäure-diester, J. T. CRAIG u. K. P. McNALTY, Austral. J. Chem. **20**, 1921 (1967).

[4] C. F. H. ALLEN u. J. VAN ALLAN, Am. Soc. **68**, 2387 (1946).

[5] W. DILTHEY u. G. HURTIG, B. **67**, 2004 (1934).

Diels-Alder-Dimere oder wenn die Abspaltung in Anwesenheit von reaktiven Dienophilen erfolgt und die Dimerisierungsgeschwindigkeit genügend langsam ist, das
entsprechende Addukt. Der Grundkörper der Reihe, das äußerst reaktive Cyclopentadienon, das nur in Form seines Dimerisationsproduktes bekannt ist[1-5]
konnte bisher „in situ" von Phenylacetylen bzw. von Cyclopentadien abgefangen
werden. Gegenüber anderen Dienophilen, wie Maleinsäure-anhydrid, Acrylnitril,
Tetracyan-äthylen ist die Dimerisation bevorzugt[2,3]:

10-Oxo-tricyclo   5 Oxo-tricyclo
$[5.2.1.0^{2,6}]$ $[5.2.1.0^{2,6}]$
decadien-(3,8)   decadien-(3,8)

1-Brom-5-oxo-[4], 1-Brom-3,4-dichlor-5-oxo-[6], 1-Chlor-5-oxo-[7], 1,2-Dichlor-5-oxo-[6]
und Tetrachlor-5-oxo-cyclopentadien[8] sind als Monomere unbekannt. Bei allen
Herstellungsversuchen wurden immer die Dimeren erhalten. Das „in situ" aus
Pentachlor-oxo-cyclopenten gebildete Tetrachlor-oxo-cyclopentadien läßt sich von
Bicyclo[2.2.1]heptadien-(2,5) oder Cyclopentadien leicht abfangen. Die gegen hoch-
chlorierte Diene weniger reaktiven Dienophile, wie Cyclopenten, Bicyclo[2.2.1]hepten,
Phenylacetylen, Maleinsäure-anhydrid oder Acrylnitril, reagieren nicht mit Tetra-
chlor-oxo-cyclopentadien[9,10].

1,8,9,10-Tetrachlor-11-oxo-tetracyclo[6.2.1.0^{2,7}.1^{3,6}]dodecadien-(4,9)[9]:

Eine Lösung von 12,7 g 1,2,4,5,5-Pentachlor-3-oxo-cyclopenten-(1) in 30 ml Acetonitril wird bei
Raumtemp. unter gutem Rühren in eine Suspension von 5,5 g wasserfreiem Natriumacetat in
60 ml Acetonitril und 15 ml Bicyclo[2.2.1]heptadien eingetropft. Nach 1 Stde. wird vom abgeschiedenen Natriumchlorid abgesaugt, eingedampft, in 150 ml Benzol aufgenommen und 3 mal
mit je 50 ml Wasser gewaschen. Nach Eindampfen der Benzol-Phase und Umkristallisation aus
Petroläther erhält man das Addukt in einer Ausbeute von 80% d. Th.; F: 108–110° (Zers.).

[1] K. Alder u. F. H. Flock, B. **87**, 1916 (1954).
[2] K. Hafner u. K. Goliasch, B. **94**, 2909 (1961).
[3] C. H. de Puy et al., Chem. & Ind. **1961**, 429; J. Org. Chem. **29**, 3503 (1964); Am. Soc. **82**, 631
    (1960).
[4] P. E. Eaton u. T. W. Cole, Am. Soc. **86**, 962 (1964).
[5] D. C. DeJongh, R. Y. van Fossen u. A. Dekovich, Tetrahedron Letters **1970**, 5045.
    E. W. Garbisch jr. u. R. F. Sprecher, Am. Soc. **91**, 6785 (1969).
[6] E. T. McBee u. R. K. Meyers, Am. Soc. **77**, 88 (1955).
[7] C. H. de Puy et al., J. Org. Chem. **29**, 3503 (1964).
[8] T. Zincke u. K. H. Meyer, A. **367**, 1 (1909).
[9] W. H. Dietsche, Tetrahedron Letters **1966**, 201.
[10] S. ds. Handb., Bd. V/1c, Kap. Diels-Alder-Reaktionen mit inversem Elektronenbedarf, S. 1040.
    H. Wollweber, Diels-Alder-Reaktion, S. 66, Thieme Verlag, Stuttgart 1972.

Analog erhält man mit Cyclopentadien *1,7,8,9-Tetrachlor-10-oxo-tricyclo[5.2.1.0^{2,6}]decadien-(3,8)* (60% d. Th.; F: 126–129°; Zers.).

Die dimeren Cyclone liegen, soweit Konfigurationsuntersuchungen vorgenommen wurden, in der *endo-cis*-Form vor, z. B. I und II, wobei II durch Bestrahlung in die Käfig-Verbindung III übergeführt werden konnte[1,2]:

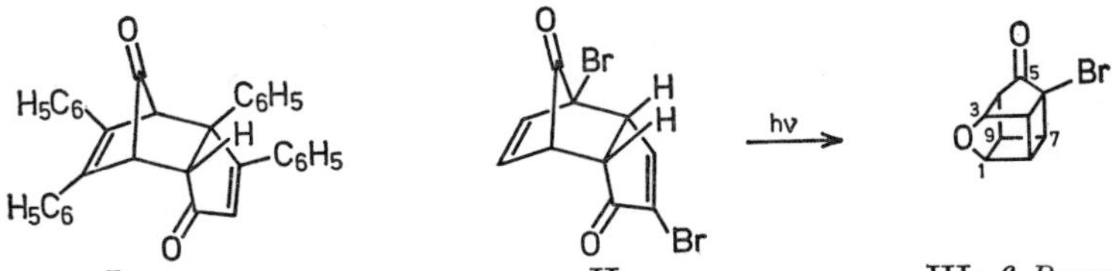

I   II   III; *6-Brom-5-oxo-2-oxa-pentacyclo-[5.1.1.1.^{3,6}0^{4,9}.0^{8,10}] decan*

Selektive Hydrierung der Doppelbindung im Bicyclo[2.2.1]hepten-Ring der Cyclo-addukte liefert erwartungsgemäß[3] thermisch stabile Carbonylbrücken-Ringver-bindungen, wie dies am Beispiel des *5,10-Dioxo-3,9-dimethyl-1,4-dipropyl-tricyclo[5.2.1.0^{2,6}]decen-(3)* gezeigt sei[4]:

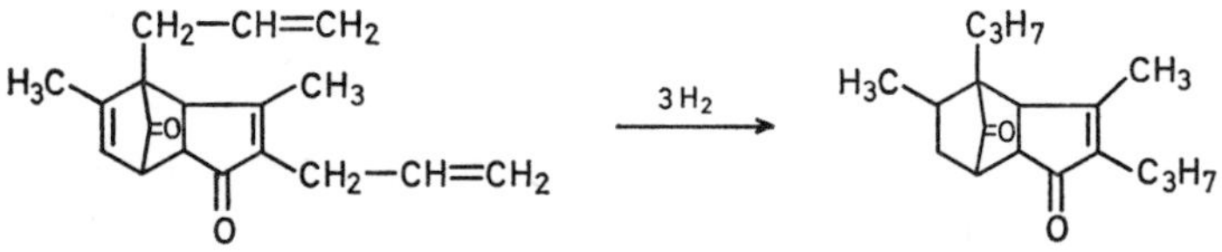

Bisher ist nur eine Auswahl von Alkenen mit Cyclonen zu 7-Oxo-bicyclo[2.2.1]hep-tenen umgesetzt worden und zwar

$H_2C=CH-R$: Äthylen; Allylalkohol; Allylchlorid; Acrylnitril; Acrylsäure-methylester, -butylester; Essigsäure-vinylester; 3-Oxo-3-phenyl-propen; Benzoesäure-vinylamid; Trimethyl-, Triäthyl-, Triphenyl-vinyl-zinn; Styrol; 1-Phenyl-butadien-(1,3); Hexen-(1); Octen-(1).

$H_2C=C\begin{smallmatrix}R^1\\R\end{smallmatrix}$: 3-Methoxy-propen; 2-Äthoxy-propen; 1-Äthoxy-1-phenyl-äthylen; 2-Me-thyl-acrylsäure-methylester, -isopropylester und -(2-phenyl-äthylester).

$R-CH=CH-R^1$: ω-Nitro-styrol; Penten-(2)-säure; Maleinsäure-dimethylester; 1,4-Dioxo-1,4-diphenyl-butan; Maleinsäure-anhydrid.

⬡ : Cyclopenten-1,2-dicarbonsäure-anhydrid;   Cyclopentadien;   Bicyclo[2.2.1]heptadien;   Bicyclo[2.2.1]heptadien-2,3-dicarbonsäure-anhydrid; p-Benzochinon; Naphthochinon-(1,4); 1,2- bzw. 1,4-Dihydro-naphthalin (s. Tab. 228, S. 1731).

[1] C. F. H. ALLEN, Chem. Reviews **62**, 653 (1962).
[2] P. E. EATON u. T. W. COLE, Am. Soc. **86**, 962 (1964).
   G. L. DUNN et al., Tetrahedron Letters **1966**, 3737.
[3] C. F. H. ALLEN u. J. A. VAN ALLAN, J. Org. Chem. **20**, 323 (1955).
[4] F. B. LaFORGE, N. B. GREEN u. M. S. SCHECHTER, Am. Soc. **74**, 5392 (1952).

Die Addition von Cyclonen an „Acetylen-dienophile" gelingt zwar recht gut, jedoch konnten, infolge der großen Aromatisierungstendenz der primär entstehenden 7-Oxo-bicyclo[2.2.1]heptadiene, die normalen Addukte nur selten isoliert werden. Man kennt einzelne Fälle. Dazu gehört die schon erwähnte „in situ" Addition von Cyclopentadienon an Phenylacetylen (*7-Oxo-2-phenyl-bicyclo[2.2.1]heptadien*)[1]. Das Addukt verliert erst bei 200° Kohlenmonoxid. Das hochreaktive grüngefärbte und gegen Sauerstoff äußerst empfindliche 2-Oxo-1,3-diphenyl-2H-⟨cyclopenta-[l]-phenanthren⟩ reagiert mit Phenyl-propiolsäure nicht, wie früher angenommen wurde zu Diels-Alder-Addukten der Formel I oder II[2], sondern zu einem Säureanlagerungsprodukt der Formel III[3]. Beim weiteren Erhitzen in Chlorbenzol erfolgt dann vermutlich nach Dissoziation in die Ausgangsprodukte Diels-Alder-Addition und Decarbonylierung zu 9,11,12-Triphenyl-10-carboxy-triphenylen(IV):

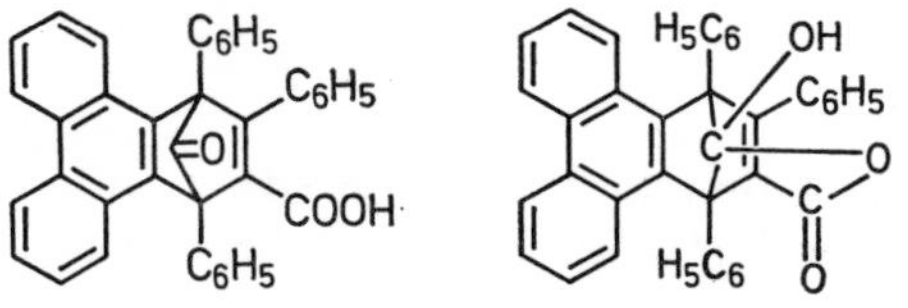

I　　　　　　II

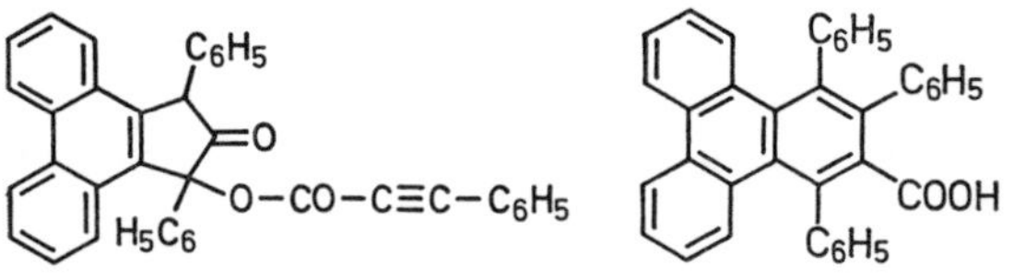

III
*1-(Phenylpropinoyloxy)-2-oxo-
1,3-diphenyl-2,3-dihydro-1H-
⟨cyclopenta-[l]-phenanthren⟩*

IV

Schließlich liefert das in situ aus 1-Dimethylamino-3-oxo-3-phenyl-propen gebildete 3-Oxo-3-phenyl-propen mit 2-Oxo-1,3-diphenyl-2H-⟨cyclopenta-[l]-phenanthren⟩ ebenfalls ein stabiles Addukt[4]:

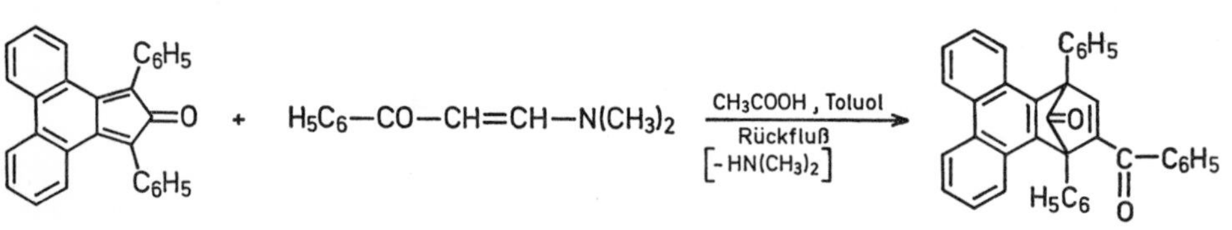

*13-Oxo-1,10-diphenyl-11-
benzoyl-⟨phenanthro-
bicyclo[2.2.1]heptadien⟩*

[1] K. Hafner u. K. Goliasch, B. **94**, 2909 (1961).
[2] W. Dilthey, S. Henkels u. A. Schäfer, B. **71**, 974 (1938).
[3] S. Yankelevich u. B. Fuchs, Tetrahedron Letters **1967**, 4945.
[4] C. F. H. Allen et al., Am. Soc. **62**, 656 (1940).

Tab. 228. Diels-Alder-Reaktion von Cyclonen oder deren Derivaten

Dien	Dienophil	Reaktionsbedingungen			Addukt	Ausbeute [% d.Th.]	Literatur
		Lösungsmittel	Zeit [Stdn.]	Temperatur [°C]			
2,5-Dimethyl-3,4-diphenyl-cyclopentadienon	1-Oxo-1-phenyl-propen	Benzol	—	Rückfl.	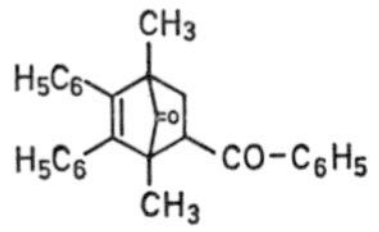 7-Oxo-1,4-dimethyl-2,3-diphenyl-5-benzoyl-bicyclo[2.2.1]hepten-(2)	77	[1]
	Cycloheptatrien	Tetra-chlor-äthylen	2–7	120	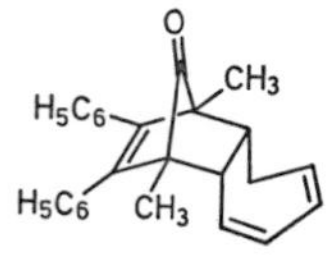 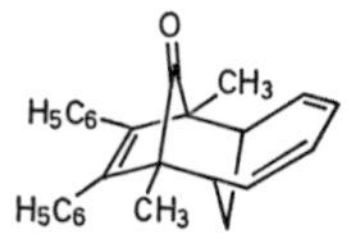 12-Oxo-1,9-dimethyl-10,11-diphenyl-tricyclo[7.2.1.0²,⁸]dodecatrien-(3,5,10) endo + 12-Oxo-7,10-dimethyl-8,9-diphenyl-tricyclo[4.4.1.1⁷,¹⁰]dodecatrien-(2,4,8) exo	—	[2]

[1] C. F. H. ALLEN u. J. A. VAN ALLAN, Am. Soc. 64, 1260 (1942).

[2] K. N. HOUK u. R. B. WOODWARD, Am. Soc. 92, 4143 (1970).

Tab. 228 (1. Fortsetzung)

Dien	Dienophil	Reaktionsbedingungen			Addukt	Ausbeute [% d.Th.]	Literatur
		Lösungsmittel	Zeit [Stdn.]	Temperatur [°C]			
2,5-Dimethyl-3,4-diphenyl-cyclopentadienon	3,4-Dichlor-cyclobuten	CHCl₃		Rückfluß	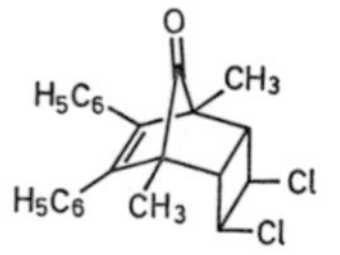 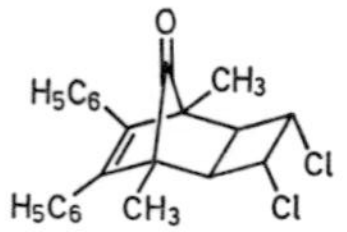 3,4-Dichlor-9-oxo-1,6-dimethyl-7,8-diphenyl-tricyclo[4.2.1.0²,⁵]nonen-(7)	85	1
Tetraphenyl-cyclopenta-dienon	Essigsäure-vinylester	—	72	95–100	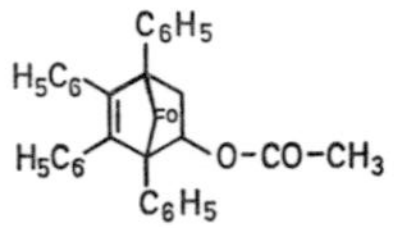 5-Acetoxy-7-oxo-1,2,3,4-tetra-phenyl-bicyclo[2.2.1]hepten-(2)	80	2
	dimeres 2,3,4,5-Tetrahydro-pyridin-N-oxid	—	0,17	160–70	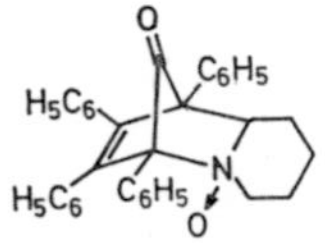 11-Oxo-1,8,9,10-tetraphenyl-2-aza-tricyclo[6.2.1.0²,⁷]undecen-(9)-2-oxid		3

[1] C. M. ANDERSON, J. W. MCCAY u. R. N. WARRENER, Tetrahedron Letters 1970, 2735.

[2] C. F. H. ALLEN, R. W. RYAN u. J. A. VAN ALLAN, J. Org. Chem. 27, 778 (1962).

[3] C. W. BROWN et al., Proc. chem. Soc. 1960, 254. Brit. P. 850418 (1960), I. C. I., Erf.: C. W. BROWN u. M. A. T. RODGERS; C. A. 55, 6498 (1961).

Tab. 228 (2. Fortsetzung)

Dien	Dienophil	Reaktionsbedingungen			Addukt	Ausbeute [% d.Th.]	Literatur
		Lösungsmittel	Zeit [Stdn.]	Temperatur [°C]			
Tetraphenyl-cyclopenta-dienon	Cyclopropenon	CH_2Cl_2	—	—		—	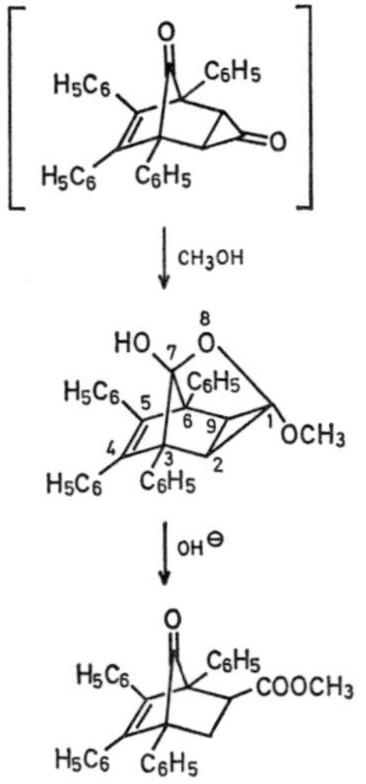 [1]
					7-Hydroxy-1-methoxy-3,4,5,6-tetra-phenyl-8-oxa-tetracyclo[5.2.1.0²,⁹.0³,⁷]decen-(4)	88	
					7-Oxo-1,2,3,4-tetraphenyl-5-methoxycarbonyl-bicyclo[2.2.1]hepten-(2)		
	Bicyclo[2.2.1] heptadien	$CHCl_3$	21	Rückfluß 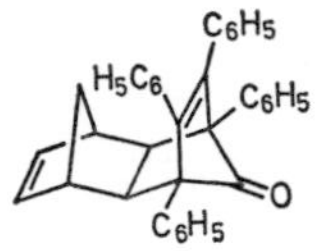	11-Oxo-1,8,9,10-tetraphenyl-tetracyclo[6.2.1. 1³,⁶.0²,⁷]dodecadien-(4,9)	91	[2]

[1] M. ODA, R. BRESLOW u. J. PECORARA, Tetrahedron Letters 1972, 4419.   [2] D. M. FINDLEY, M. L. ROG u. S. McLEAN, Canad. J. Chem. 50, 3186 (1972). K. McKENZIE, Soc. 1960, 443.

Tab. 228 (3. Fortsetzung)

Dien	Dienophil	Reaktionsbedingungen			Addukt	Ausbeute [% d.Th.]	Literatur
		Lösungsmittel	Zeit [Stdn.]	Temperatur [°C]			
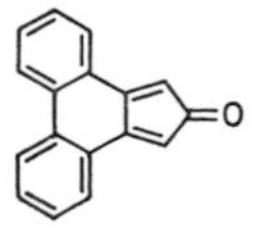	Trimethyl-vinyl-zinn	Benzol	6	120–30	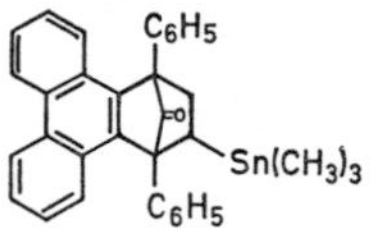 *13-Oxo-11-trimethylsilyl-1,10-diphenyl-⟨naphtho-bicyclo[2.2.1]hepten⟩*	50	1
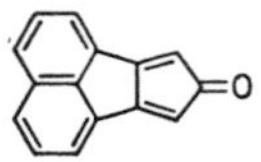	Allylalkohol	Benzol	30	200–20	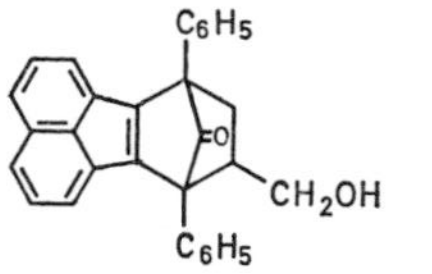 *11-Oxo-9-hydroxymethyl-1,8-diphenyl-⟨acenaphtheno-bicyclo[2.2.1]hepten⟩*	18	2
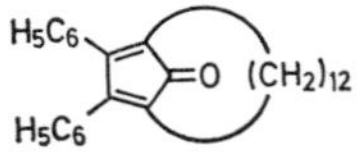	Maleinsäure-anhydrid	Benzol	96	20	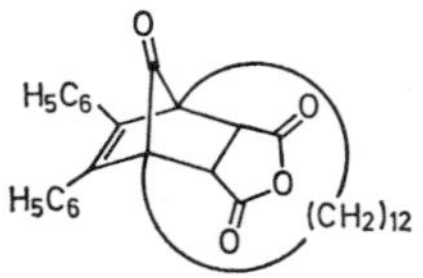 *19-Oxo-15,16-diphenyl-tricyclo[12.2.2.1^{1,14}]nonadecen-(15)-17,18-dicarbonsäure-anhydrid*	94	3
2,3,4,5-Tetrachlor-1,1-di-methoxy-cyclopentadien	H₂C=CH–R	— / 2H₂SO₄	48 / 48	Rückfl. / 20	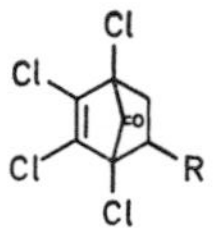 *1,2,3,4-Tetrachlor-7-oxo-...* R = BrCH₂; ... *5-brom-methyl-* ... R = COOH; ... *5-carboxy-* ... R = CN; ... *5-cyan-* ... R = C₆H₅; ... *5-phenyl-* ... *-bicyclo[2.2.1]hepten-(2)*	70–90	4

1 B. A. ARBUZOW, L. A. SHAPSKINSKAJA u. M. J. KUDRYARTSEVA, Izv. Akad. SSSR 1961, 2160; C. A. 57, 11223 (1962).
2 V. S. ABRAMOV u. N. P. TSYPLENKOVA, Izv. Akad. SSSR. 1944, 60; C. A. 39, 1639 (1945).
3 C. F. H. ALLEN u. J. A. VAN ALLAN, J. Org. Chem. 18, 882 (1953).
4 E. T. McBEE, W. R. DIVELEY u. J. E. BURCH, Am. Soc. 77, 385 (1955).

Die Leichtigkeit, mit der die dimeren Cyclone entweder thermisch oder durch Einwirkung von Wasserstoffperoxid[1] die Carbonyl-Brücke abspalten, läßt sich für die Synthese von Indenonen und deren Addukten mit Dienophilen ausnutzen[1-6]; z.B. eliminiert das durch Dehydratisierung aus 3-Hydroxy-5-oxo-2,3-diphenyl-cyclopenten (I) gebildete Dimere {II; *5,10-Dioxo-2,3,8,9-tetraphenyl-tricyclo[5.2.1.0²,⁶]decadien(3,8)*} beim Erhitzen auf 200° Kohlenmonoxid zu *9-Oxo-3,4,6,7-tetraphenyl-bicyclo[4.3.0]nonatrien-(2,4,7)* (III), das sich teilweise zu IV (*3-Oxo-1,2,5,6-tetraphenyl-indan*) aromatisiert. Die Verbindung III ist in der Lage, an ihrem „Cyclohexadien"-System ein Mol Maleinsäure-anhydrid zu V anzulagern:

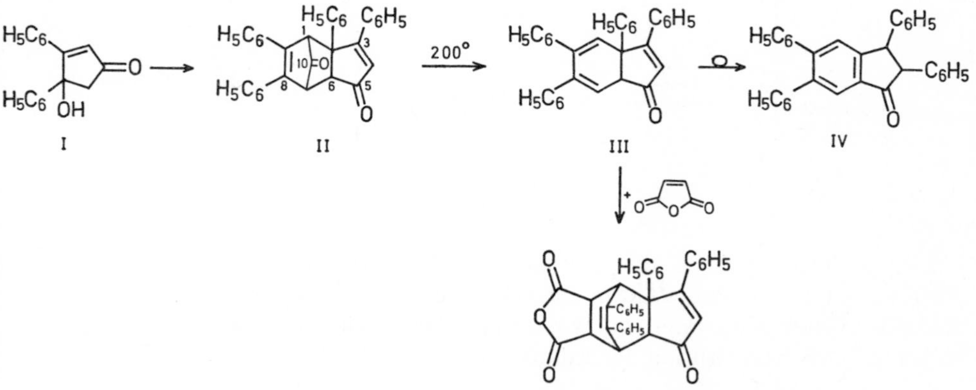

V; *5-Oxo-2,3,8,9-tetraphenyl-tricyclo [5.2.2.0²,⁶]undecadien-(3,8)-10,11-dicarbonsäure-anhydrid*

9-Oxo-3,4,6,7-tetraphenyl-bicyclo[4.3.0]nonatrien-(2,4,7) (III) und 3-Oxo-1,2,5,6-tetraphenyl-indan(IV)[4]: In einem kleinen Kolben werden 25 g dimeres 5-Oxo-2,3-diphenyl-cyclopentadien 10 Min. auf 200° erhitzt. Die abgekühlte Schmelze wird in Benzol aufgenommen und mit Alkohol versetzt. Es scheiden sich 10 g des farblosen Indanons IV (F: 176°) ab.

Aus der Mutterlauge läßt sich IV (gelb; F: 167°) gewinnen, das mit Maleinsäure-anhydrid neben dem Umlagerungsprodukt IV das Addukt V (F: 301°) bildet.

Wie komplex der Ablauf der Decarbonylierung der α-alkylsubstituierten dimeren Cyclone in Gegenwart von Maleinsäure-anhydrid sein kann, zeigt das folgende Beispiel. Normalerweise verhalten sich diese nicht dissoziierbaren Dimeren in allen ihren Reaktionen als homogene Verbindungen. In Trichlorbenzol bei 200° und in Gegenwart von Maleinsäure-anhydrid jedoch dissoziieren sie teilweise und bilden zwei Addukte: ein Dianhydrid, das der monomeren Form des Cyclopenta-

[1] C. F. H. Allen u. J. A. van Allan, J. Org. Chem. **14**, 1051 (1949); **20**, 315 (1955).

[2] T. Zincke u. W. Pfaffendorf, A. **394**, 3 (1912).

[3] C. F. H. Allen u. L. J. Shops, Canad. J. Res. **11**, 171 (1934).

[4] C. F. H. Allen u. E. W. Spanagel, Am. Soc. **55**, 3773 (1933); Canad. J. Res. **8**, 414 (1933).

[5] F. R. Japp u. G. D. Lander, Soc. **71**, 123 (1897).

[6] F. W. Gray Soc. **95**, 2132 (1909).

dienons entspricht und einem Monoanhydrid, das sich aus der Decarbonylierungs-form des Dimeren ableitet[1]:

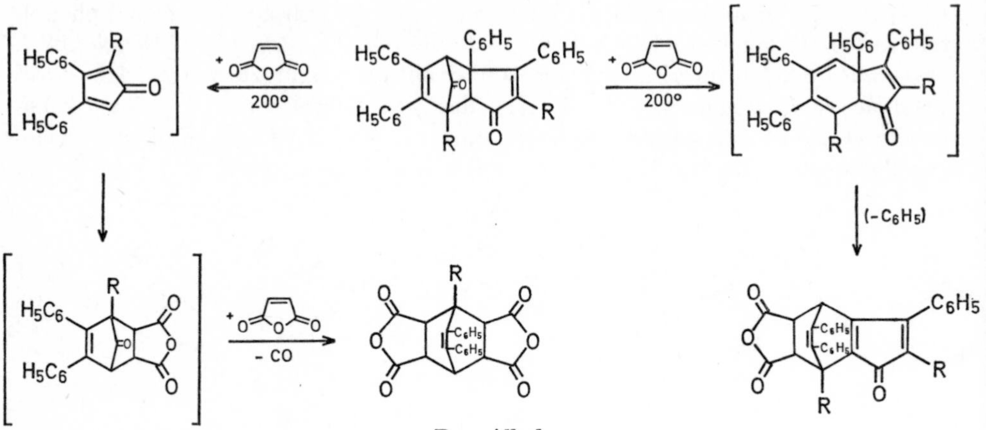

R = Alkyl

Eine weitere Methode der Bildung von 9-Oxo-bicyclo[4.3.0]nonatrien-(2,4,7)-Strukturen (Indenone) besteht in der alkalischen Behandlung der dimeren Cyclon-Addukte. Unter Aufnahme von Wasser und Aufspaltung der Carbonyl-Brücke entstehen je nach Konstitution der Addukte isomere Oxo-carbonsäuren[2–4]:

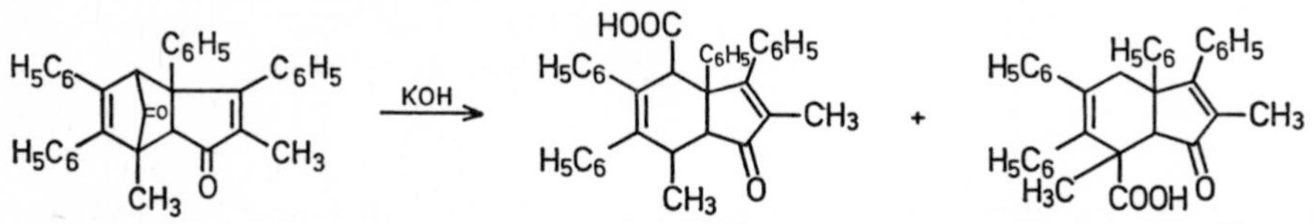

9-Oxo-2-methyl-3,4,6,7-tetraphenyl-bicyclo[4.3.0]nonadien-(3,7)-5-carbonsäure(II) und **-2-carbonsäure(III)** [2]: Eine Mischung von 46 g dimerem 5-Oxo-1-methyl-2,3-diphenyl-cyclopenta-dien, 300 ml Äthanol und 23 g Kaliumhydroxid wird 4 Stdn. unter Rückfluß erhitzt. Nach dem Eingießen in 2 l Wasser und Ansäuern filtriert man ab. Das feste Produkt wird mit 130 ml Eis-essig extrahiert, wobei ein Rückstand von 20 g der rohen Carbonsäure II hinterbleibt; F: 269° (aus Eisessig).

Die Extraktionslösung hinterläßt nach dem Eindampfen 10,1 g der Carbonsäure III, die aus Äthanol umkristallisiert wird; F: 145–146°.

Arylsubstituierte Cyclon-Addukte können in gewissen Fällen zur Herstellung von Cyclopentenonen verwendet werden, wenn man folgenden Reaktionsweg einschlägt: Das Cyclon-Adduct wird an der Carbonyl-Brücke zum entsprechenden Alkohol reduziert und nachfolgend der Retro-Diels-Alder-Reaktion unterworfen;

[1] C. F. H. ALLEN u. J. A. VAN ALLAN, J. Org. Chem. **10**, 333 (1945); **14**, 1051 (1949).
   S. a. M. A. OGLIARUSO, M. G. ROMANELLI u. E. S. BECKER, Chem. Rev. **65**, 316, 317 (1965).
[2] C. F. H. ALLEN u. J. A. VAN ALLAN, J. Org. Chem. **10**, 333 (1945).
[3] C. F. H. ALLEN u. J. W. GATES ,Am. Soc. **64**, 2120 (1942).
[4] C. F. H. ALLEN, J. E. JONES u. J. A. VAN ALLAN, Am. Soc. **68**, 708 (1946).

Tab. 129. Decarbonylierung dimerer Cyclone

Dimeres Cyclon	Reaktions-bedingungen	Produkt	Litera-tur
Dimeres Cyclopentadienon	240°	*Indanon-(1)*	1–3
	+ Maleinsäure-anhydrid in der Schmelze	*5-Oxo-tricyclo[5.2.2.0²,⁶]unde-cadien-(3,7)-9,10-dicarbon-säure-anhydrid*	1,4
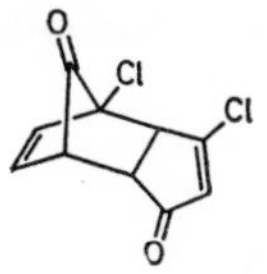	15 Min. 180°	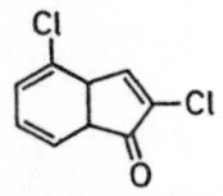 *5,8-Dichlor-9-oxo-bicyclo[4.3.0] nonatrien-(2,4,7)*	5,6
	15 Min. 180° 24 Stdn. in CCl₄ 20°	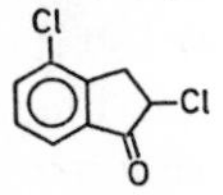 *2,4-Dichlor-1-oxo-indan*	5,6
Dimeres Tetrachlor-cyclo-pentadienon	Erhitzen in H₂O (–COCl₂)	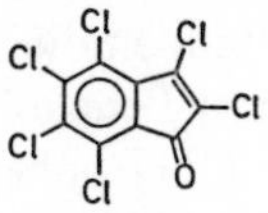 *Hexachlor-oxo-inden*	7
	Schmelze	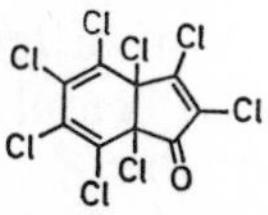 *Octachlor-9-oxo-bicyclo[4.3.0] nonatrien-(2,4,7)*	7
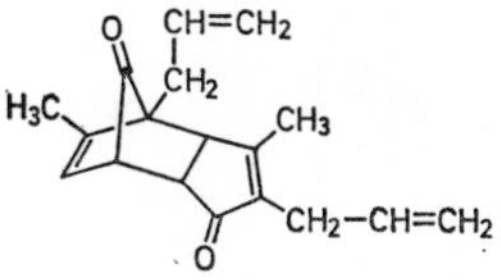	200–210°	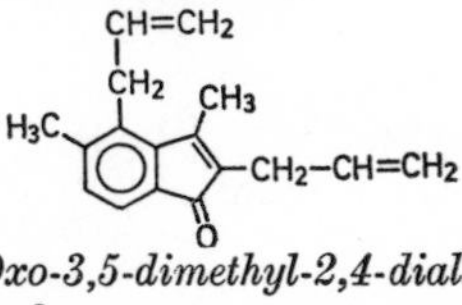 *1-Oxo-3,5-dimethyl-2,4-diallyl-inden*	8

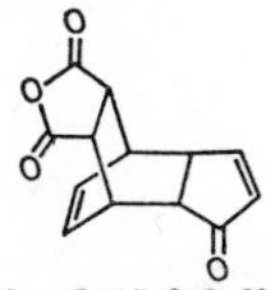

[1] K. ALDER u. F. H. FLOCK, B. **87**, 1916 (1954).
[2] K. HAFNER u. K. GOLIASCH, Ang. Ch. **73**, 538 (1961); **72**, 781 (1960); B. **94**, 2909 (1961).
[3] C. H. DE PUY u. E. C. LYONS, Am. Soc. **82**, 631 (1960).
[4] K. HAFNER u. K. GOLIASCH, B. **94**, 2909 (1961).
[5] C. H. DE PUY et al., J. Org. Chem., **29**, 3503 (1964).
[6] Über andere substituierte Halogenindenone s.:
    J. S. NEWCOMER u. E. T. MCBEE, Am. Soc. 71, 946 (1949).
    E. T. MCBEE u. R. K. MEYERS, Am. Soc. 77, 88 (1955).
[7] T. ZINCKE u. W. PFAFFENDORF, A. **394**, 3 (1912).
    T. ZINCKE u. K. H. MEYER, A. 367, 1 (1909).
    J. S. NEWCOMER u. E. T. MCBEE, Am. Soc. 71, 946 (1949).
[8] F. B. LA FORGE, N. GREEN u. M. S. SHECHTER, Am. Soc. 74, 5392 (1952).

das dabei sich intermediär formierende Cyclopentadienol lagert sich in das stabile Cyclopentenon um [1,2]:

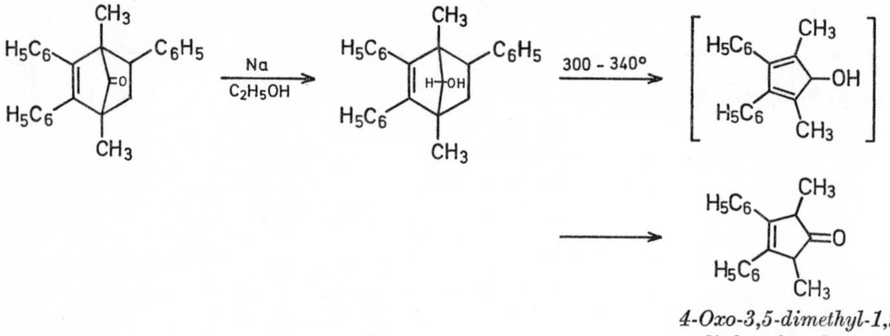

4-Oxo-3,5-dimethyl-1,2-
diphenyl-cyclopenten;
81% d. Th.

β_2) Sechs- und höhergliedrige ,,Oxo-cyclodiene''

Die Neigung der substituierten Cyclohexadienone (der Grundkörper der Reihe, ein Isomeres des Phenols, ist noch nicht bekannt) mit Dienen einerseits als auch mit Dienophilen andererseits, Diels-Alder-Addukte zu bilden[3], stellt sie in eine gewisse Verwandtschaft zu den Cyclonen. Wie diese dimerisieren viele Cyclohexadienone. Anders ist jedoch die Stabilität der Addukte. Während ein Teil der Cyclonaddukte die Carbonyl-Brücke abspalten, sind die Cyclohexadienon-Addukte weitgehend stabil. Erst bei hoher Temperatur erfolgt Spaltung in die Ausgangskomponenten (Retro-Diels-Alder-Reaktion).

Die Gruppe der 2,2-disubstituierten Cyclohexadienone, die durch Alkylierung von 2-Hydroxy-1-alkyl-benzolen[4,5] oder durch pyrolytische Spaltung von Fulvenepoxiden[6] (Cyclopentadien-⟨spiro-2⟩-oxirane) gut zugänglich ist, dimerisiert schon beim Stehen bei Zimmertemperatur[7]:

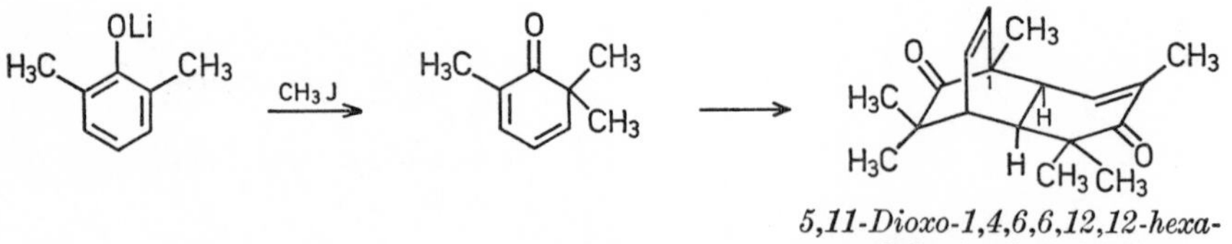

5,11-Dioxo-1,4,6,6,12,12-hexa-
methyl-tricyclo[6.2.2.0²,⁷]
dodecadien-(3,9)

[1] C. F. H. Allen, J. E. Jones u. J. A. van Allan, J. Org. Chem. 11, 268 (1946).

[2] S. a. C. F. H. Allen u. J. A. van Allan, Am. Soc. 65, 1384 (1943).

[3] Literaturübersicht: A. J. Waring, Cyclohexadienons in Advances in Alicyclic Chemistry, Vol. 1, S. 131, Academic Press, New York · London 1966.

[4] T. L. Brown, D. Y. Curtin u. R. D. Fraser, Am. Soc. 80, 4339 (1958).

[5] D. Y. Curtin u. R. R. Fraser, Chem. & Ind. 1957, 1358.

[6] K. Alder, F. H. Flock u. H. Lessenich, B. 90, 1709 (1957).

[7] S. a. A. S. Kende u. P. McGregor, Chem. & Ind. 1962, 460–461.

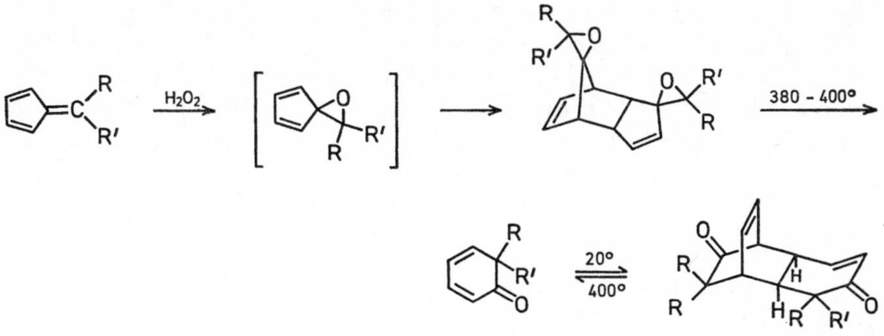

I: R=R'=CH₃;   *6-Oxo-2,2-dimethyl-cyclo-*   II; *5,11-Dioxo-6,6,12,12-tetramethyl-tri-*
                     hexadien   *cyclo[6.2.2.0²,⁷]dodecadien-(3,9)*

R=CH₃,R'=C₆H₅: *6-Oxo-2-methyl-2-phenyl-*   II; *5,11-Dioxo-6, 12-dimethyl-6,12-diphenyl-*
                     cyclohexadien   *tricyclo[6.2.2.0²,⁷]dodecadien-(3,9)*

R=R'=-(CH₂)₄-;   *Cyclopentan-⟨spiro-5⟩-6-oxo-* II; *Cyclopentan-⟨spiro-12⟩-5,11-dioxo-tri-*
                     cyclohexadien   *cyclo[6.2.2.0²,⁷]dodecadien-(3,9)-⟨6-*
                                               spiro⟩-cyclopentan

Da die dimeren Cyclohexadienone bei höherer Temperatur einer Retro-Diels-Alder-Reaktion unterliegen, können sowohl die monomeren wie auch die dimeren Cyclohexadienone für synthetische Zwecke eingesetzt werden[1-3]. Die Addition an Essigsäure-vinylester veranschaulicht den Reaktionsablauf[4]:

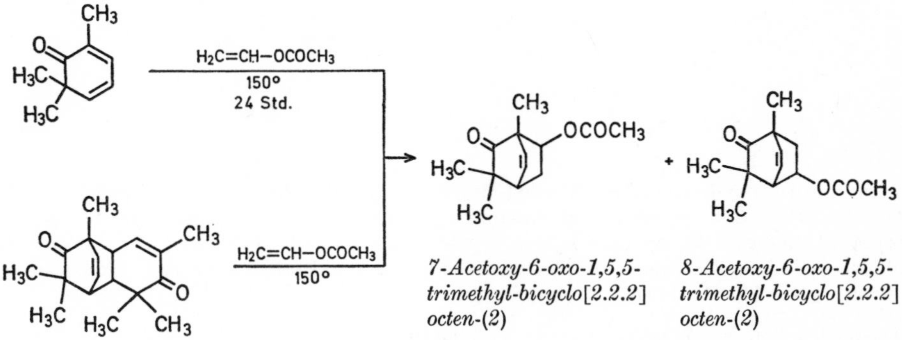

7-Acetoxy-6-oxo-1,5,5-
trimethyl-bicyclo[2.2.2]
octen-(2)

8-Acetoxy-6-oxo-1,5,5-
trimethyl-bicyclo[2.2.2]
octen-(2)

Für die Addition von Cyclopentadien I an die Cyclohexadien-(2,4)-one (II) bei der Cyclopentadien scheinbar als Dienophil reagiert, wird neuerdings folgender Mechanismus wahrscheinlich gemacht: Cyclopentadien addiert an die 4,5-Doppelbindung des

[1] D. Y. CURTIN u. R. R. FRASER. Chem. & Ind. **1957**, 1358.

[2] K. ALDER, F. H. FLOCK u. H. LESSENICH, B. **90**, 1709 (1957).

[3] s. a. A. S. KENDE u. P. McGREGOR, Chem. & Ind. **1962**, 460-461.

[4] D. Y. CURTIN u. R. R. FRASER, Am. Soc. **81**, 662 (1959).

Cyclohexadien-(2,4)-ons zu Derivaten des 5-Oxo-tricyclo[6.2.1.0^{2,7}] undecadiens-(3,9) (III), die bei Raumtemperatur eine Cope-Umlagerung zu dem 10-Oxo-tricyclo[5.2.2. 0^{2,6}]undecadien-(3,8)-Skelett (IV) erfahren. Das Auftreten des Zwischenprodukts III wird durch Abfangen mit Phenylazid unter Bildung der Addukte V und VI bewiesen[1,2]:

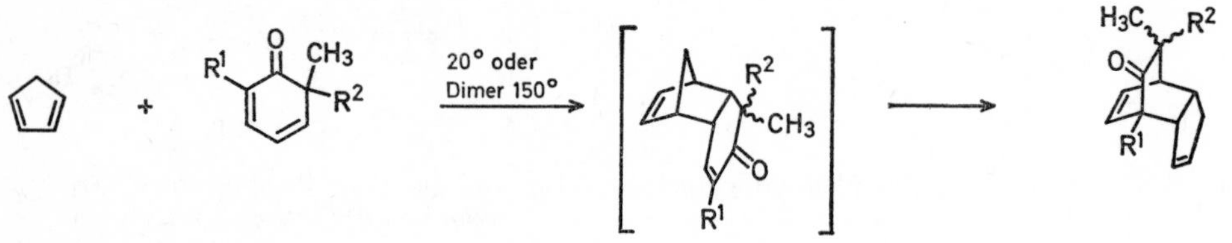

I	II	III	IV

IV; R^1 = CH$_3$; R^2 = O—CO—CH$_3$; *11-Acetoxy-10-oxo-1,11-dimethyl-*
    R^1 = H; R^2 = O—CO—CH$_3$;   *11-Acetoxy-10-oxo-11-methyl-*
             R^2 = CH$_3$;   *10-Oxo-11,11-dimethyl-*
             R^2 = C$_6$H$_5$;   *10-Oxo-11-methyl-11-phenyl-*   *-tricyclo[5.2.2.0^{2,6}] undecadien-(3,8)*

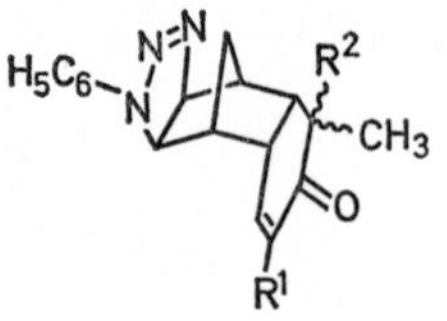

V 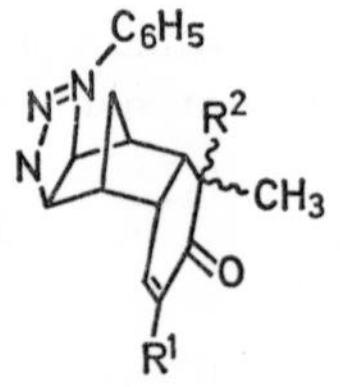   VI

7- und 8-Acetoxy-6-oxo-1,5,5-trimethyl-bicyclo[2.2.2]octen-(2)[1]: Eine Mischung von 0,67 g 6-Oxo-1,5,5-trimethyl-cyclohexadien, das durch Destillation seines Dimeren entsteht, und 3,0 g Essigsäure-vinylester werden mit 0,05 g Hydrochinon 24 Stdn. auf 150° erhitzt. Nach Eindampfen i. Vak. und Chromatographie über Aluminiumoxid erhält man das Addukt in einer Ausbeute von 93%.

Die beiden isomeren 7- und 8-Acetoxy-Verbindungen sind in etwa gleicher Menge vorhanden.

Analog reagiert das Dimere 6-Oxo-1,5,5-trimethyl-cyclohexadien mit Essigsäure-vinylester bei 150°.

2-Methyl-, 2,4- und 2,6-Dimethyl-2,4,6-Trimethyl- und 2-Hydroxymethyl-phenole werden mit Natriumperjodat zu 5-Hydroxy-6-oxo-5-alkyl-cyclohexadienen-(1,3) (o-Chinole) oxidiert, die meistens spontan dimerisieren. So wird 2,4-Dimethyl-phenol zu den Oxo-Verbindungen I und II oxidiert. 5-Hydroxy-6-oxo-3,5-dimethyl-cyclo-

[1] D. Y. CURTIN u. R. R. FRASER, Am. Soc. **81**, 662 (1959).

[2] D. M. BRATBY u. G. I. FRAY, Soc. [C] **1971**, 970; dort weitere Literatur.

hexadien-(1,3) (I) bildet das Dimere III bzw. es setzt sich mit 3,5-Dimethyl-o-benzochinon (II) zum Addukt IV um[1,2];

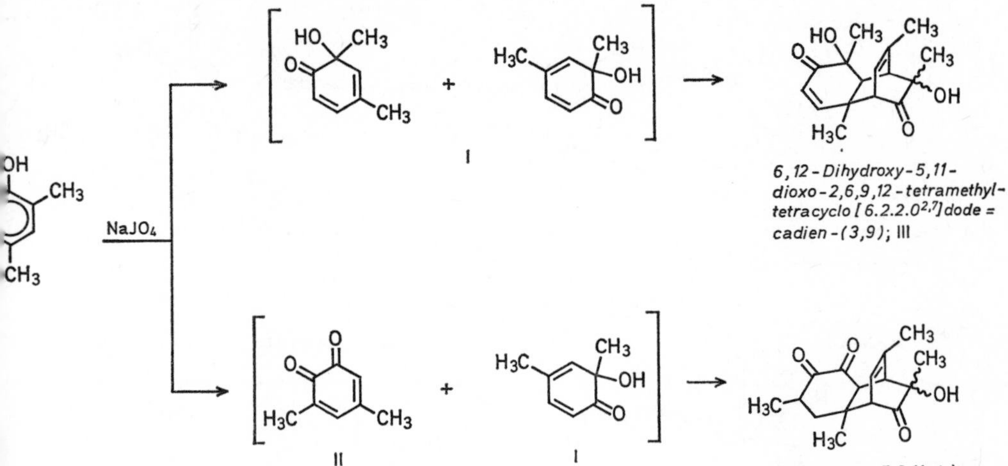

6,12-Dihydroxy-5,11-dioxo-2,6,9,12-tetramethyl-tetracyclo[6.2.2.0²,⁷]dodeca = cadien-(3,9); III

12-Hydroxy-5,6,11-trioxo-2,4,9,12-tetramethyl-tetra = cyclo[6.2.2.0²,⁷]dodecen-(9); IV

o-Chinole aus 3-substituierten 2-Methyl-phenolen sind dagegen infolge sterischer Hinderung als Monomere[3-5] stabil, 2-Hydroxymethyl-phenol wird mit Perjodat zu einer Spiro-Verbindung oxidiert, die sich ebenfalls rasch dimerisiert:

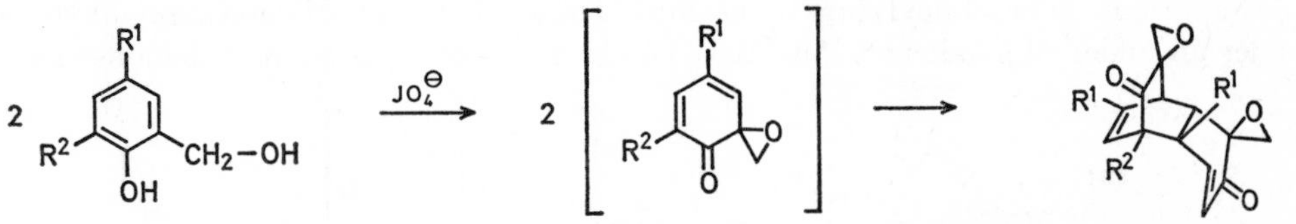

R^1=H, CH_3; R^2=H, CH_3, OCH_3

Analog reagiert 2-(3-Hydroxy-propyl)-phenol[5]:

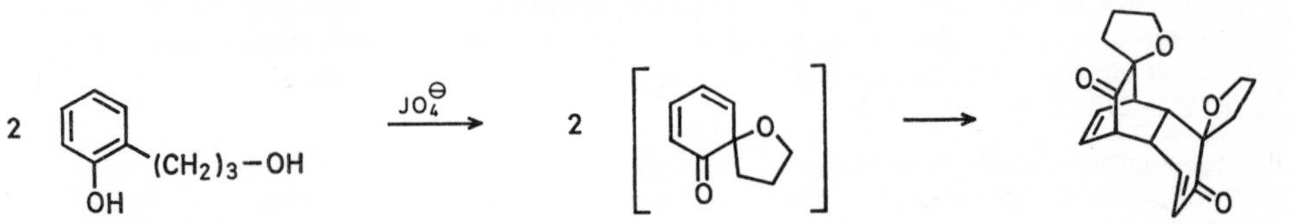

2,4,6-Trisubstituierte Allyloxy-benzole (I, S. 1742), die an den Substitutionsstellen keine leicht abspaltbaren Substituierten tragen, erfahren beim Erhitzen eine reversible Claisen-Umlagerung. Von den dabei auftretenden instabilen Zwi-

[1] E. ADLER et al., Acta chem. scand. 14, 1261 (1960).
[2] E. ADLER, J. DAHLÉN u. G. WESTIN, Acta chem. scand. 14, 1580 (1960).
[3] E. ADLER, S. BRASEN u. H. MIYAKE, Acta chem. scand. 25, 2055 (1971).
[4] H. BUDZIKIEWICZ, F. WESSELY et al., M. 90, 609 (1959).
[5] E. ADLER u. K. HOLMBERG, Acta chem. scand. 25, 2775 (1971).

schenprodukten II und III kann nur das 6-Oxo-cyclohexadien-Derivat II nach Diels-Alder reagieren (mit Maleinsäure-anhydrid, 87% Ausbeute). Die Verbindung I ist demnach als ein potentielles Dien anzusehen[1,2]:

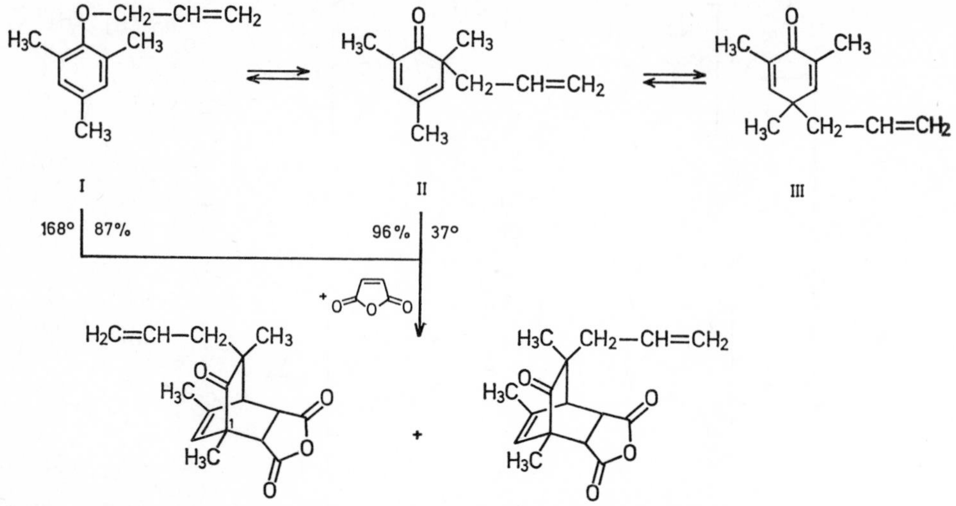

7-Oxo-1,3,8-trimethyl-8-allyl-bicyclo[2.2.2]octen-(2)-5,6-dicarbonsäure-anhydrid

2-Allyloxy-1,3-dimethyl-benzol liefert mit Maleinsäure-anhydrid nur 7% *8-Oxo-1,7-dimethyl-7-allyl-bicyclo[2.2.2]octen-(2)-5,6-dicarbonsäure-anhydrid*[2].

Unter besonderen Bedingungen (hohe Temperatur, hoher Druck, Katalyse) addieren Hydroxy-benzole wie Phenol[3], Kresol[3], Resorcin[3], Hydrochinon[4], β-Naphthol[5] oder Salicylsäure[3] aus ihrer Dienon-Form an Maleinsäure-anhydrid oder an andere Philodiene[6]. Am Beispiel des Hydrochinons sei dies demonstriert:

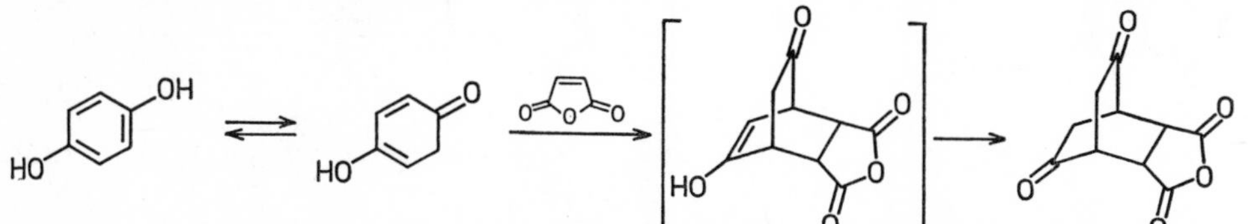

5,7-Dioxo-bicyclo[2.2.2]octan-2,3-dicarbonsäure-anhydrid[4]: 15 g Hydrochinon werden mit 28 g Maleinsäure-anhydrid unter Kohlendioxid 2 Stdn. auf 190–200° erhitzt. Das viscose Produkt wird, noch während es warm ist, in 80 *ml* Äther gelöst. Beim Erkalten scheiden sich 1,1 g Addukt ab (F: 270–272° Zers.).

[1] F. KALBERER u. H. SCHMID, Helv. **40**, 779 (1957).
[2] H. CONROY u. R. A. FIRESTONE, Am. Soc. **75**, 2530 (1952); **78**, 2290 (1956).
[3] T. J. KEALY u. D. D. COFFMAN, J. Org. Chem. **26**, 987 (1961).
    US. P. 2883425 (1957), DuPont, Erf.: T. J. KEALY; C. A. **53**, 17013 (1959).
[4] K. TAKEDA u. K. KITAHONOKI, J. pharm. Soc. Japan **71**, 860 (1951); **73**, 280 (1953); Chem.
    Pharm. Bull. Japan **1**, 135 (1953); **4**, 12 (1956); A. **606**, 153 (1957).
    K. KITAHONOKI, Chem. Pharm. Bull. Japan **7**, 114 (1959).
    R. C. COOKSON u. N. S. WARIYAR, Chem. & Ind. **1955**, 915; Soc. **1957**. 327.
[5] N. S. WARIYAR, Proceedings of the Indian Academy of Sciences Section [A] **43**, 231 (1956);
    C. **1957**, 6730,
    R. C. COOKSON u. N. S. WARIYAR, Soc. **1956**, 2302.
[6] S.ds.Handb., Bd. V/1c, Kap. Die Dienkomponente und Beschleunigung der Diels-Alder-
    Reaktion durch Druck, S. 1112.
    H. WOLLWEBER, *Diels-Alder-Reaktion*, S. 36ff., 138ff. Thieme-Verlag, Stuttgart 1972.

Es ist wichtig, eine Überhitzung zu vermeiden, da sonst ein dunkles viskoses Produkt entsteht, aus dem das Addukt nicht leicht abgeschieden werden kann. Der „Teer", der beim mäßigen Überheizen produziert wird, kann durch Zusatz von Essigsäure-äthylester in Lösung gehalten werden.

Analog erhält man aus Maleinsäure-anhydrid und

Phenol	→	*7-Oxo-bicyclo[2.2.2]octen-(2)-5,6-dicarbonsäure-anhydrid*
Resorcin	→	*5,8-Dioxo-bicyclo[2.2.2]octan-2,3-dicarbonsäure-anhydrid*
β-Naphthol	→	*9-Oxo-⟨2,3-benzo-bicyclo[2.2.2]octen⟩-5,6-dicarbonsäure-anhydrid*
Salicylsäure	→	*8-Oxo-bicyclo[2.2.2]octen-(2)-5,6,7-tricarbonsäure-5,6-anhydrid*

In übersichtlicher Weise addieren die nicht dimerisierbaren 6-Oxo-hexaalkyl-cyclohexadiene[1,2] das 6-Oxo-5-methyl-5-dichlormethyl-cyclohexadien-(1,3)[3], verschiedene O-Acetyl-o-chinole[3–5], 1,5,5-Trichlor-6-oxo-[6] und 1,2,3,4,5,5-Hexachlor-6-oxo-cyclohexadien-(1,3)[6,7] mit reaktiven dienophilen Partnern. Das 1,2,3,4,5,5-Hexachlor-6-oxo-cyclohexadien-(1,3) nimmt insofern eine Ausnahmestellung ein, als es auch als Oxidations- und Dehydrierungsmittel wirken kann. Mit aktiven Dienophilen tritt immer eine Diels-Alder-Reaktion ein; weniger aktive Dienophile werden jedoch oxidiert bzw. dehydriert [z. B. Cyclohexen, 1,4-Diacetoxy-buten-(2), 1,4-Dichlor-butin-(2)] wobei Pentachlorphenol in fast quantitativer Ausbeute entsteht[8]:

1,2,3,4,8,8-Hexachlor-7-oxo-5-acetyl-bicyclo[2.2.2]octen-(2)

Die 6,6-Dihalogen-5-oxo-cyclohexadiene, die durch Einwirkung unterchloriger Säure bzw. ihrer Alkylester auf 2,6-disubstituierte Phenole gut zugänglich sind, brauchen für die Diels-Alder-Reaktion nicht isoliert zu werden, sondern können gleich in situ in Anwesenheit der Dienophil-Komponente zur Reaktion gebracht werden[9,10].

1,2,3,4,8,8-Hexachlor-7-oxo-5-(bzw.-6)-acetyl-bicyclo[2.2.2]octen-(2)[8]: Zu einer Lösung von 73 g 1,2,3,4,6,6-Hexachlor-5-oxo-cyclohexadien in 300 *ml* Benzol tropft man bei 40–50° 29 g Butenon und erhitzt 2 Stdn. unter Rückfluß. Nach dem Erkalten filtriert man das auskristallisierte Addukt ab und wäscht es mit Benzol nach; Ausbeute: 70 g (77% d. Th.); F: 150°.

[1] A. J. WARING u. H. HART, Am. Soc. **86**, 1454 (1964).
[2] H. HART u. A. OKU, J. Org. Chem. **37**, 4269, 4274 (1972).
    H. HART u. G. M. LOVE, Tetrahedron Letters **1971**, 2267.
    H. HART, G. M. LOVE u. I. C. WANG, Tetrahedron Letters **1973**, 1377.
[3] R. C. COOKSON u. N. S. WARIYAR, Soc. **1956**, 2302.
[4] W. METLESICS u. F. WESSELY, M. **88**, 108 (1957).
    W. METLESICS, F. WESSLY u. H. BUDZIKIEWICZ, M. **89**, 102 (1958). .
    F. WESSELY u. H. BUDZIKIEWICZ, M. **90**, 62 (1959).
[5] Über *Maytenon* ein Bisditerpen, das durch Dimerisierung eines substituierten 6-Hxdroxy-5-oxo-cyclohexadien-(1,3) formal gebildet wird, s. A. W. JOHNSON, T. J. KING u. R. J. MARTIN, Soc. **1961**, 4420.
[6] US.P. 3015671 (1960); 3086040 (1960), Rohm u. Haas Co., Erf.: H. J. SIMS; C. A. **57**, 16438 (1962); **59**, 9839 (1963).
[7] L. DANIVELLE u. R. FORT, C. r. **238**, 124 (1954).
[8] H. WOLLWEBER, Bayer A. G., unveröffentlicht.
[9] US. P.3015671 (1960), Rohm u. Haas Co., Erf.: H.J.SIMS; C.A.**57**,16438(1962); **59**,9839(1963).
[10] S.ds.Handb., Bd. V/1c, Kap. Diels-Alder-Reaktionen mit potentiellen Dienen, S. 1070.
    H. WOLLWEBER, *Diels-Alder-Reaktion*, S. 70ff., Thieme-Verlag, Stuttgart 1972.
[11] H. WOLLWEBER, Bayer A. G., unveröffentlicht.

Analog setzen sich um

Essigsäure-vinylester	→	*1,2,3,4,8,8-Hexachlor-7-oxo-5-acetyl-* (bzw. *-6-acetyl*)- *bicyclo[2.2.2]octen-(2)*	F: 141–142° (F: 100°)
Acrolein	→	*1,2,3,4,8,8-Hexachlor-7-oxo-5* (bzw. *-6)-formyl-bicyclo* *[2.2.2]octen-(2)*	F: 105–106°
Bicyclo[2.2.1]heptadien	→	*1,8,9.10,12,12-Hexachlor-11-oxo-tetracyclo[6.2.2.1³,⁶.0²,⁷]* *tridecadien-(4,9)*	F: 164–165°
Cyclopentadien	→	*1,7,8,9.11,11-Hexachlor-10-oxo-tricyclo[5.2.2.0²,⁶]unde-* *cadien-(3,8)*	F: 144°

Von den siebengliedrigen Ringketonen, die weniger reaktiv als die Cyclone und Cyclopentadienone sind, konnte eine Diels-Alder-Reaktion mit folgenden Verbindungen realisiert werden: Tropon[1–3], 2-Brom-[2,4], 2-Chlor-[4,5], 2-Phenyl-tropon[6], verschiedene Tropone[7–14] 7-Oxo-1,5,5-trimethyl-cyclohepta-dien-(1,3) (Eucarvon)[12,13], 5- bzw. 6-Oxo-cycloheptadien-(1,3)[14,15]. Über die Reaktionsbedingungen informiert die Tab. 230 (S. 1745). Cyclooctatrien-(1,3,5)-on addiert erwartungsgemäß aus seiner planaren isomeren 7-Oxo-bicyclo [4.2.0]octadien-(2,4)-Form an Maleinsäure-anhydrid, Acetylen-dicarbonsäure-diester oder Naphthochinon-(1,4)[16,17], wobei das Acetylen-dicarbonsäure-diesteraddukt leicht zu *Cyclobutenon* pyrolisiert werden kann:

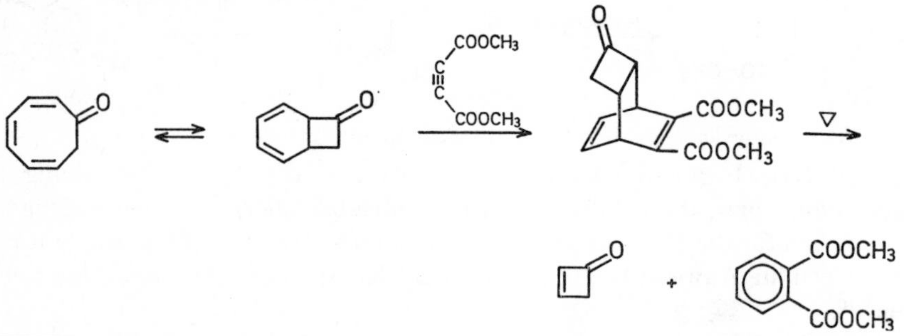

[1] T. Nozoe et al., Proc. Japan Acad. **28**, 477 (1952); C. A. **48**, 2678 (1954).
[2] T. Nozoe, T. Mukai u. T. Nagaze, nicht veröffentlichte Ergebnisse, zitiert in Chem. Reviews **55**, 91 (1955).
[3] T. Uyehara u. Y. Kitahara, Chem. & Ind. **1971**, 354.
  H. Tanida u. T. J. Ivie, J. Org. Chem. **36**, 2777 (1971).
  S. Ito, R. Sakan u. Y. Fujise, Tetrahedron Letters **1970**, 2873.
[4] T. Nozoe u. Y. Toyooka, Bull. Chem. Soc. Japan **34**, 623 (1961).
[5] M. Oda u. Y. Kitahara, Synthesis **1971**, 368.
[6] T. Nozoe et al., Sci. Rep. Tôhoku Univ. **37**, 388 (1953).
[7] E. Sebe u. Y. Itsuno, Proc. Japan Akad. **29**, 110 (1953); C. **1955**, 10497.
[8] E. Sebe u. C. Osako, Proc. Japan Acad. **28**, 282 (1952); C. A. **47**, 4869 (1953).
[9] E. Sebe u. Y. Itsuno, Proc. Japan Acad. **29**, 107 (1953); C. **1955**, 10496.
[10] T. Nozoe, S. Seto u. T. Ikemi, Proc. Japan Acad. **27**, 655 (1951); C. A. **47**, 6928 (1953).
[11] T. Uyehara, M. Funamizu u. Y. Kitahara, Chem. & Ind. **1970**, 1500, 607.
  M. Kato, Y. Okamoto u. T. Miwa, Tetrahedron **27**, 4013 (1971).
  S. Ito, A. Moré, Y. Shoji u. H. Takeshita, Tetrahedron Letters **1972**, 2685.
[12] K. Alder u. G. Stein, A. **515**, 175 (1935).
  K. Alder, K. Kaiser u. M. Schumacher, A. **602**, 80 (1957).
[13] T. F. West, Soc. **1940**, 1162.
[14] J. Meinwald et al., Am. Soc. **77**, 4401 (1953).
[15] O. L. Chapman, D. J. Pasto u. A. A. Griswold, Am. Soc. **84**, 1213 (1962).
[16] A. C. Cope u. B. D. Tiffany, Am. Soc. **73**, 4158 (1951).
[17] A. C. Cope, S. F. Schaeren u. E. R. Trumbull, Am. Soc. **76**, 1096 (1954).

Tab. 230. Diels-Alder-Reaktionen von Cycloheptadienonen

Dien	Dienophil	Reaktionsbedingungen			Addukt	Ausbeute [% d.Th.]	Literatur
		Lösungsmittel	Zeit	Temperatur			
Tropon	Maleinsäureanhydrid	—	—	—	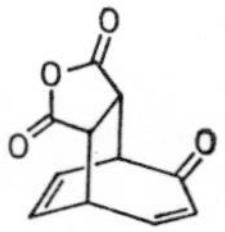 *4-Oxo-bicyclo[3.2.2]nonadien-(2,6)-8,9-dicarbonsäure-anhydrid*	57	1
Tropolon	Maleinsäureanhydrid	Xylol	6 Stdn.	Rückfl.	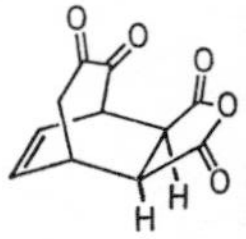 *2,3-Dioxo-bicyclo[3.2.2]nonen-(6)-8,9-dicarbonsäureanhydrid*	50	2,3
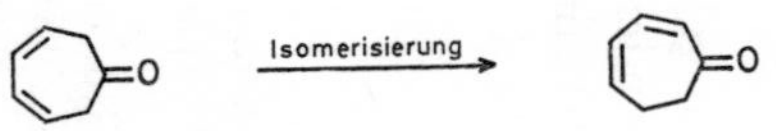	N-Phenyl-maleinsäureimid	Benzol	6 Tage	Rückfluß	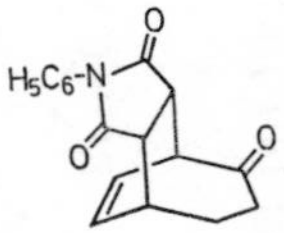 *2-Oxo-bicyclo[3.2.2]nonen-(6)-8,9-dicarbonsäure-phenylimid*		4
	Maleinsäureanhydrid	Benzol	6 Tage	Rückfluß	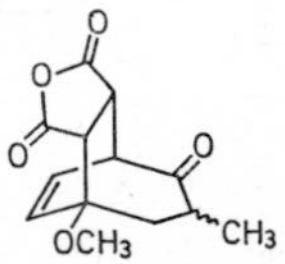 *1-Methoxy-4-oxo-3-methyl-bicyclo[3.2.2]nonen-(6)-8,9-dicarbonsäurehydrid*		4

Isomerisierung

1 T. NOZOE et al., Sci. Rep. Tôhoku Univ. 37, 388 (1953).
2 E. SEBE u. Y. ITSUNO, Proc. Japan Akad. 29, 110 (1953); C. 1955, 10497.
3 T. SASAKI, K. KANEMATSU u. K. HAYAKAWE, Soc. (Perkin I) 1972, 1951.
4 O. L. CHAPMAN, D. J. PASTO u. A. A. GRISWOLD, Am. Soc. 84, 1213 (1962).

2. Diels-Alder-Reaktion mit „Oxo-dienophilen"[1]

Die präparativ wichtige Methode zur Herstellung hydroaromatischer Ketone aus α,β-ungesättigten Ketonen und konjugiert ungesättigten Systemen ist wiederholt Gegenstand der referierenden Literatur gewesen. Aus systematischen Gründen und wegen der besseren Übersichtlichkeit werden die Addition von offenkettigen Ketonen, cyclischen Ketonen und die Dimerisierung α,β-ungesättigter Ketone in besonderen Abschnitten behandelt.

α) Aliphatische α,β-ungesättigte Ketone als Dienophile in der Diels-Alder-Reaktion

Der einfachste Fall bildet die Addition von Butenon (R = CH₃, R', R'', R''' = H) an Butadien (8 Stdn. bei 140°) zu *4-Acetyl-cyclohexen-(1)* (75-80% d. Th.)[2]:

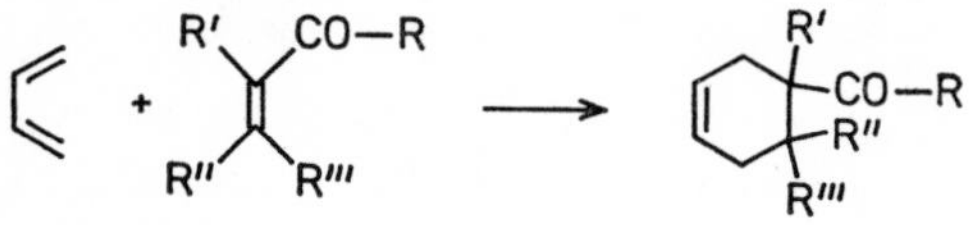

Geeignete dienophile Ketone sind außerdem:

3-Oxo-2-methyl-buten-(1)
Hexen-(3)-on-(2)
4-Chlor-3-oxo-buten-(1)
4-Oxo-2-methyl-penten-(2)
3-Oxo-3-phenyl-propen (Acryloyl-benzol)
3-Oxo-1-phenyl-buten-(1)
Chalcon (3-Oxo-1,3-diphenyl-propen)
2-Oxo-1-methylen-cyclohexan
1-Chlor-3-oxo-buten-(1)
1-Chlor-3-oxo-3-phenyl-propen
5-Methoxy-3-oxo-penten-(1)
4-Acetoxy-3-oxo-buten-(1)
1-Phenoxy-3-oxo-buten-(1)
4-Oxo-penten-(2)-säure-nitril
3-Oxo-5-methyl-hexadien-(1,4)

3-Oxo-5-methyl-heptadien-(1,4)
3-Oxo-1,5-diphenyl-pentadien-(1,4)
Hexen-(3)-dion-(2,5)
3-Oxo-2,3-diphenyl-propen
1,4-Dioxo-1,4-diphenyl-buten-(2)
2,5-Dioxo-3-methyl-hexen-(3)
Hexadien-(1,2)-on-(4)
3-Oxo-butin-(1)
3-Oxo-3-phenyl-propin
Hexin-(3)-dion-(2,5)
Heptadien-(1,2)-on-(4)
1,4-Dioxo-1,4-diphenyl-butin-(2)
3-Oxo-1-phenyl-butin-(1)
4-Oxo-4-phenyl-butin-(2)-säure-methylester
4-Oxo-4-phenyl-buten-(2)-säure
Acyl-allene

Die allgemeinen Bedingungen geben die Tab. 231 u. 232 (S. 1753, 1755) wieder. Nachfolgend sei auf einige Besonderheiten dieser Reaktion hingewiesen:

Die Reaktionsfähigkeit der einzelnen Ketone gegenüber verschiedenen Dienen fällt im allgemeinen in der Reihe:

H₂C=CH—COR > ClCH=CH—COR > H₃C—CH=CH—COR > (CH₃)₂C=CH—COR

---

[1] H. L. HOLMES, *Ethylenic and Acetylenic Dienophiles*, Org. Reactions IV, 60 (1948).
L. W. BUTZ u. A. W. RYTINA, *The Diels-Alder-Reaction: Quinones and other Cyclenones*, Org. Reactions V, 136 (1949).
A. S. ONISHCHENKO, *Diene Synthesis*, Oldborne Press, London 1964.
[2] DRP 755875 (1936), I. G. Farben, Erf.: H. VOLLMANN, H. JOCKUSCH u. K. MEISENBURG.
A. A. PETROV, Ž. obšč. Chim. **11**, 309 (1941); C. A. **35**, 5873 (1941).

Besonders gut addieren 1,4-Dioxo-1,4-diaryl-butene, die unter dem Einfluß von Essigsäure oder Spuren Phosphorsäure leicht zu den entsprechenden Furan-Derivaten cyclisieren[1-3]:

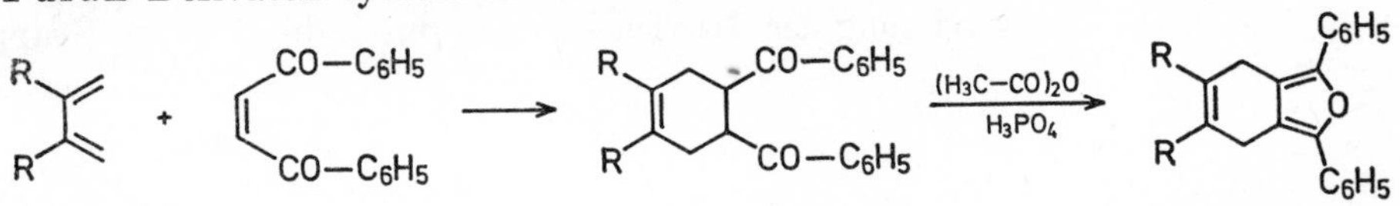

$(H_3C-CO)_2O$ / H_3PO_4

z. B. R = CH₃;

1,2-Dimethyl-4,5-dibenzoyl-cyclohexen

5,6-Dimethyl-1,3-diphenyl-4,7-dihydro-⟨benzo-[c]-furan⟩

Das aus 2,3-Dimethyl-butadien und Hexen-(3)-dion-(2,5) entstehende Addukt cyclisiert mit Natrium in Alkohol zu einem 9-Oxo-bicyclo[4.3.0]nonadien-(3,7)-Derivat[4]:

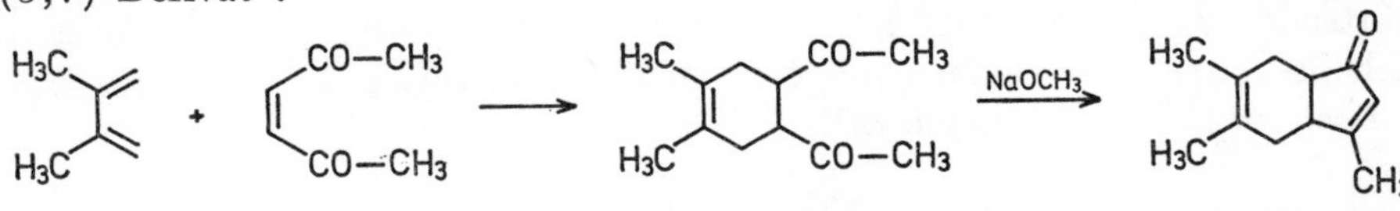

NaOCH₃

1,2-Dimethyl-4,5-diacetyl-cyclohexen

9-Oxo-3,4,7-trimethyl-bicyclo[4.3.0]nonadien-(3,7)

2,5-Dioxo-hexen-(*cis*-3) (I) reagiert mit Fulvenen II unter schonenden Bedingungen (35–80°) zu den Diels-Alder-Addukten III, die teilweise unter energischen Bedingungen (IIIa, b → IVa, b), z. Tl. auch bei der Herstellung eine sigmatrope Umlagerung zum 5,6-Dihydro-4H-pyran IV erleiden[5]:

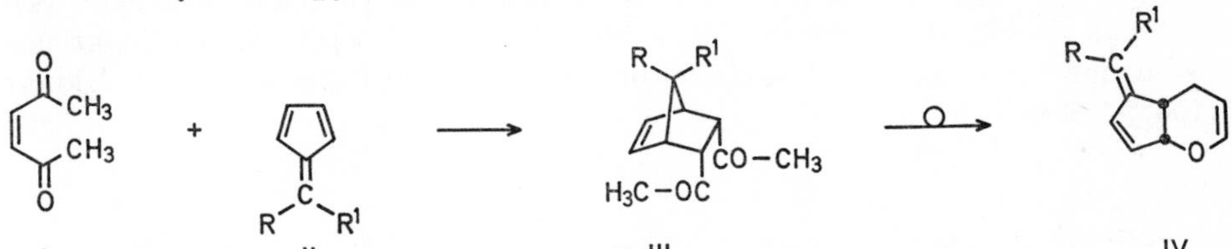

I II III IV

III; ... -*endo-cis-5,6-diacetyl-bicyclo[2.2.1]hepten-(2)*
a; R=4-OCH₃—C₆H₄; R¹=H; ⎫
b; R=H; R¹=4-OCH₃—C₆H₄; ⎬ *7-(4-Methoxy-phenyl)-*
c; R=R¹=C₆H₅; *7,7-Diphenyl-*
d; R=R¹=CH₃; *7,7-Dimethyl-*

2-Diäthylamino-3-acetyl-cyclohexen, das durch Addition von 1-Diäthylamino-butadien-(1,3) an Butenon entstanden ist, spaltet leicht Diäthylamin ab. Das dann entstehende *1-Acetyl-cyclohexadien-(1,3)* (42% d.Th.) kann schon unter den Bedingungen der Diels-Alder-Reaktion aufgefunden werden[6]:

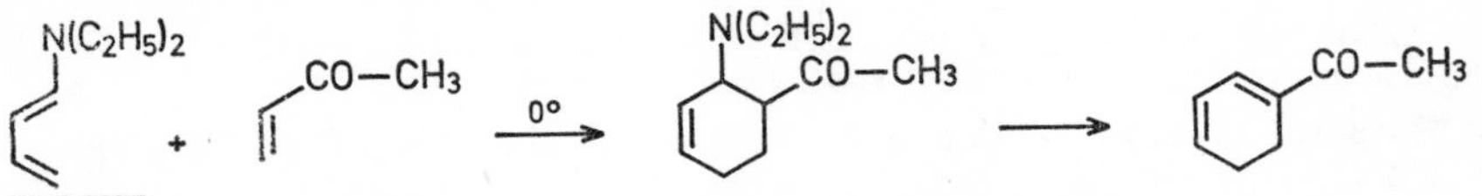

0°

[1] R. ADAMS u. M. H. GOLD, Am. Soc. **62**, 56, 60 (1940); **62**, 2038 (1940).
[2] G. O. SCHENCK, B. **80**, 289 (1947).
[3] R. ADAMS u. R. B. WEARN, Am. Soc. **62**, 1233 (1940).
[4] M. W. GOLDBERG u. P. MÜLLER, Helv. **21**, 1699 (1938).
[5] M. T. HUGHES u. R.-D. WILLIAMS, Chem. Commun. **1967**, 559; **1968**, 587.
[6] S. HÜNIG u. H. KAHANEK, B. **90**, 238 (1957).

1-Nitro-[1], 1-Chlor-[2], 3-Oxo-alkene-(1) und 4-Oxo-alken-(2)-säure-nitrile[3,4] repräsentieren gut reaktive Dienophile. 1-Dimethylamino-3-oxo-buten-(1) dagegen reagiert nicht mehr mit Cyclopentadien. In diesem Falle wird eine starke Desaktivierung der Äthylen-Bindung durch die 1-Amino-Gruppe angenommen[2].

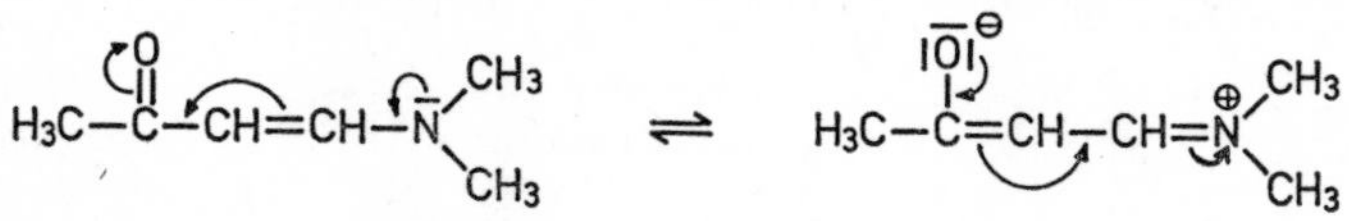

Bei der Addition von Cyclopentadien an 3-Oxo-butin entsteht das zu erwartende *2-Acetyl-bicyclo[2.2.1]heptadien*. Mit Cyclohexadien verläuft die gleiche Reaktion unter Bildung von *Acetophenon* und Äthylen. Es wird dabei folgender Reaktionsablauf angenommen[5]:

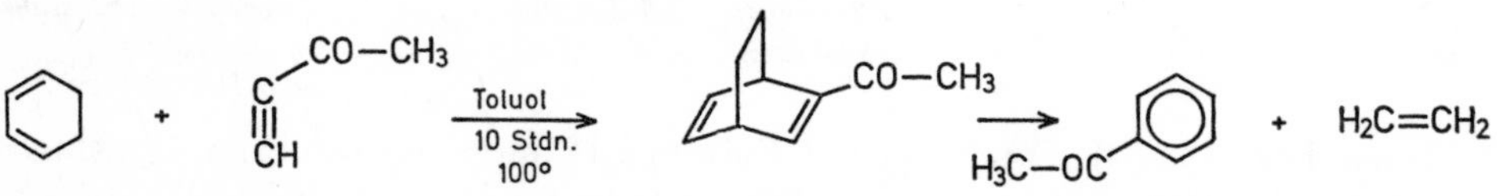

Die Anlagerung der sehr reaktiven Dien-(1,4)-one-(3), wie Hexadien-(1,4)-on-(3) an Diene (z.B. Cyclopentadien oder Butadien) führt je nach den Reaktionsbedingungen zu einem 1 : 1 Addukt (bei 20° in 15 Min.) oder einem Bis-Addukt (150°; 5 Stdn.; 50% d.Th.)[6,7]:

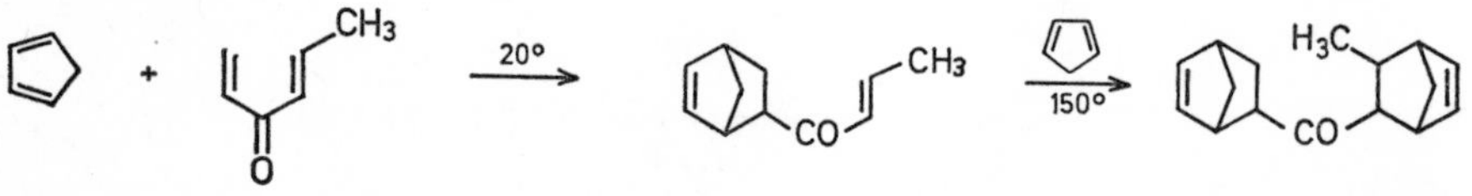

6-Methyl-5-[bicyclo [2.2.1]hepten-(2)-yl-(5)-carbonyl]-bicyclo [2.2.1]hepten-(2)

[1] S. A. E. POHLAND u. W. R. BENSON, Chem. Reviews 66, 161 (1966).

[2] A. N. NESMEYANOV et al., Izv. Akad. SSSR 1955, 649; engl.: 579.
N. K. KOCHETKOV, Izv. Akad. SSSR 1954, 47; C. A. 49, 6090 (1955).

[3] M. J. RYBINSKAYA, L. V. RYBIN u. A. N. NESMEYANOV, Izv. Akad. SSSR 1963, 899. C. A. 59, 7413 (1963).

[4] A. N. NESMEYANOV u. M. J. RYBINSKAYA, Doklady Akad. SSSSR 115, 315 (1957); C. A. 52, 7158 (1958).

[5] A. A. PETROV u. N. P. SOPOV, Ž. obšč. Chim. 23, 1034 (1953); C. A. 48, 8181 (1954).

[6] J. N. NAZAROV u. T. D. NAGIBINA, Izv. Akad. SSSR 1946, 91; C. A. 42, 7728 (1948).

[7] J. A. ARBUSOV, E. M. KLIMOV u. A. M. KOROLEV, Ž. obšč. Chim. 32, 3681 (1962); engl.: 3610.

3-Oxo-5-alkyl-alkadiene-(1,4) reagieren mit Butadien-(1,3), 2,3-Dimethyl-butadien oder Cyclopentadien nur an der unsubstituierten Vinyl-Gruppe. Die Addition an die 2-Alkyl-alken-(1)-yl-Gruppe zu einem Bis-Addukt ist sogar bei Temperaturen oberhalb von 200° nicht zu erzwingen [1,2]. In dieser Hinsicht unterscheiden sich diese Verbindungen vom 4-Oxo-2-methyl-penten-(2) (Mesityloxid), das mit Cyclopentadien bzw. 2,3-Dimethyl-butadien bei 160–180° immerhin eine noch ausreichende Reaktivität aufweist [3,4].

Die wegen ihrer Polymerisationsfreudigkeit nicht immer gut zu handhabenden Vinylketone brauchen nicht als solche für die Diels-Alder-Reaktion eingesetzt zu werden. Man kann auch deren synthetische Vorprodukte wie Mannichbasen von Ketonen, deren Salze und deren quartären Ammonium-Verbindungen sowie (2-Hydroxymethyl-, 2-Acyloxy-, 2-Alkoxy- oder 2-Halogen-äthyl) -alkyl- (bzw. -aryl)-ketone direkt mit den entsprechenden Dienen umsetzen. Entweder erhitzt man die Komponenten auf höhere Temperatur oder fügt Kalium- oder Natriumacetat als Säureacceptor hinzu [5]; z.B. [6-8]:

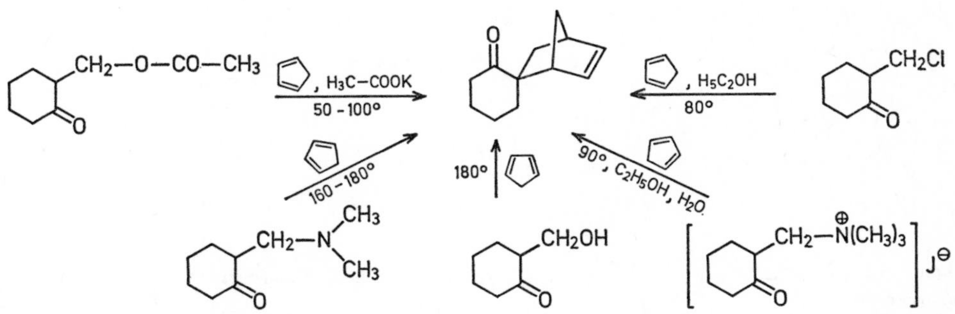

I; *2-Oxo-cyclohexan-⟨1-spiro-5⟩-bicyclo[2.2.1]hepten-(2)*

Eine intramolekulare Diels-Alder-Reaktion [9] wird durch Addition von 3-Oxo-heptadien-(1,6) mit 2H-Pyron erzielt: Man erhält die isomeren Ketone III, IV und V, von

[1] J. N. NAZAROV u. T. D. NAGIBINA, Izv. Akad. SSSR 1946, 91; C. A. 42, 7728 (1948).

[2] A. A. PETROV u. E. B. ROSENFELD, Ž. obšč. Chim. 16, 1401 (1946); C. A. 41, 4461 (1947).

[3] H. GAULT u. L. LALOI, Bl. 1952, 1079.

[4] W. R. VAUGHAN u. R. PERRY, Am. Soc. 74, 5355 (1952).

[5] Experimentelle Vorschriften dazu s.ds.Handb., Bd. V/1c Kap. Potentielle Diene in der Diels-Alder-Reaktion, S. 1044.

[6] N. V. ELAGINA, N. S. MARTINKOVA u. B. A. KAZANSKII, Ž. obšč. Chim. 29, 4011 (1959); engl.: 3969.

[7] M. MOUSSERON, R. JACQUIER u. H. CHRISTOL, Bl. 1957, 346; 1956, 1657.
J. BROUGIDOU u. H. CHRISTOL, Bl. 1966, 1693.

[8] N. V. ELAGINA, V. M. BRUSNIKINA u. B. A. KAZANSKII, Doklady SSSR 106, 1015 (1952); C. A. 50, 13762 (1956).

[9] H. WOLLWEBER, *Diels-Alder-Reaktion*, S. 139, Thieme Verlag, Stuttgart 1972.

denen die epimeren IV und V durch sigmatrope Wanderung des Cyclohexadien-
zwischenproduktes I nach II und nachfolgende Cyclisierung zu erklären sind[1]:

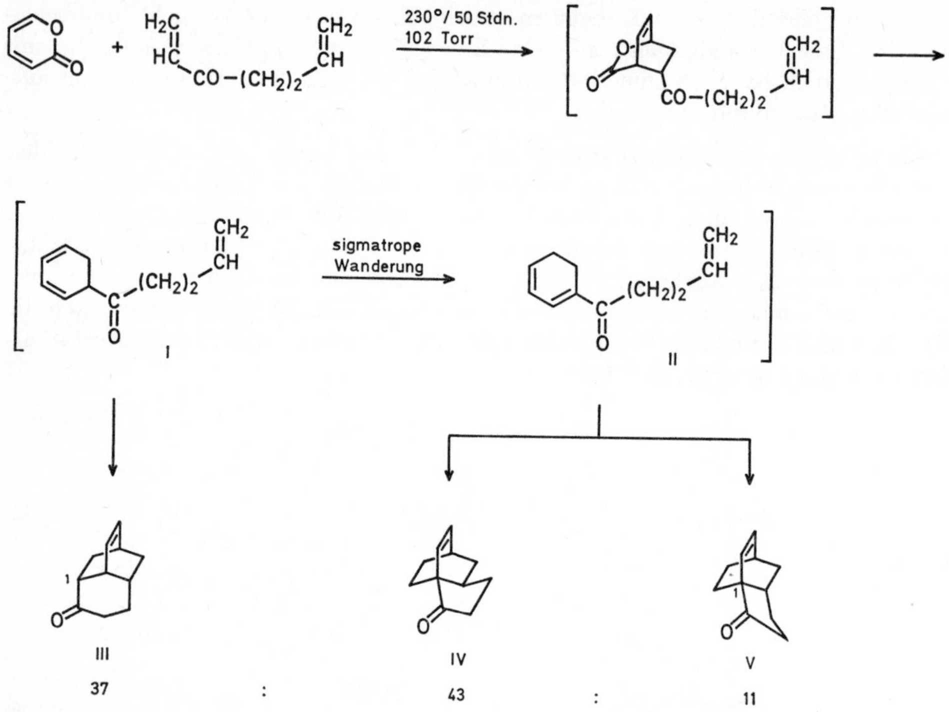

III   IV   V
37   :   43   :   11

2-Oxo-tricyclo[5.3.1.0^{5,10}]
undecen-(8)   *2-Oxo-tricyclo[5.2.2.0^{1,5}]undecen-(8)*

„Geeignete" acyclische Triene liefern bei der intramolekularen Diels-Alder-Reaktion
bicyclische Ketone; z. B.[2]:

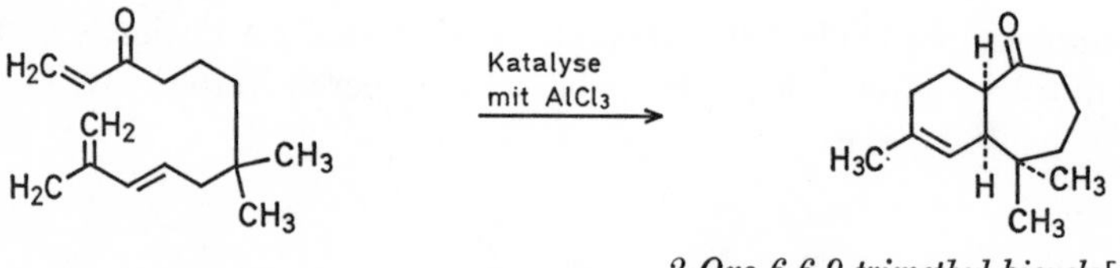

2-Oxo-6,6,9-trimethyl-bicyclo[5.4.0]
undecen-(8)

Über die bei der Diels-Alder-Reaktion mit asymmetrischen Addenden auftretenden Struktur- und Stereoisomerisierungs-Möglichkeiten, die bisher nur
in geringem Umfang exakt untersucht wurden, sei auf die Literatur verwiesen[3]
(s.a. Tab. 231 u. 232, S. 1753, 1755).

---

[1] A. Krantz u. C. Y. Lin, Chem. Commun. **1971**, 1287.

[2] E. Wenkert u. K. Naemura, Synth. Commun. **3**, 45 (1973).

[3] s.ds.Handb., Bd. V/1c, Kap. Stereochemie in der Diels-Alder-Reaktion, S. 982.

J. G. Martin u. R. K. Hill, *The Stereochemistry of the Diels-Alder-Reaction*, Chem. Reviews **61** 537 (1961).

Y. A. Titov, *Orientation in diene synthesis and its dependence on structure*, Russian Chem. Rev. **31**, 267 (1962); Uspechi Chim. **31**, 529 (1962).

H. Wollweber, *Diels-Alder-Reaktion*, S. 8ff, Thieme Verlag, Stuttgart, 1972.

Die Addition der Vinylketone kann ganz erheblich durch Zusatz von Lewis-säuren wie Bortrifluorid, Zinn(IV)-, Titan(IV)- oder Aluminiumchlorid beschleunigt werden[1-4]. Hinsichtlich der dabei erforderlichen experimentellen Bedingungen sei auf das Kapitel „Katalyse in der Diels-Alder-Reaktion" in ds. Handb., Bd. V/1c, S. 1092, verwiesen.

4-Acetyl-cyclohexen:

ⓐ Äquimolare Mengen (5,3 Mol) Butadien-(1,3) und Butenon werden unter Zusatz von 1 g Hydrochinon in einem geschlossenen Rohr 9 Stdn. auf 140° erhitzt. Die Reaktionstemp. muß langsam und sorgfältig erreicht werden, da bei einigen Ansätzen eine unkontrollierbare exotherme Reaktion beobachtet wurde. Aufgearbeitet wird durch Destillation; Ausbeute: 90% d.Th.; Kp_{20}: 78–80°[5].

ⓑ Trockenes Butadien-(1,3) wird in eine Lösung, die 3,3 g Zinn(IV)-chlorid in 100 ml Benzol enthält, bei 20° eingeleitet. Man fügt 5,0 g Butenon hinzu, rührt eine weitere Stde. bei 20°, zersetzt das niedergeschlagene Reaktionsprodukt zuerst durch Zugabe von Methanol dann von Wasser, trennt die organische Schicht ab, trocknet sie über Magnesiumsulfat und destilliert; Ausbeute: 73% d. Th.; Kp_{20}: 78–79°[2,3].

Die Reaktion mit leicht flüchtigen Dienen wie Butadien-(1,3) oder Pentadien-(1,3) (Piperylen) sind experimentell wegen der starken exothermen Reaktion und wegen der Polymerisationsfreudigkeit der Komponenten nicht immer leicht durchzuführen. Man löst dieses Problem durch Arbeiten in wäßriger Dispersion in Anwesenheit von Polymerisationsinhibitoren und eines Dispergier- oder Emulgiermittels, das die Löslichkeit der Reaktionskomponenten in Wasser vergrößert[6].

4-Acetyl-cyclohexen-(1):

ⓒ 427 g Butenon und 315 Gewichtsteile Butadien-(1,3) werden in einer Lösung emulgiert, die 1600 ml Wasser und 40 g eines Emulgators (Dodecylpolyoxyäthylen = Additionsprodukt aus 1 Mol Dodecanol und 20 Mol Äthylenoxid) 20 g Natriumacetat und 10 g Hyrdochinon enthält. Das ganze wird 24 Stdn. in einem Druckgefäß unter Rühren auf 60° erhitzt. Danach wird mit Wasserdampf destilliert, vom Wasser abgetrennt und destilliert; Ausbeute: ~ 100% d. Th.; Kp_{17}: 78°.

ⓓ 22 g 4-Hydroxy-2-oxo-butan, das durch Umsetzung von Aceton mit Paraformaldehyd erhältlich ist, werden mit 60 ml Butadien in 80 ml Toluol 15 Stdn. auf 180° erhitzt. Nach dem Abkühlen destilliert man i. Vak.; Ausbeute: 15 g (48% d.Th.); Kp_{17}: 78–80°[7].

---

[1] A. N. Nesmeyanov, M. I. Rybinskaja u. N. K. Kochetkov, Izv. Akad. SSSR 1955, 187; C. A. 50, 9360 (1956).
A. N. Nesmeyanov u. M. I. Rybinskaja, Doklady Akad. SSSR 115, 315 (1957); C. A. 52, 7158 (1958).

[2] R. Robinson u. G. J. Fray, Am. Soc. 83, 249 (1961).

[3] Brit.P. 835840 (1958), Shell Research Ltd., Erf.: R. Robinson u. G. J. Fray; C. A. 45, 24614 (1960).

[4] E. F. Lutz u. G. M. Bailey, Am. Soc. 86, 3899 (1964).

[5] W. K. Johnson, J. Org. Chem. 24, 864 (1959).
DRP 755875 (1936), I. G. Farb., Erf.: H. Vollmann, H. Jockusch u. K. Meisenberg.
A. A. Petrov, Ž. obšč. Chim. 11, 309 (1941); C. A. 35, 5873 (1941).
A. A. Petrov u. N. P. Sopov, Ž. obšč. Chim. 17, 497, 1295 (1947); Doklady Akad. SSSR 53, 51 (1946); C. A. 42, 1910 (1948).

[6] US.P. 2262002 (1938), I. G. Farb., Erf.: H. Hopff u. C. W. Rautenstrauch, C. A. 36, 1046 (1942).

[7] J. Brougidou u. H. Christol, Bl. 1966, 1693.

Tab. 231. Addition von Dienen an Butenon

Dien	Lösungsmittel	Zeit [Stdn.]	Temperatur [°C]	Reaktionsprodukt	Ausbeute [%d.Th.]	Literatur
Isopren	—	3	120–130	1-Methyl- und 2-Methyl-4-acetyl-cyclohexen	75	1,2
	—	5	200	2,3 Teile 1-Methyl- und 1 Teil 2-Methyl-4-acetyl-cyclohexen	81	3
2,3-Dimethyl-butadien	—	9	140	1,2-Dimethyl-4-acetyl-cyclohexen	75–80	1
Pentadien-(1,3)	Toluol	6	120–140	3-Methyl-4-acetyl-cyclohexen	75	1
1-Phenyl-butadien-(1,3)	Benzol	8	R	2-Phenyl-3-acetyl-cyclohexen	54	4
2-(4-Methoxy-phenyl)-butadien	Benzol	2	R	1-(4-Methoxy-phenyl)-4-acetyl-cyclohexen	84	5
2-Fluor-butadien	Toluol	10	140	1-Fluor-4-acetyl-cyclohexen	73	6
2-Chlor-butadien	—	5	R	1-Chlor-4-acetyl-cyclohexen	90	7
2-Methoxy-butadien	Benzol	16	130	1-Methoxy-4-acetyl-cyclohexen	70	8
trans-trans-Octadecadien-(9,11)-säure	Chloroform	24	150	8-[4-Hexyl-5-(und -6)-acetyl-cyclohexen-(2)-yl]-octansäure	67	9
α-Eleostearinsäure-methylester[Octadecatrien-(cis-9,trans-11,trans-13)-säure-methylester]	Benzol	16	150	10-[4-Butyl-5-(und -6)-acetyl-cyclohexen-(2)-yl]-decen-(9)-säure	68	10

[1] A. A. PETROV u. N. P. SOROV, Ž. obšč. Chim. 11, 309 (1941); C. A. 35, 5873, (1941), 17, 497, 1295 (1947); Doklady Akad. SSSR 53, 531 (1946); C. A. 42, 1910 (1948).

[2] K. ALDER u. W. VOGT, A. 564, 109 (1949).

[3] Y. A. TITOV u. A. J. KUZNETSOVA, Izv. Akad. SSSR 1960, 1297; C. A. 55, 1479 (1961).

A. MANJARREZ, T. RIOS u. A. GUZMAN, Tetrahedron 20, 333 (1964).

[4] G. A. ROBB u. E. C. COYNER, Am. Soc. 71, 1832 (1949).

L. REICH u. E. J. BECKER, Am. Soc. 71, 1834 (1949).

[5] E. BUCHTA u. G. SATZINGER, B. 92, 449 (1959).

[6] A. A. PETROV u. A. V. TUMANOVA, Ž. obšč. Chim. 26, 2744 (1956); C. A. 51, 7325 (1957).

[7] DRP 755875 (1936), I. G. Farben, Erf.: H. VOLLMANN, H. JOCKUSCH u. K. MEISENBURG.

US.P. 1967862 (1934), DuPont, Erf.: W. H. CAROTHERS u. A. COLLINS; C. A. 28, 5994 (1934).

A. A. PETROV u. N. P. SOROV, Ž. obšč. Chim. 17, 1295 (1947); C. A. 42, 1910 (1948).

[8] A. A. PETROV, Ž. obšč. Chim. 17, 538 (1947); C. A. 42, 881 (1948).

[9] H. M. TEETER et al., J. Org. Chem. 22, 512 (1957).

[10] L. L. PLACEK u. W. G. BICKFORD, J. Amer. Oilchemists' Soc. 36, 463 (1959).

Tab. 231 (1. Fortsetzung)

Dien	Lösungs-mittel	Zeit [Stdn.]	Tempera-tur [°C]	Reaktionsprodukt	Ausbeute [% d.Th.]	Literatur
Cyclopentadien	—	—	20	5-Acetyl-bicyclo[2.2.1]hepten-(2)	100	1
Cyclohexadien-(1,3)	—	8-10	140	5-Acetyl-bicyclo[2.2.2]-octen-(2)	50	2,3
Hexachlor-cyclopentadien	1 ml Eisessig	24	100	1,2,3,4,7,7-hexachlor-5-acetyl-bicyclo[2.2.1]hepten-(2)	40	4
ω,ω-Diphenyl-fulven	—	—	20	endo-7-Diphenylmethylen-5-acetyl-bicyclo[2.2.1]hepten-(2)	gut	5
2,3-Bis-[methylen]-bicyclo [2.2.1]heptan	—	3	100	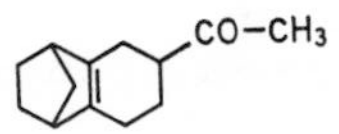 4-Acetyl-tricyclo[6.2.1.0^{2,7}]undecen-(2')	55	6
1,1'-Bicyclohexen-(1)-yl	—	30	Rückfluß	9-Acetyl-1,2,3,4,5,6,7,8,9,10-hexahydro-phenanthren	90	7,8
1,1'-Bicyclopenten-(1)-yl	—	2	Rückfluß	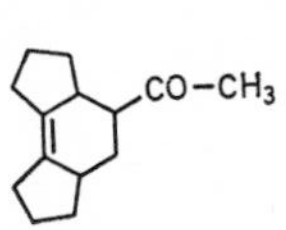 7-Acetyl-tricyclo[7.3.0.0^{2,6}]dodecen-(1)	80	9

[1] A. F. PLATE u. T. A. MEEROVICH, Izv. Akad. SSSR 1947, 219; C. A. 42, 5440 (1948).
[2] A. A. PETROV, Ž. obšč. Chim. 11,, 309 (1941); C. A. 35, 5873 (1941).
[3] R. R. SAUERS u. J. A. WHITTLE, J. Org. Chem. 34, 3579 (1969).
[4] E. A. PRILL, Am. Soc. 69, 62 (1947).
[5] K. ALDER, F. W. CHAMBERS u. W. TRIMBORN, A. 566, 27 (1950).
[6] K. ALDER u. A. GRELL, B. 89, 2198 (1956).
[7] Y. A. ARBUSOV u. Y. A. VOLKOV, Ž. obšč. Chim. 29, 3279 (1959); engl.: 3242.
[8] Verwendet man anstelle von Butenon, dessen Precursor, 2-Oxo-butan und erhitzt mit Bi-[cyclohexen-(1)-yl] in Octan und in Gegenwart von 7% Kaliumacetat, so erhält man das Addukt in einer Ausbeute von 74%; E. D. BERGMANN, H. DAVIES u. R. PAPPO, J. Org. Chem. 17, 1331 (1952).
[9] G. LE GUILLANTON, C. r. [C] 273, 77 (1971).

Tab. 231 (2. Fortsetzung)

Dien	Lösungsmittel	Zeit [Stdn.]	Temperatur [°C]	Reaktionsprodukt	Ausbeute [% d.Th.]	Literatur
Anthracen	Benzol + 0,18 Mol SnCl₄	—	20	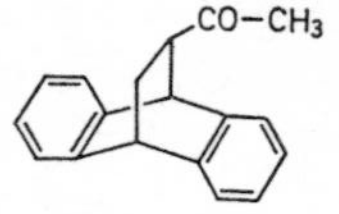 11-Acetyl-⟨dibenzo-bicyclo[2.2.2]octadien⟩	46	1
2H-Pyron	—	—	—	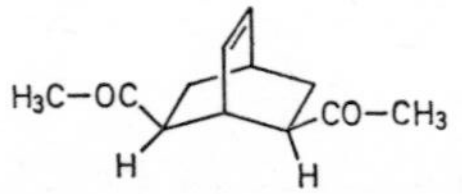 5,8-Diacetyl-bicyclo[2.2.2]octen-(2) 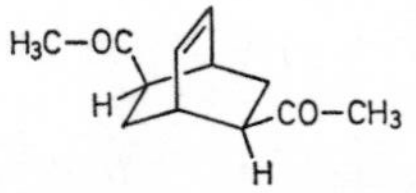 5,7-Diacetyl-bicyclo[2.2.2]octen-(2)	—	2
6-Methoxy-1-vinyl-3,4-di-hydro-naphthalin	Hepten	4	Rückfluß	7-Methoxy-2-acetyl-1,2,3,9,10,10a-hexahydro-phenanthren	—	3,4
4-Methyl-styrol	—	—	—	4,7-Dimethyl-1-acetyl-tetralin	—	5
Äthyl-vinyl-diazen	—	500	100	 1-Äthyl-6-acetyl- + 1-Äthyl-5-acetyl-1,4,5,6-Tetrahydro-pyridazin 60 : 40	—	6

[1] G. J. Fray u. R. Robinson, Am. Soc. 83, 249 (1961). Brit. P. 835840 (1958) Shell Research Ltd., Erf.: R. Robinson u. G. J. Fray; C.A. 54, 24614 (1960).

[2] H. E. Zimmermann u. R. M. Paufler, Am. Soc. 82, 1514 (1960).

[3] DAS 1068253 (1958) ≡ US.P. 2894958 (1959), Hoffmann La Roche u. Co., Erf.: M. W. Goldberg u. W. E. Scott, C. A. 53, 20010 (1959).

[4] A. J. Birch u. B. Mekagne, Austral. J. Chem. 23, 341 (1970).

[5] O. P. Vig, G. Singh, R. C. Gupta u. K. L. Matta, J. Indian Chem. Soc. 47, 597 (1970).

[6] K. N. Zelenin u. Z. M. Matveeva, Ž. org. Chem. 6, 723, 717 (1970); engl.: 725, 719.

Tab. 232. Addition von α,β-ungesättigten Ketonen an Diene

Vinylketon	Dien	Lösungsmittel	Zeit [Stdn.]	Temperatur [°C]	Addukt	Ausbeute [% d.Th.]	Literatur
4-Chlor-3-oxo-buten-(1)	Isopren	Toluol	9	95	1-Methyl-4-chloracetyl-cyclohexen	93	1
3-Oxo-2-methyl-buten-(2)	Butadien-(1,3)	Überschuß an Dien(3:1)	6	140	4-Methyl-4-acetyl-cyclohexen	68	2
Hexen-(3)-on-(2)	Butadien-(1,3)	—	12	165	trans-5-Äthyl-4-acetyl-cyclohexen	30	3
4-Oxo-6-methyl-hepten-(trans-2)	1-Methoxy-cyclo-hexadien-(1,3)	—	96	180	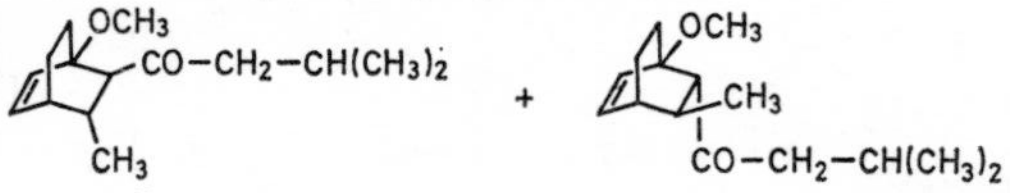 4-Methoxy-6-methyl-5-(3-methyl-butanoyl)-bicyclo[2.2.2]octen-(2)	80	4
1-Chlor-3-oxo-buten-(1)	Butadien-(1,3)	Benzol	10	110	5-Chlor-4-acetyl-cyclohexen	60	5
	Cyclopentadien	—	0,25 dann 1	20 Wasserbad	6-Chlor-5-acetyl-bicyclo[2.2.1]hepten-(2)	88	6—8

[1] Y. A. ARBUSOV u. B. L. DYATKIN, Doklady Akad. SSSR 111, 1249 (1956); C. A. 51, 9503 (1957).
[2] V. S. MARKEVICH u. L. I. GAMAGA, Ž. prikl. Chim. 45, 2304 (1972); engl.: 2409.
[3] E. BERGMANN u. C. RESNIK, J. Org. Chem. 17, 1291 (1952).
    E. E. VAN TAMELEN, P. E. ALDRICH u. T. J. KATZ, Am. Soc. 79, 6427 (1957).
[4] A. J. BIRCH, P. L. McDONALD u. V. H. POWELL, Tetrahedron Letters 1969, 351.
    A. J. BIRCH u. J. S. HILL, Soc. [C] 1966, 419.
[5] N. K. KOCHETKOV u. G. V. ALEKSANDROVA, Doklady Akad. SSSR 85, 1033 (1952); C. A. 47, 7449 (1953).
[6] A. N. NESMEYANOV et al., Doklady Akad. SSSR. 82, 409 (1952); C. A. 47, 6876 (1953); Izv. Akad. SSSR 1955, 649; engl.: 579.
[7] N. K. KOCHETKOV u. J. A. CHORLIN, Ž. obšč. Chim. 26, 3430 (1956); C. A. 51, 9603 (1957).
[8] Über weitere Diels-Alder-Reaktionen mit (β-Chlor-vinyl)-ketonen s. A. E. POHLAND u. W. R. BENSON, Chem. Reviews, 66, 161, 167 (1966).

Tab. 232 (1. Fortsetzung)

Vinylketon	Dien	Lösungsmittel	Zeit [Stdn.]	Temperatur [°C]	Addukt	Ausbeute [% d.Th.]	Literatur
3-Oxo-3-phenyl-propen	Isopren	—	12	100	1-Methyl-4-benzoyl-cyclohexen	66	[1,2]
	Pentadien-(1,3)	Toluol	12	Rückfluß	3-Methyl-5-benzoyl-cyclohexen	80	[3]
	Cyclohexadien-(1,3)	—	7	100	5-Benzoyl-bicyclo[2.2.2]octen-(2)	65	[2]
3-Oxo-1-phenyl-buten-(1)	Butadien-(1,3)	—	10	180	trans-5-Phenyl-4-acetyl-cyclohexen	47	[4]
Chalkon	2,3-Dimethyl-butadien	Überschuß an Dien (3:1)	24	Rückfluß	1,2-Dimethyl-5-phenyl-4-benzoyl-cyclohexen	46	[5]
4-Oxo-4-phenyl-buten-(2)-säure-nitril	Cyclopentadien	Benzol	2	Rückfluß	6-Benzoyl-5-cyan-bicyclo[2.2.1]hepten-(2)	64	[6]
3-Chlor-4-oxo-trans-penten-(2)	Butadien-(1,3)	—	2, dann 24	160, 130	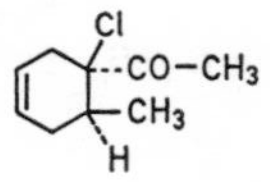 (Cl, CO—CH₃, CH₃, H) 4-Chlor-5-methyl-trans-4-acetyl-cyclohexen	53	[7]
1-Phenoxy-3-oxo-buten-(1)	Cyclopentadien	—	15	155	6-Phenoxy-5-acetyl-bicyclo[2.2.1]hepten-(2)	29	[8]

[1] C. F. H. Allen et al.. Am. Soc. 62, 656 (1940).
[2] Y. A. Arbusov u. N. N. Bulatova, Ž. obšč. Chim. 33, 2045 (1963); engl.:1991.
[3] M. J. Ševčuk, N. J. Ganuščak u. A. V. Dombrovekij, Ž. obšč. Chim. 2258.
[4] H. E. Zimmermann, Am. Soc. 79, 6554 (1957). N. A. Natsinskaya u. A. A. Petrov, Ž. obšč. Chim. 11, 665 (1941); C.A. 35, 6934 (1941).
[5] H. Fiesselmann u. J. Ribka, B. 89, 27 (1956).
[6] A. N. Nesmeyanov u. M. J. Rybinskaya, Doklady Akad. SSSSR. 115, 315 (1957); C. A. 52, 7158 (1958).
[7] G. Strock u. I. J. Borowitz, Am Soc. 82. 4307 (1960).
[8] A. N. Nesmeyanov et al., Doklady Akad. SSSR. 82, 409 (1952); C. A. 47, 6876 (1953); Izv. Akad. SSSR. 1955, 649; engl.: 579.

Tab. 232 (2. Fortsetzung)

Vinylketon	Dien	Lösungs-mittel	Zeit [Stdn.]	Tempera-tur [°C]	Adddukt	Ausbeute % d.Th.	Litera-tur
4-Methoxy-3-oxo-buten-(1)	Cyclohexadien-(1,3)	—	zuerst dann 7	20 100	5-(Methoxy-acetyl)-bicyclo[2.2.2]octen-(2)	72	1
Hexadien-(1,2)-on-(4)	Cyclopentadien-(1,3)	—	—	—	6-Methylen-5-propionyl-bicyclo[2.2.1]hepten-(2)	95	2
Hexen-(3)-dion-(2,5); trans- oder cis	1-Acetoxy-butadien-(1,3)	Alkohol	24	Rückfluß	3-Acetoxy-4,5-diacetyl-cyclohexen	82	3
1,4-Dioxo-1,4-diphenyl-trans-buten-(2)	Butadien-(1,3)	Äthanol	2	100	trans-4,5-Dibenzoyl-cyclohexen	100	4
	2,6-Bis-[2-phenyl-vinyl]-4H-pyron	Anisol	25	Rückfluß	4-Oxo-2-(2-phenyl-vinyl)-7-phenyl-5,6-dibenzoyl-4a,5,6,7-tetrahydro-4H-chromen	15	5
Pentadien-(1,4)-on-(3)	Butadien-(1,3)	—	144	5–20	3-Oxo-3-cyclohexen-(3)-yl-propen + Dicyclohexen-(3)-yl-keton	53 17	6
Butin-(1)-on	Butadien-(1,3)	—	3	130	1-Acetyl-cyclohexadien-(1,4)	75	7

[1] J. A. Arbusov, K. V. Vatsuro u. J. P. Volkov, Ž. obšč. Chim. **29**, 2857 (1959); engl.: 2817.

[2] M. Bertrand u. J. LeGras, C. r. **259**, 404 (1964).

[3] R. Riemschneider u. P. Claus, M. **93**, 844 (1962).
E. Maekawa, Bl. chem Soc. Japan **33**, 205 (1960).

[4] R. Adams u. M. H. Gold, Am. Soc. **62**, 56, 60 (1940).

[5] G. Aziz, J. Org. Chem. **27**, 2954 (1962).

[6] DRP 755875 (1936), I. G. Farben, Erf.: H. Vollmann, H. Jockusch u. K. Meisenburg.

[7] K. Bowden u. E. R. H. Jones, Soc. **1946**, 52; Soc. **1949**, 607.
A. A. Petrov, Doklady Akad. SSSR **53**, 527 (1946); C. A. **41**, 3070 (1947).
A. A. Petrov, Ž. obšč. Chim. **17**, 497 (1947); C. A. **42**, 881 (1948).

Tab. 232 (3. Fortsetzung)

Vinylketon	Dien	Lösungsmittel	Zeit [Stdn.]	Temperatur [°C]	Addukt	Ausbeute [% d.Th.]	Literatur
1,4-Dioxo-1,4-diphenyl-butin-(2)	Cyclopentadien	Äther	—	20	2,3-Dibenzoyl-bicyclo[2.2.1]heptadien-(2,5)	100	1
4-Oxo-4-phenyl-trans-buten-(2)-säure	Cyclopentadien	Benzol	12	20	endo- und exo-trans-6-Benzoyl-bicyclo[2.2.1]hepten-(2)-5-carbonsäure (45 : 55 Teile)	92	2
4-Oxo-penten-(2)-säure	Butadien-(1,3)	Benzol	12	100	5-Acetyl-cyclohexen-(1)-4-carbonsäure	70	3
4-Oxo-4-phenyl-butin-(2)-säure-methylester	Butadien-(1,3)	—	18	45	2-Benzoyl-cyclohexadien-(1,4)-1-carbonsäure-methylester	85	4
2-Acetyl-buten-(2)-äthylester	Butadien-(1,3)	—	12	180	5-Methyl-4-acetyl-cyclohexen-(1)-4-carbonsäure-äthylester	92	5
3-Oxo-2-äthoxymethylen-butansäure-äthylester	2,3-Dimethyl-butadien	—	12	180	5-Äthoxy-1,2-dimethyl-4-acetyl-cyclohexen-(1)-4-carbonsäureäthylester	62	5
Hexadien-(1,2)-on-(4)	2,3-Dimethyl-butadien	—	4	110–120	1,2-Dimethyl-5-methylen-4-propanoyl-cyclohexen	83	6

[1] G. Dupont u. J. E. Germain, C. r. 223, 743 (1946).
s. a. G. Dupont u. C. Paquot, C. r. 205, 805 (1937).
[2] F. Winternitz, M. Mousseron u. G. Rouzier, Bl. 1955, 170; C. r. 237, 1529 (1953).
s. a. V. R. Skvarcenko, V. A. Pučnova u. R. J. Levina, Doklady Akad. SSSR 145, 831 (1962); C. A. 57, 16514 (1962).
L. F. Fieser u. N. Fieser, Am. Soc. 57, 1679 (1935).
H. L. Holmes et al., Am. Soc. 70, 141 (1948).
[3] S. Dixon u. L. F. Wiggins, Soc. 1954, 594.
[4] T. Y. Shen u. M. C. Whiting, Soc. 1950, 1772.
[5] K. Alder u. H. F. Rickert, B. 72, 1989 (1939).
US.P. 2264354 (1938) I. G.Farben, Erf.: K. Alder u. H. F. Rickert; C. A. 36, 1615 (1942).
s. a. B. A. Arbusov u. E. G. Kataev, Ž. obšč. Chim. 20, 68 (1950); C. A. 44, 5827 (1950).
[6] M. Bertrand u. J. LeGras, Bl. 1967, 4336.

β) Cyclische α,β-ungesättigte Ketone als Dienophile in der Diels-Alder-Reaktion

Zur Herstellung von Naturstoffen, besonders von „Steroidketonen", ist die Diels-Alder-Reaktion von α,β-ungesättigten Ketonen mit Dienen häufig mit Erfolg angewendet worden. So konnten auf diesem Wege hydrierte Cyclopenta-[e]-phenanthrene, Chrysene, Cyclopenta-[e]-fluorene, Benzofluorene und deren Schwefelanaloga synthetisiert werden[1].

Die cyclischen α,β-ungesättigten Ketone zeigen viel weniger ausgeprägte dienophile Eigenschaften als die Vinylketone[2]. Meistens sind Temperaturen von 150 – 250° erforderlich, um eine Addition an Diene zu bewirken. Cyclopenten-(1)-one-(3) und Cyclohexen-(1)-one-(3) (I) reagieren etwa bei 175–200°, ihre α-methylsubstituierten Homologen II ungefähr bei 220–240° (Überschuß an Keton ist meistens notwendig).

Erleichtert wird die Addition durch Einführung einer zweiten Oxo-Gruppe. Dadurch sind Reaktionstemperaturen von 100–150° bei Cyclopenten-(1)-dione-(3,4) (III) und von 20–100° bei Cyclopenten-(1)-dione-(3,5) (IV) und Cyclohexen-(1)-dione-(3,6) (V) möglich. Gleichzeitig damit erzielt man auch eine höhere Ausbeute der betreffenden Addukte (s. Tab. 233, S. 1762).

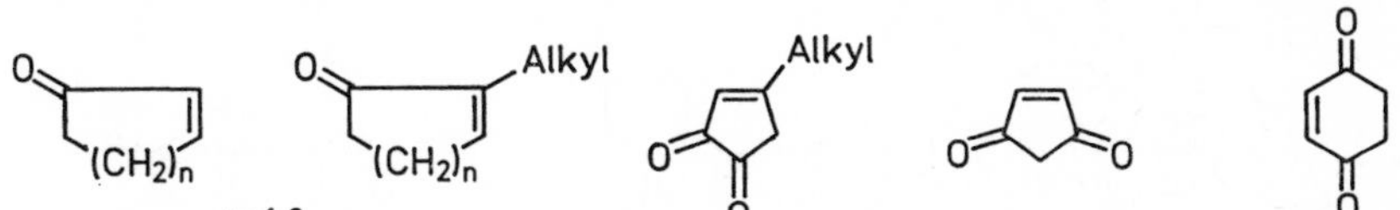

Cyclopenten-(1)-one-(3), die in 3-Stellung durch eine Methyl-Gruppe substituiert sind, reagieren nicht mehr mit Dienen[3]. Bei dem Versuch, 3-Oxo-1-methyl-cyclopenten-(1) (VI) mit 2-Methoxy-butadien bei 200° umzusetzen, entstanden durch Selbstkondensation *1-Methyl-3-(4-oxo-2-methyl-cyclopentyliden)-cyclopenten-(1)* (VII) und 1-Methoxy-4-(1-methoxy-vinyl)-cyclohexen (VIII) als Reaktionsprodukte:

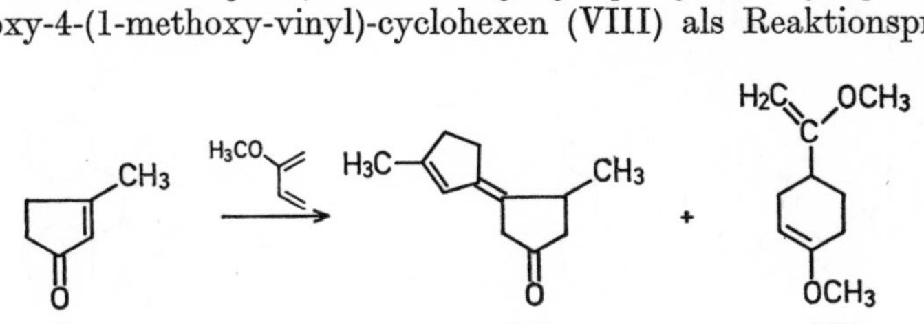

Die hohe Dienophilie der Cyclopentadienone (Bildung dimerer Diels-Alder-Addukte s. S. 1728) zeigt auch das Indenon. Mit Butadien-(1,3) bildet, „in situ" aus 1,1-Äthylendioxy-7-methyl-inden und Spuren Säure in Freiheit gesetztes, 1-Oxo-7-

---

[1] K. Alder u. M. Schumacher, Fortschr. Ch. Org. Naturst. **10**, 69 (1958).
    J. V. Torgov, T. I. Sorkina u. J. J. Zaretskaya, Bl. **1964**, 2063.
[2] Über die mit Cyclenonen durchgeführten Diels-Alder-Reaktionen bis 1946 referiert: L. W. Butz, Organic Reactions V, 136 (1949).
[3] R. M. Acheson, Soc. **1952**, 3415.

methyl-inden schon bei 20° ein Addukt, das *cis-9-Oxo-8-methyl-1,9a,4,4a-tetrahydro-fluoren* (62,5% d.Th.)[1]. 1,1-Äthylendioxy-inden kann erst bei 180° mit Butadien-(1,3) zur Reaktion gebracht werden[2]:

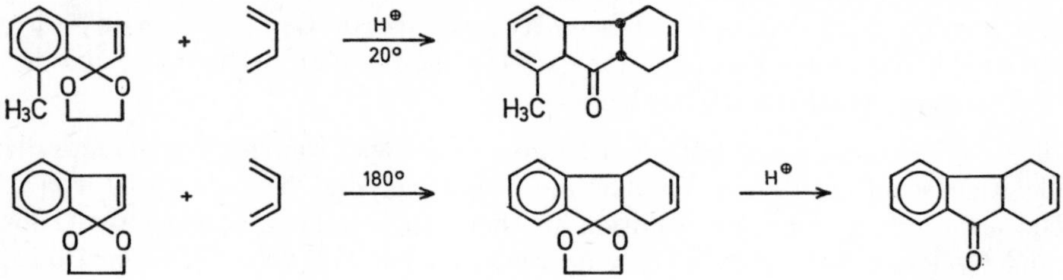

*9-Oxo-1,4,4a,9a-
tetrahydro-fluoren*

Substitution durch Chlor oder Methyl an der Doppelbindung des Indenons mindert die dienophile Aktivität. Das gut zugängliche 2,3-Dichlor-1-oxo-inden liefert so unter gleichzeitiger Chlorwasserstoff-Eliminierung oberhalb 160° mit 1,4-Diphenyl-butadien-(1,3), Bi-cyclohexen-(1)-yl oder 3-Chlor-2-methyl-butadien folgende Fluorenone[3]:

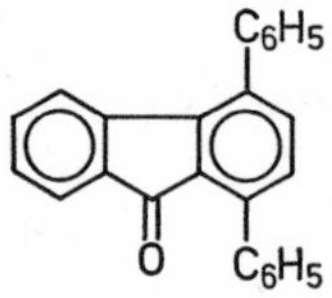

9-Oxo-1,4-diphenyl-fluoren 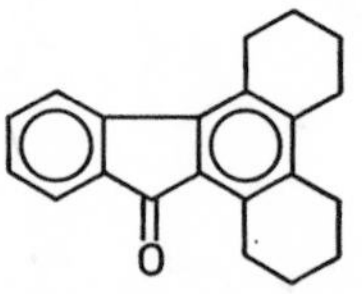   *13-Oxo-1,2,3,4,5,6,7,8-
octahydro-13H-⟨indeno-
[1,2-l]-phenanthren⟩*   *3-Chlor-9-oxo-2-methyl-fluoren*

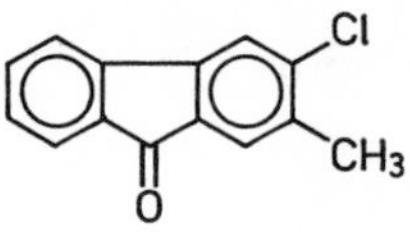

1-Oxo-2,3-dimethyl-inden reagiert mit Bi-cyclohexen-(1)-yl bei 200° zu einem Dibenzo-fluoren-Derivat[4]:

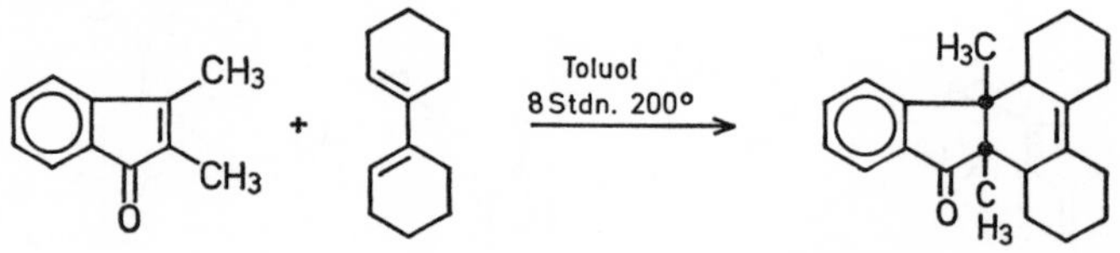

Toluol
8 Stdn. 200°

*13-Oxo-8b,13a-dimethyl-1,2,3,4,
5,6,7,8,8a,8b,13a,13b-dodecahydro-
13H-⟨indeno-[1,2-l]phenanthren⟩*

Der regiochemische Verlauf der Addition der substituierten Cyclenone an 1-Vinyl-cyclohexene (I), 7-Vinyl-bicyclo[4.3.0]nonen-(7) (II), hydrierte 4-Vinyl-naphthaline

[1] H. O. House u. R. G. Carlson, J. Org. Chem. **29**, 74 (1964).

[2] H. O. House et al., Am. Soc. **82**, 1457 (1960).

[3] E. D. Bergmann u. R. Barshai, Am. Soc. **81**, 5641 (1959).

[4] C. Weizmann, E. Bergmann u. T. Berlin, Am. Soc. **60**, 1331 (1938).

III–VII[1], die für die Synthese zahlreicher Naturstoffe von Bedeutung ist, nimmt manchen überraschenden Verlauf.

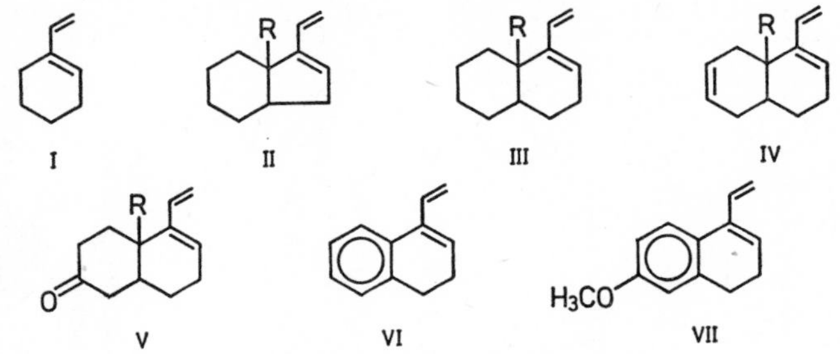

Wie diffizil a priori eine Beurteilung der strukturellen Orientierung ist, lehrt folgendes Beispiel. 6-Methoxy-1-vinyl-3,4-dihydro-naphthalin (VIII) addiert an 4,5-Dioxo-1,3-dimethyl-cyclopenten-(1) zu einem Additionsprodukt mit einer angularen Methyl-Gruppe an C_{14} (35% d.Th.)[2], mit 6-Methoxy-1-(2-acetoxy-vinyl)-3,4-dihydro-naphthalin (IX) (in Methanol unter Rückfluß)[3] wird dagegen unter Eliminierung von Essigsäure ein Derivat des 14β-Östrons erhalten (40–45% d.Th.)[2]. 4,5-Dioxo-3-methyl-cyclopenten-(1) wiederum bildet mit VIII beide Addukt-typen nebeneinander[4] (s.a. Tab. 233, S. 1762):

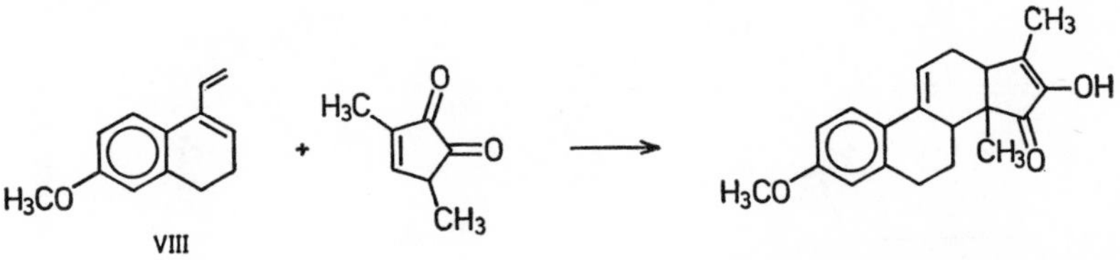

16-Hydroxy-3-methoxy-15-oxo-14,17-dimethyl-6,7,8,12,13,14-hexahydro-15H-⟨cyclopenta-[a]-phenanthren⟩

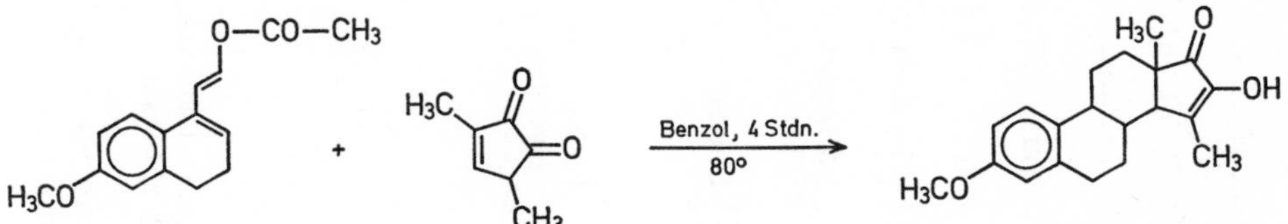

16-Hydroxy-3-methoxy-17-oxo-15-methyl-östratetraen-(1,3,5[10],15)

[1] A. S. ONISHCHENKO, *Diene Synthesis*, S. 416–446, Oldbourne Press, London 1964.
[2] J. V. TORGOV, T. J. SOROKINA u. J. J. ZARETSKAYA, Bl. **1964**, 2063.
[3] T. J. SOROKINA, J. J. ZARETSKAYA u. J. V. TORGOV, Doklady Akad. SSSR **129**, 345 (1959); C. A. **54**, 7659 (1960).
    F. WINTERNITZ u. J. DIAZ, Bl. **1960**, 417.
[4] G. SINGH, Am. Soc. **78**, 6109 (1956).

Tab. 233. Addition von Cyclenonen an Diene

Cyclenon	Dien	Lösungs-mittel	Zeit [Stdn.]	Tempera-tur [°C]	Addukt	Ausbeute [% d.Th.]	Litera-tur
Cyclopenten-(1)-on-(3)	Butadien-(1,3)	1,4-Dioxan	40	120—160	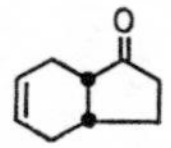 cis-7-Oxo-bicyclo[4.3.0]nonen-(3)	—	1
Cyclohexen-(1)-on-(3)	Butadien-(1,3)	—	72	190	7-Oxo-bicyclo[4.4.0]decen-(3)	11	2
3-Oxo-2-methyl-cyclopenten	2,3-Dimethyl-butadien	Benzol	15	200	9-Oxo-1,3,4-trimethyl-bicyclo[4.3.0]nonen-(3)	52	3
3-Oxo-2-methyl-cyclohexen	Isopren	—	50	270	10-Oxo-cis-1,4-dimethyl-bicyclo[4.4.0]decen-(3) / 10-Oxo-cis-1,3-dimethyl-bicyclo[4.4.0]decen-(3)	65 (9:1)	4
5-Oxo-1,3-dimethyl-cyclopenten	1-Vinyl-cyclo-cyclohexen	—	60	130	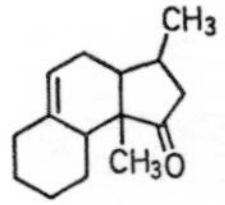 1-Oxo-3,9b-dimethyl-2,3,3a,4,6,7,8,9,9a,9b-decahydro-1H-⟨benzo-[e]-inden⟩ 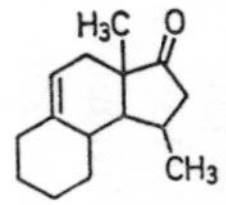 / 3-Oxo-1,3b-dimethyl-1,2,3a,4,6,7,8,9,9a,9b-decahydro-3H-⟨benzo-[e]-inden⟩	25 (4:1)	5

[1] R. Granger, O. F. G. Nau u. C. François, C. r. 254, 4043 (1962). E. Dane u. K. Eder, A. 539, 207 (1939).

[2] P. D. Bartlett u. G. F. Woods, Am. Soc. 62, 2933 (1940).

[3] W. Bockemüller, Ang. Ch. 51, 188 (1938). US.P. 2179809 (1937), Winthrop Chemical Comp., Erf.: W. Bockemüller; C. A. 34, 1823 (1940).

[4] J. N. Nazarov u. G. P. Kugatova, Izv. Akad. SSSR. 1955, 480; C. A. 50, 6405 (1956).

[5] J. N. Nazarov u. T. D. Nagibina, Ž. obšč. Chim. 23, 801 (1953); 18, 1090 (1948); C. A. 48, 9372 (1954); 43, 1333 (1949).

Tab. 233 (1. Fortsetzung)

Cyclenon	Dien	Lösungs-mittel	Zeit [Stdn.]	Tempera-tur [°C]	Addukt	Ausbeute [% d.Th.]	Litera-tur
3,4-Dioxo-2-methyl-cyclo-penten	Butadien-(1,3)	—	40	100	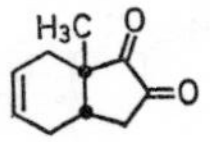 cis-8,9-Dioxo-1-methyl-bicyclo[4.3.0]nonen-(3)	75	1
	1-Vinyl-6-meth-oxy-3,4-di-hydro-naph-thalin	1,4-Di-oxan	50	Rückfluß	cis-15,16-Dioxo-3-methoxy-14-methyl-6,7,11,12,13,14,15,16-octahydro-17H-⟨cyclo-penta-[a]-phenanthren⟩ cis-16,17-Dioxo-3-methoxy-östratetraen-(1,3,5^{10},8)	73	1
Cyclopenten-(1)-dion-(3,5)	Cyclopentadien	Benzol	~1–4	20	6-Hydroxy-8-oxo-tricyclo[5.2.1.0^{2,6}]decadien-(2,6)	100	2
3,5-Dioxo-4,4-dimethyl-cyclopenten	Cyclopentadien	Benzol	16	80	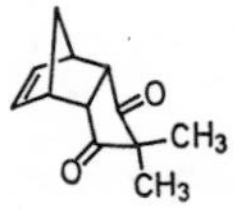 3,5-Dioxo-4,4-dimethyl-tricyclo[5.2.1.0^{2,6}]decen-(8)	48	3

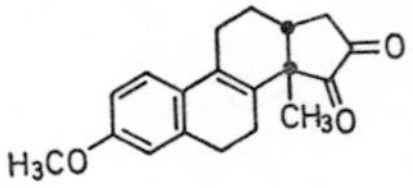

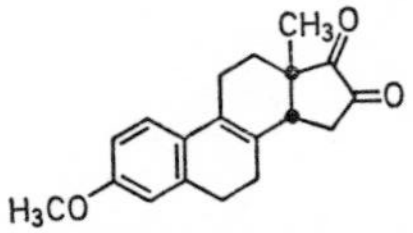

[1] G. Singh, Am. Soc. 78, 6109 (1956).
s.a. E. Dane u. J. Schmitt, A. 537, 246 (1939).
[2] C. H. De Puy u. E. F. Zaweski, Am. Soc. 79, 3923 (1957); 81, 4920 (1959).
V. F. Kucherov u. L. N. Ivanova, Doklady Akad. SSSR. 131, 1077 (1960); C. A. 54, 21021 (1960).
s.a. V. F. Kucherov et al., Izv. Akad. SSSR 1963, 1428; engl.: 1299.
[3] W. C. Agosta u. A. B. Smith, Chem. Commun. 1970, 685.

Tab. 233 (2. Fortsetzung)

Cyclenon	Dien	Lösungs-mittel	Zeit [Stdn.]	Tempera-tur [°C]	Addukt	Ausbeute [% d.Th.]	Litera-tur
3,6-Dioxo-4-methyl-cyclo-hexen-4-carbonsäure-methylester	2,3-Dimethyl-butadien	—	240	50	7,10-Dioxo-3,4,8-trimethyl-bicyclo[4.4.0]decen-(3)-8-carbonsäure-methylester	45	1
3,5-Dioxo-4-acetyl-cyclo-penten-(1)	Butadien-(1,3)	Benzol	96	20	7,9-Dioxo-8-acetyl-bicyclo[4.3.0]nonen-(3)	—	2
4H-Thiapyron-1,1-dioxid	Butadien-(1,3)	1,4-Di-oxan	96	100	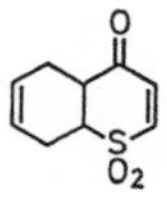 4-Oxo-4a,5,8,8a-tetrahydro-4H-thiachromen-1,1-dioxid	40	3
	Butadien-(1,3)	1,4-Di-oxan	4	150	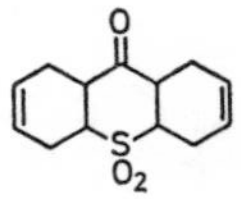 10-Oxo-1,4,4a,5,8,8a,9a,10a-octahydro-10H-thiaxan-then-1,1-dioxid	72	3
4-Oxo-3,6-dimethyl-5,6-dihydro-4H-thiapyran	Butadien-(1,3)	1,4-Di-oxan	6	200	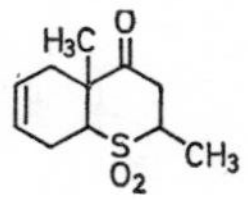 Gemisch aus 2 Stereoisome-ren des cis-4-Oxo-2,4a-di-methyl-2,3,4a,5,8,8a-hexa-hydro-4H-thiachromen-1,1-dioxid	65	4

[1] R. M. LUKES, G. J. POOS u. L. H. SARETT, Am. Soc. 74, 1401 (1952).
[2] M. NILSSON, Acta chem. scand. 18, 441 (1964).
[3] E. A. FEHNEL u. M. CARMACK, Am. Soc. 70, 1813 (1948).
[4] I. N. NAZAROV, J. A. GURVICH u. A. I. KUZNETSOVA, Ž. obšč. Chim. 22, 990, 1405 (1952); C. A. 48, 2577 (1954).

γ) mit Chinonen als Dienophile in der Diels-Alder-Reaktion

γ₁) *1,4-Diketone durch Diels-Alder-Reaktion von p-Chinonen*

Große synthetische Bedeutung besitzt die Diels-Alder-Reaktion von p-Chinonen an Diene[1-3]. Die Reaktion ist wegen der großen Reaktionsfähigkeit der Chinone zur Charakterisierung bzw. zur Prüfung der Additionsfähigkeit von konjugierten 1,3-Dienen häufig ausgeführt worden.

Die „Chinon-Addukte", die cyclische α,β-ungesättigte 1,4-Diketone darstellen und von Bedeutung in der Steroid- und Naturstoffchemie[3-10] sind, lassen sich

ⓐ nach Aromatisierung und Enolisierung unter dem Einfluß von alkoholischer Kalilauge[1] oder Spuren Bromwasserstoff in Eisessig[1], durch Erhitzen[1] oder durch Erhitzen in Eisessig[11] in kondensierte Hydrochinone[1]

ⓑ nach Dehydrierung mit Luft oder dehydrierenden Agentien in kondensierte p-Chinone[1,12,13] überführen

ⓒ selektiv mit Zink und Eisessig[14] oder katalytisch zu kondensierten Cyclohexandionen-(1,4)[15]

[1] Literaturübersicht bis 1946: W. BUTZ, Org. Reactions V, 136 (1949).

[2] A. S. ONISHCHENKO, *Diene Synthesis*, Oldbourne Press, London 1964 (Literatur an vielen Stellen, erfaßt etwa bis 1961, 1962).

[3] K. F. FINLEY, *The addition and substitution chemistry of quinones* in S. PATAI, *The Chemistry of the quinoid compounds* II, S. 877, 986, Wiley and Sons, London · New York · Sidney · Toronto 1974.

[4] Totalsynthese von 11-Desoxy-pregnanen und verwandter Steroide: R. B. WOODWARD et al., Am. Soc. **73**, 2403 1951); **74**, 4223 (1952).

[5] Totalsynthese des Cortison und Dehydrocorticosterons:
L. H. SARETT et al., Am. Soc. **74**, 1393, 4974 (1952); **75**, 422 (1953).

[6] Totalsynthese des Reserpins:
R. B. WOODWARD et al., Am. Soc. **78**, 2023 (1956).

[7] Totalsynthese des Yohimbins:
E. E. VAN TAMELEN et al., Am. Soc. **80**, 5006 (1958).

[8] Totalsynthese des Oestrons:
W. S. JOHNSON et al., Proc. chem. Soc. **1958**, 114.

[9] Literaturübersicht über die Totalsynthese von Steroiden:
J. V. TORGOV, *Recent Developments in the Chemistry of Natural Carbon Compounds*, S. 235–319, Akademici kiado, Budapest 1965.

[10] Literaturübersicht: G. ADAM, *Wege zur Totalsynthese pflanzlicher Steroide*, Z. **3**, 379 (1963).

[11] A. N. GRINEV, V. N. ERMAKOVA u. A. P. TERENTEV, Ž. obšč. Chim. **29**, 86 (1959); engl.: 88.

[12] s.ds. Handb., Bd. VII/3a, Kap. Herstellung von p-Benzo- und -Naphthochinonen.

[13] Literaturübersicht:
J. CARON, Org. Reactions IV, 305 (1948).

[14] H. B. HENBEST, M. SMITH u. A. THOMAS, Soc. **1958**, 3293.
R. E. IRELAND u. J. A. MARSHALL, J. Org. Chem. **27**, 1620 (1962).
K. ALDER u. G. STEIN, A. **501**, 247 (1933).
C. K. CHUANG u. C. T. HAN, B. **68**, 876 (1935).
W. ALBRECHT, A. **348**, 31 (1906).

[15] z.B.: C. F. H. ALLEN et al., Am. Soc. **66**, 1617 (1944).
z.B.: L. H. SARETT et al., Am. Soc. **74**, 1393 (1952).

ⓓ zu kondensierten 1,4-Diolen oder kondensierten Cyclohexandiolen-(1,4) oder Cyclo-
hexanolen[1,2] reduzieren[1,3].

ⓔ photochemisch cyclisieren[4].

Das folgende Formelschema veranschaulicht die verschiedenen Möglichkeiten:

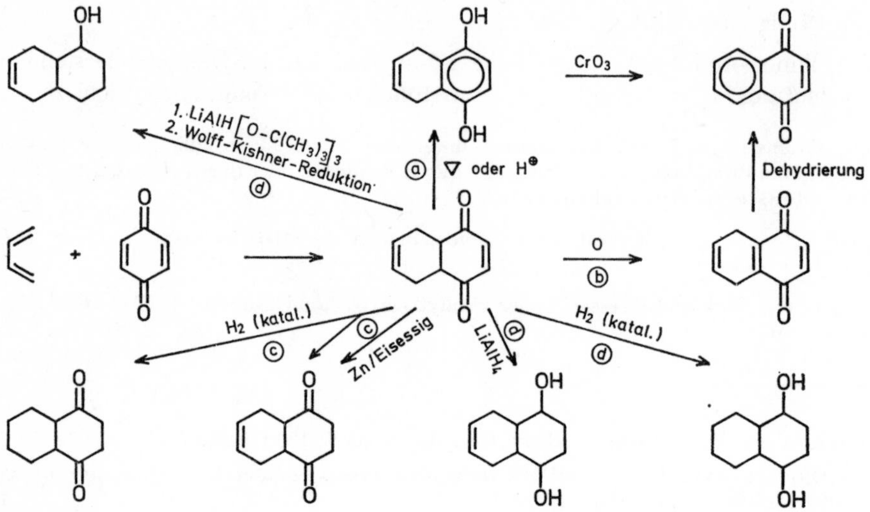

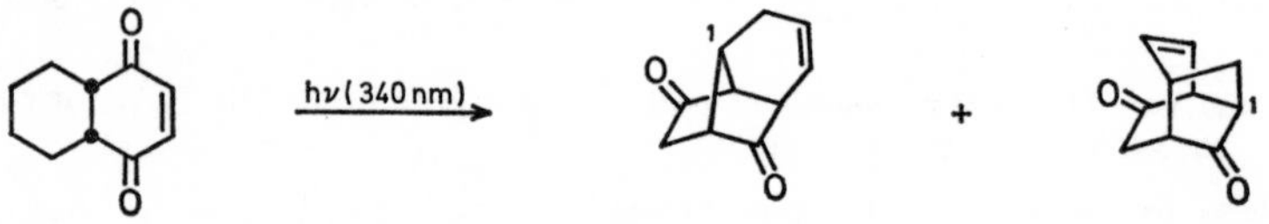

1

*6,9-Dioxo-tricyclo
[5.3.0.0⁵,¹⁰]decen-(3)*

7

*7,10-Dioxo-tricyclo
[4.4.0.0³,⁹]decen-(3)*

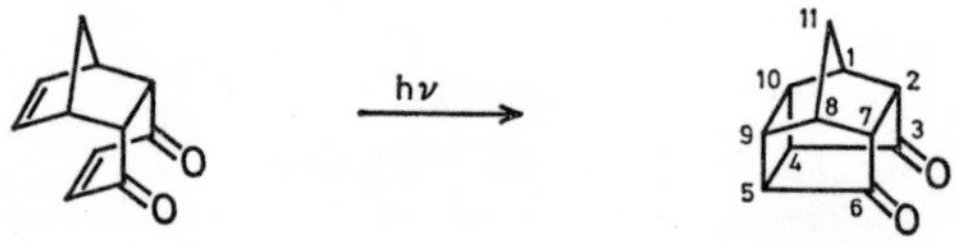

*3,6-Dioxo-pentacyclo
[6.2.1.0²,⁷.0⁴,¹⁰.0⁵,⁹]
undecan*

[1] R. E. Ireland u. J. A. Marshall, J. Org. Chem. **27**, 1620 (1962).

[2] s. a. Whart u. G. O. Spessart, J. Org. chem. **37**, 549 (1972).

[3] z.B.: W. Sandermann u. K. Striesow, B. **90**, 693 (1957).
   z.B.: R. B. Woodward et al., Am. Soc. **74**, 4223 (1952).
   z.B.: J. Meinwald u. G. A. Wiley, Am. Soc. **80**, 3667 (1958).
   z.B.: F. Winternitz u. C. Balmossière, Bl. **1958**, 669.
   z.B.: J. A. Kaye u. R. S. Matthews, J. Org. Chem. **29**, 1341 (1964).

[4] J. R. Scheffer et al., Am. Soc. **93**, 3863 (1971); **94**, 285 (1972).
   R. C. Cookson, E. Grundwell u. J. Hudek, Chem. &. Ind. **1958**, 1003.
   A. W. Chow, D. R. Jakas u. J. R. Hoover, J. med. Chem. **14**, 1242 (1971).

Die p-Chinone sind als Dienophile besonders aktiv. Es wird dies auf die Konjugation der beiden Carbonyl-Gruppen mit den Doppelbindungen zurückgeführt. Daher werden oft, wenn nicht besondere Substitution am Dien oder am Chinon reaktionserschwerend wirken, Additionen bei 0–50° ausgeführt. Bei 60–100° lagern die Addukte des p-Benzochinons ein zweites Molekül Dien zu einem „Bis-dien-chinonaddukt" an. Im Falle des Butadiens-(1,3) lassen sich so in einfacher Weise *cis-2-Oxobicyclo[4.4.0]decadien-(3,8)*[1] und *cis-anti-cis-9,10-Dioxo-1,1a,4,4a,5,5a,8,8a-octahydroanthracen*[2,3] synthetisieren; dabei erfolgt die Addition der zweiten Molekel Butadiens-(1,3) von der sterisch am wenigsten gehinderten Seite (die entgegengesetzt von der Seite der ursprünglichen Addition ist)[3,4]. Das Cyclopentadien-bis-chinon-Addukt hat *endo-cis, anti, endo-cis*-Struktur[5].

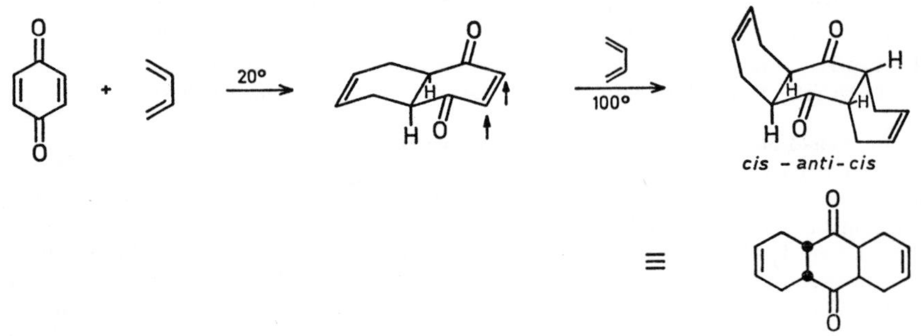

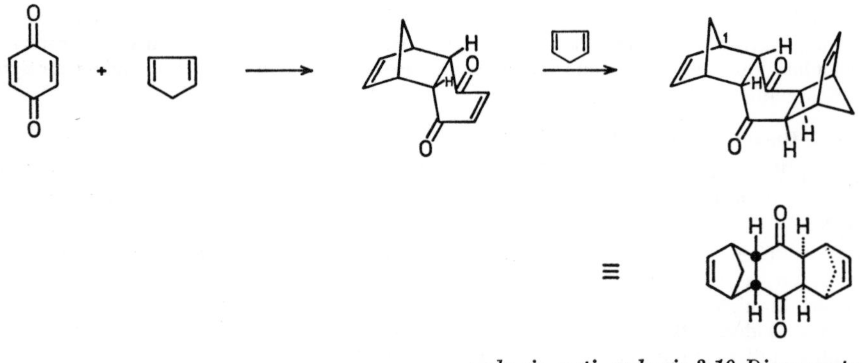

cis – anti – cis

endo-cis, anti, endo-cis-3,10-Dioxo-pentacyclo
[10.2.1.1⁵,⁸.0²,¹¹.0⁴,⁹]hexadecadien-(6,13)

[1] DRP. 494433, 496393 (1928); Frdl. **16**, 1201–1204.
DRP. 498360, 500159/160, 502043, 504646 (1928), I. G. Farb., Erf.: A. Lüttringhaus, H. Neresheimer et al., Frdl. **17**, 1138–1149.

[2] K. Alder u. G. Stein, A. **501**, 247 (1933); Ang. Ch. **50**, 510 (1937).

[3] R. K. Hill u. J. G. Martin, Proc. chem. Soc. **1959**, 390.

[4] s.ds.Handb., Bd. V/1c, Kap. Stereochemie der Diels-Alder-Reaktion, S. 985.

[5] R. K. Hill, J. G. Martin u. W. H. Stouch, Am. Soc. **83**, 4006 (1961).
L. DeVries et al., Chem. & Ind. **1959**, 1416.
N. S. Crossley u. H. B. Henbest, Soc. **1960**, 4413.
R. C. Cookson, R. R. Hill u. J. Hudec, Soc. **1964**, 3043.

Die Bis-Addukte des p-Benzochinons mit Isopren, Cyclohexadien-(1,3), 3-Äthoxy-pentadien-(1,3) und 1-Vinyl-cyclohexen weisen analoge Struktur auf[1–4].

Mit unsymmetrischen Addenden, wie 1-Phenyl-butadien-(1,3), Isopren oder 2-Äthoxy-butadien werden ein oder zwei stellungsisomere „Bis-dien-chinon-Addukte" aufgefunden, z.B. I–III[5,6]:

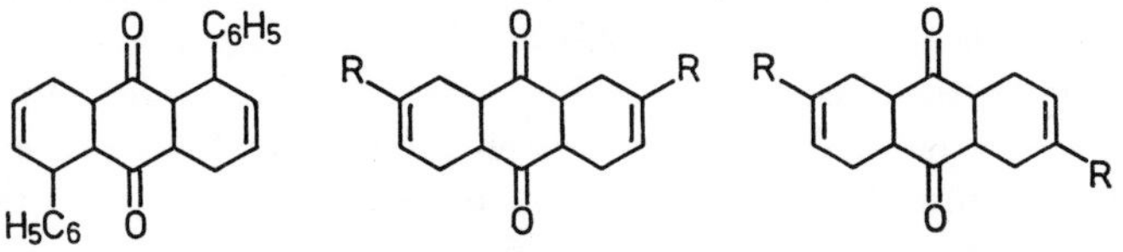

I;   *9,10-Dioxo-1,5-diphenyl-1,4-4a,5,8,8a,9a,10a-octahydro-anthracen*

II; R=CH₃; *9,10-Dioxo-3,6-dimethyl-1,4,4a,5,8,8a,9a,10a-octahydro-anthracen*
     R=OC₂H₅; *9,10-Dioxo-3,6-diäthoxy-1,4,4a,5,8,8a,9a,10a-octahydro-anthracen*

III; R=CH₃; *9,10-Dioxo-2,6-dimethyl-1,4,4a,5,8,8a,9a,10a-octahydro-anthracen*
     R=OC₂H₅; *9,10-Dioxo-2,6-diäthoxy-1,4,4a,5,8,8a,9a,10a-octahydro-anthracen*

Chinon-Dien-Addukte; allgemeine Herstellungsvorschrift: Die Wahl der Reaktionsbedingungen richtet sich nach der Reaktionsfreudigkeit der Komponenten (bei den meisten „Mono-Dien-Chinoadditionen" von 0–100° und bei den „Bis-Dien-Chinon-Additionen von 60–200°). Als Lösungsmittel werden am besten Benzol, Toluol, Xylol, Äthanol, 2-Acetoxy-propen, 1,4-Dioxan oder ein Überschuß des betreffenden Diens verwendet. Liegen empfindliche Chinone vor, so ist es notwendig, daß alles Chinon während der Reaktion gelöst bleibt, damit nicht sich abscheidende Zersetzungsprodukte die Reaktanten an der weiteren Addition hindern. Äthanol unter Zusatz einiger Tropfen Essigsäure ist dann das bevorzugte Lösungsmittel[6]. Bei den Umsetzungen von 1-Acetoxy-butadien-(1,3) mit Chinon in Benzol oder Eisessig/Aceton tritt leicht Chinhydron-Bildung ein. Dies wird verhindert, wenn man 2-Acetoxy-propen als Lösungsmittel verwendet (∼ 85% Ausbeute an Addukt); auch Essigsäure-anhydrid ist hier als Lösungsmittel brauchbar[7]. Nitrobenzol als Lösungsmittel dehydriert in den meisten Fällen das gebildete Addukt wieder zum Chinon, daher wird dieses Lösungsmittel besonders zur Synthese von Anthrachinonen verwendet.

cis-2,5-Dioxo-bicyclo[4.4.0]decadien-(3,8):

ⓐ 100 g p-Benzochinon und 100 g Butadien-(1,3) in 1 l Benzol 2 Wochen bei 20° gehalten. Man filtriert ab, dampft ein und kristallisiert aus Petroläther um; Ausbeute: 144 g (94% d.Th.); F: 57°[8].

ⓑ Die Addition kann auch in wäßr. Suspension vorgenommen werden: 960 Teile p-Benzochinon werden in einer Emulsion von 480 Teilen Butadien-(1,3) in 600 Tln. Wasser, das 25 Tle. eines Emulgators (bestehend aus dem Reaktionsprodukt von 20 Mol Äthylenoxid mit einem Mol Dodecanol) enthält, suspendiert. Man rührt 12 Stdn. in einem Druckgefäß bei 50°, kühlt ab und filtriert das ausgeschiedene Addukt ab; Ausbeute 80% d.Th.; F: 54°.

[1] L. H. Sarett et al., Am. Soc. **74**, 1393 (1952).
[2] R. M. Lukes, G. J. Poos u. L. H. Sarett, Am. Soc. **74**, 1401 (1952).
[3] R. E. Beyler u. L. H. Sarett, Am. Soc. **74**, 1397 (1952).
[4] B. L. van Duuren, F. L. Schmitt u. E. Arroyo, J. Org. Chem. **29**, 2791 (1964).
[5] O. Diels, K. Alder u. G. Stein, B. **62**, 2337 (1929).
    R. L. Clarke u. W. S. Johnson, Am. Soc. **81**, 5706 (1959).
[6] DRP.494433, 496393 (1928); Frdl. **16**, 1201–1204.
    DRP. 498360, 500159/160, 502043, 502646 (1928), I. G. Farb., Erf.: A. Lüttringhaus, H. Neresheimer et al.; Frdl. **17**, 1138–1149.
[7] E. Leberzammer, Dissertation, Universität Würzburg, 1962.
[8] H. B. Henbest, M. Smith u. A. Thomas, Soc. **1958**, 3293.
    O. Diels u. K. Alder, B. **62**, 2337 (1929).
    K. Alder u. G. Stein, A. **501**, 247 (1933).
    D.R.P.. 521621 (1927), I. G. Farben, Erf.: O. Diels u. K. Alder; Frdl. **17**, 692.

Das Addukt isomerisiert sich beim Trocknen bei 80° zu *1,4-Dihydroxy-5,8-dihydro-naphthalin*; F: 207°[1].

cis–anti–cis-2,9-Dioxo-tricyclo[8.4.0.0³,⁸]tetradecadien-(5,12)[2]:

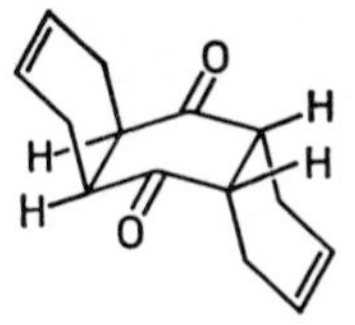

10 g p-Benzochinon werden mit einem Überschuß an Butadien-(1,3) in 10 *ml* Benzol 24 Stdn. im Einschlußrohr auf 100° erhitzt. Nach dem Abkühlen ist der Inhalt zu einer Kristallmasse erstarrt. Man löst ihn mit Methanol heraus und erhält das Reaktionsprodukt in glänzenden Blättchen, die aus Essigsäure-äthylester umkristallisiert werden; F: 154–155°.

15,18-Dioxo-6,13,14,19-tetrahydro-⟨dibenzo-[b; i]-triptycen⟩ (I) und 16,19-Dioxo-5,14,15,20-tetrahydro-⟨naphtho-[2,3-b]-triptycen⟩ (II)[3]:

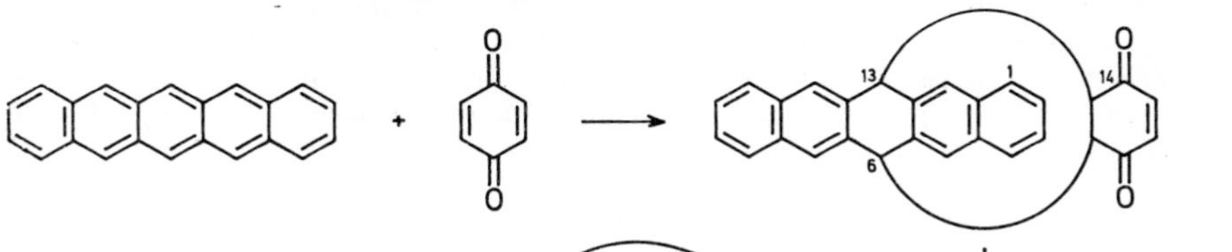

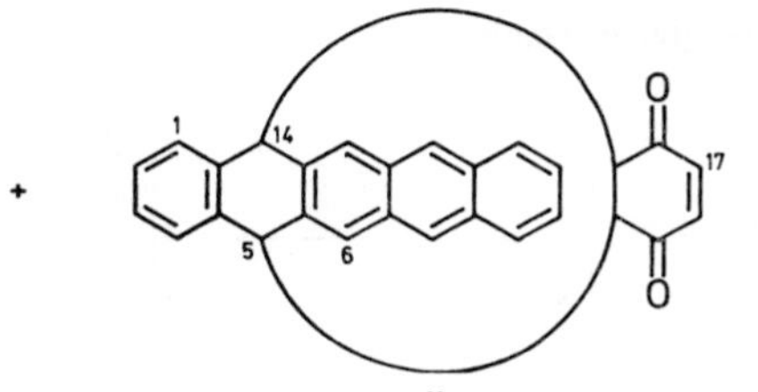

Eine Lösung von 12,15 g Pentacen in siedendem Xylol wird mit wenig mehr als der molaren Menge p-Benzochinon versetzt. Die Lösung entfärbt sich sofort und die suspendierten Teilchen sind bald verschwunden. Beim Abkühlen kristallisieren 12,3 g der beiden Addukte I und II aus. Nach Eindampfen der Mutterlauge und Waschen mit Methanol erhält man weitere 1,61 g. Durch fraktionierte Umlösung der Hauptmenge aus Xylol lassen sich 8 g (56,7% d.Th. des grüngelben weniger löslichen Adduktes I; F: 261,5–262,5° und 2,18 g (15,4% d.Th.) des gelben, löslicheren Adduktes II; F: 257–258° gewinnen.

5-Hydroxy-7-10-dioxo-bicyclo[4.4.0]decadien-(3,8)-2-carbonsäure-lacton[4]:

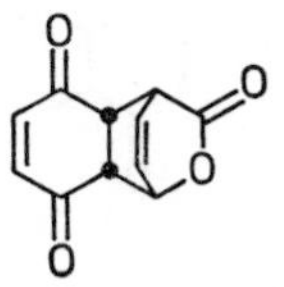

522 mg 2H-Pyron und 331 mg p-Benzochinon werden in 35 *ml* Benzol gelöst und in einem Bombenrohr 10 Stdn. auf 100° erhitzt. Man trennt von einem grünen kristallinen Rückstand (Chinhydron)

---

[1] US. P. 2262002 (1941), I. G. Farben, Erf.: H. HOPF u. C. W. RAUTENSTRAUCH; C. A. **36**, 1046 (1942).

[2] K. ALDER u. G. STEIN, A. **501**, 247, 283 (1933).

[3] L. V. ANTIK et al., Izv. Akad. SSSR **1964**, 1470; C. A. **64**, 19515 (1966).
   E. CLAR u. F. JOHN, B. **63**, 2967 (1930).

[4] P. BOSSHARD et al., Helv. **47**, 769 (1964).

ab. Aus der Mutterlauge kristallisiert eine gelbe Verbindung, die 5 mal aus Methanol umkristallisiert wird; Ausbeute: 100 mg (16% d.Th.); F: 144–146° (Vakuumkapillare).

1,4-Dioxo-1,4,4a,4b,5,6,7,8,9,10,11,12,13,14,15,16,16a,16b-octadecahydro-*cis*-⟨bis-cycloocta-[a; c]-naphthalin⟩ {19,22-Dioxo-tetracyclo[16.4.0.0²,⁹.0¹⁰,¹⁷]docosadien-(9,20)}[1]:

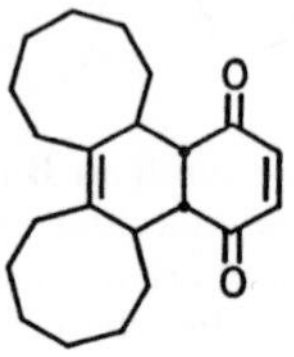

3,5 g (0,031 Mol) p-Benzochinon werden in 14 g (0,064 Mol) Bi-cycloocten-(1)-yl durch allmähliches Erhitzen auf dem Wasserbad gelöst. Innerhalb von 5 Min. fand, obwohl Überhitzen vermieden wurde, eine starke Reaktion statt und die Farbe der Lösung wechselte von rot nach gelb. Auf Zusatz von Methanol wird der Überschuß des Diens gelöst, der später abdestilliert wird ($Kp_{0,2}$: 118–120°; 3,6 g). Der Rückstand bildet das Addukt; Ausbeute 9,3 g (89% d.Th.); F: 135° (aus Methanol).

4,7-Dioxo-tricyclo[8,4.0.0³,⁸]tetradecadien-(1¹⁰,5)[2]:

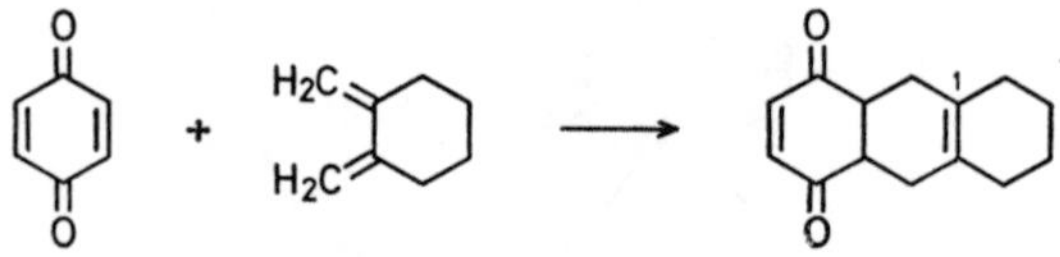

10,8 g (0,1 Mol) 1,2-Bis-[methylen]-cyclohexan und 10,8 g (0,1 Mol) p-Benzochinon werden in 100 *ml* Äther gelöst und 8 Stdn. unter Rückfluß erhitzt. Nach dem Abkühlen filtriert man das Addukt ab; Ausbeute: 20,3 g (94% d.Th.); F: 141–142° (aus Äthanol).

6,13-Dioxo-1,2,3,4,5,5a,6,6a,7,8,9,10,11,12,12a,13,14-octadecahydro-pentacen{2,13-Dioxopentacyclo[12.8.0.0³,¹².0⁵,¹⁰.0¹⁶,²¹]docosadien-(5¹⁰,16²¹)}[3]:

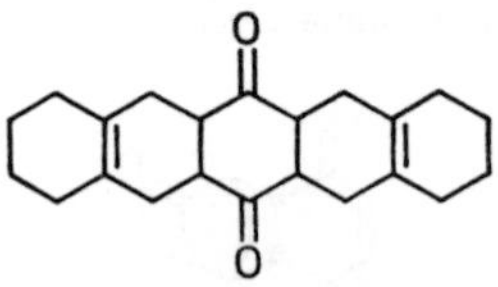

5 g (0,048 Mol) 1,2-Bis-[methylen]-cyclohexan und 2,5 g (0,024 Mol) p-Benzochinon werden in 25 *ml* 1,4-Dioxan unter Rückfluß erhitzt, bis sich ein Niederschlag abscheidet. Man erhitzt noch 1 Stde. nach, filtriert das ausgeschiedene Addukt ab, wäscht es mit Äther nach und kristallisiert es aus Chloroform/Petroläther; Ausbeute: 5,8 g (77% d.Th.); F: 225–226°.

[1] J. Strumza u. D. Ginsburg, Soc. **1961**, 1505.

[2] W. J. Bailey, J. Rosenberg u. L. J. Yuung, Am. Soc. **76**, 3009 (1954).

[3] W. J. Bailey u. M. Madoff, Am. Soc. **75**, 5603 (1953).

p-Benzochinone mit elektronenabgebenden Substituenten zeigen im allgemeinen eine geringere Dienophilie. Die Addition zu den „Mono-dien-chinon-Addukten" erfolgt an der am wenigsten sterisch gehinderten, d.h. an der unsubstituierten Seite des Chinons[1]. Die Reaktionsgeschwindigkeit wird nochmals herabgesetzt und ist recht gering, wenn beide Doppelbindungen des Chinons substituiert sind und dabei Addukte mit angularen Substituenten entstehen. 2 : 1 Addukte vom „Bis-dien-chinon-Typ" werden nur in Ausnahmefällen erhalten, wie dies am Beispiel der Anlagerungen von 2,5-Dimethyl-[3], 2,5-Dimethoxy-[2], 2,3-Dicyan-[4] und 2-Acetyl-1,4-benzochinon[5] an Butadien-(1,3), 1-Acetoxy-butadien-(1,3) oder Cyclopentadien gezeigt werden konnte:

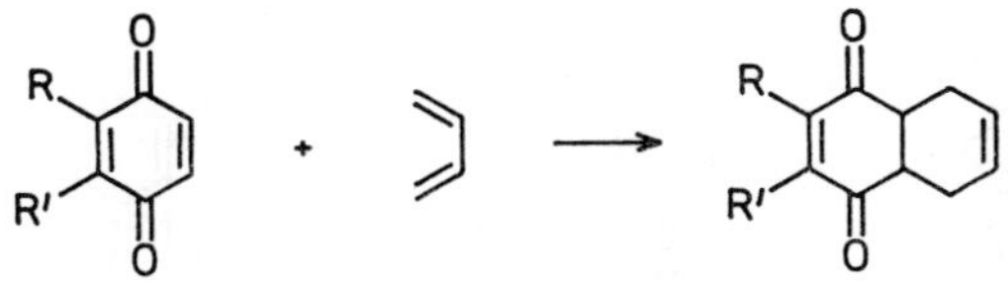

R,R' = Alkyl, Aryl, Alkoxy, Alkylmercapto, Arylalkylamino
R = R' = H₃C—COO;　3,4-Diacetoxy-⎤
　　　 = Cl;　　　　3,4-Dichlor-　⎥
　　　 = F;　　　　3,4-Difluor-　⎬ 2,5-dioxo-bicyclo[4.4.0]decadien-(3,8)
　　　 = CN;　　　3,4-Dicyan-　⎥
R = H; R'=COCH₃;　3-Acetyl-　⎦

IV

Äthanol
100°, 62 Stdn.

Benzol
170°, 10 Stdn.

V

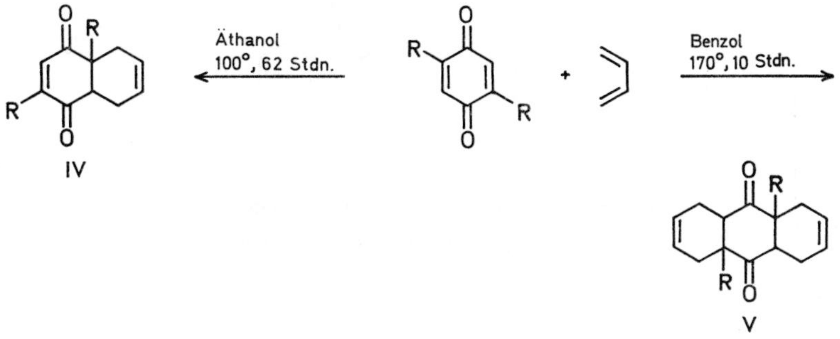

IV; R = CH₃ 2,5-Dioxo-1,4-dimethyl-bicyclo[4.4.0]decadien-(3,8); 75%;
　　R = OCH₃; Analog: 2,5-Dioxo-1,4-dimethoxy-bicyclo[4.4.0]decadien-(3,8)

V; R = CH₃; 9,10-Dioxo-4a,8a-dimethyl-1,4,4a,5,8,8a,9a,10a-octahydro-anthracen; 10%
　　R = OCH₃; 4a,8a-Dimethoxy-9,10-dioxo-1,4,4a,5,8,8a,9a,10a-octahydro-anthracen

[1] M. F. ANSELL, B. W. NASH u. D. A. WILSON, Soc. 1963, 3012, hier auch weitere Literatur.

[2] E. ADLER, Ark. Kemi [B] 11, 49 (1935); C. A. 29, 4004 (1935).
CHANG-KONG CHUANG u. CHIEN-TSIEN HAN, B. 68, 876 (1935).
L. F. FIESER u. A. M. SELIGMAN, B. 68, 1747 (1935).

[3] E. LEBERZAMMER, Dissertation Universität Würzburg, 1962.

[4] P. BOSSHARD et al., Helv. 47, 769 (1963).

Elektronenanziehende Substituenten im Chinon vermindern die Elektronendichte an der C=C-Doppelbindung und erhöhen damit deutlich deren Reaktivität. Dadurch wird der sterische Effekt, der die Addition des Diens an der nicht substituierten C=C-Doppelbindung begünstigt, überkompensiert. Infolgedessen entstehen zumeist Addukte mit angularen Substituenten (als elektronenliefernde Substituenten kommen die Cyan-, die Alkoxycarbonyl-, die Acetyl und die Trifluormethyl-Gruppe in Frage). 2,3-Dicyan-benzochinon-(1,4)[1-3], Benzochinon-(1,4)-2,3-dicarbonsäure-anhydrid[3], 2-Methoxycarbonyl-benzochinon-(1,4)[1,4] und Naphtho-bis-chinon-(1,4;5,8)[3] addieren alle Cyclopentadien[3], 2,3-Dimethyl-butadien[3],1,2-Bis-[methylen]-cyclobutan[2] oder 1-(1-Acetoxy-vinyl)-cyclohexen[1] an der substituierten C=C-Doppelbindung:

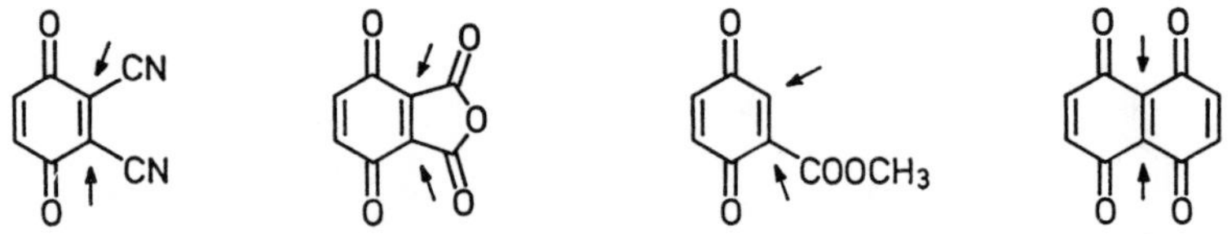

I   II   III   IV

Die Pfeile kennzeichnen den Ort der Addition.

Eine Ausnahme bildet die Anlagerung an Butadien-(1,3), das mit I zwei Monoaddukte (V und VI) durch Reaktion der 5,6- und 2,3-Position (16% bzw. 62% d. Th.)[4] und mit IV ein 1:1- (VII) und ein 2:1-Addukt (VIII) (in etwa gleicher Ausbeute) liefert[3]:

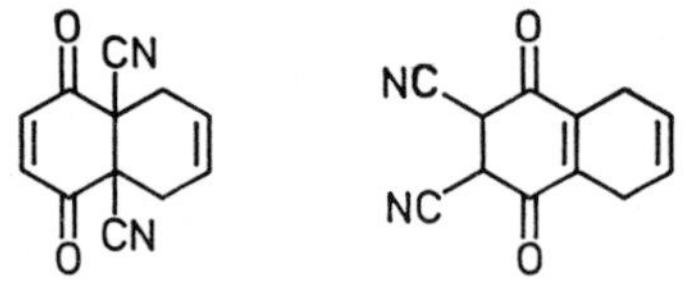

V   VI

V; *2,5-Dioxo-1,6-dicyan-bicyclo[4.4.0]decadien-(3,8)*
VI; *7,10-Dioxo-8,9-dicyan-bicyclo[4.4.0]decadien-(1⁶,3)*

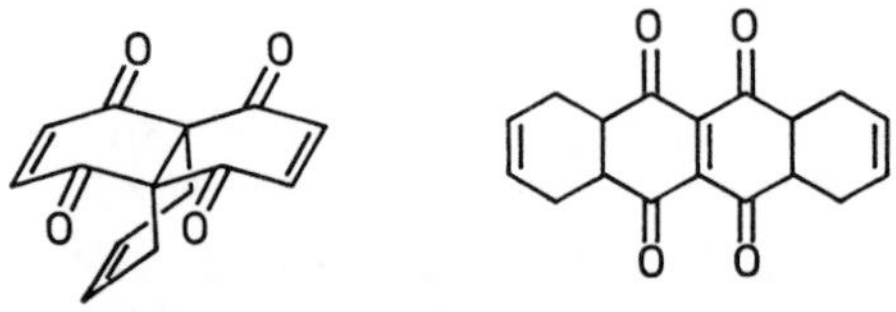

VII   VIII

VII; *2,5,11,14-Tetraoxo-tricyclo[4.4.4.0¹,⁶]tetradecatrien-(3,8,12)*
VIII; *5,6,11,12-Tetraoxo-1,4,4a,5,6,6a,7,10,10a,11,12,12a-
dodecahydro-tetracen*

---

[1] M. F. Ansell et al., Pr. chem. Soc. **1960**, 405.
[2] H. D. Hartzler u. R. E. Benson, J. Org. Chem. **26**, 3507 (1961).
[3] J. Sauer u. B. Schröder, Ang. Ch. **77**, 736 (1965); **78**, 233 (1966).
[4] M. F. Ansell, B. W. Nash u. D. A. Wilson, Soc. **1963**, 3006, 3012.

Wie kompliziert im Einzelnen die Verhältnisse bei der Addition von p-Benzochinonen mit elektronenliefernden und elektronenanziehenden Liganden gegenüber verschiedenen Dienen sein können, lehrt Tab. 234–235 (S. 1774–1778).

Aus den bisher bekannten Daten ergibt sich für die Diels-Alder-Reaktion von substituierten Chinonen, daß Methoxy- und Methylmercapto-Gruppen einen größeren desaktivierenden Effekt als die Methyl-Gruppe auf die C=C-Doppelbindung ausüben und daß der aktivierende Effekt der elektronenanziehenden Substituenten in folgender Reihenfolge fällt:

$$CN > COCH_3 > COOCH_3 > CF_3 > H > F(?) > Cl > CH_3 \sim OAc > N(CH_3)C_6H_5 > OCH_3 > SCH_3$$

Die Position von Fluor in dieser Reihe ist nicht ganz gesichert. Die Stellung der einzelnen Gruppen hängt sowohl von deren elektronischem Charakter als auch von deren „Raumbedarf" ab. Für die unterschiedliche Ausbildung der verschiedenen Isomeren mit Butadien und substituierten Butadienen-(1,3) (s. Tab. 234, S. 1774 ff.) wird eine sterische Hinderung im „endo-Übergangszustand", bei der die Addenden in zwei Ebenen übereinander zu liegen kommen, diskutiert[1]:

I   II   III   IV

R = H, CH$_3$

Hinsichtlich des 2,3-Dimethyl-butadiens z. B. stoßen sich in III die Substituenten des Chinons und die beiden Dimethyl-Gruppen ab, so daß eine Addition aus der Übergangsform IV begünstigt ist; d. h. mit 2,3-Dimethyl-butadien ist die Ausbildung von Addukten mit angularen Substituenten gegenüber Butadien-(1,3) bevorzugt. Entsprechendes gilt auch für Isopren, 1-Vinylcyclohexen, 1-Acetoxy-butadien-(1,3) und 1-(1-Acetoxy-vinyl)-cyclohexen; alle geben mit 2,3-Dimethoxycarbonyl-benzochinon-(1,4) Isomerengemische, wogegen Butadien-(1,3) nur das nicht angulare Substitutionsprodukt liefert.

Die Umsetzung substituierter p-Benzochinone mit unsymmetrischen Addenden bietet Anlaß, struktur- und stereoisomere Addukte auszubilden.

Zwei Beispiele seien herausgegriffen, 1-Acetoxy-pentadien-(1,3) reagiert mit 2,6-Dimethyl-1,4-benzochinon zu zwei verschiedenen Addukten in ungefähr gleichen Anteilen (I–IV). Mit Hexadien-(trans-2,trans-4)-säure-methylester (Sorbinsäure-methylester, V) dagegen oder mit 1-Methoxy-pentadien-(1,3) wird regiospezifisch ein einziges Addukt (VI) erhalten[2,3]. Aus der Kinetik der Addition wird auf einen asymmetrischen Übergangszustand geschlossen. Bei diesem konzertierten Prozeß wird

[1] M. F. ANSELL, B. W. NASH u. D. A. WILSON, Soc. **1963**, 3012.

[2] M. T. H. LIU u. C. SCHMIDT, Tetrahedron **27**, 5289 (1971).

[3] C. SCHMIDT et al., Canad. J. Chem. **49**, 371 (1971).

Tab. 234. Addition von p-Benzochinon bzw. substituierter p-Benzochinone an Diene (1:1)

Chinon	Dien	Lösungsmittel	Zeit [Stdn.]	Temperatur [°C]	Addukt	Ausbeute [% d.Th.]	Literatur
p-Benzochinon	trans-Pentadien-(2,4)-säure	Benzol	3	Rückfluß	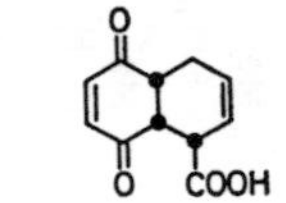 cis-7,10-Dioxo-2-carboxy-bicyclo[4.4.0]decadien-(3,8)	gut	1 2
	Chloropren	Xylol/Benzol	3	Rückfluß	8-Chlor-2,5-dioxo-bicyclo[4.4.0]decadien-(3,8)	80	3
	2-Äthoxy-butadien	Äthanol	2	Rückfluß	8-Äthoxy-2,5-dioxo-bicyclo[4.4.0]decadien-(3,8)	88	4
	2,3-Divinyl-butadien (3,4-Bis-[methylen]-hexadien)	Äther	48	20	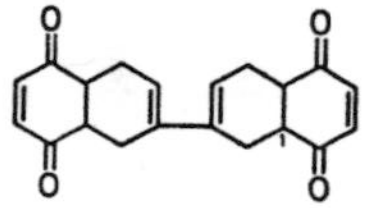 7,10,7',10'-Tetraoxo-bi-{bicyclo[4.4.0]decadien-(3,8)-yl-(3)}		5
	2-Methyl-1-vinyl-cyclohexen	Benzol	—	Rückfluß	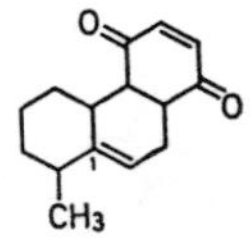 5,8-Dioxo-14-methyl-tricyclo[8.4.0.0^{4,9}]tetradecadien-(1,6)	gut	6
	3,4-Dimethoxy-furan	—	—	—	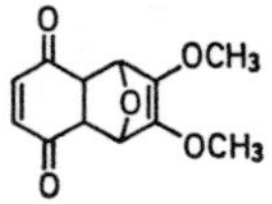 9,10-Dimethoxy-3,6-dioxo-11-oxa-tricyclo[6.2.1.0^{2,7}]undecadien-(4,9)		7

[1] R. B. Woodward et al., Tetrahedron 2, 1 (1958).
[2] Entsprechende Addition an trans-Pentadien-(2,4)-säure-isopropylester, J. O. Jílek, B. Kakáč u. M. Protiva, Coll. czech. chem. Commun. 26, 2229 (1961); C. A. 56, 8770 (1962).
[3] C. A. Grob u. W. Jundt, Helv. 35, 2111 (1952).
[4] T. R. Lewis, W. B. Dickinson u. S. Archer, Am. Soc. 74, 5321 (1952).
[5] W. J. Bailey u. A. N. Nielsen, J. Org. Chem. 27, 3088 (1962).
[6] T. J. King u. G. Read, Soc. 1961, 5090. N. C. Deno, J. D. Johnston, J. Org. Chem. 17, 1466 (1952).
[7] C. H. Engster u. A. Hofmann, Chimia 15, 518 (1961).
US. P. 1967862 (1932), DuPont, Erf.: W. H. Carothers u. A. M. Collins; C. A. 28, 5994 (1934).

Tab. 234. (1. Fortsetzung)

1,4-Benzochinone 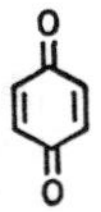	Dien 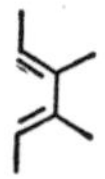	Lösungsmittel	Zeit [Stdn.]	Temperatur [°C]	„angulares Addukt" 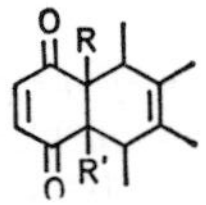	„normales Addukt" 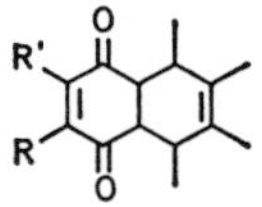	Literatur
2,3-Dicyan-	Butadien-(1,3)	Benzol/Äther	1,3	55	2,5-Dioxo-1,6-dicyan-bicyclo[4.4.0]decadien-(3,8) (62% d.Th.)	2,5-Dioxo-3,4-dicyan-bicyclo[4.4.0]decadien-(3,8) (16% d.Th.)	1,2
	2,3-Dimethyl-butadien	Benzol/Äthanol	17	20	7,10-Dioxo-3,4-dimethyl-1,6-dicyan-bicyclo[4.4.0]decadien-(3,8) (96% d.Th.)	—	1
	1-(1-Acetoxy-vinyl)-cyclohexen	Methanol	—	0	9-Acetoxy-1,4-dioxo-4a,10a-dicyan-1,4,4a,4b,5,6,7,8,10,10a decahydro-anthracen	—	2
	1-Acetoxy-butadien-(1,3)	2-Acetoxy-propan	24	20	7-Acetoxy-2,5-dioxo-1,6-dicyan-bicyclo[4.4.0]decadien-(3,8) (15% d.Th.)	isoliert als 1,4-Dihydroxy-2,3-dicyan-naphthalin (40% d.Th.)	3
2,3-Dimethoxy-carbonyl-	Butadien-(1,3)	Methanol	96	90		2,5-Dioxo-3,4-dimethoxycarbonyl-bicyclo[4.4.0]decadien-(3,8) (70% d.Th.)	1
	2,3-Dimethyl-butadien	Methanol	2	Rückfluß	7,10-Dioxo-3,4-dimethyl-1,6-dimethoxycarbonyl-bicyclo[4.4.0]decadien-(3,8) (25% d.Th.)	2,5-Dioxo-8,9-dimethyl-3,4-di-methoxycarbonyl-bicyclo[4.4.0]decadien-(3,8) (25% d.Th.)	1

1 M. F. ANSELL, B. W. NASH u. D. A. WILSON, Soc. 1963, 3012.
2 Das 2,3-Dicyan-benzochinon-(1,4) ist auch ein starkes Oxidationsmittel; die Reaktion mit Dienen in Methanol ist daher häufig von 3,6-Dihydroxy-phthalsäure-dinitril begleitet; M. F. ANSELL, B. W. NASH u. D. A. WILSON, Soc. 1963, 3006.
3 E. LEBERZAMMER, Dissertation, Universität Würzburg, 1962.

Tab. 234 (2. Fortsetzung)

substituierte p-Benzochinone	Diene	Lösungs-mittel	Zeit [Stdn.]	Temperatur [°C]	„angulares Addukt"	„normales Addukt"	Literatur
3-Nitro-2-methyl-	2,3-Dimethyl-butadien	Methanol	17	Rückfluß	—	4-Nitro-2,5-dioxo-3,8,9-trimethyl-bicyclo[4.4.0]decadien-(3,8) (35% d.Th.)	1
3-Methyl-2-cyan-	2,3-Dimethyl-butadien	Benzol	2	Rückfluß	—	2,5-Dioxo-4,8,9-trimethyl-3-cyan-bicyclo[4.4.0]decadien-(3,8)	1
2-Acetoxy-5-methyl-	Butadien-(1,3)	Äthanol	68	75	nach Hydrolyse isoliert als 5,6,7-Trihydroxy-1-methyl-1,4-dihydro-naphthalin (30% d.Th.)	—	2
	2,3-Dimethyl-butadien	Methanol	17	Rückfluß	1-Acetoxy-2,5-dioxo-3,8,9-trimethyl-bicyclo[4.4.0]decadien-(3,8) (6% d.Th.)	7,10-Dioxo-3,4,8-trimethyl-bicyclo[4.4.0]decatrien-$(1^8,3,8)$ (30% d.Th.)	1
5-Methyl-2-methoxycarbonyl-	Butadien-(1,3)	Benzol	16	100	2,5-Dioxo-4-methyl-1-methoxy-carbonyl-bicyclo[4.4.0]decadien-(3,8) (77% d.Th.)	—	3
6-Methyl-2-methoxycarbonyl-	Butadien-(1,3)	Benzol	66	100	2,5-Dioxo-3-methyl-1-methoxy-carbonyl-bicyclo[4.4.0]decadien-(3,8) (78% d.Th.)	—	3,4
5-Methyl-2-(1-hydroximino-äthyl)-	Butadien-(1,3)	Acetonitril SnCl$_4$	—	20	2,5-Dioxo-3-methyl-6-(1-hydroximino-äthyl)-bicyclo[4.4.0]decadien-(3,8)	—	5
2-Methoxy-5-methyl-	Isopren	Benzol	144	100	2,5-Dioxo-1,3,10-trimethyl-bicyclo[4.4.0]decadien-(3,8) (77% d.Th.)	—	6

1 M. F. Ansell, B. W. Nash u. D. A. Wilson, Soc. 1963, 3012.
2 E. W. Butz u. L. W. Butz, J. Org. Chem. 7, 199 (1942); 8, 497 (1943).
3 W. Nudenberg, A. M. Gaddis u. L. N. Butz, J. Org. Chem. 8, 500 (1943).
4 s. a. T. Harayama et al., Chem. Pharm. Bull. Japan 21, 25 (1973).
5 Y. Kishi, F. Nakatsubo et al., Tetrahedron Letters 1970, 5127.
6 W. A. Ayer, L. G. Humber u. W. J. Taylor, Soc. 1954, 3505.

Tab. 234 (3. Fortsetzung)

substituierte p-Benzochinone 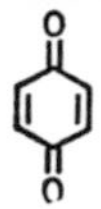	Dien 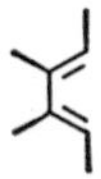	Lösungs-mittel	Zeit [Stdn.]	Tempera-tur [°C]	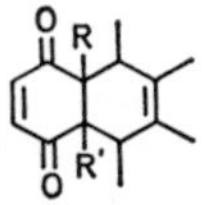 „angulares Adukt"	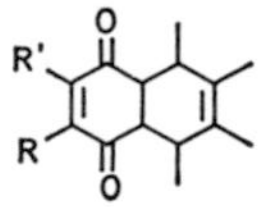 „normales Adukt"	Litera-tur
6-Methylmercapto-2-methyl-	Butadien-(1,3)	Benzol	96	100	3-Methylmercapto-2,5-dioxo-1-methyl-bicyclo[4.4.0]decadien-(3,8) (80% d.Th.)	—	1
2-Acetyl-3-furyl-(2)-	Butadien-(1,3)	Benzol	5	100	—	2,5-Dioxo-3-furyl-(2)-4-acetyl-bicyclo[4.4.0]decadien-(3,8) (100% d.Th.)	2
2-Trifluormethyl-	Butadien-(1,3)	Äthanol	16	65	—	isoliert als 1,4-Dihydroxy-2-trifluormethyl-5,8-dihydro-naphthalin(15% d.Th.)	3,4
	2,3-Dimethyl-butadien	Äthanol	15	Rückfluß	7,10-Dioxo-3,4-dimethyl-1-trifluormethyl-bicyclo[4.4.0]decadien-(3,8) (64% d.Th.)		3,5
2-Methoxy-carbonyl-	Butadien-(1,3)	Benzol	6	70	2,5-Dioxo-1-methoxycarbonyl-bicyclo[4.4.0]decadien-(3,8) (65% d.Th.)	1,4-Dihydroxy-2-methoxycarbonyl-5,8-dihydro-naphthalin (6% d.Th.)	3
2-Cyan-	Butadien-(1,3)	Benzol	1	80	2,5-Dioxo-1-cyan-bicyclo[4.4.0]decadien-(3,8) (84% d.Th.)	—	3
2-Acetyl-	Butadien-(1,3)	Benzol	16	20	2,5-Dioxo-1-acetyl-bicyclo[4.4.0]decadien-(3,8) (86% d.Th.)	—	3
5-Chlor-2,3-di-cyan-	2,3-Dimethyl-butadien	Methanol	0,1	20	8-Chlor-7,10-dioxo-3,4-dimethyl-1,6-dicyan-bicyclo[4.4.0]decadien-(3,8) (88% d.Th.)	—	3

1 V. GEORGIAN u. L. L. SKALETZKY, J. Org. Chem. 29, 51 (1964).

2 C. H. EUGSTER u. P. BOSSHARD, Helv. 46, 815.
Über Additionen von 3-Furyl-(2)-2-acetyl-benzochinon-(1,4) an 2H-Pyron und 3-Methoxy-2H pyron siehe P. BOSSHARD et al., Helv. 47, 769 (1964).

3 M. F. ANSELL, B. W. NASH u. D. A. WILSON, Soc. 1963, 3012.

4 A. F. HELIN, A. SVEINBJORNSSON u. C. A. VAN DER WERF, Am. Soc. 73, 1189 (1951).

5 Über die Addition mit 1-Phenyl-butadien-(1,3) s. M. F. ANSELL u. A. H. CLEMENTS, Soc. [C] 1971, 269.

Tab. 234 (4. Fortsetzung)

substituierte p-Benzochinone 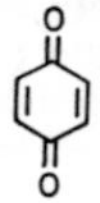	Dien 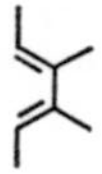	Lösungs-mittel	Zeit [Stdn.]	Tempera-tur [°C]	„angulares Addukt" 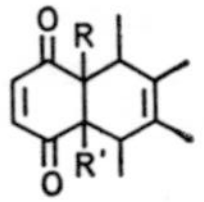	„normales Addukt" 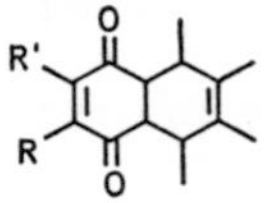	Litera-tur
2,5-Dimethyl-3-cyan	2,3-Dimethyl-butadien	Methanol	72	20	7,10-Dioxo-3,4,6,9-tetramethyl-1-cyan-bicyclo[4.4.0]decadien-(3,8) (66% d.Th.)	—	1
2,5-Dimethyl-3-methoxy-carbonyl	2,3-Dimethyl-butadien	Methanol	12	Rückfluß	2,5-Dioxo-1,3,8,9-tetramethyl-4-methoxycarbonyl-bicyclo[4.4.0]decadien-(3,8) (34% d.Th.)	—	1
Tetramethyl-	2,3-Dimethyl-butadien	—	12	180	2,5-Dioxo-1,3,4,6,8,9-hexamethyl-bicyclo[4.4.0]decadien-(3,8) (87% d.Th.)	—	1
Tetramethoxy-	2,3-Dimethyl-butadien	—	15	200	1,3,4,6-Tetramethoxy-2,5-dioxo-8,9-dimethyl-bicyclo[4.4.0]decadien-(3,8) (96% d.Th.)	—	2
Tetrachlor-	Butadien-(1,3)	Benzol	65	110	1,3,4,6-Tetrachlor-2,5-dioxo-bicyclo[4.4.0]decadien-(3,8) (73% d.Th.)	—	2
5,6-Dichlor-2,3-dicyan-	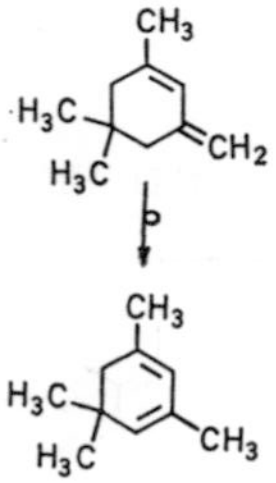	Benzol	—	20	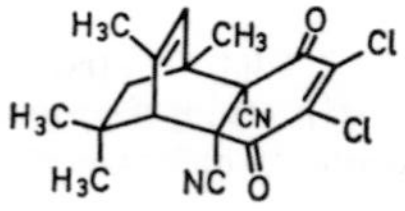 4,5-Dichlor-3,6-dioxo-1,9,12,12-tetramethyl-2,7-dicyan-tricyclo[6.2.2.0^{2,7}]dodecadien-(4,9) (80%)	—	3

[1] M. F. ANSELL, B. W. NASH u. D. A. WILSON, Soc. 1963, 3012.

[2] R. GAERTNER, Am. Soc. 76, 6150 (1954); hier auch Addition an Isopren, 1-Acetoxy-butadien-(1,3), Cyclopentadien u.a.; J. Org. Chem. 24, 61 (1959). s. a. H. RAKOFF u. B. H. MILES, J. Org. Chem. 26, 2581 (1961), über Reaktionen chlorierter Diene mit chlorierten Benzochinonen.

[3] D. J. POINTER u. J. B. W. WILFORD, Chem. Commun. 1969, 1440. E. BRAUDE et al., Soc. 1960, 3124.

die erste σ-Bindung bevorzugt zwischen den Zentren mit der weniger gehinderten Orbitalüberlappung ausgebildet. Die Endgruppen des Diens wirken inhibierend.

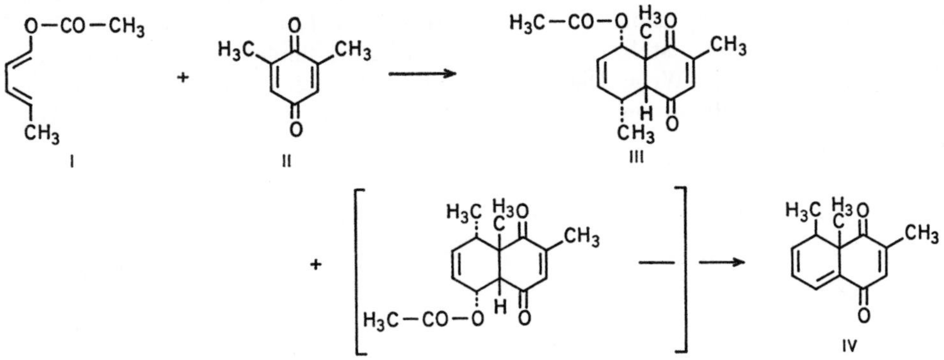

III; *10-Acetoxy-2,5-dioxo-1,3,7-trimethyl-bicyclo[4.4.0]decadien-(3,8)*　　IV; *7,10-Dioxo-5,6,8-trimethyl-bicyclo[4.4.0]decatrien-(1,3,8)*

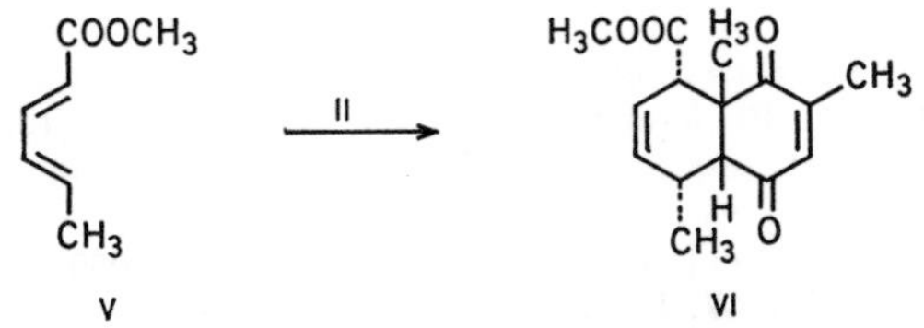

VI; *7,10-Dioxo-1,5,9-trimethyl-2-methoxycarbonyl-bicyclo[4.4.0]decadien-(3,8)*

Die thermische Reaktion von 6-Methoxy-1-vinyl-3,4-dihydro-naphthalin (VII) an 2,6-Dimethyl-1,4-benzochinon (VIII) führt in Übereinstimmung mit der Diels-Alder-Orientierungsregel regioselectiv zu dem Addukt IX. Mit Bortrifluorid-Diäthylätherat als Katalysator entsteht jedoch entgegen den Orientierungsregeln bevorzugt das Addukt X. Dieser abnormale Reaktionsverlauf ist von Bedeutung für die Synthese von aromatischen A-Ring-Steroiden[1]:

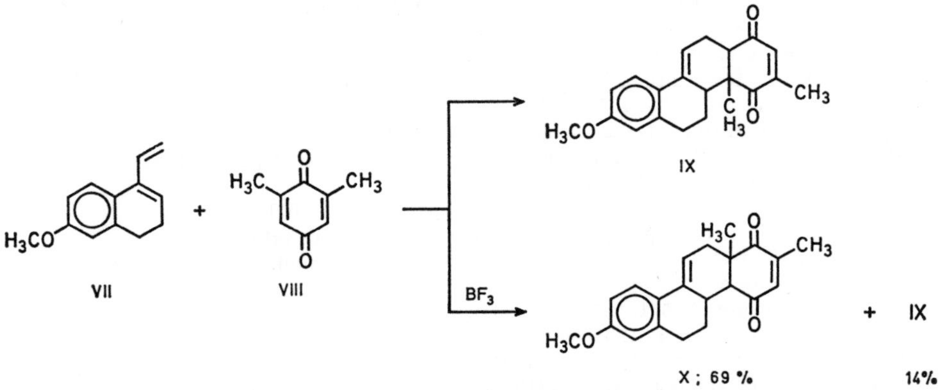

IX; *3-Methoxy-15,17a-dioxo-14β, 17-dimethyl-18-nor-D-homo-östrapentaen-(1,3,5^{10},9^{11},16)*　　X; 69% *3-Methoxy-15,17a-dioxo-17-methyl-D-homo-östrapentaen-(1,3,5^{10},9^{11},16)*

---

[1] R. A. DICKINSON et al., Canad. J. Chem. **50**, 2377 (1972).

Weitere Fälle sind in Tab. 234 (S. 1775) angegeben. Im übrigen muß auf die Orginal-literatur verwiesen werden[1-4].

In den Chinon-Addukten sind die Ringe, da die Addition nach dem „cis-Prinzip"[5] (supra-supra-Reaktion) erfolgt, immer cis-verknüpft. Einer Isomerisierung zu cis-trans-anellierten Ringen steht die große Aromatisierungstendenz zu den entsprechenden Hydrochinonen im Wege. Die Umlagerung wird jedoch leicht erreicht, wenn man die En-Dion-Doppelbindung reduziert und anschließend mit Säure oder Alkali behandelt[6]:

---

[1] Y. A. Titov, *Orientation in Diene Synthesis and its Dependence on Structure*, Uspechi Chim. **31**, 529 (1962); Russian Chem. Reviews **31**, 267 (1962); C. A. **58**, 4391 (1963).

[2] J. G. Martin u. R. K. Hill, *Stereochemistry of the Diels-Alder-Reaktion*, Chem. Reviews **61**, 537 (1961).

[3] R. Gaertner, Am. Soc. **76**, 6150 (1954); J. Org. Chem. **24**, 61 (1959).
W. A. Ayer, L. G. Humber u. W. J. Taylor, Soc. **1954**, 3505.
C. F. H. Allen et al., Am. Soc. **66**, 1617 (1944).
I. N. Nazarov, G. P. Verkholetova u. J. V. Torgov, Izv. Akad. SSSR **1959**, 283; Doklady Akad. SSSR **112**, 1067 (1957); C. A. **53**, 22082 (1959); **53**, 22083 (1959).
P. A. Robins u. J. Walker, Soc. **1952**, 642; **1954**, 3960.
L. H. Sarett et al., Am. Soc. **74**, 1393 (1952).
R. B. Woodward et al., Tetrahedron 2, 2 (1958)-
J. E. Cole et al., Proc. chem. Soc. **1958**, 114.
J. N. Nazarov u. J. A. Gurvich, Izv. Akad. SSSR **1959**, 293; C. A. **53**, 22083 (1959).
S. M. Bloom, J. Org. Chem. **24**, 278 (1959).
H. H. Inhoffen et al., Croat. Chem. Acta **29**, 329 (1957); C. A. **53**, 16087 (1959).
M. F. Ansell et al., Soc. **1963**, 3006, 3012.
V. Georgian u. L. L. Skaletzky, J. Org. Chem. **29**, 51 (1964).
V. Georgian u. J. Lepe, J. Org. Chem. **29**, 45 (1964).
V. Georgian u. L. T. Georgian, J. Org. Chem. **29**, 58 (1964).
E. Leberzammer, Dissertation, Universität Würzburg, 1962.
H. H. Inhoffen et al., B. **90**, 187 (1957).
F. Winternitz u. J. Diaz, Tetrahedron **19**, 1747 (1963).
B. L. Van Duuren, F. L. Schmitt u. E. Arroyo, J. Org. Chem. **29**, 2791 (1964).
J. Strumza u. D. Ginsburg, Soc. **1961**, 1505.

[4] Y. Inouye u. H. Kakisawa, Bull. Chem. Soc. Japan **44**, 563 (1971).

[5] S. ds. Handb., Bd. V/1, Kap. „Stereochemie der Diels-Alder-Reaktion", S. 985.

[6] J. O. Jilék, B. Kakáč u. M. Protiva, Coll. czech. chem. Commun. **26**, 2229 (1961).
E. E. van Tamelen et al., Am. Soc. **80**, 5006 (1958).
K. Alder u. G. Stein, A. **501**, 247, 279 (1933).
H. B. Henbest, M. Smith u. A. Thomas, Soc. **1958**, 3293.
J. Strumza u. D. Ginsburg, Soc. **1961**, 1505.
L. H. Sarett et al., Am. Soc. **74**, 1393 (1952).
P. A. Robins u. J. Walker, Soc. **1952**, 642, 1610; **1956**, 3249; **1957**, 177; **1958**, 409.
J. N. Nazarov, J. V. Torgov u. G. P. Vercholetova, Doklady Akad. SSSR **112**, 1067 (1957); Izv. Akad. SSSR, **1959**, 283; C. A. **51**, 14647 (1957); C. A. **53**, 22083 (1959).
J. N. Nazarov u. A. J. Gurvich, Izv. Akad. SSSR **1959**, 293; C. A. **53**, 22083 (1959).

trans-1,4-Dioxo-dekalin[1]: 1 g cis-1,4-Dioxo-dekalin, das durch katalytische Hydrierung des Butadien-Chinon-Adduktes gewonnen wurde, kocht man mit der 5 fachen Menge Essigsäure-anhydrid 1 Stde. unter Rückfluß. Nach dem Abdampfen des Lösungsmittels i. Vak. hinterbleibt das Umlagerungsprodukt als farblose Kristallmasse; F: 122° (aus mittelsiedendem Ligroin, farblose Nadeln); Dioxim F: 283° (aus Äthanol).

7,10-Dioxo-cis-bicyclo[4.4.0]decen-(3)[2]: 100 g des Butadien-Chinon-Adduktes werden in 200 ml Essigsäure gelöst und unter Rühren in eine Suspension von 125 g Zink in 250 ml Wasser bei 50° eingetropft. Das Rühren wird noch 2 Min. fortgesetzt. Währenddessen verschwindet die gelbe Farbe und die Temp. steigt auf ~ 75° an. Man filtriert die heiße Mischung ab, fügt 1,5 l Wasser zu dem Filtrat und hält über Nacht bei 0°. Das in einer Menge von 70 g (70% d.Th.) abgeschiedene Diketon, F: 90–108° wird getrocknet und aus Petroläther umgelöst; F: 105–108°.

7,10-Dioxo-trans-bicyclo[4.4.0]decen-(3)[2,3]: 100 g 7,10-Dioxo-cis-bicyclo[4.4.0]decen-(3) werden in 400 ml Wasser bei 80° gelöst. Man fügt unter Überleiten von Stickstoff in 10 Min. 648 ml 1n Natriumhydroxid-Lösung, dann 2 g der trans-Verbindung (erhalten aus einem kleinen Ansatz) und 300 ml Wasser zu und neutralisiert mit 1,3 n Salzsäure. Nach Zusatz von 1 l Wasser läßt man über Nacht bei 0° stehen und filtriert anschließend ab; Ausbeute: 20 g (20% d.Th.); Roh F: 150–160°; Rein F: 157–160° (aus Petroläther).

Über die Dehydrierung von Chinon-Dien-Addukten zu Phenolen s. Bd. VI/1c, S. 717ff.

Auch an das Naphthochinon-(1,4) lassen sich 1,3-Diene addieren[4] (s. Tab. 235, S. 1782).

Von techn. Bedeutung sind die Addukte aus 1,4-Naphthochinon und Butadien-(1,3) bzw. Isopren zur Herstellung von Anthrachinon bzw. 2-Methyl-anthrachinon[5,6].

Diese Verfahren mit ihren einzelnen Dehydrierungsstufen und zahlreiche so hergestellte Anthrachinon-Derivate sind ausführlich in Bd. VII/3b (Anthrachinone aus Dienaddukten) beschrieben. Dabei stellte sich heraus, daß derartige Diels-Alder-Reaktionen keineswegs glatt verlaufen, da z. B. Naphthochinon-(1,4) und dessen Diels-Alder-Addukte in Redox-Beziehung stehen, was zu unerwünschten Kondensationsprodukten zwischen dem Naphthochinon-(1,4) und 1,4-Dihydroxy-naphthalin führt[7].

9,10-Dioxo-2,3-dimethyl-1,4,4a,9a-tetrahydro-anthracen[7] wird durch Addition von 2,3-Dimethyl-butadien an Naphthochinon-(1,4) erhalten:

1-cis-Acetoxy-9,10-dioxo-1,4,4a,9,9a,10-hexahydro-anthracen[8,9] **und 9,10-Anthrachinon:**

10 mMol Naphthochinon-(1,4) werden in eine Lösung von 10 mMol + 10% Überschuß trans-1-Acetoxy-butadien-(1,3) in 5 ml 2-Acetoxy-propen eingetragen und die Suspension bei Raumtemp. 3 Tage stehen gelassen. Das ausgeschiedene Addukt wird abfiltriert und die Mutterlauge eingeengt. Man erhält so das Addukt in einer Ausbeute von 72% d.Th.; F: 106–107,5° (aus Äthanol).

Die Schmelze färbt sich ab 115° und wird zwischen 135 und 150° fest. Das dann entstandene Anthrachinon schmilzt bei 285–286° unter Sublimation in gelben Nadeln.

Aus Naphthochinon-(1,4) und Buten-(2)-al, entsteht ebenfalls *Anthrachinon*[10].

---

[1] K. ALDER u. G. STEIN, A. **501**, 247, 279 (1933).

[2] H. B. HENBEST, M. SMITH u. A. THOMAS, Soc. **1958**, 3293.

[3] S. a. K. ALDER u. G. STEIN, A. **501**, 247, 278, (1933), die bei der Umlagerung nur Zersetzungs-produkte erhielten.

[4] s. Lit.[6], S. 1768.

[5] DBP. 1101384 (1958/59), American Cyanamid Comp., Erf.: W. B. HARDY et al.

[6] Techn. Verfahren der Farbf. Bayer.

[7] C. F. H. ALLEN u. A. BELL, Org. Synth. **22**, 37 (1947).

[8] E. LEBERZAMMER, Dissertation, Universität Würzburg, 1962.

[9] s. a. W. FLAIG, A. **568**, 1 (1950).
    H. J. SCHAEFFER u. G. B. CHEDDA, J. Pharm. Sci. **53**, 624 (1964).
    J. A. KAYE u. R. S. MATTHEWS, J. Org. Chem. **29**, 1341 (1964).

[10] DRP. 715201 (1938), I. G. Farb., Erf.: O.NICODEMUS u. H. VOLLMANN; C. **1942** I, 1811.

Tab. 235. Anlagerung von 1,4-Naphthochinon an 1,3-Diene (1:1)

Chinon	Dien	Lösungsmittel	Zeit [Stdn.]	Temperatur [°C]	Addukt	Ausbeute [%d.Th.]	Literatur
Naphthochinon-(1,4)	Butadien-(1,3)	Äthanol	2–3	100	9,10-Dioxo-1,4,4a,9,9a,10-hexahydro-anthracen	gut	[1]
	2-Methoxy-butadien	Äthanol	4	100	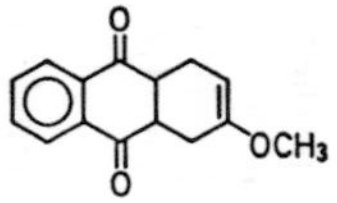 2-Methoxy-9,10-dioxo-1,4,4a,9,9a,10-hexahydro-anthracen	88	[2]
	2,6-Dimethyl-octatrien-(1,3,7)	Benzol	6	Rückfluß	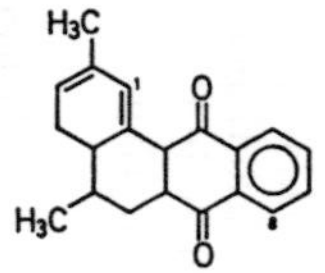 7,12-Dioxo-2,5-dimethyl-4,4a,5,6,6a,7,12,12a-octahydro-⟨benzo-[a]-anthracen⟩	gut	[3]
	2-Hydroxymethyl-butadien	Toluol	12	Rückfluß	9,10-Dioxo-2-hydroxymethyl-1,4,4a,9,9a,10-hexahydro-anthracen	gut	[4,5]
	1-Methyl-4-phenyl-butadien-(1,3)	Butanol	25	Rückfluß	9,10-Dioxo-4-methyl-1-phenyl-1,4,4a,9,9a,10-hexahydro-anthracen	gut	[6]
	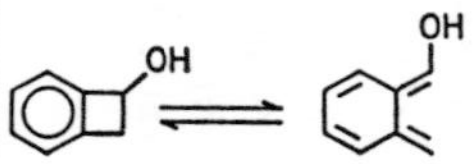 (siehe Dien-Struktur)	Benzol	—	Rückfluß	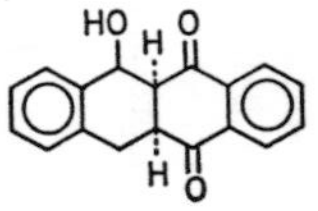 6-Hydroxy-5,12-dioxo-5,5a,6,11,11a,12-hexahydro-tetracen	75	[7]

[1] O. DIELS u. K. ALDER, A. **460**, 110 (1928).
K. ALDER u. B. STEIN, B. **62**, 2355 (1929).
s. auch Bd. VII/3b, Herstellung von Anthrachinonen.
[2] M. M. ŠEMJAKIN et al., Ž. obšč. Chim. **29**, 1831 (1959); engl.: 1802.
[3] K. ALDER u. M. SCHUMACHER, B. **89**, 2485 (1956).
[4] W. J. BAILEY, W. G. CARPENTER u. M. E. HERMES, J. Org. Chem. **27**, 1975 (1962), nach Dehydrierung zu 2-Hydroxymethyl-anthrachinon beträgt die Ausbeute 46%.
[5] s. a. G. BOFFA, G. PIERO u. N. MAZZAFERRO, G. **102**, 697 (1972).
[6] N. J. GANUŠČAK, A. V. DOMBROVSKII u. O. A. VISLOBITSKAJA, Ž. obšč. Chim. **33**, 2532 (1963); engl.: 2468, nach Dehydrierung mit Wasserperoxid zu 4-Methyl-1-phenyl-anthrachinon beträgt die Ausbeute 62%.
[7] B. J. ARNOLD u. P. G. SAMMES, Chem. Commun. **1972**, 30.

Tab. 235 (1. Fortsetzung)

Chinon	Dien	Lösungsmittel	Zeit [Stdn.]	Temperatur C°	Addukt	Ausbeute [% d. Th.]	Literatur
Naphthochinon-(1,4)	2-Phenyl-butadien-(1,3)	—	2	95	9,10-Dioxo-2-phenyl-1,4,4a,9,9a,10-hexahydro-anthracen	26	1
	2-Vinyl-butadien-(1,3)	Toluol dann	24 / 48	20 / 100	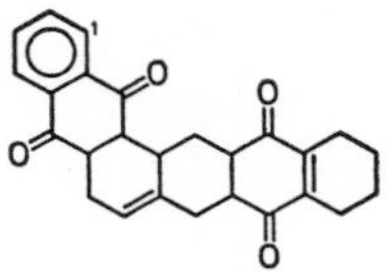 5,9,14,16-Tetraoxo-5,5a,5b,6,8,8a,9,10,11,12,13,14,14a,15,15a,15b,16-hexadecahydro-⟨naphtho-[2,3-a]-tetracen⟩	72	2
	1,3-Diphenyl-⟨benzo-[c]-furan⟩	Xylol / —	1 / —	Rückfluß / 20	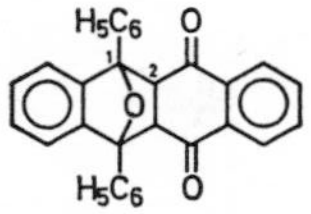 3,8-Dioxo-1,10-diphenyl-⟨dibenzo-11-oxa-tricyclo[6.2.1.0^{2,7}]unde-cadien-(4,9)⟩	79 / 90	3 / 4
5-Benzyloxy-naphthochinon-(1,4)	Butadien-(1,3)	Benzol	4	100	5-Benzyloxo-9,10-dioxo-1,4,4a,9,9a,10-hexahydro-anthracen	33	5
5-Hydroxy-naphthochinon-(1,4)	cis-trans-1,4-Diacet-oxy-butadien-(1,3)	—	2,5	60	5-Hydroxy-1,4-diacetoxy-1,4,4a,9,9a,10-hexahydro-anthracen	85	6
6,7-Dimethyl-naphthochinon-(1,4)	Cyclohexadien-(1,3)	—	2	60	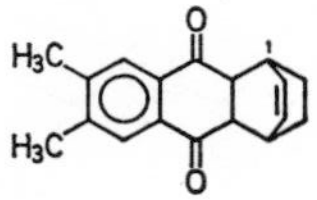 3,8-Dioxo-5,6-dimethyl-⟨4,5-benzo-tricyclo[6.2.2.0^{2,7}]dodecadien-(4,9)⟩	60	7

[1] C. S. Marvel u. R. G. Woolford, J. Org. Chem. 23, 1658 (1958).
C. C. Price, F. L. Benton u. C. J. Schmidle, Am. Soc. 71, 2860 (1949).
W. H. Carothers u. G. J. Berchet, Am. Soc. 55, 2813 (1933).
[2] W. J. Bailey u. J. Economy, Am. Soc. 77, 1133 (1955).
[3] E. Bergmann, Soc. 1938, 1147.
[4] C. Du Fraisse u. P. Compagnon, C. r. 207, 585 (1948).
[5] J. A. Arbusov et al., Izv. Akad. SSSR 1964, 482; engl.: 450.
[6] H. H. Inhoffen et al., B. 90, 187 (1957).
[7] A. N. Grinëv, V. N. Ermakova u. A. P. Terentév, Ž. obšč. Chim. 29, 90 (1959); engl.: 92.

Tab. 235 (2. Fortsetzung)

Chinon	Dien	Lösungsmittel	Zeit [Stdn.]	Temperatur [°C]	Addukt	Ausbeute [% d. Th.]	Literatur
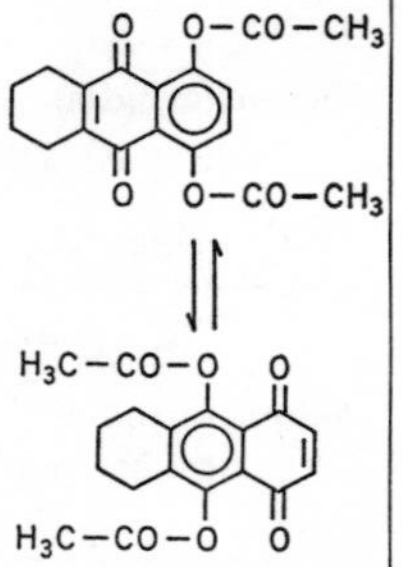	Butadien-(1,3)	Benzol	—	150	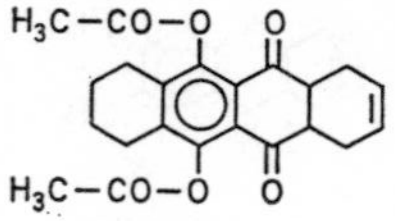 6,11-Diacetoxy-5,12-dioxo-1,4,4a,5,7,8,9,10,12,12a-decahydro-tetracen	95	[1]
Benzimidazol-4,7-chinon	2,3-Dimethyl-butadien-(1,3)	Methanol	7	Rückfluß	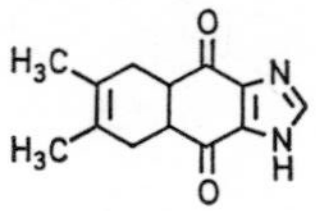 4,9-Dioxo-6,7-dimethyl-4,4a,5,8,8a,9-hexahydro-1H-⟨naphtho-[2,3-d]-imidazol⟩	~80	[2]
Chinolin-5,8-chinon	Cyclohexadien-(1,3)	Benzol	12	Rückfluß	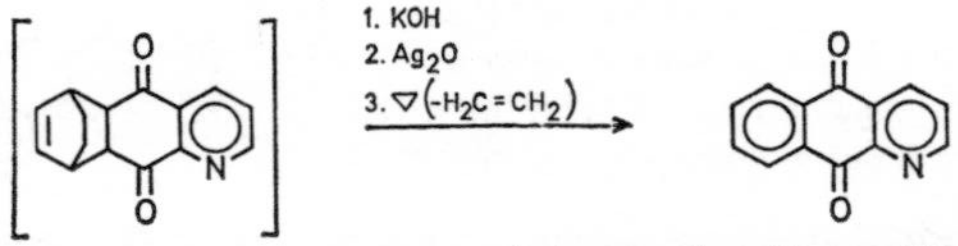 1-Aza-anthrachinon (⟨Benzo-[g]-chinolin⟩-5,10-chinon)	50	[3]

[1] F. FARINA u. J. C. VEGA, Tetrahedron Letters 1972, 1655.
[2] L. C. MARCH u. M. M. JOUILLIÉ, J. heteroc. Chem. 7, 425 (1970).
[3] A. J. BIRCH, D. N. BUTLER u. J. B. SIDDAL, Soc. 1964, 2941, s. a. 2932.

Als Derivate der Chinone sind p-Chinon-monophenylhydrazone[1], p-Chinon-imine und deren N-Acyl- oder N-Sulfonyl-Derivate mit verschiedenen Dienen umgesetzt worden. Je nach der Reaktionsfähigkeit können sowohl „Mono-" als auch „Bis-Dien-Chinon-iminaddukte" isoliert werden. Die Reaktionsfähigkeit der einzelnen Derivate fällt etwa in folgender Reihe:

Benzochinon-(1,4)-imine[2] $\cong$ Benzochinon-(1,4)-bis-[imine][2] > Naphthochinon-(1,4)-bis-[benzol-sulfonylimine][3] > Benzochinon-(1,4)-sulfonylimine[4-9] > Benzochinon-(1,4)-bis-[benzoyl-imine][3,10].

Bei manchen dieser Additionen hat sich Chloroform als Lösungsmittel besonders bewährt. Das folgende Formelschema gibt eine Auswahl dieser Diels-Alder-Addukte (I–IX). Im übrigen muß, besonders im Hinblick auf die leichte Aromatisierungstendenz bei der Adduktbildung auf die Originalliteratur verwiesen werden.

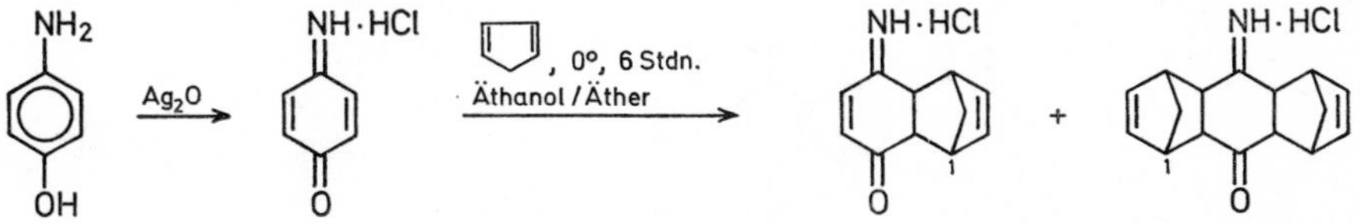

I; 6-Imino-3-oxo-tricyclo[6.2.1.0²,⁷]undecadien-(4,9)

II; 3-Oxo-10-imino-pentacyclo[10.2.1.1⁵,⁸.0²,¹¹.0⁴,⁹]hexadecadien-(9,13)

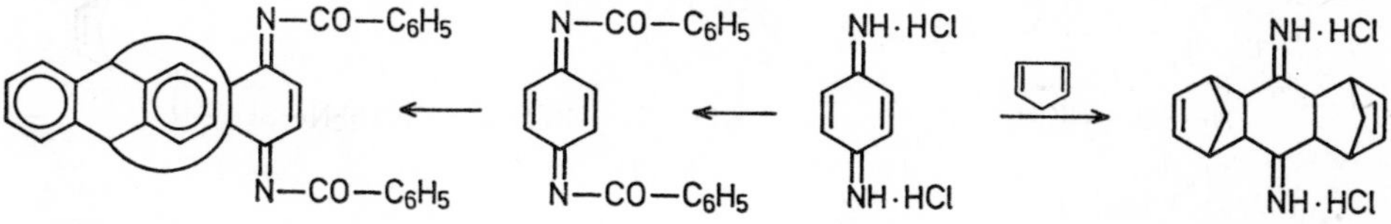

III; 13,16-Bis-[benzoylimino]-
9,10,11,12,13,16-hexahydro-
trypticen

IV; 3,10-Diimino-
pentacyclo[10.2.1.1⁵,⁸.
0.²,¹¹.0⁴,⁹]hexadecadien-
(9,13)

[1] W. M. Lauer u. S. E. Miller, Am. Soc. 57, 520 (1935).

[2] C. J. Sunde, J. G. Erickson u. E. K. Raunio, J. Org. Chem. 13, 742 (1948).

[3] R. Adams u. W. R. Mojc, Am. Soc. 74, 2593 (1952).

[4] R. Adams u. J. B. Edwards, Am. Soc. 74, 2605 (1952).

[5] R. Adams u. C. R. Walter, Am. Soc. 73, 1152 (1951).

[6] R. Adams u. J. B. Edwards, Am. Soc. 74, 2603 (1952).

[7] R. Adams u. P. R. Shafer, Am. Soc. 75, 667 (1953).

[8] R. Adams u. W. P. Short, Am. Soc. 76, 2408 (1954).

[9] US. P. 3268581 (1964), Dow Chem. Comp., Erf.: J. E. Dunbar; C. A. 65, 18540 (1966).

[10] R. Adams u. B. S. Acker, Am. Soc. 74, 5872 (1952).

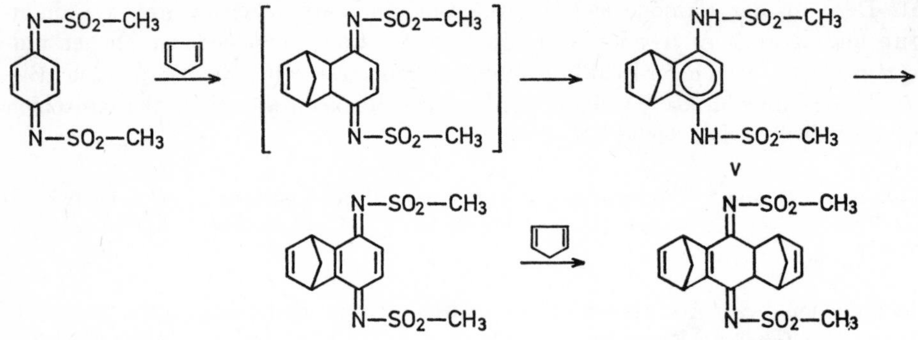

VI; *3,10-Bis-[methansulfonyl-imino]-pentacyclo[10.2.1.1^{5,8}.0^{2,11}.0^{4,9}]hexadecadien-(9,13)*

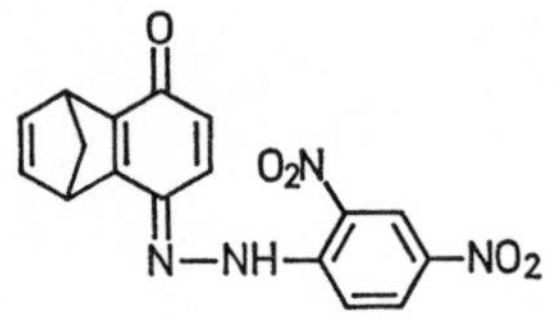

VII; *6-(2,4-Dinitro-phenylhydrazono)-3-oxo-tricyclo[6.2.1.0^{2,7}]undecadien-(4,9)*

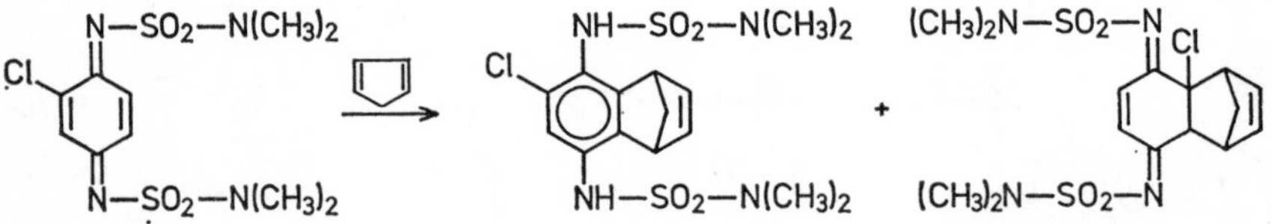

IX; *2-Chlor-3,6-bis-[di-methylaminosulfonyl-imino]-tricyclo[6.2.1. 0^{2.7}]undecadien-(4,9)*

γ_2) *1,2-Diketone durch Diels-Alder Reaktion von o-Chinonen*

Die o-Benzochinone verfügen über 2 verschiedene konjugierte Doppelbindungs-systeme: Im Ring das Cyclohexadien-(1,3)-System und außerhalb des Ringes die beiden Doppelbindungen der ortho-Carbonyl-Gruppen. Ferner ist eine der Ring-doppelbindungen durch die Nachbarschaft der Carbonyl-Gruppe und der zweiten C=C–Doppelbindung besonders aktiviert. Daher zeigen die o-Benzochinone in der Diels-Alder-Reaktion ein zumeist vom Substitutionsgrad abhängiges schillerndes Verhalten[1]. Mit Dienophilen reagieren sie entweder zu p-verknüpften bicycli-

---

[1] Übersichtsartikel: K. T. Finley in S. Patai, *The Chemistry of the quinoid compounds II*, S. 1011, J. Wiley and Sons, London · New York · Sidney · Toronto 1974.

schen Diketonen [Typ (A) oder 1,4-Dioxan-Derivaten (Typ B)] und mit
Dienen zu o-kondensierten bicyclischen 1,2-Diketonen [Typ (C)]:

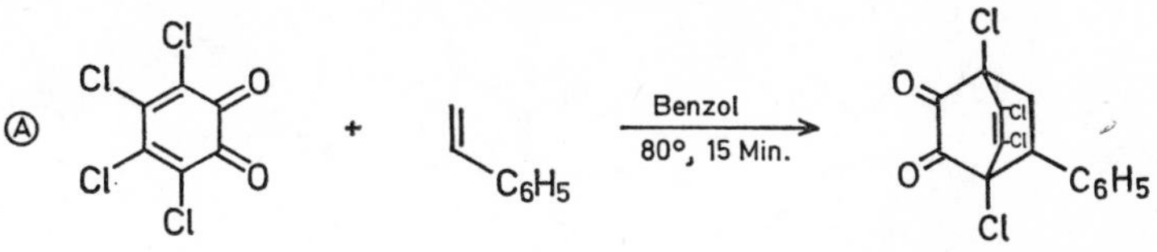

1,2,3,4-Tetrachlor-7,8-dioxo-5-
phenyl-bicyclo[2.2.2]octen-
(2); 79% d.Th.[1]

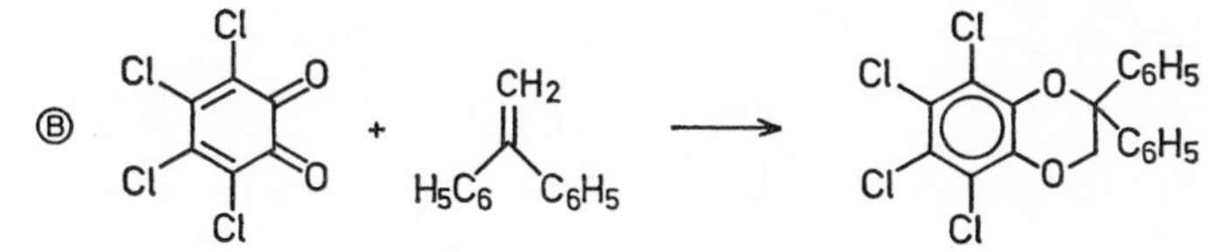

Lit.[2-5]

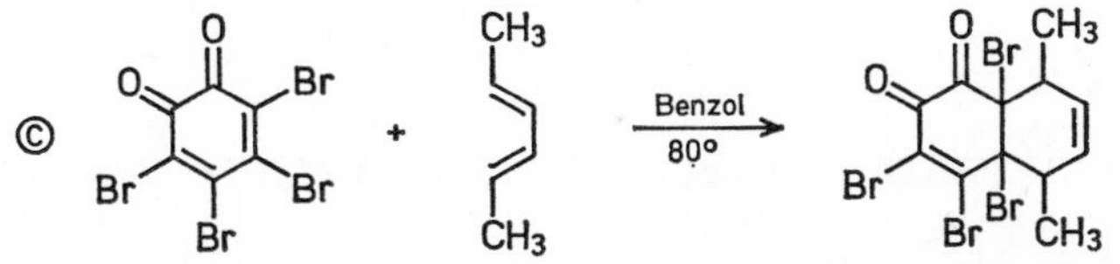

1,2,3,6-Tetrabrom-4,5-dioxo-7,10-
dimethyl-bicyclo[4.4.0]decadien-
(2,8); 60% d.Th.[6]

Eine weitere Form der Addition [Typ (D)] verkörpert die Anlagerung von 2,3-
Dimethyl-butadien (I) an Tetrachlor-1,2-benzochinon (II). In erster Stufe erfolgt
Addition an die dienophile C=O-Gruppe zum Spiroketon III, das mit weiterem 2,3-
Dimethyl-butadien zum 2:1-Addukt (V oder VI) umgewandelt wird. Das Addukt III
besitzt eine Allyl-o-dienon-Struktur, einem bei der Claisen-Umlagerung geforderten

[1] L. HORNER u. W. SPIETSCHKA, A. 579, 159 (1953).

[2] L. HORNER u. H. MERZ, A. 570, 89 (1950).

[3] Weitere Literatur dazu:
A. SCHÖNBERG u. N. LATIV, Am. Soc. 72, 4828 (1950).
L. J. SMITH u. L. R. HAC, Am. Soc. 58, 229 (1936).
L. HORNER et al., A. 570, 89 (1950); 579, 159 (1953); 597, 1 (1955), 579, 170 (1953).
A. SCHÖNBERG et al., Soc. 1951, 1364, Am. Soc. 77, 3850 (1955).
W. RIED u. E. TOROK, A. 687, 187 (1965).

[4] W. M. HORSPOOL, J. M. TEDDER u. Z. U. DIN, Soc. [C] 1969, 1694.

[5] N. LATIF, N. SADDIK u. F. MIKHAIL, Tetrahedron Letters 1969, 3987.
D. T. ANDESON u. W. M. HORSPOOL, Soc. (Perkin I) 1972, 532.

[6] H. V. EULER u. H. HASSELGUIST, Ark. Kemi, 6, 139 (1954).

Zwischenprodukt. Daher läßt es sich durch Erhitzen in Benzol quantitativ zu dem Benzo-1,4-dioxen-Derivat IV umlagern!

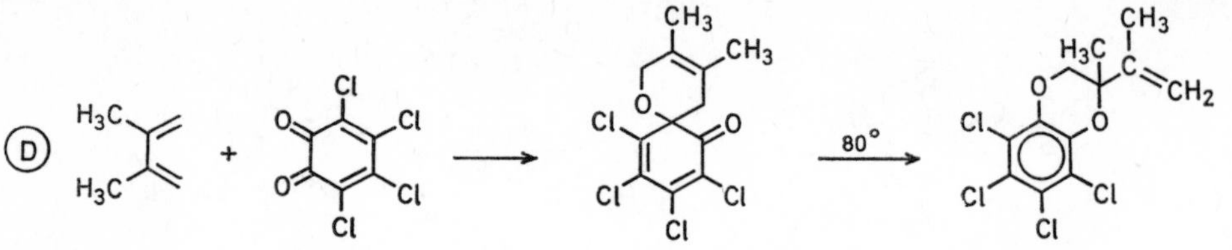

I   II   III   IV

5,6,7,8-Tetrachlor-2-
methyl-2-isopro-
penyl-2,3-dihydro-
⟨benzo-1,4-dioxin⟩

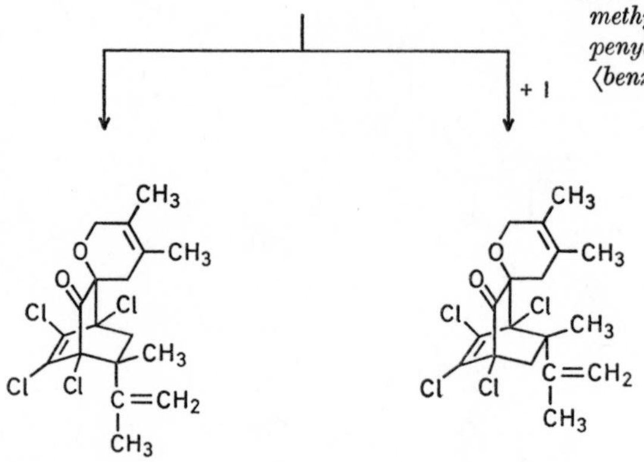

V   VI

3,4-Dimethyl-5,6-dihydro-2H-pyran-⟨6-spiro-7⟩-1,2,3,4-tetrachlor-8-oxo-
-5-methyl-5-isopropenyl-   *bicyclo[2.2.2]octen-(2)*   *-6-methyl-6-isopropenyl-*

Cyclopentadien und 1,4-Diphenyl-butadien-(1,3) reagieren zum Addukttyp IV. Es wird angenommen, daß hier instabile Spirodihydropyrane vom Typ III als Zwischenprodukte fungieren[1]!

Die Reaktionswege (A) und (B) (S. 1787) können selektiv oder gleichzeitig eingeschlagen werden (eine Diskussion darüber, insbesondere über die nach der "inversen Diels-Alder-Reaktion"[2] ablaufende Umsetzung der relativ stabilen Halogen-o-benzochinone mit Olefinen findet sich in ds. Handb., Bd. V/3[3,4]). An dieser Stelle nachzutragen bleibt lediglich eine Revision der Struktur des Adduktes von Tetramethyl-o-benzochinon an Cyclopentadien[5], die nach neueren Ergebnissen[6] dem Typ (A) entspricht:

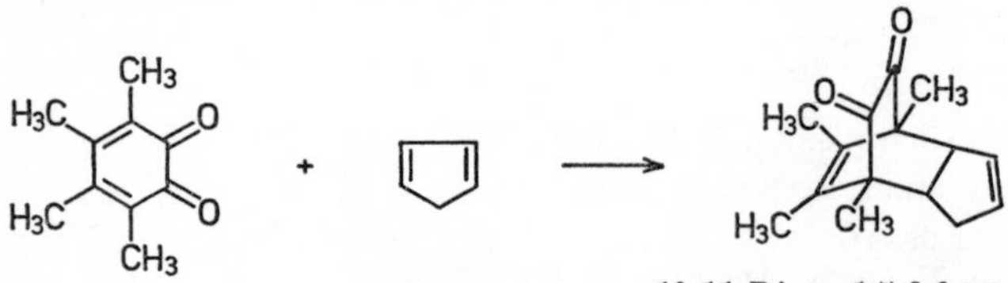

10,11-Dioxo-1,7,8,9-tetramethyl-tricyclo
[5.2.2.0²,⁶]undecadien-(3,8)

[1] M. F. ANSELL u. V. J. LESLIE, Chem. Commun. 1967, 949; Soc. [C] 1971, 1423.
[2] S. ds. Handb., Bd. V/1c, Kap. Diels-Alder-Reaktionen mit *inversem Elektronenbedarf*, S. 1040. H. WOLLWEBER, *Diels-Alder-Reaktion*, S. 66ff, Thieme-Verlag Stuttgart 1972.
[3] S. ds. Handb., Bd. V/3, Kap. Herstellung von Chlorverbindungen, S. 989.
[4] Weitere Literatur: A. S. ONISHCHENKO, *Diene Synthesis* S. 544–548, Oldbourne Press, London 1964.
[5] L. J. SMITH u. L. R. HAC, Am. Soc. 58, 229 (1936).
[6] L. HORNER u. W. SPIETSCHKA, A. 579, 159 (1953).

Bei der Addition substituierter o-Benzochinonen (I) an Cyclopentadien werden häufig 2 Addukte isoliert. Dabei fungiert im allgemeinen Cyclopentadien als Dien und bildet mit den C=C-Doppelbindungen des 1,4-Benzochinons in einer kinetisch kontrollierten Reaktion ein „normales" Diels-Alder-Addukt (II). Beim Erhitzen erfährt dieses eine Cope-Umlagerung zu dem thermodynamisch stabilen Addukt III. (Tab. 236 gibt die Produktverteilung)[1]:

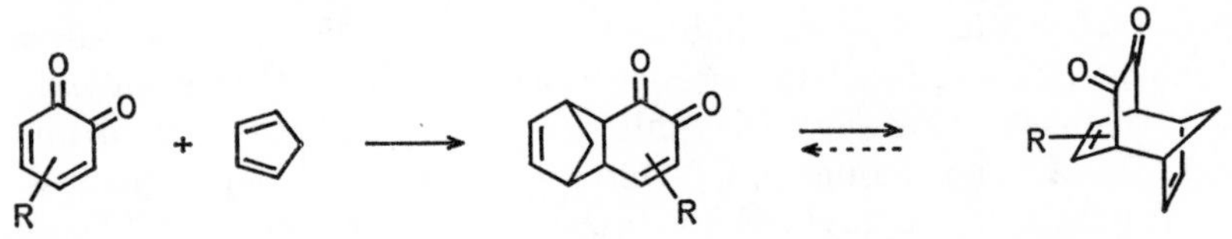

Tab. 236: Reaktion von o-Benzochinonen mit Cyclopentadien

Substituiertes o-Benzochinon	Geschätzte Produktverteilung (nach NMR-Auswertung)		Isoliertes Produkt		Umlagerungs-produkt (Typ II→Typ III) F [°C]
	Typ II[a]	Typ III[b]	Typ II (F:)	Typ III (F:)	
1,2-Benzochinon	—	—	32% (89–91°)	—	139–141
4-Methyl-...	95%	5%	40% (79–80°)	—	91–93
4-Phenyl-...	85%	15%	60% (121–123°)	—	101,5–102,5
4-Methoxy-...	100%	—	74% (102–103°)	—	—
4-tert.-Butyl-...	85%	15%	48% (77–78°)	—	98–99
3-Methyl-...	65%	35%	—	20% (118–119°)	—
3-Methoxy-...	60%	40%	55% (95–96°)	18% (110–111°)	110–111
3-Phenyl-...	40%	60%	—	55% (145–146°)	—
3-Chlor-...	50%	50%	45% (82–83°)	15% (145–146°)	145–146
3-Isopropyl-...	80%	20%	43% (82–83°)	—	125–127
3,4-Dimethyl-...	85%	15%	35% (76–82°)	—	107–108
3,5-Dimethyl-...	65%[c]	35%	17% (88–89°)	20% (117–118°)	117–119
3,6-Dimethyl-...	15%	85%	—	38% (154–155°)	—

[a] 5,6-Dioxo-2(3)-... -tricyclo[6.2.1.0²,⁷]undecadien-(3,9)
[b] 9,10-Dioxo-2(3)-... -tricyclo[4.2.2.1²,⁵]undecadien-(3,7)
[c] Addition an die 3,4-Doppelbindung

[1] M. F. ANSELL, A. F. GOSDEN u. V. J. LESLIE, Tetrahedron Letters, 1967, 4537.
M. F. ANSELL, A. F. GOSDEN, V. J. LESLIE u. R. A. MURRAY, Soc. [C] 1971, 1401.
s. a. F. J. EVANS, H. S. WILGUS u. J. W. GATES, J. Org. Chem. 30, 1655 (1965).
D. D. CHAPMAN, H. S. WILGUS u. J. W. GATES, Tetrahedron Letters 1966, 6175.
W. M. HORSPOOL, J. M. TEDDER u. ZIA UD DIN, Chem. Commun. 1966, 775; Soc.[C] 1968, 1597.

Indan-5,6-chinon, Tetralin-6,7-chinon und 4,5-Dimethyl-1,2-benzochinon bilden bei der Addition an Cyclopentadien nur Addukte vom Typ III; d. h. das o-Chinon verhält sich als Dien und das Cyclopentadien fungiert als Dienophil. Wahrscheinlich verhindern die Substituenten in 4- und/oder 5-Stellung durch sterische Hinderung eine Adduktbildung vom Typ II (S. 1789)[1].

Relativ wenig gesichertes Material liegt für das dienophile Verhalten der o-Chinone [Reaktionsweg (C); S. 1787] vor[2].

Die Umsetzung unsymmetrischer mono- und disubstituierter 1,2-Benzochinone mit acyclischen Dienen nimmt einen ähnlichen Verlauf wie die der substituierten 1,4-Benzo-chinone. Das o-Chinon reagiert bevorzugt an der C=C-Doppenbindung, die mehr Elektronenmangel aufweist. Die Addukte sind meist nicht sehr stabil und unterliegen leicht der Aromatisierung zu 5,6-Dihydroxy-1,4-dihydro-naphthalinen. Daher erfolgt die Addition von Methyl-, Methoxy-, Chlor- und Acetamino-1,2-benzochinon an 2,3-Dimethyl-butadien immer an der sterisch weniger gehinderten Seite, also der unsubstituierten 5,6-Doppelbildung. Elektronenanziehende Substituenten wie Methoxycarbonyl-oder Cyan-Gruppen vermindern die Elektronendichte an der C=C-Doppelbindung des Chinons und erhöhen damit deren Reaktionsfähigkeit. Der sterische Effekt wird überkompensiert und es entsteht durch Anlagerung des Diens an der substituierten C=C-Bindung in 3,4-Stellung ein Addukt mit angularem Substituenten[3]:

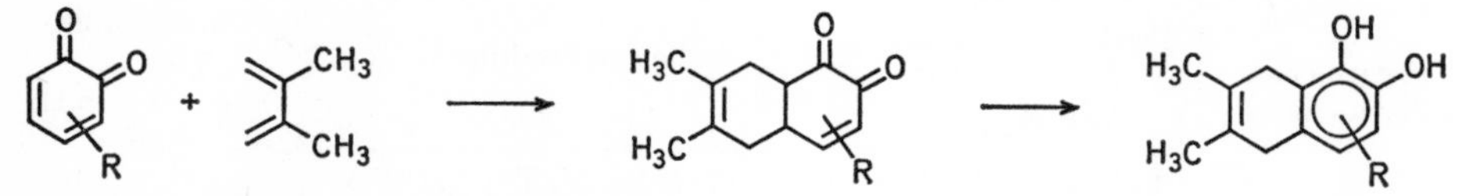

R=OCH₃, Cl, CH₃, NH-CO-CH₃

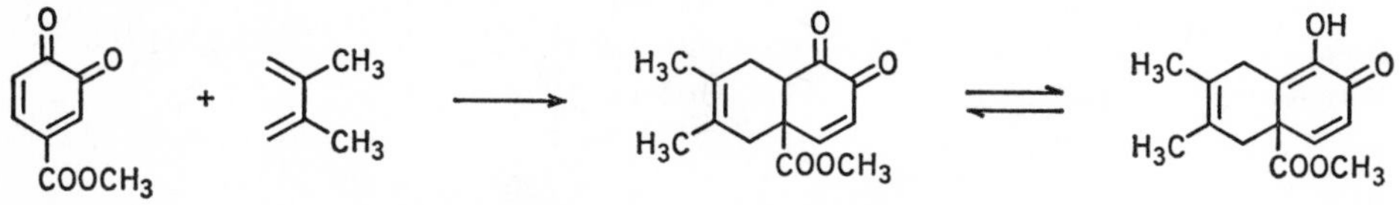

4,5-Dioxo-8,9-dimethyl-1-methoxy-
carbonyl-bicyclo[4.4.0]decadien-(2,8)

In Tab. 237 (S. 1791) sind einige Umsetzungen, einschließlich der Dimerisation [Kombination der Reaktionswege (A) und (C), S. 1787] der o-Chinone angeführt. Zur experimentellen Herstellung der Diels-Alder-Addukte der 1,2-Chinone ist folgendes zu beachten: 1,2-Benzochinone sind empfindlicher als 1,2-Naphthochinone; mit einem großen Überschuß an Dien (10–25 Mol) sind jedoch zahlreiche 1,2-Benzochinone erfolgreich umgesetzt worden[4].

---

[1] W. M. HORSPOOL, P. SMITH u. J. M. TEDDER, Soc. [C] 1971, 1638.

[2] L. W. BUTZ, *The Diels-Alder-Reaction, Quinones and other Cyclenones*, Organic Reactions 5, S. 136 (1949).

[3] M. F. ANSELL, A. J. BIGNOLD, A. F. GOSDEN, V. J. LESLIE u. R. M. MURRAY, Soc. [C] 1971, 1414.

[4] M. F. ANSELL et al., Soc. [C] 1971, 1414.

Tab. 237. Diels-Alder-Reaktion mit o-Chinonen

Dien	Dienophil	Lösungs-mittel	Zeit [Stdn.]	Tempera-tur [°C]		Addukt	Ausbeute [% d.Th.]	Litera-tur
2,3-Dimethyl-butadien (25 ml)	o-Benzochinon (0,04 Mol)	CHCl₃	6	20		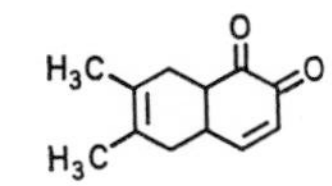 4,5-Dioxo-8,9-dimethyl-bicyclo[4.4.0]decadien-(2,8)	51	1
4,5-Dimethyl-o-benzochinon	Cyclopentadien	Äthanol	1	Rück-fluß		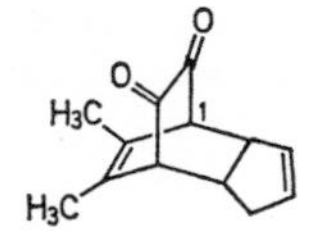 endo-10,11-Dioxo-8,9-dimethyl-tri-cyclo-[5.2.2.0²,⁶]undecadien-(3,8)	—	2
Tetrachlor-o-benzochinon	Inden	Benzol	0,25	100		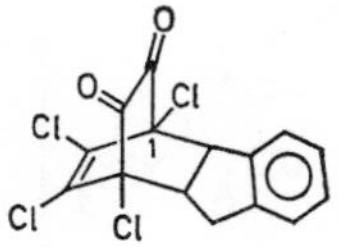 1,9,10,11-Tetrachlor-12,13-dioxo-⟨3,4-benzo-tricyclo[5.2.2.0²,⁶]undecadien-(3,8)⟩	61	3
4,5-Dimethyl-o-benzochinon	4,5-Dimethyl-o-chinon	Nitro-methan	120	20 dann kurz 80		5,6,11,12-Tetraoxo-2,3,9,10-tetra-methyl-tricyclo[6.2.2.0²,⁶]dode-cadien-(3,9)	86	4
Cyclopentadien	4-Acetamino-o-benzochinon	Aceton	0,3	35		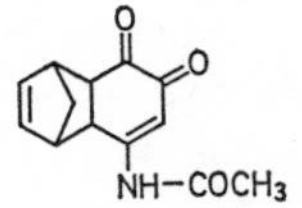 3-Acetylamino-5,6-dioxo-tricyclo[6.2.1.0²,⁷]undecadien-(3,9)	40	5,6

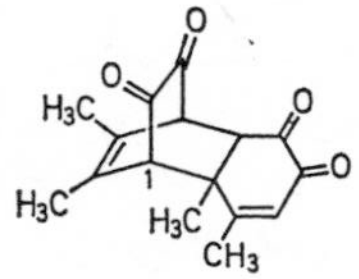

1 M. F. ANSELL et al., Soc. [C] 1971, 1414.
2 L. HORNER, A. 579, 170 (1953).
  L. HORNER et al., B. 98, 1252 (1965).
3 L. HORNER u. H. MERZ, A. 570, 89 (1950).
4 L. HORNER u. K. STURM, A. 597, 1 (1955).
5 J. A. BARLTROP u. J. A. D. JEFFREYS, Soc. 1954, 154.
6 S. a. T. G. CORBETT, W. DAVIES u. A. N. PORTER, Austral. J. Chem. 18, 1775 (1965).

Tab. 237 (1. Fortsetzung)

Dien	Dienophil	Lösungsmittel	Zeit [Stdn.]	Temperatur [°C]	Addukt	Ausbeute [% d.Th.]	Literatur
1-Vinyl-naphthalin	3-Brom-naphtho-chinon-(1,2)	1,1,2,2-Tetra-chloräthan	5	100 (-HBr)	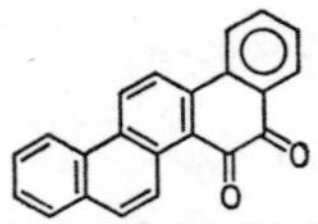 *Picenchinon-(5,6)* [Struktur]	30	[1]
2,3-Dimethyl-butadien (1 Mol)	3-Chlor-naphtho-chinon-(1,2) (2 Mol)	Chloroform	1	100	*10a-Chlor-9,10-dioxo-2,3-dimethyl-1,4,4a,9,10,10a-hexahydro-anthracen* [Struktur]	70	[2]
	2-Brom-phenan-threnchinon-(3,4)	Chloroform	5	100 (-HBr)	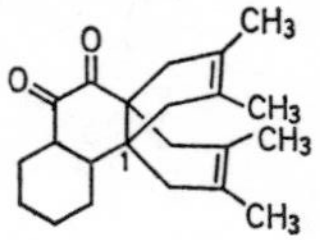 *8,9-Dioxo-12,13,16,17-tetramethyl-tetracyclo[8.4.4.0^{1,10}.0^{2,7}]octa-decadien-(12,16)* [Struktur]	36	[3]
2,3-Dimethyl-butadien		Chloroform	2	100	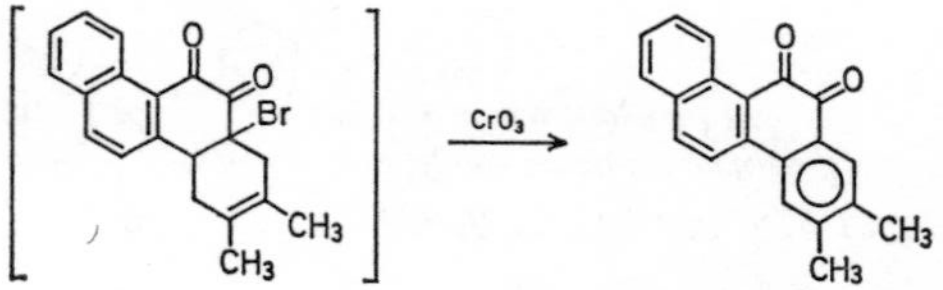 [Struktur] $\xrightarrow{CrO_3}$ *8,9-Dimethyl-chrysen-chinon-(5,6)* [Struktur]	90	[4]
Butadien-(1,3)	4-Cyanmethyl-naphthochinon-(1,2)	Essig-säure	22	85	*9,10-Dioxo-4a-cyanmethyl-1,4,4a,9,10,10a-hexahydro-phenanthren*	56	[5]
o-Benzochinon	1-Vinyl-naphthalin	Aceton	5	20	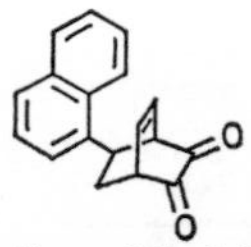 *7,8-Dioxo-5-naphthyl-(1)-bicyclo[2.2.2]octen-(2)* [Struktur]	~65	[6]

[1] W. Davies u. B. C. Ennis, Soc. 1959, 915.
[2] L. F. Fieser u. J. T. Dunn, Am. Soc. 59, 1016 (1937).
[3] L. F. Fieser u. J. T. Dunn, Am. Soc. 59, 1021 (1937).
[4] L. F. Fieser u. J. T. Dunn, Am. Soc. 59, 1024 (1937).
[5] M. Gates, Am. Soc. 72, 228 (1950). US.P.2766245(1951); Merck u. Co., Erf.: M.D.Gates; C.A. 51, 6710(1957). M. Gates u. W. F. Newhall, Am. Soc. 70, 2261 (1948).
[6] T. G. Corbet, W. Davies u. R.N. Porter, Austral.J.Chem. 18, 1775 (1965).

o-Chino-benzoylimine reagieren mit Dienen zu Addukten vom Typ (A) (S. 1787) (beispielsweise mit Butadien-(1,3) oder Cyclopentadien [I, II] und mit Benzochinon-(1,4) zu einem Addukt von Typ (C) (III). Ferner konnte ein Dimerisationsprodukt des Benzochinon-(1,2)-bis-[benzoylimins] erhalten werden[1,2]:

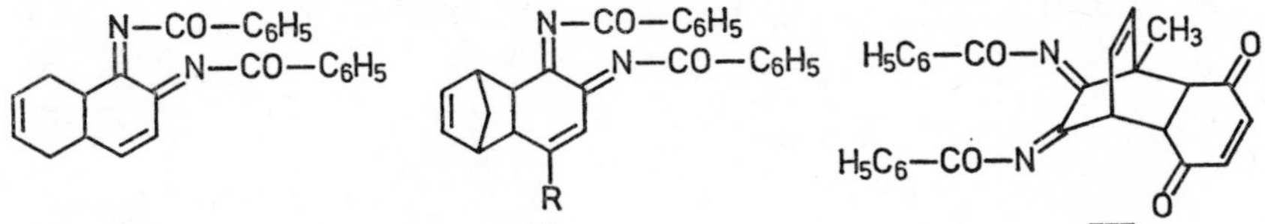

I; 4,5-Bis-[benzoylimino]-bicyclo[4.4.0]decadien-(2,8)
II; R = H, 5,6-Bis-[benzoylimino]-
    R = Cl, 3-Chlor-5,6-bis-[benzoylimino]-} tricyclo[6.2.1.0²,⁷]undecadien-(3,9)
III; 11,12-Bis-[benzoylimino]-3,6-dioxo-1-methyl-tricyclo]6.2.2.0²,⁷]dodecadien-(4,9)

3. Diels-Alder-Reaktion mit „Keton-precursoren" als Dien- oder Dienophil-komponente und Transformation der Addukte in cyclische Ketone

α) Reaktion von 2-Alkoxy-, 2-Acyloxy-, 2-Hydroxy- oder 2-Halogen-dienen-(1,3) mit Dienophilen

Eine wertvolle synthetische Methode zur Herstellung von Cyclohexanon-Derivaten, die besonders in der Steroidchemie vielfach angewendet wurde, ist die obengenannte Reaktion. In erster Stufe entstehen dabei 1-Alkoxy-, 1-Acyloxy- oder 1-Halogen-cyclohexene, die sich leicht in saurer Lösung verseifen lassen und dabei zu stabilen Cyclohexanonen tautomerisieren. Die Umsetzung von 2-Methoxy-butadien mit Cyclohexen-(1)-on-(3) zu *cis-3-Methoxy-7-oxo-bicyclo[4.4.0]decen-(3)* und nachfolgende Verseifung mit verdünnter Salzsäure zu *cis-1,6-Dioxo-dekalin (2,7-Dioxo-bicyclo[4.4.0]decan)* veranschaulicht das Verfahren[3]. Durch Abwandlung der Dienophil-Komponente [3-Oxo-2-methyl-cyclohexen bzw. -cyclopenten, usw.] wurde diese Methode zur Herstellung von Steroiden ausgenutzt[4-6]. Über die Orientierung der Addition von 2-Alkoxy-1,3-dienen an unsymmetrische Dienophile muß auf eine Übersichtsarbeit verwiesen werden[7].

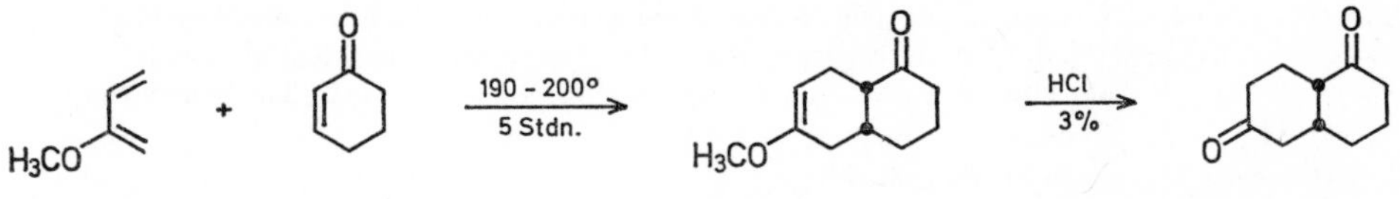

Analog reagieren die 2-Acyloxy-butadiene, die durch Enolisierung und Acetylierung von α-Oxo-olefinen hergestellt werden. Mit Maleinsäure-anhydrid wird so

[1] R. ADAMS u. T. W. WAY, Am. Soc. 76, 2763 (1954).
[2] M. LORA-TAMAYO, Tetrahedron 4, 17 (1958).
[3] I. N. NAZAROV u. L. D. BERGELSON, Ž. obšč. Chim. 22, 449 (1952); C. A. 47, 5368 (1953).
[4] J. N. NAZAROV et al., Izv. Akad. SSSR. 1953, 78; engl.: 69.
[5] J. N. NAZAROV u. L. D. BERGELSON, Ž. obšč. Chim. 20, 648 (1950); engl.: 685.
[6] J. N. NAZAROV, Uspechi Chim. 20, 309 (1951); C. A. 48, 545 (1954).
[7] Y. A. TITOV, *Orientierung in der Diensynthese*, Uspechi Chim. 31, 529 (1962); C. A. 58, 4391 (1963).

1-Acetoxy-cyclohexen-(1)-4,5-dicarbonsäure-anhydrid erhalten, das mit verdünnter Salzsäure zu *4-Oxo-cyclohexan-1,2-dicarbonsäure* verseift wird[1]:

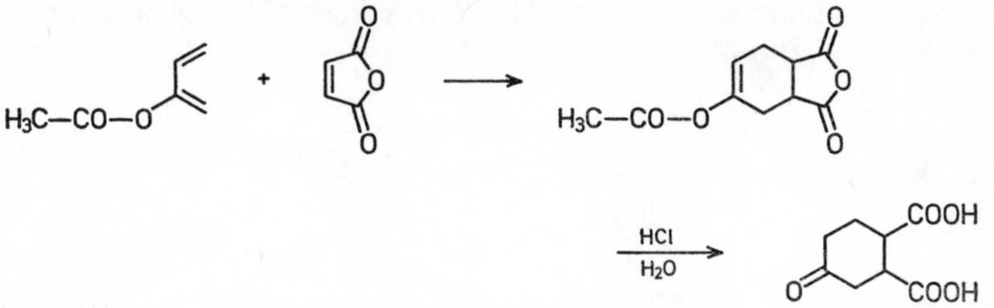

Die Verwendung von 1-(1-Acetoxy-vinyl)-cyclohexen zur einfachen Herstellung tricyclischer Ketone verdient besondere Beachtung[2,3], z.B.:

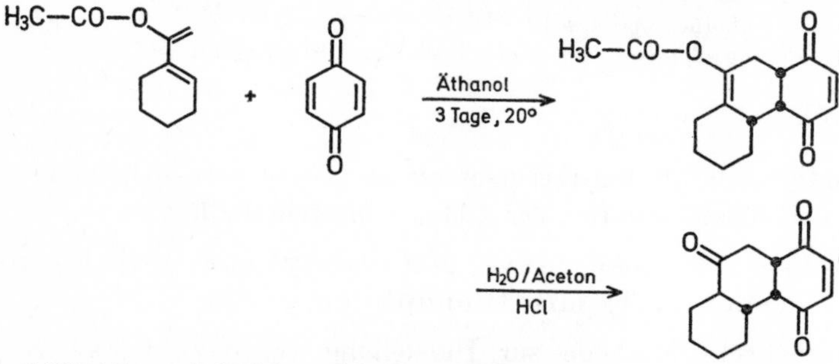

cis-syn-9-Acetoxy-1,4-dioxo-1,4,4a,4b,5,6,7, 8,10,10a-decahydro-phenanthren, 63% d.Th.

cis-syn-1,4,9-Trioxo-1,4,4a.4b,5,6,7,8,8a, 9,10,10a-dodecahydro-phenanthren

2-Nitro-5-oxo-1-(2-äthoxy-äthyl)-cyclohexan:

5-Nitro-4-(2-äthoxy-äthyl)-2-methoxy-cyclohexen[4]: Eine Lösung von 7 g (0,048 Mol) 1-Nitro-4-äthoxy-buten-(1), 19,8 g (0,24 Mol) 2-Methoxy-butadien und wenige mg Hydrochinon werden in 20 *ml* Acetonitril in einem mit Glas ausgekleideten Autoklaven 6 Stdn. auf 100° erhitzt, anschließend wird i.Vak. destilliert; Ausbeute: 5,7 g (52% d.Th.); $Kp_{0,5-1,0}$: 124–126°; n_D^{25}: 1,4782.

2-Nitro-5-oxo-1-(2-äthoxy-äthyl)-cyclohexan[5]:

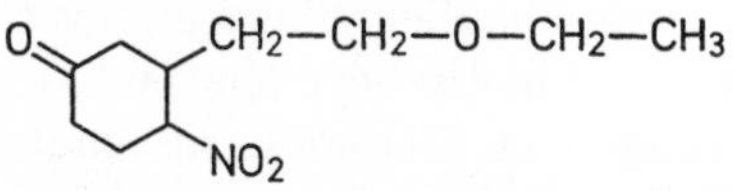

Zu einer Lösung von 8,9 g 5-Nitro-2-methoxy-4-(2-äthoxy-äthyl)-cyclohexen in 20 *ml* Äthanol (95%ig) werden 3 *ml* konz. Salzsäure und 4 *ml* Wasser gegeben. Man läßt 4 Stdn. in Eis stehen, verdünnt mit 100 *ml* Wasser, neutralisiert mit Natriumcarbonat-Lösung, extrahiert mit Äther und erhält nach Eindampfen der ätherischen Lösung das rohe Cyclohexanon-Derivat in einer Menge von 8,7 g (97% d.Th.) als rotbraunes Öl. Die Destillation des Ketons erfolgt in einer Wiedergewinnungsrate von 80%; $Kp_{0,8}$: 116° (goldgelbes Öl) n_D^{20}: 1,4742; Thiosemicarbazon F: 113,5–114°.

4-Oxo-cyclohexan-1,2-dicarbonsäure[6]:

1-Methoxy-cyclohexen-(1)-4,5-dicarbonsäure: 11,1 g 2-Methoxy-butadien werden zu einer Lösung von 19,2 g Maleinsäure-anhydrid in 100 *ml* Benzol gefügt; dabei steigt die Temp. etwas an. Man läßt über Nacht stehen, erhitzt 4 Stdn. unter Rückfluß, filtriert und erhält nach Destillation 21,1 g (93,5% d.Th.); Kp_1: 123–125°.

[1] A. L. KLEBANSKII, L. G. TSYURIKH u. J. M. DOLGOPOLSKII, Izv. Akad. SSSR. **1935**, 189, 224; C. A. **30**, 1259 (1936).

[2] F. WINTERNITZ u. C. BALMOSSIERE, Bl. **1957**, 625; **1955**, 1393; Tetrahedron 2, 100 (1958).

[3] M. MOUSSERON, F. WINTERNITZ u. C. BALMOSSIÈRE, C. r. **243**, 1328 (1956).

[4] N. J. DRAKE u. A. B. ROSS, J. Org. Chem. 23, **794** (1958).

[5] J. A. FAVORSKAYA u. L. V. FEDOROVA, Ž. obšč. Chim. **23**, 47 (1953); **24**, 242 (1954); C.A. **48**, 610 (1954); **49**, 4538 (1955).

[6] M. S. NEWMAN u. H. A. LLOYD, J. Org. Chem. **17**, 577 (1952).

4-Oxo-cyclohexan-1,2-dicarbonsäure: Zur Hydrolyse erhitzt man 4 g obiger Verbindung mit 2 g Natriumhydroxid in 100 ml Wasser 2 Stdn. unter Rückfluß. Die heiße Lösung wird mit Tierkohle entfärbt, mit Salzsäure wenige Min. erhitzt und zur Trockene eingedampft. Der Rückstand liefert nach dem Extrahieren mit Äther und Abdampfen des Lösungsmittels 3,95 g (96,5% d. Th.); gelbe Kristalle; F: 154–158°, die aus Eisessig umkristallisiert werden; F: 160–161,2°.

Es handelt sich wahrscheinlich um die *trans*-Verbindung.

Experimentell kann man bei einer Reihe von α-Oxo-olefinen so vorgehen, daß man sie in Gegenwart von Acetanhydrid und einem sauren Katalysator gleich mit dem Dienophil bei erhöhter Temperatur zur Reaktion bringt, was dann besonders zweckmäßig ist, wenn sich nur schwer isolierbare oder nur unbeständige Zwischenverbindungen, z.B. Dienolester bilden, wie dieses für das 3-Oxo-1-phenyl-buten-(1) der Fall ist[1,2]:

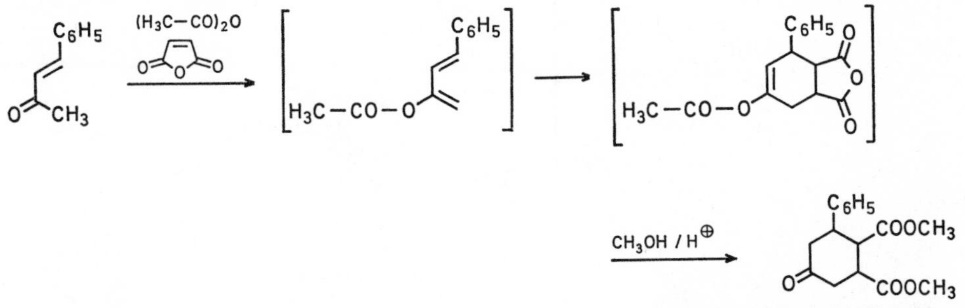

5-Oxo-3-phenyl-1,2-dimethoxy-carbonyl-cyclohexan

Zur Acylierung der α-Oxo-olefine kann anstelle von Acetanhydrid vorteilhaft 2-Acetoxy-propen verwendet werden. So werden damit aus cyclischen 1,2-, 1,3-, 1,4- oder α,β-ungesättigten Ketonen (z. B. I–VII) in situ 1,3-Diacetoxy-1,3-diene bzw. Acetoxydiene erhalten, (VIII–XV) die in Gegenwart von Dienophilen sofort zu Diels-Alder-Addukten abreagieren und die dann weiter zu bicyclischen 1,3-Hydroxy-ketonen hydrolysiert werden (z. B. XVI–XX)[3]:

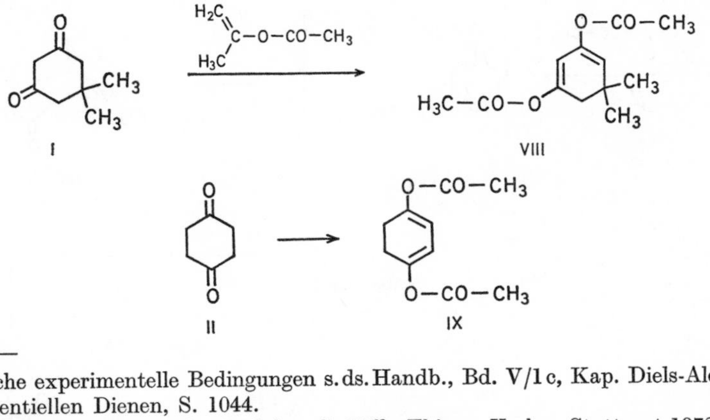

---

[1] Ausführliche experimentelle Bedingungen s. ds. Handb., Bd. V/1c, Kap. Diels-Alder-Reaktion mit potentiellen Dienen, S. 1044.

H. WOLLWEBER, *Diels-Alder-Reaktion*, S. 70ff., Thieme Verlag, Stuttgart 1972.

[2] DAS 1020626 (1953), Lonza Elektrizitätswerke u. Chem. Fabriken AG., Erf.: A. v. BÉZARD u. A. PERRET; C. A. **53**, 19884 (1959).

[3] C. M. CIMARUSTI u. J. WOLINSKY, Am. Soc. **90**, 113 (1968).

J. WOLINSKY u. R. B. LOGIN, J. Org. Chem. **35**, 1986 (1970), **35**, 3207 (1970).

J. C. LEFFINGWELL, Tetrahedron Letters **1970**, 1653.

III X

IV XI

V XII XIII

VI XIV

VII XV

XVI XVII XVIII

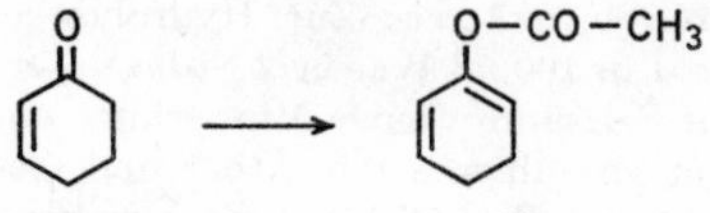

XX; *1-Acetoxy-5-oxo-bicyclo[2.2.2]octen-(2)*; 44% d. Th.

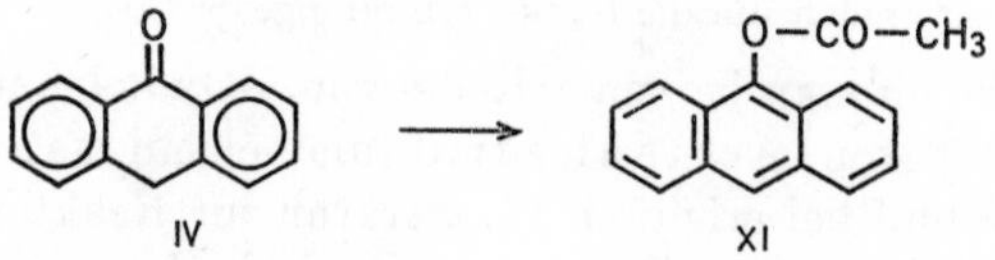

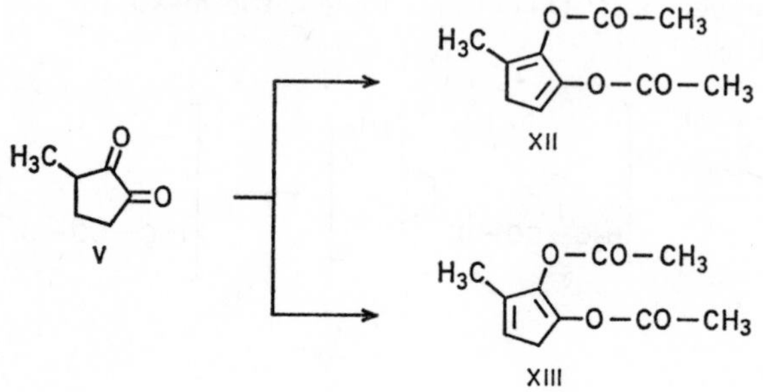

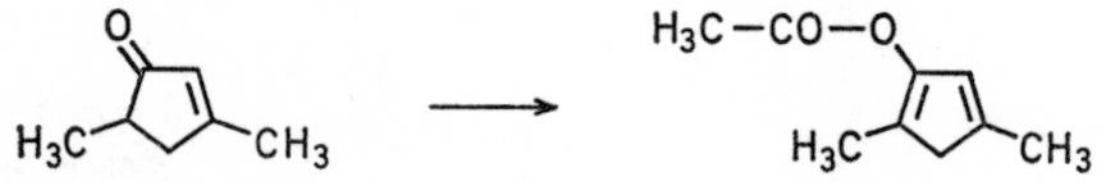

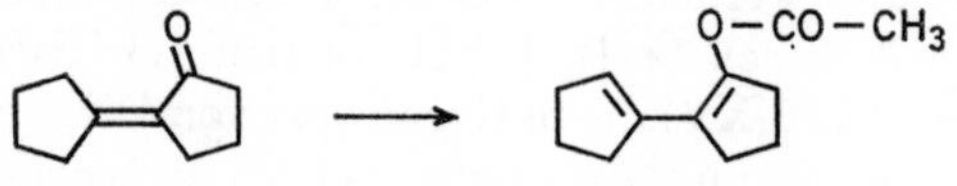

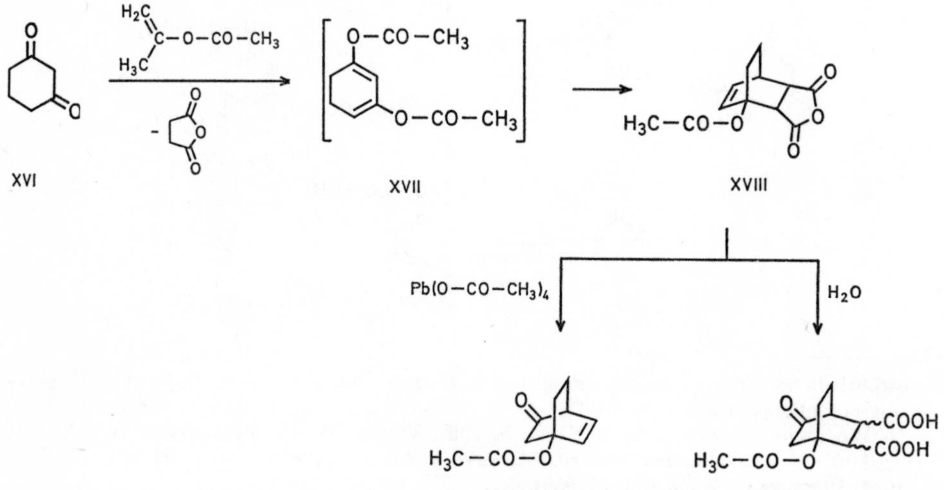

XIX; *1-Acetoxy-5-oxo-2,3-dicarboxy-bicyclo[2.2.2]octan*

1,9-Diacetoxy-3,6-dioxo-tricyclo[6.2.2.0²,⁷]dodecen-(4) (I) und 1,2,5-Trihydroxy-7-oxo-⟨benzo-bicyclo[2.2.2]octen⟩¹ (II):

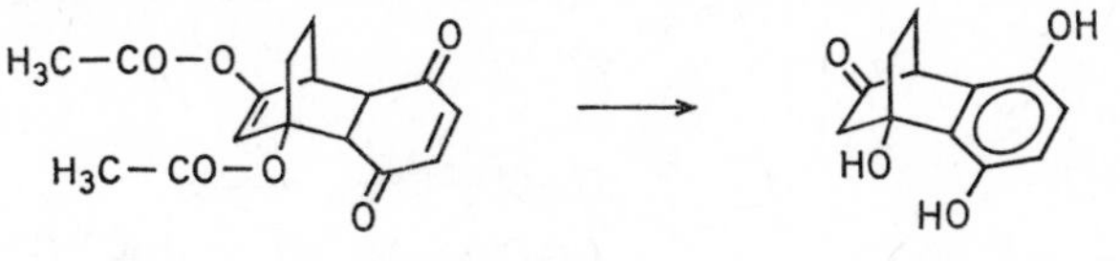

1,9-Diacetoxy-3,6-dioxo-tricyclo[6.2.2.0²,⁷]dodecen-(3) (I): Eine Lösung von 8,8 g Cyclohexandion-(1,3) 8,5 g 1,4-Benzochinon und 25 mg p-Toluolsulfonsäure in 60 *ml* 2-Acetoxy-propen wird 40 Stdn. unter Rückfluß erhitzt. Nach dem Eindampfen i. Vak. auf ein Vol. von 30 *ml* erhält man 10 g des Adduktes I (58% d.Th.); F: 114–115,5° (Essigsäure-äthylester/Hexan). 1,2,5-Trihydroxy-7-oxo-⟨benzo-bicyclo[2.2.2]octen⟩ (II): 1 g des Adduktes I wird in 100 *ml* 0,1 n Salzsäure 100 Min. unter Rückfluß erhitzt. Man sättigt die Lösung mit Natrium-chlorid, extrahiert das Keton II mit Äther und erhält nach dem Abdunsten des Äthers 750 mg II, die als Triacetat (F: 157–158°) charakterisiert werden.

Eine entsprechende Reaktionsfolge mit 1,3-Dialkoxy-dienen führt in präparativ ein-facher Weise zu Cyclohexenonen. Dazu wird z.B. das gut zugängliche *trans*-4-Methoxy-2-oxo-buten (XXI, ein vinyloger Ester) mit Trimethylchlorsilan in Gegen-wart von Triäthylamin-Zinkchlorid zu *trans-1-Methoxy-3-trimethylsilyloxy-butadien-(1,3)* (XXII) silyliert. Die nachfolgende Diels-Alder-Reaktion mit Methacrolein liefert nach saurer Hydrolyse regioselektiv *6-Oxo-3-methyl-3-formyl-cyclohexen* (XXIII) in 72%-iger Ausbeute. Die Addition an Butenon führt zu einem 1:1 Gemisch von *4-Oxo-1-acetyl-* (XXV) und *6-Oxo-3-acetyl-cyclohexen* (XXIV), wobei die C=C-Doppel-bindung von XXIV durch saure Behandlung zu *1-Acetyl-4-oxo-cyclohexen* (XXV) verschoben werden kann²:

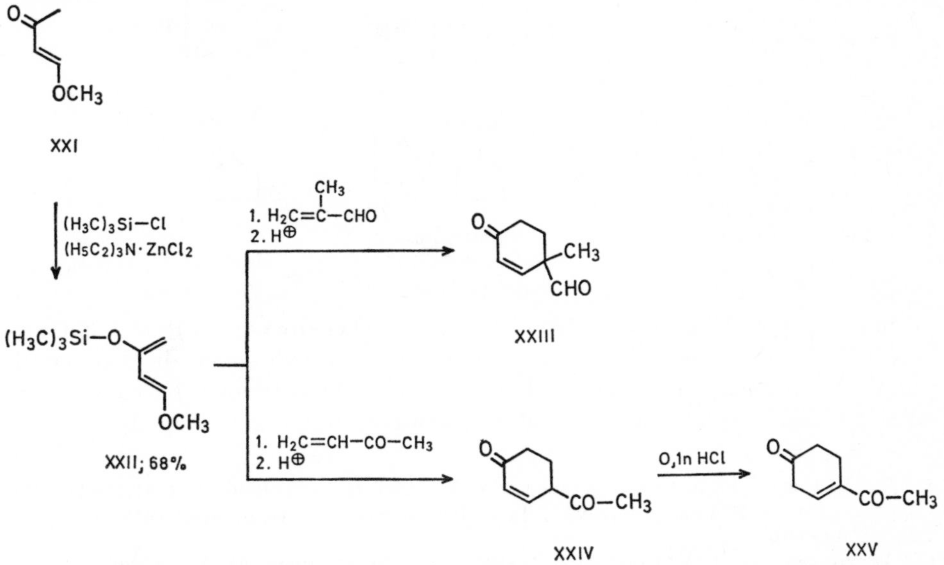

Als dienophile Partner für die Addition an 2-Alkoxy- und 2-Acyloxy-diene sind alle genügend aktivierten Olefine und Acetylene geeignet (s. Tab. 238, S. 1802). Im Spezialfall dient das 2-Alkoxy- bzw. 2-Acyloxy-dien selbst als Dien- und Dieno-

---

¹ C. CIMARUSTI u. J. WOLINSKY, Am. Soc. **90**, 113 (1968).
² S. DANISHEFSKY u. T. KITAHAVA, Am. Soc. **96**, 7807 (1974).

phil-Komponente und bildet ein „dimeres Diels-Alder-Addukt", das dann sowohl partiell zu einem cyclischen Oxo-ester oder -äther als auch zu einem Diketon verseift werden kann[1-5]:

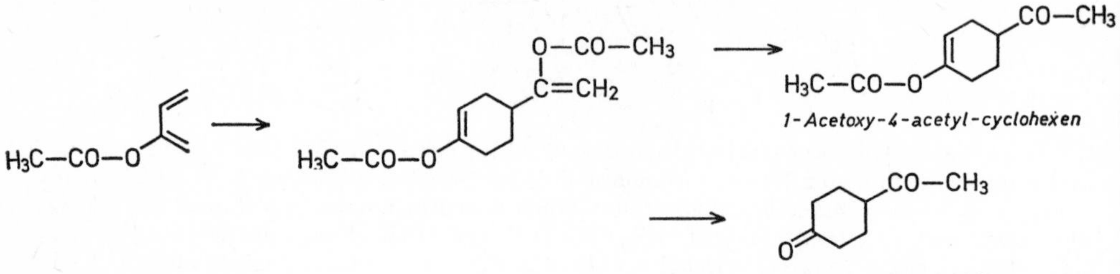

1-Acetoxy-4-acetyl-cyclohexen

4-Oxo-1-acetyl-cyclohexan

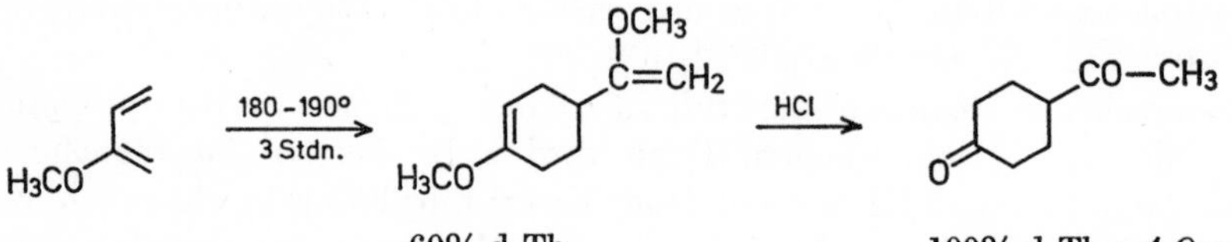

60% d.Th.

100% d.Th.; *4-Oxo-1-acetyl-cyclohexan*

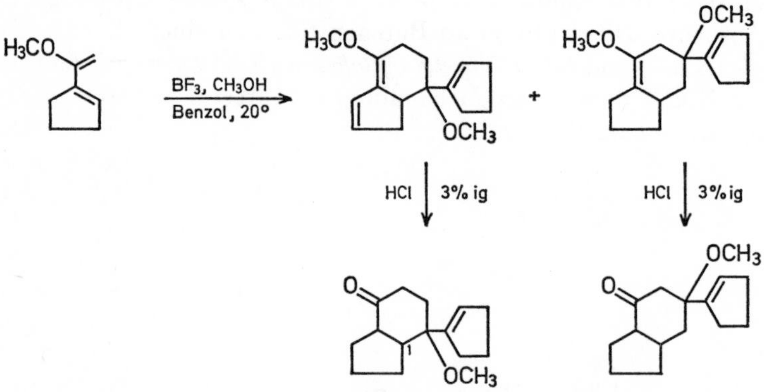

2-Methoxy-5-oxo-2-cyclopenten-(1)-yl-bicyclo[4.3.0]nonan

3-Methoxy-5-oxo-3-cyclopenten-(1)-yl-bicyclo[4.3.0]nonan

In einzelnen Fällen hat man α-Oxo-olefine wie 4-Oxo-hexen-(2)[6] oder 3-Oxo-dimethyl-cyclopenten[7] direkt thermisch oder mit Hilfe eines die Tautomerisierung zu dem entsprechenden 2-Hydroxy-dien bewirkenden Katalysators (Kaliumhydroxid, Kaliumkarbonat oder Chlorwasserstoff) an Dienophile addiert[8].

[1] A. L. KLEBANSKII u. K. K. CHEVYCHALOVA, Ž. obšč. Chim. 16, 1101 (1946); C. A. 41, 2693 (1047).
[2] J. N. NAZAROV, G. P. VERKHOLETOVA u. L. D. BERGELSON, Izv. Akad. SSSR 1948, 511; C. A. 43, 2576 (1949).
[3] J. A. FAVORSKAYA u. L. V. FEDOROVA, Ž. obšč. Chim. 23, 47 (1953); 24, 242 (1954); C. A. 48, 610 (1954); 49, 4538 (1955).
[4] J. A. FAVORSKAYA u. J. N. MAKAROVA, Ž. obšč. Chim. 25, 1477 (1955); C. A. 50, 4883 (1956).
[5] J. A. FAVORSKAYA u. E. M. AUVINEN, Ž. obšč. Chim. 33, 2795 (1963); engl.: 2723.
[6] E. BERNER, Acta chem. scand. 10, 268 (1956).
[7] A. N. ELIZAROVA, Ž. obšč. Chim. 34, 3205 (1964); engl.: 3251.
[8] s. ds. Handb., Bd. V/1c, Kap. Diels-Alder-Reaktionen mit potentiellen Dienen, S. 1044.
H. WOLLWEBER, *Diels-Alder-Reaktion*, S. 80f, Thieme Verlag Stuttgart 1972.

Die Adduktbildungen der verschiedenen 3-Oxo-dimethyl-cyclopentene sind besonders interessant. Unter dem Einfluß von Temperatur, Alkali oder Säure finden folgende Isomerisierungen des Ketons statt:

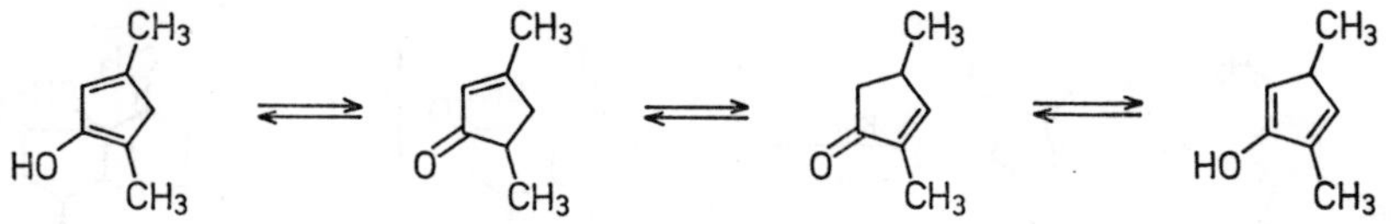

Mit Dienophilen wie Acrylsäure-methylester reagiert II wie erwartet aus der Form I[1]:

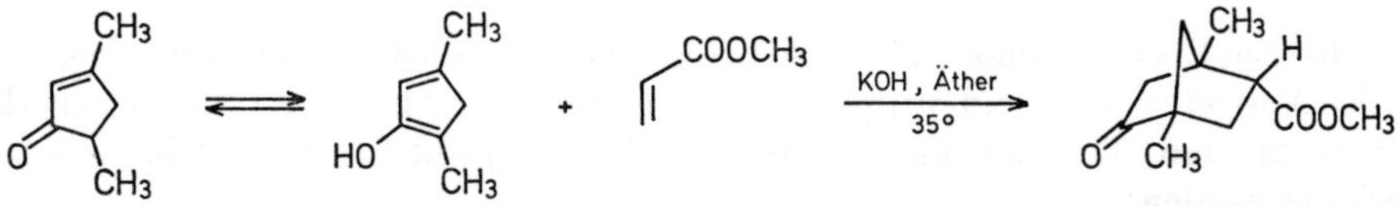

5-Oxo-1,4-dimethyl-2-
methoxycarbonyl-bicyclo
[2.2.1]heptan

In Abwesenheit eines Dienophils erfolgt Dimerisierung, bei der verschiedene Kombinationen möglich sind[2]: Einwirkung von Kaliumhydroxid in Äther auf II liefert nach Enolisierung zu I das *5,9-Dioxo-1,2,4,7-tetramethyl-tricyclo[5.2.1.0²,⁶]* *nonan* (35–40% d.Th.):

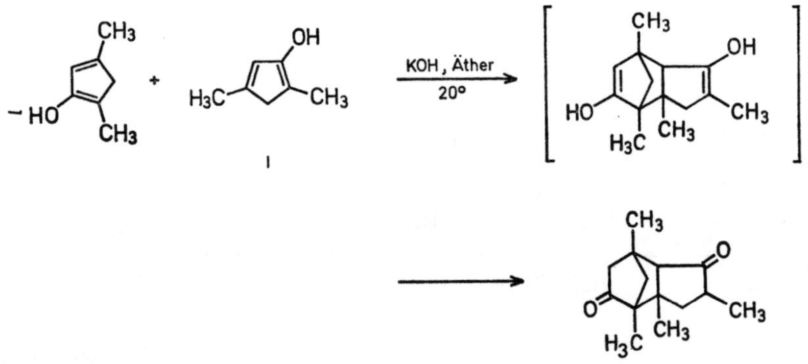

Analog wird das Keton III zu *5,9-Dioxo-3,6,8,10-tetramethyl-tricyclo[5.2.1.0²,⁶]* *decan* dimerisiert (35–40% d.Th.):

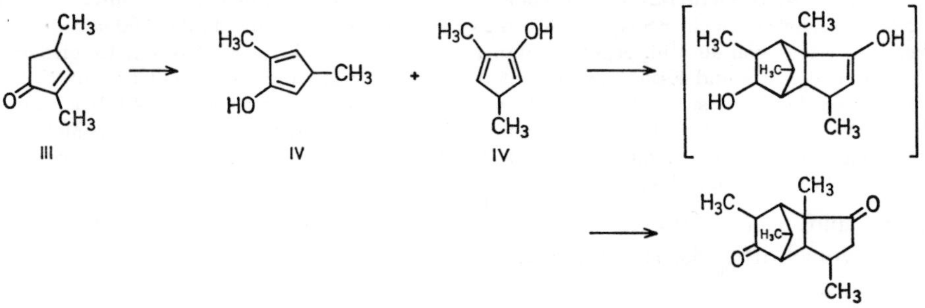

[1] A. N. Elizarova, Ž. obšč Chim. **34**, 3205 (1964); engl.: 3251.
[2] J. N. Nazarov u. A. N. Elizarova, Izv. Akad.SSSR. **1951**, 295; Ž. obšč. Chim. **30**, 450 (1960); C. A. **46**, 914 (1952); **54**, 24585 (1960).
   J. N. Nazarov, Uspechi Chim. **20**, 328 (1951); C. A. **48**, 545 (1954).

Auch eine gemischte Dimerisation von II mit III zu *3,8-Dioxo-1,2,5,7-tetramethyl-tricyclo[5.2.1.0²,⁶]decan* ist verifizierbar:

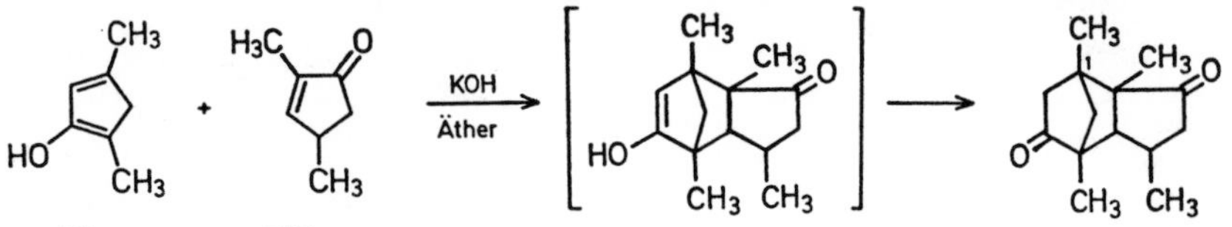

Die dimeren Cyclopentenone lassen sich alle thermisch wieder monomerisieren.

Als Vertreter der *α,β-ungesättigten* Ketone konnten 4-Oxo-2-methyl-penten-(2)[1] mit Lithium und 4-Oxo-3-methyl-penten-(2)[2] mit Natriumamid dimerisiert werden:

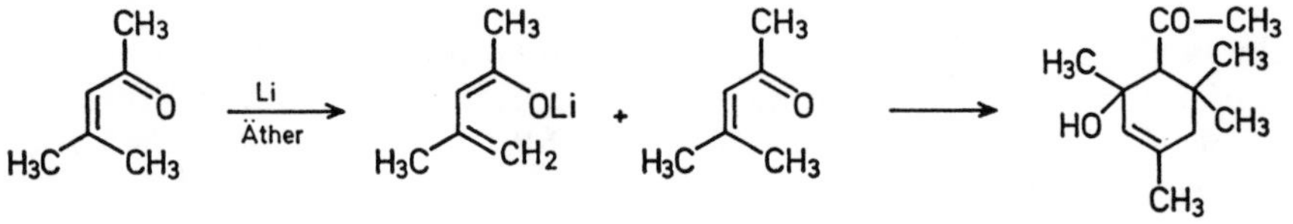

3-Hydroxy-1,3,5,5-tetra-methyl-4-acetyl-cyclohexen

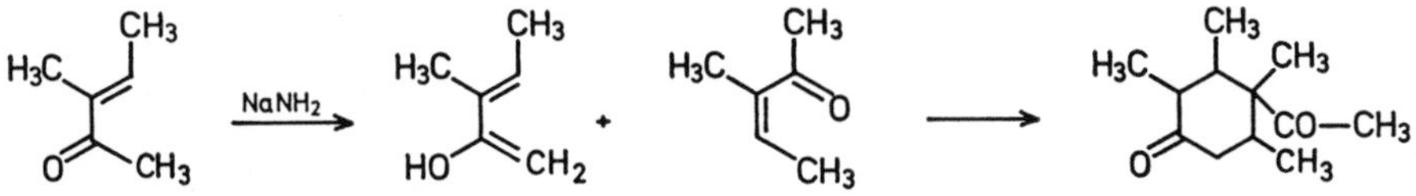

5-Oxo-1,2,3,4-tetramethyl-2-acetyl-cyclohexan

5-Oxo-1,2,3,4-tetramethyl-2-acetyl-cyclohexan[3]: 50 g 3-Oxo-2-methyl-penten-(2) werden bei 2–6° tropfenweise zu einer Suspension von 25 g gepulvertem Natriumamid in 300 *ml* trockenem Äther im Verlauf von 40 Min. gegeben. Man rührt 4 Stdn. nach, zersetzt durch Eingießen auf ein Gemisch von Eis und Essigsäure, trennt die ätherische Lösung ab, wäscht sie mit Kalium-carbonat und destilliert sie im Vakuum. Man erhält eine Fraktion vom Kp_{33}: 140–164°, aus der sich über Nacht 11 g (22% d.Th.) des Adduktes kristallin abscheiden; F: 80–81,5° (aus Methanol). In einem anderen Experiment, in dem die Reaktion 6 Stdn. bei 2–12° und dann 10 Stdn. bei 20° gehalten wurde, ließ sich eine Ausbeute von 30% d.Th. erzielen.

Exo- und *endo-5-Oxo-1,4-dimethyl-2-methoxycarbonyl-bicyclo[2.2.1]heptan*: Herstellungsvorschrift s. ds. Handb., Bd. V/1c[4].

[1] E. A. Brauch et al., Soc. **1956**, 4054.
[2] T. Takeshima, T. Imaseki u. S. Ogata, Bull. chem. Soc. Japan **31**, 4 (1958).
[3] A. L. Klebanskii u. K. K. Chevychalova, Ž. obšč. Chim. 16, 1101 (1946); C.A. **41**, 2693 (1947).
[4] s. ds. Handb., Bd. V/1c, Kap. Diels-Alder-Reaktion mit potentiellen Dienen, S. 1044.

In Tab. 238 (S. 1802) sind einige nach diesem Verfahren synthetisierte Cyclohexanon-Derivate beschrieben. Hinsichtlich der Addition von 2-Alkoxy-dienen und 2-Acyl-oxy-dienen muß ferner auf die Literatur[1] verwiesen werden.

Zu den gleichen in Tab. 238 (S. 1802) aufgeführten cyclischen Ketonen kann man auch gelangen, wenn man die Addukte von 2-Halogen-dienen verseift. Die Hydrolyse von Verbindungen jedoch, die Chlor an der Doppelbindung enthalten, erfordert drastischere Bedingungen (Einwirkung von konzentrierter Schwefelsäure bei 0°). So bildet Chloropren mit Acrylsäure beim Erhitzen auf 150° eine Mischung der p- und m-Addukte (I und III) im Verhältnis von 9,3 : 1, die beide mit Schwefelsäure zu *4-* bzw. *3-Oxo-cyclohexan-1-carbonsäure* (III und IV) hydrolisiert werden[2]:

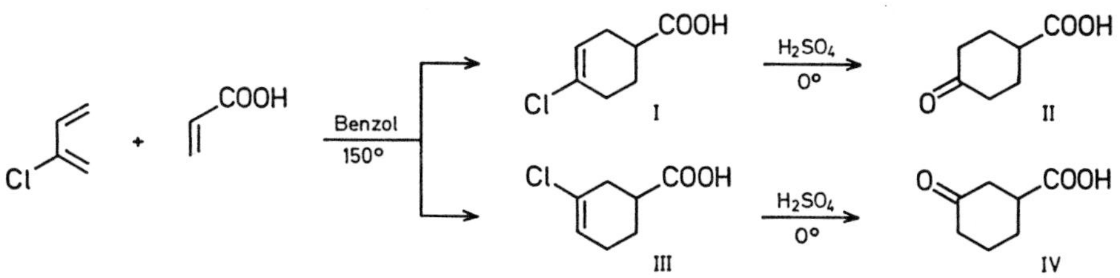

Mit 1-(1-Chlor-vinyl)-cyclohexen verläuft die Addition stereoselektiv zu V, das zur *trans-syn-cis-4-Oxo-dekalin-1,2-dicarbonsäure* verseift wird[3,4]:

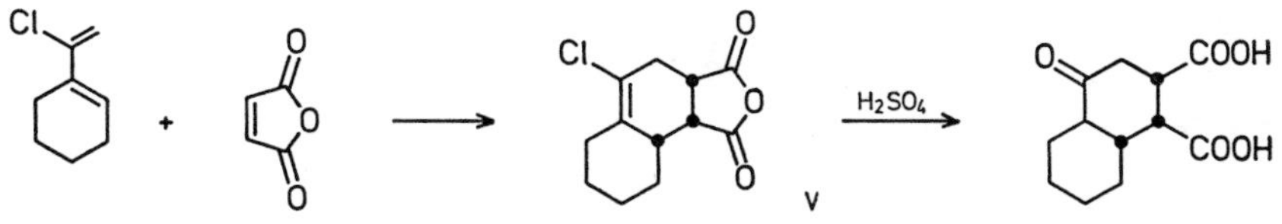

trans-syn-cis-5-Oxo-bicyclo[4.4.0]decan-2,3-dicarbonsäure (4-Oxo-dekalin-1,2-dicarbonsäure)[3]:

syn-*cis*-2-Chlor-bicyclo[4.4.0]decen-(1)-4,5-dicarbonsäureanhydrid(V): 17 g 1-(1-Chlor-vinyl)-cyclohexen, 21,3 g Maleinsäure-anhydrid und 50 ml Benzol werden 5 Stdn. unter Rückfluß erhitzt. Man destilliert das Lösungsmittel und nicht umgesetztes Ausgangsmaterial ab und kristallisiert den Rückstand aus Diäthyläther/Petroläther (1:2) um; Ausbeute: 23,3 g (81% d.Th.) F: 93–94°. (Forts. S. 1806)

[1] A. A. PETROV, Uspechi Chim. **21**, 452 (1952); C. **123**, 6039 (1952).

A. S. ONISHCHENKO, *Diene Synthesis*, S. 214–218, 221, Oldbourne Press, London 1964.

[2] Y. A. TITOV u. A. J. KUZNETSOVA, Izv. Akad. SSSR. **1960**, 1815; C. A. **55**, 15408 (1961).

[3] G. M. SEGAL', L. P. RYBKINA u. V. F. KUČEROV, Izv. Akad. SSSR. **1962**, 1424; C. A. **58**, 4437 (1963).

s.a. G. M. SEGAL' ,L. P. RYBKINA u. V. F. KUČEROV, Izv. Akad. SSSR **1963**, 1421; C. A. **59**, 15191 (1963).

[4] Über die Addition von Chlorpropen an Benzochinon und nachfolgende Umwandlung in 5,8-*Di-methoxy-1-oxo-tetralin* s.: C. A. GROB u. W. JUNDT, Helv. **35**, 2111 (1952).

Tab. 238: Cyclohexanon-Derivate durch Transformierung von Diels-Alder Addukten

Dien	Dienophil	Lösungsmittel	Temperatur [°C]	Zeit [Stdn.]	Addukt [% d.Th.]	Cyclohexanon-Derivate [% d.Th.]	Literatur
2-Äthoxy-butadien	β-Nitro-styrol	—	Rückfluß	3	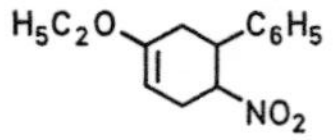 (Addukt, H_5C_2O, C_6H_5, NO_2) 66%	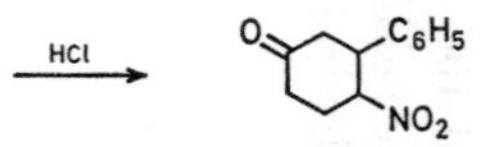 → HCl → 2-Nitro-5-oxo-1-phenyl-cyclohexan (99%)	1
						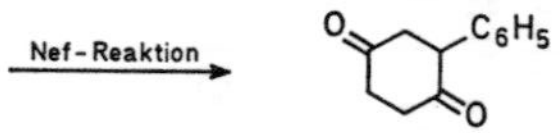 Nef-Reaktion → 2,5-Dioxo-1-phenyl-cyclohexan (43%)	1
	Penten-(2)-säure-äthylester		210	4	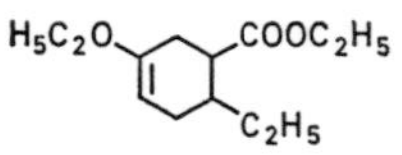 (Addukt, H_5C_2O, $COOC_2H_5$, C_2H_5) 39%	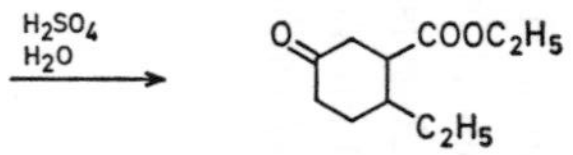 H_2SO_4 / H_2O → 5-Oxo-2-äthyl-cyclohexan-1-carbonsäure-äthylester (87%)	2
	Acrolein	—	120–140	6	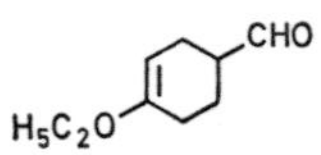 (Addukt, H_5C_2O, CHO) 50%	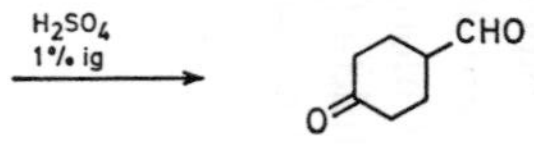 H_2SO_4 / 1¼ Tg → 4-Oxo-1-formyl-cyclohexan (polymerisiert leicht)	3

1 W. C. WILDMAN et al., Am. Soc. 75, 1913 (1953).
2 E. BUCHTA u. G. SATZINGER, B. 92, 449 (1959).
3 A. A. PETROV, Ž. obšč. Chim. 11, 661 (1941); C. A. 36, 1593 (1942).

Tab. 238 (1. Fortsetzung)

Dien	Dienophil	Lösungsmittel	Temperatur [°C]	Zeit [Stdn.]	Addukt [% d.Th.]		Cyclohexanon-Derivate [% d.Th.]	Literatur
2-Äthoxy-butadien	p-Benzochinon	Äthanol	Rückfluß	2	8-Äthoxy-2,5-dioxo-bicyclo[4.4.0]decadien-(3,8) (88%)	1. CH₃J;NaOCH₃ 2. HCl →	1,4-Dimethoxy-6-oxo-tetralin (66%)	1
2-Methoxy-butadien	Styrol	Benzol	150	10	12:1 (insges. 59%)	HCl 3% → ; HCl 3% →	4-Oxo-1-phenyl-cyclohexan ; 3-Oxo-1-phenyl-cyclohexan (86%)	2
	Crotonaldehyd	Benzol	160	2	67%	1. Ag₂O 2. H⊕ →	4-Oxo-2-methyl-cyclohexan-1-carbonsäure (90%)	3

¹ Brit. P. 677442, 677443 (1949), N. V. ORGANON; C. A. 47, 9363 (1953). T. R. LEWIS, W. B. DICKINSON u. S. ARCHER, Am. Soc. 74, 5321 (1952). s.a. L. H. SARETT et al., Am. Soc. 74, 1393 (1952). Fr.P. 1066079 (1952) ≡ Brit.P. 736302 (1955), Merck u. Co., Erf.: L. H. SARETT; C. A. 50, 10784 (1956).

² Y. A. TITOV u. A. J. KUZNETSOVA, Izv. Akad. SSSR 1960, 1815; C. A. 55, 15408 (1961). S.a. über Addition an Acrylsäure: Y. A. TITOV u. A. J. KUZNETSOVA, Doklady Akad. Nauk 126, 586 (1959); C. A. 54, 395 (1960).

³ H. FIESSELMANN, B. 75, 881 (1942).

Tab. 238 (2. Fortsetzung)

Dien	Dienophil	Lösungs-mittel	Tempera-tur [°C]	Zeit [Stdn.]	Adduct [% d.Th.]	Cyclohexanon-Derivate [% d.Th.]	Literatur
2-Methoxy-butadien	5-Oxo-1,3-dimethyl-cyclopenten	—	230	3	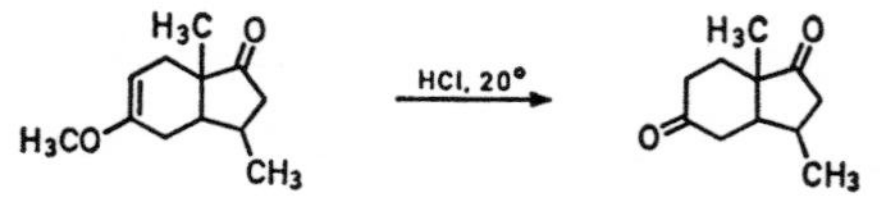 4-Methoxy-9-oxo-1,7-di-methyl-bicyclo[4.3.0]nonen-(3) (25%)	HCl 20° 4,9-Dioxo-1,7-dimethyl-bicyclo[4.3.0]nonan; 78%	1
2-Formyloxy-buta-dien	3-Oxo-5-methyl-hexa-dien-(1,4)	—	100	3	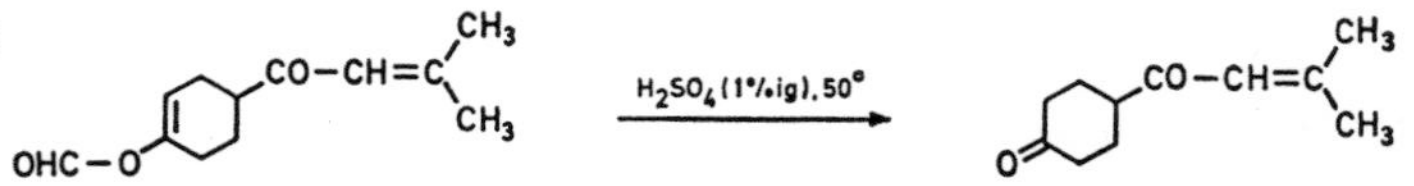 CO—CH=C(CH$_3$)$_2$ OHC—O 4-Oxo-2-methyl-4-[4-formyloxy-cyclohexen-(3)-yl]-buten-(2) (70%)	H$_2$SO$_4$ (1%ig) 50° CO—CH=C(CH$_3$)$_2$ 4-Oxo-2-methyl-4-(4-oxo-cyclo-hexyl)-buten-(2)	2
1-(1-Acetoxy-vinyl)-cyclohexen	Maleinsäure-anhydrid	Benzol dann	20 R	72 1	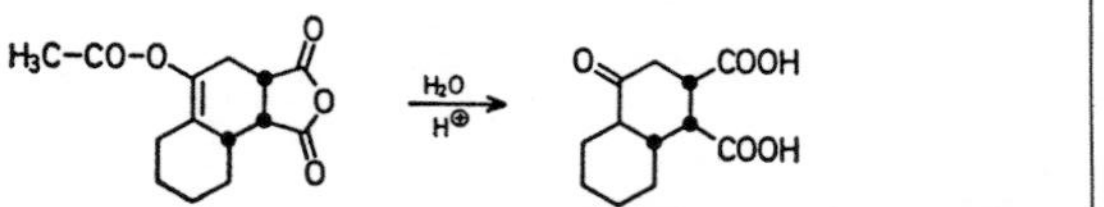 H$_3$C-CO-O 80%	H$_2$O/H⊕ trans-syn-cis-5-Oxo-bicyclo[4.4.0]decan-2,3-dicarbon-säure (4-Oxo-dekalin-1,2-dicarbonsäure) (75%)	3—5a

[a] Milde Bedingungen fördern die Bildung des syn-cis-Anhydrid. Das syn-cis-Anhydrid läßt sich durch Erhitzen in das anti-cis-Anhydrid überführen [3].

[1] J. N. NAZAROV et al., Izv. Akad. SSSR 1949, 439; C. A. 44, 3458 (1950); 1952, 442; engl.: 427; Ž. obšč. Chim. 20, 661 (1950); engl.: 697. Als Nebenprodukt können geringe Mengen 3,9-Dioxo-1,7-dimethyl-bicyclo [4.3.0]nonan isoliert werden.

[2] J. N. NAZAROV u. M. V. KUVARZINA, Izv. Akad. SSSR 1948, 599; C. A. 43, 2957 (1949).

[4] S. a. M. MOUSSERON, F. WINTERNITZ u. C. BALMOSSIÈRE, C. r. 243, 1328 (1956). Über die Addition an Acrylsäureester, die in „endo" und in „exo"-Stellung erfolgt und 2 Addukte liefert, siehe: M. MOUSSERON, F. WINTERNITZ u. C. BALMOSSIÈRE, C. r. 243, 1328 (1956).

[5] J. N. NAZAROV et al., Doklady Akad. SSSR 104, 729 (1955); C. A. 50, 11304 (1956).

Dien	Dienophil	Lösungs-mittel	Tempera-tur [°C]	Zeit [Stdn.]	Addukt [% d.Th.]	Cyclohexanon-Derivate [% d.Th.]	Litera-tur
1-(1-Acetoxy-vinyl)-cyclohexen	Maleinsäure-anhydrid	Benzol	Rückfluß	8	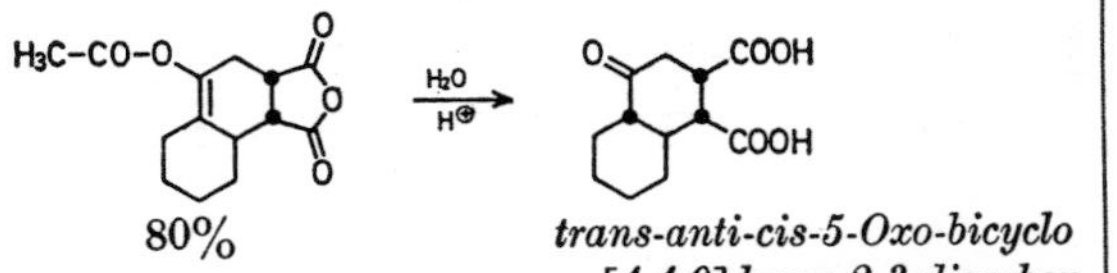 [Struktur] 80% → (H₂O / H⊕)	[Struktur] trans-anti-cis-5-Oxo-bicyclo[4.4.0]decan 2,3-dicarbonsäure (4-Oxo-dekalin-1,2-dicarbonsäure); 88%	1–3ᵃ
1-(1-Acetoxy-vinyl)-3,4-dihydro-naphthalin	p-Benzochinon	Cyclo-hexan dann	20 Rückfluß	24 20	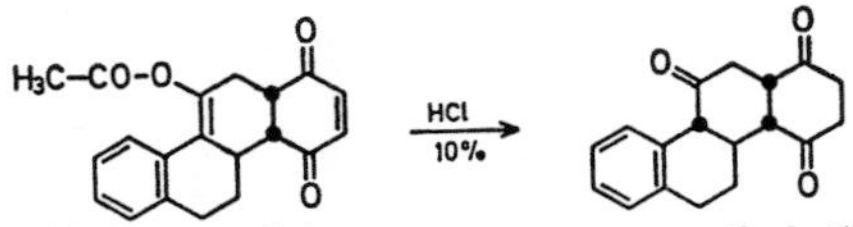 [Struktur] anti-cis-11-Acetoxy-1,4-dioxo-1,4,5,6,12,13,14,15-octahydro-chrysen (20%) → (HCl 10%)	[Struktur] trans-anti-cis-1,4,11-Trioxo-1,4,5,6,11,12,13,14,15,16-decahydro-chrysen (75%)	4
εβ,20-Diacetoxy-pregnatrien-(5,6,20)	Methyl-maleinsäure-anhydrid	Toluol	Rückfluß	48	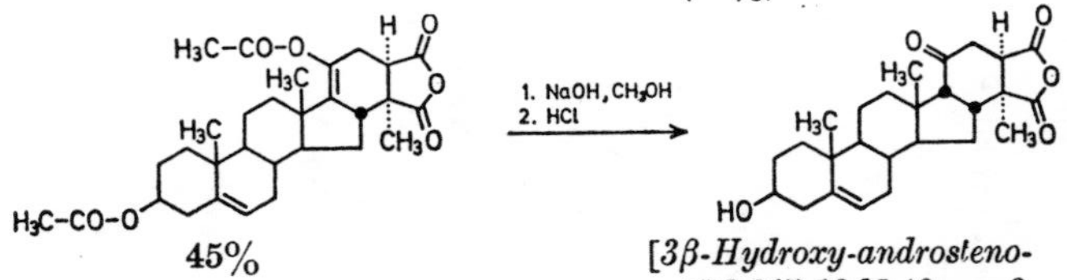 [Struktur] 45% → (1. NaOH, CH₃OH 2. HCl)	[Struktur] [3β-Hydroxy-androsteno-(5)]-[17,16-b]-(6-oxo-3-methyl-cyclohexan-3,4-dicarbonsäure-anhydrid)	5

ᵃ Milde Bedingungen fördern die Bildung des *syn-cis*-Anhydrid. Das *syn-cis*-Anhydrid läßt sich durch Erhitzen in das *anti-cis*-Anhydrid überführen.⁶

⁶ Über die Addition an Acrylsäureester, die in „*endo*" und in „*exo*"-Stellung erfolgt und 2 Addukte liefert, siehe:

M. MOUSSERON, F. WINTERNITZ u. C. BALMOSSIÈRE, C. r. 243, 1328 (1956).
J. N. NAZAROV et al., Doklady Akad. SSSR 104, 729 (1955); C. A. 50, 11304 (1956).
J. N. NAZAROV, V. F. KUCHEROV u. G. M. SEGAL', Izv. Akad. SSSR 1956, 1215; C. A. 51, 5742 (1957).

1 F. WINTERNITZ u. J. DIAZ, Tetrahedron 19, 1747 (1963).
2 V. GEORGIAN u. L. T. GEORGIAN, J. Org. Chem. 29, 58 (1964).
3 M. F. ANSELL u. G. T. BROOKS, Soc. 1956, 4518.
4 s. a. M. MOUSSERON, F. WINTERNITZ u. C. BALMOSSIÈRE, C. r. 243, 1328. (1956).
5 J. N. NAZAROV, V. F. KUCHEROV, u. M. V. ANDREEV, Izv. Akad. SSSR 1957, 331; C. A. 51, 14650 (1957).
J. N. NAZAROV, el al., Croatica Chem. Acta 29, 369 (1957).

traas-syn-cis-4-Oxo-dekalin-1,2-dicarbonsäure: 3 g V (S. 1801) werden zu 10 *ml* konz. Schwefelsäure gefügt. Nach 3 Stdn. ist die heftige Chlorwasserstoff-Entwicklung beendet. Die Mischung wird in 40 *ml* Wasser eingegossen und 30 Min. auf 50° erwärmt. Man filtriert die abgeschiedenen Kristalle ab, wäscht sie mit Wasser und Äther und kristallisiert sie aus Aceton/Wasser (1:1) um. Das entstandene Hydrat zeigt einen doppelten Schmelzpunkt; F: 141–143° und 189–190°. Beim Trocknen i. Vak. bei 80°/2 Torr (24 Stdn.) wird das Hydratwasser abgegeben; F: 190–191°; Ausbeute: 1,4 g.

β) Reaktion von Nitroolefinen, α-Halogen-dienophilen und α-Acetoxy-acrylnitrilen mit Dienen

Zur Herstellung cyclischer Ketone soll besonders auf eine Kombination von Diels-Alder-Reaktion und Nef-Reaktion hingewiesen werden, die zwar bisher wenig bearbeitet wurde, jedoch durch ihre Variationsmöglichkeit, Ausgangsmaterialien für die Synthese von Harzsäuren, östrogenen Hormonen und Alkaloiden zu liefern, von Bedeutung ist. Durch Addition von Nitroolefinen an Diene werden in erster Stufe Nitrocyclohexene synthetisiert[1], die entweder direkt oder nach voraufgegangener Hydrierung der Nef-Reaktion[2] unterworfen werden, z.B.[3-5]:

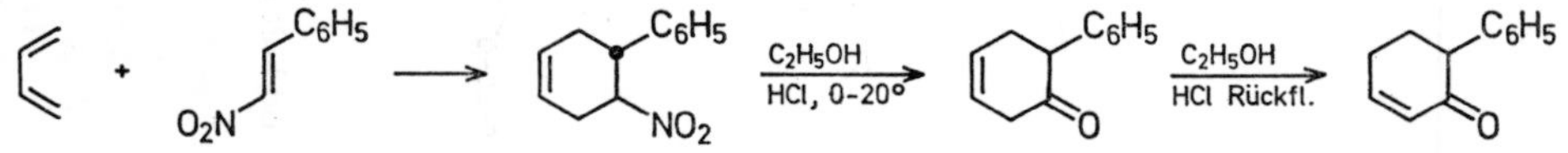

5-Oxo-4-phenyl-cyclohexen

3-Oxo-4-phenyl-cyclohexen

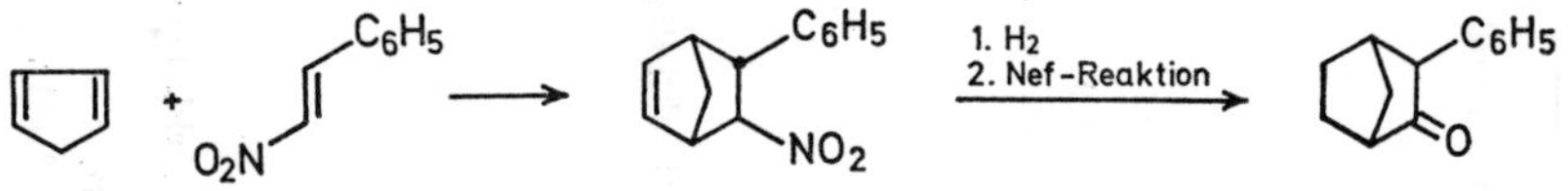

3-Oxo-2-phenyl-bicyclo [2.2.1]heptan

Die Gesamtausbeute bei den 2-Oxo-1-phenyl-cyclohexanen ohne oder mit Substituenten im Cyclohexan-Ring liegt bei 70–84% d.Th. und übertrifft damit alle anderen zur Synthese dieser Derivate angewendeten Verfahren.

---

[1] Literatur dazu:
 S. S. Novikov, G. A. Shrekhgeimer u. A. A. Dudinskaja, *Diene Synthesis with Nitro Compounds*, Russian Chem. Reviews **29**, 79 (1960).

[2] Literatur zur Nef-Reaktion in:
 H. Krauch u. W. Kunz, *Namenreaktionen der organischen Chemie* S. 324, A. Hüthig Verlag Heidelberg, 2. Auflage 1962.
 s. ds. Handb., Bd. VII 2a, S. 843.

[3] W. C. Wildman u. C. A. Hemminger, J. Org. Chem. **17**, 1641 (1952).

[4] W. C. Wildman et al., Am. Soc. **75**, 1912 (1953).

[5] W. C. Wildman u. R. B. Wildman, J. Org. Chem. **17**, 581 (1952).

Dienophile vom Typ des 2-Acetoxy-acrylnitrils, des 2-Halogen-acrylnitrils und der 2-Halogen-acrylsäure[1] incorporieren bei der Diels-Alder-Reaktion eine $-CH_2-CO-$ Einheit in das Addukt. Ihre Addukte mit 5-Alkoxymethyl-cyclopentadienen sind von Bedeutung für die Herstellung eines Schlüsselproduktes der Prostaglandin-Synthese[2]:

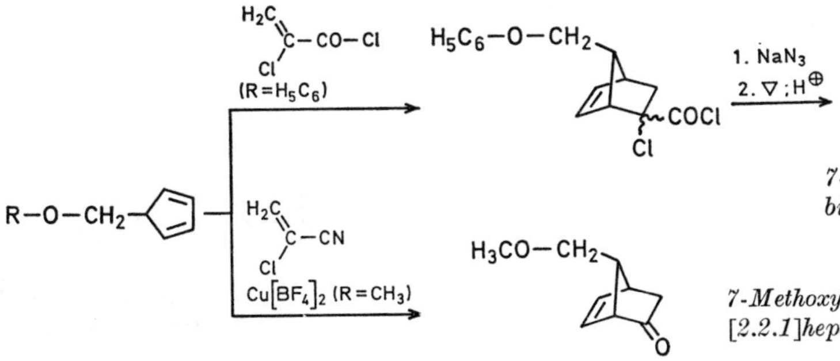

7-Phenoxymethyl-5-oxo-
bicyclo[2.2.1]hepten

7-Methoxymethyl-5-oxo-bicyclo
[2.2.1]hepten

Keten, das an Diene immer nach dem Schema der 1.2-1'.2'-Cycloaddition addiert, läßt sich formal in ein Diels-Alder-Addukt einbauen. Als Ausgangsmaterial dient dazu das gut zugängliche 2-Acetoxy-acrylnitril, das an Diene [wie Butadien-(1,3), Cyclopentadien oder Fulvene] zu 2-Acetoxy-α-cyclohexen-Derivaten addiert wird. Diese können dann leicht zu den entsprechenden Cyclohexanonen verseift werden. Die allgemeine Brauchbarkeit dieser Methode hängt von der Additionsfähigkeit des α-Acetoxy-acrylnitrils (in der die Acetoxy-Gruppe den aktivierenden Einfluß der Cyan-Gruppe erhält) an Diene ab[3,4]:

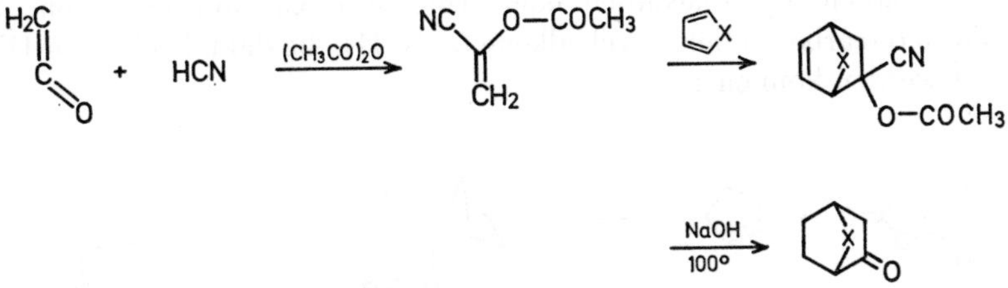

X = H₂; *Cyclohexanon*
CH₂; *2-Oxo-bicyclo[2.2.1]heptan*
C=C(CH₃)₂; *2-Oxo-7-isopropyliden-bicyclo[2.2.1]heptan*
Gesamtausbeute: ~ 60% d.Th.

[1] E. J. COREY, U. KOELLIKER u. J. NEUFFER, Am. Soc. 93, 1489 (1971).
E. J. COREY, T. RAVINDRANATH u. S. TERASHIMA, Am. Soc. 93, 4326 (1971).
E. J. COREY et al., Am. Soc. 91, 5675 (1969).
H. KRIEGER, Suom. Kemstilehti [B] 36, 68 (1963), 38, 182 (1965), [A] 39, 120 (1966).
H. CHRISTOL, F. PIETRASANTA, Y. PIETRASANTA u. J. L. VERNET, Bl. 1971, 4518.

[2] E. J. COREY et al., Am. Soc. 93, 1491 (1971).

[3] P. D. BARTLETT u. B. E. TATE, Am. Soc. 78, 2473 (1956).
C. H. DE PUY u. P. R. STORY, Am. Soc. 82, 627 (1960).
J. C. LITTLE, Am. Soc. 87, 4020 (1965).

[4] D. A. EVANS, W. L. SCOTT u. L. K. TRUSDALE, Tetrahedron Letters 1972, 121.

Eine Variante dieser Keton-Herstellung ergibt sich dadurch, daß man Diels-Alder-Addukte des Acrylnitrils chloriert und anschließend hydrolysiert[1,2]; z. B.:

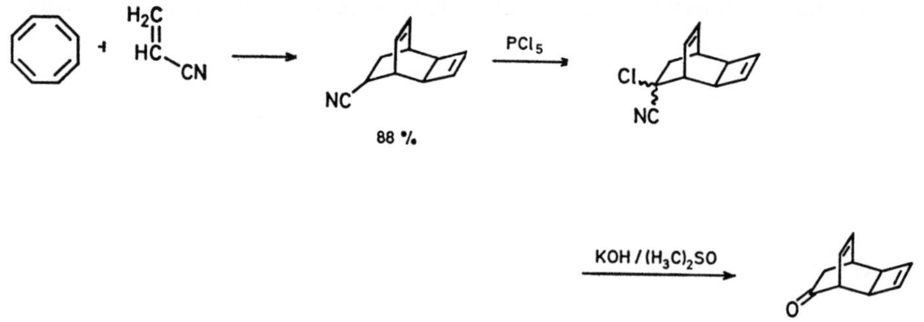

88 %

50%; *9-Oxo-tricyclo[4. 2.2.0²,⁵]decadien-(3,7)*

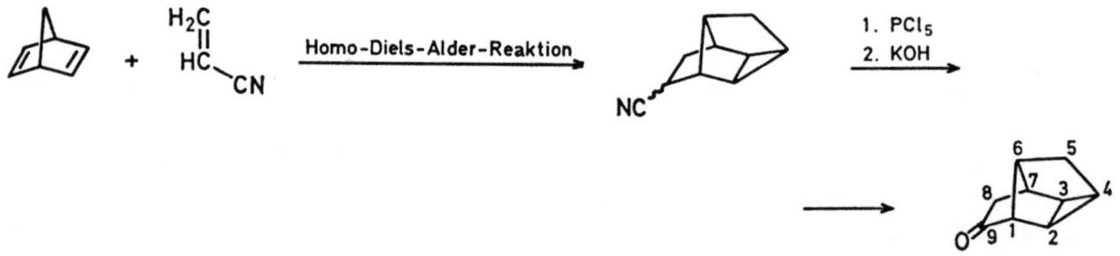

47%; *9-Oxo-tetracyclo [4.3.0.0²,⁴.0³,⁷]nonan*

Das relativ schwach dienophile 4,5-Dichlor-2-oxo-1,3-dioxol (I) addiert an Diene wie Cyclopentadien, Cyclohexadien oder Anthracen zu Addukten vom Typ der o,o'-Dichlor-o,o'-carbonyldioxy-cycloalkene (z. B. II), die dann leicht zu o-Diketonen III verseift werden können[3]:

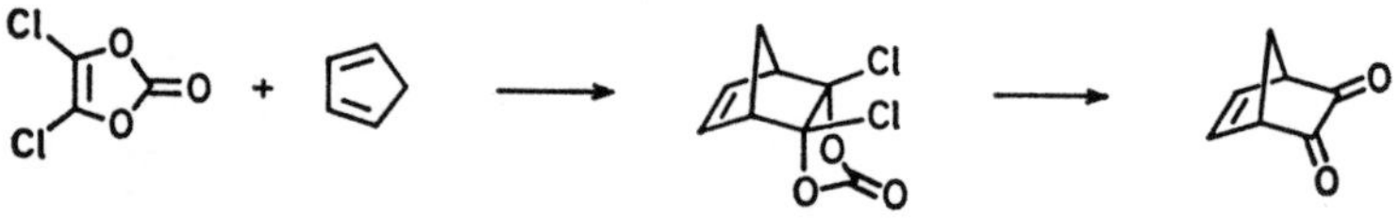

5,6-Dioxo-bicyclo[2.2.1.]hepten-(2) (III):

4,5-Dichlor-4,5-carbonyldioxy-bicyclo[2.2.1]hepten(II): Eine Lösung von 155 g (1 Mol) 4,5-Dichlor-2-oxo-1,3-dioxol in 300 *ml* absol. Xylol wird portionsweise mit 198 g (3 Mol) frisch dest. Cyclopentadien versetzt. Man verfährt dabei so, daß man nur jeweils 66 g Cyclopentadien zur Reaktionslösung gibt, 1 Stde. unter Rückfluß erhitzt, dann abkühlt und erneut 66 g Cyclopentadien hinzufügt. Anschließend erhitzt man noch 1 Stde. unter Rückfluß. Danach wird destillativ aufgearbeitet; das Adduktkristallisiert; Ausbeute: 134 g (65–70%, bez. auf umgesetztes 4,5-Dichlor-2-oxo-1,3-dioxol); F: 148° (aus Cyclohexan); Kp$_{12}$: 140–150°.

---

[1] P. K. FREEMAN, D. M. BALLS u. D. J. BROWN, J. Org. Chem. **33**, 2211 (1968).
[2] P. K. FREEMAN u. D. M. BALLS, Tetrahedron Letters **1967**, 437.
[3] H.-D. SCHARF u. W. KÜSTERS, B. **105**, 564 (1972).

5,6-Dioxo-bicyclo[2.2.1]hepten(III): Zur Lösung von 44,2 g (0,2 Mol) II in 80 *ml* 1,4-Dioxan gibt man 150 *ml* Wasser, erhitzt 1 Stde. unter Rückfluß und perforiert die Lösung anschließend solange mit Äther, bis sie nicht mehr gelb ist. Nach Trocknen der Äther-Phase über Magnesiumsulfat werden die Lösungsmittel abgedampft. Das zurückbleibende viskose Öl wird i. Hochvak. destilliert. Man erhält 22 g orangefarbenes, größtenteils kristallines Rohprodukt, das bei 70–115°/0,3 Torr übergeht (F: 43°).

Im Dunkeln unter Stickstoff-Atmosphäre unverändert haltbar. Ohne diese Vorsichtsmaßnahmen verschmiert es nach einigen Tagen; Ausbeute: 15 g (61% d.Th.).

Eine Incorporierung einer $CH_2-CO-CH_2$-Einheit in 4+3-Cycloaddukte erzielt man durch Verwendung von 3-Brom-2-methoxy-propen[1]; z. B.:

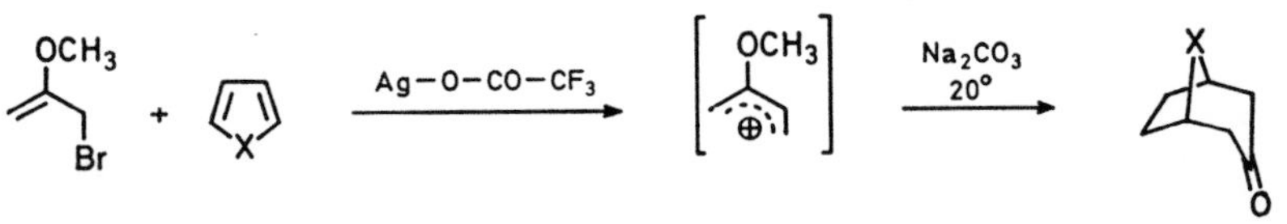

X = CH_2; *3-Oxo-bicyclo[3.2.1]octan*; 15% d.Th.
X = O; *3-Oxo-8-oxa-bicyclo[3.2.1]octan*; 15% d.Th.

4. Dimerisierung α,β-ungesättigter Ketone zu 5,6-Dihydro-4H-pyranyl-(6)-ketonen nach Diels-Alder

Die rein thermische Dimerisierung α,β-ungesättigter Ketone führt, von wenigen Ausnahmen abgesehen (in der diese aus der 2-Hydroxy-butadien-Form reagieren, s. S. 1799) zu 5,6-Dihydro-4H-pyranyl-(6)-ketonen[2,3]

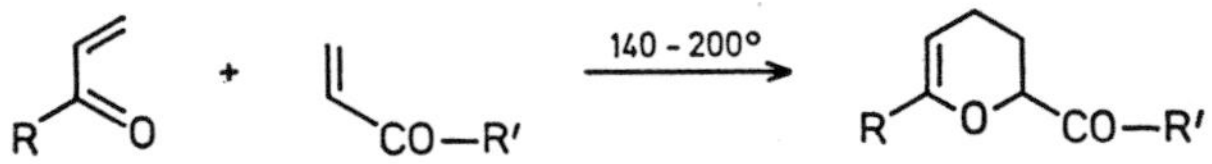

Die Reaktion ist mit oder ohne Lösungsmittel durchführbar. Das Erhitzen erfolgt meist im Autoklaven unter Zusatz eines Polymerisationsinhibitors wie Hydrochinon.

Butenon, 3-Oxo-2-methyl-buten-(1), 2-Oxo-3-methylen-pentan, 4-Oxo-2-methyl-3-methylen-pentan, 3-Oxo-2-phenyl-buten, 3-Oxo-3-phenyl-propen und verschiedene 3-Oxo-2,3-diphenyl-propene sind auf diese Weise dimerisiert worden[4–7] (s. Tab. 239, S. 1813).

[1] A. E. Hill, G. Greenwood u. H. M. R. Hoffmann, Am. Soc. 95, 1338 (1973).

[2] K. Alder, H. Offermanns u. E. Rüden, B. 74, 926 (1941).

[3] s. ds. Handb., Bd. VI/4, Kap. Sechsgliedrige cyclische Äther, S. 75.

[4] K. Alder, H. Offermanns u. E. Rüden, B. 74, 905 (1941).

[5] J. Dreux, Bl. 1955, 521.

[6] W. Wilson u. Zu-Yoong Kyi, Soc. 1952, 1321.

[7] H. Fiesselman u. J. Ribka, B. 89, 40 (1956).

2-Acetyl-bicyclo[2.2.1]heptadien dimerisiert schon beim Stehen bei 20°, wahrscheinlich zu dem *3-Methyl-1-acetyl-2-oxa-pentacyclo[0.8.4.0^{4,9}.1$^{5.8}$.1^{11,14}]hexadecatrien-(3,6,12)*[1]:

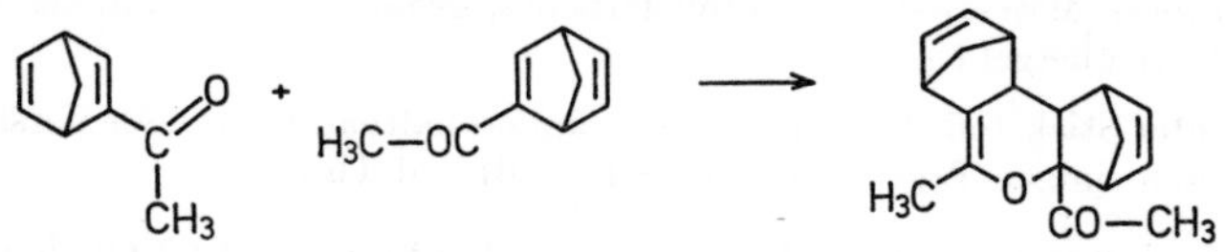

3-Oxo-5-methyl-hexadien-(1,4) dimerisiert analog. Der Ablauf weiterer Diels-Alder-Reaktionen zu Tri- oder Tetrameren wird durch die 1,1-ständige Dimethyl-Gruppe verhindert[2].

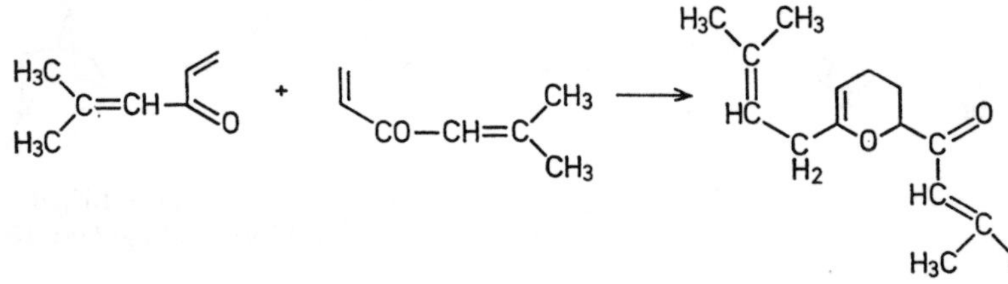

2-[3-Methyl-buten-(2)-yl]-6-[3-methyl-buten-(2)-oyl]-5,6-dihydro-4H-pyran

Mannichbasen von Ketonen oder Phenolen bilden bei ihrer Zersetzung o-Methylen-ketone (o-Chinonmethide)[3], die gleichfalls zu Dihydropyran-Derivaten dimerisieren[4-12]:

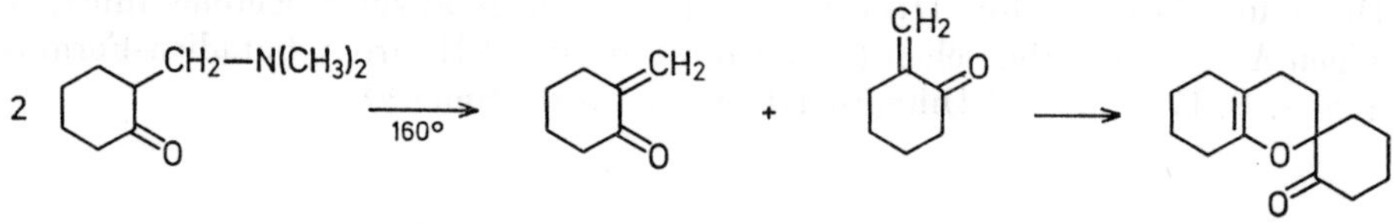

2-Oxo-cyclohexan-⟨1-spiro-3⟩-2-oxa-bicyclo[4.4.0]decen-(1⁶)

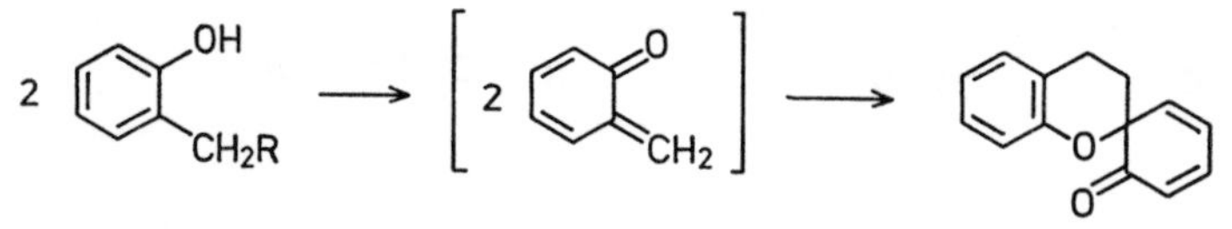

R = N(CH₃)₂; Halogen

6-Oxo-cyclohexadien-⟨5-spiro-2⟩-chroman

[1] A. A. PETROV u. N.P. SOPOV, Ž. obšč. Chim. **23**, 1034 (1953); C. A. **48**, 8181 (1954).
[2] A. N. ELIZAROVA u. J. N. NAZAROV, Izv. Akad. SSSR. **1940**, 223; C. A. **36**, 746 (1942).
[3] Übersichtsreferat: R. GOMPPER u. U. WAGNER in S. PATAI, *The chemistry of the quinoid compounds* II, S. 1145, 1172, J. Wiley and Sons, London · New York · Sidney · Toronto 1974.
[4] R. PUMMERER u. E. CHERBULIEZ, B. **52**, 1392 (1919).
[5] K. FRIES u. E. BRANDES, A. **542**, 48, 55 (1939).
[6] C. MANNICH, B. **74**, 554, 557, 565 (1941).
[7] R. JACQUIER u. H. CHRISTOL, Bl. **1953**, 474.
[8] M. MOUSSERON, R. JACQUIER u. H. CHRISTOL, C. r. **239**, 1805 (1954); Bl. **1957**, 346. J. BROUGIDOU u. H. CHRISTOL, Bl. **1966**, 1693.
[9] H. J. ROTH, C. SCHWENKE u. G. DVORAK, Ar. **298**, 326 (1965); **297**, 298 (1964).
[10] H. J. ROTH u. G. DVORAK, Ar. **296**, 510 (1963).
[11] W. TREIBS u. M. MÜHLSTAEDT, B. **87**, 407 (1954).
[12] s. ds. Handb., Bd. V/1c, Kap. Diels-Alder-Reaktionen mit potentiellen Dienophilen, S. 1070, 1075. H. WOLLWEBER, *Diels-Alder-Reaktion* S. 96, 101, Thieme-Verlag Stuttgart 1972.

Asymmetrisch substituierte cyclische Systeme dimerisieren stereoselektiv. Die Addition erfolgt dabei von der am wenigsten sterisch gehinderten Seite (*endo-trans-trans-*, d.h. *endo*-Addition hinsichtlich der Dienkomponente und „*trans-trans*-Addition" bezüglich der angulären Methyl-Gruppe in der „enon"- und „en"-Komponente)[1]:

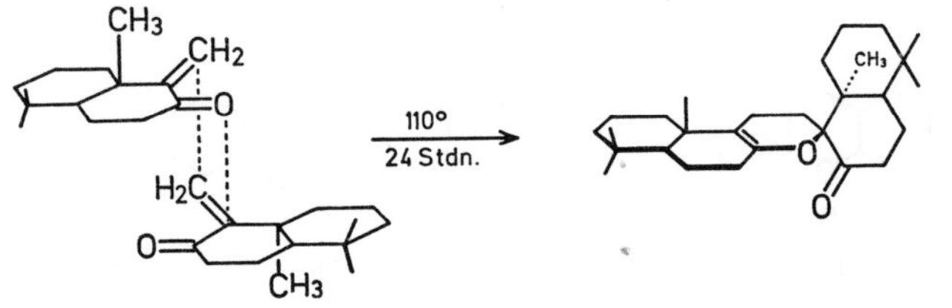

α-Epoxy-ketone sind ebenfalls eine Quelle für dimere o-Methylen-ketone. So läßt sich Oxiran-⟨2-spiro-9⟩-10-oxo-9,10-dihydro-phenanthren entweder durch Natriumjodid/Essigsäure oder thermisch zum dimeren 10-Oxo-9-methylen-9,10-dihydro-phenanthren „zersetzen"[2], eine Verbindung, die schon früher aus der entsprechenden Mannichbase dargestellt wurde[3,4]:

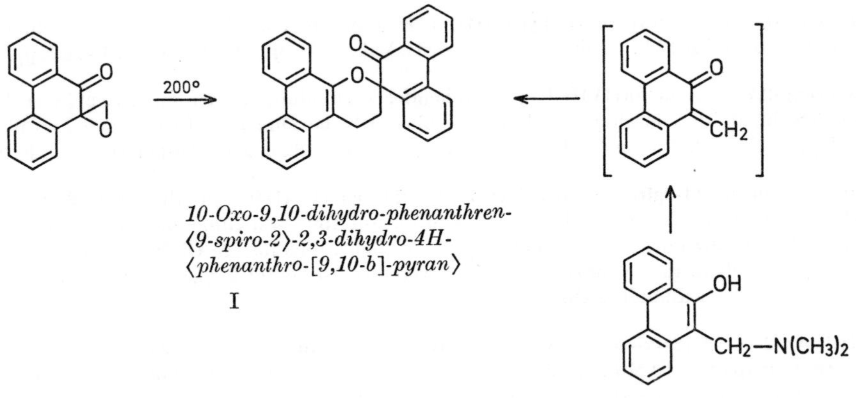

10-Oxo-9,10-dihydro-phenanthren-
⟨9-spiro-2⟩-2,3-dihydro-4H-
⟨phenanthro-[9,10-b]-pyran⟩

I

Die C=C-Doppelbindung in den 6-Acyl-2,3-dihydro-pyranen zeigt alle Eigenschaften[5], die schon von Vinyläthern bekannt sind, d.h. sie läßt sich hydrieren,

[1] E. Romann et al., Helv. **40**, 1900 (1957).

[2] A. Schönberg, G. Schütz u. N. Latif, B. **94**, 2540 (1961).

[3] P. D. Gardner u. H. Sarrafizadeh, J. Org. Chem. **25**, 641 (1960).

[4] R. Pummerer u. E. Cherbuliez, B. **52**, 1392 (1919).

[5] s. ds. Handb., Bd. VI/4, Kap. Umwandlung von Dihydro-4H-pyranen, S. 300, Herstellung von Tetrahydropyranen mit Acetalstruktur aus Dihydro-4H-pyranen durch Additionsreaktionen, S. 364.

lagert leicht Alkohole, Amine, Hydrazin usw. an und wird von verdünnten Säuren aufgespalten[1]. Im Falle des dimeren Butenons (*2-Methyl-6-acetyl-5,6-dihydro-4H-pyran*) erhält man nach Hydrolyse mit 2%iger Ameisensäure das *3-Hydroxy-2,7-dioxo-octan*(IV) und aus dem dimeren 2-Oxo-1-methylen-cyclohexan{*2-Oxo-cyclohexan-⟨1-spiro-3⟩-2-oxa-bicyclo[4.4.0]-decen-(1⁶)*}(I) entsteht mit 20%iger Salzsäure das *1-Hydroxy-2-oxo-1-[2-(2-oxo-cyclohexyl)-äthyl]-cyclohexan*[2](II):

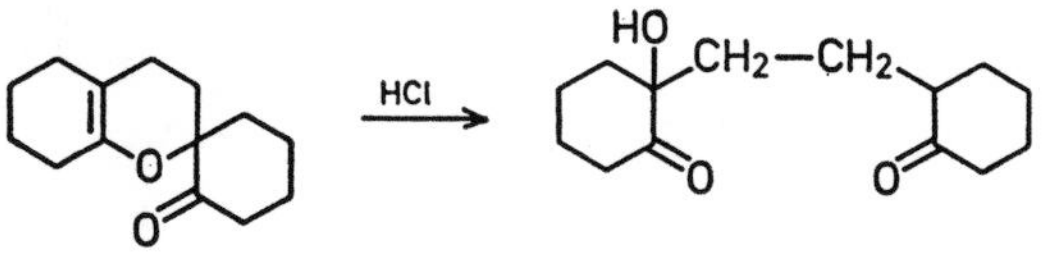

2-Methyl-6-acetyl-5,6-dihydro-4H-pyran(III)[1]: 300 g Butenon werden mit 3 g Hydrochinon 22 Stdn. im Autoklaven auf 145° erhitzt; danach wird i.Vak. fraktioniert; Ausbeute: 162 g Kp$_{13}$: 68°.

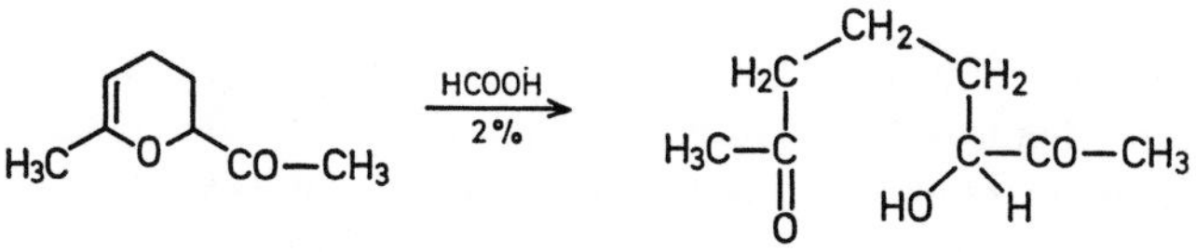

3-Hydroxy-2,7-dioxo-octan(IV)[2]: 15 g vorstehender Verbindung werden mit 75 g 2%iger Ameisensäure 5 Stdn. auf der Maschine geschüttelt, wobei sich das Dimere auflöst. Nach Destillation i.Vak. (Kp$_{13}$: 147°) erhält man das Diketon rein; Ausbeute: 54% d.Th.); Disemicarbazon F: 217°.

2-Oxo-cyclohexan-⟨1-spiro-3⟩-2-oxa-bicyclo[4.4.0]decen-(1⁶) (I)[2]: Man erhitzt 20 g 2-Oxo-1-(dimethylamino-methyl)-cyclohexan im Ölbad 5 Stdn. auf 150° und fängt das entweichende Dimethylamin über Salzsäure auf. Das entstandene rötliche, dickflüssige Öl destilliert man i.Vak. wobei 13 g übergehen. die nochmals destilliert werden; Ausbeute: 91% d.Th.; Kp$_{14}$: 160–161° (farbloses, ziemlich dickflüssiges Öl).

1-Hydroxy-2-oxo-1-[2-(2-oxo-cyclohexyl)-äthyl]-cyclohexan (II)[2]: 20 g vorstehender Verbindung verreibt man etwa 10 Min. mit 50 ml 20%iger Salzsäure. Dabei verwandelt sich das Öl unter geringer Wärmeentwicklung allmählich in ein farbloses Pulver; F: 154–155° (aus Äthanol).

10-Oxo-9,10-dihydro-phenanthren- ⟨9-spiro-2⟩-2,3-dihydro-4H- ⟨phenanthro- [9,10-b] -pyran⟩[3] (S. 1811 Formel I): Eine Lösung von 7 g 9-Oxo-9,10-dihydro-phenanthren, 3,2 ml 38%iger Formaldehyd-Lösung und 6,2 ml 25%iges wäßr. Dimethylamin in 60 ml Äthanol wird 2 Stdn. unter Rückfluß erhitzt. Die Mischung wird vom ausgeschiedenen Reaktionsprodukt abfiltriert. Durch Einengen erhält man noch eine weitere Menge Addukt; Ausbeute: 3,2 g (43% d.Th.); F: 251–252° (aus Benzol).

[1] K. ALDER, H. OFFERMANNS u. E. RÜDEN, B. **74**, 905 (1941).

[2] C. MANNICH, B. **74**, 557 (1941).

[3] P. D. GARDNER u. H. SARRAFIZADAH, J. Org. Chem. **25**, 641 (1960).

Tab. 239. Dimerisation α,β-ungesättigter Ketone zu 5,6-Dihydro-4H-pyran-6-ketonen

α,β-ungesättigtes Keton	Lösungs-mittel	Zeit [Stdn.]	Temperatur [°C]	Addukt	Ausbeute [% d.Th.]	Litera-tur
1-Oxo-1-phenyl-propen	—	—	20	*2-Phenyl-6-benzoyl-5,6-dihydro-4H-pyran*	gut	[1]
3-Oxo-2-methyl-buten	—	70	R	*2,3,6-Trimethyl-6-acetyl-5,6-dihydro-4H-pyran*	65	[2]
3-Oxo-3-phenyl-propen	—	kurze Zeit	20	*2-Methyl-3,6-diphenyl-6-acetyl-5,6-dihydro-4H-pyran*	gut	[3]
3-Oxo-2,3-diphenyl-propen	—	72	20	*2,3,6-Triphenyl-6-benzoyl-5,6-dihydro-4H-pyran*	42	[4]
	—	5	130		89	
2-Oxo-1-methylen-cyclo-heptan	—	4	150	*2-Oxo-cyclohexan-(1-spiro-9)-8-oxa-bicyclo[5.4.0]undecen-(1^7)*		[5]
2-Oxo-1,3-dibenzyliden-cyclo-hexan	Toluol	72	R	*2-Oxo-3-benzyliden-cyclohexan-(1-spiro-3)-4,5-diphenyl-10-benzyliden-bicyclo[4.4.0]decen-(1^6)*	21	[6]

R = Rückfluß

[1] K. Alder, H. Offermanns u. E. Rüden, B. 74, 905 (1941).
[2] J. Dreux, Bl. 1955, 521.
[3] W. Wilson u. Zu-Yoong Kyi, Soc. 1952, 1321.
[4] H. Fesselman u. J. Ribka, B. 89, 40 (1956).
[5] W. Treibs u. M. Mühlstaedt, B. 87, 407 (1954).
[6] H. O. House u. A. G. Hortmann, J. Org. Chem. 26, 2190 (1961).

j) Cyclische Ketone aus ungesättigten Ketonen oder Chinonen

bearbeitet von

Prof. Dr. HERMANN STETTER

Institut für Organische Chemie der Technischen Hochschule Aachen

1. durch Dimerisierung oder Trimerisierung von ungesättigten Ketonen

Die Dimerisierung ungesättigter Ketone stellt eine wichtige Möglichkeit dar, um zu Ketonen der Cyclobutan-Reihe zu gelangen.

Zu exocyclischen Diketonen der Cyclobutan-Reihe führt die Dimerisierung von α,β-ungesättigten Ketonen[1]. Die Dimerisierung läßt sich durch Belichten mit sichtbarem oder UV-Licht in Lösung erreichen, wobei die Art des gebildeten Dimeren von den Reaktionsbedingungen abhängen kann (vgl. ds. Handb., Bd. IV/5, S. 898 ff).

So erhält man bei der Belichtung einer Lösung von 3-Oxo-1,5-diphenyl-penta-dien-(1,4) in Alkohol mit Sonnenlicht praktisch eine vollständige Verharzung[2], während bei Zusatz von Uranylchlorid als Sensibilisator ein Dimeres (F: 245°) gebildet wird, das noch zwei olefinische Doppelbindungen enthält[3]. Unterwirft man 3-Oxo-1,5-diphenyl-pentadien-(1,4) der Einwirkung von UV-Licht in einer Isopropanol/Benzol-Lösung, so erhält man ein Dimeres (F: 139,3–140°), das bei der Oxidation δ-Truxinsäure (trans,trans,trans-3,4-Diphenyl-cyclobutan-1,2-dicarbonsäure) liefert[4]. Diesem Dimeren kommt demnach die Struktur II zu. Für das Dimere vom F: 245° wird die Struktur I angenommen. Über die cis-trans-Stellung der Substituenten am Ring ist noch nichts bekannt:

I, 2,4-Diphenyl-1,3-bis-[3-phenyl-propenoyl]-cyclobutan   II, 3,4-Diphenyl-1,2-bis-[3-phenyl-propenoyl]-cyclobutan

Sehr interessant ist in diesem Zusammenhang das Ergebnis der Belichtung von 4-Oxo-heptadien-(2,5)-disäure-dimethylester mit sichtbarem Licht, die zu einem tricyclischen Dimeren führt, dessen Konstitution durch oxidativen Abbau zu Cyclobutan-1,2,3,4-tetracarbonsäure bewiesen werden konnte[5].

Diese Dimerisierung läßt sich quantitativ durch Belichten des kristallisierten Esters erreichen. Dabei wandeln sich die gelben Kristalle des monomeren Esters ohne Änderung der Kristallstruktur in das farblose Dimere um. Da die Dimerisierung in Lösung nicht zu erreichen ist, und

[1] A. MUSTAFA, Chem. Reviews 51, 1 (1952).
    A. SCHÖNBERG, Präparative org. Photochemie, S. 26, Springer Verlag, Berlin-Göttingen-Heidelberg 1958.
    Theorie: A. DEVAQUET u. L. SALEM, Am. Soc. 91, 3793 (1969).
[2] G. CIAMICIAN u. P. SILBER, B. 42, 1388 (1909).
[3] P. PRÄTORIUS u. F. KORN, B. 43, 2744 (1910).
[4] G. W. RECKTENWALD, J. N. PITTS u. R. L. LETSINGER, Am. Soc. 75, 3028 (1953).
[5] F. STRAUS, B. 37, 3294 (1904).
    H. STOBBE u. E. FÄRBER, B. 58, 1548 (1925).
    H. SCHÖPPL, Dissertation Universität München, 1959.
    J. GORSE, B. J. FINKLE u. R. E. LUNDIN, Tetrahedron Letters 1961, 1.
    B. S. GREEN u. G. M. I. SCHMIDT, Tetrahedron Letters 1970, 4249.

außerdem der Diäthylester keine derartige Dimerisierung eingeht, muß angenommen werden, daß im Kristall des Dimethylesters die einzelnen Moleküle eine Lage einnehmen, welche für die Dimerisierung besonders günstig ist.

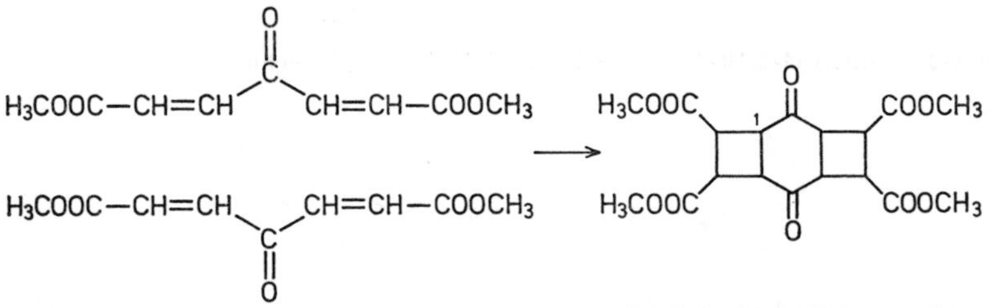

2,7-Dioxo-4,5,9,10-tetramethoxycarbonyl-
tricyclo[6.2.0.0³,⁶]decan

Weitere Beispiele für cyclisierende Dimerisierung α,β-ungesättigter Ketone sind die ebenfalls unter Belichtung verlaufenden Dimerisierungen von

3-Oxo-1-phenyl-buten-(1)[1]   → 3,4-Diphenyl-1,2-diacetyl-cyclobutan

Cyclopenten-(1)-on-(3)[2]   → 3,8- und 3,10-Dioxo-tricyclo[5.3.0.0²,⁶]decan

Cyclohexen-(1)-on-(3)[3]   → 3,9- und 3,12-Dioxo-tricyclo[6.4.0.0²,⁷]dodecan

3-Oxo-1-methyl-cyclohexen-(1)[4]   → 6,9-Dioxo-1,2-dimethyl-tricyclo[6.4.0.0²,⁷]dodecan

3-Oxo-1,5-dimethyl-cyclohexen-(1)[5]   → 6,9-Dioxo-1,2,3,11-tetramethyl-tricyclo[6.4.0.0²,⁷]
                                               dodecan

3-Oxo-1-(4-nitro-phenyl)-cyclohexen-(1)[6]   → 3,9-Dioxo-1,7-bis-[4-nitro-phenyl]-tricyclo
                                               [6.4.0.0²,⁷]dodecan

3-Oxo-2-methyl-1-phenyl-inden[7]   → 7,14-Dioxo-1,8-dimethyl-2,9-diphenyl-⟨dibenzo-
                                               tricyclo[5.3.0.0²,⁶]decadien-(3,8)⟩

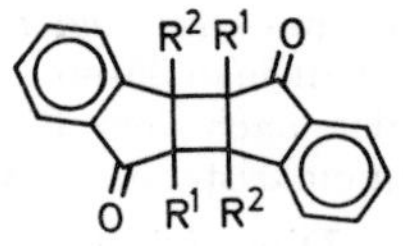

R¹ = CH₃; R² = C₆H₅

In analoger Weise wurde die photochemische Dimerisierung von 3-Oxo-1,3-di-phenyl-propen (Chalkon)[8], 3-Oxo-1-alkyl-cyclopentenen[9], 3-Oxo-1-phenyl-cyclopen-

[1] J. Dekker u. T. G. Dekker, J. Org. Chem. 33, 2604 (1968).
[2] J. L. Ruhlen u. P. A. Leermakers, Am. Soc. 89, 4944 (1967).
    G. Mark, F. Mark u. O. E. Polansky, A. 719, 151 (1969).
    P. E. Eaton u. W. S. Hurt, Am. Soc. 88, 5038 (1966).
    J. L. Rühler u. P. A. Leermakers, Am. Soc. 89, 474 (1967).
    P. Boldt, W. Thielecke u. H. Lütha, B. 104, 353 (1971).
[3] E. Y. Y. Lam, D. Valentine u. G. S. Hammond, Am. Soc. 89, 3482 (1967).
[4] W. Treibs, J. pr. 133, 299 (1930).
[5] H. Ziffer, N. E. Sharpless u. R. O. Kan, Tetrahedron 22, 3011 (1966).
[6] R. de Fazi, G. 54, 58, 1000 (1924); 57, 551 (1927).
    P. Yates et al., Canad. J. Chem. 45, 2927 (1967).
    S. N. Ege u. P. Yates, Cand. J. Chem. 45, 2933 (1967).
[7] W. Treibs, B. 63, 2738 (1930).
[8] H. Stobbe u. K. Bremer, J. pr. 123, 1, 44 (1929).
    G. Montaudo u. S. Caccamese, J. Org. Chem. 38, 710 (1973).
[9] G. Mark et al., M. 102, 37 (1971).
    R. Reinfried, D. Bellus u. K. Schaffner, Helv. 54, 1517(1971).

ten[1], 1-Oxo-2-phenyl-inden[2], 2-Methyl-4,5-benzo-tropon[3], 2,3;6,7-Dibenzo-tropon[4], Dihydropyronen[5], 2,4-Cyclooctadienon[6] und 4H-Thiapyron[7] zu entsprechenden Cyclobutan-Derivaten durchgeführt. Dabei werden allerdings in der Regel Isomere erhalten.

3,9-Dioxo-1,7-dimethyl-4,10-diisopropyl-tricyclo[6.4.0.0^{2,7}]dodecan[8]:

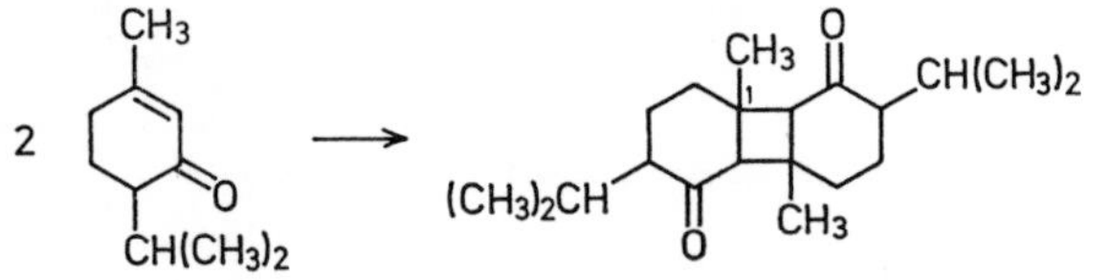

100 ml 3-Oxo-1-methyl-4-isopropyl-cyclohexen-(1) (Piperiton) werden in einem Gemisch aus 200 ml Methanol und 30 ml dest. Wasser gelöst und in Uviolgläsern ~ 10 Wochen (von Anfang Juni bis Mitte September mit ~ 20 sonnigen Tagen) dem Sonnenlicht ausgesetzt. Nach dem Abdestillieren des Methanols werden die flüchtigen Anteile mit Wasserdampf entfernt. Die Menge des wiedergewonnenen Piperitons beträgt 70 g. Der nichtflüchtige, zähe, bräunliche Anteil wird in heißem Methanol gelöst. Beim Erkalten scheiden sich farblose Nadeln ab; Ausbeute: 3,0 g (10% d.Th.); F: 163°.

3,8- (bzw. 3,10)-Dioxo-exo-tricyclo[5.3.0^{2,6}]decan[9]:

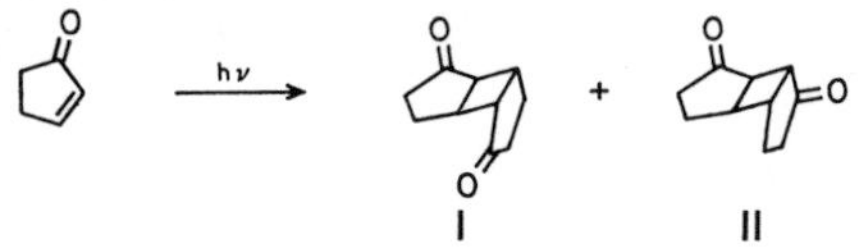

82 g Cyclopentenon-(3) werden in einer mit Wasser gekühlten Belichtungskammer aus Pyrexglas mit einer 450-Watt-Quecksilberlampe bestrahlt. Dabei muß die Temp. bei 20° gehalten werden. Nach 24 Stdn. wird der Inhalt der Kammer in Dichlormethan gelöst. Der Extrakt wird auf 100 ml eingeengt und mit 300 ml Tetrachlormethan versetzt. Man engt erneut ein um das Dichlormethan zu entfernen. Nach dem Abkühlen kristallisiert das Dimere I aus. Es wird mit kaltem Tetrachlormethan gewaschen und aus diesem umkristallisiert. Nach der Sublimation i. Vak. bei 115°/0,5 Torr erhält man 35–40 g (43–49% d.Th.); F = 125–126,5°.

Die Mutterlaugen werden nach dem Einengen bei 125°/1 Torr fraktioniert. Das erstarrte Destillat wird aus n-Hexan umkristallisiert. Ausbeute an II: 30–37 g (37–45% d.Th.); F: 66–67°.

Solche cyclisierenden Dimerisierungen wurden auch in der Sterin-Reihe[10] und beim β-Lumicolchicin[11] beobachtet. Der sterische Verlauf dieser Reaktion ist aber wenig spezifisch. Er hängt von der Konstitution der α,β-ungesättigten Ketone und von den jeweiligen Reaktionsbedingungen ab[12].

[1] M. MAGNIFICO et al., Chem. Commun. **1972**, 1095.
[2] P. H. LACY u. D. C. C. SMITH, Soc. (Perkin I) **1974**, 2617.
R. DE FAZI, G. **57**, 553 (1927).
[3] T. MUKAI, T. MIYASHI, Tetrahedron Letters **1968**, 2175.
[4] W. TOCHTERMANN, G. SCHNABEL u. A. MANNSCHRECK, A. **705**, 169 (1967).
J. KOPECKÝ u. J. E. SHIELDS, Tetrahedron Letters **1968**, 2821.
[5] P. MARGARETHA, Helv. **57**, 2237 (1974).
[6] G. L. LANGE u. E. NEIDERT, Tetrahedron Letters **1971**, 4215; **1972**, 1349; Canad. J. Chem. **51**, 2215 (1973).
[7] N. ISHIBE u. M. ODANI, J. Org. Chem. **36**, 4132 (1971).
[8] W. TREIBS, B. **63**, 2738 (1930).
[9] P. E. EATON, Am. Soc. **84**, 2344 (1962).
[10] A. BUTENANDT et al., A. **575**, 123 (1952).
H. P. THRONDSEN et al., Helv. **45**, 2342 (1962).
M. B. RUBIN, D. GLOVER u. R. G. PARKER, Tetrahedron Letters **1964**, 1075.
M. B. RUBIN, G. E. HIPPS u. D. GLOVER, J. Org. Chem. **29**, 68 (1964).
[11] O. L. CHAPMAN, H. G. SMITH u. R. W. KING, Am. Soc. **85**, 806 (1963).
[12] O. L. CHAPMAN, *Organic Photochemistry*, Vol. 1, S. 76, Verlag Marcel Dekker, New York 1967.

Neben dieser durch Belichten bewirkten cyclisierenden Dimerisierung α,β-ungesättigter Ketone kennt man in wenigen Fällen auch eine nach einem polaren Mechanismus verlaufende Dimerisierung. Als Beispiel sei die Bildung von *5,10-Dioxo-5a-phenyl-5,5a,9b,10,14b,14c-hexahydro-⟨benzo-[a]-indeno-[2,1-c]-fluoren⟩* aus 1-Oxo-2-phenyl-inden mit Trifluoressigsäure[1] erwähnt:

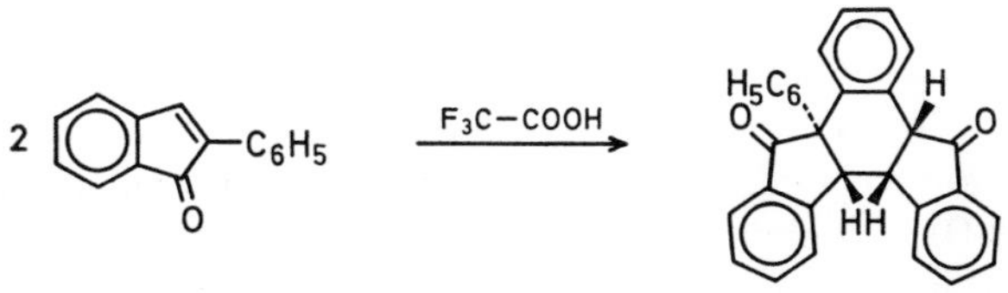

Hier wäre auch die Dimerisierung von Oxo-benzocyclobuten zu *5,11-Dioxo-5,6,11,12-tetrahydro-⟨dibenzo-[a;e]-cyclooctatetraen⟩* zu erwähnen, die bei der Einwirkung von Natriumhydrid in Dimethylformamid erfolgt[2]:

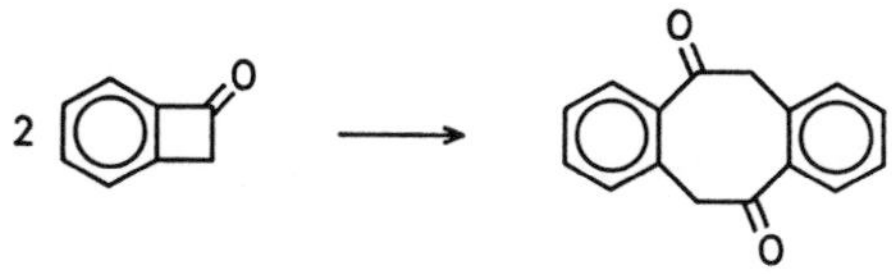

Eine nach einem polaren Mechanismus verlaufende Trimerisierung unter Bildung von Triketonen der Cyclohexan-Reihe trimerisieren. Eine solche Trimerisierung wurde zum ersten Mal beim Erhitzen von 2,4,6-Trimethyl-1-propenoyl-benzol in methanolischer Lösung unter Zusatz von Kaliumcarbonat beobachtet. Man erhält dabei unter Trimerisierung *1,3,5-Tris-[2,4,6-trimethyl-benzoyl]-cyclohexan*[3]:

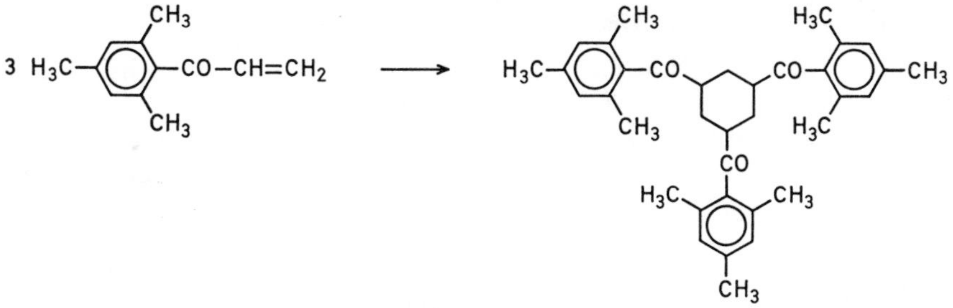

1,3,5-Tris-[2,4,6-trimethyl-benzoyl]-cyclohexan[3]: Ein Gemisch von 10 g 2,4,6-Trimethyl-1-propenoyl-benzol, 50 *ml* Methanol und 1 g wasserfreiem Kaliumcarbonat werden 16 Stdn. auf dem Dampfbad unter Rückfluß erhitzt, wobei sich nach ~ 3 Stdn. ein farbloser Niederschlag abzuscheiden beginnt. Nach dem Erkalten säuert man mit verd. Salzsäure an und filtriert. Der feste Rückstand wird mit kleinen Portionen von kaltem Methanol gewaschen und getrocknet. Durch Kristallisation aus absol. Äthanol erhält man feine Nadeln; Ausbeute: 7 g (70% d. Th.); F: 210–212°.

Unter den gleichen Bedingungen, allerdings mit wesentlich geringeren Ausbeuten, erhält man aus 3-Chlor-1-oxo-1-(4-methoxy-phenyl)-propan nach vorhergehender Bildung des ungesättigten Ketons *1,3,5-Tris-[4-methoxy-benzoyl]-cyclohexan*[4].

---

[1] P. H. Lacy u. D. C. C. Smith, Soc. (Perkin I) **1974**, 2617.

[2] D. J. Bertelli u. P. Crews, Am. Soc. **90**, 3889 (1968).

[3] R. C. Fuson u. C. H. McKeever, Am. Soc. **62**, 2088 (1940).

[4] J. M. Van der Zanden u. G. De Vries, R. **67**, 998 (1948).

Auch Ketone der **Acetylen-Reihe** lassen sich trimerisieren, wobei Triketone der Benzol-Reihe erhalten werden. Butinon gibt so beim Erhitzen mit Diäthylamin-acetat *1,3,5-Triacetyl-benzol*[1]:

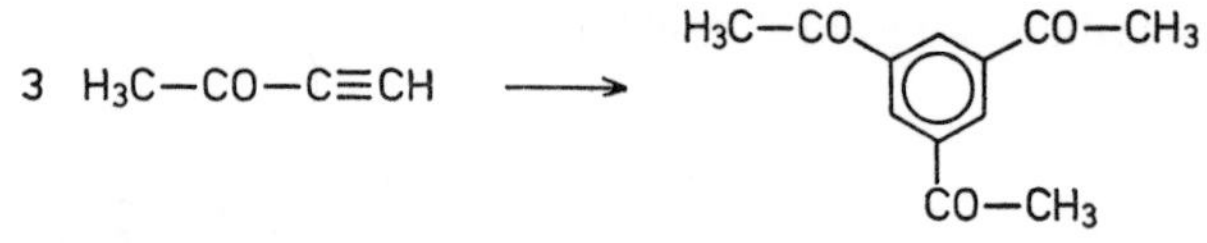

$$3 \quad H_3C-CO-C\equiv CH \longrightarrow$$

Es ist jedoch wahrscheinlich, daß die Acetylenketone zunächst durch Wasser-Anlagerung in β-Oxo-aldehyde übergehen, denn das freie 3-Oxo-butanal ist eine unbeständige Verbindung, die bereits beim Erhitzen mit Essigsäure unter Aldol-kondensation zum *1,3,5-Triacetyl-benzol* cyclisiert[2-4]:

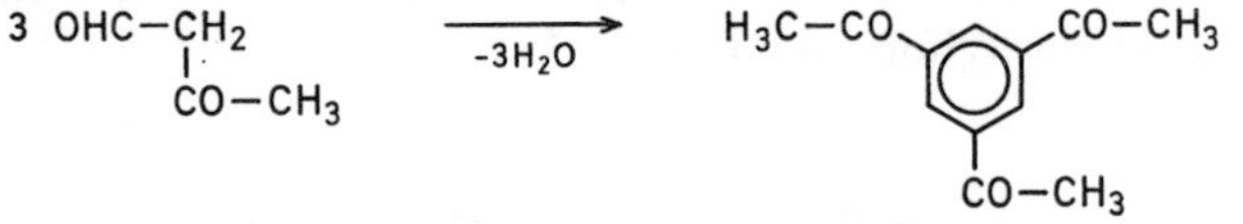

Von den zahlreichen modifizierten Herstellungsvorschriften[5] dürfte die folgende die ergiebigste sein.

1,3,5-Triacetyl-benzol[6]: Zu einer Suspension von 162 g (3 Mol) Natriummethanolat in 2 *l* Benzol tropft unter Rühren ein Gemisch aus 174 g (3 Mol) wasserfreiem Aceton und 180 g (3 Mol) Ameisensäure-methylester, wobei die Temp. nicht über 60° steigen soll. Nach 4stdg. Reaktionsdauer wird das Natriumsalz des Hydroxymethylen-acetons unter Feuchtigkeitsaus-schluß abgesaugt und i. Vak. bei 50° getrocknet; Ausbeute: 300 g.
Dieses wird rasch in eine Lösung von 230 g 85%-iger Phosphorsäure in 500 *ml* Wasser einge-rührt und die Lösung auf 50–60° erwärmt, bis sich nach ~ 6 Stdn. kein weiteres 1,3,5-Triacetyl-benzol mehr abscheidet. Nach dem Umkristallisieren aus wasserhaltigem Äthanol resultieren 76 g (51% d.Th.) schwach gelbe Kristalle; F: 160–161°.

Auch die Äther[7] des Hydroxymethylen-acetons lassen sich cyclisieren. Deren Ester kondensieren bereits unter Rückflußsieden[8].

Über die Trimerisierung höherer 3-Oxo-alkanale ist nur wenig bekannt.

Oxidiert man das 3-Hydroxy-3-furyl-(2)-propin mit aktivem Mangandioxid, so entstehen neben ~3–5% des Ketons ~20% *1,3,5-Trifuroyl-(2)-benzol*[9]:

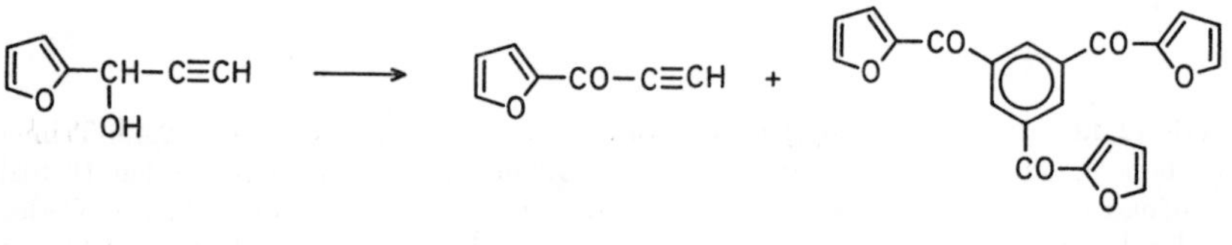

Bei der Herstellung von 1-Hydroxy-3-oxo-3-cyclohexyl-propen aus Acetyl-cyclo-hexan entstehen bei 20° bereits 23% d.Th. *1,3,5-Tricyclohexanoyl-benzol* (F: 175–

[1] F. Wille u. F. Knörr, B. **85**, 841 (1952).
[2] L. Claisen u. N. Stylos, B. **21**, 1144 (1888).
[3] Reaktionskinetik: R. L. Fedor u. J. McLaughlin, Am. Soc. **91**, 3594 (1969).
[4] W. Franke u. R. Kraft, Ang. Ch. **67**, 395 (1955); Synthesen mit 3-Oxo-butanal.
[5] Z. B. Org. Synth. **27**, 91.
[6] D. T. Mowry u. E. L. Ringwald, Am. Soc. **72**, 2037 (1950).
[7] W. Franke u. R. Kraft, Ang. Ch. **67**, 395 (1955).
[8] US. P. 2920108 (1957), Rohm u. Haas Co., Erf.: T. E. Backstahler, F. Aycock u. A. Carson.
[9] T. Sasaki u. Y. Suzuki, Tetrahedron Letters **32**, 3137 (1967).

176°)[1] und analog aus 3-Oxo-pentanal sowie aus 3-Oxo-5-phenyl-pentanal *1,3,5-Tripropanoyl-benzol* (F: 67–68°) bzw. *1,3,5-Tris-[3-phenyl-propanoyl]-benzol*[2] (F: 114–117°).

2. Polycyclische Ketone durch Dimerisierung von Chinonen

In der gleichen Weise wie α,β-ungesättigte Ketone können auch Chinone beim Belichten 1,2-Cycloadditionen zu polycyclischen Ketonen geben. Dabei kann diese Dimerisierung unter Beteiligung nur einer Doppelbindung des Chinons erfolgen, oder unter Beteiligung beider Doppelbindungen Tetraketone mit Käfig-Strukturen ergeben (s. ds. Handb., Bd. IV/4, S. 331f., 391).

Eine Dimerisierung des ersten Typs beobachtet man ausschließlich bei der Dimerisierung von 1,4-Naphthochinon im Sonnenlicht[3]:

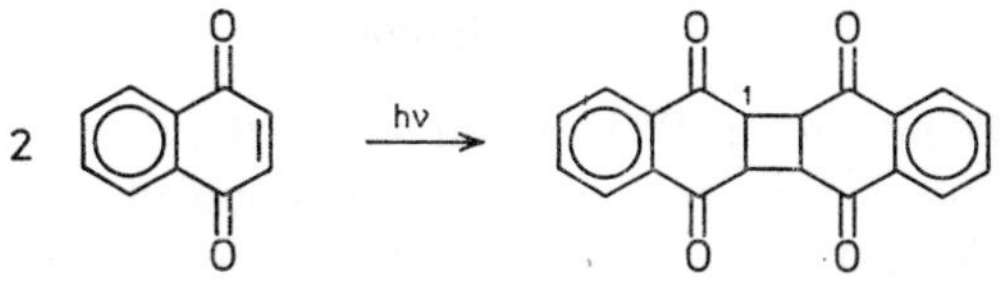

*3,8,9,14-Tetraoxo-⟨dibenzo-tricyclo
[6.4.0.0^{2,7}]dodecadien-(4,10)⟩*

Aus 2-Methyl-naphthochinon-(1,4)[4] erhält man *3,8,9,14-Tetraoxo-1,2-* (bzw. *-1,9*)-*dimethyl-⟨dibenzo-tricyclo[6.4.0.0^{2,7}]dodecadien-(4,10)⟩.*

Beide Arten der Dimerisierung beobachtet man bei der Belichtung von 2,3-Dimethyl-benzochinon-(1,4)[5]. Neben dem Dimeren I erhält man bei weiterer Belichtung die farblose Käfigverbindung II:

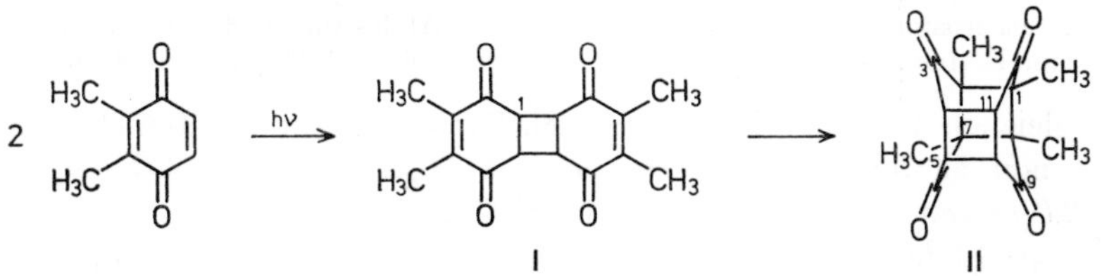

*3,6,9,12-Tetraoxo-4,5,10,11-
tetramethyl-tricyclo
[6.4.0.0^{2,7}]dodecadien-(4,10)*

I

*3,6,9,12-Tetraoxo-1,2,7,8-
tetramethyl-pentacyclo
[6.4.0.0^{2,7}.0^{4,11}.0^{5,10}]dodecan*

II

Eine analoge Käfig-Verbindung wurde auch bei der Belichtung von p-Benzochinon in geschmolzenem Maleinsäure-anhydrid mit einer Quecksilberlampe erhalten[6]. Die Ausbeute bei dieser Reaktion ist allerdings äußerst gering.

[1] L. H. BRIGGS u. E. F. ORGIAS, Soc. [C] 1970, 1887.
[2] T. M. HARRIS, S. BOATMANN u. C. R. HAUSER, Am. Soc. 85, 3273 (1963).
[3] A. SCHÖNBERG et al., Soc. 1948, 2126.
  J. DEKKER, P. J. VAN VUUREN u. D. P. VENTER, J. Org. Chem. 33, 464 (1968).
  D. P. VENTER u. J. DEKKER, J. Org. Chem. 34, 2224 (1969).
[4] J. MADINAVEITIA, Rev. Real. Acad. Cienc. Fis. Nat. Madrid 31, 617 (1934); C. A. 29, 5438 (1935).
[5] R. C. COOKSON, D. A. COX u. J. HUDEC, Soc. 1961, 4499.
  H. HOPFF u. H. MUSSO, B. 106, 143 (1973).
  G. A. RUSSELL et al., Am. Soc. 96, 7260 (1974).
[6] D. BRYCE-SMITH u. A. GILBERT, Soc. 1964, 2428.

Ein Sonderfall stellt hier die intramolekulare Dimerisierung von [2.2]-p-Benzo-
chinophan unter Belichtung in festem Zustand dar[1]:

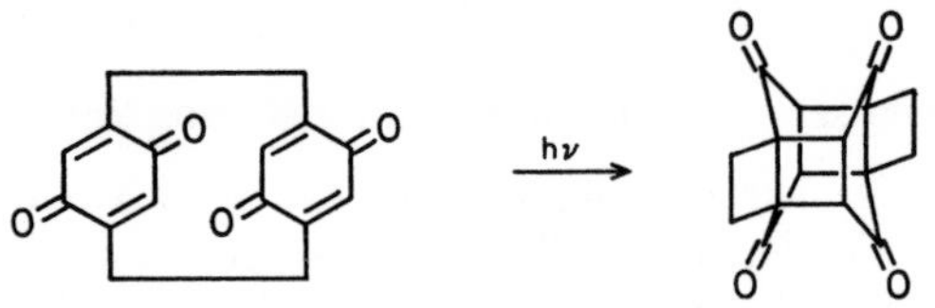

3,8,11,14-Tetraoxo-hexacyclo[8.4.2.
0¹,¹⁰.0²,⁹.0⁴,⁷.0⁴,¹³.0⁷,¹²]hexadecan

3. Cyclische Ketone durch Cycloaddition von Olefinen an α, β-ungesättigte Ketone und Chinone

Neben der Möglichkeit, unter Belichten von α,β-ungesättigten Ketonen durch
Dimerisierung Diketone zu erhalten, können auch Monoketone desselben Typs durch
Cycloaddition von Olefinen mit α,β-ungesättigten Ketonen erhalten werden[2].

So läßt sich durch Belichten einer Lösung von Cyclopentenon-(3) in Cyclopenten *cis,trans,cis-3-Oxo-tricyclo[5.3.0.0²,⁶]decan* (67% d. Th.) gewinnen[3]:

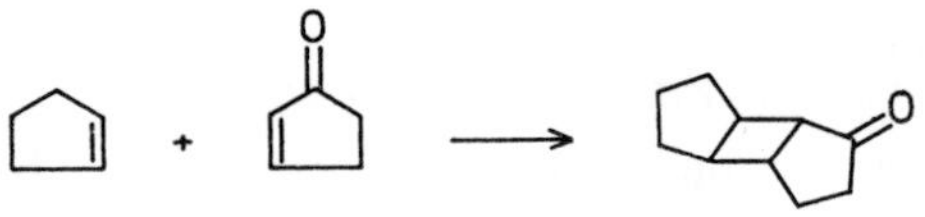

cis,trans,cis-3-Oxo-tricyclo[5.3.0.0²,⁶]decan[3]: Eine Lösung von 0,064 Mol Cyclopenten-
on-(3) in 0,64 Mol Cyclopenten werden mit einer Quecksilberlampe Hanovia 450 W, die mit einem
Pyrex Filter ausgerüstet ist, 3 Stdn. belichtet. Nach dem Abdestillieren des Olefins wird der Rückstand über eine Drehbandkolonne fraktioniert; Ausbeute: 67% d. Th.; Kp$_{0,7}$: 78–80°.

In der gleichen Weise addieren sich auch Cyclohexen und Buten-(1) und -(2) an
Cyclopentenon zu *9-Oxo-cis,trans,cis-tricyclo[6.3.0.0²,⁷]undecan, 2-Oxo-6,7-dimethyl-
bicyclo[3.2.0]heptan* bzw. *2-Oxo-6-äthyl-bicyclo[3.2.0]heptan*[3].

2-Oxo-bicyclo[3.2.0]heptan und *4-Oxo-tetracyclo[7.2.1.0²,⁸.0³,⁷]dodecan* (I) erhält man
durch photochemische Cycloaddition von Cyclopentenon-(3) an Äthylen bzw. Nor-
bornen[4].

I

Das oben erwähnte Beispiel ist präparativ besonders günstig, weil dort nur eines
der möglichen Isomeren entsteht. In der Regel beobachtet man bei solchen Additionen ähnlich wie bei der Dimerisierung der ungesättigten Ketone das Auftreten
mehrerer **Isomere**, wodurch die präparative Bedeutung dieser Verfahren einge-

---

[1] H. IRNGARNTINGER, R. D. ACKER, W. REBAFKU u. H. A. STAAB, Ang. Ch. **86**, 705 (1974).
[2] s. hierzu P. G. BAUSLAUGH, Synthesis **1970**, 287.
[3] P. E. EATON, Am. Soc. **84**, 2454 (1962).
[4] T. SVENSSON, Chem. Ser. **3**, 171 (1973).

schränkt wird. Eine genaue Untersuchung der Cycloaddition von 2-Methyl-propen an Cyclohexenon-(3) ergab so zum Beispiel 5 Reaktionsprodukte entsprechend dem folgenden Formelschema[1]:

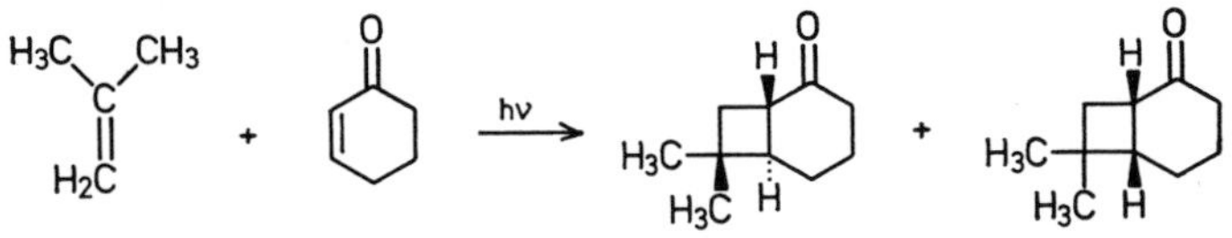

2-Oxo-7,7-dimethyl-bicyclo[4.2.0]octan

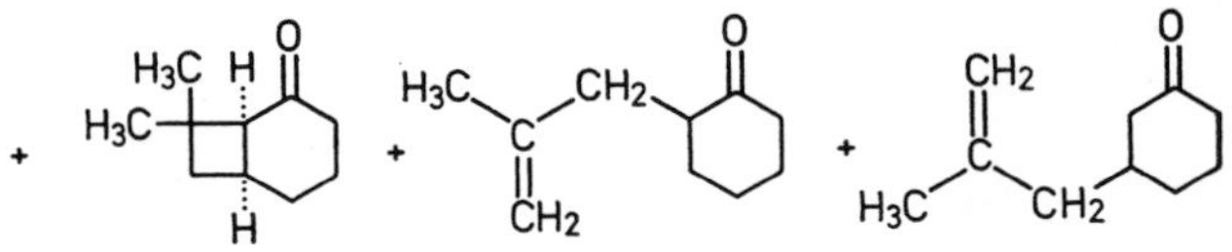

5-Oxo-7,7-dimethyl-   2-Oxo-   3-Oxo-
bicyclo[4.2.0]octan   1-(2-methyl-allyl)-cyclohexan

Auch bei der Cycloaddition von Cyclopenten an Cyclohexenon-(3) zu *3-Oxo-tricyclo[6.3.0.0²·⁷]undecan* wurden im Gegensatz zu der eindeutig verlaufenden Addition von Cyclopenten an Cyclopentenon 2 Isomere erhalten[2].

Von den weiteren Cycloadditionen des gleichen Typs seien hier noch erwähnt:

Cyclohexenon-(3)
  + Allen   → *2-Oxo-8-methylen-bicyclo[4.2.0]octan*[1]
  Bicyclo[2.2.1]heptadien   → *4-Oxo-tetracyclo[8.2.1.0²·⁹.0³·⁸]tridecen-(11)*[3]

3-Oxo-1-methyl-cyclohexen
  + Äthylen   → *2-Oxo-bicyclo[4.2.0]octan*[4]
  + 2-Hydroxy-3-oxo-1-methyl-   → *2(6)-Hydroxy-8-oxo-1,6(1,2)-dimethyl-tricyclo[5.4.0.0²·⁶]*
    cyclopenten   *undecan*[5]
  + 4,4-Dimethyl-cyclopenten   → *6-Oxo-1,10,10-trimethyl-tricyclo[6.3.0.0²·⁷]undecan*[6]

6-Oxo-3,3-dimethyl-cyclohexen
  + 1,1-Diphenyl-äthylen   → *5-Oxo-2,2-dimethyl-8,8-diphenyl-bicyclo[4.2.0]octan*[7]

3-Oxo-1-phenyl-cyclohexen
  + 2,3-Dimethyl-buten-(2)   → *5-Oxo-7,7,8,8-tetramethyl-bicyclo[4.2.0]octan*[8]

6-Oxo-3,3-dimethyl-cyclohexen
  + 1,1-Dimethoxy-äthylen   → *5-Oxo-8,8-dimethoxy-2,2-dimethyl-bicyclo[4.2.0]octan*[9]

[1] E. J. Corey et al., Am. Soc. **86**, 5570 (1964).
[2] P. E. Eaton, Am. Soc. **84**, 2454 (1962).
[3] J. J. McCullough u. J. M. Kelly, Am. Soc. **88**, 5935 (1966).
[4] D. C. Owsley u. J. J. Bloomfield, Soc. [C] **1971**, 3445.
[5] K. Yamakawa, J. Kurita u. R. Sakaguchi, Tetrahedron Letters **1973**, 3877.
[6] E. J. Corey u. S. Nozoe, Am. Soc. **86**, 1652 (1964).
[7] T. A. Rettig, Ph. D., Thesis, Iowa State Univ., Ames, Iowa 1965.
[8] J. J. McCullough u. B. R. Ramachandran, Chem. Commun. **1971**, 1180.
[9] O. L. Chapman et al., Am. Soc. **90**, 1657 (1968).
   T. S. Cantrell, L. S. Haller u. J. C. Williams, J. Org. Chem. **34**, 509 (1969).

Auch 1,3-Diene vermögen photochemisch in einer 2.2-Addition mit Cyclopentenon oder Cyclohexanon zu reagieren. Mit Butadien-(1,3) entstehen hierbei die beiden möglichen Isomeren[1]:

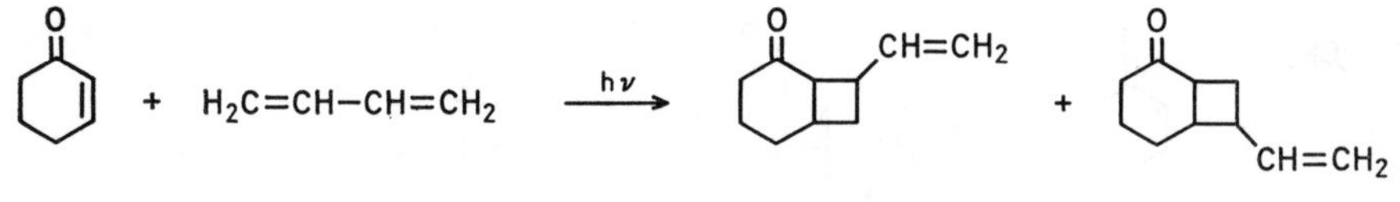

5-Oxo-
7-vinyl-bicyclo [4.2.0] octan

2-Oxo-

Zahlreiche cyclischen Diene wie Cyclopentadien, Furan, Cyclohexadien-(1,3) und Cyclooctadien-(1,3) wurden mit Erfolg photochemisch an Cyclopentenon mit Cyclohexenon 2,2-addiert[1]. Dabei kann in mehr oder weniger großem Ausmaß die Dien-Synthese als Konkurrenzreaktion auftreten; z. B.:

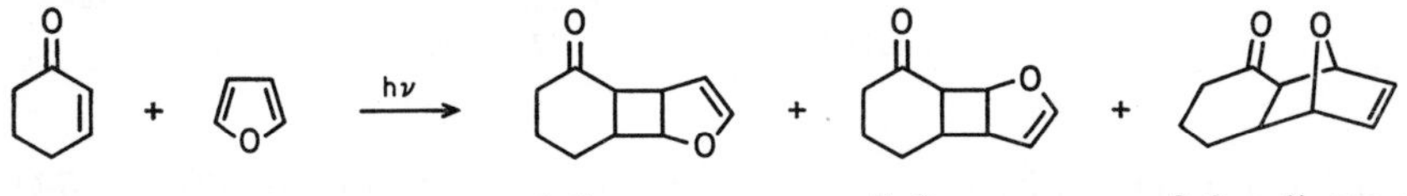

8-Oxo-
3-oxa-bicyclo [5.4.0] undecen-(4)

11-Oxo-

3-Oxo-11-oxa-tricyclo
[6.2.1.0 ^{2,7}] undecen-(9)

An Stelle von Olefinen lassen sich auch Alkine unter Belichtung an α,β-ungesättigte Ketone addieren. Die Reaktion von Butin-(2) mit Cyclopentenon-(3) verläuft unter teilweiser Isomerisierung und gleichzeitiger Dimerisierung des Cyclopentenons[2]. Die Reaktion kann durch folgendes Formelschema wiedergegeben werden:

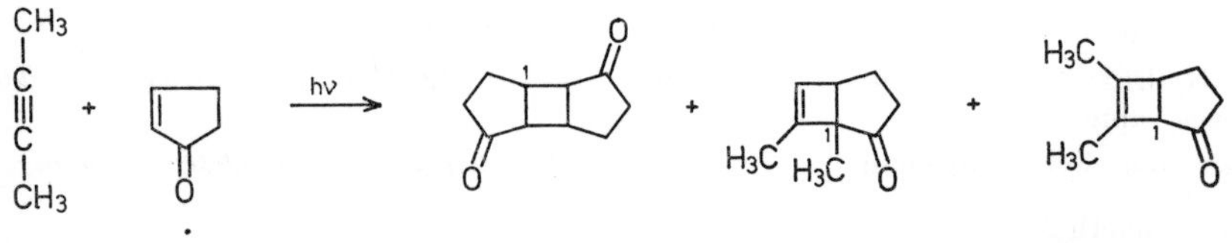

3,8-Dioxo-tricyclo
[5.3.0.0 ^{2,6}]decan

2-Oxo-1,7-dimethyl-
bicyclo[3.2.0]
hepten-(6)

2-Oxo-6,7-dimethyl-
bicyclo[3.2.0]
hepten-(6)

Auch die Chinone lassen sich für diese Cycloadditionen mit Olefinen heranziehen. Als Konkurrenz zur Cyclobutan-Ringbildung wird hierbei Oxetanring-Bildung beobachtet. Als Beispiel sei hier die Belichtung von Tetrachlor-benzochinon-(1,4) (Chloranil) mit Cycloocten in benzolischer Lösung erwähnt. Mit überschüssigem

[1] TH. S. CANTRELL, J. Org. Chem. **39**, 3063 (1974).

[2] R. CRIEGEE u. H. FURRER, B. **97**, 2949 (1964).
   S. a. T. SVENSSON, Chem. Ser. **3**, 171 (1973).
   G. A. RUSSELL et al., Am. Soc. **96**, 7255 (1974).
   N. P. PEET u. R. L. CARGILL, J. Org. Chem. **38**, 4281 (1973).

Chloranil erhält man überwiegend die Oxetan-Ring-Bildung, während bei Überschuß von Cyclohexen überwiegend das Adukt II gebildet wird[1].

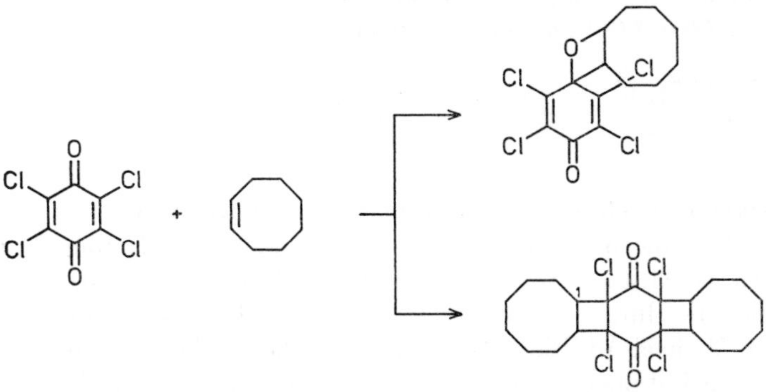

I, *1,2,4,5-Tetrachlor-6-oxo-cyclohexadien-(1,4)-⟨3-spiro-10⟩-9-oxa-bicyclo[6.2.0]decan*

II; *2,4,13,15-Tetrachlor-3,14-dioxo-tetracyclo [14.6.0.0^{2,15}.0^{4,13}] docosan*

Besondere Erwähnung verdient hier auch die Möglichkeit die Enol-Form von β-Diketonen in der gleichen Weise unter Belichtung an Olefine zu addieren. Die primär erhaltenen Adukte isomerisieren unter Ringöffnung zu 1,5-Diketonen. Aus Pentandion-(2,4) und Cyclohexen wird so *2-(2-Oxo-propyl)-1-acetyl-cyclohexan* erhalten[2] entsprechend dem folgenden Formelschema:

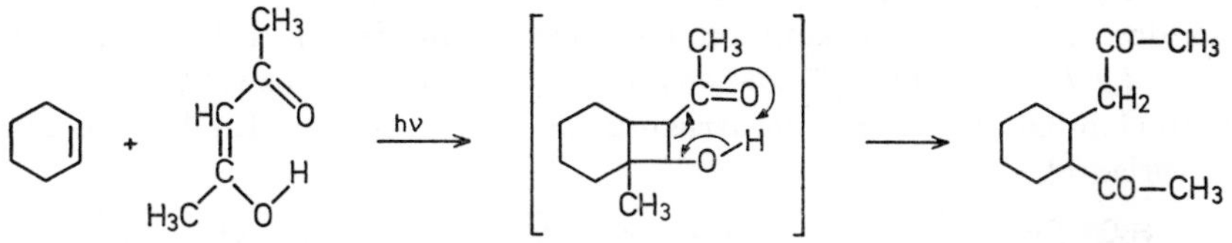

In ähnlicher Weise verläuft die Addition von Cyclohexen an 3,5-Dioxo-1,1-dimethyl-cyclohexan (Dimedon) zu *1,5-Dioxo-3,3-dimethyl-bicyclo[6.4.0]dodecan*[3].
Bei Anwendung der Enolester können die primären Adukte isoliert werden[3,4].
Als Beispiel sei die Addition von Äthylen an 1-Acetoxy-3-oxo-cyclohexen erwähnt, die unter Belichten bei –90° erreicht werden kann[5]:

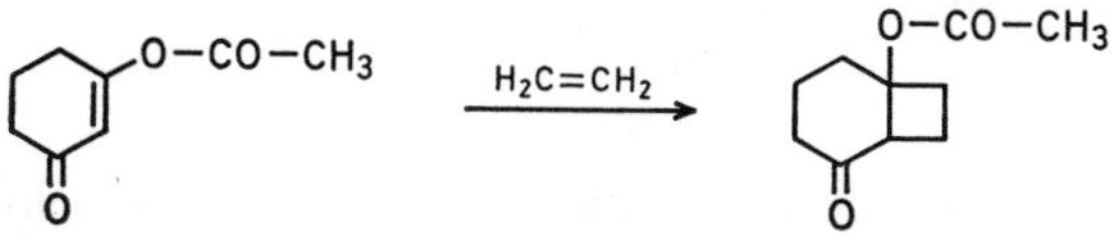

1-Acetoxy-5-oxo-bicyclo[4.2.0]octan

Auch einfache Enolester, wie Vinylacetat lassen sich an ungesättigte Ketone addieren; z. B.[6]:

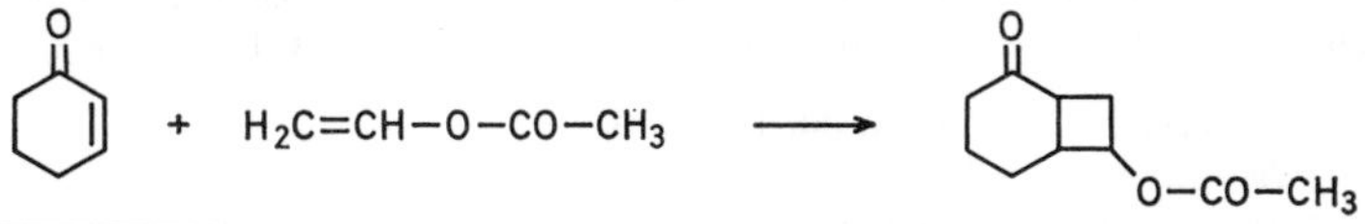

7-Acetoxy-2-oxo-bicyclo[4.2.0]octan

[1] D. BRYCE-SMITH u. A. GILBERT, Tetrahedron Letters **1964**, 3471.
[2] P. DE MAYO u. H. TAKESHITA, Can. J. Chem. **41**, 440 (1963).
[3] H. HIKINO u. P. DE MAYO, Am. Soc. **86**, 3582 (1964).
  B. D. CHALLAND, H. HIKINO, G. KORNIS, G. LANGE u. P. DE MAYO, J. Org. Chem. **34**, 794 (1969)
[4] G. L. LANGE u. P. DE MAYO, Chem. Commun. **1967**, 704.
[5] P. E. EATON u. G. H. TEMME, Am. Soc. **95**, 7508 (1973).
  S. a. P. E. EATON u. K. NYI, Am. Soc. **93**, 2786 (1971).
[6] H. J. LIU u. T. OGINO, Tetrahedron Letters **1973**, 4937.

Intramolekulare Cyclisierungen des gleichen Typs führen bei geeigneten cyclischen ungesättigten Ketonen zu Ketonen mit Käfig-Struktur. Das Produkt der Diensynthese von p-Benzochinon mit Cyclopentadien läßt sich so in 93%-iger Ausbeute in *8,11-Dioxo-pentacyclo[5.4.0.0²,⁶.0³,¹⁰.0⁵,⁹]undecan* überführen[1]:

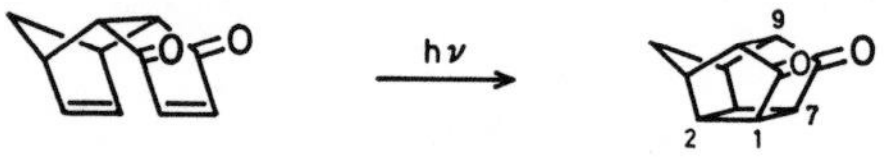

4. Monomolekulare Cyclisierungen von ungesättigten Ketonen[2]

In diesem Kapitel sollen solche Cyclisierungen von ungesättigten Ketonen zu carbocyclischen Ketonen beschrieben werden, die unbeeinflußt durch Carbonyl-Gruppen verlaufen. Über die durch die Wirkung der Carbonyl-Gruppe bedingten Cyclisierungen nach dem Michael-Additions-Prinzip. Auch die zu heterocyclischen Ringsystemen führenden Additionen an ungesättigte Ketone finden sich nicht in diesem Abschnitt.

Eine wichtige Gruppe von Cyclisierungen, die zu ungesättigten Ketonen der Cyclohexan- und Cyclopentan-Reihe führen, stellen die durch H-Ionen katalysierten Cyclisierungen nach dem Prinzip der Carboniumionen-Addition dar. Voraussetzung für solche Cyclisierungen ist das Vorhandensein von zwei olefinischen Doppelbindungen in 1,4- oder in 1,5-Stellung.

Eines der am längsten bekannten Beispiele hierfür ist die Bildung von α- und β-Jonon {2,4,4-Trimethyl-3-[3-oxo-buten-(1)-yl]-cyclohexen-(1 bzw. -2)} aus Pseudojonon [10-Oxo-2,6-dimethyl-undecatrien-(2,6,8)], die unter dem Einfluß von Mineralsäuren verläuft[3].

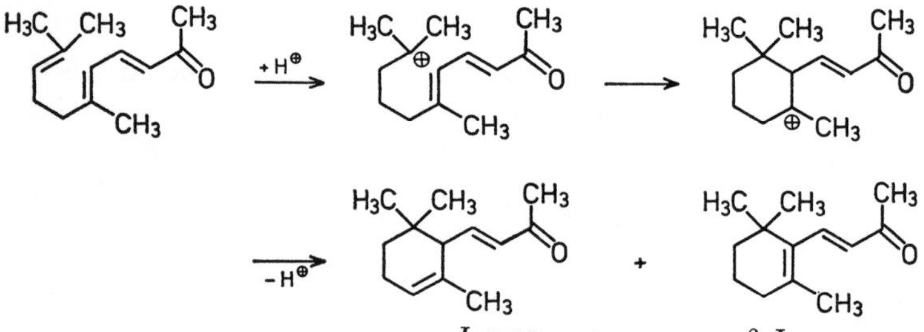

Dabei ist bemerkenswert, daß bei Verwendung von verdünnter Schwefelsäure ein Gemisch von α- und β-Jonon erhalten wird, während konz. Schwefelsäure in der Hauptsache β-Jonon und 85%ige Phosphorsäure fast ausschließlich α-Jonon liefert[4].

α-Jonon {2,4,4-Trimethyl-3-[3-oxo-buten-(1)-yl]-cyclohexen-(1)}[4]: 20 g reines Pseudojonon [10-Oxo-2,6-dimethyl-undecatrien-(2,6,8)] wird tropfenweise unter Rühren zu 150 g 85%ige

---

[1] A. P. MARCHAND u. R. W. ALLEN, J. Org. Chem. **39**, 1596 (1974).
    S. a. A. S. KUSHNER, Tetrahedron Letters **1971**, 3275.

[2] W. S. JOHNSON, *The Formation of Cyclic Ketones by Intramolekular Acylation*, Org. Reactions II.
    P. H. GORE, *The Friedel-Crafts Acylation and its Application to Polycyclic Aromatic Hydrocarbons*, Chem. Reviews **55**, 229 (1955).

[3] F. TIEMANN u. P. KRÜGER, B. **26**, 2693 (1893).

[4] H. HIBBERT u. L. T. CANNON, Am. Soc. **46**, 119 (1924).
    J. V. KRISHNA u. B. N. JOSHI, J. Org. Chem. **22**, 224 (1957).
    Brit. P. 814226 (1957), Council of Sci. a. Ind. Research of Old, Erf.: H. J. V. KRISHNA u. B. N. JOSHI; C. A. **53**, 18981 (1959).
    DBP. 1137008 (1961), H. PASEDACH u. K. SCHNEIDER; C. A. **58**, 7984 (1963).
    s. a. Fr. P. 1355944 (1964), Studienges. Kohle, Erf.: G. OHLOFF u. G. SCHADE.

Phosphorsäure gegeben. Die Temp. wird 30 Min. auf 30° oder 25 Min. auf 30–35° gehalten. Das Reaktionsgemisch wird darauf in 500 *ml* kaltes Wasser gegossen, mit Äther extrahiert, mit Wasser gewaschen und mit Natriumsulfat getrocknet. Nach dem Abdestillieren des Äthers unterwirft man den Rückstand einer Wasserdampfdestillation innerhalb von 4–5 Stdn., wobei das Jonon übergeht und von Verharzungs- und Polymerisationsprodukten abgetrennt wird. Das Destillat wird mit Äther extrahiert, getrocknet und nach dem Abdampfen des Äthers i. Vak. destilliert; Ausbeute: 77–80% d. Th.; Kp_{12}: 126–131°.

Aus 10-Oxo-2,5,6-trimethyl-, 10-Oxo-2,3,6-trimethyl-undecatrien-(2 6,8) und 2-Oxo-6,10-dimethyl-5-äthyl-undecatrien-(3,5,9) erhält man mit Phosphorsäure[1] entsprechend *1,2,4,4-Tetramethyl-3-[3-oxo-buten-(1)-yl]-cyclohexen-(1)*; *d,l-2,4,4-Trimethyl-3-[3-oxo-buten-(1)-yl]-cyclohexen-(1)* *2,4,4-Trimethyl-1-äthyl-3-[3-oxo-buten-(1)-yl]-cyclohexen-(1)*[2], wobei im letzteren Falle auch Bortrifluorid als Katalysator empfohlen wird.

Da es sich bei diesen Ringschlußreaktionen um Carboniumreaktionen handelt, muß auch mit Carbenium-Umlagerungen im Verlauf der Reaktion gerechnet werden, so daß im Hinblick auf die Konstitution der Endprodukte in jedem Falle eine kritische Einstellung geboten ist. Man erhält so z. B. aus 4-Oxo-3,3,6-trimethyl-heptadien-(1,6) mit Schwefelsäure infolge einer Carbonium-Umlagerung *2-Oxo-4,4-dimethyl-1-isopropyliden-cyclopentan* an Stelle des zu erwartenden Cyclohexan-Ringes[3]:

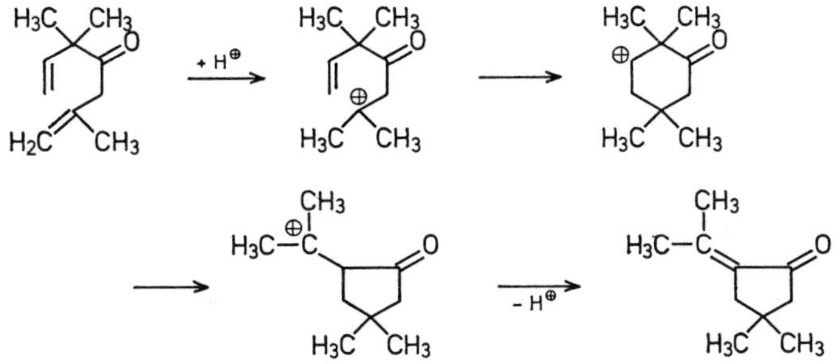

Für den Ringschluß zu Ketonen der Cyclopentan-Reihe aus ungesättigten Ketonen mit zwei olefinischen Doppelbindungen in 1,4-Stellung sind ebenfalls zahlreiche Beispiele bekannt, wobei vorteilhaft ein Gemisch von 85%iger Ameisensäure und Phosphorsäure als Kondensationsmittel verwendet wird[4].

[1] M. WINTER, H. SCHINZ u. M. STOLL, Helv. **30**, 2213 (1947).
   H. SCHINZ et al., Helv. **30**, 1810 (1947).
   F. D. POPP u. W. E. McEWEN, *Polyphosphonic Acid as a Reagent in Organic Chemistry*, Chem. Reviews **58**, 321 (1958).
   Über Cyclisierungen der Pseudodamascone mit versch. Säuren vgl.: K. H. SCHULTE-ELTE et al., A. **1975**, 484.
[2] Belg. P. 555185 (1957), Hoffmann-La Roche, Erf. W. KIMEL.
[3] A. ESCHENMOSER et al., Helv. **34**, 2329 (1951).
[4] I. N. NAZAROV u. I. I. ZARETSKAYA, Izv. Akad. SSSR **1946**, 419; C. A. **42**, 7730 (1948): Ž. obšč. Chim. **18**, 665, 681; C. A. **43**, 115 (1949); **43**, 117 (1949).
   I. N. NAZAROV u. L. N. PINKINA, Izv. Akad. SSSR, **1946**, 633; C. A. **42**, 7731 (1948).
   I. N. NAZAROVA u. M. S. BURMISTROVA, **1947**, 51; C. A. **42**, 7732 (1948).
   I. N. NAZAROV u. I. L. KOTLYAREVSKII, Ž. obšč. Chim. **18**, 896 (1948); C. A. **43**, 117 (1949).

So erhält man aus 3-Oxo-2-methyl-hexadien-(1,5) *5-Oxo-1,3-dimethyl-cyclopenten* (70% d. Th.)[1]:

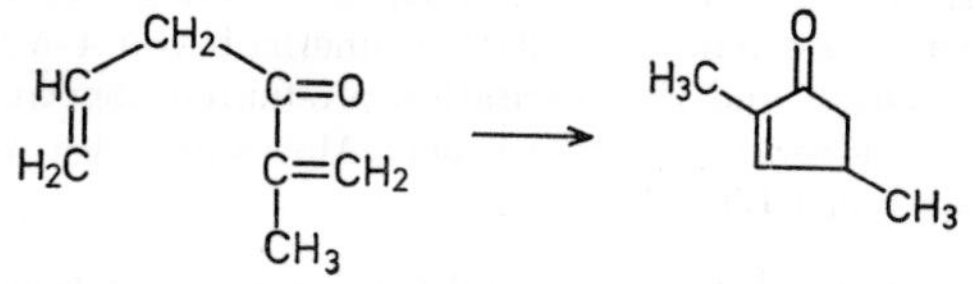

$$\text{HC}\!=\!\text{CH}_2\text{—}\overset{\overset{\displaystyle \text{CH}_2}{|}}{\text{C}}\!=\!\text{O} \quad , \quad \text{H}_2\text{C}\text{—}\overset{|}{\underset{\underset{\displaystyle \text{CH}_3}{|}}{\text{C}}}\!=\!\text{CH}_2 \longrightarrow$$

Man kann in manchen Fällen solche Cyclopentenone-(3) auch **direkt** aus Hexadien-(1,5)-in-(3)-Derivaten herstellen, wobei sich an die Hydratisierung zu ungesättigten Ketonen sofort die Cyclisierung anschließt. Ein Beispiel hierfür ist das bei der Behandlung von 5-Methyl-heptadien-(1,5)-in-(3) mit konz. Salzsäure sich bildende *5-Oxo-1,2,3-trimethyl-cyclopenten* (80% d. Th.)[2]:

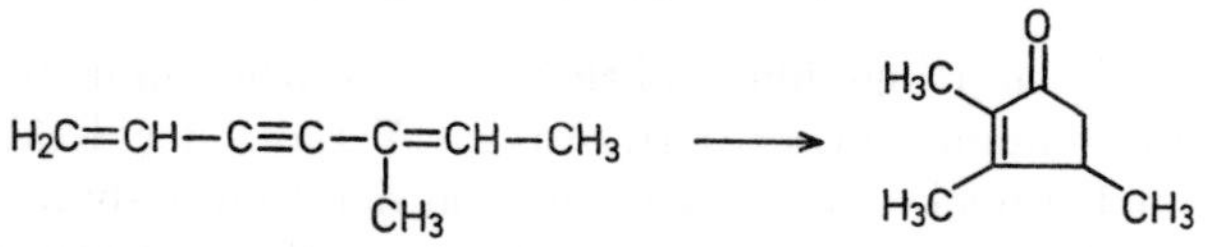

$$\text{H}_2\text{C}\!=\!\text{CH}\text{—}\text{C}\!\equiv\!\text{C}\text{—}\overset{\overset{\displaystyle \text{CH}_3}{|}}{\text{C}}\!=\!\text{CH}\text{—}\text{CH}_3 \longrightarrow$$

An Stelle von 1,4-Dienen lassen sich auch 1,3-Diene in vielen Fällen für den gleichen Ringschluß heranziehen, da bei geeigneten Dienen des letzteren Typs bei der Protonen-Addition das gleiche, zum Ringschluß führende Carbeniumion entstehen kann. Ein lehrreiches Beispiel hierfür ist die Einwirkung von Ameisensäure/ Phosphorsäure auf 1-Oxo-1-cyclohexen-(1)-yl-buten-(2) und 4-Oxo-4-cyclohexen-(1)-yl-buten-(1), die in beiden Fällen zum gleichen *4-Oxo-7-methyl-bicyclo[4.3.0]nonen-(1⁶)* führt[3]:

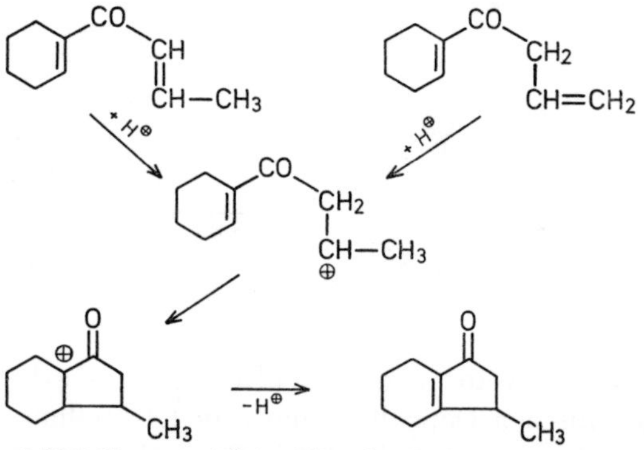

9-Oxo-7-methyl-bicyclo[4.3.0]nonen-(1⁶)[4]: Ein Gemisch von 6 g 1-Oxo-1-cyclohexen-(1)-yl-buten-(2), 2,5 g Phosphorsäure und 7 g 98%ige Ameisensäure wird 7 Stdn. bei 90° unter Stickstoff belassen. Nach dem Abkühlen gibt man das Reaktionsgemisch vorsichtig in Wasser und extrahiert mit Äther. Der Äther-Extrakt wird mit 10%iger Natriumcarbonat-Lösung und Wasser gewaschen. Nach dem Trocknen mit Natriumsulfat destilliert man den Äther ab und unterwirft den Rückstand der Vakuumdestillation; Ausbeute: 4 g (67% d. Th.); Kp_{15}: 114°.

Die gleiche Art des Ringschlusses läßt sich auch bei α,β-ungesättigten Ketonen der **aromatischen** Reihe mit endständiger Doppelbindung erreichen. Ketone dieses Typs sind aus den Mannich-Basen leicht zugänglich. Aus 3-Oxo-2-methyl-3-

---

[1] I. N. Nazarov u. I. I. Zaretskaya, Izv. Akad. SSSR **1944**, 65; C. A. **39**, 1620 (1945).

[2] I. N. Nazarov u. Y. M. Yanbikov, Izv. Akad. SSSR **1943**, 389; C. A. **39**, 503 (1945).
    S. hierzu: W. S. Johnson u. G. E. DuBois, Am. Soc. **98**, 1038 (1976).

[3] E. A. Braude u. J. A. Coles, Soc. **1952**, 1430.
    S. Hirano, T. Hiyama u. H. Nozaki, Tetrahedron Letters **1974**, 1429.

[4] J. H. Burckhalter u. R. C. Fuson, Am. Soc. **70**, 4184 (1948).
    S. a. L. Horner, K. Muth u. H. G. Schneider, B. **92**, 2953 (1959).

phenyl-propen erhält man bei der Behandlung mit Schwefelsäure *1-Oxo-2-methyl-indan*[1] (s. Bd. VII/2a):

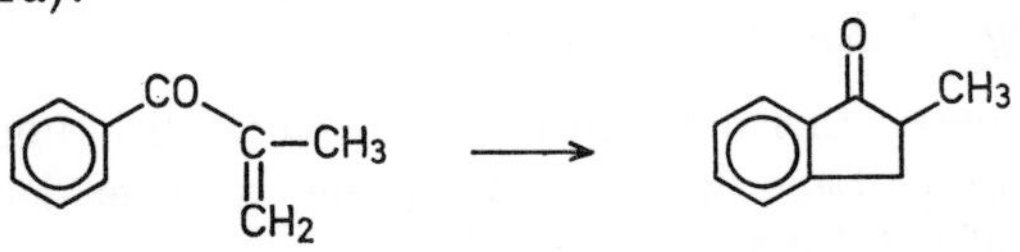

1-Oxo-2-methyl-indan[1]: 59,5 g 3-Oxo-2-methyl-3-phenyl-propen wird unter Rühren langsam in 100 *ml* konz. Schwefelsäure eingetropft. Das Gemisch erwärmt sich und färbt sich dunkel. Nach dem Abkühlen auf Zimmertemp. gießt man das Reaktionsgemisch unter Rühren in 1 *l* Wasser. Das gekühlte Gemisch wird 2mal mit Äther extrahiert und der Äther-Extrakt mit Natriumsulfat getrocknet. Nach dem Entfernen des Äthers unterwirft man den Rückstand der Vakuumdestillation; Ausbeute: 52,5 g (88% d.Th.); Kp_3: 90°.

Weitere Beispiele sind die Herstellung von *1-Oxo-2-äthyl-indian* und *1-Oxo-2,3-dihydro-1H-⟨cyclopenta-[a]-naphthalin⟩* aus 1-Oxo-2-methylen-1-phenyl-butan und 1-Propenoyl-naphthalin[2]. Auch Fluorwasserstoff ist für derartige Cyclisierungen sehr gut geeignet (s. Bd. VII/2a, S. 297).

Alle Versuche zur Cyclisierung von 2-Oxo-2-cyclohexen-(1)-yl-1-phenyl-äthan mit Lewis-Säuren ergaben stets nur Ausgangsmaterial[3]. Erst beim Belichten einer benzolischen Lösung unter Zusatz von Bortrifluorid-Ätherat konnte die Cyclisierung in 90%-iger Ausbeute erreicht werden[4]:

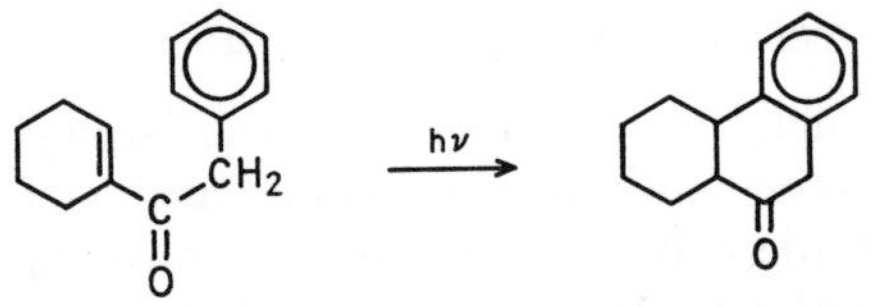

9-Oxo-4b,5,6,7,8,8a,9,10-octahydro-phenanthren

An Stelle von Schwefelsäure läßt sich auch Aluminiumchlorid in einer Lösung des Ketons in 1,2-Dichlor-äthan für den Ringschluß verwenden, wie das Beispiel der Herstellung von *11-Oxo-6b,7,8,9,10,10a-Hexahydro-11H-⟨benzo-[a]-fluoren⟩* aus 1-Naphthoyl-(1)-cyclohexen-(1) zeigt[5].

9-Oxo-1,2,3,4,4a,9a-hexahydro-fluoren[6]:

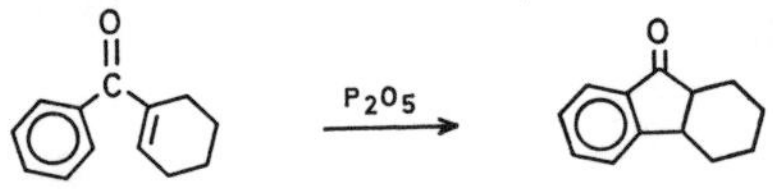

1 g über das Oxim gereinigtes 1-Benzoyl-cyclohexen wird mit 7 g Phosphor(V)-oxid und 3 *ml* Phosphorsäure 15 Min. auf dem Wasserbad erhitzt. Nach dem Verdünnen mit Wasser wird im Lösungsmittel aufgenommen und destilliert; Ausbeute: 0,65 g; Kp_4: 160–161°; F: 41–42°.

---

[1] J. H. BURCKHALTER u. R. C. FUSON, Am. Soc. **70**, 4184 (1948).
  S.a. L. HORNER, K. MUTH u. H. G. SCHNEIDER, B. **92**, 2953 (1959).
[2] J. H. BURCKHALTER u. R. C. FUSON, Am. Soc. **70**, 4184 (1948).
  S.a. H. O. HOUSE, V. PARAGAMIAN u. D. J. WLUKA, Am. Soc. **82**, 2561 (1960).
  F. A. BARLTROP u. A. C. DAY, Tetrahedron **14**, 310 (1961).
[3] J. W. COOK u. C. L. HAWETT, Soc. **1933**, 1098.
  W. S. JOHNSON u. C. D. GUTSCHE, Am. Soc. **68**, 2239 (1946).
[4] M. TADA, H. SAIKI, K. MIURA u. H. SHINOZAKI, Chem. Commun. **1975**, 55.
[5] E. D. BERGMANN, Israel [A] 5, 150 (1956).
  S.a. R. W. LAYER u. J. R. GREGOR, J. Org. Chem. **21**, 1120 (1956).
[6] S. DEV, J. indian chem. Soc. **34**, 169, 176 (1957).

Cyclisierungen ungesättigter Ketone können auch rein **thermisch** bewirkt werden. So erhält man aus *4-Oxo-2,6-dimethyl-heptadien-(2,5)* (Phoron) beim Erhitzen *3-Oxo-1,5,5-trimethyl-cyclohexen* (Isophoron)[1].

Eine Bedeutung kommt hier der rein thermischen Cyclisierung von ungesättigten Ketonen mit entfernterer Lage der Doppelbindung zu. Über den Mechanismus und den sterischen Verlauf vgl. Lit.[2]

Cyclohexanon-Derivate erhält man aus δ,ε-ungesättigten Ketonen beim Erhitzen auf $\sim$350–400° in geschlossener Apparatur (z. B. Bombenrohr) oder in der Gasphase. Ein typisches Beispiel hierfür ist die leichte Bildung von *d,l-Menthon* aus *6-Oxo-5-isopropyl-hepten-(1)*[3]:

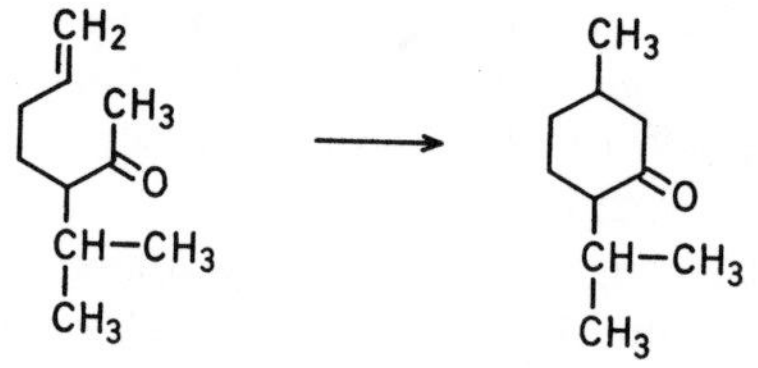

Je nach Substitution können solche ungesättigten Ketone mit Ausbeuten bis zu 90% d. Th. in die entsprechenden Cyclohexanone überführt werden[4].

Besonders glatt verlaufen diese thermischen Cyclisierungen bei γ,δ-ungesättigten und δ,ε-ungesättigten Ketonen, die in α,β-Stellung noch eine zweite Doppelbindung besitzen. Man erhält auf diese Weise **Cyclopentenone** und **Cyclohexanone** mit *exo*-cyclischer Doppelbindung. Aus *5-Oxo-7-methyl-octadien-(1,6)* bzw. *6-Oxo-8-methyl-nonadien-(1,7)* erhält man so in 70%-iger Ausbeute *5-Oxo-2-methyl-1-isopropyliden-cyclopentan* und *6-Oxo-2-methyl-1-isopropyliden-cyclohexan*[5]:

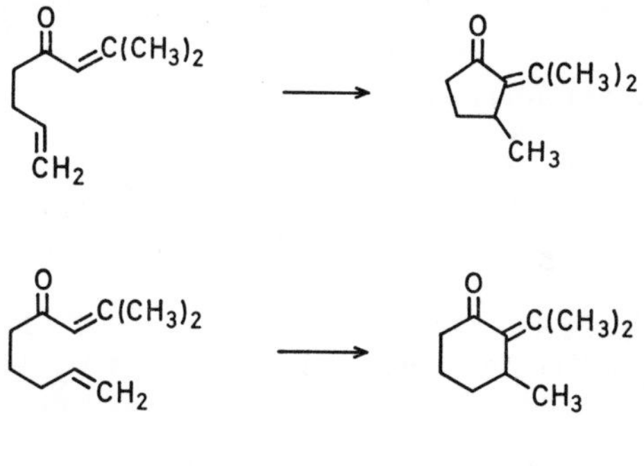

Thermische Cyclisierungen zu **Acyl-cycloalkanen** erreicht man ausgehend von ungesättigten Ketonen mit entfernterer Lage der C=C-Doppelbindung. Ein Gemisch

[1] D. SZABÓ u. I. ALKONYI, Acta chim. Acad. Sci. hung. **7**, 57 (1955).

[2] J. M. CONIA u. P. LE PERCHEE, Synthesis **1975**, 1.

[3] G. MOINET, J. BROCARD u. J. M. CONIA, Tetrahedron Letters **1972**, 4461.
J. BROCARD, G. MOINET u. J. M. CONIA, Bl. **1973**, 1711.

[4] J. M. CONIA u. F. LEYENDECKER, Tetrahedron Letters **1966**, 129; Bl. **1967**, 830.

[5] M. BORTOLUSSI, R. BLOCH u. J. M. CONIA, Tetrahedron Letters **1973**, 2499.

von *cis*- und *trans-2-Methyl-1-acetyl-cyclopentan* im Verhältnis von 7:93 erhält man aus 7-Oxo-octen-(1)[1]:

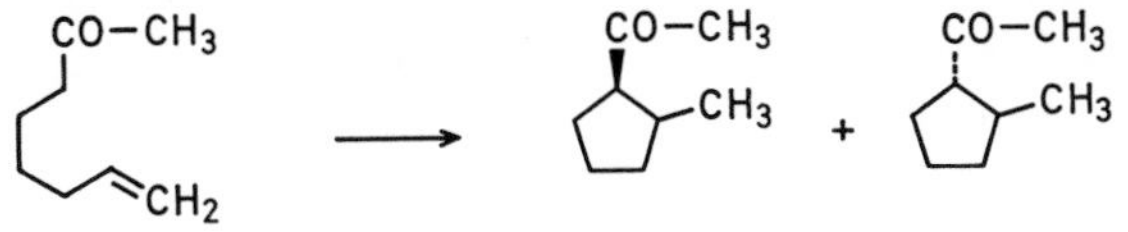

Entsprechend gibt die thermische Cyclisierung von 8-Oxo-nonen-(1) das Isomerengemisch von *2-Methyl-1-acetyl-cyclohexan*[2]:

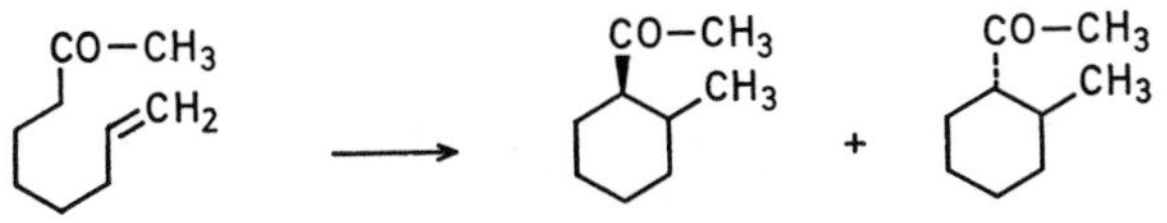

Die Reaktion wurde auch auf die Herstellung von Ringen des mittleren Ringbereiches ausgedehnt, wobei allerdings nur bescheidene Ausbeuten erreicht werden konnten. Aus 11-Oxo-dodecen-(1) erhält man so in 30%-iger Ausbeute *2-Methyl-1-acetyl-cyclononan*[2]:

Entsprechende Acetylenketone geben **Acyl-cycloalkene**. Aus 7-Oxo-octin-(1) wird ein Isomerengemisch von *1-Methyl-2-* und *-5-acetyl-cyclopenten* erhalten[3]:

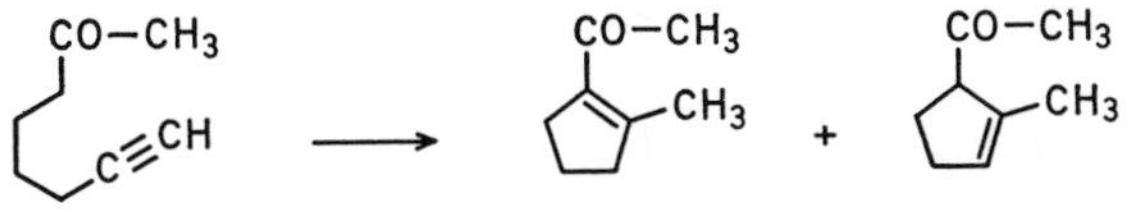

Das Ringsystem des **7-Oxo-bicyclo[4.3.0]nonan (1-Oxo-hydrindan)** erhält man durch thermische Cyclisierung von geeigneten ungesättigten Cyclopentanon-Derivaten, wobei von den möglichen Isomeren in der Regel die *cis*-Konfiguration bevorzugt ist[4]. 3-Oxo-2-methyl-1-(penten-(4)-yl)-cyclopentan ergibt bei 350° die vier möglichen Isomeren in den angegebenen Ausbeuten[4].

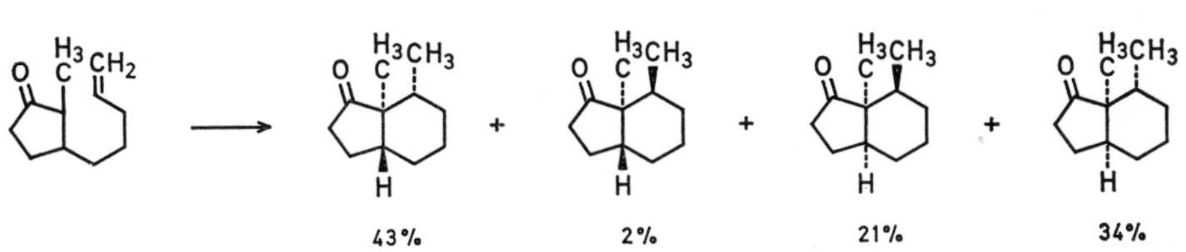

[1] F. ROUESSAC, P. LE PERCHEE u. J. M. CONIA, Bl. **1967**, 818.
   P. LE PERCHEC, F. ROUESSAC u. J. M. CONIA, Bl. **1967**, 830.
   F. ROUESSAC, R. BESLIN u. J. M. CONIA, Tetrahedron Letters **1965**, 3319.
   F. ROUESSAC u. J. M. CONIA, Tetrahedron Letters **1965**, 3313.
[2] J. M. CONIA u. F. LEYENDECKER, Bl. **1967**, 830.
   J. M. CONIA u. F. LEYENDECKER u. C. DUBOIS-FAGET, Tetrahedron Letters **1966**, 129.
[3] F. ROUESSAC, P. LE PERCHEC, J. L. BOUKET u. J. M. CONIA, Bl. **1967**, 3554.
   R. BLOCH, P. LE PERCHEC, F. ROUESSAC u. J. M. CONIA, Tetrahedron Letters **24**, 5971 (1968).
[4] J. M. CONIA u. G. MOINET, Bl. **1969**, 500.

Dieses Ringsystem, das in naher Beziehung zum Sterin-Gerüst, steht beansprucht besonderes Interesse. Man erhält es durch thermische Cyclisierung von 3-Oxo-1-[alken-(3)-yl]-cyclohexanen. Aus 3-Oxo-2-methyl-1-[buten-(3)-yl]-cyclohexan werden bei 350° die beiden isomeren *2-Oxo-1,9-dimethyl-bicyclo[4.3.0]nonane* in den angegebenen Ausbeuten erhalten[1]:

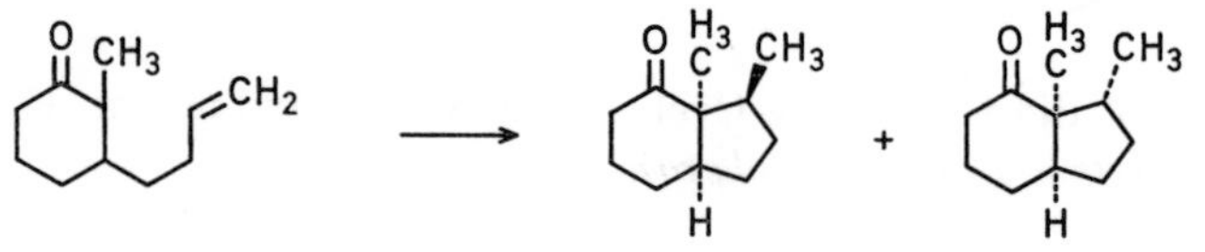

70%   30%

Solche Cyclisierungen sind insbesondere zur Angliederung des Cyclopentan-Ringes D in der Sterin-Reihe eingehend untersucht worden[2].

Die thermische Cyclisierung von 3-Oxo-1-[penten-(4)-yl]-cyclohexanen führt zum Aufbau des *cis*-Dekalin-Ringsystems. Aus 3-Oxo-2-methyl-1-[penten-(4)-yl]-cyclohexan[3] erhält man die beiden Isomeren I und II im Verhältnis 1:3:

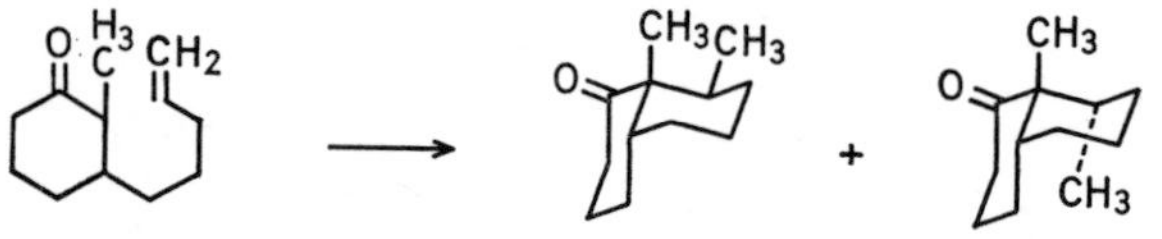

I   II
8-Oxo-1,9-dimethyl-cis-dekalin

Das *cis*-Bicyclo[3.3.0]octan-Ringsystem ist ebenfalls durch thermische Cyclisierung von in 3-Stellung durch den Buten-(3)-yl-Rest substituierte Cyclopentanone zugänglich; z. B.[3,4]:

8-Oxo-trans-1,2-dimethyl-cis-bicyclo[3.3.0]octan;
100% d.Th.

Auch *exo*-cyclische Ketone di- und polycyclischer Ringsysteme sind durch thermische Cyclisierung von geeigneten ungesättigten Ketonen herstellbar. Aus 2-(4-Oxopentyl)-1-methylen-cyclohexan erhält man die isomeren *6-Methyl-7-acetyl-bicyclo[4.3.0]nonane*[5]:

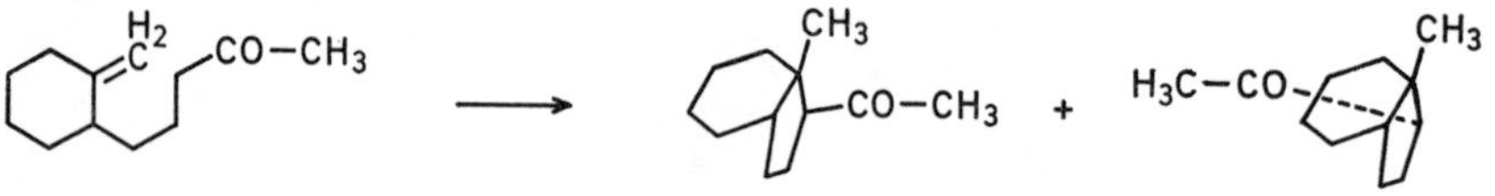

Diese Ringschlüsse haben vor allem Bedeutung für die Synthese von Oxo-pregnanen[5].

[1] J. M. CONIA u. P. BESLIN, Bl. **1969**, 483.
[2] P. BESLIN u. J. M. CONIA, Bl. **1970**, 959.
[3] P. BELIN, R BLOCH, G. MOINET u. J. M. CONIA, Bl. **1969**, 508.
[4] G. MOINET, Thesis, Caen, France 1970.
[5] J. M. CONIA u. J. L. BOUKET, Bl. **1969**, 494.

S. a. W. NAGATA, I. KAHAWA u. K. TAKEDA, Chem. Pharm. Bull. Tokyo **9**, 79 (1961).
I. KAHAWA u. K. TAKEDA, Chem. Pharm. Bull. Tokyo **9**, 79 (1961).
C. DJERASSI, G. ROSENKRANZ, J. IRIARTE, J. BERLIN u. J. ROME, Am. Soc. **73**, 1523 (1951).

Auch Brücken-Ringsysteme lassen sich mit dieser Methode herstellen. Typische Beispiele hierfür die quantitative Überführung von 4-Oxo-1-[buten-(3)-yl]-cyclohexan in *2-Oxo-8-methyl-bicyclo[3.3.1]nonan*[1]:

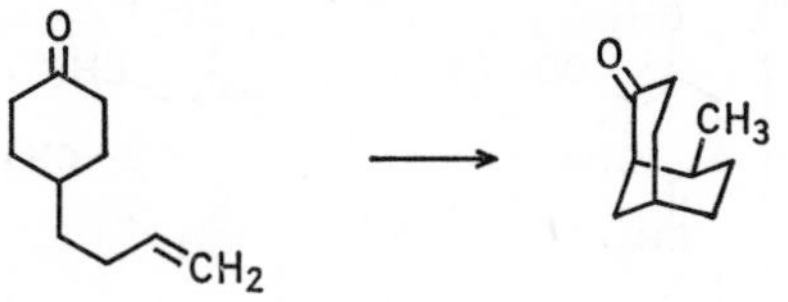

und die entsprechende Umwandlung von 4-Oxo-1-allyl-cyclohexan in ein Keton des Bicyclo[3.2.1]octan-Ringsystems[1].

Interessanterweise lassen sich analoge Ringschlüsse auch unter Einbeziehung der C≡C-Dreifachbindung durchführen. 4-Oxo-1-[butin-(3)-yl]-cyclohexan gibt so *8-Oxo-2-methylen-bicyclo[3.3.1]nonan*[1]:

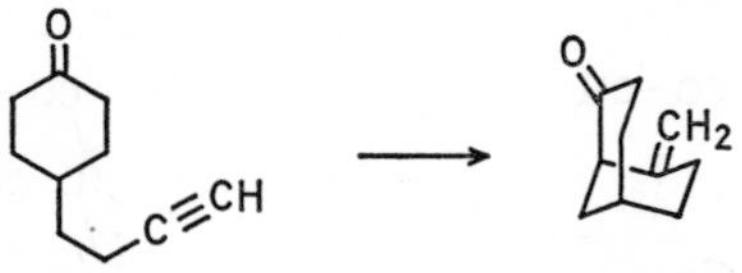

Bei der thermischen Behandlung von 2-Methyl-2-[buten-(3)-yl]-cyclohexan erhält man glatt *9-Oxo-1,4-dimethyl-bicyclo[3.3.1]nonan*[2]:

Neben den Brücken-Ringsystemen lassen sich durch die gleiche Reaktion auch spirocyclische Ketone erhalten. Aus 2-Oxo-1-[alken-(ω)-yl]-cycloalkanen erhält man durch thermische Cyclisierung die entsprechenden spirocyclischen Ketone. So ergibt 2-Oxo-1-[hexen-(5)-yl]-cyclopentan *cis-1-Oxo-6-methyl-spiro[4.5]decan*[2]:

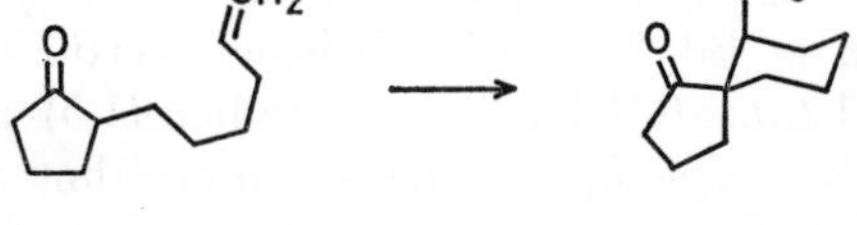

Auch hier kann die C≡C-Dreifachbindung in das Reaktionsgeschehen einbezogen werden[3].

Zweifach ungesättigte Ketone mit 1,5-Stellung der Doppelbindungen können sowohl die Cope-Umlagerung als auch die thermische Cyclisierung erleiden. Dies hängt wesentlich vom Temperaturbereich ab. So erhält man aus 3-Acetyl-2,3-di-

---

[1] F. LEYENDECKER, G. MANDVILLE u. J. M. CONIA, Bl. **1970**, 556.
   s. a. F. ROUESSAC, P. LE LERCHEC u. J. M. CONIA, Bl. **1967**, 818.
[2] F. LEYENDECKER, G. MANDVILLE u. J. M. CONIA, Bl. **1970**, 549.
   G. MOINET, J. BROCARD u. J. M. CONIA, Tetrahedron Letters **1972**, 4461.
[3] G. MANDVILLE, F. LEYENDECKER u. J. M. CONIA, Bl. **1973**, 963.

methyl-hexadien-(1,5) unterhalb 220° durch Cope-Umlagerung ein Gemisch aus I und II, das bei höherer Temperatur *2,3,4-Trimethyl-3-acetyl-cyclopenten* ergibt[1]:

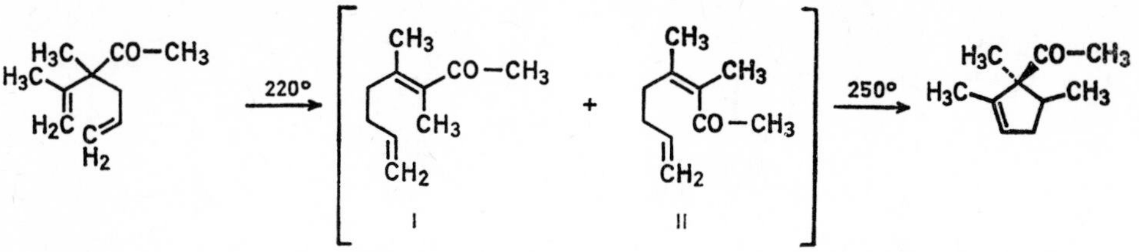

Zahlreiche weitere Beispiele für die thermische Cyclisierung von zweifach ungesättigten Ketonen sind in der Lit.[2] beschrieben.

Besonders erwähnt sei hier auch die Möglichkeit zur zweifachen Cyclisierung solcher Ketone. 10-Oxo-undecadien-(1,4) ergibt so *cis-2-Methyl-1-acetyl-cis-bicyclo [3.3.0]octan*[3]:

Für die **experimentelle Durchführung** der **thermischen** Cyclisierungen ergeben sich vier verschiedene Möglichkeiten[4]:

① Erhitzen unter Stickstoff. Dieses einfachste Verfahren ist nur dann möglich, wenn die Ketone oberhalb 300° ohne Zers. sieden.

② Erhitzen in geschlossenem Rohr. Auch hierbei müssen Ausgangsmaterial und Endprodukt unter den Temperaturbedingungen stabil sein. In manchen Fällen lassen sich auch Lösungen in indifferenten Lösungsmitteln wie z. B. Dekalin verwenden.

③ Erhitzen in der Gasphase. Dieses Verfahren verlangt eine spezielle Apparatur. Es eignet sich für solche Ketone, die zur Verharzung neigen. Man arbeitet in einem Glasreaktor bei 350–400° unter Vakuum.

④ Erhitzen im Gasstrom. Das Verfahren arbeitet mit einer speziellen Apparatur im Stickstoffstrom. Es ermöglicht vor allem größere Mengen unter schonenden Bedingungen umzusetzen.

Cyclisierungen ungesättigter Ketone können auch unter photochemischen Bedingungen erreicht werden (s. Bd. IV/5). Als Beispiel hierfür sei die Photolyse eines Gemisches von *cis-* und *trans*-6-Chlor-3-oxo-hexadien-(1,5) zu einem 1:1 Gemisch von *exo-* und *endo-5-Chlor-2-oxo-bicyclo[2.1.1]hexan* erwähnt[5]:

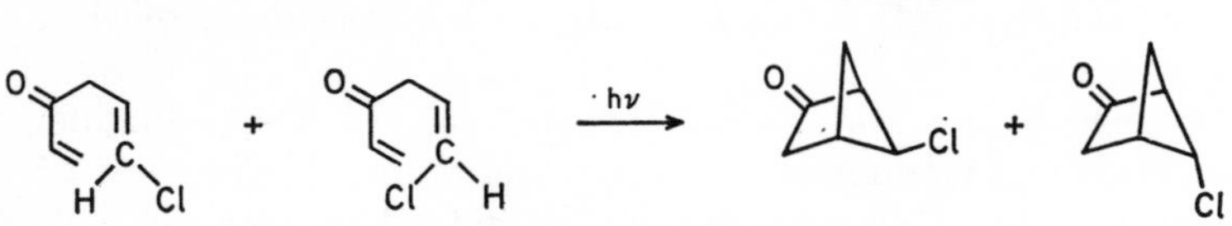

[1] J. M. CONIA u. P. LE PERCHEC, Bl. **1966**, 273.

[2] J. M. CONIA u. P. LE PERCHEC, Bl. **1966**, 278, 281, 287.

[3] F. LEYENDECKER, J. DROUIN u. J. M. CONIA, Tetrahedron Letters **1974**, 2931.

[4] J. M. CONIA u. P. LE PERCHEC, Synthesis **1975**, 1.

[5] C. Y. HO u. F. TH. BOND, Am. Soc. **96**, 7355 (1974).

8-Oxo-1-methyl-cyclodecadien-(1,6) läßt sich photochemisch zu einem Gemisch der tricyclischen Ketone I–III cyclisieren[1]:

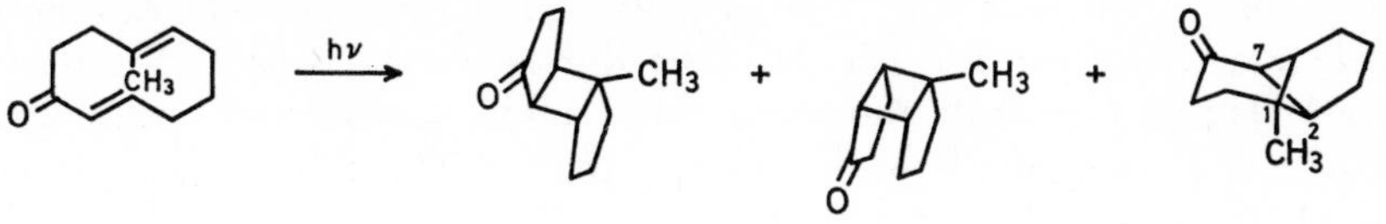

I

II
5-Oxo-1-methyl-tricyclo[5.3.0.0²,⁶]
decan

III
8-Oxo-1-methyl-
tricyclo[4.4.0.0²,⁷]
decan

Ferner sei hier auch die photochemische Cyclisierung unter Einbeziehung des Benzol-Kernes erwähnt. 2-Oxo-2-[cycloalken-(1)-yl]-1-phenyl-äthane ergeben die entsprechenden tricyclischen Ketone[2] (vgl. S. 1827):

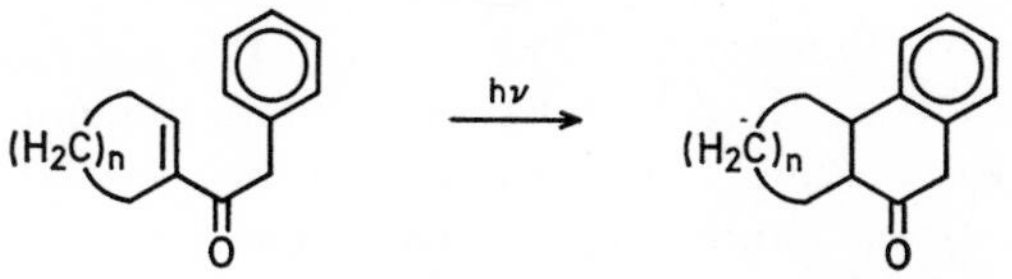

n=1; 7-Oxo-⟨benzo-bicyclo[4.3.0]nonen-(2)⟩
n=2; 9-Oxo-4a,5,6,7,8,8a,9,10-hexahydro-phenanthren
n=3; 13-Oxo-⟨benzo-bicyclo[5.4.0]undecen-(8)⟩

5. Polycyclische, aromatische Ketone durch Ringschluß von Diaryl-ketonen (Scholl-Reaktion)

Erhitzt man 1-Benzoyl-naphthalin mit Aluminiumchlorid auf ~160°, so erfolgt eine cyclisierende Dehydrierung zu *Benzanthron*[3]. Die Ausbeute an Benzanthron erreicht selbst unter günstigsten Bedingungen nur ~50% d.Th.[4], da u.a. der Ringschluß auch in 2-Stellung zum *11-Oxo-11H-⟨benzo-[a]-fluoren⟩* erfolgt[5]:

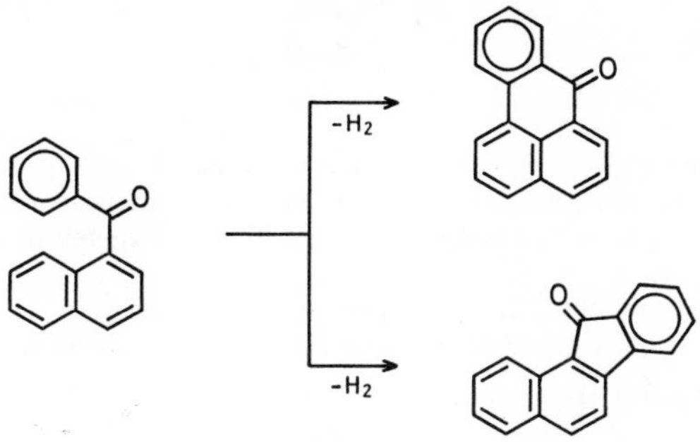

Zur präparativen Herstellung von Benzanthron-Derivaten ist dieses Verfahren jedoch nur bedingt geeignet, da sehr leicht Isomerisierungen eintreten können und die in der Lit.[3] angegebenen Ausbeuten nicht erzielbar sind[4].

[1] C. H. HEATHCOCK u. R. A. BADGER, J. Org. Chem. **37**, 235 (1972).
   s. a. J. R. SCHEFFER u. a., Am. Soc. **94**, 285 (1972).
[2] M. TADA, H. SAIKI, K. MIURA u. H. SHINOZAKI, Chem. Commun. **1975**, 55.
[3] R. SCHOLL u. C. SEER, A. **394**, 111 (1912).
   P. F. HOLT u. G. W. WENT, Soc. **1963**, 4099.
[4] Versuchsergebnisse der I. G. Farb.
[5] vgl. H. E. FIERZ-DAVID u. G. JACCARD, Helv. **11**, 1046 (1928).

So wurde vielfach eine Wanderung von Alkyl- bzw. Aryl-Gruppen und Halogen-Atomen festgestellt, z. B. lagert sich Bz_1-Phenyl-benzanthron glatt zu *Bz_2-Phenyl-benzanthron* um (s. Bd. VII 3b). Benzophenon ist mit Aluminiumchlorid nicht zum Fluorenon kondensierbar[1]. Die bei 180–200° durchgeführte Scholl-Reaktion von 4-Äthoxy-1-benzoyl-naphthalin hingegen führt unter gleichzeitiger Äther-Spaltung zum *5-Hydroxy-11-oxo-11H-⟨benzo-[a]-fluoren⟩* (85% d. Th.)[2]:

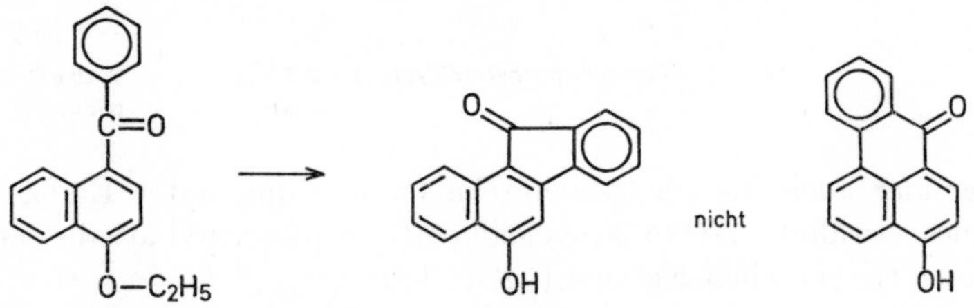

Im übrigen werden die Benzanthron-Synthesen in Bd. VII/3b abgehandelt, da die Benzanthrone sich nicht wie Ketone verhalten, sondern Chinonmethide sind.

Die „Scholl'sche Verbackung" wird zweckmäßig mit eutektischen dünnflüssigen Aluminiumchlorid/Natriumchlorid-Schmelzen zwischen 120–200° durchgeführt, wobei ein Zusatz von Mangan(IV)-oxid oder Einleiten von feinverteiltem Sauerstoff vielfach eine erhebliche Ausbeutesteigerung bewirkt[3].

Die dehydrierende Cyclisierung gelingt nur dann mit vorzüglichen Ausbeuten, wenn in der 1. Stufe eine Umlagerung zu der Dihydroverbindung eines stabilen polycyclischen Chinons eintreten kann, z. B.:

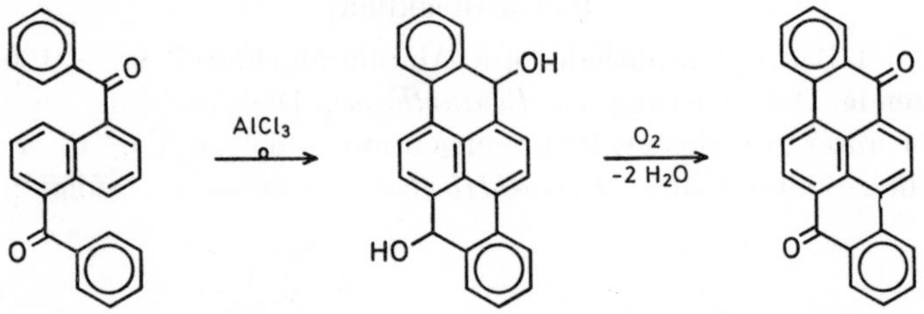

Dibenzo-[a;h]-pyren-7,14-chinon

Technisch wird das Dibenzo-[a;h]-pyren-7,14-chinon *(Indanthrengoldgelb RK)* hergestellt durch Einrühren von 390 kg 1,5-Dibenzoyl-naphthalin in eine Schmelze aus 1600 kg Aluminiumchlorid (eisenfrei) und 385 kg Natriumchlorid bei 120° unter Sauerstoffeinleiten und intensivem Rühren[4].

Dann wird die Temp. auf 160–170° gesteigert und unter Zugabe von weiteren 900 kg Aluminiumchlorid noch ~ 150 Min. Sauerstoff eingeleitet. Die Ausbeute an Rohchinon beträgt 342 kg.

5-Oxo-5H-⟨naphtho[1,2,3-c,d]-pyren⟩[5]:

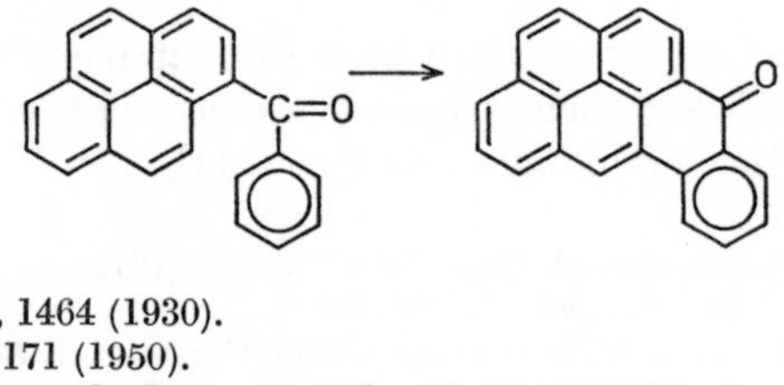

[1] F. Mayer et al., B. **63**, 1464 (1930).
   H. Waldmann, B. **83**, 171 (1950).
[2] vgl. H. E. Fierz-David u. G. Jaccard, Helv. **11**, 1046 (1928).
[3] G. Kränzlein et al., I. G. Hoechst (ab 1921).
[4] FIAT Final Rep. 1313 II, 123 (1948), I. G. Hoechst.
[5] H. Vollmann et al., A. **531**, 54 (1937).

In einer Schmelze von 500 g Aluminiumchlorid/Natriumchlorid werden unter Rühren bei 120°
50 g 3-Benzoyl-pyren eingetragen, die Temp. auf 160–165° gesteigert und während 10 Min. gehalten. Beim Zersetzen mit Wasser wird ein braunes, anfangs zum Klumpen neigendes Rohprodukt erhalten, welches bei wiederholtem Auskochen mit verd. Salzsäure dann in Wasser fest
wird; Rohausbeute: 45–48 g.

Das trockene Rohprodukt wird in 400 *ml* siedendem Nitrobenzol gelöst. Aus der dunkelbrau-
nen, heiß filtrierten Lösung scheiden sich beim Erkalten 13 g, nach dem Einengen weitere 9,5 g
dunkelbraune, glänzende Kristalle ab. Durch Sublimation i. Hochvak. bei 350–400° wurden 17 g
helles, goldgelbes Produkt erhalten, das aus Chlorbenzol umkristallisiert wird; F: 242° (flache
Nadeln).

e) Hochmolekulare Polyketone durch Polymerisation ungesättigter Ketone

Die Polymerisation ungesättigter Ketone ist bereits in Band XIV/1 beschrieben.

k) Ketone aus Carbenen bzw. aliphatischen Diazo-Verbindungen

1. Allgemeines

bearbeitet von

Prof. Dr. Hans Günter Thomas

Institut für Organische Chemie der Technischen Hochschule Aachen

Die durch Zersetzungsreaktionen aus Diazo-Verbindungen, Ketenen, Olefinen und
Yliden oder durch α-Eliminierungsreaktionen aus Alkylhalogeniden erzeugbaren
Carbene[1] sind rein formal als Alkylierungsmittel zu betrachten, da sie beispielsweise
durch die C—H-Einschiebungsreaktion die gleichen Produkte liefern wie die Umsetzung von C,H-aciden-Verbindungen mit Alkylhalogeniden. Diese Art der Alkylierung unterscheidet sich jedoch insofern grundsätzlich von der Alkylierung, als der
„verdrängte" Wasserstoff das Molekül nicht verläßt, sondern an den Carben-Kohlen-
stoff tritt:

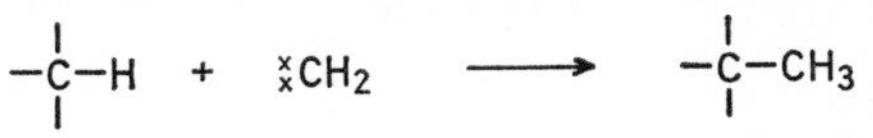

$$-\overset{|}{\underset{|}{C}}-H \;+\; \overset{x}{\underset{x}{C}}H_2 \;\longrightarrow\; -\overset{|}{\underset{|}{C}}-CH_3$$

Die durch Zersetzungsreaktionen erzeugten Carbene befinden sich in einem sehr
energiereichen Zustand und stehen daher nicht im thermischen Gleichgewicht mit
ihrer Umgebung. Die Folge davon ist, daß sie mit allen sie umgebenden Molekülen,
also auch Lösungsmittelmolekülen, sofort reagieren. Das geschieht weitgehend sta-
tistisch. Aus diesem Grunde können das durch Zersetzung erzeugte Methylen und
Alkyl-carbene für Reaktionen zur Herstellung definierter Ketone, von Ausnahmen
abgesehen, nicht verwendet werden.

---

[1] W. Kirmse, Ang. Ch. **73**, 161 (1961).
W. Kirmse, *Carbene*, Academic Press, New York · London 1971.

Alkyl- und Dialkyl-carbene reagieren alleine ohnehin schon ausschließlich intramolekular, und Halogencarbene geben die C–H-Einschiebungs-Reaktion nicht.

Ketone und Aldehyde reagieren mit Diazomethan in Gegenwart von Aktivatoren wie Metallsalzen, Wasser oder Alkoholen stets nach einem ionischen Mechanismus[1], wobei sich nach Abspaltung des Stickstoffs das zurückbleibende Zwitterion durch anionotrope Wanderung[2] des Restes R oder R' oder durch Epoxid-Bildung stabilisieren kann[3]. Bei Einwirkung von Licht werden die gleichen Produkte erhalten:

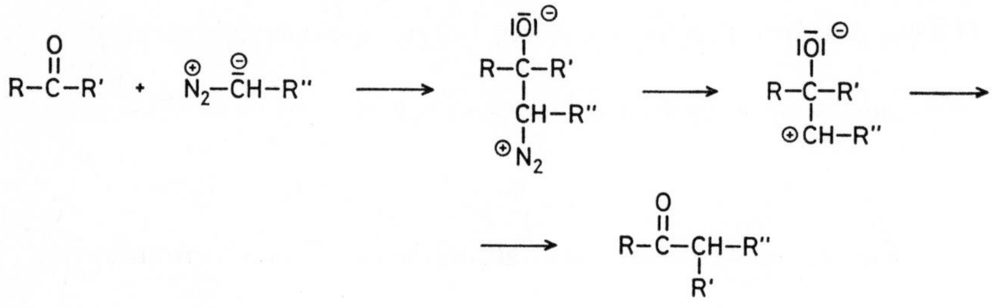

Mit Olefinen setzen sich alle bekannten Carbene – soweit sie nicht innermolekular reagieren – unter Cyclopropan-Bildung um. Es muß jedoch angenommen werden, daß bei der Zersetzung von Diazo-Verbindungen in Gegenwart von Kupferpulver oder Kupferhalogeniden metallorganische Verbindungen im Spiel sind. Auf diese Weise kann man nämlich, formal wenigstens, Ketocarbene, die sich in „freiem Zustand" stets umlagern[4], an Doppelbindungen addieren.

Durch α-Eliminierung erzeugte Carbene sind nicht energetisch überhöht, stehen also im thermischen Gleichgewicht mit ihrer Umgebung. Es sind jedoch bisher keine Reaktionen bekannt geworden, bei denen sich ein solches Carben in eine C—H-Bindung eines anderen Moleküls eingeschoben hätte.

Präparative Bedeutung hat die Einwirkung carbenoider Verbindungen (Simmons-Reagens J—CH₂—ZnJ) auf α,β-ungesättigte Ketone. Cyclopropyl-ketone entstehen auf diese Weise manchmal in recht guten Ausbeuten[5]. Diese Methode ist z. B. die beste zur Herstellung von *Acetyl-cyclopropan* (50% d. Th.)[5]:

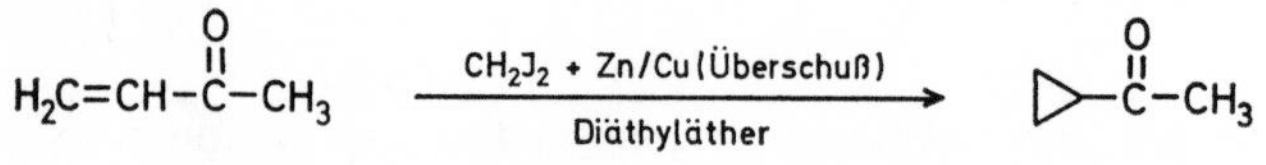

[1] H. Meerwein et al., A. **604**, 151 (1957).

[2] Als Beispiel: 2-Propio-furan aus Furfurol und Diazoäthan; J. Ramonczai u. K. Vargha, Am. Soc. **72**, 2737 (1950).
Herstellung von *Eicosandion-(7,14)*; C. M. Samour u. J. P. Mason, Am. Soc. **76**, 441 (1954).

[3] Vgl. S. 1855 ff.

[4] P. S. Skell u. J. Klebe, Am. Soc. **82**, 247 (1960).

[5] J. M. Conia, Ang. Ch. **80**, 578 (1968).
J. C. Limasset, P. Amice u. J. M. Conia, Bl. **1969**, 3981.

2. Dimerisierung von Oxo-carbenen zu Diacyl-äthylenen

bearbeitet von

Prof. Dr. Hans Günter Thomas

Institut für Organische Chemie der Technischen Hochschule Aachen

Oxocarbene der allgemeinen Formel I sind denkbare Zwischenstufen bei der Zersetzung von Diazoketonen bzw. der α-Eliminierung von α-Halogen-ketonen. Rein formal führt die Dimerisierung von Oxo-carbenen zu 1,2-Diacyl-äthylenen II:

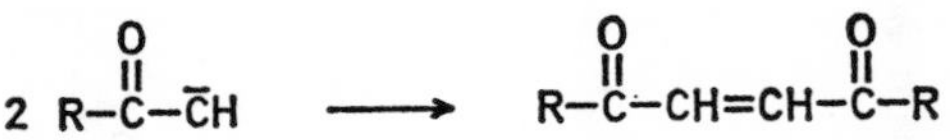

$$2 \ R-\overset{\overset{O}{\|}}{C}-\bar{C}H \ \longrightarrow \ R-\overset{\overset{O}{\|}}{C}-CH=CH-\overset{\overset{O}{\|}}{C}-R$$

$$\text{I} \qquad\qquad\qquad \text{II}$$

Der Beweis für die Existenz von Oxo-carbenen als echte Zwischenstufen bei der Wolff-Umlagerung der Diazo-ketone konnte durch Abfangen mit Dipolarophilen erbracht werden[1]:

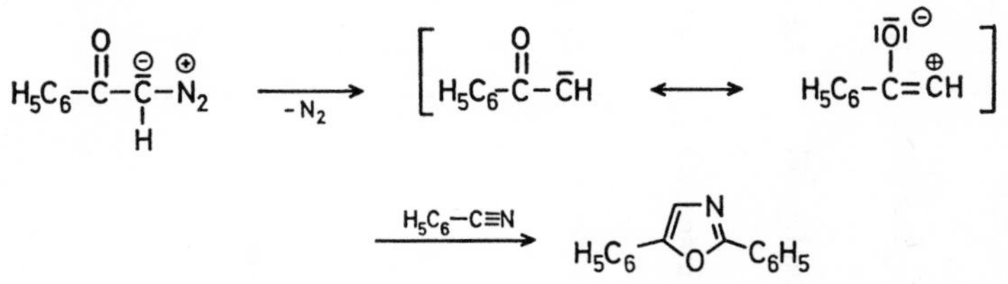

$$H_5C_6-\overset{\overset{O}{\|}}{C}-\overset{\overset{\ominus}{\underset{H}{|}}}{C}-\overset{\oplus}{N_2} \ \xrightarrow{-N_2} \ \left[H_5C_6-\overset{\overset{O}{\|}}{C}-\bar{C}H \ \longleftrightarrow \ H_5C_6-\overset{\overset{\overline{O}|{}^{\ominus}}{|}}{C}=\overset{\oplus}{C}H \right]$$

$$\xrightarrow{H_5C_6-C\equiv N} \ H_5C_6 \underset{O}{\overset{N}{\diagdown}} C_6H_5$$

$$\text{III}$$

Die zunächst sehr geringe Ausbeute an *2,5-Diphenyl-1,3-oxazol* (III) konnte durch Zugabe von Kupfer und Kupfer(I)- und Kupfer(II)-Salzen als Katalysator auf 17% d. Th. angehoben werden.

Das Kupfer hat demnach nicht nur die Eigenschaft, die Stickstoff-Abspaltung aus dem Diazo-keton zu beschleunigen, sondern es drängt auch die Wolff-Umlagerung zugunsten einer Oxo-carben-Dimerisierung zurück. Erhalten werden 1,2-Diacyl-äthylene. Einige Beispiele werden in Tab. 240 (S. 1838) aufgeführt. Beim Arbeiten in der Gasphase scheint die Verwendung von Kupfer als Hilfsmittel zur Dimerisierung entbehrlich[2].

Eines der Beispiele von Tab. 240 (S. 1838) zeigt, daß auch unsymmetrische Diacyl-äthylene durch Oxo-carben-Dimerisierung aufgebaut werden können. Zweifel sind berechtigt, daß es sich hier tatsächlich um echte Carben-Dimerisierungsreaktionen handelt. Vielmehr wird vorgeschlagen, hier eine durch Reaktion des primär entstandenen Oxocarbens I mit unveränderter Diazoverbindung II gebildete Zwischen-

---

[1] R. Huisgen et al., Ang. Ch. **73**, 368 (1961).
[2] S. Tab. 240 (S. 1838) Pyrolyse von Diazoacenaphthenon.

Tab. 240. 1,2-Diacyl-äthylene durch Dimerisation von Oxo-carbenen

Ausgangsverbindung	Lösungsmittel	Katalysator	Reaktionsprodukt	Ausbeute [% d.Th.]	Literatur
ω-Diazo-acetophenon	Benzol	Kupferbronze	*1,4-Dioxo-1,4-diphenyl-trans-buten-(2)*	70	[1]
4-(Diazoacetyl)-benzoesäure-äthylester	Benzol	Kupferoxid	*1,4-Dioxo-1,4-bis-[4-äthoxycarbonyl-phenyl]-buten-(2)*	36,5	[2]
1-Diazo-2-oxo-pentan	Benzol	Kupferoxid	*Decen-(5)-dion-4,7*	28,5	[3]
Diazo-aceton+4-Oxo-5-diazo-pentan-säure-methylester	Benzol	Kupferoxid	*4,7'-Dioxo-octen-(5)-säure-methylester*	22	[2]
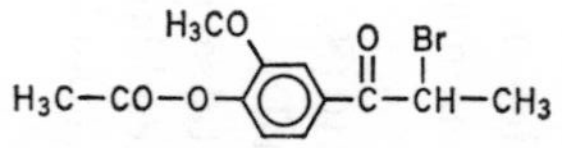	Xylol	Kupfer	*1,4-Dioxo-2,3-dimethyl-1,4-bis-[3-methoxy-4-acetoxy-phenyl]-buten*	—	[4]
Diazoacenaphtenon 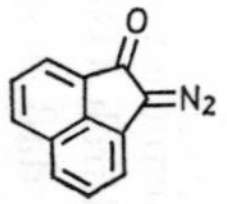	Pyrolyse 160°	Kein	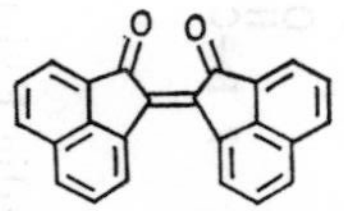 *2,2'-Dioxo-1,1'-bi-acenaphthyliden*	—	[5]

[1] P. Yates, Am. Soc. 74, 5376 (1952).
[2] I. Ernest u. Z. Linhartova, Chem. Listy 52, 350 (1958).
[3] I. Ernest u. J. Stanek, Chem. Listy 52, 302 (1958).
[4] A. Auterhoff u. J. Kühl, Ar. 299, 618 (1966).
[5] D. C. de Jongh u. R. Y. van Fossen, Tetrahedron 28, 3603 (1972).

stufe III anzunehmen, aus der heraus durch Stickstoffabspaltung das Diacyl-äthylen IV hervorgehen kann[1]:

$$R-\overset{O}{\overset{\|}{C}}-\overset{\ominus}{C}H \ + \ R^1-\overset{O}{\overset{\|}{C}}-\overset{\ominus}{\underset{\oplus}{C}}H-\overset{\oplus}{N}\equiv N \ \longrightarrow \ R-\overset{O}{\overset{\|}{C}}-\overset{\ominus}{\underset{\underset{\oplus N\equiv N}{|}}{C}}H-CH-\overset{O}{\overset{\|}{C}}-R^1 \ \xrightarrow{-N_2} \ R-\overset{O}{\overset{\|}{C}}-CH=CH-\overset{O}{\overset{\|}{C}}-R^1$$

I   II   III   IV

Durch Einwirkung von kalter äthanolischer Kalilauge auf ω-Chlor-acetophenon wird durch α-Eliminierung ebenfalls ein Oxo-carben erzeugt, das sich zu einem Gemisch aus *cis-* und *trans-1,4-Dioxo-1,4-diphenyl-buten-(2)* dimerisiert[2]. Über die Höhe der Ausbeute bei dieser Umsetzung werden keine Angaben gemacht.

3. Trimerisierung von Oxo-carbenen zu Triacyl-cyclopropanen

bearbeitet von

Prof. Dr. Hans Günter Thomas

Institut für Organische Chemie der Technischen Hochschule Aachen

Solange nicht bewiesen wird, daß durch α-Eliminierung aus α-Halogen-ketonen tatsächlich Oxo-carbene auftreten, die sich zu Triacyl-cyclopropanen trimerisieren können, darf man eine intramolekulare Alkylierung (s. S. 1848) nicht ausschließen. Die Herstellung von Triacyl-cyclopropanen durch Behandlung von α-Halogen-ketonen mit Basen wird von mehreren Autoren beschrieben[3-5]. Zum Beispiel erhält man aus ω-Jod-acetophenon bei Einwirkung von Natrium *trans-Tribenzoyl-cyclopropan*:

$$3 \ H_5C_6-\overset{O}{\overset{\|}{C}}-CH_2-J \ \xrightarrow{Na} \ H_5C_6-OC\overset{CO-C_6H_5}{\underset{CO-C_6H_5}{\triangle}}$$

Bei der Umsetzung von ω-Fluor-acetophenon (I) mit Natriumhydrid in siedendem Benzol bildet sich neben *trans-1,2,3-Tribenzoyl-cyclopropan* (II; 60% d.Th.) *3-Fluor-2,4-diphenyl-furan* (III; 25% d.Th.)[6]:

$$H_5C_6-\overset{O}{\overset{\|}{C}}-CH_2-F \ \xrightarrow{NaH} \ \underset{H_5C_6-\overset{O}{\underset{\|}{C}}}{\overset{H_5C_6-\overset{O}{\overset{\|}{C}}}{\triangle}}-\overset{O}{\overset{\|}{C}}-C_6H_5 \ + \ \underset{O}{\overset{H_5C_6}{\square}}\overset{F}{\underset{}{}}C_6H_5$$

I   II   III

[1] J. Quintana, M. Torres u. F. Serratosa, Tetrahedron **29**, 2065 (1973).
[2] C. P. Garg, H. G. Garg u. M. M. Bokadia, Agra Univ. J. Res. **6**, 19 (1957).
[3] C. Paal u. H. Schulze, B. **36**, 2425 (1903).
[4] G. Maier, B. **95**, 611 (1962).
[5] M. Charpentier-Morize u. P. Colard, Bl. **1962**, 1982.
[6] E. Elkik u. H. Assadi, C. r. [C] **273**, 1111 (1971).

Mit Natriummethanolat-Pulver in Äther bei 0° entstehen die gleichen Verbindungen; als zusätzliches Produkt tritt *1,2,3-Tribenzoyl-propen* (25% d.Th.) auf.

Mit anderen Basen, z. B. Kalium-tert.-butanolat in tert. Butanol/Benzol oder Natriummethanolat in Methanol, erhält man kein Tribenzoyl-cyclopropan.

In positiver Weise beeinflußt die Anwesenheit von Dimethylsulfoxid oder von Thioäthern die Höhe der Ausbeute der Bildung von triacylierten Cyclopropanen aus α-Halogen-ketonen. Möglicherweise wird das durch α-Eliminierung aus einem α-Halogen-keton erhaltene Ketocarben durch Sulfonium- bzw. Sulfoxoniumylid-Bildung stabilisiert. Nachfolgende Alkylierungsschritte mit weiteren Molekeln des elektrophilen Ketocarbens führen schließlich zum Cyclopropan-Derivat. Die Reaktionsabfolge wird aus nachstehendem Schema ersichtlich:

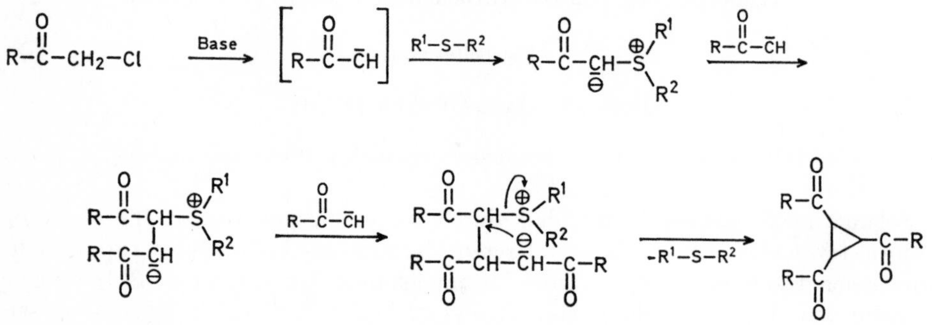

Für obigen Reaktionsablauf spricht, daß Ylide wie nachstehend II mit Kupfersulfat zum *trans*-1,2,3-Tribenzoyl-cyclopropan (I) reagieren[1]. Die Funktion des Kupfers andererseits wird deutlich, wenn die Ylide II mit Kupfer(II)-halogeniden die Kupferkomplexe III bilden:

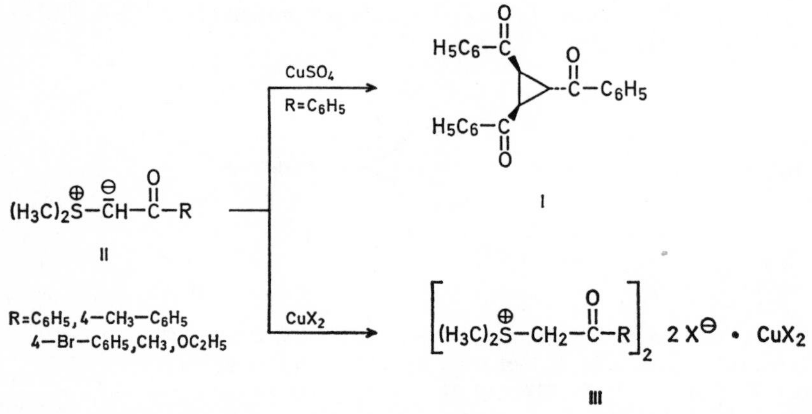

---

[1] T. Sato, J. Higuchi, Tetrahedron Letters **1972**, 407.

In Gegenwart von Dimethoxydisulfan zersetzt sich obiges Ylid II (R=C$_6$H$_5$) bei 35° zu *1,2,3-Tribenzoyl-cyclopropan* (90% d. Th.)[1]. Es wurde ferner gefunden, daß zahlreiche substituierte Phenacylbromide mit Dimethyl-phenacyl-sulfoniumylid unter Stickstoff mit 65–87% d. Th. die entsprechenden Acyl-cyclopropane liefern[2].

Eine weitere Stütze für die Annahme mehrstufiger Prozesse auf dem Weg zu triacylierten Cyclopropanen ist in der Umsetzung von β-Oxo-sulfoniumyliden IV mit den Dioxobutenen V zu den Cyclopropanen VI zu sehen[3]:

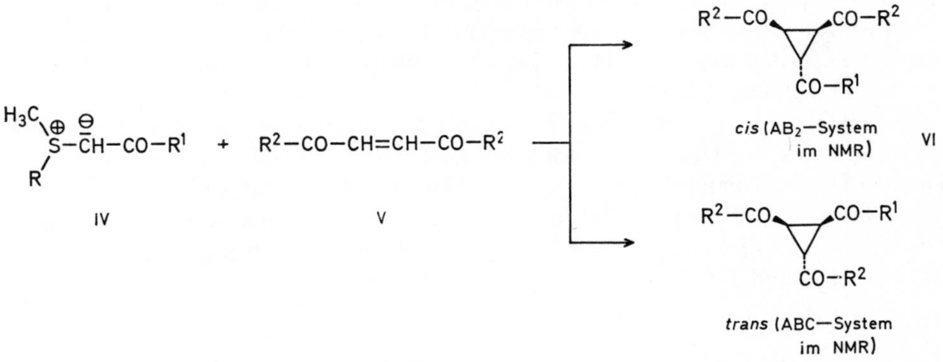

R	R¹	R²	Reaktions-bedingungen [Stdn.]	Reaktions-bedingungen [°C]	. . . -cyclopropan	Gesamt-ausbeute [% d.Th.]	cis [%]	trans [%]
CH$_3$	C$_6$H$_5$	C$_6$H$_5$	24	20	*3-Acetyl-1,2-di-benzoyl-* . . .	97,8		
		C(CH$_3$)$_3$	24	20	*3-Acetyl-2-(2,2-dimethyl-propanoyl)-1-ben-zoyl-* . . .	75,8	68,4	31,6
	C(CH$_3$)$_3$	C$_6$H$_5$	24	20		85,8	85,5	14,5
		C(CH$_3$)$_3$	24 / 3	20 / 50	*3-Acetyl-1,2-bis-[2,2-di-methyl-propanoyl]-* . . .	0 / 60,2		
C$_6$H$_5$	C(CH$_3$)$_3$	C(CH$_3$)$_3$	48 / 96 / 3	20 / 20 / 70	*2,3-Bis-[2,2-dimethyl-propanoyl]-1-benzoyl-* . . .	22,2 / 38,5 / 27,3		

Bemerkenswert ist in diesem Zusammenhang auch, daß die photochemische Zersetzung[4] von Dimethylphenacylsulfoniumylid die gleich hohe Ausbeute („fast quantitativ") wie die durch Kupfer(II)-Salze gestützte thermische Zersetzung ergeben soll. Bekanntlich[3] unterliegen photolytisch z. B. aus Diazoketonen erzeugte „freie"

[1] H. Matsuyama et al., Bull. Chem. Soc. Japan **46**, 3158 (1973).
[2] P. Bravo et al., Tetrahedron **27**, 3563 (1971).
[3] J. Quintana, M. Torres u. F. Serratosa, Tetrahedron **29**, 2065 (1973).
[4] B. M. Trost, Am. Soc. **89**, 138 (1967).

Ketocarbene I fast ausschließlich der Wolff-Umlagerung zu Ketenen, die ihrerseits mit Ketocarbenen zu 3-Buten-4-oliden abreagieren können:

In Thioanisol/Benzol-Gemischen und unter Verwendung von Kupfer-Katalysatoren lassen sich aber auch Diazoketone mit mäßigen bis guten Ausbeuten zu 1,2,3-Triacyl-cyclopropanen umsetzen. Hierüber gibt Tabelle 241 (S. 1843) Auskunft[1].

Auch die „Trimerisierung" dieser kupferstabilisierten Oxocarbene wird als mehrstufiger Prozeß angesehen[1].

Die Annahme einer olefinischen Zwischenstufe scheint auch aus folgendem Grunde berechtigt. Bei der Umsetzung des *trans*-1,2-Dibenzoyl-äthylens (I) mit den Diazoketonen II erhält man je nach Art des Substituenten R bei relativ niedrigen Temperaturen (80–85°) die Pyrazoline III, in siedendem Xylol hingegen die Cyclopropane IV. Die letzteren erhält man auch aus III durch Stickstoff-Abspaltung bei Temperaturen zwischen 180 und 190°[2]:

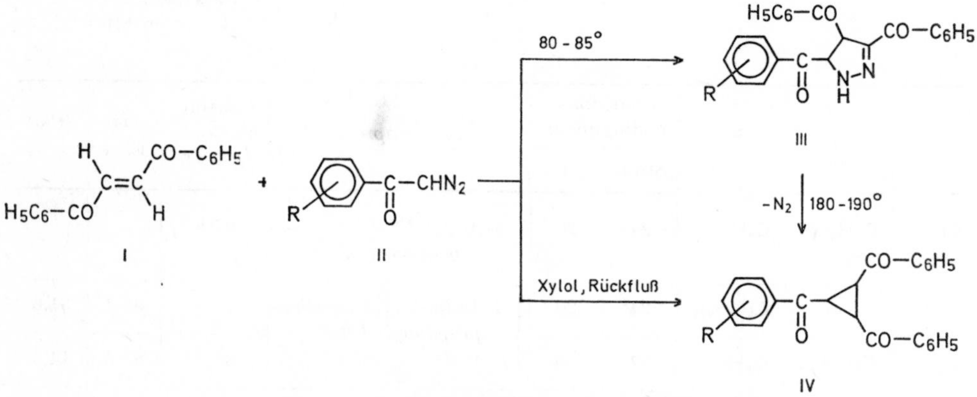

II: R=H, 2–Cl, 4–Cl, 3,4–(OCH₃)₂, 4–OCH₃,
2–Br, 2–COOCH₃, 4–NO₂

Dem **intramolekularen** Cyclisierungsfall nach diesem Schema begegnet man in der kupferkatalysierten Zersetzung von Methan-tri-α-diazoaceton (V) in siedendem, mit Thioanisol vermischtem Xylol. Hält man Bedingungen nach dem Verdünnungsprinzip von Ruggli-Ziegler ein, läßt sich in guter Ausbeute *Bullvalantrion* (VI) isolieren[3]:

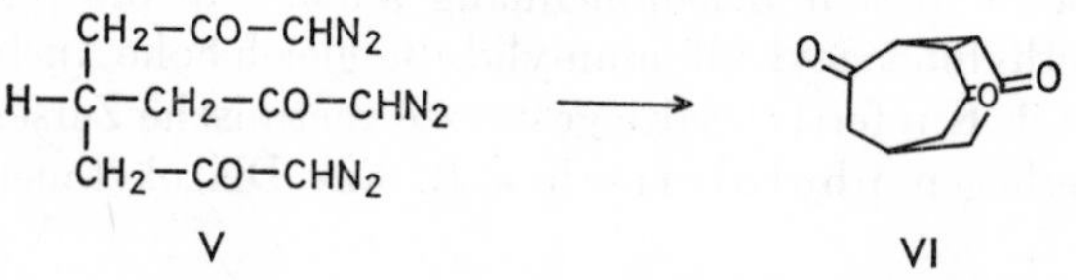

3,7,9-Trioxo-tricyclo[3.3.2.0²,⁸]decan

[1] J. Quintana, M. Torres u. F. Serratosa, Tetrahedron **29**, 2065 (1973).
[2] W. Hampel u. M. Kapp, J. pr. **312**, 394 (1970).
[3] J. Font, F. López u. F. Serratosa, Tetrahedron Letters **1972**, 2589.

Tab. 241. Cyclopropanisierung von Diazoketonen $(R-CO-CHN_2)$[1]

R	Lösungsmittel	Katalysator	Zeit [Stdn.]	Temperatur [°C]	...-cyclopropan	Ausbeute [% d.Th.]
$(H_3C)_3C$	Thioanisol	Kupfer	3	70	*1,2,3-Tris-[2,2-dimethyl-propanoyl]-*	73,5
	Thioanisol/Benzol	$CuSO_4$	2,5	60		84,2
$(H_3C)_2CH$	Thioanisol	$CuSO_4$	3	59	*1,2,3-Tris-[2-methyl-propanoyl]-*	72,0
CH_3	Thioanisol/Benzol	$CuSO_4$	4	0	*1,2,3-Triacetyl-*	10,0
C_6H_5	Thioanisol	Cu	3	60	*1,2,3-Tribenzoyl-*	33,3
	Thioanisol/Hexan	Cu	3	60		38,7
$4\text{-}H_3CO-C_6H_4$	Thioanisol/Benzol	$CuSO_4$	4,5	70	*1,2,3-Tris-[4-methoxy-benzoyl]-*	38,4
$4\text{-}NO_2-C_6H_4$	Thioanisol/Benzol	$CuSO_4$	10	48	*1,2,3-Tris-[4-nitro-benzoyl]-*	24,0

[1] J. QUINTANA, M. TORRES u. F. SERRATOSA, Tetrahedron **29**, 2065 (1973).

4. Intra-molekulare Additionen von Oxo-carbenen bzw. aliphatischen Diazo-Verbindungen an olefinische Doppelbindungen zu Cyclopropan-Derivaten

bearbeitet von

Prof. Dr. Bernd Eistert

Saarbrücken

Prof. Dr. Manfred Regitz

Fachbereich Chemie der Universität Kaiserslautern

und

Prof. Dr. Hans Günter Thomas

Institut für Organische Chemie der Technischen Hochschule Aachen

Enthält eine Verbindung gleichzeitig eine ω-Diazo-oxo-Gruppe und eine C=C-Doppelbindung, so kann unter Stickstoff-abspaltenden Bedingungen Ringschluß zu α-Oxo-cyclopropanen eintreten. Diese Reaktion wurde zum ersten Male beobachtet, als man 7-Diazo-6-oxo-hepten-(1) in Gegenwart von Kupferbronze 11 Stdn. in Cyclohexan unter Rückfluß erhitzte. Man erhielt *2-Oxo-bicyclo[4.1.0]heptan* ($\sim 20\%$ d. Th.)[1]:

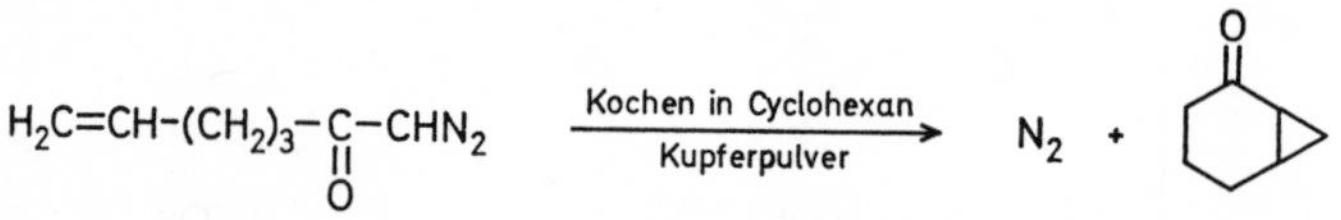

$$H_2C{=}CH{-}(CH_2)_3{-}\underset{\underset{O}{\|}}{C}{-}CHN_2 \xrightarrow[\text{Kupferpulver}]{\text{Kochen in Cyclohexan}} N_2 \; + \; \text{[Struktur]}$$

Aus einem ungesättigten offenkettigen ω-Diazo-keton erhält man also ein bicyclisches, aus einem ungesättigten monocyclischen ω-Diazo-keton ein tricyclisches Produkt usw. Als Katalysatoren verwendet man meist Kupferpulver, wasserfreies Kupfer(II)-chlorid oder -sulfat. Als Lösungsmittel dienen unpolare Substanzen, die ihrerseits nicht mit dem intermediär auftretenden Oxo-carben reagieren, wie z.B. Hexan, Cyclohexan, Benzol, Heptan oder Tetrahydrofuran. In einigen Fällen wurden auch durch Photolyse ungesättigter ω-Diazo-ketone α-Oxo-cyclopropane gewonnen. So erhält man bei der Photolyse von *endo*-6-Diazoacetyl-bicyclo[3.1.0] hexen-(2)(I) in Tetrahydrofuran *3-Oxo-tetracyclo[3.3.0.0^{4,6}0^{2,8}]octan* (III)[2]; in bedeutend besserer Ausbeute wurde das gleiche Produkt III durch Kupfer-Katalyse in Benzol-Lösung gewonnen[3]. Die schlechte Ausbeute an III bei der Photolyse von I läßt sich darauf zurückführen, daß hier das intermediär auftretende Oxo-carben II z.T. eine Wolff-Umlagerung zum entsprechenden Keten IV erleidet (s. ds. Handb.,

[1] G. Stork u. J. Ficini, Am. Soc. **83**, 4678 (1961).
[2] P. K. Freeman u. D. G. Kuper, Chem. & Ind. **1965**, 424.
[3] J. Meinwald u. G. H. Wahl, Chem. & Ind. **1965**, 425.

Bd. X/4, S. 855), welches sich seinerseits rasch in einer Cope-Umlagerung in *2-Oxo-bicyclo[3.2.1]octadien-(3,6)* (V) umwandelt:

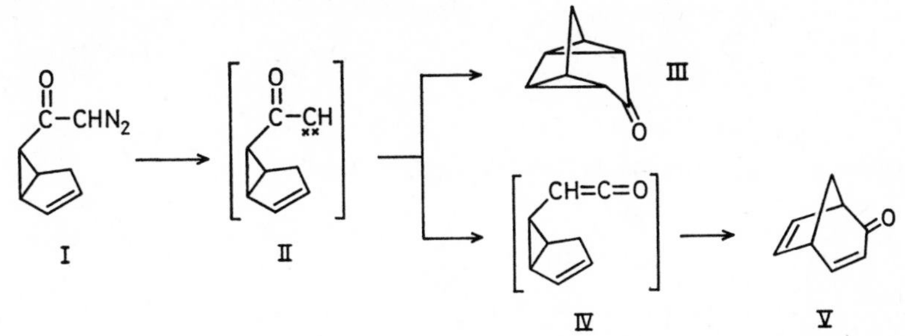

Da Carbene durch Kupfer stabilisiert werden[1], ist die Ausbeute an III hierbei höher als bei der Photolyse. Analog verläuft die folgende Synthese des 3-Oxo-caran-Systems[2] VI:

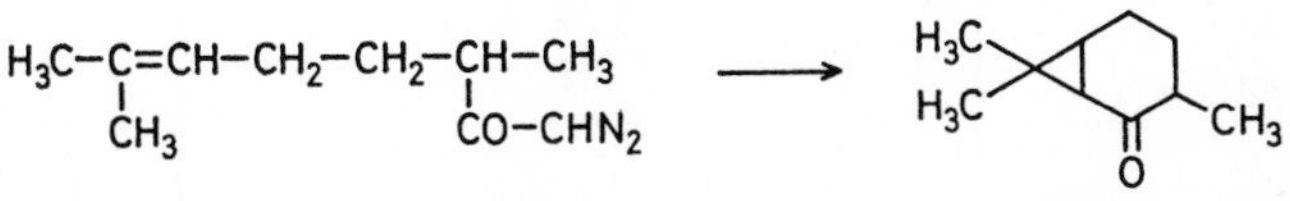

(±)-2-Oxo-3,7,7-bicyclo[4.1.0]heptan [(±)-3-Caron][2]: Eine Suspension von 9,5 g 8-Diazo-7-oxo-2,6-dimethyl-octen-(2) und 1 g Kupferpulver in 150 ml Cyclohexan wird unter Rühren ∼ 24 Stdn. unter Rückfluß erhitzt. Man läßt erkalten, filtriert und engt zur Trockne ein. Hierbei erhält man 9,2 g eines Öles, welches in einem Hexan-Benzol-Gemisch (1:1) über eine Aluminiumoxidsäule (Brockmann 1) chromatographisch gereinigt wird; Ausbeute: 4,65 g (51% d. Th.); $Kp_{0,5}$: 47–48° (klares Öl).

Weitere Beispiele:

aus der Carbonsäure VII *12-Oxo-tetracyclo[9.3.0.0¹,¹⁰.0.⁴,⁹]-tetradecan*[3]

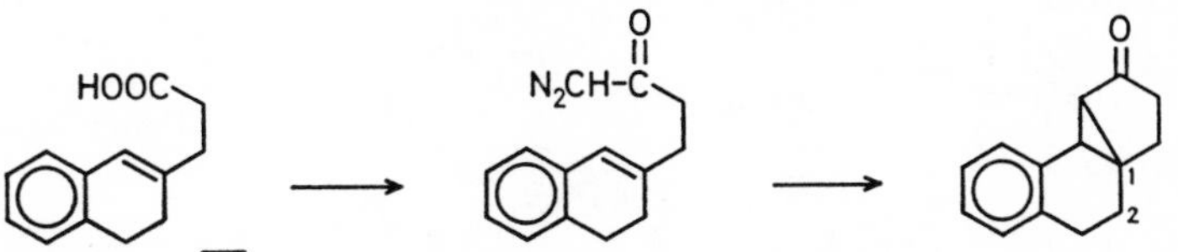

aus dem Diazoketon VIII *4-Oxo-3,3-dimethyl-tricyclo[4.4.0.0¹,⁵]decan*[4]

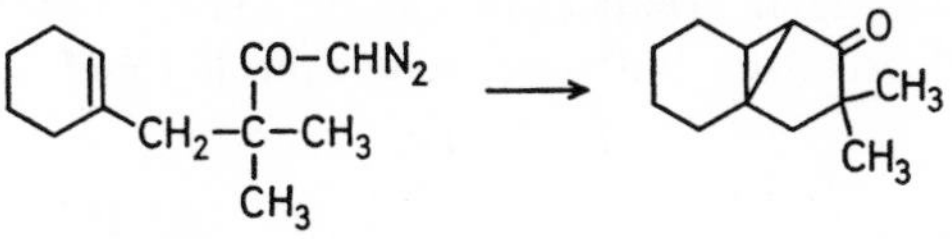

aus dem Diazoketon IX *3,6-Dioxo-1-methyl-tricyclo[3.2.1.0²,⁷]octan*[5]

[1] s. hierzu: W. v. E. DOERING, zitiert bei R. HUISGEN, Ang. Ch. **67**, 461 (1955), Fußnote 189.
[2] F. MEDINA u. A. MANJARREZ, Tetrahedron **20**, 1807 (1964).
[3] S. K. DASGUPTA u. A. S. SARMA, Tetrahedron Letters **1968**, 2983.
[4] S. JULIA, A. CONSTANTINO u. G. LINSTRUMELLE, C. r. [C] **264**, 407 (1967).
[5] D. BECKER u. H. J. LOEWENTHAL, Isr. J. Chem. **10**, 375 (1972).

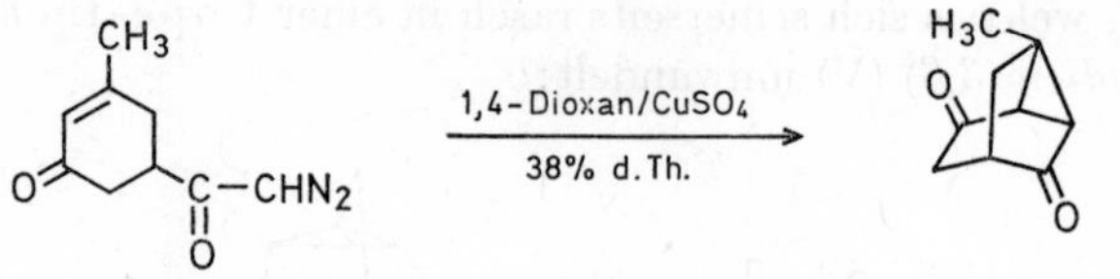

aus dem Diazoketon X *2-Oxo-3-methyl-tricyclo[2.2.2.0³,⁵]octan*[1]

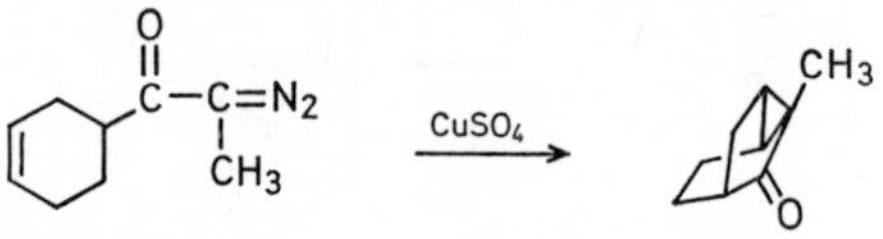

aus den Diazoketonen XI über die Zwischenstufen XII und XIII *10-Oxo-* bzw. *10-Oxo-4-methyl-bicyclo[5.3.0]decatrien-(1⁷,2,4)* XIV[2]:

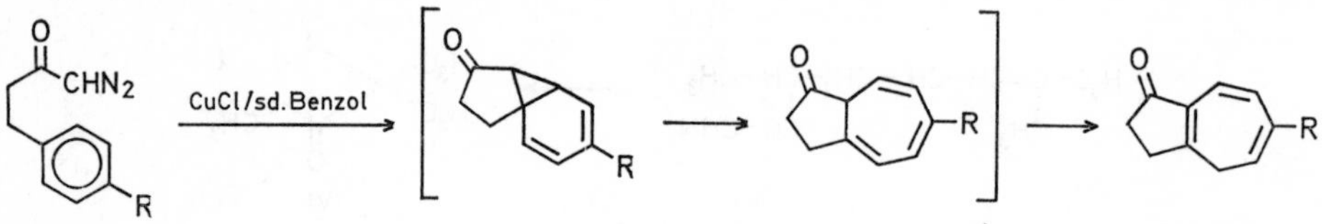

R = H, CH₃

Alkenyl-substituierte Malonsäure-diäthylester lassen sich in der üblichen Weise in die Diazoketone XV, XVI und XVII überführen, die sich durch katalytische Zersetzung in Gegenwart des π-Allyl-Palladiumchlorid-Komplexes zu den Ketonen XVIII, XIX und XX umwandeln lassen[3]:

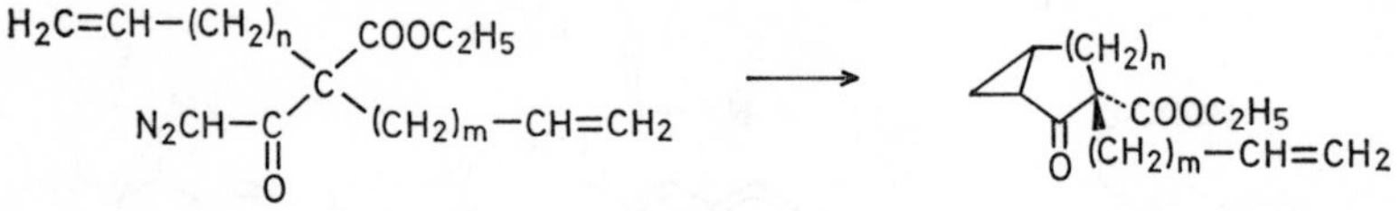

XV	n = m = 1		XVIII	n = m = 1
XVI	n = 1; m = 2		XIX	n = 1; m = 2
XVII	n = m = 2		XX	n = m = 2 (25% d.Th.)

Unter gleichen Bedingungen erhält man aus bis-alkenylierten Malonsäure-diäthylestern über die Bis-diazoketone entsprechende Spiroketone[4]; z. B.:

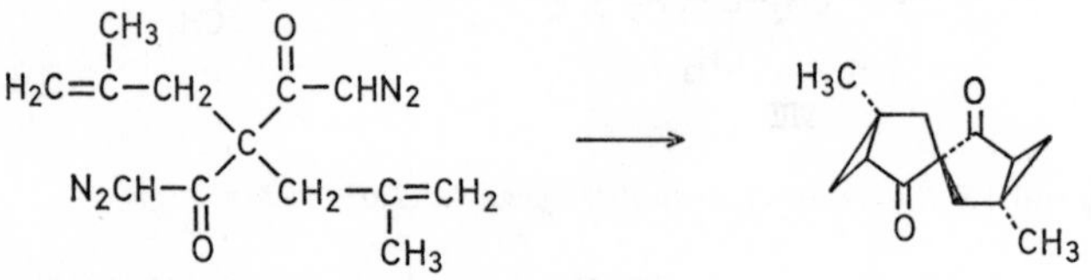

[1] C. J. Scanio u. D. L. Lickei, Tetrahedron Letters **1972**, 1363.
[2] L. T. Scott, Soc., Chem. Commun. **1973**, 882.
[3] S. Bien u. D. Ovadia, J. Org. Chem. **39**, 2258 (1974).
[4] S. Bien u. D. Ovadia, Soc. [Perkin Trans I] **1974**, 333.

aus dem Diazoketon XXI *9-Oxo-tricyclo[3.3.1.0²,⁸]nonadien-(3,6)*[1]

aus dem Diazoketon XXII *5-Brom-2-oxo-tetracyclo[4.3.1.1³,⁸.0⁴,¹¹]undecan²*:

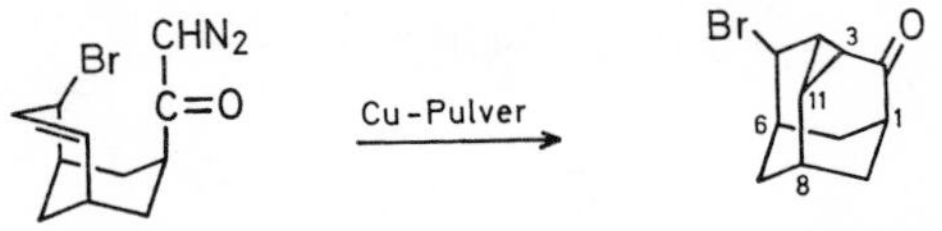

5. Inter-molekulare Additionen von Oxo-carbenen bzw. aliphatischen Diazo-Verbindungen an olefinische Doppelbindungen zu vorwiegend Cyclopropan-Derivaten

bearbeitet von

Prof. Dr. BERND EISTERT

Saarbrücken

Prof. Dr. MANFRED REGITZ

Fachbereich Chemie der Universität Kaiserslautern

Prof. Dr. HANS GÜNTER THOMAS

Institut für Organische Chemie der Technischen Hochschule Aachen

Auch für die für normale Carbene charakteristische Reaktion der Cyclopropan-ring-Bildung durch Addition des Carbens an C—C-Mehrfachbindungen gibt es bei den Oxo-carbenen Beispiele. Der häufige Fall der intramolekularen Addition wird weiter unten besprochen. Erhitzt man z. B. 2-Diazo-1-oxo-1-biphenylyl-(4)-äthan in Gegenwart eines großen Überschusses an Styrol auf 140°, so erhält man ein *cis-trans*-Gemisch von *2-Phenyl-1-[biphenylyl-(4)-carbonyl]-cyclopropan* (23% d.Th.)[3]:

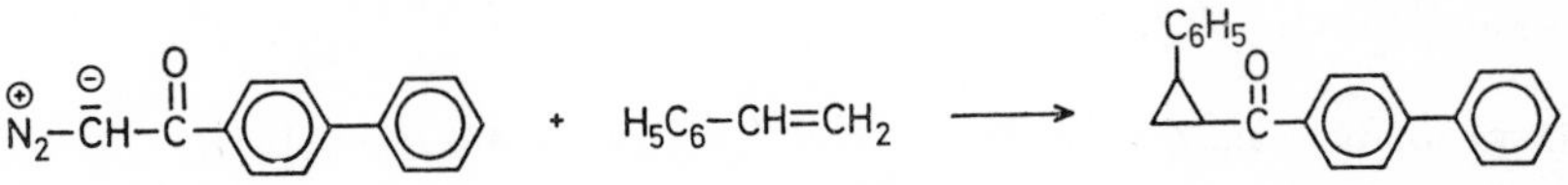

[1] W. VON E. DOERING u. B. FERRIER, S.: W. VON E. DOERING u. W. ROTH, Ang. Ch. **75**, 27 (1963); engl.: **2**, 115 (1963).
[2] D. P. HAMON, G. F. TAYLOR u. R. N. YOUNG, Tetrahedron Letters **1975**, 1623.
[3] R. J. MOHRBACHER u. N. H. CROMWELL, Am. Soc. **79**, 401 (1957).

Bei Verwendung von **Kupferpulver** und bei Einhalten einer niedrigen Temperatur läßt sich die Ausbeute auf 40% d. Th. an reinem *trans*-Produkt steigern[1].

Ein Acyl-cyclopropan III wird auch aus 1-Oxo-3-phenyl-inden-2-carbonsäure-äthylester (I) durch Umsetzung mit ω-Chlor-acetophenon (II) erhalten[2]. Doch wird hier die Bildung des Cyclopropanringes im *6-Oxo-1a-phenyl-1-benzoyl-6a-äthoxycarbonyl-1,1a,6,6a-tetrahydro-⟨cyclopropa-[a]-inden⟩* (III) durch Michael-Addition und nachfolgende intramolekulare Alkylierung erklärt:

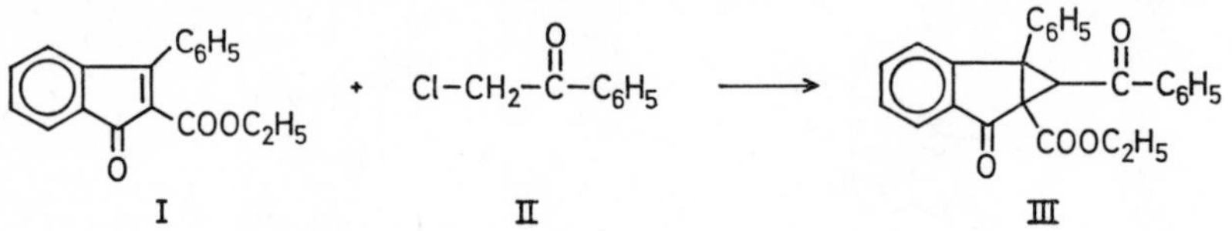

I   II   III

In dieser Weise, d. h. als Alkylierungs-Reaktion, läßt sich auch die Einwirkung von Dimethyloxosulfonium-methylid (II) auf α,β-ungesättigte Ketone verstehen[3]. Zum Beispiel reagiert 1-Oxo-9-methyl-1H-phenalen (I) mit dem Methylid II über die Zwischenstufe III zum *2-Oxo-3-methyl-1,1a,2,8b-tetrahydro-⟨cyclopropa-[a]-phenalen⟩* (IV)[4]:

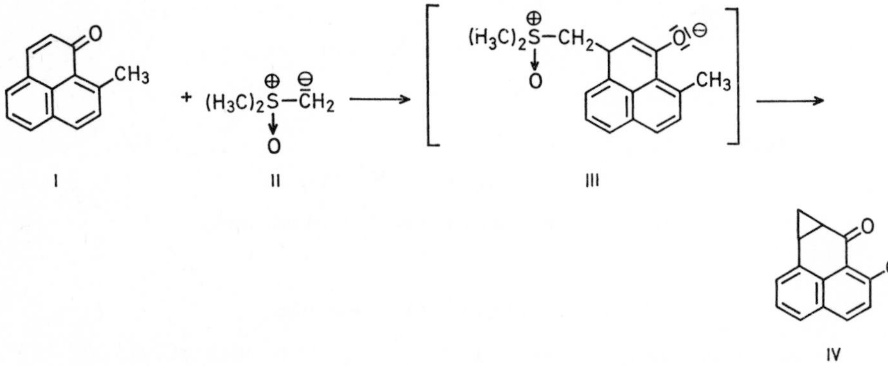

I   II   III

IV

Die Reaktion ist allgemeinerer Natur und läßt sich z. B. auch auf substituierte 3-Oxo-1,3-diphenyl-propene (Chalcone) anwenden, wobei die entsprechenden **Benzoyl-cyclopropane** in Ausbeuten von 35—98% d. Th. erhalten werden[5].

Beispiele für Reaktionen von Oxo-carbenen mit Olefinen im Sinne einer Cyclo-addition, Reaktionen also, die insofern auch präparatives Interesse beanspruchen können, als diese Oxo-carbene leicht aus Diazomethan-Derivaten in der Wärme, durch Strahlung oder unter der Einwirkung von Katalysatoren herstellbar sind, seien in Tab. 242 (S. 1849) angeführt.

---

[1] I. A. Dykakonov et al., Ž. obšč. Chim. **23**, 66 (1953); C. A. **48**, 1256g (1954).

[2] C. F. Koelsch, J. Org. Chem. **26**, 1003 (1961).

[3] Vgl. S. 1841, Reaktion von β-Oxo-sulfoniumyliden mit ungesättigten Ketonen.
   E. J. Corey u. M. Chaykowsky, Am. Soc. **87**, 1353 (1963).
   C. R. Johnson et al., Am. Soc. **92**, 6594 (1970).

[4] R. M. Pagni u. C. R. Watson, Chem. Commun. **1974**, 224.

[5] L. A. Yanovskaya et al., Tetrahedron **28**, 1565 (1972).

Tab. 242. Acyl-cyclopropane aus Oxocarbenen und Olefinen

Olefin	Oxocarben-Vorstufe	Reaktionsbedingungen		Acyl-cyclopropan	Ausbeute [% d.Th.]	Literatur
		Katalysator	Temp. [°C]			
Undecen-(10)-säure-methylester	Diazoaceton	CuSO₄ (wasserfrei)	85	*9-(2-Acetyl-cyclopropyl)-nonansäure-methylester*		[1]
	1-Diazo-2-oxo-pentan			*9-(2-Butanoyl-cyclopropyl)-nonansäure-methyl-ester*	10–20	[1]
Ölsäure-methylester	Diazoaceton			*8-(3-Octyl-2-acetyl-cyclopropyl)-octansäure-methylester*		[1]
	1-Diazo-2-oxo-pentan			*8-(3-Octyl-2-butanoyl-cyclopropyl)-octansäure-methylester*		[1]
Butadien-(1,3) (u.a. Diene)	Diazoaceton	—	—	*2-Vinyl-1-acetyl-cyclopropan + 2,2'-Diacetyl-bi-cyclopropyl*		[2]
Styrol	Diazoaceton	—	—	*2-Phenyl-1-acetyl-cyclopropan*		[3]
Stilben	Diazoaceton	—	—	*2,3-Diphenyl-1-acetyl-cyclopropan*		[3]
Cyclohexen	1,4-Bis-[diazo]-2,3-dioxo-butan	CuSO₄	siedendes Cyclohexen	*Dioxo-1,2-bis-[bicyclo[4.1.0]heptyl-(7)]-äthan* 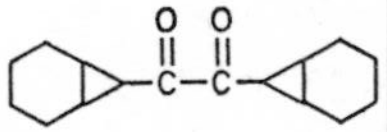	~ 10	[4]

[1] D. LEFORT, J. SORBA u. A. POURCHEZ, Bl. **1966**, 2223.
[2] V. A. KALININA et al., Ž. Org. Chim. **3**, 637 (1967).
[3] J. M. CONIA, Ang. Ch. **80**, 578 (1968); dort weitere Angaben unter Zitat 24.
[4] S. BIEN u. D. OVADIA, J. Org. Chem. **35**, 1028 (1970).

Tab. 242 (1. Fortsetzung)

Olefin	Oxocarben-Vorstufe	Reaktionsbedingungen		Acyl-cyclopropan	Ausbeute [% d.Th.]	Literatur
		Katalysator	Temp. [°C]			
Cycloalkene	Diazoaceton	—	>60			1
2-Phenyl-propen	10-Diazo-anthron	$h\nu$	—	$R = C_6H_5$; 2-Methyl-2-phenyl-cyclopropan-⟨1-spiro-10⟩-anthron	38–91	2
2,3,3-Trimethyl-buten-(1)	10-Diazo-anthron	$h\nu$	—	$R = C(CH_3)_3$; 2-tert.-Butyl-2-phenyl-cyclopropan-⟨1-spiro-10⟩-anthron	17–58	3
				+ Bi-anthronyliden	1–29	
Acrylnitril	10-Diazo-anthron	—	siedendes Benzol	2-Cyan-cyclopropan-⟨1-spiro-10⟩-anthron	65	3
2-Methyl-acrylnitril	10-Diazo-anthron	—	siedendes Benzol	2-Methyl-2-methoxycarbonyl-cyclopropan-⟨1-spiro-10⟩-anthron	56	3
Acetoxy-äthylen	Diazoacetophenon		—	cis- und trans-2-Acetoxy-1-benzoyl-cyclopropan	58	4

[1] J. M. Conia, Ang. Ch. **80**, 578 (1968); dort weitere Angaben unter Zitat 24.
[2] G. Cauquis u. G. Reverdy, Tetrahedron Letters **1972**, 3491.
[3] J. C. Fleming u. H. Shechter, J. Org. Chem. **34**, 3962 (1969).
[4] M. Takebayashi et al., Bull. Chem. Soc. Japan **42**, 2938 (1969).

Für die Synthese von Cyclopropyl-ketonen durch Addition von Carbenen, die nicht durch eine α-ständige Oxogruppe stabilisiert sind, an ungesättigte Ketone gibt es erwartungsgemäß nur vereinzelte Beispiele. So addiert sich 9-Diazo-fluoren (I) an 1,2-*trans*-Dibenzoyl-äthylen (II) unter Bildung der Spiroverbindung III (*2,3-Di-benzoyl-cyclopropan-⟨1-spiro-9⟩-fluoren*)[1]:

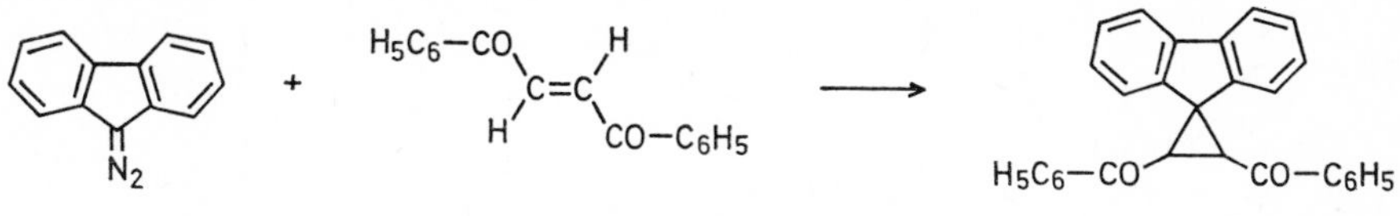

Die nucleophilen heterocyclischen Carbene IV (R=C_6H_5, 4-CH_3–C_6H_4, 4-CH_3O–C_6H_4) reagieren in siedendem Xylol mit 3-Oxo-1,5-diphenyl-pentadien glatt zu den Bis-spiro-Verbindungen VI (58–70% d. Th.)[2]:

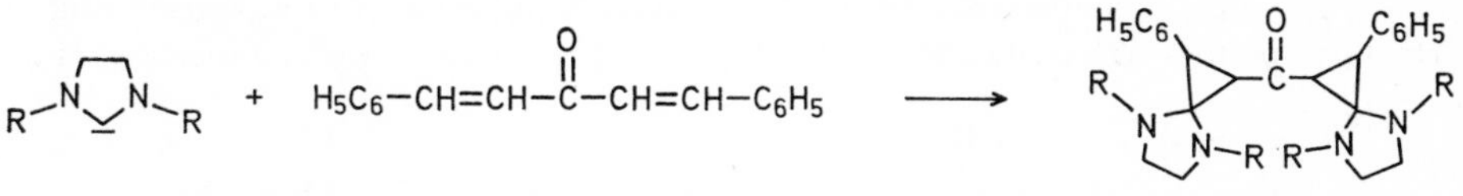

(eingesetzt als Dimere)

Ein weiteres Verfahren zum Aufbau von Ketonen besteht darin, daß man Olefine mit Boran zu Trialkyl-boranen umsetzt[3] und auf diese Diazo-aceton einwirken läßt[4]:

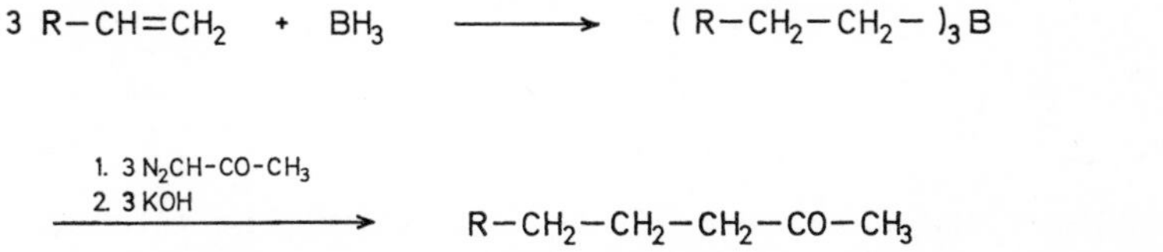

$$3\ R–CH=CH_2\ +\ BH_3\ \longrightarrow\ (\ R–CH_2–CH_2–\ )_3\ B$$

$$\xrightarrow[\text{2. 3 KOH}]{\text{1. 3 N}_2\text{CH-CO-CH}_3}\ R–CH_2–CH_2–CH_2–CO–CH_3$$

Nonanon-(2)[4]: Man wandelt 60 mMol Hexen-(1) in Tetrahydrofuran mit 20 mMol Boran in Trihexyl-boran um[3] und tropft unter Eiskühlung und Rühren die Lösung von 20 mMol Diazo-aceton in 15 *ml* Tetrahydrofuran in 20 Min. zu. Dabei entweicht ∼ 90% der ber. Stickstoff-Menge. Man rührt weitere 30 Min. bei Raumtemp., erhitzt 30 Min. unter Rückfluß, kühlt im Eisbad und fügt 20 *ml* 3 n Kalilauge hinzu, rührt 2 Stdn. bei Raumtemp., gießt in Wasser und schüttelt 3mal mit je 60 *ml* Pentan aus, trocknet die vereinigten Pentan-Schichten über Drierit, destilliert das Pentan und anschließend den Rückstand; Ausbeute: 1,86 g (65% d. Th.).

Die Reaktion, die sich mit den verschiedensten Olefinen (bzw. Trialkyl-boranen) durchführen läßt, wurde auch mit ω-Diazo-acetophenon ausgeführt.

Mit Diazo-essigsäure-äthylester erhält man die entsprechenden Ester. Kupfer-Zugabe ist ohne Einfluß auf die Umsetzungen.

[1] S. RANGANATHAN et al., J. Org. Chem. **37**, 1071 (1972).
[2] S. I. BURMISTROV, S. E. KONDRAT'EVA u. G. V. SANDUL, Ž org. Chim. **8**, 394 (1972).
[3] Vgl. G. ZWEIFEL u. H. C. BROWN, Org. Reactions **13**, 1 (1963).
[4] J. HOOZ u. S. LINKE, Am. Soc. **90**, 5936 (1968).

6. Intra-molekulare C–H-Einschiebungs-Reaktionen

α) Ringerweiterung von alicyclischen Ketonen

bearbeitet von

Prof. Dr. Bernd Eistert

Saarbrücken

und

Prof. Dr. Manfred Regitz

Fachbereich Chemie der Universität Kaiserslautern

Unterwirft man 2-Oxo-1-[3-(N-nitroso-N-acetyl-amino)-propyl]-cyclohexan (I) in äthanolischer Lösung Bedingungen, unter denen die N-Nitroso-N-acetyl-amino-Gruppe in eine Diazo-Gruppe umgewandelt wird[1], so erleidet das entstehende 2-Oxo-1-(3-diazo-propyl)-cyclohexan (II) interne Ringerweiterung zum *9-Oxo-bicyclo[4.2.1] nonan* (III); als Nebenprodukt erhält man kleine Mengen des durch Umsetzung der Diazo-Gruppe mit Äthanol entstehenden *2-Oxo-1-(3-äthoxy-propyl)-cyclohexans* (IV)[2]:

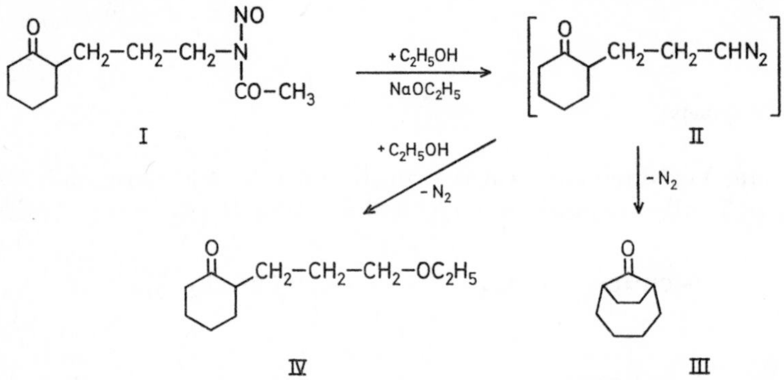

9-Oxo-bicyclo[4.2.1]nonan[2]: Man stellt aus 50 g (0,25 Mol) 2-Oxo-1-(3-acetylamino-propyl)-cyclohexan durch Umsetzen mit Distickstofftetroxid die N-Nitroso-Verbindung I her[3]. Die Lösung von I in 200 *ml* Dichlormethan läßt man binnen 15 Min., gleichzeitig mit 30–40 *ml* einer 0,4 m äthanolischen Lösung von Natriumäthanolat unter Rühren in 25 *ml* siedendes Äthanol tropfen. Man erhitzt noch weitere 15 Min. unter Rückfluß, destilliert dann mit Wasserdampf alle organischen Produkte über, sättigt das Destillat mit Natriumsulfat und schüttelt es 5 mal mit je 100 *ml* Dichlormethan aus. Nach dem Trocknen der vereinigten Extrakte über Natriumsulfat verdampft man das Lösungsmittel bei höchstens 52°; Ausbeute: 28 g (81% d. Th.); F: 108–111° (kampferartig riechend; aus Petroläther).

In analoger Weise erhält man aus 2-Oxo-1-[3-(N-nitroso-N-acetyl-amino)-propyl]-cyclopentan *8-Oxo-bicyclo[3.2.1]octan* (88% d. Th.; F: 140–142°).

In der Cycloheptan-Reihe verläuft die Umsetzung zum *10-Oxo-bicyclo[5.2.1] decan* nur dann mit guten Ausbeuten, wenn man in der Kälte arbeitet.

10-Oxo-bicyclo[5.2.1]decan[3]: Man gibt zu 250 *ml* abs. Methanol 0,4g fein gemahlenes, trockenes Kaliumcarbonat und läßt unter Rühren und Kühlen die Lösung von 0,25 Mol 2-Oxo-1-[3-(N-

[1] S. ds. Handb., Bd. X/14, S. 544.
[2] C. D. Gutsche u. D. M. Bailey, J. Org. Chem. 28, 607 (1963).
[3] E. J. White, Am. Soc. 77, 6008 (1955).

nitroso-N-acetyl-amino)-propyl]-cycloheptan in 200 *ml* Dichlormethan binnen 2 Stdn. zutropfen, wobei die Temp. nicht über 10° ansteigen soll, rührt noch 1 Stde. bei Raumtemp. weiter und arbeitet wie beim vorstehenden Beispiel auf; Ausbeute: 33 g eines gelblichen Öls, das zu 60% aus dem gewünschten Keton besteht. Eine gaschromatographisch isolierte Probe zeigte F: 112–115°.

Das gleiche Homologisierungsprinzip wird für die Herstellung des Ketons V herangezogen, das Zwischenstufe bei der Totalsynthese des (±)-Zizaens ist; Nebenprodukt ist das Epoxid VI[1].

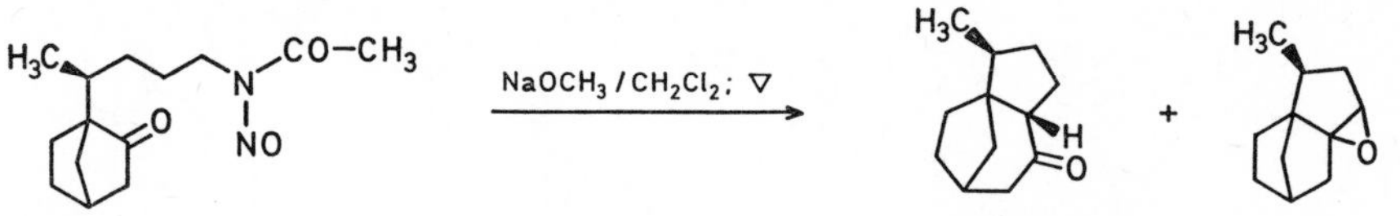

V (67% d.Th.)   VI

6-Oxo-2-methyl-
tricyclo[6.2.1.0^{1,5}]
undecan

2-Oxo-cycloalkan-carbonsäure-äthylester mit der Diazoalkan-Gruppierung bzw. dem entsprechenden N-Nitroso-N-acetyl-aminoalkan-Rest in der 1-Stellung reagieren ebenfalls unter intramolekularer Insertion; dabei kommt es, wie die folgenden Beispiele zeigen, zur Isomerenbildung, wenn die Diazoalkan-Kette aus vier Kohlenstoffatomen besteht[2]. Der Cycloheptan-1,4-dicarbonsäure-diäthylester im ersten Beispiel ist offenbar durch Solvolyse des bicyclischen β-Oxo-carbonsäureesters mit Äthanol entstanden.

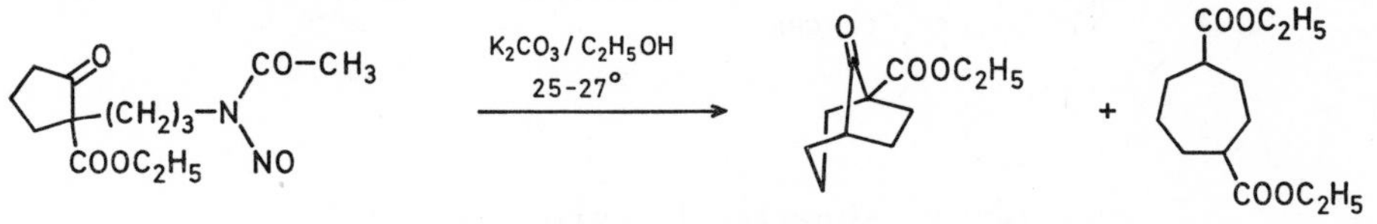

8-Oxo-1-äthoxycarbonyl-bicyclo[3.2.1]octan

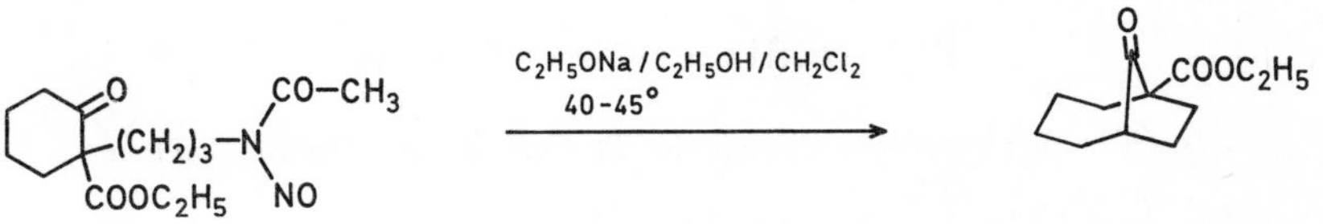

9-Oxo-1-äthoxycarbonyl-bicyclo[4.2.1]nonan; 64% d. Th.

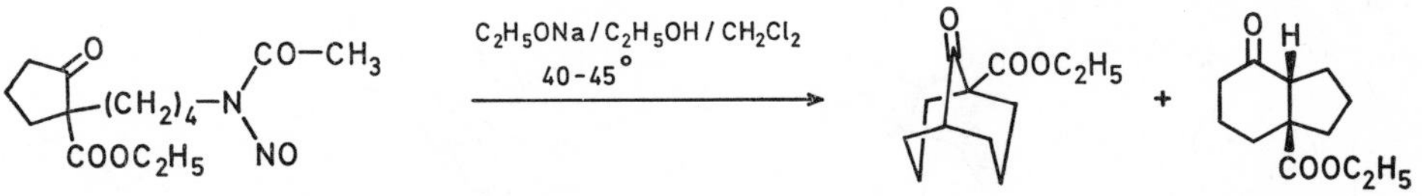

3   :   7

9-Oxo-1-äthoxycarbonyl-
bicyclo[3.3.1]nonan

5-Oxo-1-äthoxy-
carbonyl-bicyclo
[4.3.0]nonan

---

[1] R. M. COATES u. R. L. SOWERBY, Am. Soc. **94**, 5386 (1972).
[2] C. D. GUTSCHE u. H. R. ZANDSTRA, J. Org. Chem. **39**, 324 (1974).

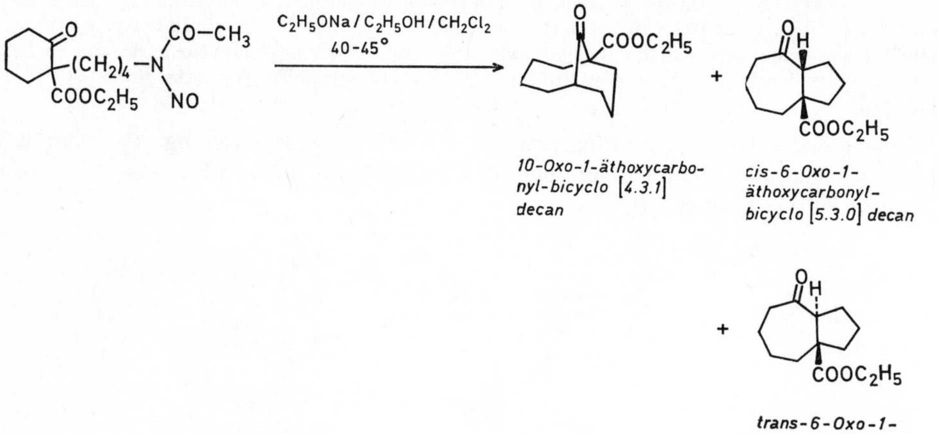

10-Oxo-1-äthoxycarbo-
nyl-bicyclo [4.3.1]
decan

cis-6-Oxo-1-
äthoxycarbonyl-
bicyclo [5.3.0] decan

trans-6-Oxo-1-
äthoxycarbonyl-
bicyclo [5.3.0] decan

Gesamtausbeute 70%; Verhältnis 1:9:1

Die intramolekulare Ringerweiterung läßt sich auch auf α-Diazo-ketone übertragen, wie der unter der Katalyse von Triäthyloxonium-tetrafluoroborat verlaufende Ringschluß von 2-Oxo-1-[3-oxo-4-diazo-butyl]-cyclohexan (VII) zu *2,10-Dioxo-bicyclo [5.3.0]decan* (VIII) zeigt[1]:

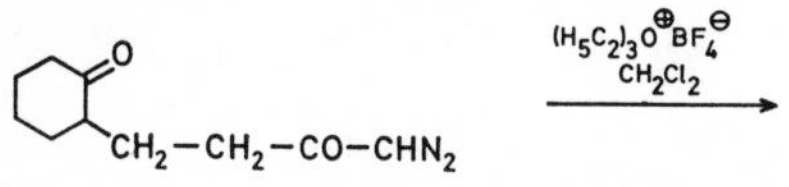

VII   VIII

β) sonstige Reaktionen

bearbeitet von

Prof. Dr. Hans Günter Thomas

Institut für Organische Chemie der Technischen Hochschule Aachen

Die Pyrolyse von Diazocampher führt wegen der günstigen räumlichen Verhältnissse zu einer Einschiebungsreaktion des intermediär gebildeten Oxo-carbens[2]:

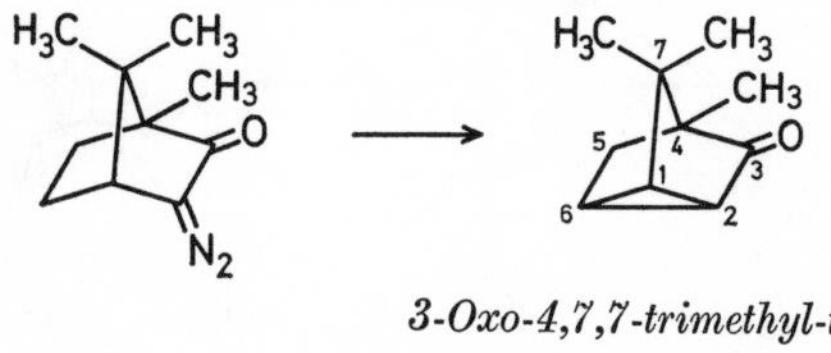

3-Oxo-4,7,7-trimethyl-tricyclo[2.2.1.0²,⁶]heptan

Bei einer Photolyse ist allerdings doch eine Wolff-Umlagerung die Hauptreaktion.

[1] W. L. Mock u. M. E. Hartmann, Am. Soc. **92**, 5767 (1970).
[2] A. Marquet, M. Dvolaitzky u. D. Arigoni, Bl. **1966**, 2956.

Die thermische Zersetzung des Adamantanyl-(1)-diazoketons I liefert über das Oxocarben II das Keton III[1]:

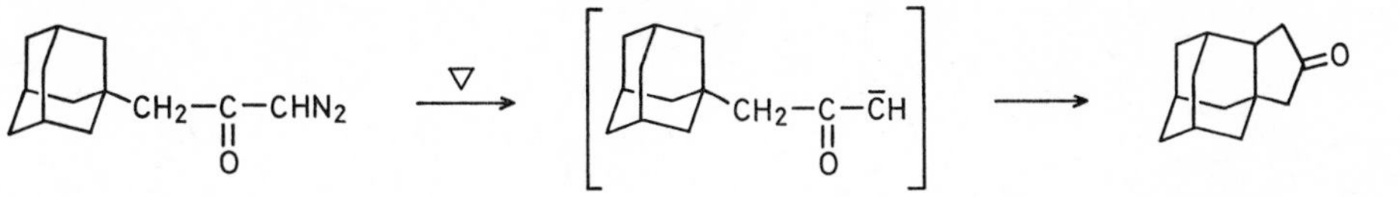

I
II
III

2-Oxo-⟨cyclopenta-[a]-adamantan⟩

Einschiebungsreaktionen findet man auch an aromatischen Systemen, wie die nachstehend aufgeführten Beispiele zeigen sollen:

Die Pyrolyse des Diazoketons IV führt in Gegenwart von Kupferpulver in allerdings nur 12%-iger Ausbeute zu dem Keton V. Nebenher erhält man mit 18%-iger Ausbeute VI[2]:

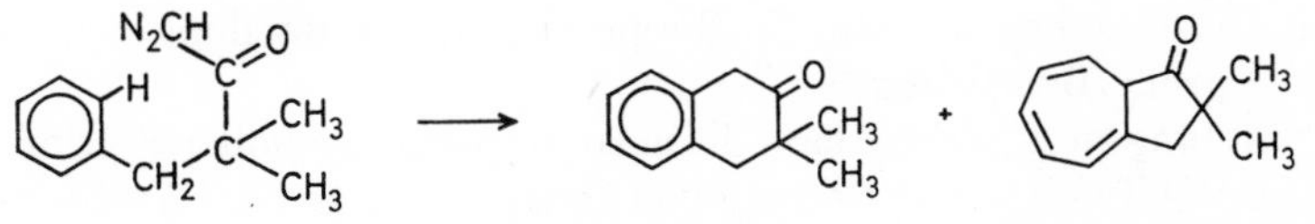

IV

V; *3-Oxo-2,2-dimethyl-tetralin*

VI; *8-Oxo-9,9-dimethyl-bicyclo[5.3.0]decatrien-(1,3,5)*

7. Inter-molekulare C–H-Einschiebungs-Reaktionen

bearbeitet von

Prof. Dr. BERND EISTERT

Saarbrücken

und

Prof. Dr. MANFRED REGITZ

Fachbereich Chemie der Universität Kaiserslautern

α) mit offenkettigen aliphatischen Ketonen

Aceton reagiert mit ätherischer Diazomethan-Lösung, wenn man „polarisierende" Reagenzien zusetzt[3]. Als solche eignen sich u. a. Wasser, Alkohole, Dimethylformamid oder Lithiumchlorid. Als Reaktionsprodukt erhält man gemäß dem allgemeinen Schema der Umsetzung von Carbonyl-Verbindungen mit aliphatischen Diazo-Verbindungen (s. ds. Handb., Bd. X/4, S. 713, 724) ein Gemisch, aus dem man als

[1] J. K. CHAKRABARTI, S. S. SZINAI u. A. J. TODD, Soc. [C] **1970**, 1303.
[2] A. CONSTANTINO, G. LINSTRUMELLE u. S. JULIA Bl. **1970**, 907.
[3] H. MEERWEIN u. W. BURNELEIT, B. **61**, 1841 (1928).

Hauptprodukt *2,2-Dimethyl-oxiran* (I) neben den homologen Ketonen II, III, IV und deren Oxirane isolieren kann:

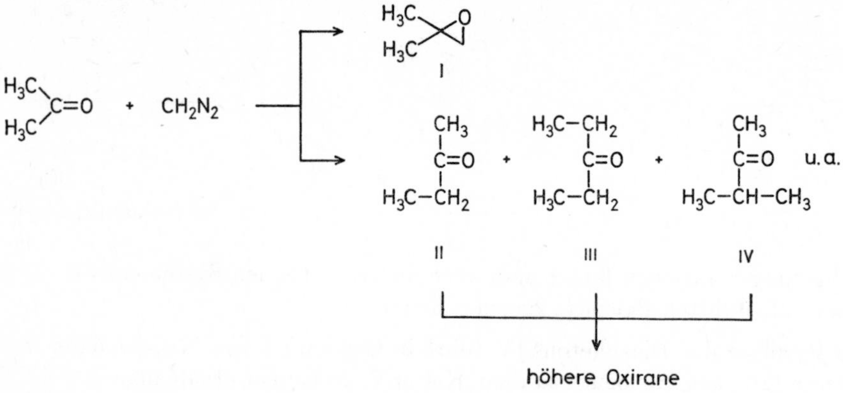

Verwendet man statt Aceton **unsymmetrische Ketone**, so wird das mit Diazomethan entstehende Reaktionsprodukt noch komplexer. Die Umsetzung aliphatischer Ketone mit Diazomethan hat also für die präparative Herstellung von höheren Ketonen keine große Bedeutung.

Bei Verwendung von Diazoäthan, 1-Diazo-propan oder höherer primärer Diazoalkane nimmt die Tendenz zur Bildung von Oxiranen ab und die Ausbeute an homologen Ketonen zu[1]. Von präparativem Interesse ist die Umsetzung von 2 Molen Aceton mit 1,6-Bis-[diazo]-hexan zum *2,9-Dioxo-3,8-dimethyl-decan*[2]:

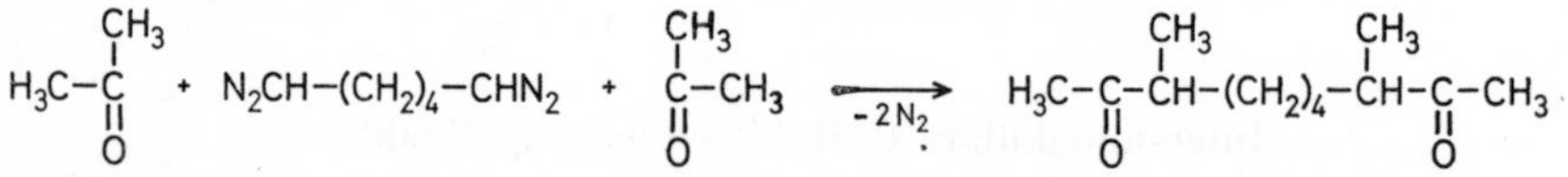

Man stellt dabei die Bis-[diazo]-Verbindung zweckmäßig „in situ" z.B. aus 1,6-Bis-[N-nitroso-N-äthoxycarbonyl-amino]-hexan, Äthanol und Kaliumcarbonat her (s. dazu ds. Handb., Bd. X/4, S. 536):

2,9-Dioxo-3,8-dimethyl-decan[2]: Zur Lösung von 15,9 g (0,05 Mol) 1,6-Bis-[N-nitroso-N-äthoxycarbonyl-amino]-hexan in 100 *ml* abs. Äthanol gibt man 5,8 g (0,1 Mol) reines Aceton und dann unter Rühren und Kühlen mit Eis/Natriumchlorid 2,0 g wasserfreies Kaliumcarbonat. Man verschließt das Gefäß mit einem Natronkalk-Röhrchen, entfernt nach 5 Stdn. das Kühlbad und läßt ~ 5 Stdn. im Kühlschrank bei ~ +5° stehen. Dann verdünnt man mit Wasser, nimmt das ausgeschiedene Öl mit Äther auf, trocknet über Natriumsulfat, destilliert den Äther ab und fraktioniert den öligen Rückstand; Ausbeute: 63% d.Th.; $Kp_{1,3}$: 109°.

Verwendet man für die Umsetzung mit Aceton 1,4-Bis-[diazo]-butan (das man aus 1,4-Bis-[N-nitroso-N-äthoxycarbonyl-amino]-butan, Methanol und trockenem Kaliumcarbonat „in situ" erzeugt), so erhält man *2-Oxo-1,3-dimethyl-cyclopentan* (~15% d.Th.) neben *6-Methoxy-2-oxo-3-methyl-hexan*[3]:

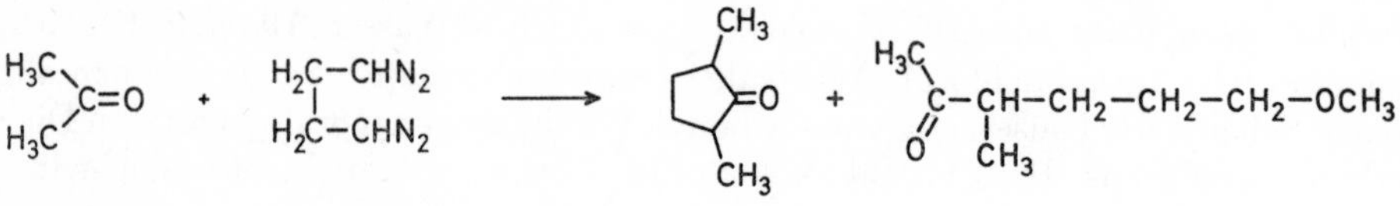

[1] D. W. Adamson u. J. Kenner, Soc. **1939**, 181.
[2] C. M. Samour u. J. P. Mason, Am. Soc. **76**, 441 (1954).
[3] C. D. Gutsche u. T. D. Smith, Am. Soc. **82**, 4064 (1960).

Durch Umsetzen von Aceton mit 6-Diazo-hexansäure-methylester (II), den man aus N-Nitroso-caprolactam (I) und Natrium-methanolat in Methanol „in situ" erzeugt, entsteht *7-Oxo-6-methyl-octansäure-methylester* (III, 46% d. Th.)[1]:

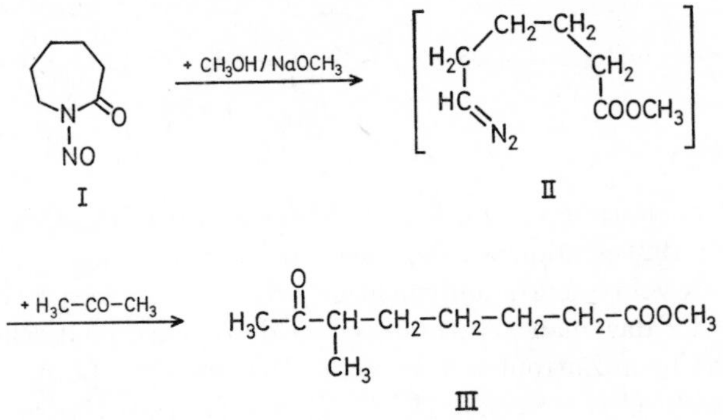

Analog der Umsetzung von Aldehyden mit Diazomethan und anderen primären aliphatischen Diazo-Verbindungen kann man auch die von Ketonen durch Lewis-Säuren katalysieren[2,3], wobei die Bildung von Oxiranen unterdrückt wird.

So entstehen z. B. bei der Bortrifluorid-katalysierten Homologisierung von Acetophenon mit Diazomethan *Phenyl-aceton* (21%) und *Propiophenon* (8%) sowie weitere Homologisierungsprodukte[2]:

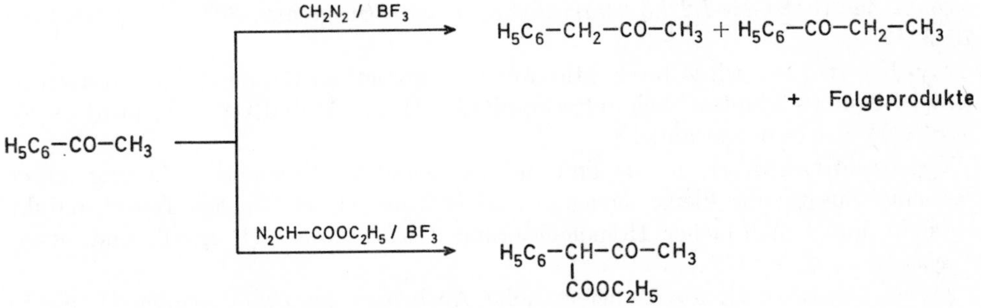

Auch bei der Umsetzung von Acetophenon mit Diazoessigsäure-äthylester unter Bortrifluorid-Katalyse wird die Einschiebung in die Phenyl-Kohlenstoff-Bindung bevorzugt unter der Bildung von *α-Phenyl-acetessigsäure-äthylester* (38%)[4].

Andererseits nimmt die Tendenz zur Oxiran-Bildung zu, wenn das umzusetzende Keton Halogen oder andere, die CO-Gruppe „positivierende" Substituenten trägt. Näheres s. ds. Handb., Bd. X/4, S. 725.

[1] W. PRITZKOW u. P. DIETRICH, A. **665**, 88 (1963).

[2] H. O. HOUSE, E. J. GRUBBS u. W. F. GANNON, Am. Soc. **82**, 4099 (1960).

[3] EU. MÜLLER u. M. BAUER, A. **654**, 92 (1962).

[4] W. T. TAI u. E. W. WARNHOFF, Canad. J. Chem. **42**, 1333 (1964).

β) Ringerweiterung von cyclischen Ketonen

Die Umsetzung von cyclischen Ketonen mit Diazomethan liefert spiro-Oxirane und als Homologisierungsprodukte ringerweiterte Ketone:

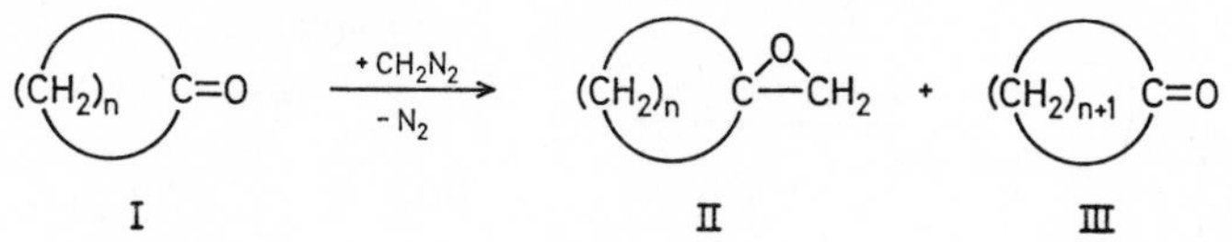

Obwohl die Ringerweiterung von cyclischen Ketonen mit Diazo-alkanen im Bd. IV/2 ds. Handb.(S. 791–792) erwähnt wurde, sollen hier einige für die praktische Ausführung wesentliche Gesichtspunkte und wichtige neue Befunde besprochen werden.

Keten (I, $n=1$), das man als Anfangsglied der cycloaliphatischen Ketone auffassen kann, liefert beim Zutropfen ätherischer Diazomethan-Lösung zu seiner ätherischen Lösung bei 0° *Cyclopropanon* (I, $n=2$), das man als Hydrat oder Alkanolat isolieren kann[1]. Leitet man dagegen Keten-Gas in eine auf $-70°$ gekühlte ätherische Diazomethan-Lösung ein, so wird die Cyclopropan-Stufe übersprungen, und man erhält *Cyclobutanon* (I, $n=3$) in 75% Ausbeute (bez. auf die angewandte Diazomethan-Menge)[2,3].

Im Falle der Umsetzung von Dimethyl-keten mit Diazo-äthan in Dichlormethan bei $-78°$ wird *3-Oxo-1,1,2-trimethyl-cyclopropan* erhalten[4].

Dessen weitere Homologisierung mit Diazomethan unter den gleichen Bedingungen liefert *3-Oxo-1,2,2-trimethyl-* und *3-Oxo-1,1,2-trimethyl-cyclobutan* (insgesamt 80%) im Verhältnis 37:63, d. h. es wandert bevorzugt die höchst substituierte Gruppe[4]. Umgekehrt liefert die analoge Umsetzung von Diazo-äthan *4-Oxo-cis-1,1,2,3-tetramethyl-* und *4-Oxo-cis-1,2,2,3-tetramethyl-cyclobutan* (insgesamt 80%) im Verhältnis 70:30[4,5].

Cyclobutanon wird durch ätherische Diazomethan-Lösung (ohne Zusatz von Lewis-Säuren) hauptsächlich in *Cyclopentanon* (I, $n=4$) und Oxiran-⟨spiro⟩-cyclohexan (II, $n=5$) umgewandelt[6].

Cyclopentanon (I, $n=4$) gibt mit ätherischer Diazomethan-Lösung unter Methanol-Zusatz nur kleine Mengen *Cyclohexanon* (I, $n=5$); als Hauptprodukt entsteht unter mehrfacher Homologisierung *Cycloheptanon* (I, $n=6$) und etwas *Cyclooctanon* (I, $n=7$)[7].

Cyclohexanon (I, $n=5$) liefert hohe Ausbeuten an *Cycloheptanon* (I, $n=6$) neben Oxiran-⟨spiro⟩-cyclohexan (II, $n=5$)[8].

[1] P. LIPP, J. BUCHKREMER u. H. SEELES, A. **499**, 1 (1932).
Die Ausbeute wird bei $-130°$ noch höher: N. J. TURRO u. W. B. HAMMOND, Tetrahedron **24**, 6020 (1968).

[2] P. LIPP u. R. KÖSTER, B. **64**, 2823 (1931).

[3] S. KAARSMAKER u. J. COOPS, Rec. **70**, 1033 (1951).
S.a. D. A. SEMENOV, E. F. COX u. J. D. ROBERTS, Am. Soc. **78**, 3221 (1956).

[4] N. J. TURRO u. R. B. GAGOSIAN, Am. Soc. **92**, 2036 (1970).

[5] N. J. TURRO u. R. B. GAGOSIAN, Chem. Commun. **1969**, 949.

[6] J. JAZ u. J. P. DAVREUX, Bull. Soc. chim. Belg. **74**, 370 (1965); C. A. **63**, 16225 (1965).

[7] E. MOSETTIG u. A. BURGER, Am. Soc. **52**, 3456 (1930).
H. MEERWEIN u. P. PÖHLS in: P. PÖHLS, Dissertation, Universität Marburg 1934.
A. P. GIRAITIS u. J. L. BULLOCK, Am. Soc. **59**, 951 (1937).

[8] E. MOSETTIG u. A. BURGER, Am. Soc. **52**, 3456 (1930).
R. ROBENSON u. L. H. SMITH, Soc. **1937**, 372.

Höhere cycloaliphatische Ketone dagegen bilden unter der Einwirkung ätherischer Diazomethan-Lösung komplexe, schwer trennbare Gemische[1]; hier kann man die Ausbeuten an definierten Ringerweiterungsprodukten durch Lewis-Säuren verbessern.

Zur Abtrennung von Oxiranen entzieht man dem Reaktionsgemisch die Ketone (unumgesetztes Ausgangsketon und homologe Ketone) als „Bisulfit-Verbindungen".

Die Herstellung von *Cycloheptanon* aus Cyclohexanon und „in situ" erzeugtem Diazomethan hat präparative Bedeutung. Besonders hohe Ausbeuten erzielt man mit Oxalsäure-bis-[N-nitroso-N-methyl-amid] als Diazomethan-Quelle.

Cycloheptanon[2]: Man läßt die Lösung von 22 g Oxalsäure-bis-[N-nitroso-N-methyl-amid] in 200 *ml* Methanol unter Rühren und Kühlen zur Suspension von 5 g Kaliumcarbonat und 5 g wasserfreiem Natriumsulfat in ein Gemisch aus 50 *ml* Methanol und 24 g Cyclohexanon tropfen und rührt dann noch 1 Stde. weiter. Wenn der Liebermann-Test auf Nitroso-Verbindungen negativ geworden ist, versetzt man mit der Lösung von 50 g Natriumsulfit in 100 *ml* Wasser und schüttelt 10 Stdn. unter Stickstoff. Die ausgefallene „Bisulfit-Verbindung" wird abgesaugt, mit Äther gewaschen und in die lauwarme Lösung von 62,5 g Natriumcarbonat in 125 *ml* Wasser eingetragen. Man trennt das ausgeschiedene Keton ab und schüttelt die abgekühlte wäßr. Schicht mehrmals mit Äther aus, vereinigt das Keton mit den Äther-Auszügen, trocknet über Natriumsulfat und destilliert den Äther ab; Ausbeute: 20 g (71,5% d. Th.); Kp: 64–65°.

Unsymmetrisch substituierte Cyclohexanone bilden mit Diazomethan außer Oxiran zwei isomere Ringerweiterungsprodukte. So erhält man aus 5-Oxo-1,1,3-trimethyl-cyclohexan (I) durch Umsetzen mit ätherischer Diazomethan-Lösung unter Zusatz von methanolischer Lithiumchlorid-Lösung 46% Oxiran-⟨spiro-1⟩-3,3,5-trimethyl-cyclohexan (II), neben *6-Oxo-* (III) und *5-Oxo-1,1,3-trimethyl-cycloheptan* (IV)[3]:

I II (46%) III (21%) IV (12%)

6-Oxo- und 5-Oxo-1,1,3-trimethyl-cycloheptan[3]: Man stellt in üblicher Weise aus 620 g N-Nitroso-N-methyl-harnstoff, 5000 *ml* Äther und 1800 *ml* 50%iger Kalilauge eine äther. Diazomethan-Lösung her und fügt die Lösung von 560 g 5-Oxo-1,1,3-trimethyl-cyclohexan (I) in 1000 *ml* Äther unter Rühren und Kühlen hinzu. Dabei erfolgt keine merkliche Stickstoff-Entwicklung. Man läßt nun die Lösung von 28 g Lithiumchlorid in 1120 *ml* Methanol zufließen, wobei sich sofort Stickstoff entwickelt, und läßt 5 Tage bei 0° unter lockerem Verschluß stehen. Dann zerstört man die letzten Reste Diazomethan mit einigen Tropfen verd. Schwefelsäure und wäscht mit Natriumcarbonat-Lösung und mit Wasser. Nach Trocknen über Natriumsulfat wird filtriert und eingedampft. Man erhält 2 Fraktionen:

Kp_{10}: 60–70° 377 g
Kp_{10}: 75–90° 160 g

Die erste Fraktion wird erneut in der oben beschriebenen Weise mit einer entsprechenden Menge ätherischer Diazomethan-Lösung und methanolischer Lithiumchlorid-Lösung umgesetzt und wie oben aufgearbeitet.

---

[1] EU. MÜLLER, M. BAUER u. W. RUNDEL, Tetrahedron Letters **1961**, 136.

[2] H. REIMLINGER, B. **94**, 2547 (1961).

[3] M. STOLL u. W. SCHERRER, Helv. **23**, 941 (1940).

Insgesamt erhält man 287 g einer bei Kp_{10}: 60–70° und 250 g einer bei Kp_{10}: 75–90° übergehenden Fraktion; letztere enthält die Homologisierungsprodukte (s. u.). Die niedriger siedende Fraktion wird zur Entfernung unumgesetzten 5-Oxo-1,1,3-trimethyl-cyclohexans einige Stdn. mit Natriumhydrogensulfit-Lösung geschüttelt. Man saugt die ausgeschiedene „Bisulfit-Verbindung" ab, wäscht sie mit tiefsiedendem Petroläther und dampft das Filtrat ein; Ausbeute: 259 g (46% d. Th.) Epoxid II; Kp_{11}: 64–68°.

Die oben erwähnte höhersiedende Fraktion hinterläßt nach dem Ausschütteln mit konz. Natriumhydrogensulfit-Lösung, Absaugen der „Bisulfit-Verbindung", Waschen mit tiefsiedendem Petroläther und Eindampfen des Filtrats ~ 117 g (21% d. Th.) *6-Oxo-1,1,3-trimethyl-cycloheptan* (III).

Aus der „Bisulfit-Verbindung" erhält man durch die übliche Hydrolyse 66 g (12%) *5-Oxo-1,1,3-trimethyl-cycloheptan* (IV).

2-Chlor-1-oxo-cyclohexan liefert mit Diazomethan, das „in situ" aus N-Nitroso-N-methyl-urethan hergestellt wurde, neben 14% Oxiran-⟨spiro-1⟩-2-chlor-cyclohexan ein Gemisch aus 23% 2- und 77% *3-Chlor-1-oxo-cycloheptan*[1–3]; *2-Oxo-1-phenyl-cyclohexan* neben Oxiran-⟨spiro-1⟩-2-phenyl-cyclohexan (21,5%) ein Gemisch aus 81% 2- und 19% *3-Oxo-1-phenyl-cycloheptan*[2,4].

Aus symmetrisch-substituierten Cyclohexanonen z. B. *4-Oxo-1-tert.-butyl-cyclohexan* erhält man mit Diazomethan, das man „in situ" aus N-Nitroso-N-methyl-tosylamid erzeugt, *4-Oxo-1-tert.-butyl-cycloheptan* (49% d. Th.)[5]. Geht man von N-Nitroso-N-methyl-harnstoff aus, aus dem man mit Kaliumhydroxid in Methanol/Wasser Diazomethan „in situ" erzeugt, so sind zusätzlich noch die beiden stereoisomeren Epoxide zu isolieren, auch wenn man den tert.-Butyl-Rest gegen die Benzolsulfonyl- oder die Thiophenyl-Gruppe austauscht[6]:

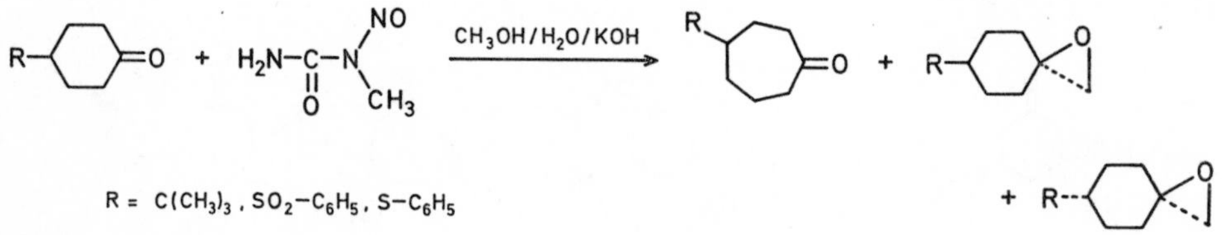

$R = C(CH_3)_3, SO_2-C_6H_5, S-C_6H_5$

Bei der Umsetzung von 1-Hydroxy-4-oxo-1-phenyl-cyclohexan folgt der Homologisierung mit Diazomethan noch die Bildung der cyclo-Halbacetalform des Ringerweiterungsproduktes V[7]:

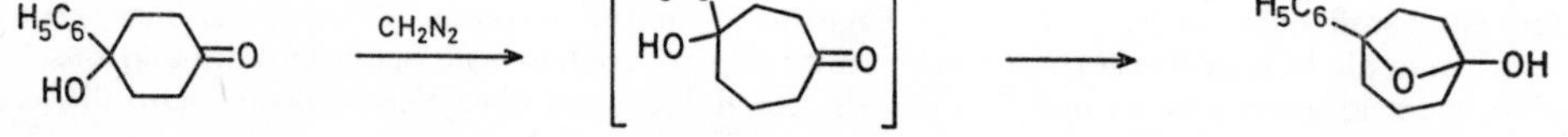

V

[1] T. R. Steadman, Am. Soc. 62, 1606 (1940).

[2] C. D. Gutsche, Am. Soc. 71, 3513 (1949).

[3] A. P. Giraitis u. J. L. Bullock, Am. Soc. 59, 951 (1937).

[4] C. D. Gutsche, H. F. Strohmayer u. J. M. Chang, J. Org. Chem. 23, 1 (1958).

[5] D. D. Roberts, J. Org. Chem. 30, 4375 (1965).

[6] H. Favre et al., Canad. J. Chem. 49, 3097 (1971).

[7] W. v. E. Doering u. A. Sayigh, J. Org. Chem. 26, 1365 (1961).

4-Oxo-1-benzyl- und -1-acyl-piperidine liefern ebenfalls Homologisierungsprodukte (1-Aza-4-oxo-heptane) und Epoxide des Ausgangsmaterials nebeneinander; der Anteil der letzteren nimmt mit der Größe des induktiven Substituenteneffektes zu[1].

Eigenartigerweise reagiert 2-Oxo-bicyclo[2.2.1]heptan auch nicht bei Methanol-Katalyse mit Diazomethan[2]; erst bei Zusatz von Lithiumchlorid entstehen die Ringerweiterungsprodukte VI (*3-Oxo-bicyclo[3.2.1]octan*), VII (*3-Oxo-bicyclo[4.2.1] nonan*) und VIII[3]:

CH_2N_2 (5-facher Überschuß)
Äther/Methanol, LiCl

VI (bis 30%)   VII (bis 44%)   VIII

7-Oxo-bicyclo[2.2.1]heptan dagegen liefert bei Methanol-Katalyse hauptsächlich *2-Oxo-bicyclo[2.2.2]octan* ($\geq 73\%$) neben wenig Oxiran[2]:

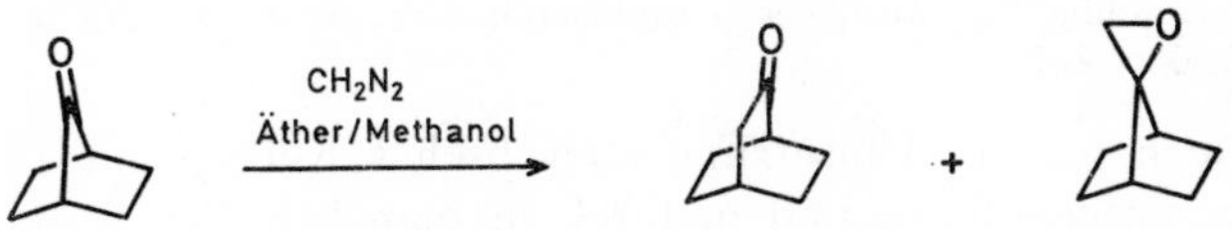

CH_2N_2
Äther/Methanol

Im gleichen Sinne spielt sich auch die Reaktion von 2-Oxo-bicyclo[3.3.1]nonan mit Diazomethan ab, das man „in situ" aus N-Nitroso-N-methyl-urethan mit Kalium-carbonat als Base erzeugt[4]:

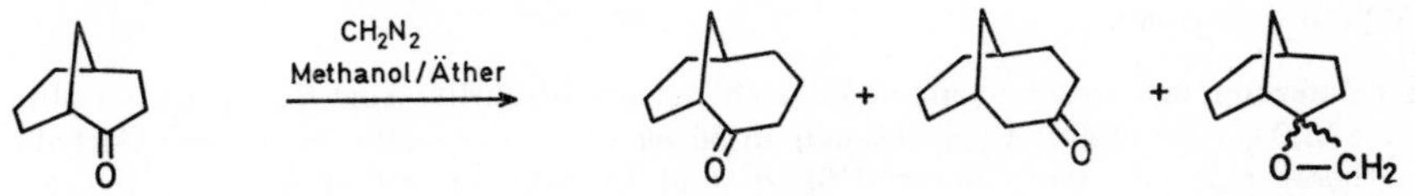

CH_2N_2
Methanol/Äther

O—CH_2

Hauptprodukte   Nebenprodukt

2-Oxo-   *3-Oxo-*
bicyclo[4.3.1]decan

Erwähnung verdient, daß sich auch das 9-Oxo-bicyclo[4.2.1]nonatrien IX zu *9-Oxo-bicyclo[4.2.2]decatrien-(2,4,7)* (42% d.Th.) homologisieren läßt, ohne daß man Diazomethan-Addition an eine der Doppelbindungen beobachtet[5]:

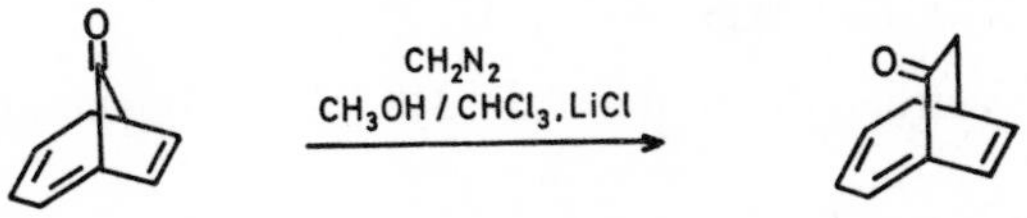

CH_2N_2
CH_3OH/$CHCl_3$, LiCl

IX

[1] H. FAVRE et al., Canad. J. Chem. 49, 3075 (1971).
[2] R. S. BLY, F. B. CULP u. R. K. BLY, J. Org. Chem. 35, 2235 (1970).
[3] N. A. BELIKOVA et al., Ž. org. Chim. 7, 1880 (1971); C. A. 76, 13907ᵛ (1972).
[4] F. DELCIMA u. F. Pietra, Tetrahedron Letters 1974, 1710.
[5] T. A. ANTKOWIAK et al., Am. Soc. 94, 5366 (1972).

Mit „in situ" erzeugtem Diazomethan kann man auch den Ring A von 3-Oxo-steroiden in einen Siebenring umwandeln[1,2]:

17β-Hydroxy-3-oxo-A-homo-5α-androstan[2] : Zu einem Gemisch aus 400 *ml* abs. Methanol und 300 *ml* wasserfr. Äther gibt man zuerst 14,2 g Kaliumhydroxid und, wenn dieses sich gelöst hat, 10,0 g 17β-Hydroxy-3-oxo-5α-androstan. Zu der auf 0° gekühlten Lösung gibt man in kleinen Portionen unter Rühren binnen 20 Min. 10,6 g N-Nitroso-N-methyl-harnstoff und rührt 5 Stdn. weiter. Dann läßt man 200 *ml* 2 n Salzsäure zufließen, filtriert und wäscht gründlich mit Äther nach. Filtrat und Äther-Schichten werden gemeinsam unter vermindertem Druck von den organischen Lösungsmitteln befreit. Die verbleibende Masse wird 3 mal mit je 75 *ml* Äther ausgeschüttelt. Man wäscht die vereinigten Äther-Schichten mit 50 *ml* Wasser, trocknet über Magnesiumsulfat und verdampft den Äther. Der Rückstand (10,8 g) wird an 300 g Aluminiumoxid chromatographiert und mit einem Gemisch aus 90 Teilen Benzol und 10 Teilen Äther eluiert. Beim Eindampfen hinterbleiben Kristalle, die man nötigenfalls durch erneute Chromatographie weiter reinigt und schließlich aus Aceton umkristallisiert; Ausbeute: 5,1 g (49% d.Th.); F: 212–213° (farblose Nadeln).

Man kann auch bei der Umsetzung alicyclischer Ketone mit Diazomethan die Oxiran-Bildung unterdrücken und dadurch in manchen Fällen die Ausbeuten an Ringerweiterungsprodukten steigern, wenn man die Umsetzung unter Zusatz von Lewis-Säuren, wie Zinkchlorid, Aluminiumchlorid oder -bromid, Titan(IV)-, Zinn-(IV)-chlorid, Borfluorid oder Triäthylaluminium ausführt[3–5]. Unter diesen Bedingungen gelingen auch Mehrfach-Homologisierungen, d.h. Ringerweiterungen um mehr als eine CH$_2$-Gruppe, besonders bei Ringen mittlerer Größe (beginnend etwa mit Cyclododecanon).

Ringerweiterung von Cyclanonen, allgemeine Arbeitsvorschrift (am Beispiel Cyclooctanon)[4]: Zu 18,9 g (150 mMol) Cyclooctanon in 50 *ml* abs. Äther gibt man 1 *ml* Bortrifluorid-Diäthylätherat und läßt dann unter Rühren und Eiskühlung 400 *ml* einer ∼ 0,6 m äther. Diazomethan-Lösung (240 mMol) rasch zutropfen. Das Diazomethan wird anfangs sofort verbraucht; sobald die Stickstoff-Entwicklung langsamer wird, wird sie durch Zugabe von weiterem Bortrifluorid-Diäthylätherat wieder beschleunigt. Drei gleichartig durchgeführte Ansätze werden vereinigt. Die nach Abfiltrieren von etwas Polymethylen erhaltene Äther-Lösung wird mit verd. Natriumcarbonat-Lösung und Wasser gewaschen, dann über Natriumsulfat getrocknet. Das nach Abziehen des Äthers erhaltene Keton-Gemisch liefert bei der fraktionierten Destillation mit einer 1-m-Drehbandkolonne:

8,3 g (15% d.Th.) *Cyclooctanon*; Kp$_{11}$: 76–78°
27,7 g (44% d.Th.) *Cyclononanon*; Kp$_{11}$: 90–93°
11,8 g (17% d.Th.) *Cyclodecanon*; Kp$_{11}$: 101–104°.
Zwischenfraktion und Nachlauf: 7,8 g.

In analoger Weise wurden die in der Tab. 243 (S. 1863) genannten Cyclanone hergestellt.

---

[1] N. A. Nelson u. R. N. Schut, Am. Soc. **81**, 6486 (1959).

[2] J. B. Jones u. P. Price, Canad. J. Chem. **44**, 999 (1966).

[3] Eu. Müller, M. Bauer u. W. Rundel, Tetrahedron Letters **1960**, Nr. 13 S. 30.

[4] Eu Müller u. M. Bauer, A. **654**, 92 (1962)

[5] J. Heiss, M. Bauer u. Eu. Müller, B. **103**, 463 (1970).

Tab. 243. Bortrifluorid-katalysierte Homologisierung von Cyclanonen mit Diazomethan[1]

Ausgangsketon	mMol CH$_2$N$_2$ / 100 mMol C$_n$	Nicht umges. Ausgangsketon C$_n$ [%]	Homologe Cyclanone [% d.Th.]			Ausbeute [% d.Th.][a]
			C$_{n+1}$	C$_{n+2}$	C$_{n+3}$	
Cyclohexanon	120	13	Cycloheptanon 58	Cyclooctanon 9	—	66
	140	8	57	17	—	62
	160	1	41	23	—	41
Cycloheptanon	135	14	Cyclooctanon 50	Cyclononanon 16	—	58
	150	16	49	14	—	59
Cyclooctanon	160	15	Cyclononanon 44	Cyclodecanon 17	—	52
	180	15	46	—	—	54
Cyclononanon	160	37	Cyclodecanon 42	Cycloundecanon 6	—	67
	165	33	45	7	—	66
	180	26	44	7	—	59
Cyclodecanon	170	55	Cycloundecanon 25	Cyclododecanon 3	—	54
	190	58	26	4	—	61
Cycloundecanon	180	68	Cyclododecanon 13	Cyclotridecanon 3	—	41
Cyclododecanon	160	42	Cyclotridecanon 26	Cyclotetradecanon 8	Cyclopentadecanon 6	46
	270	29	21	8	9	30
	360	25	23	9	10	31
Cyclotridecanon	180	42	Cyclotetradecanon 17	Cyclopentadecanon 16	Cyclohexadecanon 3	29
Cyclotetradecanon	200	16	Cyclopentadecanon 29	Cyclohexadecanon 8	—	34

[a] bez. auf umgesetztes Keton

[1] EU. MÜLLER u. M. BAUER, A. **654**, 92 (1962).

Aus Cyclobutanon wurden mit einem großen Überschuß ätherischer Diazo-methan-Lösung bei −15° unter Bortrifluorid-Dimethylätherat-Zusatz *Cyclopentanon* (58%), *Cycloheptanon* (17%) und *Cyclooctanon* (25%), aber keine nachweisbare Menge Cyclohexanon erhalten; in Abwesenheit von Bortrifluorid entstanden *Cyclopentanon* und *Oxiran-⟨spiro⟩-cyclopentan*[1].

Während die nicht-katalysierte Umsetzung α,β-ungesättigter Ketone mit ali-phatischen Diazo-Verbindungen Pyrazoline (und eventuell deren Folgeprodukte) liefert (s. ds. Handb., Bd. X/4, S. 813; Bd. IV/3, erfolgt in Gegenwart von Bor-trifluorid[2] oder Aluminiumchlorid[3-5] Einschiebung des Diazo-C-Atoms zwischen die CO- und die C=C-Gruppe. So erhält man z.B. aus 3-Oxo-cholesten-(4) (Ia) *3-Oxo-A-homo-cholesten-(5)* (IIa) und aus 17β-Acetoxy-3-oxo-androsten-(4) (Ib) *17β-Acetoxy-3-oxo-A-homo-androsten-(4)* (IIb). Entsprechende Produkte wurden auch mit Phenyldiazomethan/Aluminiumchlorid gewonnen : *3-Oxo-4-phenyl-A-homo-cholestan* bzw. *O-Acetyl-4-phenyl-A-homo-testosteron*. Die Homologisierung erfolgt auch bei Vorhandensein einer Keton-Seitenkette bevorzugt im Ring A.

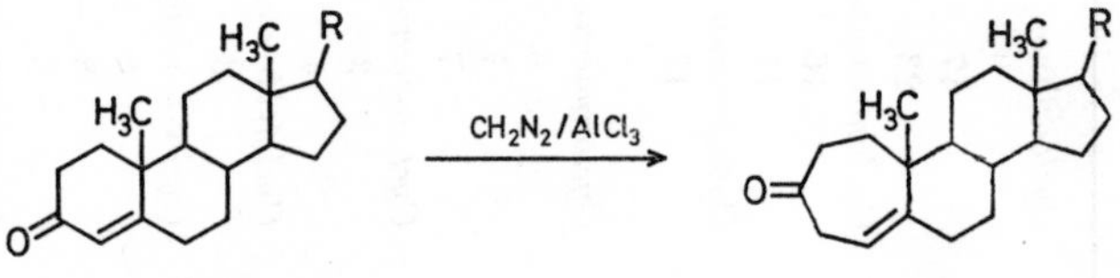

a : R =C_8 H_17
b : R = O-CO-CH_3

4-Chlor-3-oxo-cholesten-(4) III gibt mit ätherischer Diazomethan-Lösung in Gegen-wart von Aluminiumchlorid neben Ringerweiterungsprodukten das Oxiran IV (17% d.Th.)[5] :

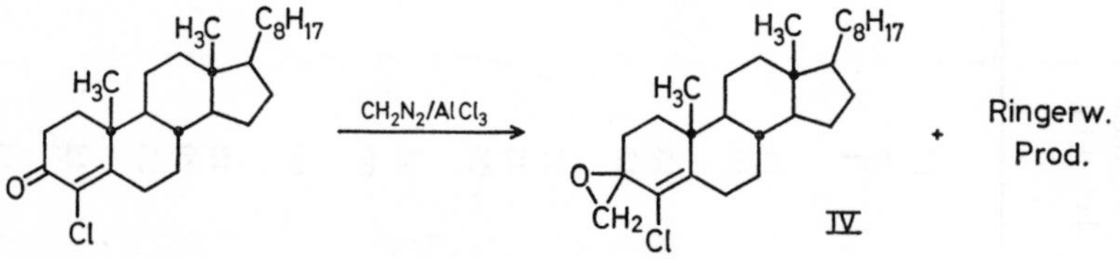

Die Grenzen der Aluminiumchlorid-katalysierten Ringhomologisierung in der Steroid-Reihe erkennt man deutlich bei der Umsetzung von 6-Oxo-3 α,5 α-cyclo-cholestan mit

[1] J. Jaz u. J. P. Davreux, Bull. Soc. chim. belges **74**, 370 (1965); C. A. **63**, 16225 (1965).

[2] W. S. Johnson, M. Neeman u. S. F. Birkeland, Tetrahedron Letters **1960**, Nr. 5, S. 1.

[3] Eu. Müller u. B. Zech, Z. Naturf. **17b**, 630 (1962).

[4] Eu. Müller et al., A. **662**, 38 (1963).

[5] Eu. Müller, B. Zeeh u. R. Heischkeil, A. **677**, 47 (1964).

Über die analoge Ringerweiterung von Testosteronpropionat mit Diazomethan unter Bor-trifluoridätherat-Katalyse s. W. S. Johnson et al., Am. Soc. **84**, 989 (1962).

Diazomethan. Allein die Aufarbeitung des polaren Reaktionsanteiles liefert sieben Produkte mit ein-, zwei- bzw. dreifach homologisiertem B-Ring (V–XI)[1]; eine gezielte Umsetzung ist also kaum noch möglich.

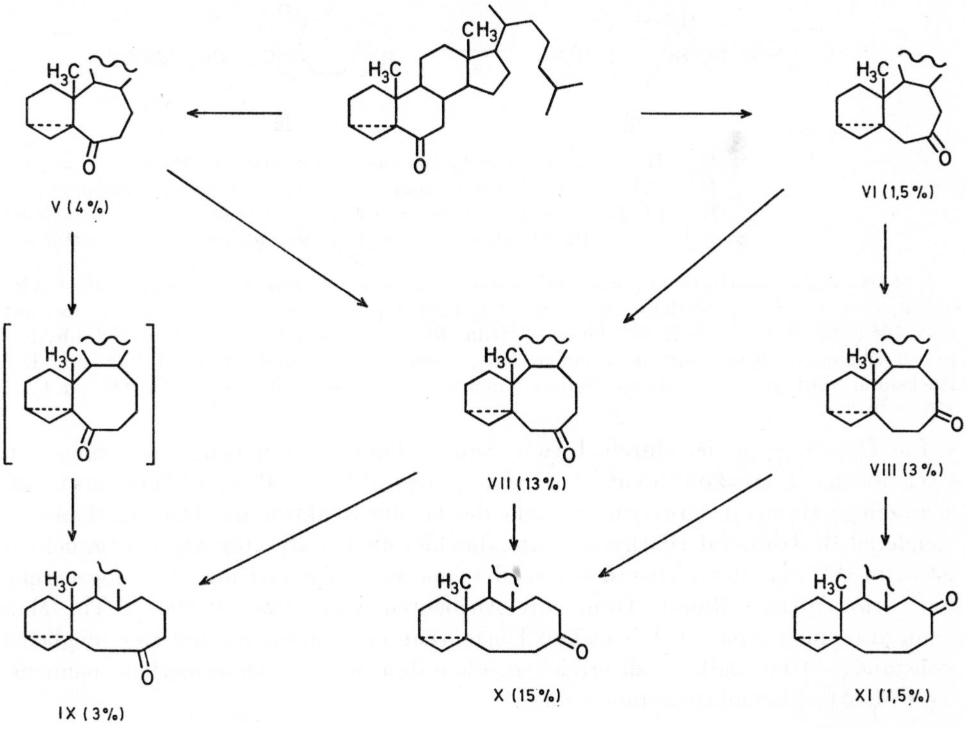

Verwendet man anstelle von Diazomethan dessen Monosubstitutionsprodukte, wie Diazoäthan[2] und seine Homologen[3], Aryldiazomethane[4] oder 2-Methoxy-1-diazo-äthan[5] als solche oder „in situ", so erhält man auch ohne Lewis-Säuren praktisch keine Oxirane, sondern in ~ 30–50% Ausbeute 2-substituierte Cycloheptanone.

2-Oxo-1-phenyl-cycloheptan[6]: Zu einem Gemisch aus 392 g frisch destilliertem Cyclohexanon, 30 g feingepulvertem Kaliumcarbonat und 400 *ml* Methanol läßt man unter Rühren und Kühlen (so daß die Temp. nicht über 25° steigt) im Laufe von 90 Min. 415 g N-Nitroso-N-benzyl-urethan tropfen. Man rührt das dunkelrote Gemisch bis zur Beendigung der Stickstoff-Entwicklung (24–28 Stdn.) bei Raumtemp. weiter, filtriert und destilliert tiefer siedende Anteile i. Vak. auf dem Wasserbad ab. Der Rückstand wird über eine Kolonne destilliert; Ausbeute: 155–177 g (40–47% d. Th.); $Kp_{0,4}$: 94–96°.

[1] J. GELHAUS, V. ČERNÝ u. F. SORM, Collect. czech. chem. Commun. **37**, 1331 (1972).
[2] A. P. GIRAITIS u. J. L. BULLOCK, Am. Soc. **59**, 951 (1937).
[3] D. W. ADAMSON u. J. KENNER, Soc. **1939**, 181.
   J. W. COOK, R. A. RAPHAEL u. A. I. SCOTT, Soc. **1951**, 695.
   T. NOZOE, Y. KITAHARA u. S. ITO, Proc. Japan. Acad. **26**, Nr. 7, 47 (1950); C. A. **45**, 7099 (1951).
[4] C. D. GUTSCHE u. E. F. JASON, Am. Soc. **78**, 1184 (1956).
[5] C. GROT et al., A. **679**, 42 (1964).
[6] C. D. GUTSCHE u. H. E. JOHNSON, Org. Synth. **35**, 91 (1955).

Durch Umsetzen von Cyclohexanon und seinen p-Alkyl-Substitutionsprodukten Ia–d mit 4-Diazo-butansäure-methylester (II), den man „in situ" aus 1-Nitroso-2-oxo-2,3-dihydro-pyrrol erzeugt, erhält man in hohen Ausbeuten die entsprechenden 3-(2-Oxo-cycloheptyl)-propansäure-methylester III[1]:

I	II	III

R = H   3-(2-Oxo-cycloheptyl)-propansäure-methylester
R = CH$_3$ 3-(2-Oxo-5-methyl-cycloheptyl)-propansäure-methylester
R = i-C$_3$H$_7$ 3-(2-Oxo-5-isopropyl-cycloheptyl)-propansäure-methylester
R = tert. C$_4$H$_9$ 3-(2-Oxo-5-tert.-butyl-cycloheptyl)-propansäure-methylester

3-(2-Oxo-cycloheptyl)-propansäure-methylester[1]: Zur Lösung von 36,6 g (0,37 Mol) Cyclohexanon in 40 ml abs. Methanol gibt man 1 g feingepulvertes wasserfreies Natriumcarbonat und läßt unter Rühren bei 22–23° binnen 3 Stdn. 40 g (0,35 Mol) 1-Nitroso-2-oxo-2,3-dihydro-pyrrol zutropfen. Man rührt noch einige Stdn. weiter, filtriert und dampft i. Vak. ein. Der Rückstand wird über eine 60-cm-Vigreux-Kolonne fraktioniert; Ausbeute: 42 g (60% d.Th.); Kp$_{0,1}$: 82–84°.

Die Übertragung der durch Lewis-Säuren katalysierten Ringerweiterung von Cyclanonen auf Diazoäthan[2], 1-Diazo-propan[3,4] und Phenyldiazomethan[5] zeigt einige Besonderheiten; anstelle des bei der Reaktion mit Diazomethan verwendeten Bortrifluorid-Diäthylätherats, das hier als Katalysator weniger brauchbar ist, wird Aluminiumchlorid verwendet, und es erfolgt fast nur Homologisierung um ein einziges Ring-C-Atom mit Ausbeuten von etwa 50–80% d.Th. Man kann also einen größeren Überschuß Diazoäthan etc. anwenden, um eine möglichst vollständige Umwandlung zu erreichen, ohne daß, wie mit Diazomethan, nennenswert Mehrfachhomologisierung erfolgt.

2-Oxo-1-methyl-cyclononan[3]: Zu 6,3 g (50 mMol) Cyclooctanon in 50 ml abs. Äther wird eine geringe Menge wasserfreies Aluminiumchlorid gegeben und unter Rühren und Eiskühlung 200 ml einer etwa 0,52 m äther. Diazoäthan-Lösung (~ 100 mMol) zugetropft. Zu Beginn wird das Diazoäthan sofort verbraucht, nach einiger Zeit langsamer; durch Zugabe von weiterem Aluminiumchlorid (insgesamt 2,7 g) wird die Reaktion von Zeit zu Zeit beschleunigt. Die äther. Lösung wird mit verd. Salzsäure und verd. Natriumcarbonat-Lösung gewaschen und über Natriumsulfat getrocknet. Das nach Abdestillieren des Äthers hinterbleibende Ketongemisch wird ohne Fraktionierung destilliert (6,3 g; Kp$_{12}$: 75–115°) und gaschromatographisch an Siliconfett [auf Celite (6) bei 190°] analysiert; außer 12% unverändertem Cyclooctanon erhält man 5,0 g (66% d.Th.) 2-Oxo-1-methyl-cyclononan.

Entsprechend erhält man aus Cyclodecanon und 1-Diazo-propan unter Zusatz von Aluminiumbromid *2-Oxo-1-äthyl-cycloundecan*[4]. Katalysierte Homologisierungen von Oxo-cycloalkanen um ebenfalls nur ein C-Atom erfolgen auch mit Diazoessigsäure-äthylester; die dabei entstehenden 2-Oxo-1-äthoxycarbonyl-cycloalkane lassen sich leicht verseifen und zu den homologen Oxocycloalkanen decarboxylieren. So liefert die Bortrifluorid-katalysierte Umsetzung von Cyclohexanon mit Diazoessigsäure-äthylester glatt *2-Oxo-1-äthoxycarbonyl-cycloheptan* (79% d.Th.)[6].

[1] C. D. Gutsche u. I. Y. C. Tao, J. Org. Chem. **28**, 883 (1963).
[2] Eu. Müller, M. Bauer u. W. Rundel, Tetrahedron Letters **1961**, 136.
[3] Eu. Müller u. M. Bauer, A. **654**, 92 (1962).
[4] G. Wilke, Ang. Ch. **75**, 10 (1963).
[5] Eu. Müller et al., A. **662**, 38 (1963).
[6] W. T. Tai u. E. W. Warnhoff, Canad. J. Chem. **42**, 1333 (1964).

In seiner Wirksamkeit wird Bortrifluorid von Triäthyloxonium-tetrafluoroborat noch übertroffen. Cyclohexanon, -heptanon und -octanon werden in hohen Ausbeuten ringerweitert[1]:

$$(\overset{\frown}{\underset{\smile}{CH_2}})_n \ C{=}O \quad \xrightarrow{\quad HCN_2COOC_2H_5 \, / \, (H_5C_2)_3O^{\oplus} \, BF_4^{\ominus} \quad} \quad (\overset{\frown}{\underset{\smile}{CH_2}})_n \overset{\displaystyle C{=}O}{\underset{\displaystyle \underset{COOC_2H_5}{C}}{\big|\ H}}$$

n = 5 ; *2-Oxo-1-äthoxycarbonyl-cycloheptan* ; 90 % d.Th.

n = 6 ; *2-Oxo-1-äthoxycarbonyl-cyclooctan* ; 81 % d.Th.

n = 7 ; *2-Oxo-1-äthoxycarbonyl-cyclononan* ; 73 % d.Th.

Wie die Homologisierung von Cyclohexanon mit Cyan-diazomethan andeutet[1], scheint dieses Verfahren noch stark entwicklungsfähig zu sein.

2-Oxo-1-äthoxycarbonyl-cycloheptan[2]: Zu der Lösung von 4,9 g (0,05 Mol) Cyclohexanon in 150 *ml* Dichlormethan gibt man unter Inertgasatmosphäre und magnetischem Rühren bei 0° 16,7 g (0,088 Mol) Triäthyloxonium-tetrafluoroborat und dann tropfenweise 10 g (0,088 Mol) Diazoessigsäure-äthylester. Das Reaktionsgemisch wird 3 Tage bei 0° gehalten, wobei Stickstoff entweicht, 30 Min. mit 150 *ml* ges. Natriumhydrogencarbonat-Lösung gerührt und die Dichlormethan-Phase getrocknet. Nach Entfernen des Lösungsmittels wird fraktioniert destilliert; Ausbeute: 8,2 g (90% d.Th.); Kp$_{0,05}$: 80–82°.

Weitere Beispiele der Synthese von Ketonen über aliphatische Diazoverbindungen entnehme man der Literaturzusammenstellung[3].

γ) Bicyclische Ketone aus cycloaliphatischen Ketonen und α,ω-Bis-[diazo]-alkanen

Läßt man auf Cyclohexanone α,ω-Bis-[diazo]-butan, das man zweckmäßig, „in situ" aus α,ω-Bis-[N-nitroso-N-äthoxycarbonyl-amino]-butan, Methanol und Alkali erzeugt, einwirken, so erhält man als isolierbare Hauptprodukte bicyclische Ketone I, die durch Angriff der Bis-[diazo]-alkan-Molekel in α- und α'-Stellung zur Oxo-Gruppe unter zweifacher Homologisierung entstehen. Daneben bilden sich auch Verbindungen II, bei denen sich nur ein Diazo-C-Atom in den Ring eingeschoben

---

[1] W. L. Mock u. M. E. Hartman, Am. Soc. **92**, 5767 (1970).

[2] W. T. Tai u. E. W. Warnhoff, Canad. J. Chem. **42**, 1333 (1964).

[3] M. Hanack u. H. M. Ennslin, A **697**, 100 (1966); Homologisierung von Cyclopropylketonen mit Diazomethan/Bortrifluorid, Wanderungstendenz Phenyl > Cyclopropyl > Methyl.

D. Nasipuri u. K. K. Biswas, Tetrahedron Letters **1966**, 2963; Bequeme Synthese von *1-Oxo-2-acetyl-tetralin*

R. A. Moss u. F. C. Shulman, Chem. Commun. **1966**, 372; Cyclopropyldiazomethan gibt mit Benzaldehyd *1-Oxo-2-cyclopropyl-1-phenyl-äthan*.

A. N. Islam u. R. A. Raphael, Soc. **1955**, 3151; *9-Oxo-bicyclo[5.3.0]decen-(7)*, Synthese aus Cyclohexanon und „in situ" erzeugtem 2-Methyl-2-(2-diazo-äthyl)-1,3-dioxolan.

A. G. Brook et al., Am. Soc. **89**, 704 (1967); Umsetzung von Silylketonen mit Diazomethan gibt nur Homologes, kein Epoxid.

D. J. Cram u. R. C. Helgeson, Am. Soc. **88**, 3515 (1966); Ringerweiterung von Mono- und Dioxo-paracyclophanen mit Diazomethan (keine Epoxidbildung, keine Umlagerungen!).

J. C. Lhuguenot, B. Maume u. C. Baron, Bl. **1967**, 4129; Ringerweiterung von *4-Oxo-methyl-cyclohexanen* mit 1-Diazo-2-methyl-propan.

H. Yamamoto et al., Bl. Chem. Soc. Japan **44**, 153 (1971); Ringerweiterung von 4-Oxo-1-acetyl-pyridin mit Diazoessigsäure-äthylester/Bortrifluoridätherat.

hat, während der Stickstoff der zweiten Diazo-Gruppe durch das bei der Umsetzung anwesende Methanol verdrängt wird[1,2,3] (Beispiele s. Tab. 244):

$$\text{I} \qquad\qquad \text{II}$$

Die Reaktion ist auch auf das Cyclopentanon anwendbar[2]; etwas abweichend dagegen bezüglich der zweifachen Homologisierung verläuft die Umsetzung von Cyclohexanon mit 1,5-Bis-[diazo]-pentan[2] (s. Tab. 244).

Bicyclische Ketone aus Cyclanonen und α,ω-Bis-[diazo]-alkanen; allgemeine Arbeitsvorschrift[2]: In einen mit Magnetrührer, Tropftrichter, Thermometer (bis zum Boden) und Gasauslaß versehenen Dreihals-Kolben gibt man 1 Mol. Cyclohexanon (bzw. Cyclopentanon), überschüssiges Methanol und kleine Mengen fein gemahlenes Kaliumcarbonat. Man kühlt im Eisbad auf 5–10° und läßt die Lösung von 1 Mol α,ω-Bis-[N-nitroso-N-äthoxycarbonyl-amino]-alkan in Chloroform so langsam zutropfen, daß die Temp. nicht über 10° steigt (Dauer: 3–5 Stdn.). Dann rührt man noch 30 Min. ohne Kühlen, filtriert und engt i. Vak. ein. Der Rückstand wird in einer Chromatographie-Säule auf Aluminiumoxid (WOELM, neutral, Aktivität III) gegeben. Man eluiert mit Benzol, dampft ein und fraktioniert über eine 60-cm-Vigreux-Kolonne. Die das bicyclische Keton enthaltende Fraktion bedarf meistens noch weiterer Reinigung, am besten durch Gas-Chromatographie.

Auf diese Weise erhält man die in Tab. 244 zusammengestellten Produkte[2,3]:

Tab. 244. Bicyclische Ketone aus einem Cyclanon und α,ω-Bis-[diazo]-alkan

Cyclanon	α,ω-Bis-[diazo]-alkan	Oxo-bicycloalkan	Ausbeute [% d.Th.]	F [°C]	2-Oxo-1-(ω-methoxy-alkyl)-cyclan	Ausbeute [% d.Th.]	F [°C]
Cyclohexanon	1,4-Bis-[diazo]-butan	*10-Oxo-bicyclo[5.2.1]decan*	20	113–115	*2-Oxo-1-(3-methoxy-propyl)-cyclo-heptan*	~2	(Kp$_{0,1}$ 68–69°)
	1,5-Bis-[diazo]-pentan	*2-Oxo-bicyclo[6.3.0]un-decan*	22		*2-Oxo-1-(4-methoxy-butyl)-cyclo-heptan*	wenig	
4-Oxo-1-methyl-cyclo-hexan	1,4-Bis-[diazo]-butan	*10-Oxo-4-methyl-bicyclo[5.2.1]decan* (exo/endo-Epimere, Verhältnis ~ 1:1)	69		*2-Oxo-5-me-thyl-1-allyl-cycloheptan* (keine Meth-oxy-Ver-bindung)	wenig	
Cyclopentanon	1,4-Bis-[diazo]-butan	*9-Oxo-bicyclo[4.2.1]nonan*	10	109–111	*2-Oxo-1-(3-methoxy-propyl)-cyclohexan*	wenig	

[1] C. D. Gutsche et al., Am. Soc. **80**, 4117 (1958).
[2] C. D. Gutsche u. T. D. Smith, Am. Soc. **82**, 4067 (1960).
[3] C. D. Gutsche u. J. W. Baum, Org. Prep. & Proced. **1**, 35 (1969).

Die Umsetzung von Cyclohexanon mit 1.3-Bis-[diazo]-propan, für die ursprünglich u. a. die Bildung von 8-Oxo-bicyclo[5.1.1]nonan und 2-Oxo-bicyclo[6.1.0]nonan angenommen wurde[1], liefert nach neueren Ergebnissen[2] an deren Stelle die spiro-cyclischen Ketone III und IV (*7-Oxo-spiro[5.3]nonan* bzw. *1-Oxo-spiro[6.2]nonan*) als Hauptprodukt und 2-Oxo-1-(2-methoxy-äthyl)-cycloheptan (V) sowie *Bis-[2-oxo-cycloheptyl]-methan* (VI) als Nebenprodukte:

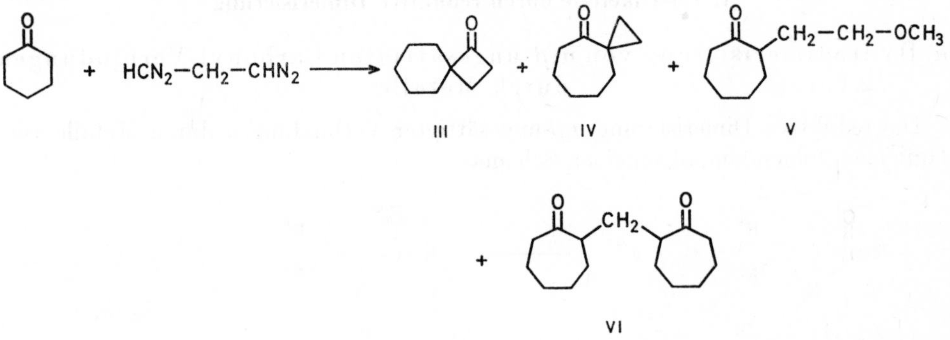

Als Zwischenstufe für die Bildung von III wird Diazo-cyclopropan diskutiert[2]. Ob und wieweit durch diese Ergebnisse die zuvor geschilderten Reaktionen in Frage gestellt sind, muß offen bleiben.

Auch die Umsetzung von Cycloheptanon mit 1,4-Bis-[diazo]-butan verläuft nicht im erwarteten Sinne; anstelle von 9-Oxo-bicyclo[6.2.1]undecan (VIII) entsteht *9-Oxo-bicyclo[6.3.0]undecan* (IX; 20% d.Th.)[3]:

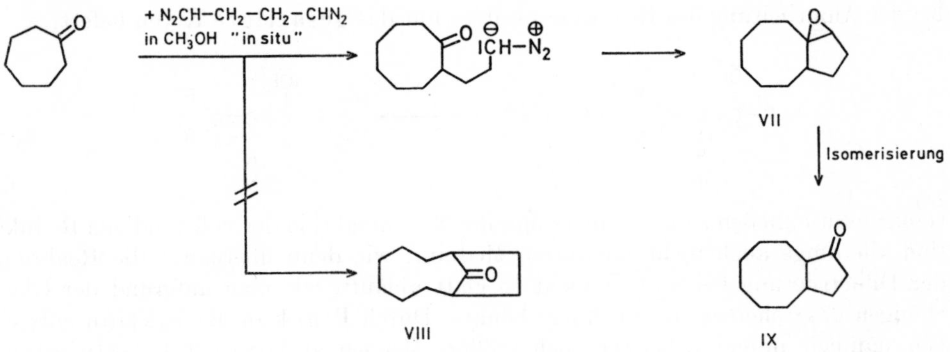

Verantwortlich hierfür ist die Epoxid-Bildung VII, durch die der zweite „Homo-logisierungsschritt" ersetzt wird. Für die Epoxid/Keton-Isomerisierung gibt es eine Analogiereaktion[2].

---

[1] C. D. GUTSCHE u. T. D. SMITH, Am. Soc. **82**, 4067 (1960).
[2] J. R. WISEMAN u. H.-F. CHAN, Am. Soc. **92**, 4749 (1970).
[3] J. D. HENION u. D. G. I. KINGSTON, J. Org. Chem. **38**, 3067 (1973).

l) Einführung der R-CO-R'-Gruppe durch radikalische Dimerisierungs-Reaktionen

bearbeitet von

Prof. Dr. Hans Günter Thomas

Institut für Organische Chemie der Technischen Hochschule Aachen

1. 1,6-Diketone durch reduktive Dimerisierung

a) Hydrodimerisierung von α,β-ungesättigten Carbonyl-Verbindungen durch Metalle

Die reduktive Dimerisierung α,β-ungesättigter Verbindungen durch Metalle verläuft nach folgendem allgemeinen Schema

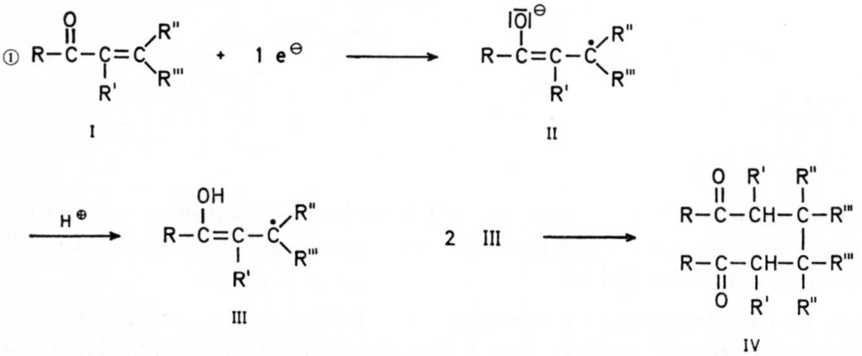

Wie man dem Schema entnehmen kann, ist die Anwesenheit von Protonen erforderlich. Im basischen Medium nimmt nämlich das Radikal-anion II leicht ein weiteres Elektron von der Metalloberfläche auf unter Bildung eines Di-anions V, das bei der Aufarbeitung des Reaktionsansatzes nur das gesättigte Keton liefert.

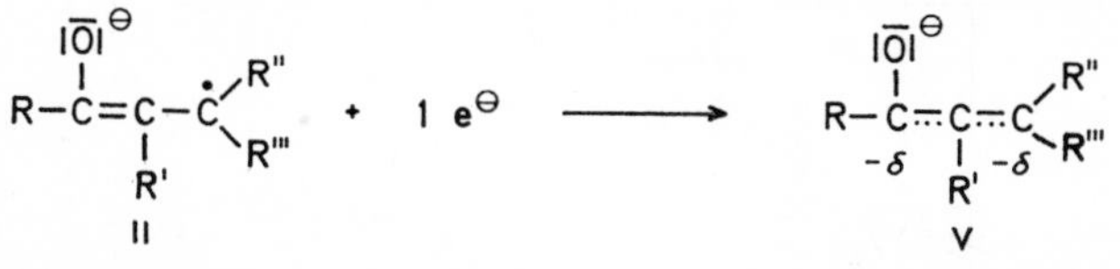

Ganz auszuschließen ist diese unerwünschte Nebenreaktion der vollständigen Reduktion allerdings auch nicht im sauren Medium; wie denn überhaupt die Reaktion der Dimerisierung bei weitem nicht so glatt abläuft, wie man aufgrund der Gleichungen des Schemas ① annehmen könnte. Durch Pinakon-Reduktion entstehen nämlich immer nebenher noch größere Mengen an Divinyl-1,2-glykolen, und ein Teil der eingesetzten α,β-ungesättigten Verbindungen polymerisiert unter den Bedingungen der Dimerisierung[1]. Das Verhältnis der Mengen an verschiedenen Reaktionsprodukten[1] richtet sich

nach der Verteilungsmöglichkeit der elektrischen Ladungen in dem konjugierten System
nach der Elektropositivität der verwendeten Metalle
nach den sterischen Gegebenheiten bedingt durch die Raumerfüllung der Substituenten R, R', R'', R'''.

---

[1] J. Kossanyi, Bl. **1965**, 714.

In vielen Fällen kann man zudem die ε-Diketone nicht fassen, weil sie leicht in einer Folgereaktion cyclisieren:

$$IV \longrightarrow$$

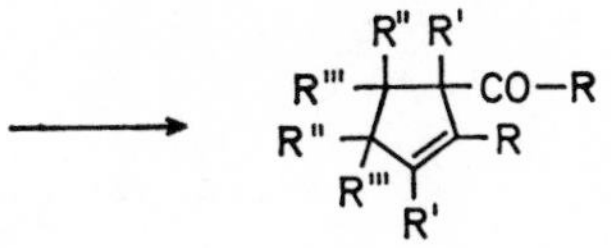

Eingehend untersucht wurden einige Alkyl-vinyl-ketone[1]. Dabei wurde gefunden, daß die Ausbeute an ε-Diketon um so höher war, je elektropositiver das verwendete Metall und je weniger raumerfüllend der Alkyl-Rest war. Beim 3-Oxo-3-phenyl-propen jedoch lagen die Verhältnisse umgekehrt: Siehe hierzu auch Tab. 245[2].

Tab. 245: ε-Diketone durch reduktive Dimerisierung

Ausgangsverbindung	Reaktionsprodukt	Ausbeute [% d.Th.] bei Verwendung des Metalls			Literatur
		Zn*	Mg**	Na/Hg**	
Pentadien-(1,4)-on-(3)	Decandion-(3,8)	45			3
Penten-(1)-on-(3)	Decandion-(3,8)	24	29	34	3
Hexen-(1)-on-(3)	Dodecandion-(4,9)	21	29	36	3
3-Oxo-4-methyl-penten-(1)	3,8-Dioxo-2,9-dimethyl-decan	16	22	27	3
3-Oxo-4,4-dimethyl-penten-(1)	3,8-Dioxo-2,2,9,9-tetra-methyl-decan	Spuren	11	24	3
3-Oxo-3-phenyl-propen***	1,6-Dioxo-1,6-diphenyl-hexan	51	24	—	3
3-Oxo-1-phenyl-buten	2,7-Dioxo-4,5-diphenyl-octan	>70a			4
3-Oxo-1-phenyl-penten-(1)	3,8-Dioxo-5,6-diphenyl-decan	>70a			4
3-Oxo-1-phenyl-3-pyridyl-(2)-propen	1,6-Dioxo-3,4-diphenyl-1,6-dipyridyl-(2)-hexan	b			5

    * in Eisessig
   ** in Wasser
 *** bei Anwendung von Na/Hg zu 81% Polymeres

a Zn/Mg in Äther/Eisessig
b Raney-Nickel

Ergänzend sei darauf hingewiesen, daß auch α,β-ungesättigte Ketone, deren Doppelbindung in ein Ringsystem einbezogen ist, reduktiv dimerisierbar sind[6].

[1] J. KOSSANYI, Bl. **1965**, 714.
[2] J. KOSSANYI, Bl. **1965**, 714.
   Fr. P. 1177602 (1957), Centre National de la Recherche Scientifique, Erf.: I. WIEMANN u. J. GARDEN; C. A. **55**, 27060 (1961) (für Butenon).
[3] J. WIEMANN u. M. BOUYER, C. r. [C] **262**, 1271 (1966).
[4] J. TRAORE, Y. L. PASCAL u. J. WIEMANN, A. ch. **6**, 27 (1971).
[5] M. CUSSAC u. A. BOUCHERLE, Bl. **1974**, 1433.
[6] J. WIEMANN, S. RISSE u. P. F. CASALS, Bl. **1966**, 381.

Ein Beispiel, das eine besonders glatt verlaufende Dimerisierung zeigt, ist die Verknüpfung zweier 3-Oxo-1,5,5-trimethyl-cyclohexen-Reste (I) zu *5,5'-Dioxo-1,1',3,3, 3',3'-hexamethyl-bicyclohexyl* (89% d. Th.)[1] (II):

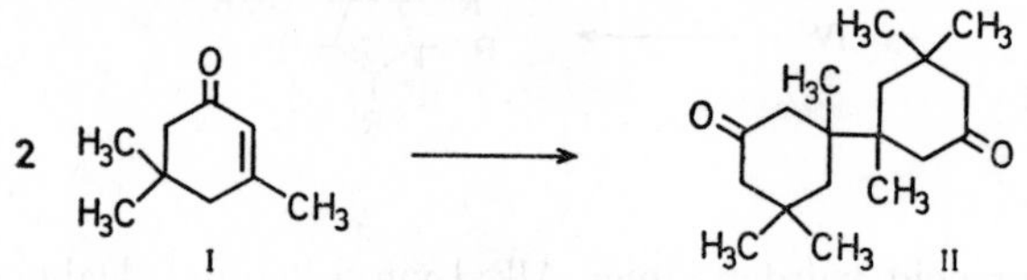

α,β-ungesättigte Carbonylverbindungen I lassen sich vorteilhaft durch Abfangen der primären Enoldianionen II mit Trimethylchlorsilan (III) hydrodimerisieren[2]:

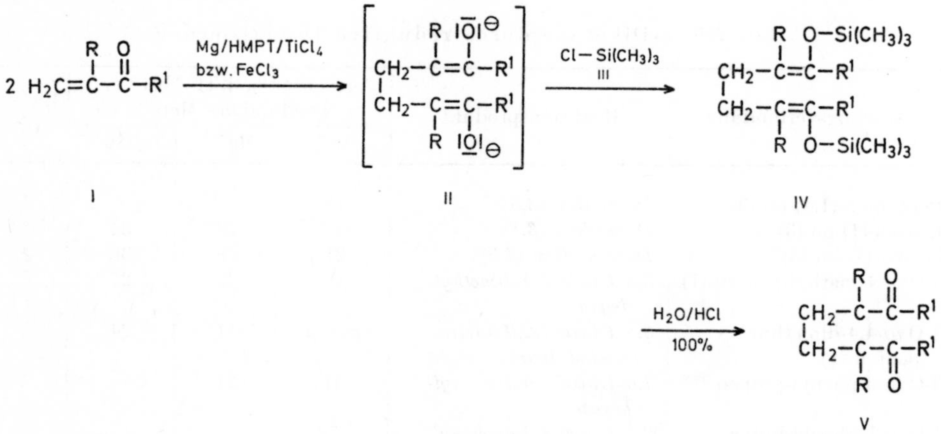

Der Bis-silyl-enoläther IV läßt sich in meist quantitativer Ausbeute zu einem ε-Diketon V hydrolysieren.

Nach diesem Verfahren ließen sich in Phosphorsäure-tris-[dimethylamid] (HMPT) die nachstehenden α,β-ungesättigten Ketone mit den angegebenen Ausbeuten hydrodimerisieren:

3-Oxo-buten   → *2,6-Dioxo-3,6-dimethyl-octan*

3-Oxo-cyclohexen   → *3,3'-Dioxo-bi-cyclohexyl*; 65% d. Th.

3-Oxo-1,5,5-trimethyl-cyclohexen → *5,5'-Dioxo-1,1',3,3,3',3'-hexamethyl-bi-cyclohexyl* (65% d.Th.)

β-Ionon konnte nicht auf diese Weise hydrodimerisiert werden.

1,6-reduktive Dimerisierung sterisch gehinderter 2-Vinyl-benzophenone wurde bei der Behandlung von 2',4',6'-Trimethyl-2-vinyl-benzophenon (VI) mit Na-

---

[1] M. S. Kharasch et al., J. Org. Chem. **21**, 322 (1956).

[2] J. Dunoges et al., J. Organomet. Chem. **57**, 55 (1973).

trium in Äther gefunden[1]; man erhält *1,4-Bis-[2-(2,4,6-trimethyl-benzoyl)-phenyl]-butan* (61% d.Th.; VII):

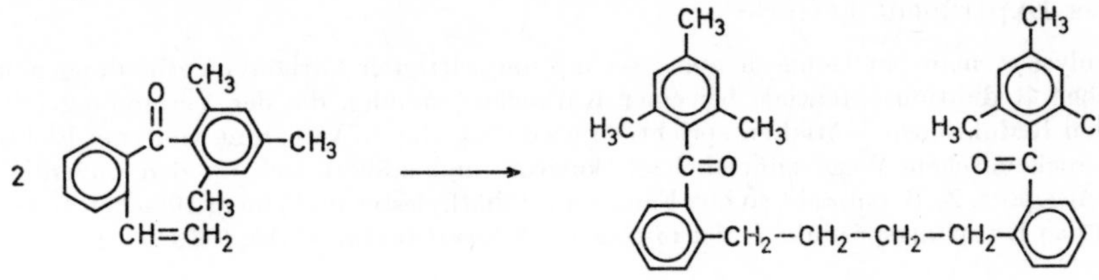

Der intramolekulare Fall einer Hydrodimerisierung zeigt sich bei der Umsetzung des Bis-enons VIII in Essigsäure mit Zink zum Kupplungsprodukt IX[2]:

4,12-Dioxo-pentacyclo [6.6.0.0³,⁷.0⁶,¹⁰.0⁹,¹³]tetradecan

β) Elektrolytische Hydrodimerisierung von Michael-Acceptoren

Eine Erweiterung des Anwendungsbereiches der reduktiven Dimerisierung aktivierter Doppelbindungen mit Metallen stellt die Verwendung einer Kathode als Elektronenspender dar. Die Kathode gestattet nämlich durch die Möglichkeit, ihre Elektropositivität durch Veränderung der aufgegebenen Spannung herauf- oder herunterzusetzen, eine Anpassung an das Reduktionspotential der zu reduzierenden Verbindung. Die genaue Lage des Reduktionspotentials einer bestimmten Substanz läßt sich aber auf polarographischem Wege relativ einfach bestimmen. Welche Bedeutung die Kenntnis des Reduktionspotentials für die sogenannte gemischte reduktive Dimerisierung hat, wird weiter unten noch beschrieben.

Die einfache Hydrodimerisierung aliphatischer Vinyl-ketone auf elektrolytischem Wege ergibt in saurer Lösung Hydrodimere, in alkalischer Lösung aber gesättigte monomolekulare Ketone[3]. Die entsprechenden aromatischen Ketone dimerisieren sich im sauren Medium, wobei mit ansteigendem p_H-Wert die Menge an gesättigten Ketonen zunehmend größer wird. Für die Hydrodimerisierung ist ein radikalischer Mechanismus anzunehmen; es soll dabei ein Zwischenprodukt auftreten, welches ein freies Radikal darstellt[4].

Untersucht man die Elektrolyse α,β-ungesättigter Ketone in schwach alkalischen, wäßrigen Lösungen von quaternären Ammoniumsalzen mit einer Strommenge, die nur für einen Teilumsatz berechnet ist[5], so finden sich Produkte,

[1] R. C. FUSON, E. H. HESS u. M. T. MON, J. Org. Chem. **26**, 1042 (1961).

[2] P. E. EATON u. R. MUELLER, Am. Soc. **94**, 1014 (1972).

[3] J. M. KALTHOFF u. J. J. LINGANE, *Polarography*, Vol. 2, Kap. 38, Interscience Publ., Inc., New York, N. Y. 1952.

[4] J. WIEMANN, M. MONOT u. J. GORDAN, C. r. **245**, 172 (1957).
   J. WIEMANN, Bl. **1964**, 2545.

[5] M. M. BAIZER u. J. D. ANDERSON, J. Org. Chem. **30**, 3138 (1965).

die denen einer Michael-Addition entsprechen. Die Vermutung, daß unter den Bedingungen der Elektrolyse statt Radikale Carbanionen auftreten, wird durch folgendes Experiment bestärkt[1]:

Elektrolysiert man ein Gemisch aus zwei α,β-ungesättigten Carbonyl-Verbindungen unterschiedlichen Reduktionspotentials bei einer Kathodenspannung, die der Verbindung mit dem positiveren Reduktionspotential entspricht, so wird diese durch Aufnahme von zwei Elektronen auf elektrochemischem Wege zum Michael-Donator[2] und addiert sich an den unveränderten Michael-Acceptor. Z. B. entsteht so aus Fumarsäure-diäthylester und einem 10fachen Überschuß Butenon das Kupplungsprodukt I, der (3-Oxo-butyl)-bernsteinsäure-diäthylester[1]:

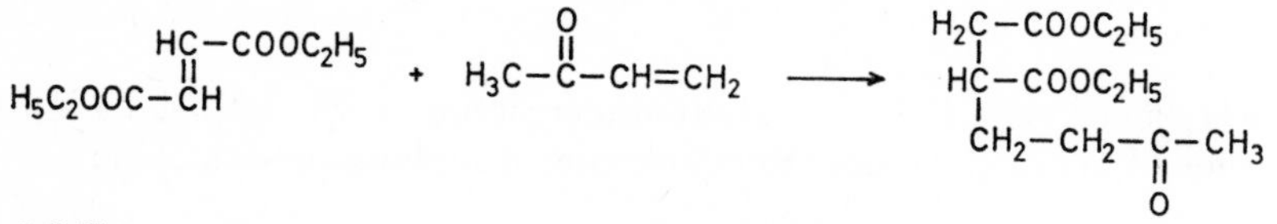

$$
\underset{\substack{-1,3\ \text{V}\\(\text{Donator})}}{\overset{\displaystyle HC-COOC_2H_5}{\underset{\displaystyle H_5C_2OOC-CH}{|}}} \quad + \quad \underset{\substack{-1,4\ \text{V}\\(\text{Acceptor})}}{H_3C-\overset{\displaystyle O}{\overset{\|}{C}}-CH=CH_2} \quad \longrightarrow \quad \underset{I}{\substack{H_2C-COOC_2H_5\\|\\HC-COOC_2H_5\\|\\CH_2-CH_2-\underset{\underset{O}{\|}}{C}-CH_3}}
$$

Elektrolyse bei -1,2 bis -1,3 V Kathodenspannung

α,β-ungesättigte Ketone werden ziemlich leicht reduziert, sind andererseits aber gute Michael-Acceptoren. Will man sie daher als elektrochemisch erzeugte Donatoren verwenden, muß man, um eine sofortige Hydrodimerisierung zu vermeiden, solche nehmen, die durch Substitution in β-Stellung zur Carbonyl-Gruppe sterisch behindert sind, z.B. 3-Oxo-1-phenyl-buten-(1) oder 4-Oxo-2-methyl-penten-(2) (Mesityloxid)[1]. Bei zu starker sterischer Hinderung tritt allerdings überhaupt kein Mischhydrodimeres mehr auf, z.B. beim 9-Benzyliden-fluoren (Donator) und Mesityloxid (Acceptor).

Das letzte Beispiel der Tab. 246 (S. 1875) zeigt, daß für den Fall sehr ähnlicher Reduktionspotentiale [Butenon(-1,4 V), 4-Vinyl-pyridin(-1,5 V)] wie erwartet drei Produkte entstehen: 2 Selbstkupplungsprodukte der Ausgangsverbindungen und 1 Mischkupplungsprodukt.

Die Beispiele der Zusammenstellung (S. 1875) sind verfahrensmäßig durchführbare Hydrodimerisierungen. Darüber hinaus sind noch viele vergleichbare Beispiele bekannt, die aber nur Gegenstand rein elektroanalytischer Untersuchungen sind.

γ) Reduktive Dimerisierung mit Phosphorigsäure-triäthylester[3]

Bei Behandlung einer äthanolischen Lösung von *trans*-1,4-Dioxo-1,4-diphenyl-buten-(2) (I) mit Phosphorigsäure-triäthylester (II) bei Raumtemperatur tritt eine tiefgrüne Färbung ein, und es kristallisiert *meso-1,2,3,4-Tetrabenzoyl-butan (1,6-Di-*

---

[1] M. M. Baizer u. J. D. Anderson, J. Org. Chem. **30**, 3138 (1965).

[2]

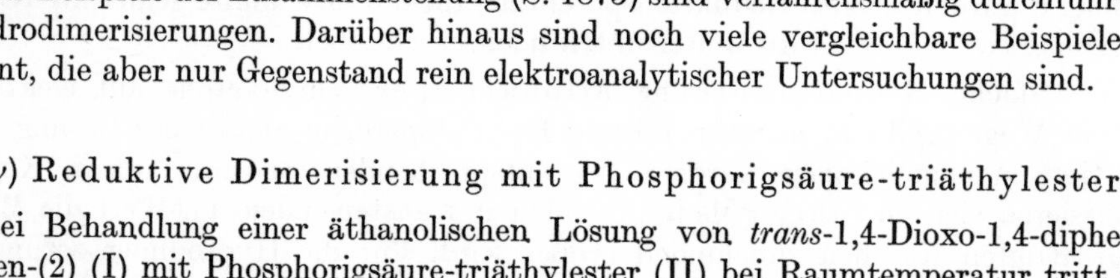

$$
\underset{R}{\overset{\displaystyle}{H_2C=CH-C=O}} + 2\,e^{\ominus} \longrightarrow \left[\underset{R}{H_2\overset{\ominus}{C}-\overset{\ominus}{C}H-C=O}\right] \longleftrightarrow \left[\underset{R}{H_2\overset{\ominus}{C}-CH=C-\overset{\ominus}{\underline{O}}|}\right]
$$

$$
\xrightarrow[-OH^{\ominus}]{H_2O} \left[\underset{R}{H_2\overset{\ominus}{C}-CH_2-C=O}\right]
$$

[3] R. G. Harvey u. E. V. Jensen, Tetrahedron Letters **1963**, 1801 (erstes Beispiel für diese Art der reduktiven Dimerisierung).

Tab. 246: ε-Diketone durch elektrochemische Hydrodimerisierung[1]

Reaktionsmedium: konz. wäßr. Lösung von Tetraäthylammonium-p-toluol-sulfonat

Kathodenmaterial: Quecksilber

Ausgangsverbindung		Reaktionsprodukt	Reaktions-bedingungen	Ausbeute [% d.Th.]	Litera-tur
3-Oxo-1-phenyl-buten-(1)		*2,7-Dioxo-4,5-diphenyl-octan*	—	74	2
Butenon		*Octandion-(2,7)*	Acetatpuffer	80	3
4-Oxo-2-methyl-penten-(2) (Mesityloxid)		isomere Hydrodimere	Acetatpuffer, 70°	83	2
Donator	**Acceptor**				
3-Oxo-1-phe-nyl-buten-(1)	Acrylnitril	*6-Oxo-4-phenyl-heptan-säure-nitril*	—	ca. 14*	2
4-Oxo-2-me-thyl-penten-(2) (Mesi-tyloxid)	Acrylnitril	*6-Oxo-4,4-dimethyl-heptan-säure-nitril*	—	50	2
Butenon	4-Vinyl-pyridin	*5-Oxo-1-pyridyl-(4)-hexan* + *1,4-Dipyridyl-(4)-butan* + *Octandion-(2,7)*	—	30	4

* bezogen auf Stromumsatz.

oxo-1,6-diphenyl-3,4-dibenzoyl-hexan; III) aus. Weitere Reaktionsprodukte sind die D,L-Form von III, die in der Mutterlauge gelöst bleibt, sowie Phosphorsäure-tri-äthylester IV und Diäthyläther (V):

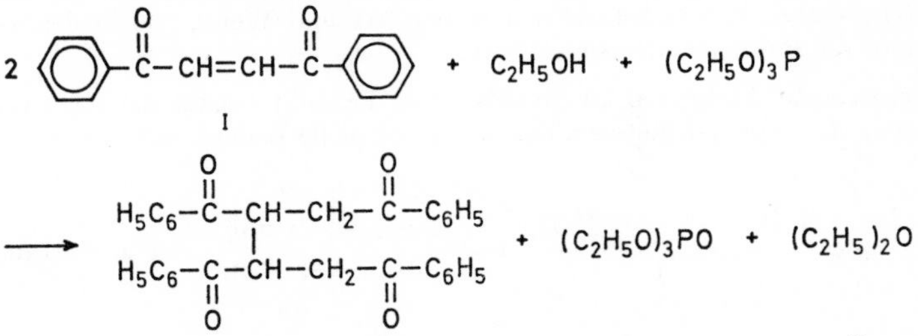

δ) Reduktive Dimerisierung mit Chrom(II)-salzen oder Natrium/Blei-Legierung

Gewisse Styrolderivate, z. B. 3-Oxo-1-phenyl-buten (I), können mit der Natrium-Blei-Legierung „Drynap" in äthanolischer Lösung in Gegenwart von Eisessig (1–2 Stdn. unterhalb 60°) hydrodimerisiert werden. In den meisten Fällen entstehen die

[1] vgl. F. Beck, *Elektroorganische Chemie*, Verlag Chemie 1974.
M. Baizer, *Organic Electrochemistry*, Verlag Marcel Dekker, New York 1973.
A. J. Fry, Fortschr. Chem. Forsch. **34**, 1 (1972), hier speziell stereochem. Aspekte.
[2] M. M. Baizer u. J. D. Anderson, J. Org. Chem. **30**, 3138 (1965).
[3] J. Wiemann u. M. L. Bouguerra, A. ch. **3**, 215 (1968).
[4] J. D. Anderson, M. M. Baizer u. E. J. Prill, J. Org. Chem. **30**, 1645 (1965).

dimeren Hydrierungsprodukte, z. B. II, in Ausbeuten von 5–58% d. Th.[1,2]:

$$2 \; C_6H_5-CH=CH-\overset{O}{\overset{\|}{C}}-CH_3 \longrightarrow$$

$$\begin{array}{l} C_6H_5-CH-CH_2-\overset{O}{\overset{\|}{C}}-CH_3 \\ C_6H_5-CH-CH_2-\overset{\|}{\underset{O}{C}}-CH_3 \end{array}$$

I   *2,7-Dioxo-4,5-diphenyl-octan*; II

ε) Photoreduktion

Im Gegensatz zur Reaktion im Singulettzustand ergibt die Photoreduktion des 1,4-Dioxo-1,4-diphenyl-butens (I) im Triplettzustand mit Isopropanol in Gegenwart von Benzophenon als Sensibilisator neben *1,4-Dioxo-1,4-diphenyl-butan* (II) (69% d. Th.) das meso- und racemische Dihydrodimere III sowie Aceton[3]:

$$\begin{array}{l} H_5C_6-\overset{O}{\overset{\|}{C}}\underset{}{\underset{}{C}}{}^{\diagdown H} \\ \quad\quad\quad \overset{\|}{C} \\ H_5C_6-\overset{}{\underset{\|}{C}}\underset{O}{}{}^{\diagup}{}^{\diagdown}{}_{H} \end{array} \xrightarrow{h\nu}$$

$$\begin{array}{l} H_5C_6-\overset{O}{\overset{\|}{C}}-CH_2 \\ H_5C_6-\overset{}{\underset{\|}{C}}-CH_2 \\ \quad\quad\quad O \end{array} + \begin{array}{l} H_5C_6-\overset{O}{\overset{\|}{C}}-CH_2 \; CH_2-\overset{O}{\overset{\|}{C}}-C_6H_5 \\ H_5C_6-\overset{}{\underset{\|}{C}}-CH-CH-\overset{}{\underset{\|}{C}}-C_6H_5 \\ \quad\quad\quad O \quad\quad\quad\quad\quad\quad\quad O \end{array}$$

I   II   *1,6-Dioxo-1,6-diphenyl-3,4-dibenzoyl-hexan*; III; 27% d. Th.

2. 1,4-Diketone durch radikalische Dimerisierungen

Die Synthese von 1,4-Diketonen kann auf reduktivem wie oxidativem Wege durch Dimerisierung entsprechender Radikale erfolgen. Die für diese Dimerisierungen benötigten hohen Radikalkonzentrationen werden z. B. an Metalloberflächen in Form adsorbierter Radikale oder in Gegenwart hoher Konzentrationen an Radikalbildnern bereitgestellt. Die Verfahren zur Synthese von 1,4-Diketonen unterscheiden sich in der Art und Weise, wie in der α-Stellung zur Carbonyl-Gruppe die Radikalstelle erzeugt wird.

ⓐ Wegen der geringen Ausbeuten an dimerisiertem Produkt besitzt die sogenannte Photodihydrodimerisierung von α-Diketonen nur eine prinzipielle Bedeutung[4,5]; z. B.:

$$2 \; H_5C_6-\overset{O}{\overset{\|}{C}}-\overset{O}{\overset{\|}{C}}-C_6H_5 \xrightarrow[h\nu(>300nm)]{Isopropanol} \begin{array}{l} H_5C_6-\overset{O}{\overset{\|}{C}}-\overset{OH}{\overset{|}{C}}-C_6H_5 \\ H_5C_6-\overset{}{\underset{\|}{C}}-\overset{}{\underset{|}{C}}-C_6H_5 \\ \quad\quad\quad O \quad OH \end{array} \quad \text{u. a. Produkte}$$

2,3-Dihydroxy-1,4-dioxo-1,2,3,4-tetraphenyl-butan; 22% d. Th.

ⓑ Die reduktive Kupplung von α,α'-Dibrom-ketonen wie 2,4-Dibrom-3-oxo-2,4-dimethyl-pentan mit Zink/Kupfer zum *3,6-Dioxo-2,4,4,5,5,7-hexamethyl-octan* (71% d. Th.) scheint nach einem ionischen Mechanismus zu verlaufen[6]; das Verfahren ist als präparative Methode einzustufen:

$$2 \; H_3C-\overset{Br}{\overset{|}{C}}-\overset{O}{\overset{\|}{C}}-\overset{Br}{\overset{|}{C}}-CH_3 \longrightarrow$$

$$\begin{array}{c} \quad\quad O \; H_3C \quad CH_3 \; O \\ \quad\quad \overset{\|}{C}-\overset{|}{C}-\overset{|}{C}-\overset{\|}{C} \\ H_3C-CH \; H_3C \quad CH_3 \; CH-CH_3 \\ \quad\quad CH_3 \quad\quad\quad CH_3 \end{array}$$

[1] W. J. R. Hansen u. E. Premuzici, Ang. Ch. **80**, 271 (1968).
[2] K. Tabei, H. Hiranuma u. N. Amemiyd, Bl. chem. Soc. Japan **39**, 1085 (1966).
[3] M. B. Rubin u. J. M. Ben-Bassat, Mol. Photochem. 3, 155 (1971).
[4] O. Yoshiro, T. Katsuhiko u. F. Yuichi, J. Org. Chem. 37, 4026 (1972).
[5] J. Kelder u. H. Cerfontain, Tetrahedron Letters **1972**, 1307.
[6] C. Chassin, E. A. Schmidt u. H. M. R. Hoffmann, Am. Soc. **96**, 606 (1974).

Die Umsetzung von ω-Brom-acetophenon mit aktiviertem Zinkstaub oder mit einem Zink-Kupfer-Paar in siedendem Dimethylsulfoxid in Gegenwart von Natriumjodid und Kollidin liefert neben *1,4-Dioxo-1,4-diphenyl-butan* (II) auch *Acetophenon*[1]. Über komplexe Zwischenstufen erhält man 1,4-Dioxo-1,4-diphenyl-butan auch bei Behandlung von ω-Brom-acetophenon mit Eisenpentacarbonyl[2]:

$$H_5C_6-\overset{\overset{\textstyle O}{\|}}{C}-CH_2-Br \quad \xrightarrow{Fe(CO)_5} \quad H_5C_6-\overset{\overset{\textstyle O}{\|}}{C}-CH_2-CH_2-\overset{\overset{\textstyle O}{\|}}{C}-C_6H_5$$

$$\text{I} \qquad\qquad\qquad\qquad\qquad \text{II}$$

ⓒ *Oxidative* Verfahren zur Herstellung von 1,4-Diketonen bedienen sich neben den herkömmlichen oxidierenden Reagenzien auch der Anode als Oxidationsmittel. Die anodische Dimerisierung von Ketonen läßt sich mit gutem Erfolg bei solchen Carbonyl-Verbindungen durchführen, die über eine ausreichende CH-Acidität in der α-Stellung verfügen. Hierzu gehören dann z. B. die β-Oxo-carbonsäureester[3-5] und die β-Diketone[4], die sich, durch Oxidation ihrer Alkalienolate zu Radikalen, in Acetonitril zu ihren Dimeren umwandeln lassen.

Besonders bewährt hat sich hierbei die Arbeitsweise[3], das zur Anionisierung der Carbonyl-Verbindung benötigte Alkali durch kathodische Reduktion des Leitsalz-Kations, speziell des Kalium-Kations, während des elektrolytischen Prozesses fortwährend nach Maßgabe seines Verbrauchs zu erzeugen. Der gesamte Vorgang der anodischen Dimerisierung stellt sich dann gemäß folgendem Schema dar:

Kathode: $\qquad\qquad K^\oplus \; + \; e \; \longrightarrow \; K\text{(Metall)}$

$$K \; + \; R-\overset{\overset{\textstyle O}{\|}}{C}-CH_2-\overset{\overset{\textstyle O}{\|}}{C}-R \; \longrightarrow \; K^\oplus \; + \; R-\overset{\overset{\textstyle O}{\|}}{C}-\overset{\ominus}{C}H-\overset{\overset{\textstyle O}{\|}}{C}-R \; + \; 1/2\, H_2$$

Anode: $\qquad R-\overset{\overset{\textstyle O}{\|}}{C}-\overset{\ominus}{C}H-\overset{\overset{\textstyle O}{\|}}{C}-R \; \longrightarrow \; R-\overset{\overset{\textstyle O}{\|}}{C}-\overset{\bullet}{C}H-\overset{\overset{\textstyle O}{\|}}{C}-R \; + \; e$

$$2\, R-\overset{\overset{\textstyle O}{\|}}{C}-\overset{\bullet}{C}H-\overset{\overset{\textstyle O}{\|}}{C}-R \; \longrightarrow \; \begin{array}{c} R-\overset{\overset{\textstyle O}{\|}}{C}-CH-\overset{\overset{\textstyle O}{\|}}{C}-R \\ | \\ R-\overset{\overset{\textstyle O}{\|}}{C}-CH-\overset{\overset{\textstyle O}{\|}}{C}-R \end{array}$$

Bei Verwendung von Kalium*jodid* als Leitsalz impliziert die Dimerisierungsreaktion des organischen Anions möglicherweise nur indirekt einen elektrolytischen Schritt, indem sie sich durch eine nucleophile Substitution eines Jodidions in elektrolytisch gebildetem Jod durch das organische Carbanion vollzieht:

Anode: $\qquad\qquad 2\, J^\ominus \; \longrightarrow \; J_2$

$$J_2 \; + \; R-\overset{\overset{\textstyle O}{\|}}{C}-\overset{\ominus}{C}H-\overset{\overset{\textstyle O}{\|}}{C}-R \; \longrightarrow \; R-\overset{\overset{\textstyle O}{\|}}{C}-\overset{\overset{\textstyle J}{|}}{C}H-\overset{\overset{\textstyle O}{\|}}{C}-R \; + \; J^\ominus$$

$$R-\overset{\overset{\textstyle O}{\|}}{C}-\underset{\underset{\textstyle J}{|}}{C}H-\overset{\overset{\textstyle O}{\|}}{C}-R \; + \; R-\overset{\overset{\textstyle O}{\|}}{C}-\overset{\ominus}{C}H-\overset{\overset{\textstyle O}{\|}}{C}-R \; \longrightarrow \; \begin{array}{c} R-\overset{\overset{\textstyle O}{\|}}{C}-CH-\overset{\overset{\textstyle O}{\|}}{C}-R \\ | \\ R-\overset{\overset{\textstyle O}{\|}}{C}-CH-\overset{\overset{\textstyle O}{\|}}{C}-R \end{array} \; + \; J^\ominus$$

[1] E. GHERA, D. H. PERRY u. S. SHOVA, Chem. Commun. **22**, 858 (1973).
[2] H. ALPER u. E. C. KEUNG, J. Org. Chem. **37**, 2566 (1972).
[3] T. OKUBO u. S. TSUTSUMI, Bl. chem. Soc. Japan **37**, 1794 (1964).
[4] Vgl. M. M. BAIZER, *Organic Electrochemistry*, S. 718ff., Marcel Dekker, New York 1973.
[5] Vgl. F. BECK, *Elektroorganische Chemie*, S. 239ff., Verlag Chemie GmbH, Weinheim 1974.

Hierfür spricht einerseits die Höhe der polarographisch ermittelten Oxidationshalbstufen-potentiale entsprechender organischer Anionen verglichen mit dem des Jodid-Ions:

Natriumsalz von	$E_{1/2}$ (V) (Ag/AgCl)	
Pentandion-(2,4)	0,83	
Acetessigsäure-äthylester	0,90	
Malonsäure-dimethylester	0,87	in Methanol/Benzol
Cyclohexandion-(1,3)	0,81	
Dimedon (3,5-Dioxo-1,1-dimethyl-cyclohexan)	0,69	
Jodid-Ion	0,37	

andererseits die wohlbekannte Tatsache, daß sich β-Oxo-carbonsäureester wie Acetessigsäure-ester[1-3] und subst. Benzoylessigsäureester[4], sowie β-Diketone wie Pentandion-(2,4)[2,5] in Gegenwart von Alkanolaten mit elementarem Jod dimerisieren lassen.

2,3-Diacetyl-bernsteinsäurediäthylester[2]: Zu 21 g (0,5 Mol) Natriumhydrid in 250 ml eines 1:1-Gemisches von 1,2-Dimethoxy-äthan und Äther werden 65 g (0,5 Mol) Acetessigsäure-äthylester gegeben. Nach 1 Stde. fügt man 0,25 Mol (63,5 g) Jod in 150 ml 1,2-Dimethoxy-äthan hinzu und läßt 2 Stdn. rühren. Dann wird mit Wasser verdünnt und die organische Phase von der wäßr. getrennt. Nach Abdampfen des Lösungsmittels bleibt ein Rückstand von 58 g (90% d. Th.).

Die elektrochemische Oxidation des Tetrabutylammoniumsalzes (I) des Enols von 1,3-Dioxo-1,3-diphenyl-propan an einer Platin-Anode in Dimethylsulfoxid liefert nur zu Beginn der Elektrolyse das Dimerisationsprodukt II neben III; bei vollständiger Elektrolyse entsteht dagegen neben III alternativ zu II das Tetraaroyl-äthylen IV[6]:

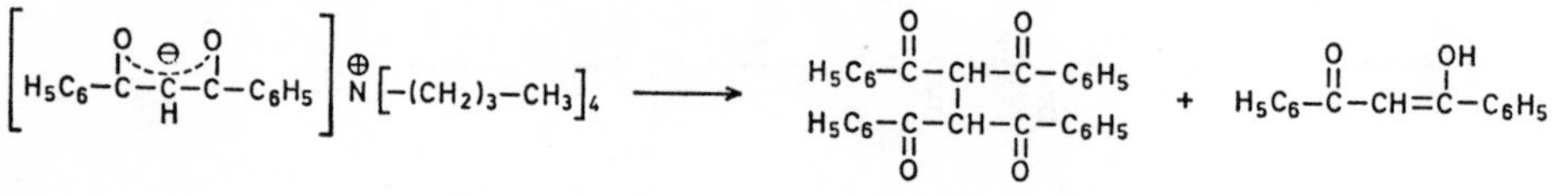

I

II
1,4-Dioxo-1,4-diphenyl-
2,3-dibenzoyl-butan

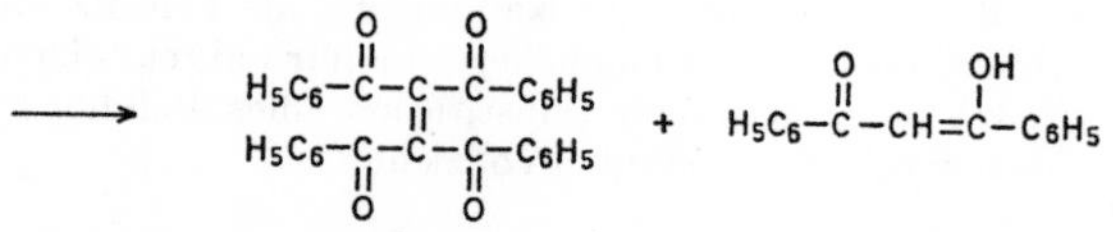

III

IV
1,4-Dioxo-1,4-diphenyl-
2,3-dibenzoyl-buten

III

In diesem Fall ist durch elektroanalytische Untersuchungen (cyclische Voltammetrie in Dimethylsulfoxid und in Benzonitril) sichergestellt, daß der Mechanismus über ein anfänglich gebildetes Dibenzoyl-methyl-Radikal verläuft.

---

[1] S. P. Mulliken, Am. Soc. 15, 523 (1893).
[2] M. S. Newman u. J. A. Cella, J. Org. Chem. 38, 3482 (1973).
[3] J. A. Gardner u. H. N. Rydon, Soc. 1938, 45.
[4] S. B. Baker, T. H. Evans u. H. Hibbert, Am. Soc. 70, 60 (1948).
[5] W. L. Mosby, Soc. 1957, 3997.
[6] H. W. Vanden Born u. D. H. Evans, Am. Soc. 96, 4296 (1974).

Der Auswahl eines geeigneten *Lösungsmittels* kommt bei der elektrolytischen Dimerisierung eine entscheidende Bedeutung zu. Da zur Anionisierung der Carbonyl-Verbindung unter basischen Bedingungen gearbeitet werden muß, kann bei Verwendung von Alkoholen als Lösungsmittel als Nebenreaktion leicht die Oxidation deren Alkanolat-Ionen zu Aldehyden mit ablaufen. Deshalb findet man bei der Elektrolyse von β-Dicarbonyl-Verbindungen in einem solchen Milieu keine oxidativen Dimeren, sondern Kondensationsprodukte von Aldehyd und β-Dicarbonyl-Verbindung[1]; z. B.:

$$H_3C-O^{\ominus} \xrightarrow{-e} H_2C=O \;+\; 1/2\; H_2$$

Es empfiehlt sich aus diesem Grunde der Einsatz aprotischer Lösungsmittel wie Acetonitril, Dimethylformamid, Dimethylsulfoxid u. ä.

Erwünscht ist die Mitwirkung des Lösungsmittels bei der Herstellung von 1,4-Diketonen durch anodische Dimerisierung von Enoläthern[2]. Enoläther (maskierte Ketone) lassen sich in ungeteilten Zellen an einer Graphitanode in Methanol/2,6-Lutidin/Natriumperchlorat in Ausbeuten zwischen 30 und 60% d. Th. zu Ketalen von 1,4-Dicarbonyl-Verbindungen umsetzen. Der Reaktionsablauf läßt sich in nachfolgendem Schema erklären[2]:

Aus den entsprechenden Enoläthern wurden auf diesem Wege folgende 1,4-Diketone erhalten:

2,2'-Dioxo-bi-cyclopentyl	50% d. Th.
2,2'-Dioxo-bi-cyclohexyl	48% d. Th.
2,2'-Dioxo-bi-cyclooctyl	61% d. Th.
3,6-Dioxo-4,5-dimethyl-octan	50% d. Th.

Die anodische Dimerisierung von Enoläthern hat eine Parallele in der oxidativen Verknüpfung von Silyl-enoläthern mit Silberoxid[3].

ⓒ Präparativ von erheblicher Bedeutung ist die radikalische Dimerisierung von einfachen Ketonen unter Bildung von 1,4-Diketonen in Gegenwart von Radikalbildnern wie Diacylperoxiden. Besonders leicht findet die Dimerisierung statt, wenn die Ketone in α-Stellung ein tertiäres Wasserstoffatom enthalten, da dieses bevorzugt vor sekundären und primären Wasserstoffatomen homolytisch vom Kohlenstoffatom abgetrennt werden kann[4]. Durch radikalische Dimerisierung mit Diacylperoxiden lassen sich vielfach Verbindungen herstellen, die auf anderem Wege nur schwierig zu erhalten sind. Eine gewisse Beeinträchtigung erfährt die Methode durch die Gefährlichkeit speziell des öfter verwendeten Diacetylperoxids. Doch wird die Gefahr einer **Explosion** stark gemindert, wenn man das Peroxid erst in der Lösung des zu dimerisierenden Ketons herstellt[5,6]. Den Reaktionsverlauf der radikalischen

---

[1] R. Brettle u. D. Seddon, Soc. [C] **1970**, 2175.
R. Brettle u. J. G. Parkin, Soc. **1967**, 1352.
T. D. Binns u. R. Brettle, Soc. **1966**, 336.
[2] D. Koch, H. Schäfer u. E. Steckham, B. **107**, 3640 (1974).
[3] Y. Ito et al., Am. Soc. **97**, 649 (1975).
[4] M. S. Kharash et al., J. Org. Chem. **10**, 386, 394, 401 (1945).
[5] M. F. Ansell, W. J. Hickinbottom u. P. G. Holton, Soc. **1955**, 349.
[6] US. P. 2458207 (1949), Buffalo Electro-Chemical Co., Inc., H. A. Rudolf u. R. L. McEwen;
C. A. **43**, 3444 (1949).

Tab. 247: 1,4-Diketone durch Radikal-Dimerisierung

Ausgangsverbindung	einge-setzt [g]	zurückge-wonnen [g]	Katalysator [g]	Reaktionsprodukt	Reaktions-produkt rein [g]	Reaktions-produkt rohes [g]	Kp [°C]	Kp [Torr]	Nebenprodukt	Litera-tur
Butanon-(2)	159	237[a]	61 g[a]	2,5-Dioxo-3,4-dimethyl-hexan	38	61	51	1	Trimeres u. Tetra-meres	1
3-Oxo-2-methyl-butan	131	333[b]	DAP 67 (260)[b]	2,5-Dioxo-3,3,4,4-tetramethyl-hexan	23	64	40	0,5	Trimeres und höher Polymere	1
	190	355	DAP[g] (250)	2,5-Dioxo-3,3,4,4-tetramethyl-hexan	47,5		108-115	22		2
3-Oxo-2,4-dimethyl-pentan	312	477	DAP 64 (230)	3-Oxo-2,4,4,5,5,7-hexa-methyl-octan	30	62	75-77	1,5	Trimeres und Polymeres	1
4-Oxo-2,6-dimethyl-heptan	320	563	DAP[g] (356)	3,6-Dioxo-2,4,4,5,5,7-hexa-methyl-octan	40		108-114	5,5	Polymeres	2
	48	232	DAP 31 (230)	4,7-Dioxo-2,9-dimethyl-5,6-diisopropyl-decan (meso und D, L)	8; 9	48	95-97° / 110-114	1,5 / 1,5	Trimeres	1
2-Oxo-1-phenyl-propan	40	86	DAP 20 (69)	2,5-Dioxo-3,4-diphenyl-hexan (meso und D, L)	6 / 6		d / e		Polymeres	1
Pentandion-(2,4) Hexandion-(2,5)	191	350	DAP 65 (229) DAP	2,5-Dioxo-3,4-diacetyl-hexan	f	64			Polymeres Tri- u. Pentameres	1 / 1
3-Oxo-2,2-dimethyl-butan	58	330	DAP 59 (316)	3,6-Dioxo-2,2,7,7-tetramethyl-octan	7	44	55-60	0,5	Tetrameres und Polymeres	1

a) Weitere 129 g als Lösungsmittel für das Diacetylperoxid, das in Lösung zu dem 75° warmen Butanon zugegeben wird.
b) Auch in den anderen Versuchen wird die Menge an Keton als Lösungs-mittel u. angegeben.
c) Diese Fraktion erstarrt kristallin, F: 87-90°; meso- oder D, L-Form.
d) F: 201-202°

e) F: 98-100°
f) Menge an Produkt nicht angegeben; F: 189-191°.
g) Diacetylperoxid in Lösung erzeugt aus Acetanhydrid, 100%igem Wasser-stoffperoxid und Natriumcarbonat-Lösung.
DAP = Diacetyl-peroxid

Stereoisomere

[1] M. S. Kharasch et al., Am. Soc. 70, 1269 (1948).   [2] M. F. Ansell, W. J. Hickinbottom u. P. G. Holten, Soc. 1955, 349.

Tab. 247 (1. Fortsetzung)

Ausgangsverbindung	eingesetzt [g]	zurückgewonnen [g]	Katalysator [fl]	Reaktionsprodukt	Reaktionsprodukt rein [g]	Reaktionsprodukt rohes [g]	Kp [°C]	Kp [Torr]	Nebenprodukt	Literatur
Cyclohexanon	274	622	DAP 46 (404)	2,2'-Dioxo-bi-cyclohexyl (meso und D, L)	15	47	114–117	1	Hochpolymeres	1
3-Oxo-2,2,4-trimethyl-pentan	80	265	DAP^g (260)	3,6-Dioxo-2,2,4,4,5,5,7,7-octamethyl-octan	9		108–115	1		2
2-Oxo-1-(4-methoxy-phenyl)-propan	55		DBP 30 g	2,5-Dioxo-3,4-bis-[4-methoxy-phenyl]-hexan (meso und D,L)	6,7[h] 8,4[i]					3
3-Oxo-2-phenyl-butan	33	20	DBP 20 g	2,5-Dioxo-3,4-dimethyl-3,4-diphenyl-hexan (meso und D, L)	6,5		156–159	2		3

g) Diacetylperoxid in Lösung erzeugt aus Acetanhydrid, 100%igem Wasserstoffperoxid und Natriumcarbonat-Lösung.
h) Racemat; F: 153–154° (aus Methanol).

i) Meso-Isomeres, F: 201–202° (aus 1,4-Dioxan)
DBP = Di-tert.-butyl-peroxid
DAP = Diacetyl-peroxid

1 M. S. Kharasch et al., Am. Soc. 70, 1269 (1948).
2 M. F. Ansell, W. J. Hickinbottom u. P. G. Holten, Soc. 1955, 349.
3 R. L. Huang u. L. Kum-Tatt, Soc. 1955, 4229.

119*

Dimerisierung mittels Peroxiden hat man sich so vorzustellen[1], daß durch Zersetzung von Diacetylperoxid z. B. zunächst ein Methyl-Radikal erzeugt wird. Dieses entreißt dem Keton in α-Stellung ein Wasserstoffatom, worauf sich das zurückbleibende Keton-Radikal dimerisiert:

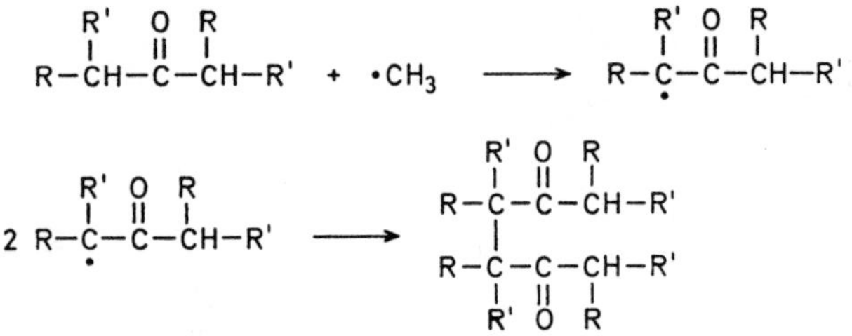

$$
\begin{array}{ccc}
\underset{R-CH-C-CH-R'}{\overset{R'\ \ \ O\ \ \ R}{|\ \ \ \ \ ||\ \ \ |}} + \ \cdot CH_3 & \longrightarrow & \underset{R-\underset{\cdot}{C}-C-CH-R'}{\overset{R'\ \ \ O\ \ \ R}{|\ \ \ \ \ ||\ \ \ |}}
\end{array}
$$

$$
2\ \underset{R-\underset{\cdot}{C}-C-CH-R'}{\overset{R'\ \ \ O\ \ \ R}{|\ \ \ \ \ ||\ \ \ |}} \longrightarrow
\begin{array}{c}
\overset{R'\ \ \ O\ \ \ R}{\underset{R-C-C-CH-R'}{|\ \ \ \ \ ||\ \ \ |}} \\
| \\
\underset{R'\ \ \ O\ \ \ R}{R-C-C-CH-R'}
\end{array}
$$

R = H; Alkyl; Aryl
R′ = Alkyl; Aryl

Da das Dimerisierungsprodukt weitere sekundäre oder tertiäre Wasserstoffatome enthält, kann die Reaktion auch weitergehen. Es bilden sich Trimere und Tetramere, je nach den molaren Verhältnissen an Keton und Peroxid.

Bei einem großen Überschuß an Keton (10:1) ist die Bildung von Dimeren bevorzugt, bei einem Verhältnis 3:1 aber ist die Menge an Tri- und Tetrameren schon ziemlich groß. Tab. 247 (S. 1880) gibt einen Überblick über Ausbeuten und Reaktionsprodukte bei der radikalischen Dimerisierung von Ketonen.

ⓔ Für den radikalischen Verlauf der sogenannten „oxidativen Kondensation" spricht die Tatsache, daß die Reaktion durch U.V.-Licht katalysiert wird. Beobachtet wird die oxidative Kondensation bei 2-Oxo-1-aryl-propanen, deren benzylständiges Wasserstoffatom bei höheren Temperaturen durch den Sauerstoff der Luft homolytisch abgespalten wird[2]. Aus 2-Oxo-1-phenyl-propan (I) erhält man *2,5-Dioxo-3,4-diphenyl-hexan*:

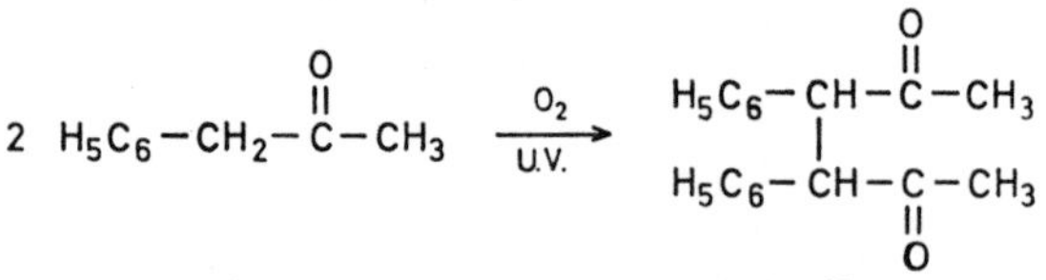

$$
2\ H_5C_6-CH_2-\overset{\overset{\textstyle O}{||}}{C}-CH_3 \xrightarrow[U.V.]{O_2}
\begin{array}{c}
H_5C_6-CH-\overset{\overset{\textstyle O}{||}}{C}-CH_3 \\
| \\
H_5C_6-CH-\underset{\underset{\textstyle O}{||}}{C}-CH_3
\end{array}
$$

I   II

Entsprechend erhält man aus
2-Oxo-1-(4-methyl-phenyl)-propan → *2,5-Dioxo-3,4-bis-[4-methyl-phenyl]-hexan*
2-Oxo-1-naphthyl-(1)-propan   → *2,5-Dioxo-3,4-dinaphthyl-(1)-hexan*

ⓕ Gewisse Vorzüge gegenüber den oben genannten Radikalbildnern scheint Nickelperoxid zu besitzen[3]. Zwar liegen die Ausbeuten an 1,4-Diketonen nicht höher, doch scheint die Durchführung der Präparation einfacher, wie nachstehende Vorschrift deutlich macht:

2.2'-Dioxo-bi-cyclohexyl[3]: Nickel-peroxid (20 g; aktives Sauerstoffäquiv. 262) wird portionsweise unter Rühren zu einer Mischung von Cyclohexanon (30 g) und Acetonitril (30 ml) bei Temp. unter 45° gegeben. Nach 30 Min. ist die Reaktion zu Ende (Abscheidung von grünem Nickelhydroxid). Man filtriert und destilliert das Filtrat, das vom Lösungsmittel befreit wurde, i. Vak. (Kp$_{15}$: 160–200°); Ausbeute: 4,6 g (12,2% Cyclohexanon, 72,8% 1,4-Diketon).

[1] M. S. Kharasch, H. C. McBay u. W. H. Urry, Am. Soc. **70**, 1269 (1948).
[2] US. P. 2751406 (1956), Universal Oil Products Co., Erf.: V. N. Ipatieff u. H. Pines; C. A. **51**, 1280 (1957).
[3] E. G. E. Hawkins u. R. Large, Soc. (Perkin I) **1974**, 280.

Ebenfalls als oxidative Kupplung kann man die Herstellung von dimeren Ketonen über durch freie Hydroxyl-Radikale[1] erzeugte Radikale bezeichnen. Während diese Methode zur Dimerisierung einer Reihe aliphatischer Verbindungen wie Carbonsäuren, Carbonsäure-nitrilen, Aminen, Carbonsäure-amiden und Alkoholen eine gewisse Bedeutung hat, ist sie zur Dimerisierung von Ketonen eigentlich ungeeignet, da das nach Gleichung ① gebildete Hydroxyl-Radikal bevorzugt die Carbonyl-Gruppe zur Carboxy-Gruppe unter Bildung eines neuen Radikals aufoxidiert (Gleichung ②):

$$H-O-O-H \; + \; Fe^{2\oplus} \longrightarrow \; HO\cdot \; + \; OH^{\ominus} \; + \; Fe^{3\oplus} \qquad ①$$

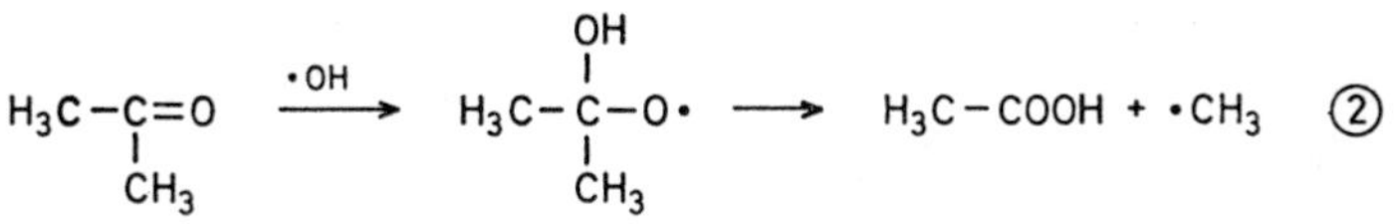

$$\underset{\underset{CH_3}{|}}{H_3C-\overset{}{C}=O} \; \xrightarrow{\cdot OH} \; \underset{\underset{CH_3}{|}}{H_3C-\overset{\overset{OH}{|}}{C}-O\cdot} \; \longrightarrow \; H_3C-COOH \; + \; \cdot CH_3 \qquad ②$$

2,5-Dioxo-hexan wird nur in geringen Mengen gebildet[1]. In folgender Variation läßt sich die Grundlage des Verfahrens jedoch zu einer Keton-Synthese mit sehr guten Ausbeuten verwerten. Erhalten werden hierbei allerdings nicht 1,4-Diketone sondern langkettige Diketone[2]. Im Gegensatz zur oben erwähnten „oxidativen Kupplung":

$$\cdot OH \; + \; RH \longrightarrow \; R\cdot \; + \; H_2O$$

$$2 \; R\cdot \longrightarrow \; R-R$$

läßt man das Eisen(II)-salz organische tertiäre Hydroperoxide reduzieren, wonach nach folgenden Reaktionsgleichungen radikalische Ketonbruchstücke entstehen, die sich unter geeigneten Bedingungen dimerisieren; aus 1-Hydroperoxy-1-methyl-cyclopentan (I) erhält man in 59[3] bzw. 75–90%iger[4] Ausbeute *Dodecandion-(2,11)* (II):

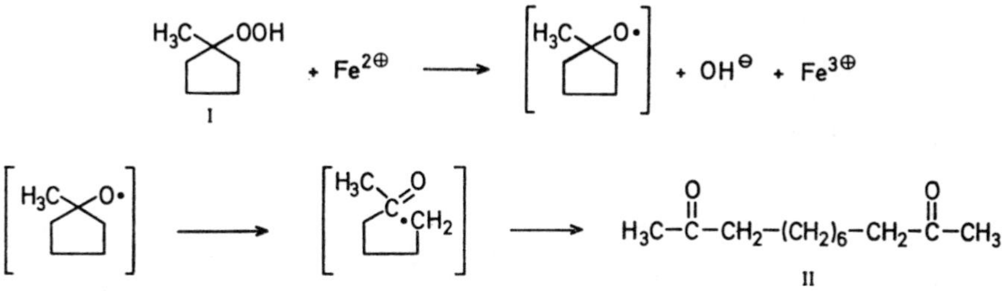

Die Verbesserung der Ausbeute[4] auf 90% d.Th. gelingt dadurch, daß man dafür sorgt, daß die Reaktionspartner, nämlich das in Methyl-cyclopentan gelöste Hydroperoxid und die an Schwefelsäure molare und an Eisen(II)-sulfat halbmolare wäßr. Lösung, an verschiedenen Stellen gleichzeitig und möglichst schnell in den Reaktionsansatz gelangen. Man verhindert so einen örtlichen Überschuß an Eisen(II)-salz-Lösung oder Hydroperoxid. Die Temp. kann dabei zwischen 20 und 70° liegen.

[1] D. D. Coffman, E. L. Jenner u. R. D. Lipscomb, Am. Soc. **80**, 2864 (1958).

[2] E. G. E. Hawkins u. D. P. Young, Soc. **1950**, 2804.
   US. P. 2575014 (1951); Brit. P. 655118 (1951), Distillers Co. Ltd., Erf.: E. G. E. Hawkins; C.A. **46**, 6147, 6668 (1952).

[3] E. G. E. Hawkins u. D. P. Young, Soc. **1950**, 2804.

[4] US. P. 2822399 (1953), Du Pont, Erf.: J. O. Punderson; C. A. **52**, 10159 (1958).

Tetradecandion-(2,13)[1] erhält man durch Reaktion von 1-Hydroperoxy-1- methyl-cyclohexan in einem inerten organischen Lösungsmittel, z. B. Methylcyclohexan, in Gegenwart eines Eisen(II)-Salzes einer langkettigen Alkansäure (Alkyl-Rest = C_8–C_{10}) oder eines ihrer Alkalimetallsalze bei 50–100°, wobei man gebildetes Eisen(III)-Salz in Gegenwart von Palladium reduzieren kann.

Tetradecandion-(2,13)[1]: man mischt z. B. 15,6 g Heptansäure, 100 *ml* Wasser und 4 g Natronlauge in Form einer 10%igen wäßr. Lösung (I), setzt ∼ 100 *ml* Benzol zu, wobei man Stickstoff durchleitet, gibt 13,9 g Eisen(II)-sulfat·$7H_2O$ zu, extrahiert mit Benzol und gibt zu 100 *ml* des Extraktes mit einem Gehalt von 46,2 Milliäquivalenten $Fe^{2\oplus}$ 4,23 g 1-Hydroperoxy-1-methyl-cyclohexan, wobei die Temp. von 25° auf 35° steigt. Sodann setzt man 12 g I zu. Danach wird die Benzol-Lösung aufgearbeitet; Ausbeute: 54% d. Th..

Bei der thermischen Zersetzung cyclischer Hydroperoxide I können durch Umlagerung eines primären O-Radikals II zum Radikal III auch 1,4-Diketone entstehen, so erhält man bei der Thermolyse von 1-tert.-Butylperoxy-1-methyl-cyclohexan (I)[2]:

Diacetyl-decan

Während sich die Herstellung von 1,4-Diketonen durch **photochemische** Dimerisierung im wesentlichen auf ein einzelnes, präparativ zu nutzendes Beispiel stützen kann (*1,4-Dioxo-1,4-diphenyl-butan* durch Bestrahlen von Acetophenon in Gegenwart von Phenol mit Hochdruckbrenner; 86% d. Th.)[3], gibt es für die oxidative Dimerisierung von Ketonen mittels Metallsalzen einige Beispiele. Dabei ist nicht in jedem Fall sicher, daß die Reaktion über α-Keto-Radikale verläuft, im Ergebnis aber werden 1,4-Diketone erhalten, die in mehr oder weniger hohem Maße von Nebenprodukten abgetrennt werden müssen (s. Tab. 248, S. 1885).

Mit meist vorzüglichen Ausbeuten lassen sich die aus Methylketonen entstehenden Vinyl-lithiumenolate in Tetrahydrofuran/Dimethylformamid bei –78° mit Kupfer(II)-chlorid oxidierend zu 1,4-Diketonen verknüpfen[4]:

Z. B. R = $(CH_3)_3C$; *3,6-Dioxo-2,2,7,7-tetramethyl-octan*; 95% d. Th.
R = $(CH_3)_2CH$; *3,6-Dioxo-2,7-dimethyl-octan*; 89% d. Th.
  + *3,6-Dioxo-2,5,5-trimethyl-octan*; 3% d. Th.
R = $CH=C(CH_3)_2$; *4,7-Dioxo-2,9-dimethyl-decadien-(2,8)*; 47% d. Th.
R = C_6H_5; *1,4-Dioxo-1,4-diphenyl-butan*; 83% d. Th.

Ebenso lassen sich Mischkupplungen vornehmen.

[1] US. P. 2700057 (1952), Du Pont, Erf.: J. O. Punderson; C. A. **49**, 15953 (1955).
[2] N. A. Milas u. L. H. Perry, Am. Soc. **68**, 1938 (1946).
[3] H. D. Becker, J. Org. Chem. **32**, 2140 (1967); s. a. Ang. Ch. **1968**, 204.
[4] Y. Ito, T. Konoike u. T. Saegusa, Am. Soc. **97**, 2912 (1975).

Tab. 248: 1,4-Dicarbonyl-Verbindungen durch oxidative Kupplung mittels Metallsalzen

Ausgangs-verbindung	Reaktionsbedingungen			Reaktionsprodukt	Ausbeute [% d. Th.]	Lite-ratur
	Kata-lysator	Temp. [°C]	Bem.			
1-Oxo-1-phenyl-propan	FeCl$_3$	70		1,4-Dioxo-1,4-diphenyl-2,3-dimethyl-butan		1
	CuCl$_2$	70		Nebenprodukte: 2,5-Diphenyl-3,4-di-methylfuran; 1-Oxo-1-phenyl-2-chlor-propan		
	CuO	70				
1-Oxo-1-phenyl-butan	FeCl$_3$	70		3,4-Dibenzoyl-hexan	49	1
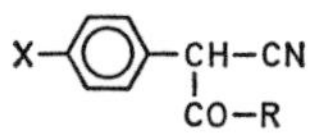 X—⟨◯⟩—CH—CN, CO—R; R=CH$_3$; X=H	Cu/Amin-Komplexe		O$_2$	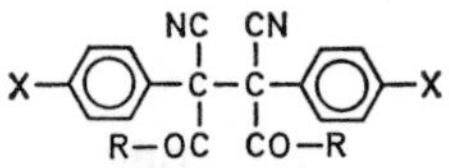 X—⟨◯⟩—C(NC)(R—OC)—C(CN)(CO—R)—⟨◯⟩—X ...-bernsteinsäure-dinitril 2,3-Diphenyl-2,3-diacetyl-...	79	2
X=CH$_3$				2,3-Bis-[4-methyl-phenyl]-2,3-diacetyl-...	83	
R=C$_6$H$_5$; X=CH$_3$				2,3-Bis-[4-methyl-phenyl]-2,3-dibenzoyl-...	68	
H$_3$C—CO—CH—COOC$_2$H$_5$, CH$_3$	PbO$_2$	Rück-fluß, Benzol	55–60 Stdn.	2,3-Dimethyl-2,3-diacetyl-bernsteinsäure-diäthyl-ester (3 weitere Produkte durch Kondensationsreaktionen)		3

IX. Hinweise auf Herstellung und Umwandlung von Ketonen mittels Hilfsgruppen

bearbeitet von

Prof. Dr. Drs. h. c. Otto Bayer

Bayer AG, Leverkusen

Es stehen zahlreiche, gut brauchbare Methoden zur Verfügung, um je nach Wunsch den aktivierenden Einfluß einer Carbonyl-Gruppe auf die benachbarten Wasserstoff-atome entweder völlig auszuschalten oder umgekehrt auch zu verstärken, derart, daß ein einzuführender Substituent gezielt in eine der beiden α-ständigen CH-Gruppen dirigiert werden kann.

[1] H. Inoue, M. Sakata u. E. Imoto, Bull. Chem. Soc. Japan 46, 2211 (1973); 44, 3490 (1971).
[2] H. A. P. de Jongh, C. R. de Jonge u. W. J. Mijs, J. Org. Chem. 36, 3160 (1971).
[3] R. Brettle u. D. Seddon, Soc. [C] 1970, 1320.

Weiterhin gibt es Verfahren, bei denen Schutzgruppen die Synthese von Ketonen ermöglichen, wie z. B. die Mercaptale aus Aldehyden und 1,3-Dimercapto-propan. Durch die Vielfalt der Möglichkeiten eröffnen sich viele wichtige Synthesewege, von denen hier nur einige typische aufgezeigt werden können.

a) Schutz der Keto-Gruppe

1. Ketale als Schutzgruppen[1,2]

Der wichtigste und am häufigsten angewandte Schutz einer Carbonyl-Gruppe wird in fast idealer Weise durch Ketalisieren mit Glykol bewirkt[3]. Diese cyclischen Ketale sind durch azeotrope Destillation mit Benzol in Gegenwart von katalytischen Mengen Toluolsulfonsäure leicht herstellbar und stabiler als die früher benutzten Dialkyl-ketale, z. B. neigen sie weniger zur Bildung der reaktionsfähigen Enoläther

$$-CH_2-\underset{\underset{OR}{|}}{\overset{\overset{OR}{|}}{C}}- \quad \underset{\xrightarrow{\hspace{1cm}}}{\overset{-ROH}{\xleftarrow{\hspace{1cm}}}} \quad -CH=C\overset{\diagup OR}{\diagdown}$$

Die Ketal-Herstellung ist in Bd. VI/3, S. 217 und an zahlreichen Stellen ds. Bds. beschrieben (s. a. Lit.[4]).

Da die Ketal-Gruppe praktisch inaktiv und gegen Alkalien auffallend beständig ist, können an anderen Stellen des Moleküls nahezu alle Umsetzungen, sogar unter robusten Bedingungen, vorgenommen werden, die im alkalischen bis neutralen Bereich möglich sind.

Selbst Hydrazin und Hydroxylamin reagieren nicht mit Ketalen (vgl. dazu das analoge Verhalten von Acetalen, Bd. VII/1, S. 417).

Von Vorteil ist es auch, daß die Ketale nach erfolgter Umsetzung sich durch verdünnte Säuren leicht und praktisch quantitativ rückspalten lassen; s. Bd. VII/2a, S. 790.

Besonders in der Steroid-Reihe wären die vielfältigen Umsetzungen ohne die vorübergehende Ausschaltung von Carbonyl-Gruppen gar nicht möglich. Hier wurde das unterschiedliche Ketalisierungsvermögen von gleichzeitig vorhandenen Carbonyl-Gruppen in verschiedenen Positionen und die selektive Spaltbarkeit der Di- und Poly-ketale untersucht[1,2]. Wie kompliziert hier die Verhältnisse liegen können, sei an dem Ketalschutz der Dihydroxy-aceton-Gruppierung durch Formaldehyd im Cortison-Molekül aufgezeigt:

---

[1] H. J. E. Loewenthal, *Selective Reactions and Modification of Functional Groups in Steroid Chemistry*, Tetrahedron **6**, 287–295 (1959).

[2] J. F. W. McOmie, *Protective Groups*, Adv. Org. Chem. **3**, 258ff. (1963).

[3] E. J. Salmi, B. **71**, 1803 (1938).

[4] Herstellung von Ketalen: S. R. Sandler u. W. Karo, *Organic Functional Group Preparations*, S. 1ff., Academic Press, New York 1972.

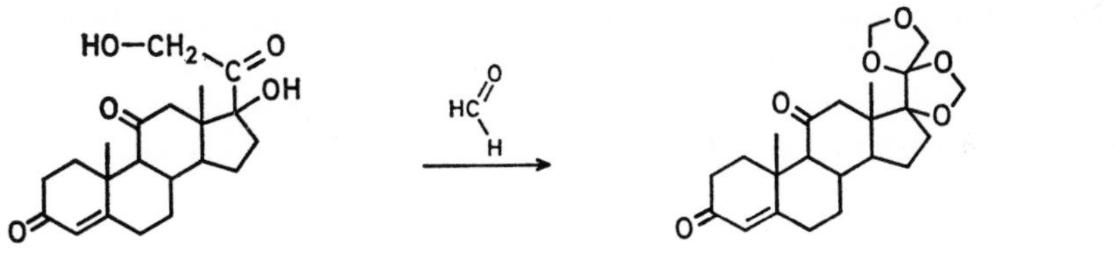

17 α,20; 20,21-Bis-[methylendioxy]-
3,11-dioxo-pregnen-(4)

Bei der Fülle der vorliegenden Publikationen muß auf die Sammelliteratur verwiesen werden[1-4].

α) Ketale als Schutzgruppen bei Oxidations-Reaktionen

Besonders an Steroidketalen sind Oxidationen in fast neutralem Milieu, z.B. mit Chrom(VI)-oxid in Pyridin, mit Mangan(IV)-oxid oder mit Hydrogenperoxid durchgeführt worden. Auch Selendioxid-Oxidationen – wie sie für das Citronellal beschrieben sind – dürften möglich sein[5]. Gegen Ozon sind Ketale nur begrenzt stabil.

Es sind jedoch einige Fälle bekannt, in denen sich ungesättigte Ketale normal ozonisieren lassen. So kann z.B. das Ketal des Butenons I in das Ketal des Brenztraubenaldehyds II (*2,2-Äthylendioxy-propanal*) überführt werden[6]:

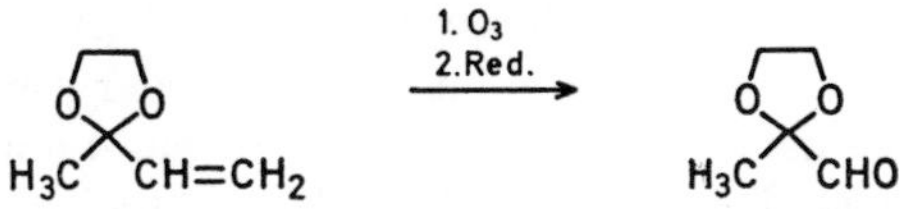

Das interessante Ketal I läßt sich durch Erhitzen von Butenon mit Glykol in Benzol und Toluolsulfonsäure glatt herstellen, wobei zunächst III entsteht, das beim Erhitzen in Ketal I und Glykol zerfällt[6]:

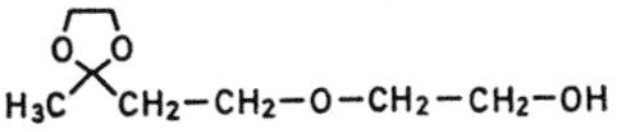

Das Äthylenketal V des 3-Oxo-6-methyl-bicyclo[4.4.0]decen-(1) IV, das beim Ketalisieren des Ketons unter Umlagerung entsteht, wird durch Einwirkung von Ozon in Dichlormethan/Methanol (3:1) bei –78° und anschließender Reduktion mit Natriumboranat in das *6-Oxo-3-methyl-3-(4-hydroxy-butyl)-cyclohexen* (VI) übergeführt[7]:

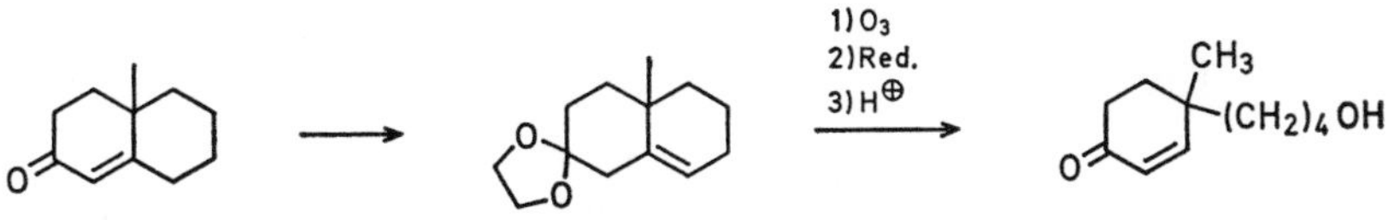

[1] H. J. E. Loewenthal in: J. F. W. McOmie, *Protective Groups in Organic Chemistry*, Plenum Press, London · New York 1973.

[2] C. Djerassi, *Steroid-Reactions*, Holden-Day Inc., San Francisco 1963.

[3] J. F. McOmie, *Protective Groups*, Adv. Org. Chem. 3, 258 ff. (1963).

[4] H. J. E. Loewenthal, *Selective Reactions and Modification of Functional Groups in Steroid Chemistry*, Tetrahedron 6, 287–295 (1959).

[5] K. J. Clark et al., Tetrahedron 6, 217 (1959).

[6] E. F. Hahn, J. Org. Chem. 38, 2092 (1973).

[7] D. Becker u. J. Kalo, Tetrahedron Letters 40, 3725 (1971).

Die Ketal-Gruppe bleibt auch intakt, wenn man in Essigsäureanhydrid arbeitet. So gelingt es, das 17β-Acetoxy-3,3-äthylendioxy-androsten-(5) in Tetrachlormethan mit tert.-Butyl-chromat in Gegenwart von Essigsäure/Essigsäureanhydrid bei 80° in 36%-iger Ausbeute zum *17β-Acetoxy-3,3-äthylendioxy-7-oxo-androsten-(5)* zu oxidieren[1]:

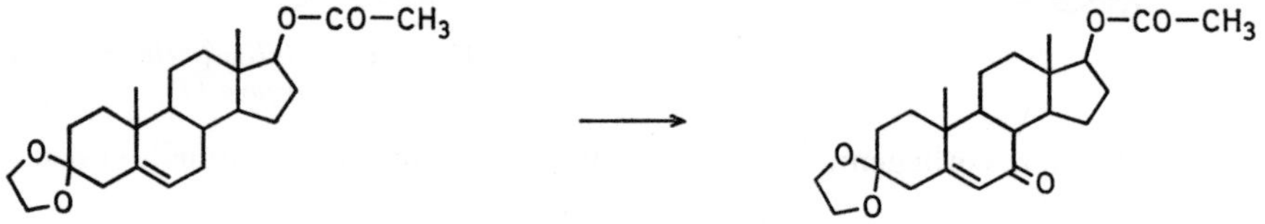

β) Ketale als Schutzgruppen bei Reduktions-Reaktionen

Überall dort, wo es möglich ist, wird man die Reduktion funktioneller Gruppen in Ketalen katalytisch durchführen. Dies gelingt bei Nitro-, Oxo-, Formyl-, Azomethin-, Olefin- und Cyan-Gruppen (s. Bd. VII/2c).

Da die Ketal-Gruppe gegen Natriumboranat in Alkohol resistent ist, lassen sich damit gleichzeitig anwesende freie Carbonyl-Gruppen und Lactone reduzieren. Unangegriffen bleiben Ester, Carbonsäure-amide, Nitrile, aromatische Nitro-Gruppen, nicht allzu reaktive Halogenatome und C=C-Bindungen[2,3].

Eine wichtige Ergänzung zu den Boranaten sind die Alanate[2-4], vor allem das Lithiumalanat, das Reduktionen in absolutem Äther oder Tetrahydrofuran erlaubt. Da der Reaktionsmechanismus dem von Grignardumsetzungen sehr ähnlich ist, lassen sich vor allem Ester, Lactone und Epoxide zu Alkoholen, Nitrile zu primären Aminen (s. Bd. VII/2c) und substituierte Carbonsäure-amide zu sekundären bzw. tertiären Aminen reduzieren. Enamine werden nicht angegriffen.

Tab. 249: Reduktion funktioneller Gruppen in Ketalen

Ausgangsprodukt	Reduktionsmittel	Endprodukt	Ausbeute [% d. Th.]	Literatur
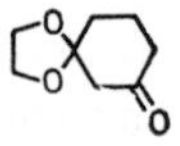	H₂, Raney–Ni	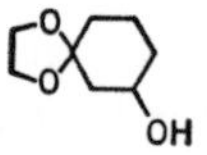 *3-Hydroxy-1,1-äthylendioxy-cyclohexan*	68	5
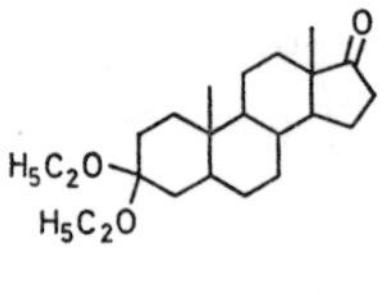	H₇C₃–OH/Na	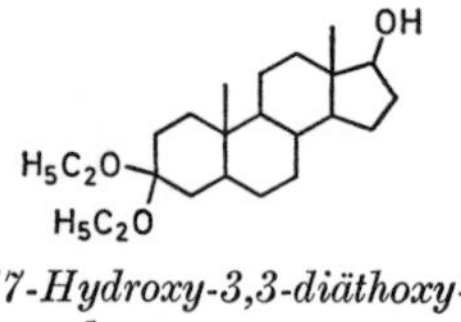 *17-Hydroxy-3,3-diäthoxy-androstan*	—	6

[1] P. N. RAO u. D. KURATH, Am. Soc. **78**, 5660 (1956).
[2] A. HAJÓS, *Komplexe Hydride*, VEB Deutscher Verlag der Wissenschaften, Berlin 1966.
[3] N. G. GAYLORD, *Reduction with Complex Metal Hydrides*, S. 695ff., Interscience Publishers Inc., New York 1956.
[4] F. A. HOCHSTEIN, Am. Soc. **71**, 305 (1949).
[5] M. W. CRONYN u. J. E. GOODRICH, Am. Soc. **74**, 3332 (1952).
[6] A. SERINI u. H. KÖSTER, B. **71**, 1766 (1938).

Tab. 249 (1. Fortsetzung)

Ausgangsprodukt	Reduktionsmittel	Endprodukt	Ausbeute [% d.Th.]	Literatur
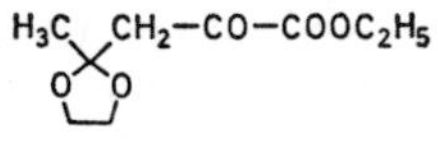 H_3C $CH_2-CO-COOC_2H_5$ (2,2-äthylendioxy)	H_2, PtO_2	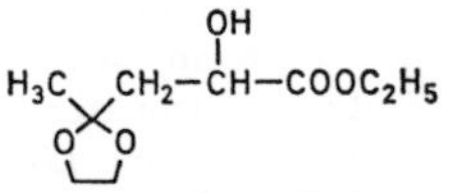 H_3C $CH_2-CH(OH)-COOC_2H_5$ (4,4-äthylendioxy) *2-Hydroxy-4,4-äthylendioxy-pentansäure-äthylester*	77	1
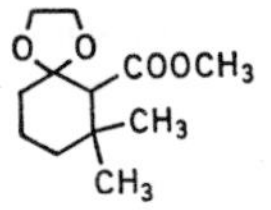 (Spiro-äthylendioxy-cyclohexan) $COOCH_3$, CH_3, CH_3	$LiAlH_4$/Äther C_4H_9ONa s. Anm.[a]	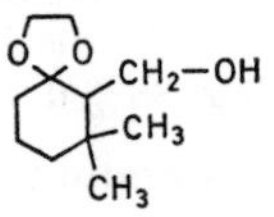 CH_2-OH, CH_3, CH_3 *3,3-Äthylendioxy-1,1-dimethyl-2-hydroxy-methyl-cyclohexan*[b]	67	2
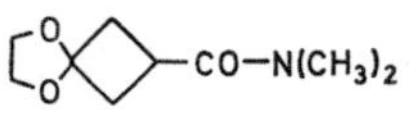 (Spiro-äthylendioxy-cyclobutan) $CO-N(CH_3)_2$	$LiAlH_4$/Äther	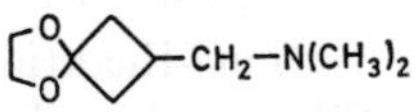 $CH_2-N(CH_3)_2$ *3,3-Äthylendioxy-1-di-methylaminomethyl-cyclobutan*[c]	92	3
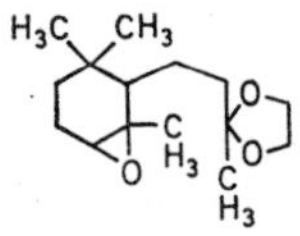 H_3C CH_3 (epoxy/äthylendioxy-butyl-cyclohexan)	$LiAlH_4$/Äther	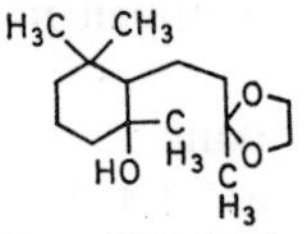 H_3C CH_3 HO *3-Hydroxy-1,1,3-trimethyl-2-(3,3-äthylendioxy-butyl)-cyclohexan*		4,5
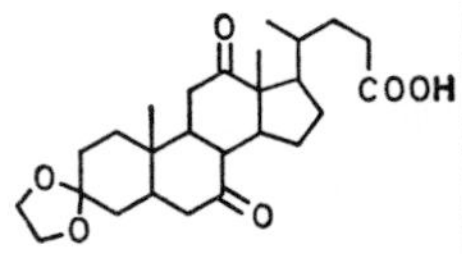 (Steroid, Diketon, $COOH$)	NH_2-NH_2, Diglykol $190°$	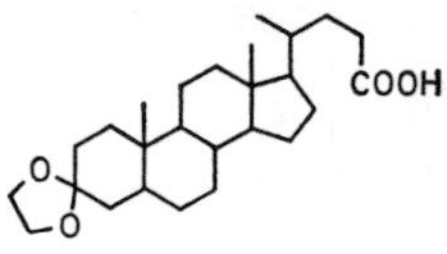 (Steroid, $COOH$) *3,3-Äthylendioxy-cholansäure*	67	6
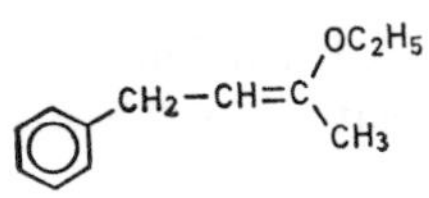 $CH_2-CH=C(OC_2H_5)(CH_3)$ (phenyl)	Na/NH_3/Äthanol $H^{\oplus}$	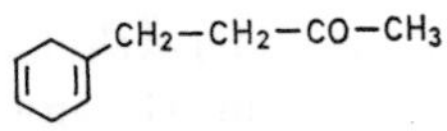 $CH_2-CH_2-CO-CH_3$ (cyclohexadienyl) *3-Oxo-1-[cyclohexa-dien-(1,4)-yl]-butan*	—	7

[a] Mit Natriumbutanolat verläuft die Reduktion sehr unvollständig.
[b] Zur Überführung des Alkohols in den Aldehyd durch Meerwein-Ponndorf-Reaktion s. Original-lit.
[c] Zur Herstellung des 3-Oxo-1-methylen-cyclobutans s. Originallit.

[1] A. Rossi u. A. Lauchenauer, Helv. 30, 1501 (1947).
[2] B. Willhalm, U. Steiner u. H. Schinz, Helv. 41, 1359 (1958).
[3] F. F. Caserio, jr. u. J. D. Roberts, Am. Soc. 80, 5837 (1958).
[4] M. Stoll u. M. Hinder, Helv. 34, 334 (1951).
[5] weitere Beispiele: N. G. Gaylord, *Reduction with Complex Metal Hydrides*, S. 646 ff., Interscience Publishers Inc., New York 1956.
[6] H. B. Kagan u. J. Jaques, Bl. 1957, 699.
[7] A. J. Birch, P. Hextall u. S. Sternhell, Austral. J. Chem. 7, 256 (1954).

1,5-Dihydroxy-3,3-äthylendioxy-pentan[1]: Zu einer Suspension von 9,8 g (0,25 Mol) Lithium-alanat in 400 *ml* trockenem Äther rührt man unter Luftausschluß eine Lösung von 20 g (0,08 Mol) 3,3-Äthylendioxy-glutarsäure-diäthylester ein. Wenn die Reduktion beendet ist (nach ∼ 3 Stdn.), wird das überschüssige Alanat zunächst durch Essigsäure-äthylester, dann durch Wasser-Zugabe, zerstört und der Niederschlag abzentrifugiert. Nachdem der Rückstand mehrere Male mit wenig heißem Wasser extrahiert wurde, werden die vereinigten Filtrate eingedampft – zum Schluß i. Vak. Dann löst man das Ganze in abs. Äthanol, fällt daraus das Lithiumhydroxid mit Äther aus und destilliert das Filtrat; Ausbeute: 7 g (53% d.Th.); $Kp_{0,01}$: 105–110° (Luftbadtemp.).

4-Hydroxymethyl-acetophenon[2]: Eine Lösung von 14,6 g 4-(1,1-Diäthoxy-äthyl)-benzoesäure-äthylester in 150 *ml* trockenem Äther wird in einer Stickstoffatmosphäre unter Kühlen und Rühren zu einer Lösung von 2,7 g Lithiumalanat in 100 *ml* trockenem Äther getropft. Nach 90 Min. gibt man 5,4 *ml* Wasser zu. Zur Gewinnung des Ketons säuert man mit Salzsäure an, dampft die Äther-Schicht ein, nimmt den Rückstand in Äthanol auf und stellt mit Salzsäure sauer. Nach kurzem Erwärmen ist die Hydrolyse des Ketals beendet; danach wird wie üblich aufgearbeitet; Ausbeute: 7,3 g (88% d.Th.); F: 54° (aus Petroläther).

Über die reduktive Umwandlung von Cyan-ketalen s. Bd. VII/2c.

γ) Ketale als Schutzgruppen bei Kondensations-Reaktionen

Die meisten Kondensations-Reaktionen im alkalischen Bereich lassen sich in der üblichen Weise durchführen, ohne daß dabei die Ketal-Gruppierung in Mitleidenschaft gezogen wird. Möglich sind u. a.: Ester- und Acyloin-Kondensationen, die Umsetzungen von Halogen-Atomen mit Kaliumcyanid (s. Bd. VII 2c) oder die Veresterung von Hydroxy-Gruppen mit Carbonsäure- oder Sulfonsäure-halogeniden in Pyridin u. a.

Als Beispiele seien genannt:

① Die Cyclisierung des 4,4-Äthylendioxy-heptandisäure-dimethylesters mittels Natriumhydrid zum *5,5-Äthylendioxy-2-oxo-cyclohexan-1-carbonsäure-methylester* (78% d. Th.)[3],

② die Kondensation von 4,4-Äthylendioxy-2-oxo-pentan mit 3,3-Äthylendioxy-butansäure-methylester in Gegenwart von Natriummethanolat zum *2,8-Bis-[äthylendioxy]-4,6-dioxo-nonan* (36% d.Th.)[4]:

③ sowie die Acyloin-Kondensation des 9,9-Äthylendioxy-heptadecandisäure-dimethylesters zum *2-Hydroxy-10,10-äthylendioxy-1-oxo-cycloheptadecan* (77% d.Th.)

[1] M. Viscontini u. C. Ebnöther, Helv. **34**, 116 (1951).
[2] L. Schmid, W. Swoboda u. M. Wichtl, M. **83**, 187 (1952).
[3] R. M. Lukes et al., Am. Soc. **74**, 1401 (1952).
[4] H. Stetter u. S. Vestner, B. **97**, 169 (1964).

und dessen Hydrierung zum *9,10-Dihydroxy-1,1-äthylendioxy-cycloheptadecan*[1]:

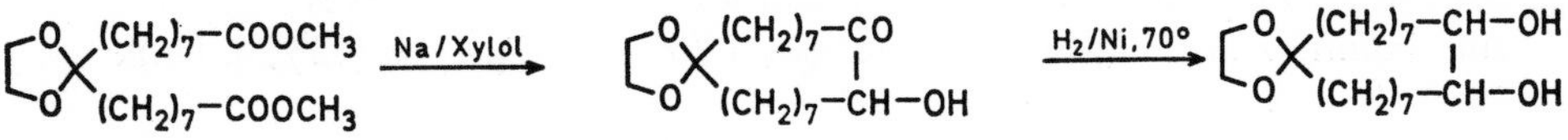

$$\text{[O}_2\text{C]}(CH_2)_7-COOCH_3 \ / \ (CH_2)_7-COOCH_3 \quad \xrightarrow{\text{Na/Xylol}} \quad (CH_2)_7-CO \ / \ (CH_2)_7-CH-OH \quad \xrightarrow{H_2/Ni,\,70^\circ} \quad (CH_2)_7-CH-OH \ / \ (CH_2)_7-CH-OH$$

Die Ketale ungesättigter Ketone lassen sich sogar der Carbenreaktion unterwerfen[2]. Durch anschließende Einwirkung von Butyl-lithium erhält man **Allenketale**:

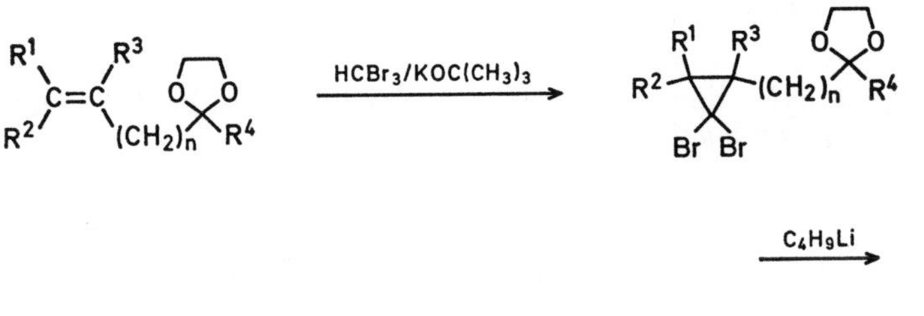

$$R^1R^2C=C\,R^3(CH_2)_n R^4 \quad \xrightarrow{HCBr_3/KOC(CH_3)_3} \quad \underset{Br\ \ Br}{R^1 R^3 (CH_2)_n R^4} \quad \xrightarrow{C_4H_9Li} \quad R^1 R^2 C=C=C\,R^3(CH_2)_n R^4$$

Bei der Ketalisierung von β,γ-ungesättigten Ketonen kann in geringem Umfang eine Verschiebung der Doppelbindung in die α,β-Stellung eintreten.

Ketale können auch dazu dienen, in hochreaktionsfähigen Dicarbonyl-Verbindungen die eine Keto-Gruppe völlig zu **inaktivieren**, um an der anderen die üblichen Keton-Umsetzungen vornehmen zu können, z. B.[3]:

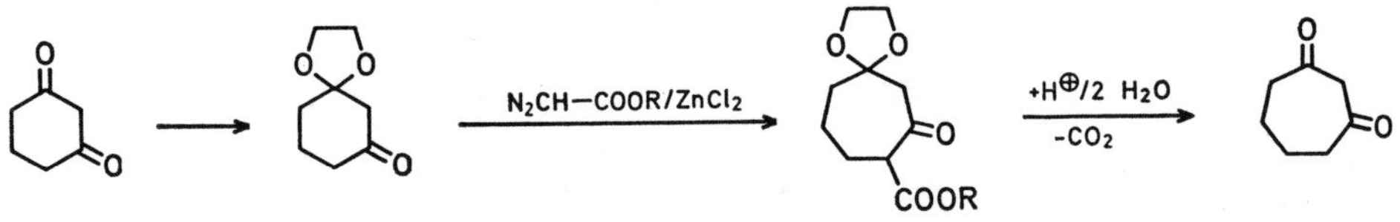

$$\cdots \quad \xrightarrow{\quad} \quad \cdots \quad \xrightarrow{N_2CH-COOR/ZnCl_2} \quad \underset{COOR}{\cdots} \quad \xrightarrow[-CO_2]{+H^{\oplus}/2\,H_2O} \quad \cdots$$

Cycloheptandion-(1,3)

Bei der Monobromierung der Ketale aus Methylketonen tritt das Brom-Atom vorwiegend in die Methyl-Gruppe ein (s. Bd. VII/2c).

δ) Ketale als Schutzgruppen bei metallorganischen Synthesen

Da Grignard-Verbindungen erst oberhalb 50° und auch dann nur sehr träge mit Ketalen reagieren (s. Bd. XIII/2a, S. 329), ist es möglich, sowohl aus Halogenketalen Grignard-Verbindungen herzustellen als auch Ketale mit reaktiven Gruppen mit Grignard-Verbindungen umzusetzen (s. Bd. XIII/2a, S. 457 ff.).

Geht man von Halogen-ketalen aus, so zeigt sich, daß im allgemeinen erst von den γ-Halogen-ketalen an normale Grignardierungen stattfinden; α- und β-Halogenketale reagieren meist anders.

Über die Umsetzungen mit 4,4-Äthylendioxy-4-phenyl-butyl-magnesiumbromid s. Lit.[4].

[1] M. STOLL, J. HULSTKAMP u. A. ROUVÉ, Helv. **31**, 543 (1948).
[2] M. SANTELLI, C. r. **261**, 3150 (1965).
    M. BERTRAND u. M. SANTELLI, C. r. **262**, 1601 (1966).
[3] B. EISTERT, F. HAUPTER u. K. SCHANK, A. **665**, 55 (1963).
[4] H. O. HOUSE u. J. W. BLAKER, J. Org. Chem. **23**, 334 (1958).

Für die Umsetzung von Ketalen, die grignardreaktive Gruppen enthalten, liegen zahlreiche Beispiele vor; genannt seien:

① die Umsetzung von 2,2-Diäthoxy-propansäure-äthylester mit z. B. Phenyl-magnesiumbromid zum *1-Hydroxy-2,2-diäthoxy-1,1-diphenyl-propan* (62% d. Th.)[1],

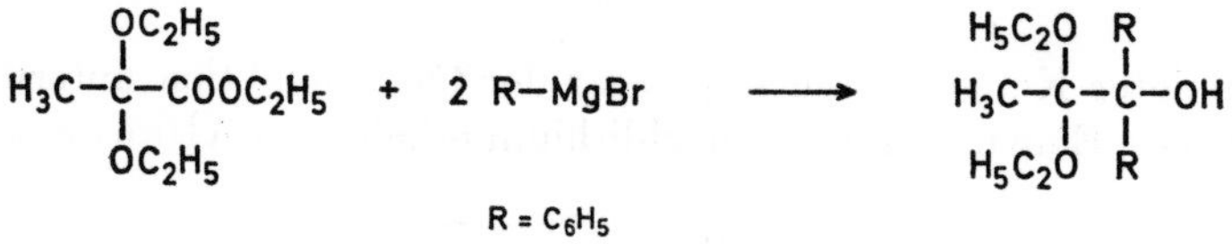

$$H_3C-\underset{\underset{OC_2H_5}{|}}{\overset{\overset{OC_2H_5}{|}}{C}}-COOC_2H_5 \;+\; 2\,R-MgBr \longrightarrow H_3C-\underset{\underset{H_5C_2O}{|}}{\overset{\overset{H_5C_2O}{|}}{C}}-\underset{\underset{R}{|}}{\overset{\overset{R}{|}}{C}}-OH$$

$$R = C_6H_5$$

② die Reaktion des 3-(2,2-Äthylendioxy-cyclopentyl)-propionitrils mit Pentyl-magnesiumbromid zum *3-Oxo-1-(2,2-äthylendioxy-cyclopentyl)-octan*[2]

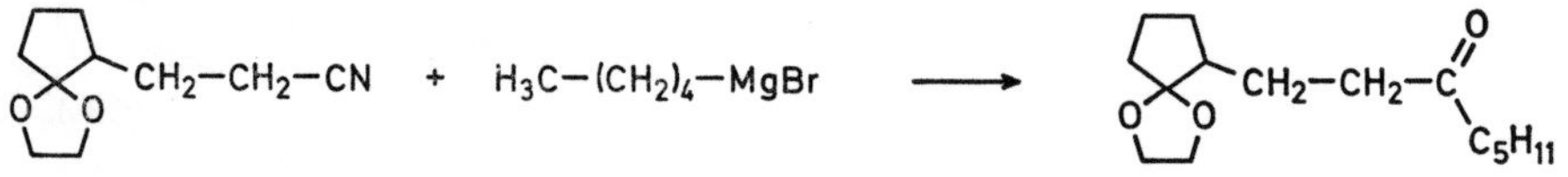

$$CH_2-CH_2-CN \;+\; H_3C-(CH_2)_4-MgBr \longrightarrow CH_2-CH_2-\overset{\overset{O}{\|}}{C}_{C_5H_{11}}$$

③ und die Umsetzung des 2,2-Äthylendioxy-4-methyl-1-acetyl-cyclohexans mit Methyl-magnesiumjodid zum *2,2-Äthylendioxy-4-methyl-1-[2-hydroxy-propyl-(2)]-cyclohexan* (90% d. Th.)[3]:

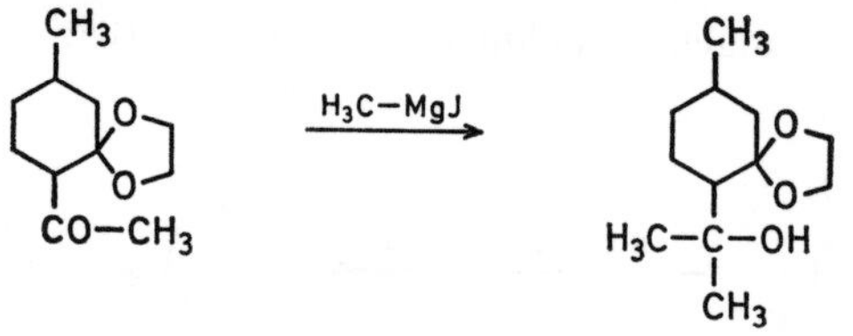

$$\xrightarrow{H_3C-MgJ}$$

Aus 2,2-Äthylendioxy-propanal (I) und Äthinyl-magnesiumbromid wird das *3-Hydroxy-4,4-äthylendioxy-pentin-(1)* (II) erhalten[4]:

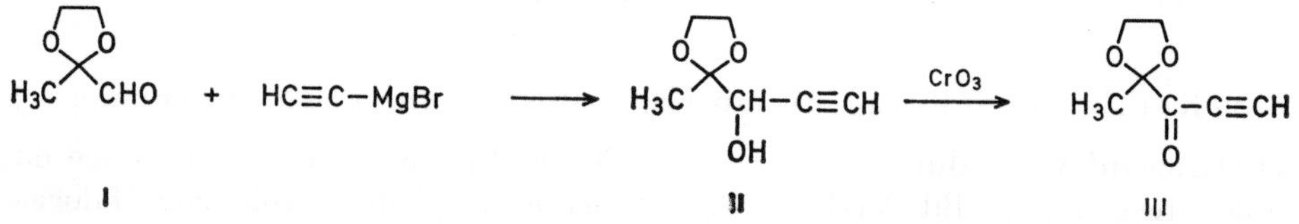

$$H_3C\overset{}{\diagdown}CHO \;+\; HC\equiv C-MgBr \longrightarrow H_3C\overset{}{\diagdown}\underset{\underset{OH}{|}}{CH}-C\equiv CH \xrightarrow{CrO_3} H_3C\overset{}{\diagdown}\underset{\underset{O}{\|}}{C}-C\equiv CH$$

I II III

Ein Beispiel aus der Steroidreihe, bei dem eine Keto-Gruppe durch Bildung eines cyclischen Ketals geschützt und dann eine Enollacton-Gruppe zunächst grignardiert und anschließend eine cyclische Aldolkondensation zum Cyclohexan-Ring durchgeführt wird, ist auf S. 1522 beschrieben.

Über die Umsetzung bzw. Spaltung von Steroidketalen mit Grignard-Reagenzien s. Lit.[5].

[1] G. L. Stevens u. A. E. Sherr, J. Org. Chem. **17**, 1228 (1952).
s. hierzu auch: G. W. Stacy et al., J. Org. Chem. **31**, 1753 (1966).
[2] M. P. L. Caton, T. Parker u. G. L. Watkins, Tetrahedron Letters **1972**, 3341.
[3] O. P. Vig et al., J. indian chem. Soc. **41**, 420 (1964).
[4] E. F. Hahn, J. Org. Chem. **38**, 2092 (1973).
[5] R. Zepter, J. pr. [4] **26**, 174 (1964).

Brom-ketale lassen sich auch mit lithium-organischen Verbindungen umsetzen: so erhält man z.B. aus 1-Brom-3,3-äthylendioxy-butan und Heptin-(1)-yl-lithium in 50%-iger Ausbeute *2-Oxo-undecin-(5)*[1]:

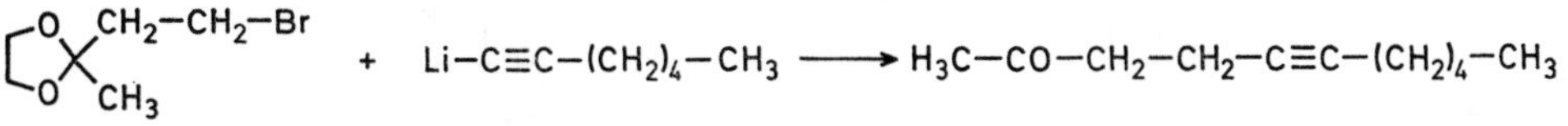

$$\text{(Ketal)}\ \underset{\text{CH}_3}{\overset{\text{CH}_2-\text{CH}_2-\text{Br}}{\diagdown}} \quad + \quad \text{Li}-\text{C}\equiv\text{C}-(\text{CH}_2)_4-\text{CH}_3 \longrightarrow \text{H}_3\text{C}-\text{CO}-\text{CH}_2-\text{CH}_2-\text{C}\equiv\text{C}-(\text{CH}_2)_4-\text{CH}_3$$

Ein interessantes Synthesematerial ist 3,3-Äthylendioxy-1-phenylsulfonyl-propan (I). In diesem ist die zur Aldehyd-Gruppe α-ständige CH_2-Gruppe desaktiviert und die β-ständige acidifiziert. Die Umsetzungen vollziehen sich mit sehr guten Ausbeuten und führen nach folgendem Reaktionsschema zu γ-Oxo-aldehyden III[2]:

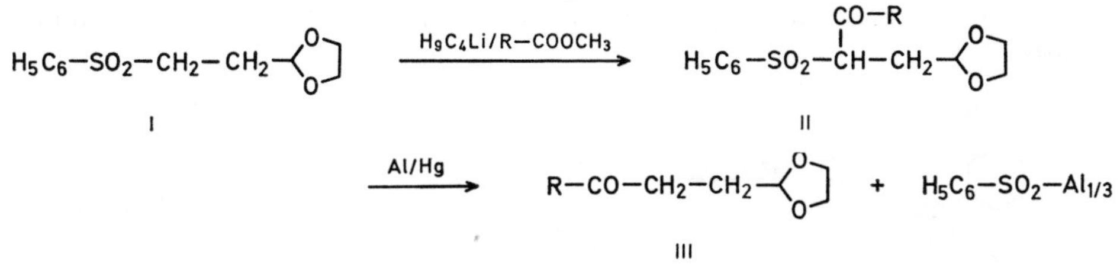

$$\text{H}_5\text{C}_6-\text{SO}_2-\text{CH}_2-\text{CH}_2-\text{(Dioxolan)} \xrightarrow{\text{H}_9\text{C}_4\text{Li}/\text{R}-\text{COOCH}_3} \text{H}_5\text{C}_6-\text{SO}_2-\underset{}{\overset{\text{CO}-\text{R}}{\text{CH}}}-\text{CH}_2-\text{(Dioxolan)}$$

I II

$$\xrightarrow{\text{Al/Hg}} \text{R}-\text{CO}-\text{CH}_2-\text{CH}_2-\text{(Dioxolan)} \quad + \quad \text{H}_5\text{C}_6-\text{SO}_2-\text{Al}_{1/3}$$

III

ε) Ketale als Schutzgruppen bei Abspaltungs-Reaktionen

Ketale mit sekundären Hydroxy-Gruppen lassen sich in der üblichen Weise mit Phosphorylchlorid, Thionylchlorid oder Phosphor(V)-oxid in Gegenwart tertiärer Basen dehydratisieren.

So wurde z.B. 11α-Hydroxy-3,3;17,17-bis-[äthylendioxy]-androsten-(5) durch 12stdg. Einwirkung von Phosphorylchlorid in Pyridin bei 20° in *3,3;17,17-Bis-[äthylendioxy]-androstadien-(5,9^{11})* überführt[3] (zur glatten Veresterung der Hydroxy-Gruppe in 11α-Stellung mit Toluolsulfonsäure-chlorid s. ebenfalls Lit.[3]):

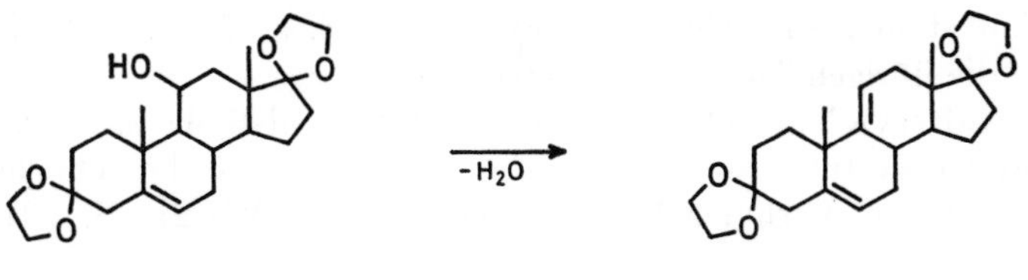

Ein weiteres Beispiel für die Dehydratisierung eines Hydroxy-ketals der Steroid-Reihe findet sich in Lit.[4].

Die Dehydrohalogenierung von α-Halogen-ketalen vollzieht sich zwar erheblich schwerer als die von α-Halogen-ketonen, doch sind die Ausbeuten an α,β-ungesättigten Ketonen besser; s. Bd. VII, 2c.

---

[1] G. STORK u. R. BORCH, Am. Soc. **86**, 935 (1964).
[2] K. KONDO u. D. TUNEMOTO, Tetrahedron Letters **1975**, 1397.
[3] S. BERNSTEIN, R. H. LENHARD u. J. H. WILLIAMS, J. Org. Chem. **19**, 46 (1954).
[4] W. S. ALLEN u. S. BERNSTEIN, Am. Soc. **77**, 1028 (1955).

Die Fragmentierung des N-Oxids I zum *3,3-Äthylendioxy-1-methylen-cyclobutan* (II) vollzieht sich bei 225° mit 61%-iger Ausbeute[1]:

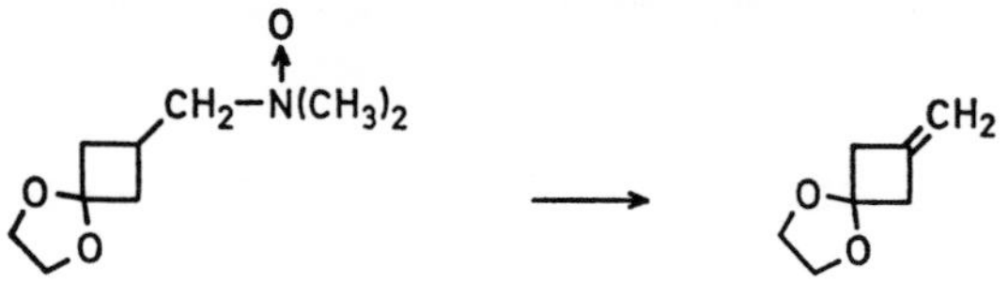

I   II

ζ) Ketale als Schutzgruppen bei Hydrolyse-Reaktionen

In manchen Fällen gelingt es nicht, Oxo-nitrile zu Oxo-carbonsäuren zu verseifen, sei es, daß dabei Cyclisierungen, Enol-lacton-Bildung oder Spaltungen eintreten.

Über das Äthylen-ketal wurde die Verseifung des 5-Methyl-2-acetyl-1-cyan-cyclohexans zur *5-Methyl-2-acetyl-cyclohexan-1-carbonsäure* ohne Schwierigkeiten durchgeführt[2]:

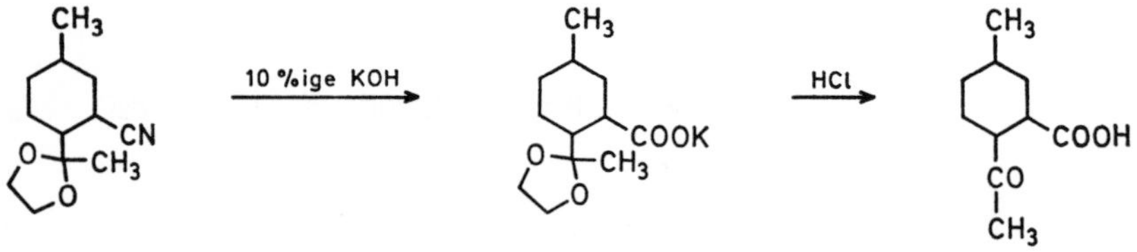

Aus dem 4,4-Äthylendioxy-octadecen-(*trans*-2)-säure-nitril wird durch sechsstündiges Erhitzen unter Rückfluß mit Kaliumhydroxid in Glykol, das geringe Mengen Wasser enthält, die *4-Oxo-octadecen-(trans-2)-säure* in 88%-iger Ausbeute erhalten[3].

2. Thioketale als Schutzgruppen

Thioketale, insbesondere solche aus Ketonen und 1,2-Dimercapto-äthan, spielen als Schutzgruppen eine gewisse Rolle[4], da sie gegen schwache Säuren beständig sind. Ihre Spaltung ist jedoch erheblich schwieriger als die der Ketale (s. Bd. VII/2a, S. 790). Besonders eingehend untersucht wurden die Spaltbedingungen für die cyclischen Thioketale aus 1,3-Dimercapto-propan (s. S. 1897). Diese Verfahren lassen sich auch auf die übrigen Thioketale übertragen.

Über die selektive Thioketal-Bildung in der Steroid-Reihe s. Lit.[5].

Von präparativem Interesse ist u. a. die Hydrogenolyse der Thioketale mittels Raney-Nickel zu den Methylen-Verbindungen (s. Bd. VII/2a, S. 794 u. ds. Bd. S. 1403).

Für Synthesen spielen jedoch die cyclischen Mercaptale aus Aldehyden und 1,3-Dimercapto-propan (I) eine größere Rolle, da sich in diesen das Wasserstoffatom aus der Aldehyd-Gruppe mittels Butyl-lithium gegen Lithium austauschen läßt (II).

[1] F. F. Caserio jr. u. J. D. Roberts, Am. Soc. **80**, 5837 (1958).
[2] O. P. Vig et al., Indian J. Chem. **6**, 431 (1968).
[3] K. Sisido et al., J. Org. Chem. **34**, 3542 (1969).
[4] s. J. F. W. McOmie, Adv. Org. Chem. **3**, 266 (1963).
   H. J. E. Loewenthal in: J. F. W. McOmie, *Protective Groups in Organic Chemistry*, Plenum Press, London · New York 1973.
[5] J. R. Williams u. G. M. Sarkisian, Synthesis **1974**, 32.

Mit diesen 2-Lithium-1,3-dithianen lassen sich die üblichen metallorganischen Synthesen durchführen, wodurch man aus Aldehyden höhere Ketone der vielfältigsten Art aufbauen kann[1-4].

Durch Einwirkung von Alkylhalogeniden auf Verbindungen vom Typ II entstehen Thioketale III, deren Spaltung zu höheren Ketonen führt[1-3] (s. a. Bd. XIII/1, S. 210 u. 474):

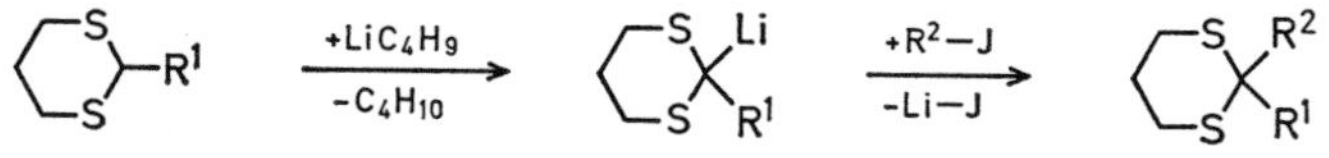

$$\text{I} \xrightarrow[-C_4H_{10}]{+LiC_4H_9} \text{II} \xrightarrow[-Li-J]{+R^2-J} \text{III}$$

So läßt sich z.B. das Bis-dithian des Succindialdehyds IV durch 2malige alternierende Alkylierung in das *2,5-Dioxo-hexan* (V) überführen[4]:

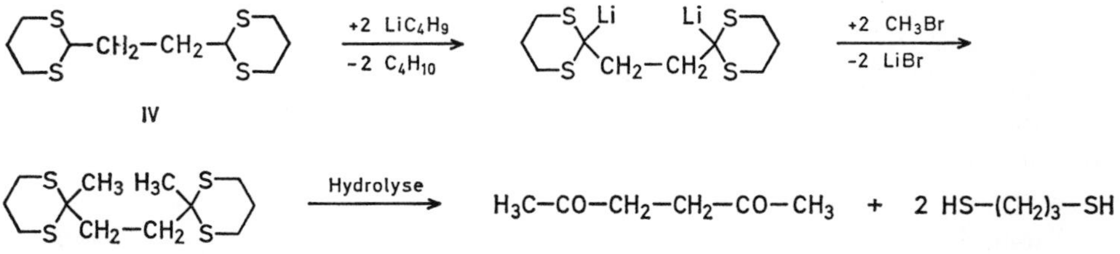

$$\text{IV} \xrightarrow[-2\ C_4H_{10}]{+2\ LiC_4H_9} \xrightarrow[-2\ LiBr]{+2\ CH_3Br}$$

$$\xrightarrow{\text{Hydrolyse}} H_3C-CO-CH_2-CH_2-CO-CH_3 \ + \ 2\ HS-(CH_2)_3-SH$$

V

Auf diese Weise können auch unsymmetrische Diketone hergestellt werden; z. B.[3,5]:

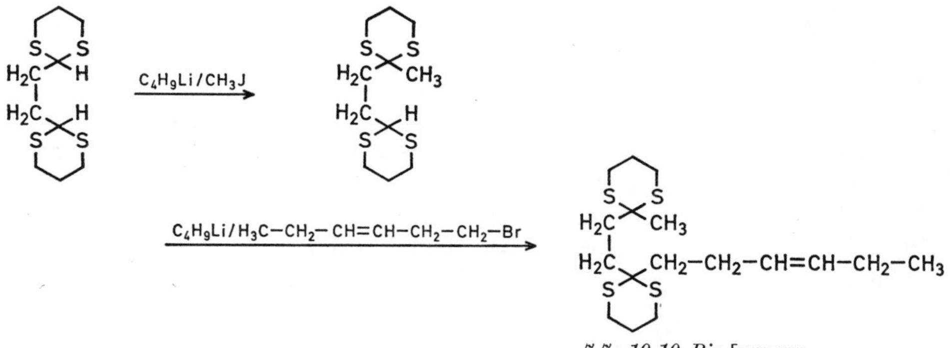

$$\xrightarrow{C_4H_9Li/CH_3J}$$

$$\xrightarrow{C_4H_9Li/H_3C-CH_2-CH=CH-CH_2-CH_2-Br}$$

7,7; 10,10-Bis-[propan-1,3-dimercapto]-undecen-(3)

Entsprechend lassen sich höhere α-Keto-carbonsäureester aus Glyoxylsäureester herstellen[6] (wobei das Thioketal oxidativ gespalten wird):

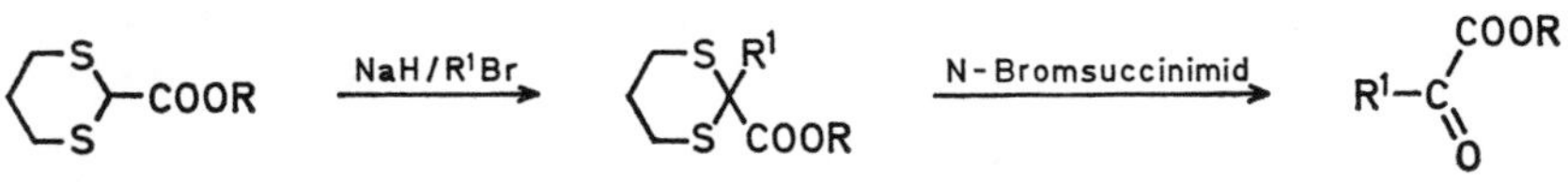

$$\xrightarrow{NaH/R^1Br} \xrightarrow{N-Bromsuccinimid} R^1-C \overset{COOR}{\underset{O}{\lessgtr}}$$

[1] D. Seebach, D. Steinmüller u. F. Demuth, Ang. Ch. **80**, 617 (1968).
[2] s. ds. Handb. Bd. XIII/1, S. 210ff.
[3] R. A. Ellison, Synthesis **1973**, 403.
[4] D. Seebach, Synthesis **1969**, 17.
[5] W. B. Sudweeks u. H. S. Broadbent, J. Org. Chem. **40**, 1131 (1975).
[6] E. L. Eliel u. A. A. Hartmann, J. Org. Chem. **37**, 505 (1972).

Die 2-Lithium-1,3-dithiane reagieren auch leicht und in vorzüglichen Ausbeuten mit Benzaldehyd, Cyclohexanon und sogar mit Benzophenon zu den entsprechenden Carbinolen[1]. Um Nebenreaktionen zu unterdrücken, muß man bei ∼–70° in Tetrahydrofuran arbeiten; z. B.:

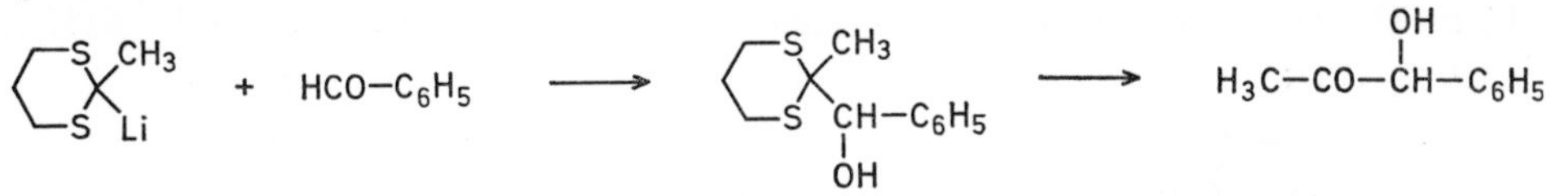

2-Methyl-2-(α-hydroxy-
benzyl)-1,3-dithian

1-Hydroxy-2-oxo-1-
phenyl-propan

Mit Kohlendioxid werden die 1,3-Dithiane von α-Keto-carbonsäuren und mit Dimethylformamid (bei –5°) die der α-Keto-aldehyde erhalten[1].

1,3-Dithiane; allgemeine Herstellungsvorschrift[2]: Die Herstellung der 1,3-Dithiane erfolgt zweckmäßig durch 3stdgs. Einleiten von Chlorwasserstoff in eine Chloroform-Lösung von 1 Mol Keton und 1 Mol 1,3-Dimercapto-propan, wobei Erwärmung eintritt und sich eine konz. Salzsäure-Lösung abscheidet. Nach dem Eingießen in Wasser wird das Kondensationsprodukt in Äther aufgenommen und i. Vak. destilliert.

Die Herstellung von *2-Lithium-1,3-dithianen* aus 1,3-Dithianen und Butyl-lithium in Tetrahydrofuran bei –30° ist in Bd. XIII/1, S. 110, beschrieben.

Der Grundkörper, das 1,3-Dithian, läßt sich zweimal alternierend metallieren und alkylieren. Die Umsetzung mit 3-Chlor-1-brom-propan führt zum *Cyclobutanon*[3]:

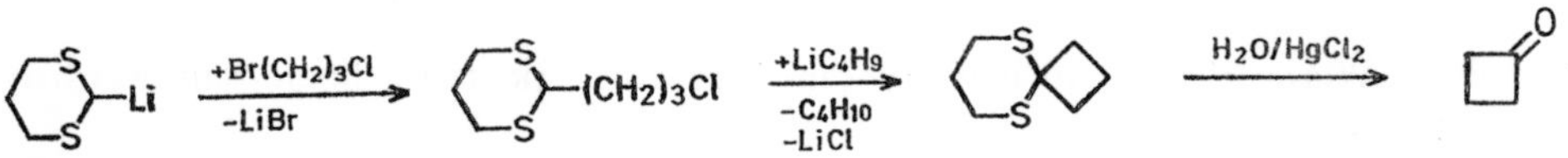

1,3-Dithian[4] (F: 54°) selbst wird erhalten durch Erhitzen von 1,3-Dimercapto-propan mit Formaldehyd-dimethylacetal in Chloroform unter Zusatz von Borfluorid-Diäthylätherat und Essigsäure.

Auch die aus Aldehyden und Schwefelwasserstoff leicht zugänglichen cyclischen 1,3,5-Trithiane lassen sich in analoger Weise metallieren und mit Elektrophilen kondensieren. In das unsubstituierte 1,3,5-Trithian läßt sich nur ein Lithium-Atom einführen. Dagegen gelingt es, die 2,4,6-Trialkyl-1,3,5-trithiane 3fach zu metallieren, z. T. bereits mit Kaliumamid. Ein interessantes Beispiel hierfür bietet das 1,3,5-Trithian I, hergestellt aus 3-Chlor-propanal, das mit Kaliumamid in flüssigem Ammoniak intramolekular zum 1,3,5-Trithian II des Cyclopropanons cyclisiert wird[5]:

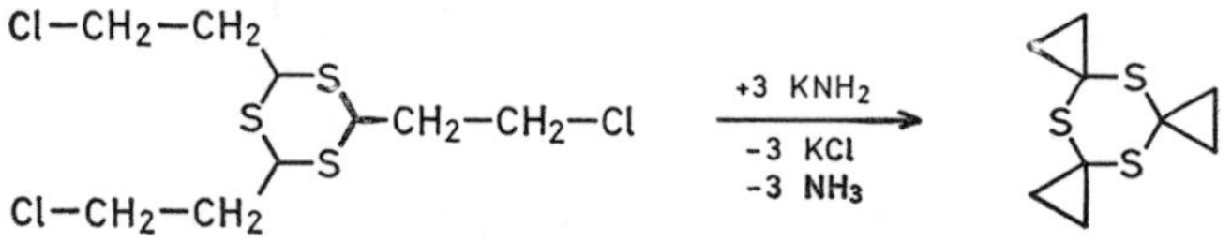

I

II

4,8,12-Trithia-cyclo-trispiro
[2.1.2.1.2.1]dodecan

---

[1] Übersicht mit Herstellungsvorschriften: D. Seebach u. E. I. Corey, J. Org. Chem. **40**, 231 (1975).

[2] R. M. Roberts u. C. C. Cheng, J. Org. Chem. **23**, 983 (1958); hier wird die Herstellung von Thioketalen aus 1,2-Dimercapto-propan beschrieben. Die Thioketale aus 1,3-Dimercapto-propan werden nach D. Seebach auf die gleiche Weise erhalten.

[3] D. Seebach u. A. K. Beck, Org. Synth. **51**, 76 (1971).

[4] E. J. Corey u. D. Seebach, Org. Synth. **50**, 72 (1970).

[5] C. C. Price u. J. S. Vittemberga, J. Org. Chem. **27**, 3736 (1962).
    D. Seebach, Synthesis **1969**, 32.

Spaltung der Thioketale[1]:

Die Regenerierung von Ketonen aus Thioketalen ist erheblich schwieriger als die aus Ketalen, so daß es bei gleichzeitigem Vorliegen von Ketal- und Thioketal-Gruppen gelingt, nur die Ketal-Gruppen durch saure Hydrolyse zu spalten. Die saure oder alkalisch durchgeführte hydrolytische Spaltung der Thioketale, besonders der cyclischen, erfordert schärfere Reaktionsbedingungen, wodurch auch andere empfindliche Gruppierungen in Mitleidenschaft gezogen werden können.

Vergleichende Untersuchungen[2] über die verschiedenen Spaltverfahren der 1,3-Dithiane ergab, daß die oxidative Spaltung mit freien Halogenen schlechtere Ausbeuten liefert als mit Halogenamin-Derivaten, wie N-Brom-succinimid in Acetonitril oder Aceton zwischen –5 bis +30° oder mit N-Chlor-succinimid und Silbernitrat.

Die besten Ergebnisse werden erzielt durch Hydrolyse in Gegenwart von Quecksilber(II)-chlorid, das mit Cadmiumcarbonat oder Quecksilber(II)-oxid abgepuffert ist.

Auf diese Weise gelingt es, die Spaltungen im völlig neutralen Bereich durchzuführen. Dadurch ist es u. a. auch möglich, gleichzeitig anwesende Ketal-Gruppen intakt zu lassen. Die Spaltung der 1,3-Dithiane kann in siedendem Methanol vorgenommen werden[3].

In Org. Synth. **51**, 76 wird die Spaltung des cyclischen Thioketals aus 1,3-Dimercapto-propan und Cyclobutanon durch Erhitzen mit 2 Mol Quecksilber(II)-chlorid und 1 Mol Cadmiumcarbonat in wasserhaltigem Triäthylenglykol mit 60%-iger Ausbeute beschrieben.

Zur Spaltung von cyclischen Thioketalen wird auch empfohlen, diese in Benzol mit zwei Mol Methyl-fluorsulfonat zu den sich leicht bildenden und ölig abscheidenden Sulfoniumsalzen umzusetzen, die dann bei 20° mit 2 n Natronlauge aufgespalten werden können[4]:

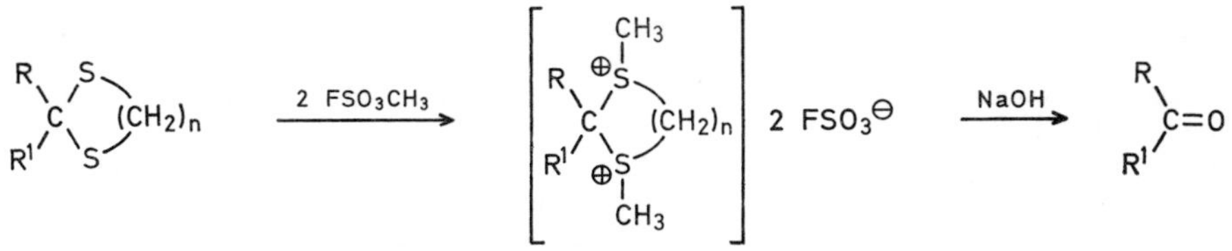

Dieses Verfahren ist anscheinend der analogen Spaltung mit zwei Mol Triäthyl-oxonium-tetrafluoroborat vorzuziehen[5].

3. Oxime und Hydrazone als Schutzgruppen

Ketone werden sehr selten durch Kondensation mit Hydroxylamin oder Semicarbazid geschützt[6,7], da die Oxime bzw. Semicarbazone nur schwer und in schlechten Ausbeuten rückspaltbar sind (s. Bd. VII/2a, S. 799ff.). Man benutzt sie

---

[1] vgl. ds. Handb., Bd. VII/2a, S. 794.

[2] E. J. COREY u. B. W. ERICKSON, J. Org. Chem. **36**, 3553 (1971).

[3] Ausführliche Beschreibung: D. SEEBACH, Synthesis **1969**, 33.

[4] T. LOK u. C. M. WONG, Synthesis **1972**, 561.

[5] T. OISHI et al., Tetrahedron Letters **1972**, 1085 u. **1974**, 11.

[6] z. B. S. G. BROOKS et al., Soc. **1958**, 4614.

[7] J. F. W. McOMIE, Adv. Org. Chem. **3**, 261 (1963).

im allgemeinen nur dann als Schutzgruppen, wenn sie direkt entstehen, z.B. durch Nitrosieren von Ketonen, Reduktion aliphatischer Nitro-Gruppen u. ä. Oxime und Semicarbazone sind in den meisten Fällen gegen Lithiummalanat beständig.

Die zur Isolierung von Ketonen besonders geeigneten 2,4-Dinitro-phenylhydrazone lassen sich dagegen – wie man in jüngster Zeit gefunden hat – mit Titan(III)-chlorid reduktiv in sehr guten Ausbeuten spalten (s. S. 2017).

4. Schiff'sche Basen und Enamine als Schutzgruppen

Die synthetische Bedeutung der Ketimine, vorzugsweise der aus Ketonen und Cyclohexylamin, ist vor allem durch die leichte Metallierbarkeit der α-ständigen CH_2-Gruppe bedingt, wodurch eine Reihe von metallorganischen Synthesen möglich ist (s. S. 1405). Es sei hier z.B. auf die sog. „umgekehrte" Aldolsynthese hingewiesen (s. S. 1455 u. Bd. XIII/1, S. 247 ff.).

Die Herstellung von Lithium-ketiminen und deren Umsetzungen mit Alkylhalogeniden verlaufen in Gegenwart von Phosphorsäure-tris-[dimethylamid] (HMPT) besonders günstig[1]:

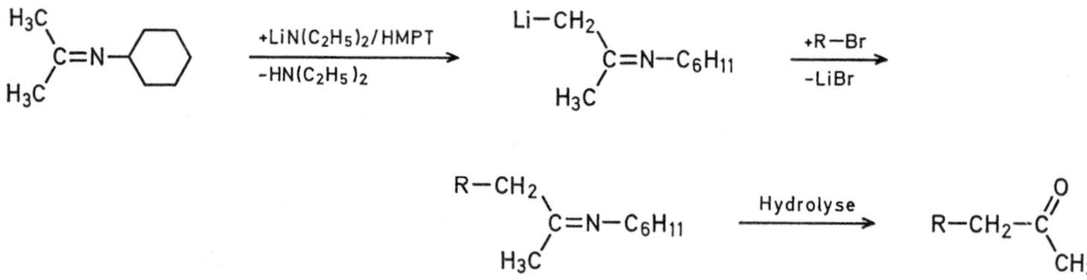

Ketone durch Alkylierung entsprechender Lithium-ketimine[1]:

Lithiumdiäthylamid in Phosphorsäure-tris-[dimethylamid]: Zu 20 ml HMPT, 20 ml Benzol und 110 mMol Diäthylamin werden unter Argon 110 mMol Lithium-Pulver bei 25° eingerührt. Nach 2–4 Stdn. ist eine dunkelrote Lösung entstanden. Diese enthält 100 mMol Lithium-diäthylamid.

Lithium-ketimin: Zu 55 mMol obigen Lithium-diäthylamids in 15 ml THF tropft man bei –40° unter Argon innerhalb von 15 Min. eine Lösung von 50 mMol Ketimin in 100 ml THF. Innerhalb von 1,5 Stdn. läßt man die Temp. auf –10° ansteigen, wobei die dunkelrote Lösungsfarbe nach dunkelviolett umgeschlagen ist.

Alkylierung: 50 mMol des Lithium-imins werden bei –30° mit 55 mMol eines Alkylbromids versetzt und 5 Stdn. gerührt. Dann zersetzt man bei 0° mit kalter 3 n Salzsäure und erwärmt das Gemisch innerhalb 5 Stdn. auf 45°.

Nach der üblichen Aufarbeitung wird direkt das alkylierte Keton erhalten.

Auf diese Weise wurden u. a. mit 1-Lithium-2-cyclohexylimino-propan (Lithium-aceton-cyclohexylimin) folgende Ketone erhalten[1]:

R-Hal	Keton		Ausbeute [% d.Th.]
$(CH_3)_2CH–Br$	$(CH_3)_2CH–CH_2–CO–CH_3$	*4-Oxo-2-methyl-pentan*	73
$(CH_3)_2CH–(CH_2)_2–Br$	$(CH_3)_2CH–(CH_2)_3–CO–CH_3$	*6-Oxo-2-methyl-heptan*	75
$Cl–(CH_2)_4–Br$ (bei –60°)	$Cl–(CH_2)_5–CO–CH_3$	*1-Chlor-6-oxo-heptan*	88
$H_2C=CH–CH_2–Br$	$H_2C=CH–(CH_2)_2–CO–CH_3$	*5-Oxo-hexen-(1)*	50

[1] T. CUVIGNY, M. LARCHEVÉQUE u. H. NORMANT, A. **1975**, 719.

Alkyliert man mit 2-Chlor-3-jod-propen, so eröffnet sich über die 1,4-Diketone ein Weg zu den wichtigen 3-Oxo-cyclopentenen[1]:

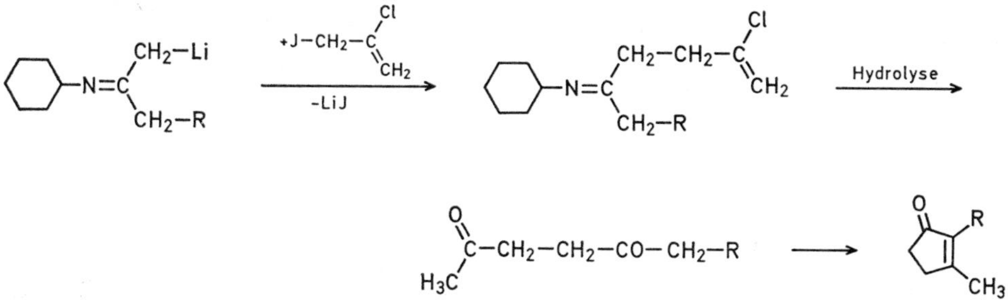

Einige Ketimine des Cyclohexylamins lassen sich auch di-lithiieren; z. B.:

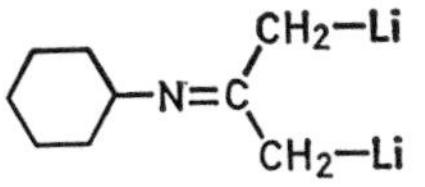

wodurch beidseitig alkylierte Ketone zugänglich sind.

Schiff'sche Basen aus Aldehyden oder Ketonen und Cyclohexylamin setzen sich ähnlich auch mit Grignard-Verbindungen um unter Bildung eines Magnesium-Komplexes, der mit Alkylhalogeniden reagiert, wobei auch hier die Alkyl-Gruppe an das wasserstoffreichste C-Atom tritt[2]; z. B.:

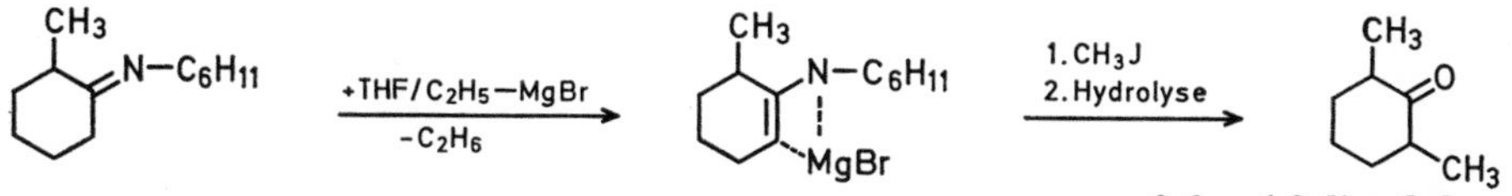

2-Oxo-1,3-dimethyl-cyclohexan; 83% d. Th.

Analog entsteht aus Cyclohexanon-cyclohexylimin und 2-Methyl-2-(2-brom-äthyl)-1,3-dioxolan und anschließender Cyclisierung das *7-Oxo-1,2,3,4,4a,5,6,7-octahydro-naphthalin* (66% d. Th.)[2]:

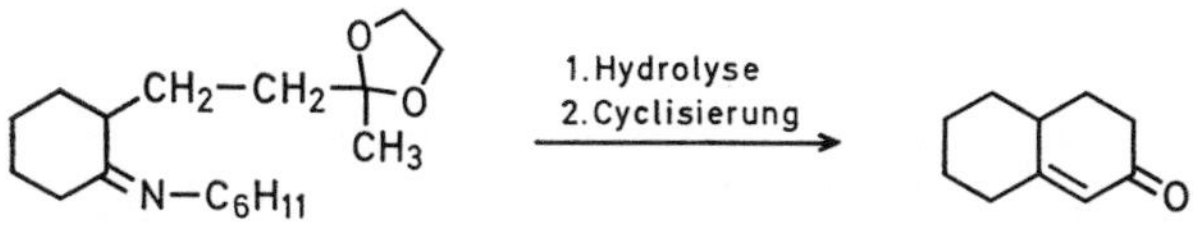

Der Wert der Ketimine aus sek. Aminen, vorzugsweise aus Pyrrolidin oder Morpholin, der sog. Enamine[3-7], liegt vor allem in der meist eindeutigen Fixierung einer hochreaktiven Doppelbindung, was im Endeffekt auf die Einführung von

[1] T. CUVIGNY, M. LARCHEVÊQUE u. H. NORMANT, A. **1975**, 719.
[2] G. STORK u. S. R. DOWD, Am. Soc. **85**, 2178 (1963).
[3] J. SZMUSKOVICZ, *Enamines*, Adv. Org. Chem. **4**, 22 ff. (1963).
[4] A. G. COOK, *Enamines, Synthesis, Structure and Reactions*, M. Dekker, New York 1969.
[5] H. J. E. LOEWENTHAL in J. F. W. MCOMIE, *Protective Groups in Organic Chemistry*, S. 349 ff., Plenum Press, London · New York 1973.
[6] Schutzgruppen in der Steroid-Reihe: s. C. DJERASSI, *Steroid Reactions*, S. 1, Holden-Day Inc., San Francisco 1963.
[7] *The Acylation of Enamines* in: H. O. HOUSE, *Modern Synthetic Reactions*, 2. Aufl., S. 766 ff. W. A. Benjamin Inc., Menlo Park 1972.

Alkyl-, Acyl-[1], Cyan-Gruppen und Michaeladditionen am α-ständigen C-Atom eines Ketons hinausläuft. Da diese Umsetzungen meist glatter als die mit den Alkalimetall-enolaten verlaufen, zählen sie zu den wichtigsten Verfahren zum Aufbau höherer Ketone. Sie finden sich in zahlreichen Abschnitten der Bde. VII/2a–c.

b) Schutz bzw. Aktivierung einer α-Methylen-Gruppe

1. durch Einführung einer Hydroxymethylen-Gruppe (Formyl-Gruppe) oder verwandter Gruppen (Mono- und Dicarbanionen)

Von besonderer Bedeutung als Schutz- bzw. dirigierende Gruppe ist die sog. Hydroxymethylen-Gruppierung, die sich nach Claisen mit Ameisensäureestern leicht in die reaktionsfähigste Stelle eines Ketons einführen und sich nach erfolgter Umsetzung durch Erwärmen mit verdünnter Natronlauge als Natriumformiat wieder abspalten läßt; z.B.:

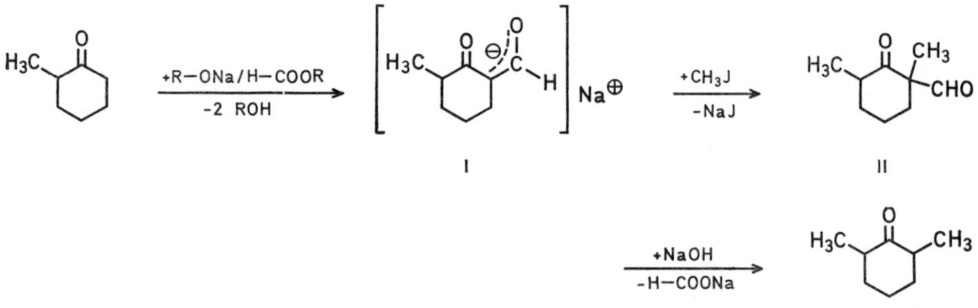

2-Oxo-1,3-dimethyl-cyclo-
hexan; III

Die Hydroxymethylen-Gruppe spielt eine wichtige Doppelrolle, da sie die aktivste α-CH$_2$-Gruppe je nach den Versuchsbedingungen entweder völlig blockieren oder aber auch aktivieren kann.

In den Natrium-hydroxymethylen-ketonen, wie sie bei der Herstellung anfallen, liegt das Anion eines β-Keto-aldehyds vor, das mit Alkylhalogeniden leicht alkylierbar ist (zu II) oder Michaeladditionen eingehen kann (s. S. 1665).

Wenngleich auf diese Weise das gleiche Alkyl-keton wie durch die übliche Direkt-Alkylierung entsteht, so führt der Weg über die Hydroxymethylen-Stufe zu höheren Ausbeuten an Monoalkyl-Derivaten und vermeidet Nebenreaktionen, wie Dialkylierungen oder Aldolkondensationen, was besonders bei wertvollen Ausgangsmaterialien von Bedeutung sein kann. Vergleiche dazu die Monomethylierung (hier mit der Variante Oxalsäure-diester) von Steroidketonen[2]; z.B.:

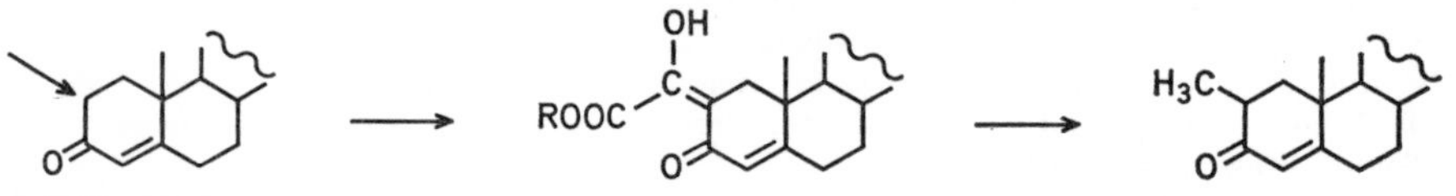

---

[1] *The Acylation of Enamines* in H. O. House, *Modern Synthetic Reactions*, 2. Aufl., S. 766 ff., W. A. Benjamin Inc., Menlo Park 1972.
[2] Y. Mazur u. F. Sondheimer, Am. Soc. **80**, 5220 (1958).

Läßt man auf das Anion der Hydroxymethylen-ketone sehr starke Basen im Überschuß einwirken, wie z. B. Kaliumamid in flüssigem Ammoniak oder Kalium-tert.-butanolat, so wird ein weiteres Proton abgelöst, und es entstehen Bis-carbanionen. Da das zweite Anion erheblich energiereicher als das erste ist, reagiert es sehr schnell mit Alkyl-halogeniden[1]. Infolgedessen wirkt die Hydroxymethylen-Gruppierung nun praktisch wie eine Schutzgruppe.

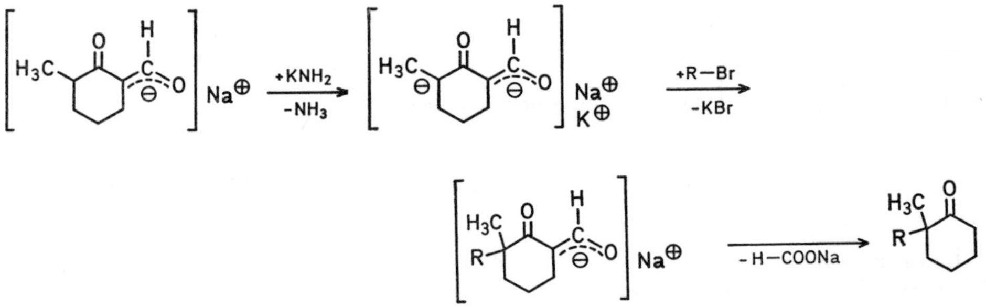

Auf diese Weise ist eine Reihe von 2-Oxo-1-methyl-1-alkyl-cyclohexanen mit ~55%-igen Ausbeuten zugänglich.

Die Herstellung von *2-Oxo-1-methyl-1-butyl-cyclohexan* ist in Org. Synth. **48**, 40 (1968) beschrieben.

Im einfachsten Fall, dem Aceto-acetaldehyd

$$H_3C-CO-CH_2-CHO \rightleftharpoons H_3C-CO-CH=CH-OH$$

führt die analoge Umsetzung des Di-anions in flüssigem Ammoniak mit Alkylhalogeniden zu höheren Acyl-acetaldehyden[2]:

$$H_3C-CO-CH_2-CHO \xrightarrow{R-X} R-CH_2-CO-CH_2-CHO$$

Völlig analog reagieren auch die Dianionen aus 1,3-Diketonen[3] (s. Bd. XII/1, S. 450 und ds. Bd., S. 1428), wonach man z. B. im 2,4-Dioxo-pentan eine Alkyl-Gruppe in 1-Stellung einführen kann.

Dieses Verfahren ist vor allem in der Steroid-Reihe von Bedeutung, da auf diese Weise Alkyl-Gruppen in die angulären Stellungen eingeführt werden können[1]; Modell:

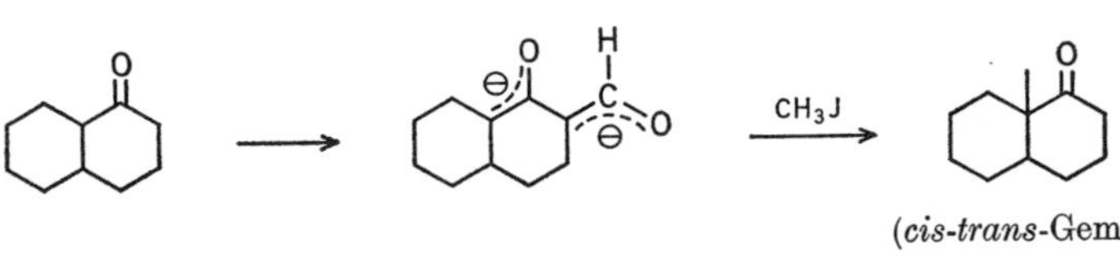

(*cis-trans*-Gemisch ~1:1)

---

[1] S. BOATMAN, T. M. HARRIS u. C. R. HAUSER, Am. Soc. **87**, 82 (1965).

[2] T. M. HARRIS, S. BOATMAN u. C. R. HAUSER, Am. Soc. **85**, 3273 (1963).

[3] T. M. HARRIS u. C. M. HARRIS, *γ-Alkylation and γ-Arylation of Dianions of β-Dicarbonylcompounds*, Org. Reactions **17**, 155 (1969).

Bei der Alkylierung des 2,5-Dioxo-pentan-Dianions wurde beobachtet, daß das Dikaliumsalz gegenüber dem Dinatriumsalz mit ∼20% auch ein 1,5-Dialkyl-Derivat liefert. Dagegen entstehen aus dem schwerer reagierenden „covalenten" Dilithiumenolat keine Dialkyl-Derivate[1].

Ergänzend sei vermerkt, daß sich durch Alkylierung des 1,3-Dioxo-1-phenyl-butan-Di-natriumsalzes mit längerkettigen ω,ω'-Dihalogen-alkanen Tetraketone herstellen lassen[2]; z.B.:

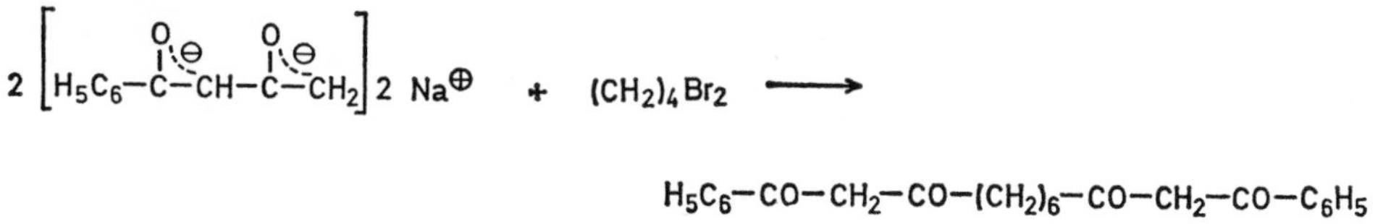

$$2 \left[H_5C_6-\overset{\overset{O}{\|}}{C}-\overset{\ominus}{C}H-\overset{\overset{O}{\|}}{C}-\overset{\ominus}{C}H_2 \right] 2\ Na^{\oplus} \quad + \quad (CH_2)_4 Br_2 \longrightarrow$$

$$H_5C_6-CO-CH_2-CO-(CH_2)_6-CO-CH_2-CO-C_6H_5$$

1,3,10,12-Tetraoxo-1,12-diphenyl-dodecan[2]: Zu einer Suspension von 0,2 Mol Natriumamid [hergestellt in Anwesenheit katalytischer Mengen Eisen(III)-nitrat in ∼ 600 ml fl. Ammoniak] werden 16,2 g (0,1 Mol) Benzoylaceton (1,3-Dioxo-1-phenyl-butan) eingerührt und nach 30 Min. eine Lösung von 10,8 g (0,05 Mol) 1,4-Dibrom-butan in 20 ml Äther innerhalb 10 Min. zugetropft. Nach 1 Stde. wird dann mit 250 ml Äther verdünnt, das Ammoniak abgedampft und der Rückstand mit ∼ 70 ml konz. Salzsäure und 100 g Eis zersetzt, wobei sich bereits ein Teil des Reaktionsproduktes kristallin abscheidet. Dieses wird abfiltriert. Nach der Schichtentrennung extrahiert man die wäßr. Phase 3mal mit Äther. Durch Eindampfen der vereinigten Äther-Lösungen resultieren nach Umkristallisieren aus Benzol/Methanol 16,8 g (89% d.Th.); F: 108–109°.

Eine O-Alkylierung von Hydroxymethylen-Verbindungen findet statt, wenn man die freien Hydroxymethylen-Verbindungen nach Claisen mit dem Alkylhalogenid und Kaliumcarbonat in Aceton umsetzt[3], wobei die besten Ausbeuten mit Isopropyljodid[4] erzielt werden; z.B.:

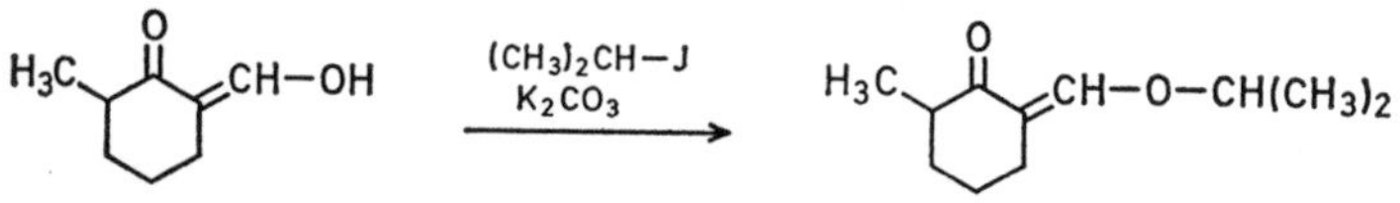

In diesen Hydroxymethylen-äthern ist die ursprünglich reaktivste CH_2-Gruppe ebenfalls völlig inaktiviert, so daß es wie mit den Bis-carbanionen gelingt, Kondensationen an der weniger reaktiven CH-Gruppe durchzuführen; z.B. (s. a. Formelschema S. 1401):

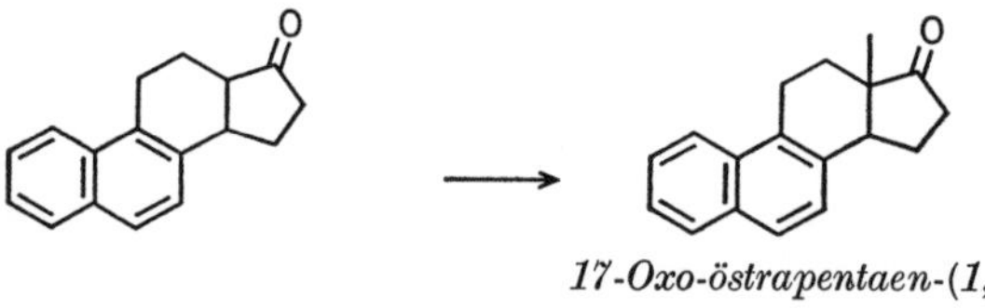

17-Oxo-östrapentaen-(1,3,5^{10},6,8)

[1] K. G. Hampton, T. M. Harris u. C. R. Hauser, J. Org. Chem. **28**, 1946 (1963); **30**, 61 (1965).

[2] K. G. Hampton, R. J. Light u. C. R. Hauser, J. Org. Chem. **30**, 1413 (1965).

[3] K. v. Auwers, B. **71**, 2082 (1938).

[4] W. S. Johnson u. H. Posvic, Am. Soc. **69**, 1361 (1947).

Allerdings sind die hydrolyseempfindlichen Äther schwerer enolisierbar als die Hydroxymethylen-Verbindungen (β-Keto-aldehyde) und sie erfordern daher starke Basen, wie Kalium-tert.-butanolat in tert.-Butanol bei 20° oder Kaliumamid in flüssigem Ammoniak, z. B. zur Umsetzung mit Methyljodid.

Die Hydrolyse und Spaltung der Hydroxymethylen-äther wird ebenfalls durch Erhitzen mit Natronlauge durchgeführt.

Die Butylmercapto-methylen-Gruppierung[1] hat als Blocker nur eine geringe Bedeutung. Sie läßt sich zwar leicht herstellen – durch azeotrope Entwässerung des Reaktionsgemisches aus Butylmercaptan und einem Hydroxymethylen-keton in Benzol unter Zusatz geringer Mengen Toluolsulfonsäure –, doch bedarf es zur Einführung einer Methyl-Gruppe anscheinend sehr starker Basen (überschüssiges Kalium-tert.-butanolat):

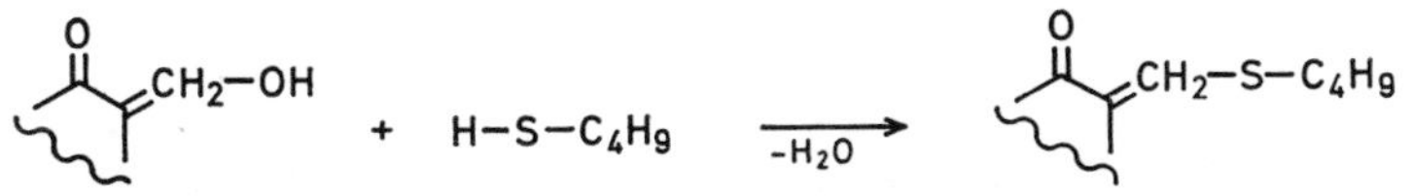

Außerdem erfolgt die Spaltung erst durch ∼15stdgs. Erhitzen mit 25%-iger Kalilauge in Glykol, was bei empfindlichen Ketonen die Ausbeuten erheblich mindern dürfte.

Über die Verwendung der Alkylmercapto-methylen-ketone zu Synthesen s. S. 1402.

Die freien Hydroxymethylen-Gruppen lassen sich auch durch Erhitzen mit N-Methyl-anilin in Toluol leicht in Enamine überführen, die sich in bezug auf Alkylierungen den Hydroxymethylen-äthern völlig analog verhalten. Diese Variante hat sich jedoch nicht eingeführt, da die alkylierten Enamine erst durch Erhitzen mit 10%-iger Salzsäure hydrolysiert und anschließend mit Natronlauge deformyliert werden müssen[2].

Weiterhin kann die reaktivste Methylen-Gruppe durch Umsetzung mit Benzaldehyd zur Benzyliden-Verbindung blockiert werden. Diesem Verfahren kommt aber ebenfalls keine praktische Bedeutung zu, da die Benzyliden-Verbindungen nur auf Umwegen wieder spaltbar sind (s. S. 1401).

2. Schutz oder Aktivierung einer α-Methylen-Gruppe durch Bildung von Lithium-enolaten[3,4] und deren Umwandlungen

Die aus unsymmetrischen aliphatischen Ketonen mit Kalium-, Natrium- oder Lithium-alkanolaten bzw. mit den Alkalimetall-hydriden oder -amiden in flüssigem Ammoniak hergestellten Enolate (s. Bd. XIII/1) liegen etwa in dem gleichen Isomeren-Verhältnis vor wie die unter den Herstellungs-Bedingungen bestehenden Enol-Gleichgewichte. Normalerweise ist das Gleichgewicht weitgehend zu dem α-ständigen Kohlenstoffatom hin verschoben, das die geringste Anzahl Wasserstoffatome aufweist. Zur Herstellung dieses Enolatanionen-Paares empfiehlt es sich daher, die starke Base langsam zum Keton zuzugeben und in einem ionisierend wirkenden Lösungsmittel zu arbeiten. Diese „normalen" Enolate werden neuerdings als „equilibrium controlled enolates" bezeichnet.

---

[1] R. E. IRELAND u. J. A. MARSHALL, J. Org. Chem. **27**, 1615 (1962).

[2] A. J. BIRCH u. R. ROBINSON, Soc. **1944**, 501.

A. J. BIRCH, R. JAEGER u. R. ROBINSON, Soc. **1945**, 582.

[3] Herstellung und Umwandlung von Enolen werden in Bd. VI/1b beschrieben.

[4] H. O. HOUSE, *Modern Synthetic Reactions*, 2. Ed., S. 492ff., W. A. Benjamin, Inc., Menlo Park, California 1972.

Im Gegensatz zu diesen besitzen die unter „kinetic controlled conditions" hergestellten Lithiumenolate andere Strukturen[1-3]. Diese werden erhalten, indem man das Keton langsam in eine Lösung von Lithium-diisopropylamid in einem aprotischen Lösungsmittel bei –30 bis –78° einrührt (Alkyl-lithium-Verbindungen führen zu Carbinolen, s. Bd. XIII/1, S. 175).

Lithium-diisopropylamid entsteht quantitativ aus Butyl-lithium in einer Hexan/Toluol-Lösung, die man bei 0° mit der äquivalenten Menge Diisopropylamin versetzt.

Bei diesen niederen Temperaturen werden Gleichgewichts-Einstellungen und Nebenreaktionen, wie Isomerisierungen, Metallübertragungen und Aldolkondensationen zurückgedrängt; es reagiert vorwiegend die acideste, d. h. wasserstoffreichste α-Methylen- bzw. -Methyl-Gruppe. So werden aus α-Methyl-ketonen weitgehend die sehr reaktionsfähigen Vinyl-enolate erhalten, mit denen die bekannten Carbanionreaktionen auch bei –78° durchgeführt werden können; z. B.:

$$H_3C-(CH_2)_3-CO-CH_3 \xrightarrow{\text{Li}-N(C_3H_7)_2,\ -78°} H_3C-(CH_2)_3-\overset{\overset{\displaystyle O\cdots Li}{\|}}{C}=CH_2 \ + \ H-N(C_3H_7)_2$$

Über die Alkylierung von Lithium-enolaten unsymmetrischer Ketone s. Lit.[4] und S. 1454.

Für die „Fixierung" der Lithiumatome spricht auch die erstaunliche Feststellung, daß aus dem Lithium-enolat eines optisch aktiven Ketons durch Ansäuern das Keton unter Erhalt von 95% seiner Aktivität regeneriert werden konnte und daß sich ein optisch aktives Lithiumenolat mit einem optisch aktiven Carbonsäurechlorid zu einem Keton mit zwei Asymmetriezentren kondensieren läßt[5] (s. a. Bd. VII/2c); z. B.:

$$H_3C-CO-\overset{\overset{\displaystyle CH_3}{|}}{\underset{\underset{\displaystyle C_2H_5}{|}}{C}}\cdots H \ \rightleftharpoons \ H_2C=\overset{\overset{\displaystyle \text{Li}-O}{}\ \overset{\displaystyle CH_3}{|}}{\underset{\underset{\displaystyle C_2H_5}{|}}{C}}\cdots H \ \xrightarrow[\text{H}_3\text{C}-\text{CH}-\text{C}_2\text{H}_5,\ -80°]{\text{CO}-\text{Cl}} \ H-\overset{\overset{\displaystyle CH_3}{|}}{\underset{\underset{\displaystyle C_2H_5}{|}}{C}}-CO-CH_2-CO-\overset{\overset{\displaystyle CH_3}{|}}{\underset{\underset{\displaystyle C_2H_5}{|}}{C}}\cdots H$$

4,6-Dioxo-3,7-dimethyl-nonan

Diese Lithium-enolate ähneln in ihrem Verhalten den metallorganischen Verbindungen, da infolge des äußerst kleinen Atomvolumens des Lithiums eine sehr enge, fast kovalente C–Li-Bindung entsteht, die zwar sehr stark polarisiert, aber nur noch schwach ionisiert ist.

Daher sind die Lithium-enolate auch in vielen organischen Lösungsmitteln leicht löslich.

Fixierte Lithium-enolate können auch durch Umsetzen von Enolacetaten – die in manchen Fällen regiospezifisch entstehen – mit zwei Mol einer Alkyl-lithium-Verbindung hergestellt werden[6] (s. S. 1400). Entsprechend lassen sich auch Silyläther mit einem Mol eines Lithium-alkans in die Lithium-enolate überführen.

[1] M. Schlosser u. G. Heinz, B. **102**, 1947 (1969).
[2] H. O. House et al., J. Org. Chem. **34**, 2361 (1969).
[3] Übersicht: G. Stork, G. A. Kraus u. G. A. Garcia, J. Org. Chem. **39**, 3459 (1974).
[4] H. O. House, M. Gall u. H. D. Olmstead, J. Org. Chem. **36**, 2361 (1971).
[5] D. Seebach u. V. Ehring, Ang. Ch. **84**, 107 (1972).
[6] H. O. House et al., J. Org. Chem. **30**, 2502 (1965); **33**, 935, 943 (1968); **34**, 2324 (1969).

Die Lithium-enolate von Methylketonen lassen sich – meist in sehr guten Ausbeuten – mit Kupfer(II)-chlorid zu 1,4-Diketonen oxidieren (s. S. 1884):

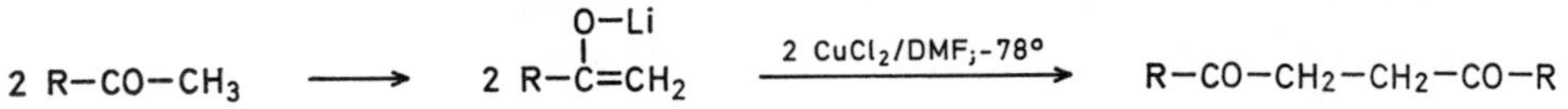

$$2\ R\text{-CO-CH}_3 \longrightarrow 2\ R\underset{\displaystyle\text{C=CH}_2}{\overset{\displaystyle\text{O-Li}}{|}} \xrightarrow{2\ CuCl_2/DMF;-78°} R\text{-CO-CH}_2\text{-CH}_2\text{-CO-R}$$

In diesem Zusammenhang sei auf den Lithiummethyl-vinyl-äther hingewiesen, der sich ebenfalls alkylieren läßt. Wertvoll ist die Umsetzung mit Carbonyl-Verbindungen; z.B.[1]:

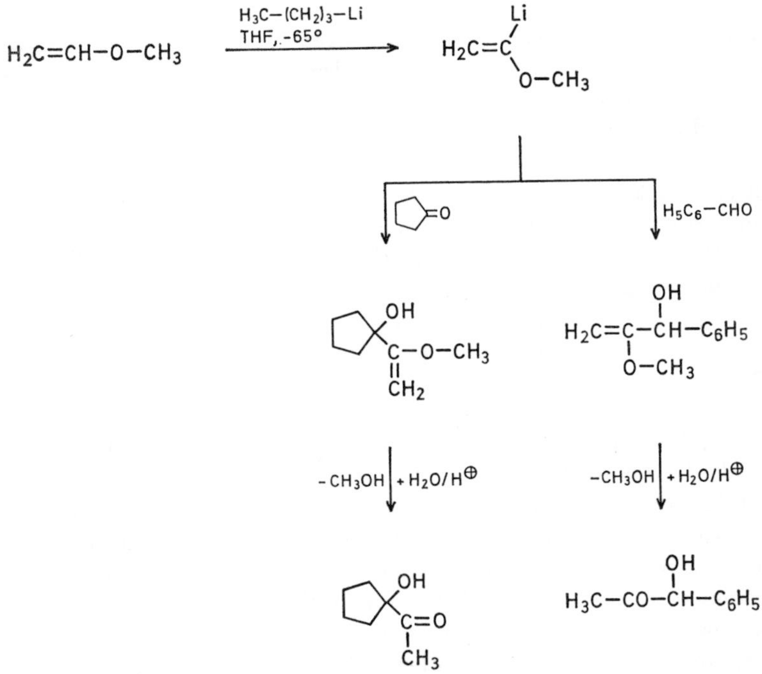

1-Hydroxy-1-acetyl-cyclopentan

1-Hydroxy-2-oxo-1-phenyl-propan;
78% d.Th.

Dieses Verfahren läuft letzten Endes darauf hinaus, im Acetaldehyd das Wasserstoffatom der Formyl-Gruppe durch eine α-Hydroxy-alkyl-Gruppe zu ersetzen.

Die Umsetzung von 2 Mol Lithiummethyl-vinyl-äther mit einem Mol eines Carbonsäureesters führt zu 2-Hydroxy-1,3-diketonen[1]:

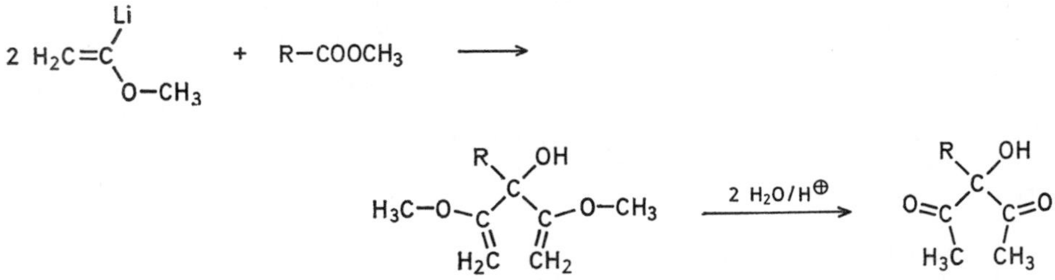

[1] U. SCHÖLLKOPF u. P. HÄNSSLE, A. **763**, 208 (1972).
  J. E. BALDWIN, G. A. HÖFLE u. O. W. LEVER jr., Am. Soc. **96**, 7125 (1974).

3. Schutz oder Aktivierung einer α-Methylen-Gruppe durch Bildung von Enolestern und Silyläthern

Für präparative Zwecke ist die O-Fixierung der Enol-Formen der Ketone als Essigsäureester[1] oder Trimethylsilyläther von Bedeutung:

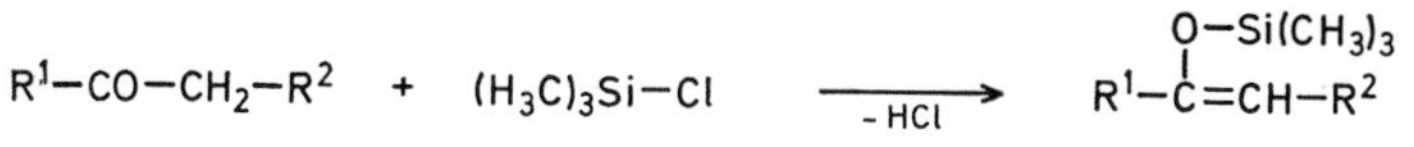

$$R^1-CO-CH_2-R^2 \ + \ (H_3C)_3Si-Cl \xrightarrow[-HCl]{} \ \overset{\displaystyle O-Si(CH_3)_3}{R^1-C=CH-R^2}$$

Stellt man diese unter ionisierenden Bedingungen her, so entstehen aus unsymmetrischen Ketonen die beiden isomeren Enol-Derivate etwa im gleichen Mengen-Verhältnis wie die Enole selbst im Gleichgewicht vorlagen (vgl. S. 1908), d. h. daß hauptsächlich die am höchsten substituierte Methylen-Gruppe an der Enolisierung beteiligt ist[1].

So resultiert aus 2-Heptanon und 2-Acetoxy-propen in Gegenwart katalytischer Mengen Toluolsulfonsäure durch 12stdgs. Rückflußsieden unter Abdestillieren des Acetons mit 94% Gesamtausbeute ein Enolacetat-Gemisch (Kp$_{30}$: 85–90°) folgender Zusammensetzung[2]:

> 57% *2-Acetoxy-trans-hepten-(2)*
> 24% *2-Acetoxy-cis-hepten-(2)*
> 15% *2-Acetoxy-hepten-(1)*
> 4% Ausgangsmaterial

Im Falle des 1-Decalons erfolgt jedoch eine regiospezifische Enolisierung zum *2-Acetoxy-bicyclo[4.4.0]decen-(1)*.

Die Herstellung von Enolacetaten aus Ketonen bzw. von cyclischen Enolestern aus Keto-carbonsäuren, von Enolsulfonsäureestern und Enolphosphorsäureestern ist ausführlich in Bd. VI/1b beschrieben. Für Synthesen sind diese meist nur von geringem Interesse, da die entsprechenden Enamine nicht nur leichter herstellbar, sondern auch erheblich reaktionsfähiger sind.

Die Bedeutung der **Trimethylsilylenoläther** liegt vor allem in der eindeutigen Si–O-Fixierung der Enol-Gruppe. Zudem sind sie einfach herzustellen und leicht wieder abspaltbar.

Die Herstellung der Silyläther kann erfolgen:

① unter ionisierenden Bedingungen
② aus „fixierten" Lithium- oder Acyl-enolaten.

Verfahren ①:

Normalerweise stellt man die Silyläther durch Umsetzung der Ketone mit Trimethylchlorsilan in Gegenwart von Triäthylamin in Dimethylformamid her, wobei es anscheinend von Vorteil ist, katalytische Mengen Zinkchlorid zuzusetzen.

2-Trimethylsilyloxy-propen (nach Methode ①)[3]: Unter Luft- und Feuchtigkeitsausschluß tropft man in ein Gemisch von 58 g (1 Mol) Aceton, 50,5 g (0,5 Mol) Triäthylamin und 0,8 g Zinkchlorid innerhalb 20 Min. 54,5 g (0,5 Mol) Trimethylchlorsilan und erhitzt unter Rühren und Rückfluß 7 Stdn. Nach dem Erkalten wird das Hydrochlorid abgesaugt und mit trockenem Äther ausgewaschen. Durch Destillation erhält man 44,9 g; Kp: 93–94°.

---

[1] Über die Struktur von Enolaten und Enolestern aus unsymmetrischen Ketonen s. H. O. House u. V. Kramar, J. Org. Chem. **28**, 3362 (1963).
[2] H. O. House, M. Gall u. H. D. Olmstead, J. Org. Chem. **36**, 2366 (1971).
[3] Belg. P. 670769 (1965/66), Rhone-Poulenc; C. A. **64**, 5487^d (1966).

Aus 1-Oxo-2-methyl-cyclohexan entstehen so die beiden isomeren Silyläther I und II im Verhältnis[1] 22:78:

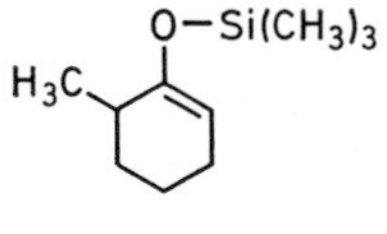

1-Trimethylsilyloxy-2- (II) und -6-methyl-cyclohexen (I) (nach Methode①)[1]: In eine Lösung von 32,6 g (0,3 Mol) Trimethylchlorsilan und 60,6 g (0,6 Mol) Triäthylamin in 100 ml DMF rührt man 28 g (0,25 Mol) 1-Oxo-2-methyl-cyclohexan ein. Die gelbliche Lösung, aus der sich das Hydrochlorid bald abzuscheiden beginnt, wird 48 Stdn. rückfließend erhitzt. Nach dem Erkalten verdünnt man mit 200 ml Pentan und schüttelt 3mal mit einer wäßr. eiskalten Natrium-hydrogencarbonat-Lösung aus. Nach der Schichtentrennung wird die wäßr. Phase nochmals mit Pentan extrahiert. Die vereinigten Pentan-Lösungen werden nacheinander mit kalter verd. Salz-säure und Natriumhydrogencarbonat-Lösung durchgeschüttelt. Anschließend wird getrocknet und destillativ aufgearbeitet.

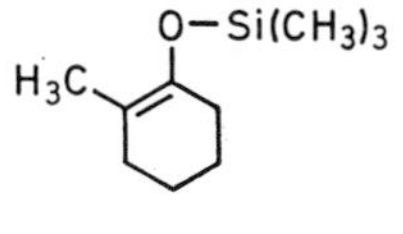

Nach einem Vorlauf, Kp_{20}: 83–90° (∼ 20%-ig an Ausgangsketon), resultieren 36,73 g, Kp_{20}: 90–93°, die aus

22% Enoläther I (Kp_7: 59–61°)
78% Enoläther II (Kp_{17}: 78–79°)

bestehen. Durch eine Feindestillation können diese getrennt werden.

Selbst das schwer enolisierbare *trans*-1-Methoxy-3-oxo-buten-(1) läßt sich mit Trimethylchlorsilan in Gegenwart von Triäthylamin und Zinkchlorid in Benzol bei 40° glatt zum *1-Methoxy-3-trimethylsilyloxy-butadien* umsetzen, mit dem sich Dien-synthesen durchführen lassen[2] (s. S. 1796):

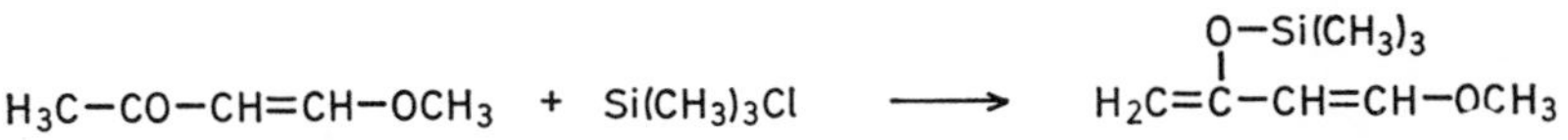

$$H_3C-CO-CH=CH-OCH_3 \ + \ Si(CH_3)_3Cl \ \longrightarrow \ H_2C=\overset{\overset{\displaystyle O-Si(CH_3)_3}{|}}{C}-CH=CH-OCH_3$$

Besonders reaktionsfähig ist $F_3C-SO_2-O-Si(CH_3)_3$ mit dem sogar 2,3-Dioxo-butan in *2,3Bis-[trimethylsilyloxy]-butadien-(1,3)* überführt wird[3].

Die Silyläther lassen sich im Vakuum destillieren und in einigen Fällen auch frak-tionieren. Gegen Eiswasser sind sie einigermaßen beständig. Ihre Verseifung erfolgt jedoch momentan in wäßrigem Methanol in Gegenwart katalytischer Mengen Toluol-sulfonsäure[4].

Verfahren ②:
Nach dem Verfahren ② stellt man die Silyläther aus den kinetisch fixierten Lithium-enolaten unsymmetrischer Ketone möglichst bei –78° in Tetrahydrofuran/Dimethylformamid her, damit sich keine Enol-Gleichgewichte einstellen und Aldol-kondensationen zurückgedrängt werden. – Da in den so hergestellten Silyläthern die ursprüngliche Enol-Struktur erhalten geblieben ist, können mit ihnen Umsetzun-gen an anderer Stelle des Moleküls durchgeführt werden, die mit den sehr empfind-lichen Lithium-enolaten nicht möglich sind. Vielfach sind jedoch die Ausbeuten nicht befriedigend. Im Falle des 2-Oxo-1-methyl-cyclohexans kann man das „kine-tisch kontrollierte" Lithium-enolat sogar bei 0° herstellen und erhält so mit 74% Ausbeute *1-Trimethylsilyloxy-6-methyl-cyclohexen*[1] (I, s. o.).

1-Trimethylsilyloxy-6-methyl-cyclohexen (I, s. o.) (nach Methode ②)[1]: Eine äther. Lösung von 100 mMol Methyl-lithium wird i. Vak. eingeengt und mit 100 ml 1,2-Dimethoxy-äthan versetzt, das einige mg Triphenylmethan als Indikator enthält. Bei 0° werden 10,1 g

[1] H. O. HOUSE et al., J. Org. Chem. **34**, 2324 (1969).
[2] S. DANISHEFSKY u. T. KITAHARA, Am. Soc. **96**, 7807 (1974).
[3] G. SIMCHEN u. W. KOBER, Synthesis **1976**, 259.
[4] G. STORK u. P. F. HUDRLIK, Am. Soc. **90**, 4462 (1968).

(100 mMol) Diisopropyl-amin zugegeben. In das gebildete Lithium-amid werden innerhalb von 10 Min. 11,18 g (99,8 mMol) 2-Oxo-1-methyl-cyclohexan eingerührt (bis die rote Farbe verschwunden ist).

Zu dieser Lösung des Lithium-enolates fließt nun rasch bei 0° eine Mischung aus 4,4 g (44 mMol) Triäthylamin und 18,4 g (169 mMol) Trimethylchlorsilan in 50 *ml* 1,2-Dimethoxy-äthan, die zuvor durch Zentrifugieren vom unlöslichen Triäthylamin-Hydrochlorid befreit wurde. Nach ~ 15 Sek. scheidet sich das Lithiumchlorid ab. Man läßt 15 Min. bei 20° weiterrühren und trägt in ein Gemisch aus Pentan und kalter wäßr. Natriumhydrogencarbonat-Lösung ein.

Nach der üblichen Aufarbeitung werden 14,82 g (74% d.Th.) an Silyläther I (Kp$_7$: 59–61°) erhalten.

Genau untersucht wurde auch der stereospezifische Verlauf der direkten Silyläther-Bildung aus 1-Dekalon[1]:

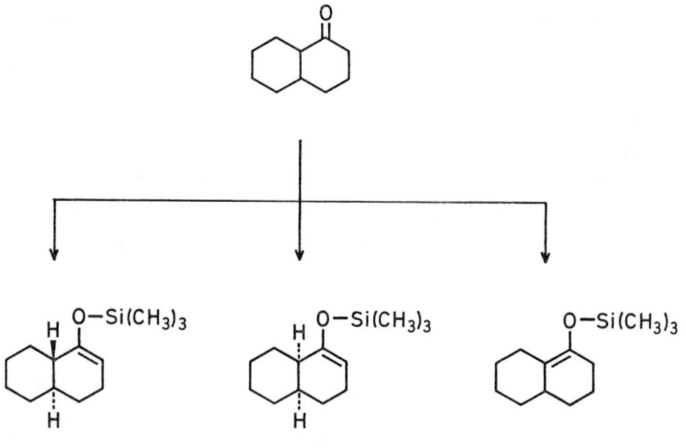

nach Methode	2-Trimethylsilyloxy-			
	...-*trans-bicyclo* [*4.4.0*]*decen-(2)* I	...-*cis-bicyclo*[*4.4.0*] *decen-(2)* II	...-*bicyclo*[*4.4.0*] *decen-(1)* III	Gesamtausbeute [% d.Th.]
①	17	5	78	86
②	71	27	2	81

Im übrigen muß auf die umfangreiche Lit.[1] verwiesen werden.

Auf einfache Weise lassen sich die Silyläther der 1,3-Dicarbonyl-Verbindungen herstellen. So entsteht aus Natrium-acetessigsäure-äthylester und Trimethylchlorsilan in einem inerten Verdünnungsmittel glatt der Silyläther[2] [*3-Trimethylsilyloxybuten-(2)-säure-äthylester*] und aus 2,4-Dioxo-pentan das *2-Trimethylsilyloxy-4-oxopenten-(2)*[3].

---

[1] H. O. HOUSE et al., J. Org. Chem. **34**, 2324 (1969).

[2] R. WEST, J. Org. Chem. **23**, 1552 (1958).

[3] R. WEST, Am. Soc. **80**, 3246 (1958).

Enol-silyläther[1] und Enol-acetate[2] lassen sich durch Umsetzung mit einem bzw. zwei Mol Alkyl-lithium in die Lithium-enolate[1] zurückverwandeln:

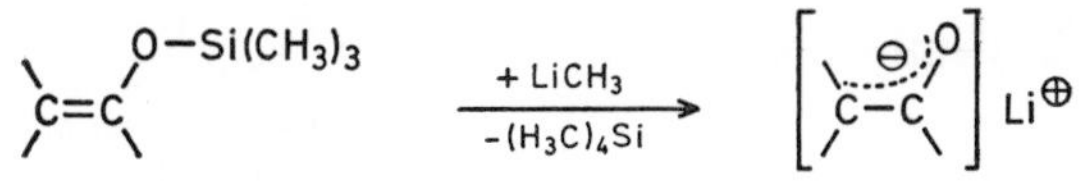

$$\begin{array}{c}\diagdown\\ \diagup\end{array}C=C\begin{array}{c}O-Si(CH_3)_3\\ \diagup\\ \diagdown\end{array} \quad \xrightarrow[-(H_3C)_4Si]{+\ LiCH_3} \quad \left[\begin{array}{c}\diagdown\\ \diagup\end{array}C-C\begin{array}{c}\ominus\ \ \ \ \ddot{O}\\ \diagup\\ \diagdown\end{array}\right] Li^{\oplus}$$

Auf diese Weise können in einem Eintopfverfahren C-Alkylierungen durchgeführt werden[1,3], ohne daß eine Änderung der strukturellen und sterischen Verhältnisse eintritt[3].

Durch Einwirkung von Brom auf die Enolsilyläther werden regiospezifische α-Brom-ketone erhalten; s. Bd. VII/2c.

Da Trimethylchlorsilan unter den Bedingungen der Acyloin-Synthese nicht mit Natrium reagiert, werden in dessen Gegenwart die empfindlichen α-Hydroxy-ketone als Alken-bis-silyläther stabilisiert[4],

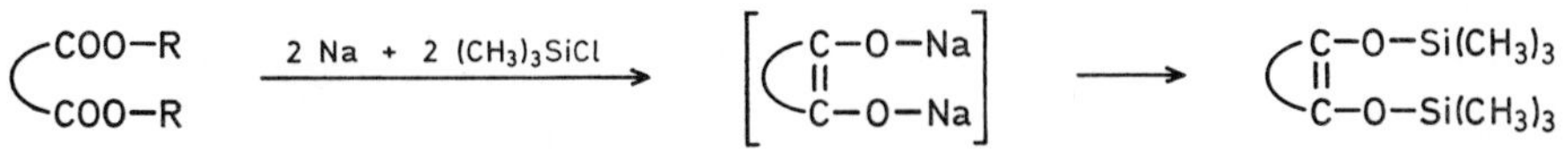

$$\begin{array}{c}\text{COO}-R\\ \text{COO}-R\end{array} \xrightarrow{2\ Na\ +\ 2\ (CH_3)_3SiCl} \left[\begin{array}{c}C-O-Na\\ \|\\ C-O-Na\end{array}\right] \longrightarrow \begin{array}{c}C-O-Si(CH_3)_3\\ \|\\ C-O-Si(CH_3)_3\end{array}$$

wodurch sich besonders bei cyclischen Acyloinen oft erhebliche Ausbeutesteigerungen erzielen lassen (s. Bd. VII/2a, S. 644f.). Die Hydrolyse der α,β-Bis-[silyloxy]-alkene zu den α-Hydroxy-ketonen erfolgt leicht durch Erhitzen mit n Salzsäure unter Zusatz von Äther oder Tetrahydrofuran.

Auf diese Weise sind auch Vierring-Ketone z. Tl. mit sehr guten Ausbeuten herstellbar[5]; z. B.:

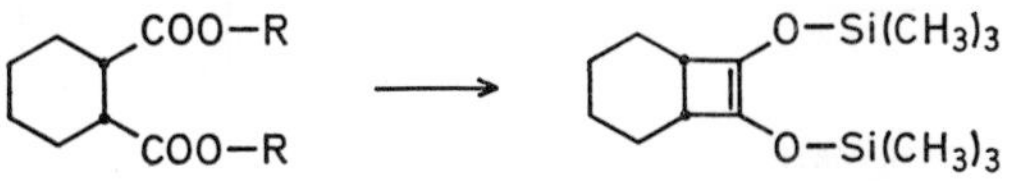

7,8-Bis-[trimethylsilyloxy]-cis-bicyclo [4.2.0]octen-(7); 89% d.Th.

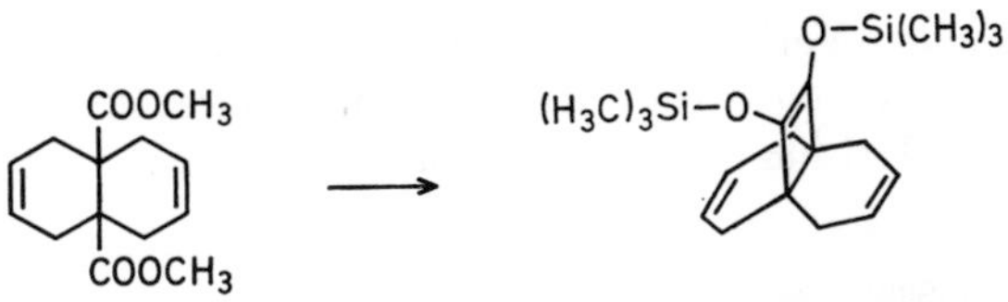

9,10-Bis-[trimethylsilyloxy]-1,4,5,8-tetrahydro-4a,8a-ätheno-naphthalin; 88% d.Th.

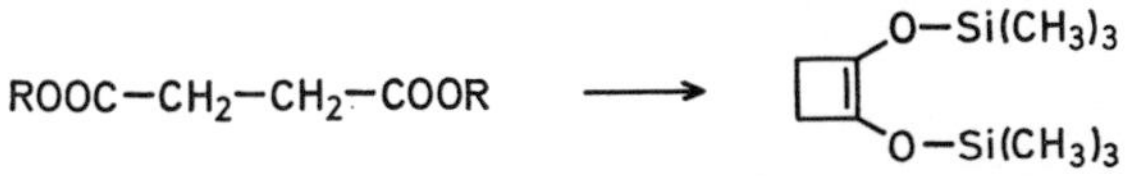

ROOC—CH₂—CH₂—COOR →

1,2-Bis-[trimethylsilyloxy]-cyclobuten-(1)[5]; 76% d.Th.

---

[1] H. O. HOUSE, M. GALL u. H. D. OLMSTEAD, J. Org. Chem. **36**, 2361 (1971).

[2] H. O. HOUSE u. B. M. TROST, J. Org. Chem. **30**, 2502 (1965).

[3] H. O. HOUSE et al., J. Org. Chem. **30**, 1341, 2502 (1965); **32**, 1741 (1967); **33**, 943 (1968); **36**, 2361 (1971).

[4] U. SCHRÄPLER u. K. RÜHLMANN, B. **96**, 2780 (1963); **97**, 1383 (1964).
K. Rühlmann, Synthesis **1971**, 236.

[5] J. J. BLOOMFIELD, Tetrahedron Letters **1968**, 587.

Ebenso lassen sich Oxo-dicarbonsäureester unter Ketalschutz cyclisieren[1]; z. B.:

$$CH_2-CH_2-COO-R \qquad \longrightarrow \qquad O-Si(CH_3)_3$$
$$CH_2-CH_2-COO-R \qquad\qquad\qquad O-Si(CH_3)_3$$

1,2-Bis-[trimethylsilyloxy]-5,5-äthylen-dioxy-cyclohepten

Das *1,2-Dioxo-cyclobutan* (I; F: 56°, gelbe Kristalle) ist nur auf folgende Weise zugänglich[2]:

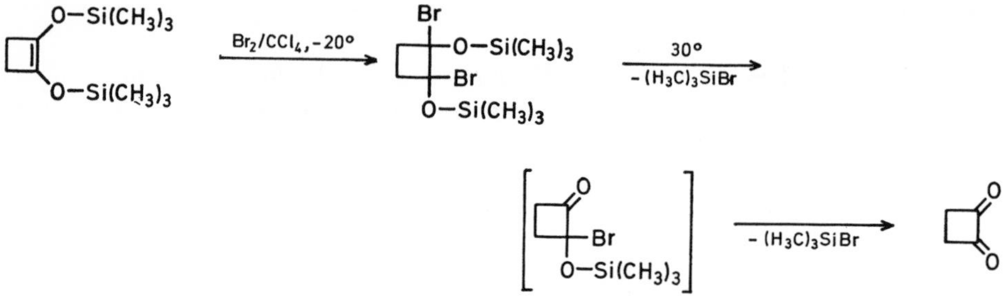

$$O-Si(CH_3)_3 \xrightarrow{Br_2/CCl_4, -20°} \begin{array}{c} Br \\ O-Si(CH_3)_3 \\ Br \\ O-Si(CH_3)_3 \end{array} \xrightarrow[-(H_3C)_3SiBr]{30°}$$

$$\left[\begin{array}{c} O \\ Br \\ O-Si(CH_3)_3 \end{array} \right] \xrightarrow{-(H_3C)_3SiBr} \begin{array}{c} O \\ O \end{array}$$

I

Das 1,2-Dioxo-cyclobutan verändert sich bereits beim Lagern und addiert leicht Wasser oder Methanol zu unbeständigen Hemiketalen (II), die sich in wenigen Stdn. zu *1-Hydroxy-1-carboxy-* (bzw. *-alkoxycarbonyl)-cyclopropan* (III) umlagern[2,3] (Benzilsäure-Umlagerung):

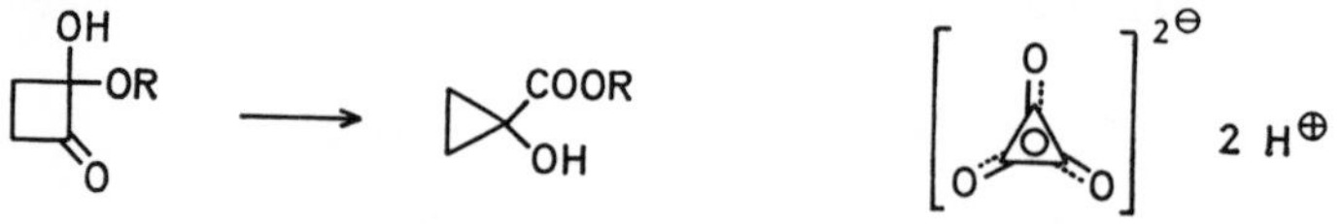

$$\begin{array}{c} OH \\ OR \\ O \end{array} \longrightarrow \begin{array}{c} COOR \\ OH \end{array} \qquad \left[\begin{array}{c} O \\ O \quad O \end{array} \right]^{2\ominus} 2\,H^{\oplus}$$

II   R = H, Alkyl   III   IV

Das *Dihydroxy-cyclopropenon* (*Delticacid*) (IV) entsteht zu ~15% durch Belichten von 1,2-Bis-[trimethylsilyloxy]-3,4-dioxo-cyclobuten[4] (s. Bd. VII/2c).

Einen ungewöhnlichen Verlauf nimmt die Einwirkung von Magnesium und Trimethylchlorsilan auf α,β-ungesättigte Ketone in Phosphorsäure-tris-[dimethylamid] und in Gegenwart katalytischer Mengen Titan(IV)-chlorid[5]:

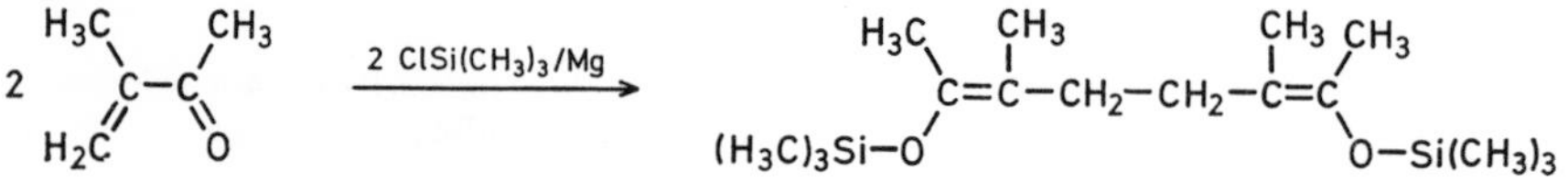

$$2 \begin{array}{c} H_3C \quad CH_3 \\ C-C \\ H_2C \quad O \end{array} \xrightarrow{2\ ClSi(CH_3)_3/Mg} \begin{array}{c} H_3C \quad CH_3 \qquad CH_3\ CH_3 \\ C=C-CH_2-CH_2-C=C \\ (H_3C)_3Si-O \qquad\qquad O-Si(CH_3)_3 \end{array}$$

V   VI

$$\xrightarrow{Hydrolyse} \begin{array}{c} H_3C \quad CH_3 \qquad\quad CH_3\ CH_3 \\ C-CH-CH_2-CH_2-CH-C \\ O \qquad\qquad\qquad\qquad O \end{array}$$

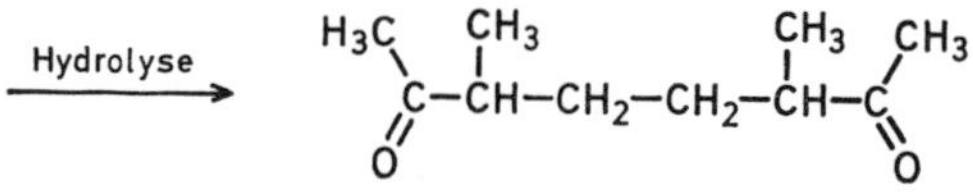

VII

[1] J. J. Bloomfield, Tetrahedron Letters **1968**, 591.
[2] J. M. Conia u. J. M. Denis, Tetrahedron Letters **1971**, 2845.
[3] J. M. Conia u. J. P. Barnier, Tetrahedron Letters **1971**, 4981.
[4] R. West u. D. Eggerding, Am. Soc. **97**, 207 (1975).
[5] J. Dunoguès et al., J. Organometal. Chem. **57**, 55 (1973).

Nach diesem Verfahren sind einige 1,6-Diketone gut zugänglich geworden.

2,7-Dioxo-3,6-dimethyl-octan (VII) und 2,7-Bis-[trimethylsilyloxy]-3,6-dimethyl-octadien-(2,6) (VI): Zu einem Gemisch aus 7,3 g (0,3 Mol) Magnesium-Pulver, 120 *ml* HMPT, 66 g (0,6 Mol) Trimethylchlorsilan und ~ 0,5 g Titan(IV)-chlorid läßt man unter Rühren innerhalb 1 Stde. bei 40° eine Lösung von 17 g (0,2 Mol) 3-Oxo-2-methyl-buten-(1) in 30 *ml* HMPT zutropfen und erwärmt noch 2 Stdn. auf 80°. Nach dem Erkalten gibt man Eis zu und nimmt in Äther auf. Die äther. Phase wird mit Wasser neutralgewaschen, mit Natriumsulfat getrocknet und destillativ aufgearbeitet. Man erhält 18 g VI und ~ 2 g VII (~ 70% d.Th.).

Die Hydrolyse von VI wird durch 24stdgs. Rückflußsieden in wasserhaltigem Äthanol und einigen Tropfen Salzsäure vorgenommen. Man erhält in ~ quantitativer Ausbeute VII als Stereo-isomeren-Gemisch (Kp$_1$: 110°).

In analoger Weise lassen sich 3-Oxo-cyclohexen (zum *3,3′-Dioxo-bicyclohexyl*)

und 3-Oxo-1,5,5-trimethyl-cyclohexen (zum *5,5′-Dioxo-1,1′,3,3,3′,3′-hexamethyl-bi-cyclohexyl*) reduzierend kondensieren (beide mit ~65% Ausbeute). Hierbei muß die Hydrolyse durch 48stdgs. Sieden durchgeführt werden.

Über die Einwirkung von Carben auf das 1-Trimethylsilyloxy-cyclohepten, die zum *2-Oxo-1-methyl-cycloheptan* führt, s. S. 1408.

c) Schutz der Doppelbindung in ungesättigten Ketonen

Zum vorübergehenden Schutz einer C=C-Bindung in Ketonen ist man haupt-sächlich auf das klassische Verfahren der vic.-Dibromierung und anschließenden Debromierung durch Zink angewiesen. Auch Chrom(II)-chlorid scheint gut brauchbar zu sein, s. Bd. VII/2c.

Die sehr reaktionsfähigen Doppelbindungen in Vinyl-ketonen lassen sich auch durch Anlagerung von Propyl-mercaptan (bei p$_H$ 9,2) inaktivieren. Die Wieder-herstellung der Doppelbindung erfolgt durch Überführung des β-Thioäthers mit Methyljodid in das Sulfoniumsalz, das sich durch Behandeln mit einer wäßrigen Natriumhydrogencarbonat-Lösung leicht spalten läßt[1]. Dieses Verfahren ist der analogen Anlagerung von Dimethylamin vorzuziehen[2].

Das 2,3-Dibrom-1-oxo-1,3-diphenyl-propan (Chalcondibromid) wurde durch Er-hitzen mit überschüssigem Trimethylphosphit in Toluol zum *Chalcon* in 80%-iger Ausbeute debromiert[3].

d) Monoblockierung von Dicarbonylverbindungen

Über den selektiven Schutz von α- und β-Dicarbonylverbindungen (außer über Dianionen) s. Lit.[4] u. S. 1430, 1886, 1891 u. Bd. VI/1b.

---

[1] M. KUPCHAN, T. J. GIACOBBE u. I. S. KRULL, Tetrahedron Letters **1970**, 2859.
[2] N. R. UNDE et al., Tetrahedron Letters **1968**, 4861.
[3] S. DERSHOWITZ u. S. PROSKAUER, J. Org. Chem. **26**, 3595 (1961).
[4] H. J. E. LOEWENTHAL in: J. F. W. MCOMIE, *Protective Groups in Organic Chemistry*, S. 349 ff., Plenum Press, London · New York 1973.

B. Umwandlungen der Ketone
(unter Verlust der Carbonyl-Funktion)

bearbeitet von

Prof. Dr. Drs. h. c. Otto Bayer und Dr. Heinrich Gold

Bayer AG, Leverkusen

Priv.-Doz. Dr. Klaus Burger, Priv.-Doz. Dr. Dieter Marquarding und Prof. Dr. Ivar Ugi

Technische Universität München

Die Umwandlungsreaktionen der Ketone an der Carbonyl-Gruppe, vor allem, wenn die benachbarten aktivierten Gruppen mit einbezogen werden, sind so ungewöhnlich vielseitig, daß eine auch nur annähernd vollständige Aufzählung den Rahmen dieses Handbuches sprengen würde. So können diejenigen Reaktionen, die zu Heterocyclen führen, hier nicht berücksichtigt werden. Auf die zahlreichen Kondensationsreaktionen, die an anderen Stellen dieses Handbuches bereits ausführlich beschrieben sind, wird nur hingewiesen, z. B. auf Aldolkondensationen, Knoevenagelkondensationen, Äthinylierungen, die Umsetzungen mit metallorganischen Verbindungen, die Reduktion zu Alkoholen, Aminen, Kohlenwasserstoffen, das photochemische Verhalten der Ketone, deren Umlagerungen zu Enolen usw.

Eingehender werden nur diejenigen Umwandlungen abgehandelt, für die in diesem Handbuch keine speziellen Abschnitte vorgesehen sind.

I. Reaktivität der Carbonyl-Gruppe[1]

bearbeitet von

Dr. Klaus Burger, Dr. Dieter Marquarding und Prof. Dr. Ivar Ugi

Technische Universität München

Dr. Heinrich Gold

Bayer AG, Leverkusen

Zum Verständnis der vielfältigen Umwandlungen von Ketonen[1], sowohl an der Carbonyl-Gruppe als auch im Gesamtmolekül, werden die theoretischen Grundlagen zusammenhängend abgehandelt.

---

[1] G. Berthier u. J. Serre, General and theoretical Aspects of the Carbonyl Group in S. Patai The Chemistry of the Carbonyl Group, S. 1–77, Interscience Publishers, London 1966.
Eine anschauliche Darstellung findet sich in: C. D. Gutsche, The Chemistry of Carbonyl Compounds, Prentice-Hall Inc., Englewood Cliffs, New York 1967.
Additionsreaktionen an Kohlenstoff-Sauerstoff-Doppelbindungen in P. Sykes, Reaktionsmechanismen der Organischen Chemie, 5. Aufl., S. 187–218, Verlag Chemie, Weinheim 1972.
V. Franzen, Reaktionsmechanismen, S. 87–114, A. Hüttig Verlag, Heidelberg 1958.
V. A. Palm, Ü. L. Haldna u. A. J. Talvik, Basicity of Carbonyl Compounds, in S. Patai, The Chemistry of the Carbonyl Group, S. 421–460, Interscience Publishers, London 1966.
A. V. Kamernitzky u. A. A. Akhrem, The Stereochemistry of Reactions of Nucleophilic Addition to the Carbonyl Group of Cyclic Ketones, Tetrahedron 18, 705–750 (1962).
s. a. die klassische Arbeit H. Staudinger u. N. Kon, A. 384, 38 (1911).

Wie stets bei Reaktivitätsbetrachtungen ist zwar sowohl der thermodynamische als auch der kinetische Aspekt zu berücksichtigen, jedoch dominieren kinetische Überlegungen, da thermodynamische Gleichgewichte von Ausgangsstoffen und Produkten auf dem vorliegenden Gebiet der Chemie nur in wenigen Fällen maßgebend sind.

Die chemische Reaktivität der Carbonyl-Verbindungen, insbesondere von Ketonen, wird im wesentlichen durch den sp^2 hybridisierten trikoordinierten Carbonyl-Kohlenstoff mit normalerweise coplanarem Bindungssystem, den sp^2 hybridisierten Carbonyl-Sauerstoff mit zwei freien n-Elektronen-Paaren, und die C–O–π-Bindung bestimmt:

Wegen der höheren positiven Kernladung zieht der Sauerstoff die Valenzelektronen der C–O-Bindung gleichsam stärker an, und die Valenzelektronen-Dichte ist in Richtung des Sauerstoffs verschoben. Man spricht von einer induktiven Polarisierung der C–O-Bindung in Richtung des Sauerstoffs wegen seiner relativ höheren Elektronegativität. Diese Verschiebung der Valenzelektronen liefert bei Carbonyl-Verbindungen einen Beitrag zum elektrischen Dipolmoment, das jedoch größtenteils von den freien n-Elektronen des Sauerstoffs herrührt.

Die durchschnittliche Bindungslänge einer isolierten Carbonyl-Funktion wird mit 1,22 Å angegeben, das Dipolmoment liegt im Bereich von 3 D, wobei der Sauerstoff stets das negative Dipolende darstellt.

Einzige Variablen im System sind die Reste R^1 und R^2, die jeweils über ein Kohlenstoffatom mit dem Carbonyl-Kohlenstoffatom verbunden sind (Chinone werden hier nicht berücksichtigt). Ihr Einfluß (wie z. B. ihr induktiver, mesomerer und sterischer Effekt) auf die Carbonyl-Doppelbindung verursacht die Reaktivitätsunterschiede innerhalb dieser Verbindungsklasse und kann durch das Dipolmoment, Abstandsbestimmungen, IR- und UV-Spektroskopie u. a. gemessen werden. Sind R^1 und R^2 elektronenabziehende Reste, so wird die infrarote Streckschwingung nach höheren Frequenzen verschoben, die Bindungslänge verkürzt und das Dipolmoment verringert. Der Winkel zwischen den Resten R^1 und R^2 ist abhängig von ihrer Stereochemie bzw. im Falle von Ringketonen von der Ringgröße. Eine Aufweitung des Winkels führt zu einer langwelligen Verschiebung der IR-Absorption, eine Verkleinerung verursacht den gegenläufigen Effekt.

Eine allgemein gültige Reaktivitätstabelle von Carbonyl-Verbindungen kann nicht aufgestellt werden, da die relative Reaktivität von Reaktionstyp zu Reaktionstyp und von Reaktionspartner zu Reaktionspartner variiert, wobei insbesondere die Bedeutung der elektronischen und sterischen Faktoren von Fall zu Fall unterschiedliches Gewicht haben[1].

α,β-Ungesättigte Carbonyl-Verbindungen zeigen eine Resonanzstabilisierung von 2–3 kcal/Mol. Die Folge davon ist u. a. eine Vergrößerung des C=O-Bindungsabstandes, was sich in einer langwelligen Verschiebung (25–40 cm^{-1}) der IR-Absorption sowie der Zunahme des Dipolmoments widerspiegelt.

---

[1] S. a. M. S. Newman, *Steric Effects in Organic Chemistry,* John Wiley, Inc., New York, Chapman & Hall, Ltd., London 1956.

Dialkylketone sind farblos. Sie absorbieren im UV-Bereich stark um 200 mμ ($\pi \to \pi^*$-Übergang) und besitzen bei 290 mμ eine schwache Bande, die dem n $\to \pi^*$-Übergang entspricht. Obwohl die Carbonyl-Gruppe ein achiraler Chromophor ist, zeigt sie in chiralen Molekülen um 300 mμ einen Cottoneffekt. Sein Einfluß auf die optische Rotationsdispersion (ORD) und den Circulardichroismus (CD) läßt Rückschlüsse auf Konfiguration und Konformation zu[1].

Durch Konjugation wird die für Dialkylketone bei 200 mμ auftretende Absorption nach höheren Wellenlängen verschoben, z. B. für Methyl-vinyl-ketone nach 225 mμ bzw. Methyl-aryl-ketone nach 245 mμ.

Für das formale Verständnis der Reaktivität der Carbonyl-Verbindungen ist die Valence-Bond-Modellvorstellung[2] der Resonanz der Grenzstrukturen I a und b (S. 1913) von großem Nutzen.

Die Grenzstruktur I b der Carbonyl-Verbindungen entspricht einer Verschiebung der C–O-Bindungselektronen gemäß einem mesomeren Effekt, und einer Verminderung des Doppelbindungscharakters der C=O-Doppelbindung. Von Ausnahmen wie der katalytischen Hydrierung (s. S. 1992) und der Reduktion durch Metalle (s. S. 1993) abgesehen, verlaufen die meisten Carbonyl-Reaktionen, als ob die Carbonyl-Funktion in der Grenzstruktur I b vorläge. Der Carbonyl-Kohlenstoff spielt die Rolle eines Elektrophils, wobei die formale Oktettlücke des Carbonyl-Kohlenstoffs in I b durch ein freies Elektronenpaar eines Nucleophils :B$^\ominus$ unter Heteroapsis, der formalen Umkehrung der Heterolyse, aufgefüllt wird; der nucleophile Carbonyl-Sauerstoff geht gleichzeitig, wie z. B. bei Cycloadditionen[3], oder anschließend mit einem Elektrophil heteroaptisch eine kovalente Bindung ein, wobei eines der freien Elektronenpaare des Sauerstoffs formal in die Lücke einer nicht vollbesetzten Valenzschale des Elektrophils eintritt:

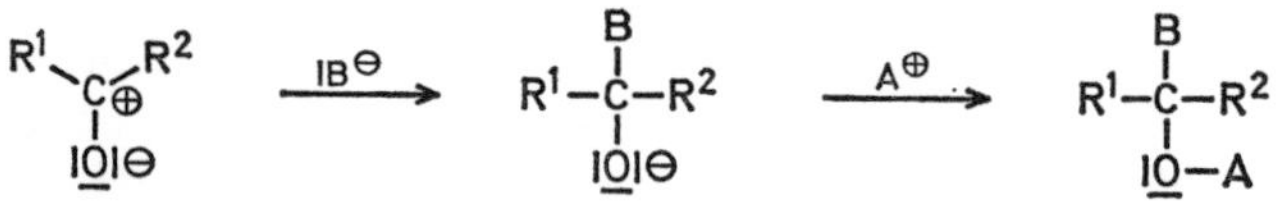

In dem vorliegenden Reaktionsschema werden das Elektrophil A$^\oplus$ und das Nucleophil :B$^\ominus$ als separate elektrisch geladene Spezies mit Elektronen-Lücke bzw. freiem Elektronenpaar dargestellt. Diese Spezies können auch elektrisch neutral sein, in einem einzigen Molekül verbunden auftreten, und der Elektronenmangel bzw. Überschuß braucht auch zunächst nicht in lokalisierter Form vorzuliegen, sondern er kann in polarisierbaren Bindungssystemen verborgen sein.

Die Schrittfolge I $\to$ II $\to$ III ist bei manchen Carbonyl-Reaktionen, und zwar den Proton- bzw. Lewissäure-katalysierten, vertauscht. Hier greift erst das

[1] C. Djerassi, Optical Rotatory Dispersion: Applications to Organic Chemistry, McGraw-Hill, New York 1960.

P. Crabbé, Optical Rotatory Dispersion and Circular Dichroism in Organic Chemistry, Holden-Day, San Francisco 1965.

L. Velluz, M. Legrand u. M. Grosjean, Optical Circular Dichroism, Principles, Measurements, and Applications, Verlag Chemie, Weinheim 1965.

G. Snatzke, Optical Rotatory Dispersion and Circular Dichroism in Organic Chemistry, Heyden & Son, London 1967.

[2] C. A. Coulson, Die chemische Bindung, S. 107 ff., S. Hirzel Verlag, Stuttgart 1969.

[3] R. B. Woodward u. R. Hoffmann, Ang. Ch. 81, 797 (1969).

Elektrophil $A^{\oplus}$ (ein Proton oder das Elektronenmangel-Zentrum einer Lewis-Säure) den Carbonyl-Sauerstoff an, wobei eine Spezies IV, mit erhöhter Elektrophilie, entsteht:

$$\begin{array}{ccccc}
\underset{\text{Ib}}{\overset{R^1}{\underset{|}{\underset{|\underline{O}|^{\ominus}}{\overset{|}{\underset{\oplus}{C}}}}} R^2} & \xrightarrow{\;\; A^{\oplus}\;\;} & \underset{\text{IV}}{\overset{R^1}{\underset{|}{\underset{|\underline{O}-A}{\overset{|}{\underset{\oplus}{C}}}}} R^2} & \xrightarrow{\;\; |B^{\ominus}\;\;} & \underset{\text{III}}{\overset{B}{\underset{|\underline{O}-A}{\overset{|}{R^1-C-R^2}}}}
\end{array}$$

Eine Reihe von Lewissäuren bildet mit Ketonen recht stabile Komplexe vom Typ IV; einige Bortrifluorid-Addukte sind sogar destillierbar (s. S. 1928). Die Lage des Säure-Base-Gleichgewichts

$$I \rightleftharpoons IV \text{ für } A^{\oplus} = H^{\oplus}$$

ist eine Funktion der Basizität des Ketons sowie der Acidität der eingesetzten Säuren. In starken Säuren, z. B. konz. Schwefelsäure oder Chlorsulfonsäure, sind Aceton, Acetophenon oder Benzil praktisch quantitativ protoniert (s. S. 1926).

In analoger Weise treten Lewissäuren wie Carbenium- oder Metall-Ionen mit dem Carbonyl-Sauerstoff in Wechselwirkung[1]. Die in der Literatur angegebenen Basizitätskonstanten für Ketone sind nicht immer verallgemeinerungsfähig, da sie in starkem Maße von der Säure und dem verwendeten Lösungsmittel abhängig sind. So enthält die Literatur stark variierende Basizitätskonstanten, für Aceton beispielsweise um den Faktor 10^7 variierend[2].

Die Oximierung von Carbonyl-Verbindungen illustriert die obigen Alternativen. Die p_H-Abhängigkeit weist zwei Bereiche hoher Reaktionsgeschwindigkeit auf (um $p_H = 4$ und bei $p_H > 8$)[3], welche den beiden mechanistischen Typen entsprechen.

Die Bildung von Oximen in stark alkalischer Lösung läuft gemäß I → II → III (s. S. 1953) ab, wobei das Hydroxylamin-Anion ($H_2N-O^{\ominus}$) die Rolle des Nucleophils spielt und das Lösungsmittel für den zweiten Schritt ein Proton als Elektrophil bereitstellt.

Das Hydroxylamin-Anion kann in zwei tautomeren Formen vorliegen,

$$\underset{\text{Va}}{H_2\overline{N}-\underline{O}|^{\ominus}} \;\; \rightleftharpoons \;\; \underset{\text{Vb}}{H-\overset{\ominus}{\underline{N}}-OH}$$

die beide am Stickstoff stärker nucleophil sind als das freie Hydroxylamin. Da Sauerstoff stärker elektronegativ ist als Stickstoff, dürfte Va im Gleichgewicht überwiegen. In saurem Milieu reagiert die Carbonyl-Verbindung in protonierter Form IV ($A^{\oplus} = H^{\oplus}$) mit Hydroxylamin ($NH_2OH = B^{\ominus}$). In beiden Fällen folgt der Bildung des Adduktes III eine Wasserabspaltung zum Oxim.

Nucleophile Stickstoff-Verbindungen, die am Stickstoff mindestens ein Wasserstoffatom tragen (Ammoniak, prim. und sek. Amine, Hydrazin- und Hydroxylamin-Derivate) reagieren mit Ketonen in einem Aciditätsbereich, der etwa $p_H = 5-8$ ent-

[1] H. MEERWEIN et al., B. 89, 2060 (1956).
[2] V. A. PALM, Ü. L. HALDNA u. A. J. TALVIK, in S. PATAI, *The Chemistry of the Carbonyl Group*, S. 421 ff., Interscience Publishers, London 1966.
[3] E. S. GOULD, *Mechanismus und Struktur in der organischen Chemie*, S. 647 ff., Verlag Chemie, Weinheim/Bergstr. 1962.

spricht, unter Bildung von Imonium-Ionen, welche als stabilisierte Carbenium-Ionen anzusehen sind.

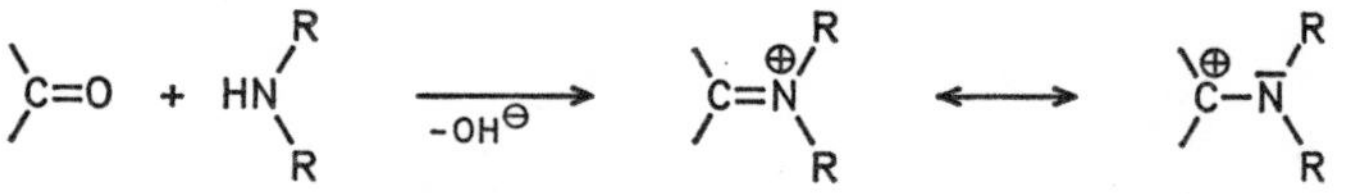

Imonium-Ionen sind durch einen ausgeprägten elektrophilen Charakter ausgezeichnet und gegenüber Nucleophilen reaktiver als die ihnen zugrunde liegenden Carbonyl-Verbindungen. Mit Nucleophilen $X^{\ominus}$, meist Anionen schwacher Säuren, reagieren Imonium-Ionen unter α-Aminoalkylierung des Nucleophils. Insbesondere seien in diesem Zusammenhang die Mannich-Reaktion (s. Bd. XI/1), die Strecker-Synthese (s. S. 1965), Bucherer-Bergs-Synthese sowie die Vierkomponenten-Kondensation[1] der Isonitrile genannt. Die Katalyse der Knoevenagel-Kondensation, mit z. B. Piperidiniumacetat, beruht ebenfalls auf der hohen Reaktivität von Imonium-Ionen[2]. Hier entstehen zwar die α-Aminoalkylierungs-Produkte (β-Aminosäure-Derivate), jedoch sind diese unter den Reaktionsbedingungen nicht stabil und zerfallen unter Bildung von α,β-ungesättigten Carbonsäure-Derivaten.

Carbonyl-Verbindungen nehmen an einer Reihe von Ringschluß-Reaktionen teil, die den vorgenannten Additionsreaktionen nahe stehen, z. B. die Umsetzung von Ketonen mit Phosphiten[3] bzw. mit Isonitrilen[4].

Ketone sind vielfach als 2π-Komponenten in $(4 + 2)$-[5], $(3 + 2)$-[6], $(2 + 2)$-[7], $(2 + 2 + 1)$-[3,8] und $(2 + 1 + 1)$-[4] Cycloadditionen eingesetzt worden. Das Cycloadditionsverhalten des Cyclopropanons läßt sich durch die Annahme eines Gleichgewichts interpretieren:

Es kann somit als 2π- und 4π-System fungieren[9], während α,β-ungesättigte Ketone[10] und 1,2-Diketone[11] vornehmlich als Dien-Komponente in die $(4 + 2)$- und $(4 + 1)$-

[1] G. Gokel, G. Lüdke u. I. Ugi, in I. Ugi, Isonitrile Chemistry, Academic Press, New York · London 1971.

[2] G. Jones, Org. Reactions 15, 204 (1967).

[3] F. Ramirez, Accounts Chem. Res. 1, 168 (1968); Synthesis 1974, 90.

[4] H. J. Kabbe, in I. Ugi, Isonitrile Chemistry, S. 93ff., Academic Press, New York · London 1971.

[5] J. Hamer u. J. A. Turner, in J. Hamer, 1,4-Cycloaddition Reactions, S. 205ff., Academic Press, New York · London 1967.

   H. Wollweber, Diels-Alder-Reaktion, S. 53, Georg Thieme-Verlag, Stuttgart 1972.

[6] R. Huisgen, Ang. Ch. 75, 604 (1963).

   T. L. Gilchrist u. R. C. Storr, Organic Reactions and Orbital Symmetry, S. 117, University Press, Cambridge 1972.

[7] L. L. Muller u. J. Hamer, 1,2-Cycloaddition Reactions, S. 111ff., J. Wiley & Sons, New York 1967.

[8] N. P. Gambaryan, E. M. Rokhlin, Yu. V. Zeifman, L. A. Simonyan u. I. L. Knunyants, Doklady Akad. SSSR 166, 864 (1966); engl.: 161.

[9] N. J. Turro, Accounts Chem. Res. 2, 25 (1969).

[10] J. Colonge u. G. Descotes, in J. Hamer, 1,4-Cycloaddition Reactions, S. 217ff., Academic Press, New York · London 1967.

[11] G. Pfundt u. G. O. Schenk, in J. Hamer, 1,4-Cycloaddition Reactions, S. 345ff., Academic Press, New York · London 1967.

Cycloadditionen eingehen. Zahlreiche elektrocyclische Reaktionen mit Ketonen, wie die Ringöffnung von Cyclobutanonen zu konjugierten Ketenen[1] oder Ringschlüsse von substituierten Dienonen zu 2H-Pyranen sind eingehend untersucht worden[2].

Die Reste R[1] und R[2] können die Reaktivität in verschiedener Weise beeinflussen. Sie können durch ihre Raumerfüllung, sowie auch über Winkel- und Konformations-Spannung, besonders in Ringketonen, wirksam sein. Die Reaktivitätsunterschiede von Aldehyden und vergleichbaren Ketonen rühren im wesentlichen von der relativ geringen Raumerfüllung des Wasserstoffs der CHO-Gruppe her. Generell vermindern sperrige Gruppen die Reaktivität der Carbonyl-Gruppe. Die Verringerung des Bindungswinkels R[1]–L–R[2] in kleinen Ringen, wie Cyclopropanon-Derivaten, hat eine relative Stabilisierung von Addukten, der Formel III (S. 1914), zur Folge. Beispielsweise bildet Cyclopropanon ein recht stabiles Hydrat. Das günstige Energieniveau der Sessel-Konformation von Cyclohexan-Derivaten fördert Additionsreaktionen an Cyclohexanon-Derivaten. In mittleren Ringketonen verringert die erhöhte Konformations-Spannung der Addukte oft die Reaktivität.

Bei der elektronischen Beeinflussung der Reaktivität von Carbonyl-Verbindungen durch die Reste R[1] und R[2] spielen sowohl induktive als auch mesomere Effekte eine Rolle.

Induktiv elektronenziehende Gruppen R[1] oder R[2], welche stark elektronegative Heteroatome enthalten, wie z. B. Sauerstoff oder Halogene, erhöhen die Elektrophilie der Carbonyl-Gruppe. Die Reaktivität von Carbonyl-Verbindungen wird durch die Reste R[1] und R[2] sowohl im Sinne veränderter Reaktionsgeschwindigkeit als auch im Sinne veränderter Gleichgewichtslagen beeinflußt. So reagiert Hexafluor-aceton einerseits mit nucleophilen Reaktionspartnern wegen der stark elektronenziehenden Eigenschaft der Fluoratome rascher als Aceton, andererseits sind auch die aus Hexafluor-aceton und nucleophilen Reaktionspartnern entstehenden Produkte stabiler als die entsprechenden Addukte des Acetons. Beispielsweise bildet Hexafluor-aceton stabile Hydrate, Halbacetale, Halbaminale und sogar Addukte mit sehr schwachen Nucleophilen wie Carbonsäure-amiden[3]. In solchen Fällen spielt die Begünstigung einer sp[3]-Hybridisierung durch stark elektronenanziehende Gruppen eine Rolle[4].

Zwar gibt es Gruppierungen R[1], R[2], die durch mesomeren Effekt Elektronen aus der Carbonyl-Gruppe abziehen, jedoch geben die meisten mesomeriefähigen Reste Elektronen an die Carbonyl-Gruppe ab und vermindern so deren elektrophile Reaktivität[5], so daß Additionen an die Carbonyl-Gruppe vergleichsweise langsamer verlaufen. Hinzu kommt, daß mesomeriefähige Reste R[1] und R[2] durch Wechselwirkung mit der Carbonyl-Gruppe das Gesamtsystem stabilisieren, während eine entsprechende Wechselwirkung in den Addukten nicht möglich ist, so daß in solchen Fällen die Gleichgewichte weiter auf der Seite der Ausgangsverbindungen liegen als bei vergleichbaren Carbonyl-Additionsverbindungen ohne mesomeriefähige Reste.

[1] J. E. BALDWIN u. M. C. McDANIEL, Am. Soc. 89, 1537 (1967); 90, 6118 (1968).
   C. TRINDLE, Am. Soc. 91, 4936 (1969).
[2] E. N. MARVELL, G. CAPLE, T. A. GOSINK u. G. ZIMMER, Am. Soc. 88, 619 (1966).
   K. R. HUFFMANN u. E. F. ULLMANN, Am. Soc. 89, 5629 (1967).
   G. MAIER, Valenzisomerisierungen, S. 177ff., Verlag Chemie, Weinheim 1972.
[3] N. P. GAMBARYAN, E. M. ROKHLIN, YU. V. ZEIFMAN, C. CHING-YUN u. I. L. KNUNYANTS, Ang. Ch. 78, 1008 (1966).
[4] C. G. KRESPAN u. W. J. MIDDLETON, in P. TARRANT, Fluorine Chemistry, Reviews, Vol. 1, 145ff., Edward Arnold LTD., London 1967.
[5] E. D. BERGMANN, D. GINSBURG u. R. PAPPO, Org. Reactions 10, 179 (1959).

Insbesondere seien hier Systeme genannt, welche C=C-Doppelbindungen enthalten; z. B.:

$$H_2C=CH-\overset{CH_3}{\underset{O}{C}} \quad \longleftrightarrow \quad H_2\overset{\oplus}{C}-CH=\overset{CH_3}{\underset{|\underline{O}|^{\ominus}}{C}}$$

VIII a   VIII b

IX a   IX b

Die Elektrophilie kann, zumal wenn sterische Faktoren hinzukommen, soweit herabgesetzt sein, daß charakteristische nucleophile Additionen an die Carbonyl-Gruppe nur noch sehr langsam verlaufen oder wegen der ungünstigen Gleichgewichtslage völlig unterbleiben, so z. B. die Cyanhydrin- und die ihr verwandte Strecker-Synthese, als auch die Hydrogensulfit-Addition im Falle von Alkyl-aryl-ketonen. Diaryl-ketone nehmen nur in Ausnahmefällen an üblichen Carbonyl-Reaktionen teil.

In einer Reihe von Fällen liegt das Gleichgewicht zwischen Addukt und Keton/Nucleophil fast ganz auf der Seite der Ausgangssubstanzen. Trotzdem können Reaktionen dieses Typs zur Herstellung von Keton-Derivaten verwendet werden, wenn sich an den Additionsschritt ein irreversibler Prozeß anschließt wie z. B. eine Eliminierung. Das für den anschließenden Eliminierungsschritt notwendige Proton kann entweder vom angreifenden Nucleophil oder vom α-Kohlenstoffatom des Ketons stammen; eine dritte Möglichkeit besteht in einer intermolekularen Wasserabspaltung mit einem zweiten Molekül Nucleophil. Diese mechanistischen Alternativen sind bei der Synthese von Azomethinen, Enaminen und Aminalen aus Ketonen und entsprechenden Aminen verwirklicht.

Neben der Eliminierung ist die Ringbildung ein vielfach beschrittener Reaktionsweg. So kann die Ketal-Bildung sowohl zum Schutze von Ketonen als auch von Diolen verwendet werden. Die besonders glatt verlaufende Bildung von Ketalen beruht darauf, daß in cyclischen Ketalen der Raumbedarf der „Alkoxy-Gruppe" geringer ist als bei vergleichbaren offenkettigen Verbindungen. Die, verglichen mit der Acetal-Bildung, geringere Tendenz der Ketone, Ketale zu bilden, hat in erster Linie sterische Gründe.

Nachfolgendes Schema gibt eine Reihe weiterer typischer Stabilisierungsmöglichkeiten für Carbonyl-Addukte:

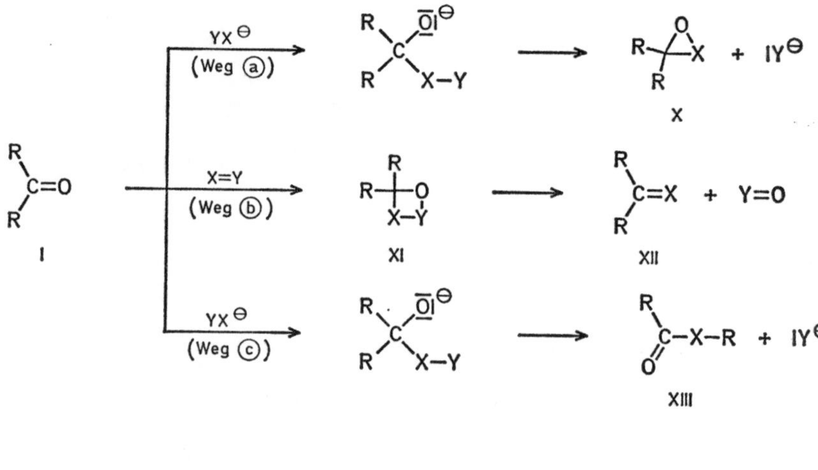

Weg ⓐ wird bei der Glycidester-Synthese nach Darzens[1] (s. S. 1970), bei der Corey-Chaykovsky-Reaktion[2] sowie bei der Umsetzung von Ketonen mit Diazomethan[3], Dimethyl-sulfoniummethyliden[4], Chloraminen oder Hydroxylaminen-O-sulfonsäure[5] beschritten. Er stellt ein vielfach anwendbares Syntheseprinzip für Dreiringheterocyclen[4] dar.

Ketone werden häufig als Ausgangsverbindungen zur Herstellung von Olefinen verwendet (Weg ⓑ). Die bekanntesten Synthesen dieser Art sind die Wittig-Reaktion[6] und die Horner-Variante[7] sowie die Schöllkopf-Reaktion[8]. Phosphoran-Derivate mit viergliedrigem Ring lassen sich aus Carbonyl-Verbindungen und Phosphinalkylenen als stabile Verbindungen isolieren, wenn der Phosphor im pentakoordinierten Addukt mindestens mit zwei Sauerstoffatomen verknüpft ist[9].

Der unterschiedliche Verlauf der Umsetzungen von Carbonyl-Verbindungen mit Schwefel-Yliden einerseits und Phosphor-Yliden und metallierten Isonitrilen andererseits beruht darauf, daß S–O-Bindungen energiereicher als C–O-Bindungen sind, während P–O-Bindungen energieärmer als C–O-Bindungen sind.

Weiterhin kann einer der Reste R^1 oder R^2 unter gegebenen Voraussetzungen an innermolekularen Umlagerungen als wandernde Gruppe teilnehmen (Weg ©), so z. B. bei der Homologisierung von offenkettigen und cyclischen Ketonen mit Diazomethan (s. S. 1855), bei der Benzilsäure-Umlagerung[10] sowie bei der Baeyer-Villiger-Reaktion (s. S. 1984).

Ein Rest R^1 oder R^2 kann auch durch nucleophile Eintrittsgruppen ($B^\ominus$) ersetzt werden[11]:

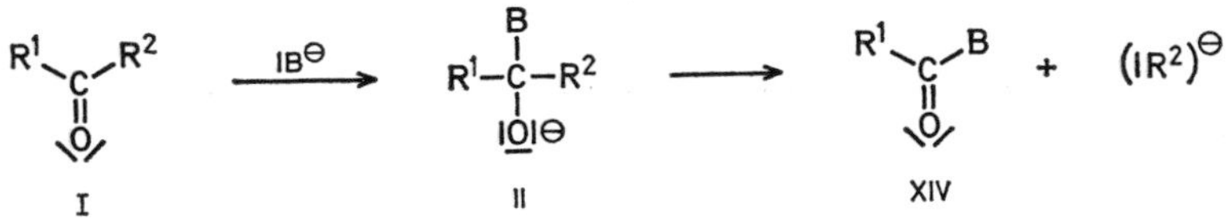

insbesondere, wenn der Rest R^2 ein relativ stabiles Anion $(:R^2)^\ominus$ ergeben kann. Die Spaltung von α,α,α-Trihalogen-Verbindungen (Haloformspaltung, s. S. 2007) oder von β-Dicarbonyl-Verbindungen mittels Alkali seien als Beispiele genannt.

Ungesättigte Reste R^1 und R^2 eröffnen eine Vielzahl zusätzlicher Reaktionsmöglichkeiten, wie Ringschluß-Reaktionen oder die Addition von Trimethylphosphit an

[1] M. BALLESTER, Chem. Reviews 55, 283 (1955).

[2] E. J. COREY u. M. CHAYKOVSKY, Am. Soc. 84, 866 (1962); 87, 1345 (1965).

[3] s. ds. Bd., S. 1852.

[4] L. A. PAQUETTE, Principles of Modern Heterocyclic Chemistry, S. 1ff., W. A. Benjamin Inc., New York · Amsterdam 1968.

[5] E. SCHMITZ, Dreiringe mit zwei Heteroatomen, Springer-Verlag, Heidelberg 1967.

[6] Literatur-Zusammenstellung s. S. 1971.

[7] L. HORNER, H. HOFFMANN u. H. G. WIPPEL, B. 91, 61 (1958).
L. HORNER, H. HOFFMANN, H. G. WIPPEL u. G. KLAHRE, B. 92, 2499 (1959).

[8] D. HOPPE, Ang. Ch. 86, 878 (1974).

[9] F. RAMIREZ, Bl. 1970, 3497.
F. RAMIREZ, C. P. SMITH u. J. F. PILOT, Am. Soc. 90, 6726 (1968).

[10] S. SELMAN u. J. F. EASTHAM, Quart. Rev. 14, 221 (1960).
E. S. GOULD, Mechanismus und Struktur in der organischen Chemie, S. 768ff., Verlag Chemie, Weinheim/Bergstr. 1962.

[11] K. E. HAMLIN u. A. W. WESTON, Org. Reactions 9, 1 (1947).

3,5- Dioxo-1-phenyl-hexen-(1)[1] und konjugierte Additionen wie die Umsetzung von α,β-ungesättigten Ketonen mit Grignard-Reagenzien, bei der die 1,4-Addition mit der 1,2- Addition konkurriert (s. S. 1973).

Besondere Verhältnisse liegen vor, wenn der α,β-ungesättigte Rest eine weitere Carbonyl-Gruppe darstellt, d. h. wenn α-Dicarbonyl-Verbindungen vorliegen. Da hier eine Carbonyl-Mesomerie im Sinne Ia ↔ Ib (S. 1913) von benachbarten Kohlenstoffatomen Elektronen abzieht und so zu positiver Ladung an benachbarten Kohlenstoffatomen führt, ist hier insgesamt die Mesomerie-Stabilisierung des Systems gestört. Deshalb sind α-Dicarbonyl-Verbindungen energiereicher und besonders reaktiv bei Carbonyl-Reaktionen. Weiterhin eröffnen die benachbarten Carbonyl-Funktionen neue Reaktionsmöglichkeiten, insbesondere Ringschluß-Reaktionen, wie z. B. die Addition von Trimethylphosphit an Butandion (Biacetyl)[2]:

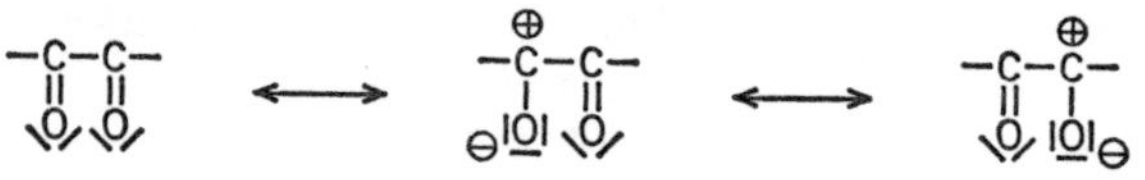

Ia   Ib   Ib

In den Carbanionen XVI von Ketonen mit α-ständigem Wasserstoff XV

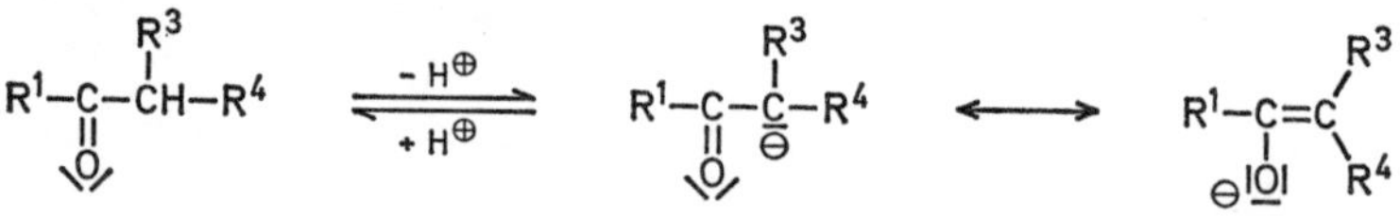

XV   XVIa   XVIb

ist die elektrophile Reaktivität des Carbonyl-Kohlenstoffatoms infolge der Resonanz XVIa ↔ XVIb praktisch verschwunden. Diese Resonanz ist übrigens für die Stabilisierung des Anions XVI und somit für die Acidität von XV verantwortlich.

Weiterhin können die Reste R^1 und R^2 an den chemischen Umsetzungen der Ketone direkt partizipieren und so Reaktionsmöglichkeiten eröffnen, welche über die einfachen Carbonyl-Reaktionen hinausgehen.

Ketone des Typs XV können sich u. a. säure- oder basen-katalysiert mit der Enol-Form XVII äquilibrieren:

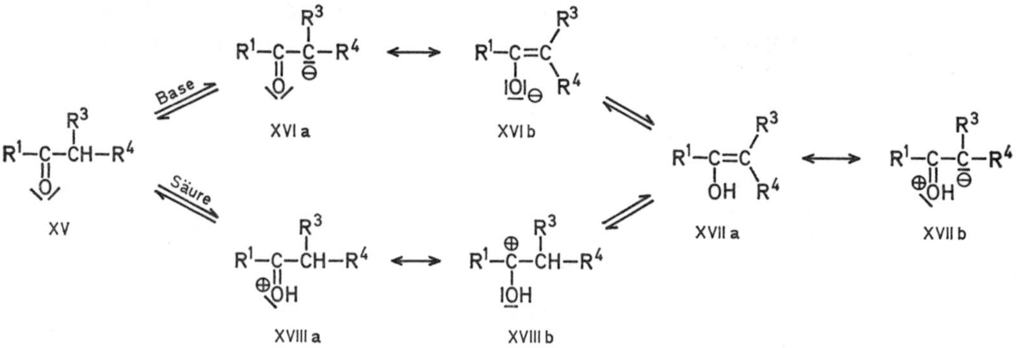

XVIa   XVIb   XVIIa   XVIIb
XV   XVIIIa   XVIIIb

[1] F. Ramirez, J. F. Pilot, O. P. Madan u. C. P. Smith, Am. Soc. 90, 1275 (1968).
F. Ramirez, O. P. Madan u. S. R. Heller, Am. Soc. 87, 731 (1965).
[2] US. P. 2961455 (1960), Monsanto Chemical Co., Erf.: G. H. Birum u. J. L. Dever; C. A. 55, 8292ᵍ (1961).
F. Ramirez u. N. B. Desai, Am. Soc. 85, 3252 (1963).

Der unterschiedliche Reaktionsverlauf der Bromierung des Acetons im sauren und alkalischen Milieu zu Brom-aceton bzw. α,α,α-Tribrom-aceton ergibt sich daraus, daß Brom-aceton säurekatalysiert langsamer enolisiert als Aceton, während die Brommethyl-Gruppe des Brom-acetons bzw. die Dibrommethyl-Gruppe des α,α-Dibrom-acetons in Gegenwart von Basen rascher in das reaktive Anion übergeführt wird als die analoge Deprotonierung einer Methyl-Gruppe des Acetons selbst erfolgt.

Nimmt man an, daß die negative Ladung über ein Molekülorbital verteilt ist, welches den Carbonyl-Sauerstoff, den Carbonyl-Kohlenstoff und das α-Kohlenstoffatom umfaßt, so ist der ausgeprägte nucleophile Charakter des Carbonyl-Sauerstoffs und des α-Kohlenstoffatoms leicht erklärbar. Das Enolat-Ion ist deshalb eine ambidente nucleophile Spezies, die mit der Position größter Elektronegativität am Sauerstoff, in S_N1-Reaktionen bevorzugt bzw. ausschließlich abreagiert. Im Gegensatz dazu ist in Reaktionen, die nach dem S_N2-Typ verlaufen, das stärker polarisierbare und weniger elektronegative Kohlenstoffatom das Reaktionszentrum. Thermodynamisch gesehen ist eine C-Alkylierung um etwa 24 kcal/Mol günstiger als eine O-Alkylierung.

Diese Delokalisierung setzt voraus, daß das Carbonyl-Kohlenstoffatom, dessen beteiligtes α-Kohlenstoffatom und sämtliche Liganden dieser beiden Atome sich annähernd in einer Ebene befinden; gleiches gilt auch für die Enol-Form der Carbonylverbindung. Ist diese Coplanaritätsforderung nicht erfüllbar, so bleibt die Erhöhung der CH-Acidität am α-Kohlenstoffatom wie auch die Enolisierung aus. Im Falle des 2,6-Dioxo-bicyclo[2.2.1]heptans kann sich aus sterischen Gründen keine Coplanarität einstellen, dementsprechend ist keine Enolisierung zu beobachten.

Elektronenabziehende Substituenten am α-Kohlenstoff sowie Doppelbindungen, die das Enolat durch Konjugation stabilisieren können, verstärken die Acidität und verschieben das Gleichgewicht zugunsten des Enols. Für die Lage eines Keto-Enol-Gleichgewichts

$$c_{Enol}/c_{Keton} = K_{Keton}/K_{Enol}$$

sind die Aciditäten der Keto- und Enol-Form maßgebend:

$$K_{Keton/Enol} = K_{Keton}/K_{Enol}$$

[K_{Keton} und K_{Enol} sind die Aciditätskonstanten der Keto- und Enol-Form].
Die Lage des Keto-Enol-Gleichgewichts ist bei verschiedenen Ketonen stark unterschiedlich.

Carbonyl-Verbindung	Enolgehalt (%)
Aceton	$2,5 \cdot 10^{-4}$
Butandion (Biacetyl)	$5,6 \cdot 10^{-3}$
Cyclohexanon	$2 \quad \cdot 10^{-2}$
Acetessigsaure-äthylester	8
2,4-Dioxo-pentan (Acetylaceton)	80

Im allgemeinen ist die Keto-Form beträchtlich stabiler als die Enol-Form. Der Übergang zur Enol-Form bedeutet eine Enthalpiezunahme um ~ 20 Kcal/Mol, sofern keine zusätzliche Stabilisierung durch Konjugation und Wasserstoffbrückenbildung vorhanden ist. Obwohl in den meisten Fällen die Konzentration der Enol-Form sehr klein ist, vermag sie das Reaktionsverhalten einer Reihe von Verbindungen zu bestimmen.

Bei unsymmetrisch substituierten Ketonen ist demzufolge diejenige Enol-Form begünstigt, welche durch Abstraktion des acideren α-Protons des Ketons hervorgeht bzw. das weniger acide Enolproton trägt. Da sich die CH-Aciditäten von Ketonen für gewöhnlich stärker unterscheiden als die OH-Aciditäten von Enolen, ist hierbei der erstere Faktor meist entscheidend.

Sowohl das Carbanion XVI (S. 1920) als auch das Enol sind am α-C-Atom gemäß den Grenzstrukturen XVI b und XVII b Elektrophilen gegenüber reaktiv, wie dies z. B. bei der säure- oder basenkatalysierten Halogenierung, der Alkylierung und Acylierung oder der Mannich-Reaktion und der Aldol-Kondensation beobachtet wird; bei letzteren beiden Reaktionen nehmen Carbonyl-Verbindungen des Typs XV (S. 1920) als Methylen-Komponente teil.

Aldol-Kondensationen zweier verschiedener Carbonyl-Verbindungen des Typs A und B ergeben für gewöhnlich Gemische von Produkten des Typs AA, AB, BA und BB. Um gezielt gemischte Aldol-Kondensationsprodukte AB zu erhalten, kann man die Methylen-Komponente B zunächst in die Schiffsche Base überführen, diese α-metallieren, mit der Carbonyl-Komponente A umsetzen und schließlich die Schiffsche Base des Produktes AB zu letzterem hydrolysieren (s. S. 1898).

Die nucleophilen Derivate, die sich von einem Keton mit α-ständigem Wasserstoff ableiten, unterscheiden sich bezüglich der relativen kinetischen Reaktivität gegenüber elektrophilen Reaktionspartnern erheblich, und zwar gemäß der nachstehenden Reaktivitätsfolge:

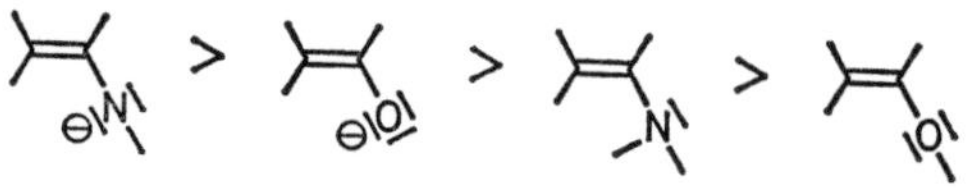

Bei der Bildung und Umwandlung von Ketonen durch ionische Reaktionen können der Carbonyl-Sauerstoff und dessen benachbarte Kohlenstoffatome nucleophile bzw. elektrophile Zentren darstellen. Hierbei bilden die Elektronenaffinitäten dieser Atome ein alternierendes Muster, welches wir als Evans-Lapworth-Schema bezeichnen, ein Schema, das auch α,β-ungesättigte Ketone mit einschließt[1]. Hierin sind diejenigen Atome mit e bezeichnet, welche beim Aufbau der Ketone elektrophilen Zentren der Reaktionsteilnehmer entstammen oder bei der Reaktion von Ketonen als elektrophile Zentren reagieren. Die mit n bezeichneten Atome spielen eine entsprechende nucleophile Rolle.

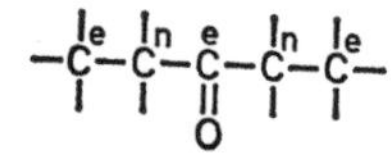

Die Evans-Lapworth-Schemata stellen eine wertvolle Grundlage für die systematische Planung von Synthesen und zur Erstellung von mechanistischen Alternativen dar.

---

[1] D. A. Evans, UCLA Physical Organic Chemistry Seminar vom 6. 5. 1971 und persönliche Mitteilung an I. Ugi.
A. Lapworth, Proc. Manchester, Lit Phil. Soc., 64 (1) (1920); Soc. 121, 416 (1922); Chem. & Ind. 43, 1294 (1924); 44, 397 (1925).

Die Robinson-Annelierung[1] ist eine der wichtigsten Reaktionen für die Synthese von Steroid-Ketonen. Sie stellt eine Kombination von Aldol-Kondensation und Michael-Addition dar. Die im Verlaufe dieser vielstufigen Umsetzung auftretenden elektrophilen und nucleophilen Zentren entsprechen dem Evans-Lapworth-Schema der Produkte.

Neben den angeführten ionischen Reaktionstypen, die allesamt dem Evans-Lapworth-Schema folgen, gibt es noch eine Reihe von Keton-Reaktionen, welche Ausnahmen davon darstellen.

Die Decarbonylierung von Carbonyl-Verbindungen[2] ist ein Reaktionstyp, an dem sowohl die Carbonyl-Gruppe als auch die Liganden beteiligt sind. So kann die Einwirkung von starken Säuren auf α-Oxo-carbonsäuren zur Decarbonylierung führen, desgleichen die Thermolyse von α-Polycarbonyl-Verbindungen wie α-Oxo-carbonsäureestern, 1,2,3-Triketonen und Carbonyl-Derivaten ungesättigter Bi- und Polycyclen. Photolytische Decarbonylierungen sind bei einer Reihe von ungesättigten Ketonen gefunden worden. Cyclische Ketone liefern unter Ringverengung Cycloalkane neben olefinischen Produkten. An dieser Stelle sei auch an die photochemische Überführung von Ketonen in Ketene bzw. deren Folgeprodukte erinnert, desgleichen an die Cycloreversion von Cyclobutanon zu Keten und Olefin[3].

Die Reduktion von Ketonen (s. S. 1991) kann sowohl durch Übertragung von Elektronen und anschließender Protonierung als auch durch die Übertragung von Wasserstoff oder Hydrid-Ionen erfolgen. Die zuletzt genannte Reduktion entspricht einer nucleophilen Addition. Nucleophile Additionen an Carbonyl-Verbindungen sind dann als Reduktionen aufzufassen, wenn die Reaktionszentren der Nucleophile Kohlenstoffatome[4-6] sind oder aus Atomen bestehen, welche weniger elektronegativ sind als der Kohlenstoff.

Die Reduktion eines Ketons zum Kohlenwasserstoff entspricht formal der Aufnahme von insgesamt 4 Elektronen. Die Übertragung eines Elektrons führt vom

[1] R. T. BLICKENSTAFF, A. C. GHOSH u. G. C. WOLF, Total Synthesis of Steroids, S. 11, 177, 182, 194,, Academic Press, New York · London 1974.

[2] W. M. SCHUBERT u. R. R. KINTNER, in S. PATAI, The Chemistry of the Carbonyl Group, S. 695ff. Interscience Publishers, London 1966.

[3] S. W. BENSON u. G. B. KISTIAKOWSKY, Am. Soc. 64, 80 (1942).
F. E. BLACET u. A. MILLER, Am. Soc. 79, 4327 (1957).
R. SRINIVASAN, Am. Soc. 81, 5541 (1959).

[4] T. EICHER, in S. PATAI, The Chemistry of the Carbonyl Group, S. 621ff., Interscience Publishers, London 1966.

[5] D. SEEBACH u. D. ENDERS, Ang. Ch. 87, 9 (1975).

[6] D. J. CRAM, Fundamentals of Carbanion Chemistry, Academic Press, New York · London 1965.

Keton zum Metallketyl, einem Radikal-Anion; dieses kann dimerisieren oder durch Aufnahme eines weiteren Elektrons in ein Dianion übergeführt werden, welches auf der gleichen Oxidationsstufe steht wie die sekundären Alkohole, welche durch Anlagerung von Wasserstoff oder Aufnahme eines Hydrid-Ions und anschließende Protonierung aus Ketonen erhältlich sind:

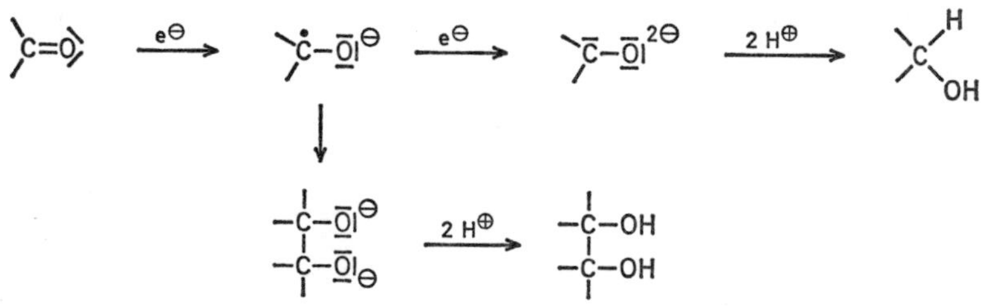

Die Reduktion von Ketonen zum Kohlenwasserstoff kann über die Zwischenstufe des Alkohols vorgenommen werden, wobei letzterer einerseits hydrogenolytisch (im Falle von α-Aryl-alkoholen und Analoga) formal über eine radikalische Zwischenstufe und Wasserstoff-Anlagerung an letztere oder andererseits über das dem Alkohol entsprechende Carbenium-Ion mit formaler Anlagerung von Elektron und Proton (z. B. Clemmensen-Reduktion, s. S. 1998) oder eines Hydrids (Reduktion durch Mischhydride in Gegenwart von Aluminiumchlorid, gegebenenfalls zweistufig über ein Derivat des Alkohols) entsteht. Weiterhin ist die Reduktion von Carbonyl-Verbindungen zu Kohlenwasserstoffen durch die basenkatalysierte Zersetzung von Hydrazonen (Wolff-Kishner, Huang-Minlon, s. S. 1999) oder durch Reduktion von Thioketalen möglich (s. S. 1402).

Die Oxidation von Carbonyl-Verbindungen kann sowohl am Rest R^1 und R^2 ohne Beteiligung des Carbonyl-Kohlenstoffatoms (z. B. durch Selendioxid) oder auch mit Einbeziehung des letzteren erfolgen (z. B. durch Persäuren). Die Überführung von Ketonen in Amide über die Beckmann-Umlagerung von Oximen (s. S. 1986) entspricht formal einer Oxidation am Carbonyl-Kohlenstoffatom und einer seiner Liganden. Die Faworsky-Reaktion[1] kann als eine Disproportionierung aufgefaßt werden, bei der am Carbonyl-Kohlenstoffatom eine Oxidation stattfindet, während am ursprünglich halogenierten Kohlenwasserstoffrest eine formale Reduktion eintritt.

Bei der Benzilsäure-Umlagerung[2] wird formal die eine Carbonyl-Gruppe oxidiert, die andere reduziert. Auch die Willgerodt-Reaktion[3] verläuft nach einem Redoxvorgang (s. S. 1982).

---

[1] A. S. Kende, Org. Reactions 11, 261 (1960).

[2] S. Selman u. J. F. Eastham, Quart. Rev. 14, 221 (1960).
E. S. Gould, *Mechanismus und Struktur in der organischen Chemie*, S. 768ff., Verlag Chemie, Weinheim 1962.

[3] M. Carmack u. M. A. Spielmann, Org. Reactions 3, 83 (1949).
W. Walter u. K.-D. Bode, Ang. Ch. 78, 527 (1966).

Ketone mit mindestens einem sekundären bzw. tertiären α–C-Atom können sich in Gegenwart von Proton- oder Lewis-Säuren nach folgendem allgemeinen Schema umlagern[1]:

$$
\begin{array}{ccc}
\overset{\displaystyle R}{\underset{\displaystyle R}{R^*-C^*O-\overset{|}{\underset{|}{C}}-R}} & \overset{+H^\oplus}{\underset{-H^\oplus}{\rightleftharpoons}} & \overset{\displaystyle R}{\underset{\displaystyle OH\ R}{R^*-\overset{\oplus}{C^*}-\overset{|}{\underset{|}{C}}-R}} \rightleftharpoons \\
\text{I} & & \\[4mm]
\end{array}
$$

$$
R^*-\underset{OH}{\overset{R}{C^*}}-\underset{R}{\overset{\oplus}{C}}-R \rightleftharpoons
$$

$$
\begin{array}{ccc}
\overset{\displaystyle R}{\underset{\displaystyle R}{R^*-C^*O-\overset{|}{\underset{|}{C}}-R}} & \overset{+H^\oplus}{\underset{-H^\oplus}{\rightleftharpoons}} & \overset{R\quad R^*}{\underset{OH\ \ R}{\oplus C^*-\overset{|}{\underset{|}{C}}-R}} \rightleftharpoons \\
\text{II} & & \\
\end{array}
$$

$$
\underset{\oplus}{\overset{R}{\underset{|}{R^*-C^*}}}-\underset{R}{\overset{OH}{\underset{|}{C}}}-R \rightleftharpoons
R^*-\underset{R}{\overset{R}{C^*}}-\underset{R}{\overset{OH}{C^\oplus}}-R \underset{+H^\oplus}{\overset{-H^\oplus}{\rightleftharpoons}} R^*-\underset{R}{\overset{R}{C^*}}-CO-R
$$

$$
\text{III}
$$

Für Oxo-tetraphenyl-äthan mit ^{14}C-markiertem Carbonyl-Kohlenstoffatom (I, II; $R = C_6H_5$) konnte gezeigt werden[2], daß ein Übergang zu III möglich ist; formal entspricht das einem Austausch des Carbonyl-Kohlenstoffatoms und des tert.-α-Kohlenstoffatoms.

Ausgehend von 3-Oxo-2,2-dimethyl-butan mit ^{14}C-markierter [14]CH_3–CO-Funktion (I: $R = CH_3$) wurde nach Behandlung mit Schwefelsäure die markierte Methyl-Gruppe auch in der tert.-Butyl-Gruppe gefunden[3]. Entsprechend dem obigen Schema kann die Umlagerung sowohl auf dem Wege I → II, als auch I → III erfolgt sein. In beiden Fällen unterscheiden sich Ausgangs- und Endprodukte nur in der Position der Markierung.

Bei einem Sortiment unterscheidbarer Liganden R kann eine Vielzahl von Umlagerungsprodukten erwartet werden, deren Anteil sowohl durch die Stabilität der intermediär auftretenden Carbenium-Ionen als auch durch Art und Wanderungstendenz der Reste R bestimmt wird.

Stark verzweigte Gruppen in α-Position erhöhen die Umlagerungstendenz, können aber aus sterischen Gründen den elektrophilen Angriff an das Carbonyl-Sauerstoffatom behindern. Cyclische Ketone lagern sich sowohl unter Ringerweiterung als auch Ringverengung um.

Ein besonders illustratives Beispiel für diese Art von Keton-Umlagerungen stellt die Racemisierung von Campher in konzentrierter Schwefelsäure dar[4].

---

[1] J. E. Dubois u. P. Bauer, Am. Soc. **90**, 4510 (1968) und vorangehende Arbeiten.

[2] A. Fry, W. L. Carrick u. C. T. Adams, Am. Soc. **80**, 4743 (1958).

[3] T. S. Rothrock u. A. Fry, Am. Soc. **80**, 4349 (1958).

[4] A. M. T. Finch, Jr. u. W. R. Vaughan, Am. Soc. **91**, 1416 (1969).
   O. R. Rodig u. R. J. Sysko, Am. Soc. **94**, 6475 (1972).

Zweck der einleitenden Bemerkungen soll es sein, wesentliche Gemeinsamkeiten, allgemeine Gesichtspunkte und Zusammenhänge der Keton-Chemie unter Absehen von der Vielfalt der Einzeltatsachen herzustellen. Sie sollen der nachfolgenden detaillierten Diskussion vor allem dadurch zugute kommen, daß die hier diskutierten allgemeinen Leitlinien und mechanistischen Aspekte nicht nochmals ausgeführt werden müssen, so daß in der nachfolgenden ausführlichen Darstellung eher die Unterschiede der einzelnen Stoffe und Reaktionen unter einem präparativen Aspekt betont werden können.

II. Komplexverbindungen der Ketone

bearbeitet von

Dr. Heinrich Gold

Bayer AG, Leverkusen

a) mit protonischen Säuren

Mit starken Säuren (Schwefelsäure, Chlorsulfonsäure, Salpetersäure, Perchlorsäure u.a.) bilden die Ketone Salze, bei denen es sich nach spektroskopischen Untersuchungen um Hydroxoniumsalze handelt[1]. Aceton und Acetophenon sind in 100%iger Schwefelsäure vollständig protoniert[2]. Die Lage des Gleichgewichts ist abhängig von der Basizität des Ketons, so daß es möglich ist, mittels spektroskopischer Messungen eine vergleichende Basizitätsreihe der Ketone aufzustellen[3]. Mit Salpetersäure sind von einigen Ketonen die Hydroxoniumnitrate herstellbar[3], die teils als Öle, teils in Form niedrig schmelzender Kristalle anfallen und die in der Reihe der aromatischen und ungesättigten Ketone oft intensiv gefärbt sind[4].

3-Oxo-1,5-diphenyl-pentadien-nitrat[4]: Bei 50–55° wird in Salpetersäure (D = 1,4), die frei von nitrosen Gasen ist, 3-Oxo-1,5-diphenyl-pentadien (Dibenzalaceton) eingetragen. Das sich zunächst abscheidende Öl erstarrt beim Abkühlen zu orangefarbenen Kristallen; F: 48–49°.

Fluorenonnitrat (F: 63–64°) wird auf analoge Weise hergestellt. Im allgemeinen ist jedoch eine Reaktionstemperatur von −40° bis −50° einzuhalten[5]. Durch Wasser als konkurrierende Base werden die Hydroxoniumnitrate schnell zu den Ketonen hydrolysiert.

Halogenwasserstoffsäuren liefern mit Ketonen nur instabile Additionsverbindungen vom Typ eines α-Halogen-alkohols,

[1] R. Stewart u. K. Yates, Am. Soc. **80**, 6355 (1958).
  H. J. Campbell u. J. T. Edward, Canad. J. Chem. **38**, 2109 (1960).
  A. Fischer et al., Am. Soc. **83**. 4208 (1961).
  R. Stewart et al., Canad. J. Chem. **41**, 1065 (1963).
[2] A. Hantzsch, Z. physik. Chem. **65**, 41 (1909).
[3] J. Schmidt u. K. Bauer, B. **38**, 3759 (1905).
  K. H. Meyer, B. **43**, 157 (1910).
  G. Reddelien, B. **45**, 2907 (1912); **48**, 1462 (1915); J. pr. **91**, 213 (1915); Ang. Ch. **35**, 580 (1922).
[4] G. Reddelien, B. **45**, 2907 (1912).
[5] W. Hofman, L. Stefaniak u. T. Urbanski, Soc. **1962**, 2343.

der noch ein weiteres Molekül Halogenwasserstoff als Molekülverbindung gebunden enthalten kann. Durch Umsetzung mit Alkoholen sind die Halogenalkohole als α-Halogen-äther stabilisierbar (Bd. V/3, S. 843; u. ds. Bd. S. 1932).

Die Erhöhung der Elektrophilie der CO-Gruppe durch nachbarständige elektronen-anziehende Fluoralkyl-Gruppen befähigt fluorierte Ketone[1], wie Hexafluor-aceton, zur Bildung stabilerer Additionsprodukte mit Halogenwasserstoffsäuren, z. B. zu:

Hexafluor-2-chlor-propanol-(2)[2]	Kp: 19°	F: −47°
Heptafluor-propanol-(2)[2]	Kp: 15°	F: −56°
Hexafluor-1-chlor-propanol-(2)[2]	Kp: 32°	F: −82°

Die Salze der Ketone mit Halogenosäuren besitzen höhere Stabilität. Wenn sie zurückspalten, bilden sich die Komplexe der Lewis-Säuren und Halogenwasserstoff-säure. So ist die Stabilität der Hexachloroantimonate durch die Chlorwasserstoff-Tension charakterisierbar[3].

Andererseits nehmen die Antimon(V)-chlorid-Komplexe der Ketone in Dichlor-methan oder Äther bei tiefer Temperatur (−30 bis −40°) leicht 1 Mol Chlorwasser-stoff auf unter Bildung der entsprechenden Hexachloroantimonate:

Bei der Umsetzung der Ketone mit tertiären Oxoniumsalzen werden im allge-meinen aldolartige Kondensationsprodukte gebildet. Nur wenn diese Reaktion nicht möglich ist, wird leichter als bei Aldehyden ein Alkyl-Kation unter Bildung der entsprechenden tertiären Oxonium- bzw. Carboniumsalze aufgenommen:

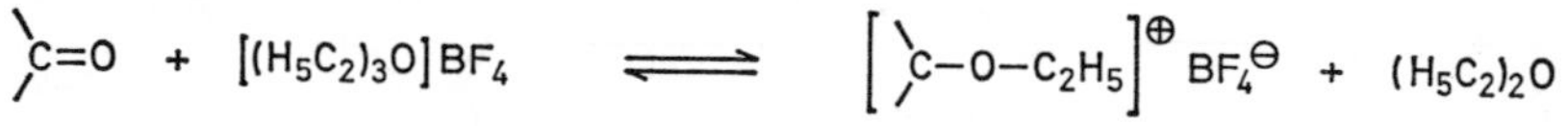

Diese Reaktion ist beispielsweise beim 3-Oxo-1,5-diphenyl-pentadien (Dibenzalace-ton) möglich[4,5].

b) Umsetzungen von Ketonen mit aprotonischen Säuren (Lewis-Säuren)

Lewis-Säuren sind dadurch charakterisiert, daß sie in der Lage sind, als Accep-toren für freie Elektronenpaare zu dienen. Ein ungebundenes Elektronenpaar des

[1] H. P. BRAENDLIN u. E. T. McBEE, Adv. Fluorine Chem. **3**, 1 (1963).
N. P. GAMBARYAN et al., Ang. Ch. **78**, 1008 (1966).
[2] DBP. 1244149 (1965), Allied Chemical Corp., Erf.: L. G. ANELLO u. A. W. YODIS; C. A. **68**. 49077ʸ (1968).
[3] F. KLAGES, H. TRÄGER u. E. MÜHLBAUER, B. **92**, 1825 (1959).
[4] Vgl. ds. Handb., Bd. VI/3, Kap. Oxoniumsalze, S. 346.
[5] H. MEERWEIN et al., B. **89**, 2060 (1956).

nucleophilen Carbonyl-Sauerstoffatoms versetzt daher auch Ketone in die Lage, mit fast allen Lewis-Säuren Komplexverbindungen zu bilden[1], z. B. mit:

$$ZnCl_2, BF_3{}^2, B_2Cl_4, AlCl_3, Al(OR)_3, SnCl_4, TiCl_4{}^3, SbCl_5{}^{4,5} \text{ u. a. } 6$$

Die meisten dieser Addukte sind nur Durchgangskomplexe bei Synthesen. Gut isolierbar sind jedoch die Komplexe der Ketone mit Bortrifluorid bzw. Antimon(V)-chlorid.

Bortrifluorid, das einer der stärksten Acceptoren ist, reagiert mit Ketonen zu isolierbaren Komplexverbindungen[7]. Daneben können sich auch aldolartige Kondensationsprodukte bilden. Die Herstellung der feuchtigkeitsempfindlichen Bortrifluorid-Komplexe erfolgt durch Sättigen einer Lösung des Ketons in Petroläther[7] oder Benzol[8] mit Bortrifluorid bei Temperaturen von −10 bis 0°.

1:1 *Bortrifluorid-Komplex* von	F [° C]	Kp$_{14}$ [° C]
Aceton[9]	35–40	54
Butanon[9]	−4	53
Heptanon-(2)	−15 bis −18	72
Heptanon-(4)[8]	+44	(Kp$_{16}$: 59°)
3-Oxo-2,4-dimethyl-pentan[9]	+90	sublimiert

Der *Cyclohexanon-Bortrifluorid-Komplex* neigt besonders leicht zu Selbstkondensationen.

Benzophenon gibt anscheinend keinen Komplex[9]. Der *Acetophenon-Bortrifluorid-Komplex* ist eine an der Luft rauchende kristalline Verbindung, die bei 0° noch beständig ist[10], sich jedoch gegen 80° heftig zersetzt, wobei u. a. 2,4,6-Triphenyl-pyrylium-tetrafluoroborat[9,11] entsteht.

β-Diketone I reagieren mit Bortrifluorid primär gleichfalls unter Bildung von 1:1-Addukten II, die bei Raumtemperatur unter Fluorwasserstoff-Abspaltung in cyclische Fluoroborsäureester III übergehen[12]:

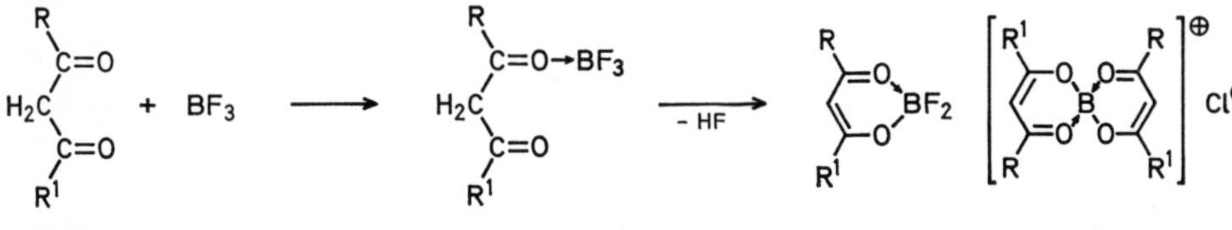

[1] L. Lindqvist, *Inorganic Adduct Molecules of Oxo-Compounds*, Springer-Verlag, Heidelberg 1968.
B. P. Susz u. P. Chalandon, Helv. **41**, 1332 (1958).
[2] *Gmelins Handbuch der anorganischen Chemie*, 8. Aufl., Bd. 13, S. 115; Ergänzungsband 13, S. 186, Verlag Chemie, Leipzig · Berlin 1926 bzw. Weinheim 1954.
[3] G. W. A. Fowles, R. A. Hoodless u. R. A. Walton, Soc. **1963**, 5873.
[4] s. S. 1929.
[5] F. Klages, H. Träger u. E. Mühlbauer, B. **92**, 1819 (1959).
G. Olafsson, Acta. chem. scand. **19**, 2155 (1965); **21**, 2415 (1967).
[6] Infrarot Absorptionsspektren von Keton-Lewissäure-Komplexe s. C. Georgoulis et al., C. r. **266** [C] 1465 (1968).
[7] P. N. Gates u. E. F. Mooney, Soc. **1964**, 4649.
[8] P. Chalandon u. B. P. Susz, Helv. **41**, 697 (1958), spektroskopische Untersuchungen.
[9] R. Lombard u. J.-P. Stéphan, Bl. **1957**, 1370.
[10] B. P. Susz u. P. Chalandon, Helv. **41**, 1334 (1958).
[11] R. C. Elderfield u. T. P. King, Am. Soc. **76**, 5437 (1954).
[12] G. T. Morgan u. R. B. Tunstall, Soc. **1924**, 1963.

Bortrichlorid liefert mit β-Diketonen Komplexe vom Typ der Orthoborsäure-ester[1] IV.

1,3-Dioxo-1-phenyl-butan-Bortrifluorid-Komplex[2]: 5 g 1,3-Dioxo-1-phenyl-butan (Benzoyl-aceton) werden in 45 ml Bortrifluorid-Diäthylätherat suspendiert. Dann wird Bortrifluorid bis zur Sättigung eingeleitet, wobei 5,1 g aufgenommen werden. Die Komplexverbindung wird abgesaugt, mit Äther gewaschen und im Exsikkator getrocknet. Das Addukt ist sehr hygroskopisch und spaltet beim Stehen Fluorwasserstoff ab.

(1-Phenyl-butan-1,3-dionato)-bor-difluorid[3]:

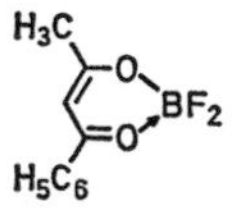

Bortrifluorid wird in eine ges. Lösung von 1,3-Dioxo-1-phenyl-butan (Benzoylaceton) in Benzol das etwas Petroläther enthält, eingeleitet, wobei das Reaktionsprodukt kristallin ausfällt; F: 155°.

Antimon(V)-chlorid liefert ebenso wie Bortrifluorid mit Aceton eine kristallisierte Komplexverbindung[4–6].

Aceton-Antimon(V)-chlorid-Komplex[4,5]: In eine Lösung von 12,8 ml (0,1 Mol) Antimon(V)-chlorid in Dichlormethan wird bei −50° unter Ausschluß von Luftfeuchtigkeit und unter gleichzeitigem Durchleiten von Stickstoff eine Lösung von 7,3 ml Aceton in 15 ml Dichlormethan eingetropft. Die kristalline Fällung wird bei tiefer Temp. abgesaugt, mit stark gekühltem 1,2-Dichlor-äthan gewaschen und i. Vak. getrocknet. Aus Chloroform vorsichtig umkristallisiert, werden feuchtigkeitsempfindliche Kristalle vom F: 106° erhalten; Ausbeute: ∼ 80% d.Th.

Analog werden *Cyclohexanon-* (F: 75°), *Acetophenon-* (F: 138°) und *Benzophenon-Antimon(V)-chlorid-Addukte* (F: 124°) erhalten[5]. Die Ausbeuten sind praktisch quantitativ.

Im Gegensatz zu den Komplexen aus Ketonen und Bortrifluorid sind die mit Borchloriden erheblich unbeständiger. Bortrichlorid und Tetrachlordiboran reagieren bereits bei −80° mit Aldehyden[7] bzw. Ketonen zu Addukten[8,9], die mit steigender Temperatur zu einer Reihe von Zersetzungsprodukten führen. So spalten die aus Aceton und Bortrichlorid, Tetrachlordiboran oder Dichlor-phenyl-boran bei −78° gebildeten Komplexe bereits bei −15° Chlorwasserstoff ab[10]. Aus Benzophenon hingegen entsteht das folgende stabile Addukt[9]:

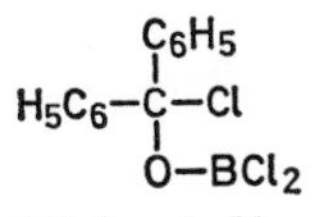

Dichlor-(diphenyl-chlor-methoxy)-boran

---

[1] Vgl. ds. Handb., Bd. VI/2, S. 234.
   H. STEINBERG, *Organoboron Chemistry*, Vol. 1, S. 524, Interscience Publishers, New York 1964.
[2] H. MEERWEIN u. D. VOSSEN, J. pr. **141**, 166 (1934).
[3] G. T. MORGAN u. R. B. TUNSTALL, Soc. **1924**, 1964.
[4] A. ROSENHEIM u. W. STELLMANN, B. **34**, 3380 (1901).
[5] F. KLAGES, H. TRÄGER u. E. MÜHLBAUER, B. **92**, 1825 (1959).
[6] P. N. GATES u. E. F. MOONEY, Soc. **1964**, 4648.
[7] M. J. FRAZER, W. GERRARD u. M. P. LAPPERT, Soc. **1957**, 739.
[8] W. GERRARD u. M. F. LAPPERT, Chem. Reviews 58, 1097 (1958).
[9] H. STEINBERG, *Organoboron Chemistry*, Vol. 1, S. 524, Interscience Publishers, New York 1964.
[10] A. G. MASSEY, Soc. **1961**, 1103.

III. Funktionelle Keton-Derivate

a) Umsetzung von Ketonen mit Wasser

bearbeitet von

Dr. Heinrich Gold

Bayer AG, Leverkusen

In Wasser liegen die Ketone im Gleichgewicht mit ihren **Hydraten** vor. Aufgrund der Messung der Ramanspektren und der kernmagnetischen Resonanz sind die Keton-Hydrate als **geminale Diole** aufzufassen[1]:

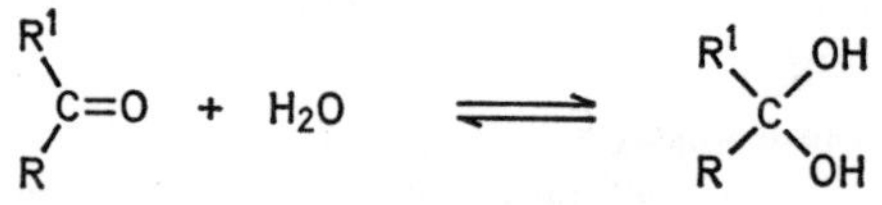

$$\begin{array}{c}R^1\\ \\ R\end{array}C{=}O \ + \ H_2O \ \rightleftharpoons \ \begin{array}{c}R^1 \quad OH\\ C\\ R \quad OH\end{array}$$

Ihre Bildung wird durch Säuren und durch Basen gleichermassen katalysiert. Das temperaturabhängige Gleichgewicht ist insbesondere durch Messung der UV-Absorption der CO-Gruppe um 300 nm leicht bestimmbar.

Die meisten Hydrate spalten beim Erhitzen wieder Wasser ab. Je stärker elektronenanziehend die mit der Carbonyl-Gruppe verbundenen Reste sind, um so stabiler sind die Hydrate, z. B. *2,2-Dihydroxy-1,3-dioxo-indan.*

Im extremen Fall der sog. „*Dioxyweinsäure*"(*Tetrahydroxy-bernsteinsäure*) läßt sich die Wasser-Abspaltung zur Dioxo-bernsteinsäure nicht mehr durchführen; es tritt eine Fragmentierung ein:

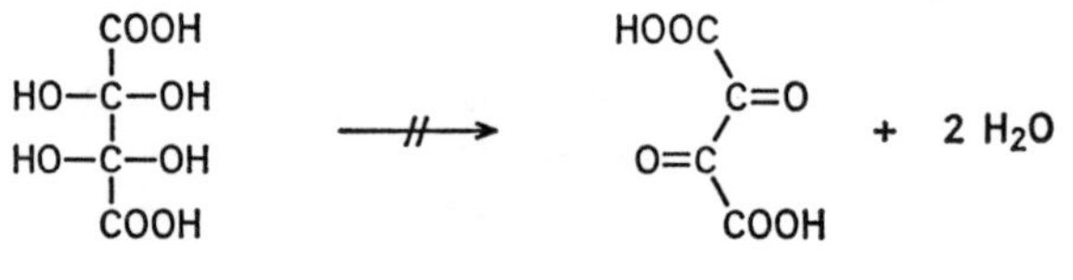

$$\begin{array}{c}COOH\\ |\\ HO-C-OH\\ |\\ HO-C-OH\\ |\\ COOH\end{array} \ \xrightarrow{\ \ //\ \ } \ \begin{array}{c}HOOC\\ \\ C{=}O\\ O{=}C\\ \\ COOH\end{array} \ + \ 2\ H_2O$$

Die unterschiedliche Stabilität der Ketonhydrate ist u. a. bei verschiedenen Halogen-Derivaten des Acetons untersucht worden, wobei zu beachten ist, daß die Molverhältnisse Wasser:Keton sehr unterschiedlich sind.

---

[1] H. B. Watson u. E. D. Yates, Soc. **1932**, 1207.

H. B. Watson, W. S. Nathan u. L. L. Laurie, J. Chem. Physics **3**, 170 (1935).

E. O. Bishop u. R. E. Richards, Trans. Faraday Soc. **55**, 1070 (1959).

P. le Henaff, Bl. **1968**, 4687.

P. P. Bell, *Advances in Physical Organic Chemistry*, Bd. 4, S. 1, Academic Press, London 1966.

Tab. 150: Hydrate der Polyhalogen-acetone

Keton-hydrat	F [° C]	Literatur
1,1,1,3-Tetrachlor-aceton-Dihydrat	62,0	1
1,1,3,3-Tetrachlor-aceton-Tetrahydrat	48–49	2
1,1,1,3,3-Pentachlor-aceton-Tetrahydrat	15–17	3
Hexachlor-aceton-Hydrat	15,0	4
1,1,1,3,3-Pentafluor-3-chlor-aceton-Hydrat	26	5
1,1,1,3,3-Pentafluor-3-chlor-aceton-Trihydrat	–5	5
Hexafluor-aceton-Hydrate		5, 6

Die Salze von 3- und 4-Oxo-1-methyl-piperidin kristallisieren aus wasserhaltigen Lösungsmitteln mit ein Mol Wasser, z. B.:

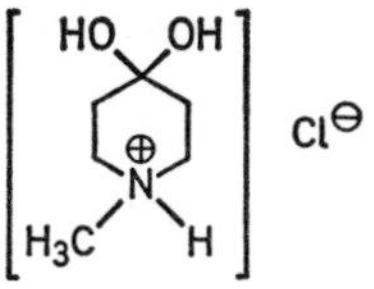

4,4-Dihydroxy-1-methyl-piperidinium-chlorid

Nach dem IR-Spektrum sind auch diese Hydrate als geminale Diole aufzufassen[7].

Das *Cyclohexandion-(1,2)* bildet ein recht stabiles sog. *Hemihydrat* (s. Bd. VII/2a, S. 685).

b) Umsetzungen von Ketonen mit Alkoholen

bearbeitet von

Dr. Heinrich Gold

Bayer AG, Leverkusen

Ketone reagieren mit Alkoholen analog wie mit Wasser. Aceton und Cyclohexanon mischen sich mit Methanol, ohne daß eine Reaktion eintritt. Unter der Einwirkung katalytischer Mengen Salzsäure sind jedoch deutliche Änderungen der Berechnungs-indices der Mischungen zu beobachten[8]. UV-spektroskopische Untersuchungen bei einigen, vor allem cyclischen Ketonen lassen den Schluß zu, daß unter diesen Be-

[1] C. Gränacher, E. Usteri u. M. Geiger, Helv. **32**, 704 (1949).

[2] S. Levy u. A. Curchod, A. **252**, 333 (1889).

[3] G. Städeler, A. **111**, 299 (1859).

[4] C. Cloez, A. ch [6] **9**, 203 (1886).

[5] US. P. 3433838 (1966), Allied Chemical Corp., Erf.: W. J. Cunningham u. C. Woolf.
s. a. ds. Handb., Bd. VII/2c.
US. P. 3147211 (1963), DuPont, Erf.: W. T. Robinson; C. A. **61**, 11835e (1964).

[6] s. ds. Handb., Bd. VII/2c.

[7] R. E. Lyle, R. E. Adel u. G. E. Lyle, J. Org. Chem. **24**, 342 (1959).

[8] T. Tomonari, Ang. Ch. **46**, 269 (1933).

dingungen die Ketone als Hemiketale vorliegen[1], deren typisch säurekatalysierte Bildung schnell erfolgt:

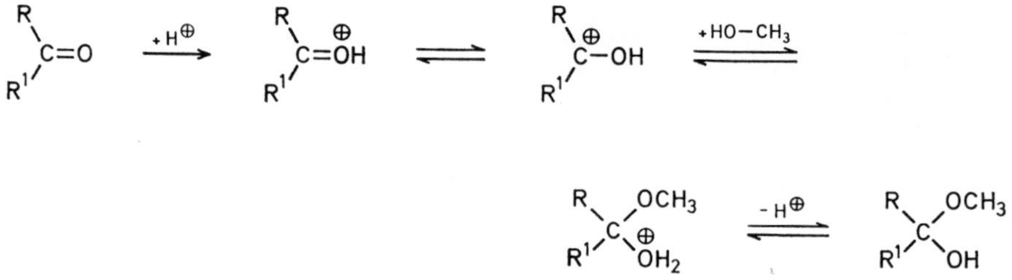

Die Hemiketale einfacher Ketone sind auch in Lösung unbeständig und nur Zwischenstufen bei der Herstellung der Ketale[2]. Sie reagieren z. B. mit Chlorwasserstoff bei tiefen Temperaturen unter Bildung von gem. Chlor-äthern[3]:

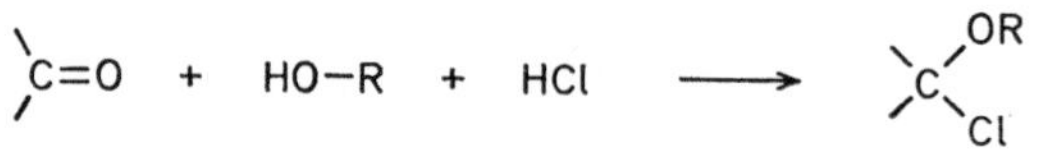

Sie können — falls sie stabil genug sind — auch acyliert werden.

Für die Stabilitätsverhältnisse der Hemiketale gilt genau das gleiche wie für die Keton-Hydrate (s. S. 1930). So entsteht aus Mesoxalsäure-diester und Alkohol glatt der *Hydroxy-äthoxy-malonsäure-diester* (F: 59°)[4].

Sehr leicht entstehen aus 1,2- und 1,3-Dicarbonyl-Verbindungen beim Erhitzen mit Alkoholen in Benzol – katalysiert durch Toluolsulfonsäure – die Enoläther[5]; z. B.:

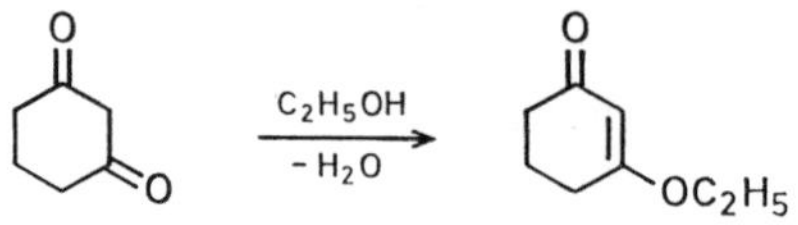

1-Äthoxy-3-oxo-cyclohexen

Ketone, die eine alkoholische Hydroxy-Gruppe im Molekül enthalten, sind ebenfalls zur Bildung von Hemiketalen und deren Folgeprodukten befähigt. Je nach der Stellung der Hydroxy-Gruppe sind Dimerisierungen (Ausbildung von Wasserstoffbrücken), Cyclisierungen (bei 1,3-, 1,4- und 1,5-Hydroxy-ketonen, z. B. in der Zucker-

[1] O. H. Wheeler, Am. Soc. **79**, 4191 (1957).
R. Garrett u. D. G. Kubler, J. Org. Chem. **31**, 2665 (1966).

[2] Die Herstellung der Ketale aus Ketonen und Alkoholen ist im Bd. VI/3, S. 204 ff. beschrieben.
S. R. Sandler u. W. Karo, *Org. Functional Group Preparations*, S. 1 ff., Academic Press, New York 1972.

[3] S. a. ds. Handb., Bd. V/3, S. 843.
F. Klages u. E. Mühlbauer, B. **92**, 1818 (1959).

[4] s. *Beilstein*, 4. Aufl., Bd. III, S. 768 ff. (1921).

[5] S. ds. Handb., Bd. VI/3, Kap. *Enoläther*, S. 108 ff.
s. a. ds. Handb., Bd. VI/1 b.

Reihe) und Polymerisationen (bei 1,6- und 1,8-Hydroxy-ketonen) möglich[1,2]. So liegt das 1,3-Dihydroxy-aceton hauptsächlich als dimeres Halbketal vor[3]:

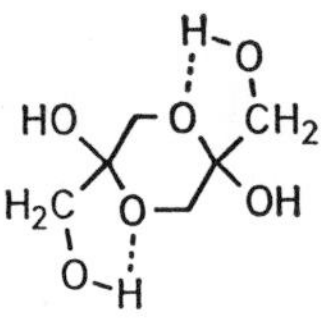

c) Umsetzungen von Ketonen mit SH-Verbindungen

bearbeitet von

Dr. Heinrich Gold

Bayer AG, Leverkusen

1. mit Schwefelwasserstoff[4-9]

Ketone sind Schwefelwasserstoff gegenüber weniger reaktionsfähig als Aldehyde. Nicht in allen Fällen kann daher eine Umsetzung erreicht werden. Primär entstehen bei sehr niedrigen Temperaturen die Thioketone II, die dann entweder Schwefelwasserstoff anlagern zu geminalen Dithiolen III oder polymerisieren (s. S. 1935):

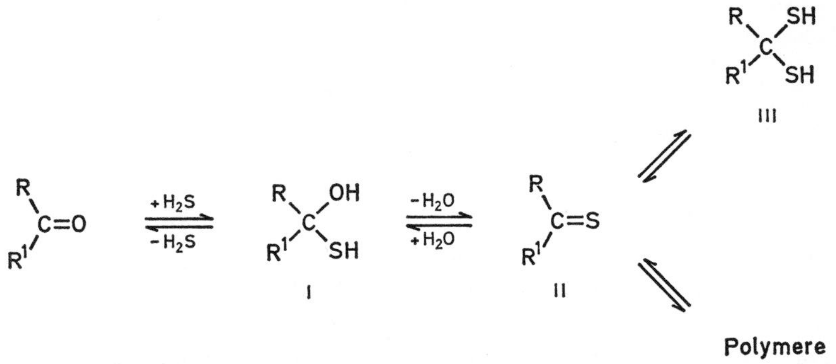

Alle diese Umsetzungen sind echte Gleichgewichtsreaktionen.

---

[1] S. a. Kapitel *Hydroxy-ketone*, s. Bd. VII/2c.

[2] Vgl. ds. Handb., Bd. VII/1, Kap. *Cyclische Halbacetale aus Hydroxy-Aldehyden*, S. 445.

[3] R. P. Bell u. E. C. Baughan, Soc. **1937**, 1947.

[4] A. Schönberg, *Thioketone, Thioacetale und Äthylensulfide*, Enke-Verlag, Stuttgart 1933.

[5] E. Campaigne, *Thiones and Thials*, Chem. Reviews **39**, 1, 16 ff. (1946).
   E. Campaigne, *Thioketones*, in S. Patai, *The Chemistry of the Carbonyl-Group*, S. 917 ff., Interscience Publishers, London 1966.

[6] Aliphatische Thioketone: R. Mayer, J. Morgenstern u. J. Fabian, Ang. Ch. **76**, 157–167 (1964), dort tabellarische Zusammenstellung aller bekannten aliphatischen Thioketone.

[7] *Rodd's Chemistry of Carbon Compounds*, Bd. IC, S. 73 ff. (1965); Suppl. Bd. IC/D, S. 88 ff. (1973), Elsevier Publishing Comp., Amsterdam.

[8] R. Mayer, *Synthesis and Properties of Thiocarbonyl Compounds*, in J. Jansen, *Organosulfur Chemistry*, S. 219, Interscience Publishers, New York 1967.

[9] A. K. Wiersema, *Einige Reakties van Thioketonen*, Chem. Weekb. **63**, 87 (1967).

Bei einigen Ketonen mit stark elektronenanziehenden Gruppen sind die geminalen Hydroxy-thiole I so stabil, daß sie isoliert werden können. So wird aus Hexafluoraceton durch Erhitzen mit Schwefelwasserstoff, Chlorwasserstoff und Phosphor(V)-oxid ohne Lösungsmittel im Autoklaven auf 80° das *Hexafluor-2-hydroxy-2-mercaptopropan* erhalten (∼70% d.Th.)[1]. Bei der Destillation unter Atmosphärendruck geht dieses unter Abspaltung von Schwefelwasserstoff bzw. Wasser in ein Gemisch von Hexafluor-aceton und *Hexafluor-thioaceton* über[1]:

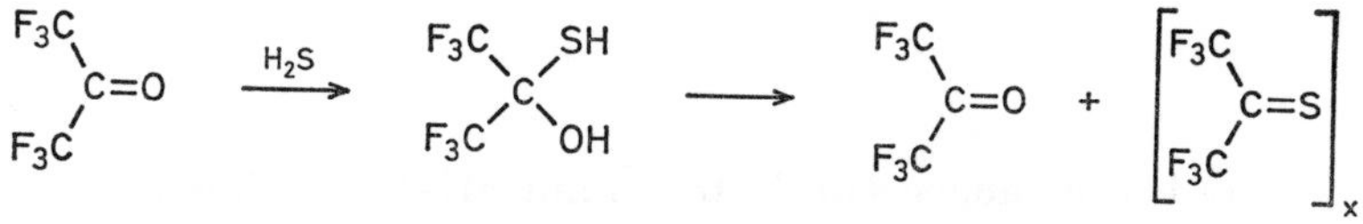

Die älteren Literaturangaben über dieses Gebiet[2] sind z.T. widersprechend, da die schwefelhaltigen Umsetzungsprodukte der Ketone nur schwer in reiner Form zu isolieren und äußerst reaktionsfähig sind[3]. Dazu kommt noch, daß diese — mit Ausnahme der Trimeren — zu den übelriechendsten Substanzen gehören[4], was nicht gerade zum Arbeiten mit dieser Stoffklasse ermuntert. Erst Roland Mayer und seine Mitarbeiter haben eingehend die Umsetzungsprodukte von Ketonen mit Schwefelwasserstoff bzw. Mercaptanen untersucht. Es wird daher hier die ältere Literatur nur berücksichtigt, soweit sie zutreffend zu sein scheint.

Die entstehenden Reaktionsprodukte sind — mit Ausnahme der Polymeren — lichtempfindlich und autoxidabel. Daher müssen alle Umsetzungen unter einem Schutzgas vorgenommen werden. Bei der Aufarbeitung sind Temperaturen über 100° möglichst zu vermeiden.

Die hohe Polarität der Thioketone bewirkt sowohl ihre intensive Farbigkeit

Thioaceton	orange	F: 53,5°
Cyclohexanthion	tiefrot	
Thiobenzophenon	blau	F: 53–54°
4,4'-Dimethoxy-thiobenzophenon[5]	blau	F: 116°
2,4,6,4'-Tetramethoxy-thiobenzophenon[6]	grün	F: 147,5°
Thiofluorenon[6]	grün	F: 75–76°

als auch ihre starke Tendenz zu polymerisieren.

Um aliphatische Thioketone[7] zu erhalten, bedient man sich des klassischen Verfahrens der Einwirkung von Schwefelwasserstoff und Chlorwasserstoff auf Ketone in Alkohol (s. Bd. IX, S. 706). Bei −80° entstehen als isolierbare Reaktionsprodukte fast nur die Thioketone[8]; z.B.:

Pentanthion-(3)	55% d.Th.	Kp_{83}: 61°
Heptanthion-(4)	58% d.Th.	Kp_{11}: 55°
Cyclohexanthion	34% d.Th.	Kp_{25}: 68–69°

[1] US. P. 3069397 (1959), Dupont, Erf.: T. J. Kealy; C.A. **59**, 1489f (1963).
[2] S. ds. Handb. Bd. IX, Kap. Thioketone, S. 704–740 (1953).
[3] Kritische Betrachtung: R. Mayer, J. Morgenstern u. J. Fabian, Ang. Ch. **76**, 161 (1964).
[4] Alle Abgase sollten durch eine Kaliumpermanganat-Lösung geleitet und Abwässer entsprechend behandelt werden.
[5] N. Lozah u. G. Guillonzo, Bl. **1957**, 1221; dort auch Infrarotspektren von aromatischen Thioketonen.
[6] E. Campaigne u. W. B. Reich, Jr., Am. Soc. 68, 769 (1946).
[7] Aliphatische Thioketone: R. Mayer, J. Morgenstern u. J. Fabian, Ang. Ch. **76**, 157–167 (1964), dort tabellarische Zusammenstellung aller bekannten aliphatischen Thioketone.
[8] S. Bleisch u. R. Mayer, B. **100**, 93 (1967).

Mit steigender Temperatur lagern die Thioketone Schwefelwasserstoff an, wobei Maximalausbeuten an geminalen Dithiolen bei $\sim$ -25° erzielt werden[1]. So erhält man z. B. *Pentandithiol-(3,3)* $(Kp_{20}: 66°)$ zu 32% d. Th.

Entsprechend entsteht aus Acetessigsäure-äthylester[1] durch säurekatalysierte Einwirkung von Schwefelwasserstoff bei −80° mit 85% Ausbeute der *Thioacetessigsäure-äthylester*, der bei −40° Schwefelwasserstoff aufnimmt und bei $\sim$ −25° mit maximal 40% Ausbeute in *3,3-Dimercapto-butansäure-äthylester* übergeht. Mit steigender Temperatur geht die Ausbeute zurück und bei +40° ist diese auf 0 abgesunken. Dabei treten höherkondensierte Produkte auf. Bei +70° bildet sich vorwiegend *Bis-[1-äthoxycarbonyl-propen-(1)-yl-(2)]-sulfid*:

$$H_3C-C=CH-COOC_2H_5$$
$$|$$
$$S$$
$$|$$
$$H_3C-C=CH-COOC_2H_5$$

1,3-Dioxo-tetramethyl-cyclobutan wird in mit Chlorwasserstoff gesättigtem Methanol in Gegenwart von Zinkchlorid durch Schwefelwasserstoff bei 0° in guter Ausbeute in das *1,3-Dithiono-tetramethyl-cyclobutan* (F: 125–126°, rote Kristalle) überführt[2].

Thioketone bzw. geminale Dithiole; allgemeines Herstellungsverfahren[1]: 100 g Keton werden in 125 *ml* Äther gelöst und z 125 *ml* Äthanol, das bei 20° mit Chlorwasserstoff gesättigt wurde, hinzugefügt. Dann leitet man bei −80° (für Thioketone) bzw. bei −25° (für Dithiole) $\sim$ 8 Stdn. lang Schwefelwasserstoff ein. Nach $\sim$ 12 stdgm. Stehen bei einer dieser Temp. wird durch Zugabe von Natriumhydrogencarbonat neutralisiert und anschließend mit einer Natriumhydrogen-carbonat-Lösung und dann mit Wasser ausgeschüttelt. Nach dem Trocknen der äther. Lösung mit Natriumsulfat wird i. Vak. unter Stickstoff fraktioniert.

Die Thioketone müssen bei −80° aufbewahrt werden.

Nach dieser Arbeitsweise entstehen aus 1,3-Diketonen bei $\sim$ −70 bis −50° die Enol-Formen der Thiono-ketone, die infolge der Wasserstoffbrückenbindung verhältnismäßig stabil sind[3];

$$R-CO-CH_2-CO-R^1 \xrightarrow{H_2S}$$

Die Reinigung erfolgt über die Blei(II)-Salze.

In einigen Fällen — wie z. B. beim Aceton — kann es zur Herstellung der Thioketone von Vorteil sein, zunächst auf die geminalen Dithiole hinzuarbeiten und aus diesen im Vakuum unter Inertgasschutz durch die katalytische Wirkung von Ton-scherben bei 150–200° Schwefelwasserstoff abzuspalten und das überdestillierende Thioketon rasch auf $\sim$ −60° abzukühlen[4].

Das Verhalten des *Cyclohexanthions* wurde eingehend untersucht[5]. Dabei stellte sich heraus, daß das tiefrote Cyclohexanthion beim Aufbewahren langsam seine Farbe verliert, viskoser wird und in farblose Polymere übergeht, in denen das cycli-

[1] S. Bleisch u. R. Mayer, B. **100**, 93 (1967).
[2] US. P. 3 297 765 (1963), DuPont, Erf.: R. D. Lipscomp; C. A. **66**, 65 180ᴿ (1967).
[3] S. H. H. Chaston et al., Austral. J. Chem. 18, 637 (1965).
[4] S. Bleisch u. R. Mayer, B. **99**, 1771 (1966).
[5] J. Morgenstern u. R. Mayer, J. pr. [4] **34**, 116 (1966).

sche Trimere nicht enthalten ist. Dieses (F: 102–103°) entsteht in schwach exothermer Reaktion mit 90%iger Ausbeute durch Eintragen des Monomeren in mit Chlorwasserstoff gesättigtes Äthanol. Im Gegensatz zu vielen anderen Trimeren bildet sich bei der Thermolyse kein Monomeres zurück.

Das Cyclohexanthion liegt im Gleichgewicht mit seinem farblosen Thioenol[1]:

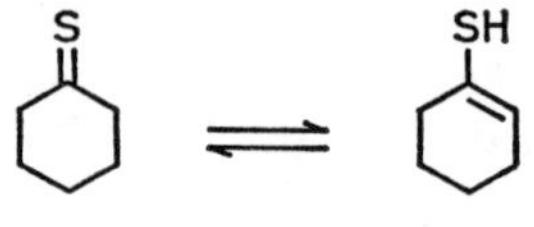

Letzteres wird durch rasches Destillieren des Thions erhalten. Die sich aus dem Thion I leicht bildenden Metallsalze leiten sich von dem Thioenol II ab, ebenso alle durch Einwirkung von Alkylierungsmitteln entstehenden Derivate.

Im Gegensatz zum Cyclohexanon sind im Cyclohexanthion die benachbarten CH_2-Gruppen praktisch nicht aktiviert.

Durch Einwirkung von Aluminiumamalgam in feuchtem Äther oder Natriumboranat auf das Thioketon oder das Dithiol kann zu ∼ 42% Ausbeute das Cyclohexylmercaptan isoliert werden.

Aliphatische Ketone setzen sich mit Schwefelwasserstoff unter extrem hohen Drucken auch ohne Katalysator bei 30° zu geminalen Dithiolen um[2] (vgl. ds. Handb., Bd. IX, S. 34; **Vorsicht** Schwefelwasserstoff kann unter Druck **explosions**artig zerfallen).

Zu Thioketonen gelangt man auch durch Einwirkung von Schwefelwasserstoff auf Ketale in Essigsäure unter Zusatz katalytischer Mengen Zinkchlorid[3,4].

Aus aliphatischen Ketonen kann man auch in Gegenwart von Aminen (z. B. Morpholin) zwischen 0–20° mit Schwefelwasserstoff vorwiegend Dithiole gewinnen[5,6]. Die Ausbeuten sind jedoch stark konstitutionsabhängig. Diarylketone setzen sich nach dieser Arbeitsweise nicht um[6]. Aus 1,3-Diketonen entstehen so die Thioenole der Thiono-ketone[5] (vgl. S. 1935):

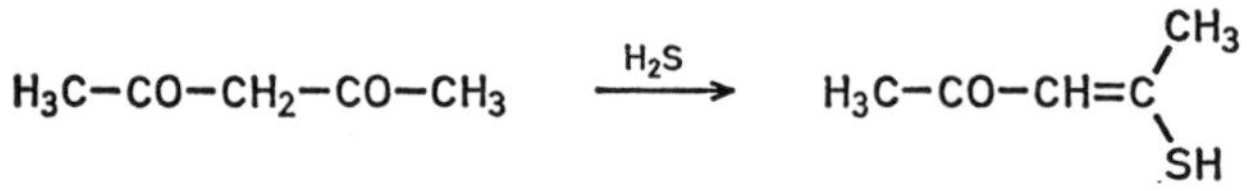

1,2-Diketone sollen in Gegenwart von Aminen in Dimethylformamid durch Schwefelwasserstoff zu α-Hydroxy-ketonen oder Monoketonen reduziert werden[5] (als Beispiel ist nur Benzil angegeben).

Geminale Dithiole; allgemeine Arbeitsvorschrift[5]: In eine Lösung von 0,5 Mol Keton in 200 ml Methanol, Dimethylsulfoxid oder Dimethylformamid und 0,05 Mol Morpholin wird bei 0–5° 7 Stdn. lang Schwefelwasserstoff eingeleitet. Man gießt dann auf Eis, säuert mit verd. Salzsäure

[1] s. a. R. Mayer et al., J. pr. **311**, 472 (1969).
[2] T. L. Cairns et al., Am. Soc. **74**, 3982 (1952).
[3] R. Mayer u. H. Berthold, B. **96**, 3096 (1963).
[4] R. Mayer et al., Ang. Ch. **76**, 161 (1964).
[5] R. Mayer et al., Ang. Ch. **75**, 1011 (1963).
[6] J. Jentzsch, J. Fabian u. R. Mayer, B. **95**, 1764 (1962).

an, extrahiert 2 mal mit Petroläther, wäscht die gesammelten Extrakte säurefrei, trocknet über Natriumsulfat und dampft das Lösungsmittel ab. So werden z. B. erhalten:

Propan-2,2-dithiol	29–34% d. Th.	Kp_{100}: 57°; F: 6–8°
Butan-2,2-dithiol	44% d. Th.	Kp_{73} : 73°
Cyclopentan-1,1-dithiol	72% d. Th.	Kp_{10} : 63°
Cyclohexan-1,1-dithiol	83% d. Th.	Kp_{12} : 84°
4,4-Dimercapto-1-methyl-piperidinium-chlorid[1]	76% d. Th.	F: 145°

Aus Enaminen entstehen durch Einwirkung von Schwefelkohlenstoff und Schwefel in einem polaren Lösungsmittel in exothermer Reaktion bei 20° die 3-Thiono-3H-1,2-dithiole[2]:

Über die Einwirkung von Schwefel und Aminen auf Ketone s. S. 1982 u. Bd. VII/2c.

Die Umsetzungen von ungesättigten Ketonen mit H–S–R-Verbindungen sind auf S. 1940 u. in Bd. VII/2c beschrieben; s. a. Sammellit.[3]

Sowohl die aliphatischen als auch die aliphatisch-aromatischen Thioketone bzw. die mit diesen im Gleichgewicht stehenden geminalen Dithiole führen bereits oberhalb 0° besonders in Gegenwart starker Säuren zu farblosen Polymeren verschiedenster Art (s. Bd. IX, S. 737). Diese bestehen vorwiegend aus den Trimeren, z. B. beim Thioaceton (80% d. Th.)[4] und beim Thioacetophenon (90% d. Th.)[5]. Daneben bilden sich auch Dimere und Kondensationsprodukte unbekannter Konstitution (lineare Oligomere oder aldol-ähnliche Kondensationsprodukte?).

Unter gleichen Bedingungen wird jedoch aus 1,3-Diphenyl-aceton das 3,3-Dithiol-1,3-diphenyl-propan (80% d. Th.; F: 81–83°) erhalten[6].

In flüssigem Fluorwasserstoff entstehen aus aliphatischen Ketonen und Schwefelwasserstoff direkt die Trimeren[7]. Rein aromatische Ketone reagieren schwerer und führen zu Diarylthioketonen.

Die trimeren Thioketone sind meist thermisch wieder rückspaltbar — vielfach jedoch mit schlechten Ausbeuten[8].

Auch aromatische Thioketone[9] (s. Bd. IX, S. 711 ff.) sind sehr reaktionsfähige Verbindungen. Sie lassen sich zwar nicht in Polymere überführen, sind jedoch auch autoxidabel und hydrolyseempfindlich[10]. Sie sollten nicht über 130° erhitzt werden,

[1] M. BARRERA u. R. E. LYLE, J. Org. Chem. 27, 641 (1962).

[2] R. MAYER u. K. GEWALD, Ang. Ch. 79, 298 (1967).

[3] E. N. PRILEZHAEVA u. M. F. SHOSTAKOVSKII, Uspechi Chim. 1963, S. 399.
  N. LOZACH, Quaterly Rep. Sulfur 3, 367 (1968).

[4] E. FROMM u. E. BAUMANN, B. 22, 1037 (1889).

[5] E. BAUMANN u. E. FROMM, B. 28, 895 (1895).

[6] G. A. BERCHTHOLD et al., Am. Soc. 81, 3148 (1959).

[7] R. M. ELFSON et al., J. Org. Chem. 29, 1355 (1964).

[8] A. SCHÖNBERG, B. 62, 195 (1929).
  R. MAYER, Fragmentation of Thiols, Thioethers and Thioketones, Quarterly Reports on Sulfurchemistry 5, 125 (1970).

[9] Sammellit. s. S. 1933.

[10] H. STAUDINGER u. H. FREUDENBERGER, B. 61, 1836 (1928).

denn Thiobenzophenon wird durch Erhitzen auf 160–170° in Tetraphenyläthylen und Schwefel gespalten[1].

Aromatische Thioketone lassen sich ebenfalls nach dem Schwefelwasserstoff-Chlorwasserstoff-Verfahren gewinnen[1]. Zweckmäßiger ist es jedoch, von den Diaryl-dichlor-methanen auszugehen, die entweder mit alkoholischem Natriumhydrogen-sulfid[1,2] oder Thioessigsäure[3] umgesetzt werden:

$$\begin{array}{c} Ar \\ \diagdown \\ \diagup \\ Ar \end{array} CCl_2 \ + \ H_3C-C \diagdown^{O}_{SH} \ \longrightarrow \ \begin{array}{c} Ar \\ \diagdown \\ \diagup \\ Ar \end{array} C=S \ + \ (H_3C-COCl)$$

Auch das klassische Verfahren der Umsetzung von Diarylketonen mit Diphosphor-pentasulfid, das im allgemeinen nur Ausbeuten bis zu maximal 40% d. Th. liefert, kann zur Herstellung spezieller Thioketone in Betracht kommen (s. Bd. IX, S. 704 ff.).

Diaryl-thioketone; allgemeine Arbeitsvorschrift[4]: Ein Gemisch aus 1 g eines Benzophenons, 3 g Phosphor(V)-sulfid und 80 ml Toluol (!) wird unter Kohlendioxidatmosphäre ∼ 75 Min. rückfließend erhitzt. Die Aufarbeitung kann durch Adsorption an Aluminiumoxid unter sorg-fältigem Luftausschluß erfolgen.

Siliciumdisulfid und das noch reaktionsfähigere Borsulfid bringen anscheinend nur in der Pyron-Reihe[5] Vorteile gegenüber Phosphor(V)-sulfid.

Diaryl-thioketone lassen sich nach älteren Verfahren auch durch Erhitzen von Diarylmethanen mit Schwefel herstellen, jedoch nur mit mäßigen Ausbeuten. Besser gelingt die Herstellung von *4,4′-Bis-[dimethylamino]-thiobenzophenon* (rote Kristalle; F: 208–209°)[6].

Adamantan wird mit guter Ausbeute durch Erhitzen mit P_4S_{10}/Pyridin in das *Adamantanthio-keton* überführt[7].

Über die Herstellung des *Hexafluor-thioacetons* durch Erhitzen des Bis-[heptafluor-isopropyl]-quecksilbers mit Schwefel (60% d. Th.) s. Lit.[8]:

$$\begin{array}{c} F \quad\quad F \\ | \quad\quad | \\ F_3C-C-Hg-C-CF_3 \\ | \quad\quad | \\ F_3C \quad\quad CH_3 \end{array} \xrightarrow{\ S\ } \ 2 \ \begin{array}{c} F_3C \\ \diagdown \\ \diagup \\ F_3C \end{array} C=S$$

An Hexafluor-thioaceton addieren sich sehr leicht nucleophile Partner[9].

2. Umsetzungen von Ketonen mit Mercaptanen und Thiophenolen

Die Umsetzung der Ketone mit Mercaptanen oder Thiophenolen führt zu Mer-captolen und α,β-ungesättigten Thioäthern[10]. Die Umsetzung wird durch Säuren katalysiert und verläuft erheblich leichter als die Umsetzung der Ketone mit Alkoholen zu Ketalen. Die Mercaptole sind ebenso wie die Ketale gegen Alkalien

---

[1] H. STAUDINGER u. H. FREUDENBERGER, B. **61**, 1576 (1928).
s. a. R. W. BOST u. B. O. GOSBY, Am. Soc. **57**, 1404 (1935).
[2] Thiobenzophenon s. Org. Synth. Coll. Vol. II, 573 (1943) (∼ 45% Reinausbeute).
[3] A. SCHÖNBERG, O. SCHÜTZ u. S. NICKEL, B. **61**, 1375 (1928).
[4] N. LOZAH u. G. GUILLONZO, Bl. **1957**, 1221; dort auch Infrarotspektren.
[5] F. M. DEAN, J. GOODCHILD u. A. W. HILL, Soc. [C] **1969**, 2192.
[6] R. M. ELOFSON et al., J. Org. Chem. **29**, 1355 (1964).
s. a. Fiat Final Report 1313 II, S. 368, I. G. Ludwigshafen 1948.
[7] J. W. GREIDANUS, Org. Synth. **51**, Anhang Nr. 1726 (1971).
[8] W. J. MIDDELTON, E. G. HOWARD u. W. H. SHARKEY, J. Org. Chem. **30**, 1375 (1965).
[9] W. J. MIDDELTON u. W. H. SHARKEY, J. Org. Chem. **30**, 1384 (1965).
[10] s. ds. Handb., Bd. IX, Kp. Mercaptale, S. 199.

beständig (Zur Rückspaltung s. S. 1897 u. Bd. VII/2a, S. 790). Besonders leicht reagiert Benzylmercaptan, am schwierigsten Thiophenol; Benzylmercaptole sind sehr stabil und Phenylmercaptole am instabilsten[1].

Analog der Umsetzung der Ketone mit Alkoholen erfolgt zunächst eine Addition der Mercaptane an die CO-Doppelbindung unter Bildung von Halbmercaptolen, von denen die aus 1,1,1-Trifluor-aceton und Alkylmercaptanen als O-Acetyl-Derivat isoliert werden konnten[2]:

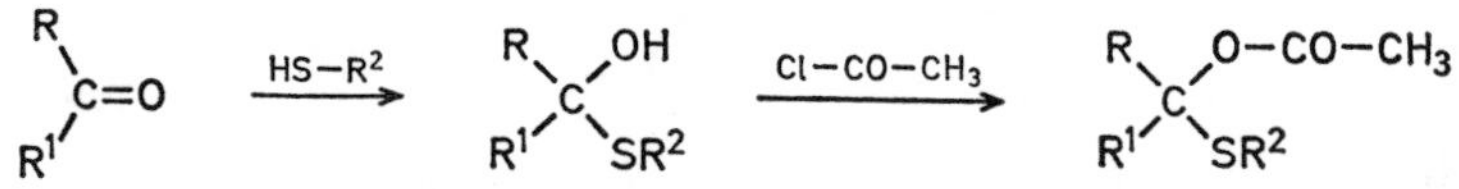

2,2-Dimethylmercapto-propan[3]: Das aus 70 g S-Methyl-thioharnstoff erhaltene Methylmercaptan wird bei −5° in 20 g Aceton gelöst; dann wird bei −2° 45 Min. lang Chlorwasserstoff eingeleitet. Das Mercaptal scheidet sich als gelbes Öl ab; es wird mit verd. Natronlauge gewaschen und destilliert. Analog erhält man z. B.:

2,2-Diäthylmercapto-propan[4]	Kp_{21}: 85°
2,2-Bis-[2-chlor-äthylmercapto]-propan[5]	Kp_{23}: 52°
2,2-Dibutylmercapto-propan[6]	$Kp_{5,5}$: 112°

Auch Mercaptoessigsäure läßt sich leicht mit Ketonen zu Mercaptolen kondensieren[7, 8], wobei die Halbmercaptole aus Acetessigsäureester die Synthesen von Thiophen-Derivaten ermöglichen[8]. Der Chlorwasserstoff kann durch andere saure Katalysatoren, z. B. Zinkchlorid oder Bortrifluorid-Ätherat[9] ersetzt werden. Um eine vollständige Umsetzung zu erzielen wurde empfohlen, der Reaktionsmischung wasserfreies Natriumsulfat zuzusetzen[10]. Auch sind Verfahren bekannt, die beim Einsatz eines nicht flüchtigen sauren Katalysators (p-Toluolsulfonsäure) eine azeotrope Wasser-Abtrennung mit Benzol vorsehen[11]. Bei flüssigen Mercaptanen kann auf die Verwendung von Lösungsmitteln verzichtet werden; jedoch sind auch Umsetzungen in Essigsäure beschrieben worden[12].

Ohne saure Katalysatoren verläuft die Bildung von Mercaptolen aus Ketonen und Orthotrithioborsäure-triestern[13]:

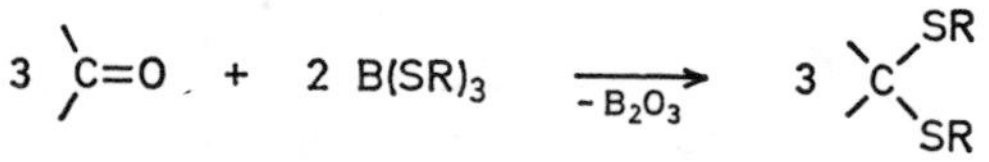

[1] E. CAMPAIGNE u. J. R. LEAL, Am. Soc. **76**, 1272 (1954).

[2] US. P. 2811513 (1957), Eastman Kodak Co., Erf.: H. M. HILL; C. A. **52**, 3850c (1958).

[3] B. P. FEDOROV u. I. S. SAVELEVA, Izv. Akad. SSSR **1950**, 223; C. A. **45**, 1501d (1951).
    F. G. MANN u. D. PURDIE, Soc. **1935**, 1557.

[4] S. OAE, W. TAGAKI u. A. OHNO, Tetrahedron **20**, 440 (1960).

[5] M. DELÉPHINE u. S. ESCHENBRENNER, Bl. [4] **33**, 709 (1923).

[6] A. SPORZYNSKI, Archivum Chem. Farm. (Warschau) **3**, 62 (1936); C. **1936** II, 1704.

[7] J. J. RITTER u. M. J. LOVER, Am. Soc. **74**, 5576 (1952).

[8] H. FIESSELMANN u. G. PFEIFFER, B. **87**, 848 (1954).

[9] N. S. CROSSLEY u. H. B. HENBEST, Soc. **1960**, 4413.

[10] M. L. WOLFROM u. J. V. KARABINOS, Am. Soc. **66**, 909 (1944).

[11] E. D. BERGMANN, S. BERKOVIC u. R. IKAN, Am. Soc. **78**, 6037 (1956).

[12] H. HAUPTMANN u. B. WLADISLAW, Am. Soc. **72**, 709 (1950).

[13] F. BESSETTE, J. BRAULT u. J. M. LALANCETTE, Canad. J. Chem. **43**, 307 (1965).

Beispielsweise erhält man *2,2-Diäthylmercapto-butan* (Kp$_{750}$: 205–208°) in 76%iger Ausbeute durch 8stdgs. Einwirken von 0,079 Mol Butanon und 0,052 Mol Orthotrithioborsäure-triäthyl-ester bei 25° und Aufnehmen des Reaktionsproduktes in Petroläther.

Alkyl-aryl-ketone bilden bei der Umsetzung mit Thiophenol neben den Mercaptolen α,β-ungesättigte Phenylthioäther[1]:

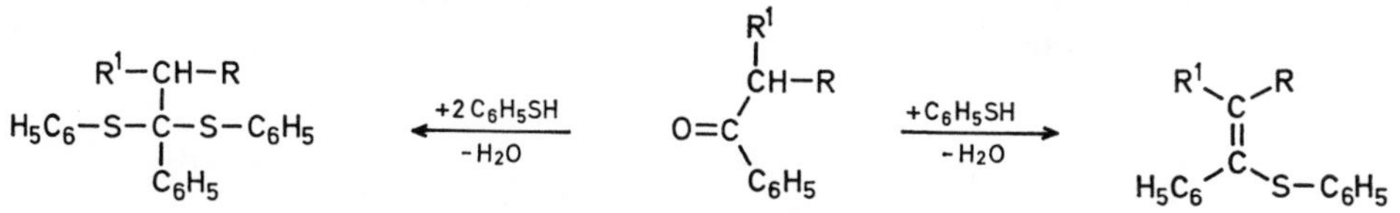

R = R^1 = H;	*1,1-Diphenylmercapto-1-phenyl-äthan*	84% d.Th.
R = H; R^1 = COOC$_2$H$_5$;	*3,3-Diphenylmercapto-3-phenyl-propansäure-äthylester*	38% d.Th.
R^1 = R = CH$_3$;	*1-Phenylmercapto-2-methyl-1-phenyl-propen*	83% d.Th.
R = H; R^1 = CH$_3$;	*1-Phenylmercapto-trans-1-phenyl-propen*	84% d.Th.
R = H; R^1 = C$_6$H$_5$;	*α-Phenylmercapto-stilben*	76% d.Th.

Analog entsteht aus 3-Oxo-2,3-dihydro-⟨benzo-[b]-thiophen⟩-1,1-dioxid das *3-Phenylmercapto-⟨benzo-[b]-thiophen⟩-1,1-dioxid*[2]:

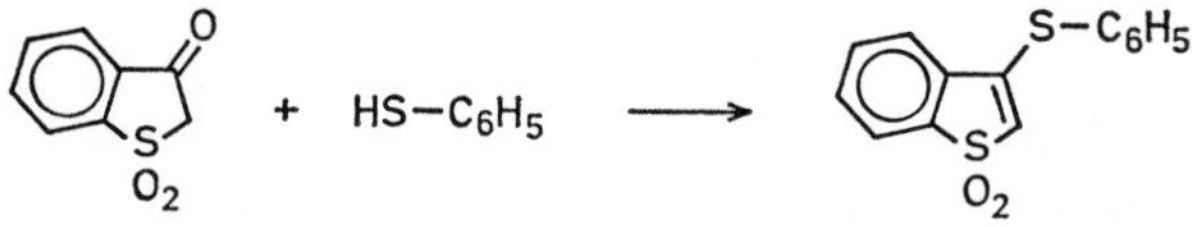

Ungesättigte Thioäther entstehen ebenfalls aus 1-Oxo-2-methyl-tetralin bzw. 1-Oxo-2-methyl-indan[3],[4]. α,β-Ungesättigte Ketone[5] und 1,3-Diketone, wie Cyclohexan-1,3-dion[6], liefern in speziellen Fällen mit aliphatischen Mercaptanen ungesättigte Thioäther[7]:

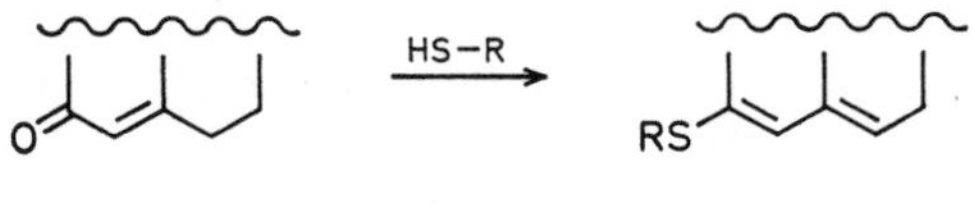

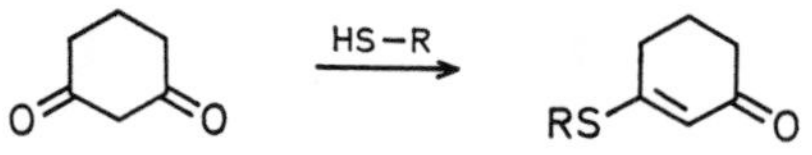

Mit β-Mercapto-äthanol liefern Ketone 1,3-Oxathiolane[8] und mit 1,2-Dimercapto-äthan oder 1,3-Dimercapto-propan 1,3-Dithiolane[9], die als Schutzgruppen (s. S.

[1] E. Campaigne u. J. R. Leal, Am. Soc. **76**, 1272 (1954).
[2] A. Mustafa u. S. M. A. D. Zayed, Am. Soc. **79**, 3500 (1957).
[3] Brit. P. 595783 (1945), Ilford Ltd., Erf.: J. D. Kendall, F. P. Doyle; C. A. **42**, 4763^i (1948)
[4] E. Campaigne u. R. D. Moss, Am. Soc. **76**, 1269 (1954).
[5] S. Bernstein u. L. Dorfman, Am. Soc. **68**, 1152 (1946).
[6] Vgl. hierzu die Bildung von Enoläthern aus den Ketalen α,β-ungesättigter Ketone, ds. Handb., Bd. VI/3, S. 113.
[7] S. H. H. Chaston et al., *Thio Derivatives of β-Diketones*, Austral. J. Chem. **18**, 673 (1965).
[8] R. H. Jaeger u. H. Smith, Chem. & Ind. **1954**, 1106.
[9] F. Sondheimer u. S. Wolfe, Canad. J. Chem. **37**, 1870 (1959).

1894 ff.) Verwendung finden. Deren Herstellung ist auf S. 1896 und die Rückspaltung auf S. 1897 sowie in ds. Handb., Bd. VII/2a, S. 790, beschrieben:

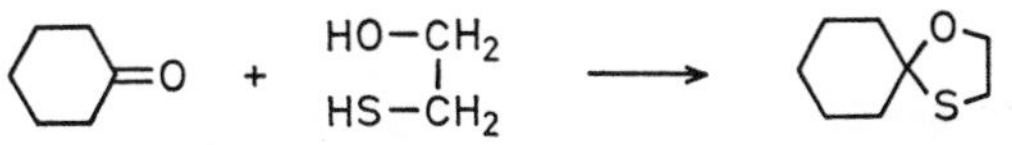

1-Oxa-4-thia-spiro [4.5]decan[1]; 70% d.Th.

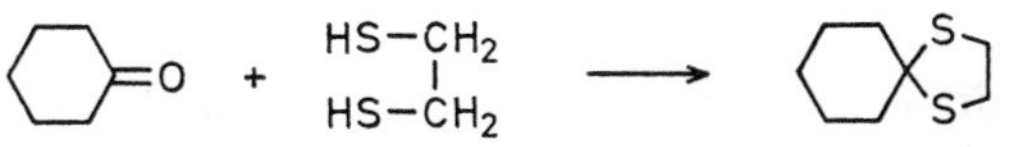

1,4-Dithia-spiro [4.5]decan[2]; 60% d.Th.

Eine interessante Spaltungsreaktion zeigen Äthylenmercaptole α,β-ungesättigter Ketone mit Essigsäureanhydrid in Gegenwart von p-Toluolsulfonsäure oder mit Acetylchlorid in Gegenwart von Bortrifluorid-Ätherat; sie liefert ungesättigte Thioäther[3]; z. B.:

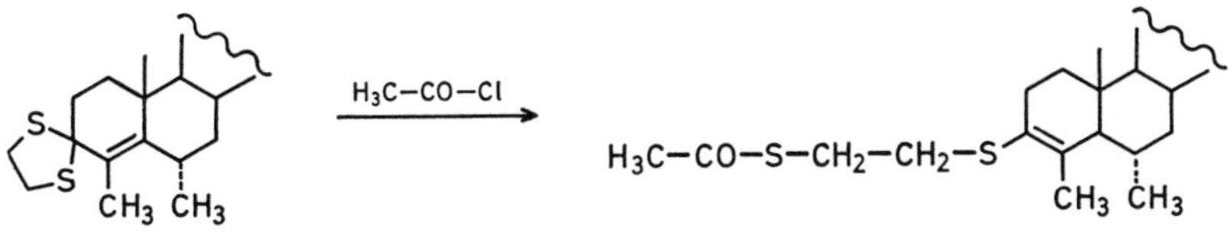

Ketone, die eine SH-Gruppe im Molekül enthalten, bilden inter- oder intramolekulare Halbmercaptole bzw. Mercaptole; so entsteht aus Mercapto-aceton über ein Halbmercaptol ein cyclisches Halbmercaptol[4]:

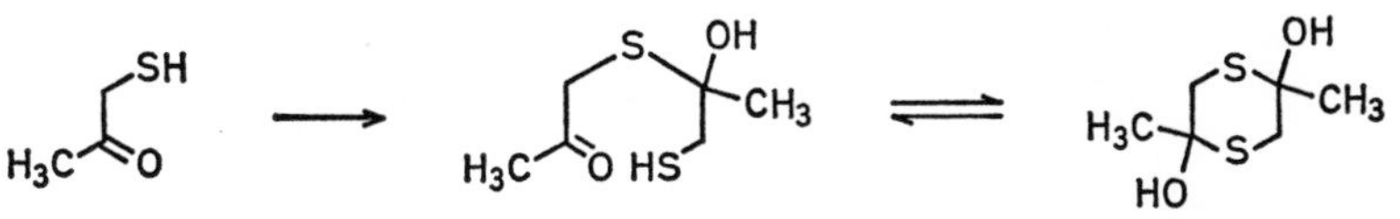

2,5-Dihydroxy-2,5 -dimethyl-1,4-dithian

Aus 3-Mercapto-butanon-(2) entsteht bereits bei schwachem Erwärmen unter Abspaltung von Wasser ein dimeres Dithian[5]:

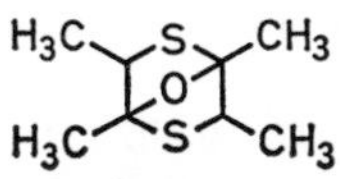

1,3,4,6-Tetramethyl-7-oxa-2,5- dithia-bicyclo[2.2.1]heptan

[1] E. D. BERGMANN et al., Am. Soc. **73**, 5663 (1951).
[2] H. HAUPTMANN u. M. M. CAMPOS, Am. Soc. **72**, 1406 (1950).
[3] G. KARMAS, Tetrahedron Letters **1964**, 1093.
[4] R. HABERL et al., M. **86**, 551, 599 (1955).
[5] O. HROMATKA u. R. HABERL, M. **85**, 830 (1954).

5-Mercapto-pentanon-(2) liefert unter den Bedingungen der Mercaptol-Bildung ein cyclisches Halbmercaptol[1]:

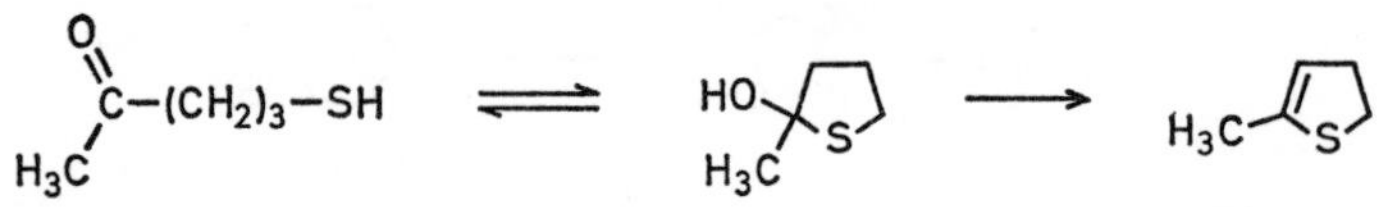

*2-Methyl-4,5-dihydro-
thiophen*

Ein analoges Verhalten zeigt auch 5-Mercapto-2-oxo-3-isopropyl-pentan[2]. Diese Reaktion ist für die Herstellung von substituierten Thiophen-Verbindungen von Bedeutung[3].

d) Umsetzung von Ketonen mit Hydrogensulfit (Ketonbisulfit-Verbindungen)[4,5]

bearbeitet von

Dr. Heinrich Gold

Bayer AG, Leverkusen

Erheblich schwerer als Aldehyde[6] lagern Ketone Hydrogensulfit an unter Bildung von 1-Hydroxy-alkansulfonsäuren[7], den sog. Ketonbisulfit-Verbindungen:

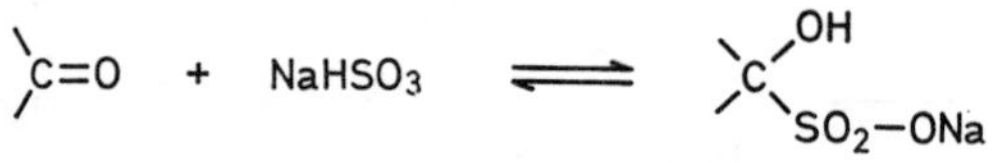

Während Aceton, Cyclopentanon, Cyclohexanon und die Methyl-n-alkyl-ketone leicht die entsprechenden Hydroxy-alkansulfonsäuren bilden, reagieren höhere verzweigte Ketone nicht mehr mit Natriumhydrogensulfit, ebenso nicht Cycloheptanon, Acetophenon und aromatische Ketone.

Da die Mehrzahl der Ketone nicht mit Natriumhydrogensulfit reagiert und bei vielen Bisulfit-Verbindungen die Gleichgewichte stark nach der Ketonseite hin ver-

[1] T. Bacchetti u. A. Fiecchi, G. **83**, 1037 (1953); vgl. a. **86**, 1168 (1956).

[2] L. Bateman u. R. W. Glazebrook, Soc. **1958**, 2834.

[3] E. Campaigne u. W. O. Foye, J. Org. Chem. **17**, 1405 (1952).

[4] J. Zabicky, *The Chemistry of the Carbonyl Group*, Bd. 2, S. 33ff., Interscience Publishers, New York 1970.

[5] Über das Verhalten einer Reihe von Ketonen gegenüber Hydrogensulfit: s.: M. Suter, *The Organic Chemistry of Sulfur*, S. 126ff., John Wiley & Sons, New York 1948.

[6] s. ds. Handb., Bd. VII/1, Kap. Hydrogensulfit-Verbindungen gesättigter Aldehyde, S. 482.

[7] s. ds. Handb., Bd. IX, Kap. Addition von Hydrogensulfit an aliphatische Aldehyde und Ketone, S. 384.

schoben sind, können diese zur Abtrennung von Ketonen nur in wenigen Fällen benutzt werden.

Nachteilig ist weiterhin, daß zur Bildung der 1-Hydroxy-alkansulfonsäuren oft langes Erhitzen mit Natriumhydrogensulfit-Lösung erforderlich ist, wodurch auch andere empfindliche Gruppen in Mitleidenschaft gezogen werden können. So werden z. B. Ketone mit reaktionsfähigen Doppelbindungen leicht in Oxo-alkansulfonsäuren überführt (s. ds. Handb., Bd. IX, S. 384).

Das klassische Beispiel für die Trennung isomerer Ketone über die Bisulfit-Verbindungen ist das der Trennung von α- und β-Ionon. Während die Bisulfit-Verbindungen des α-Ionons beim Behandeln mit Wasserdampf stabil ist, wird die des β-Isomeren gespalten[1].

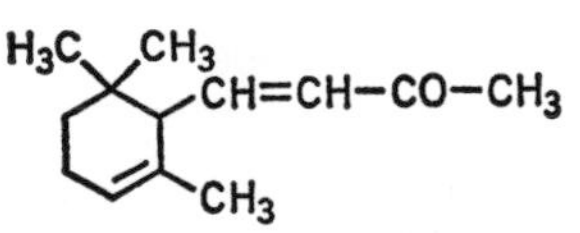

α-Ionon; Kp_{11}: 129–129,5° 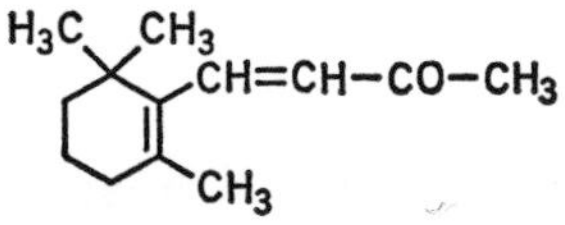 β-Ionon; Kp_{11}: 134–135°

Allerdings ist diese Trennung mit Verlusten verbunden. Besser läßt sich das Isomerengemisch durch eine Feindestillation trennen[2].

1-Hydroxy-alkansulfonsäuren; allgemeine Arbeitsvorschrift[3]: Die Bisulfit-Verbindungen werden zweckmäßig nicht mit käuflicher Natriumhydrogensulfit-Lösung hergestellt, sondern eine konz. wäßr. Lösung von Natriumsulfit (∼ 30%-ig) wird mit 1 Aeq. Essigsäure versetzt. Das Keton wird damit im Überschuß auf der Schüttelmaschine behandelt, zweckmäßig in Gegenwart von Petroläther. Während die Bildung der 1-Hydroxy-alkansulfonsäuren aus Aldehyden meist exotherm verläuft, muß bei den Ketonen oft bis zu 12 Stdn. erhitzt werden.

Nach dem Absaugen der breiigen Masse wird scharf abgesaugt und mit Äther oder Petroläther nachgewaschen.

Die Bisulfit-Verbindungen sind meist gut wasserlöslich. Erforderlichenfalls kann eine weitere Reinigung durch erneutes Lösen und Aussalzen erfolgen.

Die Spaltung erfolgt in wäßriger Lösung durch Erwärmen mit Essigsäure oder Natriumcarbonat.

Die Bildung der Bisulfit-Verbindungen und der Cyanhydrine verläuft weitgehend parallel. So lassen sich in beiden die Hydroxy-Gruppen verestern und gegen Amine austauschen[4]:

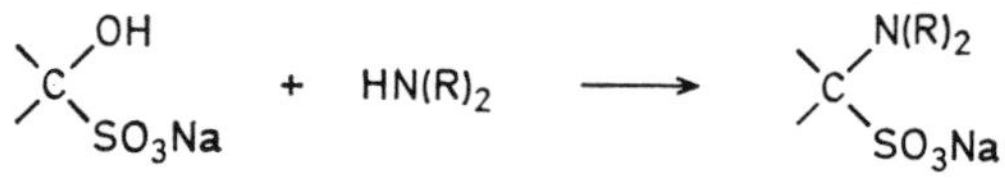

Auf dem Umweg über die 1-Hydroxy-alkansulfonsäuren lassen sich auch leicht die Cyanhydrine gewinnen (s. ds. Handb., Bd. VIII, S. 276).

[1] DRP. 106512 (1899), HAARMANN u. REIMER, Erf.: F. TIEMANN; Frdl. 5, 901.

[2] K. SEITZ, H. H. GÜNTHARD u. O. JEGER, Helv. 33, 2196 (1950).

[3] Laborpraxis der Farbfabr. Bayer, Leverkusen.

[4] C. N. CAUGHLAN u. H. V. TARTAR, Am. Soc. 63, 1265 (1941).
    R. ADAMS u. R. D. LIPSCOMB, Am. Soc. 71, 519 (1949).

e) Umsetzungen von Ketonen mit Schwefel-Sauerstoff-chloriden

bearbeitet von

Dr. HEINRICH GOLD

Bayer AG, Leverkusen

Thionylchlorid wirkt auf Ketone nur ein, wenn diese weitgehend in der Enol-Form vorliegen. Dies ist vor allem bei den 3-Oxo-1-carbonyl-Verbindungen der Fall; man erhält α,β-ungesättigte 3-Chlor-1-carbonyl-Derivate; z. B.:

$$H_3C-CO-CH_2-COOR \xrightarrow{SOCl_2} H_3C-\overset{\underset{|}{Cl}}{C}=CH-COOR$$

Günstiger ist es jedoch, Phosphor(V)-chlorid anzuwenden.

Sulfurylchlorid hingegen wirkt chlorierend; es ist das bevorzugte Agens, um Ketone in α-Chlor-ketone überzuführen (s. ds. Handb., Bd. VII/2c).

f) Umsetzungen von Ketonen mit Selenwasserstoff

Die Einwirkung von Selenwasserstoff auf Ketone verläuft recht komplex. Dabei tritt Reduktion ein und es scheidet sich Selen ab. U. a. entstehen Kohlenwasserstoff-Selen-Verbindungen[1].

g) Umsetzungen von Ketonen mit Ammoniak und Aminen

bearbeitet von

Dr. HEINRICH GOLD

Bayer AG, Leverkusen

Die funktionellen Stickstoffderivate der Ketone lassen sich aus den Umsetzungs-reaktionen mit Ammoniak, primären und sekundären Aminen, sowie mit Hydroxyl-amin, Hydrazin, den unsymmetrisch substituierten Hydrazinen und Acylhydra-zinen herleiten. Die Reaktionsprodukte sind in erster Stufe die O,N-Ketale I, IV und III, von denen I und IV unter säurekatalysierter Wasser-Abspaltung in die Ketimine II und VIII übergehen[2], unter denen auch die Oxime, Azine, Hydrazone

---

[1] D. S. MARGOLIS u. R. W. PITTMAN, Soc. **1957**, 799.
[2] R. W. LAYER, Chem. Rev. **63**, 489 (1963).

und Semicarbazone der Ketone zusammengefaßt sind (theoretische Betrachtungen s. S. 1912):

$$
\begin{array}{ccccc}
\diagup\!\!\!\!\diagdown C=O & \underset{}{\overset{+\,NH_3}{\rightleftharpoons}} & \diagdown\!\!\!\!\diagup C\!\!\diagup^{OH}_{NH_2} & \overset{+H^\oplus\;(-H_2O)}{\rightleftharpoons} & \diagdown\!\!\!\!\diagup C=NH \\
 & & I & & II \\
\big\Updownarrow{+\,HN(R)_2} & \nwarrow{+H_2NR} & & & \\
\diagdown\!\!\!\!\diagup C\!\!\diagup^{OH}_{N(R)_2} & & \diagdown\!\!\!\!\diagup C\!\!\diagup^{OH}_{NH-R} & \overset{+\,H_2NR}{\rightleftharpoons} & \diagdown\!\!\!\!\diagup C\!\!\diagup^{NH-R}_{NH-R} \\
III & & IV & & V \\
\big\Updownarrow{+\,HN(R)_2} & \searrow & & \overset{+\,H^\oplus}{\underset{(-H_2O)}{\rightleftharpoons}} & \big\Updownarrow \\
\diagdown\!\!\!\!\diagup C\!\!\diagup^{N(R)_2}_{N(R)_2} & \longrightarrow & \diagdown\!\!\!\!\diagup C\!-\!N(R)_2 & & \diagdown\!\!\!\!\diagup C=NR \\
VI & & VII & & VIII
\end{array}
$$

Die O,N-Ketale III, soweit sie stabil sind neigen dazu, mit einem weiteren Molekül des sekundären Amins die N,N-Ketale VI zu bilden[1], eine Reaktion, in deren Gleichgewicht durch überschüssiges Amin und durch festes Kaliumcarbonat die N,N-Ketale begünstigt sind. Bei Temperaturerhöhung erfolgt dann Abspaltung von einem Mol Amin und Übergang in die Enamine VII.

In den folgenden Abschnitten werden die Umsetzungen der Ketone mit Ammoniak, primären und sekundären Aminen nur kurz beschrieben, da sie bereits in ds. Handb., Bd. XI/2, S. 73 ff. abgehandelt sind.

1. Mit Ammoniak

Die Additionsprodukte von Ammoniak an Ketone sind im allgemeinen von geringer Beständigkeit. Das aus Aceton und Ammoniak entstehende Acetonammoniak (*2-Amino-2-hydroxy-propan*) ist nur bei tiefer Temperatur existenzfähig[2].

Die aus dem O,N-Ketal I durch Wasserabspaltung entstehenden Ketimine II bilden im allgemeinen wegen der Nachbarschaft reaktiver Alkyl-Gruppen schon unter milden Bedingungen Folgeprodukte, wie Tetrahydropyrimidine oder Dihydropyridine. Die Ketimine cycloaliphatischer Ketone zeigen demgegenüber eine erhöhte Stabilität, die eine Isolierung ermöglichen. Die Ketimine aus β-Oxo-carbonsäure-Derivaten und β-Diketonen bilden insofern eine Ausnahme, als sie sich zu Enaminen stabilisieren können; das Ketimin des Benzoylacetons bildet sich schon beim Stehenlassen in wäßrigem Ammoniak[3].

Über die Stabilität der Ketimine s. ds. Handb., Bd. VII/2a, S. 798. Sterisch gehinderte Ketone bilden mit Ammoniak keine Ketimine mehr; sie müssen nach anderen Methoden hergestellt werden.

---

[1] Vgl. z. B. A. DORNOW u. W. SCHACHT, B. **82**, 464 (1949).

[2] H. HOCK u. H. STUHLMANN, B. **61**, 470 (1928).

[3] E. FISCHER u. C. BÜLOW, B. **18**, 2134 (1885).
  C. BEYER u. L. CLAISEN, B. **20**, 2180 (1887).

Über die Entstehung von Ketiminen bei Kondensationen von Nitrilen s. ds. Handb., Bd. VII/2a, S. 389, 518, 533 u. 603.

Die Umsetzung von Aceton mit Ammoniak verläuft nach verschiedenen Richtungen[1]. In Gegenwart von Calciumchlorid bildet sich aus Aceton und Ammoniak ein Basengemisch, das aus *Diacetonamin* (*2-Amino-4-oxo-2-methyl-pentan*) *Triacetonamin* (*4-Oxo-2,2,6,6-tetramethyl-piperidin*) und *Triacetondiamin* (*2,6-Diamino-4-oxo-2,6-dimethyl-heptan*) besteht. Ähnliche Produkte entstehen auch aus Butanon und Pentanon-(3)[2]. Unter ähnlichen Bedingungen[3] wird aus Aceton und Ammoniak in guter Ausbeute das *2,2,4,6,6-Pentamethyl-tetrahydropyrimidin* (IX) das sog. „Acetonin" erhalten[4]:

$$(H_3C)_2C-CH_2-CO-CH_3$$
$$\underset{NH_2}{|}$$

Diacetonamin

$$(H_3C)_2C-CH_2-CO-CH_2-C(CH_3)_2$$
$$\underset{NH_2}{|} \qquad\qquad \underset{NH_2}{|}$$

Triacetondiamin

IX

Weitere homologe pentasubstituierte Tetrahydropyrimidin-Derivate sind auf analoge Weise hergestellt worden[5].

2,2,4,6,6-Pentamethyl-tetrahydropyrimidin (Acetonin; IX)[3]: Durch eine Suspension von 600 g fein gemahlenem Calciumchlorid und 60 g Ammoniumchlorid in 1160 g Aceton wird unter Rühren und Kühlen bei 25–27° ein Ammoniak-Strom so geleitet, daß ein Überdruck von 200–300 mm Wassersäule eingehalten werden kann und die Gewichtszunahme 655 g beträgt (10–12 Stdn). Die obere organische Schicht (∼ 1020 g) wird abgetrennt und bei 12 Torr (im Kühler Sole von −15°) fraktioniert. Die nochmalige Destillation der Fraktionen von 55–57° ergibt 840 g Acetonin als schwach gelbliche Flüssigkeit; Kp_{12}: 55–56° (82% d. Th., bez. auf eingesetztes Aceton).

Beim Einleiten von Ammoniak in eine acetonische Lösung von Kupfer(II)-nitrat läßt sich *2-Amino-4-imino-2-methyl-pentan* (als violetter Kupferkomplex) isolieren, das als Vorstufe für die Acetonin-Bildung angesehen werden kann[6]. In konz. Natronlauge bildet sich bei 70–150° aus Aceton und Ammoniak *2,2,4,6-Tetramethyl-1,2-dihydro-pyridin* (X)[7]:

X

[1] *Rodd's Chemistry of Carbon Compounds*, Bd. I C, S. 76 u. 88ff.; 2. Aufl., Elsevier Publ. Co., Amsterdam 1965.

[2] C. THOMAE, Ar. **243**, 294, 393 (1905).

[3] R. B. BRADBURY, N. C. HANCOX u. H. H. HATT, Soc. **1947**, 1394.
E. MATTER, Helv. **30**, 1114 (1947); **31**, 612 (1948).

[4] G. STÄDELER, A. **111**, 305 (1859).

[5] F. HANIC u. M. SERATOR, Chem. Zvesti 18, 572 (1964); C. A. **61**, 15643ᵇ (1964).
US. P. 2516626 (1948), Shell, Erf.: V. E. HAURY; C. A. **45**, 673ᵍ (1951).

[6] F. HANIC u. M. SERATOR, Chem. Zvesti 18, 572 (1964); C. A. **61**, 15643ᵇ (1964).

[7] US. P. 2516625 (1946), Shell, Erf.: V. E. HAURY; C. A. **45**, 670ᵃ (1951).

2, 2, 4, 6-Tetramethyl-1,2-dihydro-pyridin (X)[1]: 870 g Aceton und 510 g 37,5 %ige Natronlauge werden in einem Autoklaven mit 170 g Ammoniak versetzt, die Mischung auf 120° erhitzt und diese Temp. 1,5 Stdn. gehalten. Bei der Fraktionierung der organischen Phase werden 245 g (36 % d. Th.) erhalten; Kp: 162°.

Über die katalytische Herstellung von Pyridin-Derivaten aus Carbonyl-Verbindungen und Ammoniak s. Lit.[2,3].

Die Bildung von *2,4,6-Triphenyl-pyridin* (F: 138–139°) wurde beim Überleiten von Acetophenon mit der 5–6fachen Menge Ammoniak über einen Titanvanadat-Katalysator [Ti(VO$_3$)$_4$] bei 370–380° beobachtet[3].

Während die katalytische Kondensation offenkettiger aliphatischer Ketone mit Ammoniak nicht zu Ketiminen führt, soll aus Cyclohexanon mit Ammoniak über Thorium(IV)-oxid als Kontakt bei 300–330° *Cyclohexanonimin* (Kp$_3$: 183–184°) entstehen[4]. Dabei ist es wichtig, das Reaktionsgemisch schnell abzuschrecken und in Äther aufzunehmen, um das Reaktionswasser abzutrennen. Ebenso können auch *Acetophenonimin* (Kp$_{29}$: 99–110°), *Propiophenonimin* (Kp$_{13}$: 102°) und *Benzophenonimin* (Kp$_{17,5}$: 170–171°) hergestellt werden[5]. Die Umsetzung von Ketonen mit Ammoniak wird auch durch die Gegenwart von Zinkchlorid und Aluminiumchlorid[6] begünstigt.

Das *Hexafluorpropyliden-imin* (Kp: 16°) muß in zwei Stufen hergestellt werden. Durch Lösen von Hexafluoraceton in fl. Ammoniak bei –30° entsteht zunächst das gem. Hydroxy-amin, das erst beim Erhitzen mit Phosphoroxychlorid auf 100° Wasser abspaltet[7].

Analog erfolgt die Herstellung des *Bis-[hexafluorpropyliden-(2)]-azins*[8].

Die Ketimine sind farblose, stark lichtbrechende Öle oder niedrigschmelzende Kristalle von unangenehmen basischem Geruch. Sie liefern kristallisierte Salze (Hydrochloride, Acetate, Benzoate), die in Wasser leicht hydrolysieren (s. Bd. VII/2a, S. 798). Von bemerkenswerter Hydrolysebeständigkeit ist jedoch das Hydrochlorid des Ketimins, das sich von Michler's Keton ableitet[9]. Ursache ist die Resonanzstabilisierung des Moleküls.

Auramin O (gelber basischer Farbstoff)

Das *Auramin* wird technisch hergestellt durch Erhitzen von Bis-[4-dimethylamino-phenyl]-methan mit Schwefel, Natriumchlorid und Oxalsäure im Ammoniakstrom auf 125–170°[9]. (Zwischenprodukt ist das Thioketon.)

---

[1] F. HANIC u. M. SERATOR, Chem. Zvesti **18**, 572 (1964); C. A. **61**, 15643[b] (1964).

[2] Fr. P. 1 166 599 (1957), R. S. ARIES; C. **1960**, 4028.

[3] A. D. KAGARLITSKII, B. V. SUVOROV u. S. R. RAFIKOV, Ž. obšč. Chim. **29**, 157 (1959); engl.: 160.
   vgl. Reddelin-Synthese: L. AMOROS-MARIN u. R. B. CARLIN, Am. Soc. 81, 735 (1959).

[4] G. MIGNONAC, C. r. **169**, 237 (1919).

[5] C. THOMAE, Ar. **243**, 291, 393 (1905).

[6] H. H. STRAIN, Am. Soc. **52**, 820 (1930).

[7] W. I. MIDDLETON u. H. D. CARLSON, Org. Synthesis **50**, 81 (1970).

[8] K. BURGER, J. FEHN u. W. THENN, Ang. Ch. **85**, 541 (1973).

[9] Fiat Final Report 1313 II, S. 368, I. G. Farb., Ludwigshafen 1948.
   C. GRAEBE, B. **20**, 3264 (1887).

Die Ketimine sind reaktionsfähiger als die entsprechenden Ketone.

Unter der Einwirkung von Oxidationsmitteln können einige Ketimine zu den Azinen der entsprechenden Ketone oxidiert werden; z. B.[1]:

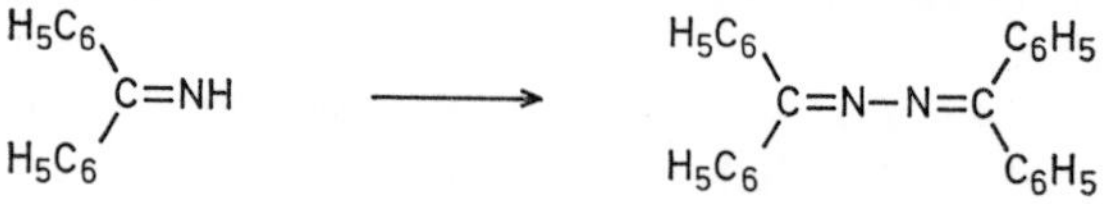

Benzophenon-azin

Durch Oxidation von Cyclohexyliden-imin (I), (eingesetzt als Gemisch aus: Cyclohexanon + 4 Mol 15n wäßr. Ammoniak-Lösung) mit 0,66 Mol Hydroxylamin-O-sulfonsäure bei 0° entsteht als kristalliner Niederschlag das *1,2-Diaza-spiro[2.5]octan* (II) mit ~ 45% Reinausbeute (F: 104–107°). Dieses läßt sich in Äther mit Silberoxid in ~ 65%iger Ausbeute zum *1,2-Diaza-spiro[2.5]octen-(1)* (III) dehydrieren (Kp$_{30}$: 33°; Vorsicht, leicht zersetzlich!)[2]:

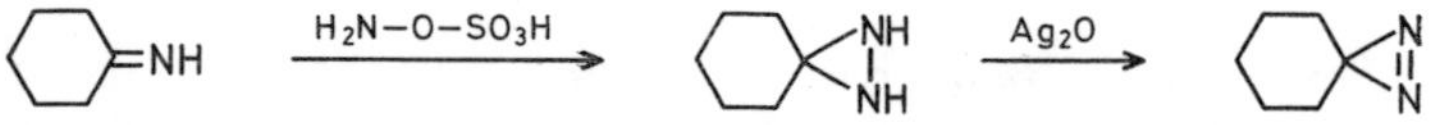

Bemerkenswert ist der thermische Zerfall von Benzophenonoxim in *Benzophenon* und *Benzophenonimin* (~ 60% d. Th.)[3].

2. Umsetzungen von Ketonen mit primären Aminen

Bei der Umsetzung der Ketone mit primären Aminen entstehen über die O,N-Ketale (IV, S. 1945) substituierte Ketimine (VIII, S. 1945). Sie gehören zur Klasse der sogenannten Schiffschen Basen[4, 5], in der Literatur als Imine bzw. Azomethine bezeichnet (s. Bd. XI/2, S. 77 ff.). Die Leichtigkeit der Bildung dieser Ketimine wächst mit der Basizität der eingesetzten Amine[5]. Die Ketone sind bei diesen Umsetzungen reaktionsträger als die vergleichbaren Aldehyde, neigen dafür aber auch weniger zu Nebenreaktionen; Ketimine können ihre Amin-Komponente auf die reaktionsfähigeren Aldehyde übertragen[6].

Die Umsetzung der Ketone mit primären Aminen wird meist durch rückfliessendes Kochen der Komponenten in einem Lösungsmittel (Benzol, Toluol) unter azeotropen Bedingungen durchgeführt[7]. Sie ist im allgemeinen durch Basen und durch Säuren

[1] Fr. P. 1162413 (1956), Rhône-Poulenc, Erf.: R. Meyer u. D. Pillon; C. **1960**, 1675.

[2] E. Schmidt u. R. Ohme, Org. Synth. **45**, 83 (1965); B. **94**, 2166 (1961); s. a. Ang. Ch. **73**, 220 (1961).

[3] A. Lachman, Org. Synth. II, 234 (1943).

[4] H. Schiff, A. **131**, 118 (1864).
   S. a. ds. Handb., Bd. XI/2, S. 77ff.

[5] R. W. Layer, Chem. Reviews **63**, 489 (1963).

[6] C. W. Smith, D. G. Norton u. S. A. Ballard, Am. Soc. **75**, 3316 (1953).
   Fr. P. 1008819 (1950), Wyeth Inc.; C. **1956**, 13848.
   US. P. 2583729 (1952) Universal Oil Products Co., Erf.: R. M. Deanesky; C. A. **46**, 8670^d (1952).

[7] US. P. 2700681/2 (1952; 1948), American Home Products Corp., Erf.: R. N. Blomberg, W. F. Bruce u. D. Hill; C. A. **49**, 7589^g (1955).

katalysierbar (Reaktionsweg IV → V → VIII bzw. IV → VIII, S. 1945). Als Katalysatoren kommen Kaliumhydroxid, Kaliumcarbonat u. Calciumoxid[1], die Salze der Amine und Lewis-Säuren (z. B. Zinkchlorid) in Betracht[2], sowie Cyanwasserstoff[3]. Die Wirkung des Cyanwasserstoffs ist auf die leichte Bildung von geminalen Amino-cyan-Verbindungen zurückzuführen[4,5], die beim Erhitzen in Cyanwasserstoff und das Ketimin zerfallen:

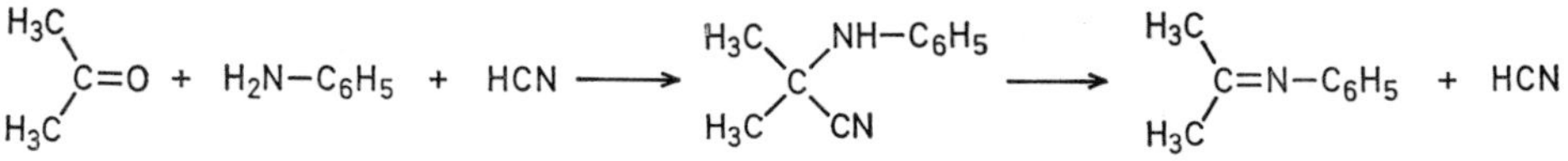

Bei α-perhalogenierten Ketonen, wie 4,4,4-Trichlor-acetessigsäure-äthylester[6] und Hexafluor-aceton[7] sind die primären Additionsverbindungen vom Typ IV (s. S. 1945) isolierbar; sie können mit Salzsäure zu Keton-Hydraten hydrolysiert werden oder mit Phosphoroxychlorid in Pyridin[8] bzw. Eisessig-Chlorwasserstoff[9] zu Ketiminen dehydratisiert werden. Oxalylessigsäure-äthylester liefert mit Anilin in Wasser ein Additionsprodukt, während in Alkohol die Ketimin-Bildung bevorzugt ist[10].

Aceton-isopropylimin[10]: 290 g Aceton (5 Mol), 295 g Isopropylamin (5 Mol) und 3 g konz. Salzsäure werden gemischt, wobei die Temp. auf 50° ansteigt. Man läßt ∼ 12 Stdn. stehen, gibt dann Natriumhydroxid zu, trennt die sich bildende wäßr. Phase ab und unterwirft die organische Schicht der fraktionierten Destillation. Nach einem Vorlauf aus 125 g Isopropylamin und 128 g Aceton erhält man 262 g des Ketimins; Ausbeute: 45–53% (ber. auf Einsatz) 90–95% d.Th. (ber. auf Umsatz); Kp: 93,5°.

4-[4-Methyl-pentyl-(2)-imino]-2-methyl-pentan[10]: 1000 g 2-Oxo-4-methyl-pentan, 1010 g 4-Amino-2-methyl-pentan und 100 *ml* Benzol werden 24 Stdn. am Wasserabscheider gekocht, wobei 150 *ml* Wasser abgetrennt werden. Bei der Destillation des Reaktionsgemisches werden 197 g 4-Amino-2-methyl-pentan und 190 g 2-Oxo-4-methyl-pentan wiedergewonnen; Ausbeute an Ketimin: 1412 g (77% ber. auf Einsatz; 96% d.Th. ber. auf Umsatz); Kp$_{10}$: 74–76°.

In einigen Fällen gelingt die Herstellung von Schiff'schen Basen, wenn das Reaktionswasser durch sog. Molekularsiebe absorbiert wird.

Cyclohexyl-isopropyliden-amin[11]: 1 Mol Aceton und 1 Mol Cyclohexylamin werden mit 60 g Molekularsieb 4 Å versetzt und 2 Stdn. bei 20° gerührt; Ausbeute: ∼ 80% d.Th.

---

[1] US. P. 2 700 681/2 (1952; 1948), American Home Products Corp., Erf.: R. N. BLOMBERG, W. F. BRUCE u. D. HILL; C. A. **49**, 7589^g (1955).

[2] G. REDDELIEN, B. **42**, 4759 (1909); **43**, 2476 (1910); **53**, 345 (1920); A. **388**, 165 (1912).
G. F. BEBIK u. A. A. GRINBERG, Doklady Akad. SSSR **161**, 1333 (1965); engl.: 371.

[3] E. W. DREW u. P. D. RITCHIE, Chem. & Ind. **1952**, 1104.

[4] R. W. LAYER, Chem. Reviews **63**, 489 (1963).

[5] C. W. SMITH, D. G. NORTON u. S. A. BALLARD, Am. Soc. **75**, 3316 (1953).
Fr. P. 1 008 819 (1950), Wyeth Inc.; C. **1956**, 13848.
US. P. 2 583 729 (1952) Universal Oil Products Co., Erf.: R. M. DEANESKY; C. A. **46**, 8670^d (1952).

[6] Belg. P. 565416 (1958; Dtsch. Prior. 1957), Farbf. Bayer.

[7] Y. V. ZEIFMAN, N. P. GAMBARYAN u. I. L. KNUNYANTS, Izv. Akad. SSSR **1965**, 450; engl.: 435.

[8] W. J. MIDDLETON u. C. G. KRESPAN, J. Org. Chem. **30**, 1398 (1965).

[9] R. W. HAY, Austral. J. Chem. **18**, 337 (1965).

[10] D. G. NORTEN et al., J. Org. Chem. **19**, 1061, 1065 (1954).

[11] T. CUVIGNY, M. LARCHEVÊQUE u. H. NORMANT, A. **1975**, 727.

Die Umsetzung von aliphatischen Ketonen mit primären aromatischen Aminen kann nach verschiedenen Richtungen verlaufen. Unter azeotropen Bedingungen[1] bilden sich unter Wasserabscheidung die entsprechenden Imine in guter Ausbeute[2].

4-Phenylimino-2-methyl-pentan[2]: Eine Mischung von 100 g (1 Mol) 4-Oxo-2-methyl-pentan und 186 g (2 Mol) Anilin wird in einer Apparatur mit Wasserabscheider zum Sieden erhitzt. Nach 2 Stdn. haben sich 18 *ml* Wasser abgeschieden. Die fraktionierte Destillation des Reaktionsproduktes liefert 140 g (80% d.Th.) Ketimin; Kp_{11}: 107°.

In Gegenwart von Phosphor(V)-oxid oder Jod als Katalysator entsteht aus Aceton und Anilin *2,2,4-Trimethyl-1,2-dihydro-chinolin*[3]:

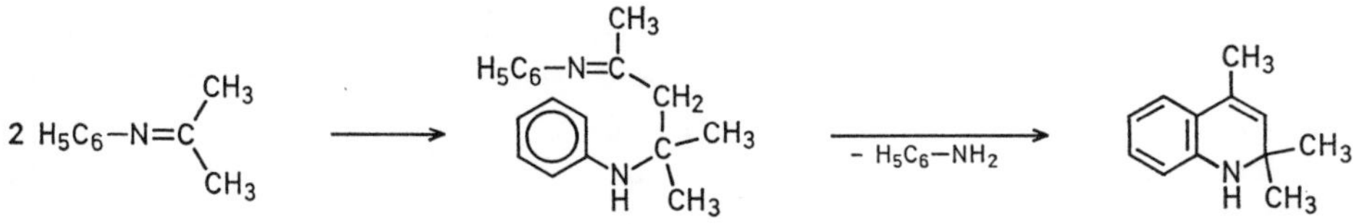

Für die Umsetzung von aliphatischen Ketonen mit aromatischen Aminen liefert auch die von R. Kuhn und H. Schretzmann[4] beschriebene etwas aufwendige Methode gute Ergebnisse. Danach werden die Ketone zunächst mit dem Hydrojodid-Silberjodid-Komplex des Anilins umgesetzt und die entstandenen N-Phenyl-ketimin-Komplexe mit einer wäßrigen alkalischen Kaliumcyanid-Lösung oder mit benzolischem Triäthylamin zerlegt.

Im Gegensatz zu offenkettigen aliphatischen Ketonen[5] läßt sich bei der Kondensation von Cycloalkanonen mit Anilinen leicht die Ketimin-Stufe abfangen. So entsteht aus Cyclohexanon und Anilin in Gegenwart von Zinkchlorid bei 155° in guter Ausbeute das *Cyclohexyliden-phenyl-amin*[6].

Bei Schiffschen Basen aus Ketonen, die weitgehend in der Enol-Form vorliegen (1,3-Diketone und 3-Oxo-carbonsäureester) ist analog das Gleichgewicht weitgehend zur Enamin-Form verschoben; z. B.:

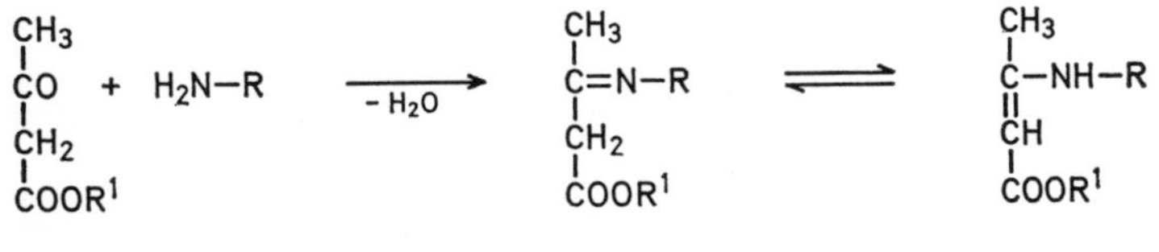

---

[1] Arbeitsweise s. H. MEYER, A. **433**, 331 (1923).

[2] Fr. P. 838434 (1938; Dtsch. Prior. 1937), I. G. Farb.: C. **1939** I, 5044.

[3] G. REDDELIEN u. A. THURM, B. **65**, 1511 (1932).
　　W. H. CLIFFE, Soc. **1933**, 1327.

[4] R. KUHN u. H. SCHRETZMANN, Ang. Ch. **67**, 785 (1955); B. **90**, 557 (1957).
　　s. a. ds. Handb., Bd. XI/2, Kap. Umwandlung von primären und sekundären Aminen, S. 78/80.

[5] Vgl. die Bildung von *1.3.5-Triphenyl-benzol* bei der Umsetzung von Acetophenon mit Anilin:
　　E. KNOEVENAGEL, B. **55**, 1929 (1922).

[6] G. REDDELIEN u. O. MEYN, B. **53**, 353 (1920).
　　C. HANSCH, F. GSCHWEND u. J. BAMESBERGER, Am. Soc. **74**, 4554 (1952).

Besonders aromatische Ketone erfordern bei der Umsetzung mit aromatischen Aminen höhere Temperaturen und Kondensationsmittel wie Zinkchlorid, Aluminiumchlorid[1], Trifluoressigsäure oder Kationenaustauscher[2].

Fluorenon-(4-chlor-phenylimin)[3]: Ein Gemisch aus 9 g Fluorenon, 10,2 g 4-Chlor-anilin, 1 ml Bortrifluorid-Ätherat in 2 ml Äthanol und 100 ml Chloroform wird 15 Min. gekocht. Nach dem Abdampfen von 73 ml Chloroform werden 14,5 g 100% d.Th.) Imin (F: 145–148°) erhalten.

Über die Kernkondensation von aromatischen Aminen mit Ketonen durch starke wasserhaltige Säuren s. S. 1967.

Bei den N-substituierten Ketiminen können *syn-* und *anti-Isomere* entstehen:

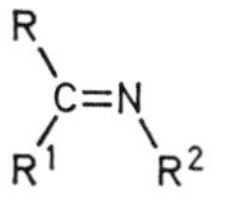

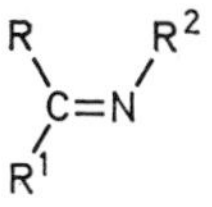

Deren Energieniveau-Differenz ist jedoch so gering, daß eine Trennung dieser Isomeren im allgemeinen nicht möglich ist. Im Falle des *5-Chlor-2-amino-benzophenon-(2-morpholino-äthylimin)* gelang die Trennung der geometrischen Isomeren durch fraktionierte Kristallisation aus Äthanol und Hexan[4]:

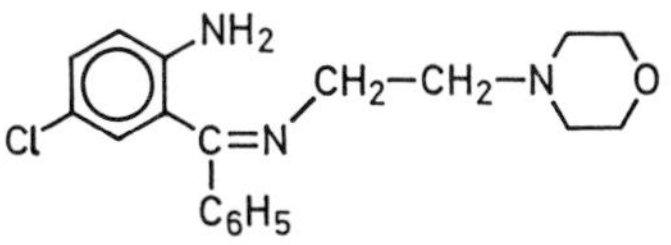

F: 140–142° (α) 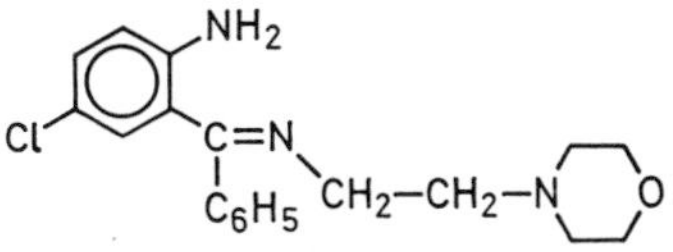   F: 112–113° (β)

Die niedriger schmelzende β-Form läßt sich durch Erhitzen in die α-Form überführen.

Die wichtigsten Umwandlungsreaktionen der N-substituierten Ketimine sind Additionsreaktionen der C=N-Doppelbindung. Über die vielseitigen Umwandlungsmöglichkeiten der Schiffschen Basen s. Bd. XI/2, S. 85 ff.

Ketimine lassen sich leicht zu sekundären Aminen reduzieren. Mit Wasser reagieren sie unter Bildung der O,N-Ketale IV, mit Schwefelwasserstoff unter Bildung von Thioketonen oder Thiolen, mit primären Aminen entstehen N,N-Ketale V und mit Hydroxylamin die Oxime[5] und CH-acide Verbindungen lassen sich unter C–C-Verknüpfung anlagern (s. Bd. XI/1, S. 334). Über das unterschiedliche Verhalten der Ketimine gegenüber metallorganischen Verbindungen[6] s. Bd. XI/1, S. 810 ff., speziell gegenüber Grignard-Verbindungen s. Bd. XIII/2a, S. 366 und lithiumorganischen Verbindungen s. Bd. XIII/1, S. 189 ff., s. ferner S. 1898 (Schutzgruppen).

---

[1] Vgl. die Herstellung von *Benzophenon-phenylimin*, ds. Handb., XI/2, S. 78.
[2] M. E. TAYLOR u. T. L. FLETCHER, J. Org. Chem. **21**, 523 (1956).
[3] M. E. TAYLOR u. T. L. FLETCHER, J. Org. Chem. **26**, 940 (1961).
[4] S. C. BELL, G. L. CONKLIN u. S. J. CHILDRESS, Am. Soc. **85**, 2868 (1963); J. Org. Chem. **29**, 2368 (1964).
[5] C. R. HAUSER u. D. S. HOFFENBERG, Am. Soc. **77**, 4885 (1955).
[6] J. J. EISCH u. A. M. JACOBS, J. Org. Chem. **28**, 2145 (1963).
    J. YOSHIMURA, Y. OHGO u. T. SATO, Am. Soc. **86**, 3858 (1964).
    M. GARRY, A. ch. [11] **17**, 5 (1942).

Die Ketimine aus aliphatischen und cycloaliphatischen Ketonen, reagieren in Äther mit Chloramin unter Bildung von Diaziridinen, die durch Säuren (Oxalsäure) in das Keton und das dem Amin entsprechende Hydrazin gespalten werden[1]:

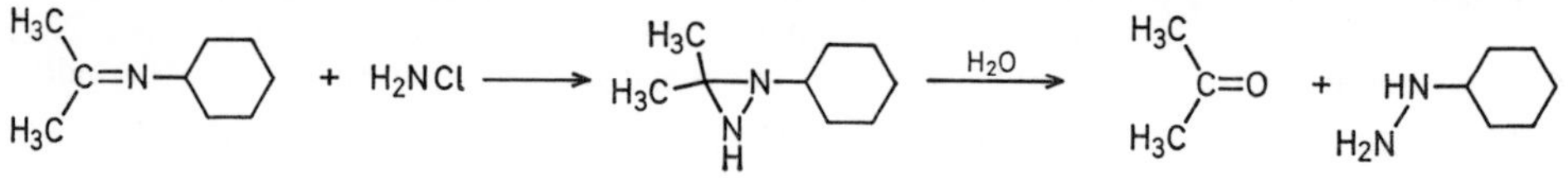

Die Umsetzung der Ketimine mit Persäuren liefert Isonitrone (Oxaziridine)[2]:

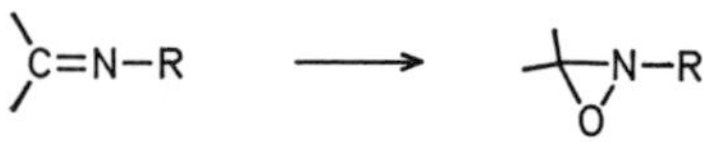

3. Umsetzungen von Ketonen mit sekundären Aminen (zu Enaminen)

Bei der Umsetzung der Ketone mit sekundären Aminen entstehen über die O,N-Ketale leicht die α,β-ungesättigten Amine, die wegen ihrer konstitutionellen Ähnlichkeit mit den Enolen als Enamine bezeichnet werden[3,4]:

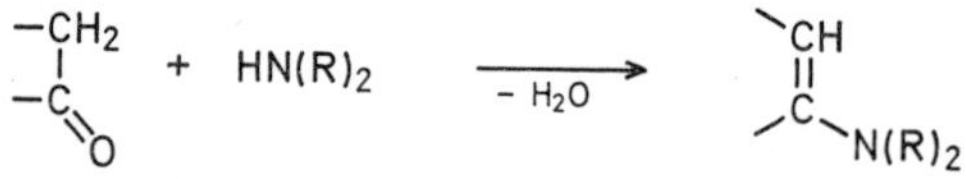

Die Enamine werden heute vorwiegend mit Pyrrolidin oder Morpholin in Benzol durch aceotrope Entwässerung in Gegenwart katalytischer Mengen Toluolsulfonsäure hergestellt (s. Bd. XI/1, S. 170ff., und an zahlreichen Stellen d. Bd. VII/2a–c). Aus alicyclischen Ketonen entstehen die Enamine praktisch quantitativ. Aus Acetophenon und Morpholin erhält man dagegen bestenfalls 54% *1-Morpholino-1-phenyläthylen* ($Kp_{0,1}$: 86–89°)[5].

Der erhebliche präparative Wert der Enamine beruht auf zwei wichtigen Eigenschaften

① die Enamin-Gruppe ist eine leicht herstellbare und hydrolysierbare Schutzgruppe (s. S. 1899).

② in den Enaminen sind die β-ständigen C-Atome an der C=C-Doppelbindung erheblich reaktionsfähiger als die α-ständigen CH$_2$-Gruppen der entsprechenden Ketone

Dies ist durch die Mesomerie der Enamine bedingt,

[1] E. Schmitz u. D. Habisch, Ang. Ch. **73**, 23 (1961); B. **95**, 680 (1962).
[2] W. D. Emmons, Am. Soc. **79**, 5739, 6522 (1957).
   H. Krimm, B. **91**, 1057 (1958).
[3] J. Szmuszkovicz, *Enamines*, Adv. Org. Chem. **4**, 1 (1963).
   A. G. Cook, *Enamines: Synthesis, Structure and Reactions*, M. Dekker, New York 1969.
[4] H. O. House, *Modern Synthetic Reactions*, 2. Aufl., S. 570ff., W. A. Benjamin Inc., Menlo Park 1972.
[5] S. Hünig, K. Hübner u. E. Benzing, B. **95**, 931 (1962).

wodurch die Umsetzungen mit elektrophilen und nukleophilen Reaktionspartnern leicht erfolgen, z. B. Alkylierung (s. S. 1403 ff.), Addition reaktiver Vinyl-Verbindungen (s. S. 1568 Acylierungen), Umsetzungen mit Chlorcyan, Nitrosylchlorid, aromatischen Aziden, Benzoldiazonium-tetrafluoroborat u. a.[1].

h) Umsetzung von Ketonen mit Hydroxylamin

bearbeitet von

Dr. HEINRICH GOLD

Bayer AG, Leverkusen

Die Umsetzung der Ketone mit Hydroxylamin zu Ketoximen ist ausführlich in Bd. X/4, S. 55 ff., sowie in ds. Bd., S. 2011 beschrieben[2]. Die Bedeutung der Ketoxime beruht hauptsächlich auf der Beckmann'schen Umlagerung (s. S. 1986) und weniger in der Charakterisierung der Ketone, da die Oxime vielfach unter 100° schmelzen und auch als Stereoisomergemische anfallen können. In der Reihe der Steroidketone werden gelegentlich zur Abtrennung bzw. Charakterisierung Oxime herangezogen. Ferner wird die Umsetzung der Ketone mit Hydroxylamin wegen der leicht und quantitativ verlaufenden Reaktion zur quantitativen, meist titrimetrischen Bestimmung der Aldehyde und Ketone verwendet (s. Bd. II, S. 446, 458 u. ds. Bd., S. 2011).

Beim Oximieren von Ketonen mit einer reaktionsfähigen C=C-Doppelbindung erhält man nur dann Monoxime, wenn man die Salzsäure langsam abpuffert, da die freie Hydroxylaminbase auch mit den C=C-Doppelbindungen reagiert[3]. Über die Bildungsgeschwindigkeiten zahlreicher Oxime s. Lit.[4].

Es gibt jedoch auch Ketone, die weder mit Hydroxylamin noch mit Phenylhydrazin oder Semicarbazid reagieren; z. B. das 3-Oxo-2,2,4,4-tetramethyl-pentan. Über die Spaltung der Oxime s. Bd. VII/2a, S. 799 ff. Theoretische Betrachtungen zur Oxim-Bildung s. S. 1915.

Durch Einwirkung von N-Methyl-hydroxylamin-O-sulfonsäure auf Aceton, Butanon, Cyclopentanon und Campher entstehen, wahrscheinlich über das Zwischenprodukt II, Oxaziridine III[5]:

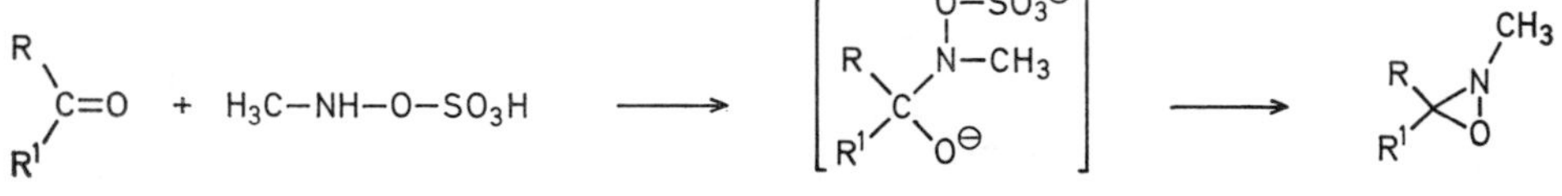

[1] J. SZMUSZKOVICZ, *Enamines*, Adv. Org. Chem. **4**, 1 (1963).
  A. G. COOK, Enamines; *Synthesis, Structure and Reactions*, M. Dekker, New York 1969.
[2] Vgl. a. ds. Handb., Bd. VII/1, S. 471 ff.
[3] L. N. PETROVA u. E. N. NOVIKOVA, Ž. prikl. Chim. **29**, 783 (1956).
[4] P. G. KLETZKE, Chem. Eng. Data **1973**, 93.
[5] E. SCHMITZ, R. OHME u. D. MURAWSKI, B. **98**, 2516 (1965).

i) Umsetzungen von Ketonen mit Hydrazin und Hydrazin-Verbindungen

bearbeitet von

Dr. HEINRICH GOLD

Bayer AG, Leverkusen

Die Umsetzung der Ketone mit Hydrazin und Hydrazin-Verbindungen, die mindestens eine primäre Amino-Gruppe enthalten, führt zu Keton-hydrazonen. Diese sind z.T. bereits in Bd. VII/1, S. 461ff., zusammen mit den Aldehyd-hydrazonen abgehandelt, wobei besonderer Wert auf das manchmal unterschiedliche Verhalten von Aldehyden und Ketonen gelegt wurde, weil in einigen Fällen über die Hydrazone eine präparative und analytische Trennung von Aldehyden und Ketonen möglich ist[1] (s. S. 2016). Die im allgemeinen durch Säuren katalysierte Reaktion verläuft über ein O,N-Ketal (vgl. S. 1945). Im Fall der Umsetzung von Mesoxalsäure-diester mit Hydrazin ist ein solches isoliert worden[2,3]:

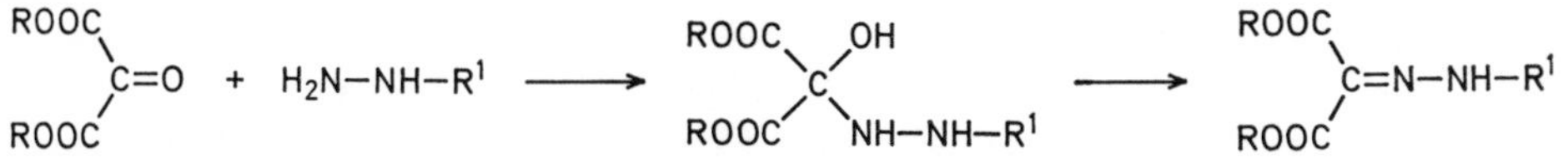

Auch bei der Umsetzung von Hexafluor-aceton mit Semicarbazid entsteht ein beständiges O,N-Ketal (F: 164°), das erst beim Schmelzen im Vakuum unter Wasserabspaltung in das Semicarbazon übergeht[4].

Bei unsymmetrischen Ketonen sind geometrische Isomere (*syn-anti*) Hydrazone möglich:

Die *syn*- und *anti*-p-Tolylhydrazone aus 4-tert.-Butyl-phenylglyoxylsäure können leicht getrennt werden, weil die *syn*-Form sich durch eine Wasserstoff-Brückenbindung stabilisiert[5], was unterschiedliche Löslichkeiten bedingt:

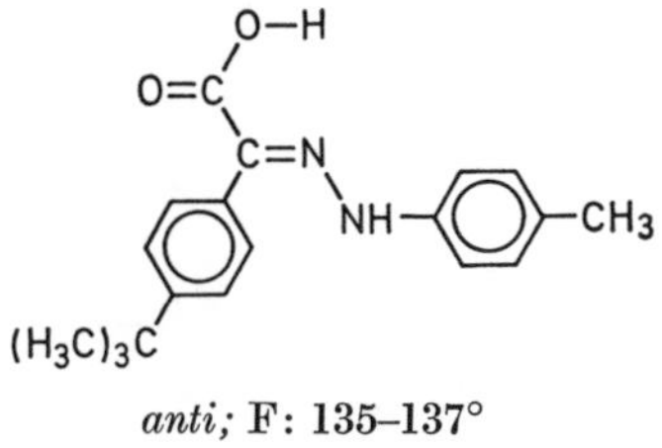

anti; F: 135–137°

---

[1] S. ds. Handb., Bd. II, Kap. Analytik der Carbonylgruppe, S. 448–450.
[2] H. STAUDINGER u. L. HAMMET, Helv. 4, 217 (1921).
[3] E. CIGANEK, J. Org. Chem. 30, 4366 (1965).
[4] Y. V. ZEIFMAN, N. P. GAMBARYAN u. I. L. KNUNYANTS, Ž. vses. Chim. obšč. 10, 235 (1965); C. A. 63, 1691i (1965).
[5] C. VOGEL u. M. MATTER, Helv. 42, 527 (1959).

$$\begin{array}{c} \text{O=C} \overset{\text{O--H}}{\underset{\text{C=N}}{\diagdown}} \text{NH} - \bigcirc - \text{CH}_3 \\ \\ (\text{H}_3\text{C})_3\text{C} - \bigcirc \end{array}$$

syn; F: 118–120°

1. mit Hydrazin

Ketone reagieren mit überschüssigem Hydrazin primär unter Bildung von Keton-hydrazonen[1], die mit den entsprechenden Ketazinen[2] und Hydrazin im Gleichgewicht stehen[3].

$$\overset{\diagdown}{\diagup}\text{C=O} + \text{H}_2\text{N--NH}_2 \underset{\text{+ H}^{\oplus} (\text{H}_2\text{O})}{\overset{\text{- H}_2\text{O (CaO)}}{\rightleftarrows}} \overset{\diagdown}{\diagup}\text{C=N--NH}_2 \overset{\text{+ H}^{\oplus}}{\rightleftarrows} \overset{\diagdown}{\diagup}\text{C=N--N=C}\overset{\diagup}{\diagdown} + \text{H}_2\text{N--NH}_2$$

Es ist daher möglich, Ketazine mit überschüssigem Hydrazin in die Hydrazone zurückzuverwandeln[4]. Die Einstellung des Gleichgewichts wird durch Säuren erleichtert[5]. Die Keton-hydrazone entstehen bevorzugt beim Zusammengeben der Komponenten in Gegenwart von Basen (Calcium-, Bariumoxid).

Aceton-hydrazon[6]: Man versetzt 15 g Hydrazin-Hydrat mit geringen Mengen Bariumoxid und trägt allmählich 15 g Aceton ein, wobei sich die Mischung stark erhitzt. Nach mehrtägigem Trocknen über Bariumoxid werden 17,5 g Rohprodukt erhalten. Das reine Aceton-Hydrazon siedet bei 124–125°.

Analog wurde das *Acetophenon-hydrazon* (Kp: 254–257°) erhalten. Leicht entsteht das Aceton-hydrazon auch aus Acetonazin mit überschüssigem Hydrazin[3].

Die Leichtigkeit der Bildung der Keton-hydrazone nimmt in der Reihenfolge

(Aldehyde>) Dialkyl-ketone > Alkyl-aryl-ketone > Diaryl-ketone

ab. Während Aceton sehr exotherm reagiert, müssen zur Herstellung der Diarylketon-hydrazone die Ketone mit wasserfreiem Hydrazin längere Zeit in Alkohol gekocht werden[7,8].

4-Nitro-benzophenon-hydrazon[7]: 90 g 4-Nitro-benzophenon, 112,8 g 80%iges Hydrazin-Hydrat und 300 *ml* Äthanol werden unter Ausschluß von Feuchtigkeit 3 Stdn. rückfließend gekocht. Beim Abkühlen kristallisiert das Hydrazon aus; Ausbeute: 77% d.Th.; F: 86° (gelbe Plättchen aus Äthanol).

Ketonhydrazone, die in β-, γ- oder auch δ-Stellung eine reaktionsfähige Gruppe in sterisch günstiger Stellung enthalten (Halogenatom, Doppelbindung, Oxo-Funktion, Cyan-Gruppe u. ä.), sind unbeständig und gehen leicht Ringschlüsse ein. *Biacetyl-monohydrazon* z. B. ist nur bei tiefer Temperatur beständig.

[1] T. Curtius u. F. Rauterberg, J. pr. **44**, 192 (1891).
Die Ketazine werden in ds. Handb., Bd. X/2, Kap. Amine, S. 91 behandelt.
[2] T. Curtius u. K. Thun, J. pr. **44**, 161 (1891).
[3] H. Staudinger u. A. Gaule, B. **49**, 1905 (1916).
[4] G. Hesse u. E. Reichold, B. **90**, 2101 (1957).
[5] E. C. Gilbert, Am. Soc. **51**, 3394 (1929).
[6] T. Curtius u. L. Pflug, J. pr. **44**, 543 (1891).
[7] R. Hüttel et al., B. **93**, 1428 (1960).
[8] H. H. Szmant u. C. McGinnis, Am. Soc. **72**, 2891 (1950).

Butandion-monohydrazon (Biacetyl-monohydrazon)[1]: In eine Mischung von 8 g (0,16 Mol) Hydrazin-Hydrat und 3 *ml* Wasser werden bei −20° 10 *ml* (0,12 Mol) Butandion (Biacetyl) eingetropft. Man erwärmt auf Raumtemp. und vervollständigt die Kristallisation durch Einstellen in eine Kältemischung. Das ausgefallene Hydrazon wird abgesaugt und aus Benzol umkristallisiert; Ausbeute: 5 g; F: 67,5°.

Butandion-bis-hydrazon

$$\begin{array}{cc} H_3C & CH_3 \\ \diagdown & \diagup \\ C\!-\!C \\ \diagup\,\| & \|\,\diagdown \\ H_2N\!-\!N & N\!-\!NH_2 \end{array}$$

F: 158°

geht beim längeren Stehen in ein P o l y a z i n über[2]:

$$H_3C\!-\!CO\!-\!\left[\begin{array}{cc} CH_3 & CH_3 \\ | & | \\ \!-\!C\!=\!N\!-\!N\!=\!C\!-\! \end{array}\right]_n\!-\!CO\!-\!CH_3 \qquad n = 6\text{-}10$$

Benzil-monohydrazon[3] ist dagegen erheblich beständiger.

Über die Herstellung von Hydrazonen aus N,N-Dimethyl-hydrazin s. Lit.[4,5] und speziell des *Acetophenon-dimethylhydrazons* s. Org. Synth.[6].

Die Hydrazone aus Hydrazin, die gegen Alkalien im allgemeinen beständig sind, lassen sich durch verdünnte Mineralsäuren hydrolysieren. Die Ketone können aus den Hydrazonen auch durch Verdrängung mit einem reaktionsfähigen Aldehyd in Freiheit gesetzt werden.

Bei der technischen Hydrazin-Herstellung wird dessen Isolierung aus wäßr.-ammoniakalischer Oxidationslösung über das Aceton-hydrazon durchgeführt.

Über die Oxidation von Hydrazonen zu Diazo-Verbindungen s. Bd. X/4, S. 567 ff., zur Spaltung der Diazo-Verbindungen in Olefine s. Bd. X/4, S. 611 ff., V/1 b, 420 ff. und zur Spaltung der Hydrazone in Kohlenwasserstoff und Stickstoff (Wolff-Kishner-Reaktion) s. S. 1999.

2. Umsetzungen von Ketonen mit Arylhydrazinen

Arylhydrazine, die eine freie NH₂-Gruppe enthalten, reagieren leicht mit Ketonen unter Bildung der entsprechend substituierten A r y l h y d r a z o n e (ausführlich beschrieben in Bd. X/2, S. 410 ff.):

$$\underset{\diagup}{\overset{\diagdown}{C}}\!=\!O \;+\; H_2N\!-\!N\underset{R^1}{\overset{R}{\diagup}} \;\rightleftharpoons\; \underset{\diagup}{\overset{\diagdown}{C}}\!=\!N\!-\!N\underset{R^1}{\overset{R}{\diagup}} \;+\; H_2O$$

Die Arylhydrazone sind für die Indol-Synthese nach E. Fischer und für analytische Zwecke von Bedeutung (s. S. 2012 u. Bd. II, S. 457).

[1] O. DIELS u. K. PFLAUMER, B. **48**, 223 (1915).

[2] B. G. ZIMMERMAN u. H. L. LOCHTE, Am. Soc. **58**, 948 (1936).

[3] T. CURTIUS u. K. THUN, J. pr. **44**, 176 (1891).
W. JUGELT, Z. **5**, 455 (1965).
Vgl. a. B. EISTERT u. W. SCHADE, B. **91**, 1411 (1958).

[4] D. TODD, Am. Soc. **71**, 1353, 1356 (1949).

[5] G. R. NEWKOME u. D. L. FISHEL, J. Org. Chem. **31**, 677 (1966).

[6] G. R. NEWKOME u. D. L. FISHEL, Org. Synth. **50**, 102 (1970).

Für die Charakterisierung der Ketone sind besonders die 2,4-Dinitro-phenyl-hydrazone geeignet. Ihre Herstellung erfolgt in stark mineralsaurer Lösung; die Verwendung von Diäthylenglykol-dimethyläther (Bis-[2-methoxy-äthyl]-äther) als Lösungsmittel soll günstig sein[1] (Zur Stereochemie s. Lit.[2-4]). Die 2,4-Dinitro-phenylhydrazone sind schwache Säuren. Über die analytische Anwendung des 2,4-Dinitro-phenylhydrazins s. Bd. II, S. 448, 457 u. ds. Bd., S. 2009, 2013,.

Bemerkenswert ist, daß α-Hydroxy- oder α-Amino-ketone mit drei Mol Phenyl-hydrazin in einer Redox-Reaktion zu 1,2-Bis-phenylhydrazonen reagieren. Diese sogenannten Osazone spielen in der Zuckerchemie eine gewisse Rolle (s. Bd. X/2, S. 434 ff.).

Über die Spaltung der Arylhydrazone s. S. 2017 u. ds. Handb. Bd. VII/2a, S. 799.

3. Umsetzungen von Ketonen mit N,N′-disubstituierten Hydrazinen

1,2-Di- und 1,1,2-trisubstituierte Hydrazine reagieren mit Carbonyl-Verbindungen — in analoger Weise wie sekundäre Amine — zu En-hydrazinen[5, 6]:

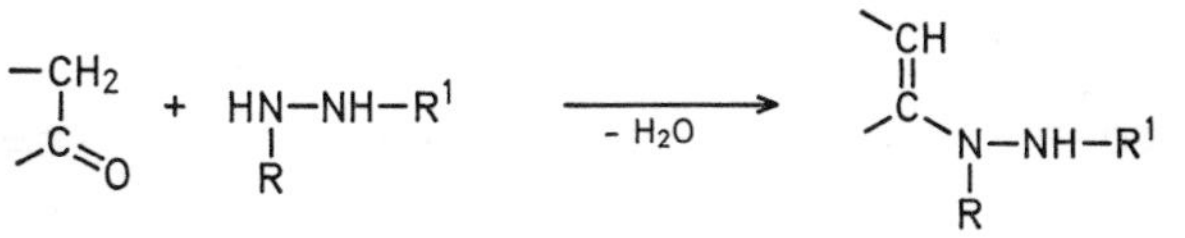

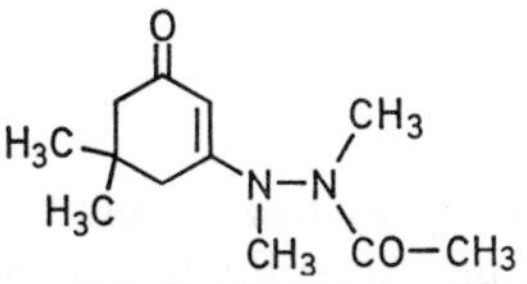

1-(1,2-Dimethyl-2-acetyl-hydrazino)-3-oxo-5,5-dimethyl-cyclohexen

Ein Mono-En-hydrazin konnte z. B. bei der Umsetzung von 3,5-Dihydroxy-1,1-di-methyl-cyclohexan (Dimedon) mit 1,2-Dimethyl-hydrazin isoliert und als Acetyl-Verbindung charakterisiert werden[7]:

Aus Phenyl-aceton und 1,2-Dimethyl-hydrazin bildet sich neben anderen Produkten über ein 1,2-Dialken-(1)-yl-hydrazin *1,2,5-Trimethyl-3,4-diphenyl-pyrrol*[8]:

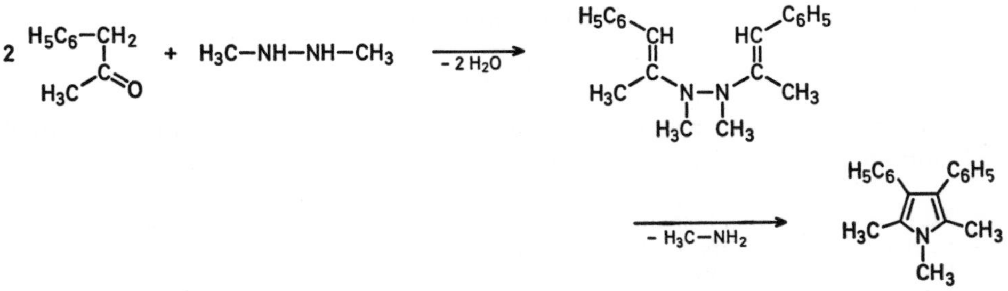

[1] H. J. Shine, J. Org. Chem. **24**, 252 (1959).
[2] F. Ramirez u. A. F. Kirby, Am. Soc. **75**, 6026 (1953); **76**, 1037 (1954).
[3] N. V. Khromov-Borisov, Ž. obšč. Chim. **25**, 136 (1955); engl.: 123.
[4] P. K. Banerjee, D. Mukhopadhyay u. D. N. Chaudhury, J. indian chem. Soc. **42**, 115 (1965).
[5] s. ds. Handb., Bd. X/2, S. 67.
[6] J. A. Carbon, W. P. Burkard u. E. A. Zeller, Helv. **41**, 1883 (1958).
   Vgl. a. G. Zinner et al., B. **99**, 1678 (1966).
[7] W. Sucrow, Chimia **23**, 36 (1969).
[8] R. Jaquier et al., Chem. Commun. **1969**, 752.

Aus Acetophenon wurde *1,2,5-Trimethyl-3,5-diphenyl-2,5-dihydro-pyrazol* erhalten[1]:

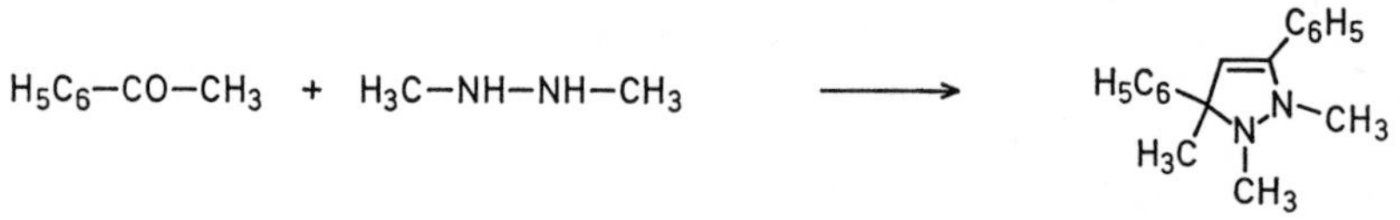

$$H_5C_6-CO-CH_3 \ + \ H_3C-NH-NH-CH_3 \ \longrightarrow$$

4. Umsetzungen von Ketonen mit Acylhydrazinen

Auch Acylhydrazine setzen sich glatt mit Ketonen um. Von analytischer und präparativer Bedeutung sind besonders das Semicarbazid[2], Thiosemicarbazid[3] und das Aminoguanidin[4], da deren Hydrazone gut kristallisieren und höhere Schmelzpunkte besitzen. Über die Verwendung des Girard-Reagenzes s. S. 2018.

Die Bildung von Semicarbazonen[5] wird durch Säuren katalysiert. Bei zu hohen H-Ionen-Konzentrationen wird das Semicarbazid durch Salzbildung passiviert[6].

Pentandion-(2,3) liefert das 2-Acyl-hydrazon I, Phenyl-glyoxal das 2-Acyl-hydrazon II[7]; und aus 1,3-Dioxo-1-phenyl-butan entsteht ausschließlich das Semicarbazon III[8]:

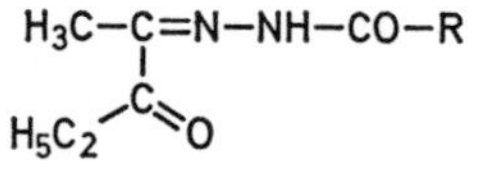

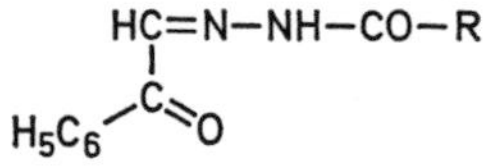

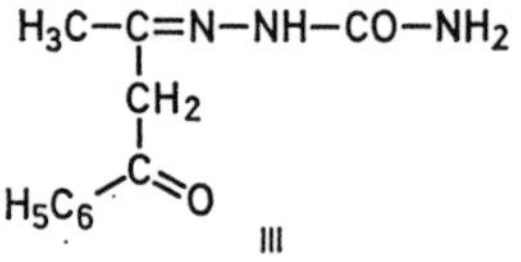

Das Butandion reagiert mit Acetylhydrazin bereits in der Kälte, während Benzil auch nach längerem Kochen mit Acetylhydrazin keine nennenswerte Umsetzung erkennen läßt. ω-Hydroxy-acetophenon läßt sich mit Aminoguanidin nicht umsetzen[9].

j) Umsetzungen von Ketonen mit Phosphor-Verbindungen

bearbeitet von

Dr. HEINRICH GOLD

Bayer AG, Leverkusen

Die Umsetzungen von Ketonen mit Phosphor-Verbindungen sind außerordentlich vielseitig und führen z. T. zu ungewöhnlichen Reaktionsprodukten.

[1] R. JAQUIER et al., Chem. Commun. **1969**, 752.
[2] S. ds. Handb., Bd. II, Kap. Analytik der Aldehyde, Ketone, S. 449.
   G. KNÖPFER, M. **32**, 753 (1911).
[3] E. E. REID, *Organic Chemistry of Bivalent Sulfur*, Vol. V, S. 201, Chemical Publishing Co. Inc., New York 1963.
[4] S. ds. Handb., Bd. VIII, Kap. Umwandlung von Aminoguanidinen, S. 193.
[5] S. ds. Handb., Bd. VIII, Kap. Isoharnstoffe, S. 170; Bd. II, Kap. Analytik der Carbonyl-Gruppe, S. 434–472 u. ds. Bd., S. 2013.
[6] J. B. CONANT u. P. D. BARTLETT, Am. Soc. **54**, 2881 (1932).
   H. MEERWEIN et al., B. **89**, 2060 (1956).
[7] R. METZE, B. **91**, 1861 (1958).
[8] A. MICHAEL u. J. ROSS, Am. Soc. **53**, 2394. 2412 (1931).
[9] H. BEYER u. T. PYL, B. **89**, 2556 (1956).

Ebenso wie Ammoniak und die Amine, so wirken auch Phosphorwasserstoff und die Phosphine nicht reduzierend unter Wasserstoff-Übertragung auf die Carbonyl-Gruppe ein, sondern es entstehen leicht C–P-Verbindungen, die alle die Tendenz besitzen, das Sauerstoff-Atom der Carbonyl-Gruppe auf das Phosphor-Atom zu übertragen. Dieses Verhalten zieht sich wie ein roter Faden durch die gesamte Chemie des Phosphors.

1. Umsetzungen mit Phosphinen

Bei der Umsetzung von Ketonen mit Phosphorwasserstoff im stark sauren Milieu sind Phosphinoxide I neben den Phosphinigsäuren II die wesentlichen Reaktionsprodukte[1] (s. Bd. XII/1, S. 30):

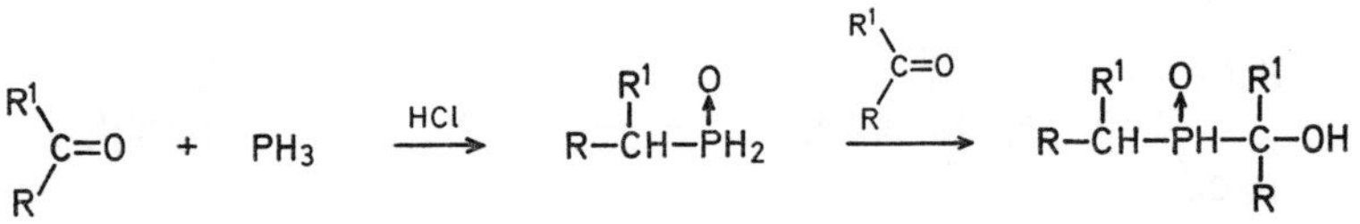

Mit zunehmender sterischer Hinderung der Ketone tritt die Bildung der Phosphinoxide in den Hintergrund.

Ein ähnliches Verhalten zeigen die primären[2] und sekundären[3] Phosphine. So addiert sich Diphenylphosphin an Cyclopentanon beim Erhitzen mit konzentrierter Salzsäure zum *Cyclopentyl-diphenyl-phosphinoxid:*

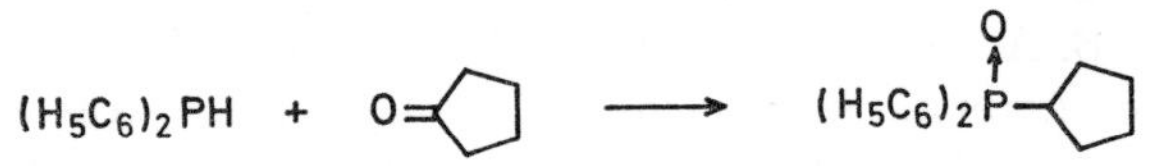

Beim Hexafluor-aceton[4] und beim Hexafluor-oxo-cyclobutan[5] ist die Addition von Phosphorwasserstoff bzw. Alkylphosphinen an die C=O-Doppelbindung ohne Sauerstoff-Übertragung an das Phosphor-Atom beobachtet worden:

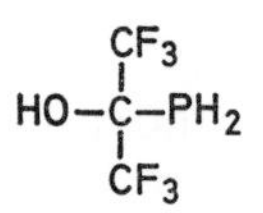

[Hexafluor-2-hydroxy-propyl-(2)]-phosphin 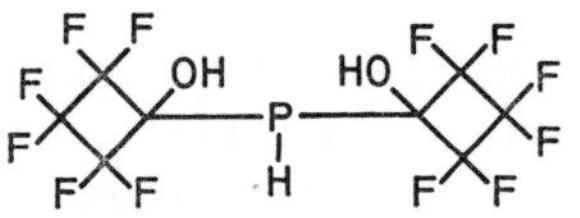   *Bis-[hexafluor-1-hydroxy-cyclobutyl]-phosphin*

---

[1] S A. Buckler u. M. Epstein, Tetrahedron **18**, 1211 (1962).

[2] US.P. 3274256 (1962) ≡ Fr.P. 1344091 (1963); US.P. 3291840 (1962) ≡ Fr.P. 1346217 (1963), American Cyanamid Comp., Erf.: S. A. Buckler u. M. Epstein; C. A. **60**, 12054e, 12055e (1964).

[3] US.P. 3454650 (1966) ≡ Fr.P. 1346217 (1963), American Cyanamid Corp., Erf.: S. A. Buckler u. M. Epstein; C. A. **60**, 12055e (1964).

[4] USSR. P. 170498 (1964), E. I. Grinshtein, A. B. Bruker u. L. Z. Soborovskii; C. A. **63**, 13319a (1965).
USSR. P. 169117 (1963), A. B. Bruker, E. I. Grinshtein u. L. Z. Soborovskii; C. **1967**, 45–2312.

[5] G. W. Parshall, Inorg. Chem. **4**, 52 (1965).

2. Umsetzungen von Ketonen mit sauerstoffhaltigen P-H-Verbindungen

Über die vielfältigen Umsetzungen von Säuren bzw. Estern, die eine P–H-Gruppe[1] enthalten, mit Ketonen s. Bd. XII/1, S. 229, 154, 260.

Dabei entstehen in der Regel Reaktionsprodukte mit der Gruppierung

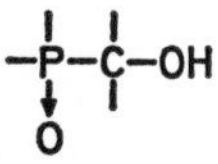

$$\begin{array}{c} \quad | \quad | \\ -P-C-OH \\ \downarrow \quad | \\ O \end{array}$$

Bei der Umsetzung von Dialkylphosphiten [$(RO)_2P(O)H$] mit aromatischen oder aliphatisch-aromatischen Ketonen in Gegenwart von geringen Mengen Natrium resultieren als Umlagerungsprodukte Phosphorsäure-triester[2]; z. B.:

$$\begin{array}{c} H_5C_6 \\ \searrow \\ C=O \\ H_5C_6 \nearrow \end{array} + HP(OCH_3)_2 \longrightarrow (H_5C_6)_2CH-O-P(OCH_3)_2$$

Phosphorsäure-dimethylester-diphenylmethylester

3. Umsetzungen von Ketonen mit Phosphorhalogeniden

Die Umsetzungen der Ketone mit Phosphor(V)-chlorid führen zu den geminalen Dichlor-Verbindungen (s. Bd. V/3, S. 912 u. ds. Bd. S. 1961).

Phosphor(III)-chlorid, Phosphorigsäure-ester-chloride und Aryl-dichlor-phosphine reagieren mit Ketonen je nach den Versuchsbedingungen sehr unterschiedlich und meist auch nicht einheitlich; s. Bd. XII/1, S. 362 ff.

Erhitzt man z. B. Aceton und Phosphor(III)-chlorid mehrere Stunden auf ~ 90°, so ist anscheinend der erste Schritt eine Aldolkondensation. Aus Aceton entsteht so in 29%iger Ausbeute das *2-Chlor-3,3,5-trimethyl-2,3-dihydro-1,2-oxaphospol(P^V)-2-oxid*[3]:

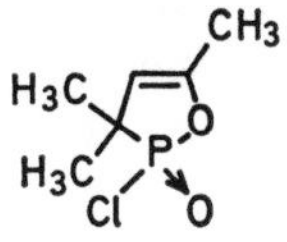

Ähnliche Produkte entstehen aus Aceton mit Phenyl-dichlor-phosphin[4].

Die Umsetzung von Benzophenon mit Phenyl-dichlor-phosphin läßt sich nur mittels Aluminiumchlorid durchführen, wobei das *Phenyl-(diphenyl-chlor-methyl)-chlor-phosphinoxid* entsteht[5]:

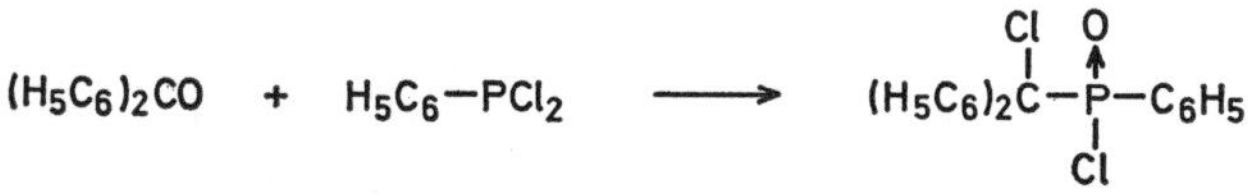

$$(H_5C_6)_2CO + H_5C_6-PCl_2 \longrightarrow (H_5C_6)_2C-P-C_6H_5$$

[1] Übersichtsreferat: F. Ramirez, Synthesis **1974**, 90–113.
S. a. I. G. M. Campbell u. S. M. Raza, Soc. [C] **1971**, 1836.
[2] H. Timmler u. J. Kurz, B. **104**, 3740 (1971).
[3] S. K. Nurtdinov et al., Ž. obšč. Chim. **40**, 2377 (1970); engl.: 2365.
[4] S. K. Nurtdinov et al., Ž. obšč. Chim. **41**, 1685 (1971); engl.: 1692.
[5] K. L. Freeman u. M. J. Gallagher, Tetrahedron Letters **1966**, 121; Austral. J. Chem. **19**, 2025 (1966).

Setzt man jedoch Ketone mit Phosphor(III)-chlorid in Essigsäure um, so nimmt die Reaktion folgenden glatten Verlauf:

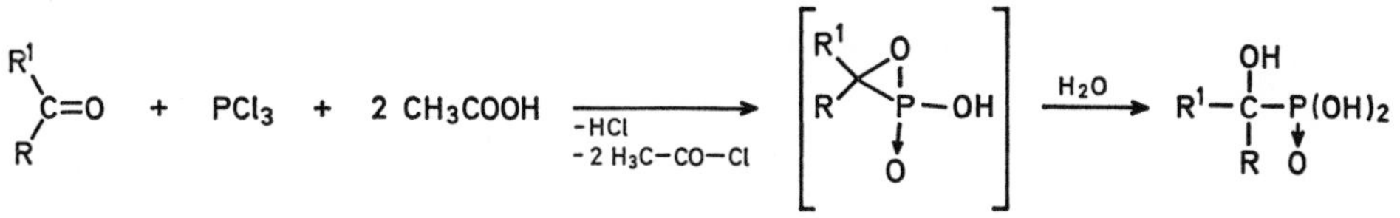

$$\begin{array}{c} R^1 \\ \diagdown \\ \diagup \\ R \end{array} C{=}O \ + \ PCl_3 \ + \ 2\ CH_3COOH \ \xrightarrow[\substack{-HCl \\ -\ 2\ H_3C-CO-Cl}]{} \ \left[\begin{array}{c} R^1 \quad O \\ \diagdown \quad \Vert \\ R{-}C{-}P{-}OH \\ \mid \\ O \end{array}\right] \ \xrightarrow{H_2O} \ R^1{-}\underset{\underset{R}{\mid}}{\overset{OH}{\overset{\mid}{C}}}{-}\underset{\underset{O}{\downarrow}}{P}(OH)_2$$

Herstellungsvorschriften, ausgehend von Aceton und Acetophenon, finden sich in Bd. XII/1, S. 364.

Die Umsetzungen von Ketonen mit Phosphoroxychlorid verlaufen recht unübersichtlich. Bei der Einwirkung auf Acetophenon bei 70° entsteht ein Gemisch aus Kondensations- und Abbauprodukten, in denen 1-Oxo-1,3-diphenyl-buten-(2) (Dypnon), 1,3,5-Triphenyl-benzol, Pyranole und Benzoesäure nachgewiesen wurden[1].

l) Umwandlung von Ketonen in 1,1-Dihalogen-Verbindungen[2]

bearbeitet von

Prof. Dr. Drs. h. c. Otto Bayer

Bayer AG, Leverkusen

Für die Umwandlung eines Ketons in eine geminale Dichlor-Verbindung kommt praktisch nur Phosphor(V)-chlorid in Betracht. Derartige Umsetzungen führen in der aromatischen Reihe mit guten Ausbeuten zu den entsprechenden Diaryl-dichlor-methanen.

Bei den araliphatischen und rein aliphatischen Ketonen liegen jedoch die Verhältnisse von Fall zu Fall verschieden. Aus diesen entstehen meist zunächst die geminalen Dichlor-Verbindungen, die leicht Chlorwasserstoff abspalten und in α-Chlorolefine übergehen, so daß vielfach beide nebeneinander anfallen; z. B.:

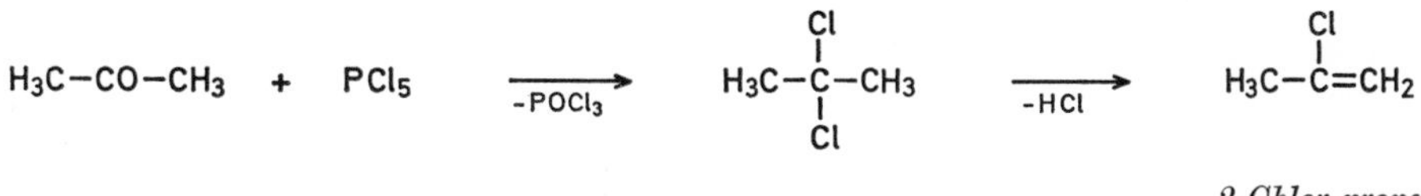

$$H_3C{-}CO{-}CH_3 \ + \ PCl_5 \ \xrightarrow{-POCl_3} \ H_3C{-}\underset{\underset{Cl}{\mid}}{\overset{\overset{Cl}{\mid}}{C}}{-}CH_3 \ \xrightarrow{-HCl} \ H_3C{-}\overset{\overset{Cl}{\mid}}{C}{=}CH_2$$

2-Chlor-propen

| | 1,1-Dichlor-dekalin | 1-Chlor-3,4-di-hydro-naphthalin |

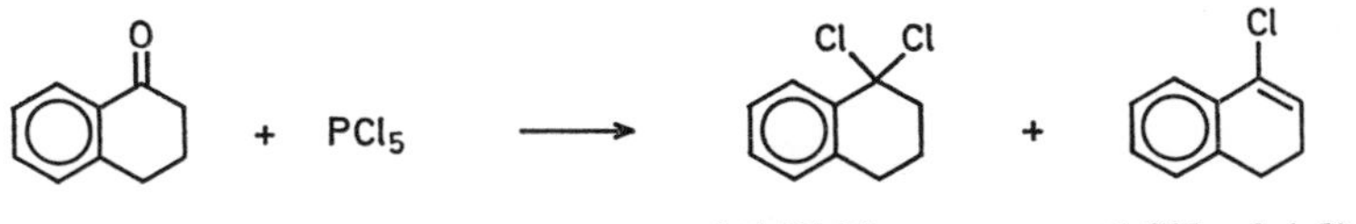

1,1-Dichlor-dekalin   *1-Chlor-3,4-di-hydro-naphthalin*

---

[1] E. Ziegler u. H. Schredt, M. **85**, 1191 (1954).
[2] S. ds. Handb., Bd. V/3, S. 912ff.
Die umgekehrte Reaktion s. ds. Handb., Bd. VII/2a, S. 809ff.

Die Ausbeuten sind jedoch recht unterschiedlich, da Nebenreaktionen auftreten, wie z. B. Aldolisierungen und α-Chlorierungen.

So setzt sich Cyclohexanon nur mit schlechter Ausbeute zum *1,1-Dichlor-cyclohexan* um. Auf 3-Oxo-2,4-dimethyl-pentan wirkt Phosphor(V)-chlorid vorwiegend in den α-Stellungen chlorierend ein.

β-Oxo-carbonsäureester und β-Diketone als vinylhomologe Carbonyl-Verbindungen geben leicht die entsprechenden Chlorvinyl-Carbonyl-Verbindungen[1]; z. B.:

$$H_3C-CO-CH_2-COOR \;+\; PCl_5 \quad\longrightarrow\quad H_3C-\underset{\underset{\displaystyle Cl}{|}}{C}=CH-COOR$$

cic-trans-Gemisch

Bei Polyen-ketonen können auch Umlagerungen eintreten[1]; z. B.:

$$H_5C_6-CO-CH=CH-CH=CH-C_6H_5 \quad\xrightarrow{PCl_5}\quad H_5C_6-\underset{\underset{\displaystyle Cl}{|}}{C}=CH-CH=CH-\underset{\underset{\displaystyle Cl}{|}}{CH}-C_6H_5$$

1,5-Dichlor-1,5-diphenyl-pentadien-(1,3)

Die Umsetzungen von Phosphor(V)-bromid mit Ketonen führen vorwiegend zu α-Brom-ketonen (s. Bd. V/4, S. 434).

Das einzig praktisch in Frage kommende Reagenz, um Carbonyl-Gruppen in Difluormethylen-Gruppen überzuführen, ist Schwefeltetrafluorid[2]:

$$\underset{/}{\overset{\backslash}{}}CO \;+\; SF_4 \quad\longrightarrow\quad \underset{/}{\overset{\backslash}{}}CF_2 \;+\; SOF_2$$

Dieses reagiert in Gegenwart von Fluorwasserstoff vielfach bereits bei niederen Temperaturen[3-5]. So entstehen aus Cyclohexanon (2,5 Mol), Fluorwasserstoff (3 Mol) und Schwefeltetrafluorid (2 Mol) bei 30° in 48 Stdn. 70% d. Th. an *1,1-Difluor-cyclohexan*[6] (Kp: 100°). Zur Überführung von Benzophenon in *Diphenyl-difluor-methan* ist dagegen ∼ 8 stündiges Erhitzen auf 150° erforderlich.

Unter anderem wurde auch eine große Zahl von Steroidketonen in die entsprechenden geminalen Difluor-Derivate umgewandelt[4].

Ein sehr reaktionsfähiges Fluorierungsmittel scheint auch Molybdän(VI)-fluorid in Gegenwart von Bortrifluorid zu sein. Nachteilig ist hierbei jedoch die erforderliche Zersetzung der Komplexe durch Wasser, wobei hydrolyseempfindliche Fluoride, wie z. B. das *Diphenyl-difluor-methan*, teilweise verseift werden[7].

[1] S. ds. Handb., Bd. V/3, S. 915.
[2] **Vorsicht:** Das gasförmige Schwefeltetrafluorid (Kp: −38°) ist etwa doppelt so giftig wie Phosgen und sehr hydrolyseempfindlich.
[3] W. R. Hasek, W. C. Smith u. V. A. Engelhardt, Am. Soc. **82**, 543 (1960). W. C. Smith, Ang. Ch. **74**, 742 (1962).
[4] G. A. Boswell jr. et al., *Fluorination by Sulfur Tetrafluoride*, Org. Reactions **21**, 1 (1974).
[5] Mechanismus: D. G. Martin u. F. Kagan, J. Org. Chem. **27**, 3164 (1962).
[6] D. R. Strobach u. G. A. Boswell jr., J. Org. Chem. **36**, 818 (1971).
[7] F. Mathey u. J. Bensoam, Tetrahedron **27**, 3965 (1971).

Carbonyl-difluorid reagiert mit Ketonen in Gegenwart katalytischer Mengen Dimethylformamid in folgender Weise[1]:

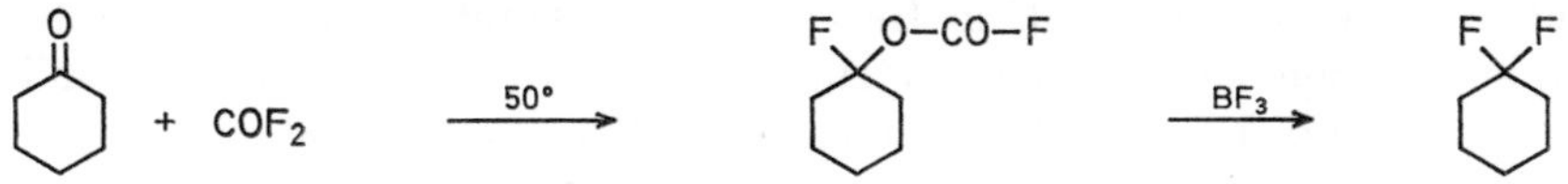

1,1-Difluor-cyclohexan

Zur Überführung von Keto- oder Formyl-Gruppen in Difluormethylen-Gruppen sind auch die Dialkylamino-schwefel-trifluoride geeignet[2]:

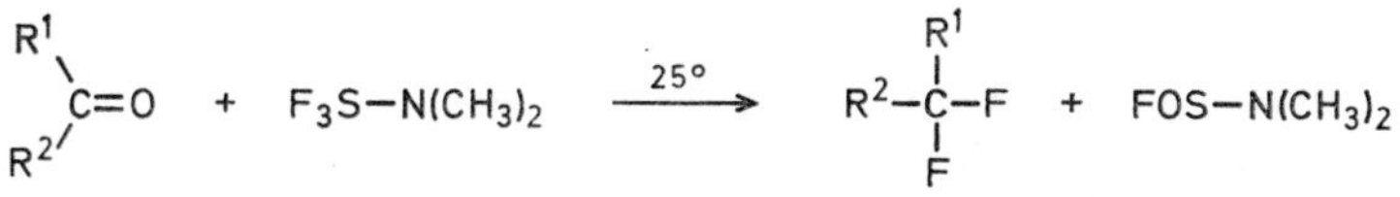

IV. Umwandlungen der Ketone durch C-C-Verknüpfungen an der Carbonyl-Gruppe

bearbeitet von

Prof. Dr. Drs. h. c. Otto Bayer

Bayer AG, Leverkusen

C–C-Verknüpfungen an der Carbonyl-Gruppe sind ungemein vielfältig und gehören zu den wichtigsten Syntheseverfahren der organischen Chemie. Die Leichtigkeit, mit der sich die Kondensationen vollziehen, ist im wesentlichen durch die Positivierung des C-Atoms der Carbonyl-Gruppe und durch die sterischen Verhältnisse der Komponenten bedingt.

Das reaktionsfähigste Keton dürfte das Hexafluor-aceton sein, das sogar mit Olefinen reagiert (s. Bd. VII/2c), das reaktionsträgste 3-Oxo-2,2,4,4-tetramethyl-pentan.

a) Anlagerung von Cyanwasserstoff zu Cyanhydrinen

Die einfachste der hier zu behandelnden C–C-Verknüpfungen besteht in der Anlagerung von Cyanwasserstoff an Carbonyl-Gruppen, die zu den sog. Cyanhydrinen führt:

Es handelt sich dabei um eine sowohl durch Säuren als auch durch Basen katalysierte Gleichgewichtsreaktion, die nur bei wenigen Ketonen zugunsten des Adduktes verschoben ist. Besonders leicht addiert Hexafluoraceton. Über die Herstellung der

---

[1] F. S. Fawcett, C. W. Tullock u. D. D. Coffman, Am. Soc. **84**, 4275 (1962).
[2] W. J. Middleton, J. Org. Chem. **40**, 574 (1975).

Cyanhydrine (s. dazu auch Bd. VIII, S. 274 ff. u. Bd. IV/2, S. 21 ff.) und deren Verhalten siehe die Monographien[1],[2].

Die einfachsten Herstellungsverfahren für Cyanhydrine bestehen in der Einwirkung von flüssigem Cyanwasserstoff in Gegenwart von katalytischen Mengen Kaliumcyanid auf Ketone oder in der Umsetzung der Keton-Hydrogensulfit-Verbindungen mit Kaliumcyanid. Über die Herstellung von *2-Hydroxy-2-methyl-propansäure-nitril* (*Acetoncyanhydrin*) in Wasser mittels Ammoniumchlorid und Natriumcyanid bei 5–10° s. Org. Synth., Coll. Vol. II, S. 29.

1-Hydroxy-1-cyan-cycloheptan[3]: Unter Rühren werden bei 0° zu einem Gemisch aus 100 g Cycloheptanon, 62 g Kaliumcyanid und 120 *ml* Wasser 200 *ml* 40%-ige Schwefelsäure innerhalb 3 Stdn. zugetropft. Nach weiterem 12 stdg. Rühren bei 0° gibt man Äther zu, trocknet den Extrakt über Natriumsulfat und arbeitet destillativ auf; Ausbeute: 101 g (81% d. Th.); Kp_{12}: 136–140°.

Über die Herstellung von *2-Hydroxy-2-methyl-buten-(3)-säure-nitril* aus Butenon und flüssigem Cyanwasserstoff s. Bd. VII/2c.

Wenn die genannten Methoden versagen, dann empfiehlt sich die Anwendung von Diäthyl-aluminiumcyanid (Bd. XIII/4, S. 233 u. Bd. VII/2c). Dieses reagiert mit der C=O-Doppelbindung von Ketonen in Benzol oder Toluol bei Temperaturen unterhalb 0°[4]. Auf diese Weise sind Cyanhydrine zugänglich, die auf andere Weise nicht erhalten werden können, wie z. B. das *1-Hydroxy-6-methoxy-1-cyan-tetralin*[5].

Die Cyanhydrine von niederen aliphatischen Ketonen[6], Brenztraubensäureester und Acetessigsäureester sind nur im Vakuum destillierbare Flüssigkeiten. *2-Hydroxy-2-methyl-propansäure-nitril* (*Acetoncyanhydrin*; Kp_{23}: 82°) wird beim Sieden unter Normaldruck zurückgespalten. Zur Umsetzung von ungesättigten Ketonen mit Cyanwasserstoff s. Bd. VII/2c.

Wertvolle Cyanhydrin-Derivate sind die Addukte aus Carbonyl-Verbindungen und Trimethyl-cyan-silan unter Zinkjodid-Katalyse. Die Anlagerung tritt in vielen Fällen bereits bei 20° ein, wobei auch solche Ketone reagieren, die allgemein keine Cyanhydrine bilden.

So lassen sich die Cyan-silyläther I in Ausbeuten über 90% herstellen aus: Cyclohexanon, Cyclooctanon, 1-Tetralon und Campher[7].

I
1-Trimethylsilyloxy-
1-cyan-cyclohexan

II
1-Hydroxy-1-amino-
methyl-cyclohexan

[1] D. T. Mowry, Chem. Reviews **42**, 231 (1948).
[2] Asymmetrische Cyanhydrin-Synthesen und Cyanhydrin-Gleichgewichte s. J. Zabicky, *The Chemistry of the Carbonyl Group*, Bd. 2, S. 27 ff., Interscience Publishers, London · New York 1970.
[3] G. G. Ayerst u. K. Schofield, Soc. **1960**, 3450.
[4] W. Nagata u. M. Yoshioka, Tetrahedron Letters **1966**, 1913.
[5] W. Nagata, M. Yoshioka u. M. Murakami, Org. Synth. **52**, 96 (1972).
[6] A J. Ultée, R. **28**, 1 (1909); B. **39**, 1856 (1906).
   W J. M. van Tilborg et al., R. **86**, 419 (1967).
[7] D. A. Evans, L. K. Truesdale u. G. L. Carroll, Chem. Commun. **1973**, 55; J. Org. Chem. **39**, 914 (1974).

Die meisten dieser geminalen Cyan-silyläther können i. Vak. destilliert werden. Mittels Lithiumalanat werden daraus die 1,2-Amino-alkohole II mit guten Ausbeuten erhalten.

Die Silylester der Cyanhydrine zerfallen unter Einwirkung verdünnter Säuren bzw. Alkalien leicht wieder zu den Carbonyl-Verbindungen.

Bei der gemeinsamen Einwirkung von Cyanwasserstoff und Ammoniak bzw. primären und sekundären Aminen entstehen die gegebenenfalls N-substituierten α-Amino-nitrile, die für die Herstellung von α-Amino-carbonsäuren von Bedeutung sind (Strecker-Synthese, Bd. VIII, S. 280):

$$\diagdown\hspace{-4pt}CO + HCN + NH(R)_2 \longrightarrow \diagup\hspace{-6pt}\underset{CN}{\overset{N(R)_2}{C}}\hspace{-2pt}\diagdown \longrightarrow \diagup\hspace{-6pt}\underset{COOH}{\overset{N(R)_2}{C}}\hspace{-2pt}\diagdown$$

Über die Herstellung der *2-Amino-2-methyl-propansäure* aus Aceton s. Org. Synth., Col. Vol. II, S. 29, und der *2-Amino-2-äthyl-butansäure* aus Pentanon-(3) s. Org. Synth., Col. Vol. III, S. 66.

Hydrazin setzt sich leicht zweimal mit Cyanhydrinen zu 1,2-Bis-[α-cyan-alkyl]-hydrazinen um. Diese können leicht zu den Azoverbindungen (s. Bd. X/2, S. 764) oxidiert werden, die eine breite Anwendung als Radikalspender gefunden haben; z. B.:

$$\underset{\overset{|}{CH_3}}{\overset{\overset{CN}{|}}{H_3C-C}}-NH-NH-\underset{\overset{|}{CH_3}}{\overset{\overset{CN}{|}}{C}}-CH_3 \xrightarrow{Cl_2} \underset{\overset{|}{CH_3}}{\overset{\overset{CN}{|}}{H_3C-C}}-N=N-\underset{\overset{|}{CH_3}}{\overset{\overset{CN}{|}}{C}}-CH_3$$

Die Cyanhydrine sind auch geeignete Ausgangsmaterialien zur Herstellung von α,β-ungesättigten Nitrilen. Die Wasser-Abspaltung gelingt in der Regel leicht.

Ein sehr brauchbares Verfahren besteht in der Einwirkung von Thionylchlorid in Pyridin auf die Cyanhydrine[1]. Auf diese Weise wurde z. B. *1-Cyan-cyclohexen* hergestellt[2]. Aus dem 1-Hydroxy-6-methoxy-1-cyan-tetralin wurde die Wasser-Abspaltung zum *6-Methoxy-1-cyan-3,4-dihydro-naphthalin* durch Erhitzen mit katalytischen Mengen Kalium-hydrogensulfat i. Vak. bei ∼130° durchgeführt[3].

Im speziellen Fall des Aceton-cyanhydrins gelingt die Wasser-Abspaltung mit konz. Schwefelsäure besonders leicht, unter Isomerisierung entsteht *Methacrylsäure-amid* (techn. Verfahren)[4].

b) Kondensationen von Ketonen mit CH-aciden Verbindungen

Kondensationen von Ketonen mit CH-aciden-Verbindungen vollziehen sich meist außerordentlich leicht. Von besonderer Bedeutung ist die Aldolkondensation, wonach sich Ketone mit Ketonen zu α-Hydroxy-ketonen kondensieren lassen. Diese spalten leicht Wasser ab und gehen in α,β-ungesättigte Ketone über. Dieses Verfahren mit seinen großen Variationsmöglichkeiten ist ausführlich auf S. 1449ff. beschrieben.

---

[1] L. H. KING u. R. ROBINSON, Soc. **1941**, 465.
[2] H. O. HOUSE et al., Am. Soc. **82**, 1461 (1960).
[3] W. NAGATA, M. YOSHIOKA u. M. MURAKAMI, Org. Synth. **52**, 96 (1972).
[4] US. P. 2101821 (1935), I.C.I., Erf.: J. W. C. CRAWFORD; C. **1938** I, 4718.
   Kirk-Othmer, 2. Aufl., Bd. XIII, S. 331 (1967).

Ebenso leicht lassen sich Ketone mit CH-aciden-Verbindungen kondensieren, die nucleophiler als Ketone sind, z. B. mit Malonsäure-diester, Malonsäure-dinitril, Cyanessigsäureester, Bernsteinsäure-diester (Stobbe-Kondensation[1]), β-Oxo-carbonsäureestern, 4-Oxo-2-thiono-1,3-thiazolidin (Rhodanin), Phenylacetonitril, Nitroalkanen, Cyclopentadien[2] und vielen anderen[3].

Die Kondensation von methylenaktiven Verbindungen mit Ketonen ist in vielen Fällen die erste Stufe bei der Synthese heterocyclischer Systeme und führt zu einer fast unübersehbaren Fülle derartiger Verbindungen.

c) Kondensationen von Ketonen mit Aromaten

Aliphatische Ketone sind mit reaktionsfähigen Aromaten in Anwesenheit saurer Katalysatoren kondensierbar. So wird aus Aceton und Phenol in Essigsäure/Salzsäure glatt das *2,2-Bis-[4-hydroxy-phenyl]-propan* erhalten. Diese Kondensation wird durch Schwefelwasserstoff oder Mercaptane begünstigt[4] (s. Bd. VI/1b, S. 1022):

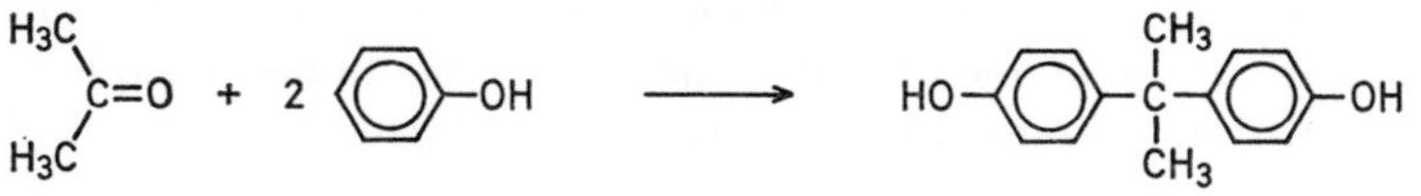

Ebenso können Butanon, Cyclohexanon und 4-Oxo-pentansäure (Lävulinsäure) kondensiert werden. Acetophenon reagiert in konz. Schwefelsäure mit ∼50%-iger Ausbeute. Benzophenon und Campher setzen sich nicht um (näheres s. Bd. VI/1b, S. 1030).

Phenoläther reagieren analog den Phenolen. Phenole mit reaktionsfähiger o-Stellung, wie p-Kresol oder Resorcin, führen zu cyclischen Äthern[4] (s. Bd. VI/4, S. 175 ff). So entsteht aus Resorcin und Acetessigsäureester das *7-Hydroxy-4-methyl-cumarin* (Pechmann-Reaktion: Bd. VI/2, S. 641[5]):

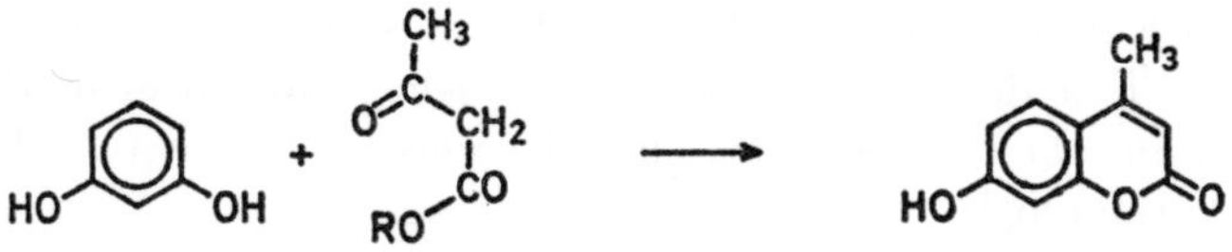

Über Flavan- und Chroman-Synthesen s. Bd. VI/4, S. 175.

Nicht ganz so leicht verläuft die Kondensation mit aromatischen Aminen. Aceton[6] oder Cyclohexanon[7] lassen sich mit Anilin, o-Toluidin oder N,N-Dimethyl-anilin

[1] W. S. JOHNSON u. G. H. DAUB, Org. Reactions 6, 1 (1951).
[2] G. H. McCAIN, J. Org. Chem. 23, 632 (1958).
    R. C. KERBER u. H. G. LINDE, J. Org. Chem. 31, 4321 (1966).
    J. H. DAY, Chem. Reviews 53, 167–189 (1953).
[3] „Alkylidenation" in J. MATHIEU u. J. WEILL-RAYNAL, *Formation of C–C-Bonds*, Bd. II, S. 508–587, G. Thieme Verlag, Stuttgart 1975.
[4] Übersichtsreferat: J. KAHOVEC, Chem. Listy 65, 397 (1971).
[5] S. M. SETHNA u. N. M. SHAH, Chem. Reviews 36, 14 (1945).
[6] DRP. 399149 (1922), Farbw. Hoechst, Erf.: B. HOMOLKA; Frdl. 14, 721.
[7] DRP. 497628 (1927), I. G. Farb., Erf.: E. KORTEN; Frdl. 16, 543.

mittels verdünnter Salzsäure bei 110–140° umsetzen (näheres s. Bd. XI/1, S. 1023);
z. B.:

1,1-Bis-[4-amino-phenyl]-cyclohexan[1]: 30 g Cyclohexanon, 100 g Anilin und 350 g Salzsäure
(spez. Gew. 1,06) werden 8 Stdn. im Autoklaven auf 140° erhitzt. Nach dem Erkalten stellt man
alkalisch und destilliert die nicht umgesetzten Komponenten mit Wasserdampf ab. Als Rückstand
bleibt ein helles Öl, das langsam erstarrt. Nach dem Umkristallisieren aus Benzol resultieren
farblose Kristalle; Ausbeute: ~ 70% d.Th. (bez. auf Cyclohexanon); F: 111°.

Durch Kondensation aromatischer Amine mit Ketonen, die eine weitere reaktionsfähige Gruppe enthalten und die zuerst mit der Amino-Gruppe reagieren, werden
cyclische Verbindungen erhalten; z. B.:

Isatin; s. Bd. VII/4, S. 20

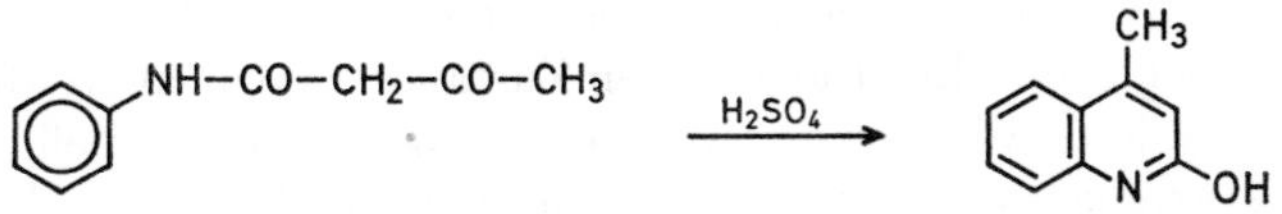

2-Hydroxy-4-methyl-chinolin[2]

Während einfache Ketone bei der Umsetzung mit Benzol-kohlenwasserstoffen in
Gegenwart von Friedel-Crafts-Katalysatoren Harze liefern oder überhaupt nicht
reagieren, lassen sich hochreaktionsfähige Ketone wie α-Diketone (z. B. Butandion)
zu den entsprechenden **Acyloinen** kondensieren[3]:

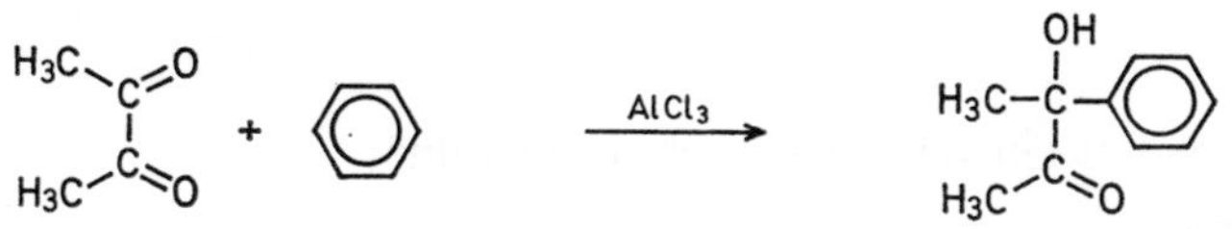

2-Hydroxy-3-oxo-2-phenyl-butan

1,1,3-Trichlor-, 1,1,1,3-Tetrachlor- und 1,1,3,3-Tetrachlor-aceton reagieren ähnlich
wie Chloral[4], allerdings ist das intermediär auftretende Carbinol nicht isolierbar[5]:

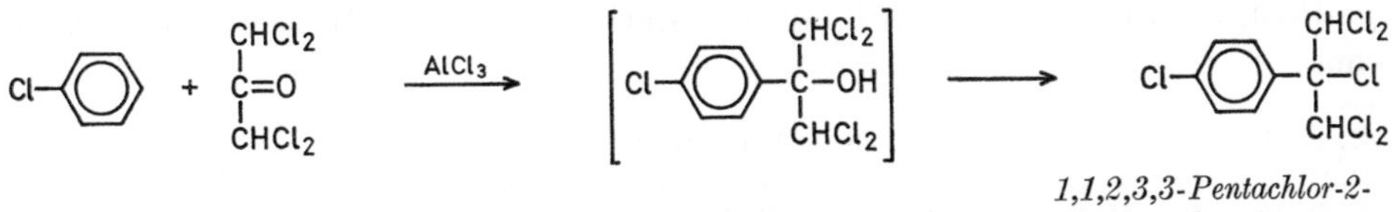

*1,1,2,3,3-Pentachlor-2-
(4-chlor-phenyl)-propan*

[1] DRP. 497628 (1927), I. G. Farb., Erf.: E. KORTEN; Frdl. **16**, 543.
[2] L. KNORR, A. **236**, 78, 83 (1886).
 DRP. 26428, (1883), Farbw. Hoechst, Erf.: L. Knorr; Frdl. **1**, 199.
[3] J. WEGMANN u. H. DAHN, Helv. **29**, 101 (1946).
[4] A. DINESMANN, C. r. **141**, 201 (1905).
[5] C. GRÄNACHER, E. USTERI u. M. GEIGER, Helv. **32**, 703 (1949).

Bei der Umsetzung von Dialkylketonen mit Furan[1] oder Thiophen[2] in Gegenwart von Mineralsäuren bilden sich aus den primär entstehenden 2-(α-Hydroxy-alkyl)-furanen (bzw. -thiophenen) I die dem Phenol entsprechenden Verbindungen II neben Oligomeren III[2]:

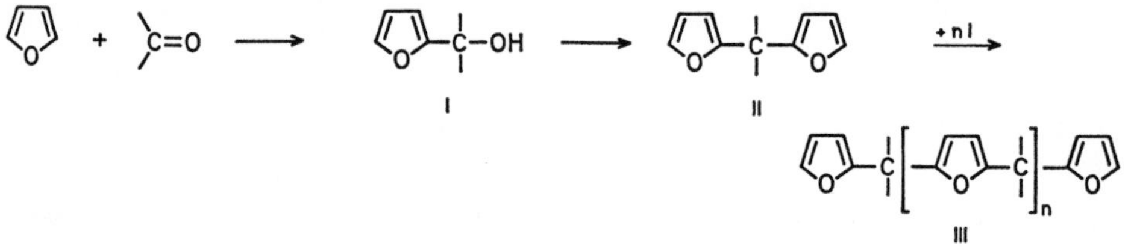

Setzt man dagegen Aceton mit Furan im Molverhältnis 1:1 in Gegenwart von Lithiumperchlorat/Chlorwasserstoff in Äthanol bei 60–65° um, so entsteht aus je 4 Molekeln in 90%iger Ausbeute das entsprechende cyclische Kondensationsprodukt[3].

d) Umsetzungen von Ketonen mit ungesättigten Kohlenstoffverbindungen

Die Umsetzungsreaktionen der Carbonyl-Gruppe mit C–C-Mehrfachbindungen sind durch deren geringe Nucleophilie begrenzt. Sie können jedoch in einigen Fällen „thermisch" ohne Katalysator, sowie durch Erhöhung der Elektrophilie der Carbonyl-Gruppe, durch Aktivierung mittels Katalysatoren oder durch Überführen der Carbonyl-Gruppe in einen durch Licht angeregten Zustand ermöglicht werden.

Die nicht katalysierte Addition der Ketone an reaktionsfähige Olefine gelingt praktisch nur mit Hexafluor-aceton und Hexafluor-oxo-cyclobutan[4] an Vinyläther oder Styrol unter Bildung von Oxetanen (s. a. Bd. V/1b, S. 1093 ff.). Aus Allylgruppierungen entstehen unter Allylumlagerung ungesättigte Alkohole (s. a. Bd. V/1b, S. 1166); z. B.[4,5]:

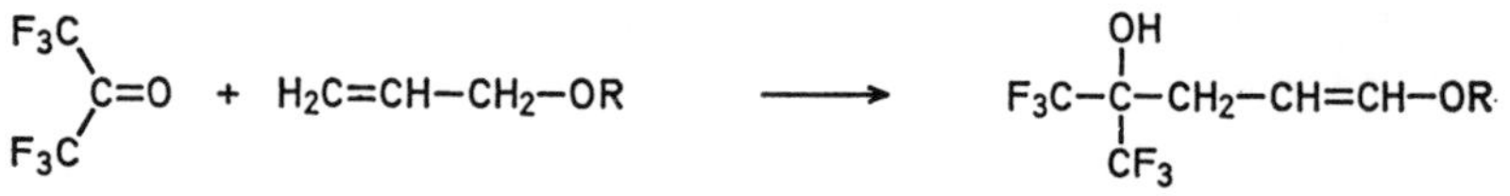

$$F_3C{-}C(CF_3){=}O \;+\; H_2C{=}CH{-}CH_2{-}OR \longrightarrow F_3C{-}\underset{CF_3}{\overset{OH}{C}}{-}CH_2{-}CH{=}CH{-}OR$$

Butadien-(1,3) liefert ein 1,4-Cycloadditionsprodukt[6]:

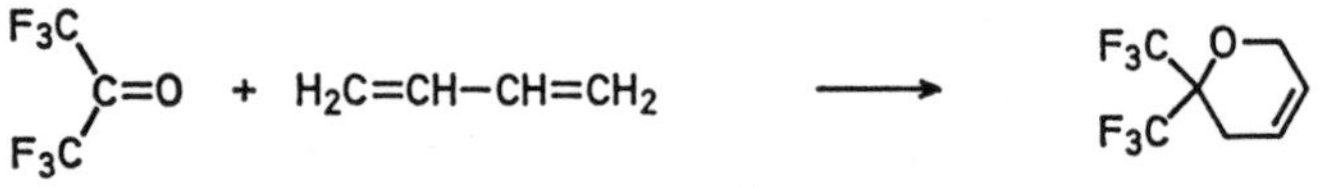

$$F_3C{-}C(CF_3){=}O \;+\; H_2C{=}CH{-}CH{=}CH_2 \longrightarrow$$

6,6-Bis-[trifluormethyl]-5,6-dihydro-2H-pyran

eine Reaktion, die sonst nur noch mit dem stark elektrophilen Mesoxalsäure-dinitril[7] gelingt.

[1] R. E. Beals u. W. H. Brown, J. Org. Chem. **21**, 447 (1956).
    R. G. Ackman, W. H. Brown u. G. F. Wright, J. Org. Chem. **20**, 1147 (1955).
[2] N. P. Buu-Hoï, M. Sy u. N. D. Xuong, R. **75**, 463 (1956).
[3] M. u. F. Chastrette u. J. Sabadie, Org. Synth. **54**, Anhang Nr. 1907 (1974).
[4] N. P. Gambaryan, E. M. Rokhlina u. Y. V. Zeifman, Izv. Akad. SSSR **1965**, 1466; engl.: 1425.
    D. C. England, Am. Soc. **83**, 2205 (1961).
[5] R. L. Adelmann, J. Org. Chem. **33**, 1400 (1968).
[6] Y. V. Zeifman, N. P. Gambaryan u. I. L. Knunyants, Izv. Akad. SSSR **1965**, 1472; engl.: 1431.
[7] O. Achmatowicz u. A. Zamojski, Bl. Acad. polon. **5**, 927 (1957); C. A. **52**, 6333ᵈ (1958).

Hexafluoraceton addiert Keten in 48%-iger Ausbeute zum *3,3-Bis-[trifluormethyl]-3-propanolid*[1]:

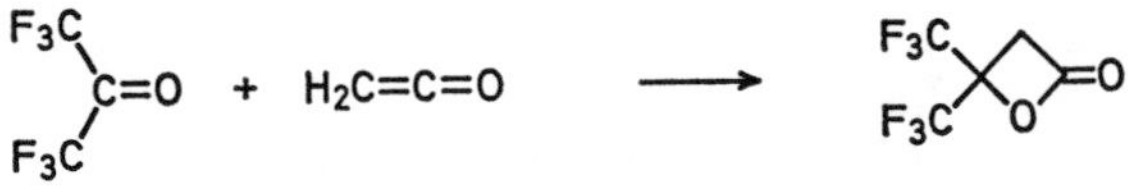

Zur Entstehung von β-Lactonen aus Ketonen und Keten s. a. Bd. VI/2, S. 523f. u. Bd. VII/4, S. 168ff.

Normalerweise reagieren Ketone mit Keten in Gegenwart saurer Katalysatoren unter Bildung von Enolacetaten (s. Bd. VII/4, S. 168f.):

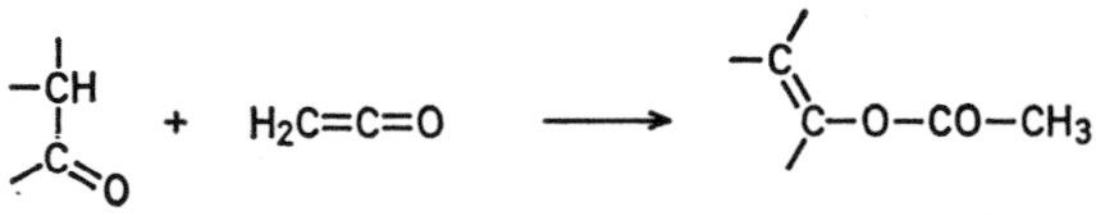

Von präparativem Interesse ist die Photocycloaddition von Olefinen an aliphatische, cycloaliphatische und aromatische Ketone zu Oxetanen (Bd. V/1b, S. 1085ff.; s. a. Bd. VI/3, S. 503 u. Bd. IV/5a u. b):

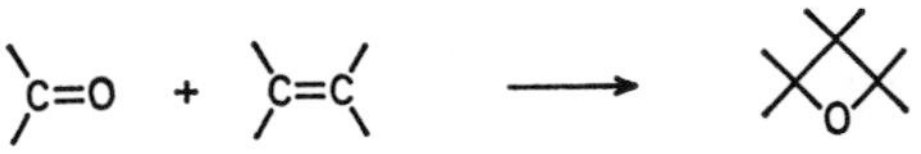

In einem einfachen Fall entstehen aus Dialkyl- und cycloaliphatischen Ketonen mit Acrylnitril Oxetane (neben Acrylnitril-Dimeren)[2]:

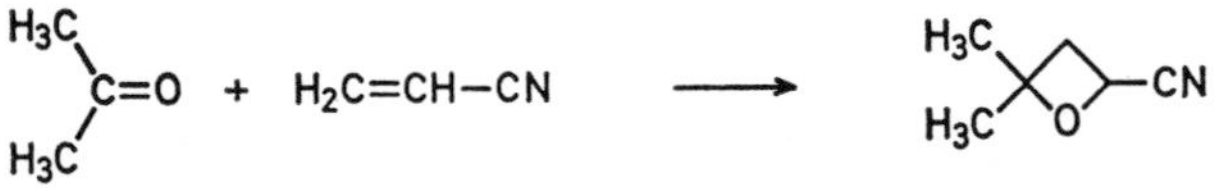

4,4-Dimethyl-2-cyan-oxetan

Unter dem Einfluß von Licht können Ketone (Aceton, Benzophenon) auch Allene addieren[3].

Beim Belichten von Benzophenon mit überschüssigem Furan entsteht ein 1:1-Addukt[4,5] (auch 2:1-Addukte lassen sich gewinnen[6]):

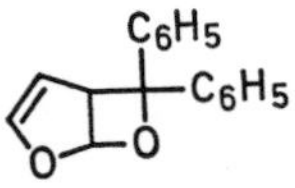

6,6-Diphenyl-2,7-dioxa-bicyclo[3.2.0]hepten-(3)

Im übrigen sei auch hier auf Bd. IV/5a u. b verwiesen.

---

[1] US.P. 3474164 (1966), Allied Chemical Corp., Erf.: C. WOOLF u. A. C. PIERCE; C. A. **72**, 21337ᵃ (1970).

[2] J. A. BARLTROP u. H. A. J. CARLESS, Am. Soc. **94**, 1951 (1972).

[3] D. R. ARNOLD u. A. H. GLICK, Chem. Commun. **1966**, 813.

[4] G. O. SCHENCK, W. HARTMANN u. R. STEINMETZ, B. **96**, 502 (1963).

[5] D. GAGNAIRE u. E. PAYO-SUBIZA, Bl. **1963**, 2625.

[6] G. R. EVANEGA u. E. B. WHIPPLE, Tetrahedron Letters **1967**, 2163.

e) Spezielle Verfahren zur C-C-Verknüpfung von Ketonen an der Carbonyl-Gruppe

Erstaunlich ist, daß durch Einwirkung von Kaliumhydroxid auf ein Gemisch von Aceton und Chloroform das *1,1,1-Trichlor-2-hydroxy-2-methyl-propan* in guten Ausbeuten entsteht, trotz der Tendenz des kurzlebigen Trichlormethyl-Anions, in das Carben überzugehen[1]:

$$H_3C{\diagdown}\atop{H_3C/}C{=}O \;+\; CHCl_3 \;\xrightarrow{\text{KOH}}\; H_3C{-}\underset{CH_3}{\overset{OH}{\underset{|}{\overset{|}{C}}}}{-}CCl_3$$

Diese Kondensation gelingt besonders gut (mit 86%-iger Ausbeute) beim Arbeiten mit Natrium in flüssigem Ammoniak bei −80° (s. Bd. XIII/1, S. 607).

Die Reaktionsbedingungen wurden am Cyclohexanon genau untersucht[2]. Nicht reaktionsfähig sind u. a. 2-Oxo-1-methyl-cyclohexan und 3-Oxo-2,4-dimethyl-pentan[3].

Ketone lassen sich mit Trihalogenmethanen über die Ylide zu Dichlormethylen-Kohlenwasserstoffen umsetzen[4]:

$$\diagup^{\diagdown}C{=}O \;+\; R_3P{=}CCl_2 \;\longrightarrow\; \diagup^{\diagdown}C{=}CCl_2 \;+\; R_3PO$$

Nach der Emmert-Reaktion[5] lassen sich Pyridin, Methyl-pyridine und Chinolin mit Aceton, Cyclopentanon, Cyclohexanon oder Benzophenon in Gegenwart von Magnesium oder Aluminium und Quecksilber(II)-chlorid zu den 2-Pyridyl-carbinolen kondensieren, z.B.:

$$\text{Pyridin} \;+\; \diagup^{\diagdown}C{=}O \;\xrightarrow{\text{Mg , HgCl}_2}\; \text{Pyridyl}{-}\underset{|}{\overset{|}{C}}{-}OH$$

Zahlreiche Kondensationen, die mit aromatischen Ketonen nicht gelingen, sind meist glatt mit den entsprechenden geminalen Dihalogen-Verbindungen nach Friedel-Crafts durchzuführen.

f) Glycidester-Kondensationen mit Ketonen[6-9]

Ketone lassen sich, schwerer als Aldehyde, mit Chloressigsäureester (schlechter mit höheren α-Chlor-fettsäureestern) mittels Alkanolaten oder Natriumamid zu Glycidestern kondensieren. Letztere lassen sich mit Alkalimetallhydroxid in wasserhaltigem

---

[1] Kontinuierliche Arbeitsweise: US.P. 2462389 (1946), Socony-Vacuum Oil Co., Erf.: G. A. Harrington; C. A. **43**, 3836[b] (1949).

[2] R. Boesch, Bl. **1953**, 1050.

[3] R. Lombard u. R. Boesch, Bl. **1953**, 733 u. C. 23.

[4] A. J. Speziale u. K. W. Ratts, Am. Soc. **84**, 854 (1962).
D. J. Burton u. H. C. Krutzsch, Tetrahedron Letters **1968**, 71; dort auch ältere Lit.

[5] B. Emmert u. E. Asendorf, B. **72**, 1188 (1939).
B. Emmert u. E. Pirot, B. **74**, 714 (1941).
G. B. Bachman et al., J. Org. Chem. **22**, 1296 (1957); dort weitere Anwendung der Emmert-Reaktion.

[6] H. Erlenmeyer jr., A. **271**, 161 (1892).

[7] G. Darzens, C. r. **139**, 1214 (1904) u. weitere.

[8] M. S. Newman u. B. J. Magerlein, Org. Reactions V, 413 (1949).

[9] S. ds. Handb. Bd. VIII, S. 513 u. Bd. VII/1, S. 326 ff.

Alkohol verseifen. Durch Erhitzen der freien Carbonsäuren, z. B. in Gegenwart von Kupfer auf $\sim 140°$, erhält man unter Decarboxylierung Aldehyde bzw. Ketone; z. B.[1]:

$$H_5C_6-\overset{\underset{\|}{O}}{C}-CH_3 \;+\; Cl-\overset{\underset{|}{R}}{C}H-COOR^1 \xrightarrow[-\,HCl]{Na-NH_2} H_5C_6-\underset{\underset{H_3C\;\;R}{}}{\overset{O}{\triangle}}-COOR^1 \xrightarrow{\substack{Hydrolyse \\ Umlagerung}}$$

$$H_5C_6-\underset{\underset{CH_3}{|}}{C}H-\overset{\underset{\|}{O}}{C}-R \;+\; CO_2$$

Die Glycidester-Synthese kann mit aliphatischen, cycloaliphatischen, aromatisch-aliphatischen, α,β-ungesättigten und Diaryl-ketonen durchgeführt werden. Der Wert der Synthese besteht jedoch hauptsächlich in der Überführung einer Carbonyl-Gruppe in eine Formylmethin-Gruppe (Näheres s. Bd. VII/1, S. 326).

g) Umsetzungen von Ketonen mit Phosphoryliden (Wittig-Reaktion)[2]

Die Wittig-Reaktion verläuft in mehreren Stufen. Zunächst wird aus Triphenyl-phosphin und einer reaktiven Halogen-Verbindung das Phosphoniumsalz I gebildet, das mittels einer geeigneten Base (Kalium-tert.-butanolat, Alkyl-lithium u. ä.) in das Ylid II überführt wird. Dieses wird anschließend mit der Carbonyl-Verbindung zum Olefin III umgesetzt:

$$\left[(H_5C_6)_3\overset{\oplus}{P}-\overset{\underset{|}{R}}{C}H-R^1\right]Br^{\ominus} \xrightarrow{-\,HBr} (H_5C_6)_3\overset{\oplus}{P}-\overset{\ominus}{\underset{\underset{R^1}{}}{C}}R \xrightarrow{+\,R^2-CO-R^3} (H_5C_6)_3P\to O \;+\; \underset{R^1}{\overset{R}{}}C=C\underset{R^3}{\overset{R^2}{}}$$

$$\text{I} \qquad\qquad\qquad \text{II} \qquad\qquad\qquad\qquad\qquad \text{III}$$

Diese wichtige Wittig-Reaktion ist universell sowohl auf Aldehyde als auch auf Ketone anwendbar. Unter Verwendung von Allylhalogeniden entstehen Diene[3] (Vitamin-A-Synthese). α,β-Ungesättigte Ketone reagieren in 1,4-Stellung.

Das *cis-trans*-Verhältnis der Olefine kann durch die Versuchsbedingungen beeinflußt werden.

Die Wittig-Synthese ist in mehreren Bänden ds. Handb. ausführlich beschrieben[3-5].

Nach dem Verfahren von Horner[6-8] setzt man CH_2-Gruppen in Phosphinoxiden oder Phosphonsäurediestern mit dem Keton in Gegenwart von Kalium-tert.-butanolat in Benzol um.

---

[1] C. F. H. ALLEN u. J. VAN ALLAN, Org. Synth. **24**, 82 (1944).

[2] G. WITTIG u. G. GEISSLER, A. **580**, 44 (1953).
  „Alkylidenation of Ylides and Related Compounds", in J. MATHIEU u. J. WEILL-RAYNAL, *Formation of C-C-Bonds*, Bd. II, S. 607-639, G. Thieme Verlag, Stuttgart 1975.

[3] Herstellung (und Sammelliteratur) von Dienen s. ds. Handb. Bd. V/1c, S. 575ff.

[4] Herstellung (und Sammelliteratur) von Olefinen s. ds. Handb. Bd. V/1b, S. 383ff.

[5] Herstellung (und Sammelliteratur) von Polyenen s. ds. Handb. Bd. V/1d, S. 88ff.

[6] L. HORNER, H. HOFFMANN u. H. G. WIPPEL, B. **91**, 61 (1958).

[7] S. Bd. V/1b, S. 395ff., Bd. V/1c, S. 603ff. u. S. 895, Bd. V/1d, S. 127ff. und Bd. XII/1, S. 167, 262.

[8] L. HORNER, Fortschr. chem. Forsch. **7**, 8 (1966/67).

h) Metallorganische Synthesen mit Ketonen

1. Umsetzungen von Ketonen mit Zink und α-Halogen-carbonsäureestern[1–3] (Reformatsky-Synthese)

Eine alte metallorganische Synthese, die auch heute noch ihre Bedeutung hat, beruht auf der Umsetzung von Carbonyl-Verbindungen mit α-Brom-carbonsäureestern in Gegenwart von Zink. Aus Ketonen entstehen so höhere β-Hydroxycarbonsäureester, die sich leicht in α,β-ungesättigte Carbonsäureester überführen lassen:

$$\underset{R^2}{\overset{R^1}{\diagdown}}C{=}O \ + \ Br{-}CH_2{-}COOR \ + \ Zn \ \longrightarrow \ R^1{-}\underset{R^2}{\overset{OH}{\underset{|}{\overset{|}{C}}}}{-}CH_2{-}COOR$$

Dieses Verfahren ist ausführlich in Bd. XIII/2a, S. 809 ff. beschrieben.

Die klassische Ausführung besteht darin, daß man das Gemisch der Reaktionspartner zu vorgelegten Zinkspänen langsam zufließen läßt. Die Reaktion ist stark exotherm und wird bei maximal 80° zu Ende geführt. Die Ausbeuten sind meist sehr gut.

2. Umsetzungen von Ketonen mit alkalimetall-, magnesium-, aluminium- und cadmiumorganischen Verbindungen[4]

Die gebräuchlichen metallorganischen Verbindungen setzen sich mit Ketonen normalerweise zu tertiären Carbinolen um:

$$R^1{-}CO{-}R^2 \ + \ MeR \ \longrightarrow \ R^1{-}\underset{R^2}{\overset{OMe}{\underset{|}{\overset{|}{C}}}}{-}R \ \overset{H_2O}{\longrightarrow} \ R^1{-}\underset{R^2}{\overset{OH}{\underset{|}{\overset{|}{C}}}}{-}R$$

Dies ist das wichtigste Verfahren zur Herstellung von tertiären Alkoholen (s. a. ds. Handb., Bd. VI/1a u. b).

Die Umsetzungen mit kalium- bzw. natrium-organischen Verbindungen sind in Bd. XIII/1, S. 599 ff., beschrieben. Die Umsetzungen mit lithiumorganischen Verbindungen sind ebenfalls in Bd. XIII/1, S. 175 ff. und S. 238 ff. eingehend abgehandelt[5]; sie ähneln sehr denjenigen mit Grignard-Verbindungen – s. Bd. XIII/2a, S. 285 ff. – mit dem Unterschied, daß lithiumorganische Verbindungen mit α,β-ungesättigten Ketonen weitgehend an der Carbonyl-Gruppe reagieren.

Die Reaktivität der metallorganischen Verbindungen nimmt in der Reihenfolge K > Na > Li > Mg ab. So reagiert 3-Oxo-2,2,4,4-tetramethyl-pentan nicht mit tert.-Butyl-lithium, wohl aber mit der entsprechenden Natrium-Verbindung. Isopropyl-

[1] S. Reformatsky, B. **20**, 1210 (1887); s. a. B. **68** A, 61 (1934).

[2] R. L. Shriner, *The Reformatsky-Reaction*, Org. Reactions I, 2 (1942).

[3] M. W. Rathke, *The Reformatsky Reaction*, Org. Reactions **22**, 423 (1975).

[4] Eine gute Darstellung ist die von T. Eicher, *Reactions of Carbonyl Groups with Organometallic Compounds* in S. Patai, *The Chemistry of the Carbonyl Group*, Bd. 1, S. 621–693, Interscience Publishers, New York 1966.

Sammelliteratur über die Umsetzungen von Carbonyl-Gruppen mit metallorganischen Verbindungen findet sich in Bd. XIII/1, S. 251 u. S. 725 und in Bd. XIII/2a, S. 948.

Zum Reaktionsmechanismus s. V. Franzen, *Reaktionsmechanismen*, S. 110 ff., A. Hüthig Verlag, Heidelberg 1958.

[5] S. a. J. D. Buhler, J. Org. Chem. **38**, 904 (1973).

magnesiumbromid setzt sich nicht mit 3-Oxo-2,4-dimethyl-pentan zum tertiären Carbinol um, während dies mit Isopropyl-lithium gelingt.

Besonders bei den Grignard-Umsetzungen ist eine Reihe von Faktoren zu berücksichtigen, die den Reaktionsverlauf beeinflussen können, wie z. B. die sterischen Verhältnisse[1] bei den Reaktionspartnern, das Reaktionsmedium und die Anwesenheit von Komplexbildnern. So entstehen aus Propyl-magnesiumbromid und 3-Oxo-2,4-dimethyl-pentan bei normaler Arbeitsweise nur 29% *3-Hydroxy-2-methyl-3-isopropyl-hexan*. Der Rest besteht aus Reduktionsprodukten. Setzt man jedoch dem Ansatz 1 Mol Magnesiumbromid zu, so steigt die Ausbeute auf 65% d. Th.[2] an.

Einen ungewöhnlichen Reaktionsverlauf nehmen die Umsetzungen mit α,β-ungesättigten Ketonen, bei denen neben den 1,2- vorwiegend die 1,4-Addukte entstehen (s. Bd. XIII/2a, S. 302 ff.). Vielfach können die Ausbeuten an Letzteren noch gesteigert werden, wenn bei der Grignard-Umsetzung katalytische Mengen Kupfer (I)-chlorid zugegen sind[3]. So entsteht aus Isophoron (I) und Methyl-magnesiumbromid in Abwesenheit von Kupfer(I)-chlorid ein Gemisch aus ungesättigtem Carbinol und Dien, in Gegenwart von Kupfer(I)-chlorid dagegen ausschließlich das *5-Oxo-1,1,3,3-tetramethyl-cyclohexan*[3]:

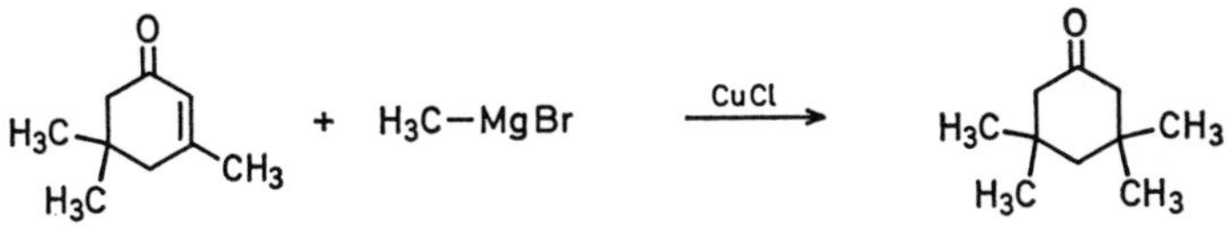

Ein weiteres typisches Beispiel hierfür ist die Umsetzung von 2-Oxo-1-isopropyliden-cyclobutan mit Methyl-magnesium-jodid[4]:

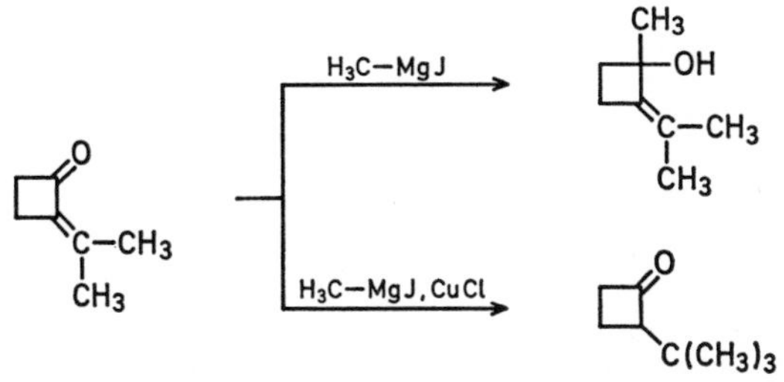

Weiterhin können die metallorganischen Verbindungen als reine Reduktionsmittel wirken, wobei aus dem Keton der sekundäre Alkohol und aus dem Alkyl-Rest der metallorganischen Verbindung ein Olefin bzw. aus einem Phenyl-Rest Biphenyl entsteht:

Diese Reduktion wird besonders bei α-verzweigten Grignard-Verbindungen beobachtet[5]. Näheres s. Bd. XIII/2a, S. 297 ff. Außerdem können metallorganische Ver-

---

[1] R. A. BENKESER et al., Am. Soc. **91**, 132 (1969).

[2] C. G. SWAIN u. H. B. BOYLES, Am. Soc. **73**, 870 (1951).

[3] M. S. KHARASCH u. O. TAWNEY, Am. Soc. **63**, 2308 (1941).

[4] J. M. CONIA u. J. SALAÜN, Bl. **1965**, 2747.

[5] Zum Mechanismus der Wasserstoff-Übertragung durch Grignard-Verbindungen s. J. F. FAUVARQUE, C. r. [C] **272**, 1053 (1951).

bindungen sich der C-Alkylierung entziehen, indem sie mit leicht enolisierbaren Ketonen Salze bilden; z. B.:

$$R-CH_2-CO-R^1 \ + \ R^2MgBr \ \longrightarrow \ R-CH=\underset{\underset{OMgBr}{|}}{C}-R^1 \ + \ R^2H$$

Die Reaktionen von Dialkyl-cadmium-Verbindungen mit Ketonen, die ebenfalls zu tertiären Alkoholen führen, sind oft mit erheblichen Nebenreaktionen verbunden (s. Bd. XIII/2a, S. 918).

Bei den Umsetzungen von Trialkyl-aluminium-Verbindungen mit Ketonen zu tertiären Carbinolen kann nur eine Alkyl-Gruppe genutzt werden. Außerdem macht sich die stark reduzierende Wirkung der Trialkyl-aluminium-Verbindungen störend bemerkbar.

$$(C_2H_5)_3\,Al \ \rightleftharpoons \ (C_2H_5)_2\,AlH \ + \ H_2C=CH_2$$

Näheres s. ds. Handb., Bd. XIII/4, S. 215ff. u. S. 224ff.

3. Äthinierung von Ketonen[1-5]

Ein wertvolles Syntheseprinzip ist die Verknüpfung eines Acetylen-Restes mit dem C-Atom einer Carbonyl-Gruppe. Aus Acetylen und Ketonen lassen sich so α-Hydroxy-alkine bzw. α,α'-Dihydroxy-alkine gut herstellen:

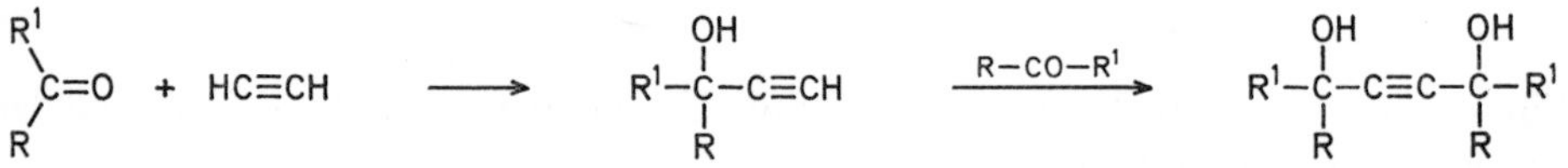

Dieses Verfahren führte z. B. zur Merling'schen Isopren-Synthese[6] und ermöglicht den Aufbau von Carotinoiden[7] und Heterocyclen.

Die Reaktion verläuft über Alkalimetall- bzw. Magnesium-acetylenide. Leicht enolisierbare Ketone sind für diese Umsetzungen nicht geeignet. Der Reaktionsmechanismus beruht auf der Acidität der Acetylene, die schwache ein- bzw. zweibasische Säuren sind, aus denen im wasserfreien Medium mit Alkalimetallen starke Anionen entstehen.

Die Alkinierungs-Reaktion wurde unabhängig von Nef[8] (Phenyläthinyl-natrium + Acetophenon in Äther) und von Favorsky[9], der Alkalimetallhydroxide anwandte, aufgefunden. Auch Alkanolate[10], besonders solche tertiärer Alkohole[11], sind brauchbar.

[1] S. Bd. V/2, Herstellung von Acetylenen.

[2] S. Bd. VI/1a u. 1b, Herstellung von Alkoholen.

[3] W. ZIEGENBEIN, *Einführung der Äthinyl- und Alkinyl-Gruppe in organische Verbindungen*, Verlag Chemie, Weinheim 1963.

[4] T. F. RUTLEDGE, *Acetylenic Compounds*, Reinhold Book Corp., New York 1968.

[5] W. ZIEGENBEIN in H. G. VIEHE, *Chemistry of Acetylenes*, S. 169ff., M. Dekker, New York 1969. W. RIED, *Äthinierungsreaktionen* in *Neuere Methoden der präparativen Organischen Chemie*, Bd. IV, S. 88ff., Verlag Chemie, Weinheim 1966.

[6] S. Bd. V/1c, S. 69, s. Bd. V/2a.

[7] H. POMMER, Ang. Ch. **72**, 811 (1960).

[8] J. V. NEF, A. **308**, 277 (1899).

[9] A. E. FAVORSKIY u. M. SKOSSAREWSKY, Ж **32**, 652 (1900).

[10] DRP. 291185 (1914), Farbf. Bayer; Frdl. **12**, 56.

[11] R. G. GOULD u. A. F. THOMPSON, Am. Soc. **57**, 340 (1935).
    A. F. THOMPSON, J. C. BURR u. E. N. SHAW, Am. Soc. **63**, 186 (1941).

Einen weiteren Fortschritt brachte Natriumamid in indifferenten Lösungsmitteln[1]. Die Kondensationen mit Natriumacetyleniden werden vorwiegend in flüssigem Ammoniak, in manchen Fällen bei $-50°$, vorgenommen[2]. Alkalimetall-hydroxid ist gut brauchbar, wenn robuste Ausgangsmaterialien vorliegen. Dabei ist Wasser nach Möglichkeit auszuschließen, da sonst die Gleichgewichte zu sehr nach der Seite der Ausgangsmaterialien hin verschoben sind. Gute Ergebnisse werden unter Druck nach Reppe erzielt, wobei nur katalytische Mengen Kaliumhydroxid erforderlich sind[3]. Will man die Kondensationen im Verhältnis 1:1 durchführen, so arbeitet man in Verdünnungsmitteln wie Benzol, Äther oder flüssigem Ammoniak bei -10 bis $+25°$ oder in Dimethylformamid. So wird aus 2-Butanon in Diisopropyläther bei $\sim 10°$ und 6 atü Acetylen das *3-Methyl-pentin-(1)-ol-(3)* in 96%-iger Ausbeute erhalten[4]. Aus Cyclohexanon und einem Acetylendruck von 20 atü entsteht bei 85° ein Gemisch aus *1-Äthinyl-cyclohexanol* (30% d.Th.) und *Bis-[1-hydroxy-cyclohexyl]-acetylen* (60% d.Th.)[5]. Weitere Beispiele sind:

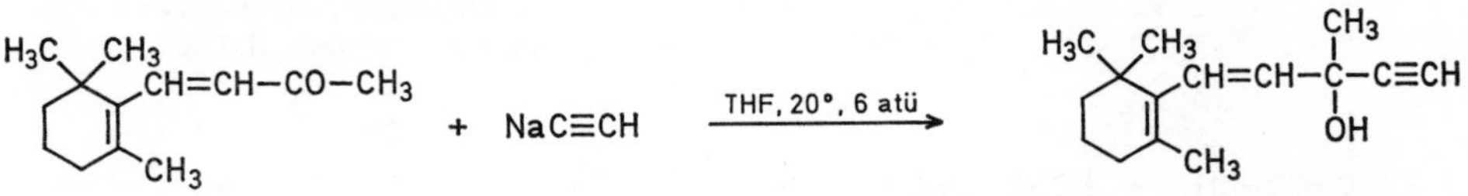

β-Jonon

3-Hydroxy-3-methyl-5-[2,6,6-trimethyl-cyclohexen-(1)-yl]-penten-(4)-in-(1)[6] (Äthinyl-β-jonol; ~ 90% d.Th.)

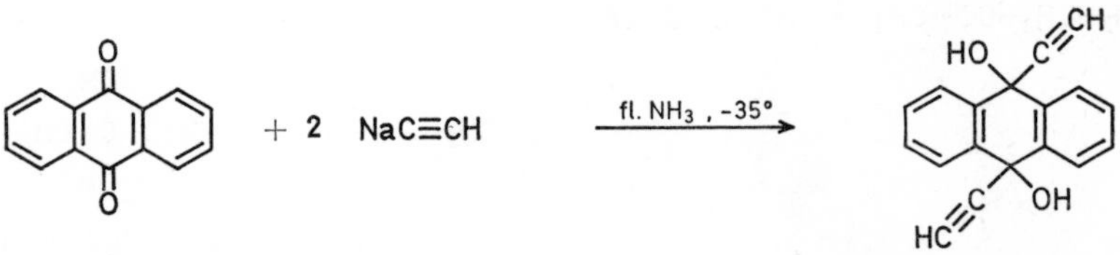

9,10-Dihydroxy-9,10-diäthinyl-9,10-dihydro-anthracen (cis-trans)[7]; 60% d.Th.

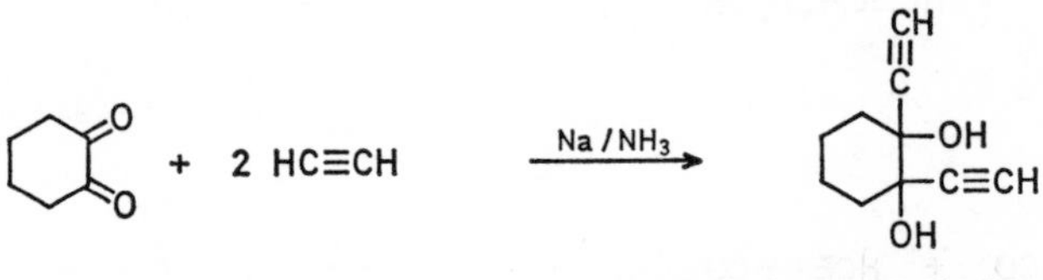

1,2-Dihydroxy-1,2-diäthinyl-cyclohexan[8] (vorwiegend trans); 57% d.Th.

[1] DRP. 280226 (1913) u. weitere, Farbf. Bayer; Frdl. **12**, 51–61.
[2] s. Bd. XIII/1, S. 278ff. u. 605ff.
[3] W. REPPE et al., A. **596**, 1 (1955).
[4] W. ZIEGENBEIN, *Einführung der Äthinyl- und Alkinyl-Gruppe in organische Verbindungen*, S. 85ff., Verlag Chemie, Weinheim 1963.
[5] W. REPPE et al., A. **596**, 30 (1955).
[6] DBP. 1081883 (1958), BASF, Erf.: H. PASEDACH u. M. SEEFELDER; C. A. **56**, 10000ᵃ (1962).
[7] W. RIED, *Äthinierungsreaktionen* in *Neuere Methoden der präparativen Organischen Chemie*, Bd. IV, S. 88ff., Verlag Chemie, Weinheim 1966.
[8] W. RIED u. H. J. SCHMIDT, B. **90**, 2499 (1957).

Wenn sich Stereoisomere bilden können, so entstehen zumeist beide[1].

Von den Derivaten des Acetylens setzen sich mit Ketonen in Gegenwart von Kaliumhydroxid recht gut um: 3,3-Dimethyl-1-butin, Phenylacetylen, Butenin, Butadiin, Propargylalkohol. Beispiele für die Alkinierung von Ketonen mit Acetylen-Derivaten sind:

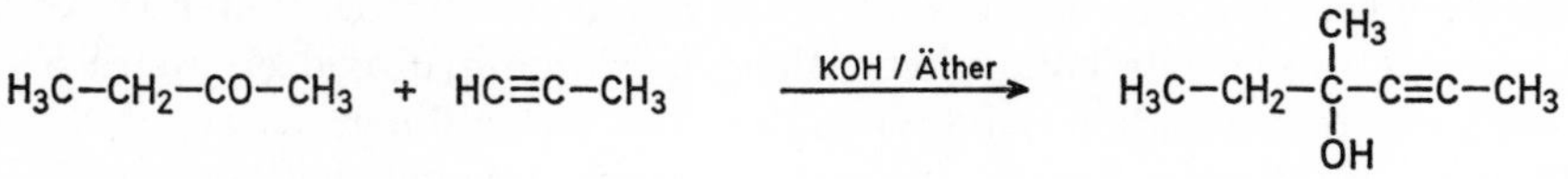

$$H_3C-CH_2-CO-CH_3 \ + \ HC{\equiv}C-CH_3 \ \xrightarrow{\text{KOH / Äther}} \ H_3C-CH_2-\underset{\underset{OH}{|}}{\overset{\overset{CH_3}{|}}{C}}-C{\equiv}C-CH_3$$

4-Hydroxy-4-methyl-hexin-(2)[2]; 80% d.Th.

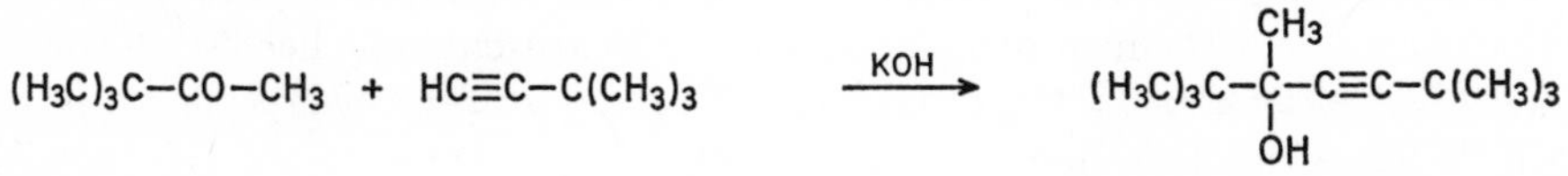

$$(H_3C)_3C-CO-CH_3 \ + \ HC{\equiv}C-C(CH_3)_3 \ \xrightarrow{\text{KOH}} \ (H_3C)_3C-\underset{\underset{OH}{|}}{\overset{\overset{CH_3}{|}}{C}}-C{\equiv}C-C(CH_3)_3$$

5-Hydroxy-2,2,5,6,6-pentamethyl-heptin-(3)[3]; 60% d.Th.

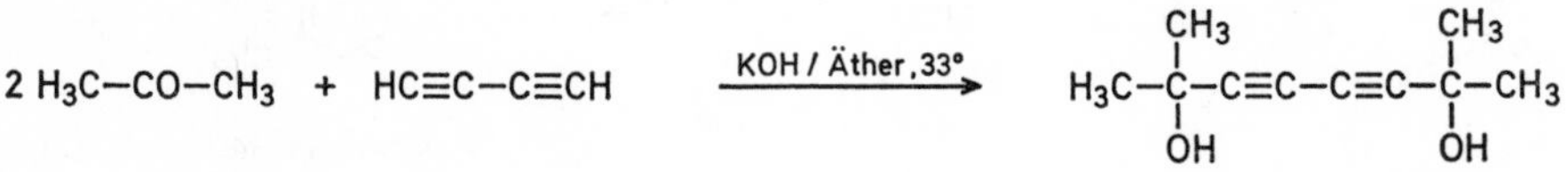

$$2 \ H_3C-CO-CH_3 \ + \ HC{\equiv}C-C{\equiv}CH \ \xrightarrow{\text{KOH / Äther, 33°}} \ H_3C-\underset{\underset{OH}{|}}{\overset{\overset{CH_3}{|}}{C}}-C{\equiv}C-C{\equiv}C-\underset{\underset{OH}{|}}{\overset{\overset{CH_3}{|}}{C}}-CH_3$$

2,7-Dihydroxy-2,7-dimethyl-octadiin-(3,5)[4]; 81% d.Th.

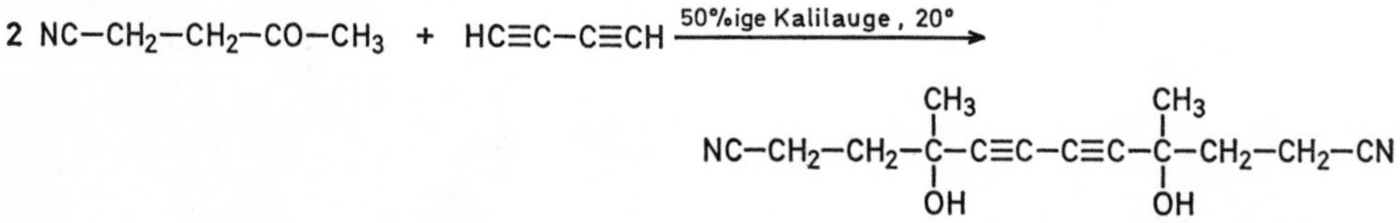

$$2 \ NC-CH_2-CH_2-CO-CH_3 \ + \ HC{\equiv}C-C{\equiv}CH \ \xrightarrow{\text{50%ige Kalilauge, 20°}}$$

$$NC-CH_2-CH_2-\underset{\underset{OH}{|}}{\overset{\overset{CH_3}{|}}{C}}-C{\equiv}C-C{\equiv}C-\underset{\underset{OH}{|}}{\overset{\overset{CH_3}{|}}{C}}-CH_2-CH_2-CN$$

4,9-Dihydroxy-4,9-dimethyl-dodecadiin-(5,7)-disäure-dinitril[4]; bis zu 50% d.Th.

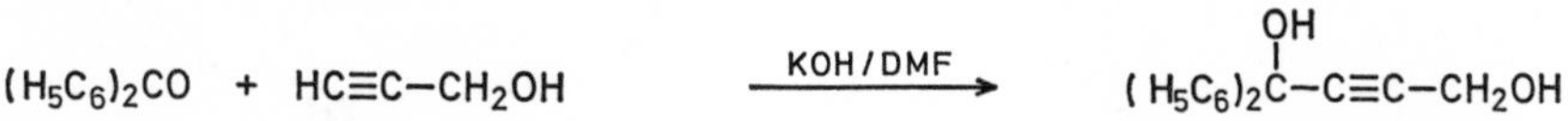

$$(H_5C_6)_2CO \ + \ HC{\equiv}C-CH_2OH \ \xrightarrow{\text{KOH / DMF}} \ (H_5C_6)_2\underset{}{\overset{\overset{OH}{|}}{C}}-C{\equiv}C-CH_2OH$$

1,4-Dihydroxy-1,1-diphenyl-butin-(2)[5]; 94% d.Th.

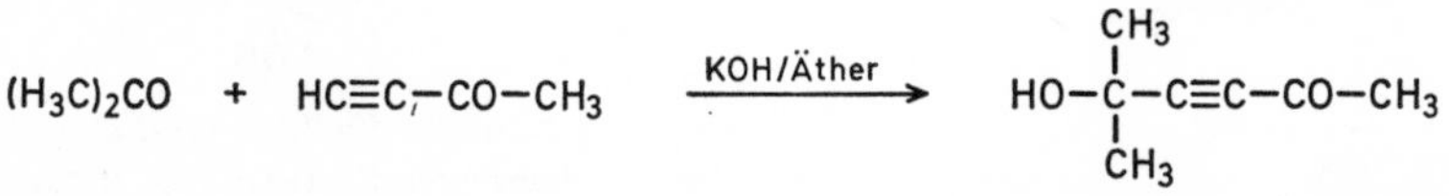

$$(H_3C)_2CO \ + \ HC{\equiv}C-CO-CH_3 \ \xrightarrow{\text{KOH/Äther}} \ HO-\underset{\underset{CH_3}{|}}{\overset{\overset{CH_3}{|}}{C}}-C{\equiv}C-CO-CH_3$$

2-Hydroxy-5-oxo-2-methyl-hexin-(3)[6]; ~30% d.Th.

[1] I. N. Nazarov, A. V. Kamernitskii u. A. A. Akhrem, Ž. obšč. Chim. **28**, 1458 (1958); engl.: 1511.
T. F. Rutledge, *Acetylenic Compounds*, S. 146ff., Reinhold Book Corp., New York 1968.
[2] T. Herbertz, B. **92**, 541 (1959).
[3] A. I. Zakharova u. G. M. Murashov, Ž. obšč. Chim. **23**, 1981 (1953); engl.: 2095.
[4] Privat-Mitteilung W. Franke u. K. Weissbach, Chemische Werke Hüls.
[5] N. Robert, W. Chodkiewicz u. P. Cadiot, Bl. **1956**, 1575.
[6] D. J. Mikhailovskii, V. N. Mikhailovskii u. T. A. Favorskaya, Ž. Org. Chim. **10**, 188 (1974); engl.: 190.

Die Lithiumacetylenide (s. Bd. XIII/1, S. 98ff. u. S. 117ff.) können leicht hergestellt werden, z. B. aus Butyl-lithium und Acetylen in Tetrahydrofuran bei –78°[1]. Sie sind nicht nur in flüssigem Ammoniak, sondern auch in 1,4-Dioxan löslich, wodurch die Metallierung mittels Lithiumamid und die Umsetzung höherer 1-substituierter Alkine glatt gelingt. Außerdem bilden Lithium-alkine mit Äthylendiamin beständige Komplexe[2], die zur Umsetzung mit α,β-ungesättigten Ketonen besonders geeignet sind. Beim Vorliegen wertvoller bzw. empfindlicher Ausgangsmaterialien sollte man zunächst stets mit den Lithium-alkinen arbeiten.

Geringere Bedeutung haben die Grignard-Verbindungen der Acetylene[3]. Diese sind weniger reaktionsfähig als die Lithiumacetylenide. Das Äthinyl-magnesiumbromid neigt außerdem dazu, in Acetylen und Äthin-bis-magnesiumbromid zu disproportionieren. Die Alkin-(1)-yl-Grignard-Verbindungen werden erhalten[4] durch Umsetzung von Grignard-Verbindungen mit Acetylen:

$$H_5C_2\text{—MgBr} \quad + \quad HC\equiv CH \quad \longrightarrow \quad BrMg\text{—}C\equiv CH \quad + \quad C_2H_6$$

Aluminium-acetylenide sind in zahlreichen Varianten herstellbar (s. Bd. XIII/4, S. 154ff.), z. B.:

$$(H_5C_2)_3Al \quad + \quad HC\equiv C\text{—}R \quad \longrightarrow \quad (H_5C_2)_2Al\text{—}C\equiv C\text{—}R \quad + \quad C_2H_6$$

oder

$$3\ HC\equiv C\text{—Na} \quad + \quad AlCl_3 \quad \longrightarrow \quad (HC\equiv C)_3Al$$

Besonders leicht zugänglich sind Lithium-tetraalkin-(1)-yl-aluminate (100% d. Th.):

$$LiAlH_4 \quad + \quad 4\ HC\equiv C\text{—}R \quad \longrightarrow \quad Li[Al\,(C\equiv C\text{—}R)_4] \quad + \quad 4\ H_2$$

Näheres zu ihrer Herstellung s. Bd. XIII/4, S. 161 und Lit[5,6]. Sie reagieren wie Alkalimetall-acetylenide, jedoch ist nur eine Alkin-(1)-yl-Gruppe zur Umsetzung befähigt.

Die Acetylencarbinole lassen sich in flüssigem Ammoniak mittels Natriumamid alkylieren[7]:

$$\underset{\underset{|}{|}}{\overset{\overset{OH}{|}}{-C}}\text{—}C\equiv CH \quad + \quad CH_3Cl \quad \xrightarrow{NaNH_2} \quad \underset{\underset{|}{|}}{\overset{\overset{OH}{|}}{-C}}\text{—}C\equiv C\text{—}CH_3$$

---

[1] M. M. MIDLAND, J. Org. Chem. **40**, 2250 (1975).
[2] O. F. BEUMEL u. J. F. HARRIS, J. Org. Chem. **28**, 2775 (1963).
   A. SCHAAP, L. BRANDSMA u. J. F. ARENS, R. **84**, 1200 (1965).
[3] J. JOTSITCH, Ж **38**, 1040 (1906).
[4] S. Bd. XIII/2a, S. 135ff.
[5] L. I. ZAKHARKIN u. V. V. GAVRILENKO, Izv. Akad. SSSR **1963**, 1146; engl.: 1053.
[6] s. a. H. G. VIEHE, *Chemistry of Acetylenes*, S. 922ff., M. DEKKER, New York 1969.
[7] W. KIMMEL et al., J. Org. Chem. **22**, 1611 (1957).

V. Oxidative Keton-Spaltungen[1]

bearbeitet von

Professor Dr. Drs. h. c. OTTO BAYER

Bayer AG, Leverkusen

Ketone sind – soweit sie enolisieren können, leicht oxidierbar.

Bei geeigneter Reaktionsführung gelingt es, α-Methylen-ketone zunächst in α-Diketone überzuführen. Sind beidseitig zur Carbonyl-Gruppe Methylen-Gruppen vorhanden, dann entstehen aus unsymmetrischen Ketonen zwei verschiedene Diketone. Diese Verfahren sind ausführlich in Bd. VII/2a, S. 684 ff. beschrieben.

Da α-Diketone oxidativ leicht in zwei Moleküle Carbonsäuren – bzw. in ein Molekül Dicarbonsäure – spaltbar sind, gelingt es unter Anwendung energischerer Bedingungen ohne Schwierigkeiten, diese direkt aus den Monoketonen herzustellen. In vielen Fällen ist es nicht erforderlich, von den Ketonen auszugehen, sondern man kann auch direkt die entsprechenden sekundären Alkohole einsetzen. Hierfür sind als Oxidationsmittel besonders konzentrierte Salpetersäure und Chromsäure[2] geeignet, die praktisch zu den gleichen Ergebnissen führen. Im folgenden sind einige Reaktionen aufgeführt, die mit guter Ausbeute verlaufen:

Butanon	→ 2 Mol *Essigsäure*[3]
Cyclohexanon	→ *Adipinsäure* (s. S. 1979)
Cyclododecanon	→ *Dodecandisäure*[4]
1-Oxo-tetralin	→ *2-(2-Carboxy-äthyl)-benzoesäure*[5]

Am Beispiel der technisch wichtigen Oxidation von Cyclohexanon mit Salpetersäure wurde der Reaktionsablauf näher untersucht: Läßt man bei 5–10° in eine 50%ige Schwefelsäure getrennt Cyclohexanon und 98%-ige Salpetersäure eintropfen, so erhält man in ∼ 60%-iger Ausbeute das *Cyclohexandion-(1,2)* (Herstellungsvorschrift s. Bd. VII/2a, S. 685).

Löst man Cyclohexanon unterhalb 20° in 67%-iger Salpetersäure und stoppt die Reaktion nach 15 Min. durch Eiszugabe, so läßt sich bis zu 60% d.Th. *6-Nitro-6-hydroximino-hexansäure* isolieren (Herstellung s. Bd. X/1, S. 111).

---

[1] Verhalten der Ketone gegen Oxidationsmittel:
   H. S. VERTER in J. ZABICKY, *The Chemistry of the Carbonyl Group*, Bd. 2, S. 71–156, Interscience Publishers, New York 1970.
   S. a. ds. Handb. Bd. IV/1 b.

[2] Reaktionsmechanismus der Chromsäureoxidation: J. ROČEK u. A. RIEHL, J. Org. Chem. **32**, 3569 (1967).

[3] DRP. 698970 (1939); 724722 (1940), I. G. Farb., Erf.: F. BECKE u. W. FLEMMING; Frdl. VI/1, 818, 816.

[4] L. RŮŽICKA, M. STOLL u. H. SCHINZ, Helv. **9**, 249 (1926).
   US.P. 3087963 ≡ Brit. P. 876335 (1959), Esso Research and Engineering Co., Erf.: H. K. WIESE u. S. B. LIPPINCOTT; C. A. **56**, 4622f (1962).

[5] Fr.P. 1096419 (1953) ≡ DBP. 963508 (1954), Institut Français du Pétrole, Erf.: J. C. BALACÉANU u. P. DE RADZITSKY; C. **1958**, 560.

Rührt man dagegen Cyclohexanon langsam in eine 50%-ige Salpetersäure bei ~ 55° unter Kühlen ein, so erhält man in ~ 85%-iger Ausbeute *Adipinsäure*. Ein katalytischer Zusatz von Vanadinsäure oder Kupfer erhöht die Ausbeute um einige Prozent [Herstellung s. Bd. VIII, S. 417 und Org. Synth. Coll. Vol. I, 18 (1932)]. Als Nebenprodukt entsteht u. a. Bernsteinsäure.

Die Oxidation von 12-Hydroxy-octadecansäure mit konz. Salpetersäure zwischen 77° und 88°, katalysiert durch Vanadinsäure, führt mit guten Ausbeuten zu einem Gemisch aus etwa gleichen Teilen *Undecandisäure* und *Heptansäure* sowie *Dodecandisäure* und *Hexansäure*[1]. Die Dicarbonsäuren lassen sich leicht aufgrund ihrer unterschiedlichen Aciditäten trennen[2].

Über die Oxidation von Campher mit Salpetersäure zu den *Camphersäuren* s. Lit.[3].

Mit Kaliumpermanganat werden meist geringere Ausbeuten erzielt, da die Oxidation leicht weitergeht.

Luftsauerstoff kommt für die Laboratoriumspraxis nicht in Betracht. Bei technischen Oxidationen setzt man im allgemeinen nicht die Ketone, sondern die entsprechenden Kohlenwasserstoffe ein[4]. Aceton[5], die Butene und das Butanon lassen sich sowohl in der Gas- als auch in der Flüssigphase zu *Essigsäure* oxidieren. Die Oxidation höher siedender Ketone durch Sauerstoff wird zweckmäßig in Essigsäure unter Zusatz von Kobalt-Salzen durchgeführt[6]. Aus Cyclohexanon erhält man dabei jedoch eine weniger reine *Adipinsäure* als durch Oxidation mit Salpetersäure.

Cyclische Ketone mit nachbarständiger Alkyl-Gruppe werden in erster Stufe zu Oxo-carbonsäuren aufgespalten; z. B.:

$$HOOC-(CH_2)_4-CO-CH_3$$

6-Oxo-heptansäure[7]; 50% d.Th.

Aus 3-Oxo-2,2-dimethyl-butan (Pinakolon) entsteht durch Oxidation mit Chromschwefelsäure *2,2-Dimethyl-propansäure (Pivalinsäure)*[8].

Über den oxidativen Abbau von Ketonen zu anderen Ketonen s. S. 1310.

Alkalimetallhypochlorite in alkalischer Lösung oxidieren zwar ebenfalls Ketone zu Carbonsäuren. Dieses Verfahren ist jedoch nicht generell anwendbar, da der erste Reaktionsschritt in einer Chlorierung meist beidseitig zur Carbonyl-Gruppe besteht.

[1] Ausführliche Herstellungsvorschrift: T. R. STEADMAN u. J. O. H. PETERSON, Ind. eng. Chem. **50**, 59 (1958).

[2] DRP. 737 691 (1939), I. G. Farb., Erf.: W. LEHMANN u. R. SCHRÖTER.

[3] S. RODD's, *Chemistry of Carbon Compounds*, Vol. II C, S. 200 ff., 2. Aufl., Elsevier Publ. Comp., Amsterdam 1969.

[4] N. M. EMANUEL, E. T. DENISOV u. Z. K. MAIZUS, *Liquid-Phase Oxidation of Hydrocarbons* (Acad. of Science of the U.S.S.R. Moskau); engl. Übersetzung: Plenum Press, New York 1967. Ausgezeichnete Monographie über Kinetik und Mechanismus auch der sauerstoffhaltigen Verbindungen.

[5] Fr.P. 1 116 083 (1954), Rhône-Poulenc; C. **1957**, 266.

[6] DRP. 767 813 (1940), I. G. Farb., Erf.: W. SPEER; C. A. **49**, 11 693e (1955).

[7] Ausgehend von 2-Hydroxy-1-methyl-cyclohexan mit Chromsäure bei 30°; J. R. SCHÄFFER u. A. O. SNODDY, Org. Synth. Coll. Vol. IV, 19 (1963).
Vgl. a. S. 1308

[8] S. ds. Handb., Bd. VIII, S. 416.

Zur Oxidation von Acetyl-aromaten[1], Acetyl-heterocyclen, tert.-Alkyl-methyl-ketonen und α, β-ungesättigten Methyl-ketonen ist Natriumhypochlorit von besonderer Bedeutung. Dabei wird in einem Eintopf-Verfahren die Methyl-Gruppe zunächst trichloriert und dann durch verdünnte Natronlauge glatt in das Carbonsäuresalz und Chloroform gespalten:

$$R-CO-CH_3 \xrightarrow{\text{NaOCl/NaOH}} R-CO-CCl_3 \xrightarrow{\text{NaOH}} R-COONa + CHCl_3$$

Diese Reaktion vollzieht sich exotherm vielfach schon bei 50° (s. S. 2007).

Auf diese Weise läßt sich eine große Zahl von Carbonsäuren meist nahezu quantitativ herstellen, u. a.:

> *Biphenyl-4-carbonsäure* (Herstellung s. Bd. VIII, S. 415)
> *4-Methoxy-benzoesäure* (s. Bd. VIII, S. 415)
> *Terephthalsäure*[2]
> *Thiophen-2-carbonsäure*[3]
> *Fluoren-2-carbonsäure*[4]
> *3-Methyl-buten-(2)-säure*[5] (aus Mesityloxid)
> *Zimtsäure*[6] [aus 3-Oxo-1-phenyl-buten-(1)]

Benzol-1,3,5-tricarbonsäure[7] (auch allgemeines Herstellungsverfahren): In einem mit Rührer und absteigendem Kühler ausgestatteten 12-*l*-Gefäß werden 1,408 kg (35,2 Mol) Natriumhydroxid in 1,5 *l* Wasser gelöst und 7 kg Eis zugegeben. Dann leitet man rasch 1,055 kg Chlor ein. Hierauf wird auf 85° erwärmt und 202 g (1,08 Mol) 1,3,5-Triacetyl-benzol innerhalb 2 Stdn. eingetragen (Vorsicht: schäumt!). Dabei destillieren 202 g Chloroform ab. Die klare Lsg. wird noch einige Stdn. bei 85° gerührt und dann das überschüssige Hypochlorit durch Zugabe von 300 g Natriumhydrogensulfit zerstört. Das heiße Filtrat wird mit Salzsäure stark sauer gestellt. Nach dem Erkalten wird die Tricarbonsäure abgesaugt und ausgewaschen. Durch Einengen der Mutterlauge lassen sich weitere Mengen gewinnen; Ausbeute: 214 g (94% d. Th.).

Es empfiehlt sich, die Tricarbonsäure aus salzsäurehaltigem Wasser umzukristallisieren, da diese geringen Mengen des schwerlöslichen Mononatriumsalzes enthalten kann.

Eine sehr ähnliche Vorschrift zur Herstellung von *Naphthalin-2-carbonsäure* aus 2-Acetyl-naphthalin findet sich in Org. Synth., Coll. Vol. II, S. 428 (1943).

1,3-Diketone mit der sehr reaktionsfähigen zwischenständigen Methylen-Gruppe können ebenfalls mit Natriumhypochlorit oxidativ gespalten werden; z. B.[8]:

3,3-Dimethyl-glutarsäure

[1] R. C. FUSON u. B. A. BULL, *The Haloform Reaction*, Chem. Reviews **15**, 275 (1934).

[2] Brit. P. 786561 (1954), ICI, Erf.: J. E. McINTYRE u. W. A. O'NEILL; C. A. **52**, 9212ᵃ (1958).

[3] M. SY u. B. DE MALLERAY, Bl. **1963**, 1276.

[4] R. W. SCHIESSLER u. N. R. ELDRED, Am. Soc. **70**, 3958 (1948).

[5] L. I. SMITH, W. W. PRICHARD u. L. J. SPILLANE, Org. Synth., Coll. Vol. III, 302 (1955).

[6] DRP. 21162 (1882), Farbw. Hoechst; Frdl. **1**, 28.

[7] D. T. MOWRY u. E. L. RINGWALD, Am. Soc. **72**, 2038 (1950).

[8] W. T. SMITH u. G. L. McLEOD, Org. Synth., Coll. Vol. IV, 345 (1963).

Man kann aber auch Trichloracetylchlorid direkt mit Aromaten nach Friedel-Crafts kondensieren und die so erhaltenen Trichloracetyl-Verbindungen durch Erwärmen mit verdünnter Natronlauge spalten (s. S. 2007). Diese Variante empfiehlt sich besonders für solche Aromaten bzw. Heterocyclen, die selbst leicht chlorierbar sind; z. B. zur Herstellung von *Fluoren-2-carbonsäure*, *Carbazol-3-carbonsäure* und *2-Hydroxy-naphthalin-6-carbonsäure*.

Bemerkenswert ist, daß 2-Benzoylamino-4-oxo-2-methyl-pentan mit Natriumhypochlorit in 80%-iger Ausbeute zur *3-Benzoylamino-3-methyl-butansäure* oxidiert wird[1]:

$$H_3C-\underset{\underset{NH-CO-C_6H_5}{|}}{\overset{\overset{CH_3}{|}}{C}}-CH_2-CO-CH_3 \quad \xrightarrow{NaOCl} \quad H_3C-\underset{\underset{NH-CO-C_6H_5}{|}}{\overset{\overset{CH_3}{|}}{C}}-CH_2-COOH$$

Natriumhypobromit oxidiert anscheinend bevorzugt die Methyl-Gruppen, auch wenn das andere der Carbonyl-Gruppe benachbarte C-Atom noch Wasserstoffatome enthält. So wird das 6-Oxo-2-methyl-heptan in die *5-Methyl-hexansäure* überführt[2].

Durch oxidativen Abbau der entsprechenden Acetyl-Gruppe mit Natriumhypobromit in einem Wasser/1,4-Dioxan-Gemisch bei 8° wird mit 90%iger Ausbeute die *3β-Acetoxy-androsten-(5)-17β-carbonsäure* erhalten [s. Org. Synth. **42**, 4 (1962)].

Aus 5-Butyl-2-propionyl-pyridin mit Natriumhypobromit zwischen $\sim$0–25° wird *5-Butyl-pyridin-2-carbonsäure* mit 90% Ausbeute erhalten[3].

In diesem Zusammenhang muß auch auf die Umsetzungsprodukte der Ketone mit Hydrogenperoxid hingewiesen werden[4] (s. Bd. VIII, S. 43ff.). Dabei dürften in allen Fällen primär die hydratartigen Addukte I entstehen,

die sich jedoch in mannigfacher Weise umwandeln können, bevor ein oxidativer Abbau einsetzt. Die bevorzugte Bildung der Primär- oder deren Folge-produkte ist nicht nur von der Konstitution der Ketone, sondern auch von den Kondensations-bedingungen abhängig.

In verdünnten wäßrigen Lösungen entsteht vorwiegend I, in konzentrierten Lösungen II und in Gegenwart von Salzsäure das Trimere III[5]. Außerdem sind noch andere

[1] P. J. Scheuer, H. C. Bothelo u. C. Pauling, J. Org. Chem. **22**, 674 (1957).

[2] O. Wallach, A. **408**, 190 (1915).

[3] E. Hardegger u. E. Nikles, Helv. **40**, 1016 (1957).

[4] Eine vollständige Literaturübersicht findet sich in *Gmelins Handbuch der anorganischen Chemie*, *Sauerstoff*, 8. Aufl., Bd. 3, Lfg. 7, S. 2443ff., Verlag Chemie, Weinheim 1966.
D. Swern, *Organic Peroxides*, Vol. I, S. 24f., Vol. II, S. 18, 36ff., 295, Wiley-Interscience, New York 1970/71.

[5] R. Criegee u. K. Metz, B. **89**, 1714 (1956).
R. Criegee, W. Schnorrenberg u. J. Becke, A. **565**, 7 (1949).
M. Schulz, K. Kirschke u. E. Höhne, B. **100**, 2242 (1967).

Typen beschrieben[1,2]. Sicherlich entstehen stets Gemische. Meist sind nur die Reaktionsprodukte beschrieben, die aufgrund ihres guten Kristallisationsvermögens leicht isoliert werden konnten.

Erst die chromatographische Auftrennung der aus Ketonen und Hydrogenperoxid in schwefelsäurehaltigem Äther erhaltenen Peroxide ermöglichte es, diese vollständig zu erfassen. Eine Bedeutung kommt den zersetzlichen Ketonperoxid-Verbindungen nicht zu. Eine wichtige Folgereaktion ist jedoch die Baeyer-Villiger-Umlagerung (s. S. 1984).

VI. Umlagerungen von Ketonen unter Verlust der Carbonyl-Funktion

bearbeitet von

Professor Dr. Drs. h. c. OTTO BAYER

Bayer AG, Leverkusen

Ketone bzw. deren funktionelle Derivate lassen sich vielfältig umlagern – Reaktionen, die von präparativem Wert sind und zum Teil auch großtechnisch durchgeführt werden.

a) Willgerodt-Kindler-Umlagerung[3–10]

Die Willgerodt-Kindler-Umlagerung ist eine der eigenartigsten Umlagerungen in der organischen Chemie. Durch Erhitzen von Acetophenon mit konzentriertem Ammoniak und Schwefel auf $\sim 200°$ entsteht *Phenylessigsäure*[8]. Noch überraschender ist, daß auch Ketone mit höheren und sogar verzweigten Alkyl-Gruppen diese Umlagerung erleiden und die Carbonyl-Gruppe stets an das Ende der Kette tritt:

$$Ar - CO - (CH_2)_n - CH_3 \quad \rightarrow \quad Ar - CH_2 - (CH_2)_n - COOH$$

Vielfach fallen bevorzugt die Carbonsäure-amide an. Die Ausbeuten schwanken zwischen 20 und 70% d. Th.

Anstelle der Alkyl-aryl-ketone lassen sich auch Alkyl-tert.-alkyl-ketone einsetzen. So entsteht aus Pinakolon *3,3-Dimethyl-butansäure*[11]. Auch mit rein aliphatischen

---

[1] T. LEDAAL u. T. SOLBJÖR, Acta chem. scand. **21**, 1658 (1967).
  M. S. KHARASCH u. G. SOSNOVSKY, J. Org. Chem. **23**, 1322 (1958).
  V. L. ANTONOVSKII, A. F. NESTEROV u. O. K. LYASHENKO, Ž. prikl. Chim. **40**, 2555 (1967); engl.: 2443.
[2] N. A. MILAS u. A. GOLUBOVIĆ, Am. Soc. **81**, 3361, 5824 (1959).
[3] S. ds. Handb., Bd. VIII, S. 665ff.
[4] M. A. SPIELMAN, *The Willgerodt Reaction*, Org. Reactions **3**, 83 (1946).
[5] H. KALTWASSER, Chem. Techn. **9**, 392 (1957).
[6] R. WEGLER, E. KÜHLE u. W. SCHÄFER, Ang. Ch. **70**, 351 (1958).
[7] F. ASINGER et al., Ang. Ch. **75**, 1050 (1963).
[8] C. WILLGERODT, B. **20**, 2467 (1887); **21**, 534 (1888) u. spätere Arbeiten.
[9] R. MAYER in M. J. JANSSEN, *Organosulfur Chemistry*, S. 229ff., Interscience Publishers, New York 1967.
[10] E. V. BROWN, *The Willgerodt Reaction*, Synthesis **1975**, 358–375.
[11] L. CAVALIERI, D. B. PATTISON u. M. CARMACK, Am. Soc. **67**, 1783 (1945).

Ketonen gelingt die Reaktion bisweilen. Normalerweise entstehen allerdings aus aliphatischen Ketonen mit Ammoniak und Schwefel bereits bei 20° Dimercapto-ketone, die leicht zu 1,3-Thiazolinen weiterreagieren[1]:

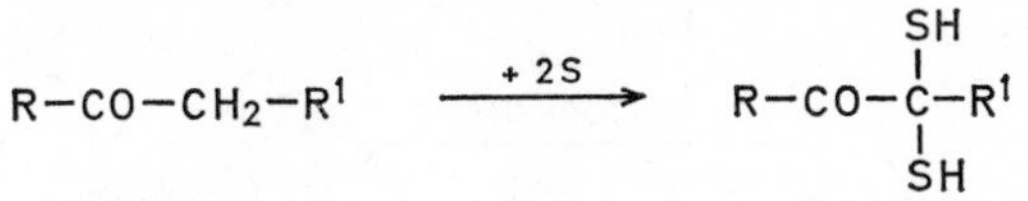

$$R-CO-CH_2-R^1 \quad \xrightarrow{+\,2S} \quad R-CO-\overset{\displaystyle SH}{\underset{\displaystyle SH}{C}}-R^1$$

Eine Vereinfachung des Willgerodt-Verfahrens, verbunden mit Ausbeuteverbesserungen, besteht darin, daß man die Ketone mit Morpholin (Kp: 128°) und Schwefel zum Sieden erhitzt[2]. Die anfallenden Thiocarbonsäure-morpholide lassen sich leicht zu den entsprechenden Carbonsäuren verseifen.

Der Reaktionsverlauf der Willgerodt-Kindler-Reaktion ist schwer zu deuten[3]. So wurde festgestellt[1], daß die Schiff'sche Base aus Acetophenon und Butylamin in methanolischer Lösung mit Morpholin und Schwefel (20 Stdn. bei 20°) in 65%-iger Ausbeute in das *Phenyl-thioessigsäure-morpholid* überführt wird.

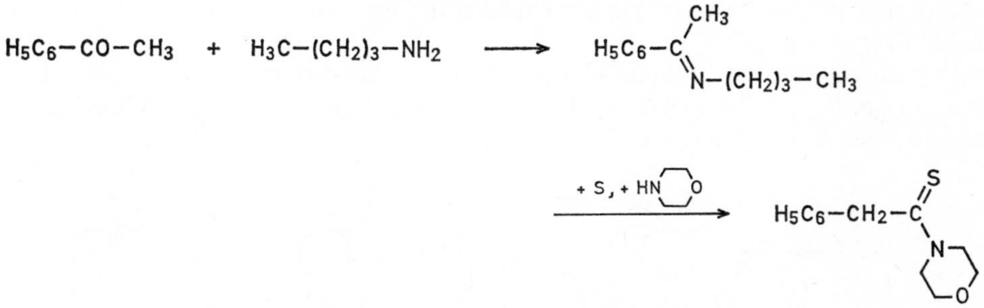

Erhitzt man die Phenyl-butanone I–III mit Schwefel und Morpholin, so entsteht aus allen das erwartete *4-Phenyl-thiobutansäure-morpholid* (IV), das z. T. weiter zum *5-Morpholino-2-phenyl-thiophen* (V) dehydriert wird[4]:

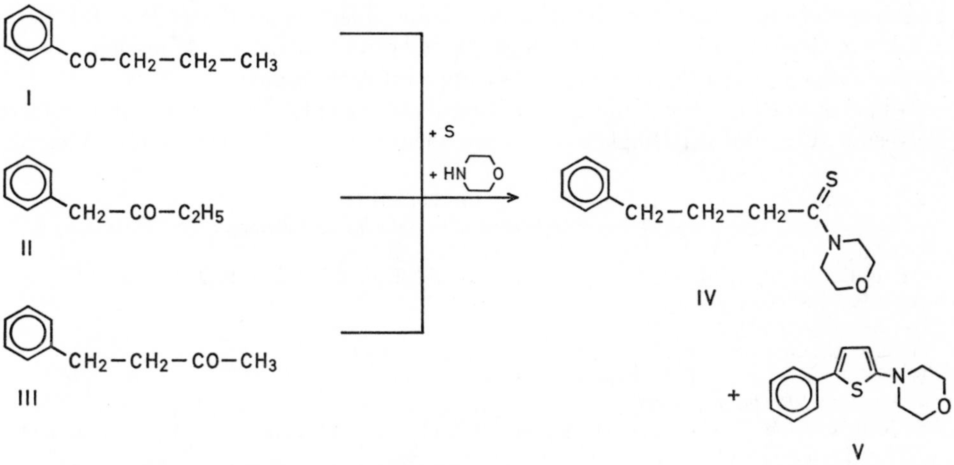

[1] F. Asinger et al., Ang. Ch. **75**, 1050 (1963).
[2] K. Kindler, A. **431**, 193, 222 (1923).
[3] G. Purello, G. **95**, 1072, 1078, 1089 (1965).
[4] F. Asinger, A. Saus u. A. Mayer, M. **98**, 825–835 (1967).

Sicher ist, daß im Verlauf der Reaktion der Schwefel sowohl substituierend als auch dehydrierend wirkt.

1,3,5-Tris-[carboxymethyl]-benzol[1]:

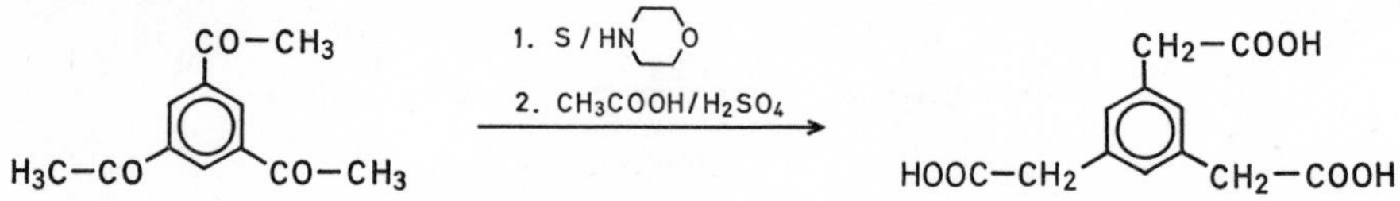

Man erhitzt 26,4 g (0,13 Mol) 1,3,5-Triacetyl-benzol, 78,3 g (0,9 Mol) Morpholin und 28,8 g (0,9 Mol) Schwefel 14 Stdn. zum Sieden, gießt in Wasser und filtriert den Niederschlag ab. Die Verseifung erfolgt durch Kochen in Essigsäure-Schwefelsäure. Anschließend stellt man alkalisch und extrahiert die Nebenprodukte mit Äther. Dann wird die wäßr.-alkalische Phase sauer gestellt und 4 Tage mit Äther extrahiert. Aus diesem Extrakt erhält man 24,6 g (75% d.Th.); F: 197–204°; 215–216° (aus Essigsäure).

b) Baeyer-Villiger-Umlagerung[2–4]

Einen ungewöhnlichen Verlauf nimmt die Einwirkung von Persäuren auf Ketone. Dabei tritt die sog. Baeyer-Villiger-Umlagerung ein, wobei aus der Carbonyl- eine Ester-Gruppe entsteht[2].

Das übersichtlichste Beispiel hierfür ist das Cyclohexanon (keine Isomeren möglich), das z. B. mit Perschwefelsäure oder Peressigsäure unter Ringerweiterung zum *Caprolacton (Hexan-6-olid)* umgelagert wird:

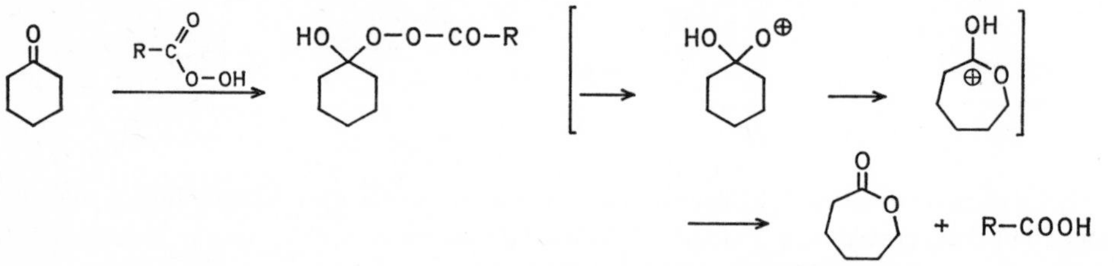

Diese an den Beispielen Campher und Menthon entdeckte Reaktion[4] wurde in der Folgezeit auf eine Fülle von Ketonen mit Erfolg übertragen (Beispiele s. Bd. VI/2, S. 707 ff.), führt aber dort, wo die Möglichkeit besteht, meist zu Gemischen, da die Umlagerungen beidseitig der Carbonyl-Gruppe erfolgen können.

Bei höheren Ringketonen mit großer Ringspannung entstehen bevorzugt oligomere Polyester[5]. C_{15}- und C_{16}-Ringketone führen wieder zu den Ringlactonen[6,7]. Von den

[1] R. WEGLER, E. KÜHLE u. W. SCHÄFER, Ang. Ch. **70**, 351 (1958).

[2] C. H. HASSALL, *The Baeyer-Villiger-Oxidation of Aldehydes and Ketones*, Org. Reactions **9**, 73 (1957).

Vgl. a. ds. Handb., Bd. VI/2, Kap. Lactone, S. 707 ff. u. Bd. VI/1c, S. 286 ff.

[3] Reaktionsmechanismen:

R. CRIEGEE, A. **560**, 127 (1948).

W. VON E. DOERING u. L. SPEERS, Am. Soc. **72**, 5515 (1950).

W. VON E. DOERING u. E. DORFMAN, Am. Soc. **75**, 5595 (1953).

V. FRANZEN, *Reaktionsmechanismen*, S. 74, A. Hüthig Verlag, Heidelberg 1958.

H. O. HOUSE, *Modern Synthetic Reactions*, 2. Aufl., S. 321 ff., W. A. Benjamin Inc., Menlo Park 1972.

[4] A. BAEYER u. V. VILLIGER, B. **32**, 3625 (1899).

[5] W. H. CAROTHERS u. J. W. HILL, Am. Soc. **54**, 1557, 1579 (1932).

P. S. STARCHER u. B. PHILLIPS, Am. Soc. **80**, 4079 (1958).

[6] S. ds. Handb., Kap. Lactone, Bd. VI/2, S. 729.

[7] L. RUZICKA u. M. STOLL, Helv. **11**, 1159 (1928).

oxidativen Umlagerungen, die zu einheitlichen Lactonen führen, seien genannt:

Cyclopentanon → δ-*Valerolacton (Pentan-5-olid)*[1]

2-Oxo-1-pentyl-(bzw. -heptyl)-cyclopen- → 2-*Pentyl (bzw. 2-Heptyl)-caprolacton*[1,2]
tan (*. . .-hexan-6-olid*)

Campher → „*Campholoid*" [(*3-Hydroxy-2,2,3-trimethyl-cyclopentyl)-essigsäure-lacton*][3]

Indanon → *3,4-Dihydro-cumarin*[4]

Benzophenon → *Benzoesäure-phenylester*[5]

Alkyl-aryl-ketone lagern sich unter der Einwirkung von Persäuren praktisch nur zu den Alkansäure-phenylestern um[5]. Bei den Alkyl-cyclopropyl-ketonen ist die Umlagerungsrichtung abhängig von der Art der Alkyl-Gruppe[6].

Polycyclische Ketone, z. B. Adamantanon, sollen sich mit sehr guter Ausbeute zu Lactonen oxidieren lassen, wenn ∼10–20 Mol 30%-iges Hydrogenperoxid in Essigsäure bei 50° zur Einwirkung gebracht werden (Dauer 1–7 Stdn.)[7].

Zahlreiche Baeyer-Villiger-Oxidationen wurden in der Steroid-Reihe durchgeführt. So ermöglichte diese Reaktion z. B. die Überführung von 20-Oxo-*allo*-pregnan in ein Gemisch aus *17α-Acetoxy-androstan* und *21-Acetoxy-20-oxo-allo-pregnan*[8].

Durch Einwirkung von Per-Verbindungen auf α,β-ungesättigte Ketone können Epoxidierungen zu Hauptreaktionen werden (s. Bd. VI/3, S. 398); z. B.:

3,4-Epoxi-5-oxo-1,1,3-trimethyl-cyclohexan[9]*; 70% d.Th.*

3-Oxo-1-phenyl-penten-(1) läßt sich jedoch in 69%-iger Ausbeute nach Baeyer-Villiger in den *Propionsäure-(2-phenyl-vinylester)* umlagern[10]:

$$H_5C_6-CH=CH-CO-C_2H_5 \quad\longrightarrow\quad H_5C_6-CH=CH-O-CO-C_2H_5$$

Nicht umlagerbar sind z. B. Fluorenon, 1-Tetralon, 2,4,6-Trimethyl- und 3-Hydroxy-acetophenon.

Von den Persäuren lassen sich mit gutem Erfolg anwenden: Perschwefelsäure, Peressigsäure, Perphthalsäure und Trifluor-peressigsäure. Mit letzterer in Dichlormethan unter Zusatz von Dina-

---

[1] S. ds. Handb., Bd. VI/2, Kap. Lactone, S. 707, 709.

[2] DBP. 1030327 u. 1030329 (1953), Unilever N.V., Erf.: R. J. TAYLOR, W. T. WELLER, J. BOLD-INGH, P. H. BEGEMANN u. G. LARDELLI; C. A. 55, 1453c, 390h (1961).

[3] A. BAEYER u. V. VILLIGER, B. 32, 3625 (1899).

[4] M. CLERC-BORY u. C. MENTZER, C. r. 241, 1316 (1955).

[5] S. ds. Handb., Bd. VI/1c, Kap. Herstellung von Phenolen aus Alkyl-aryl-ketonen.

[6] R. R. SAUERS u. R. W. UBERSAX, J. Org. Chem. 30, 3939 (1965).

[7] G. METHA u. P. N. PANDEY, Synthesis 1975, 404.

[8] S. u.a. R. E. MARKER et al., Am. Soc. 62, 650, 2543 (1940).

[8] L. H. SARETT, Am. Soc. 69, 2899 (1947).

[9] R. L. WASSON u. H. O. HOUSE, Org. Synth., Coll. Vol. 4, 552 (1963).

[10] J. BÖESEKEN u. J. JACOBS, R. 55, 786 (1936).

triumphosphat werden anscheinend die besten Ausbeuten erzielt[1]. Als Reaktionsmedien kommen in Frage: Aceton, Essigsäure-äthylester, Fluorwasserstoff, Essigsäure, Dichlormethan und als Katalysator eine starke Säure.

Die Oxidationen verlaufen exotherm und werden meist im Temperaturbereich von 10–40° durchgeführt. In einem technischen Verfahren wird die durch Luftoxidation von Acetaldehyd entstandene Peressigsäure eingesetzt. Man koppelt so wirtschaftlich die Essigsäure- mit der *Caprolacton*-Herstellung[2].

c) Payne-Smith-Umlagerung

Hydrogenperoxid in Gegenwart von Selendioxid wirkt auf cyclische Ketone völlig anders ein als die Persäuren. Es entstehen unter Ringverengungen cycloaliphatische Carbonsäuren[3], z. B.:

Cyclohexanon → *Cyclopentancarbonsäure*[3]　　　32% d.Th.
Cyclopentanon → *Cyclobutancarbonsäure*[3]　　　23% d.Th.
3-Oxo-1-tert.-alkyl-cyclopentan → 2- und 3-tert.-Alkyl-cyclobutan-carbonsäuren (*cis-trans*-Gemische)[4]
3-Oxo-1-methyl-cyclohexan　→ 2- und *3-Methyl-cyclopentan-carbonsäure* (*cis-trans*-Gemische)[4]

Die Reaktion wird mit 34%-igem Hydrogenperoxid in Gegenwart katalytischer Mengen Selendioxid in tert.-Butanol bei ∼ 80° durchgeführt. Läßt man hingegen auf Cyclohexanon und Hydrogenperoxid in wäßriger methanolischer Lösung bei ∼ –10° eine konzentrierte Lösung von Eisen(II)- bzw. (III)-sulfat kurze Zeit einwirken und säuert dann mit Schwefelsäure an, so erhält man neben viel zurückgewonnenem Cyclohexanon die *6-Hydroxy-hexansäure*[5].

d) Beckmann-Umlagerung[6-10]

1. von Oximen

Ketonoxime lagern sich unter dem Einfluß von starken Säuren meist sehr glatt in Carbonsäure-amide um:

$$\underset{R^1}{\overset{R}{>}}C=NOH \xrightarrow{H^\oplus} R-CO-NH-R^1 \; + \; R^1-CO-NH-R$$

Als Umlagerungsmittel kommen in Betracht[9,10]: Schwefelsäure, Oleum, Polyphosphorsäure, Trifluoressigsäure, Chlorwasserstoff in Essigsäure-Essigsäureanhydrid, Fluorwasserstoff, Phosphor(V)-chlorid und katalytische Verfahren. Die Umlagerungen verlaufen exotherm und vollziehen sich bei Temp. von –10° bis ∼ 120°.

Die Beckmann-Umlagerung hat in der aliphatischen Reihe keine allzu große Bedeutung, da meist beide isomeren Carbonsäure-amide entstehen und man die

[1] W. F. Sager u. A. Duckworth, Am. Soc. **77**, 188 (1955).
　　W. D. Emmons u. G. B. Lucas, Am. Soc. **77**, 2287 (1955).
　　R. R. Sauers u. R. W. Ubersax, J. Org. Chem. **30**, 3939 (1965).
[2] DAS. 1086686 (1956; US. Prior. 1955); US.P. 2839576 (1955), Union Carbide Corp., Erf: B. Phillips u. P. S. Starcher; C. A. **56**, 4624d (1962); **53**, 3067h (1959).
[3] G. B. Payne u. C. W. Smith, J. Org. Chem. **22**, 1680 (1957).
[4] R. Granger et al., C. r. [C] **265**, 578 (1967).
[5] US.P. 2828338 (1955), California Research Corp., Erf.: J. B. Lavigne; C. A. **52**, 14662f (1958).
[6] E. Beckmann, B. **19**, 988 (1886); **20**, 1507 (1887) und spätere Arbeiten.
[7] S. ds. Handb., Bd. VIII, S. 669.
[8] S. ds. Handb., Bd. X/4, S. 228.
[9] Ausführliche Beschreibung s. ds. Handb., Bd. X1/2, S. 550ff.
[10] L. Guy Donaruma u. W. Z. Heldt, Org. Reactions **11**, 1 (1960).

resultierenden Carbonsäuren und Amine einfacher herstellen kann. Dafür ist sie jedoch von besonderem Wert zur Umlagerung von alicyclischen Ketonoximen, die unter Ringerweiterung in die Lactame der ω-Amino-alkansäuren übergehen[1].

Großtechnisch wird so aus Cyclohexanonoxim das *Caprolactam* hergestellt. Infolgedessen wurden an diesem die Umlagerungs-Bedingungen eingehend untersucht (s. die umfangreiche Patentliteratur[2]).

Das Cyclohexanonoxim lagert sich mit Schwefeltrioxid in flüssigem Schwefeldioxid bereits bei –10° mit ∼ 90%-iger Ausbeute in Caprolactam um. Verwendet man 25%-iges Oleum, so startet man zweckmäßig bei 40° und führt die Reaktion bei 90° zu Ende. Von Nachteil ist, daß die Säure neutralisiert werden muß, um das Caprolactam zu isolieren.

Die Umlagerung von O-Arylsulfonyl-oximen im alkalischen Bereich zu Carbonsäure-amiden bzw. Lactamen ist im Zusammenhang mit der Neber-Umlagerung beschrieben (s. S. 1989ff., u. Bd. X/4, S. 234).

Der Mechanismus der Beckmann-Umlagerung ist noch nicht völlig geklärt. Das Oxim scheint nur aus der Antiform heraus zu reagieren[3-5]:

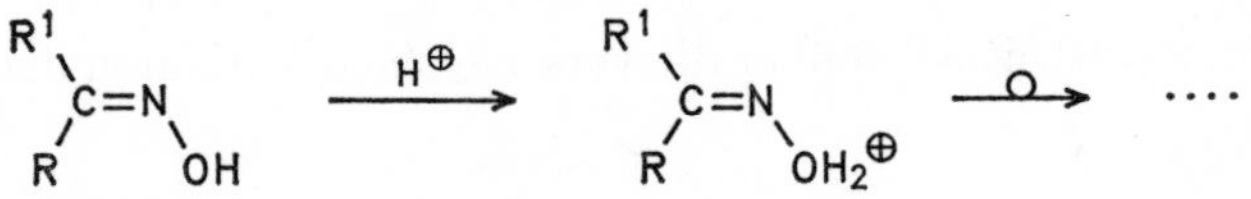

Bei den Betrachtungen über den Umlagerungsmechanismus ist zu bedenken, daß die Schwefelsäureester der Oxime wie Peroxide reagieren können.

Bemerkenswert ist, daß optisch aktive Alkyl-Gruppen (R bzw. R[1]) bei der Umlagerung keine Konfigurations-Änderung erleiden. Die treibende Kraft zur Umlagerung muß ungewöhnlich groß sein, denn selbst beim Anthrachinon- und Benzanthronoxim finden Ringerweiterungen statt[4,6].

Aus der Fülle der aus Ketonen über die Oxime hergestellten Carbonsäure-amide seien genannt[4]:

Pinakolon	→	*N-tert.-Butyl-acetamid*[4]
Acetophenon	→	*Acetanilid*[4]
Benzophenon	→	*Benzanilid*[4]
Fluorenon	→	*6-Hydroxy-phenanthridin*[4]
Cyclopentanon	→	*δ-Valerolactam*[4]
Cyclooctanon	→	*8-Amino-octansäure-lactam*[7]
Cyclododecanon	→	*12-Amino-dodecansäure-lactam*[8]
2-Oxo-dekalin	→	*[2-(2-Amino-äthyl)-cyclohexyl]-essigsäure-lactam* (I)
		+ 3-(2-Aminomethyl-cyclohexyl)-propansäure-lactam[4] (II)

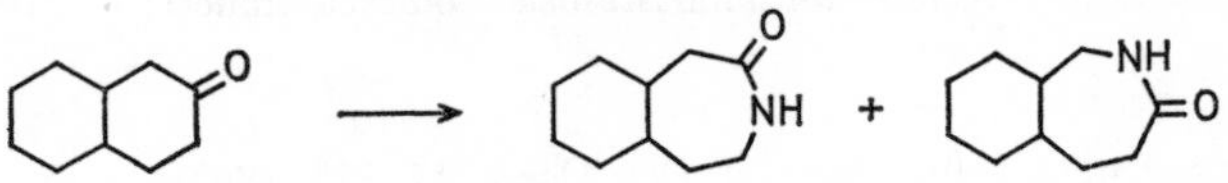

[1] O. WALLACH, A. **312**, 187 (1900); **346**, 249 (1906).
  Literatur über Reaktionsmechanismen s. ds. Handb., Bd. XI/2, S. 550.
[2] S. ds. Handb., Bd. XI/2, S. 550ff.
[3] E. S. GOULD, *Mechanismus und Struktur in der organischen Chemie*, S. 748, Verlag Chemie, Weinheim 1962.
[4] L. GUY DONARUMA u. W. Z. HELDT, Org. Reactions **11**, 1 (1960).
[5] R. HUISGEN et al., A. **602**, 127 (1957).
[6] R. A. RAPHAEL u. E. VOGEL, Soc. **1952**, 1958.
[7] L. RUZICKA et al., Helv. **16**, 1323 (1933).
[8] Brit. P. 1105805 (1968; Schweiz. Prior. 1966), Inventa A.-G.; C. A. **68**, 95349[m] (1968).

Auch die Oxime α,β-ungesättigter Ringketone lassen sich umlagern[1], darunter zahlreiche Steroidketone[2]. So wird z. B. der Abbau von 20-Oxo-pregnanen zu 17-Oxosteroiden auf folgende Weise durchgeführt[3]:

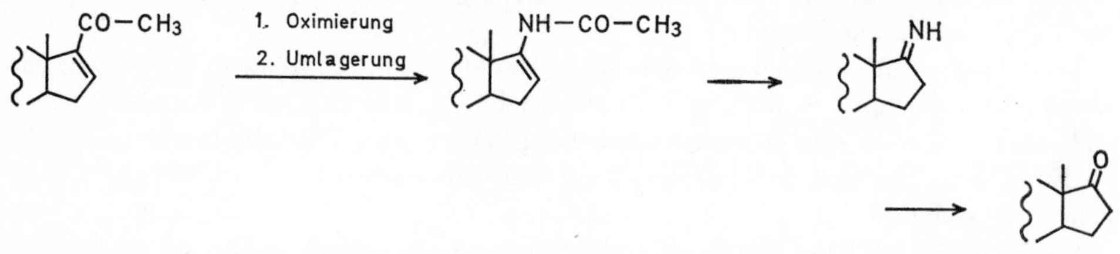

Auch Diketon-monoxime sind der Beckmann-Umlagerung unterworfen worden, z. B. entsteht aus Acenaphthen-1,2-chinon-monoxim das *Naphthalin-1,8-dicarbonsäure-imid*[4]. Dagegen wird aus Benzil-monoxim u. a. Benzoesäure und Benzonitril erhalten[5].

Zu den Ausführungsbeispielen über die verschiedenen Varianten der Umlagerungsverfahren s. Lit.[6].

2. von O-Arylsulfonsäureestern der Ketonoxime

Läßt man auf die O-Arylsulfonsäureester der Ketonoxime Alkalien in Gegenwart von Wasser einwirken, so vollzieht sich außerordentlich leicht die Beckmann-Umlagerung.

Acyliert man Cyclohexanonoxim in $\sim$ 6 n Natronlauge mit Benzolsulfonsäurechlorid bei 20°, so ist bereits nach $\sim$ 15 Min. die Umlagerung beendet. Die ε-*Caprolactam*-Ausbeute beträgt $\sim 80\%$ d. Th.[7]. Ausgehend vom Cyclopentanonoxim entsteht so das δ-*Valerolactam* mit 95% Ausbeute. Diese Variante ist besonders zur Umlagerung von Ketonoximen mit empfindlichen Gruppen geeignet.

Cyclopropancarbonsäure-cyclopropylamid[8]: 10 g Dicyclopropylketon-oxim, 16 g Natriumhydrogencarbonat, 65 *ml* Wasser und 40 *ml* 1,4-Dioxan werden unter Rühren in der Siedehitze innerhalb 10 Min. mit 16 g Benzolsulfonsäure-chlorid versetzt. Nach dem Eindampfen zur Trockene auf dem Wasserbad wird der Rückstand im Soxhlet mit Äther extrahiert; Ausbeute: 6,5 g (65% d.Th.); das Amid wird aus Cyclohexan umkristallisiert oder sublimiert; F: 110–111°.

---

[1] R. S. MONTGOMERY u. G. DOUGHERTY, J. Org. Chem. **17**, 823 (1952).

[2] L. GUY DONARUMA u. W. Z. HELDT, Org. Reactions **11**, 1 (1960).

[3] Sammelliteratur s. *Ullmanns Encyklopädie der technischen Chemie*, 3. Aufl., Bd. 8, S. 652, Urban & Schwarzenberg, München · Berlin 1957.

[4] A. WERNER u. A. PIGUET, B. **37**, 4315 (1904).

[5] E. BECKMANN u. A. KÖSBER, A. **274**, 6 (1893).

[6] L. GUY DONARUMA u. W. Z. HELDT, Org. Reactions **11**, 55 (1960).
    S. ds. Handb., Bd. IV/2, S. 803ff.; Bd. XI/2, S. 550ff.

[7] P. OXLEY u. W. F. SHORT, Soc. **1948**, 1518.
    Vgl. a. ds. Handb., Bd. XI/2, S. 550.

[8] H. HART u. O. E. CURTIS, jr., Am. Soc. **78**, 115 (1956).

e) Neber-Umlagerung[1–6]

Behandelt man die O-Arylsulfonsäureester der Ketonoxime in absolutem Äthanol bei 20° mit Kaliumäthanolat, so erhält man α-Amino-ketone (Neber-Umlagerung)[1–4]; z.B. (R = $H_5C_6-SO_2-$):

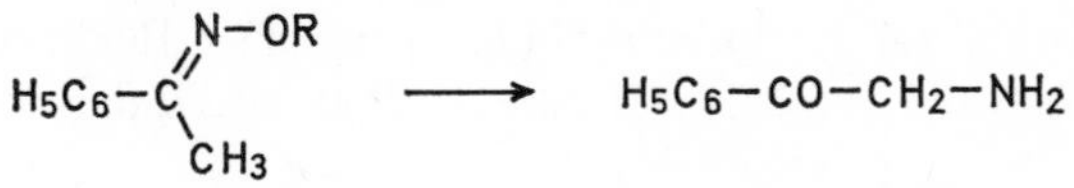

$$H_5C_6-\overset{\overset{\displaystyle N-OR}{\|}}{\underset{\underset{\displaystyle CH_3}{}}{C}} \longrightarrow H_5C_6-CO-CH_2-NH_2$$

ω-Amino-acetophenon

$$H_5C_6-\overset{\overset{\displaystyle N-OR}{\|}}{\underset{\underset{\displaystyle C_2H_5}{}}{C}} \longrightarrow H_5C_6-CO-\overset{\overset{\displaystyle CH_3}{|}}{\underset{\underset{\displaystyle NH_2}{|}}{C}H}$$

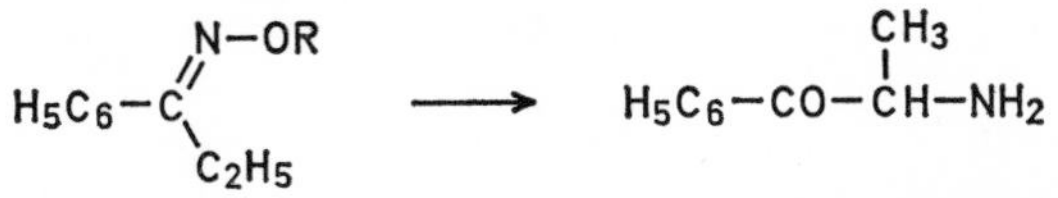

2-Amino-1-oxo-1-phenyl-propan

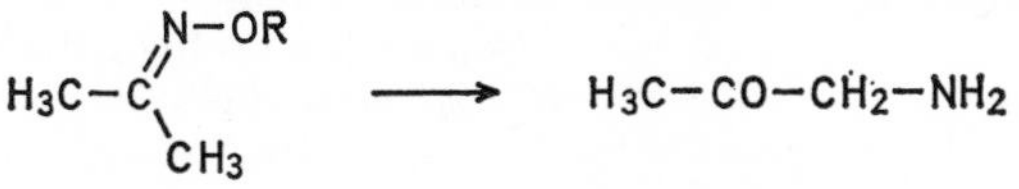

$$H_3C-\overset{\overset{\displaystyle N-OR}{\|}}{\underset{\underset{\displaystyle CH_3}{}}{C}} \longrightarrow H_3C-CO-CH_2-NH_2$$

Amino-aceton

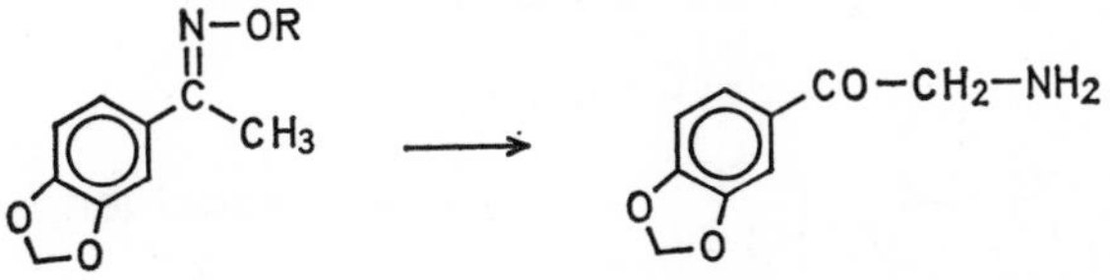

3,4-Methylendioxy-1-aminoacetyl-benzol[7]

Beim 3,4-Dihydroxy-acetophenon-oxim gelang auf diese Weise die Überführung in das entsprechende Amino-keton nicht; es entsteht vielmehr infolge Beckmann-Umlagerung *4-Acetylamino-brenzcatechin*[7]:

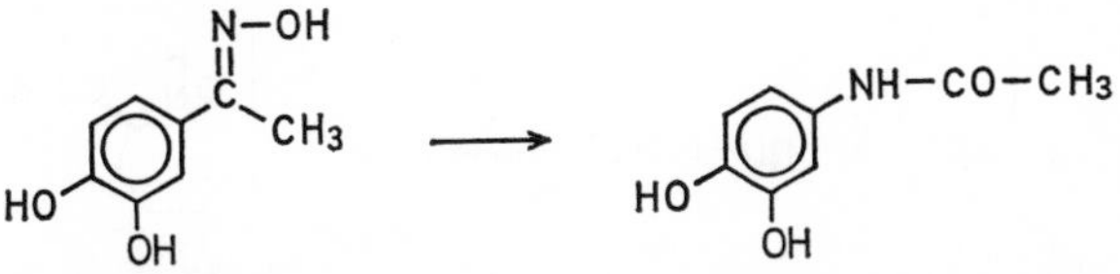

Eine Variante der Neber-Umlagerung besteht in der Kondensation des Ketons mit O-(2,4,6-Trimethyl-benzolsulfonyl)-hydroxylamin. Absorbiert man diese Oximester in Dichlormethan an basischem Aluminiumoxid, so erfolgt glatt die Umlagerung zu den entsprechenden Carbonsäure-amiden[8]. Durch Einwirkung von Kaliumäthanolat in absolutem Äthanol bei 0° entstehen die α-Amino-ketone[8].

[1] S. ds. Handb., Bd. XI/1, S. 903ff.
[2] P. W. NEBER u. A. v. FRIEDOLSHEIM, A. **449**, 109 (1926).
[3] P. W. NEBER u. A. UBER, A. **467**, 52 (1928).
[4] P. W. NEBER u. G. HUH, A. **515**, 283 (1935).
[5] P. OXLEY u. W. F. SHORT, Soc. **1948**, 1518.
   S. ds. Handb., Bd. XI/2, S. 550.
[6] M. J. HATCH u. D. J. CRAM, Am. Soc. **75**, 38 (1953).
[7] P. W. NEBER, A. BURGARD u. W. THIER, A. **526**, 277 (1936).
[8] Y. TAMURA et al., Synthesis **1973**, 215.

f) K. F. Schmidt-Umlagerung[1-5]

Durch Einwirkung von Stickstoffwasserstoffsäure auf Ketone entstehen Carbonsäure-amide. Diese Umsetzungen verlaufen exotherm und werden vorwiegend in Chloroform unter Zusatz von konzentrierter Schwefelsäure bis zu $\sim 40°$ durchgeführt. Die Ausbeuten sind meist sehr gut. Besonders bei den makrocyclischen Ketonen liegen sie vielfach höher als bei der Beckmann-Umlagerung. Der Reaktionsverlauf ähnelt letzterem. Aus dem Addukt I spaltet sich Stickstoff ab zu II, das sich zum Amid III umlagert[6]:

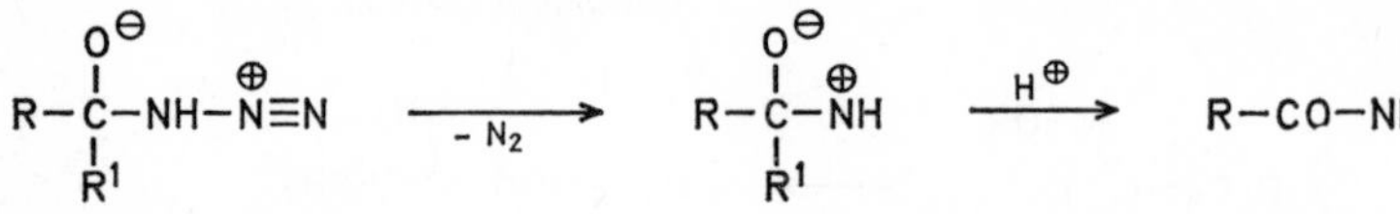

$$\text{I} \qquad\qquad\qquad \text{II} \qquad\qquad\qquad \text{III}$$

Von den zahlreichen Umlagerungen seien folgende genannt:

Benzophenon	→	*Benzoesäure-anilid*[2]
Cyclohexanon	→	*ε-Caprolactam* ($\sim 100\%$ d. Th.)[7]
Cyclohexadecanon	→	*16-Amino-hexadecansäure-lactam* (86% d.Th.)[8]
2-Oxo-cyclohexan-carbonsäureester	→	*2-Amino-heptan-disäure* (→ *dl-Lysin*)[9]

β-Amino-carbonsäuren werden durch Einwirkung von Stickstoffwasserstoffsäure und Chlorwasserstoff auf γ-Oxo-carbonsäureester bei $0°$ erhalten[10]; z. B.:

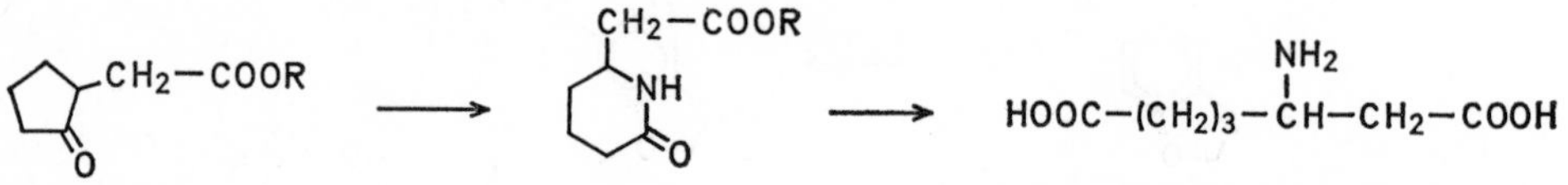

3-Amino-heptandisäure

Selbst das äußerst stabile Anthrachinon läßt sich zum entsprechenden 7-Ring-Lactam (*6,11-Dioxo-6,11-dihydro-5H-⟨dibenzo-[b;e]-azepin⟩*) umlagern[11].

Nimmt man die Umsetzungen in Alkoholen vor, so entstehen Carbonsäure-ester-imide[12]; z. B.:

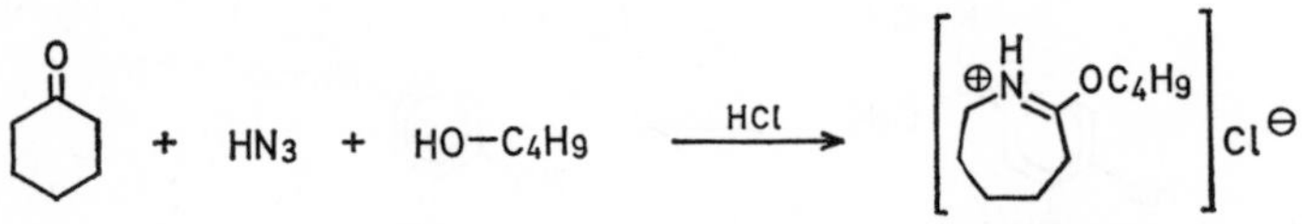

2-Butoxy-tetrahydro-Δ¹-aze-pinium-chlorid

[1] K. F. SCHMIDT, Ang. Ch. **36**, 511 (1923).
DRP. 427858 (1923), Knoll u. Co., Erf.: K. F. SCHMIDT; Frdl. **15**, 1634.
[2] H. WOLFF, Org. Reactions **3**, 315 (1946).
[3] G. I. KOLDOBSKII et al., Uspechi Chim. **40**, 1790–1813 (1971); engl.: 835–846 (105 Literaturzitate).
[4] S. ds. Handb., Bd. VIII, S. 671; Bd. IV/2, S. 803.
[5] S. ds. Handb., Bd. XI/2, S. 546ff.
[6] L. H. BRIGGS u. J. W. LYTTLETON, Soc. **1943**, 421.
V. FRANZEN, *Reaktionsmechanismen*, S. 67ff., A. Hüthig Verlag, Heidelberg 1958.
[7] K. F. SCHMIDT, B. **57**, 704 (1924).
[8] L. RUZICKA et al., Helv. **16**, 1323 (1933).
[9] D. W. ADAMSON, Soc. **1939**, 1564.
[10] L. BIRKOFER u. I. STORCH, B. **86**, 749 (1953).
[11] G. CARONNA u. S. PALAZZO, G. **83**, 533 (1953).
[12] DRP. 488447 (1926), Knoll u. Co., Erf.: K. F. SCHMIDT u. P. ZUTAVERN; Frdl. **18**, 3048.

Mit überschüssiger Stickstoffwasserstoffsäure entstehen Tetrazole[1]; z. B.:

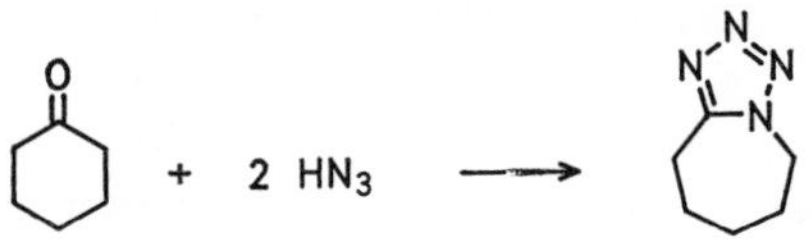

Cardiazol®

g) Faworsky-Umlagerung[2–4]

Durch Einwirkung von Alkalimetallhydroxiden bzw. Alkanolaten auf α-Halogenketone entstehen unter Umlagerung des Kohlenstoffgerüstes Carbonsäuren bzw. deren Ester[4]:

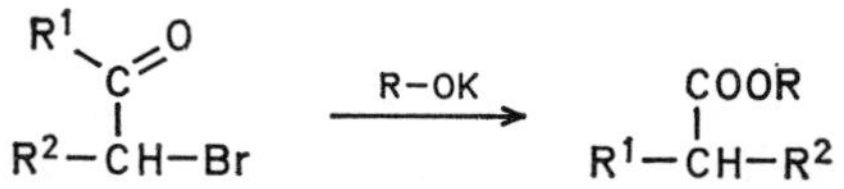

Der Mechanismus[5] dürfte der gleiche wie bei der Benzilsäure-Umlagerung[6] sein.

Dieses Verfahren ist zur Herstellung von verzweigten Carbonsäuren und in der Steroid-Reihe von Interesse.

Es wird bevorzugt mit Alkanolaten in Äther gearbeitet, wobei die entsprechenden Ester entstehen; z. B.:

1-Chlor-2-oxo-butan	→	Butansäureester[7]
2-Chlor-1-oxo-cyclohexan	→	Cyclopentan-carbonsäureester[8]
2-Brom-3-oxo-2-methyl-butan	→	2,2-Dimethyl-propansäureester[9]
1,3-Dibrom-2-oxo-3-methyl-butan	→	3-Methyl-buten-(2)-säureester[10]

S. a. „Dehydrohalogenierung von Halogenketonen", Bd. VII/2c.

VII. Reduktion von Ketonen[11]

bearbeitet von

Prof. Dr. Dres. h.c. Otto Bayer

Bayer AG, Leverkusen

Für die Reduktion von Ketonen steht eine Reihe von Verfahren zur Verfügung, die es ermöglicht, gezielt auf die Herstellung von sekundären Alkoholen, Pinakolen, gesättigten und ungesättigten Kohlenwasserstoffen, hinzuarbeiten. Zum Teil lassen

---

[1] K. F. Schmidt, B. **57**, 704 (1924).

[2] A. Faworsky, J. pr. **51**, 533 (1895).

[3] S. ds. Handb., Bd. VIII, S. 458ff.

[4] Monographien:
A. S. Kende, Org. Reactions **11**, 261ff. (1960).
R. Jacquier, Bl. **1950** Documentation, 35.

[5] R. B. Loftfield, Am. Soc. **72**, 633 (1950) u. **73**, 4707 (1951).

[6] D. W. Goheen u. W. R. Vaughan, Org. Synth. **39**, 37 (1959).

[7] G. Richard, Thèse Sciences, Universität Nancy, 1936.

[8] R. B. Loftfield, Am. Soc. **72**, 632 (1950).

[9] J. G. Aston u. R. B. Greenburg, Am. Soc. **62**, 2590 (1940).

[10] R. B. Wagner u. J. A. Moore, Am. Soc. **72**, 974 (1950).

[11] *Rodd's Chemistry of Carbon Compounds*, Suppl. I, C/D., S. 72ff., Elsevier Scientific Publ. Co., Amsterdam 1973.
O. H. Wheeler, *Reduction of Carbonyl Groups* in S. Patai, *The Chemistry of the Carbonyl Group*, Bd. 1., S. 507ff., Interscience Publishers, New York 1966.
Vgl. a. ds. Handb., Bd. VI/1; Bd. IV/1c.

sich auch die gewünschten stereoisomeren Alkohole herstellen. Zur Überführung ungesättigter Ketone in gesättigte s. Bd. VII/2c.

Die stereochemischen Verhältnisse der aus Ketonen mit den verschiedensten Reduktionsmitteln erhältlichen sek. Alkohole sind nicht nur vom Reduktionsmittel, sondern auch vom Lösungsmittel und anderen Faktoren abhängig[1]. Aussagen über allgemeingültige Gesetzmäßigkeiten lassen sich jedoch nicht machen.

Am einfachen Beispiel des 2-Oxo-1-methyl-cyclopentans wurde gezeigt, wie verschiedene Reduktionsmittel das *cis-trans*-Verhältnis des entstehenden *2-Hydroxy-1-methyl-cyclopentans* beeinflussen[2]:

Natrium + Äthanol   → vorwiegend *trans*
katalytische Hydrierung → *cis-trans*-Gemisch
Aluminium-triisopropanolat → 90% *cis* bei 70–75% Gesamtausbeute

Die Stereochemie der mit verschiedenen Reduktionsmitteln aus cyclischen 6-Ring-Ketonen erhaltenen sekundären Alkohole ist in einer Monographie beschrieben[3]. Über die stereospezifische Reduktion von Alkyl-phenyl-ketonen durch optisch aktives Tri--2-butyl-aluminium s. Lit.[4].

a) Katalytische Hydrierung[1,5,6]

Die katalytische Reduktion einfacher Ketone zu den sekundären Carbinolen verläuft in den meisten Fällen problemlos. Sie kann sowohl in der Gasphase (Aceton → *Isopropanol*) als auch in der Flüssigphase mit oder ohne Verdünnungsmittel erfolgen. Als Katalysatoren sind praktisch alle Hydrierungs-Katalysatoren geeignet. Die hochaktiven ermöglichen eine drucklose Hydrierung. Bei größeren Ansätzen wird man unter Druck oder in der Gasphase mit Raney-Nickel arbeiten.

Die in der Literatur oft anzutreffende Behauptung, daß nur dieser oder jener Katalysator brauchbar sei, ist vielfach nicht zutreffend bzw. bezieht sich nur auf bestimmte Bedingungen. So können durch Zusätze (z. B. protonisierende Mittel, Lösungsmittel oder Trägermaterialien, welche Keto-Enol-Gleichgewichte beeinflussen)[6,7] nicht nur die Reaktionsgeschwindigkeiten, sondern auch die sterischen Verhältnisse stark beeinflußt werden. Es sei hier z. B. auf die komplizierten Verhältnisse in der Steroid-Reihe hingewiesen[8].

Rein aliphatische Ketone werden mit Leichtigkeit bis zur Alkohol-Stufe reduziert. Eine Weiterhydrierung zu den Kohlenwasserstoffen ist schwieriger. Um dies zu bewirken, schaltet man zweckmäßig eine Wasserabspaltung ein[9].

Ungesättigte Ketone werden zunächst nur an den C=C-Doppelbindungen hydriert (s. Bd. VII/2c).

[1] Eine umfassende und ausgezeichnete Beschreibung dieser Verhältnisse findet sich in H. O. HOUSE, *Modern Synthetic Reactions*, 2. Aufl., W. A. BENJAMIN Inc., Menlo Park 1972.
[2] W. HÜCKEL u. H. D. SAUERLAND, B. **87**, 1003 (1954).
[3] A. V. KAMERNITZKY u. A. A. AKHREM, Tetrahedron **18**, 705–750 (1962).
[4] G. P. GIACOMELLI, R. MENICAGLI u. L. LARDICCI, J. Org. Chem. **38**, 2370 (1973); Tetrahedron Letters **1971**, 4135.
[5] F. ZYMALKOWSKI, *Katalytische Hydrierungen im Organisch-Chemischen Laboratorium*, F. Enke-Verlag, Stuttgart 1965.
[6] Zur Hydrierung mit Platinmetallen s. W. THEILACKER u. H. G. DRÖSSLER, B. **87**, 1676 (1954).
[7] Übersichtsreferat der Keton-Hydrierung in flüssiger Phase mit Raney-Nickel: G. DE GAUDE-MARIS, A. ch. **1956**, 785.
[8] ULLMANN, 3. Aufl. (1957), Bd. **8**, S. 651.
[9] S. ds. Handb., Bd. V/1a, S. 447ff. u. 231ff.

Diaryl- und Alkyl-aryl-ketone lassen sich verhältnismäßig leicht zu den Kohlenwasserstoffen durchhydrieren, z. B.: Acetophenon zu *Äthylbenzol* (Bd. V/1a, S. 465) oder die Hydrierung der Benzophenon-2-carbonsäure als Natriumsalz in wäßriger Lösung mit Raney-Nickel zu *2-Benzyl-benzoesäure* s. Bd. VII/3b. Hierfür sind auch sauerstoffaffine Katalysatoren wie Barium-Kupfer-chromit gut brauchbar (s. Bd. V/1a, S. 465), ebenso Molybdänsulfid (s. Bd. V/1a, S. 231, 271).

Besonders Rhodium- aber auch Ruthenium-Katalysatoren vermögen Alkyl-aryl- sowie Diaryl-ketone so zu hydrieren, daß nach der Hydrierung der Oxo- zur Hydroxy-Gruppe eine Hydrierung des aromatischen Ringes stattfindet[1-3]. So läßt sich Acetophenon in *1-Cyclohexyl-äthanol* (80% d.Th.)[2], Benzophenon in *Dicyclohexylcarbinol* (93% d. Th.)[1, 2] und 3-Acetyl-pyridin in *3-(1-Hydroxy-äthyl)-piperidin*[3] überführen.

b) Reduktion durch Metalle

Die Reduktion von Ketonen mit Alkali- oder Erdalkalimetallen zu sekundären Alkoholen gelingt nur dann befriedigend, wenn eine Aldolkondensation erschwert ist. So werden Diarylketone mit Natrium in Alkohol glatt zu Diarylmethanen reduziert. Aus Acetyl-aromaten entstehen die Alkohole in mittleren Ausbeuten[4]. Bei rein aliphatischen oder cycloaliphatischen Ketonen wird man nur in speziellen Fällen auf dieses Verfahren zurückgreifen, z. B. wenn damit bestimmte sterische Effekte erzielt werden können. So wurde am Beispiel des Camphers gezeigt, daß der sterische Verlauf der Reduktion stark durch das angewandte Metall beeinflußt wird. Die *Isoborneol*-Ausbeute beträgt mit Lithium ~ 20%, mit Kalium 70%, mit Cäsium 85% und mit Calcium 28% d. Th.[5]. Gearbeitet wurde in trockenem Äther bei –33° unter Zugabe des in flüssigem Ammoniak gelösten Metalls und anschließender Protonierung mit Äthanol. Ähnliche Reduktionen unter Berücksichtigung der sterischen Verhältnisse wurden auch mit 4-tert.-Butyl-cyclohexanon und 2-Oxo-bicyclo[2.2.1]heptan durchgeführt. Die umfangreiche Literatur findet sich in Lit.[6].

Als besonders günstig hat es sich erwiesen, mit Natrium in einem siedenden Toluol/Isopropylalkohol-Gemisch zu reduzieren; z. B.:

Cycloheptanon → *1-Hydroxy-cycloheptan* (~85% d. Th.)[7]

Anders reagieren jedoch Alkalimetalle unter Ausschluß von protonierenden Medien. Ihre Einwirkung auf aliphatische Ketone ist in der Literatur vielfach wiedersprüchlich beschrieben. Sicherlich entstehen dabei auch Pinakole.

---

[1] E. BREITNER, E. ROGINSKI u. P. N. RYLANDER, J. Org. Chem. **24**, 1855 (1959).

[2] Mit Rhodium: S. NISHIMURA et al., Bl. chem. Soc. Japan **34**, 32 (1961); **35**, 1625 (1962); **36**, 353 (1963).

[3] M. FREIFELDER, J. Org. Chem. **29**, 2895 (1964).

[4] A. KLAGES u. P. ALLENDORFF, B. **31**, 998 (1898).

[5] G. OURISSON u. A. RASSAT, Tetrahedron Letters **1960**, Nr. 21, 16.

[6] H. O. HOUSE, *Modern Synthetic Reactions*, 2. Aufl., S. 153, W. A. Benjamin Inc., Menlo Park 1972.

[7] S. DEV, J. indian chem. Soc. **33**, 769 (1950).

Aus aromatischen Ketonen bilden sich die tieffarbigen Ketyl-Radikale[1], die im Gleichgewicht mit den entsprechenden Pinakolaten stehen:

$$2 \; \bullet \overset{\overset{\displaystyle C_6H_5}{|}}{\underset{\underset{\displaystyle C_6H_5}{|}}{C}} -ONa \;\; \rightleftharpoons \;\; \left[\; H_5C_6 - \overset{\overset{\displaystyle H_5C_6}{|}}{\underset{\underset{\displaystyle \ominus O}{|}}{C}} - \overset{\overset{\displaystyle C_6H_5}{|}}{\underset{\underset{\displaystyle O \ominus}{|}}{C}} -C_6H_5 \; \right] \; 2 \; Na^{\oplus}$$

Bei den aliphatischen Ketonen ist die Pinakol-Bildung begünstigt. Bei dem resonanz-stabilisierten Ketyl aus Michler's Keton liegt praktisch nur die monomere Form vor.

Mit der äquivalenten Menge Natrium entsteht aus Benzophenon die folgende purpurne Dinatrium-Verbindung[2]:

$$Na - \overset{\overset{\displaystyle C_6H_5}{|}}{\underset{\underset{\displaystyle C_6H_5}{|}}{C}} -ONa$$

Läßt man Benzophenon-di-natrium in flüssigem Ammoniak mit Dimethylformamid reagieren, so entsteht durch eine Carbonylierungs-Reaktion in guter Ausbeute das *1,1,3,3-Tetraphenyl-glycerin*[3].

c) Einwirkung von Hydriden

Hydride reagieren mit Ketonen sehr unterschiedlich. Die stark polaren **Alkali-metall-hydride**[4] wirken auf Ketone mit einer benachbarten CH-Gruppe nicht reduzierend, sondern das Hydrid-Ion eliminiert ein Proton und unter Wasserstoff-Entwicklung entstehen die Alkalimetall-enolate (s. Bd. XIII/1, S. 299):

$$\underset{R}{\overset{\displaystyle -\overset{|}{C}H}{\underset{\displaystyle \underset{\displaystyle \diagdown O}{C}}{|}}} + NaH \;\; \xrightarrow{-H_2} \;\; \underset{R}{\overset{\displaystyle \diagup \overset{|}{C} \diagdown}{\underset{\displaystyle \diagup C \diagdown}{||}}} ONa$$

Analog reagiert Natriumamid unter Ammoniak-Abspaltung (s. Bd. XIII/1, S. 323). Nebenbei bilden sich aldolartige Kondensationsprodukte.

Benzophenon wird – analog anderen nicht enolisierbaren Ketonen – durch Natriumhydrid in siedendem Toluol zu *Benzhydrol* reduziert[5].

---

[1] W. SCHLENK et al., B. **44**, 1182 (1911); **47**, 473 (1914); A. **464**, 26 (1928).

   N. HIROTA, *Metal Ketyls and Related Radical Ions – Electronic Structures and Ion Pair Equilibria*, in E. T. KAISER u. L. KEVAN, *Radical Ions*, S. 35–85, Interscience Publishers, New York 1968.

   A. R. FORRESTER, J. M. HAY u. R. H. THOMSON, *Organic Chemistry of Stable Free Radicals*, S. 82 ff., Academic Press, London · New York 1968.

   P. SYKES, *Reaktionsmechanismen der Organischen Chemie*, 5. Aufl., S. 199 ff., Verlag Chemie, Weinheim 1972.

   A. J. BIRCH, Quart. Rev. **4**, 79 (1950).

   H. O. HOUSE, *Modern Synthetic Reactions*, 2. Aufl., S. 145 ff., W. A. Benjamin Inc., Menlo Park 1972.

[2] S. SELMAN u. J. F. EASTHAM, J. Org. Chem. **30**, 3804 (1965).

   E. L. ANDERSON u. J. E. CASEY, J. Org. Chem. **30**, 3959 (1965).

[3] G. A. RUSSEL, D. F. LAWSON u. L. A. OCHRYMOWYCZ, Tetrahedron **26**, 4697 (1970).

[4] K. M. MACKAY, *Hydrogen Compounds of the Metallic Elements*, E. u. F. N. Spon Ltd., London 1966.

[5] F. W. SWAMER u. C. R. HAUSER, Am. Soc. **68**, 2647 (1946).

   P. CAUBÈRE u. J. MOREAU, Bl. **1971**, 3276.

Mit abnehmender Polarität der Hydride tritt ihre reduzierende Wirkung in den Vordergrund. So werden bereits durch Einwirkung von Calciumhydrid, Magnesiumhydrid, Aluminiumhydrid und dessen Mono- und Dialkyl-Derivate (s. Bd. XIII/4, S. 10) sekundäre Alkohole erhalten (s. a. Bd. VI/1).

Stereospezifisch und unter Erhaltung der reaktiven C=C-Doppelbindungen scheint Diisobutyl-aluminiumhydrid zu wirken[1, 2]; z. B.:

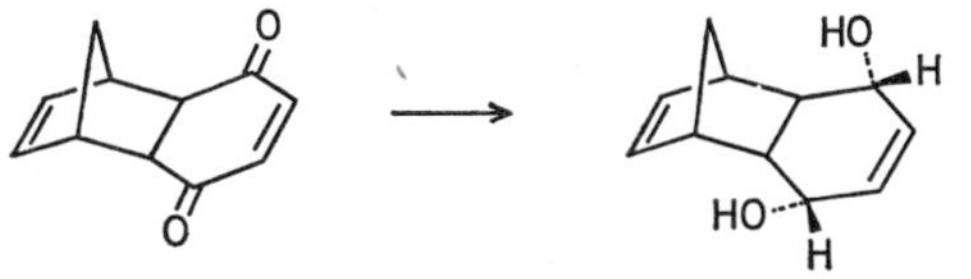

endo-3,endo-6-Dihydroxy-tricyclo
$[6.2.1.0^{2,7}]$*undecadien-(4,9)*

Die Ausbeuten liegen erheblich über den mit Boranaten oder Alanaten erzielbaren.

Alkohole durch Reduktion von Ketonen mit Diisobutyl-aluminiumhydrid; allgemeine Verfahrensvorschrift[2]: Zu 1 Äquiv. eines En-ons, das in Benzol gelöst ist, wird zwischen 0-5° unter Stickstoff eine Lsg. von 1,5 Äquiv. Diisobutyl-aluminiumhydrid in Benzol-Lsg. gegeben. Nach 2stdg. Rühren werden bei 5° durch Zugabe von überschüssigem Methanol die Aluminium-Verbindungen zersetzt, der Niederschlag abfiltriert und mit heißem Methanol ausgewaschen. Die eingedampften Filtrate werden entweder destillativ oder durch Chromatographieren oder Umkristallisieren aufgearbeitet.

Borwasserstoff und die Alkylborane sind sehr starke Reduktionsmittel, die zu Borsäureestern führen (s. Bd. VI/2, S. 241)[3]:

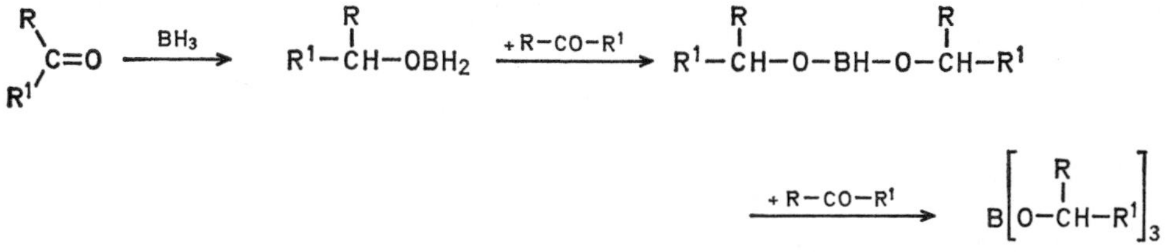

Eine überragende Bedeutung zur Reduktion von Carbonyl-Gruppen haben die komplexen Hydride vom Typ des Natriumboranats und des Lithiumalanats erlangt[4-11].

[1] K. E. WILSON, R. T. SEIDNER u. S. MASAMUNE, Chem. Commun. **1970**, 213.

[2] E. WINTERFELD, Synthesis **1975**, 620.

[3] H. O. HOUSE, *Modern Synthetic Reactions*, 2. Aufl., S. 106ff., W. A. Benjamin Inc., Menlo Park 1972.

[4] G. OURISSON u. A. RASSAT, Tetrahedron Letters **1960**, Nr. 21, 20.

[5] W. G. BROWN, Org. Reactions **6**, 469 (1951).

[6] N. G. GAYLORD, *Reduction with Complex Metal Hydrides*, Interscience Publishers, New York 1956.

[7] E. SCHENKER, Ang. Ch. **73**, 81 (1961).

[8] O. H. WHEELER in S. PATAI, *The Chemistry of the Carbonyl Group*, Bd. 1, S. 541ff., Interscience Publishers, New York 1966.

[9] A. HAJÓS, *Komplexe Hydride*, VEB Deutscher Verlag der Wissenschaften, Berlin 1966.

[10] H. C. BROWN, E. J. MEAD u. B. C. SUBBA RAO, Am. Soc. **77**, 6209 (1955).

[11] H. O. HOUSE, *Modern Synthetic Reactions*, 2. Aufl., S. 45ff., W. A. Benjamin Inc., Menlo Park 1972.

Diese äußerst energisch wirkenden Reduktionsmittel unterscheiden sich in ihrer Anwendungs- und Wirkungsweise sowie in ihren Reaktionsmechanismen.

Das salzartige Natriumboranat wird in wäßriger oder alkoholischer Lösung angewandt, wobei Carbonyl-Gruppen leicht zu Carbinol-Gruppen reduziert werden und andere Funktionen weitgehend intakt bleiben, wie z. B. Halogenatome oder Nitro-Gruppen. Außerdem ist Natriumboranat leicht zu handhaben.

Bei der kinetischen Untersuchung der Keton-Reduktionen mit Boranaten[1] ergab sich, daß Isopropanol das geeignetste Lösungsmittel ist und daß Lithiumboranat energischer reduzierend wirkt als Natriumboranat. Lithiumalanat hingegen verhält sich völlig wie eine Grignard-Verbindung. Es ist in Äther löslich, äußerst wasserempfindlich und verhält sich meist unspezifisch. Es reagiert mit allen aciden CH-Verbindungen (z. B. Enole, Malonsäure-diester), mit Acetylenen und Carbonsäureamiden unter Salzbildung und reduziert zudem Ester-, Cyan- (s. Bd. VII/2c), Epoxid-Gruppen und Schiff'sche Basen. Das Verhalten gegen Doppelbindungen ist von Fall zu Fall verschieden, meist bleiben diese intakt. Bemerkenswert ist z. B., daß Hexachloraceton mit Lithiumalanat in Äther bei $-5°$ zum *1,1,1,3,3,3-Hexachlor-isopropanol* reduziert wird[2].

Die Wirkungsweise der komplexen Hydride läßt sich in einer ungewöhnlichen Weise variieren, wodurch nicht nur optimale Ausbeuten erzielt werden können, sondern auch der stereochemische Verlauf der Reduktionen beeinflußt werden kann. So sind pₕ-Wert, Lösungsmittel, die Kationen oder der Austausch der Wasserstoffatome gegen andere Liganden wie Alkoxy- und Cyan-Gruppen von großem Einfluß auf den Reaktionsverlauf. Besonders abwandelbar ist das Lithiumalanat, z. B. auch durch Zusatz von Metallsalzen wie Aluminiumchlorid, Magnesiumbromid u. a.

Durch Umsetzung mit Diphenylamin wird ein Komplex gebildet, der zwar eine geringere Wasserstoffkapazität, dafür aber eine stark erhöhte Reaktionsgeschwindigkeit besitzt. Unter den Boranaten zeichnet sich das Natrium-cyanotrihydridoborat durch eine besondere Selektivität aus[3] (s. S. 2005).

Von den übrigen Metallhydriden führen Zinn(IV)-hydrid und die durch Lithiumalanat-Reduktion von Organo-zinnhalogeniden zugänglichen Organozinn-hydride[4]

$$(CH_3)_3 \, SnH \qquad (C_2H_5)_3 \, SnH \qquad (C_2H_5)_2 \, SnH_2 \qquad (C_6H_5)_2 \, SnH_2$$

ausschließlich zu Sn—O-Addukten. So entstehen aus folgenden Ketonen mit Triäthyl-zinnhydrid in Gegenwart von Zinkchlorid die feuchtigkeitsempfindlichen und leicht hydrolysierbaren Sn—O-Derivate[5]:

Butanon	→ *Butyl-(2)-oxy-triäthyl-zinn*	95% d. Th.; Kp_{12}: 93–96°
Cyclohexanon	→ *Cyclohexyloxy-triäthyl-zinn*	61% d. Th.; $Kp_{0,1}$: 69°
4-Methoxy-acetophenon	→ *[1-(4-Methoxy-phenyl)-äthoxy]- triäthyl-zinn*	70% d. Th.; Kp_{10-4}: 90–93°

Von den Organozinn-Verbindungen wird besonders das Diphenyl-zinnhydrid als selektives und stereospezifisches Reduktionsmittel für Ketone empfohlen[6].

---

[1] H. C. BROWN, E. J. MEAD u. B. C. SUBBA RAO, Am. Soc. **77**, 6209 (1955).
[2] M. GEIGER, E. USTERI u. C. GRÄNADER, Helv. **34**, 1343 (1951).
[3] C. F. LANE, Synthesis **1975**, 135.
[4] H. G. KUIVILA, Adv. Organometallic Chem. **1**, 51 (1964).
[5] W. P. NEUMANN u. E. HEYMANN, Ang. Ch. **75**, 166 (1963).
[6] H. G. KUIVILA, Adv. Organometallic Chem. **1**, 66 (1964).
  H. G. KUIVILA u. O. F. BEUMEL, Am. Soc. **80**, 3798 (1958); **83**, 1246 (1961).

Siliciumwasserstoff und die substituierten Silane führen ebenfalls vorwiegend zu esterartigen Verbindungen,

$$\underset{/}{\overset{\backslash}{C}}=O \ + \ HSi(R)_3 \ \longrightarrow \ -\overset{|}{C}H-O-Si(R)_3$$

jedoch sind unter bestimmten Versuchsbedingungen auch Si—C-Verknüpfungen beobachtet worden (s. Bd. VI/2, S. 101).

Auch Siloxane $(Si_6O_3H_6)_n$ sind zur Reduktion von Ketonen brauchbar[1]. Dieses Verfahren kann für Ketone, die in großer Verdünnung vorliegen, von Vorteil sein, da die entstehenden Alkohole esterartig an den unlöslichen Siloxan-Rückstand gebunden sind. Durch Hydrolyse lassen sich daraus die Alkohole isolieren.

Die Umsetzung primärer und sekundärer Methyl- und Phenylarsine mit Carbonyl-Verbindungen verläuft bei den perfluorierten Ketonen[2] leicht und ohne Katalysatoren. So addieren sich Hexafluoraceton und Dimethylarsin in exothermer Reaktion zu *1,1,1,3,3,3-Hexafluor-2-dimethylarsino-propanol-(2)* (Kp: 124°):

$$\underset{F_3C}{\overset{F_3C}{\diagdown}}C=O \ + \ (H_3C)_2AsH \ \longrightarrow \ HO-\overset{\overset{\displaystyle CF_3}{|}}{\underset{\underset{\displaystyle CF_3}{|}}{C}}-As(CH_3)_2$$

Nebenbei entsteht wenig *Hexafluor-propanol-(2)*. Methylarsin liefert analog *1,1,1,3,3,3-Hexafluor-2-methylarsino-propanol-(2)*. Aldehyde reagieren (in Gegenwart von konzentrierter Salzsäure) erheblich leichter[2].

d) Meerwein-Ponndorf-Verley-Reduktion (zu Alkoholen)[3-7]

Ein außerordentlich selektives Reduktionsverfahren beruht auf der Gleichgewichts-Einstellung zwischen Carbonyl-Verbindungen und sekundären Alkoholen in Form ihrer Aluminiumalkanolate:

$$\underset{R^1}{\overset{R}{\diagdown}}C=O \ + \ HO-\overset{\overset{\displaystyle CH_3}{|}}{C}H-CH_3 \ \underset{\overrightarrow{}}{\overset{Al(OR)_3}{\rightleftharpoons}} \ R^1-\overset{\overset{\displaystyle R}{|}}{C}H-OH \ + \ O=C\underset{\diagdown CH_3}{\overset{\diagup CH_3}{}}$$

Man braucht also nur einen Reaktionspartner (destillativ) zu entfernen, um das Redox-Gleichgewicht nach der gewünschten Seite hin zu verschieben (zur Umkehrung der Reaktion, der sogenannten Oppenauer-Oxidation[7]; s. Bd. VII/2a, S. 714 ff.).

Die großen Vorteile dieses Verfahrens sind neben den meist hohen Ausbeuten an aliphatischen und aromatischen sekundären Carbinolen, das Intaktbleiben von α,β-ständigen Doppelbindungen, Nitro-Gruppen und Halogenatomen.

[1] H. Kautsky, H. Keck u. H. Kunze, Z. Naturf. **9b**, 165 (1954).
[2] W. R. Cullen u. G. E. Styan, J. Organometal. Chem. **4**, 151 (1965).
  W. R. Cullen, Adv. Organometallic Chem. **4**, 165 (1966).
[3] H. Meerwein u. R. Schmidt, A. **444**, 221 (1925).
[4] W. Ponndorf, Ang. Ch. **39**, 138 (1926).
[5] A. Verley, Bl. [4] **37**, 537 (1925).
[6] A. L. Wilds, Org. Reactions **2**, 178 (1944).
[7] R. v. Oppenauer, R. **56**, 137 (1937).
  C. Djerassi, *The Oppenauer Oxidation*, Org. Reactions **6**, 207 (1951).
  S. a. ds. Handb., Bd. IV/1b, S. 901.

Da Acetal-Gruppen und Enolate ebenfalls nicht angegriffen werden, ergeben sich Möglichkeiten, Dicarbonyl-Gruppen selektiv zu reduzieren.

In einigen Fällen bewirkt Aluminiumalkanolat auch Aldol-Kondensationen. Bei Oxocarbonsäureestern können neben der Reduktion auch noch Umesterungen eintreten.

U. a. wurden umgesetzt:

Mesityloxyd	→	*4-Hydroxy-2-methyl-penten-(2)*[1]
Campher	→	*Borneol + Isoborneol*[2]
1,1,1-Trichlor-aceton	→	*1,1,1-Trichlor-propanol-(2)*[3]

Selbst aus ω-Brom-acetophenon wurde in 85%-iger Ausbeute *2-Brom-1-phenyläthanol* erhalten[4].

e) Clemmensen-Reduktion (zu Kohlenwasserstoffen)[5-9]

Eine der klassischen Methoden zur Eliminierung des Sauerstoffs aus Carbonyl-Verbindungen besteht in der Einwirkung von amalgamiertem Zink und Salzsäure auf Aldehyde bzw. Ketone.

Die besten Ergebnisse (bis zu 80% d. Th.) werden mit aliphatischen und alicyclischen Ketonen erzielt. Alkyl-aryl-ketone geben meist geringere Ausbeuten. Mit rein aromatischen Ketonen verläuft die Clemmensen-Reduktion recht unterschiedlich. Aus Benzophenon entstehen harzartige Produkte, während 4-Hydroxy-benzophenon zu *4-Benzyl-phenol* reduziert wird. Eine Modifikation des ursprünglichen Clemmensen-Verfahrens führt vielfach auch bei aromatischen Ketonen zum Ziel.

α,β-Ungesättigte Ketone werden in gesättigte Kohlenwasserstoffe überführt und α-ständige reaktive Substituenten, wie Halogenatome, Hydroxy- und Dimethyl-amino-Gruppen, eliminiert.

Nachteilig für das Verfahren sind die großen Überschüsse an 20–30%-iger Salzsäure und an Zink und die langen Reaktionszeiten (∼ 3–50 Stdn. unter Rückflußsieden). Trotzdem wird dabei vielfach noch unverändertes Ausgangsmaterial zurückgewonnen. Bisweilen entstehen auch Olefine als Nebenprodukte.

Manchmal empfiehlt es sich, einen Lösungsvermittler (Essigsäure) zuzugeben oder mit einem Lösungsmittel, also in zwei Phasen zu arbeiten[10].

Eine geeignete Vorschrift zur Überführung von Oxo-cholestan in *Cholestan* findet sich in Organic Synthesis[11], wonach die Reduktion in trockenem Äther und Chlorwasserstoff bei −15° gestartet und innerhalb von zwei Stunden bei 0° zu Ende geführt wird. Die Ausbeute beträgt ∼ 80% d. Th. Bei dieser Arbeitsweise bleiben evtl. vorhandene Ester-, Cyan- und Acetoxy-Gruppen intakt.

[1] J. Kenyon u. D. P. Young, Soc. **1940**, 1547.
[2] H. Lund, B. **70**, 1520 (1937).
[3] H. Meerwein u. R. Schmidt, A. **444**, 234 (1925).
[4] H. Lund, B. **70**, 1525 (1937).
[5] E. Clemmensen, B. **46**, 1837 (1913).
[6] E. L. Martin, Org. Reactions **1**, 155 (1942).
[7] D. Staschewski, Ang. Ch. **71**, 726 (1959).
[8] S. ds. Handb., Bd. V/1a, S. 244ff. u. S. 450ff.
[9] J. G. S. C. Buchanan u. P. D. Woodgate, *The Clemmensen Reduction of Difunctional Ketones*, Quart. Rev. **23**, 522 (1969).
[10] E. Vedejs, *Clemmensen Reduction of Ketones in Anhydrous Organic Solvents*, Org. Reactions **22**, 401 (1975).
[11] S. Yamamura, M. Toda u. Y. Hirata, Org. Synth. **53**, 86 (1973).

Bei der Reduktion von aromatischen Ketonen erzielt man oft gute Ergebnisse mit Zinkamalgam oder Zink-Kupfer, wenn man das Medium wechselt oder in alkalichem Bereich arbeitet. So verlaufen die Reduktionen von Benzophenon-2-carbonsäuren (als Natriumsalze) zu 2-Benzyl-benzoesäuren (s. Bd. VII/3b) praktisch quantitativ, wenn man mit Zink-Kupfer in $\sim$ 5%-igem Ammoniak arbeitet.

9-Oxo-fluoren-1-carbonsäure wird in Essigsäure-Lösung unter Zusatz konzentrierter Salzsäure mit 96%-iger Ausbeute in die *Fluoren-1-carbonsäure* übergeführt[1]. Arbeitet man dagegen mit Zinkstaub unter Zusatz von Calciumchlorid in 78%-igem Äthanol, so entstehen aus Fluorenonen glatt die entsprechenden 9-Hydroxy-fluorene[2].

f) Wolff-Kishner-Reduktion (zu Kohlenwasserstoffen)[3-7]

L. Wolff und N. M. Kishner haben unabhängig voneinander gefunden, daß Hydrazone beim Erhitzen mit Kaliumhydroxid oder Natriumalkanolat in die entsprechenden Kohlenwasserstoffe und Stickstoff zerfallen (s. Bd. V/1a, S. 251ff. u. 456ff.). Im Laufe der Jahre hat dieses wichtige Reduktions-Verfahren einige Abänderungen erfahren, so daß es nur noch in wenigen Fällen in der ursprünglichen Form ausgeführt wird[6]:

$$
\begin{array}{c}
R \\
\diagdown \\
C=N-NH_2 \\
\diagup \\
R^1
\end{array}
+ KOH
\xrightleftharpoons{(-H_2O)}
\left[
\begin{array}{c}
R \\
\diagdown \\
C=N-\overset{\ominus}{N}H \\
\diagup \\
R^1
\end{array}
\rightleftharpoons
\begin{array}{c}
R \\
\diagdown \overset{\ominus}{} \\
C-N=NH \\
\diagup \\
R^1
\end{array}
\right] K^{\oplus}
$$

$$
\xrightarrow[-N_2]{} R-CH_2-R^1
$$

Als Hydrazin-Komponenten haben sich vor allem Hydrazin und Semicarbazid bewährt. Ersteres muß im großen Überschuß eingesetzt werden, um die Bildung des stabilen Azins zu vermeiden. Wasser muß völlig ausgeschlossen werden, da sonst infolge Redox-Wirkung Carbinole entstehen können. Ein Zusatz höher siedender Lösungsmittel, wie z. B. Glykol oder Benzylalkohol, wirkt sich günstig aus.

In sehr viel milderer Form läßt sich die Wolff-Kishner-Reduktion mittels Kaliumtert.-butanolat in siedendem Toluol (völlig wasserfrei) durchführen[8]. Dabei wird z. B. das 3-Hydrazono-cholesten-(4) zum *Cholesten-(4)* reduziert (65% d.Th.)., wobei der Anteil des isomeren *Cholestens-(3)* unter 10% liegt[8].

Es ist erstaunlich, daß sich die Wolff-Kishner-Reduktion in Dimethylsulfoxid bereits bei 25° durchführen läßt[9].

---

[1] H. R. Gutmann u. P. Albrecht, Am. Soc. **77**, 175 (1955).
[2] O. Diels, B. **34**, 1767 (1901).
  J. D. Dickinson u. C. Eaborn, Soc. **1959**, 2337.
[3] N. M. Kishner, Ж **42**, 1668 (1910); **43**, 582, 951 (1911); C. **1911** II, 363, 1925.
[4] L. Wolff, A. **394**, 86 (1912).
[5] D. Todd, Org. Reactions **4**, 378 (1948).
[6] Reaktionsmechanismus:
  V. Franzen, *Reaktionsmechanismen*, S. 140, A. Hüthig Verlag, Heidelberg 1958.
  H. H. Szmant, Ang. Ch. **80**, 141 (1968).
[7] H. O. House, *Modern Synthetic Reactions*, 2. Aufl., S. 228ff., W. A. Benjamin Inc., Menlo Park 1972.
[8] M. F. Grundon, H. B. Henbest u. M. D. Scott, Soc. **1963**, 1855.
[9] D. J. Cram, M. R. V. Sahyun u. G. R. Knox, Am. Soc. **84**, 1734 (1962).

Diphenylmethan[1]: In ein kräftig gerührtes Gemisch aus 2 g subl. Kalium-tert.-butanolat in 5 ml völlig wasserfreiem Dimethylsulfoxid werden innerhalb 8 Stdn. 1,96 g Benzophenon-hydrazon in kleinen Portionen eingetragen, wobei sich die Lösung tiefrot färbt und Stickstoff entweicht. Dann wird mit einem Wasser/Dichlormethan-Gemisch extrahiert; Ausbeute: 1,5 g (~ 90% d. Th.).

Als Nebenprodukt fallen 0,2 g Benzophenonazin an.

In analoger Weise werden die Reduktionen zu *Camphan* (*1,7,7-Trimethyl-bicyclo [2.2.1]heptan*; 64% d. Th.) und *Cyclohexan* (80% d. Th.) durchgeführt.

Die einfachste Ausführungsform der Wolff-Kishner-Reduktion ist die Variante von Huang-Minlon[2]. Danach erhitzt man das Keton mehrere Stunden mit überschüssigem Hydrazin-Hydrat in Äthanol mit Kaliumhydroxid und destilliert dann die flüchtigen Bestandteile ab. Der Zerfall des Hydrazons erfolgt durch weiteres Erhitzen auf 140–200°.

Für die Reduktion sind die gesättigten, stabilen Ketone aller Kategorien geeignet[3]. Die Ausbeuten können bis zu 90% d. Th. erreichen. Eine Ausbeute-Steigerung kann durch einen Zusatz an Platin oder Raney-Nickel erzielt werden.

α,β-Ungesättigte Ketone und solche mit Substituenten, die mit Hydrazin reagieren, führen leicht zu cyclischen Azin-Derivaten[4]. Einzelheiten s. Bd. V/1a, S. 251ff. Entferntere Doppelbindungen werden nicht angegriffen[5]. Über das Verhalten *α*-substituierter Pinakolone s. Lit.[6].

Die Wolff-Kishner-Reduktion spielt auch eine Rolle bei der Cortison-Synthese aus Cholsäure: zunächst wird die 7-Hydroxy-Gruppe zur Oxo-Gruppe oxidiert und diese dann zur *Desoxycholsäure* reduziert[7].

1-Methyl-2-äthyl-piperidin[8]:

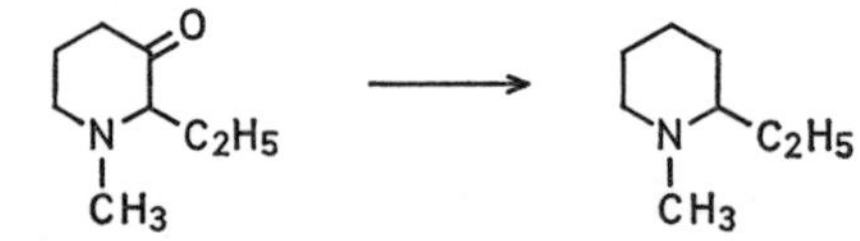

Eine Mischung von 10 g (0,078 Mol) 3-Oxo-1-methyl-2-äthyl-piperidin, 15,9 g (0,283 Mol) Kaliumhydroxid, 12 ml 85%-igem Hydrazin-Hydrat und 30 ml Triäthylenglykol wird 2 Stdn. auf 110–120° erhitzt. Anschließend destilliert man alles ab, was bis 200° Innentemp. übergeht. Sowohl das Destillat als auch der Destillationsrückstand werden mit Wasser verdünnt und je 4mal mit 25 ml Äther extrahiert. Dann werden die wäßr. Phasen mit Kaliumcarbonat gesättigt und erneut mit Äther ausgeschüttelt. Nach dem Trocknen der vereinigten Extrakte arbeitet man destillativ auf; Ausbeute: 7,1 g (78% d. Th.); Kp_{745}: 152–154°.

Tridecan-disäure[9]:

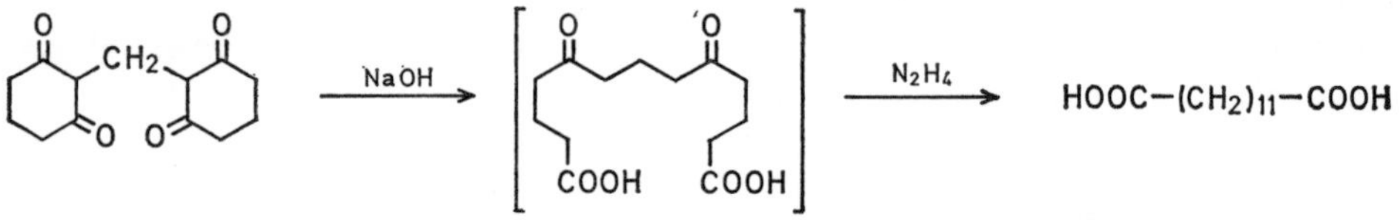

---

[1] D. J. Cram, M. R. V. Sahyun u. G. R. Knox, Am. Soc. **84**, 1734 (1962).

[2] Huang-Minlon, Am. Soc. **68**, 2487 (1946).

[3] Die Reduktion von Acyl-phenolen zu Alkylphenolen – nach allen gebräuchlichen Methoden – ist in Bd. VI/1b S. 1071 beschrieben.

[4] S. G. Beech, J. H. Turnbull u. W. Wilson, Soc. **1952**, 4686.

[5] G. Lardelli u. O. Jeger, Helv. **32**, 1817 (1949).

[6] N. J. Leonard u. S. Gelfand, Am. Soc. **77**, 3272 (1955).

[7] G. A. D. Haslewood, Nature **150**, 211 (1942); Biochem. J. **37**, 109 (1943).
   L. F. Fieser u. S. Rajagopalan, Am. Soc. **71**, 3935 (1949).

[8] N. J. Leonard u. S. Gelfand, Am. Soc. **77**, 3269 (1955).

[9] H. Stetter, Ang. Ch. **67**, 784 (1955).

Unter schwachem Erwärmen werden 16,8 g feingepulvertes Natriumhydroxid in 127 *ml* Diäthylenglykol (Bis-[2-hydroxy-äthyl]-äther) gelöst und nach dem Abkühlen mit 21,2 *ml* 85%-igem Hydrazin-Hydrat und 20 g Bis-[2,6-dioxo-cyclohexyl]-methan versetzt. Die Lösung wird im Ölbad unter Rückfluß erhitzt, wobei durch Zugabe von wenig Methanol die Innentemp. der siedenden Lösung auf 125° eingestellt wird. Nach 30 Stdn. wird so lange Wasser, Methanol und Hydrazin-Hydrat abdestilliert, bis die Innentemp. der Reaktionsmasse auf 195° angestiegen ist. Diese Temp. hält man noch 11 Stdn. bei. Nach dem Erkalten wird der Kristallbrei mit 600 *ml* Wasser versetzt und mit verd. Salzsäure sauer gestellt.

Nach dem Absaugen, Auswaschen mit wenig kaltem Wasser und Trocknen, erhält man mit ∼ 90% Ausbeute die Dicarbonsäure (F: 106–107°), die aus Essigsäure-äthylester unter Aktivkohle-Zusatz umkristallisiert werden kann (F: 112°).

Langkettige Oxo-dicarbonsäuren lassen sich auch in ähnlicher Weise in Triäthanolamin reduzieren[1].

g) Bamford-Stevens-Reaktion (zu Olefinen)[2-5]

Läßt man auf die Hydrazone aus Arylsulfonylhydrazinen und Ketonen mit benachbarten CH-Gruppen starke Basen einwirken, so entstehen Olefine oft in sehr guten Ausbeuten (s. Bd. V/1b, S. 698ff.); z. B.:

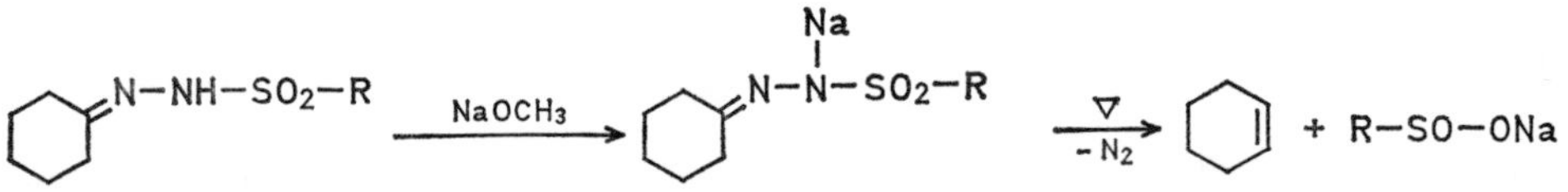

Der Reaktionsverlauf unterscheidet sich von der Wolff-Kishner-Reduktion, dadurch, daß die Sulfonsäure-amid-Gruppen nicht verseift werden, sondern Salze bilden, die beim Erhitzen das Metall auf den Sulfonyl-Rest übertragen unter Bildung von arylsulfinsauren Salzen.

Tosylhydrazone von aliphatischen Ketonen lassen sich auch gut durch Erhitzen mit überschüssigem Natriumboranat in Methanol oder 1,4-Dioxan zu den gesättigten Kohlenwasserstoffen reduzieren[4, 6]. Die Tosylhydrazone aromatischer Ketone reagieren langsamer und werden besser durch Lithiumalanat reduziert.

Ketonhydrazone können auch durch Oxidation mit Quecksilber(II)-, Silber(I)- oder mit aktivem Mangan(IV)-oxid in Diazokohlenwasserstoffe überführt werden (s. Bd. X/4, S. 557ff. u. 620ff.):

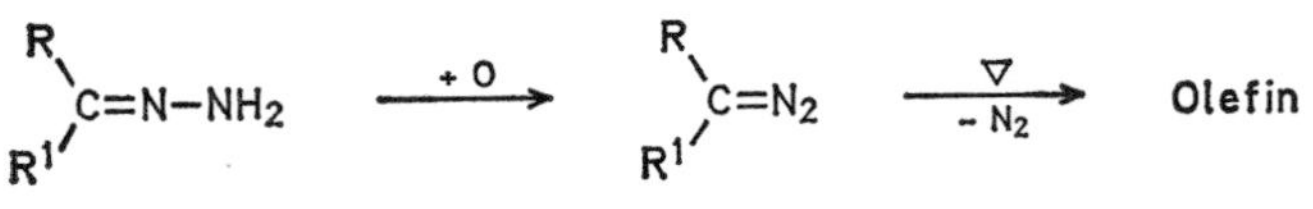

[1] P. O. Gardner, Am. Soc. **78**, 3425 (1956).
[2] W. R. Bamford u. T. S. Stevens, Soc. **1952**, 4735.
  S. ds. Handb., Bd. X/4, S. 557ff.
[3] W. Kirmse, *Carbene Chemistry*, 2. Aufl., Academic Press, New York 1971.
[4] L. Caglioti, Tetrahedron **22**, 487 (1966).
[5] L. Caglioti u. P. Grasselli, Chem. & Ind. **1964**, 153.
[6] Beispiel aus der Steroid-Reihe (75% d.Th.) s. L. Caglioti, Org. Synth. **52**, 122 (1972).

U. a. wurden so hergestellt:

Diphenyl-diazomethan[1]	~90% d.Th.
2-Diazo-propan[2]	~20% d.Th.
Phenyl-pyridyl-(4)-diazomethan[3]	~80% d.Th. [mit Mangan(IV)-oxid]
Tetrachlor-diazo-cyclopentadien[4]	~60% d.Th.

Die thermische Spaltung der Diazo-Verbindungen in der Gasphase oder in aprotischen Lösungsmitteln (über Carbene)[5] in Olefine und Stickstoff (s. Bd. V/1b, S. 697) ist jedoch meist ohne präparative Bedeutung, da häufig Umlagerungen oder Cyclopropan-Ringschlüsse eintreten.

h) Reduktion von Ketonen zu Pinakolen und elektrochemische Reduktionsverfahren

Unter den Einwirkungsprodukten reaktiver Metalle (Kalium bis Aluminium) auf Ketone finden sich neben Carbinolen und Kohlenwasserstoffen auch die Pinakole[6]:

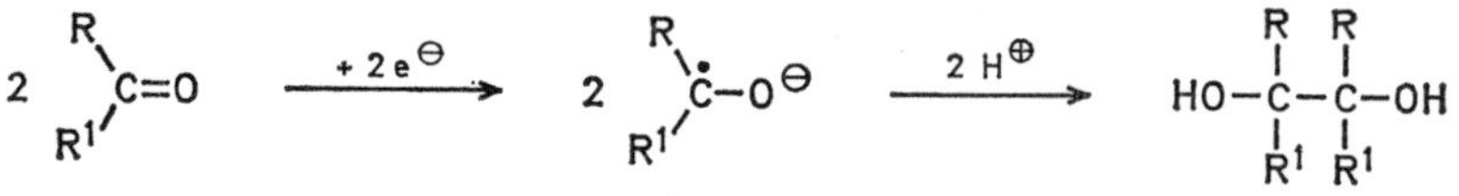

$$2 \quad \begin{array}{c} R \\ \diagdown \\ R^1 \diagup \end{array} C{=}O \quad \xrightarrow{\;+\,2\,e^{\ominus}\;} \quad 2 \quad \begin{array}{c} R \\ \diagdown \\ R^1 \diagup \end{array} \overset{|}{C}{-}O^{\ominus} \quad \xrightarrow{\;2\,H^{\oplus}\;} \quad HO{-}\overset{\overset{R}{|}}{\underset{\underset{R^1}{|}}{C}}{-}\overset{\overset{R}{|}}{\underset{\underset{R^1}{|}}{C}}{-}OH$$

Wichtig für deren Bildung dürfte die Anwendung der Metalle als Amalgame sein; denn anscheinend spielen Keton-Quecksilber-Verbindungen eine Rolle als Zwischenstufen[7].

Die Pinakol-Herstellung hat nur dann präparativen Wert, wenn man von symmetrischen Ketonen bzw. Alkyl-aryl-ketonen ausgeht; z. B.[8]:

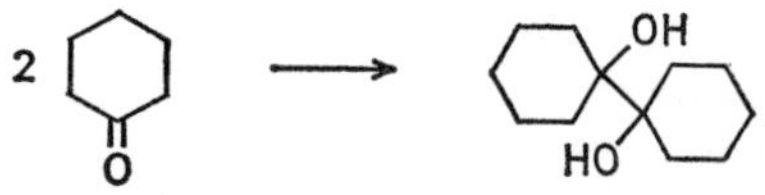

1,1'-Dihydroxy-bi-cyclohexyl[9]; F: 130°

1,1'-Dihydroxy-bi-cyclopentyl[8]: 200 g Cyclopentanon, 40 g Aluminiumpulver und 20 g Quecksilber(II)-chlorid werden in 200 *ml* trockenem Benzol ~1 Stde. unter Rühren rückfließend auf dem Wasserbad erhitzt. Dann fügt man weitere 300 *ml* Benzol und 170 *ml* Wasser zu, erhitzt

[1] S. ds. Handb., Bd. X/4, S. 569f.

[2] S. ds. Handb., Bd. X/4, S. 570.

[3] S. ds. Handb., Bd. X/4, S. 572.

[4] H. Disselnkötter, Ang. Ch. **76**, 431 (1964).

[5] W. Kirmse, *Carbene Chemistry*, 2. Aufl., Academic Press, New York 1971.

[6] R. Fittig, A. **110**, 27 (1859); **114**, 54 (1860).
G. Städeler, A. **111**, 279 (1859).

[7] Die Reduktion von Ketonen an einer Quecksilber-Kathode zu Di-sek.-alkyl-quecksilber-Derivaten ist in Bd. XIII/2b, S. 274 beschrieben.

[8] E. de Barry Barnett u. C. A. Lawrence, Soc. **1935**, 1106.

[9] Über die Reduktion mit Magnesium (18% d. Th.) s. H. J. Baker, J. Strating u. L. H. H. Huisman, R **60**, 383 (1941).

noch 1 Stde., filtriert heiß und digeriert den Rückstand mit 300 *ml* heißem Benzol. Die vereinigten Benzol-Auszüge werden weitgehend eingedampft und der Rückstand mit Petroläther versetzt. Nach dem Abkühlen sind 63 g (31% d. Th.) des Diols (F: 109°) auskristallisiert.

Als Reduktionsmittel hat sich Magnesium[1, 2] besonders bewährt[3]. Bei völlig wasserfreiem Arbeiten in Benzol werden damit Ausbeuten bis zu 50% d. Th. erzielt[1].

Die elektrolytische Reduktion von aliphatischen Ketonen zu Pinakolen bzw. Kohlenwasserstoffen ist eingehend untersucht worden[4-6]. Die Reduktion der Oxozur Methylen-Gruppe gelingt recht befriedigend an reinen Cadmium-Elektroden in einem Gemisch aus 30%-iger Schwefelsäure und Alkohol (s. Bd. V/1a, S. 276). Interessant ist das elektrolytische Verfahren jedoch nur zur Herstellung großer Mengen an Pinakolen[4-8]. Um die normalen Reduktionsprodukte zurückzudrängen, muß man vor allem die Überspannung niedrig halten[7]. Auch hier hat sich Magnesium als Kathodenmaterial bewährt. Eine technische Ausführungsform der Natriumamalgam-Reduktion ist beschrieben[8]. Über die Herstellung von *3,4-Dihydroxy-3,4-bis-[4-hydroxy-phenyl]-hexan* aus 4-Hydroxy-propiophenon an Kupfer-Bleibzw. Kupfer-Quecksilber-Elektroden s. Lit.[9].

Aus 4-Amino-acetophenon wurde an einer Zinn-Kathode in ~ 1,6 n Salzsäure das *2,3-Dihydroxy-2,3-bis-[4-amino-phenyl]-butan-Dihydrochlorid* in 59% Ausbeute erhalten[10].

Aus den Diketonen $H_5C_6-CO-(CH_2)_n-CO-C_6H_5$ (n = 3 u. höher) lassen sich durch elektrochemische Reduktion (Magnesium-Elektroden in Natriumjodid/Pyridin) cyclische Pinakole herstellen; z. B.[11]:

1,2-Dihydroxy-1,2-diphenyl-cyclohexan

[1] R. ADAMS u. E. W. ADAMS, Org. Synth., Coll. Vol. **1**, 459 (1932).

[2] M. D. RAUSCH, W. E. MCEWEN u. J. KLEINBERG, *Reductions involving unipositive Magnesium*, Chem. Reviews **57**, 417 (1957).
H. O. HOUSE, *Modern Synthetic Reactions*, 2. Aufl., S. 167ff., W. A. Benjamin, Inc., Menlo Park 1972.

[3] 1917 wurde Pinakol von den Farbf. Bayer großtechnisch durch Aluminiumamalgam-Reduktion zur Herstellung von 2,3-Dimethyl-butadien hergestellt.

[4] F.D. POPP u. H. P. SCHULTZ, *Electrolytic Reduction of Organic Compounds*, Chem. Reviews **62**, 29 (1962).

[5] S. SWANN jr. in A. WEISSBERGER, *Technique of Organic Chemistry*, Vol. II, S. 180ff., Interscience Publishers Inc., New York 1948.
M. M. BAIZER u. J. P. PETROVICH, Progr. Physical. Org. Chem. **7**, 189 (1970).

[6] Elektrolytische Reduktion von Ketonen: M. J. ALLEN, *Organic Electrode Processes*, S. 58ff., Chapman u. Hall Ltd., London 1958.

[7] S. ds. Handb., Bd. IV/2, S. 499.

[8] DBP. 890643 (1942), Farbf. Bayer, Erf.: H. HABERLAND; C. A. **50**, 12100e (1956).
S. a. I. M. KOLTHOFF u. J. J. LINGANE, *Polarography of Carbonyl-Compounds*, 2. Aufl., Vol. II, S. 652ff., Interscience Publ., New York 1952.

[9] R. E. JUDAY u. W. J. SULLIVAN, J. Org. Chem. **20**, 617 (1955).

[10] N. J. LEONARD, S. SWANN u. G. FULLER, Am. Soc. **75**, 5127 (1953).

[11] W. D. HOFFMANN, W. E. MCEWEN u. J. KLEINBERG, Tetrahedron **5**, 293 (1959).

i) Reduktive Aminierung von Ketonen[1-5]

Die primären Kondensationsprodukte aus Ketonen und Aminen (Aminoketale oder Schiff'sche Basen) lassen sich außerordentlich leicht zu Aminen reduzieren. Dafür kommen hauptsächlich in Frage: das Leuckart-Verfahren, die katalytische Hydrierung sowie Lithiumalanat. In den meisten Fällen kann man direkt von den Komponenten ausgehen.

Nach dem Leuckart'schen Verfahren werden Aldehyde oder Ketone mit Ammoniumformiat bis zu 230° erhitzt:

$$\diagdown \!\! {}^{\diagup}\!\! C{=}O \ + \ NH_3 \ + \ HCOOH \ \longrightarrow \ \diagdown \!\! {}^{\diagup}\!\! C{\diagup}^{H}_{\diagdown NH_2} \ + \ CO_2 \ + \ H_2O$$

Nach einer Variante, die höhere Ausbeuten ergibt und bereits bei $\sim 180°$ durchzuführen ist, werden Gemische aus Formamid und Ameisensäure eingesetzt, wobei der Zusatz eines Hydrierungs-Katalaysators eine geringe Ausbeute-Steigerung bewirkt[5].

Auch die Formamide aus primären und sekundären aliphatischen Aminen sind in Gegenwart von Ameisensäure zur reduktiven Aminierung befähigt. Die Amine fallen dabei vorwiegend als Formamide aus.

Sehr gute Ausbeuten werden zum Teil mit cyclischen Ketonen und vor allem mit aromatischen Ketonen erzielt. Selbst Anthrachinon wird glatt in *9,10-Bis-[formyl-amino]-anthracen* übergeführt (s. Bd. VII/3b).

Nachteilig für das Verfahren sind die bisweilen als Nebenprodukte entstehenden Di- und Triamine sowie die Aldolkondensate.

Aus der großen Zahl der Beispiele seien folgende genannt:

Campher	$\xrightarrow{\text{NH}_3,\text{H}_2}$	*Bornylamin(endo-2-Amino-1,7,7-trimethyl-bicyclo[2.2.1]heptan)*[3]	83% d.Th.
Fenchon	$\xrightarrow{\text{NH}_3,\text{H}_2}$	*Fenchylamin(2-Amino-1,3,3-trimethyl-bicyclo[2.2.1]heptan)*[3]	$\sim 85\%$ d.Th.
Acetophenon + Butylamin	$\xrightarrow{\text{H}_2}$	*(1-Phenyl-äthyl)-butyl-amin*[3]	$\sim 78\%$ d.Th.
Cyclohexanon + Methylamin	$\xrightarrow{\text{H}_2}$	*Methyl-cyclohexyl-amin*[3]	55% d.Th.
+ Piperidin	$\xrightarrow{\text{H}_2}$	*1-Cyclohexyl-piperidin*[3]	65% d.Th.

a,β-Ungesättigte Ketone führen nicht zu den einfachen Aminen.

Die katalytische Hydrierung[6] von Carbonyl-Verbindungen mit Ammoniak bzw. aliphatischen Aminen führt in den meisten Fällen glatt zu den substituierten Aminen und gehört zu den Standard-Methoden der organischen Chemie (Bd. XI, S. 611ff.). Zweckmäßig arbeitet man wasserfrei, z. B. in flüssigem Ammoniak oder unter Zusatz von Äthanol mit Raney-Nickel zwischen 50–150° unter ~ 50 atü und einem Überschuß an Amin, um die Bildung sekundärer und tertiärer Basen zurückzudrängen. Mit aromatischen Aminen erzielt man nur dann gute Ausbeuten, wenn man zunächst Schiff'sche Basen herstellt und diese hydriert.

---

[1] R. Leuckart, B. **18**, 2341 (1885).

[2] O. Wallach, A. **269**, 347 (1892) **343**, 54 (1905); sowie vorhergehende Veröffentlichungen.

[3] M. L. Moore, *The Leuckart Reaction*, Org. Reactions **5**, 301 (1949).

[4] S. ds. Handb., Bd. XI/1, S. 657ff.

[5] M. Mousseron, R. Jacquier u. R. Zagdoun, Bl. **1953**, 974.

[6] W. S. Emerson, Org. Reactions, **4**, 174 (1948).

Ketone aller Typen sind einsetzbar. Aus ungesättigten Ketonen entstehen die gesättigten Amine. Aus der Vielzahl der so hergestellten Amine seien genannt[1]:

Aceton	$\xrightarrow{NH_3,H_2}$	*Isopropylamin*[2]	90% d.Th.
Acetophenon	$\xrightarrow{NH_3,H_2}$	*1-Amino-1-phenyl-äthan*[1]	~65% d.Th.
3-Oxo-1-phenyl-buten	$\xrightarrow{NH_3,H_2}$	*3-Amino-1-phenyl-butan*[2]	84% d.Th.
3,3,3-Trifluor-1-phenyl-aceton	$\xrightarrow{NH_3,H_2}$	*3,3,3-Trifluor-2-amino-1-phenyl-propan*[2]	
4-Oxo-pentansäure	$\xrightarrow{NH_3,H_2}$	*5-Oxo-2-methyl-pyrrolidin*[2]	
Cyclohexanon + Isopropylamin	$\xrightarrow{H_2}$	*Isopropyl-cyclohexyl-amin*[2]	
+ 2-Amino-phenol	$\xrightarrow{H_2}$	*2-Cyclohexylamino-phenol*[2]	71% d.Th.
Aceton + 1,6-Diamino-hexan	$\xrightarrow{H_2}$	*1,6-Bis-[isopropylamino]-hexan*[2]	88% d.Th.

Statt der Ketone setzt man vielfach vorteilhaft die sekundären Alkohole ein, die in Gegenwart eines Hydrierungs-Katalysators in einem Redox-Vorgang direkt in die Amine umgewandelt werden (s. Bd. XI/1, S. 126 ff.).

Zur reduktiven Aminierung eines sterisch nicht gehinderten Ketons mit Ammoniak, primären oder sekundären aliphatischen Aminen scheint Natrium-cyano-tri-hydrido-borat in Methanol unter Zusatz von Ammoniumacetat ($p_H = 6-8$) bei 20° besonders geeignet zu sein[3,4]. So wird z. B. aus dem Keton I das *4-Amino-2,2,6,6-tetramethyl-piperidin-1-oxid* (II) in 70%-iger Ausbeute erhalten[5]:

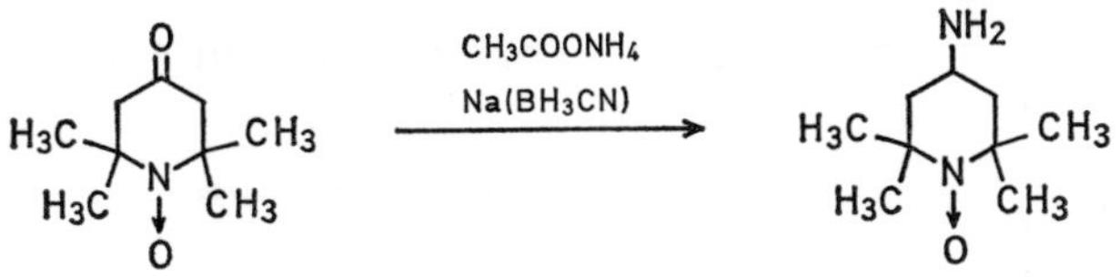

Die entsprechende Herstellung von *Dimethyl-cyclohexylamin* verläuft mit 52% Ausbeute[6].

VIII. Hydrolytische bzw. aminolytische Spaltung nicht enolisierbarer Ketone

bearbeitet von

Prof. Dr. Drs. h. c. OTTO BAYER

Bayer AG, Leverkusen

Bereits Chancel[7] stellte fest, daß Benzophenon durch eine Alkalimetallhydroxid-Schmelze zu *Benzoesäure* und *Benzol* aufgespalten wird. Diese Hydrolyse ist bei allen

[1] A. W. INGERSOLL, Org. Synth., Coll. Vol. 2, 503 (1943).
[2] W. S. EMERSON, Org. Reactions 4, 174 (1948).
[3] R. F. BORCH, M. D. BERNSTEIN u. H. DUPONT DURST, Am. Soc. 93, 2897 (1971).
[4] C. F. LANE, Synthesis 1975, 139.
[5] G. M. ROSEN, J. Med. Chem. 17, 358 (1974).
[6] R. F. BORCH, Org. Synth. 52, 124 (1972).
[7] G. CHANCEL, C. r. 28, 83 (1849).

nicht enolisierbaren Ketonen (die keine Aldol-Kondensation eingehen können) meist mit guten Ausbeuten durchführbar; z. B.[1]:

Selbst Anthrachinon wird in einer Alkalimetallhydroxid-Schmelze bei $\sim 260°$ glatt in 2 Moleküle *Benzoesäure* zerlegt[2]. Aus 1-Oxo-2,2-dimethyl-1-phenyl-propan entstehen vorwiegend *2,2-Dimethyl-propansäure* und *Benzol*.

2-Chlor-benzoyl-ferrocen wird durch Kalium-tert.-butanolat unter Rückflußsieden in Glykoldimethyläther in 75%iger Ausbeute zur *Ferrocencarbonsäure* hydrolysiert[3].

Wesentlich milder als mit Alkalimetallhydroxid und überwiegend mit guten Ausbeuten verläuft die Aminolyse mit Natriumamid[4,5] – meist in siedendem Toluol durchgeführt –, wobei Carbonsäure-amide anfallen. Unsymmetrische Di-alkyl- und Diaryl-ketone geben vielfach Gemische. Tert.-Alkyl-aryl-ketone führen zu tert.-Alkylessigsäure-amiden und aromatischen Kohlenwasserstoffen. U. a. wurden die folgenden Aminolysen durchgeführt:

3-Oxo-2,2,4,4-tetramethyl-pentan   →   *2,2-Dimethyl-propansäure-amid* + *2-Methyl-propan*[5]
2-Oxo-1,1,3,3-tetramethyl-cyclopentan   →   *2,2,5-Trimethyl-hexansäure-amid*[5]

Anthrachinon ist mit Natriumamid nicht spaltbar.

Eine interessante kombinierte Umsetzung mit Natriumamid ist folgende[6]:

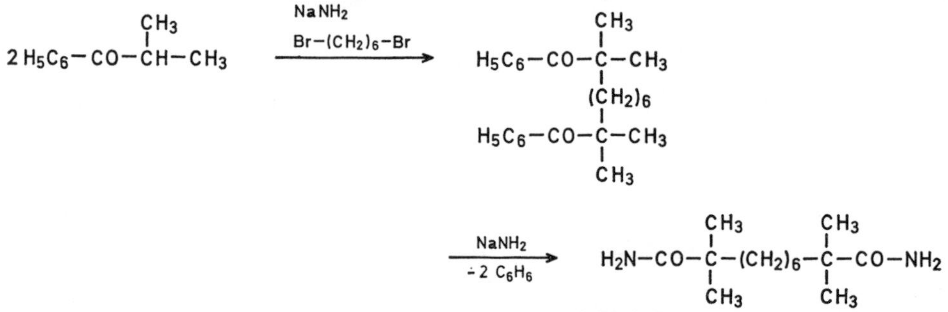

2,2,9,9-Tetramethyl-decandisäure-diamid; 87% d.Th.

In analoger Weise lassen sich die homologen Dicarbonsäure-diamide herstellen.

Der schwer enolisierbare Campher führt zu einem Gemisch der beiden möglichen Carbonsäuren *1,2,2,3-Tetramethyl-cyclopentan-1-carbonsäure* (I) und (*2,2,3-Trimethyl-cyclopentyl*)-*essigsäure* (II)[7]:

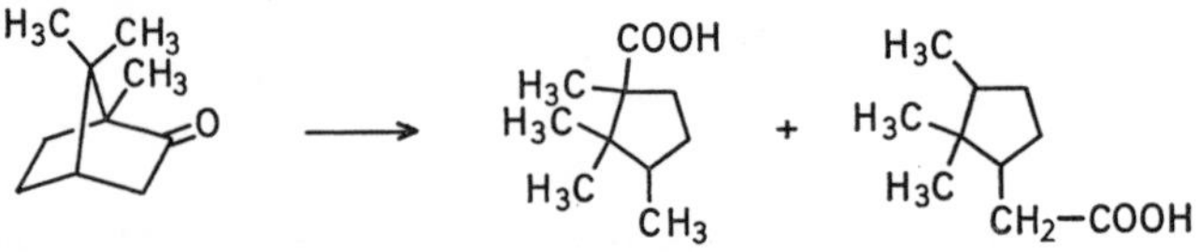

[1] R. FITTIG u. E. OSTERMAYER, A. **166**, 374 (1873).
[2] Technisches Notverfahren der Farbf. Bayer während des 1. Weltkrieges.
[3] P. C. REEVES, Org. Synth. **54**, Anhang Nr. 1904 (1974).
[4] A. HALLER u. E. BAUER, C. r. **147**, 824 (1908).
[5] K. E. HAMLIN u. A. W. WESTON, Org. Reactions **9**, 1 (1957).
[6] R. ADAMS u. J. L. ANDERSON, Am. Soc. **73**, 136 (1951).
[7] T. L. CAIRNS et al., Am. Soc. **70**, 1689 (1948).
   US. P. 1961 623 (1933), Dow Chemical Co., Erf.: E. L. PELTON; C. **1934 II**, 2449.

Am Beispiel Cyclohexanon konnte gezeigt werden, wie komplex Alkalimetall-hydroxide auf enolisierbare Ketone einwirken können. Beim Erhitzen von Cyclohexanon mit Kaliumhydroxid vollzieht sich zunächst eine Aldolkondensation. Bei 250–280° erfolgt dann Ringspaltung zur *6-[Cyclohexen-(1)-yl]-hexansäure* (∼ 30% d. Th.), die sich beim längeren Erhitzen der Schmelze auf 300° in die *6-Cyclohexyl-hexen-(2)-säure* umlagert, die dann zur *4-Cyclohexyl-butansäure* abgebaut wird (Varrentrapp-Reaktion, s. Bd. IV/1b, S. 24ff.) (Ausbeute: ∼30% d. Th.)[1].

Eine Sonderstellung nehmen die Trichlormethyl-ketone ein. Diese werden unter milden Bedingungen bereits durch wäßriges Alkalimetallhydroxid glatt in Carbonsäuren und *Chloroform* gespalten (s. Bd. V/3, S. 506, 664, 785):

$$R-CO-CCl_3 + NaOH \longrightarrow R-COONa + CHCl_3$$

Hexachloraceton zerfällt durch Einwirkung von verdünnter Natronlauge glatt in *Trichloressigsäure* und Chloroform.

Aromatische Carbonsäuren können auch in einem Eintopfverfahren aus Acetyl-aromaten, Natriumhypochlorit und verdünnter Natronlauge erhalten werden (s. S. 1979).

Auch alle Perfluor-chloracetone mit max. 4 Fluor-Atomen sind leicht hydrolysierbar. Auf diese Weise lassen sich *Trifluoressigsäure* und *Difluor-chlor-essigsäure* herstellen[2]:

$$F_3C-CO-CCl_3 \xrightarrow{\text{NaOH}} \underset{\text{92\% d. Th.}}{F_3C-COONa} + HCCl_3$$

$$FCl_2C-CO-CCl_3 \longrightarrow \underset{\text{95\% d. Th.}}{FCl_2C-COONa} + HCCl_3$$

$$FCl_2C-CO-CCl_2F \longrightarrow \underset{\text{93\% d. Th.}}{FCl_2C-COONa} + HCCl_2F$$

Diese Spaltungen werden unterhalb 40° mit 10–20%-iger Natronlauge durchgeführt.

Hexafluor-aceton hingegen ist resistent. Auch Pentafluor-chlor-aceton scheint unter milden Bedingungen nicht spaltbar zu sein. Das Perfluor-4-oxo-heptan hingegen läßt sich zur *Heptafluor-butansäure* hydrolysieren (s. Bd. V/3, S. 500):

$$F_7C_3-CO-C_3F_7 \xrightarrow{\text{NaOH(5\%ig)}} F_7C_3-COONa + C_3F_7H$$

Mit ∼10%-igem Ammoniak bei 0–40° entstehen in analoger Weise die *Fluor-chlor-acetamide*[2].

Beim Decachlor-2,5-dioxo-hexan tritt folgende Aminolyse ein[3]:

$$Cl_3C-CO-CCl_2-CCl_2-CO-CCl_3 \xrightarrow{\text{NH}_3} \quad + \; 2\,CHCl_3$$

Tetrachlor-succinimid

---

[1] T. L. CAIRNS et al., Am. Soc. **70**, 1689 (1948).
US. P. 1961623 (1933), Dow Chemical Co., Erf.: E. L. PELTON; C. 1934 II, 2449.
[2] US.P. 2827485/6, 2853524 (1955), Allied Chemical u. Dye Corp., Erf.: C. B. MILLER u. C. WOOLF; C. A. **52**, 13779[d, f] (1958).
[3] M. GEIGER, E. USTERI u. C. GRÄNACHER, Helv. **34**, 1342 (1951).

IX. Strahlenchemische Umwandlung der Ketone

Die strahlenchemische Umwandlung der Ketone kann in vielfältiger Weise erfolgen. Über die durch Lichteinwirkung katalysierte Anlagerung reaktiver Olefine an Ketone s. S. 1968. Die photochemischen Umwandlungen der Ketone sind eingehend in ds. Handb., Bd. IV/5 und in zahlreichen Monographien[1] beschrieben.

X. Keton-enole und Derivate

Die Herstellung von Keton-enolen aus Mono- und Diketonen sowie deren Derivaten wie Ester, Äther, Metallkomplexe u. ä. sind in ds. Handb., Bd. VI/1b beschrieben.

Über die Umwandlung von Oxo-carbonsäuren in ungesättigte Lactone s. Bd. VI/2, S. 580ff.

C. Hinweise auf die Analytik der Ketone[2,3]

bearbeitet von

Dr. HEINRICH GOLD

Bayer AG, Leverkusen

Die Analytik der Ketone ist bereits in Bd. II, S. 434–467 (1953) und in Monographien[2,3] beschrieben. Im folgenden wird daher vorwiegend nur auf neuere Verfahren hingewiesen. Außerdem werden in einem besonderen Kapitel die Trennungs-

---

[1] Der photochemische Primärprozeß bei einfachen Ketonen: W. A. NOYES jr., G. B. PORTER u. J. E. JOLLEY, Chem. Reviews **56**, 49–94 (1956).

J. N. PITTS jr. u. J. K. S. WAN, *Photochemistry of Ketones and Aldehydes*, in S. PATAI, *The Chemistry of the Carbonyl Group*, Bd. 1, S. 823–916, Interscience Publishers, London 1966.

Photoisomerisierung von Ketonen: A. SCHÖNBERG, G. O. SCHENCK u. O. A. NEUMÜLLER, *Preparative Organic Photochemistry*, 2. Aufl., Springer Verlag, Berlin · Heidelberg 1968.

G. R. FREEMAN, *Radiation Chemistry of Ketones and Aldehydes*, in J. ZABICKY, *The Chemistry of the Carbonyl Group*, Bd. 2, S. 343–394, Interscience Publishers, London 1970.

[2] Determination of Carbonyl Compounds in:

F. T. WEISS, *Determination of Organic Compounds: Methods and Procedures*: in Chemical Analysis, Bd. 32, S. 84–115, Wiley-Interscience, New York 1970.

S. SIGGIA, *Quantitative Organic Analysis via Functional Groups*, 3. Aufl., S. 73ff., 622ff., J. Wiley-Interscience, New York 1963.

[3] J. G. HANNA, *Chemical and Physical Methods of (Keton) Analysis* in S. PATAI, *The Chemistry of the Carbonyl Group*, S. 375–420, J. Wiley & Sons, New York 1966.

methoden von Keton-Gemischen, besonders aus Naturstoffen, abgehandelt (s. S. 2018, 2020 ff.). Infolgedessen lassen sich Überschneidungen nicht vermeiden.

I. Physikalische Methoden zur Analytik der Ketone

Durch spektroskopische Methoden ist es möglich, die Anwesenheit von CO-Gruppen in einer Substanz (Aldehyd, Keton, ungesättigtes Keton, Ester) oder in einem Substanzgemisch festzustellen. Das IR-Spektrum der Ketone zeigt dabei im Bereich von 5,7–5,9 μ und 16–20 μ charakteristische Absorptionen[1]. Durch typische strukturelle Konfigurationen an der CO-Gruppe wird die Ketonabsorption in spezifischer Weise verschoben. Die vergleichende IR-Spektroskopie macht auch halbquantitative Aussagen über den Keton-Gehalt möglich, wie dies z. B. für oxidierte Kohlenwasserstoff-Gemische beschrieben wurde[2].

Das UV-Spektrum der Ketone zeigt im allgemeinen eine strukturlose Absorption im Bereich von 270–300 nm, die auch für Aldehyde charakteristisch ist. Es bietet eine gute Ergänzung zur IR-Absorption und zeigt gewisse Vorteile beim Nachweis kleiner Mengen[3]. Spezielle quantitative Bestimmungsmethoden auf der Basis der UV-Spektroskopie sind z. B. für die Bestimmung von *Aceton*[4] und *Isopropenylketonen*[5] ausgearbeitet worden.

Infolge der starken Lichtabsorption der 2,4-Dinitro-phenylhydrazone um 340 nm und einer schwächeren bei 435 nm (Schulter) sind diese schon frühzeitig zur Bestimmung kleiner Mengen Aceton herangezogen worden[6]. Die Bestimmung wird so durchgeführt, daß das Hydrazon mit Hexan durch Extraktion von überschüssigen Reagenzien befreit und die Hexan-Lösung dann bei 340 nm photometriert[7] wird.

Charakteristischer sind die orangeroten alkalischen Lösungen der 2,4-Dinitrophenylhydrazone, deren Absorptionskurven bei 430–440 nm ein starkes Maximum, um 530 nm ein zweites Maximum und ein Minimum um 480 nm besitzen[8,9]. Diese Methode erlaubt es, Ketone in Alkoholen, Estern, Carbonsäuren, Kohlenwasserstoffen und beliebigen Mischungen dieser Lösungsmittel auch in Spuren nachzuweisen und quantitativ zu erfassen. Ferner hat die Methode den Vorteil, daß überschüssiges

---

[1] N. B. Colthup, L. H. Daly u. S. E. Wiberlay, *Introduction to Infrared and Raman Spectroscopy*, S. 239–268, Academic Press, New York 1964.

L. J. Bellamy, *Ultrarot-Spektrum und chemische Konstitution*, 2. Aufl. S. 101–126, Tabelle 9, Zuordnung für Ketone, Dr. Dietrich Steinkopff Verlag, Darmstadt 1966.

[2] E. L. Saier, R. H. Hughes, Anal. Chem. **30**, 513 (1958).

E. L. Saier, L. R. Cousins u. M. R. Basila, Anal. Chem. **34**, 824 (1962).

R. F. Goddu, Anal. Chem. **30**, 1707 (1958).

[3] W. I. Kaye, Appl. Spectroscopy **15**, 130 (1961).

J. F. Horwood u. J. R. Williams, Spectrochim. Acta **19**, 135 (1963).

[4] G. L. Barthauer, F. V. Jones u. A. V. Metler, Ind. Eng. Chem. Anal. **18**, 354 (1946).

[5] W. I. Kaye, Am. Soc. Testing Materials, Spec. Techn. Publ. **269**, 63 (1960).

J. J. Pepe, I. Kniel u. M. Czuha, Anal. Chem. **27**, 755 (1955).

Vgl. auch die quantitative Bestimmung der 2,4-Dinitro-phenylhydrazone durch UV-Absorptionsmessungen.

[6] W. E. J. Mathewson, Am. Soc. **42**, 1277 (1920).

Aceton-2,4-dinitro-phenylhydrazon; F: 125°; λ_{max}344 nm.

[7] I. N. Nazarov, L. A. Kazitsyna u. I. I. Zaretskaya, Ž. obšč. Chim. **27**, 606 (1957); engl.: 675; große tabellarische Übersicht.

[8] G. R. Lappin u. L. C. Clark, Anal. Chem. **23**, 541 (1951).

A. Mendelowitz u. J. P. Riley, Analyst **78**, 704 (1953).

[9] D. E. Jordan u. F. C. Veatch, Anal. Chem. **36**, 120 (1964).

2,4-Dinitro-phenylhydrazin(2,4-DN pH) nicht stört und damit eine Extraktion des Hydrazins nicht erforderlich ist.

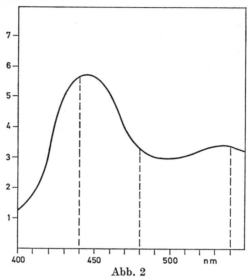

Abb. 2

Spektralphotometrische Bestimmung von Ketonen als 2,4-Dinitrophenylhydrazone[1]:

Reagenzien: Carbonyl-freier Alkohol (durch Destillation über 2,4-Dinitro-phenylhydrazin gewonnen)
Carbonylfreies n-Hexan
Lösung I: n-Hexan/Äthanol 3:7
2,4-Dinitro-phenylhydrazin in ges. äthanolischer Lösung
Wäßrig-äthanolische Kalilauge: 59 g Kaliumhydroxid werden in 180 ml Wasser gelöst und mit Äthanol auf 1 l aufgefüllt

Ausführung: Eine Keton enthaltende Probe wird in einem 25-ml-Meßkolben eingewogen. Dann werden 5 ml Lösung I, 2 ml 2,4-Dinitro-phenylhydrazin-Lösung und 0,1 ml konz. Salzsäure zugegeben. Die Mischung wird 30 Min. bei 55 ± 1° gehalten, schnell abgekühlt und mit wäßrig-äthanolischer Kalilauge bis zur Marke aufgefüllt. Die Lösung wird nach 10–15 Min. im Beckmann DB Spektralphotometer bei 480 nm gemessen.

Zur Bestimmung der Absorptionsspektren von Thiosemicarbazonen bzw. Semicarbazonen einiger natürlich vorkommender 5- bis 7-Ring-Ketone s. Lit.[2].

Die üblichen chromatographischen Verfahren lassen sich mit Ausnahme der Gaschromatographie auf freie Ketone — wegen der Flüchtigkeit — meist nicht anwenden. Sie besitzen jedoch zur Charakterisierung der Keton-hydrazone eine große Bedeutung sowohl in qualitativer, quantitativer als auch präparativer Hinsicht[3] und zwar vor allem zur Trennung von Gemischen (näheres s. S. 2017 ff.).

[1] D. E. JORDAN u. F. C. VEATCH, Anal. Chem. **36**, 120 (1964).
[2] A. E. GILLAM u. T. F. WEST, Soc. **1942**, 95, 483, 486.
[3] E. STAHL, *Dünnschicht-Chromatographie. Ein Laboratoriumshandbuch*, 2. Aufl., Springer-Verlag, Berlin 1967.
L. R. SNYDER, *Principles of Adsorption Chromatography*, M. Dekker, New York 1968.
J. A. DEAN, *Chemical Separation Methods*, van Nostrand Reinhold, New York 1969.
J. J. KIRKLAND, *Modern Practice of Liquid Chromatography*, J. Wiley & Sons, New York 1971.
F. T. WEISS, *Determination of Organic Compounds: Methods and Procedures:* in Chemical Analysis, Bd. 32, S. 84–115, Wiley-Interscience, New York 1970.
Z. DEYL et al., *Bibliography of Column Chromatography 1967–1970 and Survey of Applications*, J. Chromatogr., Suppl. Vol. 3, Elsevier Scientific Publishing Co., Amsterdam 1973.
J. CAZES, *Gel Permeation Chromatography*, American Chemical Society, Washington 1971.

Die Gaschromatographie ermöglicht es, aus natürlichen Riechstoffen nach entsprechender Vorabtrennung der Carbonylverbindungen, die darin enthaltenen Ketone restlos zu erfassen und in Kombination mit anderen physikalischen Methoden zu identifizieren, s. S. 2018, 2020f.

Bei der Massenspektroskopie der Ketone[1] ist die Fragmentierung der grundlegende Prozeß. Dieser beginnt mit der Eliminierung eines Elektrons aus einem freien Elektronenpaar des Carbonylsauerstoffatoms. Das dabei entstehende Radikal-Kation stabilisiert sich normalerweise unter α-Spaltung zu zwei Ketonen.

Bei Alkylketonen mit mindestens drei Alkyl-C-Atomen und mit mindestens einem H-Atom in α-Stellung erfolgt die β-Spaltung unter

$$
\begin{array}{c}
R^1 \\
\diagdown \\
C{=}O \\
\diagup \\
R^2
\end{array}
\xrightarrow{\text{10 ev}}
\begin{array}{c}
R^1 \\
\diagdown \\
C{=}\bar{O}^{\oplus} \\
\diagup \\
R^2
\end{array}
\quad
\left[
\begin{array}{l}
\xrightarrow{-R^1} \; R^2{-}C{\equiv}O^{\oplus} \\[2mm]
\xrightarrow{-R^2} \; R^1{-}C{\equiv}O^{\oplus}
\end{array}
\right.
$$

einer nach McLafferty benannten Umlagerung.

II. Chemische Methoden (in Kombination mit physikalischen) zur Analytik der Ketone

a) Überführung in Oxime

Zur *analytischen Erfassung* werden die Ketone in schwer lösliche funktionelle Derivate übergeführt, die schon unter milden Bedingungen gebildet werden und höher liegende Schmelzpunkte besitzen. Als funktionelle Derivate kommen praktisch die mit primären Stickstoffbasen nicht in Betracht, da ihre Bildung bei den Ketonen nicht so glatt wie bei den Aldehyden verläuft (vgl. S. 1948).

Ketoxime werden meist nur zur Reinigung höhermolekularer Ketone verwendet, weil sie im allgemeinen einen relativ niedrigen Schmelzpunkt besitzen und vielfach nur verlustreich spaltbar sind. Zu ihrer Herstellung (vgl. Bd. II, S. 446 u. ds. Bd. S. 1953) kann je nach der Reaktivität der Ketone das freie Hydroxylamin, dessen Hydrochlorid, Formiat oder Acetat verwendet werden[2].

Die Oximinierung von Ketonen ist jedoch zu einer Reihe von titrimetrischen Bestimmungsmethoden gut geeignet[3] (vgl. Bd. II, S. 458–462). Diese basieren im wesent-

---

[1] H. Budzikiewicz, C. Djerassi u. D. H. Williams, *Mass Spectrometry of Organic Compounds*, S. 134–173, Holden-Day, Inc., San Francisco 1967.

J. H. Bowie in J. Zabicky, *The Chemistry of the Carbonyl Group*, Vol. 2, S. 277–341, Interscience Publishers, New York 1970.

E. Steinhagen, *Massenspektroskopie in der org. Analyse*, Z. anal. Chemie **205**, 109 (1964).

[2] W. M. D. Bryant u. D. M. Smith, Am. Soc. **57**, 57 (1935).

[3] T. Higuchi u. C. H. Barnstein, Anal. Chem. **28**, 1022 (1956).

M. H. Hashmi, Anal. Chim. Acta **17**, 383 (1957).

L. J. Papa et al., Anal. Chem. **35**, 1889 (1963).

J. Pokorny, J. Smisek u. G. Janicek, Sb. Vysoke Skoly Chem.-Technol. Praze, Oddil Fak. Potravinareske Technol. **4**, 187 (1960); C. A. **60**, 8241ʰ (1964).

lichen auf der Titration des Chlorwasserstoffs, der bei der Umsetzung mit Hydroxyl-amin-Hydrochlorid frei wird:

$$\text{\textbackslash C=O} \;+\; \left[\overset{\oplus}{\text{H}_3\text{N}}\text{--OH} \right] \text{Cl}^{\ominus} \;\longrightarrow\; \text{\textbackslash C=N--OH} \;+\; \text{H}_2\text{O} \;+\; \text{HCl}$$

Die p_H-Änderung einer 0,5 n Hydroxylamin-Hydrochlorid-Lösung nach Zugabe der Probe ermöglicht es, darin Mikromengen an Carbonyl-Verbindungen zu erkennen[1].

Eine andere brauchbare Methode besteht darin, die Oximinierung des zu analysierenden Ketons in einer Mischung von Methanol und Isopropanol vorzunehmen und das überschüssige Hydroxylamin mit Perchlorsäure unter Verwendung von Martiusgelb und Methylviolett als Indikator, oder potentiometrisch zu titrieren[2].

Zur direkten Bestimmung des überschüssigen Hydroxylamins (als Hydrochlorid eingesetzt) kann in einer Halbmicro-Methode die Oximinierungsmischung über einen stark basischen Ionenaustauscher filtriert werden. Das Filtrat enthält neben Oximen nur noch Hydroxylamin, das titriert werden kann. Diese Methode ist nicht anwendbar auf cyclische, sterisch gehinderte Ketone wie Carvon, Campher und aromatische Ketone (außer Acetophenon[3]).

Durch die Messung der Umsetzungsgeschwindigkeit von Carbonyl-Verbindungen mit Hydroxylamin- (oder Semicarbazid-)Hydrochlorid ist es möglich, nicht nur Keton-Gemische, sondern auch Keton-Aldehyd-Mischungen zu analysieren[4].

Die Verwendung von Hydroxylaminium-formiat[5] erlaubt eine einfache Halbmicro-Bestimmungsmethode von Ketonen ($\sim$ 0,3–15 mMol), weil unverändertes Hydroxylaminium-formiat direkt mit Salpetersäure (in Glykolmonomethyläther oder Methanol) und Thymolblau als Indikator zurücktitriert werden kann. Die Genauigkeit beträgt 5%. Nach dieser Methode wurden Aceton, Butanon und 4-Oxo-2-methyl-pentan erfolgreich auf Reinheit geprüft. Ketale und Vinyläther werden dabei nicht verseift.

b) Überführung in Hydrazone

Zur Charakterisierung von Ketonen kommen vor allem deren Hydrazone in Betracht.

Hierfür sind besonders die 2,4-Dinitro-phenylhydrazone geeignet, die praktisch in allen Analysenverfahren eingesetzt werden können. Farbige oder im U.V. fluoreszierende Hydrazine eignen sich für optische Bestimmungsmethoden, und Hydrazine mit wasserlöslichmachenden Gruppen ermöglichen es, die lyophilen Ketone in die wäßrige Phase zu dirigieren.

Phenylhydrazin ist zur Charakterisierung von Ketonen weniger geeignet, da es autoxidabel ist und die Phenylhydrazone verhältnismäßig niedrig schmelzen. Hochschmelzend sind dagegen die Semicarbazone (s. Bd. II, S. 448ff.).

Aus der Fülle der als geeignet erscheinenden Hydrazine[6] seien nur die wichtigsten in Tab. 252 (S. 2013) aufgeführt.

---

[1] H. R. Roe u. J. Mitchell,Jr., Anal. Chem. **23**, 1758 (1951).

[2] M. Pesez, Bl. **1957**, 417.
   J. S. Fritz, S. S. Yamamura u. E. C. Bradford, Anal. Chem. **31**, 260 (1959).

[3] S. Ebel, Ar. **300**, 472 (1967).

[4] S. Siggia, *Quantitative Organic Analysis via Functional Groups*, 3. Aufl., J. Wiley & Sons, Inc., New York 1963.

[5] J. E. Ruch, J. B. Johnson u. F. E. Critchfield, Anal. Chem. **33**, 1566 (1961).

[6] E. Guenther, *The Essential Oils*, Bd. II, S. 809ff., D. van Norstrand Co., New York 1949.

Tab. 252. Hydrazin-Derivate von Ketonen

Hydrazine	Hydrazone	Literatur
① **Hydrazone, die infolge hohen Kristallisationsvermögens und Schwerlöslichkeit zur Abtrennung von Ketonen geeignet sind**		
$H_2N-CO-NH-NH_2$	Höher schmelzend und gut kristallisierend	Bd. II, S. 448 ff.
$H_2N-CS-NH-NH_2$	Für analytische Zwecke. Thiosemicarbazone geben charakteristische Schwermetallkomplexe. Sie besitzen z. T. tuberkulostatische Eigenschaften.	E. E. REID, *Organic Chemistry of Bivalent Sulfur*, Bd. V, S. 201 ff., Chemical Publishing Co., New York 1963.
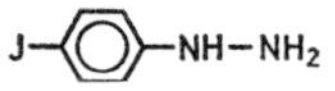 J—⟨◯⟩—NH—NH$_2$	Gut kristallisierend	P. P. T. SAH u. C.-L. HSÜ, R. **59**, 349 (1940). s. a. C. A. *43*, 6971 (1949).
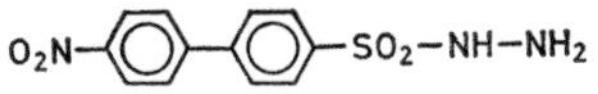 O$_2$N—⟨◯⟩—⟨◯⟩—SO$_2$—NH—NH$_2$	Isolierung von Monosen und Desoxyzucker	O. WESTPHAL et al., Bio. Z. **326**, 139 (1954).
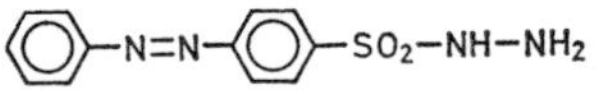 ⟨◯⟩—N=N—⟨◯⟩—SO$_2$—NH—NH$_2$	Isolierung von Monosen und Desoxyzucker	
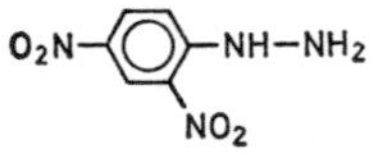 O$_2$N—⟨◯⟩—NH—NH$_2$ (NO$_2$)	Universell anwendbar	s. S. 2014, 2017.
② **Hydrazin-Derivate, die eine Phasentrennung ermöglichen**		
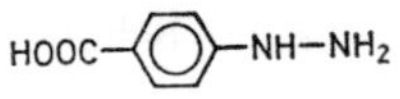 HOOC—⟨◯⟩—NH—NH$_2$	Abtrennung der Carbonyl-Verbindungen als unlösliche Bariumsalze.	s. S. 2020.
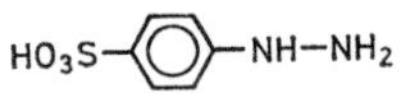 HO$_3$S—⟨◯⟩—NH—NH$_2$	Isolierung von Carbonyl-Verbindungen aus ätherischen Ölen	s. S. 2021.
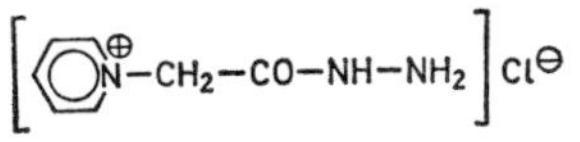 $[⟨◯⟩\overset{\oplus}{N}-CH_2-CO-NH-NH_2]\,Cl^{\ominus}$ Girard-Reagenz P	findet breiteste Anwendung zur Isolierung von wasserunlöslichen Ketonen, z. B. in der Steroid-Reihe	s. S. 2019.
$[(H_3C)_3\overset{\oplus}{N}-CH_2-CO-NH-NH_2]\,Cl^{\ominus}$ Girard-Reagenz T	findet breiteste Anwendung zur Isolierung von wasserunlöslichen Ketonen, z. B. in der Steroid-Reihe	s. S. 2019.
$(H_3C)_2N-NH_2$	Ketone reagieren schwerer als Aldehyde. Unterschiede in der Basizität der Hydrazone	s. S. 2017.
③ **Hydrazin-Derivate für physikalische Erkennungsmethoden**		
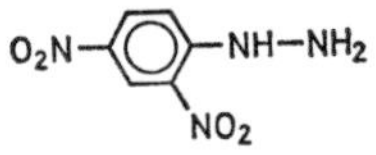 O$_2$N—⟨◯⟩—NH—NH$_2$ (NO$_2$)	Universell anwendbar	s. S. 2014, 2018.

Tab. 252 (1. Fortsetzung)

Hydrazine	Hydrazone	Literatur
	Fluoreszenz im UV-Licht bei Oxosteroiden (Aldehyde und Ketone)	B. Camber, Clin. Chim. Acta **2**, 188 (1957); C. A. **52**, 9272ᵉ (1957).
	Gefärbte Semicarbazone für Absorption und Chromatographie (reagiert anscheinend nicht mit allen Ketonen)	W. Winter, E. Demole u. E. Sundt, Helv. **40**, 467 (1957).
	Die Azine eignen sich zur Spektrophotometrie	M. A. Paz et al., Arch. Biochem. **109**, 548 (1965); C. A. **62**, 12140ᶜ (1965).

Zum 2,4-Dinitro-phenylhydrazin[1], s. Bd. II, S. 448. Es hat den Vorzug, daß es mit allen Carbonyl-Verbindungen praktisch quantitativ[2] zu hochschmelzenden und in verdünnten Säuren unlöslichen 2,4-Dinitro-phenylhydrazonen reagiert[3]. Als weiterer Vorteil, z. B. für chromatographische Zwecke s. S. 2015, kommt hinzu, daß diese orangerote Alkalimetallsalze bilden. Die 2,4-Dinitro-phenylhydrazone können nach allen chemisch- und physikalisch-analytischen Methoden erfaßt werden. Selbst Mikromengen lassen sich einwandfrei bestimmen[1]. Darüber existiert eine umfangreiche Literatur[1]. Es können daher hier nur einige Hinweise gegeben werden.

Zwar neigen die 2,4-Dinitro-phenylhydrazone zu Polymorphie und Mischkristallbildung, doch können Zweifel durch Mischschmelzpunkt mit authentischen Materialien sowie durch Dünnschichtchromatographie und UV-Spektroskopie[4] meist behoben werden. Die gravimetrischen[3] und titrimetrischen[5] Bestimmungen der Ketone mit 2,4-Dinitro-phenylhydrazin sind allgemein anwendbare Methoden[6] (vgl. Bd. II, S. 479). Die 2,4-Dinitro-phenylhydrazone lassen sich als schwache Säuren im wasserfreiem Medium mit Triäthyl-butyl-ammoniumhydroxid[7] in Benzol-Methanol potentiometrisch titrieren[8].

Die Genauigkeit dieser Methode beträgt ± 2%.

---

[1] J. G. Hanna in S. Patai, *The Chemistry of the Carbonyl Group*, S. 390f., Interscience Publ., London · New York 1966.
S. Siggia, *Quantitative Organic Analysis via Functional Groups*, 3. Aufl., S. 86, 91, 124, J. Wiley & Sons, Inc., New York 1963.

[2] R. C. Lawrence, Nature **205**, 1313 (1965).

[3] C. Bülow berichtet [vgl. L. Kahlenberg, Science **61**, 344 (1925)], daß selbst geringste Spuren von Aceton im Harn mit 2,4-Dinitro-phenylhydrazin eine Trübung ergeben.

[4] L. A. Jones, J. C. Holmes u. R. B. Seligman, Anal. Chem. **28**, 191 (1956).
J. P. Phillips, J. Org. Chem. **27**, 1443 (1962), **29**, 982 (1964).

[5] A. J. Sensabaugh, R. H. Cundiff u. P. C. Markunas, Anal. chem. **30**, 1445 (1958).
V. Haman u. A. Herrmdun, Dtsch. Lebensmittel-Rdsch. **56**, 133 (1960).

[6] T. Curtius u. G. M. Dedichen, J. pr. **50**, 264 (1894).
C. F. H. Allen, Am. Soc. **52**, 2955 (1930).
W. Dirschel u. H. Nahm, B. **73**, 448 (1940).

[7] R. H. Cundiff u. P. C. Markunas, Anal. Chem. **30**, 1450 (1958).

[8] J. S. Fritz, A. J. Moye u. M. J. Richard, Anal. Chem. **29**, 1685 (1957).

Eine ähnliche potentiometrische Titration der 2,4-Dinitro-phenylhydrazone ($\sim$ 1 mMol Einwaage) als einsäurige Base ist auch in Essigsäureanhydrid-Eisessig mit Perchlorsäure möglich[1]. Zur Messung wird eine modifizierte Calomelelektrode[2] verwendet. Die Genauigkeit beträgt ebenfalls $\pm$ 2%.

Die 2,4-Dinitro-phenylhydrazone[3] spielen auch bei der chromatographischen Trennung der Ketone untereinander und neben anderen Carbonyl-Verbindungen eine wichtige Rolle[4]. Dabei können die Methoden der Säulenchromatographie[5], der Papierchromatographie[6] und der Dünnschichtchromatographie[7] angewendet werden.

Eine halbquantitative Bestimmung der 2,4-Dinitro-phenylhydrazone kann nach deren Spaltung durch kurzes Erhitzen mit 2-Oxo-glutarsäure gaschromatographisch erfolgen[8].

c) Überführung in andere Derivate

Eine weniger angewendete Methode zur Charakterisierung von Ketonen besteht in der Umsetzung mit Kaliumcyanid und Ammoniumcarbonat zu Hydantoin-Derivaten[9]:

$$\text{\textbackslash C=O} \;+\; \text{KCN} \;+\; (NH_4)_2CO_3 \;\longrightarrow\; \text{Hydantoin}$$

Die Ausbeuten betragen zwar nicht mehr als 50% ,aber die Hydantoine sind schwer löslich und besitzen einen scharfen Schmelzpunkt.

Eine für Ketone spezifische Reaktion ist ihre Oxidation mit Trifluorperessigsäure[10, 11] (Baeyer-Villiger-Reaktion), s. S. 1985:

$$R\text{-}CO\text{-}R^1 \;+\; F_3C\text{-}COOOH\,[(F_3C\text{-}CO)_2O \;+\; H_2O_2] \;\longrightarrow\; R\text{-}COOR^1 \;+\; F_3C\text{-}COOH$$

Die bei der Oxidation entstehenden Ester (aus Ringketonen entstehen Lactone)

---

[1] D. B. Cowell u. B. D. Selby, Analyst 88, 974 (1963).

[2] D. C. Wimer, Anal. Chem. 30, 77 (1958).

[3] Vgl. auch die massenspektrometrischen Untersuchungen von R. J. C. Kleipool u. J. T. Heins, Nature 203, 1280 (1964).

[4] S. ds. Handb., Bd. II, S. 889.
Sammel-Literatur s. S. 2009, 2014.

[5] D. P. Schwartz, O. W. Parks u. M. Keeney, Anal. Chem. 34, 669 (1962).
G. A. Howard u. A. R. Tatchell, Chem. and Ind. 1954, 219.
P. J. G. Kramer u. H. v. Duin, R. 73, 63 (1954).

[6] H. S. Burton, Chem. & Ind. 1954, 576.
F. Klein u. K. de Jong, R. 75, 1285 (1956).
H. Fürst u. G. Feustel, Z. 2, 106 (1962).
A. M. Gaddis u. R. Ellis, Anal. Chem. 31, 870 (1959).
M. Nonaka, E. L. Pippen u. G. F. Bailey, Anal. Chem. 31, 875 (1959).

[7] G. M. Nano u. P. Sancin, Experientia 19, 323 (1963).
D. P. Schwartz, M. Keeney u. O. W. Parks, Microchem. J. 8, 176 (1964).
A. Zamojski u. F. Jamojska, Chem. Anal. 9, 589 (1964).
H. T. Badings u. J. G. Wassink, Neth. Milk Dairy J. 17, 132 (1963); C. A. 60, 26ᵈ (1964).
Z. A. Shevchenko u. I. A. Favorskaya, Vestn. Leningr. Univ. 19, Ser. Fiz. i. Khim. Nr. 2, 107 (1964); C. A. 61, 8874ᵃ (1964).

[8] J. W. Ralls, Anal. Chem. 32, 332 (1960).
R. L. Stephens u. A. P. Teszler, Anal. Chem. 32, 1047 (1960).

[9] H. T. Bucherer, V. A. Lieb, J. pr. 141, 5 (1934).
H. R. Henze u. R. J. Speer, Am. Soc. 64, 522 (1942).

[10] W. D. Emmons u. G. B. Lucas, Am. Soc. 77, 2287 (1955).

[11] R. Drucker u. M. J. Rosen, Anal. Chem. 33, 273 (1961), Beispiel.

können durch die rote Färbung der Eisen(III)-hydroxamate erkannt werden[1]:

$$R-COOR^1 \ + \ H_2N-OH \ \longrightarrow \ R-CO-NH-OH \ + \ R^1OH$$

$$3 \ R-CO-NH-OH \ + \ FeCl_3 \ \longrightarrow \ (R-CO-NH-O)_3Fe \ + \ 3 \ HCl$$

Aliphatische Aldehyde stören bei dieser Reaktion nicht. Dagegen reagieren aromatische Aldehyde positiv. Ester und sekundäre Alkohole, die zu Ketonen oxidiert werden können, stören naturgemäß diese Nachweisreaktion ebenfalls. Für die Bestimmung niederer Dialkylketone wurde diese Reaktion zu einer quantitativen jodometrischen Methode ausgearbeitet[2]. Die Schwierigkeiten bestehen in der Einhaltung wasserfreier Bedingungen und dem Ausschluß aller oxidierbaren Substanzen.

Die früher benutzte „Jodoformreaktion", wonach aus Methylketonen durch Erhitzen mit Jod und Alkalimetallhydroxid Trijodmethan abgespalten wird, ist nicht spezifisch, da auch Alkohol, Acetaldehyd u. a. in gleicher Weise oxidiert werden[3].

Die Bestimmung der Ketone mit komplexen Hydriden[4] ist durch die Verwendung von Natriumboranat anstelle von Lithiumalanat[4] erheblich verbessert worden. In alkalischer Lösung erfolgt eine quantitative Reduktion zu Carbinolen[5]:

$$4 \ \underset{/}{\overset{\backslash}{C}}=O \ + \ NaBH_4 \ + \ 2 \ NaOH \ + \ H_2O \ \longrightarrow \ Na_3BO_3 \ + \ 4 \ -\overset{|}{C}H-OH$$

Diese Reaktion ist auch zu einer Mikromethode ausgearbeitet worden[6]. Dabei wird überschüssiges Natriumboranat durch die Messung des Wasserstoffs bestimmt, der beim Zusatz von Schwefelsäure oder Salzsäure entsteht[7]:

$$NaBH_4 \ + \ HCl \ + \ 3 \, H_2O \ \longrightarrow \ 4 \, H_2 \ + \ NaCl \ + \ H_3BO_3$$

D. Hinweise auf Methoden zur Trennung von Keton- bzw. Aldehyd-Keton-Gemischen[8]

bearbeitet von

Prof. Dr. Drs. h. c. OTTO BAYER

Bayer AG, Leverkusen

Leider existiert kein Reagenz, das generell eine einwandfreie Trennung von Ketonen und Aldehyden ermöglicht (der hochreaktionsfähige Formaldehyd ist natürlich leicht abzutrennen).

[1] D. DAVIDSON, J. Chem. Educ. **17**, 81 (1940).
[2] M. F. HAWTHORNE, Anal. Chem. **28**, 540 (1956).
[3] R. C. FUSON u. B. A. BULL, Chem. Reviews **15**, 277 (1934).
[4] J. A. KRYNITSKY, J. E. JOHNSON u. H. W. CARHART, Am. Soc. **70**, 486 (1948).
F. A. HOCHSTEIN, Am. Soc. **71**, 305 (1949).
C. J. LINTNER, R. H. SCHLEIF u. T. HIGUCHI, Anal. Chem. **22**, 534 (1950).
T. HIGUCHI u. D. A. ZUCK, Am. Soc. **73**, 2676 (1951).
H. E. ZAUGG u. B. W. HORROM, Anal. Chem. **20**, 1026 (1948).
[5] S. W. CHAIKIN u. W. G. BROWN, Am. Soc. **71**, 122 (1949).
H. C. BROWN, E. J. MEAD u. B. C. SUBBA RAO, Am. Soc. **77**, 6209 (1955).
[6] M. SOBOTKA u. H. TRUTNOVSKY, Microchem. J. **3**, 211 (1959).
[7] H. I. SCHLESINGER et al., Am. Soc. **75**, 199 (1953).
[8] S. a. Funktionelle N-Derivate der Ketone, S. 1953 ff. und deren Analytik, S. 2011 ff.

Der Hydrazincarbonsäure-2-hydroxy-phenylester(I) und das Bis-[4-(1-methyl-hydrazino)-phenyl]-methan(II)

I   II

(s. Bd. VII/1, S. 466) reagieren vielfach nicht mit Ketonen bzw. nur unter schärferen Bedingungen.

Auch das N,N-Dimethyl-hydrazin reagiert mit Aldehyden erheblich leichter als mit Ketonen[1,2], außerdem weisen dessen Hydrazone erhebliche Unterschiede in ihrer Basizität auf. So sind die Hydrazone aus aromatischen Ketonen praktisch nicht und die aus aliphatischen Ketonen stark basisch.

Infolge verschiedener Bildungsgeschwindigkeiten der Hydrazone kann durch eine abgestufte Zugabe von Hydrazin-Derivaten oder Hydroxylamin bereits eine Fraktionierung erfolgen. So sind ungesättigte Ketone reaktionsfähiger als gesättigte, und die Hydrazone von gesättigten Ketonen sind leichter verseifbar als die von ungesättigten. Durch die unterschiedlichen Verseifungsgeschwindigkeiten der Hydrazone bei unterschiedlichen p_H-Werten ergeben sich weitere Trennungsmöglichkeiten.

Eine überragende Rolle in der Abscheidung, Identifizierung und Trennung von Ketonen kommt dem 2,4-Dinitro-phenylhydrazin[3] zu, s. Bd. II, S. 448 u. S. 2014ff. Die entsprechenden Hydrazone können nach allen Methoden der Chromatographie getrennt und durch Spektroskopie identifiziert werden (s. S. 2009.)

Zur Reaktionsfähigkeit der 4 isomeren Carbonyl-Verbindungen des Octans gegenüber Hydroxylamin und Semicarbazid s. Lit.[4]. Nach dem Octanal scheint das Octanon-(2) die reaktionsfähigste Verbindung zu sein.

Eine Reihe von Oximen und Semicarbazonen ist in $\sim$ 4n Salzsäure löslich, so z. B. das Semicarbazon vom *Pyrethron* und *Tetrahydro-pyrethron*[5]. Das Semicarbazon des *Hexahydro-pyrethrons* hingegen ist unlöslich. Eine Regel hierfür läßt sich nicht angeben.

Will man die Ketone aus ihren Derivaten möglichst verlustfrei regenerieren, dann kommen hierfür in erster Linie die Semicarbazone und die Girard-hydrazone in Betracht. Oxime sind schwerer spaltbar (s. Bd. VII/2a, S. 799).

Die 2,4-Dinitro-phenylhydrazone konnten bisher nur sehr verlustreich gespalten werden. In jüngster Zeit wurde gefunden, daß die Spaltung sehr glatt durch Reduktion mit Titan(III)-chlorid gelingt[6].

So konnte das *Cholestanon*-2,4-dinitro-phenylhydrazon (0,6 mMol) in 30 *ml* 1,2-Dimethoxy-äthan durch 1/2stdgs. Kochen mit einer 20%-igen wäßr. Lösung von 9 mMol Titan(III)-chlorid mit 95%-iger Ausbeute gespalten werden.

[1] s. SIGGIA, *Quantitative Organic Analysis via Functional Groups*, 3. Aufl., S. 87, J. Wiley & Sons, Inc., New York 1963.

[2] P. A. S. SMITH u. E. E. MOST jr., J. Org. Chem. **22**, 358 (1957).
s. a. G. R. NEWKOME u. D. L. FISHEL, J. Org. Chem. **31**, 677 (1966).

[3] S. SIGGIA, *Quantitative Organic Analysis via Functional Groups*, 3. Aufl., J. Wiley & Sons, Inc., New York 1963.

[4] F. ASINGER, G. GEISELER u. P. LANE, B. **90**, 485 (1957); dort auch Sammel-Lit. über ähnliche Untersuchungen an Ketonen verschiedener Konstitution.

[5] F. B. LA FORGE u. H. L. HALLER, Am. Soc. **59**, 760 (1937); *Pyrethron (3-Oxo-1-methyl-2-[pentadien-(2,4)-yl]-cyclopenten) Tetrahydropyrethron(3-Oxo-1-methyl-2-pentyl-cyclopenten)*.

[6] J. E. McMURREY u. M. SILVESTRI, J. Org. Chem. **40**, 1502 (1975).

Analog lassen sich *1-Tetralon*, *Cycloheptanon* und *Testosteron* mit über 90%-iger Ausbeute regenerieren.

Auch die Hydrazone aus Toluolsulfonsäure-hydrazid lassen sich mit Titan(III)-chlorid bereits bei 20° zerlegen. Auf diese Weise konnten ebenfalls Steroid-ketone mit hohen Ausbeuten wiedergewonnen werden[1].

Am empfindlichen *β-Ionon-semicarbazon* wurden die Verseifungsbedingungen untersucht. Dabei stellte sich heraus, daß durch längeres Schütteln mit Petroläther und 2n Schwefelsäure ein reineres Produkt entsteht als ohne Lösungsmittel[2]. Das gleiche ist auch beim *1*-Menthon der Fall.

Da praktisch alle Aldehyde verhältnismäßig stabile Hydrogensulfit-Verbindungen geben und die meisten Ketone keine bzw. leicht spaltbare, bieten sich so von Fall zu Fall Trennungsmöglichkeiten an (s. S. 1942).

Die Bestimmung von Aldehyden neben Ketonen erfolgt am zweckmäßigsten, indem man zunächst beide Carbonyl-Verbindungen mit Hydroxylamin-Hydrochlorid erfaßt und in einer zweiten Probe die Aldehyde mit Silberoxid zu Carbonsäuren oxidiert unter Rücktitration des unverbrauchten Silberoxids[3].

I. Anwendung der Gaschromatographie zur Abtrennung von Ketonen

In den letzten Jahren ist die Gaschromatographie, z. T. auch in Kombination mit anderen physikalischen Methoden, z. B. mit der Gegenstromverteilung, derart verfeinert worden, daß sie sogar im präparativen Maßstab durchgeführt werden kann und immer mehr andere Trennungsmethoden verdrängt. Diese hat einen solchen Umfang angenommen, daß hier nur auf wichtige Sammellit.[4] hingewiesen werden kann.

Bei der gaschromatographischen Zerlegung eines Gemisches von *α*- und *β*-Ionon wurde noch ein drittes Isomeres, das sog. *γ-Ionon* entdeckt[5]. Selbst Steroidketone lassen sich gaschromatographisch trennen (s. S. 2022).

Sehr nützlich kann es sein, Gemische z. B. aus stereoisomeren Ketonen und solchen ähnlicher Konstitution dadurch zu identifizieren, daß man die Carbonyl-Anteile nach der Abtrennung zu den Kohlenwasserstoffen hydriert und diese dann gaschromatographisch bestimmt.

II. Überführung von Ketonen in wasserlösliche Hydrazone

Die Isolierung von Ketonen — besonders wenn diese in geringen Konzentrationen in lipophilen Gemischen vorliegen — ist mit den üblichen Ketonreagenzien meist sehr schwierig.

---

[1] B. P. Chandrasekhar et al., Chem. & Ind., **1975**, 87.

[2] W. G. Young et al., Am. Soc. **66**, 855 (1944).

[3] S. Siggia, *Quantitative Organic Analysis via Functional Groups*, 3. Aufl., S. 93 u. 655, J. Wiley & Sons, Inc., New York 1963.

[4] J. H. Purnell, *Progress in Gas Chromatography*, darin "Preparative Gas Chromatography", Interscience Publishers, New York 1968.

J. R. Condes, „Production-Scale Gas Chromatography" in *New Developments in Gaschromatography*, Bd. XI, S. 137, J. Wiley & Sons., Inc., New York 1973.

[5] E. T. Theimer et al., J. Org. Chem. **27**, 635 (1962).

Man hat daher bereits früher ohne besonderen Erfolg versucht, Hydrazine mit wasserlöslichmachenden Gruppen anzuwenden, um so die Ketone in die wäßrige Phase zu dirigieren. Dies ist jedoch praktisch erst mit Hilfe der Girard-Reagenzien gelungen[1, 2], deren Hydrazone zudem noch leicht spaltbar sind:

$$[(H_3C)_3\overset{\oplus}{N}-CH_2-CO-NH-NH_2]\ Cl^{\ominus}$$

Girard-Reagenz T

$$\left[\text{◯}\overset{\oplus}{N}-CH_2-CO-NH-NH_2\right]\ Cl^{\ominus}$$

Girard-Reagenz P

Die Girard-Reagenzien T und P unterscheiden sich praktisch nur in den unterschiedlichen Löslichkeiten ihrer Hydrazone.

Keton-hydrazone mit Girard-T- bzw. -P-Reagenz; allgemeine Arbeitsmethode: Die Girard-Reagenzien T und P werden meist im Überschuß in einer alkoholischen Lösung, die 10% Essigsäure enthält, angewandt. Je nach der Reaktionsfähigkeit der Carbonyl-Gruppe muß man zwischen 20 Min. und 12 Stdn. rückfließend erhitzen. Nach dem Verdünnen mit Wasser neutralisiert man die Essigsäure und äthert die carbonylgruppenfreien Bestandteile aus. Dann wird die wäßr. Phase unter Zusatz von Oxalsäure hydrolysiert. Dies erfolgt meist schon bei 20°. Von Wert kann es sein, die Hydrazone empfindlicher Ketone im neutralen Medium herzustellen und ohne Säure-Zusatz neutral zu spalten. Dies wird erreicht, indem man das Girard-Reagenz T und das Keton in alkoholischer Lösung mit einem stark sauren Ionenaustauscher erhitzt und aus dem Hydrazon mit einer wäßr. Formaldehyd-Lösung bei 20° das Keton in Freiheit setzt[3].

Ebenso wie die Bildungsgeschwindigkeiten der Hydrazone verschieden sind[4], so unterscheiden sich diese auch durch ein unterschiedliches Verhalten bei der Hydrolyse, woraus sich weitere Trennungsmöglichkeiten ergeben.

Die Girard-Hydrazone lassen sich aus Wasser oder Methanol umkristallisieren oder auch elektrophoretisch trennen[5]. Auf diese Weise kann z. B. eine Gehaltsbestimmung bei Hormonpräparaten durchgeführt werden[6].

Girard-Hydrazone lassen sich auch papierchromatographisch trennen. Da sie mit Kalium-Tetrajodobismutat orangerote und mit Kalium-hexajodo-platinat(IV) (K_2PtJ_6) pupurrote Komplexe bilden, wird ihre Diagnostizierung erleichtert[7].

Über die Polarographie von Girard-Hydrazonen s. Lit.[8].

[1] A. GIRARD u. G. SANDULESCO, Helv. **19**, 1095 (1936).
  Fr. P. 767464 (1934); DRP. 622508 (1936), Laboratoires Franc. de Chimiothérapie, Erf.: A. GIRARD u. G. SANDULESCO; C.A. **30**, 3594⁶ (1936).
[2] O. H. WHEELER, *The Girard Reagents*, Chem. Reviews **62**, 205 (1962); J. Chem. Educ. **45**, 435 (1968).
[3] C. L. TEITELBAUM, J. Org. Chem. **23**, 646 (1958).
  W. TAYLOR, Nature **182**, 1735 (1938).
[4] O. H. WHEELER u. O. ROSADO, Tetrahedron 18, 477 (1962).
[5] W. P. MCKINLEY, Science **121**, 129 (1955).
[6] Vollständige Literaturzusammenstellung der Lit. bis 1970 über die Anwendung chromatographischer Methoden auf Ketongemische: J. Chromatog. Suppl. **3**, 97 ff. (1973).
[7] A. ZAFFARONI et al., J. Biol. Chem. **177**, 100 (1949).
[8] O. H. WHEELER, Chem. Reviews **62**, 216 (1962).

Zur Abtrennung von *Menthon* und *Carvon* aus ätherischen Ölen hat sich Phenyl-hydrazin-4-sulfonsäure bewährt.

Die Phenylhydrazin-4-carbonsäure ermöglicht eine andere Abtrennungstechnik der Ketone[1], z. B. aus Wachsen und Fetten. Ein Modell-Gemisch aus Paraffin und *Nonacosanon-(12)* wird in üblicher Weise mit Phenylhydrazin-4-carbonsäure in Äthanol unter Zusatz von Essigsäure und Pyridin behandelt. Dann wird aus einem methanolischen Extrakt das Hydrazon mit Bariumhydroxid als unlösliches Barium-salz gefällt, abgesaugt und anschließend mit Salzsäure zerlegt[2].

III. Isolierung von Ketonen aus speziellen Naturstoffklassen[3]

a) Isolierung aus ätherischen Ölen und Aromastoffen[3-5]

In den ätherischen Ölen liegen die Ketone im Gemisch hauptsächlich mit Aldehyden, Estern, Terpenen und Sesquiterpenen vor.

Die erste Abtrennung der Ketone erfolgt meist durch Überdestillieren der flüchtigen Bestandteile mit Wasserdampf. Sind darin die Ketone nur in geringen Mengen ent-halten, dann empfiehlt es sich, diese in die 2,4-Dinitro-phenylhydrazone[6] oder Girard-Hydrazone überzuführen und diese, vor oder nach der Spaltung[7], chromato-graphisch zu trennen. Dazu ist zu bemerken, daß durch die fortschreitende Ver-feinerung der physikalischen Methoden die klassischen chemischen Trennverfahren z. T. überholt sein dürften.

Wegen der großen Zahl der durchgeführten Trennverfahren, die z. T. auch in einer vielfältigen Kombination der zur Verfügung stehenden Methoden bestehen, kann hier nur auf die Originalliteratur einiger typischer Beispiele hingewiesen wer-den. − Über die Analyse flüchtiger Aromastoffe in Lebensmitteln s. Lit.[8].

Die flüchtigen carbonylhaltigen Bestandteile der Butter wurden aus dem Wasser-dampfdestillat als 2,4-Dinitro-phenylhydrazone abgeschieden und chromatographisch identifiziert[9].

Die Analyse von Himbeeröl[10] und Erdbeeröl[11] erfolgte z. T. über 2,4-Dinitro-phenylhydrazone[12] durch Gaschromatographie und Massenspektroskopie.

[1] S. VEIBEL, Acta chem. scand. **1**, 54 (1947).
[2] H. A. EL MANGOWIN, Biochem. J. **31**, 1978 (1937).
[3] Ullmann **14**, 699. Sammellit.: S. 776 (1963).
[4] Ausführliche Beschreibung der Eigenschaften, Isolierung und Synthesen aller natürlich vor-kommenden Ketone; E. GILDEMEISTER, F. HOFFMANN u. D. MERKEL, *Die Ätherischen Öle*, Bd. IIIc, Akademie-Verlag, Berlin 1963.
[5] E. GILDEMEISTER, F. HOFFMANN u. W. TREIBS, *Die Ätherischen Öle*, Bd. II, S. 46 ff.; Chro-matographische Trennungen von Riechstoffgemischen: *Chemische Analytik*, S. 216 ff., Akademie-Verlag, Berlin 1960.
[6] 2,4-Dinitro-phenylhydrazon-Chromatographie, in E. LEDERER, *Chromatographie en Chimie Organic et Biologique*, Vol. I, 430, Masson, Paris 1959.
[7] W. RALLS, Anal. Chem. **32**, 332, 1047 (1960).
[8] P. ISSENBERG u. J. HORNSTEIN in *Advances in Chromatography*, Bd. **9**, 295, M. Dekker, Inc., New York 1970.
[9] M. WINTER, u. M. STOLL et al., J. of Food Science **28**, 554 (1963).
[10] M. WINTER u. P. ENGGIST, Helv. **54**, 1891 (1971).
[11] M. WINTER u. B. WILLHALM, Helv. **47**, 1215 (1964).
[12] M. WINTER u. E. SUNDT, Helv. **45**, 2195 (1962).

Zur Abtrennung eines Ketolactons aus Jasmin wurde Girard-Reagenz P benutzt; nach der Spaltung des Hydrazons wurde gaschromatographisch aufgearbeitet[1,2].

Die Abtrennung der Keton-Bestandteile aus Mandarinenöl[3], Limettenöl[4], Kaffeearoma[5], Kakaoaroma[6] und Tabakaroma[7] erfolgte ebenfalls gaschromatographisch (z.T. sind auch dort die Synthesen der Ketone beschrieben).

Iron wurde aus *rhizome d'iris de Florence* durch Benzol-Extraktion oder Wasserdampfdestillation und anschließender Behandlung mit Girard-Reagenz P isoliert. Die regenerierten Ketone wurden fraktioniert und nach verschiedenen Methoden spektroskopisch untersucht[8].

Aus dem Baldrianöl wurden die gesättigten und ungesättigten Ketone zunächst mit Girard-Reagenz extrahiert, nach der Spaltung in die Semicarbazone überführt, diese durch Umkristallisieren getrennt und schließlich als 2,4-Dinitro-phenylhydrazone analysiert[8,9].

Mit gutem Erfolg ist die Phenylhydrazin-4-sulfonsäure benutzt worden, um aus Pfefferminzöl das *l-Menthon* und aus Kümmelöl das *Carvon* zu isolieren. Die Hydrolyse erfolgte leicht durch ein-stdges Erhitzen mit verd. Schwefelsäure[10].

Erfolgt die Abtrennung über das Semicarbazon, dann muß dessen Spaltung durch Erhitzen mit 0,5 n Schwefelsäure in Gegenwart von Petroläther vorgenommen werden, da sonst eine teilweise Isomerisierung erfolgt.

Das *Zibeton* (*10-Oxo-cycloheptadecen*) wurde aus dem Drüsenmaterial nach folgenden Verfahrensschritten herauspräpariert[11]:

Zibeton: 2 kg Zibet werden zunächst mit äthanolischem Kaliumhydroxid bei 90° behandelt, um die Fette zu spalten (Diese robuste Behandlung ist möglich, da das Ringketon recht stabil ist).

Nach dem Eingießen in Wasser werden die unverseifbaren Anteile in Äther aufgenommen, die ätherische Phase eingedampft, der Rückstand mehrmals mit Methanol extrahiert und in dieser Lösung die mitgeschleppten Seifen in die Calciumsalze überführt. Nach dem Abdestillieren des Methanols wird erneut in Äther aufgenommen, filtriert und – nach der üblichen Aufarbeitung – destilliert; Ausbeute: ~ 220 g; $Kp_{0,5}$: 140–160°.

Das Destillat wird in Methanol-Lösung in das Semicarbazon überführt, das nach einmaligem Umkristallisieren völlig einheitlich anfällt. Die Ausbeute an Zibeton-semicarbazon beträgt ~ 80 g.

Die Regenerierung des Zibetons erfolgt durch Erhitzen mit einer konz. Oxalsäure-Lösung.

---

[1] E. Demole, B. Willhalm u. M. Stoll, Helv. **47**, 1152 (1964).

[2] Zur Zerlegung von Jasminöl s. a.

    Y. R. Naves u. A. V. Crampoloff, Helv. **25**, 1511 (1942).

    E. Demole, Helv. **45**, 1951 (1962).

    Y. R. Naves, A. V. Crampoloff u. E. Demole, Helv. **46**, 1006 (1963).

[3] E. Kugler u. E. sz. Kováts, Helv. **46**, 1480 (1963).

[4] E. sz. Kováts, Helv. **46**, 2705 (1963).

[5] M. Stoll et al., Helv. **50**, 629 (1967).

[6] J. Flament, B. Willhalm u. M. Stoll, Helv. **50**, 2233 (1967).

[7] E. Demole et al., Helv. **55**, 1866 (1972); **56**, 265 (1973).

[8] Y. R. Naves u. P. Bachmann, Helv. **30**, 2222, 2233, 2241 (1947).

[9] A. Stoll, E. Seebeck u. D. Stauffacher, Helv. **40**, 1205 (1957).

[10] W. Treibs u. H. Röhnert, B. **84**, 433 (1951).

[11] L. Ruzicka, Helv. **9**, 238 (1926).

b) Isolierung von Steroidketonen[1-5]

Vor der Auffindung der Girard-Reagenzien (1934–36)[3] wurden die Steroidhormone zusammen mit den übrigen lipoidlöslichen Anteilen aus den Organen zunächst in Äthanol oder Chloroform aufgenommen; der Extrakt wurde dann zwischen Petroläther und wasserhaltigem Äthanol verteilt. Nach mehrmaligem Wechsel der Phasen konnte so eine Anreicherung der Steroidketone in der letzten alkoholischen Phase auf das 100–200fache erzielt werden. Aus deren Eindampfrückstand wurde schließlich das Keton als Semicarbazon oder Oxim kristallin abgeschieden, dieses durch Umkristallisieren gereinigt und meist unter Ausbeuteverlusten gespalten.

Heute arbeitet man jedoch vorwiegend mit den Girard-Reagenzien (s. S. 2019). Sehr bewährt hat sich die schonende Ausführungsform von Teidelbaum (s. S. 2019).

Kennt man jedoch die Eigenschaften des zu isolierenden Ketons, dann gelingt es vielfach, durch eine Kombination mehrerer gut aufeinander abgestimmter Gegenstromverfahren direkt kristallisationsfähige Hormone zu gewinnen.

Es ist erstaunlich, daß Steroide anscheinend sogar durch Gaschromatographie abgetrennt werden können[4,5]. Über die Massenspektroskopie von Steroiden s. Lit.[6].

Aus der großen Zahl der durchgeführten Trennverfahren seien nur einige skizziert[7]. Über die unterschiedliche Reaktivität der Steroidketone, sowohl bei der Bildung funktioneller Derivate als auch bei deren Spaltung s. Lit.[8].

Isolierung von Progesteron aus Corpora lutea[9]: Nach der etwas modifizierten Originalvorschrift[10] wird Progesteron aus Corpora lutea von Schweinen auf folgende Weise isoliert: Das Material wird zunächst mit Äthanol extrahiert und die Rohextrakte zwischen 70%-igem Äthanol und Petroläther verteilt. In der Äthanol-Phase ist das Hormon bereits auf das 10fache angereichert. Erneute Verteilung zwischen 40%-igem Äthanol und Petroläther bewirkt eine nochmalige 10fache Anreicherung. Jetzt erfolgt die Umsetzung zum Semicarbazon, aus dem nach der Spaltung mit 60%-iger Oxalsäure reines Progesteron gewonnen wird.

Isolierung von Aldosteron aus Rindernebennieren[11]: Zur Abtrennung des Aldosteron werden Rindernebennieren zunächst mit 1,2-Dichlor-äthan extrahiert und dann das Konzentrat zwischen Pentan und 30%-igem Methanol verteilt. Die Methanol-Extrakte werden eingedampft und der Rückstand mit einem Chloroform-Äther-Gemisch (1:3) extrahiert. Diese Lösung wird nun mit

[1] Steroidhormone in „Ullmann" 8, 644–692 (1957).
[2] R. Nehen, *Steroid Separations and Analysis* in *Advances in Chromatography*, Bd. 4, S. 47, M. Dekker, New York 1967.
[3] O. H. Wheeler, *The Girard Reagents*, Chem. Reviews 62, 205 (1962); J. Chem. Educ. 45, 435 (1968).
[4] E. Lederer, *Chromatographie en Chimie Organic et Biologique*, Masson, Paris 1959.
[5] E. C. Horning u. W. J. A. Vandenheuvel, *Qualitative and Quantitative Aspects of the Separation of Steroids by Gaschromatography* in C. Gidding u. R. A. Keller, *Advances in Chromatography*, Vol. I, S. 151, M. Dekker Inc. New York 1965.
[6] M. Spiteller-Friedmann u. G. Spiteller, Fortschritte d. chem. Forschung 12, 440 (1969).
[7] Sammellit. über alle optischen, chromatographischen, magnetischen und massenspektroskopischen Methoden in der Steroidchemie findet sich in *Rodd's Chemistry of Carbon Compounds*, 2. Aufl., Vol. II D, Elsevier Publishing Comp., Amsterdam 1970.
[8] H. R. Lindner, Biochem. Biophys. Acta 38, 362 (1960).
   H. J. E. Loewenthal, *Selective Reactions and Modifications of Functional Groups in Steroid Chemistry*, Tetrahedron 6, 269–303 (1959).
[9] G. Ehrhart u. H. Ruschig, *Arzneimittel*, Bd. III, S. 332, 305–417, Verlag Chemie, Weinheim 1972.
[10] A. Butenandt, U. Westphal u. W. Hohlweg, Z. f. physiol. Chem. 227, 84 (1934).
[11] S. A. Simpson, J. F. Tait, A. Wettstein, R. Neher, J. v. Euw, O. Schindler u. T. Reichstein, Helv. 37, 1163 (1954).
   S. a. R. E. Harman, L. H. Sarett et al., Am. Soc. 76, 5035 (1954).

Wasser und verd. Salzsäure behandelt und dann einer Verteilungschromatographie an Kieselgel unterworfen. Aus dem Eluat kann schließlich das reine Aldosteron kristallin abgeschieden werden. Über die Endausbeute werden keine Angaben gemacht. Diese dürfte ~ 10 g aus 500 kg Drüsen betragen.

Über das klassische Trennungsverfahren der Nebennierenhormone mittels Extraktion, Lösungsmittelverteilung und anschließender Anwendung des Girard-Reagenzes s. Lit.[1,2].

Über die Abscheidung des *3-Acetoxy-17-oxo-androstens-(5)* als Semicarbazon bei dessen Synthese aus Cholesterin und die Spaltung des Semicarbazons in 1,4-Dioxan mit verd. Schwefelsäure bei 60° s. Sammellit.[3].

Die techn. Isolierung von *Oestron* aus Stutenharn (5 mg/*l*) wird durch die Verteilung in Lösungsmitteln vorgenommen[4]. Die Reinigung von *3-Oxo-cholesten-(4)* mit Girard-Reagenz T ist in Bd. VII/1, S. 480, beschrieben.

V. Trennung von Keton-Racematen

Die Zerlegung von Keton-Racematen in die optisch aktiven Komponenten ist mit optisch aktiven Hydrazinen, allerdings ohne überzeugenden Erfolg, versucht wor, den. Als Hydrazine wurden z. B. verwendet: *d*-Weinsäuremonoamid-hydrazid[5]-Oxalsäure-(1-phenyl-äthylamid)-hydrazid[6] und das optisch aktive Girard-Reagenz[7] *Dimethyl-(hydrazinocarbonyl-methyl)-[2-phenyl-propyl-(2)]-ammonium-chlorid*(s. a. Bd. IV/2, S. 37, 528).

[1] T. REICHSTEIN, Helv. **19**, 29, 1107 (1936).
[2] O. H. WHEELER, *The Girard Reagents*, Chem. Reviews **62**, 205 (1962); J. Chem. Educ. **45**, 435 (1968).
[3] ULLMANN, Bd. 8, 650 (1957).
[4] Verfahren der Dr. G. Henning GmbH; BIOS Final Rep. 1404, S. 146.
    S. a. ULLMANN, Bd. 8, 656 (1957).
[5] F. NERDEL u. E. HENKEL, B. **85**, 1138 (1957).
[6] N. J. LEONARD u. J. M. BOYER, J. Org. Chem. **15**, 42 (1950).
    V. M. POTAPOV et al., Vestn. Mosk. Univ., Ser. II Chim. **18**, 28 (1963); C. A. **59**, 14551 (1963).
[7] W. DIRSCHERL et al., B. **86**, 1380 (1953).

Bibliographie[1]

zusammengestellt von

Frau Dr. HANNA SÖLL

Bayer AG, Leverkusen

1. Allgemeines

M. S. NEWMAN, *Ketones*, in *Steric Effects in Organic Chemistry*, S. 233–241, John Wiley & Sons, Inc., New York 1956.

V. FRANZEN, *Reaktionen der Carbonylgruppe*, in *Reaktionsmechanismen*, S. 87–114, A. Hüthig Verlag, Heidelberg 1958.

E. S. GOULD, *Addition an die C=O-Doppelbindung*, in *Mechanismus und Struktur in der organischen Chemie*, S. 647–656, Verlag Chemie, Weinheim/Bergstr. 1962.

A. V. KAMERNITZKY u. A. A. AKHREM, *The Stereochemistry of Reactions of Nucleophilic Addition to the Carbonyl Group of Cyclic Ketones*, Tetrahedron **18**, 705–750 (1962).

D. J. CRAM, *Fundamentals of Carbanion Chemistry*, in *Organic Chemistry Monographs*, Vol. 4, Academic Press, New York . London 1965.

G. BERTHIER u. J. SERRE, *General and Theoretical Aspects of the Carbonyl Group*, in S. PATAI, *The Chemistry of the Carbonyl Group*, Bd. 1, S. 1–77, Interscience Publishers, London, New York, 1966.

C. D. GUTSCHE, *The Chemistry of Carbonyl Compounds*, Prentice-Hall Inc., Englewood Cliffs, New York 1967.

C. K. INGOLD, *Nucleophilic Additions to Carbonyl and Olefinic Compounds*, in *Structure and Mechanism in Organic Chemistry*, 2. Aufl., S. 994–1037, Cornell University Press, Ithaca, New York 1969.

J. ZABICKY, *The Chemistry of the Carbonyl Group*, Bd. 2, Interscience Publishers, New York 1970.

W. KIRMSE, *Carbene Chemistry*, Academic Press, New York . London 1971.

P. SYKES, *Reaktionsmechanismen der Organischen Chemie*, 6. Aufl., Verlag Chemie, Weinheim 1976.

2. Herstellung von Ketonen und Umwandlung (unter Erhalt der Carbonyl-Gruppe)

H. O. HOUSE, *Modern Synthetic Reactions* (Hydrierung, Oxidation. Halogenierung, Alkylierung, Acylierung, Michael- und Aldol-Kondensation von Ketonen), 2. Aufl. W. A. BENJAMIN Inc., Menlo Park, California 1972.

W. J. LE NOBLE, *Conditions for the Alkylation of Ambident Anions*, Synthesis **1970**, 1.

J. DOCKX, *Quaternary Ammonium Compounds in Organic Synthesis*, Synthesis **1973**, 441 (u. a. Alkylierung von Ketonen).

T. M. MORRIS u. C. M. MORRIS, *γ-Alkylation and Arylation of Dianions of β-Dicarbonyl-Compounds*, Org. Reactions **17**, 155 (1969).

J. M. CONIA u. P. LE PERCHEC, *The Thermal Cyclisation of Unsaturated Carbonyl Compounds*, Synthesis **1975**, 1.

E. D. BERGMANN, D. GINSBURG u. R. PAPPO, *The Michael Reaction*, Org. Reactions **10**, 179 (1959).

H. A. BRUSON, *Cyanoethylation of Ketones*, Org. Reactions **5**, 99 (1952).

A. A. FROST u. R. G. PEARSON, *The Aldol Condensation and the Cleavage of Diacetone Alcohol*, in *Kinetics and Mechanism*, S. 335ff., Wiley, New York 1961; deutsche Übersetzung: S. 313ff., Verlag Chemie, Weinheim 1964.

---

[1] S. a. Bd. VII 2a, S. 1168 u. ff. und Bd. VII 2c.

A. T. Nielsen u. W. J. Houlihan, *The Aldol Condensation*, Org. Reactions **16**, 1–403 (1968).

H. Reiff, *Die gezielte Aldolkondensation*, in *Neuere Methoden der präparativen organischen Chemie*, Bd. VI, Verlag Chemie, Weinheim/Bergstr. 1970.

K. Mothes u. H. R. Schütte, *Biosynthese der Alkaloide*, Deutscher Verlag der Wissenschaften, Berlin 1969.

M. S. Newman u. B. J. Magerlein, *The Darzens Glycidic Ester Condensation*, Org. Reactions **5**, 413 (1949).

M. Ballester, *Mechanisms of the Darzens and Related Condensations*, Chem. Revies **55**, 283 (1955).

G. Jones, *The Knoevenagel Condensation*, Org. Reactions **15**, 204 (1967).

S. Sethna, *Cycloacylation*, in G. O. Olah, *Friedel-Crafts and Related Reactions*, Vol. II, S. 911, Interscience Publishers, New York 1964.

D. Seebach, *Nucleophile Acylierung mit 2-Lithium-1,3-dithianen*, Synthesis **1969**, 17.

H. Wynberg, *The Reimer-Tiemann Reaction*, Chem. Reviews **60**, 169 (1960).

F. Weygand u. H. J. Bestmann, *Synthesen über Diazoketone*, Ang. Ch. **72**, 535 (1960).

R. R. Phillips, *The Japp-Klingemann Reaction*, Org. Reactions **10**, 143 (1959).

S. M. Parmeter, *The Coupling of Diazonium Salts with Aliphatic Carbon Atoms*, Org. Reactions **10**, 1 (1959).

G. H. Posner, *Conjugate Addition Reactions of Organocopper Reagents*, Org. Reactions **19**, 1 (1972).

L. W. Butz u. A. W. Rytina, *Diene Additions to Cyclenones other than Quinones*, Org. Reactions **5**, 153 ff. (1949).

J. Colonge u. G. Descotes, *α,β-Unsaturated Carbonyl Compounds as Dienes*, in J. Hamer, *1,4-Cycloaddition Reactions*, S. 217–253, Academic Press, New York . London 1967.

A. S. Onishchenko, *Diene Condensations of Cyclopentadienones*, in *Diene Synthesis*, S. 330–353, Oldbourne Press, London 1964.

Y. A. Titov, *Orientation in Diene Synthesis and its Dependence on Structure*, Russian Chem. Reviews **31**, 267 (1962).

H. Wollweber, *Diels-Alder-Reaktion*, S. 139, G. Thieme Verlag, Stuttgart 1972.

K. T. Finley in S. Patai, *The Chemistry of the Quinonoid Compounds*, Bd. II, S. 1011, J. Wiley & Sons, London . New York 1974.

H. J. E. Loewenthal, *Selective Reactions and Modification of Functional Groups in Steroid Chemistry*, Tetrahedron **6**, 269–303 (1959).

J. F. W. McOmie, *Protection of Aldehydes and Ketones*, Adv. Org. Chem. **3**, 258 ff. (1963).

H. J. E. Loewenthal in J. F. W. McOmie, *Protective Groups in Organic Chemistry*, Plenum Press, London . New York 1973.

3. Spezielle Ketonklassen

L. A. Yanovskaya, *Synthesis of unsaturated ketones by the condensation of β,γ-unsaturated alcohols and esters . . .*, Reaktsii i Methody Issledovaniya Organicheskikh Soedinenii, Moskau, Bd. 12, S. 259–308 (1963); C. A. **59**, 7355 c (1963).

R. I. Katkevič u. L. I. Vereščagin, *Synthesis of α Ethynylcarbonyl Compounds*, Russ. Chem. Reviews **38**, 900–912 (1969); engl. Übersetzung.

A. R. Forrester, J. M. Hay u. R. H. Thomson, *Ketyls*, in *Organic Chemistry of Stable Free Radicals*, S. 82–90, Academic Press, London . New York 1968.

N. Hirota, *Metal Ketyls and Related Radical Ions – Electronic Structures and Ion Pair Equilibria*, in E. T. Kaiser u. L. Kevan, *Radical Ions*, S. 35–85, Interscience Publishers, New York 1968.

W. S. Johnson, *The Formation of Cyclic Ketones by Intramolecular Acylation*, Org. Reactions **2**, 114 (1944).

J. M. Conia, *Synthesen von Cyclopropylcarbonyl-Verbindungen*, Ang. Ch. **80**, 578–585 (1968).

K. T. Potts u. J. S. Baum, *The Chemistry of Cyclopropenones*, Chem. Reviews **74**, 196 (1974).

Rodds' Chemistry of Carbon Compounds, Supl. II a u. II b, Elsevier Publ. Co., Amsterdam 1974;
  3 Ring-Ketone: S. 36 u. ff.
  4 Ring-Ketone: S. 52
  5 Ring-Ketone: S. 117 u. ff.
  6 Ring-Ketone: S. 163
  Makrocyclische Ketone: S. 377.

M. A. Ogliaruso, M. G. Romanelli u. E. I. Becker, *Chemie der Cyclopentadienone*, Chem. Reviews **65**, 261–367 (1965).

R. E. Ellison, *Methods for the Synthesis of 3-Oxocyclopentanes*, Synthesis **1973**, 397.

R. Mayer, *Cyclopentanon-o-carbonsäureester und seine präparative Bedeutung*, Ang. Ch. **68**, 169 (1956).

A. J. Waring, *Cyclohexadienone*, Adv. Alicyclic Chem. **1**, Academic Press, New York 1966.

A. J. Warin, *Fortschritte der Chemie der Cyclohexadienone*, Öst. Chemiker-Ztg. **68**, 832–851 (1967).

C. F. H. Allen, *Carbonyl Bridge Compounds and Related Substances*, Chem. Reviews **37**, 209 (1945).

A. P. Krapcho, *Synthesis of Carbocyclic Spiro Compounds via Intramolecular Alkylation Routes*, Synthesis **1974**, 383.

M. Hauser, *Die Reaktionen des Mesityloxyds*, Chem. Reviews **63**, 311–324 (1963).

V. F. Shner u. N. M. Przhiyaglovskaya, *Verbindungen aus der β-Tetralonreihe*, Russ. chem. Reviews **35**, 523–531 (1966).

Ketone der Steroidreihe in L. F. u. M. Fieser, *Steroide*, S. 307–345, Verlag Chemie, Weinheim 1961.

C. Djerassi, *Steroid-Reactions*, Holden-Day Inc., San Franzisco 1963.

P. Morand u. L. Lyall, *Die Steroid-Östrogene*, Chem. Reviews **68**, 85–124 (1968).

E. S. Krongauz u. A. M. Berlin, *Bis-β-diketone*, Uspechi Chim. **38**, 1479–1503 (1969).

J. P. Collman, *Reaktionen der Metall-acetylacetonate*, Ang. Ch. **77**, 154–161 (1965).

F. Bonati, *Organometallic Derivatives of β-Diketones*, Organomet. Chem. Reviews **1**, 379–389 (1966).

J. P. Fackler, *Metal-β-ketoenolate Complexes*, Progress Inorg. Chem. **7**, 361—425 (1966).

A. G. Brook, *Ketoderivate von organischen Metallverbindungen der 4. Gruppe*, Adv. Organometallic Chem. **7**, 95–155 (1968).

N. V. Komarov u. V. K. Roman, *Siliciumorganische Ketone*, Uspechi Chim. **39**, 1220–1243 (1970).

Y. I. Baukov u. I. F. Litsenko, *Si-, Ge-, Su-, Pb-organische Derivate von Ketoenolen*, Chem. Rev. Sct. A.6 **3**, 355–445 (1970).

4. Umwandlung der Carbonyl-Gruppe in C-Heteroatom-Gruppierungen

I. Lindqvist, *Inorganic Adduct Molecules of Oxo-Compounds*, Springer-Verlag, Berlin, Göttingen, Heidelberg 1963.

R. Mayer, J. Morgenstern u. J. Fabian, *Aliphatische Thioketone*, Ang. Ch. **76**, 157–167 (1964), dort tabellarische Zusammenstellung aller bekannten aliphatischen Thioketone.

R. W. Layer, *The Chemistry of Imines*, Chem. Reviews **63**, 489 (1963).

J. Szmuskovicz, *Enamines* in Advances in Org. Chemistry IV S. 1 Interscience Publishers, New York 1963.

A. G. Cook, *Enamines, Synthesis, Structure and Reactions*, M. Dekker, New York 1969.

G. A. Boswell Jr. et al., *Aldehydes and Ketones*, in *Fluorination by Sulfur Tetrafluoride*, Org. Reactions **21**, 20–30 (1974).

E. Campaigne, *Thioketones*, in S. Patai, *The Chemistry of the Carbonyl Group*, Bd. 1, S. 917–960, Interscience Publishers, New York 1966.

5. Kondensationen der Carbonyl-Gruppen unter C—C-Verknüpfungen

R. L. Reeves, *Condensations Leading to Double Bonds*, in S. Patai, *The Chemistry of the Carbonyl Group*, Bd. 1, Interscience Publishers, New York 1966.

J. Mathieu u. R. J. Weill-Raynal, *Formation of C–C Bonds*, Vol. II, S. 234–242, 358, 508 u. ff. G. Thieme Verlag, Stuttgart 1975.

H. O. House, Modern Synthetic Reactions, 2. Aufl. W. A. Benjamin Inc. Menlo Park 1972.

W. Ziegenbein, *Aethinylierung und Alkinylierung*, S. 48–123, Verlag Chemie, Weinheim 1963.

W. Ziegenbein, *Addition Reactions of the Alkynide Ion with Aldehydes and Ketones*, in H. G. Viehe, *Chemistry of Acetylenes*, S. 169 ff., M. Dekker, New York 1969.

T. F. Rutledge, *Acetylenic Compounds*, Reinhold Book Corp., New York 1968.

M. W. Rathke, *The Reformatsky Reaction*, Org. Reactions **22**, 423 (1975).

W. S. Johnson u. G. H. Daub, *The Stobbe Condensation*, Org. Reactions **6**, 1 (1951).

T. Eicher, *Reactions of Carbonyl Groups with Organometallic Compounds*, in S. Patai, *The Chemistry of the Carbonyl Group*, Bd. 1, Interscience Publishers, New York 1966.

6. Umlagerungsreaktionen

L. G. Donaruma u. W. Z. Heldt, *The Beckmann Rearrangement*, Org. Reaction **11**, 1 (1960).

H. Wolff, *The Schmidt Reaction*, Org. Reactions 3, 315 (1946).

S. Selman u. J. F. Eastham, *Benzilic Acid and Related Rearrangements*, Quart. Rev. **14**, 221 (1960).

A. S. Kende, *The Favorskii Rearrangement of Haloketones*, Org. Reactions **11**, 261 (1960).

7. Oxydation (und oxydative Umlagerungen)

C. F. Cullis u. A. Fish, *Carbonyl-forming Oxidations*, in S. Patai, *The Chemistry of the Carbonyl Group*, Bd. 1, Interscience Publishers, New York 1966.

H. S. Verter, *Oxidation of Aldehydes and Ketones*, in J. Zabicky, *The Chemistry of the Carbonyl Group*, Bd. 2, S. 71 ff., Interscience Publishers, New York 1970.

C. H. Hassall, *The Baeyer-Villiger Oxidation of Aldehydes and Ketones*, Org. Reactions **9**, 73 (1957).

R. A. Sheldon u. J. K. Kochi, *Oxidative Decarboxylation of γ-Keto Acids by Lead Tetraacetate*, Org. Reactions **19**, 325 (1972).

D. Swern, *Organic Peroxides* (u. a. aus Ketonen), Vol. I, S. 24 f., Vol. II, S. 18, 36 ff., 295, Wiley-Interscience, New York 1970/71.

M. Carmack u. M. A. Spielman, *The Willgerodt Reaction*, Org. Reactions **3**, 83 (1949).

R. Wegler, E. Kühle u. W. Schäfer, *Reaktionen des Schwefels mit araliphatischen sowie aliphatischen Verbindungen* (u. a. Willgerodt-Reaktion), Ang. Ch. **70**, 351 (1958).

W. Walter u. K.-D. Bode, *Die Willgerodt-Kindler-Reaktion*, Ang. Ch. **78**, 527 (1966).

E. V. Brown, *The Willgerodt Reaction*, Synthesis **1975**, 358–375.

H. Stetter, *Darstellung langkettiger Carbonsäuren ausgehend von Cyclohexandionen-(1,3)*, Ang. Ch. **67**, 769 (1955); u. a. Herstellung von Cyclohexandionen.

8. Reduktion der Carbonyl-Gruppe

O. H. Wheeler, *Reduction of Carbonyl Groups*, in S. Patai, *The Chemistry of the Carbonyl Group*, Bd. 1, S. 507–566, Interscience Publishers, New York 1966.

J. D. Morrison, *Asymmetric Reduction*, Surv. Progr. Chem. 3, 147–182 (1966);
von α-Keto-estern u. -säuren: S. 151–157
von Aldehyden u. Ketonen: S. 158–172

A. Hajós, *Reduktion von Aldehyden, Ketonen und Chinonen*, in *Komplexe Hydride*, S. 125–129, VEB Deutscher Verlag der Wissenschaften, Berlin 1966.

E. L. Martin, *The Clemmensen Reduction*, Org. Reactions **1**, 155 (1942).

D. Staschewski, *Der Mechanismus der Clemmensen-Reduktion*, Ang. Ch. **71**, 726 (1959).

E. Vedejs, *Clemmensen Reduction of Ketones*, in *Anhydrous Organic Solvents*, Org. Reactions **22**, 401 (1975).

D. Todd, *The Wolff-Kishner Reduction*, Org. Reactions **4**, 378 (1948).

W. Kirmse, *Bamford-Stevens Reaction*, in *Carbene Chemistry*, 2. Aufl., S. 29–34, Academic Press, New York . London 1971.

F. Zymalkowski, *Hydrierung der C=O-Doppelbindung in Aldehyden und Ketonen*, in *Katalytische Hydrierungen im Organisch-Chemischen Laboratorium*, S. 91–116, F. Enke-Verlag, Stuttgart 1965.

M. D. Rausch, W. E. McEwen u. J. Kleinberg, *Reduction of Ketones and Aldehydes*, in *Reductions Involving Unipositive Magnesium*, Chem. Reviews **57**, 424–431 (1957).

M. J. Allen, *Elektrolytische Reduktion von Ketonen*, *Organic Elektrode Processes*, S. 58 ff., Chapman u. Hall Ltd., London 1958.

F. D. Popp u. H. P. Schultz, *Ketones*, in *Elektrolytic Reduction of Organic Compounds*, Chem. Reviews **62**, 28–30 (1962).

W. S. EMERSON, *The Preparation of Amines by Reductive Alkylation*, Org. Reactions **4**, 174 (1948).

M. L. MOORE, *The Leuckart Reaction*, Org. Reactions **5**, 301 (1949).

9. Analytik und Trennverfahren

S. SIGGIA, *Quantitative Organic Analysis via Functional Groups*, 3. Aufl., S. 73 ff. u. S. 622 ff., J. Wiley & Sons, Inc., New York 1963.

J. G. HANNA, *Chemical and Physical Methods of (Keton) Analysis*, in S. PATAI, *The Chemistry of the Carbonyl Group*, Bd. 1, S. 375–420, J. Wiley & Sons, London . New York 1966.

F. T. WEISS, *Determination of Organic Compounds: Methods and Procedures*, S. 84–115, Wiley-Interscience, New York 1970.

O. H. WHEELER, *The Girard Reagents*, Chem. Reviews **62**, 205 (1962).

N. B. COLTHUP, L. H. DALY u. S. E. WIBERLEY, *Introduction to Infrared and Raman Spectroscopy*, S. 239–268, Academic Press, New York 1964.

L. J. BELLAMY, *Ultrarot-Spektrum und chemische Konstitution*, 2. Aufl. S. 101–126, Tabelle 9, Zuordnung für Ketone, Dr. Dietrich Steinkopff Verlag, Darmstadt 1966.

I. M. KOLTHOFF u. J. J. LINGANE, *Carbonyl Compounds*, in *Polarography*, 2. Aufl., Vol. II, S. 652–698, Interscience Publishers, New York . London 1952.

H. BUDZIKIEWICZ, C. DJERASSI u. D. H. WILLIAMS, *Mass Spectrometry of Organic Compounds*, S. 134–173, Holden-Day, Inc., San Franzisco 1967.

J. H. BOWIE, *Mass Spectrometry of Carbonyl Compounds*, in J. ZABICKY, *The Chemistry of the Carbonyl Group*, Bd. 2, S. 277 ff., Interscience Publishers, New York 1970.

E. STAHL, *Dünnschicht-Chromatographie* (Ein Laboratoriumshandbuch), 2. Aufl., Springer Verlag, Berlin 1967.

L. R. SNYDER, *Principles of Adsorption Chromatography*, M. Dekker, New York 1968.

P. ISSENBERG u. J. HORNSTEIN, *Advances in Chromatography*, Bd. 9, S. 295, M. Dekker, Inc., New York 1970.

J. J. KIRKLAND, *Modern Practice of Liquid Chromatography*, J. Wiley & Sons, New York 1971.

Z. DEYL et al., *Bibliography of Column Chromatography 1967–1970 and Survey of Applications*, J. Chromatog., Suppl. Vol. 3, Elsevier Scientific Publishing Co., Amsterdam 1973.

J. CAZES, *Gel Permeation Chromatography*, American Chemical Society, Washington 1971.

E. LEDERER, *Chromatographie en Chimie Organique et Biologique*, Vol. I, S. 430, Masson, Paris 1959 (2,4-Dinitro-phenylhydrazon-Chromatographie).

J. A. DEAN, *Chemical Separation Methods*, van Nostrand Reinhold, New York 1969.

E. C. HORNING u. W. J. A. VANDENHEUVEL, *Qualitative and Quantitative Aspects of the Separation of Steroids by Gaschromatography*, in C. GIDDING u. R. A. KELLER, *Advances in Chromatography*, Vol. I, S. 151, M. Dekker, Inc., New York 1965.

R. NEHEN, *Steroid Separations and Analysis*, in *Advances in Chromatography*, Bd. 4, S. 47, M. Dekker, New York 1967.

E. GÜNTHER, *The Essential Oils*, Bd. II, S. 809–822, D. van Nostrand Co., New York 1949.

E. GILDEMEISTER, F. HOFFMANN u. W. TREIBS, *Die Ätherischen Öle*, Bd. II, S. 46 ff., Chromatographische Trennungen von Riechstoffgemischen: *Chemische Analytik*, S. 216 ff., Akademie-Verlag, Berlin 1960.

E. GILDEMEISTER, F. HOFFMANN u. D. MERKEL, *Die Ätherischen Öle*, Bd. III c, Akademie-Verlag, Berlin 1963 (Ausführliche Beschreibung der Eigenschaften, Isolierung und Synthesen aller natürlich vorkommenden Ketone).

10. Verschiedenes

K. E. HAMLIN u. A. W. WESTON, *The Cleavage of Non-enolizable Ketones with Sodium Amide*, *The Haller-Bauer Reaction*, Org. Reactions **9**, 1 (1947).

Sachregister

Die Namen der hergestellten Verbindungen entsprechen weitgehend dem Beilsteinprinzip. Trivialnamen oder Handelsbezeichnungen werden nur in Ausnahmefällen, Kurzbezeichnungen dagegen allgemein gebracht.

Sammelnamen der Verbindungsklassen s. Inhaltsverzeichnis S. XXXI ff. Über die Nomenklatur der in diesem Band abgehandelten Verbindungsklassen s. Bd. VII/2a, S. 14 f.

Fettgedruckte Ziffern verweisen auf Vorschriften oder ausführliche Beschreibungen.

O